2360

# DICTIONNAIRE ANALOGIQUE

# DICTIONNAIRE ANALOGIQUE

répertoire moderne

## des mots par les idées
## des idées par les mots,

d'après les principes de P. Boissière.

Rédigé sur un plan nouveau

*par*

### Charles MAQUET

*agrégé de grammaire*

**LIBRAIRIE LAROUSSE, PARIS-VI**e

*17, rue du Montparnasse, et boulevard Raspail, 114*

# PRÉFACE

---

O<small>N</small> ne méconnaît plus les services que peut rendre un dictionnaire analogique. Ce recueil de mots est devenu un instrument de travail indispensable à ceux qui préparent un livre, un article, un discours, et en général à tous ceux qui ont à exprimer des pensées. Son rôle est de remédier à la déficience verbale, soit en remémorant des mots oubliés, soit en faisant découvrir des mots inconnus.

Il est, par suite, l'auxiliaire de la pensée, car toute pensée se formule en mots, non seulement dans son expression définitive, mais encore dans les différents états de sa conception. C'est que mots et idées sont pratiquement inséparables. Les faits, sensations, sentiments et impressions, qui sont la matière exprimable de nos pensées, ne prennent corps dans l'esprit que modelés dans la forme précise des mots.

Mais l'esprit qui conçoit, et qui contrôle en même temps ses conceptions, exige que les mots soient conformes aux idées qu'il veut exprimer. Ces mots sont ainsi l'objet d'une recherche et d'un choix. Il y a là un effort de discrimination qui se ramène à des associations d'idées, et un recueil de mots, qui vise à faciliter le travail de l'expression, doit être composé et rédigé de manière à suivre et au besoin à devancer les associations d'idées de ses lecteurs.

Voilà comment un dictionnaire analogique est fondé à prendre pour sous-titre : *les mots par les idées et les idées par les mots.* Tel était le dessein du dictionnaire de Boissière dont nous présentons ici une réduction et une refonte.

Du dictionnaire de Boissière nous gardons le plan général, les grandes divisions et les intentions. A l'intérieur de ces cadres, les remaniements sont tels que les deux ouvrages, tout en se proposant le même but, diffèrent profondément dans la réalisation.

Le livre qui est l'objet de cette refonte n'est pas une suite alphabétique des mots de la langue, comportant pour chacun son explication et ses emplois. L'idée de suite fait place ici à l'idée de rayonnement. On s'attache essentiellement à présenter un certain nombre de mots-centres autour desquels se groupent tous les mots qui ont entre eux un rapport quelconque de sens : nuances, détail, synonymie, analogie, extension, dérivation, composition, etc... Les mots-centres représentent des abstractions, des idées morales, des êtres, des actions communes de la vie, des sciences, des métiers, etc... Ils sont autant d'étoiles autour desquelles tournent des systèmes de planètes et de satellites.

On voit aisément quel secours précieux apporte à la mémoire une pareille organisation de l'abondance verbale, quelles voies elle ouvre à l'acquisition du vocabulaire, comme elle assure, par la confrontation des termes, la propriété de l'expression. L'écrivain peut avoir des défaillances de mémoire ou des ignorances; il n'en trouvera pas moins les mots qui lui font défaut. Comment les trouvera-t-il? En utilisant le répertoire alphabétique placé en tête de chaque page et qui contient les mots usuels de la langue avec le renvoi aux mots-centres dans le rayonnement desquels ils peuvent être compris. Chaque mot trouvé en fera trouver d'autres, rien que par le jeu des analogies.

A ces commodités de la recherche nous pensons en avoir ajouté de nouvelles. Tout d'abord le présent volume est de format et de texte plus réduits que l'ancien; il est par conséquent plus maniable. Il n'est pas moins abondant, bien au contraire. S'il y a réduction, elle est obtenue par un procédé de classement des mots, à l'intérieur des mots-centres, qui en fait un livre tout à fait nouveau.

En effet, nous ne nous bornons pas, comme le *Boissière,* à énoncer dans l'ordre alphabétique les mots analogues qui se rattachent à un mot-centre. Nous décomposons l'idée centrale en un certain nombre d'idées secondaires qui forment des paragraphes, ayant chacun leur titre et leur groupement de mots particuliers. Il n'est plus nécessaire de lire tout un développement pour rencontrer le mot cherché. Les titres en caractères gras retiennent l'attention et délimitent la recherche.

Il y a plus. A l'intérieur de chaque division, nous avons établi des subdivisions formées par des groupes de mots qui expriment un même ordre d'idées et qui sont séparés les uns des autres par des tirets. Sans perte de temps, l'esprit perçoit dans toute son étendue la gamme des sens, et, dans toute sa plasticité, l'adaptation des mots à l'idée. Ainsi se justifie notre prétention de cataloguer les mots par les idées et de suggérer les idées par les mots.

Cette disposition en groupes et sous-groupes a d'autres avantages. Elle permet d'être court et clair en remplaçant les définitions par les classements de sens. De brèves parenthèses ou des paragraphes spéciaux suffisent à signaler les termes techniques. Elle permet aussi de rapprocher dans ce qu'ils ont de commun les mots des langages les plus divers, de l'académique et du poétique comme du technique et du familier. Elle permet encore de dépasser le cadre des grammaires dans l'étude du vocabulaire, et de saisir dans tous ses mouvements la vie des mots. Enfin elle incite à consulter les dictionnaires usuels, en éveillant des curiosités et en ouvrant des aperçus nouveaux.

Par ailleurs, nous n'avons négligé aucun détail qui pût contribuer à la clarté de l'exposé et de la lecture. Nous avons éliminé les mots inutiles, les mots vieillis comme les mots de remplissage. Nous avons introduit tous les mots qui expriment les différents aspects de la vie actuelle. Nous avons donné à notre livre une forme typographique aussi lumineuse que le permettait sa densité, et nous avons établi dans chaque page une concordance rigoureuse entre le répertoire et la succession des mots-centres.

Tel qu'il est, nous soumettons ce dictionnaire à l'appréciation du public. Puisse-t-il être qualifié de pratique par ceux qui auront à s'en servir !

Ch. MAQUET.

# INSTRUCTIONS POUR L'USAGE DU DICTIONNAIRE

---

I. — La partie supérieure des pages est constituée par le lexique alphabétique des mots français.

Les mots essentiels ou *mots-centres*, imprimés en caractères gras dans cette partie supérieure, sont ceux qui, dans la partie inférieure, deviennent en effet les centres de groupements analogiques. Les autres mots du lexique d'en haut, imprimés en caractères maigres, renvoient au moyen de la lettre V (abréviation de *voyez*) aux mots-centres. Les abréviations *m.*, *f.*, *p.*, placées auprès des noms signifient *masculin*, *féminin*, *pluriel.*

II. — Dans la partie inférieure, les mots-centres sont suivis des termes qui se rattachent à eux par des liens d'analogie. Pour faciliter les recherches, ces mots sont répartis en un certain nombre de paragraphes, marqués par des caractères gras plus petits que ceux des mots-centres. Dans ces paragraphes, les petites capitales désignent d'autres mots-centres auxquels on peut se référer. Les italiques indiquent une subdivision ou notent un mot étranger.

Dans les mots-centres, on emploie seulement les abréviations : *bl* (blason), *vx* (vieux) et *f* (familier) ; cette dernière étant appliquée surtout aux mots qui appartiennent à l'argot.

---

# DICTIONNAIRE ANALOGIQUE

Répertoire moderne

Des mots par les idées
Des idées par les mots

## A

ABAISSEMENT, m. V. *bas.*
ABAISSER. V. *bas.*
ABAISSER (s'). V. *céder, humilité.*
**Abandon,** m. Abandonner.
V. *fuite, céder, accusation.*
ABANDONNER (s'). V. con-

fiance, *résignation.*
ABAQUE, m. V. *colonne.*
ABÂTARDIR. V. *gâter.*
ABAT-JOUR, m. V. *lumière.*
ABAT-SON, m. V. *cloche.*
ABATTAGE, m. V. *bois, mine.*
ABATTANT, m. V. *meuble.*

**Abattement,** m. V. *bas, mou, chagrin.*
ABATTIS, m. V. *volaille.*
ABATTOIR, m. V. *bœuf, boucherie.*
ABATTRE, V. *renverser, arbre, boucherie, houille, malheur.*

---

## ABANDON

**Renoncement.** — Abandon, abandonner, abandonnement. — Abstention, s'ABSTENIR. — Renoncer. Abnégation. — Négliger, négligence, négligeable. — Rebuter, mettre au rebut, à l'écart, de côté. — Se débarrasser. Déposer. — Délaisser, délaissement.

Reculer. Renâcler. En démordre. — Jeter le manche après la cognée. — En avoir assez.

**Séparation.** — Se séparer. — PARTIR. S'en aller. Quitter. — Prendre congé. Dire adieu. Planter là. Fausser compagnie. Tourner le dos. — S'écarter. S'éloigner. — Lâcher. Laisser, laisse (rivage abandonné par la mer).

**Abandon d'une foi.** — Abjurer, abjuration. — Hérésie, hérétique, hérésiarque. — Apostasie, apostat, s'apostasier. — RENIER, renégat. — Jeter le froc aux orties. — Se parjurer, parjure. — Changer d'opinion.

**Abandon d'enfant.** — Exposer (abandonner dans un lieu isolé), exposition. — Perdre un enfant. — Enfant perdu. — Enfant trouvé. — Champi (trouvé dans les champs). — Enfants assistés. Tour (ancien guichet d'hospice pour dépôt secret d'enfants).

**Abandon d'époux.** — Divorce, divorcer. — Séparation, se séparer. — Répudiation, répudier.

Infidélité, INFIDÈLE. — Inconstance, inconstant. — Tromperie, tromper.

**Abandon d'un poste.** — Déserter, dé-

serteur, désertion. — Passer à l'ennemi. Transfuge. — Trahir, TRAHISON, traître. — Fuir, fuite, fuyard. — Défection, défectionnaire. — Désemparer (abandonner), désemparement, désemparé. — Débaucher, débaucheur.

**Abandon d'un lieu.** — Evacuer, évacuation. — Déménager, déménagement. — Déguerpir. Déloger. Vider les lieux. — Etre VACANT. — DÉSERT.

**Abandon d'une propriété.** — Se défaire. Se débarrasser. — Faire abandon, abandonnataire. — Se démunir. Se dépouiller. Se dépourvoir.

Se désapproprier (abandonner la propriété), désappropriation. — Se dévêtir d'une propriété, dévêtissement. — Déguerpir un héritage. — Exponse (abandon d'un héritage hypothéqué). — Succession jacente (non réclamée). — Céder, cession. — Délaissement. Déguerpissement.

**Abandon d'un droit.** — Renonciation, renoncement, renoncer. — Se dessaisir, dessaisissement. Se désister, désistement. — Abdiquer, abdication. — Se démettre, démission, démissionnaire. — Se retirer, retraite. — Lever une opposition, mainlevée. — Désuétude. Non-usage. — Se départir d'une prétention. — Se déporter, déport (déclaration de qui se récuse). Se récuser, récusation.

## ABATTEMENT

**Perte de courage.** — Abattement, abattu, abattre. — Accablement, accabler. —

ABATTRE (s'). V. *cheval.*
ABAT-VENT, m. V. *abri.*
ABBAYE, f. V. *église, bénéfice.*
ABBÉ, m. V. *moine, prêtre.*
ABBESSE, f. V. *moine.*
ABCÉDER. V. *ulcère.*
ABCÈS, m. V. *pus, plaie, ulcère.*
ABDICATION, f. V. *roi.*
ABDIQUER. V. *abandon, destituer.*
ABDOMEN, m. Abdominal. V. *ventre.*
ABÉCÉDAIRE, m. V. *lettre.*
ABEILLE, f. V. *miel.*
ABÉQUER. V. *bec.*
ABERRATION, f. V. *écart, erreur, folie, étoile.*
ABÊTIR. V. *sot.*
ABHORRER. V. *horreur.*
ABÎME, m. V. *gouffre, ouvert.*
ABÎMÉ. V. *gâter, usé.*
ABÎMER. V. *sale.*

ABJECT. Abjection, f. V. *vil.*
ABJURATION, f. Abjurer. V. *renier, abandon, religion.*
ABLATIF, m. V. *grammaire.*
ABLATION, f. V. *couper, ôter, tumeur, chirurgie.*
ABLE (suff.). V. *pouvoir.*
ABLETTE, f. V. *poisson.*
ABLUTION, f. V. *laver, bain, pur, Mahomet.*
ABNÉGATION, f. V. *abandon, sacrifice, généreux.*
ABOIEMENT, m. V. *cri.*
ABOIS, m. p. V. *cerf.*
ABOLIR. Abolition, f. V. *détruire, ôter, annuler.*
ABOMINER. V. *mal, horreur.*
**Abondance,** f. V. *beaucoup, boisson, parler.*
ABONDER. V. *abondance.*
ABONNÉ, m. V. *journal, théâtre.*
ABONNEMENT, m. V. *acheter.*

ABONNER (s'). V. *souscrire.*
ABORD, m. V. *rencontre.*
ABORDAGE, m. V. *choc, combat.*
ABORDER. V. *attaque, bateau, entrevue, près.*
ABOUCHER (s'). V. *entrevue, négocier.*
ABOUEMENT, m. V. *menuisier.*
ABOUT, m. V. *charpente.*
ABOUTIR. V. *finir, but, chemin, pus.*
ABOUTISSANTS, m. p. V. *dépendance.*
ABOYER. V. *chien.*
ABRAQUER. V. *bras, tirer.*
**Abrégé,** m. V. *court, livre, résumer.*
ABRÉGER. V. *abrégé.*
ABREUVER. V. *boire, arroser.*
ABREUVOIR, m. V. *auge, cheval.*
ABRÉVIATION, f. V. *abrégé.*

---

Consternation, consterner. — Démoralisation, démoraliser, démoralisant, démoralisateur. — Découragement, décourager. — Désespoir, désespérer. — Déconfiture, déconfire. — Stupeur, stupéfaction, stupéfier, stupéfait. Démonter. Déconcerter. Ebranler le courage. Navrer.

**Faiblesse de caractère.** — Lâcheté. — Relâchement. — Inertie. — CHAGRIN. — Tristesse. — DÉGOÛT. — Spleen.

Etre atterré, morne, morose. — Se laisser aller. — Avoir la mort dans l'âme.

**Perte de force.** — Dépression, déprimer. — Engourdissement, engourdir. — FATIGUE, fatiguer. — Anéantissement, anéantir. — Lassitude, las, lasser. — Faiblesse, faible, affaiblir. — Affaissement, s'affaisser. — LANGUEUR, languissant, languir. — Alanguissement, alangui. — Torpeur, torpide. — Inertie, inerte. Mollesse, MOU.

Ecraser. — Assommer. — Abrutir. — Aplatir. — Terrasser. — Casser bras et jambes.

**Etat maladif.** — Atonie. — Cachexie (amaigrissement). — Affaiblissement. — Collapsus (diminution des forces). — Collabescence (entier affaiblissement). — Lourdeur. — SOMMEIL pesant. — Somnolence. — Léthargie. — Coma, état comateux. — Prostration. — Lypémanie (humeur triste).

## ABONDANCE

**Etre en abondance.** — Abonder, abondant. — Etre commun, nombreux. — Foisonner, foisonnement. — Etre copieux, inépuisable, intarissable. — Etre en quantité, en masse, en tas. — Surabonder, surabondant. Couler à flots. Il en pleut. — Plénitude. Répétition.

**Donner en abondance.** — Donner à pleines mains. — Combler. — Couvrir de. — Prodiguer. — Répandre. — Verser à torrents. — Profusion.

Donner (produire beaucoup). — Etre FERTILE, fécond, luxuriant, plantureux, exubérant. — Enrichir.

Approvisionner, PROVISIONS. — Saturer. — Rassasier, satiété.

Fortune. Prospérité. Superflu.

**Avoir en abondance.** — Regorger de. — Avoir à gogo, à souhait, à revendre, à discrétion. — Remuer à la pelle. — Thésauriser. — Etre RICHE. — Ne manquer de rien. — N'être pas à court. — Vivre grassement. Nager dans l'opulence. — Vivre dans un pays de Cocagne, à l'âge d'or, au Paradis.

## ABRÉGÉ

(latin, *brevis;* grec, *stenos*)

**Ecriture abrégée.** — Bradygraphie, bradygraphe. — Logographie, logographe. — Sténographie, sténographe. Sténotypie. — Séméiographie. — Monogramme. — Chrisme (monogramme du Christ). — Sigle (initiale mise pour le mot).

**Ouvrages abrégés.** — Abrégé. — Epitomé. — Compendium. — Enchiridion. — Bréviaire. — Manuel. — Précis. — Somme. — Extraits. — Morceaux choisis. — Appendice.

Ouvrage court, bref, concis, succinct, élémentaire.

**Formes abrégées.** — Résumé. — Compte rendu. — Aperçu. Plan d'une œuvre. — Sommaire. — Argument. — Table des matières. — Topo. — Bordereau. — Légende.

Bref. Court. Succinct. Sommaire.

**Art d'abréger.** — Abréger, abrégement, abréviation, abréviatif, abréviateur. — Analyser, analyse, analytique. — Récapituler, récapitulation. — Réduire, réduction. — Donner la substance. — DIMINUER, diminution. — Raccourcir, en raccourci.

Résumer. — Resserrer. — Exposer brièvement. — Extraire. Donner la substance.

Signes abréviatifs. Chiffre. Code.

**Abri,** m. V. *retraite, cacher.*
ABRICOT, m. V. *fruit.*
ABRITER. V. *abri, défendre, couvrir.*
ABROGER. V. *loi, annuler.*
ABRUPT. V. *inégal.*
ABRUTI. V. *engourdi.*
ABRUTIR. V. *abattement, sot.*
**Absence,** f. V. *oubli.*
ABSENTER (s'). V. *manque.*
ABSIDE, f. V. *église, architecture.*
ABSINTHE, f. V. *amer.*
ABSOLU. V. *parfait, métaphysique.*
ABSOLUTION, f. V. *pardon, péché, pénitence.*
ABSOLUTISME, m. V. *politique, roi, tyran.*
ABSORBER. V. *prendre, manger, boire.*
ABSORBER (s'). V. *attention.*
ABSOUDRE. V. *confession, dégager.*
ABSOUTE, f. V. *funérailles, liturgie.*
ABSTÈME. V. *boire.*
**Abstenir** *(s').* V. *cesser, abandon, éviter, manque.*

ABSTENTION, f. V. *restriction, suffrage.*
ABSTINENCE, f. Abstinent. V. *jeûne, chaste, modération.*
ABSTRACTION, f. V. *intelligence.*
ABSTRAIRE. V. *pensée.*
ABSTRAIT. V. *distinct.*
ABSTRUS. V. *obscur.*
ABSURDE. V. *faux, sot, raison.*
ABSURDITÉ, f. V. *argument, mal.*
ABUS, m. V. *mal, excès.*
ABUSER. V. *tromper.*
ABUSER (s'). V. *erreur.*
ACACIA, m. V. *arbre.*
ACADÉMIE, f. Académicien, m. Académique. V. *société, université, cheval, dessin.*
ACAJOU, m. V. *meuble.*
ACANTHE, f. V. *chardon, architecture.*
ACANTHOPTÈRES, m. p. V. *épine.*
ACARE, m. V. *ver.*
ACARIÂTRE. V. *hargneux.*
ACAULE. V. *tige.*
ACCABLEMENT, m. V. *abattement, ennui.*

ACCABLER. V. *beaucoup, lourd.*
ACCALMIE, f. V. *calme, maladie.*
ACCAPAREMENT, m. Accaparer. V. *acheter, prendre, attention.*
ACCÉDER. V. *approuver, venir.*
ACCÉLÉRATEUR, m. V. *automobile.*
ACCÉLÉRER. V. *exciter, prompt.*
ACCENSE, f. V. *louage, rente.*
ACCENT, m. V. *prononcer, langage, lettre.*
ACCENTUATION, f. Accentuer. V. *grammaire, parler.*
ACCEPTABLE. Acceptation, f. V. *recevoir, reconnaissance, résignation.*
ACCEPTER. V. *billet, approuver, supporter.*
ACCEPTION, f. V. *mot, signifier.*
ACCÈS, m. V. *maladie, attaque, fureur, fièvre, entrer.*
ACCESSIBLE. V. *près, facile.*
ACCESSION, f. V. *augmenter, venir.*
ACCESSIT, m. V. *récompense.*

## ABRI

**Lieux d'abri.** — Maison. Gîte. Hutte. TENTE. — Lieu sûr. RETRAITE. Asile. Refuge. — GALERIE. Couvert. Niche. Porche. Guérite. — Auvent. Abrivent. Marquise. — Caverne. Grotte. Antre. — Trou. Cachette. Terrier. Tanière. — Remise. Gare. Garage.

**Moyens d'abri.** — Clôture. Fermeture. Porte. Grille. Toit. — Vêtements. Chapeau. VOILE. Voilette. Masque. — PARAPLUIE. Parasol. Ombrelle. — Rideau. Tenture. Tendelet. PAVILLON. Dais. Moustiquaire. — Ecran. Garde-feu. — Parapet. Garde-fou. Bastingage. — Bâche. Banne. — Paratonnerre. — Paravent. Brise-vent. Abat-vent.

**Abri marin.** — PORT. Rade. Havre. Crique. Bassin. Digue. Jetée. — Ancrage. Mouillage.

**Abri militaire.** — FORTIFICATION. Fort. Fortin. Blockhaus. — Muraille. Murs. Rempart. — Casemate. Caponnière. Epaulement. — Retranchement. Tranchée. GALERIE. Boyau. — Blindage. Cuirasse. BOUCLIER. — Obstacle. Barricade. Fils barbelés.

**Abriter.** — Protéger, protection. — Garantir, garantie. — Défendre, défense. — Couvrir, couverture. — Mettre en sûreté, hors d'atteinte, hors de danger. — Assurer, assurance. — Empêcher. Faire obstacle. — Chaperonner.

## ABSENCE

**Absence de chez soi.** — S'absenter, absentéisme. — Etre parti. Etre sorti. Etre dehors. Etre en voyage. N'être plus là. — S'en aller. S'enfuir. Décamper. DISPARAÎTRE. — Disparition. Fugue. Escapade. — Etre disparu, envolé, invisible, introuvable.

Ne trouver personne. Trouver porte close, visage de bois.

Présomption d'absence. Déclaration d'absence. — Envoi en possession provisoire, définitif.

**Absence en justice.** — Non-comparant. — Contumace (absence d'un accusé). — Contumax (accusé absent). — Faire défaut. Etre défaillant. — Condamner par défaut. Rabattre un défaut. — Défaut faute de comparaître. Défaut faute de conclure. Défaut profit joint. — Opposition. — Alibi.

**Absence d'une fonction.** — Manquer, manquant, manquement. — Vacance, poste vacant. — Congé, prendre un congé. — Interruption de service. — Remplacer, remplaçant. — Intérim, intérimat, intérimaire. — Etat de disponibilité. — Non-résidence.

## ABSTENIR (S')

**Abstention physique.** — Abstinence, s'abstenir, abstinent, abstème (qui s'abstient de vin). — CESSER de prendre. — Jeûne, JEÛNER. Diète, diététique. Régime. — Frugalité. Sobriété. — Privation, se priver de. Se passer de. Se sevrer. Ne pas toucher à. — Bouder contre son ventre.

Continence, continent. — Chasteté, chaste. — Pureté, pur. — Virginité, vierge.

Ne pas faire usage. — Economiser. Mettre de côté.

**Abstention morale.** — Se dispenser. S'exempter. Se récuser. Se refuser. — Négliger. Omettre. — N'avoir garde. Se garder. S'empêcher de. Eviter. Se faire faute de. — Se modérer, MODÉRATION. — Renoncer, renoncement. — Se retenir, retenue. — Se taire.

ACCESSOIRE, m. V. *théâtre, automobile.*

ACCIDENT, m. V. *événement, malheur, circonstance.*

ACCIDENTÉ. V. *inégal.*

ACCIDENTEL. V. *malheur.*

ACCISE, f. V. *douane.*

ACCLAMATION, f. V. *joie, cri.*

ACCLAMER. V. *applaudir, honneur.*

ACCLIMATATION, f. Acclimater. V. *pays, animal.*

ACCOINTANCE, f. V. *amitié.*

ACCOINTER (s'). V. *fréquenter.*

ACCOLADE, f. V. *caresse, chevalerie.*

ACCOLER. V. *joindre, lier.*

ACCOMMODANT. V. *supporter.*

ACCOMMODEMENT, m. V. *convention, accord.*

ACCOMMODER (s'). V. *céder, résignation.*

ACCOMPAGNATEUR, m. V. *piano.*

ACCOMPAGNER. V. *suite.*

ACCOMPLI. V. *parfait, passé.*

ACCOMPLIR. V. *faire, complet.*

ACCOMPLISSEMENT, m. V. *finir.*

**Accord,** m. V. *paix, commun, négocier, musique.*

ACCORDAILLES, f. p. V. *accord.*

ACCORDÉE, f. V. *mariage.*

ACCORDÉON, m. V. *instruments de musique.*

ACCORDER. V. *accord, attribuer, céder, avouer, piano.*

ACCORDER (s'). V. *convention.*

ACCORDEUR, m. V. *instrument.*

ACCORDOIR, m. V. *piano.*

ACCORT. V. *doux, complaisant.*

ACCOSTER. V. *rivage, port, rencontre.*

ACCOTEMENT, m. V. *pavé, chemin, soutenir.*

**Accouchement,** m. V. *génération, enfant.*

ACCOUCHER. V. *mère, parturition, produire.*

ACCOUCHEUR, m. V. *accoucher, médecine.*

ACCOUDER (s'). V. *bras.*

ACCOUPLEMENT, m. Accoupler. V. *joindre, deux, sexe.*

ACCOURCIR. V. *court, diminuer.*

ACCOURIR. V. *venir, courir.*

ACCOUTREMENT, m. Accoutrer. V. *habillement, réprimande.*

ACCOUTUMANCE, f. V. *habitude.*

ACCRÉDITER. V. *confiance, diplomatie, persuader.*

ACCROC, m. V. *arrêter.*

ACCROCHE-CŒUR, m. V. *cheveu.*

ACCROCHER. V. *croc, pendre, arrêt.*

ACCROIRE. V. *croire.*

ACCROÎTRE. V. *augmenter.*

ACCROUPI. V. *posture.*

ACCROUPIR (s'). V. *bas.*

ACCUEIL, m. Accueillir. V. *recevoir, traiter.*

ACCULER. V. *arrière, pousser.*

---

## ACCORD

**Accord d'opinion.** — Etre d'accord, s'accorder. — Abonder dans le sens. — Approuver, approbation. Opiner du bonnet. — Consentir, consentement. — Se concerter, concert. — Faire cause commune. — Unité. Unanimité. Concorde. — Etre du même bord. Emboîter le pas. Etre en communion d'idées. — Esprit de corps.

**Accord de sentiment.** — S'aimer, amour. — Amitié. — Camaraderie. — Affinité. — Sympathie, sympathiser. — Fraternité, fraterniser. — S'entendre, bonne entente. Concorde. — Cousiner, cousinage. — Compatir, compassion. — Se rapprocher, rapprochement. — Répondre aux avances. — Se réconcilier, réconciliation. Faire la PAIX.

**Accord d'intérêt.** — Accommodement. Accord amiable. Arrangement. — Communauté d'intérêts. Collusion. — Connivence. Complicité. — Compérage. — Concours. Participation. — Concessions. Conciliation.

Contrat. — CONVENTION. — Concordat. Règlement. Transaction. Traiter de gré à gré. — Tomber d'accord. S'entendre comme larrons en foire.

**Accord de personnes.** — Accordailles. Fiançailles. — Union. Mariage. Paire. Ménage. — Bons rapports. Rapports de voisinage. Bonne intelligence. — ASSOCIATION. Ligue. Comité. Camarilla. Clique. Coterie. — Complot. Conjuration. Conspiration. — Fréquentations. Liaisons. Relations.

**Accord rationnel.** — Ajustement, s'ajuster. — Conformité, conforme, se conformer. — Convenance, convenir. — Adaptation, s'adapter. — Equilibre, équilibrer. — Correspondance, correspondre. — SYMÉTRIE, symétrique. — Parallélisme, parallèle. —

Coordination, coordonné. — PROPORTION, proportionné, proportionnel. — Raccordement, raccorder. — Assortiment, assortir. — Etre à l'avenant. — Aller bien. Cadrer. — Ressemblance, ressembler. Similitude, similaire. — Conséquence, conséquent. — Concordance, concorder.

**Accord musical.** — Accord, accord parfait. — Accorder, accordeur. — Consonance. — Unisson. Ensemble. — Harmonie. — Homophonie. — Diapason. — RYTHME. — Eurythmie. Mesure. Cadence.

## ACCOUCHEMENT
(grec, *tocos*)

**Etat de mère.** — Gestation. — Grossesse. Femme grosse. Femme enceinte. Etat intéressant. — Gésine. Couches. — Accouchée. — Parturiente. — MÈRE, maternité. — Primipare. — Parthénogénèse. — Relever de couches, relevailles. La Chandeleur (relevailles de la Vierge).

**Le fait d'accoucher.** — Accoucher, accouchement. — Faire ses couches. — Accoucher à terme, avant terme. — Etre en mal d'enfant. — Enfanter, enfantement, douleurs de l'enfantement. — Etre en travail. — Fausse couche. — Avorter, avortement, abortif.

Enfant. Fruit. Part. — Donner naissance. Donner le jour. Mettre au monde. — NAISSANCE, nativité.

Parturition. — Mettre bas. Portée.

**L'art d'accoucher.** — Accoucheur, accoucheuse. — Obstétrique. — Sage-femme. Matrone. — Délivrer une femme, délivrance. — Lucine (déesse des couches).

Dystocie (couches pénibles). — Forceps. — Opération césarienne. — Fièvre puerpérale.

Accumulateur, m. V. *machine, automobile.*
Accumuler. V. *amas, augmenter.*
Accusatif, m. V. *grammaire.*
Accusation, f. V. *crime.*
Accusé, m. V. *juges.*
Accuser. V. *accusation, poursuivre.*
Acéphale. V. *tête.*
Acérain. V. *acier.*
Acerbe. V. *dur, amer, méchant.*
Acéré. V. *dur.*

Acescence, f. Acescent. V. *acide.*
Acétate, m. V. *acide.*
Acéteux. Acétique. V. *acide.*
Acétylène, m. V. *gaz.*
Achalander. V. *commerce.*
Acharnement, m. V. *poursuivre.*
Acharner. V. *chair.*
Acharner (s'). V. *volonté.*
Achat, m. V. *acheter.*
Acheminer. V. *diriger, préparer, poste.*
Acheminer (s'). V. *marcher, chemin.*

Achéron, m. V. *enfer.*
Acheter, V. *commerce, payer.*
Acheteur, m. V. *acheter, boutique.*
Achevé. V. *parfait.*
Achèvement, m. Achever. V. *finir, complet.*
Achoppement, m. V. *obstacle, choc.*
Achromatique. V. *optique.*
Aciculaire. Aciculé. V. *aigu.*
Acide, m. V. *chimie, ronger.*
Acidifier. V. *acide.*
Acidité, f. V. *goût, chimie.*
Aciduler. V. *acide.*

---

## ACCUSATION

**Accusation en justice.** — Accuser, accusé, coaccusé, accusateur, accusable. — Poursuivre. Appeler en justice. Attaquer. Traduire en justice. — Plainte, plaignant. — Déférer en justice. Faire un procès.

S'entraccuser. Faux frère. — Délateur. Dénoncer, dénonciation, dénonciateur. Révéler, révélateur. — Trahir. Vendre. Livrer à la justice. — Sycophante. Mouchard. Espion. Mouton.

**Procédure.** — Action publique. Vindicte publique. — Procureur. Juge d'instruction. Rapporteur, rapport. — Instruction. Information. Enquête. — Inculpation, inculpé. Prévention, prévenu. — Assignation. Citation. Poursuites. — Mandat d'amener. Extradition. — Comparution, comparaître. Contumace. Contumax. — Témoin à charge, à décharge. — Confrontation. — Chef d'accusation. Réquisitoire. Condamnation. Sentence. — Désistement. Abandonner l'accusation.

**Accusation morale.** — Calomnie. Médisance. — Diffamation. — Insinuations. — Diatribe. — Attaques. — Dénigrement. — Imputation. — Grief. — Reproche. — Blâme. — Cafardise.

Calomnier. Médire. Diffamer. Insinuer. Attaquer. Dénigrer. Imputer à. Reprocher. Blâme. Faire crime de.

Attaquer la réputation. — Noircir. Ternir. Vilipender. — Incriminer. Faire un crime de. — Mettre au compte de. Mettre sur le dos. Imputer à. Attribuer à. — S'en prendre à. Mettre en cause. — Mettre à l'index. Clouer au pilori. Crier haro sur.

## ACHETER

**Acheteurs.** — Acheteur. — Acquéreur. — Client, clientèle. — Chaland, chalandise. — Barguigneur. — Pratique. — Marchand (preneur) — Adjudicataire. — Cessionnaire. — Enchérisseur. — Command (qui fait acheter). Commissionnaire. — Payeur. — Débiteur.

**Achats.** — Achat. Acquisition. Emplette. — Marché. Commande. Ordre d'achat.

Achat au comptant, à crédit, à terme, à tempérament. — Achat en gros, en détail. — Acheter à prix fixe, à grands frais, à bon marché, cher. V. Vendre.

Acheter. Acquérir. Se procurer. — Enlever. Enchérir. — Marchander. Barguigner. — Payer.

Acquêt. Conquêt. — Préachat. Préemption. — Surachat — Enchère, folle enchère, surenchère.

Achat de consciences. Corruption. — Soudoyer, séduire.

**Echanges.** — Marchés, marchand. — Commerce, commerçant. — Négoce, négociant. — Affaires. — Simonie (commerce de choses saintes).

Commission. — Accaparement, accaparer. Rafler. — Monopole, monopoliser. Trust, truster. — Abonnement, abonné. — Mutation. Cession.

**Rachats.** — Rachat, racheter, rachetable. — Réméré. Vente à réméré (avec droit de rachat). — Contrat pignoratif (avec gage à racheter). — Rédhibition (droit d'annuler l'achat), rédhibitoire.

Rédimer, rédemption, rédempteur. — Rançon. — Ordre de la Merci (pour le rachat des captifs).

## ACIDE

**Saveur acide.** — Acidité. — Acescence, acescent. Aigreur, aigre, aigrelet, aigrir. — Sur, surir. — Acreté, âcre. — Mordacité, mordant. — Cru. Raide (aigre). — Verdeur, vert, verdelet. — Acéteux. Acidulé. — Acidifère. — Acidifier, acidification. — Eventé. — Tourner. Piquer.

**Choses acides.** — Vinaigre. — Vin besaigre. Verdagon. Verjus (vins acides). — Oseille. Citron. Groseille, etc.

Solution acide. — Acide solidifié ou concret. — Ferments. Fermentations. — Moisissures.

**Acides chimiques.** — Basicité, monobasique, bibasique, tribasique. — Acides organiques. Epreuve du tournesol. — Formation des sels.

Acide sulfurique (vitriol). — Acide chlorhydrique (esprit-de-sel). — Acide nitrique (eau-forte). — Acide phénique (phénol). — Acide acétique. — Acide carbonique. — Acide tartrique. — Acide oxalique. — Acide stéarique. — Eau régale, etc.

Acidimètre, acidimétrie.

**Acier,** m. V. *fer, métal.*
ACIÉRIE, f. V. *fonderie.*
ACNÉ, f. V. *peau.*
ACOLYTE, m. V. *compagnon, association.*
ACOMPTE, m. V. *payer, diminuer.*
ACONIT, m. V. *poison.*
ACOQUINER. V. *habitude.*
ACOUSTIQUE, f. V. *oreille, son, entendre.*
ACQUÉREUR, m. V. *acheter.*
ACQUÊT, m. V. *acheter, possession, mariage.*
ACQUIESCEMENT, m. Acquiescer. V. *permettre, volonté, céder, avouer.*
ACQUIS, m. V. *connaître, pratique.*
ACQUISITION, f. V. *acheter, obtenir.*
ACQUIT, m. Acquitter. V. *payer, quittance, douane.*
ACQUITTEMENT, m. Acquitter. V. *juges, innocent, libre.*
ACRE. Acreté, f. V. *goût, amer, acide.*
ACRIDIEN, m. V. *sauterelle.*
ACRIMONIE, f. V. *hargneux, amer.*
ACROBATE, m. Acrobatie, f. V. *bateleur.*
ACROMION, m. V. *épaule.*

ACROSTICHE, m. V. *poésie.*
ACROTÈRE, m. V. *architecture.*
ACTE, m. V. *faire, conduite, convention, théâtre.*
ACTEUR, m. Actrice, f. V. *théâtre.*
ACTIF, m. V. *compte, grammaire.*
ACTINIE, f. V. *polype.*
**Action,** f. V. *geste, mouvement, combat, pouvoir, éloquence, finance, mécanique.*
ACTIONNAIRE, m. V. *participer, association.*
ACTIONNER. V. *action, poursuivre.*
ACTIVER. V. *action, exciter.*
ACTIVITÉ, f. V. *action, peine, fonction, conduite, officier.*
ACTUAIRE, m. V. *assurances.*
ACTUALITÉ, f. V. *présent, événement.*
ACTUEL. V. *présent, temps.*
ACUITÉ, f. V. *aigu, maladie.*
ACULÉIFORME. V. *aigu.*
ACUMINÉ. V. *aigu.*
ACUPONCTURE, f. V. *aiguille.*
ADAGE, m. V. *maxime.*
ADAGIO, m. V. *musique.*
ADAMANTIN. V. *diamant.*

ADAPTATION, f. Adapter. V. *accord, arranger.*
ADDITION, f. V. *calcul, auberge.*
ADDITIONNEL. V. *joindre.*
ADDITIONNER. V. *plus, augmenter.*
ADDUCTEUR. V. *muscle.*
ADDUCTION, f. V. *attirer.*
ADÉNITE, f. Adénoïde. Adénologie, f. V. *glande.*
ADEPTE, m. V. *secte, partisan, association.*
ADÉQUAT. V. *égal, propre.*
ADHÉRENCE, f. V. *tenir, toucher, fixe, colle.*
ADHÉRENT. V. *partisan, glu.*
ADHÉRER. V. *approuver, croire, association.*
ADHÉSIF. V. *tenir, colle.*
ADIEU, m. V. *saluer, abandon.*
ADIPEUX. V. *graisse.*
ADITION, f. V. *héritage.*
ADJACENT. V. *côté.*
ADJECTIF. V. *grammaire, joindre, qualifier.*
ADJOINDRE. V. *plus, joindre.*
ADJOINT, m. V. *remplacer, secours, inférieur.*
ADJONCTION, f. V. *joindre.*
ADJUDANT, m. V. *officier, secours.*

---

## ACIER

**Sortes d'acier.** — Carbure de fer ou fer carburé (acier). — FER acérain. — Acier puddlé (fonte décarburée). — Acier de cémertation (fer carburé). — Acier de forge. — Couverture (gros acier). Acier de mondragon. — Acier fondu. — Acier chromé. — Étoffe (acier de coutellerie). — Acier damasquiné, etc.

Barre d'acier. Bille d'acier. Loupe ou Pain d'acier. Carreau.

**Fabrication.** — Minerai et charbon. — Aciérie, aciérer, aciérage. — Forges et fonderies. — Fonte. — Cémentation. — Haut fourneau. Cornue. Soufflerie. Convertisseur. Four. — Procédé Bessemer (convertisseur). — Procédé Martin (four).

Passe-violet (couleur). — Sabler. — Tremper. Retremper. Détremper. Recuire. — Moine (boursouflure). Cendrure. Chauffure. Soufflure. Paille. — Se voiler.

## ACTION
(latin, *agere;* grec, *draô*)

**Façons d'agir.** — Acte. Action. Réaction. Agissement. Manœuvre. Mouvement. Fait. Geste. — OCCUPATION. Pratique. Métier. Fonction. Profession. — TRAVAIL. Besogne. Œuvre. Ouvrage. Tâche. — Affaire. Entreprise. — Jeu. Conduite. — Intrigue. Démarche. — Coup de main. Coup de tête. Foucade. — Exploit. Trait d'histoire, de courage. — Drame, dramatique. — Faute. Flagrant délit. Péché actuel. — PROCÉDURE.

**Dispositions à agir.** — Activité, actif. — Energie, énergique. — Ardeur, ardent. — ZÈLE, zélé. — Empressement, empressé. — Enthousiasme, enthousiaste. — Pétulance, pétulant. — Violence, violent. — Vivacité, vif.

Avoir de l'initiative, de l'entregent, du ressort.

Etre remuant, dégourdi, déluré, spontané, débrouillard.

**Comment on agit.** — Entreprendre. Se lancer. — Agir, action. — Faire effort, s'efforcer. — S'agiter. Se remuer. — Actionner. — Activer. — Exécuter, exécution, exécutif. — Opérer, opération. — INTERVENIR, intervention. — Participer, participation. — Coopérer, coopération. — Fonctionner, fonctionnement. — S'employer. — Se débrouiller. Manœuvrer. — Réagir; réaction. Rétroagir, effet rétroactif. — Influer, INFLUENCE.

**Ceux qui agissent.** — Acteur. — AGENT, agence. — Auteur. Promoteur. Inventeur. — Exécuteur. Employé. Fonctionnaire. — Factotum. Onéraire (agent sans titre). — Auxiliaire. Collaborateur. Coopérateur. Complice. — Intermédiaire. Entremetteur. — Ardélion. Trublion. — Sujet grammatical.

**Action personnelle.** — Etre en train, se mettre en train. — Se mettre en campagne. — Payer de sa personne. Se mettre en frais. — Mettre la main à la pâte. — Voler de ses propres ailes. — Se donner du mal. — Avoir le diable au corps. Faire feu des quatre pieds. — Faire ses preuves. — Mettre du sien. En mettre.

ADJUDICATAIRE, m. **V.** *acheter, entreprendre.*
**Adjudication,** f. **V.** *don.*
ADJURER. **V.** *prier.*
ADMETTRE. **V.** *croire, approuver, reconnaissance.*
ADMINISTRATEUR, m. **V.** *fonction, agent.*
ADMINISTRATIF. **V.** *politique.*
ADMINISTRATION, f. **V.** *diriger, bureau.*
ADMINISTRER. **V.** *diriger, médicament.*
ADMIRABLE. **V.** *beau.*
ADMIRATIF. **V.** *enthousiasme.*
ADMIRATION, f. Admirer. **V.** *étonnement.*
ADMIS. Admissible. **V.** *vrai, possible, recevoir.*
ADMISSION, f. **V.** *recevoir.*
ADMONESTATION, f. Admonester. **V.** *réprimande, avertir, menace.*
ADMONITION, f. **V.** *conseil.*
ADOLESCENCE, f. Adolescent, m. **V.** *âge, jeune.*
ADONNÉ. **V.** *habitude.*

ADOPTER. Adoptif. Adoption, f. **V.** *père, suffrage, approuver, reconnaissance.*
ADORATEUR, m. **V.** *aimer.*
ADORATION, f. Adorer. **V.** *religion, amour, prosterner.*
ADORNER. **V.** *orner.*
ADOSSER. **V.** *dos, opposé.*
ADOUCIR. Adoucissement, m. **V.** *doux, diminuer, lime.*
ADRESSE, f. **V.** *lettre, discours, habile, art.*
ADRESSER. **V.** *envoi, poste.*
ADROIT. **V.** *habile.*
ADULATEUR, m. **V.** *flatter.*
ADULATION, f. Aduler. **V.** *flatter, louange.*
ADULTE. **V.** *âge, grand.*
**Adultère,** m. **V.** *mariage, infidèle, débauche.*
ADULTÈRE. Adultérin. **V.** *adultère, m.*
ADULTÉRER. **V.** *changer.*
ADURENT. **V.** *caustique.*
ADUSTION, f. **V.** *brûler.*
ADVENIR. **V.** *événement.*
ADVENTICE. **V.** *hasard.*

ADVERBE, m. **V.** *grammaire.*
ADVERSAIRE, m. **V.** *rival, combat.*
ADVERSE. **V.** *opposé.*
ADVERSITÉ, f. **V.** *malheur.*
ÆGIPAN, m. **V.** *Pan.*
AÉRAGE, m. **V.** *mine.*
AÉRATION, f. Aérer. **V.** *air.*
AÉROBIE, m. **V.** *air.*
AÉROBUS, m. Aérodrome, m. **V.** *aéronautique.*
AÉRODYNAMIQUE, f. **V.** *aéronautique.*
AÉROGRAPHIE, f. **V.** *air, pneumatique, aéronautique.*
AÉROLITHE, m. **V.** *air, météore, pierre.*
AÉROLOGIE, f. **V.** *air.*
AÉROMÈTRE, m. **V.** *air.*
AÉRONAUTE, m. **V.** *aéronautique.*
**Aéronautique,** f. **V.** *air.*
AÉRONEF, m. **V.** *aéronautique.*
AÉROPHAGIE, f. **V.** *estomac.*
AÉROPORT, m. Aéropostal. **V.** *aéronautique.*

## ADJUDICATION

**Adjudication administrative.** — Adjuger, adjudicataire, adjudicateur, adjudicatif. — Cahier des charges. — Soumission, soumissionner, soumissionnaire. — Rabais. — Caution, cautionnement, cautionner. — Soustraitant.

**Adjudication judiciaire.** — Vente par autorité de justice. — Vente publique. Vente aux enchères. Vente à la criée. Vente à l'encan. — Licitation (vente en justice), liciter, licitatoire, colicitants. — Prisée, priser. — Exposition, exposer. — Mettre en vente. Mise à prix.

**Vendeurs et acheteurs.** — Juge commissaire. Commissaire-priseur. Notaire. Huissier. Greffier. — Palais de justice. Hôtel des ventes. Salle des ventes. — Expert. Crieur. Commissionnaire. — Acheteur. Marchand (acheteur). Enchérisseur. Amateur. Fripier. Revendeur, revendeuse. Marchande à la toilette.

**Opérations de vente.** — Enchères, enchérir. Surenchère, surenchérir. Folle enchère. — Le plus offrant. — Feux. Ouvrir les enchères. — Adjuger. Coup de marteau.

Expertise. — Garantie. — Certificat. — Caution. — Contrôle. — Honoraires. — Commission. Pourcentage.

Criée. Cris. Marchand à combien ? Vu et entendu ? Personne ne dit mot ? J'adjuge. Adjugé.

## ADULTÈRE

**Violation de foi conjugale.** — Adultère. Infortune conjugale. — Liaison criminelle. Conversation criminelle. Commerce illégitime. — Concubinage. Faux ménage.

Tromperie, tromper, trompeur. — Infidé-

lité, infidèle. — Inconstance, inconstant. — Trahison, trahir, traître à sa foi. — Flagrant délit. Faire des traits. Déshonorer, déshonneur. Cocufier. Cocuage.

**Personnes en cause.** — Adultère (homme ou femme). — Adultérin (enfant). — Amant. Maîtresse. Complice. — Concubin, concubine. — Cocu. Cornard. Sganarelle.

## AÉRONAUTIQUE

**Science de l'air.** — Aéronautique. Aérographie. — Aérotechnique. — Aéroscopie. — Météorologie. — Aérodynamique. — Aérostation. — Navigation aérienne. — Avionnerie. — Télégraphie sans fil. — Signaux hertziens.

**Moins lourd que l'air.** — Aérostat. — Montgolfière. — Ballon libre. —- Ballon captif. — Saucisse. — Enveloppe. Nacelle. Ancre. Filet. Gaz. Gonfler. — Lest, lester, délester. — Ascension, force ascensionnelle. — Parachute.

Ballon dirigeable. — Aéronef. — Fuselage. Ballonnets. Gouvernail. Machinerie. Cabines. — Propulsion. Moteurs. Hélices. — Mât d'atterrissage.

**Plus lourd que l'air.** — Aéroplane. — Appareil. — Avion. Hydravion. — Monoplan. Biplan. Multiplan. — Autogyre. Hélicoptère. Aérobus. Avionnette. — Monomoteur. Bimoteur. Multimoteur. — Cellule. Carlingue. Ailes. Empennage. Commandes. Manche à balai. Hélice. Train d'atterrissage.

Avion militaire, de chasse, de bombardement, de reconnaissance.

**Personnel.** — Aérostier. — Aviateur. — Aviation civile, militaire, navale. — Pilote. — Observateur. — Mécanicien. — Aéronaute. — Navigateur. — Sans-filiste. — Météorologiste. — Aéro-club. — Service aéropostal.

AÉROSCOPIE, f. V. *aéronautique*.
AÉROSTAT, m. V. *aéronautique*.
AÉROSTATION, f. V. *air, aéronautique*.
AÉROSTIER, m. V. *soldat*.
AÉROTECHNIQUE, f. V. *aéronautique*.
AÉROTHÉRAPIE, f. V. *air*.
AÉTITE, f. V. *aigle*.
AFFABILITÉ, f. Affable. V. *parler, familier, facile, complaisant*.
AFFABULATION, f. V. *conte*.
AFFADIR. V. *fade, émousser, dégoût*.
AFFAIBLIR. Affaiblissement, m. V. *faible, épuiser, abattement*.
AFFAIRE, f. V. *action, combat, occupation*.
AFFAIRES, f. p. V. *commerce, bagages, auxiliaires de justice*.
AFFAISSÉ. V. *posture*.
AFFAISSEMENT, m. V. *tomber, abattement*.
AFFAISSER (s'). V. *bas*.
AFFAMÉ. Affamer. V. *faim*.
**Affectation**, f. Affecté. V. *emphase, précieux, armée*.
AFFECTER. V. *sentiment, chagrin, attribuer*.
AFFECTIF. V. *toucher*.
AFFECTION. f. Affectionner. V. *penchant, sentiment*.
AFFECTUEUX. V. *aimer, sentiment*.
AFFÉRENCE, f. V. *rapport*.
AFFERMAGE, m. V. Affermer. V. *ferme, louage*.
AFFERMIR. V. *fermeté, force*.
AFFÉTÉ. Afféterie, f. V. *affectation, délicat*.
AFFICHAGE, m. V. *public*.
AFFICHE, f. V. *inscription, avertir*.
AFFICHER. V. *montrer, offre*.
AFFIDÉ. V. *agent, partisan, confiance*.
AFFILAGE, m. Affilé. V. *aigu, trancher*.
AFFILER. Affileur, m. V. *aiguiser, couteau*.
AFFILIATION, f. Affilier. V. *complot, association, participer*.
AFFILOIRE, f. V. *aiguiser*.
AFFINAGE, m. Affiner. V. *pur, métal*.
AFFINITÉ, f. V. *attirer, rapport, accord*.
AFFIRMATIF. V. *positif*.
**Affirmer**. V. *dire, témoin, confirmer*.
AFFIXE, m. V. *grammaire*.
AFFLEUREMENT, m. Affleurer. V. *mine, niveau, eau*.

**Le vol.** — Aérodrome. Aéroport. Terrain d'aviation. Champ d'atterrissage. — Balisage. — Hangars.

Décoller. Monter. Voler. Survoler. Plafonner. Piquer. Atterrir. Amerrir. — Plein vol. Vol plané. Vol à voile.

## AFFECTATION

**Affectation de vertu.** — Hypocrite, hypocrisie. — Tartufe. Faux dévot. — Pharisien. — Puritain, puritanisme. — Prude, pruderie. — Pudibond, pudibonderie. — Bégueule, bégueulerie. Collet monté. — Pecque. Mijaurée. Pimbêche. Nitouche. — FAUX, fausseté. — Fard, farder. — Air mielleux, doucereux. Visage composé.

**Affectation de valeur.** — FANFARON. — Bravache. — Matamore. — Vantard. — Fendant. — Traîneur de sabre. — Tranchemontagne. — Ton tranchant. — Outrecuidance.

**Affectation de science.** — Bel esprit. — Pédant, pédantisme, pédanterie. Archipédant. — Rhéteur. — Omniscient, omniscience. — Bibliothèque vivante. — Ton doctoral, pédantesque. — Savant jusqu'aux dents. — Homme universel.

**Affectation d'importance.** — Ostentation. — Vanité, vaniteux. — ORGUEIL, orgueilleux. — Fatuité, fat. — Prétention, prétentieux. — Pose, poser, poseur. — Apparat. Raideur, raide. — Morgue — Parade. Montre.

Faire l'important. — Prendre de grands airs. — Faire des embarras. — Viser à l'effet. — Etre en scène. — S'afficher. — S'admirer.

Etre empesé, gourmé, guindé.

**Affectation de manières.** — Maniéré, maniérisme. — Cérémonieux, cérémonie. — Attitude affectée, de commande. — Maintien compassé, forcé, emprunté, gêné. — Grimaces, grimacer. — Minauderie, minauder. — Faire la renchérie. — Faire la sucrée. —

Faire des mines, des simagrées. — Faire des façons, façonner. — Délicat, délicatesse. — Mièvre, mièvrerie. — Mignard, mignardise. — S'étudier.

**Affectation de langage.** — Afféterie, affété. — Langage apprêté, contourné, entortillé, quintessencié. — Faux brillant. Concetti. Euphuisme. Préciosité. — Purisme, puriste. — Recherche. Raffinement. — Style tendu, tiré par les cheveux, travaillé. — Subtilité, SUBTIL. — Marivaudage, marivauder. — Ton ambitieux. EMPHASE, emphatique. — Fadeurs, FADE. — Phraseur.

**Affectation d'élégance.** — Petit-maître. Muscadin. Gommeux. Lion. Elégant, élégante. Fashionable. — Donner le ton. — Faire le beau — Etre à la mode. — Suivre les modes. — Snobisme, snob, snobinette. — Etre sémillant, pimpant, fringant, musqué, peigné, pomponné.

## AFFIRMER

**Affirmer une opinion.** — Affirmer, affirmation, affirmative, affirmatif. — Avancer. Assertion, assertif. — DIRE, dit. — Déclarer, déclaration, déclaratif. — Prendre sous son bonnet. — Soutenir, soutenable. — Prétendre, prétention, prétendu. — Insister, insistance. — Maintenir. — Préciser. — Trancher, tranchant. — Alléguer, allégation. — Protester, protestation. — Se prononcer.

**Affirmer avec garantie.** — Assurer, assurance. Donner comme sûr. — Attester, attestation. — Certifier, certificat, certain, certitude. — Confirmer, confirmation. — Constater, constatation. — Témoigner, témoignage. Record (attestation).

Thèse. Proposition. Théorème. Dogme, dogmatisme. — Poser en fait. — Se faire fort de. — Démontrer, démonstration. — Prouver, preuve.

Garantir, garantie. Se porter garant. — Répondre de. — Cautionner, caution. — S'engager, engagement. — Parier, pari. — JURER. Faire serment.

AFFLICTIF. V. *honte.*
AFFLICTION, f. V. Affliger. V. *malheur, chagrin.*
AFFLUENCE, f. V. *multitude.*
AFFLUENT, m. V. *rivière.*
AFFLUER. V. *couler, beaucoup.*
AFFLUX, m. V. *beaucoup, humeur.*
AFFOLEMENT, m. Affoler. V. *peur, folie.*
AFFOLER (s'). V. *aimer.*
AFFOUAGE, m. V. *bois.*
AFFOUILLEMENT, m. Affouiller. V. *creux, rivière, hydraulique.*
AFFOURCHER. V. *ancre, fourche.*
AFFRANCHI, m. V. *esclave.*
AFFRANCHIR. Affranchissement, m. V. *sauver, dégager, poste.*
AFFRES, f. p. V. *mort, horreur.*

AFFRÉTER. Affréteur, m. V. *louage, commerce, transport.*
AFFREUX. V. *laid.*
AFFRIANDER. V. *appât.*
AFFRIOLER. Affriolant. V. *attirer, plaire.*
AFFRONT, m. V. *injure, honte.*
AFFRONTER. V. *opposé.*
AFFUBLER. V. *habillement.*
AFFUSION, f. V. *verser.*
AFFÛT, m. V. *guet, chasse, artillerie.*
AFFÛTAGE, m. Affûter. V. *outil, aiguiser.*
AGACEMENT, m. Agacer. V. *exciter, fâché, déplaire, nerf.*
AGAPE, f. V. *manger.*
AGARIC, m. V. *champignon.*
**Age**, m. V. *temps, charrue, chronologie.*
AGENCE, f. V. *agent, renseignement.*

AGENCEMENT, m. Agencer. V. *ordre, arranger.*
AGENDA, m. V. *année, registre.*
AGENOUILLER (s'). V. *genou, posture, se prosterner.*
**Agent**, m. V. *action, moyen, mission, commerce, police, assurances.*
AGENT-VOYER, m. V. *chemin.*
AGGLOMÉRAT, m. V. *presser.*
AGGLOMÉRATION, f. Agglomérer. V. *amas, troupe, joindre.*
AGGLOMÉRÉS, m. p. V. *charbon, ciment.*
AGGLUTINATION, f. Agglutiner. V. *glu, colle, amas.*
AGGRAVATION, f. Aggraver. V. *grave, pire, augmenter.*
AGILE. Agilité, f. V. *mouvement, vif.*
AGIO, m. V. *commerce, billet.*
AGIOTAGE, m. V. *finance.*

---

**Formules d'affirmation.** — Oui. Oui-da. — Entendu. — Certes. Certainement. — Assurément, sûrement, bien sûr. — VRAI, vraiment. — En effet, effectivement. — Parole d'honneur, sur l'honneur. — Sur ma vie. Sur ma tête. — Sans mentir. — Positivement. — Dieu m'est témoin. — Que je meure si. — Si, si fait, etc.

## ÂGE

**Les âges.** — Premier âge. — Bas âge. — Enfance. — Adolescence. — Jeunesse. — Age mûr. — Vieillesse.

Saisons de la vie. — Matin, soir de la vie. — Age viril. — Age canonique. — Age de raison. — Age critique. — Age climatérique. — Retour d'âge.

**Les âges de l'histoire.** — Temps anciens. — Ancien temps. — Antiquité. — Moyen âge. — Temps modernes. — Epoque contemporaine.

**Les âges de l'homme.** — ENFANT. — Bébé. — Garçon. Fille. — Jeune homme. Jeune fille. — Adulte. — Homme fait. Femme. — Vieillard, vieux, vieille. — Doyen d'âge. — Vétéran.

Premier né. — Aîné, aînée. — Cadet, cadette. — Puîné.

Garçon pubère, impubère. — Fille nubile. — Retour d'âge.

Quadragénaire. Quinquagénaire. Sexagénaire. Septuagénaire. Octogénaire. Nonagénaire. Centenaire.

**Situation d'âge.** — Avoir tel âge. — Etre dans la fleur de l'âge. — Etre dans sa vingtième année. — Etre en âge de. — Aller sur trente ans. — Atteindre l'âge de. — Monter en graine. — Avancer en âge. — Etre entre deux âges. — Friser la cinquantaine. — Avoir cinquante ans sonnés, révolus. — Vieillir. Etre sur son déclin. Etre chargé d'années. — Etre hors d'âge.

Enfance. — Adolescence. — Jeunesse. — Puberté. — Verdeur. — Virilité. — Maturité. — Vieillesse. — Sénilité. — Longévité. — Caducité. — Porter, paraître son âge. — Se rajeunir.

**Situations légales.** — Majorité, majeur, majorat. — Minorité, mineur. — Emancipation. — Ancienneté. Bénéfice de l'âge. — Dispense d'âge. Défaut d'âge. — Droit d'aînesse. Primogéniture. Préciput.

## AGENT

**Agent de commerce.** — Commis. Commis voyageur. — Agent. Employé. — Facteur, factrice.

Courtier. — Commissaire. — Commissionnaire. — Mandataire. — Entreposeur. — Expéditionnaire. — Consignataire.

Agence. — Lloyd. — Bureau Veritas.

**Agent de finance.** — Agent de change. — Remisier. Coulissier. — Banquier. — Changeur. — Agent comptable. — Trésorier. — Fondé de pouvoirs. — Receveur de rentes. — Syndic.

**Agent d'affaires.** — Cabinet d'affaires. — Agence. — Bureau.

Homme d'affaires. — Régisseur. — Gérant, gérance. — Homme de confiance. Affidé. Bras droit. — Homme de paille. Prête-nom. — Remplaçant. — Agent d'exécution. Ame damnée. Suppôt. — Factotum. — Clerc.

**Agent d'administration.** — MINISTRE. Secrétaire d'Etat. Surintendant. Intendant. — Chancelier. Diplomate. Ambassadeur. Agent consulaire. — Administrateur. — Econome. Payeur. — Fonctionnaire. Directeur. Chef de bureau. Secrétaire.

**Intermédiaire.** — Négociateur. — Missionnaire. — Représentant. — Interprète. — Maquignon.

Entremetteur. — Procureur. — Proxénète. Maquereau.

AGIR. V. *action, effet.*
AGISSEMENT, m. V. *action.*
AGITATION, f. V. *exciter, inquiet, trouble, sédition.*
AGITER. V. *secouer, mouvement.*
AGITER (s'). V. *action, mouvement.*
AGNEAU, m. V. *mouton, bestiaux.*
AGNELER. V. *mouton.*
AGNOSTICISME, m. V. *philosophie.*
AGONIE, f. V. *souffrir, mort.*
AGONISTIQUE, f. V. *combat.*
AGORA, f. V. *place.*
AGRAFE, f. Agrafer. V. *croc, bijou, habillement, fermer.*
AGRANDIR. Agrandissement, m. V. *plus, grand, augmenter.*
AGRÉABLE. V. *beau, plaire.*
AGRÉÉ, m. V. *auxiliaires de justice, commerce.*
AGRÉER. V. *recevoir, approuver.*

AGRÉGAT, m. Agrégation, f. V. *matière, chimie.*
AGRÉGATION, f. Agrégé, m. V. *université.*
AGRÉMENT, m. V. *plaisir, commode.*
AGRESSIF. Agression, f. V. *attaque, colère, méchant.*
AGRESTE. V. *brut.*
AGRICOLE. V. *labour.*
AGRICULTEUR, m. Agriculture, f. V. *labour, classe.*
AGRIMENTATION, f. V. *arpentage.*
AGROMÈTRE, m. V. *arpentage.*
AGRONOMIE, f. V. *labour.*
AGUERRIR. V. *brave, guerre.*
AGUETS, m. p. V. *piège.*
AGUICHER. V. *appât.*
AHANER. V. *peine, fatigue.*
AHEURTEMENT, m. V. *choc.*
AHRIMAN, m. V. *Perse.*
AHURISSEMENT, m. V. *trouble, étonnement.*
AIDE, f. V. *secours, bienfait, remplacer, moyen.*

AIDE, m. V. *compagnon, ouvrier.*
AIDER. V. *utile, intervenir, défendre.*
AIDES, m. p. V. *impôt.*
AÏEUL. m. V. *parent.*
**Aigle**, m. et f.
AIGLON, m. V. *aigle.*
AIGLURE, f. V. *tache*
AIGRE. V. *acide.*
AIGREFIN, m. V. *ruse, voleur.*
AIGRETTE, f. V. *plume, touffe, coiffure, oiseau.*
AIGREUR, f. Aigrir. V. *acide, ferment, goût, chagrin.*
AIGREURS, f. p. V. *digestion.*
**Aigu.** V. *étroit, subtil.*
AIGUADE, f. V. *eau.*
AIGUAYER. V. *cheval.*
AIGUIÈRE, f. V. *vase.*
**Aiguille**, f. V. *pointe, percer, tailleur, dentelle, cadran, pin.*
AIGUILLETTE, f. V. *corde, lacet, épaule, volaille.*

## AIGLE
(latin, *aquila*)

**Les aigles.** — Aigle. Aiglon. — Busard. — Gypaète. — Huard. — Orfraie. — Pygargue. — Griffard.

Roi de l'air, des oiseaux. — Oiseau de Jupiter.

**Les aigles de blason.** — Aiglat. Aiglette. — Alérion (sans bec ni pieds). — Saffre (aigle de mer). — Aigle diadémée. — Aigle éployée. — Aigle bicéphale.

**Qui a rapport à l'aigle.** — Aire (nid), airer, désairer. — Envergure. — Trompeter. Glatir (cri). — Serres. — Yeux d'aigle.

Aiglures (taches). — Aquilaire (bois). Aquilin (nez). Aétite (pierre).

Aigle (enseigne). — Aigle (décoration). — Aigle (homme supérieur). — Aigle de Meaux (Bossuet).

## AIGU
(latin, *acutus* ; grec, *oxys*)

**En parlant de choses.** — Aigu. POINTE. pointu. — AIGUILLE. — Aiguillon. Aiguillette. — ÉPINES, épineux. — Aciculaire. Aciculé. Acuminé.

AIGUISER, aiguisage. — Effilé. Affilé, affiler. Affûter.

Angle aigu. Acutangle. Acutangulaire. Oxygone. — Paroxysme.

Insecte aculé, oxycère. — Plante aculéiforme.

**En parlant de la voix.** — Voix aiguë, suraiguë. — Voix aigre. — Criard, crier. — Crissant, crisser, crissement. — Déchirant, déchirer les oreilles. — Grinçant, grincer, grincement. — Perçant, percer les oreilles. — Strident, strideur, stridulation. — Glapissant, glapir, glapissement.

HAUT, hauteur du son. — Acuité d'un son. Oxyphonie. — Voix de fausset.

## AIGUILLE

**Aiguille à coudre.** — AIGUILLE. Pointe. Corps. Tête. Chas ou Œil. Cannelure. — Etui. Aiguillier. Porte-aiguilles. — Pelote.

**Fabrication.** — Façonnage. Calibrage. Découpage. Empointage. — Estampage. Perçage de la tête. — Cémentation. Trempe. Recuite. — Polissage. Nettoyage. — Triage. — Redressage. — Bronzage. Brunissage. — Mise en paquets.

**Usage.** — Enfiler, désenfiler, filifère (instrument pour enfiler). — Aiguillée. — COUDRE, couture, couturière. Tailleur. — PIQUER, piqûre. — PERCER. — Epointer.

Travail à l'aiguille. Pcint. Dentelle.

**Autres aiguilles.** — Carrelet. — Passelacet. — Passe-corde. — Aiguille à tricoter, tricot. — Aiguille de chirurgie. Acuponcture. Acupressure. — Aiguille de cadran. Avancer, retarder les aiguilles. — Aiguille aimantée. Boussole. — Aiguille de chemin de fer. — Aiguille de phono. — Objet aciculé, aciculaire. Aiguille de rocher. Obélisque.

## AIGUISER

**Le métier.** — Aiguiseur. — Coutelier. — Repasseur. — Rémouleur. — Affileur. — Ecacheur. — Emouleur. — Tourneur. — Gagnepetit.

Equipage ou Planche. Chevalet. Hausset. Meule. Train de meule. Rabat-eau. Pédale. Roue. Sellette. Auge.

TRANCHANT. — Pointe. — Fil. — Morfil.

**Aiguisage.** — Aiguiser. — Affiler, affilage. — Affûter, affûtage. — Dégrossir. — Donner le fil, le tranchant. — Appointer, appointage. — Agacer une scie. — Ecacher une faux. — Emoudre, émoulu. Rémoudre. — Plancher (émoudre en longueur). — Blanchir à la lime. — Emorfiler. — Repasser, repassage. — User à la meule. — Chever (polir).

AIGUILLON, m. **V.** *pointe, piquer.*

**Aiguiser.** Aiguiseur, m. **V.** *aigu, pointe, couteau, arme.*

AIL, m. **V.** *oignon.*

**Aile**, f. **V.** *oiseau, armée, architecture, moulin, automobile.*

AILERON, m. **V.** *aile.*

AIMABLE. **V.** *doux, plaire.*

**Aimant**, m. Aimanter. **V.** *attirer, fer.*

**Aimer.** **V.** *penchant, sentiment.*

AINE, f. **V.** *jambe.*

AÎNÉ, m. **V.** *âge, enfant.*

AÎNESSE, f. **V.** *âge, droit.*

**Air**, m. **V.** *apparaître, allure, théâtre, chant, cheval.*

AIRAIN, m. **V.** *cuivre.*

AIRE, f. **V.** *superficie, grange, four, pont, nid, base.*

AIRER. **V.** *faucon.*

AIRS, m. p. **V.** *équitation.*

AIS, m. **V.** *planche.*

AISANCE, f. **V.** *riche, élégance.*

AISE, f. **V.** *joie, bonheur.*

AISÉ. **V.** *facile, riche.*

AISSELLE, f. **V.** *bras, épaule.*

AISSETTE, f. **V.** *hache.*

AÎTRE, m. **V.** *logement.*

AJONC, m. **V.** *jonc.*

AJOURER. **V.** *ouvert.*

AJOURNEMENT, m. Ajourner. **V.** *délai, après, tard.*

AJOUTER. **V.** *joindre, augmenter.*

AJUSTAGE, m. **V.** *joindre.*

AJUSTEMENT, m. **V.** *toilette.*

AJUSTER. **V.** *juste, accord, but.*

AJUTAGE, m. **V.** *arranger, tuyau.*

AKÈNE, m. **V.** *fruit.*

ALAMBIC, m. **V.** *distiller.*

---

### Choses qui aiguisent. — Affiloires. —
Coticule, cous, queux (pierres à aiguiser).
Fusil. — Pierre à rasoir. Cuir à rasoir. —
Tourne-fil. — Potée d'émeri, d'acier, de zinc
(pâtes). — Moulée (dépôt).

### AILE
(latin, *ala, penna* ; grec, *ptéron*)

**Ailes d'oiseaux.** — Aile. — Aileron. Os.
— Moignon (partie charnue). — Fouet (partie motrice). — Envergure.

Plumes. — Bouts d'aile. — Pennes ou Rémiges (grandes plumes). — Rémiges primaires,
secondaires. — Tectrices (plumes à la base des
pennes). — Couverture (plumes du dos de l'aile).

Déployer les ailes. — Battre des ailes.
Battement d'ailes. — Prendre l'essor. S'envoler. — Voler. — Trémousser. — Planer.
Faire le large. — Voler à tire-d'aile. — Avoir
les ailes rognées. — Traîner de l'aile.

**Ailes d'insectes.** — Elytre. — Fourreau.
— Frein. — Brachélytre. — Brachyptère.
Macroptère. — Coléoptère. Hyménoptère. Lépidoptère. — Aptère. Diptère. Tétraptère.

**Qui a rapport à l'aile.** — Aile de moulin
(voilure). — Aile d'auto (garde-boue). — Aile
d'hélice (branche). — Aile d'aéro (plan). — Aile
de bâtiment (côté). — Aile d'armée (flanc).
Aile. — Aliforme. — Aligère. — Alipède.
— Talonnières (de Mercure).

Animal chéiroptère (qui a des ailes formant main). — Temple diptère (à deux rangs
de colonnes).

**Vénerie et blason.** — Mahute. Cerceaux.
Vannes (plumes du faucon). — Cléragre
(goutte du faucon). — Faucon éclamé (qui
a l'aile rompue).

Vol, *bl.* (deux ailes). Demi-vol. — Vol
blanc, noir, court, éployé, etc.

### AIMANT
(latin, *magnes*)

**Force magnétique.** — Aimantation, aimanter. — Touche. Influence. Fluide. Courant. — Attraction, attirer. — Répulsion. —
Magnétisme, magnétiser. — Polarité, pôles.
Inclinaison (de l'aiguille aimantée). — Champ
magnétique. — Tourbillon magnétique. —
Electromagnétisme. — Diamagnétisme.

**Corps magnétiques.** — Aimant ou Calamite. — Aimant naturel. Aimant artificiel.

— Amphitane (gemme). — Fer doux. —
Sidérite ou Pierre d'aimant (fer oxydé). —
Corps sidéro-magnétique. Corps magnétogène.

**Appareillage.** — Barre magnétique. Contacts — Armure. — Fer à cheval. — Lame
magnétique. — Portant.
Electro-aimant. — BOUSSOLE. — Déclinomètre. — Magnétomètre.

### AIMER
(grec, *philos*, ami)

**Eprouver une affection.** — Aimer. —
S'amouracher. Aimer à la folie. Etre fou de.
— S'affoler de. — S'enamourer. S'enflammer. S'éprendre. Etre épris de. — Se prendre de passion. — Ressentir de l'amour. —
Idolâtrer. — Adorer. — Brûler pour. — S'enticher de. — S'attacher à. Avoir de l'attachement. — Avoir de l'affection, être affectueux,
affectionner. — Chérir. Porter dans son cœur.
Avoir un faible pour.
Etre éperdu, féru, transporté, enivré d'amour.

**Inspirer une affection.** — Attacher. —
Enflammer. — Embraser. — Ensorceler. —
Inspirer de l'amour. — Séduire.
PLAIRE. — Etre en faveur. — Etre dans
les bonnes grâces. — Etre en bons termes. —
Intéresser. — Se concilier les cœurs. — Etre
populaire, popularité.

**Dispositions affectueuses.** — Amour.
— Amour platonique. — Amativité. — Ardeur. — Chaleur. — PASSION. — Amitié.
— Intimité. — Familiarité. — Camaraderie. — Cordialité. — Dilection. — Inclination. — Tendresse. — Sympathie. — Penchant. — ENTHOUSIASME. — Enivrement. —
Transports. — Piété. — Dévotion. Zèle. Culte.
— Altruisme. — Charité. — Sollicitude. —
Bon vouloir. Bonne volonté. Bienveillance. —
Cœur. — SENTIMENT. Sensibilité. — Faiblesse.
Intérêt. — ESTIME. — Préférence. — Prédilection. — Partialité — CAPRICE.

**Qui aime ou qui est aimé.** — Ami. —
Amant, amante. — Amoureux. — Chevalier
servant. — Adorateur. — Soupirant. — PARTISAN. — Dévot. Zélateur. — FANATIQUE.

Un être aimé. — Maîtresse. — Bien-aimé.
— Chéri. — Mon cœur. — Coqueluche. —
Favori. — Idole. — Enfant gâté. — Mignon.
— Benjamin. — Chou-chou.

Aimable. Sympathique. Plaisant.

ALAMBIQUÉ. V. *subtil, diffi-*
*cile.*
ALANGUI. Alanguissement, m.
V. *langueur, abattement.*
ALARME, f. V. *danger, peur.*
ALARMISTE, m. V. *peur, cha-*
*grin.*
ALBÂTRE, m. V. *marbre,*
*pierre.*
ALBATROS, m. V. *oiseau.*
ALBINOS, m. V. *blanc.*
ALBUM, m. V. *écrire, dessin.*
ALBUMEN, m. V. *graine.*
ALBUMINE, f. Albumineux.
V. *œuf, glu, graisse.*
ALBUMINURIE, f. V. *urine.*
ALCADE, m. V. *Espagne.*
ALCALESCENCE, f. V. *alcali.*

**Alcali,** m.
ALCALIMÈTRE, m. V. *alcali.*
ALCALIN. V. *alcali.*
ALCALINITÉ, f. V. *alcali.*
ALCALOÏDE, m. V. *alcali.*
ALCARAZAS, m. V. *vase.*
**Alchimie,** f. Alchimiste, m.
V. *magie, chimie.*
ALCOOL, m. V. *distiller, li-*
*queur.*
ALCOOLIQUE. Alcooliser. V.
*ivre.*
ALCOOLISME, m. V. *boire, li-*
*queur.*
ALCOOLS, m. p. V. *boisson,*
*chimie.*
ALCÔVE, f. V. *lit, chambre.*
ALCYON, m. V. *oiseau.*

ALDÉHYDE, m. V. *chimie.*
ALÉATOIRE. V. *hasard, doute.*
ALÈNE, f. V. *chaussure.*
ALENTOURS, m. p. V. *entou-*
*rer, dépendance.*
ALÉRION, m. V. *aigle.*
ALERTE. V. *vif.*
ALERTE, f. V. *peur.*
ALÉSAGE, m. Aléser. V. *tour-*
*neur, percer.*
ALEVIN, m. V. *poisson.*
ALEXANDRIN, m. V. *poésie.*
ALEZAN, m. V. *cheval.*
ALÈZE, f. V. *planche.*
ALGANON, m. V. *chaîne.*
ALGARADE, f. V. *colère.*
**Algèbre,** f. Algébrique. V.
*mathématiques.*

---

**Eprouver du goût.** — Aimer. — Etre
amateur. — Aimer le plaisir, l'étude, la
bonne chère, etc. — S'amuser à. — Se plaire
à, se complaire à, prendre plaisir à. — Se
régaler de. — Avoir du goût pour. Goûter.
— Trouver à son gré. — PRÉFÉRER. — Etre
friand de. — S'intéresser à. — Se coiffer de.
S'embéguiner. S'engouer. — Raffoler de. —
Etre adonné à. — Avoir la manie de. — Désirer. — Rechercher.

Mots en *phile* et en *mane.* Ex. : Bibliophile.
Bibliomane.

## AIR

**Les airs.** — Air. — Espace aérien. —
Ciel, cieux. — Voûte céleste. — Empyrée.
Ether. Azur. — Atmosphère. Stratosphère.

Régions de l'air. Plaines de l'air. — Couches d'air. Colonne d'air. Trou d'air.

Phénomènes de l'air. — Météore. — VENT.
— TEMPÊTE. — VAPEUR.

**L'air, la respiration.** — Aérer, aéré,
aérage. — Air ambiant. — Courant d'air. —
Plein air. — Eventer. — Ventiler, ventilateur. Vasistas. — Sentir le renfermé. — Renouveler l'air.

Air vital. — Respirer, respiration. — Air
vicié. Air pur. Air respirable. — Souffler,
SOUFFLE. — Air natal. Milieu. Climat.

**Sciences et applications.** — Aérographie. — Aérologie. — AÉRONAUTIQUE. —
Aérostation. — Aérothérapie.

Aéromètre. BAROMÈTRE. Aéroscope. Eudiomètre. — Pression atmosphérique. — Elasticité. — Compression. Air comprimé. Air liquide. — Condensateur. — Bandage pneumatique. — Le vide. — Machine pneumatique.
— Pompe aspirante. — Ventouse.

**Qui a rapport à l'air.** — Aérolithe. Bo-
lide. — Coup d'air. Malaria. Miasmes. —
Aérobie (microbe). — Etres aériens. Sylphe.
Sylphide. — Temple hypèthre (sans toit). —
Jupiter (dieu de l'air). — Soufflet.

## ALCALI

**Alcali et dérivés.** — Alcali fixe. Alcali
volatil. — Alcalis (composés chimiques).
SOUDE. POTASSE. Ammoniaque. Lithine. Ba-
ryte. Strontiane, etc. — Alcali. Dorême. Kali

(plantes à alcali). Cendres. — Natron. — Sel
ammoniac. Gaz ammoniac. Vapeurs ammoniacales. Gomme ammoniaque. — Alcalamide.
Amide. — Ammonium. Ammoniure.

**Alcalins.** — Métaux alcalins. — Terres
alcalines. Baryum. Strontium. Calcium. —
Les alcalins (médicaments). — Eaux alcalines
(à bicarbonate de soude ou carbonate de chaux).

**Alcaloïdes.** — Alcaloïde (substance azotée
rappelant l'alcali). — Morphine. Nicotine.
Cocaïne. Strychnine. Caféine. Atropine, etc.

**Traitement.** — Alcalicité. — Alcalescent,
alcalescence. — Alcaliser, alcalisation. —
Alcalifiant. Alcaligène. — Alcalinité. — Lixiviation, lixivier. — Réactif. Tournesol. —
Alcalimètre, alcalimétrie. — Alcaloïmétrie.

## ALCHIMIE

**Art.** — Alchimie, alchimique. — Grand
art. — Art sacré. — Archimagie. Philosophie hermétique. — Théosophie.

Le grand œuvre. — Transmutation des
métaux, transmuer. — Vertu aurifique. Chry-
sopée (art de faire de l'or). — Argyropée
(art de faire de l'argent). — Symbolisation
(des planètes). — Archée (principe de la vie).
— Quintessence (cinquième essence des choses). — Brumazar (esprit des métaux). —
Ens primum (substance). — Magnale (esprit
de l'eau). — Souffler (faire de l'alchimie).
— Arcane (secret).

**Alchimistes.** — Alchimiste. Adepte. Souffleur. Rose-Croix. Théosophie.

Hermès Trismégiste. Avicenne. Albert le
Grand. Thomas d'Aquin. Raymond Lulle.
Roger Bacon. Paracelse.

**Ingrédients.** — Magistère (préparation).
— Pierre philosophale. — Poudre de projection (pour la transmutation). — Mercure
animé. — Métaux (à noms de planètes). —
Poudre argentifique. — Acide gras. — Mens-
true (dissolvant). — Sel de sagesse. — Elixir
de vie. — Or potable. — Panacée. — Driffe
(antidote). — Eau céleste (soufre). — Régule
(fond de creuset). — Altingat (vert-de-gris).

## ALGÈBRE

**Données algébriques.** — Nombre positif,
négatif, imaginaire. — Fonction. — Equa-

ALGUAZIL, m. V. *Espagne.*
ALGUE, f. V. *cryptogame.*
ALIBI, m. V. *absence.*
ALIDADE, f. V. *arpentage.*
ALIÉNATION, f. Aliéner. V. *propriété, changer, vendre.*
ALIÉNÉ, m. V. *folie.*
ALIÉNISTE, m. V. *folie.*
ALIFORME. V. *aile.*
ALIGÈRE. V. *aile.*
ALIGNEMENT, m. Aligner. V. *ligne, droit, niveau, arpentage.*
ALIMENT, m. Alimenter. Alimentaire. V. *manger, mets, provision.*
ALINÉA, m. V. *ligne, imprimerie, écrire.*
ALIPÈDE. V. *aile.*
ALITÉ. S'aliter. V. *lit, maladie.*
ALIZÉ. V. *vent.*
ALLAH, m. V. *Mahomet.*
ALLAITEMENT, m. Allaiter. V. *lait, mamelle, nourrice, mère.*
ALLÉCHANT. V. *plaire.*
ALLÉCHER. V. *appât, séduire.*
ALLÉE, f. V. *chemin, jardin, forêt, marcher.*
ALLÉGATION, f. V. *dire.*
ALLÉGEANCE, f. V. *féodal.*

ALLÉGEMENT, m. Alléger. V. *léger, diminuer, consoler.*
ALLÉGORIE, f. Allégorique. V. *conte, détour, signifier.*
ALLÈGRE. Allégresse, f. V. *joie, vif.*
ALLÉGUER. V. *affirmer, prétexte.*
ALLELUIA. V. *psaume, Pâques.*
**Allemagne**, f.
ALLEMAND. V. *Allemagne, dispute.*
ALLER. V. *marcher, allure, but, habillement.*
ALLEU, m. V. *féodal.*
ALLIACÉ. V. *oignon.*
ALLIAGE, m. V. *mélange, chimie, fonderie.*
ALLIANCE, f. V. *joindre, association, bijou.*
ALLIÉ, m. V. *association, parent.*
ALLIER. S'allier. V. *association, famille.*
ALLIGATOR, m. V. *crocodile.*
ALLITÉRATION, f. V. *rhétorique.*
ALLÔ. V. *téléphone.*
ALLOCATION, f. V. *don.*
ALLOCUTION, f. V. *discours.*
ALLODIAL. V. *féodal.*

ALLONGE, f. V. *long, table.*
ALLONGÉ. V. *posture.*
ALLONGEMENT, m. V. *long.*
ALLONGER. V. *loin, étendre, augmenter.*
ALLOPATHE, m. Allopathie, f. V. *différent, médecine.*
ALLOTROPIE, f. V. *changer, chimie.*
ALLOUER. V. *attribuer, don.*
ALLUMAGE, m. V. *automobile.*
ALLUMER. V. *feu, brûler.*
ALLUMETTE, f. V. *feu, pâtisserie.*
**Allure**, f. V. *manière, posture, équitation.*
ALLUSION, f. V. *dire, rhétorique.*
ALLUVIAL. V. *rivière.*
ALLUVION, f. V. *rivière, géologie.*
ALMANACH, m. V. *année, calendrier.*
ALMÉE, f. V. *danse.*
**Aloès**, m. Aloétique. V. *gomme.*
ALOI, m. V. *mélange, monnaie.*
ALOPÉCIE, f. V. *poil, cheveu.*
ALORS. V. *temps.*
ALOSE, f. V. *poisson.*
ALOUATE, m. V. *singe.*

---

tion. Equation du premier, second, troisième degré, etc. — Monôme. Binôme. Trinôme. Polynôme.

Quantité algébrique, mise en équation. — Valeur numérique. — Expression algébrique rationnelle, irrationnelle. Polynôme homogène. Equation numérique, littérale.

## ALLEMAGNE

**Termes politiques.** — Germanie. — Germains. — Teutons. — Borusses. — Saint-Empire. Confédération germanique. — Diète. Princes électeurs. Princes médiatisés. — Burgrave. Margrave. Landgrave. Rhingrave. — Chevaliers Teutoniques. — Reîtres. Lansquenets. — Hanse, ville hanséatique. — Cercles. — Landsturm. Landwehr. — Kaiser. Kronprinz. — Reich. — Reichstag. — Pays allemands. — Landtag. — Germanisme. Germanie. — Reichswehr. — Partis agrarien, nationaliste, social-démocrate, social-national, populiste, centre catholique, etc. — Hitlérisme, hitlérien. Führer. Croix gammée. — Anschluss.

**Termes géographiques.** — Berg (montagne). — Brücke (pont). — Brunnen (source). — Burg (fort). — Dorf (village). — Feld (champ). — Fels (rocher). — Fluss (fleuve). — Garten (jardin). — Gebirge (montagne). — Hafen (port). — Haus (maison). — Heim (logis). — Hof (cour). — Insel (île). — Koppe (sommet). — Ort (lieu). — Mündung (embouchure). — Quelle (source). — Riff (récif). — Schloss (château). — Schlucht (ravin). — See (mer). — Spitze (pointe). — Strand (rivage). — Strom (cours d'eau). — Turm (tour).

## ALLURE

**Manière d'aller.** — Aller à pied. Aller au pas. — Aller cahin-caha, clopin-clopant. — Aller à quatre pattes, à cloche-pied. — Courir. Galoper. Ambler. Trotter. Trottiner. — Piétiner. Clampiner. Clopiner. — Se mouvoir. — Se bercer. Se balancer. — Se pavaner. Se prélasser. Se carrer. — Boiter. Caneter. Sautiller. Se tortiller. Traîner la jambe. — S'entretailler. Faucher. — Faire des enjambées. — Se démener. — Gambader. — Sauter. — Marcher droit, de travers. Marcher en écrevisse. Marcher sur la pointe des pieds. — Trébucher. — Reculer. — Ramper.

**Allures.** — Allure grave, légère, sérieuse, posée, lourde, désinvolte, dégagée. — Démarche. — Pas ordinaire, accéléré, redoublé, de charge, gymnastique, de course,etc. — Erre. — Entrepas. — Trac (allure). — Trantran. — Train. — Galop. — Trot. — Amble. — Balancement. — Dégingandement. — Piétinement.

**Attitudes.** — Air. — Port. — Carrure. — Prestance. — Tenue. — Maintien. — Ligne. — Silhouette. — Tournure. — Dégaine. — POSTURE.

## ALOÈS

**Les aloès.** — Aloès (plante). — Agave. — Cabouille (Inde). — Maguey (Amérique), etc. Aloès (bois). — Bois d'aigle. — Aquilaire. — Tambac.

**Relatif à l'aloès.** — Aloétine. Aloïne. — Aloïnées (plantes). — Aloétique. Résine d'aloès. — Pite (chanvre). — Pulque (alcool).

*Alouette*, f. V. *oiseau*.
ALOURDIR. V. *lourd, poids*.
ALOUVI. V. *faim*.
ALOYAU, m. V. *viande*.
ALPAGE, m. V. *paître, montagne*.
ALPENSTOCK, m. V. *bâton*.
ALPHABET, m. Alphabétique. V. *lettre, lire, imprimerie*.
ALPINISME, m. V. *montagne*.
ALTÉRABLE. V. *fragile*.
ALTÉRATION, f. V. *différent, gâter*.
ALTERCATION, f. V. *dispute*.
ALTÉRÉ. V. *soif*.
ALTÉRER. V. *changer, gâter*.
ALTERNANCE, f. V. *retour, réciproque*.
ALTERNATIF. V. *interruption*.
ALTERNATIVE, f. V. *embarras, indécis*.
ALTERNÉ. V. *opposé*.
ALTERNER. V. *après, changer, balancer*.
ALTESSE, f. V. *prince, roi*.
ALTIER. V. *haut, orgueil*.
ALTIMÈTRE, m. V. *haut*.

ALTITUDE, f. V. *haut*.
ALTRUISME, m. V. *bon, aimer*.
ALUMELLE, f. V. *lame*.
ALUMINE, f. V. *alun, argile*.
ALUMINIUM, m. V. *alun*.
*Alun*, m.
ALUNER. Alunage, m. Alunerie, f. V. *alun*.
ALVÉOLE, m. V. *cire, miel*.
AMABILITÉ, f. V. *grâce, galant, traiter*.
AMADOU, m. V. *feu*.
AMADOUER. V. *appât, attirer, séduire*.
AMAIGRIR. Amaigrissement, m. V. *maigre, diminuer*.
AMALGAME, m. V. *mélange, mercure, argent*.
AMAN, m. V. *pardon*.
*Amande*, f.
AMANDIER, m. V. *amande*.
AMANITE, f. V. *champignon*.
AMANT, m. Amante, f. V. *amour, passion, adultère, plaire*.
AMARINER. V. *matelot*.

AMARRE, f. Amarrer. V. *corde, bateau, port*.
*Amas*, m. V. *beaucoup*.
AMASSER. V. *amas*.
AMATEUR, m. V. *aimer, art, adjudication*.
AMATIVITÉ, f. V. *aimer*.
AMAUROSE, f. V. *œil*.
AMAZONE, f. V. *cheval, équitation*.
AMBAGES, f. p. V. *obscur*.
AMBASSADE, f. V. *mission, envoi*.
AMBASSADEUR, m. V. *agent, diplomatie*.
AMBE, m. V. *loterie*.
AMBIANCE, f. V. *entourer*.
AMBIDEXTRE. V. *main*.
AMBIGU. Ambiguïté, f. V. *indécis, obscur, doute*.
AMBITIEUX. Ambition, f. V. *désir, passion, orgueil*.
AMBLE, m. Amble. V. *allure, cheval*.
AMBLYOPIE, f. V. *œil*.
AMBON, m. V. *église*.
*Ambre*, m. V. *bijou*.

## ALOUETTE
(latin, *alauda*)

**Alouettes**. — Alaudidés. — Alouette. Alaude. Alouette crêtée. Alouette huppée. — Mauviette. — Moquette.

**Relatif à l'alouette**. — Grisoller. Tirelirer, tire-lire (chant de l'alouette). — Turluter (chanter pour appeler). — Miroir à chasser. — Tirasse (filet).

Légion de l'Alouette. — Pied-d'alouette (plante).

## ALUN

**Alun**. — Sulfate d'alumine. — Alunite (terre). — Alunière (mine). — Alunifère. — Alunerie. — Aluner, alunage. — Chiper, chipage (tannage à l'alun). — Etoffe (bain d'alun).

**Alumine**. — Alumine, aluminage. — Aluminate. — Ocre. — Cryolithe (minéral alumineux). — Alumine anhydre (base des pierres [corindon, topaze, rubis, saphir, améthyste] et de l'émeri). — Aluminium. — Bronze d'aluminium. — Bauxite (minerai d'aluminium).

## AMANDE

**Les amandes**. — Amandier. — Badamier. — Térébinthe. — Amande douce, amère, princesse. — Fruit amygdalin. — Arachide. — Pistache. — NOIX. — Pignon (du pin). — Amygdale (glande de la gorge).

**Préparation**. — Enucléation. Brou. Coque. — Echauder. — Monder. — Rissoler. — Griller.

**Produits amandés**. — Emulsion. — Amandé. — Frangipane. — Pâte d'amandes. — Lait d'amandes. — Nougat. — Massepain. — Praline. — Dragée. — Touron. — Petits fours. — Sirop d'orgeat.

Amandine (cosmétique). — Acide hydrocyanique. — Térébenthine.

## AMAS

**Amas en général**. — Ensemble. — Tout. — Quantité. — Multitude. Foule. — Masse. Bloc. — Rassemblement. — Assemblage. — Collection. — RECUEIL. — Réunion. — Agglomération. — Ramas. Ramassis. — Fatras. — Tas. — Amoncellement. — Provision.

**Amas particuliers**. — Gerbe. — Javelle. Barge. — Meule. Mulon. — Veillote (de foin). — Moie. — Monceau. — Pile. — Pilot. Salorge. Vache (tas de sel). — Crête (de blé). — Tumulus. — Taupinière. — Tertre. — FAISCEAU. — Lot. — Paquet. Pacotille. — Touffe. — BOULE. Boulette. Globe. — Congestion (de sang). — Sécrétion et CONCRÉTION (d'humeur). — Marchandises en vrac.

**Amasser**. — Accumuler. — Amonceler. — Entasser. — Ramasser. — Rassembler. — Assembler. — Collectionner. — Colliger. — Empiler. — Compiler. — Réunir. — Englober. — Agglomérer. — Agglutiner. — Masser. — Recueillir. — Emmagasiner.

Antoiser (du fumier). — Enchaler (du bois). — Emmeuler. — Ameulonner. — Enveilloter. — Gerber. — Engranger. — Encaver. — Ensiler.

**Amas d'argent**. — Amasser un trésor. — Thésauriser. — Capital, capitaliser. — Accaparer, accaparement. — Cumul, cumuler. — Dépôt, déposer. — Collecte. — Magot. — Bourse. Caisse. Tirelire.

## AMBRE

**Ambres**. — Ambre. — Ambre gris. — Ambres jaunes. Carabé. Succin. Electrum. — Jais (ambre noir). — Succinite (ambre rouge).

**Relatif à l'ambre**. — Ambrer (parfumer). — Ambrette (graine). — Ambrin ou Ambré. — Ambrine (onguent).

AMBRER. V. *ambre.*
AMBRINE, f. V. *ambre.*
AMBROISIE, f. V. *mets.*
AMBROISIEN. V. *liturgie.*
AMBULACRE, m. V. *pied, membre.*
AMBULANCE, f. V. *blessure, chirurgie.*
AMBULANT. V. *marcher, poste.*
AME, f. V. *esprit, conscience, artillerie.*
AMÉLIORATION, f. Améliorer. V. *mieux, progrès, corriger.*
AMEN. V. *prière.*
AMÉNAGEMENT, m. Aménager. V. *arranger.*
**Amende,** f. V. *payer, punition.*
AMENDEMENT, m. Amender. V. *mieux, réparer, changer, labour, parlement.*
AMENÉE, f. V. *canal.*
AMENER. V. *attirer, cause, voile.*

AMÉNITÉ, f. V. *politesse, traiter.*
AMENUISER. V. *diminuer.*
**Amer.** V. *bile.*
AMÉRICAIN. V. *Amérique.*
**Amérique,** f.
AMERRIR. V. *aéronautique.*
AMERS, m. p. V. *mer, écueil.*
AMERTUME, f. V. *goût, chagrin.*
AMÉTHYSTE, f. V. *pierre.*
AMEUBLEMENT, m. V. *meuble, maison.*
AMEUBLIR. V. *labour.*
AMEUTER. V. *exciter.*
AMI, m. V. *amitié, fidèle, familier.*
AMIANTE, m. V. *brûler.*
AMICAL. V. *amitié.*
AMIDE, f. V. *chimie.*
AMIDINE, f. V. *amidon.*
**Amidon,** m. V. *farine.*
AMIDONNER. V. *amidon, blanchir.*

AMINCIR. Amincissement, m. V. *mince, diminuer.*
AMIRAL, m. V. *officier, marine.*
AMIRAUTÉ, f. V. *marine.*
**Amitié,** f. V. *aimer, accord, fidèle.*
AMMON. V. *soleil.*
AMMONIAQUE, f. V. *alcali.*
AMMONITE, f. V. *coquille.*
AMNÉSIE, f. V. *mémoire, oubli.*
AMNISTIE, f. Amnistier. V. *pardon, exempt, punition.*
AMODIATION, f. Amodier. V. *ferme, louage.*
AMOINDRIR. Amoindrissement, m. V. *moins, diminuer.*
AMOLLIR. V. *mou.*
AMONCELER. V. *amas.*
AMONT, m. V. *rivière.*
AMORCE, f. Amorcer. V. *commencer, pêche, pompe, pyrotechnie.*

## AMENDE

**Amendes diverses.** — Amende. — Compensation pécuniaire. — Composition. — Dédommagement. — Dommages et intérêts. — Dédit. — Indemnité. — Pergée (pour dégâts des bestiaux). — Peine pécuniaire. — Confiscation ou Commise. — Maximum et Minimum de l'amende.
Amende honorable. Réparation. Excuse.

**Actes concernant l'amende.** — Condamner, mettre à l'amende. — Frapper d'une amende. — Payer une amende. — Perception de l'amende. — Consignation. — Fisc, fiscal. — Indemniser. — Lever une amende.

## AMER

**Saveur amère.** — Amer, amertume. — Goût amer. — Avoir la bouche amère. — Acre, âcreté. — Apre, âpreté. — Amarescent. — Absinthé.
Acerbe. — Acrimonieux, acrimonie.

**Choses amères.** — Les amers (médicaments). — Absinthe. — Chicorée. — Chicotin. — Rhubarbe. — Gentiane. — Houblon. — Centaurée. — Génépi. — Aloès (racine). — Strychnine. — Quinine. — Semencontra. — Quassia amara, etc.
Fiel. — Amer (vésicule). BILE. — Levain. Levure. — Apéritifs. Bitter. Vermouth. Absinthe. Quinquina, etc. — SUIE. — L'onde amère.

## AMÉRIQUE

**Amérique du Nord.** — Américain. — Transatlantique. — Yankee. — Oncle Sam. — Jonathan. — Quaker. — Mormon. — Dollar. — Poker. — Jazz. — Peaux-Rouges. Mohicans. Hurons. Apaches. Natchez, etc. — Calumet. Scalp. — Far West. Prairies. Savanes. Mustang. Bison. — Ranch. Cow-boy. — Gratte-ciel. — Taylorisme.

**Amérique Centrale.** — Aztèques. — Caïque. — Indes occidentales. — Créole. — Canne à sucre. — Rhum. — Pulque. — Dengue (fièvre). — Vomito-negro (fièvre jaune). — Canal de Panama.

**Amérique du Sud.** — Incas. — Patagons. — Forêts vierges. — Rios. — Llanos. — Pampas. — Hacienda. — Gaucho. — Lasso.

## AMIDON
(latin, *amylum*)

**Amidon et dérivés.** — Amidon. — Amidine. — Amiduline. — Diastase. — Dextrine. — Fécule. — Sagou. — Tapioca. — Substance amylacée. — Amyle. — Composés amyliques.

**Fabrication.** — Amidonnier. Amidonnerie. — Féculerie. — Procédé chimique. — Fermentation du gluten. Démêler les blancs. — Procédé mécanique. Broyage. Décantation. — Procédé Martin. — Pâtons. Piston de bois. Toile métallique. Entraînement d'eau. Lavage. Séchage. — Mise en grains, en pains, en poudre.

**Usage.** — Amidonner. — Empois, empeser. — Poudrer. — COLLE de pâte, coller. — Dragées.

## AMITIÉ

**Sentiments d'amitié.** — Amitié. — Affection. — Tendresse. — Attachement. — Intimité. — Familiarité. — Fraternité. — Confraternité. — Cordialité. — Camaraderie. — Cousinage. — Concorde. — Confiance. — Entente.

**Rapports d'amitié.** — Accointance. — ACCORD. — Union. — Commerce. — Liens. — Nœuds. — Chaîne. — Alliance. — Association. — Liaison. — Relations. — Rapports. — SOCIÉTÉ. — Fréquentation. — VISITE. — PAIX.
Refroidissement. Brouille. Fâcherie. Rupture.

AMORPHE. V. *forme, indécis.*

AMORTIR. Amortissement, m. V. *diminuer, annuler, payer, dette, rente.*

AMOUILLE, f. V. *vache.*

**Amour,** m. V. *aimer, plaire, passion, penchant, cœur.*

AMOURACHER (s'). V. *amour.*

AMOURETTE, f. V. *amour.*

AMOUREUX, m. Amoureuse, f. V. *amour, passion.*

AMOUR-PROPRE, m. V. *soi, orgueil, propre.*

AMOVIBLE. V. *roue.*

AMPÈRE, m. V. *mesure.*

AMPHIBIE, m. V. *animal, vie.*

AMPHIBOLOGIE, f. V. *obscur.*

AMPHIGOURIQUE. V. *obscur.*

AMPHISBÈNE, m. V. *serpent.*

AMPHITHÉÂTRE, m. V. *théâtre, cirque, spectacle, anatomie.*

AMPHITRITE, f. V. *Neptune.*

AMPHITRYON, m. V. *manger.*

AMPHORE, f. V. *vase.*

AMPLE. Ampleur, f. V. *grand, large.*

AMPLIATION, f. V. *copie.*

AMPLIFICATEUR, m. V. *télégraphe, phonographe.*

AMPLIFICATION, f. V. *augmenter, grand, rhétorique.*

AMPLITUDE, f. V. *grand, astronomie.*

AMPOULE, f. V. *bouteille, lampe.*

AMPOULÉ. V. *emphase.*

AMPUTATION, f. Amputer. V. *couper, membre, chirurgie.*

**Amulette,** f. V. *superstition, magie.*

AMURE, f. V. *corde, voile.*

AMUSEMENT, m. Amuser. V. *jeu, plaisir, oisif, délai.*

AMUSETTE, f. V. *jeu.*

AMYGDALE, f. Amygdalite, f. V. *gorge.*

AMYLACÉ. Amylique. V. *amidon.*

AN, m. V. *année.*

ANABAPTISTE, m. V. *baptême.*

ANACHORÈTE, m. V. *ermite, désert.*

ANACHRONISME, m. V. *temps, chronologie.*

ANACOLUTHE, f. V. *grammaire.*

ANAGOGIE, f. V. *Bible.*

ANAGRAMME, f. V. *lettre.*

ANALECTES, m. p. V. *recueil.*

ANALOGIE, f. Analogique. V. *raison, rapport.*

ANALOGISME. V. *argument.*

ANALOGUE. V. *semblable.*

ANALYSE, f. V. *argument, science, chimie.*

ANALYSER. V. *examen, séparer, résumer, dissoudre.*

ANALYTIQUE. V. *géométrie.*

ANAPESTE, m. V. *poésie.*

ANARCHIE, f. V. *désordre.*

ANASTIGMATISME, m. V. *optique.*

ANASTOMOSE, f. V. *articulation, veine.*

ANATHÈME, m. V. *punition, maudire, excommunier.*

**Anatomie,** f. V. *corps, botanique.*

ANATOMISER. V. *anatomie.*

---

**Pratique de l'amitié.** — Cultiver l'amitié. — Contracter amitié. — Nouer amitié. — Cimenter l'amitié. — S'attacher. — S'accointer. — Se lier. — Affectionner. — Se prendre d'affection. — FRÉQUENTER. — Fraterniser. — Cousiner. — Hanter. — Se voir. — Etre bien avec. — Etre en bons termes. — Ne faire qu'un. — Se confier. — Gagner le cœur. — S'unir. — S'allier. — S'associer. — Se concilier. — Tendre les bras à. — Se familiariser.

Se fâcher. — Se brouiller. — Rompre. — Renouer. — Se raccommoder. — Se réconcilier.

**Nature des amitiés.** — Amitié intime, étroite, fidèle, constante, éprouvée, cordiale, fraternelle, chaude, ardente, dévouée, tendre, solide, véritable ; fausse, trompeuse.

**Les amis.** — Bon ami. — Vieil ami. — Ami d'enfance. — Alter ego. — Frère. — FAMILIER. — Camarade. — Coéquipier. — Condisciple. — Copain. — Confident. — COMPAGNON. — Couple ou paire d'amis. — Connaissance. — Relation. — Confrère. — Collègue. — Entourage. — Voisinage. — Les nôtres.

**Amis célèbres.** — Castor et Pollux. — Oreste et Pylade. — Le fidèle Achate. — Nisus et Euryale. — Damon et Pythias. — Montaigne et La Boétie.

## AMOUR

**Sortes d'amour.** — Amour. — Feux de l'amour. — PASSION. — Flamme. — Transports. — Extase. — Idolâtrie. — Sentiment. — Attachement. — Penchant. — Inclination. — Béguin. — Flirt. — Amourette. — Passionnette. — Passade. — Galanterie. — Caprice. — Cour. — Conquête. — Séduction. — Amour platonique.

Amour paternel, maternel, filial. — Amour-propre. — Amour de Dieu. — Amour des arts, etc.

**Amants.** — Amant, amante. — Maîtresse. — Bon ami, bonne amie. — Amoureux, amoureuse. — GALANT. — Soupirant. — Prétendant. — Sigisbée. — Céladon. — Amoureux transi. — Jeune premier. — Adonis. — Objet. — Idole.

**Action d'aimer.** — S'éprendre. S'amouracher. — S'enticher. — S'extasier. — Adorer. — Idolâtrer. — S'embéguiner. — S'attacher à. — Brûler pour. — Soupirer. — Roucouler. — Flirter. — Conter fleurette. — Offrir son cœur. — Faire sa déclaration. — Faire les yeux doux. — Echanger des serments, des billets doux, des poulets. — Filer le parfait amour. — Témoigner son ardeur, sa flamme. — Donner des baisers. — Faire des caresses. — Accorder ses faveurs.

**Poésie.** — VÉNUS. Astarté. Aphrodite. — Cupidon. Eros. L'Amour. Bandeau. Carquois. Flèches. — Les Amours. — Les Grâces. — Cythère. — Poésie érotique.

## AMULETTE

**Termes généraux.** — Amulette. — Caractère. — Charme. — Fétiche. — Portebonheur. — Porte-veine. — Anneau. — Bague. — Image. — Médaille. — Médaillon. — Sachet. — Pendeloque. — Talisman. — Préservatif. — Palladium. — Formule magique. — Vertu magique.

**Termes particuliers.** — Abracadabra (mot magique). — Pierre basilidienne. — Corde de pendu. — Gris-gris. — Ipsillices (médaillons). — Lampe d'Aladin. — Manitou (fétiche). — Phylactère (amulette juive). — Psellion (pendentif). — Scapulaire (étoffe bénite).

## ANATOMIE

**Science anatomique.** — Anatomie (étude de l'organisme par la dissection). — Divisions de l'anatomie. Ostéologie (étude des

ANCÊTRE, m. **V.** *vieux, parent, passé.*
ANCHE, f. **V.** *flûte, orgue.*
ANCHOIS, m. **V.** *poisson.*
ANCIEN. Ancienneté, f. **V.** *vieux, passé, âge, temps.*
ANCILLAIRE. **V.** *domestique.*
ANCRAGE, m. Ancrer. **V.** *ancre.*
**Ancre,** f. **V.** *arrêt, bateau, horloger.*
ANDAIN, m. **V.** *fourrage.*
ANDANTE. **V.** *musique.*
ANDOUILLE, f. **V.** *charcuterie.*
ANDOUILLER, m. **V.** *cerf, corne.*
**Ane,** m. **V.** *bestiaux, ignorant, banc, étau.*

ANÉANTIR. Anéantissement, m. **V.** *détruire, effacer, ruine. disparaître.*
ANECDOTE, f. Anecdotique. **V.** *conte, nouvelle.*
ANÉMIE, f. **V.** *langueur, sang, faible.*
ANÉMOMÈTRE, m. **V.** *vent.*
ANÉMONE, f. **V.** *fleur.*
ANERIE, f. **V.** *âne, erreur.*
ANESSE, f. **V.** *âne.*
ANESTHÉSIE, f. Anesthésique. **V.** *sensation, émousser, insensible.*
ANESTHÉSIER. **V.** *chirurgie, insensible.*
ANÉVRISME, m. **V.** *artère.*

ANFRACTUOSITÉ, f. **V.** *creux, rocher.*
**Ange,** m. **V.** *pur, ciel.*
ANGÉLIQUE. **V.** *ange.*
ANGELOT, m. **V.** *ange.*
ANGÉLUS, m. **V.** *ange, vierge.*
ANGINE, f. **V.** *gorge.*
ANGIOLOGIE, f. **V.** *anatomie.*
ANGLAISES, f. p. **V.** *cheveu.*
**Angle,** m. **V.** *géométrie.*
ANGLET, m. **V.** *architecture*
**Angleterre,** f.
ANGLICAN, m. **V.** *Angleterre, protestant.*
ANGLICANISME, m. **V.** *religion.*
ANGLICISME, m. **V.** *Angleterre.*

---

os). Arthrologie (des articulations). Angiologie (des vaisseaux sanguins). Névrologie (des nerfs). Splanchnologie (des viscères). — Anatomie comparée. — Somatologie (étude du corps). — Chirurgie. — Médecine.

Zootomie (anatomie des animaux). Hippotomie (du cheval). — Vivisection.

Anatomie artistique.

**Travail anatomique.** — Anatomiste. — Anatomiser. — Amphithéâtre. — Cabinet. — Table. Dalle. Marbre. — Disséquer, dissection, dissecteur. — Prosecteur. — Scalpel. Erigne (instruments). — Ligne médiane. — Fissiculation (ouverture au scalpel). — Sujet. — Squelette. — Pièce anatomique. — Viviséquer.

### ANCRE

**Sortes d'ancres.** — Ancre maîtresse, d'espérance, de miséricorde. — Ancre d'affourche, de flot, de jusant. — Ancre de veille (prête à jeter). — Risson. Aisson (à 4 bras). — Ancre borgne (à un bras). — Grappin. — Ancre de toue (pour haler). — Empennelle (ancre attenante).

**Détail de l'ancre.** — Jas ou Jouail (traverse). — Tige ou Verge. — Carré. — Collet. — Branches. Bras. Pattes. — Oreilles. Aisselles (angles des bras). — Croisée. Diamant (jonction des bras). — Becs (pointes). — Organeau ou Cigale (anneau). — Semelle ou Savate.

**Accessoires de l'ancre.** — Câbles divers. Amure. Aussière. Orin. Capon. Cantonnière. Traversière. Tournevire. Etalingure. Serrebosse.

Bosse ou Bossoir (support de l'ancre). — Ecubier (trou de passage du câble). — Bouée.

**Manœuvres.** — Ancrer, ancrage. — Mouiller, mouillage. — Jeter l'ancre. — Mouiller en créance (de la chaloupe). En croupière (de l'arrière). En patte d'oie. — Affourcher, désaffourcher. — Etalinguer, détalinguer. — Apiquer. — Désancrer. — Déraper. — Défier (écarter du bord). — Chasser sur ses ancres.

**En blason.** — Ancré (terminé en ancre). — Gomène (câble). Stangue ou Scape (tige). — Trabe (croisée).

### ANE
(latin, *asinus*; grec, *onos*)

**Les ânes.** — Ane, ânesse, ânon. — Espèce asine. — Baudet. — Bourrique. Bourriquet. Bourricot. — Grison. — Aliboron. — Martin. — MULET, mule. — Jumart (métis prétendu d'âne et de vache). — Onagre. Hémione. Zèbre.

Roussin d'Arcadie. — Ane de Balaam. — Ane de Buridan.

**Qui concerne l'âne.** — Anier. — Bât, bâter. — Anée (charge). — Monter à âne. — Hongrer un âne.

Baudouinage (accouplement), baudouiner. — Chauvir des oreilles (les dresser). — Braire, braiment. Rudir (cris). — Mélide (morve).

**Relatif à l'âne.** — Anerie. — Bonnet d'âne. — Anonner. — Guide-âne. — Onocéphale (à tête d'âne). — Onocrotale (pélican à cri d'âne). — Onoporde ou Pédane (chardon). — Tussilage ou Pas-d'âne (plante). — Viédase (visage d'âne) [insulte].

### ANGE
(latin, *angelus*)

**Anges en général.** — Anges. — Elohim (en hébreu). — Intelligences, esprits célestes. — Ministres du CIEL. — Armée, légions, milices célestes. — Anges de lumière. Anges de ténèbres. — Chute des anges. — Anges déchus, rebelles. — DIABLES.

**Hiérarchies et chœurs.** — 1. Séraphins. Chérubins. Trônes. — 2. Dominations. Vertus. Puissances. — 3. Principautés. Archanges. Anges.

**Anges particuliers.** — Michel (vainquit Satan). — Raphaël (conduisit Tobie). — Gabriel (fit l'annonce à Marie). — Uriel.

Lucifer. — Satan. — Belzébuth. — Asmodée.

Ange gardien. — Bon ange. — Ange exterminateur.

**Relatif aux anges.** — Angélique. — Archangélique. — Séraphique. — Angelot (petit ange, monnaie). — Angélolâtrie. — Angélus (prière). — Rire aux anges.

Anglomanie, f. Anglophobie, f. V. *Angleterre.*
Angoisse, f. V. *peur, danger, souffrir.*
Angoisser. V. *chagrin.*
Anguiforme. V. *serpent.*
**Anguille,** f. V. *poisson.*
Anguillule, f. V. *anguille, ver.*
Angulaire. V. *oblique.*

Anguleux. V. *angle.*
Anhéler. V. *respiration.*
Anhydre. V. *sec.*
Anicroche, f. V. *obstacle.*
Anier, m. V. *âne.*
Aniline, f. V. *teindre, houille.*
Animadversion, f. V. *haine.*
**Animal,** m.
Animalcule, m. V. *animal.*

Animalier, m. V. *sculpture.*
Animalité, f. V. *animal, vie.*
Animer. V. *exciter.*
Animisme, m. V. *esprit.*
Animosité, f. V. *haine, colère, dispute.*
Anis, m. Anisette, f. V. *plante, confiseur.*
Ankylose, f. V. *articulation, raide.*

## ANGLE
(latin, *angulus;* grec, *gônia*)

**Eléments.** — Côtés. — Lignes. — Base. — Hypoténuse. — Sommet. — Pointe. — Hauteur. — Bissectrice. — Corde. — Sinus. — Cosinus. — Complément. — Supplément. — Arête (de polyèdre).

**Angles divers.** — Angle. Angle droit. Angle aigu. Angle obtus. Angles alternes. Angle externe. Angle interne. Angle rectiligne. Angle dièdre, tétraèdre, polyèdre, etc. Angle sphérique. Angle plan. Angle rentrant. Angle saillant. Angle d'incidence. Angle de réflexion. Angle de réfraction. Angle correspondant. Angle complémentaire. Angle de contingence. Angle d'objectif. Angles opposés par le sommet.

**Figures à angles.** — Triangle. Quadrilatère. Parallélogramme. Rectangle. Pentagone. Hexagone. Polygone, etc.
Angulaire. Triangulaire. Quadrangulaire. Rectangulaire, etc. — Acutangle. Obtusangle. Equiangle. — Orthogone. Oxygone. Isogone. Polygonal.

**Choses angulaires.** — Objet anguleux. Ligne brisée. — Arête. Vive arête. — Brisure. — Biais. — Avant-bec. — Pan coupé. — Cap. — Corne. — Carne (bord d'une pierre). — Coin. Recoin. Encoignure. — Ecoinçon (meuble de coin). — Biseau. — Evasure. — Gèze ou Noue (entre deux combles). — Enfoncement. — Commissure. — Joint. — Coude. — Dos d'âne. — Chanfrein. — Angle facial.

**Mesures des angles.** — Goniologie. — Goniométrie. — Trigonométrie. — Triangulation. — Trisection. — Inclinaison. — Obliquité. — Ouverture. — Degrés.

**Instruments.** — Equerre. Graphomètre. Rapporteur. Biseau. Angloir.

## ANGLETERRE

**Le pays anglais.** — Angleterre. — Grande-Bretagne. — Empire britannique. — Royaume-Uni.
Anglais. — Anglo-saxon. — Anglo-normand. — Britannique. — Anglicisme. — Angliciser. — Anglomanie. — Anglophobie. — Anglican. Eglise anglicane. Anglicanisme.

**Figures anglaises.** — John Bull. — Commodore. — Lord-maire. — Coroner. — Constable. — Détective. — Policeman. — Clergyman. — Gentleman. — Lord. — Lady. — Miss. — Speaker. — Tory. — Whig. — Girl. — Boy. — Yeoman. — Groom. — Lad. — Cockney. — Tommy.

**Coutumes anglaises.** — Charte. — Income-tax. — Bill. — Sport. — Club. — Football. — Rugby. — Cricket. — Boxe. — Match. — Humour. — Cant. — Spleen. — High life. — Gentry. — Cottage. — Home. — Family house. — Banknote. — Livre sterling. Guinée. Shilling. — Patent. — Trade-union. — Christmas. — Garden party. — Music hall. — Dancing. — Square. — Pudding. — Cake. — Brandy. — Whisky. — Gin. — Magazine.

**Termes géographiques.** — Sea (mer). River (rivière). — Lake (lac). — Mountain (montagne). — Hill (colline). — Highland (haute terre). — Field (champ). — Meadow (prairie). — Garden (jardin). — Land (pays). — County. Shire (comté). — Town (ville). — City (cité). — Shore (rivage). — Reef (écueil). — Channel (la Manche). — Bridge (pont). — Borough (bourg). — Ford (gué). — Ferry (bac). — Island (île). — Mouth (bouche). — Road (route). — Street (rue). — Wharf (quai).

## ANGUILLE

**Sortes d'anguilles.** — Anguille. Pimperneau. Long-bec. Plat-bec. Lycoris. Gymnomurène. — Equille ou Lançon. — Congre. — Gymnote. — Murène. — Lamproie. — Chatouille. — Leptocéphale (frai).

**Relatif à l'anguille.** — Anguillé. — Anguilliforme. — Anguillade (coup de peau d'anguille). — Anguille de haie (couleuvre). — Maniguière. Pantenne. Lampresse (filets de pêche). — Matelote. — Tronçon, tronçonner. — Anguillette (anguille salée). — Anguillule (ver).

## ANIMAL

**Appellations générales.** — Faune. Bête. — Bestiole. — Bêtes fauves, féroces, noires, rousses. — Bétail. — Ruminant. — Pachyderme. — Rongeur. — Gibier. — Poisson. — Cétacé. — Mollusque. — Crustacé. — Coquillage. — Polype. — Rayonné. — Infusoire. — Oiseau. — Volatile. — Volaille. — Rapace. — Passereau. — Echassier. — Palmipède. — Reptile. — Serpent. — Saurien. — Batracien. — Singe. — Primate. — Insecte. — Chenille. — Papillon. — Mouche. — Ver. Vermisseau. — Métis. — Microbe. — Bactérie. — Larve.

**Classification.** — Embranchement. Classe. Ordre. Sous-ordre. Groupe. Genre. Espèce.
*Protozoaires :* Rhizopodes. Infusoires. Sporozoaires. — *Spongiaires :* Eponges siliceuses, calcaires, fibreuses. — *Cœlentérés :* Hydroméduses. Acalèphes. Anthozoaires. Cténophores.

ANKYLOSTOME, m. V. *ver.*
ANNALES, f. p. V. *histoire, chronologie.*
ANNAM, m. V. *Indochine.*
*Anneau,* m. V. *boucle, rond, chaîne, bijou.*
ANNEAUX, m. p. V. *gymnastique.*
*Année,* f. V. *date, temps.*

ANNELÉ. V. *animal, anneau.*
ANNELET, m. V. *moulure.*
ANNÉLIDE, m. V. *anneau, ver.*
ANNELURE, f. V. *cheveu.*
ANNEXE. Annexer. Annexion, f. V. *joindre, dépendance.*
ANNIHILER. V. *annuler.*
ANNIVERSAIRE, m. V. *année, fête.*

ANNONCE, f. V. *nouvelle, dire.*
ANNONCER. V. *devin, public.*
ANNONCES, f. p. V. *journal.*
ANNONCIATION, f. V. *vierge.*
ANNOTATION, f. Annoter. V. *note.*
ANNUAIRE, m. V. *calendrier, année.*
ANNUEL. V. *année.*

---

— *Echinodermes :* Stellérides. Echinides. Ophiurides. Holothuries. Crinoïdes. — *Vers :* Plathelminthes. Annelés. Némathelminthes. — *Vermidiens :* Géphyriens. Bryozoaires. Axobranches. Rotifères. Chétognathes. Brachiopodes. — *Mollusques :* Lamellibranches. Scaphopodes. Gastéropodes. Ptéropodes. Céphalopodes. — *Arthropodes :* Crustacés. Arachnides. Myriapodes. Hexapodes ou Insectes. — *Tuniciers* ou Chordés. — *Vertébrés :* Poissons. Batraciens. Reptiles. Oiseaux. Mammifères.

**Caractères divers.** — Aquatique. — Amphibie. — Ammodyte (qui vit dans le sable). — Sauvage. — Domestique. — Apprivoisé. — Grégaire. — Carnassier. — Herbivore. — RUMINANT. — Ichtyophage. — Frugivore. — Insectivore. — Omnivore. — Rhizophage. — Articulé. — Annelé. — Plantigrade. — TARDIGRADE. — Digitigrade. — Anoure (sans queue). — Dasyure (à grosse queue). — Ovipare. — Vivipare. — Ovovivipare. — Bimane. — Quadrumane. — Pédimane. — Bipède. — QUADRUPÈDE. — Cornupède. — Solipède. — Fissipède. — Bisulce. — Quadrisulce. — Vertébré. — Invertébré. — Echidné. — Echinoderme. — Edenté. — Venimeux. — Vorace. — Testacé. — Monotrème (à cloaque). — Didactyle. — Tétradactyle. — Pentadactyle. — Chiroptère. — Lépidoptère. — Névroptère. — Hyménoptère. — Nyctalope. — PARASITE. — Chasseur. — Rongeur. — Fouisseur.

**Etude des animaux.** — Règne animal. — Zoologie. — Histoire naturelle. — Physiologie animale. — Zootomie. — Muséum. — Laboratoire. — Jardin zoologique. — Ménagerie. — Naturaliste. — VÉTÉRINAIRE. — Cabinet d'histoire naturelle. — Taxidermie. Empaillement, empailleur. — Organisme, organes. — Sexe.

**Traitement des animaux.** — Elevage, élève, éleveur. — Sélection. — Accouplement. — Reproduction. — Domestication, domestiquer. — APPRIVOISEMENT, apprivoiser. — Acclimatation, acclimater. — Dressage, dresser. — Dompter, dompteur. — Cornac. — Bestiaire. — Cirque. — Brutaliser. — Charmer, charmeur. — Hongrer. — Chaponner. — Engraisser. — Animaux de trait. — Bête de somme. — Bête de boucherie. — Fourrière.

**Qui concerne les animaux.** — Animalité. — Bestialité. — Instinct, instinctif. — Epizootie. — Mue. — Sang froid, sang chaud. — Propagation de l'espèce. — Créature. — Monstre. — Animalcule. — Brute. — Pécore. — Zoolâtrie. — Zoolithe (fossile). — Rencontre, *bl.* (animal vu de face).

## ANNEAU

**Anneaux divers.** — Anneau. — Annelet. — BAGUE. — BOUCLE. — Bélière (de sabre). — Capucine (de fusil). — Bouclette. — Bride (d'agrafe). — Clavier (de clefs). — Bracelet. — Collier. — Coulant. — CERCLE. — Œil. — Œillet. — Lice. — Daillot (d'amarre). — Organeau (d'ancre). — Femelles (de gouvernail). — Fibule. — Maille. — Maillon. — Chaînon. — NŒUD coulant. — Lasso. — Manchon (de tuyau). — Ris (de voile). — Rond (de serviette). — Torde (rond de corde). — Verticille (fleurs en anneau). — Valet (rond de paille). — Virole. — Frette (lien de fer). — Bourrelet. — Piton (clou à anneau). — Morne (anneau au bout d'une lance). — Anneau de Gygès.

**Relatif aux anneaux.** — Annelé. — Annélide. — Annelure. — Annulaire. — Annulifère. — Annulé (qui a un anneau). — Cartilage cricoïde (en forme d'anneau). — Infibulation. — Baguenaudier (jeu d'anneaux). — Anglaises (boucles de cheveux).

Orbiculaire. — Verticillé. — Embouté, morné, *bl.* (garni d'un anneau au bout).

**Ce qu'on fait des anneaux.** — Porter. — Mettre. — Oter. — Ouvrir. — Fermer. — Boucler, déboucler. — Mailler, emmailler. — Enfiler, désenfiler. — Agrafer. — Percer. — Emboutir. — Fretter. — Viroler. — Souder.

## ANNÉE

**Dénomination.** — An, année. — Année en cours, révolue, échue. — Année civile, scolaire. — Année comptable ou Exercice. — Année solaire, astrale, sidérale. — Année bissextile. — Année julienne, grégorienne. — Année sabbatique (tous les 7 ans). — Année séculaire (fin de siècle). — Année jubilaire. — Année climatérique. — Antan.

**Périodes.** — Millénaire. — Centenaire. — Cinquantenaire. — Siècle, séculaire. — Lustre (5 ans). — Olympiade (4 ans). — Septennat. — Chronologie. — Age. — Annuel. — Biennal. — Triennal. — Trisannuel. — Quinquennal. — Septennal. — Décennal. — Vicennal. — Tricennal. — Centennal, etc.

Avoir la trentaine, la quarantaine, la soixantaine, etc. — Avoir soixante ans sonnés, accomplis. — Vin de trois feuilles (3 ans).

**Qui concerne l'année.** — Annales. — Annuité, annuitaire. Annate (revenu). — Annuaire. — Anniversaire. — Semestre, semes-

ANNUITÉ, f. V. *année, rente, intérêt.*

ANNULAIRE. V. *anneau, doigt.*

ANNULATION, f. V. *annuler.*

**Annuler.** V. *détruire.*

ANOBLIR. Anoblissement, m. V. *noble, titre.*

ANODIN. V. *innocent.*

ANOMAL. Anomalie, f. V. *rare, exception, désordre.*

ANON, m. V. *âne.*

ANONNER. V. *parler, prononcer.*

ANONYME, m. V. *nom, secret, cacher, signature.*

ANOREXIE, f. V. *dégoût.*

ANORMAL. V. *règle, monstre, extraordinaire, bizarre, exception.*

ANOURE. V. *queue.*

ANSE, f. V. *manche, mer, bouclier, cloche.*

ANSÉRINE, f. V. *oie.*

ANSPECT, m. V. *navire.*

ANTAGONISME, m. Antagoniste, m. V. *combat, opposé.*

ANTALGIQUE. V. *calme.*

ANTAN, m. V. *année, avant.*

ANTE, f. V. *colonne.*

ANTÉCÉDENT, m. V. *avant, rapport, grammaire.*

ANTÉCÉDENTS, m. p. V. *dépendance, commencer.*

ANTÉCHRIST, m. V. *Christ.*

ANTÉDILUVIEN. V. *géologie, fossile.*

ANTENNE, f. V. *mât, insecte, télégraphe.*

ANTÉPÉNULTIÈME. V. *avant.*

ANTÉRIEUR. V. *avant, passé, temps, premier.*

ANTÉRIORITÉ, f. V. *avant.*

ANTÉVERSION, f. V. *renverser.*

ANTHÈRE, f. V. *fleur.*

ANTHOLOGIE, f. V. *recueil, poésie.*

ANTHRACITE, m. V. *houille.*

ANTHRAX, m. V. *ulcère.*

ANTHROPOMORPHISME, m. V. *homme, forme.*

ANTHROPOPHAGE, m. V. *sauvage, manger.*

ANTHROPOPITHÈQUE, m. V. *singe.*

ANTICHAMBRE, f. V. *avant, chambre.*

ANTICIPATION, f. Anticiper. V. *avant, devin.*

ANTICYCLONE, m. V. *calme.*

ANTIDATE, f. Antidater. V. *avant, faux.*

ANTIDOTE, m. V. *poison.*

ANTIENNE, f. V. *chant.*

ANTIFÉBRILE. V. *fièvre.*

ANTILOPE, f. V. *quadrupède.*

**Antimoine,** m.

ANTIMONIÉ. Antimonieux. V. *antimoine.*

ANTINOMIE, f. V. *opposé.*

ANTIPAPE, m. V. *pape.*

ANTIPATHIE, f. Antipathique. V. *répugnance, opposé, déplaire.*

ANTIPHLOGISTIQUE. V. *médicament.*

ANTIPHONAIRE, m. V. *chant.*

ANTIPHRASE, f. V. *opposé.*

ANTIPHYSIQUE. V. *nature.*

ANTIPODE, m. V. *opposé.*

ANTIQUAIRE, m. V. *vieux, art.*

ANTIQUE. Antiquité, f. V. *passé, âge, chronologie.*

ANTISÉMITISME, m. V. *juif.*

ANTISEPSIE, f. V. *maladie, panser, microbe.*

ANTISEPTIQUE. V. *médicament.*

ANTISTROPHE, f. V. *chant.*

ANTITHÉNAR. V. *muscle.*

ANTITHÈSE, f. V. *rhétorique, opposé.*

ANTONYMIE, f. V. *opposé.*

**Antre,** m. V. *creux, abri.*

---

triel. — Trimestre, trimestriel. — Quartier (quart d'an). — Mois, mensuel. — SAISONS. — Suranné. — Nouvel an, la bonne année. — DATE. — CALENDRIER. Ephémérides. — Agenda. — Almanach.

## ANNULER

**Supprimer en général.** — Annuler, annulation. — Abolir, abolition. — Anéantir, anéantissement. — Annihiler. — DÉTRUIRE, destruction. — Faire disparaître, disparition. — Faire table rase. — Raser. — EFFACER. Biffer. Barrer. Oblitérer. Rayer. — Faire cesser, CESSER. — Mettre fin. — Terminer. — Empêchement dirimant (qui annule). — Brûler. — Eteindre, extinction. — Neutraliser. — Vicier. — Eventer. — Oter. — Clore.

**Annuler un contrat.** — Résilier, résiliation. — Résoudre. — Forclore, forclos, forclusion. — Clause commissoire. Clause résidhibitoire. — Dissoudre, dissolution. — Dénoncer un traité. — Divorcer, divorce. — Dispenser, dispense. — Devenir caduc, caducité. — Déchéance, déchu.

**Annuler une procédure.** — Infirmer, infirmation, infirmatif. — Casser, cassation. — Réformer, réforme. — Rabattre un défaut. — Entaché de nullité. — Vice de forme. — Délai fatal. — Prescription. — Péremption. — Erémodicie (péremption d'instance). — Mainlevée.

**Annuler un compte.** — Amortir, amortissement, amortissable. — Contre-passer, contre-passation. — Liquider, liquidation. — Compenser, compensation. — Restituer, restitution. — Ristourner, ristourne. — Régler, règlement. — Prescription.

**Annuler une parole donnée.** — Se dédire, dédit. — Dépromettre. — Retirer une promesse. — Reprendre sa parole. — Rompre un engagement. — Se rétracter, rétractation. — Ademption (d'un legs). — Contre-promesse. — Contre-lettre. — Relever d'un vœu. — Décharger. — Désinviter. — Déprier.

**Annuler un ordre.** — Contre-ordre. — Contremander. — Décommander. — Lever une défense, une consigne. — Tenir pour non avenu.

**Annuler loi ou droit.** — Abroger, abrogation. — Rapporter. — Retirer une loi. — Prescrire, prescription. — Eluder. — Empêcher l'effet de. — Invalider. — Rescinder, rescision. — Résilier, résiliation. — Lésion. — Annulabilité. — Nullité.

Se périmer. — Non-usage. — Tomber en désuétude. — Déroger, dérogation. — Se perdre. — Etre VAIN.

## ANTIMOINE
### (latin, *stibium*)

**L'antimoine.** — Antimoine natif. — Stibium. — Cosmet (en alchimie). — Fleurs d'antimoine. — Antimonial.

**Qui contient de l'antimoine.** — Antimonié. — Antimonieux. — Antimoniure (composé). — Stibine (sulfure). — Kermès (oxysulfure). — Emétique (médicament). — Etain d'antimoine.

## ANTRE

**Cavité naturelle.** — Antre. — Cavité. — Caverne. — Grotte. — Chambre souterraine. — Passes (couloirs). — Congélations. — Stalactites. — Stalagmites. — Rocaille. Troglodytes.

ANUBIS, m. V. *dieu*.

**Anus**, m.

ANXIÉTÉ, f. V. Anxieux. V. *inquiet, peur, chagrin*.

AORISTE, m. V. *verbe*.

AORTE, f. V. *cœur, sang*.

AORTITE, f. V. *artère*.

AOÛT, m. V. *mois, moisson*.

APACHE, m. V. *bandit*.

APAGOGIE, f. V. *argument*.

APAISEMENT, m. Apaiser. V. *paix, calme, consoler*.

APANAGE, m. V. *propriété, féodal*.

APARTÉ, m. V. *seul, théâtre*.

APATHIE, f. V. *insensible, langueur, lent, paresse*.

APERCEPTION, f. V. *intelligence*.

APERCEVOIR. V. *voir*.

APERÇU, m. V. *abrégé*.

APÉRITIF, m. V. *boisson, liqueur*.

APHASIE, f. V. *parler*.

APHÉLIE, m. V. *astronomie*.

APHONE. Aphonie, f. V. *voix*.

APHORISME, m. V. *maxime*.

APHRODISIAQUE. V. *sexe*.

APHRODITE, f. V. *Vénus*.

APHTE, m. V. *bouche*.

API, m. V. *pomme*.

APICULTEUR, m. Apiculture, f. V. *miel*.

APIS, m. V. *bœuf*.

APITOYER. V. *pitié, plainte, toucher*.

APLANIR. V. *plat, uni, niveau, polir*.

APLATIR. V. *plat, bas, presser, abattement*.

APLOMB, m. V. *mur, fixe, hardi, fermeté*.

APOCALYPSE, f. V. *Bible, révéler*.

APOCRYPHE. V. *faux, doute*.

APODE, m. V. *pied, poisson*.

APOGÉE, m. V. *astronomie, extrême, succès*.

**Apollon**, m. V. *soleil, littérature*.

APOLOGÉTIQUE, f. V. *théologie*.

APOLOGIE, f. V. *défendre, louange*.

APOLOGISTE, m. V. *discours*.

APOLOGUE, m. V. *conte*.

APONÉVROSE, f. V. *membrane*.

APOPHYSE, f. V. *os*.

APOPLECTIQUE. Apoplexie, f. V. *cerveau, insensible*.

APOSTASIE, f. V. *religion, abandon, renier*.

APOSTAT, m. V. *infidèle*.

APOSTER. V. *mettre*.

APOSTILLE, f. Apostiller. V. *note, recommander*.

APOSTOLAT, m. V. *prêcher, mission*.

APOSTOLICITÉ, f. Apostolique. V. *pape, apôtre*.

APOSTROPHE, f. Apostropher. V. *appel, injure, réprimander*.

APOTHÈME, m. V. *droit*.

APOTHÉOSE, f. V. *dieu, ciel, gloire, honneur*.

APOTHICAIRE, m. V. *pharmacie*.

**Apôtre**, m. V. *Christ, prêcher, saint*.

**Apparaître**. V. *commencer*.

---

Antre de Cacus. — Antre de Trophonius. — Antre de Polyphème. — Grotte aux Fées, du Chien, etc.

**Cavité artificielle.** — CREUX. — Excavation. — Trou. — Enfoncement. — SOUTERRAIN. — Catacombes. — Cachette. — Tanière. — Terrier. — Casemate. — Réduit. — Abri. Creuser. — Fouiller. Fouir. — Miner. — Se terrer. — Se tapir. — Se blottir. — Se cacher. — S'abriter. — Gîter.

### ANUS

**De l'anus.** — Anus, anal. Marge. Périnée, périnéal. Fondement. Derrière. Siège. Cul. Rectum. Boyau culier. Sphincter.

Animal monotrème. Vestibule. Cloaque.

**Maladies.** — Fistule, fistulaire. — Fissure. — Fic. Sycose. — Crête. — Hémorroïdes, flux hémorroïdal. — Ascarides (vers). — Imperforation. — Crevasses. — Proctocèle (hernie). — Prolapsus. Proctoptose (chute). — Proctorrhée (écoulement). Proctorragie (hémorragie). — Proctite (inflammation).

**Soins.** — Clystère, clystériser. — Lavement. Bouillon pointu. — Bain de siège. — SERINGUE. Canule. Clysoir. Clysopompe. — Suppositoire. — Dilatateur. — Médicament antihémorroïdal.

### APOLLON

**Le dieu.** — Apollon. — Apollon Pythien. — Apollon Musagète. — Phébus. — Loxias. — Latone (mère). — Phaéton (fils).

**Le culte.** — Temple de Delphes. Trépied. Pythie. Oracle. — Temple de Délos. — Apollonies. — Daphnéphories (fêtes du laurier). Daphnéphore. — Jeux pythiens. — Parnasse. Hélicon. Pinde (monts consacrés). — Nome. Péan (chants Apollinaires). — Apollon du Belvédère (statue).

### APÔTRE

**Les apôtres.** — Apôtre. — Les douze apôtres. — Apôtre des gentils (saint Paul). — Apôtre bien-aimé (saint Jean). — Apôtre infidèle (Judas). — Princes des apôtres (saint Pierre et saint Paul). — Evangélistes. — Successeurs des apôtres (les évêques).

**Apostolat.** — Actes des apôtres. — Symbole des apôtres. — Apostolicité, apostolique. — Evangile, évangéliser. — Mission divine. Vocation divine. — Ministre apostolique. — Missionnaire apostolique. Missions étrangères. — Prédication, prédicateur. Frère prêcheur.

### APPARAÎTRE

**Apparition aux regards.** — Apparaître, apparition. — Se dessiner. — Se détacher. — Se découvrir. — Se distinguer. — Emerger. — Frapper les regards. — Etre exposé à la vue. — Sauter aux yeux. — Crever les yeux. — S'offrir à la vue. — Poindre. Percer. Pointer. — Voir le jour.

Apparition. — Phénomène. — Epiphénomène. — Phases. — Lueur. — Météore.

Etre apparent, distinct, visible, proéminent, saillant, patent, ostensible.

**Apparition en public.** — Se montrer. — Se déclarer. — Comparaître. — Ester en justice. — Paraître, parution. — Se produire. — Se révéler. — Transparaître. — Se trahir. — Surgir. — Pousser. — Sortir. — Eclore.

Annoncer. — Faire paraître. — Editer, édition. — Publier, publication. — Transfigurer, transfiguration. — Exposer, exposition. Epiphanie. — Espèces eucharistiques. — Théophanie.

**Apparence extérieure.** — Air, avoir l'air. — Physionomie. — Physique. — Port. — Tournure. — Mine. — Aspect. — FORME. — Figure, figurer. — Extérieur. — Façade.

APPARAT, m. V. *briller, luxe, cérémonie.*

APPARAUX, m. p. V. *navire.*

APPAREIL, m. V. *maçon, chirurgie, bandage.*

APPAREILLAGE, m. Appareiller. V. *marine, partir, maçon, arranger.*

APPAREILLEUR, m. V. *maçon.*

APPARENCE, f. V. *briller.*

APPARENT. V. *apparaître.*

APPARENTER. V. *parent.*

APPARIER. V. *joindre, oiseau.*

APPARITEUR, m. V. *huissier.*

APPARITION, f. V. *apparaître, fantôme.*

APPAROIR. V. *apparaître.*

APPARTEMENT, m. V. *maison, logement.*

APPARTENANCE. f. Appartenir. V. *possession, dépendance.*

APPAS, m. p. V. *beau, plaire, mamelle.*

Appât, m. V. *piège, pêche.*

APPÂTER. V. *appât, attirer.*

APPAUVRIR. Appauvrissement, m. V. *pauvre.*

APPEAU, m. V. *appel, chasse, sifflet.*

Appel, m. V. *juges, soldat, escrime.*

APPELANT, m. V. *chasse.*

APPELER. V. *appel, attirer, téléphone.*

APPELEUR, m. V. *appel.*

APPELLATION, f. V. *nom, qualifier.*

APPENDICE, m. Appendiculé. V. *joindre, dépendance, augmenter.*

APPENDRE. V. *pendre.*

APPENTIS, m. V. *toit.*

APPESANTIR. V. *lourd, engourdi.*

APPÉTENCE, f. V. *désir.*

APPÉTISSANT. V. *plaire.*

APPÉTIT, m. V. *goût, faim, sensualité, penchant.*

APPIÉCEUR, m. V. *tailleur.*

Applaudir. Applaudissement, m. V. *joie, théâtre, approuver.*

---

— Dehors. — Surface. — ENVELOPPE. — Livrée. — Etiquette. — Couleur, colorer. — Teinte. — Image, imaginaire. — Portrait. — Relief. — Représentation, représenter. — Posture. — Marques.

Héritiers apparents. — Actes apparents, déguisés. — Contre-lettre.

**Apparence pour l'esprit.** — Présomption, présumer. — Probabilité. — Hypothèse. — Paradoxe. — Evidence, évident. — Evocation, évoquer. — Noumène. — Sentiment, sentir. — Manifestation, manifester. — Perception, percevoir.

Tomber sous le sens. — Sembler. Passer pour. Etre censé, censément. — Il appert. — Etre clair, palpable, marquant, plausible. PROBABLE, sensible. — Père putatif.

Mots en *oïde, oïdal.* Ex. : Ovoïde. Sphéroïdal.

**Apparence trompeuse.** — Fausses couleurs. — Masque. — Semblant. — Frime. — Simulacre. — Ombre. — Voile. — Couverture. — Illusion. — Mirage. — Fantôme. — PRÉTEXTE. — Feinte, feindre. — Simulation, simuler. — Fausseté, faux. — Hypocrisie, hypocrite. — Faux semblant. — Manières captieuses. — Montre. — Vernis. — Prestige. — Ostentation.

Faire le brave. — Jouer l'étonné. — Trancher du bel esprit. — Se donner l'air de. — Epater. — Jeter de la poudre aux yeux.

### APPÂT

**Attirer les animaux.** — Appât de pêche. — Amorce, amorcer. — Esche, escher. — Boitte (pour la morue). Bouetter (les sardines). — Appât, appâter. — Achées (vers). Ver rouge. Ver de vase. — Asticots. — Manne. — Mouches. — Blé. — Rogue (pour la sardine). — Vif ou Menuise. — Grappe. — Boulette. — Devon. — Cuiller.

Mordre. — Avaler. — Gober.

Appât de pièges : Viande, grain, etc. — Leurres : Tiroir. Traîneau, etc.

**Attirer les hommes.** — Affriander. — Affrioler. — Allécher. — Amadouer. — Faire des avances. — Séduire. — Aguicher. — Attraper, attrape. — Appas. — Charmes. — Œillade. — Sourire.

Réclame. — Occasions. — Soldes. Donner dans le panneau. — Se laisser prendre. — Gobeur.

### APPEL

**Appel par voix ou signe.** — Appel, appeler. — Héler. — Hucher. — Sonner. — Siffler. — Faire des signes, des signaux. — Signaliser, signalisation. — S'entr'appeler. — Appel au téléphone.

Interpeller. — Apostropher, apostrophe. — Vocatif. — Interjections : Hé ! Hem ! Allô ! — Cris d'appel : A moi ! Au secours !

**Ordre ou prière.** — Convoquer, convocation. — Faire venir. — Mander, contremander. — Avertir, avertissement. — Convier. — Inviter, INVITATION, invite. — Rendez-vous. — ATTIRER, attraction. — Vocation. — Faire appel à. — Rappel, rappeler. — Evocation. — Invocation. — Défi. — Provocation.

**Désignation.** — Désigner. — Appeler, appellation, appellatif. — Nommer, nom, nominal. — Dénommer. — Surnommer, surnom. — Pseudonyme.

**Appel en justice.** — Assignation. Citation. Pourvoi. Mandat de comparution. Cour d'appel. — Interjeter appel. — Se pourvoir en appel. — Aller en appel. — En appeler, appelable. — Appel comme d'abus. — Appel à minima. — Appel dévolutif.

**Appel militaire.** — Appeler le ban et l'arrière-ban. — Appel de la classe. — Levée. — Mobilisation.

Sonner l'appel. — Faire l'appel. — Contre-appel. — Répondre à l'appel. — Manquer à l'appel.

**Appel en vénerie.** — Appeau. — Appelant (canard). — Appeleur. — Leurre, leurrer. — Réclamer (un faucon), réclame. — Grailler (les chiens). — Houper (un autre chasseur).

### APPLAUDIR
(latin, *plaudere*)

**Façons d'applaudir.** — Applaudir. — Applaudir à tout rompre. — Couvrir d'applaudissements. — Saluer d'applaudissements. — Battre des mains. — Claquer des

APPLICATION, f. V. *couvrir, broder, soin.*
APPLIQUE, f. V. *plaque.*
APPLIQUER. V. *mettre, broder.*
APPLIQUER (s'). V. *attention.*
APPOINT, m. V. *compte, complet, plus.*
APPOINTER. Appointage, m. V. *pointe.*
APPOINTER. Appointement, m. V. *payer, salaire.*
APPORT, m. V. *don, association.*
APPORTER. V. *porter, cause.*
APPOSER. V. *mettre, joindre.*
APPOSITION, f. V. *grammaire, qualifier.*
APPRÉCIATION, f. Apprécier. V. *juges, estime.*

APPRÉHENDER. V. *peur, police.*
APPRÉHENSION, f. V. *peur.*
APPRENDRE. V. *mémoire, instruction, enseignement.*
APPRENTI, m. Apprentissage, m. V. *novice, ignorance, profession, maladresse.*
APPRÊT, m. V. *drap, affectation.*
APPRÊTER. V. *préparer, teindre, arranger.*
APPRÊTEUR, m. V. *laine.*
APPRIVOISER. V. *animal, familier.*
APPROBATIF. Approbation, f. V. *approuver.*
APPROCHANT. V. *semblable.*
APPROCHE, f. V. *près.*

APPROCHER. V. *venir, fréquenter, presque.*
APPROFONDIR. V. *fond, réfléchir, examen.*
APPROPRIER. V. *arranger.*
**Approuver.** V. *applaudir, accord.*
APPROVISIONNER. Approvisionnement, m. V. *provision.*
APPROXIMATIF. Approximation, f. V. *presque.*
APPUI, m. V. *soutenir, faveur, bienfait.*
APPUI-MAIN, m. V. *peinture.*
APPULSE, f. V. *étoile, éclipse.*
APPUYER. V. *soutenir, protéger, confirmer, chien.*
APRE. V. *amer, dur.*
**Après.** V. *poursuivre.*

---

mains. — Battre un ban. — Faire une ovation. — Porter en triomphe. — Trépigner. — Agiter des mouchoirs. — Lancer des fleurs. — Acclamer. — Bisser.

Célébrer. — Louer. — Féliciter. — Congratuler. — Complimenter. — Glorifier. — Soutenir. — Encourager. — Exciter. — Approuver.

**Applaudissements divers.** — Applaudissement. — Salve d'applaudissements. — Tonnerre d'applaudissements. — Battement de mains. — Claquement de mains. — Ban. — Un bis. — Un bravo. — Trépignement. — Murmure approbateur. — Signes d'approbation. — Vivats. — Acclamations. — LOUANGES. — Compliments. — Félicitations. — Congratulations. — Encouragements.

**Gens qui applaudissent.** — Applaudisseur. — Cabale. — Claque. — Chef de claque. — Claqueur. — Romains. — Acclamateur. — Louangeur. — Complimenteur. — Approbateur.

**Formules et cris.** — Bien ! Très bien ! — Bon ! — Bis ! — Bravo ! — Encore ! — Courage ! — A merveille ! — Hourra ! — Vive ! — Hosanna ! — Noël !

## APPROUVER
### (latin, *approbare*)

**Partager l'avis.** — Etre du même avis. — Abonder dans le sens. — Partager les sentiments. — Goûter les raisons. — Embrasser l'opinion. — Se convertir. — Faire chorus. — Entrer dans les vues de. — Etre du même bord. — Donner un suffrage. — Etre partisan de. — Souscrire à. — Céder. — Se rendre. — Rendre les armes. — Se rallier à l'opinion. — Opiner du bonnet. — Hurler avec les loups.

**Trouver bon.** — Admettre. — Trouver admissible, plausible, juste. — Agréer. — Approuver. — Donner son approbation. — Trouver bien. — Trouver à son gré. — Adopter. — Se déclarer content, satisfait. — Etre optimiste. — Accepter pour vrai. — APPLAUDIR. — Louer.

**Consentir.** — Acquiescer, acquiescement. — Consentir, consentement. — Donner son assentiment, son aveu, son agrément. — Condescendre, condescendance. — Daigner faire. — Laisser faire. — Ne rien dire. — Fermer les yeux. — Prêter les mains. — PERMETTRE, permission. — Vouloir bien. — Etre de bonne volonté. — Agir de plein gré. — Se résigner, RÉSIGNATION.

Ainsi soit-il. — Amen. — Soit. — Va pour cela. — Passe pour cela. — Volontiers. — Avec plaisir. — De tout cœur. — A la bonne heure. — Ce n'est pas de refus. — C'est bien.

**S'accorder.** — ACCORD. Tomber d'accord. — S'associer. — Adhérer à, adhésion. — Faire cause commune. — Donner les mains à. — Accéder à, accession. — Favoriser, fauteur. — Faire droit à. — Concéder, concession. — En passer par. — Etre pris au mot. — Ne pas faire opposition. — Traiter de gré à gré.

**Sanctionner.** — Accepter une traite, acceptation. — Allouer une dépense, allocation. — Reconnaître, reconnaissance. — Confirmer, confirmation. — Entériner, entérinement. — Ratifier, ratification. — Sanctionner, sanction. — Donner force de loi. — Donner carte blanche. — Donner un blanc-seing — Signer un contrat. — Vu et approuvé.

## APRÈS

**Idée de temps.** — Après-midi. — Après-dîner. — Lendemain. — Après-demain. — Surlendemain. — Avenir. — FUTUR. — DÉLAI. — Ajournement. — Recul dans le temps. — Dilatoire, différer. — Tardif, tarder. — Ultérieur. — Postérieur. — Immédiat. — Puîné. — Méthachronisme. Parachronisme. — Postdater.

Dès. — Dès lors. — Désormais. — Dorénavant. — D'ores et déjà. — Passé ce jour. — Dès que. — Depuis que. — Aussitôt que. — Du moment où.

**Idée d'espace.** — Postposer, postposition. — Post-scriptum. — Postface. — Suffixe. — Désinence. — Queue. — Fin. — SORTIE. — Bout.

Au-delà de. — Par-delà. — Là-dessus. — Ci-dessous. — Ci-après. — Après. — Plus loin. — Au sortir de.

TRANSALPIN. — Transsaharien. — Transatlantique, etc.

APRÈS-DEMAIN. V. *jour.*
APRÈS-MIDI. V. *soir, temps.*
APRETÉ, f. V. *avare.*
APTE. V. *capable, propre, disposition.*
APTÈRE. V. *aile.*
APTITUDE, f. V. *capable.*
APUREMENT, m. Apurer. V. *pur, compte.*
AQUARELLE, f. Aquarelliste, m. V. *peinture.*
AQUARIUM, m. V. *eau.*
AQUATINTE, f. V. *gravure.*
AQUATIQUE. V. *eau, animal.*
AQUEDUC, m. V. *canal, hydraulique.*

AQUEUX. V. *humide, liquide.*
AQUILIN. V. *aigle, nez.*
AQUILON, m. V. *vent.*
AQUOSITÉ, f. V. *eau.*
ARA, m. V. *perroquet.*
**Arabes,** m.
ARABESQUE, f. V. *orner, architecture.*
ARABIQUE. Arabisant. V. *Arabes.*
ARABLE. V. *labour.*
ARACHIDE, f. V. *huile.*
ARACHNÉEN. V. *araignée.*
ARACHNIDE, m. V. *araignée.*
ARACHNOÏDE, f. V. *cerveau.*
**Araignée,** f.

ARAIRE, m. V. *labour, charrue.*
ARASER. V. *niveau, clou.*
ARASES, f. p. V. *maçon.*
ARATOIRE. V. *labour, charrue.*
ARBALÈTE, f. V. *armes, flèche.*
ARBALÉTRIER, m. V. *flèche, charpente.*
ARBITRAGE, m. Arbitrer. V. *convention, intervenir, juges, finance.*
ARBITRAIRE, m. V. *caprice, volonté.*
ARBITRAIRE. V. *injuste.*
ARBITRAL. V. *arbitre.*
**Arbitre,** m. V. *juges, choix.*

---

**Idée de suite.** — SUIVRE. — Venir ensuite. — Suivant. — Second. — Séquelle. — Suite. — Subordonné. — Sous-ordre. — Dernier. — Traînard. — Arrière-garde. — Epilogue. — Epiphénomène. Ensuite. — Tout de suite. — Ensuivant. — Sur quoi. — Après coup. — A la file. — A la queue leu leu.

**Idée de succession.** — Succéder, succession, successif, successeur. — Alterner, alternance, alternatif. — Continuer, continuation, continuateur. — Survivre, survie, survivance, survivant. — HÉRITER, héritage, héritier. Ligne de succession. — Postérité. — Posthume. Réversible.

**Idée de conséquence.** — Résultat, résulter. — Conséquence, consécutif. — S'ensuivre, subséquent. — EFFET. — En effet. — En conséquence. — A posteriori. — A fortiori. — Implicitement.

### ARABES

**Populations.** — Arabe, arabique. — Arabiser, arabisant.
Barbaresque. — Berbère. Bédouin. — Kabyle. — Maure, mauresque. — Algérien. — Tunisien. — Marocain. — Mzabite. — Targui (pluriel, Touareg). — Mosarabe. — Numide. — Sarrasin. — Indigène.

**Vie publique.** — Calife, califat. — Emir. — Pacha. — Cheik. — Chérif. — Dey. — Bey. — Caïd. — Cadi. — Chaouch. Medina (ville). — Douar (hameau). — Bordj (fort). — — Kasbah (citadelle). — Ksar (pluriel, Ksour) [village dans oasis]. — Djemâa (assemblée). — Mahalla (contingent). — Harka (expédition). — Djehad (guerre sainte). — Razzia. — Rezzou. — Goum. — Spahi. — Turco. — Zouave. — Méhariste. — Nomade. — Smalah (camp).

**Religion.** — Allah. — Islam. — Mahomet, mahométan. — Musulman. — Le Coran. — Medersa (université). — Zaouïa (confrérie). — Uléma. — Mufti. — Muezzin. — Marabout. — Hadji. — Le Croissant.

**Vie privée.** — Bou (père). — Ben (fils). — Moukère (femme). — Burnous. — Chéchia. — Turban. — Gandoura (tunique). — Haïk (châle). — Seroual (pantalon). — Li-

tham (voilette). — Sassari (voile). — Gourbi. — Fondouk (marché). — Souk (boutique). — Hammam (bain). — Sidi ou Si (seigneur). — Lallah (dame). — Toubib (médecin). — Taleb (instituteur). — Couscous. — Pilaf. — Racahout. — Sabir. — Henné. — Koheul. — Moukala (sabre). — Harem. — Moucharaby. — Djérid (palmier).

**Arts.** — Arabesque. — Céramique. — Plâtres ajourés. — Zéliges ou Faïences. — Mosaïque. — Mosquée. — Minaret. — Mihrab (chaire). — Kouba (chapelle). — Derbouka (tambour). — Rehab ou Rebec (viole). — Gaïta (flûte). — Nouba.

**Termes géographiques.** — Aïn (source). — Bab (porte). — Bahr (mer). — Bir (puits). — Chott ou Sebkha (lac salé). — Dar (maison). — Djebel (montagne). — Djedda (rivage). — Erg (dune). — Kef (rocher). — Kantara (pont). — Medjez (gué). — Nahr (fleuve). — Nedjed (plateau). — Oued (rivière). — Rif (flanc). — Sahel (côte). — Tell (colline). — Charg (est). — Gharb (ouest).

### ARAIGNÉE
(latin, *aranea ;* grec, *arachnê*)

**Les araignées.** — Arachnides. — Araignée. — Aragne. — Argyronète (araignée d'eau). — Faucheur. — Mygale (creuse des terriers). — Tarentule. — Galéode (d'Afrique). — Epeire (des jardins).
Aranéides (fileuses). — Filière (organe). — Filandre (fil). — Toile d'araignée.

**Relatif à l'araignée.** — Arachné (changée en araignée). — Arachnéen. — Aranéeux (couvert de toiles d'araignée). — Membrane arachnoïde. — Pattes d'araignée. — Aranéographie.

### ARBITRE

**Personnes.** — Arbitre. — Arbitre-juge. — Arbitrateur. — Expert. Co-expert. — Appréciateur. — Rapporteur ou Donneur d'avis. — Estimateur. — Commissaire-priseur. — Juge. — Juré. — Jury. — Prud'homme. — Dispacheur (pour les assurances maritimes). — Surarbitre. — Tiers arbitre. — Amiable compositeur. — Vérificateur. — Comité de conciliation. — Conseil d'arbitrage.

ARBORER. **V.** *haut, montrer.*
ARBORESCENT. **V.** *arbre.*
ARBORICULTEUR, m. Arboriculture, f. **V.** *arbre, jardin.*
**Arbre,** m. **V.** *bo tanique, machine.*
ARBRISSEAU, m. **V.** *arbre.*
ARBUSTE, m. **V.** *arbre.*
ARC, m. **V.** *courbe, cercle, armes, architecture.*
ARCADE, f. **V.** *courbure, galerie, architecture.*
ARCANE, m. **V.** *secret.*
ARCATURE, f. **V.** *courbure.*

ARC-BOUTANT, m. **V.** *voûte.*
ARC-DOUBLEAU, m. **V.** *voûte.*
ARCEAU, m. **V.** *cercle, voûte, bandage.*
ARC-EN-CIEL, m. **V.** *météore.*
ARCHAÏQUE. Archaïsme, m. **V.** *grammaire, langage, vieux.*
ARCHANGE, m. **V.** *ange.*
ARCHE, f. **V.** *pont, voûte, ouvert.*
ARCHÉE, f. **V.** *alchimie, chaleur.*
ARCHÉOLOGIE, f. Archéologue, m. **V.** *vieux, histoire.*

ARCHER, m. **V.** *flèche.*
ARCHET, m. **V.** *violon.*
ARCHÉTYPE, m. **V.** *modèle.*
ARCHEVÊCHÉ, m. Archevêque, m. **V.** *évêque.*
ARCHI (préf.). **V.** *beaucoup.*
ARCHICONFRÉRIE, f. **V.** *association.*
ARCHIDIACRE, m. **V.** *prêtre.*
ARCHIDUC, m. Archiduchesse, f. **V.** *prince.*
ARCHIE (suff.). **V.** *pouvoir.*
ARCHIÉPISCOPAL. **V.** *évêque.*
ARCHIMANDRITE, m. **V.** *moine.*

---

**Opérations.** — Arbitrage. — Sentence ou Décision arbitrale. *Exequatur.* — Arbitres, arbitration, arbitral, arbitralement.
Expertise, expertiser. — Estimer, estimation, estimatif. — Prisée, priser. — Dispache. — Compromis, compromettre, compromissoire. — Pouvoirs. — Déport (récusation). — Règlement, régler. — Procès-verbal d'experts. — Dire d'experts. — Entériner, entérinement.

### ARBRE

**Nature des arbres.** — Arbre indigène. — Arbre exotique. — Arbre forestier. — Arbre fruitier. — Arbre d'ornement. — Pieds corniers. — Baliveau. — Lais. — Bouture. — Brin. — Elève. — Sauvageon. — Douçain (pied sauvage). — Arbre franc (à fruits doux). — Filardeau (qui pousse droit). — Quenouille. — Arbre nain. — Arbrisseau. — Arbuste. — Arbre chenu (dépouillé). — Chicot. — Arbres verts. — Bulteau (taillé en boule). — Cépée.

**Parties des arbres.** — Pied. — Tige. — TRONC. — Tête. — Cime. — Flèche. — Enfourchure. — BRANCHE, branchage. — Charpente (grosses branches). — Rameau, ramure. — FEUILLE, feuillage. — ECORCE. — Fibre. — Pousse. — Scion. — Drageon. — Bourgeon. — Fleur. — Verdure. — Souche. — RACINE. — Sève. — Moelle. — Nœud. — Forcine (renflement). — Loupe.

**Traitement des arbres.** — Arboriculture. — Arboriculteur. — Jardinier. — Sylviculture. — Pépinière, pépiniériste. — Planter. Planter en plein vent. Planter en espalier. — Plant. Plant de noyaux. Plant de graines. Sujet. — Greffer, greffe. — Enter, ente, enteur. — Incision. — Tailler, TAILLE. — Pincer. — Elaguer. — Emonder, émondeur. — Déplanter. — Déraciner. — Couper, coupe. — Abattre, abattage. — Bûcheron. — Dessoucher. Soucheteur. — Grume. — Peuplement. — Reboiser, reboisement. — Essences. — Garde forestier.

**Plantations diverses.** — Allée. — Avenue. — Rideau. — Berceau. — Labyrinthe. — Massif. — Bosquet. — Bouquet d'arbres. — Bocage. — Quinconce. — Cabinet de verdure. — Salle verte. — Plantation arbustive. — Tonnelle. — Treille.

FORÊT. — Sylve. — BOIS. — Futaie. — Taillis. — Fourré. — Hallier. — Couvert. — Buisson. — Broussailles. — Haie. — Terrain

boisé. — Ecrues (pousses dans les labours). — Complant (arbres dans les vignes).

**Maladies ou défauts.** — Gouttière (fente de sécheresse). — Gélivure, gélif. — Chancre, chancreux. — Broussin. — Brouissure broui. — Cadran (fente au tronc), cadrané. — Rabougrissement, rabougri. — Abroutissement, abrouti (bourgeons broutés). — Loupe, loupeux. — Têtard. — Tortillard. — Arbre noueux, écuissé (éclaté), sec, encroué (tombé sur un autre), mort.

**Relatif à l'arbre.** — Dendrographie. Dendrologie (sciences). — Dendrite, dendrolithe (pierres). — Dendroïde (en forme d'arbre). — Arborescent. — Arborisation (branchages dans minéraux). — Dryade. Hamadryade (divinités des arbres). — Ecot, *bl.* (tronçon d'arbre). — Etre ligneux, frutescent, frutiqueux, scionneux.

Arbre de Noël. — Mai. — Arbre de la liberté. — Mât de cocagne. — Arbre d'une machine. — Arbre généalogique.

**Principales espèces.** — *Arbres forestiers:* CHÊNE. HÊTRE. Châtaignier. PEUPLIER. Tremble. Bouleau. Charme. Erable. — CÈDRE. Larix ou Mélèze. Pin. Epicéa. Sapin. — Chêneliège. Robinier. Coudrier. — Acajou. Baobab. Hévéa. Thuya. Palissandre. Campêche. Copayer. Gaïac. Giroflier. Teck.

*Arbres fruitiers :* Abricotier. Amandier. Cerisier. Mûrier. Néflier et Meslier. Pêcher. Poirier. Pommier. Prunier. Cognassier. Olivier. Noyer. Figuier. Châtaignier. — Oranger. Citronnier. Pamplemousse. Mandarinier. Dattier. Pistachier. Grenadier. Caroubier. — Arbre à pain. Arbre à beurre. Manguier. Sagoutier. Muscadier. Goyavier. Palétuvier. Kola. Cacaoyer.

*Arbres d'ornement :* Arbre de Judée. PALMIER. Aréquier. Latanier. ORME. Tilleul. Acacia. Mimosa. Marronnier. Platane. Ypréau. Orne. Hêtre rouge. Saule. Chêne vert. Frêne. Sycomore. Aubépin. CYPRÈS. If. LAURIER. Faux poivrier. Eucalyptus. Tulipier. Magnolia. Paulownia. TÉRÉBINTHE. Tamaris. Camélia. Lilas.

*Arbrisseaux :* Arbousier. Groseillier. Aulne. Bambou. Bananier. Bourdaine. BRUYÈRE. BUIS. Caféier. Cassis. Câprier. Charmille. Sorbier. Cornouiller. Cotonnier. CYTISE. Genévrier. Genêt. Houx. Lambruche. MYRTE. OSIER. Prunellier. Rhododendron. Sureau. Troène. VIGNE. Jujubier. Nerprun. Sainbois. Frangipanier. Fusain. Nopal. Coca. THÉ.

ARCHIPEL, m. V. *île, mer.*
ARCHIPRÊTRE, m. V. *curé.*
ARCHITECTE, m. V. *bâtir.*
ARCHITECTONIQUE, f. V. *arranger.*
ARCHITECTURAL. V. *architecture.*
**Architecture,** f. V. *art.*
ARCHITRAVE, f. V. *architecture.*

ARCHIVES, f. p. Archiviste, m. V. *écrire, inscription, histoire.*
ARCHIVOLTE, f. V. *architecture.*
ARCHONTE, m. V. *magistrat.*
ARÇON, m. V. *selle.*
ARCOT, m. V. *cuivre.*
ARCTIQUE. V. *nord.*

ARDENT. V. *feu, brûler.*
ARDEUR, f. V. *zèle, brave, enthousiasme.*
ARDILLON, m. V. *boucle.*
**Ardoise,** f.
ARDOISER. V. *ardoise.*
ARDOISIER, m. V. *ardoise.*
ARDOISIÈRE, f. V. *ardoise.*
ARDU. V. *difficile.*

---

## ARCHITECTURE

**La profession.** — Architecture, architectural. — Ecole des Beaux-Arts. Génie civil. — Travaux publics. — Edilité. — Construction.

Architecte. — Constructeur. — Bâtisseur. — Entrepreneur. — Géomètre. — Ingénieur. — Maître d'œuvre. — Maître de pierres. — MAÇON.

Architectonique. — Plan. — Coupe. — Elévation. — Dessin. — Projet. — Devis. — Epure. — Lavis. — Echelle. — Poussée. — Charge. — Matériau.

Bâtir. — Construire. — Réparer. — Entretenir. — Restaurer. — Vérifier des travaux. — Régler un mémoire.

**Bâtiments et annexes.** — Immeuble. — Bâtiment. — Edifice. — Construction. — PALAIS. — Château. — Cathédrale. — Basilique. — EGLISE. — TEMPLE. — Chapelle. — Monument. — EDIFICE. — MAISON. — Villa. — PAVILLON. — PONT. — Tour. — Building. — Gratte-ciel. — Bâtisse.

Campanile. — Clocher. — Clocheton. — Flèche. — Dôme. — Tourelle. — Guérite. — Rotonde. — Belvédère. — Donjon. — Lanterne. — Galerie. — Portique. — Narthex.

**Ordres ou styles.** — Ordonnance. — Ordres : Dorique. Ionique. Corinthien. Composite. Etrusque ou Toscan.

Architectures : Mégalithique. Cyclopéenne. Egyptienne. Assyrienne. Eginétique. Grecque. Byzantine. Romaine. Romane. Gothique. Lombarde. Mauresque. Arabe. Hindoue. Chinoise. Japonaise.

Styles : Flamboyant. Renaissance. Plateresque. Louis XIII. Louis XIV. Louis XV. Rococo. Louis XVI. Pompéien. Directoire. Empire. Moderne. Colossal.

Architecture militaire, navale, industrielle, coloniale.

**Façades et colonnades.** — Entrée. — Propylées. — Pylône. — Frontispice. — PORTE. — Portail. — Porche. — Perron. — Parvis. — Péristyle. — Colonnade. — Architrave. — Corniche. — Frise. — Métope. — Triglyphe. — Fronton. — Colonne. — Base. — Embasement. — Entablement. — Chapiteau. — Piédestal. — Socle. — Stylobate. — Pilastre. — Cariatide. — Balcon. — Console. — Tympan. — Balustrade. — Balustre. — Acrotère.

**Corps d'édifice.** — Corps. — Gros œuvre. — Fondations. — Fondement. — MUR. — Muraille. — Membre. — Aile. — Pied-

droit. — Abside. — Transept. — Bas-côtés. — Chevet. — Travée. — Nef. — Arrière-corps. — Avant-corps. — Cage. — Escalier. — Rampe. — Pilier. — Etage. — Entresol. — Rez-de-chaussée. — Mezzanine. — FENÊTRE. — Croisée. — Baie. — Montant. — Jambage. — Ancon (petit membre). — Imposte. — Corbeau. — Encorbellement. — Pendentif. — Chambranle. — Faîte. — Toiture. — Cheminée. — TERRASSE. — Plafond. — Vitraux.

**Arcs et ogives.** — Arcature. — Cintre. — Arceau. — VOÛTE. Clef de voûte. — Voussure. — Arc-boutant. — Arc-doubleau. — Arcade de plein cintre, aveugle, géminée, ternée. — Arc de triomphe.

Arc triangulaire, plein cintre, surhaussé, surbaissé, bombé, déprimé, outrepassé, elliptique, brisé, tronqué, lancéolé, ogival, flamboyant, Tudor, trilobé, en doucine, infléchi, en accolade, rampant, zigzagué.

Ogive équilatérale, en quinte-point, en tiers-point, surbaissée, obtuse, surhaussée, lancéolée, mauresque.

**Ornements.** — Ornementation. — Ornement. — Amortissement. — Enroulement. — Archivolte. — Feuilles d'acanthe. — Annelets. — Arabesque. — MOULURE. — Baguette. — Grecque. — Astragale. — Echine. — Olive. — Ove, ovicule. — Cannelure. — Orle ou Filet. — Bandeau. — Dentelure. — Denticule. — Feston. — Guirlande. — Gousses. — Gouttes. — Fleuron. — Vermiculure. — Rais de cœur. — Volutes. — Entrelacs. — Gradilles. — Plinthe. — Rinceau. — Culot. — Cul-de-lampe. — Mascaron. — Médaillon. — Trophée. — Renard (mur orbe). — Rosace. — Rose. — Rostres. — Atlante — Télamon. — Bossage (saillie). — Anglet (creux). — Formeret ou Nervure. — Patère. — Trèfle.

---

## ARDOISE

**L'ardoise.** — Schiste, schisteux. — Ardoise. Alumineuse. — Ardoisière. Gradins. Chambres. Galeries. — Foncée. Banc. Bloc. Planche. Fendis. — Feuille, feuillet, feuilletis. — Exfoliation, s'exfolier. — Ardoise feuilletée, lamellée. — Ardoise démêlée, triée, carrée fine, carrée forte. — Poil noir (couleur). Poil roux. Poil taché.

**Travail et emploi.** — Ardoisier. — Fendeur. — Etapliau (chevalet). — Chaput (billot). — Rondir (tailler). — Bouçage et Querriage (débitages). — Doleau (hachette). — Flamme (ciseau). — Pic. Rabattoir. Verdillon (outils). — Tenure (trou du coin). — Treille (tas d'ardoises).

ÁRE, m. V. *mesure.*
ARÉAGE, m. V. *mesure.*
ARÉFACTION, f. V. *sec.*
ARÈNE, f. V. *sable, cirque, gladiateur.*
ARÉOLE, f. V. *cercle.*
ARÉOMÈTRE, m. V. *liqueur.*
ARÉOPAGE, m. V. *juges.*
ARÉQUIER, m. V. *palmier.*
ARÈS, m. V. *Mars.*
ARÊTE, f. V. *bord, angle, montagne, poisson.*

ARGANEAU, m. V. *anneau.*
**Argent,** m. V. *bijou, monnaie.*
ARGENTER. V. *argent.*
ARGENTERIE, f. V. *orfèvre, vaisselle.*
ARGENTIER, m. V. *argent.*
ARGENTIFÈRE. Argentin. V. *argent.*
ARGENTURE, f. V. *argent.*
ARGILACÉ. V. *argile.*
**Argile,** f. V. *terre.*

ARGILEUX. Argilifère. V. *argile.*
ARGONAUTE, m. V. *coquille, marin.*
ARGOT, m. V. *langage.*
ARGOULET, m. V. *soldat.*
ARGOUSIN, m. V. *galère, police.*
ARGUER. V. *argument, preuve.*
**Argument,** m. V. *raison, matière, résumer.*

---

Ardoiser ou Couvrir. — Couverture. Couvreur. — Assette (marteau). — Bourrique (caisse à ardoises). — Renvers (disposition). — Pureau (partie visible).

Ardoiserie (commerce). — Ardoise pour écrire. — Touche (crayon).

Plaques d'ardoises. — Revêtements.

## ARGENT
(latin, *argentum ;* grec, *argyros*)

**Métal.** — Minerai ou Argyride. — Gangue. — Pyrite. — Argyrose (sulfure). — Argent fulminant (oxyde). — Plomb argentifère. — Argent natif. — Lingot. — Feuille d'argent. — Grenaille. — Paillette. — Diane ou Lune (argent en alchimie).

Hydrargyre ou Vif-argent (mercure). — Pierre infernale (nitrate d'argent). — Argyrisme (maladie). — Son argentin.

**Alliages.** — Argent massif. — Argent fin. — Argent bas. — Aloi (titre d'alliage). — ESSAI, esayer, esssayeur. — Deniers (douzièmes en alliage). — Vermeil (argent et or). — Inquart ou Quartation (alliage à quart d'or). — Amalgame (argent et mercure). — Electrum (alliage antique). — Départ (séparation à l'eau-forte). — Liquation (séparation au plomb).

Contrôle, contrôler, contrôleur. — Poinçon, poinçonner, poinçonnement. — Marquer, marque.

**Objets d'argent.** — Argenterie. — Orfèvrerie. Vaisselle d'argent. Vaisselle plate. — Bijouterie. — Argentier (meuble). — MONNAIE. — Pièces d'argent. — Damasquinage, damasquiner. — Fil d'argent. Tréfilerie, tréfiler. Ecacher. — Blanchir (nettoyer).

**Plaqué.** — Argenter, argenture, argentation, argenteur. — Métal argenté. Christofle. Ruolz. Alfénide. — Galvanoplastie. — Plaquer, plaqué, plaqueur. — Saucer, médaille saucée. — Désargenter, désargentage.

## ARGILE

**Sortes d'argile.** — Gault (masse argileuse). — Alumine. — Argile schisteux. — Glaise, glaisine, glaisière. — Kaolin. — Marne, marnière. — Argile figuline ou Terre à potier. — Calamite (argile blanche). — Bol (argile médicinale).

**Qui concerne l'argile.** — Argilacé. — Argiloïde. — Argilifère. — Argileux. Glaiseux. Marneux.

Composés en *argilo.* Ex. : Argilogypseux.

Brique, briqueterie. — Tuile, tuilerie. — Pot, poterie, potier. — Pisé (argile et paille), piseur. — Braisine (mélange pour moules). — Corroyer (battre l'argile), corroi. — Modelage, modeler. — Plasticité, plastique.

## ARGUMENT

**Méthodes.** — Déduction, déduire, méthode déductive. — Induction, induire, méthode inductive. — Analogie. — Analyse, analyser, méthode analytique. — Synthèse, synthétiser, méthode synthétique ou discursive. — Dialectique. — Socratiser. — Logique. — Scholastique. — Syllogistique. — Philosophie, philosopher.

**Argumentation.** — Raisonner, raisonnement. — Arguer, argument. — Argumenter, argumentation, argumentateur. — Discussion, discuter. — Controverse. — CHICANE. — Débats, débattre. — Conférence. — Polémique. — Thèse. — Raisonner en forme. — Ratiociner, ratiocination. — Distinguer, distinction. — Objecter, objection. — Redarguer. — Réfuter, réfutation. — Rétorquer. — Répliquer, réplique. — Démontrer, démonstration. — Ergoter, ergoteur. — Prouver, preuve. — Disserter, dissertation. — Conclure, conclusion. — Inférer. — Affirmation apodictique (appuyée d'arguments). — Conséquence. — Conglobation (entassement de preuves).

Argument invincible, irréfutable, concluant, probant, solide, valide.

**Formes d'argument.** — Argutie. — Axiome. — Postulat. — Données. — Analogisme. — Apagogie (raisonnement par l'absurde). — Cheval de bataille. — Lieu commun ou Topique. — Argument à priori, à postériori. — Hypothèse. — Supposition. — Lemme (proposition d'appui). — Prémisses. — Corollaire.

Dilemme. — Enthymème (syllogisme à deux propositions). — Syllogisme. Majeure. Mineure. Conclusion. — Sorite (suite d'arguments enchaînés). — Termes du syllogisme. — Epichérème (syllogisme à termes démontrés). — Syllogisme en baroco, barbara, baralipton, etc.

**Arguments faux.** — Cercle vicieux ou Diallèle. Tourner dans un cercle. — Absurdité. — Logomachie. — Paralogisme. — Paradoxe. — Sophisme. — Cavillation (argument captieux). — Pétition de principe. — Dénombrement incomplet. — Porter à faux. — Pantoufler.

ARGUMENTATION, f. Argumenter. V. *argument*.
ARGUS, m. V. *papillon, veiller*.
ARGUTIE, f. Argutieux. V. *chicane, subtil, minutie*.
ARGYRISME, m. V. *argent*.
ARGYRONÈTE, f. V. *araignée*.
ARIA, m. V. *embarras*.
ARIANISME, m. V. *secte*.

ARIDE. Aridité, f. V. *sec, stérile, inculte*.
ARIETTE, f. V. *chant*.
ARISTOCRATE, m. V. *noble*.
ARISTOCRATIE, f. Aristocratique. V. *peuple, classe*.
ARITHMÉTIQUE, f. V. *calcul, mathématiques*.
ARLEQUIN, m. V. *bouffon*.
ARMATEUR, m. V. *navire*.

ARMATURE, f. V. *charpente*.
ARMÉ. V. *armes*.
**Armée,** f. V. *troupe, soldat*.
ARMEMENT, m. V. *arme, marine*.
ARMÉNIEN, m. V. *Christ*.
ARMER. V. *garnir, fusil, rame*.
**Armes,** f. V. *défendre*.
ARMET, m. V. *casque*.

---

## ARMÉE

**Organisation.** — Ban. — Arrière-ban. — Levée. — Levée en masse. — Appel. — Conscription. — Recrutement. — Enrôlement. — Engagement. — Tirage au sort. — Racolage. — Contingent. — Effectif.

Armée active. Armée de réserve. Armée territoriale. — Armée de terre. Armée de mer ou navale. Forces aériennes. Armée coloniale. — Milice. Garde nationale. Garde mobile. — TROUPES nationales, indigènes, mercenaires.

Armement. — Matériel. — Munitions. — Arsenaux. — Magasins. — Manutention. — Mobilisation.

**Subdivisions.** — Armée. — Corps d'armée. — Division. — Brigade. — Régiment. — Bataillon. — Escadron. — Batterie. — Compagnie. — Peloton. — Section. — Escadrille.

Légion. Cohorte. Manipule. Turme (chez les Romains). — Phalange (chez les Grecs). — Etat-major. — Commandement. — Corps de troupe. — Infanterie. — Artillerie. — Cavalerie. — Génie. — Aviation. — Train des équipages. — Intendance. — Service de santé.

**Vie militaire.** — Etre affecté, affectation. — Garnison. — Caserne. — Quartier. — Chambrée. — Campagne. — Campement. — CAMP, camper. — Cantonnement, cantonner. — Baraquement. — TENTE. — Bivouac. — Billet de logement. — Salle de police.

Poste. — Avant-poste, poste avancé. — Poste de combat. — Exercice. — Manœuvre. — Marches. — Haltes. — Ronde. — Patrouille. — Piquet. — Corvée. — Fourniment. — Armes. — Outils. — Sac. Gamelle. Bidon. SOLDAT. — Recrue. — Troupier. — Réserviste. — Territorial. — Permissionnaire. — Musique. — Clique. Tambours. Clairons. Trompettes.

Etre de la classe. — Libérer, libérable. — Licencier, licenciement. — Désarmer, désarmement. — Rentrer dans ses foyers. — Déserter, déserteur. — Rengager.

**Art militaire.** — Stratégie. — Tactique. — Plan de campagne. — Manœuvres. — Opérations. — Mouvements. — Expédition. — Attaque. — Coup de main. — Occupation. — Invasion. — Avance. — Retraite.

Entrée en campagne. — Colonne. — Tête. — Queue. — Avant-garde. — Arrière-garde. — Colonne volante. — Déploiement. — Front. — Lignes. — Aile droite, aile gauche. — Flanc. — Centre. — Gros. — Arrière-ligne. — Derrières. — Formations. — Dispositif. — Carré. — Vagues d'assaut.

Troupes de ligne. — Troupes d'élite, de choc, d'assaut. — Troupes légères, mobiles. — Réserves. — Franc-tireur. — Partisan. — Eclaireur.

Fortification. — Ouvrages. — Tranchée. — Sape. — Galerie. — Siège.

## ARMES
(latin, *arma* ; grec, *hopla*)

**Sortes d'armes.** — Armement. — Armes offensives. — Armes défensives. — Armes portatives. — Armes de parade. — Armes courtoises. — Armes blanches. — Armes à feu. — Armes d'honneur. — Panoplie. — Faisceau d'armes. — TROPHÉE.

**Armes défensives.** — ARMURE. — Casque. — Heaume. — Cuirasse. — Cotte de mailles. — Bouclier. — Ecu.

Armé de pied en cap. — Armifère. Armigère.

**Armes offensives.** — *Armes de main :* Epée. Sabre. Glaive. Baïonnette. COUTEAU. Coutelas. POIGNARD. Stylet. Kriss.

*Armes de choc :* Massue. Masse d'armes. Marteau d'armes. Bâton. Trique. Canne. Penbas (breton). Makila (basque). Casse-tête. Coup-de-poing. — Défenses. Cornes (des animaux).

*Armes d'hast :* LANCE. Pique. Hallebarde. Epieu. Faux. HACHE d'armes. Framée. Francisque.

*Armes de jet :* Javelot. DARD. Zagaie. Boomerang. Arc. Arbalète. FRONDE. Baliste. Catapulte. Propulseur.

*Armes à feu :* Arquebuse. Mousquet. FUSIL. Carabine. PISTOLET. Revolver. ARTILLERIE. Canon. Mitrailleuse.

*Projectiles :* Pierre. Plomb. FLÈCHE. BALLE. BOULET. BOMBE. Obus. Torpille.

*Machines de guerre :* Bélier. Tours mobiles. Mantelets. Mines. Chars d'assaut. Lance-flammes.

**Usage des armes.** — Dégainer, rengainer. — Brandir. — Port d'armes. Cliquetis. — Faire des armes. Escrime. Escrimeur. — Traîneur de sabre. — Tirer, tirer à la cible. Tireur.

Prendre les armes, prise d'armes. — Courir aux armes. — Porter les armes. — Désarmer. — Poser les armes.

**Armurerie.** — Armurier. — Balistique. — Arquebusier. — Heaumerie, heaumier. — Trempe, tremper. — Brunir, brunissage, brunisseur. — Astiquer, astiquage. — Polir, polissage, polisseur. — Aiguiser. Fer émoulu.

Poignée. Garde. Lame. Pointe. Tranchant. Sole. — Hampe. Fût. — Crosse. Canon de fusil. Rayure d'arme à feu. Batterie.

ARMILLE, f. V. *cercle, moulure.*

ARMISTICE, m. V. *guerre, cesser, convention.*

**Armoire,** f. *meuble, serrer.*

ARMOIRIES, f. p. V. *blason.*

ARMORIAL, m. V. *blason.*

**Armure,** f. V. *arme, tissu.*

ARMURIER, m. V. *arme, fusil.*

AROMATE, m. V. *odeur, épice.*

AROMATIQUE. Aromatiser. V. *plante.*

ARÔME, m. V. *odeur.*

ARONDE, f. V. *hirondelle.*

ARPÈGE, m. V. *violon.*

ARPENT, m. V. *mesure.*

**Arpentage,** m. V. *géométrie.*

ARPENTER. Arpenteur, m. V. *arpentage.*

ARQUÉ. V. *cheval, courbure.*

ARQUEBUSE, f. V. *arme, fusil.*

ARQUEBUSIER, m. V. *fusil.*

ARQUER. V. *courbure.*

ARRACHAGE, m. V. *arracher.*

**Arracher.** V. *prendre, obtenir.*

ARRAISONNER. V. *navire.*

ARRANGEMENT, m. V. *arranger, accord, auberge, orner, projet.*

## ARMOIRE

**Détail de l'armoire.** — Corps. — Pieds. — Portes, porte pleine, porte vitrée. — Montants. — Battants. — Vantaux. — Glaces. — TIROIRS. — Etagères. — Rayons. — Cases. — Planches. — Tablettes. — Crémaillère. — Fronton. — Corniche. — Moulures. — Galbe. — Serrure. — Taquet. — Secret. — Tablier (de secrétaire). — Marbre (de commode).

**Sortes d'armoires.** — Armoire à glace. — Armoire à linge. — Bibliothèque. — Buffet. — Vaisselier. — Crédence. — Vitrine. — Cabinet. — Secrétaire. — Cartonnier. — Casier. — Fichier. — Médaillier. — Chiffonnier. — Dressoir. — Commode. — Encoignure. Ecoinçon. — Garde-robe. — Placard. — COFFRE. — Tour (de couvent). — Habitacle (de boussole). — Tabernacle (d'autel).

## ARMURE

**Cuirasses.** — Cuirasse. — Cuirasse annelée. — Cotte d'armes. — Cotte de mailles. — Haubert. Haubergeon. — Jaseran. — Jaque. — Brigandine. Sarrasine (sortes de cottes). — Corselet. — Halecret (corset de fer). — Gonne (cotte armoriée). — Soubreveste. Gambison. Subarmale (casaque de dessous).

Cuirasser. — Encuirasser. — Fausser une cuirasse. — Défaut de la cuirasse. — Cuirasse à l'épreuve.

**Armure d'homme.** — Equipage. — Harnois. — Harnois de guerre. Harnois de joute. — Casque ou Heaume : Panache. Crête. Timbre. Vue. Ventail. — Armet. — Couvrenuque. — Gorgerin. — Epaulière. — Faucre (appui-lance). — Brassard. — Cubitière (protège-coude). — Gantelet. — Ecu ou BOUCLIER. — Cuirasse. — Plastron (demi-cuirasse). — Braconnière (ceinture). — Tassette (bas de cuirasse). — Cuissot. Cuissard. — Genouillère. — Jambière ou Jambart. — Grèves (armure de jambe). — Soleret (protège-pied). — Poulaine (longue pointe du soleret).

**Pièces d'armure.** — Armé de toutes pièces. — Armoiries. — Panoplie.

**Armure de cheval.** — Harnois. — Haubergerie. — Têtière. — Chanfrein. — Bardes : barde de gorge, barde de crinière, barde de croupe, barde de poitrail. — Flançois (pièces de flanc). — Auferrant (cheval bardé).

## ARPENTAGE

**Arpenteurs.** — Arpenteur. — Géomètre. — Géomètre expert. — Cerquemaneur (arpenteur juré). — Gromaticien (chez les anciens). — Mesureur. — Jalonneur. — Bornoyeur. — Toiseur. — Porte-chaîne. — Aide.

**Opérations.** — Arpentage, arpenter. — Méthode par compensation. Méthode par trapèze. — GÉOMÉTRIE. — Géodésie. — Mesurage, mesurer. — Base. — Toise, toiser. — Agrimensation (mesure des champs). — Aréage (mesure des ares). — Cadastrage, cadastrer. — Bornage, borner. — Triangulation. — Topographie. — Photogrammétrie. — Récolement. — Cerquemanage (relevé de propriété).

Chaînage, chaîner. — Cingler (mesurer au cingleau). — Tirer au cordeau. — Viser. Bornoyer (regarder dans le niveau). — Ligne de collimation (de visée). — Jalonnement, jalonner. — Métrer. — Alignement, aligner. — Nivellement, niveler. — Levée de plan. — Dresser un plan. — Relevé. — Croquis. Dessin.

**Instruments.** — Alidade, à lunette, à pinnules. — Vernier. — Graphomètre. Douille. Mire. — Equerre, pinnatique, cylindrique. — Théodolite. — Eclimètre. — Orographe. — Agromètre.

Chaîne d'arpenteur. — Bâton de Jacob (croix d'arpenteur). — Perche. — Corde ou Cordeau. Cingleau. — NIVEAU, à bulle d'eau, à air, à perpendicule. — Pantomètre. — Planchettes. — Rapporteur. — Déclinatoire (boussole). — Compas de relèvement. — Cercle à alignement. — Station (place du graphomètre). — Piquet. — Jalon. — Règle. — Toise. — Mètre. — Décamètre. — Fiches.

## ARRACHER

**Retirer du sol.** — Arracher, arrachage, arracheur, arrachoir. — Arrachis (d'arbres). — Déplanter, déplantoir. — Déraciner, déracinement. — Eradication, éradicatif. — Extirper, extirpateur. — Déterrer. — Fouger (se dit du sanglier). — Sarcler, sarclage, sarcloir. — Extraire, extraction. — Défricher, défrichement.

**Tirer avec effort.** — Avulsion, avulsif. — Divulsion, divulsif. — Evulsion, évulsif. — Extraire, extraction, extracteur. — DÉCHIRER. — Tenailler, tenailles. — Arracher avec une PINCE, avec une pincette. — Traction. — Emporte-pièce. — OTER. — Débarrasser. — Enlever. — Etriper. — Détacher. — Cueillir.

Dépiler, dépilation, dépilatif, dépilatoire. — Epiler, épileuse, épilation, épilatoire. — Efaufiler (tirer les fils de trame). — Défaufiler (tirer les faufils). — Effiler. — Egrapper. — Effaner. — Effeuiller.

*Arranger.* V. *règle, projet, orner.*

ARRÉRAGE, m. V. *rente, arrière.*

ARRESTATION, f. V. *police, prison.*

*Arrêt,* m. V. *immobile, interruption, ordre, juges, chasse, horloger.*

ARRÊTÉ, m. V. *ordre.*

ARRÊTER. V. *arrêt, retenir, prohiber, projet, cesser.*

ARRÊTS, m. p. V. *punition.*

ARRHES, f. p. V. *garant, payer.*

*Arrière.*

ARRIÉRÉ, m. V. *dette.*

ARRIÈRE-BAN, m. V. *appel, armée.*

ARRIÈRE-BOUTIQUE, f. V. *boutique.*

ARRIÈRE-CORPS, m. V. *architecture.*

ARRIÈRE-COUR, f. V. *cour.*

ARRIÈRE-GARDE, f. V. *armée.*

ARRIÈRE-GOÛT, m. V. *goût.*

ARRIÈRE-MAIN, f. V. *main, paume, cheval.*

ARRIÈRE-NEVEU, m. V. *parent.*

ARRIÈRE-PENSÉE, f. V. *secret.*

ARRIÈRE-SAISON, f. V. *saison.*

ARRIÈRE-TRAIN, m. V. *voiture.*

ARRIMAGE, m. Arrimer. V. *port, charger, arranger.*

ARRIVAGE, m. V. *venir.*

ARRIVÉE, f. V. *voyage.*

ARRIVER. V. *venir, but, événement.*

ARRIVISTE, m. V. *succès.*

---

TIRER de. — OBTENIR de force. — Arracher une promesse. — Arracher des larmes. — Emporter le morceau.

## ARRANGER

**Mettre en ensemble.** — Assembler, assemblage. — Architectonique (art de construire). — Construire, construction. — Charpenter, charpente. — Structure. — CONSTITUER, constitution. — Contexture. — Texture. Tissu. Tissure. — Accoutrer, accoutrement. — Habiller, habillage, habillement. — Attifer. — Equiper, équipement. — Harnacher, harnachement. — Arranger, préparer, accommoder un plat. — Empailler. Taxidermie.

**Mettre en ordre.** — Arranger, arrangement. — Ranger, rangement. — Classer, classement. — Organiser, organisation, organisateur. — Réorganiser. — Remanier, remaniement. — Ordonner, ordonnance. — Coordonner, coordination. — Apprêter, apprêt, apprêteur. — Composer son visage. — Faire la barbe, les cheveux. — Faire son ménage. — Faire le lit, la couverture.

**Mettre en place.** — Placer, placement. — Etablir, établissement. — Rétablir, rétablissement. — Agencer, agencement. — Aménager, aménagement. — Emménager, emménagement. — Disposer, disposition. — Ajuster, ajustement, rajuster. — Monter, montage, monteur. — Emboîter, emboîtement. — Trier, triage. — Arrimer, arrimage, arrimeur. — Echafauder, échafaudage. — Appareiller, appareillage. — Dresser la table. — Serrer.

**Mettre en accord.** — Assortir, assortiment. — Adapter, adaptation. — Approprier, appropriation. — Joindre. Grouper. — Accommoder, accommodement. — Raccommoder, raccommodage. — Raccorder, raccord. — Harmoniser, harmonie.

Arranger une affaire. — Manigancer. Tramer. Ourdir. — Donner la main à. — Aplanir une difficulté. — Concilier, conciliation. — S'arranger. S'accorder.

**Mettre en théorie.** — Régler, RÈGLE. — Réglementer, règlement. — Classifier, classification. — Formuler, formule.

SYSTÈME, systématique. — SYNTHÈSE, synthétique. — Syntaxe, syntaxique. — Economie, politique, domestique. — Loi économique. — Nomenclature. — Taxologie. — Taxonomie.

## ARRÊT

**Arrêt du mouvement.** — Arrêter, arrêt, arrestation. — Immobiliser, immobile. — Paralyser, paralysie. — RETENIR, rétention. — Faire cesser, cessation. — Faire OBSTACLE. — Tenir en échec. — Mettre fin à. — Mettre l'embargo sur. — Rogner les ailes. — Réfréner. — Endiguer. — Etancher (ce qui coule). — Enrayer, enrayement. — Couper la fièvre, la parole.

**Arrêt sur place.** — Ancrer. Jeter l'ancre. Mouiller. — Stopper. — Descendre de cheval, de voiture. — Rester en chemin. Etre en panne. — Attendre.

Camper, campement. — Stationner, stationnement. — Séjourner, séjour. — Demeurer, être à demeure. — Dresser sa tente. — Garder la chambre. — Stagner, stagnant, stagnation. — Croupir. — Etre fixé. — Etre enraciné. — Etre stable. Rester planté là. — Demeurer court. — En rester là. — Rester FIXE.

**Suspension du mouvement.** — Interrompre, INTERRUPTION. — Suspendre, suspension. — Rompre, rupture. — Intercepter. — Différer. — Mettre en panne.

Accrocher, accrochage. — Etre en panne. — Etre en souffrance. — Relâcher. — Relayer. Reposer. — Respirer. — Se reprendre. Armistice. — Solstice. — Stase (arrêt du sang). — Intervalle. — Vacance. — Congé. — Intermède. — Entracte. — Délai. — Retard. — REPOS. — Répit.

**Lieux et temps d'arrêt.** — Escale. — Etape. — Halte. — Gare. — Mouillage. — Station. — LIMITE. Point d'arrêt. — Relais. — Séjour. — Demeure. — Pied-à-terre.

Temps d'arrêt. — Quarantaine. — Relâche. — Pause ou Silence (en musique).

**Décision.** — Arrêter, arrêt, arrêté. — Ordonner, ordre, ordonnance. — Se buter, buté. — S'entêter, entêtement. — S'aheurter, aheurtement.

## ARRIÈRE

**Dans le temps.** — Passé. Antérieur. Précédent. — Historique, préhistorique. — Rétrospectif, rétrospectivement. — Rétroactif, rétroactivité. — Dernier. Récent. — Tardif, retard, retarder, retardataire. — Arrière-saison. — Arriéré. — Arrérages. — Postérieur. Postérité. Arrière-neveu.

ARROGANCE, f. Arrogant. V. *orgueil.*
ARROGER (s'). V. *usurper.*
ARROI, m. V. *bagage, faucon.*
ARRONDIR. V. *rond, courbure.*
ARRONDISSEMENT, m. V. *juridiction.*
ARROSAGE, m. V. *arroser.*
**Arroser.** V. *répandre, rivière, poussière, artillerie.*
ARROSEUSE, f. V. *arroser.*
ARROSOIR, m. V. *jardin.*
ARS, m. V. *cheval, membre.*

ARSENAL, m. V. *armée, magasin.*
ARSÉNIATE, m. V. *arsenic.*
**Arsenic,** m.
ARSENICAL. V. *arsenic.*
ARSÉNIURE, m. V. *arsenic.*
**Art,** m. V. *habile, règle.*
ARTÉMIS, f. V. *Diane.*
ARTÈRE, f. V. *sang, chemin.*
ARTÉRIEL. Artérieux. V. *sang.*
ARTÉRIOLE, f. V. *sang.*
ARTÉRIO-SCLÉROSE, f. V. *veine.*
ARTÉRITE, f. V. *veine.*

ARTÉSIEN. V. *puits, source.*
ARTHRITE, f. Arthritisme, m. V. *goutte, articulation.*
ARTHROLOGIE, f. V. *anatomie.*
ARTHROPODE, m. V. *animal, articulation.*
ARTHROSE, f. V. *articulation.*
**Artichaut,** m. V. *plante, pyrotechnie.*
ARTICLE, m. V. *articulation, division, grammaire, loi, commerce, journal, convention.*
ARTICULAIRE. V. *articulation.*

---

**Dans l'espace.** — Façade postérieure. — Arrière-corps. — Arrière-cour. — Arrière-boutique. — Abside (d'église). — Opisthodome (de temple ancien). — Postscénium (de théâtre antique).

Arrière-train. — Arrière-main. — Croupe. Croupion. — Cul, culasse. — Dos. — Occiput. — Nuque. — Chignon.

Fond. — Dossier. — Doublure. — Derrière. — Envers. — Revers. — Verso. — Poupe. — Queue. — Remous. — Sillage. — TRACES. — Réfraction.

**Dans la marche.** — Reculer, reculade, recul. — Aller à reculons. Marcher en écrevisse. — Aller à rebours. — Rebrousser chemin. Revenir sur ses pas. — Remonter à sa source. Refluer. — Lâcher pied. Fuir, fuite. — Se replier, repli. — Retourner, retour. — Rétrogression. Rétrograder. — Perdre du terrain. — Battre en retraite.

Arrière-garde. — Contre-marche. — Fermer la marche. — Suivre. — Marcher sur les talons.

**Dans les actions.** — Réagir, réaction, réactif. — Rebondir, rebondissement. — Révulsion, révulsif. — Rétroflexion, rétrofléchi. — Rétroversion. — A la renverse. — A rebrousse-poil. — Récurrent. — Répercuter, répercussion. — Rétractile.

Acculer, acculement. — Endosser, endossement, endos. — Refouler, refoulement. — Ruer, ruade. — Remorquer, remorque. — Scier (ramer à rebours). — Rajeunir, rajeunissement.

**Dans les pensées.** — Arrière-pensée. — Réflexion, RÉFLÉCHIR. — Faire un retour sur soi-même. — Revenir sur. — Se reprendre. — Faire son examen de conscience. — Rectifier son jugement, son vote. — Faire machine en arrière. — Se dégager. — Céder. Rétrocéder. — Penser à contresens. — Réactionnaire. Rétrograde.

## ARROSER
(latin, *irrigare*)

**Arrosage.** — Arroser, arrosage, arrosement. — Asperger, aspersion. — Doucher, douche. — Injecter, injection. — Mouiller. Tremper. Imbiber. — VERSER (de l'eau). — Irroration. — Seringuer. — Ondoyer, ondoiement. — Baptiser.

RÉPANDRE. — Abreuver. — Baigner. — Submerger. — Inonder, inondation. — Crue. Débordement. — Dériver, dérivation.

**Moyens d'arroser.** — Arrosoir. — Pomme, canon, tube d'arrosoir. — Seringue. — Irrigateur. — Siphon. — Pompe. — Lance à jet. — Tonneau d'arrosage. — Arroseuse. — Noria. — Chadouf. — Aspersion. — Goupillon.

Canalisations. — Canaux d'irrigation, de dérivation. — Rigole. — Saignée. — Echaux (fossés de prairie).

## ARSENIC

**De l'arsenic.** — Arsenic, arsenical, arsénié. — Ahusal (en alchimie). — Arsénide (minerai). — Mispickel (pyrite arsenicale). — Magnès (sulfure et antimoniure). — Rubine (sulfure). — Pierre volante (arsenic natif). — Arsénicisme. — Arsénicophage.

**Corps dérivés.** — Arséniure. — Arséniate (sel). — Arsénite (sel). — Acide arsénieux ou Mort aux rats. — Chlorure d'arsenic ou Beurre d'arsenic. — Arsénobenzol. — Bouillie arsénicale (contre le mildiou).

## ART
(latin, *ars;* grec, *technê*)

**Les arts.** — Beaux-arts. — Arts libéraux. — Arts plastiques. — Arts décoratifs. — Arts industriels. — Arts mécaniques. — Littérature. — Poésie. — Théâtre. — Peinture. — Sculpture. — Statuaire. — Architecture. — Gravure. — Glyptique. — Musique. — Danse. — Dessin.

Décoration. — Céramique. — Orfèvrerie. — Bijouterie. — Joaillerie. — Emaillerie. — Verrerie. — Ebénisterie. — Broderie. — Tapisserie.

**Œuvres.** — Œuvre d'art. — Chef-d'œuvre. — Œuvre magistrale. — Ouvrage. — Morceau. — Bibelot. — Décor. — Ornement. — Travail artistique. — Fait artistement. — Artificiel.

**Nature de l'artiste.** — Idéal. — Inspiration. — Vocation. — Feu sacré. — Ardeur. — ENTHOUSIASME. — Génie. — Talent. — Don. — Disposition.

Maîtrise. — Science. — Connaissances. — Technique. — Culture artistique. — Pratique. — Métier. — Savoir-faire. — Style. — Manière. — Façon. — Main. — Adresse. — Habileté. — Coup de patte.

**Doctrines d'art.** — Esthétique. — Théorie d'art. — Enseignement artistique. — Ecole des Beaux-Arts. — Conservatoire. — Philotechnie. — Technologie.

**Articulation,** f. V. *membre, corps, emboîter, prononcer.*
ARTICULÉ, m. V. *animal.*
ARTICULER. V. *joindre, parler.*
ARTIFICE, m. V. *ruse, pyrotechnie.*
ARTIFICIEL. V. *art, imiter.*
ARTIFICIER, m. V. *pyrotechnie.*
ARTIFICIEUX. V. *ruse.*
**Artillerie,** f. V. *armée.*
ARTILLEUR, m. V. *soldat.*
ARTIMON, m. V. *mât.*
ARTISAN, m. V. *ouvrier, produire, cause.*

ARTISTE, m. Artistique. V. *art, beau.*
ARUM, m. V. *plante.*
ARUSPICE, m. V. *devin.*
AS, m. V. *dé, cartes.*
ASCARIDE, m. V. *ver.*
ASCENDANCE, f. V. *parent.*
ASCENDANT, m. V. *influence.*
ASCENSEUR, m. V. *machine, maison, haut.*
ASCENSION, f. Ascensionnel, V. *haut, astronomie, montagne, Christ.*
ASCÈTE, m. Ascétique. Ascétisme, m. V. *religion, saint, ermite.*

ASCLÉPIADE. V. *poésie.*
ASCOCOQUE, m. V. *microbe.*
ASCOMYCÈTE, m. V. *champignon.*
ASEPSIE, f. Aseptiser. V. *plaie, maladie, microbe, panser, chirurgie.*
ASIE, f. Asiatique. V. *Orient.*
ASILE, m. V. *retraite, abri, logement, hospitalité, charité, bannir.*
ASMODÉE, m. V. *diable.*
ASPARAGINE, f. Asparaginée, f. V. *asperge.*
ASPECT, m. V. *voir, apparaître, posture, astronomie.*

---

Ecole française, anglaise, vénitienne, flamande, hollandaise, etc.

Art antique, byzantin, roman, gothique, Renaissance, classique, romantique, réaliste, naturaliste, impressionniste, moderne, cubiste, etc.

Classicisme. Romantisme. Impressionnisme. Futurisme, etc.

**Vie artistique.** — Artiste. — Virtuose. — Maître ès arts. — Maître. — Elève. — Artisan. — Ouvrier d'art. — Praticien.

Culte de l'art. — Amateur. — Mécène. — Théoricien. — Critique d'art. — Revue d'art. — Photographie d'art. — Livre d'art.

Musée. — Pinacothèque. — Glyptothèque. — Cabinet d'estampes, de médailles. — Salon. — Galerie. — Exposition. — Cimaise. — Concours. — Prix.

## ARTICHAUT

**La plante.** — Artichaut. — Pied. — Pomme ou Tête. — Cul ou Fond. — Feuilles. — Cardes. — Foin. — Talon. — Œilleton (rejeton). — Strobile (inflorescence en cône).

**Relatif à l'artichaut.** — Artichautière (casserole). — Blanc de l'artichaut (maladie). — Artichaut à la barigoule, à la poivrade. Cinaroïdées (genre chardon). — Cardon. — Chardonnette. — Chardon. — Acanthe.

## ARTICULATION
(latin, *articulus* ; grec, *arthron*)

**Les articulations.** — Articulation. — Article. — Attache. — Charnière. — Jeu. — Joint, jointure. — Jonction. — Ligament. — Capsule. — Condyle. — Cartilage. — Synovie. — Coude. — GENOU. — Rotule. — JARRET. — HANCHE. — Poignet. — Cheville. — Clavicule. Emboîtement. — Arthrose. — Enarthrose. Cotyle. Glène (cavités). — Synarthrose (articulation immobile). — Engrenure. Gomphose. — Arthrodie (articulation en tous sens). — Ginglyme (en un seul sens). — Anastomose (jonction des veines). — Symphyse ou Synévrose (articulation par ligaments).

**Maladies.** — Arthrite, arthritisme, arthritique. — Arthrite sèche. — Hydarthrose. — Arthropathie. — Arthralgie. — Arthropyose (suppuration). — Arthrocèle (tumeur). — Tumeur blanche. — Epanchement syno-

vial. — Dysarthrose (articulation vicieuse). — Diastase (relâchement). — Arthrogrypose (flexion).

Exarticulation. — Luxation. — Entorse. — Déboîtement. — Déviation. — Loxarthre (déviation de la tête). — Ankylose.

Nodus. — Tophus. — GOUTTE. — Rhumatisme. — Rhumatisme articulaire.

**Opérations.** — Arthrodèse. — Arthrectomie. — Arthrotomie. — Symphyséotomie. — Synostéotomie. — Désarticulation. — Suture. — Ankylostéotomie. — Arthrectasie (dilatation).

**Relatif aux articulations.** — Articuler, articulaire, articulatoire. — Interarticulaire. — Arthropodes (animaux). — Arthrophyte (plante). — Arthrologie. — Synéostéologie. — Articulé. — Géniculé.

## ARTILLERIE

**Le canon.** — Pièce. — Bouche à feu. — Calibre. — Tube. — Ame. — Volée. — Bouche. — Culasse. — Vis de culasse. — Leviers. — Hausse. — Vis de pointage. — Affût. — Tourillons. — Flasques. — Semelle. — Galet. Crosse. — Bêche. — Ecouvillon.

Avant-train. — Caisson. — Bouclier. — Siège. — Roues. — Essieux. — Frein.

Attelage. — Porteur. — Sous-verge.

Artilleur. — Canonnier. — Chef de pièce. — Pointeur. — Chargeur. — Servant. — Conducteur.

**Matériel ancien.** *Machines :* Bélier. — Baliste. — Catapulte. — Scorpion. — Onagre. — Mangonneau.

*Anciennes pièces :* Bombarde. — Couleuvrine. — Emerillon. — Faucon. — Fauconneau. — Aspic. — Basilic. — Cardinale. — Caronade. — Crapaud. — Mortier. — Pierrier. — Bâtarde. — Serpentin. — Espingole. — Canons se chargeant par la bouche.

*Termes anciens d'artillerie :* Anses (du canon). — Astragale (moulure). — Lumière. — Chapiteau. — Etoupille. — Etoupillon. — Mèche. — Boute-feu. — Lance à feu. — Cuiller. — Refouloir. — Heurtoir. — Chargeoir. — Mire. — Coins de mire. — Coffret d'affût. — Sainte-barbe. — Boulet. Boulet rouge, ramé. — Bombe. — Gargousse. — Biscaïen. — Boîte à mitraille. — Tonnerre. — Bombardier. — Enclouer.

**Asperge**, f.
ASPERGER. V. *répandre, arroser.*
ASPERGERIE, f. V. *asperge.*
ASPERGILLE, f. V. *cryptogame.*
ASPÉRITÉ, f. V. *inégal.*
ASPERSION, f. Aspersoir, m. V. *arroser.*
ASPHALTE, m. Asphalter. V. *bitume.*
ASPHODÈLE, m. V. *fleur.*
ASPHYXIE, f. Asphyxier. V. *respiration, insensible.*
ASPIC, m. V. *serpent, plante, mets.*
ASPIRANT, m. V. *officier.*
ASPIRATEUR, m. V. *nettoyer, poussière.*
ASPIRATION, f. Aspirer. V. *attirer, respiration, volonté, prononcer.*
ASPIRAUX, m. p. V. *fourneau.*
ASSAGI. V. *sage.*

ASSAILLANT, m. Assaillir. V. *attaque, subit, poursuivre.*
ASSAINIR. Assainissement, m. V. *pur.*
ASSAISONNEMENT, m. Assaisonner. V. *épice, goût, mets.*
ASSASSIN, m. Assassinat, m. Assassiner. V. *crime, tuer, bandit.*
ASSAUT, m. V. *guerre, siège, attaquer, escrime.*
ASSÉCHEMENT, m. Assécher. V. *sec, étang.*
ASSEMBLAGE, m. V. *joindre, menuisier, amas.*
ASSEMBLÉE, f. V. *charpente, fête, société, politique.*
ASSEMBLER. V. *joindre.*
ASSÉNER. V. *battre.*
ASSENTIMENT, m. V. *approuver, avouer.*
ASSEOIR. V. *repos, base.*
ASSERMENTER. V. *jurer.*

ASSERTION, f. V. *dire, affirmer.*
ASSERVIR. Asservissement, m. V. *vainqueur, esclave, contrainte.*
ASSESSEUR, m. V. *juges.*
**Assez.**
ASSIDU. Assiduité, f. V. *fréquenter, exact, présent.*
ASSIÉGÉ, m. Assiégeant, m. Assiéger. V. *siège.*
ASSIETTE, f. V. *vaisselle, immobile, base, posture, impôt.*
ASSIETTÉE, f. V. *potage.*
ASSIGNAT, m. V. *billet.*
ASSIGNATION, f. Assigner. V. *attribuer, accusation, appel.*
ASSIMILATION, f. Assimiler. V. *semblable, pénétrer.*
ASSIS. V. *posture.*
ASSISE, f. V. *base, maçon.*
ASSISES, f. p. V. *juges.*
ASSISTANCE, f. V. *charité, se-*

---

**Matériel moderne.** — Artillerie de campagne, de montagne, de siège. — Artillerie à pied, à cheval, à tracteurs. — Artillerie lourde, à grande puissance, sur voie ferrée. — Artillerie antiaérienne. — Artillerie d'assaut. — Artillerie de tranchée. — Artillerie d'accompagnement d'infanterie. — Artillerie de marine. — Artillerie de côte.

Canon long. — Canon court. — Canon rayé. — Mortier. — Obusier. — Tank. — Mitrailleuse. — Automitrailleuse.

Obus. — Obus fusant, percutant. — Shrapnell. — Torpille. — Obus à gaz. — Douille. — Culot. — Amorce. — Détonateur ou Fusée. — Télémètre. — Munitions.

**Manœuvres et tir.** — Armer une batterie. — Parc. Train. — Prendre position. — Mettre en batterie. — Démasquer une batterie. — Polygone. — Plate-forme. — Camouflage. — Epaulement. — Barbette. — Embrasure. — Sabord.

Tir, tirer. — Angle de tir. — Portée. — Ligne de tir. — Parabole. — Trajectoire. — Décharge. — Bordée. — Canonnade. — Salve. — Coup de canon. — Coup de semonce. — Coup de partance. — Bombarder. — Battre une zone. — Battre en brèche. — Tonner. — Mitrailler. — Arroser. — Eteindre le feu de l'ennemi. — Contre-battre. — Démonter. — Préparation d'artillerie.

Faire feu. — Feu rasant, roulant, croisé. — Tir fusant, de barrage, vertical, plongeant, de plein fouet, progressif, de neutralisation, de précision, à ricochet, de barbette, d'embrasure. — Contre-batterie.

Balistique. — Pointer, pointage. — Repérer. — Repérage au son.

### ASPERGE
(latin, *asparagus*)

**La plante.** — Asperge. — Asperge de couche, de terre. — Asperge sauvage ou Corrude. — Botte d'asperges. — Variétés d'asperges (une cinquantaine).

Bourgeon radical. — Turion (tige). — Pointe. — Griffes (plants).

Asperges à l'huile, à la sauce.

**Relatif à l'asperge.** — Asparaginées (plantes). — Aspergerie. — Asparagine (essence). — Asperge montée (personne grande et mince).

### ASSEZ

**Etre suffisant.** — Suffire, suffisance. — Faire l'affaire. — C'est assez. — Ce qu'il faut. — Comme il faut. — Juste mesure. — Juste milieu.

Adéquat. — Convenable. — Raisonnable. — MÉDIOCRE. — Passable. — Congru. — Honnête. — Supportable.

Assez. — Rien de trop. — Ni trop ni trop peu. — Ni peu ni prou. — A point. — Pas mal.

**Avoir en suffisance.** — Avoir son content. — Se contenter. — Avoir le nécessaire. — Avoir à satiété. — Ne manquer de rien. — Se satisfaire. — Etre satisfait. — S'en tenir à. — Se borner à. — N'en vouloir plus. — Avoir son soûl.

**Donner en suffisance.** — Rassasier. — Saturer, saturation. — Suffire à. — Satisfaire. Donner satisfaction. — Contenter. — Combler. — Compléter.

### ASSOCIATION

**Association en général.** — Constituer une association. — S'associer. — Société, sociétaire. — Affiliation, s'affilier. — Cooptation. — Adhérer, adhérent. — Mettre en commun, communauté. — Etre de moitié avec. — Partager, partage. — Association. Statuts. Membres. Adeptes. — Fusionner, fusion.

Union. — Camaraderie, camarade. — Acolyte. — Collaborateur. — Complice. — Compère. — Solidaire. — Inféodé. — Partenaire.

*cours, hôpital, garant, auxiliaires de justice, présent.*
ASSISTANT, m. V. *compagnon, présent.*
ASSISTER. V. *aumône, protéger, bienfait, présent.*
**Association,** f. V. *société, ami, accord, troupe.*
ASSOCIÉ, m. V. *association, participer.*
ASSOCIER (S'). V. *ami, approuver.*
ASSOIFFÉ. V. *soif.*
ASSOLEMENT, m. V. *labour.*
ASSOMBRIR. V. *chagrin, terne.*
ASSOMMER. V. *tuer, battre, abattement, ennui.*
ASSOMMOIR, m. V. *bâton, auberge.*
ASSOMPTION, f. V. *Vierge, ciel, liturgie.*
ASSONANCE, f. V. *rime.*

ASSORTI. Assortiment, m. Assortir. V. *arranger, accord, choix.*
ASSOUPI. Assoupissement, m. V. *sommeil, engourdi.*
ASSOUPLIR. V. *habile, doux.*
ASSOURDIR. V. *sourd, émousser, calme.*
ASSOUVIR. Assouvissement, m. V. *satisfaire, rassasier.*
ASSUJETTIR. Assujettissement, m. V. *fixe, contrainte, vainqueur.*
ASSUMER. V. *prendre.*
ASSURANCE, f. V. *fermeté, brave, sûr, promesse, confiance.*
**Assurances,** f. p. V. *feu.*
ASSURER. Assureur, m. V. *certitude, confirmer, assurances.*
ASSURÉS, m. p. V. *assurances.*

ASTARTÉ, f. V. *Vénus.*
ASTÉRIE, f. V. *polype.*
ASTÉRISME, m. V. *étoile.*
ASTÉRISQUE, m. V. *renvoi.*
ASTÉROÏDE, m. V. *astre.*
ASTHMATIQUE. Asthme, m. V. *poumon, maladie, respiration.*
ASTICOT, m. V. *ver, appât.*
ASTICOTER. V. *attaque.*
ASTIGMATISME, m. V. *optique.*
ASTIQUER. V. *frotter, polir, nettoyer.*
ASTRAGALE, m. V. *architecture.*
ASTRAL. V. *astre.*
**Astre,** m. V. *briller.*
ASTREINDRE. Astreinte, f. V. *contrainte.*
ASTRINGENT. V. *presser, médicament.*
ASTROLABE, m. V. *astronomie.*

---

**Association financière.** — Société par actions, actionnaire. — Société anonyme. — Apport. Capital. Dividende. — Hanse, hanséatique. — Compagnie d'assurances. — Compagnies d'agents de change. — Coulisse. — Participation, part. — Trust. — Tontine.

**Association commerciale.** — Associé, coassocié. — SOCIÉTÉ. — Compagnie. — Raison sociale. — Fonds commun. — Fonds social. — Mise de fonds. — Bailleur de fonds. — Intéressé. — Portion contingente. — Intérêts. — Bénéfices. — Syndicat, syndic. — Gérance, gérant. — Liquidation, liquidateur. Chambre de commerce. — Trade-union. — Maîtrise. — Jurande. — Cartel.

**Association politique.** — Parti. — Groupe. — Comité. — Ligue. — Covenant. — Coalition. — Fédération, fédéral. — Confédération, confédéré.
Parti libéral, radical, nationaliste, socialiste, communiste, fasciste, etc.
Société des Nations. — Alliance, s'allier. — Entente cordiale. — Pacte. — Union douanière. — Zollverein.
Société secrète. — Franc-maçonnerie. — Sainte vehme. — Loges. — Ventes. — COMPLOT. — Conspiration.

**Association sociale.** — Société de secours mutuels, de bienfaisance, de prévoyance. — Société philanthropique. — Mutualité, mutualiste. — Corporation, corporatif. — Syndicat, syndiqué, syndicaliste. — Compagnonnage, compagnon. Mère des compagnons. — Coopération, coopérateur, coopérative. — Cotisation, se cotiser. — Masse. — Confrère. — Collègue.
Club. — Chambre des notaires. — Conseil de l'Ordre. — Chambre des avoués, des huissiers. — Association des Etudiants. — Cercle. — Gilde, etc.

**Association religieuse.** — Clergé séculier, régulier. — Ordre religieux. — Communauté. — Congrégation, congréganiste. — Couvent, conventuel. — Noviciat, novice. — Séminaire, séminariste. — Confrérie. — Archiconfrérie. — Chapitre. — Fabrique. — Conclave. — Saint-Siège. — Propagande. — Croisade. — Mission, missionnaire. — Religieux, père, mère, frère, sœur. — Coreligionnaire.

## ASSURANCES

**Les assurances.** — Assurances terrestres. — Assurances maritimes. — Assurances à primes. — Assurances mutuelles. — Assurance sur la vie, après décès, mixte. — Assurance contre l'incendie, les accidents, le vol, etc. — Assurances ouvrières. — Assurances sociales. — Contre-assurance.
Compagnie d'assurances. — Lloyd. — Chambre d'assurances maritimes. — Mutualité. — Plaque d'assurance. — Les assurés.

**Agents.** — Assureur. — Assureur conseil. — Agent d'assurances. — Courtier d'assurances. — Actuaire. — Expert. — Dispacheur (expert maritime).

**Actes.** — Portefeuille. — Police. — Articles. — Avenant. — Prime. — Surprime. — Ristourne. — Risques, risques locatifs, risques de mer. — Avarie. — Recours des voisins. — Dommage. — Sinistre. — Délaissement. — Calcul des probabilités. — Tables de mortalité.

## ASTRE
(latin, *sidus* ; grec, *astêr*)

**Les astres.** — Astérisme ou Constellation. — Corps célestes. — Astéroïde. — Nébuleuse. — Galaxie ou Voie lactée. — Feux de la nuit. — ETOILE. — PLANÈTE. — Satellite. — SOLEIL. — LUNE. Phases. — COMÈTE.
Globe. — Disque. — Limbe. — Anneau. — Bande.
Hémisphères. — Zodiaque. — Firmament. — Ciel. — Monde. — Univers.

**Relatif aux astres.** — Astral. — Sidéral. — Luire. — Briller. — Scintiller. — ASTROLOGIE. — ASTRONOMIE. — Culte des astres. Sabéisme. Astrolâtrie. — Sidération (influence). — Astéries. — Astérisque.

ASTROLÂTRIE, f. V. *astre.*
**Astrologie,** f. V. *magie, devin, astronomie.*
ASTROLOGUE, m. V. *devin.*
ASTROMANCIE, f. V. *astrologie.*
ASTRONOME, m. V. *astronomie.*
**Astronomie,** f. Astronomique. V. *ciel.*
ASTUCE, f. Astucieux, V. *ruse, habile.*
ASYMÉTRIE, f. Asymétrique. V. *inégal, discordant, désordre.*

ASYMPTOTE, f. V. *courbe.*
ASYNDÈTE, f. V. *grammaire.*
ATARAXIE, f. V. *calme.*
ATAVISME, m. V. *parent.*
ATAXIE, f. V. *désordre.*
ATELIER, m. V. *ouvrier, peinture, coudre.*
ATELLANES, f. p. V. *bouffon.*
ATERMOIEMENT, m. Atermoyer. V. *attendre, délai.*
ATHÉE, m. Athéisme, m. V. *philosophie, impie.*
ATHÉNÉ, f. V. *Minerve.*
ATHÉROME, m. V. *tumeur.*
ATHLÈTE, m. Athlétique. Ath-

létisme, m. V. *combat, jeu, gymnastique.*
ATLANTE, m. V. *architecture.*
ATLAS, m. V. *géographie.*
ATMOSPHÈRE, f. Atmosphérique. V. *air, ciel, vapeur, force.*
ATOCIE, f. V. *stérile.*
ATOLL, m. V. *corail.*
ATOME, m. Atomique. V. *chimie, division, matière, unité, petit.*
ATONIE, f. V. *faible, paresse, abattement, paralysie.*
ATOUR, m. V. *orner.*

## ASTROLOGIE

**Art astrologique.** — Astrologie. — Astrologue. Mage. Devin. — Astromancie. — Sidéromancie. — Généthliologie (art des horoscopes), généthliaque. — Astrologie judiciaire (d'après les astres). — Astrologie naturelle (astronomie).

Lire dans les astres. — Prédire l'avenir. — Tirer un horoscope. — Pronostic, pronostification.

Domification (partage du ciel en 12 maisons ou signes). — Maisons des planètes ou Mansions.

Schème (représentation des planètes). — Prometteur (partie de ciel observée). — Significateur (point de l'écliptique donnant signe). — Direction (distance entre prometteur et significateur).

**Influences.** — Influer, influx, influent. — Astre ascendant (à la naissance). — Thème de la nativité. — Horoscope. — Né sous une bonne étoile.

Alfridarie (influence de chaque planète). — Planète anérète (annonçant la mort). — Planète aphète (donnant la vie).

Signes maléfiques. — Signes chauds, froids, gras, maigres, masculins, féminins, stériles. Aspect (situation des astres), bénin, malfaisant. — Anneau constellé (influencé par une constellation).

Dignité ou Joie ou Exaltation (haut degré d'influence). — Chute ou Déjection (bas degré d'influence).

## ASTRONOMIE

**Vie astronomique.** — Astronome. Mage. Astrologue.

Systèmes du monde : de Pythagore, de Ptolémée, de Copernic, de Tycho-Brahé, de Newton. — Système planétaire. — Tourbillons de Descartes.

Observatoires. — Observations astronomiques. — Bureau des longitudes. — Annuaire. — Almanach.

**Sciences.** — Astronomie. — Astrologie. — Astrostatique. — Cosmogonie. — Cosmographie. — Mécanique céleste. — Météorologie. — Uranographie. — Uranologie. — Uranométrie. — Uranie (déesse de l'astronomie).

**Appareils.** — Arbalète. Curseur. Flèche. — Astrolabe. — Astromètre. — Cosmolabe. — Théodolite. — Sextant. — Octant. — Radiomètre. — Sélénostat. — Télescope. — Réticules. — Equatorial. — Héliomètre, hélioscope, héliostat. — Lunette. — Pinnule. — Mégamètre. — Anneau astronomique. — Loxocosme. — Cercle mural. Limbe. — Secteur. — Planétolabe. — Instrument des passages. — Machine planétaire. — Machine géocyclique.

Mappemonde. — Sphère. — Planisphère. — Uranorama.

**Mesures et cercles.** — Amplitude. — Anomalie. — Apsides. — Aphélie. — Apogée. — Nadir. — Zénith. — Pôles. — Vertical. — Azimut.

Ascension droite, oblique. — Descension. — Déclinaison. — Hauteur. — Elongation. — Point culminant. — Curtation. — Excentricité. — Distances interplanétaires. — Rayon vecteur. — Parallaxe. — Calcul géocentrique.

Aspect ou Partil. Décil (36º). Octil (45º). Quadrat (90º). Quintil (72º). Sextil (60º). Trine (120º). Quinconce (150º).

Cercle équatorial. — Equation céleste, terrestre. — Points équinoxiaux. — Horizon. — Latitude. — Longitude. — Méridien. — Parallèles. — Quadrant. — Méridienne. — Tropiques. — Ecliptique. — Ellipse. — Colures. — Orbe.

Degrés. Minutes. Secondes. Tierces. Scrupules, etc.

**Mouvements des astres.** — Mouvement ascendant, descendant, direct. — Lever. — Coucher. — Lever cosmique. — Lever héliaque. — Cours ou Course. — Orbite. — Passage au méridien. — Aberration. — Antécédence. — Arc diurne. — Arc nocturne. — Conjonction. — Conséquence. — Déclin. — Défluer. — Emersion ou Evection. — Immersion. — Déviation. — Nutation. — Gravitation. — Occultation. — Péragration. — Perturbation. — Précession. — Rétrogradation. — Révolution. — Station. — Solstice. — Equinoxe. — Syzygie. — Eclipse. — Météore. — Phase. — Périhélie. — Aphélie.

**Astronomes.** — Pythagore. Ptolémée. Copernic. Tycho-Brahé. Galilée. Newton. Képler. Huygens. Cassini. Leverrier. Arago. Laplace. Lagrange. Herschell, etc.

ATOUT, m. V. *cartes, battre.*
ATRABILAIRE. Atrabile, f. V. *bile, noir, chagrin.*
ATRE, m. V. *cheminée, feu, fumée.*
ATRIUM, m. V. *maison.*
ATROCE. Atrocité, f. V. *cruel.*
ATROPHIE, f. Atrophier. V. *faible, paralysie, gâter.*
ATTABLER (s'). V. *manger.*
ATTACHE, f. V. *nœud.*
ATTACHEMENT, m. Attacher (s'). V. *aimer, fidèle, attention.*
ATTACHER. V. *lier, nœud, fixe, plaire, toucher, attribuer.*
**Attaque**, f. Attaquer. V.

*combat, bandit, accusation, maladie, commencer, entreprendre, chant, équitation.*
ATTARDER (s'). V. *tard.*
ATTEINDRE. Atteinte, f. V. *venir, attaque, but, prendre, nuire.*
ATTELAGE, m. Atteler. V. *cheval, voiture, artillerie.*
ATTENANT. V. *près.*
**Attendre**. V. *espérer, devin.*
ATTENDRIR. Attendrissement, m. V. *pitié, sentiment, toucher.*
ATTENTAT, m. Attentatoire. V. *attaque, crime, violer, nuire.*

ATTENTE, f. V. *attendre, patience, désir, bandage.*
ATTENTER. V. *violer, nuire.*
ATTENTIF. V. *attention, complaisant.*
**Attention**, f. V. *réfléchir.*
ATTENTIONNÉ. V. *complaisant.*
ATTÉNUATIF. Atténuation, f. Atténuer. V. *diminution, excuse.*
ATTERRÉ. Atterrer. V. *abattement.*
ATTERRIR. Atterrissement, m. V. *port, aéronautique, rivage.*
ATTESTATION, f. Attester. V. *témoin, affirmer, jurer.*

## ATTAQUE
(latin, *aggressio*)

**Faits de guerre.** — Déclarer la guerre. — COMMENCER les hostilités. — Livrer COMBAT. — Engager l'action. — Offensive. Contre-offensive. — Prendre l'offensive. — Invasion. — Irruption. — Incursion. — Razzia. — Attaque, attaquer. — Fausse attaque. — Attaque de front. — Se porter en avant. — Attaque brusquée. — Aborder, abordage. — Assaillir. — Assaut. — Sortie. — Embuscade. — Choc. — Charge, charger. — Camisade. — Coup de main. — Raid. — Enlever de haute lutte.

**Acte de violence.** — Attaque à main armée. — Attaque nocturne. — Agression, agresseur, agressif. — Attentat, attenter, attentatoire. — Fondre sur. — Se jeter sur. — Porter la main sur. — Tomber sur. — Guet-apens. — Sauter à la gorge. — Poursuivre. — Dégainer. — Mettre l'épée à la main. — Tirer sur. — Faire le coup de poing. — Se frotter à.

**Querelle.** — Chercher querelle. — Prendre à partie. — Entreprendre quelqu'un. — Asticoter. — Agacer. — TOURMENTER. — Insulter, insulteur. — Jeter la pierre à. — Polémique, polémiste. — Critiquer, critique. — Battre en brèche. — Accuser, ACCUSATION. — Calomnier, calomnie. — Injurier, bordée d'injures.

Jeter le gant. — Relever le gant. — Défi, défier, mettre au défi. — Appel. — Provoquer, provocation. — Donner sa carte. — Cartel.

**Mal subit.** — Attaque de goutte. — Crise d'urémie. — Accès de fièvre. — Bouffée de vapeurs. — Atteinte de grippe. — Envie de vomir. — Coup de sang. — Colique. — Paroxysme. — Retour, reprise du mal.

## ATTENDRE

**Attendre.** — Etre à l'affût. — Etre aux aguets. — Faire le guet. — Etre de planton. — Guetter. — Monter la garde. — Faire faction. — Faire sentinelle. — Croiser en mer. — Attendre de pied ferme. — Epier l'occasion. — Attendre, attente. — Croquer le

marmot. — Faire le pied de grue. — Poser. — Faire antichambre. — Faire queue. — Stationner. — Espérer, espérance. — Expectative. — Etre sur le gril, sur des charbons ardents. — Impatience, s'impatienter. — PATIENCE, patienter. — Rester là. — Se morfondre. — Languir.

**Faire attendre.** — Différer. — Retarder. — Remettre, remise. — Atermoyer, atermoiement. — Tergiverser, tergiversation. — Traîner en longueur. — N'en pas finir.

Tenir le bec dans l'eau. — Amuser quelqu'un. — Faire droguer. — Promener quelqu'un. — Faire aller. — Retenir. — Tenir dans l'attente, dans l'expectative. — Faire attendre sous l'orme.

**Suspendre.** — Interrompre, interruption. — Etre en suspens. — Etre en souffrance. — Suspension, suspensif. — Provisoire. — Temporaire. — Intérim, intérimaire. — Prorogation. — Délai. — Sursis, surseoir. — Pause. — Se croiser les bras. — Mettre en panne (les voiles). — Faire quarantaine.

## ATTENTION

**Attention de l'esprit.** — Attention, attentif. — Arrêter son esprit. — S'arrêter à. — Attacher sa pensée. — S'attacher à. — Porter son attention sur. — Prêter attention. — Contention d'esprit. — Compter pour quelque chose. — Avoir égard à. — Tenir compte de. — S'intéresser à. — Curiosité, curieux. — Penser à. — Observation, observer. — EXAMEN, examiner. — Etude, étudier. — Réflexion, RÉFLÉCHIR. — Remarque, remarquer. — Mûrir une idée. — Tension d'esprit. — Présence d'esprit. — PRUDENCE. — Etre sur ses gardes.

**Attention des sens.** — Arrêter ses yeux. — Fixer les yeux, le REGARD. — Regarder avidement. — Regarder de près. — Dévisager. — Etre tout yeux, tout oreilles. — Avoir les yeux ouverts. — Ouvrir les yeux. — Guetter. — Etre aux aguets. — Etre à l'affût. — Prêter l'oreille. — Dresser les oreilles. — Ecouter attentivement. — Tâter. — Flairer. — Goûter. — Déguster.

ATTICISME, m. V. *spirituel, élégance.*
ATTIÉDIR. V. *diminuer, chaleur.*
ATTIFER. V. *arranger, toilette.*
ATTIQUE. V. *style, délicat.*
ATTIQUE, m. V. *architecture.*
ATTIRAIL, m. V. *bagage, outil.*
ATTIRANCE, f. V. *attirer, penchant.*
**Attirer.** V. *tirer, séduire, cause.*
ATTISER. Attisoir, m. V. *feu, exciter.*
ATTITRÉ. V. *titre.*

ATTITUDE, f. V. *posture.*
ATTORNEY, m. V. *avocat.*
ATTOUCHEMENT, m. V. *toucher.*
ATTRACTION, f. V. *attirer, plaire, aimant.*
ATTRAIT, m. V. *beau, plaire.*
ATTRAPE, f. Attraper. V. *prendre, tromper, appât, obtenir, injure, blâme.*
ATTRAYANT. V. *plaire.*
**Attribuer.** V. *don, supposer.*
ATTRIBUT, m. V. *qualifier, grammaire.*
ATTRIBUTION, f. V. *don, fonction, grammaire.*

ATTRISTER. V. *chagrin.*
ATTRITION, f. V. *regret, pénitence.*
ATTROUPEMENT, m. V. *troupe, multitude, troubles.*
AUBADE, f. V. *matin, chant.*
AUBAINE, f. V. *hasard, bonheur.*
AUBE, f. V. *matin, prêtre, roue.*
AUBÉPINE, f. V. *épine.*
**Auberge,** f. V. *logement, cuisine.*
AUBERGINE, f. V. *courge.*
AUBERGISTE, m. V. *auberge.*
AUBIER, m. V. *bois.*

---

**Attention volontaire.** — Attention soutenue, profonde, persévérante. — Examiner à fond. — S'appliquer, application. — Approfondir. — Aller au fond des choses. — Se casser la tête. — Se creuser la cervelle. — Se mettre l'esprit à la torture. — Se donner à. — Etudier. — Se livrer tout entier à. — Etre scrupuleux. — Creuser. — Fouiller. — Prendre garde. — VEILLER, vigilance. — ZÈLE. — Soin. — Eviter la distraction, l'étourderie. — S'absorber.

**Attention provoquée.** — Provoquer l'attention. — Attirer les regards. — Exciter, éveiller, captiver, retenir l'attention. — Frapper, arrêter l'esprit. — Tenir en éveil. — Donner l'éveil. — Signaler. — Souligner. — Absorber. — Accaparer. — Faire sensation. — Faire impression. — Gare ! — *Nota bene.*

### ATTIRER

**Moralement.** — Attirer, attirance. — Attraire, attrait, attraction, attractif. — Captiver, captivant. — PLAIRE. — Complaire. — Se concilier. — Gagner la faveur. — Séduire, séduction, séduisant, séducteur. — Allécher. — Amadouer. — Ensorceler. — Affrioler. — Faire des avances. — Capter, captation. — Cajoler, cajolerie. — Charmer, charme, charmeur. — Induire en erreur. — Engager. — Inviter. — Convier. — Convoquer. — Débaucher. — Embaucher. — Recruter. — Racoler.

**Physiquement.** — Attirer. TIRER à soi. — Amener. — Entraîner. — Fasciner, fascination. — Vertige. — Appâter, APPÂT. — Leurrer. — Appeler, APPEL. — Héler. — Sonner. — Réclame. — Humer. — Aspirer. — Laper. — Boire. — Imbiber. — S'imbiber. S'humecter. — Puiser. — Soutirer. — Inspirer. — Respirer. — Sucer, succion.

**Mécaniquement.** — Affinité des molécules, affinité élective. — Aspiration (force). Aspirateur. — Pompe. — AIMANT, aimantation. — Attraction (force). Attraction moléculaire. Attraction magnétique. — Gravitation universelle. — Tendance. — Dérivation. — Machine pneumatique. — Electro-aimant. — Courant d'induction. — Boussole.

### ATTRIBUER

**Donner en propre à.** — Attribuer, attribution, attributif. — Attribuer une qualité. Qualifier, qualification, qualificatif. — Attribuer un nom. Nommer. Dénommer. Appeler. — Intituler. — Attribuer une chose. Donner. Accorder. Gratifier. — Appliquer à. — Attacher. — Décerner.

**Destiner à.** — Assigner, assignation. — Allouer, allocation. — Affecter, affectation. — Destiner, destination. — Consacrer, consécration. — Dédier, dédicace, dédicatoire. — Réserver pour. — Vouer. — Dévouer. — Déléguer.

**Rendre responsable de.** — Accuser, ACCUSATION. — Imputer, imputation. — Rejeter sur. — Faire retomber sur. — Reprocher, reproche. — Taxer de. — Traiter de. — Juger capable de. — Admettre comme. — Prêter telle intention. — S'en prendre à. — Rapporter à. — Imposer à. — Incomber à.

### AUBERGE et HÔTEL

**Maison.** — Auberge. — Bar. — Bouchon. — Brasserie. — Cabaret. — Café. — Taverne. — Cantine. — Caveau. — Débit. — Dégustation. — Estaminet. — Guinguette. — Buvette. — Zinc. — Assommoir. — Maison de thé.

Hôtel. — Palace. — Hôtellerie. — Pension. — Pension de famille. — Restaurant. — Crémerie. — Bouillon. — Buffet. — Tournebride. — Rôtisserie. — Gargote. — Chalet. — Logis. — Garni. — Caravansérail. — Khan — Fondouk. — Posada. — Boarding house.

**Personnel.** — Aubergiste. — Buffetier. — Cabaretier. — Cafetier. — Débitant. — Cantinier, cantinière. — Buvetier. — Tavernier. — Crémier. — Limonadier. — Liquoriste. — Marchand de vins. — Mastroquet. — Barman.

Hôte. — Hôtelier. — Logeur. — Restaurateur. — Rôtisseur. — Gargotier. — Traiteur. — Vivandier.

Gérant. — Maître d'hôtel. — Garçon. — Sommelier. — Portier. — Chasseur. — Valet de chambre. — Femme de chambre. — Lingère. — Garçon et Fille de salle. — Serveur. — Cuisinier. — Aide de cuisine. — Plongeur. — Caviste.

Audace, f. Audacieux. V.
hardi, brave.
Audible. V. entendre.
Audience, f. V. entendre, visite, recevoir, juges.
Auditeur, m. Auditif. V. entendre, public, oreille.
Audition, f. V. entendre, oreille.
Auditoire, m. V. entendre, présent.
Auge, f. V. bestiaux.
Auget, m. V. auge.
Augmentation, f. V. augmenter.
Augmenter. V. plus.
Augure, m. V. oiseau, prêtre, devin.

Augurer. V. avant.
Auguste. V. saint, titre.
Aujourd'hui. V. présent.
Aulète, m. V. flûte.
Aumailles, f. p. V. corne.
Aumône, f. V. charité, généreux, pauvre.
Aumônerie, f. V. aumône, bénéfice.
Aumônier, m. V. prêtre.
Aumônière, f. V. bourse.
Aumusse. V. chanoine.
Aune, m. Aunaie, f. V. arbre.
Aune, f. Auner. V. mesure.
Aurate, m. V. or.
Auréole, f. V. couronne, saint, gloire.

Auriculaire, m. V. doigt.
Aurifère. V. or.
Aurifier. V. or, dent.
Auriste, m. V. médecine.
Aurore, f. V. météore, matin, lumière.
Auscultation, f. Ausculter. V. médecine, entendre, poumon.
Auspices, m. p. V. devin, marque.
Aussière, f. V. corde, bateau.
Aussitôt. V. subit.
Auster, m. V. vent.
Austère. Austérité, f. V. pur, chaste, sage, grave, vertu.
Austral. V. midi.
Autan, m. V. vent.

---

**Clients.** — Clientèle. — Client de passage. — Client à demeure. — Habitué. — Pensionnaire. — Voyageur. — Touriste. — Consommateur. — Buveur.

Descendre. — Loger. — Etre hébergé. — Demeurer. — Séjourner. — Prendre pension. — Prendre ses repas. — Manger. — Coucher. Carte. — Addition. — Note. — Ecot. — Frais. — Taxes. — Pourboires. — Prix fixe. — Coup de fusil. — Ecorcher. — Arrangement.

**Détails.** — Chambres. — Chambre meublée. — Numéros. — Confort. — Hygiène. — Salle de bains.

Cuisine. — Cave. — Menu. — Consommations. — Table d'hôte. — Table séparée. — Salle à manger. — Office. — Service. — Plat du jour.

Bureau. — Hall. — Salon. — Ascenseur. — Cabine de téléphone. — Enseigne. — Terrasse.

## AUGE

**Sortes d'auges.** — Auge, augée. — Auget (godet de roue hydraulique). — Oiseau (auge de maçon). — Laye (auge de pressoir). — Trémie (pour l'écoulement du grain). — Mangeoire. — Crèche. — Abreuvoir. — Vaisseau de bois.

## AUGMENTER

**En dimension.** — Croître, croissance. — S'accroître, accroissement. — Aller croissant. — Allonger, allongement. — S'étendre, extension. — Grandir. — Grossir. — Gonfler, gonflement. — Se dilater, dilatation. — Gagner du terrain.

Appendice. — Crément. — Rallonge. — Prolongement. — Agrandissement.

Accroître — Agrandir — Ajouter. — Hausser. — Rehausser. — Exhausser. — Prolonger. — Rallonger. — Amplifier.

**En quantité.** — Augmenter, augmentation. — Multiplier, multiplication. — Doubler. Tripler. Quadrupler. — Additionner. — Renchérir, renchérissement. — Enchère. Surenchère. — Elever les prix. — Majorer, majoration. — Compte d'apothicaire. — Hausse. — Arrondir sa fortune. — Accumuler. — Usure. — Martingale.

Accession. — Crue des eaux. — Alluvion, alluvial. — Atterrissement. — Foisonnement. — Pullulement. — Surcroît.

**En force.** — Fortifier. — Renforcer, renforcement. — Forcer. Enforcer. — Redoubler, redoublement. — Aggraver, aggravation. — Remonter. — Surtaxer.

Pousser, poussée. — Progresser, progression, progrès. — Germer. — Lever. — Profiter. — Monter, montée. — Venir, venue. — Recrudescence. — Adolescence. — Végétation.

**En pensée.** — Compléter, complément. — Développer, développement. — Expliquer, explication. — Commenter, commentaire. — Paraphraser, paraphrase. — Magnifier. — Rehausser l'éclat. — Exagérer, exagération. — Renchérir sur. — Broder une histoire. — Reculer les limites. — Continuer, continuation.

## AUMÔNE

**Les miséreux.** — Mendiant, mendiante. — Pauvre, pauvresse. — Indigent. — Misérable. — Meurt-de-faim. — Truand. — Vagabond. — Besacier. — Pauvre honteux. — Bélître (mendiant). — Gueux. — Clochard. — Fakir. — Lazzarone. — Bohémien. — Infirme. — Cul-de-jatte. — Estropiat. — Nécessiteux. — Assisté. — Parasite. — Pique-assiette.

Cour des miracles. — Haillons. Guenilles. Loques. — Taudis. — Besace. — Sébile. — Pancarte. — Plaies. — Infirmités.

Demander l'aumône. — Mendier, mendicité. — Tendre la main. — Chercher son pain. — Aller de porte en porte. — Gueuser. — Vagabonder. — Quémander. — Implorer la charité.

**La bienfaisance.** — Bonne âme. — Bienfaiteur. — Providence des malheureux. — Dame de charité. — Dame patronnesse. Dame visiteuse. — Diacre, diaconesse. — Aumônier. — Ordres charitables. — Sœur de charité. — Donateur.

Faire du bien, bienfait. — Distribuer des aumônes. — Faire l'aumône. — Donner son obole. — Secourir, secours à domicile. — Assister. — Faire des dons. — Ouvrir sa bourse.

**Autel,** m. V. *église, messe.*
**AUTEUR,** m. V. *faire, produire, cause, littérature.*
**AUTHENTICITÉ,** f. Authentique. V. *confirmer, certitude.*
**AUTHENTIQUE.** V. *notaire.*
**AUTOCHTONE,** m. V. *pays, naître.*
**AUTOCLAVE,** m. V. *conserver.*
**AUTOCRATE,** m. Autocratie, f. V. *chef, tyran, pouvoir.*
**AUTODAFÉ,** m. V. *supplice, feu, inquisition.*
**AUTODROME,** m. V. *courir.*

**AUTOGRAPHE,** m. V. *écrire.*
**AUTOGYRE,** m. V. *aéronautique.*
**Automate,** m.
**AUTOMATISME,** m. Automatique. V. *automate, mécanique, irréflexion.*
**AUTOMITRAILLEUSE,** f. V. *artillerie.*
**AUTOMNE,** m. V. *saison.*
**Automobile,** f. V. *voiture, machine.*
**AUTOMOBILISME,** m. Automobiliste, m. V. *automobile, voyage.*

**AUTOMOTRICE,** f. V. *chemin de fer.*
**AUTONOME.** Autonomie, f. V. *soi, libre, distinct.*
**AUTONOMISTE,** m. V. *politique.*
**AUTOPSIE,** f. V. *cadavre.*
**AUTORISATION,** f. Autoriser. V. *permettre, pouvoir.*
**AUTORITAIRE.** V. *ordre.*
**AUTORITÉ,** f. V. *chef, force, influence, pouvoir.*
**AUTOUR,** m. V. *faucon.*
**AUTRE.** V. *différent, opposé.*
**Autruche,** f.

---

**Les œuvres.** — Bonne œuvre. — Œuvre de charité. — Œuvre de bienfaisance. — Assistance publique. — Bureau de bienfaisance. — Aumônerie. — Donations. — Taxe des pauvres. — Quête. — Collecte. — Fête de bienfaisance.

Hospice. — Hôpital. — Asile, asile de vieillards, asile de nuit. — Maison de retraite. — Maison de refuge. — Dépôt de mendicité. — Clinique. — Dispensaire. — Crèche. — Sanatorium. — Préventorium. — Orphelinat.

**Sentiments charitables.** — Bienfaisance, bienfaisant. — Charité, charitable. — Bienveillance, bienveillant. — Commisération. — Miséricorde, miséricordieux. — Générosité, généreux. — Humanité, humain, humanitaire. — Fraternité, fraternel. — Solidarité, solidaire. — Philanthropie, philanthrope, philanthropique. — Obligeance, obligeant. — Bonté. Bon cœur. Bon. Secourable.

## AUTEL

**Autel chrétien.** — Maître-autel. — Autel latéral. — Autel privilégié. — Sanctuaire. — Reposoir. — Oratoire. — Cancel (grille d'autel). — Coffre d'autel. — Retable. — Contre-retable. — Tabernacle. — Cornes. — Côté de l'Evangile. — Côté de l'Epitre. — Table d'autel. — Sainte Table. — Diptyque. — Triptyque. — Gradins. — Marches. — Devant d'autel. — Nappe. — Parement. — Dais. — Ciborium. — Baldaquin. — Crédence. — Custode (rideau).

L'autel (la religion). — Les autels (églises, temples). — Consacrer, dresser, élever, ériger un autel. — S'approcher des autels (communier).

**Autels anciens.** — Autel des holocaustes (chez les Juifs). Autel des parfums. Hauts lieux. Arche d'alliance. — Autel des sacrifices (chez les Grecs et les Romains). Autel domestique. Laraire. Putéal (autel sur lieu frappé de la foudre). — Pyrée (autel du feu chez les Perses). — Pierres druidiques.

Foyer de l'autel. — SACRIFICE. — Victimes.

## AUTOMATE

**Les automates.** — Automate. — Androïde. — Fantoche. — Jacquemart. — Marionnette. — Bamboche. — Guignol. — Pupazzi. — Pantin. — Poupée. — Polichinelle. — Jouets mécaniques. — Ombres chinoises.

**Relatif aux automates.** — Automatisme,

automatique, automatiste, automatiser. — Automatie (action spontanée). — Mécanique. — Mécanisme. — Rouages. — Ressorts. — Remonter. — Tirer les ficelles.

## AUTOMOBILE

**Châssis.** — Longerons. — Mains. — Ressorts. — Suspension. — Poussée. — Voie. — Empattement. — Réservoir. — Essieux. — Fusée. — Roues. Pneu. Bandage. — Graisseurs.

Moteur. — Bloc. — Cylindres. — Culasse. — Chambre d'explosion. — Piston. — Bielle. — Soupapes. — Vilebrequin. — Distribution. — Volant. — Carter. — Radiateur. — Pompe à eau. — Pompe à huile. — Magnéto. — Delco. — Accumulateurs. — Bougies. — Allumage.

Boîte de vitesses. — Leviers. — Frein. — Pédales. — Débrayage. — Accélérateur. — Transmission. — Cardan. — Différentiel.

**Carrosserie.** — Capot. — Caisse. — Auvent. — Ailes. — Marchepied. — Pare-brise. — Glaces. Custodes. — Portières. — Sièges. — Capote.

Torpédo. — Cabriolet. — Limousine. — Conduite intérieure. — Berline. — Coach. — Familiale. — Landaulet. — Camionnette. — Décapotable.

*Accessoires :* Phares. — Lanternes. — Rétroviseur. — Essuie-glaces. — Plaques de police. — Numéro. — Compteur. — Indicateur de vitesse. — Corne. — Klaxon. — Trousse de pansement.

**Conduite.** — *Papiers :* Carte grise. Permis de conduire. — Permis de circulation. — Cartes routières.

Embrayer. — Débrayer. — Tenir le volant. — Accélérer. — Ralentir. — Corner. — Virer, virage. — Marche arrière. — Changer de vitesse. — Mettre en marche. — Gazer. — Avance à l'allumage. — Echappement libre. — Prise directe.

Déraper. — Faire une embardée. — Capoter. — Etre en panne. — Collision. — Réparation.

Chauffeur. — Automobiliste. — Automobile-club.

## AUTRUCHE

**Oiseaux.** — Autruche, autruchon, autruchier, autrucherie. — Casoar. — Nandou. — Dinornis (fossile). — Struthionidés.

AUTRUCHIER, m. Autruche-
rie, f. V. *autruche*.
AUTRUI. V. *différent*.
AUVENT, m. V. *toit, abri*.
AUXILIAIRE. V. *fonction, se-
cours, inférieur, verbe*.
**Auxiliaires de justice,** m. p.
AVAL, m. V. *rivière, billet*.
AVALANCHE, f. V. *montagne,
neige*.
**Avaler.** V. *boire, manger,
appât, rivière*.
AVALEUR, m. V. *avaler*.

AVALISER. V. *signature*.
AVALOIRE, f. V. *avaler*.
AVANCE, f. V. *prompt, ar-
mée*.
AVANCÉE, f. V. *avant*.
AVANCEMENT, m. V. *avant,
fonction, succès, officier*.
AVANCER. V. *avant, progrès,
marche, affirmer, prêter*.
AVANCES, f. p. V. *attirer, ca-
joler, payer*.
AVANIE, f. V. *malheur, injure*.
**Avant.**

AVANTAGE, m. Avantager. V.
*supérieur, bonheur, faveur,
héritage*.
AVANTAGEUX. V. *utile, pré-
cieux*.
AVANT-BEC, m. V. *avant*.
AVANT-BRAS, m. V. *avant*.
AVANT-CORPS, m. V. *architec-
ture*.
AVANT-COUR, f. V. *avant*.
ÅVANT-COUREUR, m. V. *avant*.
AVANT-COURRIER, m. Avant-
courrière, f. V. *avant*.

---

**Plumes.** — Fagot (paquet de plumes). —
Bailloque (blanc et brun). — Femelles clai-
res. — Femelles noires. — Fin d'autruche.
— Fin à pointes. — Duvet. Petit-gris. Ploc.
Poil de laine. — Plumes d'Alep, de Barbarie,
du Cap, de Jamani.

Panache. Plumet. Bouquet de plumes.
Casoar (plumet).

### AUXILIAIRES DE JUSTICE

**Hommes de loi.** — Greffier, commis
greffier. — Huissier, huissier audiencier. —
Avoué. Clerc. Agréé.

Avocat au Conseil d'Etat et à la Cour de
Cassation. — Avocat à la Cour. — Avocat
stagiaire. Secrétaire.

Officier ministériel. Juriste. Jurisconsulte.
Légiste. Gens de robe. Robin.

**La profession.** — Stage. Doctorat en
droit. Licence. Capacité. Présentation. Nomination. Prestation de serment.

Barreau. Chambre, conseil de l'Ordre.
Syndic. Président. Bâtonnier. Conférence
des avocats. — Révocation. Destitution. Radiation.

Cabinet. Etude. Office ministériel.

Robe ou Toge. Epitoge. Toque. Rabat.
Serviette. Vestiaire.

**Choses et actes de la profession.** —
Consultation. Conseils. — Etre commis. Représenter. Plaider. — Postuler. Agir. Occuper. Poursuivre. — Défendre. Se présenter à
la barre. Se constituer. — Avocasser. Chicaner. Chicane.

Dossier. Cause. Affaire. Ecritures. Requête.
Citation. Assignation. Constitution. — Con-
clusions. Mémoire. Ecrit. Placet. Réplique.
Plaidoirie. Qualités. Signification. Exécution.
— Honoraires. — Frais de justice. Assis-
tance judiciaire. — Cahier des charges. —
Inscriptions. hypothécaires.

### AVALER

**Action d'avaler.** — Avaler, avaleur, avaloire. — Avaler d'un trait. — Aspirer. —
Humer. — Absorber, absorption. — Déglutition, muscle déglutiteur. — Gober, gobeur.
— Engouffrer. — Engloutir. — S'ingurgiter.
— MANGER et BOIRE avec avidité. — Gloutonnerie, glouton. — SUCER, succion. — Vider (un verre). Lever le coude. Pomponnette.
— Avale-tout.

Ce qu'on avale. — Bouchée. — Gorgée.
— Cuillerée. — Boulette. — Pilule. — Cachet. — Pastille.

Avaleur de sabres, de grenouilles (à la
foire). — Avaler des couleuvres (être dupe).
— Ravaler sa salive (se taire).

### AVANT

**Antérieur dans le temps.** — Antériorité,
antérieur, antérieurement. — Précéder, précédent, prédécesseur. — Antan. — Antécédent. — PASSÉ. — Métachronisme (erreur de
date). — Antidate, antidater. — Devancier.
— Préexister, préexistence. — Prédécès. —
Avant-première. — Avant-dernier. — Antédiluvien.

Auparavant. — Ci-devant. — Au préalable,
préalablement. — D'abord. *A priori*. — Récemment. — Tout à l'heure. — La veille. —
L'avant-veille. — Dernièrement. — Hier,
avant-hier.

**Antérieur dans l'espace.** — Front. —
Frontispice. — Fronton. — Façade. — Avant-
corps. — Portrait. — Narthex. — Avant-
cour. — L'avant. — Proue. — Bec. — Capot.
— Antichambre. — Avant-scène. — Devanture. — Avancée. — Avant-poste. — Poste
avancé. — Ouvrage avancé. — Sinciput (devant de la tête). — Prognathisme (mâchoire
avancée), prognathe. — Rencontre, *bl.* (vu
de face). — Endroit (d'une étoffe). — Obvers (d'une médaille). — Tablier. Devanture.
— Avant-main (d'un cheval). — Recto
(d'une page). — Avant-train. — Avant-bras.
— Avant-bec.

Dernier. — Avant-dernier. — Pénultième.
— Antépénultième. — Ci-dessus. — Préfixe.
— Préposition.

**Qui va devant.** — Avant-coureur. —
Avant-courrier, avant-courrière. — Avant-
garde. — Tête de colonne. — Guide. —
Eclaireur.

Marcher devant. — Devancer. — Dépasser.
— Prendre les devants.

Frayer le chemin. — Guider. — Eclairer.
— Ouvrir la marche. — Marcher en tête.

Avoir de l'avance. — Avancer. — Progresser.

Avoir le pas sur. — Précession. — Passer
le PREMIER. — Préséance. — Priorité. —
Primauté. — Tenir la tête.

Surpasser. — Supériorité, SUPÉRIEUR. —
Avancement.

AVANT-DERNIER. V. *avant, dernier.*
AVANT-GARDE, f. V. *armée.*
AVANT-GOÛT, m. V. *goût.*
AVANT-HIER. V. *jour.*
AVANT-MAIN, m. V. *main, cheval, paume.*
AVANT-PORT, m. V. *port.*
AVANT-POSTE, m. V. *armée.*
AVANT-PROJET, m. V. *avant.*
AVANT-PROPOS, m. V. *livre.*
AVANT-SCÈNE, f. V. *théâtre.*
AVANT-TRAIN, m. V. *voiture, artillerie.*
**Avare,** m. V. *riche.*

AVARICE, f. Avaricieux. V. *avare.*
AVARIE, f. V. *mal, perdre, naufrage, assurances.*
AVARIER. V. *gâter.*
AVÉ, m. V. *prier.*
AVEN, m. V. *souterrain.*
AVENANT, m. V. *assurances.*
AVÈNEMENT, m. V. *roi, commencer.*
AVENIR, m. V. *temps, futur.*
AVENT, m. V. *liturgie.*
AVENTURE, f. Aventurer. Aventureux. V. *événement, danger, hardi.*

AVENTURIER, m. V. *errant, bandit, intrigue.*
AVENUE, f. V. *ville, chemin, forêt.*
AVÉRAGE, m. V. *prix.*
AVÉRÉ. Avérer. V. *confirmer, vérifier, preuve.*
AVERNE, m. V. *enfer.*
AVERS, m. V. *côté, médaille.*
AVERSE, f. V. *pluie.*
AVERSION, f. V. *répugnance, déplaire, haine.*
**Avertir.** Avertissement, m. V. *dire, appel, expliquer, conseil.*

---

**Qui se dit avant.** — Préambule. — Préface. — Introduction. — Préliminaires. — Prolégomènes. — Prologue. — Avant-propos. Préjudiciel. — Préopiner. — Préjuger. — Juger à priori. — Prénotion. — Proposition. — Prémisses.
Proposé. — Précité. — Susdit. — Susnommé.

**Qui se fait par avance.** — Faire d'avance. — Préparer, préparation, préparatif, préparatoire. — Prévenir, prévention, préventif. — Prématuré. — Précoce. — Prédisposition. — Préachat. — Préemption. — Préciput. — PRÉCAUTION. — Prélèvement. — Prélibation. — Prélude. — Prodrome. — Provision. — Avant-projet. — Avant-goût.

**Qui anticipe l'avenir.** — Anticiper, anticipation. — Voir de loin. — Annoncer. — Prédire, prédiction. — Pronostiquer, pronostic. — Prophétiser, prophétie, prophétique. — Prévoir, prévision. — Deviner, divination. — Préconcevoir. — Prédéterminer. — Augurer.
Prophète. — Devin. — Augure. — Précurseur.

### AVARE

**Les avares.** — Avare. — Avaricieux. — Fesse-mathieu. — Harpagon. — Grigou. — Grippe-sou. — Ladre. — Lésineur. — Liardeur. — Pince-maille. — Pleure-misère. — Regrattier. — Barguigneur. — Pingre. — Grimelin (avare au jeu). — Mauvais riche. — Chien. — Rat.
Usurier. — Corsaire. — Vampire. — Vautour. — Gredin. — Harpie. — Mercenaire. — Mercanti. — Thésauriseur. — Grappilleur. — Tire-sou. — Vilain.
Homme âpre à la curée, dur, tenace, affamé d'argent, avide, vénal, cupide, intéressé, insatiable, rapace, vil, parcimonieux, chiche, économe à l'excès, regardant, serré, sordide, crasse, crasseux, mesquin, chipotier.

**L'avarice.** — Avarice crasse. — Amour de l'argent. — Soif de l'or. — Barguignage. — Chicheté. — Lésine. — Lésinerie. — ECONOMIE. — Parcimonie. — Sordidité. — Petitesse. — Vilenie.
Apreté au gain. — Intérêt. — Gredinerie. — Rapacité. — Dureté. — Usure. — Mercantilisme. — Vénalité. — Grappillage.

**Actions de l'avare.** — Amasser sou à sou. — Thésauriser. — Entasser. — Enfouir son trésor. — Remplir son coffre, sa cassette. — Tondre un œuf. — Regratter sur tout. — Grappiller. — Adorer le veau d'or.
Regarder à la dépense. — Barguigner. — Ne pas délier les cordons de sa bourse. — Etre dur à la détente. — Serrer les cordons de sa bourse. — Se priver de tout. — Lésiner. — Liarder. — Couper un liard en quatre. — Donner à regret. Plaindre.
Agir mesquinement, petitement, chichement, salement, cupidement, avidement, âprement, durement, parcimonieusement, sordidement, vilement, vénalement.

### AVERTIR
(latin, *monere*)

**Faire connaître.** — Avertir, avertissement, avertisseur. — Informer, information. — Faire savoir. — Mettre au courant. — Instruire. — DIRE. — Prévenir. — Faire souvenir. — Rappeler.
Communiqué, communication. — Lettre. — Dépêche. — Télégramme. — Message téléphonique. — Emission radiophonique. — Publication. — Affiche. — Préface. — Introduction.
Signaler. — Mettre en garde. — Donner l'éveil. — Faire signe. — MARQUE. — Donner l'alarme. — Donner l'alerte. — Signal, signalisation. — Monument. — Poteau indicateur. — Sémaphore. — Timonerie. — Appareils avertisseurs. Sonnette. Trompe. Sifflet. Klaxon. — Tocsin.

**Enjoindre.** — Avertir. — Donner avis. Aviser. — Préavis. — Injonction. — Instructions. — CONSEILS, conseiller, conseilleur. — Suggestion, suggérer. — Recommandation, recommander. — Insinuation, insinuer. — DIRIGER (par ses conseils). — Moniteur, monitrice. — Monition, monitoire, prémonitoire. — Catéchiser.
Battre le rappel. — Battre la générale. — Crier gare, casse-cou, sauve qui peut, qui vive ?

**Réprimander.** — Admonester, admonestation. — Remontrer, remontrance. — Réprimander, RÉPRIMANDE. — Semoncer, semonce. — Gronder. — Menacer, menace. — Représenter, représentation. — Rappeler à l'ordre, au devoir.

AVEU, m. V. *avouer.*
**Aveugle.** V. *voir, œil.*
AVEUGLEMENT, m. V. Aveugler.
  V. *aveugle, erreur, sot,
  tromper, passion.*
AVIATEUR, m. V. Aviation, f. V.
  *aéronautique, armée.*
AVICULTEUR, m. Aviculture,
  f. V. *oiseau, volaille.*
AVIDE. Avidité, f. V. *désir.*
AVILIR. Avilissement, m. V.
  *vil.*
AVINÉ. V. *vin.*
AVION, m. Avionnerie, f. V.
  *aéronautique.*
AVIRON, m. V. *rame, bateau.*
AVIS, m. V. *pensée, conseil.*
AVISÉ. V. *habile.*

AVISER. V. *avertir, public,
  voir.*
AVISO, m. V. *navire.*
AVIVER. V. *exciter.*
AVOCASSER. Avocasserie, f.
  Avocassier. V. *chicane.*
AVOCAT, m. V. *auxiliaires de
  justice, défendre, interve-
  nir, discours.*
**Avoine,** f. V. *blé.*
AVOIR. V. *possession, passé.*
AVOIR, m. V. *propriété, riche.*
AVORTEMENT, m. Avorter. V.
  *accouchement, échouer.*
AVORTON, m. V. *laid, petit.*
AVOUÉ, m. V. *auxiliaires de
  justice, défendre.*
**Avouer.** V. *dire.*

AVRIL, m. V. *mois.*
AVULSIF. Avulsion, f. V. *ar-
  racher.*
AVUNCULAIRE. V. *parent.*
**Axe,** m. V. *milieu, balustre,
  géométrie.*
AXILLAIRE. V. *bras, plante.*
AXIOME, m. V. *argument, cer-
  titude.*
AXIS, m. V. *cerf.*
AXONGE, f. V. *graisse.*
AZALÉE, f. V. *plante.*
AZIMUT, m. V. *astronomie.*
AZOTE, m. V. *gaz.*
AZTÈQUES, m. p. V. *Mexique.*
AZUR, m. V. *air, bleu.*
AZURITE, f. V. *cuivre.*
AZYME. V. *pain.*

## AVEUGLE
(latin, *caecus*)

**Privation de la vue.** — Cécité. — Lé-
sion oculaire. — Taie sur l'œil. — Cataracte.
— Aveugle. Aveugle-né. — Obscurité. Nuit.
Ténèbres. — N'y pas voir. — N'y voir goutte.
— Tâtonner. — Chien, bâton d'aveugle. —
Ecriture Braille. — Quinze-Vingts. — Asso-
ciation Valentin Haüy.

Aveugler, désaveugler. — Ciller ou Siller
les yeux (d'un faucon). — Dessiller. — Priver de la lumière. — Crever les yeux.

**Vue diminuée.** — Aveugle, aveuglement.
— Aveuglément, à l'aveuglette. — A yeux
clos. — Avoir un bandeau, un voile sur les
yeux. — N'y pas voir clair. — Voir trouble.
— Avoir la berlue. — Troubles de la vue. —
Jeu de colin-maillard.

EBLOUIR, éblouissement. — Bander les
yeux. — Voiler, obscurcir les regards. —
Boucher la vue.

## AVOINE

**Avoines.** — Avoine, aveine. — Folle avoine ou Avénéron. — Fromental et Bergelade
(avoines de fourrage). — Avoines javelées.

Avoine blanche, rouge, noire, d'hiver, de
Hongrie, etc.

**Relatif à l'avoine.** — Aveinière, avoine-
rie (champ d'avoine). — Avénage (redevance). — Glumacées. — Balle. Balasse (matelas
de balle). — Grumel (fleur d'avoine). —
Gruau d'avoine. — Picotin. — Vannette.

## AVOUER
(latin, *confiteor*)

**Reconnaître une faute.** — Avouer, aveu.
— Accepter l'accusation. — S'accuser de.

— Battre sa coulpe. — Ne pas cacher. —
Confesser, confession. — Décharger sa con-
science. — Se démasquer. — Se trahir. —
Se dénoncer. — Parler. — Ouvrir son cœur.
— Se déboutonner. — Laisser échapper. —
Faire une confidence. — Confiance. — Can-
deur. — Naïveté. — Remords.

**Reconnaître pour vrai.** — Accorder. —
Ne pas dissimuler. — Ne pas nier. — Convenir de. — Reconnaître, reconnaissance. —
Admettre. — Se rendre à la vérité. — Acquiescer. — Consentir. — Donner son assentiment. — Concéder, concession. — Déclarer,
déclaration. — DIRE oui. — Franchise. —
Sincérité.

## AXE et ROTATION

**Axe en général.** — Axe, axial, axuel,
axifuge, axipète, équiaxial. — Axe du monde.
— Axe terrestre. — Pôles. — Points cardinaux. — Tige. — Tronc. — Axis (vertèbre),
axoïde.

**Axe mécanique.** — Arbre. Arbre tour-
nant. Arbre horizontal. Arbre de couche. Ar-
bre à cames. Arbre de moulin à vent ou
Attache. — Vilebrequin. — Axe de piston.
— Axe de suspension. — Excentrique. —
Cardan. — Pivot. — Cheville. — Goujon. —
Goupille. — Broche. — Brochette. — Fuse-
rolle (de navette). — Mèche (de treuil). —
Essieu. — Fusée (d'essieu). — Différentiel.
— Boulon.

Enarbrer. — Traverser.

**Rotation.** — Rotation, rotatif, rotatoire.
— Tourner. — Pivoter. — Coussinets. —
Bielle. — Manivelle. — Charnière. — Gond.
— Tourillon. — Vis sans fin. — Crapaudine.
— Pirouette. — Toton. — Toupie.

Graisser, graissage, graisseur. — Lubrifiant. — Huile. — Cambouis.

# B

BABA, m. V. *pâtisserie.*

BABEURRE, m. V. *lait.*

BABIL, m. Babiller. V. *enfant.*

BABINE, f. V. *lèvre.*

BABIOLE, f. V. *vain.*

BÂBORD, m. V. Bâbordais. V. *gauche, navire.*

BABOUCHE, f. V. *chaussure.*

BABOUIN, m. V. *singe.*

BAC, m. V. *bateau, cuve.*

BACCALAURÉAT, m. V. *université, brevet, laurier.*

BACCHANAL, m. V. *bruit.*

BACCHANALES, f. p. V. *Bacchus, débauche.*

BACCHANTE, f. V. *Bacchus.*

**Bacchus**, m.

BACCIFÈRE. V. *fruit.*

BÂCHE, f. V. *abri, couverture, emballer.*

BACHELIER, m. V. *université.*

BACHIQUE. V. *Bacchus.*

BACHOT, m. V. *bateau.*

BACILLE, m. V. *microbe.*

BÂCLER. V. *prompt, inattention, mal, gâter.*

BACON, m. V. *charcuterie.*

BACTÉRIE, f. V. *cryptogame, microbe, animal.*

BACTÉRIOLOGIE, f. V. *microbe.*

BADAUD, m. V. *errant, oisif, curieux, public.*

BADAUDERIE, f. V. *oisif, paresse.*

BADERNE, f. V. *corde.*

BADIGEON, m. Badigeonner. V. *couche, peinture, étendre.*

BADIN. V. *bouffon, léger.*

BADINAGE, m. V. *vain, plaisir.*

BADINE, f. V. *bâton.*

BAFOUER. V. *huer, moquer.*

BAFOUILLER. V. *parler, obscur, prononcer.*

BÂFRER. V. *gourmand, manger.*

**Bagage**, m. V. *voyage, habillement.*

BAGAGISTE, m. V. *bagage.*

BAGARRE, f. V. *désordre, combat.*

BAGATELLE, f. V. *petit, vain.*

BAGNE, m. V. *galérien, prison, punition.*

BAGOTIER, m. V. *bagage.*

BAGOUT, m. V. *éloquence.*

BAGUE, f. V. *main, bijou.*

BAGUENAUDIER, m. V. *anneau.*

BAGUETTE, f. V. *verge, bâton, tambour, pyrotechnie.*

BAGUETTISANT, m. V. *source.*

BAGUIER, m. V. *bague.*

BAHUT, m. V. *coffre, menuisier.*

BAI. V. *cheval, couleur.*

BAIE, f. V. *fruit, cieux, mer, fenêtre.*

BAIGNADE, f. V. *nager.*

BAIGNER. V. *arroser, nager.*

BAIGNEUR, m. Baigneuse, f. V. *bain.*

BAIGNOIRE, f. V. *bain, toilette.*

BAIL, m. V. *louage, logement, convention.*

BAILLE, f. V. *tonneau.*

BÂILLEMENT, m. Bâiller. V. *ouvert, bouche, respiration, ennui.*

BAILLER. Bailleur, m. V. *don, louage.*

BAILLI, m. Bailliage, m. V. *magistrat, juges.*

BÂILLON, m. Bâillonner. V. *bouche, silence.*

BAILLOQUE, f. V. *autruche.*

**Bain**, m. V. *laver, nager, fondre, ordre.*

## BACCHUS

**Le dieu.** — Bacchus. — Dionysos. — Evan. Eleuthérien. Liber. Nyséen (surnoms). — Sémélé (mère). — Palintocie (sortie de la cuisse de Jupiter). — Nysa (nourrice). — Nébride (écharpe de peau de faon). — Silène. — Tigres. Lynx. Panthères.

**Culte de Bacchus.** — Anthestéries. — Bacchanales. — Dionysies. — Orgies. — Orgiasme. — Dithyrambe. — Culte bachique, ithyphallique, phallophore.

Satyre. — Bacchant. — Bacchante. — Ménade. — Thiase. — Thyiades. — Orgiophantes (prêtres). — Dionysiade (prêtresse). — Thyrse. — Evohé !

Disciples de Bacchus. — Orgie. — Ivresse.

## BAGAGE

**Bagages.** — Effets. — Vêtements. — Affaires. — Habits. — Linge. — Chaussures. — Nippes. — Frusques. — Trousseau. — Affutiaux. — Attirail. — Equipage. — Train. — Equipement. — Arroi. — Pacotille. — PROVISIONS. — Fourbi.

Faire ses malles. — Faire ses paquets. — Plier bagage.

**Ce qui contient le bagage.** — Malle. Casiers. Compartiments. — Mallette. — Malle de cabine. — Cantine. — Valise. — Portehabit. — Fourre-tout. — Boîte à chapeau. — Sac de voyage. — Sac à main. — Sac de marin, de soldat, de touriste. — Havresac. — Bissac. — Ballot. — Colis. — Paquet. —

Portemanteau. — Fontes. — Trousse. Troussequin. — Gibecière. — Sacoche.

**Transport.** — Fourgon. — Caisson. — Prolonge. — Chariot. — Camion. Camionnette. — Transport par voie de terre, par mer. — Portage. — Porteur. — Bagagiste. — Commissionnaire. — Bagotier. — Portefaix. — Expédition. — Enregistrement. — Bulletin. — Excédent. — Consigne. — Livraison.

## BAIN
(latin, *balneum*)

**Le bain.** — Baigneur, baigneuse. — Balnéation, balnéaire, balnéatoire. — Balnéotechnie. — Bain chaud, froid, tiède. — Bain alcalin, salé, sulfureux. — Bain de mer, de rivière, de boue, de vapeur, de sable. — Bain électrique. — Bain de lumière. — Bain sinapisé. — Bain général. — Bain local.

Prendre un bain. — Se baigner. — Nager, natation. — Plonger.

**L'hydrothérapie.** — Lavage. — Ablution. — Lotion. — Bain par affusion, immersion, irroration, insession. — Bain de siège. — Capitiluve. Manuluve. Pédiluve. — Douche, doucher, doucheur, doucheuse. — Douche en pluie, horizontale, écossaise, ascendante, descendante, locale. — Masser, massage, masseur, masseuse. — Etuve, étuviste. — Hammam.

Etablissement thermal. — Thermothérapie. — Thermes. — Eaux thermales, minérales, ferrugineuses, sulfureuses, chlorurées, sodiques, calciques. — Aller aux eaux. —

BAIN-MARIE, m. V. *cuisine.*

BAÏONNETTE, f. V. *armes, fusil.*

BAÏRAM, m. V. *Mahomet, ca-*
*rême.*

BAISEMAIN, m. V. *politesse,*
*cérémonie.*

BAISEMENT, m. Baiser. V.
*bouche, caresse, lèvre.*

BAISER, m. V. *amour.*

BAISSE, f. V. *manque, prix,*
*baromètre.*

BAISSER. V. *bas, pire, mer,*
*maladie.*

BAISSIER, m. V. *finance.*

BAISSIÈRE, f. V. *tonneau,*
*cidre.*

BAJOUE, f. V. *visage.*

BAJOYER, m. V. *écluse, pont,*
*canal.*

BAL, m. V. *danse.*

BALADIN, m. V. *bateleur,*
*bouffon.*

BALAFRE, f. Balafrer. V.
*plaie, couper.*

**Balai,** m. V. *queue.*

BALAIS. V. *rubis.*

**Balance,** f. V. *poids, filet,*
*compte.*

BALANCEMENT, m. V. *mouve-*
*ment, allure.*

**Balancer.** V. *mouvement,*
*compenser, indécis, danse.*

BALANCIER, m. V. *horloger,*
*médaille, perche.*

BALANCINE, f. V. *voile.*

BALANÇOIRE, f. V. *balancer.*

BALAYAGE, m. Balayer. V.
*balai, nettoyer, ordure.*

BALAYETTE, f. Balayeuse, f.
V. *balai.*

BALATURES, f. p. V. *rebut.*

BALBUTIEMENT, m. Balbutier.
V. *prononcer, embarras.*

BALCON, m. V. *architecture,*
*maison, balustre.*

BALDAQUIN, m. V. *pavillon,*
*rideau.*

BALEINE, f. Baleinier, m. V.
*cétacé, pêche, parapluie.*

BALEINIÈRE, f. V. *bateau.*

BALÈTRE, f. V. *moule.*

BALISE, f. Baliser. V. *mar-*
*que, pieu, écueil, aéronau-*
*tique.*

BALISTE, f. V. *armes, machine.*

BALISTIQUE, f. V. *jet, artil-*
*lerie.*

BALIVEAU, m. V. *arbre, per-*
*che, maçon.*

BALIVERNE, f. V. *vain.*

---

Prendre les eaux. — Station thermale, balnéaire. — Bagnères. Bagnoles (noms de villes
d'eaux).

**Matériel de bains.** — Salle de bain. —
Cabine. — Baignoire. — Chauffe-bain. — Robinets. — Sabot ou Demi-baignoire. — Bain
de siège. — Tub. — Bain de pieds. — Appareil à douches. — Jet. — Lance. — Collier.
— Piscine.

Caleçon. — Maillot. — Bonnet. — Peignoir. — Serviette. — Fond de bain. — Sortie de bain.

**Bains romains.** — Thermes. — Hypocauste. — Caldarium. — Tepidarium. — Su-
datorium. — Frigidarium. — Onctuaire. —
Nymphée. — Baptistère. — Strigile.

### BALAI

**Les balais.** — Balai. — Manche à balai.
Balayette. — Balayeuse mécanique. — Balai
de crin, de bruyère, de jonc, de genêt, de
chiendent, de paille. — Époussette. — Tête
de loup. — Plumeau. — Écouvillon. — Houssoir. — Goupillon. — Brosse. — Ramon. —
Torchon. — Faubert. Vadrouille. Écoupe.
Goret (balais de navire). — Balai de dynamo.

**Usage des balais.** — Balayer, balayage,
balayeur, balayeuse. — Donner un coup de
balai. — Épousseter, époussetage. — Brosser, brosseur. — Nettoyer. — Essuyer. —
Frotter. — Bouchonner. — Torchonner. —
Ramoner. — Housser.

### BALANCE et BASCULE

**Balances.** — Balance à colonne. — Balance Roberval. — Balance à fléau. — Balance
à levier. — Romaine. — Crochet. — Peson.
— Pèse-lettres. — Trébuchet.

Balance de précision. — Balance enregis-
trante. — Balance hydrostatique. — Balance
de Thémis.

Balancier (fabricant). — Balancerie.

**Pièces de balances.** — Plate-forme. —
Bassins. — Plateaux. — Fléau. — Verge. —
Bras de fléau. — Chapes. — Couteaux. —
Gardes. — Languette ou Aiguille. — Olive
ou Poire. — Porte-balance. — Suspensoir. —
Tourets. — Levier. — Cadran. — POIDS. —
Contrepoids. — Trait. — Canon de peson
à ressort. — Crochet de peson. — Fort de
romaine. — Lanterne de trébuchet.

**Usage de la balance.** — Peser, pesée,
peseur. — Tarer, tare. — Équilibrer. — Contrebalancer. — Trébucher, trébuchant. —
Osciller, oscillation. — Balance juste, faus-
sée, sensible, folle. — Main (ustensile pour
verser).

**Bascule.** — Bascule ordinaire. Levier in-
férieur. Levier supérieur. Tablier. Jambe.
Couteau. Plateau. — Bascule automatique.
— Bascule romaine. — Bascule en l'air. —
Pont-bascule.

Basculer. — Basculaire. — Camion bascu-
lant. — Benne basculante. — Pont-levis. —
Soupape. — Clapet.

### BALANCER

**Mouvement de va-et-vient.** — Aller et
venir. — Aller et retour. — Mouvement alterné, alternatif. — Balancer, balancement.
— Balancier. — Le pendule. — Osciller,
oscillation. — Battre, battement. — Ballant.
— Balançoire. Escarpolette. Hamac. — Bercer, bercement. — Mettre en branle. — Encenser, encensoir. — Faire la navette.

**Mouvement de bas en haut.** — Jeu de
bascule, basculer. — Berner, bernement. —
Sauter, saut, sautiller. — Flotter, flottement.
— Flux. Reflux. Fluctuation. — Ondoyer,
ondoiement, ondoyant. — Onduler, ondulation, onduleux. — Pulsation. — Systole et
Diastole (mouvements du cœur). — Palpiter,
palpitation, palpitant. — Rouler, roulis. —
Tangage, tanguer. — Voltiger, voltige.

# BAN

Ballade, f. V. *poésie.*
Ballant. V. *balancer.*
Ballast, m. V. *pierre, chemin de fer.*
**Balle**, f. V. *boule, avoine, coton, jeu, paume, arme.*
Ballerine, f. V. *danse.*
Ballet, m. V. *danse, théâtre.*
Ballon, m. V. *rond, boule, jeu, montagne, aéronautique.*
Ballonnement, m. V. *gros, flatuosité.*
Ballot, m. V. *bagage, emballer, papier.*
Ballottage, m. V. *suffrage.*
Ballotte, f. V. *boule.*
Ballottement, m. Ballotter. V. *secouer, balancer.*

Balnéaire. V. *bain.*
Balourd. Balourdise, f. V. *lourd, sot.*
Balsamique. V. *baume.*
Balustrade, f. V. *architecture, clôture.*
**Balustre**, m. V. *architecture.*
Balzane, f. V. *cheval.*
Bambin, m. V. *enfant.*
Bambocher. V. *débauche.*
Bambou, m. V. *roseau.*
Bamboula, f. V. *danse.*
Ban, m. V. *appel, féodal, applaudir, public.*
Banal. Banalité, f. V. *féodal, public, ordinaire, médiocre.*
Banane, f. V. *fruit.*
**Banc**, m. V. *siège, couche, huître.*

Bancal. V. *jambe, boiter, cavalerie.*
Bancasse, f. V. *galère.*
Banc d'essai, m. V. *banc.*
Banc-d'œuvre, m. V. *église.*
Bancelle, f. V. *banc.*
**Bandage**, m. V. *entourer, lier, panser, ceinture, roue, hernie.*
Bandagiste, m. V. *bandage.*
**Bande**, f. V. *bord, bordure, ceinture, courroie, troupe, chirurgie.*
Bandeau, m. V. *bande, cheveu.*
Bandelette, f. V. *lier, bande, victime.*
Bander. V. *bandage, panser, tendre, arc.*

---

**Mouvements analogues.** — Ballotter, ballottement. — Chanceler, chancelant. — Dandiner, dandinement. — Dodiner (se dit d'un balancier). — Avoir du jeu, jouer. — Frémir, frémissement. — Lacet (mouvement de locomotive). — Nutation (de l'axe de la terre). — Tituber, titubation. — Papilloter, papillotage. — Pendiller. — Trembler, tremblement. — Vaciller, vacillant, vacillation. — Vibrer, vibration, vibratoire, vibratile. — Secouer, secousse. — Brandir.

### BALLE

**Balles.** -- Balle de plomb. — Chevrotine. — Biscaïen. — Balle ronde. — Balle conique. — Balle à section, à hélice, à pointe d'acier. — Balle explosible. — Balle dumdum. — Balle de précision. — Balle forcée. — Balle morte.
**Relatif aux balles.** — Fondre des balles. — Calibre. — Moule à balles. — Passeballe. — Cartouche à balle. — Obus à balles. — Chargeur de fusil. — Bande de mitrailleuse. — Charger à balles. — Cribler de balles. — Sifflement des balles. — Tir. — Cible. — Mouche.

### BALUSTRE

**Balustres.** — Balustre. Chapiteau. Tige ou Vase. Piédouche. Panse. Col. Cathète (axe). — Balustre ionique, corinthien, dorique, toscan, en urne, cannelé, à double face, à fleur de lis, à ogives
Colonnette. — Barreau. — Dosseret (petit pilastre).
**Balustrade.** — Balustrade. Balustres. Socle. Tablette d'appui. Epis. — Travée de balustres. — Balustrade pleine, feinte ou aveuglée, ajourée. — Balustrer (orner de balustrade). — Clôture. — Grille. — Balcon. — Colonnade. — Rangée de piliers.

### BANC

**Siège.** — Banc. — Banc de bois. — Banc de fer. — Banc de jardin. — Banc-d'œuvre. — Petit banc. — Banquette. — Bancelle. — Escabeau. — Selle. — Sellette. — Tabouret. — Batte (de blanchisseuse).

**Support.** — Table. — Tablette. — Rayon. — Tréteau. — Chargeoir. — Montoir. — Dressoir. — Marchepied. — Agenouilloir. — Prie-Dieu. — Apprêtoir (de potier). — Etapliau (d'ardoisier). — Etabli (de menuisier). — Baudet (de scieur de long). — Banque (d'ancien changeur). — Echafaudage. — Banc d'essai.

### BANDAGE

**Bandage.** — Bandage simple, composé. — Bandage contentif, expulsif, compressif, extensif, défensif, divisif, unissant. — Bandage circulaire, oblique, en huit de chiffre, en T, en X, en croix, en fronde, étoilé, renversé, roulé, inamovible, en épi ou Spica, spiral. — Desmurgie (art du bandage).
Bande. Surbande. Chefs (extrémités). — Bandeau. — Frontal. — Chevêtre. — Etrier. — Gantelet. — Oreillette. — Mentonnière. — Tétonnière. — Echarpe. — Attente. — Compresse.
Charpie. — Coton hydrophile. — Crêpe. — Toile. — Caoutchouc. — Tarlatane. — Collodion. — Sparadrap. — Plâtre. — Attelle. — Fanon. — Clisse. Eclisse.
**Bander.** — Bander. Débander. — Ligaturer. Ligature. Déligation. — Panser. Pansement. — Lier. — Rouler. — Dérouler. — Eclisser. — Poser un bandage. — Lever l'appareil.
**Orthopédie.** — Orthopédiste, orthopédique. — Bandagiste. — Opérateur. — Appareil. — Arceau. — Corset. — Gouttière. — Bandage herniaire. — Bandage carchésien (pour les luxations). — Ventrière. — Ceinture. — Cuissard. — Cataphracte. — Pied de fer. — Suspensoir. — Pelote. — Pessaire. — Courroies. — Sangle. — Redresseur. — Minerve.

### BANDE

**Bandes d'étoffe.** — Bande. — Bandeau. — Bandelette. — Bande de pansement. — Sous-bande. — Surbande. — Brides. — Ceinture. — Ceinturette. — Cordon. — Galon. — Sangle. — Ruban. — Lisière. — Lien. Patte d'étoffe. — Rayure. — Raie.

BANDEREAU, m. V. *trompette.*
BANDEROLE, f. V. *bande.*
BANDES, f. p. V. *billard.*
BANDIÈRE, f. V. *camp.*
**Bandit,** m. V. *crime, voleur.*
BANDITISME, m. V. *bandit.*
BANDOULIÈRE, f. V. *bande.*
BANK-NOTE, f. V. *billet.*
BANLIEUE, f. V. *ville.*
BANNE, f. V. *porter, abri.*
BANNERET, m. V. *chevalerie.*
BANNETON, m. V. *panier, coffre.*
BANNIÈRE, f. V. *drapeau, église, bande.*
**Bannir.** V. *chasser, proscrire.*
BANNISSEMENT, m. V. *bannir.*

BANQUE, f. V. *finance, prêter, bobine.*
BANQUEROUTE, f. V. *faillite, manque, ruine, commerce.*
BANQUET, m. V. Banqueter. V. *fête, manger.*
BANQUETTE, f. V. *banc, chemin.*
BANQUIER, m. V. *finance, agent, compte, cartes.*
BANQUISE, f. V. *gelée.*
BANQUISTE, m. V. *bateleur.*
BANS, m. p. V. *mariage.*
BAOBAB, m. V. *arbre.*
**Baptême,** m. V. *sacrement, bénir, laver.*
BAPTISER. V. *baptême, nom.*
BAPTISMAL. V. *baptême.*

BAPTISTAIRE, m. V. *baptême.*
BAPTISTÈRE, m. V. *église.*
BAPTISTES, m. p. V. *baptême.*
BAQUET, m. V. *cuve, tonneau, vaisseau.*
BAR, m. V. *auberge, mesure, météore.*
BARAGOUIN, m. V. *parler.*
BARAQUE , f. V. *bateleur, camp.*
BARAQUEMENT, m. V. *camp, tente.*
BARATERIE, f. V. *voleur, contrebande.*
BARATTE, f . Baratter. V. *beurre.*

**Bandes de cuir.** — Buffleterie. — Baudrier. — Bandoulière. — Ceinturon. — Porte-épée. — Banderole de giberne. — Bricole. — COURROIE. — Lanière. — Pendant (de ceinturon). — Dragonne. — Cuir de chapeau. — Molletières. — Tirants.

**Objets en forme de bande.** — Bandereau (de trompette). — Banderole ou Flamme (pavillon). — Bannière. — Oriflamme. — Brassard. — Echarpe. — Etole. — Ephod (étole juive). — Manipule (au bras de l'officiant). — Fanon (de mitre). — Laticlave. Angusticlave (bandes de la toge). — Diadème. — Serre-tête. — Phylactères (chez les Juifs). — Bretelle. — Jarretière. — Patte d'épaulette. — Sautoir. — Zone. — ZODIAQUE. — TRANCHE. — Penture. — Sous-pied. — Bandage d'automobile. — Volant de robe. — Falbalas. — Barbes de bonnet.

**Bande en blason.** — Bande ou Fasce (pièce allant de l'angle dextre du chef à l'angle sénestre de la pointe). Fascé. — Fascies (bandes sur une coquille). — Trangle (fasce rétrécie). — Burèle (fasce diminuée). — Bastogne (bande alésée en chef). — Contrebande (bande de deux émaux différents). — Cotice (bande étroite). — Liston (bande portant la devise). — Bande resarcelée (chargée d'un filet).

**BANDIT**

**Epoque moderne.** — Bandit, banditisme. — Assassin. — Meurtrier. — Forban. — Scélérat. — Criminel. — Gens de sac et de corde. — Ecumeur de mer. — Séide. — Sicaire. — Brigand. — Malfaiteur. — Aventurier. — Incendiaire. — Pillard. — Escroc. — Pirate. — Sacripant. — Vaurien. — VOLEUR. — Chenapan. — Canaille. — Filou. — Larron. — Crocheteur. — Cambrioleur. — Apache. — Souteneur. — Vagabond. — Escarpe. — Mauvais sujet. — Face patibulaire. — Repris de justice.

Guet-apens. — Coupe-gorge. — Attaque à main armée. — Attaque nocturne. — Brigandage. — Meurtre. — CRIME. — Assassinat. — Vol. — PILLAGE. — Cambriolage. — Escroquerie.

**Epoques anciennes.** — Flibustier, flibuste. — Bandouliers. — Bravi. — Chauffeurs. — Endormeurs. — Malandrins. —

Mauvais garçons. — Pastoureaux. — Routiers. — Ecorcheurs. — Taupins. — Pendard. — Gibier de potence. — Cour des miracles. — Truands. — Miquelet (Espagne). — Outlaw (Angleterre). — Thugs (Inde). — Le Vieux de la montagne et les Assassins (Asie Mineure).

**BANNIR**

**Expulsion.** — Ban, bannir, bannissement. — Mettre au ban de. — Rupture de ban. — Banni, bannissable, banniseur. — Expulser, expulsion. — Exiler, exil, exilé. — Proscrire, proscription, proscrit. — CHASSER. — Renvoyer.

Rappeler les bannis. — Amnistie, amnistier. — Asile. — Refuge, se réfugier, réfugié.

**Condamnation.** — Mettre hors la loi.— Interdire le séjour, le feu et l'eau. — Déporter, déportation, déporté. — Interner, internement. — Reléguer, relégation, relégué. — Transporter, transportation. — Refouler, refoulement. — Ostracisme. — Liste de proscription. — Convict.

**Emigration.** — Emigrer, émigrant, émigré. — Passer à l'étranger. — S'expatrier, expatriation. — S'établir au dehors, en terre étrangère, outre-mer, etc. — Migration, migrateur. — Cosmopolite, cosmopolitisme. — Métèque. — Allogène. — Nostalgie, nostalgique.

**BAPTÊME**
(grec, *baptisma*)

**Baptême.** — Baptiser. — Baptismal. — Baptistère. — Fonts baptismaux. — Baptême par aspersion, par immersion. — Baptême solennel. — Baptême d'eau, de feu, de sang, de désir. — Administrer, conférer le baptême. — Ondoyer, ondoiement. — Appliquer le saint chrême. — Exorciser, exorcisme. — Registre baptistaire. — Extrait de baptême. — Chrémeau (bonnet). — Tavaïole (linge).

**Baptisés.** — Enfant de Dieu et de l'Eglise. — Filleul, filleule. — Prénoms. — Vœux et Engagements. — Renoncer à Satan, à ses pompes, à ses œuvres.

Catéchumène. — Néophyte. — Catéchumènes écoutants, élus, génuflecteurs. — Robe d'innocence. — Affinité.

**Barbare,** m. V. *sauvage, brute, cruel, grossier.*
BARBARESQUE, m. V. *Arabes.*
BARBARIE, f. V. *barbare.*
BARBARISME, m. V. *faute.*
**Barbe,** f. V. *poil.*
BARBEAU, m. V. *poisson.*
BARBELÉ. V. *barbe.*
BARBES, f. p. V. *plume, épi, coiffure.*
BARBET, m. V. *chien.*
BARBETTE, f. V. *artillerie.*
BARBICHE, f. V. *barbe.*
BARBIER, m. V. *barbe.*
BARBIFIER. V. *barbe.*
BARBILLON, m. V. *poisson.*
BARBON, m. V. *barbe.*
BARBOTAGE, m. V. *bestiaux.*
BARBOTER. V. *sale, boue, canard, maladresse.*

BARBOUILLAGE, m. Barbouiller. V. *gâter, écrire, peinture.*
BARBOUILLEUR, m. V. *peinture.*
BARBU. V. *barbe.*
BARBUE, f. V. *poisson.*
BARCAROLLE, f. V. *chant.*
BARCASSE, f. V. *bateau.*
BARD, m. V. *porter.*
BARDE, m. V. *chant, poésie, druide.*
BARDE, f. V. *charcuterie, armure.*
BARDER. V. *cuisine, armure, couvrir.*
BARDEUR, m. V. *maçon.*
BARÈME, m. V. *calcul.*
BARGUIGNER. V. *acheter, indécis.*

BARIGOULE, f. V. *mets.*
BARIL, m. Barillet, m. V. *tonneau.*
BARIOLAGE, m. Barioler. V. *varié, couleur.*
BARLONG. V. *long.*
BARMAN, m. V. *auberge.*
BARNABITE, m. V. *moine.*
**Baromètre,** m. V. *air.*
BAROMÉTRIQUE. V. *météore, pneumatique.*
BARON, m. Baronnie, f. V. *titre.*
BAROQUE. V. *bouffon, bizarre, perle.*
BARQUE, f. V. *bateau.*
BARQUETTE, f. V. *pâtisserie.*
BARRAGE, m. V. *eau, hydraulique, clôture.*
**Barre,** f. V. *levier, mer.*

---

**Répondants.** — Parrain. — Marraine. — Parrainage. — Compaternité. Compérage. Compère. — Commérage. Commère. — Tenir un enfant sur les fonts. — Nommer un enfant. — Etre parrain ou marraine par procuration. — Saint patron.

**Sectes religieuses.** — Anabaptistes (jugent nul le baptême des enfants). — Baptistes. — Catabaptistes (n'admettent pas le baptême). — Cliniques ou grabataires (baptisés au lit de mort). — Dibaptistes (baptisés deux fois). — Hémérobaptistes (baptisés tous les jours). — Rebaptisants.

## BARBARE

**Etat de barbare.** — Barbarie, barbare. — Etat de NATURE. — Enfant de la nature. — SAUVAGE, sauvagerie. — Peuplade. — Tribu. — Horde. — Clan. — Tente. Hutte. — Migrations. — Invasions.

Enfance d'un peuple. — Enfance de la civilisation. — Siècles de fer. — Moyen âge. — Régime FÉODAL, féodalité. — Grossièreté. — Inculture. — IGNORANCE. — Brutalité. — Instincts. — Vandalisme. — Cruauté. — Retour à la barbarie. — Décadence.

**Les barbares de l'Histoire.** — Germains. — Scythes. — Parthes. — Arabes. — Ethiopiens. — Maures. — Cimbres. — Teutons. — Goths. — Visigoths. — Ostrogoths. — Suèves. — Alains. — Vandales. — Huns. — Avares. — Normands. — Mongols. — Tartares. — TURCS. — Sarrasins. — Barbaresques. — Peaux-Rouges. — Nègres, etc.

## BARBE

**La barbe.** — Barbe naissante. — Barbe chenue. — Barbe fleurie. — Barbe grise. — Barbe blanche. — Barbe fournie, drue. — Poil. — Poil follet. Coton. Duvet. — Pousser. — Grisonner.

Barbu. — Barbon. — Grison. — Barbacole. — Vieille barbe. — Sapeur. — Poilu. — Capucin. — Femme à barbe. — Imberbe. — Blanc-bec. — Menton vierge. — Barbeau.

— Barbillon. — Barbé, bl. (à barbe d'émail différent).

**Port de la barbe.** — Porter toute sa barbe. — Laisser pousser sa barbe. — Barbe longue, touffue. — Barbe fourchue, en pointe, carrée, en fer à cheval. — Moustache. — Impériale. — Barbiche. — Mouche. — Favoris. — Côtelettes. — Pattes de lapin. — Collier. — Bouc. — Crocs.

**Le barbier.** — Barbier. — Coiffeur. — Perruquier. — Figaro. — Merlan. — Barbifier. — Savonner. — Raser. — Gratter. — Tailler. — Couper. — Epiler. — Trousse. — Rasoir. — Rasoir mécanique. — Tondeuse. — Blaireau. — Savon. — Savonnette. — Bassin. — Cuir à rasoir. — Peignoir. — Serviette. — Houppe. — Poudre. — Vaporisateur.

## BAROMÈTRE

**Mesure de la pression.** — Barymétrie. — Hypsométrie. — Météorologie. — Pression atmosphérique. — Hauteur barométrique. — Dépression. — Variations. — Hausse. — Baisse.

*Baromètre* : Tablette. Tube. Siphon. Mercure. Cuvette. Cadran. Contrepoids. Flotteur. Aiguille. Echelle graduée. — Cylindre. Papier gradué. — Degré. Millibar. — *Indications* : Beau fixe. Beau. Variable. Pluie ou Vent. Tempête.

**Sortes de baromètres.** — Baromètre à siphon. — Baromètre à cuvette. — Baromètre anéroïde. — Baromètre enregistreur. — Tube de Toricelli. — Barométrographe. — Baroscope. — Manomètre. — Sympiézomètre (à réservoir d'air). — Niveau Désaguliers (pour la mesure des hauteurs).

## BARRE

**Barres.** — Barre. — Barre d'aspect. — Barreau. — Barrette. — Chien. Gouge. Ringard. Côtière (barres de forgeron). — Levier — Pince. — Roulon. — Fourgon. Râble. Tirant. Tige. Tisonnier. — Traverse. — Tringle. — Verge. — Stoqueur et Toqueux (de raffineur). — Bûche et Gambier (de verrier).

Barreau, m. V. *clôture, balustre, cage, auxiliaires de justice.*
Barrer. V. *barre, fermer, obstacle, annuler.*
Barres, f. p. V. *jeu, cheval.*
Barrette, f. V. *coiffure, soulier, cardinal.*
Barreur, m. V. *bateau.*
Barricade, f. Barricader. V. *fermer, abri, défendre, sédition.*
Barrière, f. V. *barre, clôture, porte.*
Barrique, f. V. *tonneau, vin.*
Barrir. V. *éléphant.*
Bartavelle, f. V. *perdrix.*
Barymétrie, f. V. *baromètre.*
Baryton, m. V. *chant, voix.*

Baryum, m. V. *métal.*
**Bas.** V. *terre, médiocre, vil.*
Bas, m. V. *chausses.*
Basalte, m. V. *pierre.*
Basane, f. V. *cuir.*
Basané. V. *teint.*
Bas-bleu, m. V. *femme, littérature.*
Bas-côté, m. V. *architecture.*
Bascule, f. V. *balance, machine, mouvement.*
Basculer. V. *balancer, renverser.*
**Base,** f. V. *soutenir, colonne, fond, principe, important, inférieur, chimie.*
Baser. V. *base.*
Bas-fond, m. V. *bas, écueil.*
Basicité, f. V. *chimie.*

Basidiomycète, m. V. *champignon.*
Basilique, f. V. *église, architecture.*
Basique. V. *base.*
Basoche, f. V. *classe.*
Basque, f. V. *habillement.*
Bas-relief, m. V. *sculpture.*
Basse, f. V. *chant, voix.*
Basse-cour, f. V. *cour, volaille.*
Basse-fosse, f. V. *fosse.*
Bassesse, f. V. *bas, style.*
Basset, m. V. *chien, petit.*
Bassin, m. V. *eau, port, fontaine, chaudron, ventre.*
Bassine, f. V. *vase.*
Bassiner. V. *lit.*
Bassinoire, f. V. *chaleur.*

---

**En rapport avec les barres.** — Barrer, barré, barrage, débarrer. — Barrement. — Barricade, barricader. — Barrière. — Clôture. — Croisée. — Croisillon. — Grille. — Grillage. — Palissade. — Treillis. — Treillage. — Frettes, *bl.* (barreaux entrelacés). Gemelles, *bl.* (2 barres).

**Objets à forme de barre.** — Arbre. — Axe. — Balustre. — Chevillon. — Bâton, bâtonnet. — Baguette. — Echelon. — Fléau (de balance). — Perchoir. — Manche d'outil. — Meneau (de croisée). — Montant. — Perche. — Palis. — Piquet. — Pied. — Pied-de-biche (verrou). — Souchon (barre de fer). — Lingot. — Barre de gouvernail. — Barre de direction. — Banc d'appui. — Barre de sel.

## BAS

**Abaisser.** — Baisser — Abaisser, abaissement. — Rabaisser, rabaissement, rabais. — Surbaisser. — Abattre, abattage, abattis. — Rabattre. — Renverser. — Terrasser. — Atterrer. — Verser. — Coucher. — Aplatir. — Affaisser. — Ecraser, écrasement. — Presser, pression. — Comprimer, compression. — Courber. — Ployer. — Enfoncer. — Renfoncer. — Enfouir. — Enterrer. — Immerger. — Affouiller. — Déposer. — Ravaler. — Précipiter. — Gravitation. — Pronation, muscle pronateur.

**S'abaisser.** — S'accroupir, accroupissement. — S'agenouiller. — S'affaisser, affaissement. — S'affoler. — Se prosterner, prosternation. — Tomber. Chute. Averse. — Se tasser, tassement. — Baisser, baisse. — Descendre, descente. — Dévaler. — Couler. — Sombrer. — Plonger, plongée. — Incliner, inclinaison. — Pencher. — Oblique. — Infère. — Fléchir, fléchissement, flexion. — Céder. — Se traîner. — Ramper.

**Situation basse.** — Le bas. — Au bas, en bas, à bas, en contrebas. — Inférieur. — Déclive. — Infime. — Profond. — Grave (son). — A vau-l'eau. — A contre-val. — Versé. — Gisant. — Couché. — Souterrain. — Sous-marin. — Terre à terre.

Aire. — Aval. — Base. — Bas-fond. — Bas-de-chausse ou Bas. — Cale. — Cave. — Cul de basse-fosse. — Cul de bouteille. — Cul-de-lampe. — Culot. — Dépôt. Sédiment. Résidu. Précipité. — Etiage. — Faille. — Fond. — Hypogastre. — Hypotrachélion (bas du cou). — Nadir. — Pied. — Rez-de-chaussée. — Talon. — Val. Vallée. Vallon. — Plaine. — Sous-sol. Souterrain. — Le dessous. — Creux.

**Etat moral bas.** — Abattement, abattu. — Dépression, déprimé. — Prostration, prostré.

Vil, vilenie. — Bassesse, bas, bassement. — Plat, platitude. — Honte, honteux. — Déchoir, déchéance, déchu. — Déclin, décliner. — Décadence. — Misère. — Infortune. — Humble, humilité. — Obséquieux, obséquiosité.

Humilier, humiliation. — Dégrader, dégradation. — Déclasser, déclassement. — Mortifier, mortification.

## BASE

**Base d'une construction.** — Base. — Bas. — Aire. — Platée (massif de fondation). — Plate-forme. — Point d'appui. — Fondations, Fond, fondement. — Assiette. — Assise. — Soubassement. — Sous-œuvre. — Soutien. — Support. — Pile. — Terrain. Sol. Roc. Sable. — Empattement (d'un mur). — Embasement (d'un édifice). — Patin (d'une machine).

**Base d'un ornement.** — Piédestal. Tablier de piédestal. — Embase. — Pied. — Piédouche. — Socle. — Sole ou Semelle. — Talon. — Pilier. Dé de pilier. — Colonne. — Stylobate (base de colonnade). — Spire. Tore (bases torses).

**Base rationnelle.** — Base. — Origine. — Naissance. — Commencement. — Principes. — Principal. — Racine. — Radical. — Fondements. — Postulat. — Substratum. — Substance. — Vérités premières. Asseoir. — Fonder, se fonder. — Reposer sur. — Rouler sur. — Porter sur.

BASSON, m. V. *instruments.*
BASTIDE, f. V. *maison.*
BASTILLE, f. V. *fortification, prison.*
BASTINGAGE, m. V. *navire, abri.*
BASTION, m. V. *fortification.*
BASTONNADE, f. V. *bâton.*
BAS-VENTRE, m. V. *ventre.*
BÂT, m. V. *âne, harnais.*
BATAILLE, f. V. *guerre.*

BATAILLER. V. *battre, résister.*
BATAILLEUR, m. V. *dispute.*
BATAILLON, m. V. *armée.*
**Bâtard**, m. V. *enfant, chien, métis.*
BÂTARDE, f. V. *écrire.*
BATARDEAU, m. V. *hydraulique.*
BÂTARDISE, f. V. *bâtard.*
**Bateau**, m.

BATELER. V. *bateau.*
**Bateleur**, m. V. *bouffon.*
BATELIER, m. V. *bateau, matelot.*
BATELLERIE, f. V. *bateau.*
BÂTER. V. *harnais.*
BAT-FLANC, m. V. *étable.*
BÂTI, m. V. *charpente, presse.*
BATIFOLER. V. *bouffon.*
**BÂTIMENT**, m. V. *architecture, maison, navire.*

---

**Base chimique.** — Base, basique, bibasique, tribasique, quadribasique. — Excipient. — Vecteur. — Véhicule.

## BÂTARD

**Au propre.** — Bâtard (né hors du mariage), bâtardise. — Enfant de l'amour, du hasard. — Enfant naturel. — Enfant trouvé. — Champi. — Enfant adultérin. — Enfant illégitime.

Enfant légitimé, légitimer, légitimation. — Enfant reconnu, reconnaître, reconnaissance.

**Au figuré.** — Bâtard (qui s'altère). — Abâtardir, s'abâtardir, abâtardissement. — Ecriture bâtarde. — Architecture bâtarde. — Style bâtard.

## BATEAU

**Nature.** — Batellerie. — Bateau de plaisance. — Bateau marchand. — Bateau de pêche. — Bateau de course. — Bateau de sauvetage. — Remorque. — Bateau à rames, à voiles, à vapeur, à moteur, à toue. — Bateau ponté, insubmersible, étanche.

**Parties.** — Arrière. — Avant. — Coque. — Etrave. — Eperon. — Etambot. — Proue. — Poupe. — Carène. — Quille. — Gouvernail. — Barre. — Solives. Varangues. Couples. Courbes. Râbles (pièces de charpente). — Tillac. — Cabine. — Cabane. — Bord. — Bordage. — Ligne de flottaison. — Gabarit.

**Gréement.** — Mât. — Vergue. — VOILE. — Ecoute. — Cordages. — Aussière. — Amarre. — Cordelle. — RAME. — Aviron. — Godille. — Tolet. — Dames. — Grappin. — Croc. — Ancre. — Perche. — Pagaie. — Gaffe. — Moteur. — Motogodille. — Chaudière. — Arbre. — Hélice. — Ecope. Sasse (pelle à vider).

Bascule. Pont mobile. Tablier. Traille (dans un bac).

**Chargement.** — Charger, chargement, décharger. — Embarcadère. Débarcadère. — Embarquer, embarquement. — Débarquer, débarquement. — Rembarquer, rembarquement. — Charger en vrac. — Bortingle (surélévation des bords). — Crête (tas de blé chargé). — Transborder, transbordement. — Débarder. — Transporter, transport. — Lest, lester, délester. — Lège (sur lest). — GRUE. — Mât de charge. — Garer, gare. — Traversée. Passage. Naulage (prix). — Tonnage. — PORT. — Quai.

**Gens de bateau.** — Batelier. — Marinier. — Marin. — MATELOT. — Canotier. — Nautonier. — Nocher. — Gondolier. — Godilleur. — Passeur. — Haleur. — Patron. — Pilote. — Patachon. — Equipage. — Equipe. — Equipier. — Rameur. — Barreur. — Passager. — Promeneur. — Sauveteur. — Déchargeur. — Débardeur.

**Manœuvres.** — Mettre à la voile. — Démarrer. — Naviguer, navigation. — Bateler. — Ramer. — Nager. — Piloter, pilotage. — Gouverner. — Remorquer, remorquage. — Haler, halage. — Gabarer. Godiller. — Touer, touage. — Remonter le courant. — Eviter. — Aborder. — Jeter l'ancre. — Stopper. — Amarrer. — Echouer. — S'engraver. — Chavirer. — Sombrer. — Sauveter. — Caréner.

Sport nautique. — Régates. — Chaîne. — Train ou Trait de bateaux. — Sillage. — Remous. — Tirant d'eau. Tirage.

**Principales sortes de bateaux.** — Allège. — Aviso. — Bac. — Bachot. — Balancelle. — Barcasse. Barge. — Barque. — Batelet. — Boutre. — Caïque. — Canoë. — Canot. — Chaland. — Chaloupe. — Coche d'eau. — Doris. — Bateau dragueur ou Curemôle. — Embarcation. — Esquif. — Felouque. — Foncet. — Gabare. — Galère. — Galiote. — Gondole. — Hourque. — Jonque. — Nacelle. — Petit navire. — Nef. — Patache. — Péniche. — Péotte. — Pirogue. — Prao. Bateau plat. — Ponton. — Radeau. Remorqueur. — Sampan. — Tartane. — Toue. — Yacht. — Yole. — Skiff. — Outrigger. — Canot automobile. — Motoscaphe. — Pyroscaphe. — Bateau de sauvetage. — Canot à vapeur. — Vedette. — Glisseur. — Hors-bord.

## BATELEUR

**Gens de métier.** — Acrobate. — Baladin. — Saltimbanque. — Banquiste. — Forain. — Danseur de corde. — Funambule. — Equilibriste. — Clown. — Pitre. — Paillasse. — BOUFFON. — Hercule. — Lutteur. — Athlète. — Gymnaste. — Sauteur. — Physicien. — Prestidigitateur. — Magicien. — Escamoteur. — Jongleur. — Monstres. — Géants. — Nains. — Dompteur. — Comédiens de la foire. — Cabotin. — Circulateur. — Empirique. — Charlatan. — Ventriloque. — Musicien ambulant. — Ménestrel. — Somnambule. — Bohémien. — Diseuse de bonne aventure.

Tabarin. Bilboquet, etc.

**Bâtir.** V. *architecture, tailleur, faire.*

**Bâtisse,** f. V. *maçon.*

**Bâtisseur,** m. V. *bâtir.*

**Batiste,** f. V. *étoffe.*

**Bâton,** m. V. *soutenir, écrire.*

**Bâtonnat,** m. V. *chef.*

**Bâtonner.** V. *supplice.*

**Bâtonnet,** m. V. *bâton.*

**Bâtonnier,** m. V. *auxiliaires de justice, chef.*

**Batracien,** m. V. *animal, reptile, crapaud.*

**Battage,** m. V. *battre, graine.*

**Battant,** m. V. *porte, fenêtre, cloche, drapeau.*

**Batte,** f. V. *marteau, beurre, raquette.*

**Battée,** f. V. *or.*

**Battement,** m. V. *battre, pouls, cœur, pendule, escrime.*

**Batterie,** f. V. *artillerie, fusil, tambour, cuisine.*

**Batteuse,** f. V. *moisson, machine.*

**Battre.** V. *marteau, choc, forge, balancer, cartes, blé, tambour, artillerie, vainqueur.*

**Battre (se).** V. *combat.*

**Battue,** f. V. *battre, chasse.*

**Baude,** f. V. *filet.*

**Baudet,** m. V. *âne, bestiaux.*

**Baudouiner.** V. *âne.*

**Baudrier,** m. V. *bande, ceinture, épée, épaule.*

**Baudroie,** f. V. *poisson.*

**Baudruche,** f. V. *membrane, parchemin.*

**Spectacles.** — THÉÂTRE forain. — Cirque. — Ménagerie. — Cinéma. — Ombres chinoises. — Marionnettes. — Exhibitions. — Exercices. — Curiosités. — Jonglerie. — Escamotage. — Clownerie. — Animaux savants. — Luttes. — DANSE. — Jeux de la foire. — Gymnastique. — Farces.

Baraque. — Loge. — Tréteaux. — Représentation. — Parade. — Boniment.

**Exercices.** — Acrobaties. — Saut périlleux. — Marche sur les mains. — Jeux icariens. — Trapèze volant. — Voltige. — Tours d'agilité. — Tours de force. — Exercices de barres, de poids, d'haltères. — Exercices d'équilibre. — Danse sur la corde. — Tours de physique, de prestidigitation, de passepasse. — Tours de gibecière. Gobelet. Muscade, etc. — Lutte à main plate. — Boxe. — Jongler avec boules, couteaux, cerceaux, etc.

## BÂTIR

**Ceux qui bâtissent.** — Architecte. — Ingénieur. — Constructeur. — Bâtisseur. — Edificateur. — Fondateur. — Edile. — Entrepreneur. — Maître MAÇON. — Corps de métiers.

**Comment on bâtit.** — Bâtir, bâtiment, bâtisse. — Bâtir à chaux et ciment. — Bâtir de boue et de crachat. — Bâtir sur le roc. — Bâtir sur le sable. — Construire, construction. — Reconstruire, reconstruction. — Structure, superstructure, substruction. — Edifier, édification, édifice. — Elever, élévation. — Eriger, érection. — Etablir, établissement. — Fonder, fondation. — Echafauder, échafaudage. — Matériaux de construction.

## BÂTON

**Bâtons.** — Bâton. — Bâton de voyage. — Bâton ferré. Alpenstock. — Bâton à deux bouts. — Bâton de vieillesse, de maréchal, de chef d'orchestre. — Bourdon. — Gourdin. — Trique. — Assommoir. — Gaule, gaulette. — Badine. — Baguette. — Houssine. — Jonc. — Latte. — Echalas. — Branche. — Tige. — PERCHE. — Pieu. — Piquet. — Scion. — Rondin. — Bûche. — Cotret. — Tribart. Billot (au cou d'animaux). — Garrot. Tortoir. Moulinet (à tordre les cordes).

**Objets en forme de bâton.** — Appuimain (de peintre). — Archet. — Balancier (de danseur). — Bâtonnet. — Bacille. — Bactérie. — Bactéridie. — BARRE. — Barreau. — Béquille. — Batte d'Arlequin. —

Caducée. — Canne. — Canne de tambourmajor, de suisse. — Cravache. — Crosse d'évêque. — Echasses. — Epieu. — Férule. — Palette. — Flèche de lit. — Hampe. — Hochet. — Houlette. — Jonchets. — Jalon. — Jauge. — Main de justice. — MANCHE d'outil. — Manche à balai. — Marotte. — Masse. — Massue. — Matraque. — Mouvette. — Perchoir. — Potence. — Quenouille. — Queue de billard. — Rame (à pois). — RÈGLE. — Sceptre. — Spatule. — Stick. — Thyrse. — Tuteur. — VERGE. — Tringle. — Nerf de bœuf. — Palis. Aiguillon. — Taille (de boulanger). — Fléau (de battage).

**Emplois divers.** — Bâtonner, bastonnade, bâtonniste. — Bâtonnier, bâtonnat. — Coup de bâton. — Jouer du bâton. — Volée de bois vert. — Passer par les verges. — Schlague. — Fustiger, fustigation. — Cravacher. — Houssiner. — Crosser. — Corriger. Jalonner. — Jauger. — Gauler. — Palissader. — Ramer (des pois). — Régler. — Rabdomancie. — Rabdologie.

## BATTRE

**Battre quelqu'un avec violence.** — Asséner un coup. — Assommer. — Frapper à bras raccourcis. — Donner des coups. — Corriger. — Casser les reins, le nez, la tête. — Enfoncer les côtes. — Charger. — Battre à plate couture. — Bûcher. — Cogner. — Echarper. — Echiner. — Ereinter. — Estourbir. — Etriller. — Fouetter. — Fouailler. — Cravacher. — Crosser. — Dauber. — Houspiller. — Se jeter, tomber sur. — Rosser. — Malmener. — Maltraiter. — Rouer de coups. — Rompre bras et jambes. — Rompre les os. — Sangler. — Dévisager. — Fouler aux pieds.

Pugilat. — Boxe. — Décharge de coups. — Sévices. — Violences. — Voie de fait. — Volée. — Raclée. — Brossée. — Horions. — Correction. Contusion. — Meurtrissure. — Cicatrice.

**Battre quelqu'un légèrement.** — Souffleter, soufflet. — Gifler, gifle. — Claquer, claque. — Calotte, calotter. — Confirmer. — Bourrer, bourrade. — Chiquenaude. — Croquignole. — Mornifle. — Nasarde. — Taloche. — Torgniole. — Taper, tape. — Lever la main sur. — Avoir la main légère. — Pichenette. — Cingler. — Frapper. — Sabouler. — Secouer. — Heurter. — Cosser. — Poussée. — Fesser, fessée. — Gourmer, gourmade. — Donner sur les doigts, sur les ongles.

BAUGE, f. V. *retraite, sanglier.*
**Baume**, m. V. *médicament, calme.*
BAUMIER, m. V. *baume.*
BAUXITE, f. V. *alun.*
BAVARD. V. *indiscret, diffus.*
BAVARDAGE, m. Bavarder. V. *parler, nouvelle.*
BAVE, f. V. *couler, écume.*
BAVER. V. *bouche.*

BAVETTE, f. V. *enfant.*
BAVEUX. V. *sale.*
BAVOCHURE, f. V. *sale.*
BAVOLET, m. V. *coiffure.*
BAVURE, f. V. *inégal.*
BAYADÈRE, f. V. *danse.*
BAYER. V. *bouche.*
BAZAR, m. V. *commerce.*
BÉANT. V. *ouvert.*
BÉAT. V. *religion, bonheur.*
BÉATIFICATION, f. V. *saint.*

BÉATITUDE, f. V. *saint, bonheur.*
**Beau.**
**Beaucoup.** V. *plusieurs, quantité.*
BEAU-FRÈRE, m. V. *frère.*
BEAU-PÈRE, m. V. *mariage.*
BEAUPRÉ, m. V. *mât, voile.*
BEAUTÉ, f. V. *beau, femme.*
BEAUX-ARTS, m. p. V. *art.*
BÉBÉ, m. V. *enfant, âge.*

---

**Battre avec des armes.** — Bataille, batailler. — Combattre, combat. — En venir aux mains. — Attaque à main armée. — Blesser, blessure. PLAIE. — Assassiner. — Poignarder. — Sabrer. — S'escrimer contre. — Porter une botte. — Frapper d'estoc et de taille. — Tailler. — Estoquer, estocade. — Férir, sans coup férir. — Blesser.

**Battre des choses.** — Battre le blé, battage, batteuse mécanique. Fléau. — Battre un tapis. — Battre le linge, battoir. — Battre le beurre. — Battre des œufs. — Battre le fer, fer battu. — Battre le tambour, batterie. — Battre des mains, battement. — Battre les murs (ivresse). — Battre les buissons, battue. — Ecrouir un métal. — Frapper à la porte. — Botter le ballon. — Heurter. — Choquer. — Toquer. — Pilonner la terre, terre battue. — Battre. Fouetter (en parlant de la pluie). — Percussion, percuteur.

**Expressions populaires.** — Mettre dans un bel état. — Arranger comme il faut. — Tanner le cuir. — Tomber sur le casaquin. — Caresser les épaules. — Casser la gueule. — Tomber sur la coloquinte. — Donner une danse. — Frapper comme un sourd. — Donner une bonne frottée, une peignée, une rincée, un renforcement. — Flanquer une pile. — Passer à tabac. — Ne pas y aller de main morte. — Battre comme plâtre. — Secouer les puces. — Flanquer une dégelée de coups, un atout, un gnon, un marron, une beigne, un pain. — Ecoper.

## BAUME
(latin, *balsamum*)

**Produits naturels.** — Baume, produit balsamique. — Arbre balsamifère. Baumier ou Balsamier. — Baume de Tolu. — Baume du Pérou. — Baume du Canada. — Baume de Judée. — Baume de copahu. — Balsamite. — Styrax. — Benjoin. — Térébenthine. — Benzine, benzoate, acide benzoïque, benzoïne. — GOMME. — Résine. — Suc. — Copalme. — Opobalsamum.

**Produits pharmaceutiques.** — Baume de Fioraventi. — Baume opodeldoch. — Baume tranquille. — Baume de Saturne. — Baume de soufre. — Baume du Commandeur. — Laudanum. — Lait virginal. — Liniment. — Onguent. — Teinture. — Dictame.

## BEAU

**Beauté humaine.** — Bel homme. — Un Apollon. — Un Antinoüs. — Un Adonis. —

Bellâtre. — Vieux beau. — Belle femme. — Les belles. — Une Vénus. — Une nymphe. — Ange de beauté. — Idole. — Déesse. — Divinité. — Un amour.

Beauté. — Plastique. — Esthétique. — Idéal. — Perfection. — Vénusté. — Beauté divine, céleste. — Beaux traits. — Traits réguliers. — Attraits. — Appas. — Galbe. — Belle taille. — Belle prestance. — Belles proportions. — Beauté accomplie.

Beau comme le jour. — Bien fait. — Fait au tour. — Bien conformé. — Bien découplé. — Sculptural. — Bien pris. — Sans pareil. — Nonpareil.

**Beauté des choses.** — Embellissement. — Enjolivement, enjolivure. — Ornement. — Belle venue. — Chef-d'œuvre.

Artistement fait. — Artistique. — Mirifique. — Incomparable. — Admirable. — Prestigieux. — Magistral. — Bien composé. — Pittoresque. — Magique. — Harmonieux. — Divin.

Préfixe *calli* dans : Calligraphie, Callipyge, etc.

Préfixe *eu* dans : Eugénésie, Euphorie, etc.

**Charme.** — Charme, charmer, charmant. — Fleur de la jeunesse. — Beauté du diable. — Fraîcheur. — Teint frais. — GRÂCE, gracieux. — Joliesse, joli. — Gentillesse, gentil. — Sveltesse, svelte. — Coquetterie, coquet. — ELÉGANCE, élégant. — Belle tournure, bien tourné. — Séduction, séduisant. Aimable. — Mignon. — Riant. — Gai. — Agréable. — Plaisant. — A la mode.

Bel air. — Belles manières. — Politesse. — Raffinement. — Délicatesse. — Préciosité. — Toilette. — Goût. — Chic.

**Eclat.** — Brillant. — Eblouissant. — Féerique. — Magnifique. — Splendide. — Luxueux. — Merveilleux. — Superbe. — Etonnant. — Stupéfiant. — Radieux. — Rayonnant. — Pompeux. — Monumental. — SUBLIME.

## BEAUCOUP

**Idée de quantité.** — Grande QUANTITÉ. — Abondance. — AMAS. — Richesse. — Plénitude. — Une averse de. Une pluie. Une grêle. Une bordée. Un débordement. Un déluge. Un flux. Une moisson. Une fournée. Une masse. Un tas. Une mer. Un torrent. Une forêt de mâts, de lances, de baïonnettes, etc.

Abonder. — Regorger de. — Avoir à discrétion. — Amasser. — Entasser. Bourrer de. — Farcir de. — Combler. — Inonder. —

*Bec*, m. V. *oiseau, bouche, avant, gaz.*
BÉCARRE, m. V. *musique.*
BÉCASSE, f. V. *gibier.*
BEC-DE-CANE, m. V. *serrure.*
BEC-DE-LIÈVRE, m. V. *lèvre.*
BECFIGUE, m. V. *oiseau.*
BÉCHAMEL, f. V. *mets.*
BÊCHE, f. Bêcher. V. *pelle, jardin, artillerie.*
BÉCOT, m. Bécoter. V. *caresse.*
BECQUÉE, f. V. *oiseau.*
BECQUETER. V. *bec, caresse.*
BEDAINE, f. V. *ventre.*

BEDEAU, m. V. *église.*
BEDON, m. V. *gros.*
BÉDOUIN, m. V. *Arabes.*
BEFFROI, m. V. *tour, cloche.*
BÉGAIEMENT, m. Bégayer. V. *prononcer, répétition.*
BÈGUE, m. V. *prononcer.*
BÉGUEULE, f. V. *affectation.*
BÉGUIN, m. V. *coiffure, amour.*
BÉGUINAGE, m. V. *religion, moine.*
BÉGUINE, f. V. *religion.*
BEGUM, f. V. *Inde.*
BEIGE. V. *brut, couleur.*

BEIGNET, m. V. *friture.*
BÉJAUNE, m. V. *novice, bec.*
BEL AIR, m. V. *beau.*
BÊLEMENT, m. Bêler. V. *mouton.*
BEL ESPRIT, m. V. *affectation.*
BELETTE, f. V. *fouine.*
BÉLIER, m. V. *mouton, machine.*
BÉLIÈRE, f. V. *anneau.*
BÉLINOGRAMME, m. V. *télégraphe.*
BELLADONE, f. V. *fleur.*
BELLÂTRE, m. V. *beau.*

---

Joncher. — Saturer. — Rassasier. — Repaître. — Remplir. — Faire bonne mesure.

Beaucoup. — Bien. — Prou. — Bel et beau. — Pas mal. — En diable. — En masse. — A la pelle. — A souhait. — A pleines mains. — A poignées. — En quantité. — A profusion. — A forte dose. — A satiété. — Tout son soûl. — Sans y regarder. — *Ad libitum.* — A plaisir.

Provision. — Magasin. — Réservoir. — Mine. — Arsenal.

**Idée de nombre.** — En grand nombre. Nombreux. Bon nombre de. Innombrable. — Force. Moult. Maint. — Une armée de. Une flotte. Une foule. Une multitude. Une nuée. Une TROUPE. Un essaim. Une légion. Un bataillon. Une bande. Un troupeau.

Affluer, afflux, affluence. — Foisonner, foisonnement. — Pulluler, pullulement. — Fourmiller, fourmillement. — Grouiller, grouillement. — Se multiplier, multiplicité, multiplication. — Encombrer, encombrement. — Etre pressés, serrés, serrés comme des harengs.

Des centaines. Des mille et des cents. Des milliers. Des millions. — Par dizaines. Par centaines. A la douzaine. — La plupart. — Dieu sait combien. — MULTIPLE. Double. Triple. Quadruple. Centuple, etc.

Préfixe *multi* dans : Multicolore, Multiforme, etc.

Préfixe *poly* dans : Polygone, Polytechnique, etc.

**Idée de fréquence ou répétition.** — Enumération. Enfilade. Séquelle. Série. Enchaînement. Tirade. Tissu. Traînée. File. Suite. Chaîne. Chapelet. Litanie. Kyrielle. Procession. Ribambelle.

Fréquemment. — Souvent. — A mainte reprise. — Sans cesse. — Bien des fois. — Communément. — Toujours.

Accabler. — Abreuver de. — Harceler. — Quémander. — Prodiguer. — Se répéter. — Tourner à la scie. — En avoir par-dessus la tête.

**Idée de grandeur.** — A un haut degré. — Considérable. — Enorme. — D'importance. — Incroyable. — Indicible. — Ineffable. — Inexprimable. — Insigne. — Intense. — Fort. — Prononcé. — Signalé. Grandement. — Amplement. — Largement. — Joliment. — Merveilleusement. — Prodigieusement. — Etonnamment. — Monstrueusement. — Notablement. — Remarquablement. — Puissamment. — Fortement. — Véhémentement. — Singulièrement. — Particulièrement. — Plantureusement. — Fabuleusement. — A fond.

**Idée de superlatif.** — A l'apogée. — Au paroxysme. — Excellent, excellence. — Excessif, à l'EXCÈS. — EXTRAORDINAIRE. — Extrême. — Incalculable. — Incomparable. — Infini. — Parfait. — Souverain. — Suprême. — Au comble de. — Superlatif. — Supérieur.

Très. — Fort. — Tout à fait. — Absolument. — Infiniment. — Le plus. — On ne peut plus. — Au dernier point. — Au dernier degré. — Jusqu'au bout. — Tant et plus. — Tant qu'on veut. — Totalement. — On ne peut mieux. — Radicalement. — De fond en comble. — Entièrement. — Extrêmement. — Complètement, etc.

Préfixe *archi* dans : Archifou, Archipatelin, etc.

Préfixe *extra* dans : Extrafin, Extralucide, etc.

Préfixe *super* dans : Superfin, Superfilm, etc.

Préfixe *sur* dans : Surfin, Surchoix, etc.

## BEC
(latin, *rostrum ;* grec, *rynchos*)

**Le bec.** — Bec, béquillon. Caroncule. Barbe. Barbillon. Cire. Capistrum. Mandibule. Aire. Narines. Onglet. — Becquée. — Becqueter. — Abecquer, embecquer. — Engaver.

*Fig.* Béjaune (niais). — Bec-de-cane (poignée) — Bec-de-corbin (outil). — Bec-de-lièvre (lèvre fendue). — Bec de gaz.

**Désignation d'après le bec.** — Altirostre. — Angustirostre. — Brévirostre. — Collirostre. — Conirostre. — Crénirostre. — Cultrirostre. — Cunéirostre. — Dentirostre. — Lamellirostre. — Latirostre. — Lévirostre. — Longirostre. — Planirostre. — Plénirostre. — Pressirostre. — Serrirostre. — Subulirostre. — Ténuirostre. — Térétirostre. — Oxyrhinque. — Bec-croisé. — Bec en ciseaux. — Becfigue. — Bec-fin. — Ornithorhynque.

BELLE, f. V. *femme, jeu.*
BELLE-FILLE, f. Belle-mère, f. Belle-sœur, f. V. *parent.*
BELLES - LETTRES, f. p. V. *littérature.*
BELLIGÉRANT, m. V. *guerre.*
BELLIQUEUX. V. *combat.*
BELLONE, f. V. *dieu.*
BELLUAIRE, m. V. *gladiateur.*
BÉLOUGA, m. V. *cétacé.*
BELVÉDÈRE, m. V. *pavillon, haut.*
BÉMOL, m. V. *musique.*
BÉNARDE, f. V. *serrure.*
BÉNÉDICITÉ, m. V. *bénir.*
BÉNÉDICTIN, m. V. *moine, histoire.*
BÉNÉDICTION, f. V. *liturgie,*

cérémonie, pape, évêque.
**Bénéfice,** m. V. *chanoine, féodal, gain, bonheur.*
BÉNÉFICES, m. p. V. *commerce.*
BÉNÉFICIAIRE. V. *hériter.*
BÉNÉFICIATURE, f. Bénéficier, m. V. *bénéfice.*
BÉNÉFICIER. V. *gain.*
BENÊT, m. V. *sot.*
BÉNÉVOLE. V. *volonté, complaisance.*
BENGALE, m. V. *Inde.*
BÉNIN. V. *doux.*
**Bénir.**
BÉNIT. V. *bénir.*
BÉNITIER, m. V. *bénir, coquillage, église.*
BENJAMIN, m. V. *aimer.*
BENJOIN, m. V. *baume.*

BENNE, f. V. *mine.*
BENZINE, f. V. *baume.*
BENZOL, m. V. *houille.*
BÉQUET, m. V. *imprimeur.*
BÉQUILLARD, m. V. *boiter.*
BÉQUILLE, f. V. *bâton, soutenir.*
BERBÈRE, m. V. *Arabes.*
BERCAIL, m. V. *mouton, berger.*
BERCEAU, m. V. *lit, enfant, arbre.*
BERCER. V. *balancer, lit, sommeil.*
BERCER (SE). V. *espérer.*
BÉRET, m. V. *coiffure.*
BERGE, f. V. *bord, rivière.*
**Berger,** m. V. *paître.*
BERGÈRE, f. V. *berger, meuble.*

---

## BÉNÉFICE ECCLÉSIASTIQUE

**Bénéfices.** — Bénéfice, bénéficiature. — Temporel. — Bénéfice simple, à charge d'âmes, par confidence, consistorial, régulier, séculier, précaire. — Abbaye. — Aumônerie. — Canonicat. — Prébende. — Prieuré. — Cure. — Mense épiscopale. — Trésorerie. — Chantrerie. — Econhant. — Sinécure. — Survivance. — Commende (donné à un séculier).

**Collateurs et bénéficiaires.** — Collateur. — Cardinal dataire, daterie. — Cardinal turnaire. — Patron. — Présentateur. Scripteur.
Bénéficier. — Collataire. — Titulaire. — Commendataire. — Jubilaire. — Pourvu. — Impétrant. — Desservant. — Brevetaire. — Confidentiaire. — Dévolutaire. — Indultaire. — Obédiencier. — Obituaire. — Nominataire (nommé par le roi). — Survivancier. Abbé. — Aumônier. — Chanoine. Prébendier. — Chantre. — Chapelain. — Econome. — Prieur. — Curé. — Trésorier.

**Octroi des bénéfices.** — Pourvoir. — Conférer, collation. — Investir, investiture. — Préconiser, préconisation. — Présenter, présentation. — Impétrer, impétration. — Résigner, résignation.
Bulle. — Indult. — Compact. — Obédience. — Provision (droit de pourvoir). — Componende (tribunal des droits). — Régale (privilège du roi). — Dévolu, dévolution, dévolutif. — Expectative. — Pouillé. — Feuille des bénéfices. — Consens (admission). — Propine (droit payé). — Déport (abandon du premier revenu). — Simonie (trafic des droits). — Visa.

### BÉNIR
(latin, *benedicere*)

**Action de bénir.** — Bénédiction (action). Bénédiction paternelle, maternelle, épiscopale, papale. — Bénédiction (cérémonie). Bénédiction nuptiale. — Salut du Saint-Sacrement. — Sacre, sacrer. — Consécration, consacrer. — Baptême. — Absoute. — Con-

firmation. — Onction. — Extrême-onction. — Eulogie. — Exorcisme, exorciser. — Indulgencier. — Imposition des mains. — Vœux de bonheur. — Souhaits de prospérité.

**Comment on bénit.** — Bénitier. Eau bénite. Eau lustrale. Donneur d'eau bénite. Présenter l'eau bénite. — Pain bénit. Chanteau. — Chapelet, médaille, buis bénits. — Saint Chrême. Saintes huiles. — Hostie. Pain azyme. Pain à chanter. — Objets bénits. Sacramentaux. Eulogies. — Signes de croix. — Bénédicité. — *Benedicat vos.*

### BERGER
(latin, *pastor*)

**Bergerie.** — Bergerie. — ÉTABLE. — Bercail. — Bouverie. — Porcherie. — Bassecour. — Chalet. — Buron. — Pacage. — Parc. — Herbage. — Pâtis. — Pâturage. — PRAIRIE.
Vie pastorale. — Troupeau. — Bétail. — Chien de berger. — GARDER un troupeau. — Mener PAÎTRE. Mener aux champs. — Toucher. — Parquer. — Corne. — Ranz des vaches.

**Bergers.** — Berger, bergère, bergerette. — Pasteur. Pâtre. Pâtour. Pastoureau, pastourelle. — Bouvier. Vacher, vachère. Toucheur de bœufs. — Chevrier. — Porcher. — Gardeur de MOUTONS, de porcs. — Gardeuse de vaches, d'oies. — Muletier. — Buronnier. — Guardian (de la Camargue). — Marcaire (des Vosges). — Baile (des Alpes). — Cowboy. Vaquero. Gaucho.

**Bergeries littéraires.** — Arcadie. — Poésie bucolique. — Bucoliasme, bucoliaste. — Bucoliques (de Théocrite, de Virgile). — Bergeries (de Racan). — L'Astrée. — L'Eglogue. — Idylle. — Pastorale. — Pastorelle. — Villanelle.
*Divinités :* Pan. Palès. Méliades. — *Instruments :* Pipeaux. Flûte. Cornemuse. Flageolet. Musette. Chalumeau. — *Accessoires :* Houlette. Panetière. — *Noms de bergers :* Tircis. Tityre. Colin. Guillot. Némorin, etc. — *Noms de bergères :* Chloé. Amaryllis. Galatée. Estelle, etc.

BERGERIE, f. V. *berger*.
BERGERONNETTE, f. V. *oiseau*.
BERLINE, f. V. *voiture*.
BERLINGOT, m. V. *confiserie*.
BERLUE, f. V. *voir, trouble, erreur*.
BERNARDIN, m. V. *moine*.
BERNE, f. V. *drapeau*.
BERNER. V. *balancer, couverture, moquer*.
BERTHE, f. V. *habillement*.
BÉRYL, m. V. *pierre*.
BESACE, f. V. *sac, aumône*.
BESAIGRE. V. *acide*.
BESANT, m. V. *blason*.
BESICLES, f. p. V. *optique*.
BÉSIGUE, m. V. *cartes*.
BESOGNE, f. Besogner. V.

*action, travail difficile.*
BESOGNEUX, m. V. *besoin*.
**Besoin**, m. V. *manque*.
BESSON, m. V. *jumeau*.
BESTIAIRE, m. V. *combat*.
BESTIAL. V. *grossier*.
BESTIALITÉ, f. V. *animal*.
**Bestiaux**, m. p.
BESTIOLE, f. V. *animal, petit*.
BÉTAIL, m. V. *animal*.
BÊTE, f. V. *animal, sot, bon*.
BÊTISE, f. V. *sot, bon*.
BÉTOIRE, f. V. *ouvert*.
BÉTON, m. Bétonnage, m. V. *ciment, maçon*.
BÉTONNER. V. *chemin*.
BÉTONNIÈRE, f. V. *maçon*.

BETTE, f. V. *légume*.
BETTERAVE, f. V. *légume*.
BEUGLEMENT, m. Beugler. V. *bœuf*.
**Beurre**, m. V. *lait, vache*.
BEURRÉ, m. V. *poire*.
BEURRÉE, f. V. *couche*.
BEURRER. V. *beurre*.
BEURRIER, m. V. *beurre*.
BÉVUE, f. V. *erreur, sot*.
BEY, m. V. *Arabes*.
BIAIS, m. Biaiser. V. *angle, indirect, détour*.
BIBELOT, m. V. *vain*.
BIBERON, m. V. *lait, nourrice*.
**Bible**, f. V. *religion, liturgie, juif*.

---

## BESOIN

**Manque.** — Besoin, besogneux. — Indigence, indigent. — Dénuement, dénué. — Pauvreté, pauvre. — Misère, misérable. — Privation. — Déficit. — Besoin naturel : Faim. Soif. Sommeil, etc.

Manquer. — Faire défaut. — Faire faute. — Avoir affaire de. — Avoir besoin de. — Avoir hâte de. — Envie. Désir. Desideratum. Demande.

**Nécessité.** — Nécessité, NÉCESSAIRE. — Exigence, exiger, exigible. — Falloir, il faut. — Urgence, urgent. — Pressant, presser. — Instance, instamment. — Obligation, obligé. — Utilité, UTILE, utilement.

## BESTIAUX

**Bétail.** — Animaux. — Gros et menu bétail. Pécore. — Bêtes. Bêtes de labour. Bêtes de trait. — Bêtes de somme. Bêtes à cornes. Bêtes à laine. — CHEVAL. Jument. Poulain. — Taureau. Bœuf. Vache. Génisse. Veau. — Bélier. Mouton. Brebis. Agneau. — PORC. Truie. Verrat. Pourceau. Porcelet. — MULET. — Mule. — ÂNE. Baudet. Anesse. Anon. — Bouc. Chèvre. Chevreau. — Animaux reproducteurs. Étalon. Poulinière.

Troupeau. Touche. — ÉTABLE. Écurie. Vacherie. Porcherie. Parc. — Stalles. Litière. Fumier. — Clarine. Sonnaille. Campène. — Chaîne. Piquet. Corde.

**Nourriture du bétail.** — Nourrissage, nourrisseur. — Elevage, élever, éleveur, élève. — Engraisser, engraissement. Embouche. — Mettre au sec, au vert, à la rente (à ne rien faire).

Paître, pâturage. Herbage. Prairie. Pré. — Râtelier. Auge. Abreuvoir. — Paille. Foin. FOURRAGE. Barbotage. Racines. Tubercules. Pâtée. Glandée.

**Qui s'applique au bétail.** — Cheptel (bestiaux à bail). Cheptel à moitié. Cheptel de fer. — Bail à croît (partage des produits). — Gazaille (louage de bestiaux). — VÉTÉRINAIRE. Epizootie. — Divagation, divaguer. — Fourrière. — Foires et marchés. — Transhumance.

## BEURRE
(latin, *butyrum*)

**Fabrication.** — Beurrerie. — Ecrémer, écrémage, écrémeuse centrifuge. — Baratter, barattage, baratte. Battre le beurre, batte. Riboter, ribot. — Délaiter, délaitage, délaiteuse. — Sébile. — Malaxer, malaxage, malaxeuse. — Mouler, moulage. Motte. Pain. — Babeurre ou Petit-lait.

Composition du beurre. Corps gras. Acide butyrique. Butyracé. Butyreux.

**Sortes de beurre.** — Beurres d'origine. Beurres de Normandie, de Bretagne, des Charentes, etc. — Beurre végétal. — Beurre de coco. Cocose ou Végétaline. — Beurre de cacao. — Beurre de karité (Sénégal). — Beurre artificiel. Margarine.

**Usage.** — Beurrier. Pot à beurre. — Beurrer, beurrée. Tartine. — Beurre frais. Beurre demi-sel. Beurre salé. — Beurre de conserve. Beurre fondu. Beurre fort. — Beurre rance, rancir, rancidité. — Beurre noir, blond, roux. Friture.

## BIBLE

**Ancien Testament.** — Ecriture sainte. — Les trois groupes de l'Ancienne Alliance : Pentateuque. Prophètes. Hagiographes. — Les cinq livres du Pentateuque : Genèse. Exode. Lévitique. Nombres. Deutéronome. — Les livres fameux : Juges. Rois. Sagesse. Esther. Job. Josué. Judith. Macchabées. Ruth. Tobie. — PSAUMES de David. Le psalmiste. — Cantique des cantiques. Ecclésiaste. Proverbes de Salomon. — Lamentations de Jérémie. — Décalogue. — Les grands prophètes : Isaïe. Jérémie. Ezéchiel. Daniel. — Prophéties.

**Nouveau Testament.** — Les trois groupes de la Nouvelle Alliance : Evangiles. Actes des Apôtres. Epîtres. — L'Evangile, évangéliste, évangéliser. — Les quatre évangélistes : Saint Matthieu. Saint Jean. Saint Luc. Saint Marc. — Epîtres de saint Paul, de saint Pierre. — Apocalypse, apocalyptique. — Evangiles apocryphes. — Révélation. — Paraboles. — Parole divine. — Pères de l'Eglise.

BIBLIOGRAPHIE, f. V. *livre.*
BIBLIOPHILE, m. V. *livre.*
BIBLIOTHÉCAIRE, m. V. *livre.*
BIBLIOTHÈQUE, f. V. *livre,*
*science, armoire.*
BIBLIQUE. V. *Bible*
BICÉPHALE. V. *tête.*
BICEPS, m. V. *muscle, bras.*
BICHE, f. V. *cerf.*
BICHON, m. Bichonner. V.
*chapeau, habillement.*

BICOLORE. V. *couleur.*
BICOQUE, f. V. *maison.*
BICORNE, m. V. *chapeau,*
*corne.*
BICYCLE, m. V. *roue.*
BIDET, m. V. *cheval, siège.*
BIDON, m. V. *vaisseau.*
BIEF, m. V. *canal, étang,*
*moulin.*
BIELLE, f. V. *machine, auto-*
*mobile, axe.*

**Bien,** m. V. *possession, suc-*
*cès, beau.*
BIEN-AIMÉ. V. *aimer.*
BIEN-ÊTRE, m. V. *riche,*
*commode.*
BIENFAISANCE, f. V. *bienfait,*
*charité, secours.*
BIENFAISANT. V. *bienfait,*
*généreux.*
**Bienfait,** m. V. *bon, au-*
*mône, don.*

---

**Science biblique.** — Livres homologoumènes (authentiques), antilégomènes (apocryphes), deutérocanoniques (reconnus plus tard). — Canon (catalogue des Ecritures), canonique. — Exégèse (explication critique). — Anagogie (interprétation figurée). Gloses, glossateur. Figures. — Herméneutique (explication du sens). — Hagiographie, hagiographe. — LITURGIE. — Loi écrite. La loi et les prophètes. — Textuaire (texte sans gloses). — Bible polyglotte. Tétraples. Hexaples. — Version des Septante. — Vulgate. — Tradition. — Verset. Stichométrie (division en versets).

**Science sacrée hébraïque.** — Talmud, talmudique. Mischna. Gémara. — Talmudiste. Traditionnaire. Caraïte ou Textuaire. — Massore. Massorète, massorétique. — Rabbinisme, rabbiniste. — Cabale, cabaliste, cabalistique. Gématrie. Mercava.

**Autres livres sacrés.** — Edda (livre sacré des Scandinaves). — Sagas (légendes scandinaves). — Coran (de Mahomet). Sourate. Signe ou Verset. — Sunna (livre des traditions musulmanes). — Védas. Pouranas (livres du brahmanisme). — Mahawansa (du bouddhisme). — Râmâyana. Mahâbhârata (épopées hindoues). — Zend-Avesta (des Persans). — Sadder (des Guèbres). — Shinto (de Confucius). Shintoïsme.

## BIEN

**Bien moral.** — Le bien. — Souverain bien. — Bien suprême. — VERTU. — Valeur morale. — Sagesse, SAGE. — MÉRITE, mériter, méritoire. — Honnêteté, honnête, honorable. — Intégrité, intègre. — Bonté, BON. — Délicatesse, DÉLICAT. — Bienfaisance, bienfaisant. — Bienveillance, bienveillant. — Faveur, favorable. — Bienvenue. — Bonheur. — Chance. — Conformité à la raison. — Optimisme, optimiste. — Utopie, utopiste.

**Idée de règle ou de droit.** — Légal, légalité. — Légitime, légitimité. — RÉGULIER, règle. — Réglementaire, règlement. — Dans les formes. — Correct, correction. — Valide, validité. — Licite, licitement. — JUSTE, justice. — Plausible, plausibilité. — EXACT, exactitude. — A point nommé. — A temps. — A propos.

Préfixe *ortho* dans : Orthographe, Orthodoxe, etc.

**Idée de supériorité.** — Supérieur, supérieurement. — Excellent, exceller, excellence. — Parfait, perfection. — Première

qualité. — Merveille, merveilleux. — Avantage, avantageux. — Age d'or.

Divin. — Délicieux. — Exquis. — Ravissant. — Choisi. — Désirable. — Fameux. — Louable. — Impayable. — Inappréciable. — Miraculeux. — Meilleur. — Beau. — Réussi.

Bel et bien. — Comme un ange. — A ravir. — Gentiment. — Habilement. — A merveille. — Le mieux du monde. — Pour le mieux. — Joliment. — Très bien. — Bravo. — Chouette.

**Idée de convenance.** — Etre convenable, convenir. — Décence, décent. Bienséance, bienséant. — Opportunité, opportun. — Pertinence, pertinent. — Euphémisme. — Congru. — Expédient. — Reçu. — De mise. — Séant. — Comme il faut. — PROPRE. — Agréable. — Dûment.

Aller bien. — Faire bon effet. — Seoir, il sied. — Ne pas faire un pli. — Bien tomber. — Ganter. — Cadrer avec. — Coller.

**Bon état.** — De bon aloi. — Marqué au bon coin. — Bonne condition. — Bonne conformation. — Bon ordre, bien ordonné. — Santé, sain. — Valeur, valable. — Solidité, solide. — Utilité, UTILE.

En état. — Bien conservé. — Intact. — Intégral. — Soigné.

Eucrasie. — Euexie. — Eutrapélie. — Eupepsie. — Eurythmie.

**Valeur moyenne.** — Acceptable. — Admissible. — Estimable. — Passable. — Présentable. — Raisonnable. — Recevable. — Satisfaisant. — Sortable. — Suffisant. — Tolérable. — Supportable. — Judicieux. — COMMODE. — Pas mal. — Assez bien. — Vaille que vaille.

**Richesse.** — Chose. Propriété. — Biens meubles, immeubles. Biens-fonds. Biens corporels, incorporels. — Biens vacants, sans maître. Epave. — Biens publics, privés. — Biens dotaux, paraphernaux. Biens de famille. — Biens réservés.

## BIENFAIT
(latin, *beneficium*)

**Sentiments.** — Charité. — Bonté. — Générosité. — Bienfaisance. — Bienveillance. — Grand cœur. — Ame paternelle, maternelle. — Bon vouloir. — Bonne disposition. — Sensibilité. — Dévouement. — Miséricorde. — Pitié. — Munificence. — Largesse. — Obligeance. — Honnêteté. — Aménité. — Affabilité. — Civilité. — Politesse.

BIENFAITEUR, m. Bienfaitrice, f. V. *bienfait, protéger.*
BIEN-FONDÉ, m. V. *certitude.*
BIEN-FONDS, m. V. *terre.*
BIENHEUREUX. V. *bonheur.*
BIENNAL. V. *année.*
BIENS, m. p. V. *propriété, héritage.*
BIENSÉANCE, f. Bienséant. V. *seoir, politesse.*
BIENTÔT. V. *futur.*
BIENVEILLANCE, f. Bienveillant. V. *volonté, aimer, charité, complaisant.*

BIENVENU. Bienvenue, f. V. *recevoir, politesse, plaire, traiter.*
**Bière**, f. V. *boisson, funérailles.*
BIFFER. V. *effacer.*
BIFTECK, m. V. *viande.*
BIFURCATION, f. Bifurquer. V. *fourche, séparer, chemin.*
BIGAME, m. V. *mariage.*
BIGARADE, f. V. *orange.*
BIGARRÉ. V. *varié.*
BIGARREAU, m. V. *cerise.*

BIGARRER. Bigarrure, f. V. *mélange.*
BIGÉMINÉ. V. *plante.*
BIGORNE, f. V. *enclume.*
BIGORNEAU, m. V. *coquillage.*
BIGOT, m. Bigoterie, f. V. *religion, superstition.*
BIGOUDIS, m. V. *cheveu.*
BIGUE, f. V. *poulie.*
**Bijou**, m. V. *beau.*
BIJOUTERIE, f. Bijoutier, m. V. *bijou, orfèvre.*
BILAN, m. V. *compte, finance, commerce.*

---

**Bienfaiteurs.** — Bienfaiteur, bienfaitrice. — Providence des malheureux. — Bourru bienfaisant. — Protecteur. — Patron. — Dispensateur. — Donateur.

Bienfaisant. — Bienveillant. — Charitable. — Généreux. — Obligeant. — Secourable. — Serviable. — Officieux.

**Bienfaits.** — AUMÔNE. — Obole. — Bénédiction du ciel. — DON. — Bienfait. — Bontés. — Générosités. — Largesses. — Gratification. — Bonne œuvre, bonnes œuvres. — Assistance. — Bons offices. — Bons procédés. — Services. — Aide. — Protection. — Appui. — FAVEUR. — Grâce. — Patronage.

Dispenser des bienfaits. — Combler de bienfaits. — Obliger. — Secourir. — Servir. — Donner. — Prendre les intérêts de. — S'employer pour. — Patronner. — Appuyer. — Favoriser. — Rendre service. — Aider. — PROTÉGER. — Assister.

**Assistés.** — Etre redevable. — Avoir une dette envers. — Devoir beaucoup. — Etre obligé, obligation. — RECONNAISSANCE. — Gratitude. — Déférence. — Egards. — Respect. — Obséquiosité.

## BIÈRE

**Les bières.** — Bière blonde. — Bière brune. — Blanquette. — Petite bière. — Bière double. — Bière de Mars. — Bière du Nord. — Bière de Strasbourg. — Bière de Munich, de Pilsen. — Bières belges : Faro. Lambic. — Bières anglaises : Pale ale. Stout. Porter. — Cervoise (bière ancienne). — Saki (bière de riz).

**Fabrication.** — Orge. — Amidon. — Houblon, houblonnage, houblonner. — Alcool. — Acide carbonique. — Eau.

Maltage. — Germination. — Touraille (étuve). Touraillage (dessiccation). — Malt. Touraillon (grain séché, moulu). — Concassage. — Brasser, brassage. — Trempe par décoction. Trempe par infusion. — Décantation. — Clarification. — Premier métier. Second métier. — Moût.

Chaudière. — Cuve. Cuve matière. — Bac. — Brassin. — Réfrigérant. — Tonneau. — Gonne (futaille). — Drêche (marc).

**Vente.** — Brasserie, brasseur. — Café. — Taverne. — Estaminet. — Buvette. —

Bock. Double bock. Demi. Chope. Moos. Canette. — Pompe à pression. — Tirer la bière. — Mousse, mousser. Faux col.

## BIJOU

**Bijoux.** — Anneau. Bague. Alliance. Jonc. — Boucles d'oreilles. Pendants d'oreilles. Dormeuse. — Chaîne. Chevalière. Jaseran. Sautoir. Chaînon d'huissier. — Collier. Rang de perles. Rivière. Coulant. Collier de chien. Pendeloque. — Broche. Agrafe. Saint-Esprit. Crachat. — COURONNE. Bandeau. Diadème. Aigrette. — BOÎTE. Coffret. Tabatière. Etuis divers. — Parure. — Girandole. — Bracelet. — Montre. — Boutons. — Breloque. — Epingles. — Ferronnière. — Chapelet. — Croix. Cœur. Médaillon. Maintenon.

**Matières.** — DIAMANT. — Brillant. — Rose. — Camée. — PIERRES, pierres précieuses, pierreries, semence (menues pierres). — Or. — Argent. — Platine. — EMAIL, émaux. — PERLES. — Corail. — Jade. — Strass. — Verre. — Jais. — Marcassite. — Nacre. — Ambre. — Doublé or. — Plaqué argent. — Cuivre. — Acier.

**Travail.** — Bijou. — ORFÈVRE. — Joaillier. — Lapidaire. — Graveur. — Ciseleur. — Sertisseur. — Nielleur. — Metteur en œuvre.

Monter, montage, monture. — Sertir, sertissage, sertissure. — Souder, soudure. — Ciseler, ciselure. — Graver, GRAVURE. — Mater. Brunir. — Nieller, niellure. — Damasquiner, damasquinage. — Chaton. Enchatonner. — Taille du diamant. Cliver. Tailler à facettes. — Brillanter. — Filigrane. — Griffes. — Intailles.

*Outils :* Balancier. Brucelles. Bouterolle. Cadran. Compas. Dé. Porte-foret. Reperceuse. Repoussoir. TOUR. Touret. Poinçon. Scie. Chalumeau. Drille. Matoir.

Egrisée. Emeri. Colle. Ciment.

**Vente.** — Bijoutier, bijouterie. — Orfèvre, orfèvrerie. — Horloger-bijoutier. — Joaillier. — Diamantaire. — Bimbeloterie. — Verroterie. — Bijoux. — Cadeaux. — Corbeilles de noces.

Bijoutier en faux. — Faux bijou. — Imitation. — Contrôle, contrôler. — Marque, marquer. — Poinçonner.

BILATÉRAL. V. *réciproque.*
**Bile,** f. V. *foie, amer, humeur.*
BILIAIRE. V. *bile.*
BILIEUX. V. *bile, chagrin.*
**Billard,** m. V. *jeu.*
BILLE, f. V. *boule, bois, jeu, billard.*
**Billet,** m. V. *finance, commerce, voyage, théâtre.*
BILLEVESÉE, f. V. *vain.*
BILLON, m. V. *cuivre, labour.*
BILLONNER. V. *labour.*
BILLOT, m. V. *hache, bourreau, boucherie.*
BIMANE. V. *animal, main.*
BIMBELOTERIE, f. V. *bijou.*

BINAGE, m. Biner. V. *labour, répétition.*
BINET, m. V. *charrue.*
BINETTE, f. V. *cheveu, jardin.*
BINEUSE, f. V. *charrue.*
BINIOU, m. V. *cornemuse.*
BINOCLE, m. V. *œil.*
BINOCULAIRE. V. *œil.*
BINÔME, m. V. *algèbre.*
BIOGRAPHE, m. Biographie, f. V. *vie, histoire.*
BIOLOGIE, f. V. *vie, microbe.*
BIPARTITION, f. V. *séparer.*
BIPÈDE, m. V. *animal, pied.*
BIPLAN, m. V. *aéronautique.*
BIQUE, f. V. *chèvre.*

BIRÈME, f. V. *galère.*
BIS. Bisser. V. *répétition, applaudir.*
BIS. V. *couleur.*
BISAÏEUL, m. V. *parent.*
BISANNUEL. V. *année.*
BISBILLE, f. V. *dispute.*
BISCAÏEN, m. V. *balle.*
BISCORNU. V. *difforme, corne.*
BISCOTTE, f. V. *pain, boulanger.*
BISCUIT, m. V. *boulanger, pâtisserie, porcelaine.*
BISCUITÉ. V. *pain.*
BISE, f. V. *vent, froid.*
BISEAU, m. V. *oblique, angle, ciseau, orgue.*

---

## BILE
(grec, *cholê*)

**Physiologie.** — Foie. — Bile. Amer. Fiel.
— Vésicule biliaire ou Cholécyste. — Canal
cholédoque. — Conduit cysthépatique. —
Conduit excréteur. — Flux bilieux. — Sécrétion biliaire, sécréter la bile. — Cap-
sules surrénales. — Acide cholique. — Cholé-
dologie. Biliaire. Hépatique. Cystique. — Cholagogue.

**Maladies.** — Bilieux. — Affection bilieuse. — Fièvre bilieuse. — Calcul biliaire.
— Débordement de bile. Dégorgement. Epanchement. Suffusion. — Polycholie. — Cho-
lose. — Cholélithe (calcul). — Cholorrhée. —
Cholédocite. — Acholie. — Colique hépatique. — Insuffisance hépatique. Déficience
biliaire. — Ictère, ictérique. Jaunisse. Melas-
ictère. — Choléra asiatique, sporadique. —
Choléra-morbus. — Cholérique. — Cholérine. — Fièvre bilieuse hématurique.

**Etat moral.** — Atrabile (bile noire), atrabilaire. Humeur noire. Mélancolie, mélancolique. — Picrochole (qui a la bile amère). —
Fiel, fielleux. — Echauffer la bile. — Epancher sa bile. — Se faire de la bile. Ne pas
s'en faire.

## BILLARD

**L'instrument.** — Billard, billardier. —
Bandes, bande sensible. Blouses. — Table.
Tapis. Corde. Mouche. — Queue. Procédé.
Talon ou Masse. — Billes : Blanches. Rouge.
— Bouchon. Quilles.
Billard chinois. Billard hollandais. Billard
Nicolas. Billard russe.

**Le jeu.** — Jeu de billard. — Partie.
Match. Poule. — Série. — Coup de bas. —
Coup bloqué, bloquer. — Bricoler. — Caram-
boler, carambolage. — Coller, décoller, décol-
lement. — Chicane. — Contre. — Coup dur.
— Doublé, doubler. — Triplet, tripler. —
Effet, effet rétrograde. — Coulé. — Crochet.
— Masser. — Prendre la bille en tête. —
Manque de touche. — Coup de raccroc. —
Piquer la bille. — Queuter. Faire fausse
queue. — Rentrée. — Traîner au Billarder.
— Sauter. — Se perdre. Se blouser.

Poule. Cazin. Royale.

## BILLET

**Valeurs.** — Billet de banque. — Papier-
monnaie. — Banknote. — Assignat. — Billet
à ordre. Billet au porteur. — Cédule. —
Papier de commerce. — Effet de commerce.
— Traite, retraite. — Reconnaissance. —
Mandat. — Lettre de change. — Lettre de
crédit. — Ordonnance. — Chèque. — Compte
de dépôt. — Compte de retour. — Capital.
— Couverture. — Provision. — Valeur en
compte. — Valeur en marchandises. — Warrant. — Valeur en portefeuille. — Obligation. — Bon. — Valeur véreuse. — Carnet
d'échéances. — Coupon.

**Intéressés.** — Banquier. — Cambiste. —
Changeur. — Homme d'affaires — Mandataire. — Porteur. — Preneur. — Accepteur.
— Endosseur. — Escompteur. — Certificateur. — Souscripteur. — Mandant. — Tireur, tiré. — Débiteur. — Créancier. — Mauvais payeur. — Huissier.

**Opérations bancaires.** — Agio. — Chan-
ge. — Commission. — Crédit. — Débit. —
Virement. — Reçu. — Cours, cours forcé. —
Escompte. — Accepter. — Aval, avaliser. —
Endos, endosser. — Caution. — Bénéficiaire.
— Passation, contre-passation. — Echéance.
— Terme. — Délai. Remise. Usance. — Nova-
tion. Renouveler, renouvellement. — Escomp-
ter, escompte. — Souscrire un billet. —
Remboursement. — Présentation. Protêt. Pro-
tester. Recours. — Emettre, émission. —
Tirer, tirer à vue. — Négocier. — Réaliser.

## BITUME

**Les bitumes.** — Bitume liquide, mou,
solide. — Naphte. — Malthe ou Bitume glutineux. — Elatérite ou Bitume élastique. —
Asphalte. Mastic d'asphalte. — Carbure d'hydrogène. — Sol bitumineux. Lac asphaltite.
— Ether minéral fossile. — GOUDRON. —
Lave. — Jais. — Vernis noir. — Guitran
(pour navires).

**Bitumage.** — Bitumer, bitumage, bitu-
mier. — Asphalter, asphalteur. — Goudronner, goudronnage, goudronneur, goudronneuse
(machine). — Chaudière fixe. Chaudière mobile. Brasero. Seau. Brosse. Pilons. Lissoir.
Pochon. Genouillères. Pioche.

BISEAUTÉ. V. *cartes, miroir.*
BISMUTH, m. V. *métal.*
BISON, m. V. *bœuf.*
BISQUE, f. V. *potage.*
BISSAC, m. V. *sac, bagage.*
BISSECTRICE, f. V. *géométrie, ligne, angle.*
BISSER. V. *applaudir.*
BISSEXTILE. V. *année.*
BISTOURI, m. V. *chirurgie.*
BISTRE, m. V. *couleur, noir, teint, suie.*

BISULFITE, m. V. *soufre.*
BITORD, m. V. *corde.*
BITTER, m. V. *liqueur.*
**Bitume,** m. V. *goudron.*
BITUMER. V. *chemin.*
BITUMINEUX. V. *bitume.*
BIVOUAC, m. Bivouaquer. V. *camp, tente, veiller.*
**Bizarre.** Bizarrerie, f. V. *caprice, étonnement.*
BLAFARD. V. *pâle, teint.*
BLAGUE, f. Blaguer. Blagueur,

m. V. *parler, mensonge.*
BLAGUE, f. V. *tabac.*
BLAIREAU, m. V. *fouine, brosse, pinceau.*
BLÂMABLE. V. *blâme.*
**Blâme,** m. Blâmer. V. *punition, accusation.*
**Blanc.** V. *couleur, craie, volaille.*
BLANC-BEC, m. V. *barbe.*
BLANCHAILLE, f. V. *poisson.*
BLANCHÂTRE. V. *blanc, pâle.*

## BIZARRE

**Personnes bizarres.** — Drôle de corps. Etre contrefait. MONSTRE. Phénomène. — BOUFFON. Humoriste. Plaisantin. Fantoche. Farceur. Clown. Mystificateur. — Etre à part. Original. Type. Olibrius. Excentrique. Extravagant. — Lunatique. Maniaque. Halluciné. Fantasque. — Petit-maître. Précieux. Incroyable. Dandy. Gommeux. Snob, etc.

**Choses bizarres.** — Bizarrerie. — Bouffonnerie. — Drôlerie. — Plaisanterie. — Excentricité. — Extravagance. — Singularité. — Monstruosité. — Etrangeté. — Originalité. — Particularité. — Curiosité. — Paradoxe. — Ridicule. — Travers. — Manie. — CAPRICE. — Rêve, rêverie. Songe. — Hallucination. — Choses hétéroclites.

**Manières d'être bizarres.** — Baroque. — Bizarre. — Bigarré. — Biscornu. — Difforme. — Cocasse. — Comique. — Plaisant. — Primesautier. Drolatique. Drôle. — Etonnant. — Surprenant. — Etrange. — Anormal. — Excentrique. — Exceptionnel. — Anomal. — EXTRAORDINAIRE. — Insolite. — Unique. — Original. — PARTICULIER. — Singulier. — Ridicule. — Saugrenu. — Curieux. — Piquant. — Paradoxal. — Monstrueux. — Inimaginable. — Impossible. — Impayable. — NOUVEAU.

## BLÂME

**Réprimande.** — Blâmer, blâmable. — Infliger un blâme. — Jeter le blâme sur. — Désapprouver, désapprobation. — Réprouver, réprobation. — Montrer au doigt. — Condamner, condamnation. — Improuver. — Désavouer, désaveu. — Censure, censurer, censeur. — Reprocher, reproche. — Jugement sévère. — Monition, monitoire.
Admonester, admonestation. — Gronder, grondeur. — Rappeler à l'ordre. — Réprehender. — Reprendre. — Réprimander, RÉPRIMANDE. Savonner, savon, *f.* — Vitupérer. — Remontrer, remontrance. — Donner son paquet. — Bougonner. Donner tort. — Attraper, attrapage. — Chicaner, chicane. — Sermonner, sermon. — Avertir, avertissement. — Objurgation. — Mauvais compliment.

**Raillerie.** — Accommoder. — Accoutrer. — Aiguiser une épigramme. — Brocarder. — Chansonner. — Blasonner. — Draper. — Fronder. — Houspiller. — Décocher un trait. — Larder. — SE MOQUER. — Mordre. — Piquer au vif. — Rabaisser. — Critiquer. — Ereinter. — Saler.

Coup de bec, de langue, de griffe, de dents, de boutoir. — Insinuation. — Malignité. — Moquerie. — Brocard. — Nasarde. — Pointe. — Feu roulant. — Sarcasme. — Critique. — Ereintement. — Raillerie acérée, piquante, mordante, incisive, sardonique.

**Médisance.** — Médire. — Dire du mal. — Trouver à redire. — Trouver mal. — Faire le procès de. — Décharger sa bile, son fiel. — Débiter son chapelet. — Distiller son venin, sa bave. — Cancaner, cancanier. — Dénigrer. — Dauber sur. — Incriminer. — Epiloguer. — Desservir. — Ravaler. — Abîmer. — Déprécier.
Chronique scandaleuse. — Méchancetés. — Cancans. — Diatribe. — Criaillerie. — Dénigrement. — Détracteur. — Langue de vipère, d'aspic.

**Diffamation.** — Couvrir de boue. Traîner dans la boue. — Déchirer. — Calomnier, calomnie. — Diffamer. — Déshonorer. — Entamer la réputation. Perdre de réputation. — Salir. — Ternir. — Discréditer, discrédit. — Flétrir, flétrissure. — Honnir. — Noircir. — Noter d'infamie. — Stigmatiser. — Vilipender. — Traiter sans ménagement. — Décrier. — Eclabousser. — Nuire à. — Maltraiter. — Déblatérer. — Jeter la défaveur sur. — Cabale. — Scandale.

**Attaques violentes.** — Accuser, ACCUSATION. — Jeter l'anathème. — Attaquer. — Apostropher, apostrophe. — Déclamer contre. — S'emporter contre. — Flageller. — Foudroyer. — Fulminer. — Faire la guerre à. — Tomber sur. — Tirer sur. — Tonner. — Jeter la pierre à. — Maudire, malédiction. — Clouer au pilori. — Injurier, injure. — Invectiver, invective. — Huer, huées. — Violente sortie. — Bordée de critiques. — Clameur. — Cri public. — Tollé. — Tirade. — Virulence.

**Critique littéraire.** — Censure. Anastasie. — Chronique, chroniqueur. — Critique. — Un Aristarque. — Folliculaire. — Commenter, commentaire. — Examiner, examen. — Eplucher. — Dénigrer. — Glose. — Libelle. — PAMPHLET. — Satire, satirique. Le fouet de la satire. — Epigramme. — Comédies. — Revues. — Chansons. — Mettre à l'index. — Siffler. — Zoïle.

## BLANC
(latin, *albus ;* grec, *leucos*)

**Couleur blanche.** — Blanc, blanchir. — Blanchâtre, blanchissant. — Blancheur. — Blafard. — Clair. — Chenu. — Gris. —

BLANCHEUR, f. V. *blanc.*
**Blanchir.** V. *nettoyer, laver, bouillir.*
BLANCHISSAGE, m. Blanchisserie, f. Blanchisseur, m. V. *laver.*
BLANC-MANGER, m. V. *mets.*
BLANC-SEING, m. V. *signature, permettre.*

BLANDICES, f. p. V. *cajoler, flatter.*
BLANQUETTE, f. V. *mets, vin.*
BLASÉ. V. *habitude, indifférent, ennui.*
BLASER. V. *dégoût, émousser.*
**Blason,** m. V. *noble.*
BLASPHÉMATEUR, m. Blasphème, m. Blasphémer. V.

*jurer, maudire, impie, injure.*
BLATÉRER. V. *chameau.*
**Blé,** m.
BLÊME. Blêmir. V. *teint.*
BLENDE, f. V. *zinc, terre.*
BLENNORRAGIE, f. V. *humeur.*
BLÉPHARITE, f. V. *œil.*
BLESSANT. V. *déplaire.*

---

PÂLE, pâleur. — Grisonnant, grisonner. — Incandescent (chauffé à blanc). — Lacté, lactescent. — Crayeux. — Lilial. — Neigeux. — Argenté. — Nickelé. — Chromé.

**Choses blanches.** — Aube (du jour). — Aube (de prêtre). — Blanc d'argent. — Blanc de céruse. — CRAIE. — Farine. — Marbre. — Ivoire. — Lait. — Lis. — Neige. — Lin. — Hermine. — Albâtre. — Cygne. — Album. — Albumine. — Leucome (taie). — Leucorrhée. — Une blanche (en musique). — Candeur (blancheur morale).

## BLANCHIR

**Blanchisserie.** — Blanchir, blanchissage, blanchisserie, blanchisseur, blanchisseuse. — Lavandier, lavandière. — Laveur, laveuse. — Lavoir. Baquet. Batadoir. Batte. Battoir. Frottoir. — Bateau-lavoir. — Buanderie. Cuvier. Cuve. Charrier (toile). Pissote (robinet). Brosse. — Lessiveuse domestique. — Lessiveuse mécanique. — Machine à laver. — Essoreuse. — Lessive. Cendres. Soude. POTASSE. Chlore. Eau de Javel. SAVON.

**Blanchissage.** — Lessiver, lessivage. — Faire dégorger. — Essanger. — Encuver. — Couler la lessive. — LAVER, lavage. — Savonner, savonnage. — Brosser. — Rincer, rinçage. — Essorer. — Tordre. — Etendre, étendoir, étendage. — Sécher, séchage, séchoir, sécherie. — Herber. — Etendre sur le pré. — Linge sale. — Linge blanc. — Linge fin. — Gros linge.

**Repassage.** — Repasser, repassage, repasseuse. — Flasque à charbon. — Carreau. Fer à repasser. — Fer électrique.
Passer au bleu. — Empeser, empesage, empois. — Amidonner. — Lisser, lissoir. — Godronner, godron, godronnage. — Tuyauter, tuyaux. — Plisser, pli. — Calandrer, calandre. — Glacer, glaçage.

## BLASON

**Blason.** — Science héraldique. D'Hozier. Armorial. — Armoiries. Armes. Armes parlantes. — Ecu. Ecusson. Cartouche. Panonceau.

**L'écu.** — *Divisions.* Dextre. Senestre. Chef. Pointe. — Canton dextre du chef. Point du chef. Canton senestre du chef. — Flanc dextre. Cœur ou Abîme. Flanc senestre. — Canton dextre de la pointe. Pointe (de la pointe). Canton senestre de la pointe.
*Partitions de l'écu.* Parti. Coupé. Tranché. Taillé. Ecartelé. Ecartelé en sautoir. Gironné. Tiercé en pal. Tiercé en fasce. 6 quartiers. 8 quartiers. 16 quartiers.

**Couleurs.** — *Emaux.* Gueules. Pourpre.

Azur. Sinople. Sable. Orangé. — *Métaux.* Or. Argent. — *Fourrures.* Hermine. Contre-hermine. Vair. Contre-vair. Contre-vair pointé. Vairé. Contre-vairé.

**Pièces honorables.** — Chef. Champagne. Pal. Fasce. Bandé. Barré. Croix. Sautoir. Chevron. Pairle. Gousset. Bordure. Orle. Ecu en cœur. Franc-quartier. Escarre. Canton. Equipollé. Vêtement. Chape. Chausse. Embrasse. Mantel. Giron.
*Rebattements.* Palé. Vergette. Fasce. Burelles. Barre. Bande. Cotices. Jumelles. Chevronné. Contre-fascé. Echiqueté. Losangé.
*Modifications.* Dentelé. Vivré. Bastillé. Engrêlé. Componé. Bretessé. Aiguisé. Alésé. Rompu. Potencé. Vidé. Trescheur.

**Meubles.** — Besant. Tourteau. Billette. Macle. Croissant. Fleur de lis. Griffon. Licorne. Salamandre. Sirène. Sauvage. Dextrochère. Tête de Maure. Foi. Aquilon. Lion. Léopard. Hure. Rencontre. Agneau pascal. Dauphin. Couleuvre. Aigle. Alérion. Canette. Merlette. Phénix. Tour. Château. Huchet. Rais d'escarboucle. Vires. Cep de vigne. Quintefeuille. Tiercefeuille. Epis. Clef. Etoile. Crancelin. Armes à enquerre.
*Ornements.* Tenants. Terrasse. Supports. Couronne. Soutiens. Cimier. Couronne murale. Devise. Cri. Timbre. Lambrequins. Manteau. Collier. Tortil.

**Etat de pièces ou meubles.** — Accolés. Accorné. Adossés. Ajouré. Alternés. Arraché. Barbé. Becqué. Brochant. Cantonné. Caudé. Couard. Cousu. Diffamé. Ecimé. Empiétant. Enté. Fiché. Fleurdelisé. Fruité. Gringolé. Issant. Lampassé. Mouvant. Ondé. Passant. Patté. Semé. Sommé. Surmonté. Volté.

## BLÉ

**Les Blés.** — Graminées. — Céréales. — Dons de Cérès. — Blé. — Froment. — Seigle. — Méteil. — ORGE. — Escourgeon. — AVOINE. — Sarrasin ou Blé noir. — MILLET. — Maïs. — Sorgho. — Riz. — Ægilops (blé sauvage).
Blés barbus. Blés sans barbe. Blés tendres. Blés durs. Blés poulards ou renflés. Epeautres. Blé de Pologne. Blé amidonnier. Blé pharaon. Blé miracle. Blé garagnon. Blé géant. Blé d'automne (gros grain). Blé de printemps (menu grain). Blé en herbe. Blé sur pied ou Empouille. Blé coupé ou Dépouille.

**Détail du blé.** — Racines. — Tige. — Balle. Glume. — Grain. — Barbe. — Chalumeau. — Chaume. — PAILLE. — Bourriers. — Eteule. — Feurre. — EPI. — Gruau. — FARINE. — Son. — Amidon. — Fane. Pampe.

BLESSER. V. *blessure.*
**Blessure,** f. V. *battre.*
BLET. V. *mou.*
**Bleu.** V. *couleur.*
BLEUÂTRE. V. *bleu.*
BLEUIR. V. *bleu.*
BLINDAGE, m. Blinder. V. *abri, navire.*
BLOC, m. V. *amas, automobile.*
BLOCAGE, m. V. *remplacer.*
BLOCAILLE, f. V. *remplissage.*

BLOCKHAUS, m. V. *abri.*
BLOCUS, m. V. *siège.*
BLOND. V. *couleur.*
BLONDE, f. V. *dentelle.*
BLONDIN, m. V. *enfant.*
BLONDIR. V. *cheveu.*
BLOTTIR (SE). V. *retraite, posture.*
BLOUSE, f. V. *habillement.*
BLUET, m. V. *fleur.*
BLUTAGE, m. Bluter. V. *moulin, farine.*

BLUTOIR, m. V. *tamis.*
BOA, m. V. *serpent, vétérinaire.*
BOBÈCHE, f. V. *chandelle.*
**Bobine,** f. V. *fil, dévider.*
BOBINER. V. *bobine.*
BOBO, m. V. *plaie, souffrir.*
BOCAGE, m. V. *arbre, forêt.*
BOCAL, m. V. *pharmacie.*
BOCK, m. V. *bière.*
**Bœuf,** m. V. *bestiaux.*
BOGIE, m. V. *chemin de fer.*

---

**Culture.** — Chaumer ou Déchausser. — Labourer, LABOUR. — Attelage. Tracteur. — Emblaver, emblavure, remblaver. — Sillons. — Semence. Sélection. Chaulage, chauler. — Semer, semeuse, semoir. — Herser, herse. — Rouler, rouleau. — Sarcler, sarclage.

**Maladies du blé.** — Mauvaises herbes. Ivraie. Agrostide. — Insectes. Teigne. Cosson. Beauvotte. Charançon, charançonné. — Aiguillon. — Carie, se carier. — Brouissure, brouis. — Charbon, charbouillé. — Cloque, cloqué. — Nielle, niellé. — Brûlure, brûlé. — Moucheture, moucheté. — Urédo. — Rouille. — Rachitisme.

Blé bisé, bouté, bruiné, gras, versé.

**Moisson.** — Moissonner, moissonneur. — Faucheur. Faux. — Couper. Scier. Faucille. — Moissonneuse-lieuse. — Javeler, javelle. — Gerber, gerbe, gerbée. — Glaner, glane, glaneur. — Battre, battage, batteuse mécanique. Fléau. — Effaner. Eventer le blé. Cribler. Vanner, VAN. — Tarare. — Grange, grenier. — Meule. — Maie. — Manier le blé. Pelleter, pelletage. — Silo. — Mouture.

### BLESSURE
(latin, *vulnus ;* grec, *trauma*)

**Blessure en général.** — Blesser, blessé. — Cribler de blessures. — Blessure grave. — Grièvement blessé. Mortellement blessé. — Mutiler, mutilation, mutilé. — Amputer, amputation, amputé. — Estropier, estropié, estropiat. — Infirme, infirmité. — Eclopé. — Invalide. — Manchot. — Boiteux. — Aveugle. — Borgne. — Vulnérable. Invulnérable.

**Plaies et contusions.** — BATTRE. — Frapper. — Contusionner. — Meurtrir. — Dénuder. — Ecraser. — Broyer. — Léser. — Eborgner. — MORDRE. — Percer de coups. — Couper. — Entailler. — Déchiqueter. — Ecorcher. — Balafrer. — Assommer. — Ereinter.

Bleu. — Bosse. — Contusion. — Meurtrissure. — Plaie contuse. — Dénudation. — Pinçon. — Ecchymose. — Escarre. — Lésion. — Morsure. — PLAIE. Plaie saignante, purulente. Gangrène. — Balafre. — Coupure. — Entaille. — Estafilade. — Estocade. — Cicatrice. — Ecorchure. — Mauvais coup. — Coup d'épée, de poignard, de couteau, etc. — Coup de feu. — Hémorragie.

**Luxations et fractures.** — Se casser le cou. — Se casser un membre. — Fracture, fracturer. Fracture comminutive. Apocope. Enthlase (du crâne). — Désarticulation, désarticuler. — Distorsion. — Entorse. — Membre démis. — Déhanchement. — Déboîtement. — Tour de reins. — Nerf tressailli. — Effort. — Ecart. — Hernie. — Luxation, luxer. Ectopie. Impaction. Epointure (d'un chien). — Froissement, froisser. Elongation. — Fouler, foulure. — Fêler, fêlure. — Esquille. — Mortifier. Pocher un œil. Noir. — Rupture, rompre un membre. Fracasser. — Choc.

**Soins médicaux.** — Hôpital. — Ambulance. — Infirmerie. — Clinique. — Salle de malades. — Salle d'opérations. — Chirurgien. — Médecin. — Infirmier, infirmière. — Interne. — Radioscopie. Radiologie. — Médecine opératoire. — Opérations chirurgicales. Patient. Panser, pansement. Ouate. Bandes. BANDAGES. Asepsie. Antisepsie. — Réduire, réduction. Taxis. Extension. Rebouteur. Rhabilleur. — Traumatisme, traumatique. Recoudre. — Orthopédie. Appareils. — Mécanothérapie.

### BLEU

**Couleur bleue.** — Azur, azuré, azurescent, azurin. — Bleu ardoise. — Bleu barbeau. — Bleu marine. — Bleu d'outre-mer. — Bleu de roi. — Bleu de Prusse. — Bleu cendré. — Bleu de ciel. — Bleu pastel. — Bleu foncé. — Gros bleu. — Indigo. — Pers. — Glauque. — Bleuâtre. — Bleuir.

**Choses bleues.** — Azuline. — Cendres bleues (carbonate de cuivre). — Cobalt. — Cyanite. — Cyanure. — Gaz cyanogène. — INDIGO. — Inde. — Indulines. — PASTEL. — Tournesol. — Sels de cuivre. — Bouillie bordelaise.

*Pierres bleues :* Turquoise. Saphir. Lapislazuli. — Marbre turquin. Lazulite. — *Fleurs bleues :* Bleuet. Myosotis. Gentiane bleue. Iris. Pervenche. Violette.

### BOBINE

**Tissage.** — Bobine, bobinage, bobiner, bobineuse. — Espolin, espole, espoleur. — Canette, canetière. Canon. — Banque. Canal (caisses à bobines). — Rochet. Roquette. Rostein (bobines). — Broche. Fuserolle. Coulette. — NAVETTE. — DÉVIDER, dévidoir.

**Autres métiers.** — Fuseau, fusiforme. — Fusée. — Marionnette (de rouet). — Casseau (à dentelle). — Cazelle. Chanterelle. Chapeau (de tireur d'or). — Echignole (de passementier). — Touret (de cordier). — Toulette (à filet). — Brodoir. — Bobine d'induction.

Bogue, f. V. *châtaigne.*
Boguet, m. V. *voiture.*
Bohème. V. *pauvre, débauche.*
Boire. V. *eau, soif, ivre, attirer.*
Bois, m. V. *forêt, plante, arbre, cerf, menuisier.*
Boisage, m. Boiser. V. *bois, mine.*

Boiserie, f. V. *bois, menuisier.*
Boisseau, m. V. *mesure, vaisseau, robinet.*
Boisselier, m. Boissellerie, f. V. *vaisseau, tamis.*
Boisson, f. V. *ivre.*
Boite, f. V. *coffre, emballer, automobile.*

Boiter. V. *marcher, difforme, cheval.*
Boiterie, f. Boiteux. V. *boiter.*
Boitier, m. V. *horloger.*
Boitiller. V. *boiter*
Bol, m. V. *vaisselle, tasse, vase.*
Bolchévick, m. V. *Russie.*

---

## BŒUF

**Bœufs.** — Ruminant. — Bœuf. — Taureau. — Bouvard. — Bouvillon. — Bœuf de labour, de trait. — Vache. — Génisse. — Veau. — Taure. — Taurillon. — Buffle. — Bubale. — Bufflonne. — Buffletin. — Aurochs. — Urus. — Zébu. — Yack. — Bison. — Jumart (métis de taureau et jument).

Race bovine. — Races de Durham, bretonne, charolaise, normande, agenaise, hollandaise, limousine, gasconne, comtoise, poitevine, de Salers, de Schwitz, etc.

**Particularités du bœuf.** — Corps. Tête. Cornes. Museau. Mufle. Babines. Barbillons. Fanons. Poitrail. — Triple estomac. Rumination. — Dentition. — Onglons. — Pis de la vache. — Amer ou Fiel. — Bouse.

Poil blanc, noir, roux, rouan, pie, truité, caillé, bonnet, fauveau, blaireau, etc.

*Cri.* Meugler, meuglement. Beugler, beuglement. Mugir, mugissement.

*Maladies.* Pléthore. Fièvre aphteuse. Peste bovine. Charbon. Lèpre des bœufs ou Boa. — Vétérinaire.

**Viande de bœuf.** — Boucherie. Boucher. Abattoir. — Quartiers. Viande. Gras. Maigre. Persillé.

*Morceaux.* Côtes couvertes. Côtes découvertes. Entrecôte. Plate côte. Filet. Faux-filet. Aloyau. Rumsteck. Culotte. Gîte à la noix. Paleron. Crosse. Tranche. Bavette. Flanchet. Poitrine. Queue. Joues. Collet. Surlonge.

*En cuisine.* Rosbif. Bifteck. Bœuf bouilli. Bœuf à la mode. Bœuf de conserve. Corned beef. Singe (argot militaire). — Bœuf boucané.

**Ce qui concerne le bœuf.** — Bouverie, bouvier. Bouvril. — Elevage. Embouche, emboucheur. — Cheville (vente en gros), chevillard. — Touche, toucheur. Gaucho. Cowboy. — Course de taureaux. Tauromachie. Toréador. Picador. — Sacrifices de bœufs. Hécatombe. Taurobole. — Travail des bœufs. Joug. Collier. Sonnaille. Aiguillon. — Insectes de bœufs. Bupreste. Tique. — Piquebœuf (oiseau). — Nerf de bœuf.

## BOIRE

**Passion de boire.** — Boissons. Vins. Alcools. Liqueurs. Culte de Bacchus, bachique. — Débauche. — Ivresse, s'enivrer. Ebriété. — Etre ivre, aviné, en ribote. — Ivrognerie, ivrogne. — Soûlerie, soûl, soûlard. — S'imbiber, biberon. — Boire comme un chantre, une éponge, un Polonais, un

tonneau, un trou. — Lever le coude. — Faire des libations. — Chopiner. — Caresser la bouteille. — Pinter. — Boire sec. — Bambocher. — Gobelotter. — Soiffer. — Avoir le gosier sec, la dalle en pente. — Vider les bouteilles, les verres, les tasses. — Boire à tire-larigot. — Prendre une cuite. — Cuver son vin. — Alcoolisme. — Delirium tremens. — Intoxication éthylique.

**Façons de boire.** — Se désaltérer. — Boire à petites gorgées. — Buvoter. — Goûter. Déguster. — Humer. Aspirer. — Se gargariser. — S'ingérer. — Ingurgiter. — Absorber. — Avaler. — Lamper, lampée. — Boire d'un trait. — Sabler. — Boire à la régalade. — Boire à même la bouteille. — Boire à la ronde. — Entonner. — Pomper. — Siroter. — Laper. — Siffler une bouteille. — Boire au tonneau. Buffeter.

**Usages et gens.** — Prendre une boisson, un breuvage, de l'eau, une potion. — Vin buvable. Eau potable. — Payer une consommation, un canon, un verre, un litre. — Payer et Boire la goutte. — Offrir des rafraîchissements. — Boire à la santé. Porter une santé. Porter un toast — Choquer les verres. Trinquer.

Verres de circonstance. Coupe. Flûte. Timbale. Gobelet. Hanap. Vidrecome.

Etancher sa soif. — Se rafraîchir. — Buveur d'eau. Abstème. — Société de tempérance. — Ligue antialcoolique.

Garçon de café. Sommelier. — Buvetier. Cantinier. — Echanson. — Consommateur. Dégustateur. Buveur. Pilier de café. — Pourboire.

## BOIS
(latin, *lignum*)

**Nature du bois.** — Texture. Cœur. Moelle. Couches concentriques. Rayons médullaires. Aubier. Liber. Ecorce. — Fibres, fibreux. Ligneux. Veine, veineux. — Bois de débit. Bois de refend. Bois de fil. Bois de bout. Bois tranché. Bois pelard. Bois en grume. — Bois sec. Bois vert. Bois mort. — Bois dur. Bois fin. Bois exotique. Bois de teinture. Bois résineux.

Défauts du bois. Cadran. Carie. Cambium. Flache. Gale. Rogne. Loupe. Malandre. Madrure. Moulinure. — Bois pouilleux, racheux, grumeleux, tortillart, noueux, gélif, rogneux, pourri, vermoulu. — Insectes xylophages. Artison. Perce-bois. Vers.

Etre d'une belle venue. — Se déjeter. — Travailler. — S'échauffer. — Se lignifier. — Se vermouler.

**Abattage et transport.** — Abattre, abattis. — Déboiser, déboisement. — Vente. — Coupe. — Stéréométrie. Dendromètre. Cubage. Mètre. Compas. — Bûcheron. Hache. Scie mécanique. Passe-partout. Coin. Entaille. — Tronçonnage. — Ecorchage. Traînage. — Griffes. — Cric. — Chaîne à patin. — Manipulation mécanique. — Transport par triqueballe, par diable, par fardier, par chariot, par bateau. — Schlittage. Glissoire. — Téléphérage. Câbles. — Flottage à bûches perdues, à TRAINS, à radeaux, américain. — Débarder, débardeur.

**Industrie du bois.** — Travail du bois. — Bille, billette. — Boiserie. Lambris. Moulure. Lames de parquet. Huisserie. — Cartelle. PLANCHE. Latte. Planchette. Douvain. Merrain. Feuilles de placage. — Charpente. Madrier. Poutres. Pannes. Chevrons. Solives. — Boisage, boiser. Etai de mine. Poteau de mine. Ecoperche. Boulin. — Traverses de chemin de fer. — Cercles de tonneau. Distillation du bois. Acides. Alcools. Vinaigre. Goudron.

**Bois de chauffage.** — Bois combustibles : Chêne. Charme. Hêtre. Bouleau. Frêne. Orme. — Fendeur de bois. Casseur de bois. Merlin. Coin. — Scieur de bois. Scier. Scier en 2, 3, 4 traits. — Bûches. Quartiers. Rondins. — Cotret. Margotin. FAGOT. Broutilles. Falourde. Bourrée. Copeaux. — Corder, cordeur. Membrure. Mouler, moulage. — Stère. Corde. Brasse. Voie. — Bûcher. Chantier. Combustibles. Charbon de bois. Lignite.

**Bois d'œuvre.** — Bois de charpente, de menuiserie, d'ébénisterie, de boissellerie, de tonnellerie, de carrosserie, de charronnage, de placage.

**Essences.** — Abricotier. Faux acacia. Acajou. Ailante. Alisier. Amandier. Amarante. Amboine. Amourette. Anis. Aune. Bouleau. Brésil. Buis. Caliatour. Camagon. Campêche. Cayenne. Cèdre. Cerisier. Charme. Châtaignier. Chêne. Citron. Citronnier. Corail. Cormier. Cyprès. Cytise. Ebène. Epinevinette. Erable. Bois de fer. Frêne. Fusain. Gayac. Gommier. Hêtre. Houx. If. Marronnier. Mélèze. Merisier. Mûrier. Muscadier. Noyer. Œil-de-perdrix. Olivier. Orme. Palissandre. Perdrix. Peuplier. Picaut. Pin blanc. Pitchpin. Platane. Poirier. Pommier. Prunier. Rhodes. Robinier. Rose. Rouge de sang. Sainte-Lucie. Santal blanc, citrin, rouge. Sapin. Sappan. Satiné. Sauvageon. Sureau. Teck. Thuya. Tilleul. Violet.

## BOISSON
(latin, *potio*)

**Boissons alcooliques.** — Alcools. — Spiritueux. — Cognac. Fine Champagne. Armagnac. Eau-de-vie. — Eaux-de-vie de fruits. Kirsch. Prune. Prunelle. Abricot, etc. — Eau-de-vie de marc. — LIQUEURS fortes. Rhum.

Kummel. Genièvre. Anisette. Whisky. Vodka. — Apéritifs. Vermouth. Absinthe. Cocktail. — Punch. Grog. — Elixir. Cordial. Vulnéraire. — Force alcoolique. Degré d'alcool.

**Boissons fermentées.** — VIN. Grand vin. Petit vin. — Vin sec. Vin doux. Vin mousseux. Vin de liqueur. — Vin de fruits. Vin de raisins secs. — Vin de palme. — Nectar. — Sabayon. — Piquette. — Hydromel. — Kéfir. — Kwass. — BIÈRE. Bière forte. Petite bière. — Cidre. Cidre de pommes. Cidre de poires ou Poiré. — Cidre mousseux. — Vins pharmaceutiques. Vins toniques.

**Infusions et eaux.** — Infusion, infuser. — CAFÉ. Café noir. Café au lait. Café turc. — Thé. Thé de Chine. Thé de Ceylan. Thé d'Annam. — Maté. — Décoction. Tisane. — Camomille. — Verveine. — Tilleul. — Menthe. — Eau de riz, d'orge, de gruau. — Dilution.

Eau de source. Eau fraîche. Eau filtrée. — Eau de Seltz. — Eaux minérales : Vichy. Vittel. Saint-Galmier. Evian. Contrexéville. Saint-Nectaire, etc.

**Boissons sucrées.** — SIROP. — Orgeat. — Limonade. — Orangeade. Lait de vache. Lait d'ânesse. Lait de chèvre. — Potion. Emulsion. Julep. Looch. — Lait de poule (aux œufs). Lait d'amandes. — CHOCOLAT à l'eau, au lait. — Rafraîchissements. — Eau rougie. — Abondance. — Coco. — Liquides acidulés. — Soda. — Boissons aromatisées. — Boissons glacées. Glaces. Sorbets.

## BOÎTE

**Boîte en général.** — Boîte en bois, en carton, en métal, en porcelaine. — Fond. Parois. Couvercle. Charnière. Doublure. Serrure. Gorge. Onglet. — Cartonnier. Carton. — Casier. Case. Tiroir. — COFFRE. Coffret. — Ecrin. Etui. — Enveloppe. Layette. — Capsule. — Caisse. — Emballage. — Pochette.

Monteur, monter. — Assembleur, assembler. — Layetier. — Tabletier. — Coffretier. — Emballeur.

**Boîtes spéciales.** — Bonbonnière. Drageoir. — Tabatière. — Baguier. — Onglier. — Nécessaire. — Boîtier. Droguier. — Trousse. — Giberne. — Tirelire. — Fourreau. Gaine. — Coutelière. — Sixain (six boîtes les unes dans les autres). — Tronc (des pauvres). — Poubelle (à ordures). — Châsse (à reliques). — Boîte à épices. — Boîte à thé, à café, à sel, etc. — Boîte à lait. — Boîte à outils. — Boîte à compas. — Boîte à allumettes. — Boîte à couleurs. — Boîte de conserves. — Boîte de dominos. — Boîte à gants. — Boîte à cigares. — Etui à cigarettes. — Boîte à poudre. — Boîte à boutons. — Boîte aux lettres. — Boîte à charbon. — Boîte de Pandore.

**Bon.** V. *doux, patience, généreux, garant.*
BONACE, f. V. *mer, calme.*
BONASSE. V. *bon, céder, mou.*
BONBON, m. V. *confiserie.*
BONBONNIÈRE, f. V. *boîte.*
BON-CHRÉTIEN, m. V. *poire.*
BOND, m. V. *saut.*
BONDE, f. V. *tonneau.*
BONDÉ. V. *plein.*
BONDIR. Bondissement, m. V. *mouvement.*
BONDON, m. V. *fromage.*

**Bonheur,** m. V. *plaisir, bien.*
BONHOMIE, f. V. *simple.*
BONHOMME, m. V. *bon, vieux.*
BONI, m. V. *gain, plus.*
BONIFICATION, f. Bonifier. V. *compte, mieux, compenser.*
BONIMENT, m. V. *bateleur, discours, public.*
BONJOUR, m. V. *saluer.*
BONNE, f. V. *domestique.*
BONNE ŒUVRE, f. V. *aumône.*
BONNET, m. V. *coiffure, bain, ruminant.*

BONNETERIE, f. Bonnetier, m. V. *coiffure.*
BONNETTE, f. V. *voile.*
BONNE-VOGLIE, m. V. *rame.*
BONS, m. p. V. *finance.*
BONSOIR, m. V. *saluer.*
BONTÉ, f. V. *bien, bienfait, charité.*
BONZE, m. V. *prêtre, Chine, Japon.*
BOOKMAKER, m. V. *cheval.*
BOQUETEAU, m. V. *forêt.*
BORAX, m. V. *soude.*

---

Boîte en mécanique. — Boîte de vitesses. — Boîte à billes. — Boîte à graisse.

## BOITER

**Marche fléchissante.** — Boiter, boiterie, boiteux. — Boitiller, boitillement. — Claudiquer, claudication. — Clocher, clochement, à cloche-pied. — Clampiner, clampin. — Cloper, clopiner, clopin-clopant, clopineux. — Éclopé. — Vulcain (dieu boiteux). — Asmodée (diable boiteux).

**Marche très pénible.** — Traîner la jambe. — Se traîner. — Béquillard, béquilles. — Perclus. — Impotent. — Infirme. — Invalide. — Estropié. — Blessé. — Jambe de bois. — Bancal. — Goutteux. — Pied bot. — Entorse. — Fourbu (cheval). — Aggravé (chien).

## BOMBE

**Matériel ancien.** — Bombarder, bombardier. — Bombarde. Mortier. Crapaud. Taupier. — Bombe sphérique. Œil. Fusée. Culot. Anses. — Amplitude. Parabole. Eclater, éclats. Exploser, explosion. — Grenade (bombe à main), grenadier.

**Relatif à la bombe.** — Bombe d'artifice. — Bombe à signaux. — Bombe de casque. — Bombe glacée. — Bombé (en forme de bombe).

**Matériel moderne.** — Gros mortier. — Obusier. — Canon court. — Crapouillot. — Engins explosifs. — Bombe d'avion. — Bombe à ailettes. — Bombe incendiaire. — Obus torpille. — Obus percutant, fusant.

## BON

**Charitable.** — Bon cœur. Cœur d'or. Avoir le cœur sur la main. — Humain, humanité. — GÉNÉREUX, générosité. — Philanthrope, philanthropie, philanthropique. — Altruiste, altruisme. — Sensible, sensibilité, SENTIMENT. — PITIÉ. Compassion. Commisération. — Large. Obligeant. Secourable. — Providence des malheureux, providentiel. — Père des pauvres, paternel. — Fraternité, fraternel. — Compatissant.

**Bienveillant.** — Bienveillant, bienveillance. — Bienfaisant, bienfaisance. — Bon, bonté. — Clément. Indulgent. Longanime. — Fléchissable. Exorable. — Propice. Favorable. Tutélaire. — Bénévole. De bonne volonté. Bien intentionné. — Avoir de la PATIENCE. Fermer les yeux. Excuser.

**Facile à vivre.** — Affable, affabilité. Accueillant. Amène, aménité. — Aimable, amabilité. — Poli, politesse. — Sociable, sociabilité. — Cordial, cordialité. — Bon garçon. Bonne fille. Brave homme. — Serviable, serviabilité. — COMPLAISANT, complaisance. — Familier, familiarité. — Tolérant. — Conciliant. Accommodant. Traitable.

**Vertueux.** — Excellent. — Exemplaire. — Modèle. — Irréprochable. — Ange de bonté. — Auguste. — Divin. — Adorable. — Edifiant. Méritant, mériter, méritoire. — Vertueux, vertu. — PARFAIT, perfection. — JUSTE, justice. — Moral, moralité. — Digne, dignité. — Estimable, estime. — Dévoué, dévouement. — Qui a des qualités. Louable.

**Débonnaire.** — Bon enfant. Bonhomme, bonhomie. Bon diable. — Débonnaire. Bonasse. — Candide, candeur. — Faible, faiblesse. — Bête, bêtise. Bonne bête. — Niais, niaiserie. — Docile, docilité. Soumis, soumission. — Innocent. Inoffensif. — Paterne.

## BONHEUR

**Bien-être.** — Aise, être à l'aise. — Vie heureuse. — Bonne condition. — Bonne position. — Confort, confortable. — Délices, délicieux. — Jouissances, jouir. — Douceurs. — Agréments. — Plaisance. — Jours sereins. — Satisfaction.

Epicurisme, épicurien. — Optimisme, optimiste. — Se donner du bon temps. — Vivre sur un bon pied. — Avoir ses commodités. — Savourer l'existence. — Etre comme un coq en pâte. — Vivre dans un pays de Cocagne.

**Chance.** — Bonne chance, chanceux. — Bonne aubaine. — Bonne occasion. — Coup de bonheur. — Heureux hasard. — Bonne fortune, fortuné. — Bonne veine, veinard. — Heur, heureux, bonheur. — Faveur du sort, favorisé, favori. — Bien inespéré. — Etre un heureux mortel, un heureux coquin.

Opportunité, opportun. — Raccroc, raccrocher. — Providence, providentiel. — Au petit bonheur. — Au hasard. — Porte-bonheur. — Porte-veine. — Etre déguignonné, désensorcelé.

Jouer de bonheur. — Avoir beau jeu. — Etre en veine. — Etre né coiffé. — Avoir de la corde de pendu. — Etre né sous une bonne étoile. — Avoir le vent en poupe. — Retomber sur ses pieds. — Avoir la main heureuse.

BORBORYGME, m. V. *bruit*.
**Bord,** m. V. *côté, limite*.
BORDAGE, m. V. *bateau*.
BORDÉE, f. V. *matelot, navire, artillerie*.
BORDEL, m. V. *prostitution*.
BORDER. V. *bord, coudre, près*.
BORDEREAU, m. V. *compte, finance, état, description*.
BORDS, m. p. V. *rivage, chapeau*.
BORDURE, f. V. *bord, entourer, jardin, tapis*.

BORÉAL. V. *nord, géographie*.
BORÉE, m. V. *vent*.
BORGNE. V. *œil, blessure*.
BORNAGE, m. V. *arpentage*.
BORNE, f. V. *marque, limite*.
BORNÉ. V. *sot*.
BORNE-FONTAINE, f. V. *fontaine*.
BORNER. V. *limite*.
BORNOYER. V. *arpentage, niveau*.
BOSQUET, m. V. *arbre*.
BOSSAGE, m. V. *architecture*.
**Bosse,** f. V. *inégal, difforme,*

*dos, blessure, lier, sculpture*.
BOSSELAGE, m. Bosseler. V. *bosse, orfèvre*.
BOSSETTE, f. V. *harnais*.
BOSSOIR, m. V. *ancre*.
BOSSOLANT, m. V. *pape*.
BOSSU. V. *bosse*.
BOSSUER. V. *bosse*.
BOSTON, m. V. *danse*.
BOT. V. *pied*.
**Botanique,** f. V. *plante*.
BOTANISER. V. *botanique*.
BOTANISTE. V. *botanique*.

---

**Succès.** — Avantage, avantageux. — Gain, gagner. — Profit, profiter. — Bénéfice. — Belle affaire. — Belle opération. — Réussite. — Bien tourner. Prendre bonne tournure. — Parvenir, parvenu. — Trouver son compte. — Se louer de. — Retour de fortune. Se remonter. Se refaire. — Avoir la vogue. — Fleurir, florissant. — Prospère, prospérité. — Etre bien loti. — Recevoir des prix, des félicitations. — Arriver au port.

**Félicité.** — PLAISIR. — Ravissement, ravi. — Enchantement, enchanté. — Béatitude, béat. — Enivrement, enivré. — Exaltation. Extase. Euthymie. Bonheur ineffable. — JOIE, joyeux, réjoui. — Contentement, content. — CALME. Paix de l'âme. — Lune de miel. — Euphorie. — Sérénité. — Jouissance.

Etre bien aise, bienheureux, radieux. — Etre au comble de ses vœux. Etre comblé. — Nager dans la joie. — Monter au septième ciel. — Etre sur un lit de roses. Vivre des jours filés d'or et de soie.

### BORD et BORDURE

**Limite.** — Arête. — Bord. Bordure. — Cercle. Circonférence. — Côte. — Extrémité. — RIVAGE. Littoral. Grève. — Rive. Berge. — Limite. Barrière. — Frontière. — Front de bandière. — Orée (d'un bois). — Lèvre (d'une plaie). — Tranche (d'un livre). — Carnèle (de monnaie). — Contour. — Francbord. — Limbe (d'un astre, d'une fleur). — Haie. — Chemin de halage. — Entrée de porte, de serrure.

Contourner. — Longer. — Limiter. — Déborder. — Ebarber. Rogner.

**Encadrement.** — Cadre. Liteau (côté de cadre). — Cartouche. — Entourage. — Bande. — Zone. — Bordage. — Côté. — Liséré. — Lisière. — Filotière (de vitrail). — Ourlet. — Châssis. — Chambranle. — Chape. — Cimaise. — Marge. — Margelle. — Panneau. — Parois. — Rebord. — Passepartout. — Pourtour. — Tour. — Périphérie.

Encadrer. — Entourer. — Border. — Ourler. — Marger.

**Ornement.** — Bordure. — Chenille. — Cordon. — Crépine. — Effilé. — Feston. — Filet. — Frange. — Passe-poil. — Recouvre-

ment. — Retroussis. — Revers. — RUBAN. — Galon. — Volant. — Feuillure. — MOULURE. — Trait de buis. — Nille (d'un parterre).

Chantourner. — Embordurer. — Festonner. — Border.

Bordures de blason : Orle (filet). Essonnier (double orle). Cyclamor (orle rond). Trescheur (orle étroit). Filière (bordure). Resarcelé (bordé).

### BOSSE
(latin, *gibbus*)

**Difformité.** — Bosse, bossu. — Gibbosité, gibbeux. — Epaules inégales. — Cyphose. Lordose (courbures de l'épine dorsale). — Scoliose, scoliotique. — Rachitisme, rachitique. — Déviation des os. — Gobin (bossu), noué. DIFFORME. — Orthopédie, orthopédiste.

*Animaux à bosse :* Chameau. Dromadaire. Bison. Zébu. — *Bossus légendaires :* Polichinelle. Fée Carabosse. Esope. Triboulet.

**Grosseur ronde.** — Bosselage, bosseler. Bossuer. — Bosse (suite d'un coup). Bossellement. Bosselure. — Enflure. — Tubérosité. — Tumeur. — Rondeur. — Boule. — Ornement en bosse. Ronde bosse. — Bosse crânienne. Avoir la bosse de. — Protubérance. Proéminence. Saillie.

### BOTANIQUE

**Science.** — Botanique. — Histoire naturelle des plantes. — Botanique agricole, industrielle, médicale. — Règne végétal. Flore. — Catalogue des plantes. Familles. Genres. Espèces. Classes. Groupes. — Classification naturelle. Classification artificielle. Taxonomie. — Système de Linné. — Histotaxie. — Variation des caractères.

Anatomie des plantes. — Physiologie végétale. — Phytogénésie. — Phytographie. — Organographie. — Morphologie. — Monographie.

**Travaux pratiques.** — Botaniste. Botaniser. — Herboriser, herborisation, herborisateur. Fascicule. — Dessiccation des plantes. Exsiccata. Herbier. — Jardin botanique. Jardin des Plantes. — Naturaliste. — Préparations. Laboratoire. Loupe. Microscope. Coupes.

Voir PLANTE. ARBRE. FLEUR. FRUIT.

**Botte**, f. V. *chaussure, faisceau, fourrage, escrime.*
BOTTELER. V. *paille.*
BOTTER. V. *botte.*
BOTTIER, m. V. *chaussure.*
BOTTINE, f. V. *soulier.*
BOUC, m. V. *chèvre, barbe.*
BOUCAN, m. V. *bruit.*
BOUCANER. Boucanier, m. V. *viande, fumée.*
**Bouche**, f. V. *dent, four, artillerie.*

BOUCHÉ. V. *sot.*
BOUCHÉE, f. V. *bouche, pain, pâtisserie.*
BOUCHER. V. *fermer, bouteille.*
BOUCHER, m. V. *boucherie.*
**Boucherie**, f. V. *viande.*
BOUCHES, f. p. V. *chaleur, rivière.*
BOUCHE-TROU, m. V. *remplacer.*
BOUCHON, m. V. *liège, bouteille, auberge, fermer.*
BOUCHONNER. V. *cheval.*
BOUCHONNIER, m. V. *fermer.*
BOUCHOT, m. V. *pêche.*
**Boucle**, f. V. *anneau, pli, spirale, nœud, chaîne.*
BOUCLER. V. *boucle.*
BOUCLES, f. p. V. *oreille, cheveu.*
BOUCLETTE, f. V. *boucle.*
**Bouclier**, m. V. *armure, artillerie, abri.*

## BOTTE

**La botte.** — Tige. — Talon. — Semelle. — Contrefort. — Collier. — Revers. — Retroussis. — Genouillère. — Manchettes. — Tirants.

**Les bottes.** — Botte molle. — Botte forte. — Botte à l'écuyère. — Botte Chantilly. — Botte à la hussarde. — Botte de jockey. — Botte à chaudron. — Botte à la Souvarow. — Botte de postillon. — Botte de courrier. — Botte d'égoutier. — Botte de marin. — Botte de caoutchouc. — Demibotte. — Bottine. — Jambart. Grèves (au moyen âge). — Botte de sept lieues.

**Qui concerne la botte.** — Bottier. Botter. — Coiffer une botte. — Botter à cru (sans bas). — Démonter une botte, remontage. — Débotter. Au débotté. — Rebotter. — Tire-botte. — Embauchoir. — EPERONS. Lécher les bottes (flatter). — Graisser ses bottes (être à la mort).

## BOUCHE
(latin, *bucca*, os ; grec, *stoma*)

**Parties de la bouche.** — Cavité buccale. — Muqueuse buccale. — MÂCHOIRE. Maxillaire. — Arcades dentaires. Dents. — Gencives, gingival. — Arrière-bouche. — Muscles buccinateurs. — Lèvres. Coins. — Joues. — LANGUE, lingual. — Palais, palatal. Voûte palatine. — Voile du palais. Piliers du voile. — Glotte. Luette. — Pharynx. Gorge. — Amygdale. — SALIVE. — Haleine.

Gueule. — MUSEAU. — Mufle. — Groin. — Trompe. — Babine. — BEC. — Mandibule. — Suçoir. — Rhizostome.

**Gênes dans la bouche.** — Avoir la bouche amère, mauvaise, pâteuse, sèche, etc. — Aphtes. — Gingivite. — Stomatite. — Scorbut. — Muguet. — Tordre la bouche. — Distorsion. — Hiatus. Bâillement. Oscitation.

**Actions de la bouche.** — Ouvrir, fermer la bouche. — Mâcher. Mastiquer, mastication. — Mordre, morsure. — Engouler. — Se gargariser. — Bâiller, bâilleur. — Bayer, béer, béant, bouche bée. — Baiser. Baisoter. Donner un baiser. — Avoir la bouche en cœur. — Faire le cul de poule. — Faire la moue. — Pincer de la bouche. — Sucer, succion. — VOMIR, vomissement. — Baver. — Cracher. Saliver. — Roter, rot. — Respirer, respiration. — RIRE. Sourire. Rictus. — Parler, parole. — Crier, cri. Gueuler, etc.

**Relatif à la bouche.** — Buccal. Buccolabial. Bucco-pharyngien. — Bouchée. Goulée. Lippée. — Bâillon. Mors. Muselière. — Stomatologie. Collutoire. Rince-bouche. — Aboucher, abouchement. — Etre porté sur la bouche. Avaloire. — Embouchure. Bouches d'un fleuve. — Bouches inutiles. — Officier de bouche. — Bouche à feu. — Oral. — Chrysostome (à bouche d'or). Mal embouché.

## BOUCHERIE

**A l'abattoir.** — Tuer, tueur. — Abattre, abattage. — Assommer. Masque. Merlin. Maillet. — Pistolet. — Souffler, soufflet. Bouffer, bouffoir. — Habillage. — Brochage. — Dépouillement. — Découpage. — Echaudoir. — Fondoir. — VIANDE. Tripes. Triperie. Boyauderie. — Issues. Abats. Déchets. Cornes. Graisses. Boyaux. Peau. — Transport des viandes. Tinet (suspensoir). Crochet.

**A la boutique.** — Boucher, bouchère. — Etalier, étal. — Accrocher. — Décrocher. — Tailler. — Parer la viande. — Peser, pesée. — Réjouissance.

**Outillage.** — Couteau. Gaine. Fusil. — Couperet. Feuille à fendre. — Tranchoir. — Hachette. — Scie à os. — Broche. Cheville. Jambier. Traversin. — Plateau. Billot. Tailloir.

## BOUCLE

**Anneau.** — Boucle, boucler, bouclement. — Boucle de nez, boucler un taureau. — Boucles d'oreilles. Pendants d'oreilles. — Boucles ou Fers. Boucler un matelot. — Anneau de quai. Echaudis. — Parcours en boucle. Boucler la boucle.

**Agrafe.** — Boucle de ceinturon, de soulier, de bretelle, de courroie. — Ardillon. Goupille. Chape. — Fibule. — Mousqueton. — Fermoir.

Agrafer. — Boucler. — Déboucler. — Fermer.

**Spirale.** — Boucle de cheveux. Bouclette. — Frison, friser, frisure. — Ondulation, onduler. — Boucle d'un cours d'eau. — Décrire une boucle.

## BOUCLIER

**Boucliers.** — Boucliers des anciens : Scutum (bouclier long). Clypeus et Parme (boucliers ronds). — Pelte (petit bouclier grec). — Anciles (boucliers sacrés). — Egide (de Minerve).

BOUDDHA, m. Bouddhisme, m. V. *religion, Chine, Inde.*
BOUDER. Bouderie, f. Bouffeur, m. V. *fâché.*
BOUDIN, m. V. *porc, charcuterie, rouleau.*
BOUDINER. V. *tordre.*
BOUDOIR, m. V. *chambre.*
**Boue,** f.
BOUÉE, f. V. *ancre, écueil.*
BOUEMENT, m. V. *emboîter.*
BOUEUR, m. V. *ordure.*
BOUEUX. V. *boue.*
BOUFFANT, m. V. *orner.*
BOUFFARDE, f. V. *pipe.*

BOUFFÉE, f. V. *souffle, fumée, caprice.*
BOUFFER. V. *boucherie.*
BOUFFETTE, f. V. *touffe, ruban.*
BOUFFI. Bouffissure, f. V. *gros, emphase.*
**Bouffon,** m. V. *bateleur, rire, bizarre.*
BOUFFONNERIE, f. V. *bouffon.*
BOUGEOIR, m. V. *chandelle.*
BOUGETTE, f. V. *bourse.*
BOUGIE, f. V. *cire, urine, automobile.*

BOUGON. Bougonner. V. *hargneux, murmure, colère.*
BOUGRAN, m. V. *étoffe.*
BOUILLABAISSE, f. V. *mets.*
BOUILLANT. V. *bouillir, vif, brave.*
BOUILLER. V. *boue.*
BOUILLEUR, m. V. *chaudière, distiller.*
BOUILLI, m. V. *mets.*
**Bouillie,** f. V. *potage, épais, pâte, cuire.*
**Bouillir.** V. *chaleur, cuire, distiller, ferment, colère.*
BOUILLOIRE, f. V. *bouillir.*

---

Ecu. — Rondache. — Rondelle. — Pavois. — Targe. — Target. — Bouclier en amande. — Bouclier d'osier, de cuir.

**Parties.** — Champ (disque). Orle (bordure). Boucle (bosse). Anses. Guiche ou Guige (courroie).

**Relatif au bouclier.** — Clypéiforme. Scutiforme. — Argyraspides (soldats à bouclier d'argent). — Ecuyer (porte-écu). — Faire la tortue (manœuvre de boucliers). — Bouclier de canon. — Bouclier de terrassement.

### BOUE

**Terre détrempée.** — Boue, boueux, boueur. — Crotte, crotté, crotter. — Décrotter, décrottage, décrotteur, décrottoir, indécrottable. — Eclabousser. Garde-crotte. Paillasson. — Ornière. Fondrière. Patauger. Patrouiller. — Lut, luter, lutation, illutation. — Bousin, bousiller, bousillage.

**Vase.** — Bourbe, bourbeux, bourbier. — Terrain éveux. — Vase, vaseux. — Limon, limoneux. — MARAIS. Marécage, marécageux. — Tourbe, tourbière. — Embourber, débourber. — Envaser, envasement, dévaser. — Draguer, drague, dragueur. Cure-môle. — Barboter. — Bouiller (remuer la vase).

**Détritus.** — Immondices. Bourriers. — Bouse. — ORDURES. — Fange. — Saletés. — Lie. — RÉSIDUS. — Moulée (de rémouleur). — Gâchis. Margouillis. — Souille (de sanglier).

Salir. — Souiller. — Se vautrer. — Curer.

### BOUFFON

**Personnages bouffons.** — Baladin. — Bateleur. — Bouffon. — Clown. — Bobèche. — Grime. — Histrion. — Matassin. — Loustic. — Farceur. — Pantin. — Pitre. — Parodiste. — Plaisantin. — Mauvais plaisant. — Fumiste.

Fagotin. — Gautier-Garguille. — Gille. — Gillotin. — Gringoire. — Jeannot. — Jodelet. — Jocrisse. — Paillasse. — Pantalon. — Pierrot. — Polichinelle. — Scapin. — Scaramouche. — Triboulet. — Trivelin. — Turlupin.

**Œuvres bouffonnes.** — Amphigouri. Boniment. Parade. — Charge. Caricature. —

Pont-neuf. Atellanes. Sotie. Farce. — Gaudriole. Joyeusetés. Calembour. Quolibet. Drôlerie. Facétie. — Balivernes. Sornettes. Singeries. — Mime. Pantomime. Mimique. — Bouffonnerie. Turlupinade. Bambochade. Clownerie. — Lazzis. Mascarade. Pasquinade. — Parodie. — Jeux de mots. Bons mots. Mots d'esprit. — Comédie bouffe. Opéra bouffe. Vaudeville.

**Actions bouffonnes.** — Bouffonner. — Faire rire. Donner la comédie. Plaisanter. Divertir. — Grimacer. Ridiculiser. Caricaturer. Singer. Charger. — SE MOQUER. Gouailler. — Batifoler. Baliverner. Folichonner. — Folâtrer. Badiner. — Dire des bêtises. — Batelage. Matassiner. Turlupiner. Babouiner. — Se déguiser. Se travestir. — S'ébaudir. Se gaudir. — Parader. — Parodier. — Pasquiner.

**Caractère bouffon.** — Facétieux. — SPIRITUEL. — Folichon. Folâtre. — Badin. Gai. — Risible. — Grossier. Gras. Vil. Bas. — Insipide. Froid. Plat. Bête. — Joyeux. Plaisant. Rabelaisien. — Ridicule. Grotesque. Burlesque. — Baroque. BIZARRE. — Amphigourique. Macaronique. — Comique. Parodique. Drôle. Drolatique. — Trivial.

### BOUILLIE

**Bouillies.** — Bouillie de gruau, d'avoine, de sarrasin, de sésame, de bananes. — Brouet. — Crème de riz. — Gaude. — Miliasse. — Pilaf. — Polenta. — Atole. — Couscous. — Soupe.

**Choses détrempées.** — Pâte, pâtés, pâteux. — Pulpe, pulpeux. — Purée. — Compote. — Emplâtre. — Empois, empeser. — Magma. — Pudding. — Emplâtre. — Liquides visqueux, pultacés. — Bouillie bordelaise, bourguignonne (pour vignes).

### BOUILLIR

**Etre en ébullition.** — Bouillir, bouillant. — Ebullition. Bulles. Vapeur. — Bouillonner, bouillonnement, gros bouillons. Ecume. — Bouillotte. Bouilloire. Coquemar. Samovar. Bain-marie. — Mijoter. — Mitonner. — Ebullition spontanée. — Effervescence. — Fermentation, fermenter. — Frémir, frémissement.

BOUILLON, m. V. *bouillir, potage, journal.*
BOUILLONNEMENT, m. Bouillonner. V. *bouillir, mouvement, colère.*
BOUILLOTTE, f. V. *bouillir.*
BOUJARON, m. V. *bouteille.*
**Boulanger,** m. V. *pain.*
BOULANGERIE, f. V. *pain.*
**Boule,** f. V. *sphère, rond, bosse, pain.*
BOULEAU, m. V. *arbre.*
BOULEDOGUE, m. V. *chien.*
BOULER. V. *pigeon.*
BOULES, f. p. V. *jeu.*
BOULET, m. V. *artillerie, cheval, charbon.*
BOULETTE, f. V. *amas, appât, avaler.*
BOULEVARD, m. V. *ville, chemin, défendre.*
BOULEVERSEMENT, m. Bouleverser. V. *renverser, désordre, trouble, malheur.*
BOULIER, m. V. *calcul.*
BOULIMIE, f. V. *faim.*
BOULIN, m. V. *perche.*
BOULINGRIN, m. V. *boule, herbe.*
BOULINS, m. p. V. *maçon, pigeon.*
BOULOIR, m. V. *chaux.*
BOULON, m. Boulonner. V. *clou, axe.*
BOUQUET, m. V. *fleur, touffe, vin, pyrotechnie.*
BOUQUETIN, m. V. *chèvre.*
BOUQUIN, m. Bouquiner. V. *livre.*
BOURBE, f. Bourbeux. V. *boue.*
BOURBIER, m. V. *sale.*
BOURBILLON, m. V. *pus.*
BOURCETTE, f. V. *salade.*
BOURDALOU, m. V. *chapeau, urine.*
BOURDE, f. V. *erreur, mensonge.*
BOURDON, m. V. *bâton, miel, cloche, imprimerie.*
BOURDONNEMENT, m. Bourdonner. V. *bruit, chant, oreille.*
BOURG, m. Bourgade, f. V. *pays, village.*
BOURGEOIS, m. Bourgeoisie, f. V. *ville, classe, peuple.*
**Bourgeon,** m. V. *plante, feuille, fleur.*
BOURGEONNER. V. *bourgeon.*
BOURGMESTRE, m. V. *magistrat.*
BOURGUIGNOTTE, f. V. *coiffure, casque.*
BOURLINGUER. V. *navire.*
BOURRADE, f. V. *choc.*
BOURRAGE, m. V. *garnir.*
BOURRASQUE, f. V. *vent.*
**Bourre,** f. V. *laine, soie,*

---

Faire par ébullition. — Bouillie. Bouilli. Bouillon, gras, maigre, d'herbes, pointu. — Blanchir. — Ebouillir (diminuer). — Débouillir (une étoffe). — Ebouillanter, ébouillantage (des cocons). — Fondre, fonte. — Bouillir (distiller). Bouilleur de cru. Bouilleur ambulant.

## BOULANGER

**Travail.** — Boulangerie, boulanger, boulangère. — Fournier. Mitron. Gindre.

*Panification.* Délayer la pâte. Bassiner. Pétrir. Malaxer. Brier. Fraser. Contrefraser. Manipuler. Escocher. Tourer. Peser. Faire lever. — Chauffer le four. Braise. — Enfourner. Défourner. — Cuire, cuisson. Faire cuire. — Repasser au four.

Porter le pain, porteuse de pain.

**Matériel.** — Manutention. — Tablier. Cotteron. — Pétrin. Huche. Maie. — Pétrin mécanique. Malaxeur. — Tamis. Blutoir. Etouffoir. Tour. Rouleau. Coupe-pâte. Dépecoir. Doroir. — Fournil. FOUR. — Ecouvillon. Ebraisoir. Râble. Fourgon. Pelle à enfourner. — Levain. Levure. — Paneton. Couches en toile. — Comptoir. Couteau à pain. Brosse à pain.

**Produits.** — PÂTE. — Fournée. — PAIN. Pain frais. Pain rassis. — Pain rond, long, fendu. — Pain blanc. Pain bis. Pain complet. Pain de seigle. Pain de gruau. — Petits pains. Baguette. Flûte. — Croissant. Biscotte. Gressin. — PÂTISSERIE. — Biscuit. — Pain bénit. — Pain azyme.

## BOULE

**Jeux de boules.** — Boule. Cochonnet. Boule de mail. — Boule de quilles. — Jeu de boule. Boulingrin. Mail. Courte-boule.

Avoir la boule. — Coup de début. — Jouer à l'appui. — Jouer fort. — Piéter. — Poquer. — Noyer sa boule. — Pointer. — Tirer.

**Jeux de balles.** — Balle élastique. — Balle de paume, de tennis, de golf. — Pelote. Ballotte. — Eteuf. — Ballon de cuir, de caoutchouc. — Ballon de football, de rugby, à main. Paume. Longue paume. — Tennis. — Cricket. — Base-ball. — Balle au mur, au pot, au chasseur. — Pelote basque.

**Objets ronds.** — Balle de plomb. — Bille. — Boulet. — Boulette. — Bombe. — Bulle. — Globe. — Globule. — Grelot. — Oignon. — Peloton. — Pilule. — Pois. — Pomme. — Pompon. — Sphère. — Bulteau, etc.

## BOURGEON

(latin, *gemma ;* grec, *blastos*)

**Le bourgeon.** — Bourgeon. — Bouton. — Jet. — Drageon. — Rejeton. — Pousse. — Broutille. — Gemme. Gemmule. — Œil. — Œilleton. — Maille. — Bourre. — Coton. — Embryon.

**Parties.** — Ecaille. Spathe. Stipule. Surfeuille.

**Bourgeonner.** — Bourgeonner, bourgeonnement. — Boutonner, boutonnement. — Gemmation. — Germer, germination. — Drageonner. — Pousser. — Bourgeon terminal, radical, latéral, adventif.

Bourgeon écailleux, nu. — Bourgeon à bois, à feuilles, à fleurs, à fruits.

**Traitement des bourgeons.** — Eborgner, éborgnage. — Ebourgeonnement, ébourgeonner, ébourgeonnoir. — Ecussonner. — Enter. — Oculer, oculation. — Œilletonner. — Blastogénésie. — Blastographie.

## BOURRE

**Sortes de bourre.** — Bourre de laine, de soie, de COTON. — Bourron. — Feutre. — Lanice (de laine). — Laveton. Tontisse (de drap). — Strasse. Filoselle. Capiton (de soie). — Ploc (de poil). — Ouate. — Kapok. — Etoupe. — Fibre. — PAILLE. — Balle. — Bourrée. — Effiloches. — Déchets. — Rognures de papier.

poil, remplissage, fusil.
**Bourreau,** m. V. *supplice, torture, cruel.*
BOURRÉE, f. V. *fagot, danse, chasse.*
BOURRELER. V. *regret.*
BOURRELET, m. V. *coiffure, saillie.*
BOURRELIER, m. V. *bourre.*
BOURRELLERIE, f. V. *harnais.*
BOURRER. V. *battre, beaucoup, mine, pipe.*
BOURRICHE, f. V. *panier.*
BOURRIERS, m. p. V. *boue, ordure.*
BOURRIQUE, f. Bourriquet, m. V. *âne.*
BOURRIQUET, m. V. *treuil.*

BOURRU. V. *brusque, hargneux, bourre.*
**Bourse,** f. V. *monnaie, finance, sac, chasse.*
BOURSICOTER. V. *bourse.*
BOURSIER, m. V. *bourse.*
BOURSOUFLER. Boursouflure, f. V. *souffle.*
BOUSCULADE, f. Bousculer. V. *pousser, désordre, multitude.*
BOUSE, f. V. *excrément.*
BOUSILLER. V. *gâter.*
**Boussole,** f. V. *aimant, nord.*
BOUT, m. V. *finir, dernier, après.*
BOUTADE, f. V. *vif, brusque, spirituel.*

BOUT-DEHORS, m. V. *mât.*
BOUTE-EN-TRAIN, m. V. *vif, joie, cause.*
**Bouteille,** f. V. *verre, vase, vin.*
BOUTER. V. *mettre.*
BOUTEROLLE, f. V. *orfèvre.*
BOUTE-SELLE, m. V. *cavalerie.*
**Boutique,** f. V. *magasin.*
BOUTIQUIER, m. V. *commerce.*
BOUTOIR, m. V. *sanglier.*
**Bouton,** m. V.* *fermer, habillement, fleur, bourgeon.*
BOUTONNER. V. *bouton, bourgeon.*
BOUTONNEUX. V. *bouton.*
BOUTONNIÈRE, f. V. *bouton.*

---

### Emplois de la bourre.

— Bourrer, bourrage, bourrelet, bourrois. — Bourrelier, bourrellerie. — Embourrer, embourrure. — Rembourrer, rembourrage. — GARNIR, garniture. — Remplir, remplissage. — Ouater. — Feutrer. — Matelasser. — Calfater. — Capitonner. — COUSSIN. Coussinet. Matelas. Oreiller. Douillette. — Bourru. — Tire-bourre. Débourrer.

### BOURREAU

**Haute justice.** — Bourreau. — Exécuteur des hautes œuvres. — Aide. — Valet. — Tortionnaire. — Tourmenteur juré.

Echafaud. — Guillotine. — Hache. Couperet. Billot. — Potence. — Garrot. — Lacet. — TORTURE. Question.

**Fonctions.** — Supplice, supplicier. — Exécuter, exécution. — Guillotiner. — Pendre, pendaison. — Décapiter. — Electrocuter. — Rouer. — Ecarteler. — Torturer. — Appliquer la question.

### BOURSE

**Porte-monnaie.** — Bourse, bourson, boursicot, boursillon. — Tirants ou Cordons de bourse. Coulants de bourse. — Bourse pleine. Bourse plate. — Ouvrir sa bourse. — Fouiller dans sa bourse. — Bursaire. Bursiculé (en forme de bourse).

Aumônière. — Gousset. — Ceinture. — Escarcelle. — Gibecière. — Sac. — Réticule. — Poche, pochette. — Bougette. — Portemonnaie. Porte-or. Porte-billets. — Portefeuille. — Sacoche.

**Finances.** — Bourse des valeurs. — Bourse du commerce. — Bourse du travail. — Boursier. Opérations de bourse. Agent de change. Banquier. Coulissier. Remisier. — Corbeille. Parquet. — Clearing-house. — Boursicoter. — Financier, finances, financer. — Trésorier, trésorerie. — Débours, débourser. — Emboursement, embourser. — Remboursement, rembourser.

Bourse (allocation). Bourse d'études. Bourse de voyage.

### BOUSSOLE

**Instrument.** — Boussole. Aiguille aimantée. Aimant. Pivot. Chape. Balancier. Aiguille astatique. Cadran ou Indicateur. — Habitacle. Chaudron d'habitacle. — Compas. Cap de compas. — Lest. — Rose des vents. Rumb des vents. — Volet (petite boussole).

**Données.** — Azimut magnétique. — Equateur magnétique. — Polarité. Pôle nord. Pôle sud. — Déclinaison, déclinatoire. — Inclinaison. — Déviations. Perturbations. Variations. — Verticité.

### BOUTEILLE

**La bouteille.** — *Parties.* Anneau. Collet. Col. Goulot. Ventre. Panse. Cul ou Fond.

Bouteille de verre, de grès, de faïence, etc. — Bouteille clissée. — Bouteille bordelaise, champenoise, bourguignonne. — Bouteilles à liqueurs.

**Bouteilles diverses.** — Buire. — Burette. — Carafe. — Carafon. — Damejeanne. — Fiasque. — Flacon. — Ampoule. — Bocal. — Fiole. — Gourde. — Matras. — Cruchon, cruche. — Rouleau. — Canette. — Litre. — Boujaron. — Pichet. — Chopine. — Flacon tubulé. — Flacon gradué. — Siphon. — Huilier. — Vinaigrier. — Tourie.

**Qui concerne les bouteilles.** — Caviste. Tonnelier. Sommelier. Boutillier. — Mettre en bouteilles. Entonnoir. Tapette. — Cacheter. Cire. Etiquette. — Boucher. Bouchon, bouchonnier. — Coiffer, coiffe. — Laver. Rincer. Egoutter. — Déboucher. Tirebouchon. — Vider. Vidange. — S'éventer. — Panier à bouteilles. — Fêler, fêlé. Tesson.

### BOUTIQUE

**Installation.** — Maison de commerce. — Magasin. — Boutique. — Maison. — Etablissement. — Succursale. — Fonds. — Agence. — Factorerie. — Officine. — Baraque. — Echoppe. — Loge foraine. — Déballage.

Comptoir. — Etalage. Etal. — Vitrine. — Devanture. — Montre. — Rayon. — Enseigne. — Marquise. — Store. — Fermeture. Volet. Rideau.

BOUTS-RIMÉS, m. p. V. *poésie*.
BOUTURE, f. V. *rejeton, plante, planter*.
BOUVARD, m. V. *bœuf*.
BOUVERIE, f. V. *bœuf*.
BOUVIER, m. V. *berger*.
BOUVILLON, m. V. *bœuf*.
BOUVREUIL, m. V. *oiseau*.
BOVIN. V. *bœuf*.
BOX, m. V. *cheval*.
BOX-CALF, m. V. *cuir*.
BOXE, f. Boxer. Boxeur, m. V. *combat, gymnastique*.
BOYARD, m. V. *Russie*.
BOYAU, m. V. *intestin, canal, abri*.
BOYAUDERIE, f. Boyaudier, m. V. *charcuterie, boucherie*.
BOYCOTTER. V. *prohiber*.
BRABANT, m. V. *charrue*.
BRACELET, m. V. *bijou, bras*.
BRACHÉLYTRE. V. *aile*.
BRACHIAL. V. *bras*.
BRACHYCÉPHALE. V. *tête*.
BRACHYLOGIE, f. V. *court*.
BRACONNER. Braconnier, m. V. *piège, chasse*.

BRACTÉE, f. V. *feuille, fleur*.
BRADYGRAPHIE, f. V. *abrégé*.
BRADYPEPSIE, f. V. *digestion*.
BRAHMA, m. Brahmane, m.
Brahmanisme, m. V. *Inde, religion*.
BRAI, m. V. *goudron, houille*.
BRAIE, f. V. *habillement*.
BRAILLER. V. *cri*.
BRAIMENT, m. Braire. V. *âne*.
BRAISE, f. Braiser. V. *charbon, feu, cuire*.
BRAMER. V. *cerf*.
BRANCARD, m. V. *voiture, porter*.
BRANCARDIER, m. V. *soldat*.
BRANCHAGE, m. V. *branche, arbre*.
**Branche**, f. V. *arbre, division, espèce, famille, ancre, oiseau*.
BRANCHEMENT, m. V. *percher*.
BRANCHER. V. *branche, pendre*.
BRANCHETTE, f. V. *branche*.
BRANCHIES, f. p. V. *respiration, poisson*.

BRANCHU. V. *branche*.
BRANDADE, f. V. *morue*.
BRANDE, f. V. *inculte*.
BRANDEBOURG, m. V. *corde*.
BRANDIR. V. *balancer, épée*.
BRANDON, m. V. *paille*.
BRANÉE, f. V. *porc*.
BRANLANT, V. *trembler*.
BRANLE. m. V. *mouvement, balancer*.
BRANLE-BAS, m. V. *combat, navire*.
BRANLER. V. *secouer, fragile*.
BRAQUER. V. *diriger, gouvernail*.
**Bras**, m. V. *membre*.
BRASER. V. *souder, emboîter, chaleur*.
BRASERO, m. V. *charbon, brûler*.
BRASIER, m. V. *feu, chaleur, brûler*.
BRASILLER. V. *mer*.
BRASSARD, m. V. *bras, manche, insignes*.
BRASSE, f. V. *mesure, bois, nager*.

---

Personnel. — Commerçant. — Boutiquier. — Commis. — Employé. — Etalagiste. — Vendeur, vendeuse. — Calicot. — Garçon de magasin. — Demoiselle de magasin. — Factrice. — Caissier, caissière. — Débitant. — Détaillant. — Déballeur.
Clientèle. — Client. — Acheteur. — Chaland.

Fonctionnement. — Vente. — MARCHÉ. — Trafic. — MARCHANDISES. Stock. Fond de boutique. — Vente au comptant. — Vente à crédit. — Faire l'article. — Exposition. — Occasions. — Soldes.
Pas de porte. — Place. — Patente, patenté. — Tenir un commerce. — Ouvrir une boutique. — Fermer boutique. — Cessation de commerce. — Liquidation. — Faillite.

## BOUTON

Boutonnage. — Bouton. — Boutonnière. — Bouton de bois, d'os, de corozo, de métal, de verre, de porcelaine. — Boutons à trous, à queue. — Olive. — Œillet. — Patte. — Bride. — Fermail. — Agrafe. — Porte. — Aiguillette. — Brandebourg. — Freluche. — BOUCLE.

Fabrication. — Boutonnier, boutonnerie. — Patenôtrier. — Moule. Tracer les moules. Emporte-pièce. Echignole. Perçoir. Tas. — Calotte. Patin. Garniture. Parer. Jeter en soie.

Usage. — Boutonner, boutonnement. Déboutonner. — Attacher. Détacher. — Lacer. Délacer. — Agrafer. Dégrafer. — Fermer. — Accrocher. — Boucler. — Tire-bouton.

Vésicules. — Boutonnement, boutonner, boutonneux. — Vésicule. — Pustule. — Boutons cutanés. — Boutons d'acné. — Boutons d'herpès. — Boutons de fièvre. — Rougeole boutonneuse.
Boutons de fleurs, de branches.

## BRANCHE
(latin, *ramus*)

Sortes de branches. — Branche. — Mère branche. — Branche gourmande. — Fausse branche. — Branchage. — Bois. — Eperon. — Rameau. — Ramille. — Ramage. — Courson. Crochet. Moignon (branches taillées). — Pousses. Cépée. Jet. REJETON. Lambourde. — Pampre. Sarment. Crossette. Vrille. — Bri ées. Broutilles. Volards. — Chablis. — Gaule. Baguette. Scion — Palme. Palmette.

Dispositions. — Axillaire. — Branchu. — Diffus. — Divariqué. — Fourchu. — Sarmenteux. — Rameux. — Entrelacé. — Verticillé. — Touffu. — Fourni. — Feuillu. Fourche. Fourchon. Enfourchure. — Embranchement. — Ramification. — Ramure. — Verticille.

Arboriculture. — Bouture. Plançon. Plantard. — Marcotte, marcotter. — Provin, provigner, provignement. — Emondage, émonder. — Taille, tailler. — Elagage, élaguer. — Abattis, abattre. — Coupe, couper. — Bourrée. Fagot. Ramée.

## BRAS
(latin, *brachium*)

Le bras. — Bras, brachial. — Epaule. — Aisselle ou Gousset. — Humérus, huméral. — Cubitus, cubital. Brachio-cubital. — Radius, radial. Radio-cubital. — Biceps. Triceps. — Haut du bras. — Avant-bras. — Coude, coudée. — Poignet. — Saignée.

BRASSÉE, f. V. *bras.*
BRASSER. V. *bras, bière.*
BRASSERIE, f. Brasseur, m. V. *bière, auberge.*
BRASSIÈRES, f. p. V. *courroie, enfant.*
BRASSIN, m. V. *cuve, bière.*
BRAVACHE, m. V. *fanfaron.*
**Bravade**, f. V. *fanfaron, mépris.*
**Brave.** V. *fermeté.*
BRAVER. V. *moquer, mépris, résister.*
BRAVO, m. V. *applaudir.*
BRAVOURE, f. V. *brave.*
BRAYER, m. V. *maçon, cloche.*
BREAK, m. V. *voiture.*
BREBIS, f. V. *mouton.*
BRÈCHE. f. V. *entaille, casser, siège, marbre.*
BRÈCHE-DENT. V. *dent.*
BRÉCHET, m. V. *poitrine.*
BRÉDISSURE, f. V. *mâchoire.*
BREDOUILLE. V. *échouer.*

BREDOUILLEMENT, m. Bredouiller. V. *parler, prononcer.*
BREF. V. *court.*
BREF, m. V. *pape, calendrier.*
BRÉHAIGNE. V. *stérile.*
BRELAN, m. V. *cartes.*
BRELOQUE, f. V. *bijou, tambour.*
BRETAUDER. V. *cheval.*
BRETELLE, f. V. *épaule, courroie, fusil, habillement.*
BRETTE, f. V. *épée.*
BRETTEUR, m. V. *escrime.*
BRETTURE, f. V. *dent.*
BREUVAGE, m. V. *boisson.*
BRÈVE, f. V. *musique, syllabe.*
**Brevet**, m. V. *convention, nomination, université.*
BREVETER. V. *brevet.*
BREVEUX, m. V. *pêche.*
BRÉVIAIRE, m. V. *liturgie.*
BRÉVIROSTRE. V. *bec.*
BRIBE, f. V. *fragment, reste, vain.*

BRIC-À-BRAC, m. V. *commerce, marchandises.*
BRICK, m. V. *navire.*
BRICOLE, f. V. *courroie, porter, harnais, cheval.*
BRIDE, f. V. *harnais, cheval, bande, chapeau, charpente.*
BRIDER. V. *contrainte, cuisine, vainqueur.*
BRIDGE, m. V. *cartes, dent.*
BRIDON, m. V. *harnais.*
BRIGADE, f. V. *troupe.*
BRIGADIER, m. V. *police.*
BRIGAND, m. Brigandage, m. V. *bandit, voleur, pillage, crime.*
BRIGANTIN, m. V. *navire.*
BRIGANTINE, f. V. *voile.*
BRIGUE, f. Briguer. V. *chercher, intrigue, complot.*
BRILLANT, m. V. *diamant.*
BRILLANT. V. *briller, beau, spirituel, style, regard.*
BRILLANTER. V. *briller, bijou.*

---

Dextrochère, *bl.* (bras droit). Senestrochère, *bl.* (bras gauche).

**Usage.** — Serrer dans ses bras. Etreindre. — Embrasser, embrassement, embrassade. — Etre droitier, gaucher, manchot. — Croiser les bras. — Jeter à pleins bras. — Enlacer, enlacement. — Donner le bras. — Aller bras dessus, bras dessous, à bras ballants. — S'accouder. — Coudoyer. — Porter à bras tendus. — Brasser, brasse, brassée. — Traîner à bras. — Abraquer (tirer à bras). — Brandir.

**Ornements.** — Bracelet. Jaseran. Gourmette. — Fanon, *bl.* — Brassard. — Crêpe. — Chevron. — Epaulette. — Galons. — Echarpe. — Mitaine. — Gant. — Manipule (de prêtre). — Bras de chemise, bras retroussés. — MANCHE.

### BRAVADE

**Actes de bravoure.** — Action d'éclat. — Exploit. — Prouesse. — Bravade. — Affronter le péril. — Faire bonne contenance. — Défier le danger. — Payer de sa personne. — S'exposer. — Faire ses preuves. — Braver. — Crâner. — Faire face. — Tenir tête. — Se montrer. — Tenir bon. — Attendre de pied ferme. — Vendre cher sa vie. — N'avoir pas froid aux yeux. — Aller de l'avant. — S'armer de courage. — Prendre courage. Reprendre courage.

Respirer le courage. — RANIMER le courage. — Enhardir. — Aguerrir. — Encourager. — Rassurer. — Retremper.

### BRAVE

**La bravoure.** — Vaillance. Valeur. Bravoure. Cœur. — Courage. Courage à toute épreuve. Héroïsme. Intrépidité. Invincibilité. — Fermeté. Assurance. Sang-froid. — Stoïcisme. Force morale. Force d'âme. — Ardeur. Chaleur. Sang chaud. — Fougue. Furie. Audace. Hardiesse. Témérité. — Crânerie. Front. Nerf. — Résolution. Décision. — Prouesse. Générosité.

**Les braves.** — Héros, héroïne. — Homme d'action. — Homme de tête. — Homme de cœur. — Un brave. Un brave à trois poils. — Un preux. — Une rude épée. — Un guerrier. — Un luron. — Un mâle. — Un lion. — Un loup de mer. — Un Achille. — Une Amazone. — Un Romain. — Un Spartiate. — Un grognard. — Un poilu. — Un homme déterminé. — Un stoïcien. — Beau joueur. — FANFARON. Bravache. Sabreur.

**Qualités des braves.** — Aguerri. — Belliqueux. — Martial. — Héroïque. — Vaillant. — Valeureux. — Courageux. — Brave. — Crâne. — Intrépide. — Ardent. — Bouillant. — Fougueux. — HARDI. — Téméraire. — Invincible. — Indomptable. — Inébranlable. — Stoïque. — Ferme. — Décidé. — Eprouvé. — Franc du collier. — Chevaleresque. — GÉNÉREUX. — Résistant.

### BREVET

**Diplôme.** — Brevet d'enseignement. — Certificat d'études. — Brevet élémentaire. — Brevet supérieur. — Baccalauréat. — Diplôme, diplômer, diplômé. — Parchemin. — Brevet d'état-major. — Brevet de perfectionnement. — Breveter, brevetable, breveté. — Ingénieur breveté. Architecte breveté. — Postulant. Candidat.

**Reconnaissance d'un droit.** — Commission ou Brevet d'officier. Commissionner. — Concession. — Exequatur. — Brevet d'importation. — Office national de la propriété industrielle. Brevet d'invention. Contrefaçon. — Brevet s. g. d. g. — Lettres patentes. — Lettres de naturalisation. — Lettres de noblesse. — Licence. — Patente. — Nomination. — Titre. — Acte. — Un brevet. — Acte en brevet.

BRILLANTINE, f. V. *cheveu.*
Briller. V. *feu, lumière, succès, gloire.*
BRIMBALE, f. V. *pompe.*
BRIMBALER. V. *cloche.*
BRIMBORION, m. V. *petit.*
BRIN, m. V. *petit, arbre, paille, chanvre.*
BRINDILLE, f. V. *branche.*
BRIO, m. V. *vif, mouvement.*
BRIOCHE, f. V. *pâtisserie.*
Brique, f. V. *argile, maçon.*
BRIQUET, m. V. *feu, sabre.*
BRIQUETERIE, f. Briqueteur, m. V. *brique, tuile.*
BRIQUETTE, f. V. *charbon, tourbe.*
BRISANT, m. V. *écueil, rocher.*
BRISE, f. V. *vent.*

BRISÉE, f. V. *trace, chasse.*
BRISEMENT, m. Bris, m. V. *casser.*
BRISER. V. *casser, angle.*
BRISE - TOUT, m. V. *maladresse.*
BRISURE, f. V. *casser, angle.*
BRITANNIQUE. V. *Angleterre.*
BROCANTE, f. Brocanteur, m. V. *commerce.*
BROCARD, m. Brocarder. V. *moquer, blâme.*
BROCART, m. V. *étoffe, or, broder.*
BROCATELLE, f. V. *marbre.*
BROCHAGE, m. V. *relieur.*
BROCHE, f. V. *rôtir, clou, navette, bobine, pointe, bijou, cerf.*
BROCHER. V. *livre, étoffe.*

BROCHET, m. V. *poisson.*
BROCHETTE, f. V. *clou, cuisine.*
BROCHURE, f. V. *livre.*
BROCOLI, m. V. *chou.*
BRODEQUIN, m. V. *soulier, torture.*
Broder. V. *habillement, mensonge.*
BRODERIE, f. V. *broder.*
BRODEUSE, f. V. *broder.*
BROIE, f. V. *broyer.*
BROME, m. V. *chimie.*
BROMIDROSE, f. V. *puer.*
BROMURE, m. V. *chimie.*
BRONCHER. V. *tomber, choc, cheval, échouer, erreur.*
BRONCHES, f. p. V. *poitrine, respiration.*
BRONCHITE, f. V. *poumon.*

---

## BRILLER

**Être brillant.** — Briller. — Luire, luisant. — Reluire, reluisant. — Etinceler, étincelant. — Flamber. — Flamboyer, flamboyant. — Jeter du FEU. — Chatoyer, chatoyant. — Scintiller, scintillant. — Rutiler, rutilant. — Miroiter, miroitement. — Eclater, éclatant. — Irradier, irradiation.

EBLOUIR, éblouissement. — Refléter, reflet. — Réverbérer, réverbération. — Papilloter, papillotage. — Pétiller, pétillement. — Brasiller, brasillement. — Eclairer, éclairage. — Clarté. Lumière. Coruscation. — Fulgurant. — Vermeil. — Clair. — Transparent.

**Faire briller.** — Illuminer, illumination. — Enluminer, enluminure. — Lustrer, lustrage. — Vernir, vernissage. — Dorer, dorure. — Emailler, émaillage. — Cirer. — Diaprer. — Glacer. — Moirer. — Satiner. — Vermillonner. — Rehausser. — Donner du relief. — Rafraîchir. — Farder. — Apprêter, apprêt. — Tailler une gemme. Brillanter.

**Choses brillantes.** — Astre. SOLEIL. Lune. Etoiles. Météore. — Diamant. Brillant. Pierre précieuse. Bijoux. — Perle. Orient. Eau. — Coloris. Couleur voyante. Couleur vive. — Jour. Lueur. LUMIÈRE. — Flambeau. Lampe. Torche. Fanal. Phare. Lanterne. Projecteur. — PHOSPHORE. Ver luisant. Luciole. — EMAIL. Lustre. — Oripeau. Clinquant. Paillette. — Auréole. — Satin. Moire. Tissu lamé.

**Éclat apparent.** — Apparat. Mener grand train. — Montre. Parade. Paraître. Poudre aux yeux. — Jouer son personnage. Jouer un rôle. Faire figure. — Faire sensation. Faire de l'effet. — Faire florès. Avoir de la VOGUE. — Attirer les regards. Avoir de l'œil. — Etalage. Epate, f. — Faux brillant. Fard. Clinquant. — Apparence. — Affectation. Vanité. — Beauté du diable. Fraîcheur. — Préciosité. Concetti.

**Resplendissement.** — Beauté. — Eclat. — Magnificence, magnifique. — Pompe, pompeux. — Splendeur, splendide. Resplendir,

resplendissant. — Fleurir, florissant. — GLOIRE, glorieux. — Prestige, prestigieux. Renom, renommée. — SUCCÈS. — Supériorité. — Triomphe, triompher, triomphal. — Solennel, solennité, solenniser. — Etre marquant. — Faire merveille. — Se signaler. — Ressortir. — Elevé au pinacle. — Transfiguration. — Grandiose. — Somptueux. — LUXE. Richesse.

## BRIQUE

**Fabrication.** — Briqueterie, briquetier. — Argile. — Corroyage (préparation). — Amaigrissement (au sable). — Engraissement (à la chaux). — Minette (auge). — Buttée ou Marche (quantité à pétrir). — Marcher ou Pétrir au pied. — Moulage, mouler. Calibre. — Parer. — Sécher, séchoir. Etagères. — Selle. — Four. Cuisson.

**Briquetage.** — Brique crue. — Brique cuite. — Brique réfractaire. — Brique émaillée. — Brique pleine. — Brique creuse. — Carreau. — Matton.

Maçonnerie. — Murs. — Cloisons. — Encadrements. — Carrelage.

Briqueter, briqueteur. — Carreler, carreleur. — Briquer (nettoyer à la brique).

## BRODER

**Outillage et matières.** — Métier. Ensouples. Lattes. Garde-main. — Tambour. — Poinçon. — Broche. — Crochet. — Dé. Onglet. — Aiguille. — Navette.
Fond. — Toile. — Canevas. — Dessin. — Tracé. — Patron.
Fils. Fil d'or. Fil d'argent. — Soie. — Coton. — Cartisane. — Ganse. — Lacet. — Cordonnet. — Galon.. — Lames. — Soutache. — Paillettes. — Clinquant. — Cannetille.

**Travail.** — Broderie, broder, brodeuse. — Entoiler. Tracer. Poncer. — Appliquer. — Brocher. — Engrêler. — Chamarrer. — Chiner. — Festonner. — Rembourrer. — Remplir. — Galonner. — Glacer. — Guiper. — Lisérer. — Ombrager. — Piquer. — Escamoter des fils. — Passer les laissés et les pris. — Damasser. — Racher. — Soutacher.

BRONZE, m. Bronzier, m. V. *cuivre, métal, sculpture.*
BROQUART, m. V. *chèvre.*
BROQUETTE, f. V. *soulier.*
**Brosse**, f. V. *balai, pinceau.*
BROSSÉE, f. V. *battre.*
BROSSER. V. *brosse, frotter, nettoyer, peinture.*
BROSSERIE, f. V. *brosse, poil.*
BROSSEUR, m. V. *domestique.*
BROSSOIR, m. V. *maréchal.*
BROU, m. V. *noix, teindre.*
BROUET, m. V. *bouillie.*
BROUETTE, f. V. *porter.*

BROUHAHA, m. V. *bruit.*
**Brouillard**, m. V. *météore, nuage, compte.*
BROUILLASSER. V. *brouillard, pluie.*
BROUILLE, f. V. *fâché.*
BROUILLER. V. *désordre, trouble.*
BROUILLON, m. V. *écrire, imparfait, irréflexion.*
BROUIR. Brouissure, f. V. *gelée, brûler, plante.*
BROUSSAILLES, f. p. V. *arbre.*
BROUSSE, f. V. *forêt.*

BROUTER. V. *paître.*
BROUTILLE, f. V. *branche, petit.*
BROWNING, m. V. *pistolet.*
BROYAGE, m. V. *broyer.*
**Broyer.** V. *dent, chanvre.*
BROYEUR, m. V. *moulin.*
BRU, f. V. *mariage.*
BRUGNON, m. V. *pêche.*
BRUINE, f. Bruiner. V. *brouillard, pluie.*
BRUIRE. Bruissement, m. V. *bruit.*
**Bruit**, m. V. *dispute, public.*

---

**Points.** — Point de sable, d'armes, de cordonnet, de chaînette, de languette, de feston, de remplissage, de bouclette, d'épine, de croix, de trait, triangulaire, de vannerie, coulé, couché.

**Motifs.** — Bouillons. — Festons. — Croisillons. — Fleurs. — Feuillage. — Frisons. — Jaseron. — Nervure. — Jours. — Œil-de-perdrix. — Picot. — Piqûres. — Pois. — Pommettes. — Vermicelle. — Œillets. — Ourlet à jour. — Rivière. — Liséré.

**Broderies.** — Application. — Brocart. — Damas. — Guipure. — Glacis. — Jardinière. — Lisérage. — Engrêlure. — Orfroi. — Plumetis. — Entre-deux. — Lisière. — TAPISSERIE.

Broderie anglaise. — Broderie plate. — Broderie relevée. — Broderie vénitienne. — Broderie Richelieu. — Point coupé. — Point de croix. — Broderie passée. — Broderie rapportée.

## BROSSE

**Fabrication.** — Brosserie, brossier. — Brosserie fine. — Grosse brosserie. — Monture. Loquets. Garniture. Touffes. Manche. Dos. — Chiendent. Fibre. Poil. Soie. Grisard. Fil métallique. Ligneul. Placage.

**Brosses diverses.** — Brosse à habits, à chapeaux. — Brosse à souliers. Décrottoire. Polissoire. — Brosse double. — Brosse à ongles. — Brosse à dents. — Brosse à poudre. — Brosse à cheveux, à barbe. — Brosse douce, rude.

Brosse de peintre. Pinceau. Blaireau. — Etrille. — Ecouvillon. — Goupillon. — Balai. — Tête de loup. — Plumeau. — Epoussetoir. — Brosse à parquet. — Brosse à voiture. — Brosse à cheval. — Brosse à machines. — Brosse de calfat. — Brosse d'imprimerie. — Vergette.

**Usage.** — Brosser, brosseur, brossage. — Donner un coup de brosse. — Décrotter, décrottage, décrotteur. — Cirer, cireur. — Frotter, frotteur. — Etriller. — Epousseter. — Balayer. — Faire reluire.

## BROUILLARD

**Le brouillard.** — Brouillard. Brouillard léger. Brouillard épais. — Bruine. Brouée. Brume. — Temps gras. Crachin. — Embrun. — Frimas. Gelée blanche. Givre. — NUAGE. Nuée. — VAPEURS. Exhalaisons. Fumerolles.

**Qui concerne le brouillard.** — Temps brumeux, brumeux, caligineux. — Ciel couvert, nuageux. — Brouillasser. — Bruiner. — S'embrumer, embrumé. — Se lever. Se dissiper. S'abattre. Se résoudre en pluie. — Eclaircie.

Brumal. — Brumaire (mois du brouillard).

## BROYER

**Action de broyer.** — Ecraser, écrasement. — Broyer. Macquer. — Concasser. — Comminution. — Détriter, détritage. — Egruger, égrugeage. — Emietter, émiettement. — Fouler. Piétiner. — Piler. — Presser. Aplatir. Ecacher. Marteler. — Mâcher. Mâchonner. — Triturer. Lithotritie. Pulpation. — Râper. ROUGE. Confrication. — Moudre. Pulvériser. — Hacher. — CASSER. Briser.

**Instruments.** — Broie. — Macque. — Concasseuse. — Détritoir. — Egrugeoir. — Meule. — MOULIN. — Molette. — Mortier. — Pilon. — PRESSE. — Pulpoire. — Râpe. — Ribe. Teille. Tillotte (pour le chanvre). — Rouleau. Cylindre. — Broyeuse mécanique. — Marteau-pilon.

**Choses broyées.** — Concassure. — Détritus. Débris. — Miettes. — Hachis. — Capilotade. — Pulpe. — Brandade. — Bouillie. — Marmelade. — Pilée. — Egrugeures. — Poudre. — Poussière. — Emincé. — Pâte. — Charpie.

## BRUIT

**Bruits de personnes.** — Bruit assourdissant. — Brouhaha. Tintamarre. — Charivari. Chahut. Tumulte. Vacarme. — Sabbat. Bacchanal. — Tapage. Boucan. Tohu-bohu. Casser les oreilles. — CRIS. Huées. Clameur. Criaillerie. Hourvari. — Musique enragée. Cacophonie. — MURMURE. Gémissement. — Plainte. Soupir. Geignement. — Bagarre. Noise. Querelle. Grabuge. — Cohue. Rumeur. — Eclat. Emoi. Esclandre. — Faire le diable. TEMPÊTER. Pétarader.

Chanter. Chantonner. Fredonner. Siffler. — Borborygme. Poppysme. — Ronflement. Eternuement. — FLATUOSITÉ. Pet. Rot. Souffle.

**Bruits d'animaux.** — Bourdonner, bourdonnement. — S'ébrouer, ébrouement. — Pépier, pépiement. — Gazouiller, gazouillement,

BRÛLÉ. V. *brûler, sec.*
BRÛLE-GUEULE, m. V. *pipe.*
BRÛLE-POURPOINT. V. *brusque.*
**Brûler.** V. *feu, cuire, distiller, chaleur, café, désir, amour.*
BRÛLEUR, m. V. *brûler, lampe, gaz.*
BRÛLOIR, m. V. *cuisine.*
BRÛLOT, m. V. *brûler.*
BRÛLURE, f. V. *brûler, blé.*
BRUMAIRE, m. V. *brouillard.*
BRUMAL. V. *brouillard, saison.*
BRUME, f. V. *brouillard.*
BRUMEUX. V. *brouillard, obscur.*
BRUN. Brunâtre. V. *couleur.*

BRUNE, f. Brunet. Brunette. V. *cheveu.*
BRUNIR. Brunissage, m. Brunisseur, m. V. *peau, polir, bijou.*
BRUNISSOIR, m. V. *orfèvre.*
**Brusque.** V. *subit, inconvenant.*
BRUSQUER. V. *brusque, prompt.*
BRUSQUERIE, f. V. *franc, colère, irréflexion.*
**Brut.** V. *nature, grossier, prix.*
BRUTAL. Brutalité, f. V. *méchant, barbare, violence.*
BRUTE, f. V. *animal.*
**Bruyère,** f.
BUANDERIE, f. V. *laver.*

BUBON, m. V. *peau.*
BUBULER. V. *hibou.*
BUCCAL. V. *bouche.*
BUCCIN, m. V. *trompette.*
BÛCHE, f. V. *bois, cheminée.*
BÛCHER. V. *battre.*
BÛCHER, m. V. *bois, supplice, funérailles.*
BÛCHERON, m. V. *arbre, forêt, tailler.*
BÛCHETTE, f. V. *bois.*
BUCOLIQUE. V. *poésie, berger.*
BUDGET, m. Budgétaire. V. *finance, impôt, dépense.*
BUÉE, f. V. *vapeur.*
BUFFET, m. V. *armoire, vaisselle, orgue, auberge.*

---

gazouillis. — Ronronner, ronronnement. — Roucouler, roucoulement. — Glapir, glapissement. — Grogner, grognement. — Crier, Cri. — Hurler, hurlement. — Bourrir. — Strident. Stridulation.

Cris particuliers d'animaux : V. CRI.

**Bruits de choses.** — Eclater, éclatement. — Exploser, explosion. — Détoner, DÉTONATION. — Résonner, résonance. — Retentir, retentissement. — Fracas. — Coup de tonnerre. — Clapoter, clapotis. — Cliqueter, cliquetis. — Crépiter, crépitement. — Crisser, crissement. — Tinter, tintement. — Bruire, bruissement. — Claquer, claquement. — Craquer, craquement. — Grincer, grincement. — Carillonner, carillon. — Hier, hiement. — Sonner, SON. — Corner, cornement. Fracas. Rumeur. — Pétiller, pétillement. — Brimbaler.

**Onomatopées.** — Cric crac. — Pif paf. — Pan. Pouf. — Din don. — Drelin drelin. — Flic flac. — Tac tac. — Toc toc. — Flon flon.

Froufrou. — Glouglou. — Patatras. — Ronron. — Tic tac.

**Nature des bruits.** — Clair. — Distinct. — Sourd. — Confus. — Strident. — Aigre. — Perçant. — Grave. — Nasillard. — Criard. — Assourdissant. — Etourdissant. — Retentissant. — Eclatant. — Fort. — Plein. — Sonore. — Tonitruant. — Infernal. — Discordant. — Faible. — Etouffé. — Plaintif. — Creux. — Clapoteux. — Sec. — Crépitant. — Subit.

**Instruments à bruit.** — Grosse caisse. Tambour. Tambourin. Timbales.

CLOCHE. Clochette. Sonnette. Timbre. Grelot.

Corne. Trompe. Klaxon. — Claquette. Claquoir. Cliquette. Traquet. Crécelle. Castagnette.

Moulinet. Tourniquet. Cricri.

Sifflet. Sirène. Signaux acoustiques.

Cymbale. Triangle. Chapeau chinois.

**Lutte contre le bruit.** — Assourdir, amortir, étouffer les sons. — Un silencieux. — Se boucher les oreilles. — Imposer le silence. — Marcher à pas feutrés.

## BRÛLER
(latin, *urere*)

**Embrasement.** — Embraser, s'embraser. — Flamme, enflammer, s'enflammer. — Flambée, flamber, flambant. — Ignition. Conflagration. Déflagration. — Brûler, brûlant, brûlé. — Flamboyer, flamboyant. — Inflammable, inflammabilité. — Ardent, arder, ardre, ars.

Crémation, crématoire. — Autodafé. Ignition. — Jeter au feu. — Mettre le feu à. Boute-feu. Brûlot. — Incendie, incendier, incendiaire. — Sinistre, sinistré. — Faire la part du feu.

**Action du feu.** — Calciner, calcination. — Carboniser, carbonisation. — Consumer. — Combustion. — Cinéfier, cinéfaction. — Incinérer, incinération. — Brûler, brûler à petit feu. — Griller. — Rôtir. — Cuire, cuisson. — Fondre, fusion. — Torréfier, torréfaction. Brûler le café. — Roussir. Havir. — Marquer.

**Chauffage.** — Bûcher. — Combustible. Carburant. — Brûler du bois, du charbon, de l'anthracite, de la houille, du coke, de la tourbe, du lignite, du gaz, du pétrole, du mazout, de l'essence.

FEU. — Foyer. — Fourneau. — Cuisinière. — Poêle. — Brasier. — Brasero. — Brûleur. — Appareils à amiante, à terre réfractaire. — Réchaud. — Chaudière. — Allume-feu. — Allumettes. — Extincteur.

**Brûlures organiques.** — Causticité, caustique. — Cautère. Cautériser. Cautérisation. — Adustion, adurent. — ECHAUDER. — VENTOUSE, ventouser. Ventouse sèche, scarifiée. — Cloche. Cloque. Ampoule. Vésicule. — Vésication, vésicatoire. — Inflammation. — Oxydation, oxyder. — Hâle, hâler. — Brouir, brouissure (des plantes).

## BRUSQUE

**Rapidité.** — Brusque, brusquerie, brusqué. — VIF, vivacité. — PROMPT, promptitude. — Incartade. Saillie. Boutade. — Saccade. — Hurluberlu. — *Ex abrupto.* A brûle-pourpoint. De but en blanc. — SUBIT. Soudain. Imprévu.

BUFFETIER, m. V. *auberge.*
BUFFLE, m. V. *bœuf.*
BUFFLETERIE, f. V. *courroie, bande.*
BUGLE, m. V. *instrument.*
BUILDING, m. V. *architecture.*
BUIRE, f. V. *pot, bouteille.*
**Buis**, m. V. *plante.*
BUISSERIE, f. V. *tonneau.*
BUISSON, m. Buissonneux. Buissonnier. V. *arbre, forêt, chasse.*
BULBE, m. Bulbeux. V. *plante, oignon, racine, nerf, cerveau.*

BULLAIRE, m. V. *pape.*
BULLE, f. V. *sceau, gaz, boule, bouillir.*
BULLETIN, m. V. *écrire, commerce, bagage, suffrage.*
BULTEAU, m. V. *arbre.*
BUPRESTE, m. V. *insecte.*
BURALISTE, m. V. *bureau, tabac.*
BURE, f. V. *étoffe.*
**Bureau,** m. V. *drap, meuble, écrire, société, parlement, présider.*
BUREAUCRATE, m. Bureaucratie, f. V. *écrire.*

BURETTE, f. V. *bouteille.*
BURGRAVE, m. V. *Allemagne.*
BURIN, m. Buriner. V. *gravure, ciseau.*
BURLESQUE. V. *bouffon, rire.*
BURNOUS, m. V. *Arabes.*
BURON, m. Buronnier, m. V. *berger.*
BURSAIRE. Bursiculé. V. *bourse.*
BUSARD, m. V. *aigle.*
BUSC, m. V. *habillement.*
BUSE, f. V. *oiseau, fourneau.*
BUSQUÉ. V. *cheval, nez.*
BUSTE, m. V. *sculpture, corps.*

---

**Rudesse.** — Bourru, bourrade, bourrer. — Brut, brutal, brutaliser, brutalité. — Cru, crûment, crudité. — Brusquer, brusquement. — DUR, durement, dureté. — Rude, rudesse, rudoyer, rudânier. — GROSSIER, grossièreté. — Cavalier, cavalièrement. — Franc-parler. — Rembarrer. — Rabrouer. — Rébarbatif. — Verte réprimande. Parler vertement.

**Violence.** — Irritable. — COLÈRE. — Impatient. — Courroucé. — Acariâtre. — HARGNEUX. — Sauvage. — Véhément. — Fougueux. — Violent.

Heurter. — Repousser. — Parler *ab irato.* — Frapper sans crier gare. — Rompre en visière. — Avoir la tête près du bonnet. — Coup de foudre.

### BRUT

**Etat naturel.** — Sans apprêt. Inapprêté. — Brut. Naturel. — Poids brut (opposé à net). Non ouvré. Non taillé. Non travaillé. — Primitif. Primordial. — Vierge. — Tel quel. — Nu. — SIMPLE. — SAUVAGE. — Cru. — Ecru. — Bis. Beige. — Ignorant. — Inculte. — Illettré. — Barbare.

Sucre brut. Champagne brut. Diamant brut. Surge ou Laine brute. — Soie grège. — Drap en haire. — Arbre franc. Sauvageon. — Terre en friche. — Or natif. — Ebauche. — Premier jet.

**Etat grossier.** — Rude, rudesse. — Rond, rondeur. — Vulgaire, vulgarité. — Grossier, grossièreté. — Imparfait. — Inégal. — Raboteux. — Mal dégrossi. — Informe. — MÉDIOCRE. — Rudimentaire. — Abrupt. — Agreste. Rustique. — Lourd. Stupide. — TERNE, terni. — Mat. — Rouillé. — Dépoli. Fruste.

Brute, brutalité, brutal.

### BRUYÈRE

**Qui concerne la bruyère.** — Bruyère cendrée. Bruyère commune. Bruyère du Cap. Bruse. Camarine.

Ericinée. Urcéolée. — Terre de bruyère (pour fleurs). — Racine de bruyère (pour pipes). — Balai de bruyère. — Coq de bruyère ou Tétras. — Terrain bruyéreux. Landes. Brandes. Garigues. Maquis.

### BUIS

**Qui concerne le buis.** — Buissière. — Buxinée. — Buxifolié. — Buis nain. Buis piquant. Buis panaché. — Nille ou Trait de buis (autour des parterres). — Pyxide (boîte antique de buis).

### BUREAU

**Le bureau.** — Bureau (étoffe). — Bureau à écrire. Table-bureau. — Bureau Louis XIV, Louis XV, Louis XVI, Empire. — Bureau ministre. — Bureau à cylindre. — Secrétaire. — Pupitre.

Bureau (pièce de travail). — Meubles de bureau. — Coffre-fort. — Livres. Registres. — Fichier. Casiers. Dossiers. — Machine à écrire. — Fournitures de bureau. — Copie-lettres.

Bureau (d'une assemblée). — Président. Vice-président. Secrétaire. Trésorier. Questeur. Syndic.

**Les bureaux.** — Bureaux d'affaires. — Bureaux d'une compagnie, d'une entreprise. — Bureaux de ministère. — Bureau de douane, de poste, de contributions, de l'enregistrement, des hypothèques. — Bureau de contentieux. — Bureau de contrôle. — Bureau de tabac. — Bureau de placement. — Bureau de recrutement. — Bureau Arabe. — Bureau de la Régie. — Bureau des Longitudes. — Bureau Central. — Bureau auxiliaire. — Administration. — Etude. — Cabinet. — Secrétariat. — Greffe. — Recette. — Economat. — Cabinet. — Bureau de bienfaisance.

**Personnel des bureaux.** — Bureaucratie, bureaucrate. — Fonctionnaire.

Hiérarchie. Supérieur. Inférieur. — Directeur. Chef de division. Chef de bureau. Sous-chef. Rédacteur. Surnuméraire. Expéditionnaire.

Huissier. Appariteur. Garçon de bureau. — Rond-de-cuir. Gratte-papier.

Gérant. Fondé de pouvoirs. Secrétaire. — Econome. — Caissier. Comptable. Teneur de livres. — Commis aux écritures. Dactylographe. — Clerc. Maître clerc. — Buraliste. — Préposé. — Contrôleur. — Inspecteur. — Receveur.

**But,** m. V. *projet, jeu.*
BUTÉ. V. *entêté.*
BUTER. V. *arrêt, cheval.*
BUTIN, m. Butiner. V. *gain, pillage, miel.*
BUTOIR, m. V. *chemin de fer.*
BUTOR, m. V. *oiseau, grossier.*

BUTTE, f. V. *but, haut, montagne.*
BUTTER. V. *jardin.*
BUTURE, f. V. *chien.*
BUTYRACÉ. Butyreux. Butyrique. V. *beurre.*
BUVABLE. V. *boire.*
BUVARD, m. V. *papier.*

BUVETIER, m. Buvette, f. V. *auberge.*
BUVEUR, m. Buvoter. V. *boire.*
BUXIFOLIÉ. V. *buis.*
BUXINÉE, f. V. *buis.*
BYSSUS, m. V. *soie.*
BYZANTIN. V. *grec.*

---

## BUT

**But de tir ou de jeu.** — Objectif. But. Butte. Cible. — Carton. Silhouette. — Mirer. Mire. Point de mire. — Pointer, pointage, pointeur. — Tirer, tir, tireur. — Coucher en joue. Ajuster. — Frapper, toucher, atteindre le but. — Tirer au blanc. — Faire mouche.

But de jeu. — Gardien de but.

**Destination.** — Poursuivre un but. — Prétendre à. — Chercher à. — Tâcher de. — Tendre à. — Viser à. — Se proposer. — Entreprendre. — Courir après. — Diriger ses efforts. — Donner dans.

Aller à. — Venir à. — Gagner. — Se diriger vers. — Se rendre à. — Conduire à.

Atteindre au but. — Parvenir. — Arriver. Arriver à bon port. — Aboutir.

Destination. — Usage. — Utilité.

**Projet.** — Dessein. — Intention. — Visée. — Vue. — But. — Tendance. — Fin. — Pensée. — VOLONTÉ. — Propos. — Rêve. — DÉSIR. — Idée fixe. — Prétention. — Propos.

Complément de but (en grammaire). — Expressions de but : Afin que. Pour que. De peur que. Afin de. Pour. Vers. A l'effet de. Dans le but de.

# C

CAB, m. V. *voiture.*

CABALE, f. V. *Bible, magie, intrigue, complot.*

CABALER. V. *complot.*

CABALISTE, m. V. *Bible, magie.*

CABANE, f. V. *maison.*

CABANON, m. V. *prison, folie.*

CABARET, m. Cabaretier, m. V. *auberge.*

CABAS, m. V. *panier.*

**Cabestan**, m. V. *machine.*

CABILLAUD, m. V. *morue.*

CABINE, f. V. *chambre, navire, bain, aéronautique.*

CABINET, m. V. *chambre, bureau, armoire, toilette, auxiliaires de justice, latrines.*

CÂBLE, m. V. *corde, télégraphe.*

CÂBLER. V. *télégraphe.*

CABOCHE, f. V. *soulier.*

CABOCHON, m. V. *clou.*

CABOTAGE, m. Caboter. Caboteur, m. V. *navire.*

CABOTIN, m. Cabotinage, m. V. *théâtre, bateleur.*

CABRADE, f. V. *cheval, saut.*

CABRER (SE). V. *cheval, colère.*

CABRI, m. V. *chèvre.*

CABRIOLE, f. Cabrioler. V. *saut, danse.*

CABRIOLET, m. V. *voiture.*

CACABER. V. *perdrix.*

CACADER. V. *oie.*

CACAO, m. V. *chocolat.*

CACATOÈS, m. V. *perroquet.*

CACATOIS, m. V. *voile.*

CACHALOT, m. V. *cétacé.*

CACHE, f. Cache-cache, m. V. *cacher.*

CACHEMIRE, m. V. *Inde, étoffe.*

**Cacher.** V. *secret, silence.*

CACHET, m. V. *sceau, marque, cire, élégance, avaler.*

CACHETER. V. *sceau, fermer, bouteille.*

CACHETTE, f. V. *antre, abri, serrer.*

CACHEXIE, f. V. *maladie, abattement, langueur.*

CACHOT, m. V. *prison, punition.*

CACHOTTERIE, f. Cachottier, m. V. *cacher, secret.*

CACHOU, m. V. *gomme.*

CACIQUE, m. V. *Amérique.*

CACOCHYME. V. *mal, maladie.*

CACOGRAPHIE, f. V. *mal, maladie.*

CACOLET, m. V. *harnais.*

CACOPHONIE, f. V. *chant, son, discordant.*

CADASTRE, m. V. *propriété, état, arpentage.*

CADAVÉRIQUE. Cadavéreux. V. *cadavre.*

**Cadavre**, m. V. *mort, corps.*

CADEAU, m. V. *don, offre, fête.*

CADENAS, m. Cadenasser. V. *serrure, fermer.*

CADENCE, f. V. *mouvement, rythme, accord, style, poésie.*

---

## CABESTAN et TREUIL

**Le cabestan.** — Pièces du cabestan : Mèche. Carlingue. Arbre ou Cloche. Amolettes. Chapeau. Barres. Linguet. Taquets. Câble.

Embarrer. — Dévirer le câble. Vires. Virer. Guindeau (de buteur). Guindeau à vapeur. Guinder. — Toue, TOUAGE. — Tournevire (cordage sans fin).

**Le treuil.** — Pièces du treuil : Tambour. Tourillons. Manivelle. — Treuil mécanique. — Treuil des carriers ou Roue de carrière. — Bourriquet (treuil de mine). — Tourniquet.

## CACHER
(latin, *celo*; grec, *crypto*)

**Soustraire aux regards.** — Dérober aux yeux. A la dérobée. — Tirer le rideau. — Voiler, voile. — Masquer, MASQUE. — Déguiser, déguisement. — Couvrir. — Obscurcir, obscurcissement. — Obscurité. OMBRE. Ténèbres. Nuage. — Faire disparaître. — Eclipse. Occultation (d'un astre).

Obscur. — Inaperçu. Invisible. Latent.

**Mettre à l'écart.** — Abriter. — Mettre de côté. — Enfermer. — Serrer. Enserrer. — Fourrer dans. — Enfouir. Enterrer. — Celer. Cacher. — Recéler. — Mettre sous clef.

Cache. — Cachette. — Cave. — Coin. — Recoin. — Enfoncement. — Niche. — Couvert. — ENVELOPPE.

**Cacher des sentiments.** — Cachotterie, cachottier. — Discrétion, discret. — Réserve, réservé. — Dissimulation, dissimulé. — Feintise, feinte. — Hypocrisie, hypocrite. — Fausseté, faux. — Tartuferie, tartufe.

Concentrer ses sentiments. — Rentrer dans sa coquille. — Dévorer ses larmes. — Etre fermé, boutonné. — Garder pour soi. — Faire semblant. — Dissimuler. — Faire le bon apôtre. — Feindre. — Sous-entendre, sous-entendu.

**Cacher des actions.** — Actions occultes, clandestines, furtives. — Manœuvres souterraines. — Agir en secret, en catimini, en tapinois, à l'insu de. — Cacher son jeu. — Sauver les apparences. — Couver un dessein. — Tendre un guet-apens, une embuscade. — Tramer un complot. — Mystère, mystérieux. Subreptice. — Secret. Garder le secret. — Taire. Passer sous silence. Omettre. — Pallier, palliatif. — Gazer. — Mettre la lumière sous le boisseau. — Voyager incognito. — Ecrit anonyme. — Cryptographie. — Sournois, sournoiserie.

**Se cacher.** — Se retirer. RETRAITE. ERMITE. Anachorète. — DISPARAÎTRE. S'éclipser. — Jouer à cache-cache. — Etre aux écoutes. — Se blottir. — Se dissimuler. — Se tapir. — Se motter. — Se clapir. — Se dérober. — Se perdre. — Musser.

## CADAVRE
(latin, *cadaver*; grec, *necros*)

**Corps humain.** — Cadavre, cadavéreux, cadavérique. — Corps. — Dépouille mortelle. — Rigidité. — Lividité. — Os. Ossements. Squelette. Tête de mort. Ossuaire. Restes. Reliques.

Un MORT. — Un noyé. — Un suicidé. — Un supplicié. — Un pendu. — Morgue. Institut médico-légal. — Autopsie. — Dissection. — Amphithéâtre. — Un sujet.

Nécrographie. — Nécrophage. — Nécromant. — Vampire. — Goule. — Danse macabre. — Gémonies.

CADENETTE, f. V. *cheveu, tresse.*

CADET, m. Cadette, f. V. *âge, enfant.*

CADI, m. V. *Arabes.*

CADMIUM, m. V. *métal.*

**Cadran,** m. V. *heure, télégraphe, balance.*

CADRAT, m. Cadratin, m. V. *imprimerie.*

CADRE, m. V. *entourer, tableau, bordure, miel.*

CADRER. V. *accord.*

CADUC. V. *vieux, fragile.*

CADUCÉE, m. V. *Mercure.*

CADUCITÉ, f. V. *tomber, âge.*

CAFARD. V. *hypocrite.*

**Café,** m. V. *fève, boisson, auberge.*

CAFÉ-CONCERT, m. V. *théâtre.*

CAFÉINE, f. V. *café.*

CAFETIER, m. V. *café, auberge.*

CAFETIÈRE, f. V. *café, vaisselle.*

**Cage,** f. V. *oiseau, escalier.*

CAGÉE, f. V. *cage.*

CAGEOT, m. V. *panier, emballer.*

CAGNA, f. V. *Indochine.*

CAGNARD. Cagnarder. V. *paresse.*

CAGNEUX. V. *genou, cheval.*

CAGOT, m. Cagoterie, f. V. *religion, hypocrite.*

CAGOULE, f. V. *masque, pénitence.*

CAHIER, m. V. *papier, écrire, imprimerie.*

CAHOT, m. Cahoter. V. *secouer, saut, choc, voiture.*

CAÏD, m. V. *Arabes, magistrat.*

CAÏEU, m. V. *tulipe.*

CAILLE, f. V. *oiseau.*

CAILLER. V. *lait, épais.*

CAILLETTE, f. V. *estomac, parler.*

CAILLOT, m. V. *sang.*

CAILLOU, m. V. *pierre.*

CAILLOUTAGE, m. V. *chemin.*

CAÏMAN, m. V. *crocodile.*

CAISSE, f. V. *coffre, emballer, tambour, voiture, commerce.*

CAISSETTE, f. V. *boîte.*

CAISSIER, m. V. *commerce, compte, bureau.*

CAISSON, m. V. *bagage, artillerie.*

**Cajoler.** V. *attirer.*

CAJOLERIE, f. Cajoleur, m. V. *cajoler, complaisant.*

CALAMINE, f. V. *zinc.*

CALAMISTRER. V. *pli.*

CALAMITÉ, f. V. *malheur.*

CALAMITEUX. V. *pauvre.*

CALANDRE, f. V. *presse, rouleau.*

## Opérations funèbres. — Veiller un mort, veilleur. — Levée du corps. — FUNÉRAILLES. — Service funèbre. — Cimetière. — Embaumer, embaumement, embaumeur. — Inhumer, inhumation. — Ensevelir, ensevelissement, enterrer, enterrement. — Momifier, momie. Taricheute (en Egypte). — Crémation. Incinération, incinérer. Four crématoire. — Bûcher. — Urne. — Exhumer, exhumation.

**Corps des animaux.** — Carcasse. — Charogne. — Pourriture. — Encaver. — Enfouir. — Brûler. — Ecorcher. — Empailler, empailleur. Taxidermie.

### CADRAN

**Le cadran.** — Surface. Plan. — Aiguille. Sciatère. Style. Index. — Déclinaison. Inclinaison. Réclinaison. — Orientation. — Méridienne (ligne de midi). — Lignes horaires. — Instrument horodictique. — Horographie. — Horométrie. — Sciographie.

**Les cadrans.** — Cadran solaire. — Chronoscope solaire. — Gnomon. — Cadran lunaire. — Pierre des heures. — Cadran catholique, catoptrique, azimutal, équinoxial, polaire.

Cadran de montre, de pendule, d'horloge. — Cadran de boussole, de rose des vents. — Cadrans à divisions, de manomètre, d'ampèremètre, de galvanomètre.

### CAFÉ

**Le café.** — Café (plante). Café (infusion). — Caféier. Caféière. — Plant. Plantation. Planteur. — Grains de café. — Griller. Torréfier, torréfaction. Brûler, brûloir. — Moudre. Moulin. — Passer. Cafetière. Filtre. Percolateur.

Caféine. — Caféone. — Acide caféique. — Caféisme.

**Sa consommation.** — Café (établissement). Café chantant. Café-concert. Estaminet. Bar. — Cafetier. Limonadier. — Garçon de café. Verseur. — Prendre du café. Amateur. Consommateur. — Café noir. Café au lait. Café à la chicorée. Café turc. Gloria. — TASSE. Demi-tasse. — Mazagran. — Comptoir. Plateau. Soucoupe. Verseuse. Sucrier. Cuiller à café. — Bain de pied. Canard. — Sucrer. Remuer. — Pousse-café. — Marc de café.

### CAGE

**Cage d'appartement.** — Cage. Cagette. — Egrenoire. Nichoir. Tournette. Trébuchet. — Barreaux. Auget. Abreuvoir. Mangeoire. Juchoir. Perchoir. — Grain. Plantes. — Encager. Mettre en cage.

**Elevage ou garde.** — Volière. — Aire (à faucons). — Colombier. Pigeonnier. — Cabane. — Faisanderie. — Poulailler. Mue. Cage à poules. — Oiseleur. Oisellerie. — Aviculteur, aviculture. — Cagée.

Cage à lapins. — Cage de ménagerie. — Cage aux lions.

### CAJOLER

**Chercher à plaire.** — Cajoler, cajolerie, cajoleur. — Câliner, câlinerie, câlin. — Caresser, caresse, caressant. — Enjôler, enjôleur. — Complimenter, complimenteur. — En conter. Fleurette. — Gentillesses. Blandices. Sornettes. Douceurs, doucereux. — Faire des avances, des agaceries. — Galanterie, GALANT, galantin. — Minauder, minauderie. — Faire le gracieux. Mignarder, mignardise. — Fadeurs.

**Traiter avec délicatesse.** — Choyer. — Dorloter. — Gâter, gâterie. Enfant gâté. — Mignot (enfant gâté), mignoter. — Elever dans le coton. — Elever à la brochette. — Bichonner. — Chatteries.

Complaisant, complaisance. — Prévenant, prévenance. — Délicat, délicatesse. — Poli, politesse. — Empressé, empressement. — Zélé, zèle. — Urbanité. — Avoir des égards. — Bercer d'espérances, de PROMESSES.

CALANDRER. V. *blanchir, étoffe.*
CALCAIRE. V. *chaux.*
CALCANEUM, m. V. *pied.*
CALCINATION, f. Calciner. V. *feu, brûler.*
CALCIQUE. V. *chaux.*
CALCIUM, m. V. *métal.*
**Calcul,** m. V. *nombre, concrétion, pierre, vessie, bile.*
CALCULATEUR, m. V. *réfléchir.*
CALCULER. V. *économie, devin.*
CALE, f. V. *port, navire.*
CALEBASSE, f. V. *courge.*
CALÈCHE, f. V. *voiture.*

CALEÇON, m. V. *bain, nu.*
CALEMBOUR, m. V. *mot, bouffon.*
CALEMBREDAINE, f. V. *vain.*
CALENDES, f. p. V. *jour, calendrier.*
**Calendrier,** m. V. *chronologie, mois, année.*
CALEPIN, m. V. *note.*
CALER. V. *fixe.*
**Calfat,** m. V. *goudron.*
CALFATER. V. *calfat.*
CALFEUTRER. V. *fermer.*
CALIBRE, m. V. *balle, fusil, artillerie, mesure.*
CALIBRER. V. *mesure.*
CALICE, m. V. *vase, fleur.*

CALICOT, m. V. *coton, tissu.*
CALICULE, f. V. *fleur.*
CALIDUC, m. V. *tuyau.*
CALIFAT, m. Calife, m. V. *Arabes, Mahomet.*
CALIFOURCHON. V. *équitation.*
CALIGINEUX. V. *brouillard.*
CALIGO, m. V. *œil.*
CÂLIN. V. Câliner. Câlinerie, f. V. *délicat, cajoler.*
CALLEUX. V. *dur.*
CALLIGRAPHE, m. Calligraphie, f. V. *écrire.*
CALLIOPE, f. V. *muse.*
CALLOSITÉ, f. V. *peau, dur, nœud.*
CALMANT, m. V. *guérir.*

**Rechercher la faveur.** — Amadouer. — Capter. — Circonvenir. — Courtiser. — Faire sa cour. — Embobeliner. — Flagorner, flagornerie. — FLATTER, flatterie. — S'insinuer, insinuant. — Endormir la méfiance. — Séduire. — Peloter. — Entraîner. — Gagner.
Affectation de sentiments. — Paroles mielleuses, confites. Eau bénite de cour. — Faire le bon apôtre. Faire la chattemite. — Faire patte de velours. — Faire le valet. — Courtisan, courtisanerie. — Obséquieux, obséquiosité. — Souple, souplesse. — Patelin. Archipatelin.

## CALCUL

**Calcul en général.** — Arithmétique. — Calcul, calculer, calculateur. — Calcul mental. — Calcul décimal. — Calcul infinitésimal, différentiel, intégral. — Règle à calcul. — Dactylonomie (calcul sur les doigts). — Barème. — Boulier compteur. — Règle à calcul. — Machine à calculer.
Chiffre, chiffrer. — Chiffres arabes, romains. — Nombres. Nombres simples. Nombres complexes. — Numération. Numérique. — Dénombrer, dénombrement. — Evaluer, évaluation. — Estimer, estimation. — Compte. Comput. — Comptabilité, comptable. — Décompte. Mécompte. — Opération de calcul.

**Règles de calcul.** — Règles d'arithmétique. — Les quatre règles. — Preuve. Preuve par neuf. — Règle de trois. — Règle d'arbitrage. — Règle d'intérêt. — Règle d'alliage. — Règle de proportion.

**Opérations de calcul.** — *Addition.* Additionner. — Colonne. — S'élever à. Monter à. — Montant. Somme. Total, totaliser.
*Soustraction.* Soustraire. — Retrancher. — Retenir, retenue. — Poser. — Reste.
*Multiplication.* Multiplier. Multiplicateur. — Multiplicande. — Facteur. — Produit. — Multiple. — Table de Pythagore.
*Division.* Diviser. — Diviseur. — Dividende. — Divisibilité, divisible. — Décimales. — Fraction, fractionnaire. Numérateur. Dénominateur. — Nombre entier. — Quotient. — Réduire, réduction.

## CALENDRIER

**Calendrier romain.** — Calendes (1er du mois). Nones (7 de mars, mai, juillet, octobre; 5 des autres). Ides (15 de mars, mai, juillet, octobre; 13 des autres). — Fastes. — Féries. — Réforme de Jules César. Années de confusion. Jours complémentaires. — Ménologe (de l'église grecque).
**Calendriers modernes.** — Calendrier grégorien. Ancien et nouveau style. — ANNÉE, annuel. — Mois, mensuel. — SEMAINE, hebdomadaire. — JOUR, journalier. — Année bissextile. Jour intercalaire. — Canon pascal. — Comput ecclésiastique. Fêtes mobiles. Haut. Bas. Terme d'une fête. — Calendrier perpétuel. — Calendrier républicain (1793-1805). Jours sans-culottides. Décades.
Calendrier musulman. Calendrier israélite (réglés sur le cours de la lune).
**Almanach.** — Almanach de Matthieu Laensberg. Almanach de Gotha, de Matthieu de la Drôme. — Annuaire. — CHRONOLOGIE. — Connaissance du temps. — Bref (ecclésiastique). — Ephémérides. — Nouveau style. Vieux style.
Lunaison. — Equinoxe. — Solstice. — Lever et coucher des astres. — Saisons. — Millésime. — Nombre d'or. — Epacte (de la lune). — Concordance des calendriers. — Pronostics.

## CALFAT

**Outils.** — Bec-de-corbin. Bec-croisé. — Patarasse. Clavet. Calfait (ciseaux). — Fer simple. Fer double. — Coin. — Guipon (brosse). — Lattes.
**Matières.** — Mastic. Camourlot. Saragousti. — Courai. Spalme (enduits). — Joint. Etoupe. Couture. Frise. — Pènes. Parseinte (tampons). — Suif ou Flore. Suif noir. Goudron. Poix. Brai. — Colle navale. — Pelardeaux (pour voie d'eau). — Pigoulière (barque).
**Travail.** — Calfat, calfater, calfatage. — Caréner, carénage. — Radouber, radoub. — Chauffer (brûler le vieil enduit), chauffage. — Détourer, espalmer (nettoyer). — Recourir les coutures. — Florer. Suiver. Suager. Graisser. Spalmer. Goudronner. Brayer.

**Calme,** m. V. *modération, repos, mer.*

CALMER. V. *doux, éteindre, consoler, cesser.*

CALOMEL, m. V. *mercure.*

CALOMNIE, f. Calomnier. V. *nuire, attaque, blâme, accusation.*

CALOMNIEUX. V. *mensonge.*

CALORIE, f. V. *feu.*

CALORIFÈRE, m. V. *chaleur, poêle.*

CALORIFIQUE. V. *chaleur.*

CALORIMÉTRIE, f. V. *chaleur.*

CALORIQUE, m. V. *chaleur.*

CALOT, m. V. *coiffure.*

CALOTTE, f. V. *coiffure, cloche, battre.*

CALQUE, m. Calquer. V. *papier, dessin.*

CALUMET, m. V. *pipe, paix.*

CALUS, m. V. *os.*

CALVADOS, m. V. *pomme.*

CALVAIRE, m. V. *Christ.*

CALVILLE, m. et f. V. *pomme.*

CALVINISME, m. Calviniste, m. V. *religion, protestant.*

CALVITIE, f. V. *cheveu.*

CAMAÏEU, m. V. *couleur, gravure.*

CAMAIL m. V. *chanoine.*

CAMARADE, m. Camaraderie, f. V. *amitié, compagnon, fréquenter, accord, association.*

CAMARD. V. *nez.*

CAMARILLA, f. V. *accord.*

CAMBISTE, m. V. *billet.*

CAMBODGE, m. V. *Indochine.*

CAMBOUIS, m. V. *graisse.*

CAMBRER. V. *courbure.*

CAMBRIOLER. Cambrioleur, m. V. *voleur, bandit.*

CAMBRURE, f. V. *soulier.*

CAMBUSE, f. V. *navire.*

CAME, f. V. *axe.*

CAMÉE, m. V. *bijou, pierre, gravure.*

CAMÉLÉON, m. V. *reptile, changer.*

CAMÉLIDÉ. V. *chameau.*

CAMELOT, m. V. *vendre, public, chèvre.*

CAMELOTE, f. V. *médiocre.*

CAMERA, f. V. *optique, photographie.*

CAMÉRIER, m. V. *pape.*

CAMÉRISTE, f. V. *chambre.*

CAMERLINGUE, m. V. *cardinal.*

CAMION, m. V. *voiture, porter.*

CAMIONNAGE, m. Camionner. V. *industrie, transport.*

CAMIONNETTE, f. V. *porter, bagage.*

CAMISOLE, f. V. *chemise.*

CAMOMILLE, f. V. *plante.*

CAMOUFLER. V. *artillerie.*

**Camp,** m. V. *armée, paume.*

CAMPAGNARD, m. V. *campagne.*

**Campagne,** f. V. *labour, promenade, guerre, politique.*

---

## CALME

**Apaisement de l'âme.** — Apaisement, apaiser. — Ataraxie. Euthymie. — Egalité d'âme. — PAIX de la conscience. — Sérénité, serein. — RÉSIGNATION, résigné. — Placidité, placide. Pacifique. Paisible. — Apathie, apathique. — Insensibilité, insensible. — Impassibilité, impassible. — Sécurité. — Tranquillité. — Quiétude.

**Apaisement de la nature.** — Accalmie. — Embellie. — Bonace. — Calme plat. — Ciel serein. — Anticyclone. — Volcan éteint. — Dégel. — Vent tombé. — Décrue. — Paix du soir. — Chants du crépuscule. — Calme de la campagne. — Dompter les éléments. — Rémission. Rémittence. Assouvir la faim. — Etancher la soif. — Réchauffer. — Refroidir. — Ralentir un mouvement. — Sommeiller. Dormir. Cuver son vin. — Se reposer, REPOS.

**Apaisement de la douleur.** — Assoupir la douleur. — Assourdir la douleur. — Adoucir la souffrance, adoucissement. Antalgie. — Lénifier. Lénitif. Parégorique. Calmer. Calmant. Les calmants (laudanum, antipyrine, chloroforme, morphine). — BAUME. Dictame. — Sédatif. Rafraîchissant. — Soulager, soulagement. — Couper la fièvre. — GUÉRIR, guérison.

Consoler. — Sécher les larmes. — Atténuer le chagrin. — Rasséréner. — Remonter. — Relever.

**Apaisement du bruit.** — Amortir un bruit. — Faire taire. — Imposer SILENCE. — Etouffer, DIMINUER le bruit. — Mettre une sourdine. — Assourdir.

**Apaisement des querelles.** — Pacifier, pacificateur. — Mettre le holà. — Rétablir l'ordre. — Mettre en paix. — Rasseoir les esprits. — Réprimer, répression. — Retenir.

— Modérer. — Dompter la colère. — Tempérer l'ardeur. — Ramener à soi. — Amadouer. — Apaiser la rancune. — Propitiation, propitiatoire.

**Maîtrise de soi.** — Flegme, flegmatique. — Froideur, FROID. Sang-froid. — Ferme, fermeté. — Maîtriser ses passions. Se posséder. — Posé. Rassis. GRAVE. Réfléchi. — Présence d'esprit. — MODÉRATION, modéré. — Sagesse, sage. — IMPARTIALITÉ, impartial. — PRUDENCE, prudent. — Patience, patient. — Rentrer en soi-même. — Se vaincre soi-même. — Se contenir.

## CAMP

**Action de camper.** — Camper, campement. — Bivouac, bivouaquer. — Cantonner, cantonnement. — Camp d'instruction. — Camp retranché. — Camp volant. — Camping (sport). — Décamper. Lever le camp.

**Etablissement du camp.** — Castramétation. — Génie militaire. Gromaticien (arpenteur romain). — Asseoir un camp. — Tête et Queue du camp. — Circonvallation. Retranchements. Front de bandière. Approches. Tranchées. Grand-garde.

Effets de campement. Tente. Toile. Piquets. Lit de camp. — Abris. Baraque. Baraquement. — Logement. Quartiers. — Gourbi. Paillote. Guitoune (abris coloniaux). — Cuisines. — Feuillées.

## CAMPAGNE

**Aspects de la campagne.** — Nature. Pays. Région. — Vallée. Coteau. Pays accidenté, montueux. Côte. — Plaine. Plateau. Pays plat. Rase campagne. — Les champs. Paysage. Panorama. Vue. Site.

Rural. Agreste. Champêtre.

CAMPANILE, m. V. *cloche, architecture, église.*
CAMPANULE, f. V. *fleur.*
CAMPÊCHE, m. V. *bois.*
CAMPEMENT, m. V. *camp, tente, armée.*
CAMPÈNE, f. V. *cloche.*
CAMPER. V. *arrêt, logement, guerre.*
**Camphre,** m.
CAMPHRER. Camphrier, m. V. *camphre.*
CAMPING, m. V. *camp.*
CAMUS. V. *nez.*
CANAILLE, f. V. *vil, grossier, peuple.*
**Canal,** m. V. *hydraulique, eau.*
CANALISATION, f. Canaliser. V. *canal, couler, arroser, rivière.*

CANAPÉ, m. V. *siège.*
**Canard,** m. V. *oiseau, mensonge.*
CANARDER. V. *canard.*
CANARDIÈRE, f. V. *fusil.*
CANARI, m. V. *oiseau.*
CANCAN, m. V. *parler, danse.*
CANCANER. V. *nouvelle.*
CANCER, m. V. *zodiaque.*
CANCER, m. Cancéreux. V. *ronger.*
CANCRE, m. V. *ignorance.*
CANDÉLABRE, m. V. *chandelle.*
CANDEUR, f. V. *pur, innocent, avouer.*
CANDI. V. *sucre.*
CANDIDAT, m. Candidature, f. V. *suffrage, demande.*
CANDIDE. V. *bon, naïf.*
CANDIR. V. *confiserie.*

CANETER. V. *allure.*
CANETON, m. V. *canard.*
CANETTE, f. V. *bouteille, bière.*
CANEVAS, m. V. *tapis, broder, matière.*
CANGUE, f. V. *supplice.*
CANICHE, m. V. *chien.*
CANICULE, f. V. *chien, saison.*
CANIF, m. V. *couteau.*
CANIN. V. *chien.*
CANINES, f. p. V. *dent.*
CANIVEAU, m. V. *ruisseau, canal.*
CANNAGE, m. V. *siège.*
CANNE, f. V. *roseau, pêche, sucre, bâton.*
CANNELER. V. *creux, orner.*
CANNELLE, f. V. *épice, tonneau.*

**Campagne cultivée.** — Champ (terre cultivée). Pièce de terre. Chaume (champ où reste le chaume). Labours. Guérets (labourés). Essarts (terres défrichées). Novale (terre nouvellement défrichée). Ségalas (terre à seigle). Nos sillons (nos champs). — Prairie. Pré. Herbage. Gagnage (pâturage). — Clos (champ fermé). Haie. Fossé. — Bois. Forêt. Bocage. Verger. — Vignes. Vignoble. — Cru. Terroir (terrain à production particulière) — Accoures (plaines entre deux bois). Bordière (culture en bordure de ville ou de route).

**Campagne inculte.** — Friche (terrain non cultivé). Jachère (terre laissée au repos). Landes (terre pauvre et inculte). Varenne (pâturage inculte). Garenne (terre à lapins). V. TERRE.

**Campagne habitée.** — Bourg. Village. Hameau. Paroisse. — Ferme (bâtiments). Chaumière. Maison de campagne. Maison de plaisance. Villa. Pavillon. Bastide (maison de campagne en Provence). Guinguette (maisonnette, puis auberge de campagne). — Villégiature. Aller planter ses choux (se retirer à la campagne).

**Biens de campagne.** — Fief (féodal). Fonds. Biens fonds. Tréfonds (sous-sol). — Propriété. Ferme (terres). Métairie. Borde (métairie). — Terre. Sol. Terrain. Glèbe. — Enclos. Closeau (jardinet). Closerie. Jardin. Lopin de terre. — Cadastre (relevé des propriétés rurales). Plantations (exploitation agricole aux colonies).

**Gens de campagne.** — Agriculteur. Cultivateur. Laboureur. Vigneron. Fermier. Berger. Valet. Tâcheron. — Paysan, paysanne. Pays (homme du même pays).

## CAMPHRE

**Qui concerne le camphre.** — Camphrier. Laurus camphora. — Camphre brut. — Camphre artificiel. — Substances camphoroïdes. — Camphorate. Acide camphorique.

Camphrer. — Cigarette camphrée. — Huile camphrée. — Eau sédative. — Camphol. — Camphène.

## CANAL

**Canaux en général.** — Canal. Canalicule. — Canaliser, canalisable. — Canaliforme. Canalifère. — Creuser un canal. — Ouvrir. — Dériver. — Vider.

Canal de navigation. — Canal d'irrigation. — Canal de dérivation. — Canal de desséchement. — Canal de dégagement. — Canal d'amenée. — Canal latéral. — Canal maritime. — Coursier (de moulin).

Canaux organiques. Canal médullaire. Canal veineux. Canal de l'urètre, etc.

Cannelure. Raie. Rainure. Coulisse. Gorge. Méat. Glyphe (dans Triglyphe, etc.).

**Canaux de ville.** — Cloaque. Conduit. Egout. Egout collecteur. Tout à l'égout. Canaux de vidange. — Chéneau. Gargouille. Gouttière. Gèze. Noue. Cornière. — Canalisation. Conduite d'eau. Conduite de gaz. Branchement. Colonne montante. — Evier. Plombs. Dalle. — Tuyauterie. Tuyaux, à emboîtement, à brides, à bouts unis, etc. — Installation. Pose.

Passage souterrain. Galerie. Tunnel. Tube. Regard.

**Canaux de campagne.** — Aqueduc. Tranchée. Fossé. Boyau. Rigole. Saignée. Coupure. Grau. — Passage pour eaux. Prise d'eau. Tuyau d'adduction. Griffon de source. Chatière (de réservoir). Caniveau. Cassis. Drain. — Bief de moulin. Buse. Tuyère. Echenleau (conduite en bois). — Ruisseau. Arroyo. Lit de rivière. Ru. Ornière. Sillon.

**Canaux navigables.** — Voie d'eau. — Bief inférieur, supérieur. — Chenal. — Ecluse. Chambre. Sas. Vannes. Bajoyer. Déversoir. — Franc-bord. Berge. Chemin de halage. — Bassin. Bassin de partage. Gare. — Pertuis. — Plafond. — Section. — Quai. — Renard. — Pont. Pont tournant. Pont volant.

## CANARD

**Les canards.** — Anatidés. — Palmipède. Palmé. Lamellirostre. — Canard domestique. Cane. Caneton. Canardeau.

CANNELURE, f. V. *raie, creux, colonne.*
CANNETTE, f. V. *robinet, bobine.*
CANNIBALE, m. V. *sauvage.*
CANOË, m. V. *bateau.*
CANON, m. V. *arme, fusil, liturgie, règle, modèle, clef, cheval, vin.*
CANONICAT, m. V. *chanoine.*
CANONIQUE. V. *concile.*
CANONISER. V. *saint.*
CANONISTE, m. V. *concile.*
CANONNADE, f. V. *artillerie.*
CANONNIER, m. V. *artillerie.*
CANONNIÈRE, f. V. *navire.*
CANOT, m. Canotage, m. Canotier, m. V. *bateau.*
CANQUETER. V. *canard.*
CANTABILE, m. V. *chant.*
CANTATE, f. V. *musique.*
CANTATRICE, f. V. *chant, théâtre.*
CANTHARIDE, f. V. *mouche, caustique.*
CANTILÈNE, f. V. *chant.*
CANTINE, f. Cantinier, m. Cantinière, f. V. *soldat, auberge.*
CANTINE, f. V. *bagage.*
CANTIQUE, m. V. *hymne, psaume, Bible.*

CANTON, m. V. *pays, forêt, drapeau.*
CANTONAL. V. *pays.*
CANTONNEMENT, m. Cantonner. V. *soldat, camp.*
CANTONNIER, m. V. *chemin.*
CANTONNIÈRE, f. V. *rideau.*
CANULE, f. V. *seringue.*
CANUT, m. V. *soie.*
*Caoutchouc,* m. Caoutchouter. V. *gomme, bandage.*
CAP, m. V. *pointe, géographie, navire.*
*Capable.* V. *habile, disposition.*
CAPACITÉ, f. V. *capable, pouvoir, mesure, notaire.*
CAPADE, f. V. *feutre, chapeau.*
CAPAGE, m. V. *tabac.*
CAPARAÇON, m. V. *harnais.*
CAPE, f. V. *habillement, coiffure.*
CAPELAGE, m. V. *mât.*
CAPELINE, f. V. *coiffure.*
CAPHARNAÜM, m. V. *désordre.*
CAPILLAIRE. Capillarité, f. V. *cheveu.*
CAPILOTADE, f. V. *mets, broyer.*
CAPITAINE, m. V. *officier, navire.*

CAPITAL. V. *important, tête.*
CAPITAL, m. V. *finance, rente, commerce, association.*
CAPITALE, f. V. *ville, pays.*
CAPITALISER. Capitaliste, m. V. *riche.*
CAPITANE, f. V. *galère.*
CAPITATION, f. V. *tête.*
CAPITEUX. V. *force, tête.*
CAPITOLE, m. V. *Rome, temple.*
CAPITON, m. V. *bourre.*
CAPITONNER. V. *garnir, coussin, meuble.*
CAPITULAIRE, m. V. *chanoine, loi.*
CAPITULATION, f. V. *vaincu, siège, convention.*
CAPITULER. V. *céder, paix.*
CAPON, m. V. Caponner. V. *lâche, céder.*
CAPONNIÈRE, f. V. *abri.*
CAPORAL, m. V. *armée, tabac.*
CAPOT, m. V. *avant, automobile, cartes.*
CAPOTE, f. V. *voiture, habillement, chapeau.*
CAPOTER. V. *renverser, automobile.*
CÂPRE, f. V. *mets.*
*Caprice,* m. V. *changer.*

---

Malard (à foie gras). — Canard de Rouen, de Barbarie, d'Inde, etc. — Carolin. — Garrot. — Mandarin. — Siffleur. — Maillon. — Souchet. — Pilet. — Canard sauvage. Halbran (jeune). — Macreuse. — Sarcelle. — Eider. — Bernacle.

**Qui a trait au canard.** — Canarderie. Basse-cour. — Barboter. Caneter. — Canqueter (crier). — Canarder. Canardière (fusil). Canardier (chasseur). Chasse à l'affût, à l'appeau, au trictrac, à la glanée. — Canard à la rouennaise, aux navets, etc. — Foie de canard. Pâté de canard.

### CAOUTCHOUC

**Culture.** — Plantation. Latex. Hévéa. Hancornia. Maniçoba. Ficus elastica. Euphorbia. Landolphia. Manihot. India-rubber.

**Fabrication.** — Coagulation. Pigment accélérateur. Vulcanisation. Caoutchouc artificiel, vulcanisé, durci, ébonite, régénéré, factice. Pseudo-caoutchouc. Caoutchouc synthétique.

**Applications.** — Bandage. Crêpe. Pneumatique. Gomme élastique. Feuille anglaise. — Snow-boot. — Blague. Imperméable.

### CAPABLE

**Qui est bon pour.** — PROPRE à. — Apte. — Capable de. — Fait pour. — De taille à. — En état de. — Idoine. — A même de. — En demeure de. — Susceptible de. — Bien constitué pour. Bien conditionné. Bien disposé. — Suffisant pour. — HABILE à.

DISPOSITION. — Faculté naturelle. — Apti-

tude. — Capacité. — Talent. — Savoir. — Habileté. — Vertu. — Virtualité. — Pouvoir.

**Qui a le droit de.** — Capable en justice. — Capacité juridique. — Certificat de capacité. — Capacité politique. — Incapacité, INCAPABLE. — Compétence, compétent. — Qualité, qualifié. — Habilitation, habiliter, habilité. — Spécialité, spécialiste. — Patente, patenté. — Diplôme, diplômé. — Autorisation, autorisé.

Dignité. — Mérite. — Puissance. — POUVOIR. — Grade. — Autorité. — Légalité.

### CAPRICE

**Actes irréfléchis.** — Caprice, capricieux. — Coup de tête. — Arbitraire. — Cerveau brûlé. — Tête de linotte. — Fredaine. — Incartade. — Escapade. — Frasque. — Inconséquence. — Foucade. — Boutade. — Saillie. — Etourderie. — Légèreté. — Enfantillage. — Envie. — Entêtement. — Actes gratuits.

**Humeur inégale.** — Accès. — Bouffée. — Quinte. — Goût passager. — Passade. — Volonté changeante. — Mobilité d'esprit. — Mouvement de rage. — Irrégularité d'humeur. Humeur journalière.

Avoir ses vapeurs. — Prendre en grippe. — Se monter contre.

**Bizarrerie.** — Singularité. — Dada. — Excentricité. — Extravagance. — Fantaisie, fantaisiste, fantasque. — FOLIE. — Tocade. — Lubie. — Lune, lunatique. — Manie, maniaque. — Monomanie, monomane. — Marotte. — Travers.

CAPRICIEUX. V. *caprice.*
CAPRICORNE, m. V. *zodiaque.*
CAPRIN. V. *chèvre.*
CAPSULE, f. V. *fermer, enveloppe, articulation.*
CAPTATEUR, m. V. *ruse.*
CAPTER. V. *attirer, séduire, influence, obtenir.*
CAPTIEUX. V. *mensonge, tromper.*
CAPTIF, m. V. *vaincu, esclave.*
CAPTIVER. V. *attirer, sentiment, intérêt, occupation.*
CAPTIVITÉ, f. V. *esclave, prison.*
CAPTURE, f. Capturer. V. *prendre.*
CAPUCHON, m. V. *coiffure, habillement.*
CAPUCIN, m. V. *moine, barbe.*
CAQUE, f. V. *hareng.*
CAQUET, m. Caqueter. V. *parler.*
CAR, m. V. *voiture.*
CARABINE, f. Carabinier, m. V. *fusil, cavalerie.*

CARACO, m. V. *habillement.*
CARACOLER. V. *cheval.*
CARACTÈRE, m. V. *nature, tempérament, fermeté, positif, sacrement, lettre, imprimerie.*
CARACTÉRISER. V. *qualifier, distinct.*
CARACTÉRISTIQUE, f. V. *marque, propre.*
CARAFE, f. Carafon, m. V. *bouteille.*
CARAMBOLAGE, m. V. *billard.*
CARAMEL, m. V. *sucre.*
CARAPACE, f. V. *écaille, tortue, crustacé.*
CARAT, m. V. *or, diamant.*
CARAVANE, f. V. *chameau.*
CARAVANSÉRAIL, m. V. *auberge.*
CARAVELLE, f. V. *navire.*
CARBONATE, m. V. *charbon.*
CARBONE, m. V. *charbon.*
CARBONIQUE. V. *acide.*
CARBONISER. V. *charbon, brûler.*
CARBURANT. V. *brûler.*

CARBURE, m. V. *charbon.*
CARCAN, m. V. *cou, punition.*
CARCASSE, f. V. *charpente, volaille, coiffure, cadavre.*
CARDAN, m. V. *axe, automobile.*
CARDAGE, m. Cardée, f. Carder. V. *carde, fil.*
**Carde,** f. V. *laine, peigne.*
CARDÈRE, f. V. *chardon.*
CARDIAQUE. V. *cœur, maladie.*
**Cardinal,** m. V. *pape, oiseau.*
CARDINAL. V. *important.*
CARDINALAT, m. V. *cardinal.*
CARDIOPATHIE, f. V. *cœur.*
CARDON, m. V. *artichaut.*
**Carême,** m. V. *liturgie, maigre.*
CARENCE, f. V. *manque.*
CARÈNE, f. V. *bateau.*
CARÉNER. V. *calfat.*
CARESSANT. V. *caresse.*
**Caresse,** f. V. *main, doux, amour.*
CARESSER. V. *cajoler, toucher, frotter.*
CARET, m. V. *fil, tortue.*

## CARDE

**Les cardes.** — Carde à main. Plateau. Dents. Pointes. — Carde à main sur roues. — Carde mécanique à tambour. Carde mécanique à volants. — Cardes briseuses. — Cardes finisseuses.

Cardes spéciales : Drousse. PEIGNE. Repassette. Cardère. CHARDON (de foulon). Carrelet (de chapelier).

**Travail.** — Carder, cardeur, carderie. — Brifauder (premier peignage). Pluser (éplucher). Scribler (dégrossir). Chiqueter (passer aux cardes). Drousser. Peigner. Chardonner. — Cardée. Loquette. Ploque. Retirons.

## CARDINAL

**Dignité.** — Cardinal, cardinalat. — Dignité cardinalice. — Exaltation ou Promotion. — Costume : Pourpre romaine. Chape. Chapeau. Barrette. Calotte. Caudataire. — Titres honorifiques : Prince de l'Eglise. Eminence. Eminentissime. — Les trois ordres de cardinaux : Evêques. Prêtres. Diacres. — Titre ou Province.

**Fonctions.** — Sacré Collège. — Conclave. Ouvrir la bouche (autoriser à parler au conclave). — Donner l'inclusive (recevoir au conclave). — Congrégation. — Consistoire. — Chambre du papegay.

Cardinal secrétaire d'Etat. Cardinal camerlingue. Cardinal de curie. Cardinal doyen. Cardinal protecteur. Cardinal préconiseur, proposant. Cardinal dataire, turnaire.

## CARÊME et CARNAVAL

**Période.** — Carême. — La sainte quarantaine. — Quadragésime, quadragésimal. — Mardi-gras. — Mercredi des Cendres. — Mi-Carême. — Dimanche de la Passion. — Dimanche des Rameaux. — Semaine sainte. — Carême bas ou haut (selon la date). Ramadan. — Baïram.

**Obligations.** — Abstinence. — Jeûne, jeûner. — Recevoir les cendres. — Faire pénitence. Se confesser. Communier. — Rompre le carême. Se décarêmer. Dispenses.

**Carnaval.** — Jours gras. — Charnage. — Carême-prenant. — Mascarade. Déguisement. Travestissement. — Cavalcade. Bœuf gras. Chars. Confettis. Serpentins. Masques. Déguisés. Travestis. Chienlit. — Bal masqué. Domino. Costume. Loup. Faux nez. — Cortèges. Batailles de fleurs.

## CARESSE

**Attouchement.** — Caresse, caresser. — Couvrir de caresses. — Chiffonner. — Tripoter. — Peloter. — Amignarder. — Mignoter. — Tapoter les joues. — Taper sur l'épaule. — Flatter de la main. Rebaudir (un chien). — Poignée, serrement de main. — Prendre la main. — Pression de main. — Chatouiller, chatouillement. — Familiarités. — Prendre sur ses genoux. Tenir sur ses genoux. — S'asseoir sur les genoux.

**Embrassade.** — Embrasser, embrassade. — Accoler, accolade. — Sauter au cou. — Se pendre au cou. — Etreindre, étreinte. — Enlacer, enlacement. — Presser sur son cœur. — Serrer dans ses bras.

**Baiser.** — Baiser (nom). — Baiser (verbe), baisoter. — Baisemain. — Baiser de tendresse, d'affection, d'amitié, d'amour. — Baiser de Judas. — Baiser Lamourette. — Baiser de paix. Patène. — S'entre-baiser. — Dévorer de baisers. Manger de caresses. — Becqueter. — Bécoter, bécot. — Cueillir, dérober un baiser. — Coller ses lèvres sur. — Porter à ses lèvres. — Lécher. — Osculation.

CARGAISON, f. V. *charger.*

CARGUER. V. *voile.*

CARIATIDE, f. V. *colonne.*

CARICATURE, f. Caricaturer. V. *moquer, bouffon, difforme, peintre.*

CARICATURISTE, m. V. *dessin.*

CARIE, f. V. *gâter, dent, os, blé.*

CARILLON, m. Carillonner. V. *cloche, son, bruit.*

CARLINGUE, f. V. *mât, aéronautique.*

CARMAGNOLE, f. V. *danse.*

CARME, m. Carmélite, f. V. *moine.*

CARMIN, m. V. *rouge.*

CARNAGE, m. V. *chair, tuer, combat.*

CARNASSIER, m. V. *chair, manger, animal.*

CARNASSIÈRE, f. V. *sac.*

CARNATION, f. V. *chair, peau, teint.*

CARNAVAL, m. V. *carême, viande, débauche.*

CARNÉ. V. *chair.*

CARNEAUX, m. p. V. *four.*

CARNÈLE, f. V. *bordure.*

CARNIER, m. V. *gibier.*

CARNIFICATION, f. V. *chair.*

CARNIVORE. V. *viande.*

CARNOSITÉ, f. V. *chair.*

CARONADE, f. V. *artillerie.*

CARONCULE, f. V. *glande, chair, oiseau.*

CAROTIDE, f. V. *gorge.*

CAROTTE, f. V. *légume, tabac.*

CAROTTER. Carottier, m. V. *ruse, jeu.*

CARPE, m. V. *main.*

CARPE, f. V. *poisson, étang.*

CARPELLE, m. V. *fruit.*

CARPETTE, f. V. *tapis.*

CARPIÈRE, f. V. *étang.*

CARQUOIS, m. V. *flèche.*

**Carré.** V. *quatre, géométrie, jardin, armée, franc, multiple.*

CARREAU, m. V. *vitre, brique, flèche, mine, cartes, tailleur.*

CARREFOUR, m. V. *chemin.*

CARRELAGE, m. Carreler. V.

*pavé, brique, plancher.*

CARRELET, m. V. *poisson, filet, pêche, ciseau.*

CARRÉMENT. V. *carré.*

CARRER. V. *carré, allure.*

CARRIER, m. V. *carrière.*

**Carrière,** f. V. *pierre, ouvert, profession.*

CARRIOLE, f. V. *voiture.*

CARROSSE, m. V. *voiture.*

CARROSSER. Carrosserie, f. V. *oblique, voiture.*

CARROSSIER, m. V. *voiture, cheval.*

CARROUSEL, m. V. *cheval, équitation, tournoi.*

CARRURE, f. V. *corps, force.*

**Cartes,** f. V. *géographie, automobile, voyage, jeu, visite, auberge.*

CARTEL, m. V. *commun, combat, horloger.*

CARTE-LETTRE, f. V. *poste.*

CARTER, m. V. *automobile.*

CARTILAGE, m. V. *articulation, os.*

CARTISANE, f. V. *carton.*

---

## CARRÉ [1]

**Le carré.** — Carré (figure). Diagonale. Angles droits. — Quadrature. Quadratrice. Quadratique. — Rectangle, rectangulaire. — Cube, cubique.

Carré (nombre). — Racine carrée. — Elever au carré. — Mètre carré.

**Relatif au carré.** — Carrer (disposer en carré). — Former le carré. — Diviser en carrés. Craticulation. Quadrillage, quadrillé. — Equarrir, équarrissement. — Carre (d'une planche). — Carrure. Epaules carrées. — Carré (sans détours), carrément. — Carré (de jardin). — Cadre. — Damier. — Echiquier. — Plinthe (en architecture). — Square. — Tesselle (pavé). — Carreau (vitre). — Carreau (brique), carreler. — Carrelet (filet). — Marelle (jeu). — Tétragone (épinard). — Carré magique.

## CARRIÈRE

**La pierre.** — Carrière. Carrière à ciel ouvert. Carrière souterraine. — Perrière. — Meulière. — Ardoisière. — Marbrière. — Plâtrière. — Mine. — Catacombes.

Galerie. Puits. Chemin (descente). — Chef de carrière (côté à pic). Ciel. — Pilier. Soubardier (étai).

Banc de pierre. Bloc. Masse. Lit de dessus. Lit de dessous. — Filon. Filière. — Souchet (pierraille). Fondis (éboulis). Pierres vertes (fraîchement tirées).

**Le travail.** — Exploiter, exploitation, exploitable. — Fouiller une carrière. Extraire. Tirer. — Brider une pierre. — Soucheveur.

*Outillage.* Roue de carrière (treuil). Calende. Casse-pierre. Esse. Moellonnier. Picot. Pommelle. Pioche. Tire-terre.

Exploiteur. — Carrier. — Perrier. — Soucheveur. — Tailleur de pierre.

## CARTES

**Cartes à Jouer.** — Cartes, cartier, carterie. — Jeu simple (32). Jeu complet (52). — Les quatre couleurs : Pique. Cœur. Carreau. Trèfle. — As. — Figures. Honneurs. Rois. Dames ou Reines. Valets. — Cartes basses. — Faux jeu. — Cartes de reprise. — Ecart. Brelan. — Quinte. Quarte. Tierce (majeures ou mineures, au roi ou à la dame). — Séquence. — Retourne. — Atout. — Mariage. — Cartes tarotées. Tarots.

**Accessoires.** — Table à jeu. — Boîte à jeu. — Paquet de cartes. — Talon. — Tapis. — Cave. — Marque. — Pion. — Plaque. — Jeton. — Fiche. — Tableau.

Cercle. — Casino. — Maison de jeu. — Salle de jeu. — Tripot. — Cartes biseautées.

**Maniement des cartes.** — Battre les cartes. Mêler les cartes. Faire les cartes. Donner les cartes. Donne. Maldonne.

Accuser son jeu. Découvrir son jeu. — Amener une carte. — Retourner une carte. — Abattre une carte. — Battre atout. — Coupe. Faire sauter la coupe. — Avoir la main. — Couper. Surcouper. — Couvrir une carte. — Se garder. Carte gardée. — Filer ses cartes. — Se défausser. — Faire un mort. — Pli. — Point. — Levée. — Remise. — Renonce. — Rentrée. — Portée. — Faire la vole. Etre en dévole. — Pic et repic. — Etre capot, faire capot. — Chelem. Petit chelem. — Marquer, démarquer.

Demander. — Ecarter. — Annoncer. — Passer parole. — Arroser. — Tenir le coup. — Jouer son va-tout. — Partie. — Manche. — Revanche. — Belle. — Relance. — Taille, tailler.

CARTOGRAPHIE, f. V. *géographie*.

CARTOMANCIE, f. Cartomancien, m. V. *devin, carte*.

**Carton**, m. V. *papier, relieur, imprimerie, dessin, tissu, but*.

CARTONNAGE, m. Cartonner. V. *carton*.

CARTONNIER, m. V. *boîte, armoire*.

CARTOUCHE, f. V. *poudre, balle, fusil*.

CARTULAIRE, m. V. *écrire*.

CAS, m. V. *événement, circonstance, estime, faute, grammaire*.

CASANIER. V. *maison, paresse*.

CASAQUE, f. Casaquin, m. V. *habillement*.

**Cascade**, f. V. *eau, tomber, couler*.

CASCATELLE, f. V. *cascade*.

CASE, f. V. *logement, sauvage, damier, tiroir*.

CASÉINE, f. V. *lait, fromage*.

CASEMATE, f. V. *fortification, abri*.

CASER. V. *mettre*.

CASERNE, f. V. *soldat*.

CASERNIER, m. V. *portier*.

CASIER, m. V. *boîte, filet, crustacé, cave*.

CASINO, m. V. *société, carte*.

CASOAR, m. V. *autruche*.

**Casque**, m. V. *coiffure, armure*.

CASQUETTE, f. V. *chapeau*.

CASSANT. V. *dur*.

CASSATION, f. V. *annuler, juges*.

CASSE, f. V. *imprimerie, purger*.

CASSÉ. V. *faible, vieux*.

CASSE-COU, m. V. *danger*.

CASSE-NOIX, m. V. *noix*.

**Casser**. V. *détruire, destituer, annuler*.

CASSEROLE, f. V. *cuisine, chaudron*.

CASSE-TÊTE, m. V. *marteau, fatigue*.

CASSETTE, f. V. *coffre, trésor*.

CASSIS, m. V. *fruit, ruisseau*.

CASSOLETTE, f. V. *odeur*.

CASSONADE, f. V. *sucre*.

CASSOULET, m. V. *haricot*.

CASSURE, f. V. *casser, entaille*.

CASTAGNETTE, f. V. *danse*.

CASTE, f. V. *classe*.

CASTOR, m. V. *animal, chapeau*.

CASTOREUM, m. V. *musc*.

CASTRAMÉTATION, f. V. *camp*.

CASTRAT, m. V. *mutiler, sexe*.

CASUEL, m. V. *curé*.

CASUISTE, m. Casuistique, f. V. *confession, péché, jésuite*.

CATACLYSME, m. V. *détruire, ruine*.

CATACOMBES, f. p. V. *souterrain, funérailles*.

CATACOUSTIQUE. V. *réfléchir*.

---

Banquier. — Croupier. — Joueur. — Ponte. — Partenaire.

Cartomancie, cartomancien. Tirer les cartes.

**Jeux divers.** — Baccara. Banque. Bassette. Bataille. Belote. Bésigue. Bonneteau. Boston. Bouillotte. Bridge Brisque. Chemin de fer. Ecarté. Hoc. Hombre. Impériale. La bête. Lansquenet. Manille. Matador. Nain Jaune. Pharaon. Piquet. Poker. Polignac. Rams. Reversi. Trente et quarante. Trente et un. Troissept. Triomphe. Vingt et un. Whist.

**Autres cartes.** — Carte de géographie. Carte routière. — Carte d'identité. Carte d'électeur. Carte de visite. — Carte de circulation. Carte grise (d'automobile). — Carte d'entrée. — Carte de restaurant, etc.

### CARTON

**Fabrication.** — Matières : Vieux papier. Paille hachée. Copeaux de bois. Fibre.

Carton à la forme. Trempe. Pilon. Forme. Carbonate de chaux. Presse. Etendoir.

Carton de vieux papier. Délayage à la barbette. Raffinage. Toile et Feutre sans fin. Laminoir. Enrouleuse. Colleuse. — Coupeuse circulaire.

Carton-pâte. — Carton-pierre. — Pâtes moulées. — Carton-paille. — Papier mâché. — Feuilles de carton. — Etresses (feuilles). — Pressée. Réglée (piles).

**Emploi.** — Cartonnerie, cartonnier, cartonneur. — Cartonner, cartonnage. — Cartonnages (boîtes). — Cartonnier (meuble). — Carton à dossiers. — Carton à chapeau. — Carton à dessin. — Carte d'échantillons. — Cartisane. — Carte de visite. — Etiquettes.

Encart. Encarter. Encarteuse.

### CASCADE

**Sortes de cascades.** — Cascade. Cascatelle. — Cataracte. Catadoupe. Rapides. — Saut. Déversoir. — Chute d'eau. Perron. Fontaine. — Jet d'eau. Grandes eaux.

Cataracte du Niagara. Chute du Rhin. Saut du Doubs. Cascade de Gavarnie. Cataractes du Nil, etc.

### CASQUE

**Les casques.** — Casque. Armet. Bassinet. Bucrâne. Bourguignotte. Cabasset. Capeline. Heaume. Morion. Pot de fer. Cervelière. Salade. Coiffe de mailles.

Casque de pompier. — Casque de tranchées. — Casque colonial. — Casque de scaphandrier. — Casque d'écoute.

Casquer. Heaumer. Déheaumer. Ajuster.

**Accessoires.** — Aigrette. Panache. Plumet. Plumail. Cornes. Cimier. Bavière. Mentonnière. Jugulaire. Camail. Lambrequin. Visière. Mézail. Crinière. Chenille. Crête. Gorgerin. Grilles. Nasal. Ventail. Couvre-nuque. Ecusson.

Timbre (casque sur écu). Torque (tortillon). Volet, bl. (casque avec vol de ruban).

### CASSER
(latin, *frangere*)

**Mettre en morceaux.** — Casser, casse, cassant, cassable. — Concasser. — Briser, brisement, bris, brisable. Brise-tout. — Débris. — Fractionner, fraction. — Brésiller. — Fragmenter, fragment. — Morceler, morcellement, morceau. — Fracasser, fracas. — Mettre en capilotade. — Ecraser. Piler. BROYER. Emietter. — Iconoclaste. — FRAGILE. Frangible.

CATAFALQUE, m. V. *funérailles.*

CATALEPSIE, f. Cataleptique. V. *paralysie, engourdi, insensible.*

CATALOGUE, m. Cataloguer. V. *état, renseignement, livre, musée, marchandises.*

CATALYSE, f. V. *chimie, dissoudre.*

CATAPLASME, m. V. *emplâtre.*

CATAPULTE, f. V. *machine, arme.*

CATARACTE, f. V. *œil, aveugle, rivière, couler.*

CATARRHE, m. Catarrheux. V. *rhume, poumon, humeur.*

CATASTROPHE, f. V. *malheur, subit, ruine.*

CATÉCHISER. V. *prêcher, avertir.*

CATÉCHISME, m. V. *religion, dialogue.*

CATÉCHUMÈNE, m. V. *baptême, croire.*

CATÉGORIE, f. V. *division, espèce.*

CATÉGORIQUE. V. *positif, répondre, raison.*

CATGUT, m. V. *chirurgie.*

CATHÉDRALE, f. V. *église, évêque, architecture.*

CATHÉTER, m. Cathétériser. Cathétérisme, m. V. *vessie, sonde.*

CATHOLICISME, m. V. *religion.*

CATHOLICITÉ, f. Catholique. V. *église.*

CATI, m. Catir. V. *drap.*

CATOGAN, m. V. *nœud, cheveu.*

CATOPTRIQUE, f. V. *optique.*

CAUCHEMAR, m. V. *sommeil, fièvre, fantôme.*

CAUDAL. V. *queue.*

CAUDATAIRE, m. V. *cardinal.*

CAUDÉ. V. *queue.*

CAUDEBEC, m. V. *chapeau.*

CAUDIMANE. V. *queue.*

CAULIFÈRE. V. *tige.*

CAURIS, m. V. *coquille.*

CAUSAL. Causalité, f. V. *cause.*

**Cause**, f. V. *origine, procédure.*

CAUSER. V. *faire, produire, parler.*

CAUSERIE, f. V. *discours.*

CAUSEUR, m. V. *parler.*

CAUSTICITÉ, f. V. *caustique.*

**Caustique.** V. *brûler, ronger, méchant, moquer.*

---

**Cassures particulières.** — Brèche, ébrécher. Egueuler (un vase). — Défoncer, défoncement. — Echancrer, échancrure. — Ecuisser (un arbre). — Edenter. — Effondrer, effondrement. — Etêter, étêtement. — Eventrer, éventration. — COUPE, coupure. — Entailler, entaille. — Entamer, entame. — Ecorner, écornure. — Eclamé (qui a l'aile cassée). — Epaté (qui a la patte cassée).

**Fracture.** — Brisure. Cassure. — Fracture, fracturer. — Fêlure, fêler. — Craquement, craquer. — Rupture, rompre. — Fente, fendre. — Effraction. Forcer une porte. Enfoncer une porte. — Craquelé. Fendillé. Fracassé. — Abrupt. Anfractueux. — Se réfracter. Réfraction. Réfrangible. Réfringent.

**Désagrégation.** — Désagréger, désagrégation. — Disjoindre, disjonction. — Diviser, division. — Séparer, SÉPARATION. — Disloquer, dislocation. — Démembrer, démembrement. — Mutiler, mutilation. — Scinder, scission. — Déchirer, déchirure. — Désunir. — Démettre. Déboîter.

Solution de continuité. — S'étoiler. — Eclater. — Crever. — Sauter. — Péter. — Pétiller. — S'écrouler.

## CAUSE

**Principe.** — Cause. Cause première. Cause efficiente. — Causalité. Causal. Causatif. — Raison effective. — Idée mère. Point de départ. PRINCIPE. — Avoir pour conséquence. Avoir pour effet. — Filiation. Origine, originel. Prédéterminant. Etiologie (des maladies). — Raisonnement. Présomption. Prémisses. Induction. Déduction. — Point de départ. Germe. Semence. SOURCE.

**Motif.** — Intention, intentionnel. — Mobile. — RAISON. Motif, motiver. — PRÉTEXTE, prétexter. — Motif secret. — Cause occulte. — Propos, se proposer. — Fin. Finalité. Cause finale. — Détermination, déterminer. — Décision, décider. — Explication, expliquer. Exposé des motifs. — Proposer un but. Conduire. Mener. Entraîner. — Le fin mot de...

**Occasion.** — Occasionner. — Amener. — Attirer. — Apporter. — Commander. — Contribuer. — Impliquer. — Influer. Influencer. — Prédisposer. — Suggérer. — Provoquer. — Porter à. — Disposer à. — Porter bonheur, malheur.

Donner matière à. — Etre un sujet de. — Causer du SCANDALE. — Procurer du plaisir. — Coûter cher. — Valoir des ennuis. — Se laisser aller. — Etre spontané, impulsif.

**Agent.** — Auteur. — Artisan. — Créateur. — Inspirateur. — Instigateur. — Meneur. — Promoteur. — Provocateur. — Opérateur. — Acteur. — Boute-en-train.

Moteur. — Ressort. — Levier. — Ficelles. — Ferment de haine. — Brandon de discorde. — Propriété. — MOYEN. — Vertu. — Puissance.

Agir, action, actif. — Agissement, agissant. — Etre pour quelque chose. — Faire du bien. Faire mal. Faire tort. — EXCITER. — Faire naître. Faire que. — Fomenter. — Former. — Rendre bon, sage, etc. — Effectuer. — Produire un effet.

**Expressions de cause.** — Pour. Pour que. Pourquoi. — Par. Parce que. Partant. — Car. — Puisque. — Aussi. D'autant que. — En effet. A cet effet. Pour cet effet. — A cause de. Pour la raison que. En raison de. Grâce à. A force de. Au moyen de. Par la force de. — Eu égard à. En vertu de. A titre de. En qualité de. — Attendu. Attendu que. — Vu. Vu que. — Pour l'amour de. A propos de. — A plus forte raison. — Que. Quoi. A quoi bon.

## CAUSTIQUE

**Corrosif.** — Caustique, causticité. — Corrosif, corrodant, corroder, corrosion. — Mordant, mordacité. — Mordicant. — Diérétique. — Pyrotique. — Phagédénique.

Potasse caustique. — Sublimé corrosif. — Ammoniac. — Acide arsénieux. — Chlorure de zinc. — RONGER. — Rubéfier. — Démanger.

CAUTÈLE, f. Cauteleux. **V.** *ruse, hypocrite.*

CAUTÈRE, m. **V.** *feu, médicament, ulcère.*

CAUTÉRISATION, f. Cautériser. **V.** *brûler, chirurgie.*

CAUTION, f. Cautionnement, m. **V.** *sûr, garant, adjudication, affirmer.*

CAVAGE, m. **V.** *cave.*

CAVAILLON, m. **V.** *vigne.*

CAVALCADE, f. **V.** *équitation, carnaval, spectacle.*

CAVALE, f. **V.** *cheval.*

*Cavalerie*, f. **V.** *armée.*

CAVALIER, m. **V.** *soldat, équitation, danse.*

CAVATINE, f. **V.** *chant.*

CAVE. **V.** *creux.*

*Cave*, f. **V.** *maison, magasin, vin, auberge.*

CAVEAU, m. **V.** *auberge, souterrain.*

CAVEÇON, m. **V.** *cheval.*

CAVERNE, f. **V.** *antre, abri.*

CAVIAR, m. **V.** *esturgeon.*

CAVILLATION, f. **V.** *argument, ruse.*

CAVISTE, m. **V.** *bouteille, auberge.*

CAVITÉ, f. **V.** *creux, vide.*

CÉCITÉ, f. **V.** *œil, aveugle.*

*Céder*. **V.** *arrière, faible, résignation, abandon, inférieur, don, vendre, transmettre.*

CÉDILLE, f. **V.** *ponctuation.*

CÉDRAT, m. **V.** *citron.*

CÈDRE, m. **V.** *pin.*

---

**Cautérisant.** — Cautériser, cautérisation. — Brûler, brûlant, brûlure. — Adurent, adustion. — Consomptif, consumer. — Bouton de feu. — Pierre infernale. Nitrate d'argent. — Thermocautère. — Galvanocautère.

**Dérivatif.** — Cautère. Appliquer un cautère. Sparadrap. — Cautère ensal, nummulaire, objectif, olivaire, potentiel. — Pierre, pois à cautère. — Fermer un cautère. — Pommade de Garou. — Exutoire. — Emonctoire. — Ventouse. — Mouche. — Emplâtre. — Sinapisme. — Cataplasme sinapisé. — Vésicatoire. — Séton. — Cantharides.

Epispastique. — Escarotique. — Vésicant. — Exulcératif. — Suppuratif. — Détourner des humeurs. Toucher. Exulcérer. — Exulcération. Vésication. Vésicule. Cloche.

## CAVALERIE

**Cavaliers.** — Cavalier. — Amazone. — Cataphracte. — Chevalier. — Homme d'armes. — Gendarme. — Argoulet. — Estradiot. — Reître. — Carabin. — Croate. Cravate. — Chevau-léger. — Mousquetaire. — Dragon. — Hussard. — Uhlan. — Chasseur. — Cuirassier. — Lancier. — Carabinier. — Guide. — Cosaque. — Mameluck. — Spahi. — Goumier. — Eclaireur. — Vedette. — Coureur. — Mitrailleur.

**Formations.** — Cavalerie de ligne. Cavalerie légère. Grosse cavalerie. Sections de mitrailleuses, d'automitrailleuses. — Brigade. Régiment. Escadron. Peloton, groupe de combat, équipe d'éclaireurs, équipe de fusiliers-mitrailleurs. — Etendard. Fanion. Guidon. Cornette.

**Évolutions.** — Boute-selle. Charge. En fourrageurs. — Chevauchée. Reconnaissance. Patrouille. — Cavalcade. Carrousel. Fantasia.

**Termes spéciaux.** — *Grades.* Cornette. Mestre de camp. Chef d'escadron. Maréchal des logis. Brigadier.

*Equipement.* Chabraque. Sabretache. Shako. Kolback. Chapska. Casque. Dolman. Pelisse. Casaque. Fourragère. Paquetage. Trousse.

*Armes.* Carabine. Mousqueton. Revolver. Fusil-mitrailleur. Mitrailleuse. Automitrailleuse. Lance. Epée. Sabre. Bancal. Latte. Cimeterre.

**V.** CHEVAL. EQUITATION. HARNAIS. SOLDAT.

## CAVE

**Qui a trait à la cave.** — Cave. — Caveau. — Cellier. — SOUTERRAIN. — Silo. — Glacière.

Soupirail. — Trappe. — Descente. — Escalier. — Echappée. — Casiers. — Rayons. Encaver, encavement, encaveur. — Cavage. — Avaler, avalage. — Descendre à la cave. Poulain (glissière).

## CÉDER

**S'avouer vaincu.** — Renoncer à la résistance. — Mettre bas, déposer, poser les armes. — Se rendre, reddition. — Capituler, capitulation. — Chamade. Parlementaire. Drapeau blanc. — Rendre son épée.

Lâcher pied. — Reculer. — Battre en retraite. — Rompre. — Tourner le dos. — S'enfuir. Fuir. Fuite.

**Ne pas résister.** — Chanceler. — Faiblir, faible, faiblesse. — Défaillir, défaillance. — Etre désarmé. — Faillir. — Mollir, mou, mollesse. — Etre LÂCHE, lâcheté. Etre de bonne composition. — Condescendre, condescendance. — Exaucer. — Se laisser fléchir, flexible. Exorable. — Etre l'esclave de. Etre le jouet de. — Laisser faire. Laisser aller. — Fermer les yeux. — Céder aux caprices. — Gâter un enfant. — Lâcher la bride. — Etre passif.

Doux de caractère. — Complaisant. — Bonasse. — Facile. — Faible. — Sans volonté. Cire molle. — Poule mouillée. — Mannequin. — Roseau. — Girouette.

**Transiger.** — Transiger, transaction. Droits litigieux. — Composer. Venir à composition. Composition. — Compromettre. Compromis. Arbitrer. Arbitrage. Arbitre. — Homologation. — Accéder, accession. — Accommoder, accommodant. — Concéder, concession. — Céder, cession, cessionnaire. — Pactiser. — Faire droit à. — Octroyer, octroi. — Accorder, accord. — Mettre du sien. — Traiter, traitable. — Accepter, acceptation. — PERMETTRE, permission. — Se prêter à. — Passer quelque chose. — Passer condamnation. — Se relâcher. Renoncer. Rétrocéder. Reculade.

**Se soumettre à la force.** — Avoir le dessous, le désavantage. — Céder de guerre lasse. — Mettre bas les pouces. — Fléchir les genoux. — S'incliner. — Obtempérer. — Se soumettre, soumission, soumis. — Filer

CÉDULAIRE. V. *impôt.*
CÉDULE, f. V. *billet.*
CEINDRE. V. *entourer, ceinture.*
**Ceinture**, f. V. *bande, rein, courroie.*
CEINTURER. V. *ceinture.*
CEINTURON, m. V. *ceinture.*
CÉLÉBRATION, f. V. *cérémonie, louange.*
CÉLÈBRE. V. *gloire, public.*
CÉLÉBRER. V. *gloire, applaudir.*
CÉLÉBRITÉ, f. V. *gloire, réputation.*
CELER. V. *cacher.*
CÉLERI, m. V. *salade.*
CÉLÉRITÉ, f. V. *prompt.*
CÉLESTE. V. *ciel, Chine.*
CÉLIBAT, m. Célibataire. V. *mariage, seul.*
CELLERIER, m. V. *cave.*
CELLIER, m. V. *cave.*
CELLULE, f. V. *chimie, chair, prison, moine, miel, aéronautique.*
CELTE, m. Celtique. V. *Gaule.*
CÉMENTATION, f. V. *chimie, acier.*

CÉNACLE, m. V. *manger.*
**Cendre**, f. V. *résidu, feu, relique, mort.*
CENDRÉ. Cendreux. V. *cendre.*
CENDRIER, m. V. *cendre.*
CENDRURE, f. V. *acier.*
CÈNE, f. V. *Christ.*
CÉNOBITE, m. V. *moine.*
CÉNOTAPHE, m. V. *funérailles.*
CENS, m. V. *impôt.*
CENSÉ. Censément. V. *apparaître.*
CENSEUR, m. V. *magistrat, école, blâme.*
CENSIER, m. V. *fermier.*
CENSITAIRE, m. V. *suffrage.*
**Censure**, f. Censurer. V. *blâme, punition, excommunier.*
**Cent.**
CENTAINE, f. V. *cent.*
CENTAURE, m. V. *monstre, équitation.*
CENTENAIRE. V. *âge, chronologie.*
CENTENIER, m. V. *cent.*
CENTÉSIMAL. V. *cent.*
CENTIARE, m. V. *cent.*
CENTIÈME. V. *cent.*

CENTIGRADE. V. *cent.*
CENTILITRE, m. V. *cent.*
CENTIME, m. V. *cent.*
CENTIMÈTRE, m. V. *cent.*
CENTON, m. V. *mélange.*
CENTRAL. V. *milieu, téléphone.*
CENTRALISATION, f. Centraliser. V. *unité.*
**Centre**, m. V. *milieu, intérieur, important, politique, armée.*
CENTRIFUGE. V. *mécanique, fuite.*
CENTRIPÈTE. V. *mécanique, mouvement.*
CENTUPLE. V. *cent.*
CENTURIE, f. V. *cent.*
CEP, m. Cépage, m. V. *vigne.*
CÈPE, m. V. *champignon.*
CÉPÉE, f. V. *rejeton, arbre.*
CÉPHALALGIE, f. V. *tête.*
CÉPHALITE, f. V. *tête.*
CÉPHALOPODE, m. V. *mollusque.*
CÉRAMIQUE, f. V. *art, terre, porcelaine, pot, tuile.*
CÉRAT, m. V. *cire.*
CERBÈRE, m. V. *enfer.*

---

doux. — OBÉIR. — Se rendre à discrétion. — Plier. — Succomber. — Se départir de ses prétentions. — S'abaisser. — S'humilier, humble. — Caponner. — Faire le chien couchant. — Lâcher prise. — Etre malléable, ductile, élastique, souple.

**Se soumettre aux raisons.** — Entendre raison. — En démordre. En rabattre. — Venir à résipiscence. — Céder de bonne grâce. — Se résigner, RÉSIGNATION. — Acquiescer, acquiescement. — Consentir, consentement. — Baisser le ton. Baisser la tête. — Déchanter. — Mettre de l'eau dans son vin. — Ecouter. — Discipliné. — Docile. — Déférent.

Suivre l'impulsion. — Emboîter le pas. — Agir au gré de. — Répondre à. — Sacrifier à la mode, aux préjugés. — Respect humain.

## CEINTURE

**Ceintures.** — Ceinture d'homme. — Taillole (ceinture provençale). — Ceinture de femme. — Ceste (de Vénus). — Ceinture de gymnastique. — Ceinture de sauvetage. — Ceinturette. — Ceinturon. — Baudrier. — Buffleterie. — Cordelière. — Bande. — Bandage. — Sangle. — Echarpe. — Pagne. — Ruban.

Ceinture de murailles. — Grande et petite ceinture (chemin de fer). — Zone neutre. — Clôture.

**Qui a trait à la ceinture.** — Ceindre. — Ceinturer, ceinturage. — Sangler. — Boucler.

Ceinturonnier. — Cuir. Boucles. Plaque. Agrafes. Pendant. Frange. Gland. Houppe. Nœud. Œillet. Patte.

## CENDRE
(latin, *cinis*; grec, *spodos*)

**Cendres.** — Cendre. — Fraisil (de forge). — Charrée (de lessive). — Cendre gravelée. — Escarbilles. — Spodite (de volcan). — Cendres (religieuses). — Cendres (funéraires). — Védasse (de teinture).

**Qui a trait aux cendres.** — Mercredi des cendres. — Cendrer, cendré, cendrure. — Réduire en cendres. — Cinéfaction. Cinération. — Incinérer, incinération. — Crémation. Urne cinéraire. — Lixiviation (lessivage des cendres). — Cinériforme. — Cinéraire (plante). — Cinérite (sable). — Spodomancie (divination par les cendres).

## CENT
(latin, *centum*; grec, *hécaton*)

**Idée de multiplication.** — Centaine. — Centuple. — Centenaire. — Cent jours. — Cent-lances. — Cent-Suisses. — Cent-gardes. — Centurie, centurion. Centenier. — Centumvir. — Centimane. — Siècle (cent ans), séculaire. — Quintal (cent kilos).

Hécatombe (sacrifice de cent bœufs). — Hécatompyle (aux cent portes). — Hécatompédon (temple de cent pieds). — Hécatonstyle (à cent colonnes).

Hectare. — Hectogramme. — Hectolitre. — Hectomètre. — Hectopièze. — Hectosthène. — Hectowatt.

**Idée de division.** — Centième. — Centésimal. — Centesimo. — Centime. — Centiare. — Centigrade. — Centibar. — Centilitre. — Centimètre. — Centistère. — Centipièze. — Centipède. — Quarteron (quart de cent).

Cerceau, m. V. *cercle, jeu, plume.*

Cercle, m. V. *courbe, sphère, superficie, bordure, tonneau, jeu, association, argument.*

Cercler. Cerclier, m. V. *cercle, lier.*

Cercueil, m. V. *mort.*

Céréale, f. V. *Cérès, blé, labour.*

Cérébral. Cérébro-spinal. V. *cerveau.*

Cérémonial, m. V. *règle, fête.*

Cérémonie, f. V. *public, saluer, affectation, minutie.*

Cérémonieux. V. *cérémonie.*

Cérès, f.

Cerf, m. V. *gibier.*

Cerfeuil, m. V. *légume.*

Cerf-volant, m. V. *insecte, jouet.*

Cérifère. V. *cire.*

## CERCLE

(latin, *circulus*; grec, *cyclos*)

**La circonférence.** — Cercle. Ligne circulaire. Circonférence. Contour. — Diamètre. Rayon. — Sécante. Cosécante. Tangente, tangent. Osculation. — Quadrant. — Quadrature, quadratrice. Rectification. — Inscription dans, inscrire. — Circonscrire, circonscription. — Cercles concentriques ou homocentriques. — Excentrique, excentricité. — Epicycle. — Cycloïde. Couronne. — Orbe, orbiculaire. — Orbite. Orbitaire. — Lune. Lunette. — Tropiques. Colures. Zone.

**Choses circulaires.** — Anneau, annulaire. — Auréole. — Aréole (du sein). — Cerne (des yeux), cerné. — Cycle. — Cyclades. — Frette. — Cerceau. — Disque. — Halo. — Roue. — Roulette. — Rouleau. — Rondelle. — Sphère. Armille (cercle de sphère). — Tour. — Contour. — Rond. — Zone. — Périphérie. — Virole.

Tourner. Faire tourner. — Mouvement circulaire. Circuler, circulation, circulatoire. — Sens giratoire. — Révolution. — Faire cercle. — Lover un câble. — Sicamor, *bl.* (cercle). Vires, *bl.* (anneaux concentriques).

**Arc et choses arquées.** — Arc. — Corde. Sous-tendante. — Flèche. Secteur. Segment. Sinus. Cosinus.

Arc, arc surbaissé. — Arceau. — Arcade. — Cintre. — Demi-cercle. — Demi-lune. — Lunule. — Croissant. — Ogive. — A cheval. — Courbe. — Courbure. — Anse. — Hémicycle. — Amphithéâtre.

Arqué. — Ogival. — Curviligne. — Cintré.

**Instruments et mesures.** — Compas. — Rapporteur. — Quadrant. — Sextant. — Simbleau.

Degrés. Minutes. Tierces. — Complément d'un arc. — Supplément d'un arc. — Aire du cercle. — Le Pi.

**Cercles de tonneau.** — Cercle, cerclier. Cerceau. — Cercler, cerclage, recercler. — Feuillard (bois de cercle). — Sommiers (cercles doubles). — Torches (cercles qui se touchent). — Relier un tonneau. — Sommager.

## CÉRÉMONIE

**Cérémonies religieuses.** — Cérémonie. — Solennité. — Service divin. — Observances. — Sacrements, sacramentel. — Liturgie. Fête liturgique. — Messe. Bénédiction. Prière. Oraison. Neuvaine. Procession. — Célébration, célébrer. Cérémonial.

— Pèlerinage. — Purification. — Expiation. — Lustration, lustral. — Consécration. — Exécration. — Exorcisme. — Initiation. — Circoncision. — Intronisation. — Investiture. — Dédicace. — Libation. — Onction. — Ablution. — Aspersion. — Imposition des mains. — Conjuration. — Génuflexions. — Mômeries.

**Cérémonies de cour.** — Cérémonial. — Protocole. — Grand maître des cérémonies. — Etiquette. — Apparat. — Pompe. — Assemblées. — Audiences. — Sacre. Couronnement. — Baisemain.

**Cérémonies mondaines.** — Politesse. — Façons. — Manières. — Usages. — Pratiques. — Convenances. — Formes. — Formalités. — Formules. — Honneurs. — Saluts. — Salutations. — Simagrées. — Singeries. — Grimaces. — Affectation. — Compliments. — Cant. — Snobisme.

Gala. — Fiançailles. — Mariage. — Baptême. — Relevailles. — Réceptions. — Visites. — Obsèques. — Funérailles.

Faire des façons, des manières. — Introduire. Présenter. Recevoir. — Etre cérémonieux, complimenteur, façonnier, grimacier, maniéré, formaliste.

**Cérémonies publiques.** — Solennité, solennel. — Fête publique. — Fête nationale. — Réjouissances publiques. — Festival. — Anniversaire. — Centenaire. — Inauguration. — Jubilé. — Installation. — Commémoration. — Revue militaire. — Distribution de prix. — Cortèges. — Défilés. — Salves. — Discours. — Musique.

## CÉRÈS

**Culte de Cérès.** — Cérès (chez les latins). Démèter (chez les Grecs). — Eleusis (ville de Cérès). — Cérémonies : Eleusinies. Thermophories. Ambarvales. — Mystères d'Eleusis. Hiérophante. Dadouque. Myste. Epopte (grand initié). — Proserpine ou Perséphone (fille de Cérès).

Triptolème (roi qui apprit de Cérès l'agriculture). — Déesse des moissons, du labourage. — Céréales. — Attributs de Cérès : Epis. Faucille.

## CERF

**Tête du cerf.** — Bois. Ramure. Andouillers. Refait. Broches. Dagues. Cors. — Sommet de la tête : Paramont. Empaumure. Porte-chandelier. Velue (peau sur cornes). — Têt (os frontal). Pivots. Chevillures. Meule ou Bosse (racine du bois). Fraise.

CERISAIE, f. V. *cerise.*
Cerise, f. V. *rouge.*
CERISIER, m. V. *cerise.*
CERNE, m. V. *cerclé, œil.*
CERNEAU, m. V. *noix.*
CERNER. V. *entourer.*
CÉROPLASTE, m. Céroplastie, f. V. *cire.*
CERQUEMANAGE, m. V. *arpentage.*
CERTAIN. V. *certitude, sûr.*

CERTES. V. *certitude.*
CERTIFICAT, m. V. *preuve, renseignement, brevet.*
CERTIFIER. V. *affirmer, confirmer, vrai.*
Certitude, f. V. *sûr.*
CÉRUMEN, m. V. *humeur.*
CÉRUSE, f. V. *plomb.*
CERVAISON, f. V. *cerf.*
Cerveau, m. V. *nerf, intelligence, cloche.*

CERVELAS, m. V. *charcuterie.*
CERVELET, m. V. *cerveau.*
CERVELLE, f. V. *cerveau.*
CERVICAL. V. *cou.*
CERVIDÉ, m. V. *cerf.*
CERVOISE, f. V. *bière.*
CÉSAR, m. Césarien. V. *empire.*
CÉSARIENNE, f. V. *chirurgie.*
CESSATION, f. Cesse, f. V. *cesser.*

---

Pierrures. — Tête (cornes). Tête bien née, pommée, couronnée. — Former sa tête. Jeter sa tête. — Faux-marqué (cors inégaux). Portée (hauteur des cors). — Massacre (bois et crâne). — Muer, mue. — Ravaler (diminuer par vieillesse).

**Corps du cerf.** — Bouche. — Cimier (garrot). — Eponge (talon). — Ergots. — Jambe de cerf (entre talon et ergots). — Comblète (fente du pied). — Larmiers. — Croix de cerf (petit os dans le cœur). Daintiers (rognons).

Curée. — Curée à franc boyau. — Droits menus ou Forhus (entrailles). — Parement (chair). — Nappe (peau). — Mouée (sang). Venaison. Folilet (épaule). Hampe (poitrine). Nombles (cuisses).

Excréments : Fumées. Nouées. Bousard.

**Cerfs divers.** — Broquart. — Daguet. — Hère. — Première tête. — Deuxième tête. — Jeune cerf. — Grand cerf. — Grand vieux cerf. — Dix-cors. — Biche. — Faon. — Harde. — Harpaille (biches et faons).

*Cervidés :* Cervins. Alcès. Axis. Elan. Orignal. Renne. Tragélaphe. Caribou. Cervule. Sika. Babiroussa. Daim. Chevreuil, chevrette. Chevrotain.

**Vie du cerf.** — Prendre un buisson. — S'embûcher. Débucher. Rembucher. — Pays. Fort. Chambre. Reposée. — Frayer (ses cornes). Décroûter. Charbonner. — Erre. Fauxmarcher. Se déjuger. Ambler. — Viander (paître). Erucir (mordiller une branche). Faux-repaître. — Souiller (se vautrer). — Muser (être en rut). Bramer. Raire ou Raller.

**Vénerie.** — Cervaison (temps de la chasse). — Courre le cerf. — Revoir d'un cerf. Connaissances. — Détourner (reconnaître la reposée). — Voies. Foulures. Abattures. Hardées. — Poursuite. Abois. Accouer (couper le jarret). Hallali. Honneurs du pied.

## CERISE

**Variétés de cerises.** — Cerise anglaise. Cerise de Montmorency. Belle de Choisy. Bigarreau. Bigaudelle. Coulard. Gros-cœuret. Courte-queue. Gobet. Griotte. Guigne. Marasca. Merise, etc.

**Qui a trait à la cerise.** — Noyau. Queue. — Cerisier. Cerisaie. — Cerisette (prune). — Cérasine (gomme). — Cérasite (pierre). — Laurier-cerise. — Kirsch. Marasquin. — Cerises à l'eau-de-vie. Confitures de cerises. Conserves de cerises. — Le cerise (couleur).

## CERTITUDE

**Vérité de principe.** — Certitude absolue. — Certitude mathématique. — Certitude physique. — Certitude morale. — Vérité essentielle. — L'absolu. — Evidence, évident.

Axiome. — Dogme, dogmatique. — Théorème. Vérité apodictique.

Certain. — Rationnel. — Nécessaire, nécessité. — SÛR, sûreté. — Réel, réalité. — VRAI, vérité.

**Vérité certifiée.** — Acertainer. — Affirmer, affirmation. — Attester, attestation. — Assurer, assurance. — Certifier, certificat. — Confirmer, confirmation. — Constater, constatation. — Démontrer, démonstration, démonstratif. — Prouver, preuve.

EXACT, exactitude. — Authentique, authenticité. — Bien-fondé. — Incontesté, incontestable. — Irrécusable. — Palpable. — Officiel. — Formel. — Décisif. — Historique. — C'est un fait.

Tenir de bonne source. — Etre fixé, fondé. — Avoir un document. — Savoir. — Parler savamment de.

**Vérité de conviction.** — Article de foi. Article d'Evangile. — Croyance, CROIRE. Croire fermement. — Etre convaincu. — Foi. Doctrine. Système. Mystique. — Opinion arrêtée. — Mettre sa main au feu. — Faire profession de. — C'est la loi et les prophètes. — Prophétie. Oracle. — Indubitable. Infaillible, infaillibilité. — Convaincre. Persuader.

**Vérité admise.** — Aller de soi. — Tomber sous le sens. — Sauter aux yeux. — Se manifester. — Reconnaître. Admettre. — Cela va sans dire. — Il appert. — Il est constant, établi, avéré.

Notoire. Péremptoire. Patent. POSITIF. Manifeste. Visible. Clair. — Sans conteste. Sans doute. A bon escient. Certes.

## CERVEAU et CRÂNE

**Le crâne.** — Têt. Dolichocéphale. Brachycéphale. Acrocéphale. — Os craniens : Boîte cranienne. Calotte. Os frontal. Ethmoïde. Lame criblée. Crête. Sphénoïde. Occipital. Temporaux. Pariétaux. Rocher. Tables. Apophyse mastoïde. — Bosses frontales, pariétales, occipitales. — Fosses. Cavités. — Sutures. Fontaine. Os wormiens. Diachalase. — Trous du crâne. Canal carotidien. Canal auditif. — Voûte du crâne. — Péricrâne.

**Cesser.** V. *arrêt, manque, finir, interruption.*

CESSION, f. Cessionnaire, m. V. *céder, recevoir.*

CESTE, m. V. *gant, gymnastique.*

CÉSURE, f. V. *couper, poésie.*

**Cétacé,** m.

CÉTONES, f. p. V. *chimie.*

CHABLE, f. V. *corde.*

CHACAL, m. V. *quadrupède.*

CHACONNE, f. V. *chant.*

CHAFOUIN. V. *maigre.*

**Chagrin,** m. V. *peine, regret, malheur, abattement, cuir.*

CHAGRINER. V. *chagrin.*

CHAHUT, m. V. *bruit.*

---

**Qui a rapport au crâne.** — Phrénologie, phrénologue. — Cranioscopie. — Craniologie, craniologiste. — Craniographie. — Craniotomie. — Craniectomie. — Craniométrie. — Cranioplastie. — Trépanation, trépaner, trépan.

Fractures du crâne : Capillation. Entaille. Diacope. Ecpiesme. — Subgrondation (enfoncement).

**Le cerveau.** — Encéphale. — Masse encéphalique. — Cerveau. — Cervelet. — Bulbe. — Moelle épinière. — Hémisphères ou Lobes. — Corps calleux ou Mésolobe. — Circonvolutions ou Episphérie. — Scissures. — Artères carotides. — Artères cérébrales.

Cervelle. — Matière cérébrale. — Substance grise. — Substance blanche. — Hémisphères cérébelleux. — Arbre de vie. — Axe cérébro-spinal. — Canal rachidien. — Moelle allongée. — Moelle cervicale. — Sillons. — Canal de l'épendyme. — Liquide céphalorachidien.

Méninges : Dure-mère. Arachnoïde. Pie-mère. — Conoïde ou Glande pinéale. — Sensorium. — Nerfs.

**Détails du cerveau.** — Aqueduc de Sylvius. — Bandelette demi-circulaire. — Calamus scriptorius. — Citerne. — Conjugaison. — Cornes d'Ammon. — Didymes. — Eminence mamillaire. — Eminence pyramidale. — Ergot. — Faux du cerveau. — Ganglions. — Globules médullaires. — Hiatus. — Insula de Reil. — Isthme de l'encéphale. — Lobes sphénoïdaux. — Lobules. — Nates. — Corps olivaires. — Pédoncules. — Piliers, antérieur, postérieur. — Pont de Varole. — Protubérance annulaire. Protubérance vermiforme. — Pulpe cérébrale. — Scissure de Sylvius. — Septum lucidum. — Sinus. — Corps striés. — Tubercules quadrijumeaux. — Valvule de Vieussens. — Ventricules. Cloison des ventricules.

**Maladies du cerveau.** — Atrophie. — Céphalite. — Cérébrite. — Méningite. Méningite cérébro-spinale. — Congestion cérébrale. Coup de sang. — Apoplexie. — Epanchement. — Hydrocéphalie. — Encéphalite. — Hyperhémie. — Hypertrophie. — Ramollissement. — Siriase (coup de soleil). — Transport au cerveau. — Cérébellite. — Cérébrosclérose.

### CESSER

**Mettre fin.** — Cesser, cesse. Faire cesser. — Arrêter, arrêt. — Calmer. — Apaiser. — Eteindre. — FINIR. — Terminer. — Limiter. — Refuser. — Briser. — Déshabituer. — Désaccoutumer. — Supprimer. — Détruire. — Oter.

S'arrêter. — Se calmer. — Cesser. — Finir. — En demeurer là. — En démordre. — Se départir de. — S'ABSTENIR. — Lâcher prise. — Laisser. — Quitter. — Renoncer à. — Fermer boutique. — Déposer les armes.

**Prendre fin.** — Cesser, cessation. — Se terminer. — Aboutir. — S'éteindre. — Tomber en désuétude. — Passer de mode. — Tomber. Chute. — Finir, fin. — Etre à la limite. — Se périmer, péremption. — Prescription. — Annulation. — Suppression. — Manquer. — Tarir. — Mourir, MORT. — Rien ne va plus. — Toute affaire cessante.

**Interrompre.** — Armistice. — Trêve. — Chômage. — Grève. — INTERRUPTION. — Entracte. — Discontinuité. — Intérim. — Intermission. — Intermittence. — Relâche. — Relais. — Rémission. — Rémittence. — Répit. — REPOS. — Suspension. — Délai. — Vacance. — Inactivité.

Arrêter. — Suspendre. — Laisser dormir. — Relâcher. — Relayer. — Chômer. — Rester en suspens. — Etre en panne. — Se reposer. — Reprendre haleine. — Respirer un moment.

### CÉTACÉ

**Les cétacés.** — Baleine. Baleine franche, lunulée, noueuse, à bosse, à museau pointu. Jubarte. Rorqual. — Cachalot. Physale. Physétère. Bélouga. — Marsouin. — Dauphin. — Dugong. — Epaulard ou Orque. — Licorne de mer. Narval. — Lamantin ou Sirène. — Souffleur. — Requin. — Squale.

Monstre marin. — Elasmothérium. Métaxythérium (fossiles).

**Qui a trait aux cétacés.** — Events. Fanons. Elasmie (mâchoire). — Bras (nageoires). — Balanaire (qui a rapport à la baleine). — Baleinier. — Baleinière (bateau). — Baleine (lame de fanon). — Blanc de baleine (cervelle). — Huile de baleine. — Lard de baleine. — Cétine. Acide cétique. — Harponner, harpon, harpoire. — Bonifier une baleine. — Ambre gris.

### CHAGRIN

**Douleur morale.** — Chagrin cruel, cuisant, dévorant, déchirant. — Affliction. — Consternation. — Deuil. — Douleur. Douleur poignante. — Cœur brisé. — Angoisse. — Désolation. — Désespoir. — Epreuves. — Fardeau. — Sort dur, dramatique, tragique. — Amertume. — Fiel. — Abattement. — Consternation. — Accablement. — Coup mortel. — Tourment. — SOUFFRANCE. — Secousse.

CHAÎNAGE, m. V. *arpentage.*
**Chaîne,** f. V. *galérien, bestiaux, bijou, arpentage, tissu, montagne, pompe, suite.*
CHAÎNER. V. *chaîne.*
CHAÎNETTE, f. V. *chaîne, dentelle.*

CHAÎNON, m. V. *chaîne, anneau.*
**Chair,** f. V. *corps, viande.*
CHAIRE, f. V. *école, église, éloquence.*
CHAIS, m. V. *vin.*
CHAISE, f. V. *siège, voiture.*
CHAISIER, m. V. *siège.*

CHALAND, m. V. *bateau, boutique.*
CHALANDISE, f. V. *commerce.*
CHALCOGRAPHIE, f. V. *image, gravure.*
CHÂLE, m. V. *habillement.*
CHALET, m. V. *maison, berger.*

---

Etre abattu, abîmé, consterné, accablé. — Porter sa croix. — Se désoler. — Désespérer. — Etre au supplice. — Se lamenter, lamentation. — Pleurer, pleurs. Verser des larmes. — Exhaler sa douleur. — Sangloter, sanglot. — Se plaindre. — Gémir. — Etre éploré, inconsolable. — Souffrir. — Perdre courage.

Abattre. — Abreuver de. — Accabler. — Affliger. — Arracher l'âme. — Déchirer l'âme. — Désoler. — Désespérer. — Tourmenter. — Consumer la vie. — Angoisser. — Rouvrir la plaie. — Secouer.

**Tristesse.** — Tristesse, triste. Attrister, attristant. Contrister. — Chagrin, chagriner, chagrinant. — PEINE, pénible, peiner. — Anxiété, anxieux. — ENNUI, ennuyeux, ennuyer. — Déplaisir. — Emotion, ému, émouvoir. — DÉGOÛT, dégoûter. — Cœur gros. — LANGUEUR, languide, languir.

Préoccupation, préoccupé. — Souci. — Ver rongeur. — Tablature. — Tribulation. — Contretemps. — TROUBLE, troubler. — Embarras. — Inquiétude, INQUIET. — Serrement de cœur. — REGRET, regretter. Déplorer. — Nostalgie.

Lugubre. — Piteux. — Larmoyant. — Plaintif. — Navré. — Transi.

**Blessure d'amour-propre.** — Etre affecté, marri, mécontent, FÂCHÉ, malcontent, vexé. — Avoir l'oreille basse. Baisser l'oreille. — Maronner. — Faire la moue. — Endêver. — Déboire. Crève-cœur.

Blesser, blessant. — Chiffonner. — Contrarier, contrariété. — Dépiter, dépit. — Humilier, humiliation. — Froisser, froissement. — Vexer, vexation. — Mortifier, mortification.

Décevoir, déception. — Désillusionner, désillusion. — Désenchanter, désenchantement. — Désappointer, désappointement.

**Humeur sombre.** — Bilieux, bile. — Atrabilaire, atrabile. — Mélancolique, mélancolie. — Hypocondre, hypocondrie. — Misanthrope, misanthropie. — Grognon, grogner. — HARGNEUX. — Maussade. — Renfrogné. — Désagréable. — Sombre. — Taciturne. — Morose. — Morne. — Sourcilleux. — Songeur. — Rêveur. — Silencieux. — Solitaire. — Rabat-joie. — Alarmiste. — Défaitiste.

Humeur noire. — Idées noires. — Triste figure. — Mine allongée. — Spleen. — Pessimisme. — Mauvaise humeur. — Aigreur.

Broyer du noir. — Froncer le sourcil. — Fuir la société.

Renfrogner. — Assombrir. — Rembrunir. — Rider le front. — Ronger.

## CHAÎNE

**Chaînes d'usages divers.** — Chaîne, chaînette, chaînetier. — Chaîne calibrée. — Chaîne à étuis. — Chaîne à rouleaux. — Chaîne plate. — Chaîne de Vaucanson. — Chaîne d'attelage. — Chaîne de chalut. Caténière. — Chaîne d'ancre. — Chaîne d'arpenteur. Chaîner. Chaîneur. Chaînée. Chaînage.

Chaînon. — Anneau. — Maillon. — Maille. Mailles soudées, non soudées, étançonnées. — Nabot (fausse maille). — Paillon.

**Chaînes d'ornement.** — Chaîne de montre. — Chaîne d'huissier. — Chaîne de la Toison d'or. — Chaîne de cou. — Châtelaine. — Carcan. — Collier. — Sautoir. — Jaseran. — Ferronnière. — Léontine. — Chapelet. — Rosaire. Gourmette. Jouet. Mancelle (de harnachement).

**Chaînes de prison.** — Chaînes de forçat: Alganon. Brancade. Fillettes du roi. Anneau. Boucle. Fers. — Forçats à la chaîne. — Condamner à la chaîne. — Enchaîner. — Charger de fers. — Mettre aux fers. — River les fers. Goupiller. — Briser ses chaînes. — Désenchaîner. — Menottes. Emmenotter. — Chaîne d'écurie.

## CHAIR
(latin, *caro*; grec, *sarx*)

**Tissu organique.** — Chair, charnu. Bien en chair. — Chair flasque. Chair morte. Chair baveuse (dans les plaies). Chair pantelante. — Chair vive. — En chair et en os. — Carnation. Carné. Incarnat, incarnation (couleur de chair). — Carnification. Carniforme. — Fibre, fibreux, fibrine. — Décharné, décharner. — Echarner (ôter la chair du cuir), écharnure.

La chair (le corps). Charnel, charnalité. — Mortifier la chair. — Incarner, incarnation.

**Physiologie.** — Histologie. Sarcologie. Sarcographie. Splanchnologie. — Cellules, tissu cellulaire. — Agglutination des chairs. — Polysarcie. Sarcose. — Anaplérose. — Parenchyme. — Caroncule, caronculaire. — Excroissance. Carnosité. Tumeur. — Sarcome, sarcomateux. — Syssarcose (liaison des os par des chairs). — Muscle, musculaire.

**Aliment carné.** — Chair de bœuf, de mouton, etc. — Charnage. — Chair à saucisses. Chair à pâté. — Viande. — Créophage (mangeur de viande). Régime carné. — Omophage (mangeur de chair crue). — Carnivore. — Carnassier. — Carnage. — Charnier. — Carnier. — Charcuter, charcutier. — Acharner un faucon.

*Chaleur,* f. V. *météore, enthousiasme, brave, aimer.*
CHALEUREUX. V. *chaleur.*
CHÂLIT, m. V. *lit.*
CHALOIR. V. *intérêt.*
CHALOUPE, f. V. *bateau.*
CHALUMEAU, m. V. *souder, roseau, paille, berger.*
CHALUT, m. Chalutier, m. V. *filet, pêche.*
CHAMAILLER. Chamailleur,
m. V. *tournoi, combat, dispute.*
CHAMARRER. Chamarrure, f. V. *orner, passementerie.*
CHAMBELLAN, m. V. *chambre, roi.*
CHAMBRANLE, m. V. *porte, fenêtre.*
*Chambre,* f. V. *lit, maison, juges, écluse, parlement, photographie, société, auto-*
*mobile, optique, cerf.*
CHAMBRÉE, f. V. *chambre, théâtre, soldat.*
CHAMBRER. V. *chambre.*
CHAMBRETTE, f. V. *chambre.*
CHAMBRIÈRE, f. V. *domestique, fouet.*
*Chameau,* m. V. *bosse.*
CHAMELIER, m. V. *chameau.*
CHAMELLE, f. Chamelon, m. V. *chameau.*

## CHALEUR
### (latin, *calor;* grec, *thermos*)

**Phénomènes physiques.** — Chaleur. Chaleur animale. Chaleur solaire. — Chaleur spécifique. Chaleur latente. — Calorie. Frigorie. Thermie. — Calorique, caloricité. — Pouvoir émissif. Pouvoir absorbant. Corps noir. Radiateur intégral. — Thermogénie, thermogène. — Corps conducteur. Conductibilité. Conduction. Connexion. — Corps diathermane, athermane, adiabatique.

Calorimétrie. Calorimètre. — Température. Dilatation. Thermomètre. Degré. — Pyromètre. Couple thermoélectrique. — Lignes isothermes. — Rayonnement, rayonner. — Réverbération, réverbérer. — Thermodynamique. Chaleur de réaction.

Archée. Phlogistique (en alchimie).

**Température élevée.** — Haute température. — Chaleur accablante, lourde, sèche, humide. — Climat chaud, tropical. — Zone torride. — Canicule, caniculaire. — Eté, estival. — Coup de soleil. Feux du soleil. — Le midi. — Siroco. — Degrés de chaleur. — Bouffée de chaleur. — Temps doux. — Touffeur. — Thermidor (mois du chaud).

Effets de la chaleur. FIÈVRE. Inflammation. Hâle. Sueur, suer. Etouffer. Suffoquer. — Couver, couvaison. — Mûrir, maturité.

**Chauffage.** — Foyer. — Brasier. — Grille. — Calorifère. — Poêle. — Cheminée. — Chauffe-bain. — Chauffoir. — Chauffage central. Chaudière. — Bouches de chaleur. — Chaufferette. — Bassinoire.

Chauffer. — Chauffe. — Chaufferie. Chambre de chauffe. — Surface de chauffe. — Chauffer à blanc. Chauffer au rouge. Porter au rouge. — Calorification. — Incandescence. — Echauffer. Surchauffer. Réchauffer. — Four. Fournaise. — Echauder, échaudoir. — Etuve, étuver. — Rôtir, rôtissoire. — Griller, gril. — Braser (un tube). Souder. Chalumeau. — Donner une chaude. — Mettre au feu. — Faire bouillir. Ebullition. — Cuire, cuisson. — Attiédir, tiède. — Serre chaude.

**Chaleur d'âme.** — Chaleur, chaleureux. — Passion, passionné. — Animation, animé. — Zèle, zélé. — Ardeur, ardent. — Ferveur, fervent. — Enthousiasme, enthousiasmé. — Effervescence, effervescent. — Feu, fièvre de l'action. — Jeter feu et flamme. — Bouillir d'impatience. Caractère bouillant. — S'échauffer. — S'enflammer. — Brûler. — Etre embrasé.

## CHAMBRE

**Chambre à coucher.** — Chambre. Chambrette. Chambre à feu. Chambre garnie. Chambre nuptiale. Dortoir.

Alcôve. Ruelle. Plafond. Parquet. Placard. Tenture. Tapisserie. Papier peint. Tapis. Mobilier. Lambris. Soubassement. Fenêtre. Rideaux.

Chambellan. Chambrier. Camérier. — Valet de chambre. Femme de chambre. Cameriste. Chambrière. — Faire la chambre. — Garder la chambre. — Pot de chambre. — Robe de chambre. — Chambrer. — Chambrée.

**Pièces diverses.** — Antichambre. — Appartement. — Belvédère. — Boudoir. — Bouge. — Bureau. — Cabine. — Cabinet. — Cachot. — Cellule. — Cénacle. — Dépense. — Foyer de théâtre. — Fumoir. — Galerie. — Galetas. — Garde-robe. — Gloriette. — Loge. — LOGEMENT. — Mansarde. — Office. — Oratoire. — Parloir. — Pièce. — Poêle. — Réfectoire. — Salle à manger. Salle d'attente. — Salle de bains. — Salle de billard. — Salon. — Taudis. — Vestiaire. — Vestibule.

**Assemblées.** — Chambre des députés. Aller à la Chambre. — Chambre de commerce. — Chambre de discipline. — Chambre des notaires, des avoués, des huissiers. Conseil de l'ordre. — Chambre d'agriculture. — Chambre syndicale. — Chambre de tribunal civil. — Chambre de correctionnelle. — Chambre d'appel. — Chambre de Cassation. — Chambre des requêtes. — Chambre civile. — Chambre criminelle. — Conseil supérieur de la magistrature. — Toutes chambres réunies. — Chambre du conseil. — Chambre des lords. — Chambre des Communes. — Chambre du roi. — Conclave.

**Cavités d'un appareil.** — Chambre de l'œil. — Chambre claire. Chambre noire. Chambre à soufflet. — Chambre d'un canot. — Chambre de chauffe. — Chambre d'une torpille. — Chambre de mine. — Chambre à air. — Chambre d'explosion. — Chambre d'écluse (bief).

## CHAMEAU

**Qui concerne le chameau.** — Chameau (2 bosses). — Dromadaire (1 bosse). — Chamelle. — Chamelon. — Chamelier. — Méhari (pluriel, Méhara). Méhariste. — Caravane. Caravanier. — Camélidés. — Vaisseau du désert. — Blatérer (crier).

CHAMOIS, m. V. *chèvre, cuir.*
CHAMOISER. V. *cuir.*
CHAMP, m. V. *campagne, paître, portée, optique, combat.*
CHAMPÊTRE. V. *campagne.*
CHAMPI, m. V. *abandon.*
**Champignon,** m. V. *cryptogame, parasite, chapeau.*
CHAMPIGNONNIÈRE, f. V. *champignon.*
CHAMPION, m. V. *tournoi,*

*gymnastique, vainqueur.*
CHAMPIONNAT, m. V. *jeu.*
CHAMPLEVER. V. *émail.*
CHANCE, f. V. *hasard, événement, succès.*
CHANCELANT. V. *faible.*
CHANCELER. V. *balancer.*
CHANCELIER, m. V. *sceau, ministre, juges, agent.*
CHANCELIÈRE, f. V. *pied.*
CHANCELLERIE, f. V. *ordre, diplomatie.*

CHANCEUX. V. *hasard.*
CHANCRE, m. V. *ronger.*
CHANDELEUR, f. V. *vierge.*
CHANDELIER, m. V. *chandelle.*
**Chandelle,** f. V. *suif, pyrotechnie.*
CHANFREIN, m. V. *cheval.*
CHANGE, m. V. *monnaie, finance, commerce.*
CHANGEANT. V. *couleur.*
CHANGEMENT, m. V. *changer.*
**Changer.** V. *monnaie,*

## CHAMPIGNON

**Détails du champignon.** — Mycélium ou Thalle (blanc). Pédoncule. Chapeau. Collet. Feuillets. Lamelles. Tubes. Aspérités. — *Appareils reproducteurs :* Spores. Basides. Osques. Canidies. Œufs. Oosphères. Anthéridies. — Filament. — Moisissures. — Masse spongieuse. — Fongosité.

**Culture.** — Champignonnière. Champignonniste. Champignonneux. — Champignon de couche : Carrière. Meules. Fumage. Lardage. Gobetage. Blanc de champignon.

**Etude.** — Mycétologie ou Mycologie. Mycologue. — Mycographie. Mycographe. — Classification ancienne : Cryptogames. — Classification actuelle (4 ordres) : Basidiomycètes. Ascomycètes. Oomycètes. Myxomycètes.

Champignons comestibles. Champignons vénéneux.

**Principaux champignons.** — *Basidiomycètes.* Champignons de couche. Bolet. Cèpe. Vesse-de-loup. Rouille. Puccinie. Amanite. Chantrelle. Volvaire. Lactaire. Russule. Clavaire. Oronge. Mousseron.

*Ascomycètes.* Morille. Truffe. Levures. Aspergile. Oïdium. Ergot de seigle.

*Oomycètes.* Mucus. Mildiou.

*Myxomycètes.* Fuligo. Myxamibe.

## CHANDELLE et BOUGIE

**Chandelle.** — Chandellerie. — Couler de la chandelle. Caque. Suif. Mèche. — Chandelle à la baguette, à la plonge. Broche. Défiler. Egoutter. Rognoir. — Chandelle au moule. Moule. Sabot. — Chandelle des Rois. — Chandelle romaine. — Chandelle de résine. Oribus.

*Chandelier :* Balustre. Binet. Brûle-tout. Bobèche. Bassinet. Socle. Pied. — Branches. Chandelier à 7 branches. — Eteignoir. — Mouchettes. Moucheur. Mouchure. — Flammèches.

**Bougie.** — Bougie, bougeoir. — CIERGE, ciergier. — Cire. Cire vierge. Stéarine. Paraffine. — Fabrication à la main. Travail au cerceau. Polissoir. — Fabrication mécanique. Machines à mouler, à patiner, à polir, à marquer.

**Luminaires.** — Torchère. Torche. Brandon. — Lanterne. Fanal. Falot. — Flambeau. Candélabre. Appliques. Bras de mur. — Lampe. Lampadaire. Lucernaire. — Lustre. Plafonnier. Suspension. — Lampion. Girandole. — Lumignon. Veilleuse. — Herse. — Appareils d'éclairage. — Réflecteurs.

## CHANGER
(latin, *mutare*)

**Transformer.** — Changer, changement. — Transformer, transformation. — Déformer, déformation. — Innover, innovation. — Convertir, conversion. — Réformer, réforme. — Refondre, refonte. — Dénaturer. — Défigurer. — Transfigurer, transfiguration. — Travestir, travestissement. — Pervertir, perversion. — Contrefaire, contrefaction. — Convertir, conversion

Transsubstantiation. — Allotropie (changement chimique). — Métempsycose. — Métamorphose. — Métaplasme (changement dans les mots). — Revirement. — Révolution. — Dégénérer, dégénérescence. — Différer, différence. — Passer. — Devenir méconnaissable.

**Modifier.** — Adultérer, adultération. — Altérer, altération. — Falsifier, falsification. — Corrompre, corruption. — Bouleverser, bouleversement. — Fausser le sens. — Toucher à. — Corriger, correction. — Amender, amendement. — Remanier, remaniement. — Modifier, modification. — Déguiser, déguisement. — Diversifier. Variété. Espèce. — Nuancer, nuance. — Changer de ton. Changer ses batteries. — Rétracter, rétractation. — Réduire, réduction. — Infléchir la voix, inflexion. — Changement de temps. — Trope (changement de sens). — Crise. Etat critique. Age climatérique. — Innovation. — Refonte. — Diversion.

Variable. Irrégulier. Incertain. Inconsistant. — Caméléon. — Protée.

**Déplacer.** — Changer de place. — Déplacer, déplacement. — Déranger, dérangement. — Transposer, transposition. — Dévier, déviation. — Escamoter, escamotage. — Faire diversion. Un clou chasse l'autre. — Gradation. — Transition. — Evolution. — Révulsion. — Mutabilité. — Virement, virer. — Variation, varier. — Saute de vent. Tourner. Girouette. — Changer de face.

INFIDÈLE. Volage. Inconstant. Inconsistant. Instable.

**Echanger.** — Changer, changeur, change. — Perdre au change. — Echange. — Libreéchange. Rechange. Contre-échange. — Aliéner, aliénation. — Soulte, retour, remploi, mutation. — Troc, troquer. — Mue, muer. Faire peau neuve. — Changer d'habit. — REMPLACER, remplacement. — Rouler, roulement. — Relais, relayer. — Permuter, permutation. Copermutant. — Commuer, commutation. — Traduire, traduction.

*habillement, maladie.*
CHANGEUR, m. V. *changer.*
*Chanoine,* m. V. *bénéfice, église.*
CHANOINESSE, f. V. *chanoine.*
CHANSON, f. Chansonner. V. *chant, moquer.*
CHANSONNIER, m. V. *chant.*
*Chant,* m. V. *hymne, poésie.*
CHANTAGE, m. V. *pamphlet.*

CHANTEAU, m. V. *pain.*
CHANTEPLEURE, f. V. *robinet.*
CHANTER. V. *chant, voix, théâtre, poésie.*
CHANTERELLE, f. V. *violon, champignon.*
CHANTEUR, m. Chanteuse, f. V. *chant, théâtre.*
CHANTIER, m. V. *charpente, marine, ouvrier, bois.*

CHANTONNER. V. *bruit.*
CHANTOURNER. V. *menuisier.*
CHANTRE, m. Chantrerie, f. V. *chant, chanoine.*
*Chanvre,* m. V. *corde.*
CHANVRIÈRE, f. V. *chanvre.*
CHAOS, m. V. *désordre.*
CHAPARDER. V. *voleur.*
CHAPE, f. V. *couvrir, prêtre, moule.*

---

**Alterner.** — Alterner, alternance, alternatif, alternative. — Changer de thèse. — Plaider le pour et le contre. — Tergiverser. — Flotter. — Papillonner. — Chatoyer. — Vaciller.

Jeu de bascule. — Tour de rôle. — Douche écossaise. — Fluctuation. — Flux et Reflux. — Renversement. — Haut et Bas. — Vicissitude. — Revirement. — Retour de fortune. — Phase. — Revers. — Palinodie. — Repentir (correction de peintre). — Rotation (de culture). — Caractère versatile. — Caprices de la mode.

## CHANOINE

**Dignité de chanoine.** — Canonicat. Chanoine. Chanoinesse. — Cartulaire. — Chapitre, capitulaire. — Eglise collégiale. — Cloître. — Office canonial. Stage. — *Insignes :* Chape. Camail. Aumusse. Lingarelle. — *Revenus :* Bénéfice. Distribution. Prébende. Pauvreté (demi-prébende). Mereau (jeton de présence). Grugerie (partage de prébende).

**Titres des chanoines.** — Doyen, décanat, doyenné. — Primicier. Princier. — Prévôt. — Grand chantre ou Préchantre. Succenteur ou Sous-chantre. — Trésorier. — Semainier. — Chevecier. — Chancelier. — Théologal. — Obédientiel.

Chanoines : Expectant. Forain. Mansionnaire. Laïque ou Séculier. Régulier. Prébendier. Majeur. Mineur. Honoraire. Jubilaire.

## CHANT

**Chant religieux.** — Chant ambrosien. — Chant grégorien. — Plain-chant. — Chantrerie, chantre. — Chapelle. Maître de chapelle. Maîtrise. — Chœur. Choral. — Manécanterie. — Enfants de chœur. Psallette. — Lutrin. Antiphonaire. Hymnaire. Cantionnaire. — Liturgie.

Antienne. — Motet. — Prose. — Psaume. — Répons. — Réclame. — Hymne. — Cantique. — Noël.

**Airs de chant.** — Air. — Ariette. — Air de bravoure. — Ballade. — Barcarolle. — Brunette. — Cantilène. — Cavatine. — Chaconne. — Chanson. Chansonnette. — Complainte. — Lied. — Loure. — Romance. — Chanson à boire. Lampon. — Ronde. — Rondeau. — Séguedille. — Pont-neuf. Canevas. — Centon. Pot pourri.

Musique vocale. — Opéra. Opérette. Oratorio. — Cantate. Vaudeville. — Aubade. Sérénade. — Mélodie. Cantabile. Récitatif.

Chœur. — Vocalises. Roulades. Passages. — Motif. Leitmotiv. — Variations. — Strophe. Stance. Couplet. Refrain.

**Chanteurs et Voix.** — Chanteur, chanteuse. — Virtuose. — Cantatrice. — Prima donna. Diva. Divette. — Choriste. Coryphée. Soliste. — Orphéoniste, orphéon. — Castrat. — Barde. Trouvère. Jongleur. Troubadour. Ménestrel. Minnesinger. — Chansonnier. — Sirène. — Croque-note.

Haut-dessus. Haute-contre. Haute-taille. — Bas-dessus. Basse. Basse-taille. — Ténor. ténorino. — Baryton. — Soprano. — Contralto. — Mezzo-soprano.

Voix juste. Voix fausse. — Filet de voix. Voix flûtée. — Fausset. — Voix de poitrine, de tête, de gorge. — Portée de la voix. — Registre. Timbre. — Organe vocal.

**Art du chant.** — Conservatoire. — Contrepoint. — Solfège. — Diapason. — Harmonie. — Mélodie. Mélopée. — Homophonie. Cacophonie. — Unisson. — Fauxbourdon. — Parties. — Solo. Duo. Trio. Quatuor vocal. — Tons. Modes. — Concert. Chanter, chantant. — Attaquer. Entonner. Moduler. Vocaliser. Filer des sons. Couler. Lourer. — Trilles. — Bourdonner. Fredonner. Chevroter. — Chanter faux. Détonner. Déchanter. — Accents. Appogiature. Neume. — Gamme. Intonation. Inflexion. — Débit Mesure. Cadence. — Thème. Phrase. Reprise Ritournelle.

**Chants antiques.** — Chœur : Strophe Antistrophe. Epode. — Chorégie, chorège. — Bucoliasme (chant de bergers). — Nénies. Thrène (chants funèbres). — Ode. — Péan (chant guerrier). — Epithalame (chant nuptial). — Scolie (chanson de table). — Elégie (chant plaintif).

## CHANVRE et LIN
(latin, *cannabis*)

**Chanvre.** — Chanvre. Chènevière. Chenevis. Chènevotte. — Chanvre mâle. Chanvre femelle. Chanvre cru. — Queue, patte du chanvre. — Haschisch. Bang. Kif (chanvre à fumer). — Chanvrier. Moucher le chanvre (couper les pattes). — Cannabis (famille du Chanvre). Cannabin, cannabiné (qui ressemble au chanvre).

**Lin.** — Lin. Linière. Linier. — Linaire (lin sauvage). — Linacé (qui ressemble au lin). — Fibres du lin. — Graine de lin ou Linette. — Lin de Sibérie, de Riga, de Zélande, de Flandre, de Bretagne, etc. — Lin commun, blanc, gris, moyen, fin, etc.

*Chapeau*, m. V. *coiffure, cardinal.*
CHAPEAUTER. V. *chapeau.*
CHAPELAIN, m. V. *église.*
CHAPELET, m. V. *vierge, prier, bijou, chaîne.*
CHAPELIER, m. V. *coiffure.*
CHAPELLE, f. V. *architecture, église, chant.*
CHAPELURE, f. V. *poudre, pain.*
CHAPERON, m. V. *coiffure,* faucon, protéger, veiller.
CHAPITEAU, m. V. *architecture, colonne.*
CHAPITRE, m. V. *division, matière, livre, loi, association, chanoine.*
CHAPITRER. V. *réprimande.*
CHAPON, m. V. *volaille, salade.*
CHAPONNER. V. *animal.*
CHAR, m. V. *voiture.*
CHARABIA, m. V. *langage.*

CHARADE, f. V. *question, devin.*
*Charbon*, m. V. *houille, noir.*
CHARBONNAGE, m. V. *houille.*
CHARBONNER. V. *lampe.*
CHARBONNIER, m. V. *charbon, renard.*
CHARCUTER. V. *charcuterie.*
*Charcuterie*, f. V. *viande.*
CHARCUTIER, m. V. *charcuterie.*

---

**Autres plantes textiles.** — Coton. — Fibres végétales. — Aloès. — Jute. — Ramie. — Raphia. — Phormium.

**Préparations.** — Rouissage. Rorage. Rouir, roui. Rouissoir. Rotière. — Macération. — Gaux (chanvre roui à l'air).

Broyage. Broyer, broyeur, broyeuse. — Espader (battre). Ecousser. Maillocher. Macquer, macque. — Maillerie (moulin à broyer). — Ribe (machine à broyer).

Teillage. Teiller. Teille (filament). Teillotte ou Teilleuse (instrument).

Peignerie (industrie). Peignage. Peigner. Peigneur. Peigne. — Crèche (établi)). — Séran. Ebauchoir. Grège (peignes). — Regayer (nettoyer). Regayure.

Brins. Reparons. Etoupe. Filasse. — Ploque. Peignon. Poupée. — Filature. Fil. — Tissage, tissu. — Textilité. — Industrie textile.

## CHAPEAU

**Coiffures.** — Chapeau. — Chapeau à haute forme. — Gibus. Claque. — Tricorne. Bicorne. — Chapeau rond. Melon. Cape. — Chapeau de feutre. Chapeau tyrolien. Chapeau mou. — Sombrero. — Chapeau de paille. Canotier. Panama. Manille. Bangkok. Bolivar. — Chapeau pointu. — Chapeau de mousquetaire. — Chapeau de cardinal. — Mitre. — Caudebec. — Bousingot (ancien chapeau de marin). — Couvre-chef. — Tromblon. — Casquette. — Béret. — Barrette. — Bonnet. Képi. — Shako. — Bonnet à poil. — Calot. — Chéchia. — Turban.

Chapeau de femme. — Capeline. — Toque. — Marquis. — Chapeau bergère. — Cloche. — Capote. — Mélusine. — Cornette. — Fanchon. — Marmotte. Bonnet. — Coiffe. — Frontière.

**Détails de chapeaux.** — Calotte. Passe. Bords. Carre. Carcasse. Plat de fond. Retroussis. Coiffe. Corne. Bavolet. — Bordure. Galon. Ganse. Laisse. Bourdalou. Cordon. Gland. — Aigrette. Plumes. Plumes d'autruche. Marabout. Plumet. Pompon. — Fleurs. — Velours. Peluche. Soie. Paille. Feutre. Sparterie. — Ruban. Gaze. Voilette. Brides. Rosette. Cocarde. Houppe. — Epingles à chapeaux. Boucles.

**Chapellerie.** — Chapelier. Approprieur. — *Fabrication* : Poils (castor, lapin, etc.).

Jarre, éjarrer. Ebourrer. Flamber, effacer le poil. — Fouler, foulage. Feutre, feutrage, feutrière. Capade. — Bâtir. Forme, conformer. Estamper. — Apprêt. Dorage. Eau. Bouis. — Coup de fer. Rebouiser. Retaper. Bouillotte. Etuve. Repasser. — Lissoir. Frottoir. Bichon.

Modiste, modes. Champignon. Carton à chapeau. Chapeauter. Coiffer.

## CHARBON

**Fabrication.** — Charbonnier. — Charbon de bois. Charbonnière (place). Fauldes (fosses). Meule. Events. Bousage. Moussage. — Fabrication en meule, en four, en chaudière, en fosse, en vase clos. — Charbons artificiels. Charbon de Paris. Agglomérés. — Charbon de magnéto, de lampe à arc. — Noir animal. Noir d'ivoire. Noir de fumée. — Carboniser, carbonisation.

**Charbons de bois.** — Charbons ardents. — Foyer. Atre. Fourneau. Brasier. — Gril. Réchaud. Brasero. — Braise. Braisier. Etouffoir. Braisière. — Charbon végétal. Fusain. Ponce. — Poussier. Fumeron. Tison. Flambart. — Charbonner. Charbonneux.

Griller, grillade. Carbonade. — Braiser. Bœuf braisé.

**Charbons de terre.** — Combustibles minéraux. — Charbon de terre, charbonnage. — HOUILLE, houillère, terrain houilleux, carbonifère. — Houille grasse. Houille maigre. Tête de moineau. — Anthracite. Gailleterie. Gailletin. — Lignite. — Tourbe, tourbière. — Coke. Briquettes. Boulets. Escarbilles. — Poussier.

**Carbone.** — Carbone. Acide carbonique. Carbonate. Bicarbonate. — Carbure. Bicarbure. Hydrocarbure. — Bicarboné. Hydrocarboné. Carbosulfureux. — Oxyde de carbone.

## CHARCUTERIE

**Profession.** — Charcutier, charcutière, charcuterie. — Boudinier, boudinière (marmite). — Boyaudier, boyauderie. — Gargot (entrepreneur d'abattage). — Débiter, découper, parer un cochon. — Pendre, pendoir. — Saler, saloir, salé. — Hacher menu, hachoir. — Fumer, fumage. — Porc. Quartiers. Lard. Panne. Chair à saucisses. — Tranchelard (couteau).

**Chardon,** m. V. *carde.*
CHARDONNER. V. *chardon.*
CHARDONNERET, m. V. *oiseau.*
CHARDONNIÈRE, f. V. *chardon.*
CHARGE, f. V. *lourd, porter, fatigue, voiture, poudre, rire, attaque, cavalerie, fonction, excès, dépense.*
CHARGEMENT, m. V. *voiture, bateau.*
CHARGER. V. *voiture, fusil, combat, port, fonderie.*
CHARGEUR, m. V. *balle.*
CHARIOT, m. V. *voiture, bagage.*

CHARITABLE. V. *charité.*
**Charité,** f. V. *sentiment, religion, aumône, bienfait, généreux.*
CHARIVARI, m. V. *bruit, huer.*
CHARLATAN, m. Charlatanisme, m. V. *bateleur, tromper, public.*
CHARME, m. V. *beau, magie, amulette, appât.*
CHARMER. V. *plaire, séduire, influence, intérêt.*
CHARMILLE, f. V. *jardin.*
CHARNAGE, m. V. *chair.*
CHARNEL. V. *chair.*

CHARNIER, m. V. *chair, funérailles.*
CHARNIÈRE, f. V. *articulation, coffre, axe.*
CHARNU. V. *viande.*
CHAROGNE, f. V. *cadavre.*
CHARON, m. V. *enfer.*
**Charpente,** f. V. *bois, soutenir, corps.*
CHARPENTIER, m. V. *charpente.*
CHARPIE, f. V. *bandage.*
CHARRETÉE, f. V. *voiture.*
CHARRETIER, m. V. *voiture.*
CHARRETTE, f. V. *porter.*

---

**Produits.** — Lard. Bande. Barde. Lardon. Lard fumé. Bacon. Lard salé. — Jambon. Jambonneau. Jambon salé. Jambon fumé. Jambon d'York, de Bayonne, de Paris, etc. — Andouille, andouillette. — Boudin. Boudin noir. Boudin blanc. — Saucisse. Chair à saucisse. Saucisson. Cervelas. Mortadelle. Chipolata. Crépinette. — Hure. Pieds de porc. Rôti de porc. — Pâté de porc, en terrine, en croûte. Galantine. Rillettes. Fromage de cochon. Fromage d'Italie. Pâté de foie.

Foie gras. Pâté de foie gras. Terrine de foie gras. — Langue fourrée. — Salé. Petit salé. — Attignoles.

## CHARDON

**Qui concerne le chardon.** — Chardon. Capitule. Bosse. Piquant. — Chardon des champs. Pédane. Chardon porte-soie. Chardon bénit. Chardon nain. Chardon Notre-Dame. Chardon bleu. Chardon crépu. Chardon étoilé. — Acanthe, acanthacé.

Chardonneret (oiseau). — Echardonner (un terrain). — Chardonner (les étoffes). — Chardon ou Cardère (de foulon). — Croisée (croix garnie de chardons à lainer).

## CHARITÉ

**Sentiments charitables.** — Vertu théologale. — Amour de Dieu et des hommes. — Aimer son prochain. — Charité, cœur charitable. — Bonté. — Humanité, humain, humanitaire. — Bienfaisance. — Fraternité, cœur fraternel. — Générosité, GÉNÉREUX. — Philanthropie, philanthrope. Théophilanthropie. — Etre secourable. — Commisération. Miséricorde. PITIÉ. — Dévouement aux malheureux. — Bienveillance. Clémence. Indulgence. — Tolérance. Condescendance. Complaisance.

**Charité en action.** — Œuvres charitables. — Œuvres philanthropiques. — Bureau de bienfaisance. — Assistance publique. — Œuvres d'assistance. — Dame de charité. Dame patronnesse. — Bienfaiteur, bienfaitrice. — Frères et sœurs de charité. Sœurs Saint-Vincent-de-Paul. Petites sœurs des pauvres, etc. — AUMÔNES. SECOURS. DONS. Bienfaits. Bontés. Fondations. — Hospitalité, hospitalier. Asiles. — Fêtes de bienfaisance. Quête, quêteuse. Prix Monthyon.

Se dévouer. Secourir. Fraterniser. Venir en aide. Relever le moral. Pardonner.

## CHARPENTE

**Outillage.** — Aideau. Aiguille. Bec-d'âne. Besaiguë. Herminette. HACHE. Laceret. Piochon. Gouge. Amorçoir. Equilboquet. Tireboucler. — Armature. Boulon. Cheville. Dents-de-lcup. Clous. Rossignol. Vérin. Etrier. — ECHAFAUD. Echafaudage. Cintre. Chevalet. — Equerre. Fausse-équerre. Etelon. Traçoir. Jauge. Rouanne. Simbleau. Trousquin. Règle. Crayon. Repère.

**Travail du bois.** — Charpentier. Chapuis. — Charpenter, charpenterie. — Stéréométrie, stéréotomie. — Bille de bois. Madrier. Bois refait. Maisonnage. — Chantier. Portereau. Copeaux. — Amaigrir. Bûcher. Dégrossir. Equarrir. Equerrer. Aviver. Délarder. Débillarder. Dédosser. Quarderonner. Décoller. — Ligner. Tringler. Ruiler. — Amorcer un trou. — Cheviller. — Aplanir. Laver.

**Pièces principales.** — Arbalétrier. — Arêtier. — Bâti. — Bossage. — Cage. — Carcasse. — Chaise. — Chanlatte. — Chantignole. — Chapeau. — Chevêtre. — Chevêtrier. — Chevrons. — Colombe. — Colombage. — Comble. Faux-comble. Comble mansardé. — Contre-boutant. — Contre-fiche. — Corbeau. — Couche. — Coyau. — Coyer. — Croisillon. — Croupe. — Décharge. — Doubleau. — Empannon. — Empoutrerie. — Entrait. — Epaulement. — Esselier. — Etrésillon. — Faîtage. Faîte. — Faux-tirant. — Ferme. — Filière. — Gousset. — Guette. — Herses de croupe. — Houlice. — Jambes de force. — Jambette. — Jumelles. — Lambourde. — Limande. — Linçoir. — Linteau. — Longrine. — Montant. — Pan. — Panne. — Patin. — Pied cornier. — Pilier. — PLANCHE. — PLANCHER. — Pointal. — Poitrail. — Potence. — Poteau. — Poutre. — Poutrelle. — Sablière. — Semelle. — Sole. — Solive. — Soliveau. — Sommier. — Tronche. — Ventrière. — Voussoir.

**Assemblages.** — Assembler. Assemblage à tenon, à mortaise, à rainure, à embrèvement, à clef, en bouement, en adent, en onglet. Assemblage carré. — Aisselier. — Moises. — Entaille en queue d'aronde. — Bride,

CHARRIER. V. *transport, rivière.*

CHARROI, m. V. *porter.*

CHARRON, m. V. *voiture, roue.*

CHARROYER. V. *transport.*

**Charrue,** f. V. *labour.*

CHARTE, f. V. *écrire, loi, politique.*

CHARTE-PARTIE, f. V. *convention.*

CHARTRE, f. V. *prison.*

CHARTREUSE, f. V. *maison.*

CHARTREUX, m. V. *moine.*

CHARYBDE, m. V. *gouffre.*

CHAS, m. V. *aiguille, colle.*

**Chasse,** f. V. *chercher, poursuivre, hydraulique, écluse.*

CHÂSSE, f. V. *coffre, reliques.*

CHASSÉ, m. V. *danse.*

CHASSÉ-CROISÉ, m. V. *danse.*

CHASSELAS, m. V. *raisin.*

CHASSE-MOUCHE, m. V. *harnais.*

CHASSE-NEIGE, m. V. *neige.*

CHASSE-POINTE, m. V. *clou.*

**Chasser.** V. *bannir, pousser.*

CHASSEUR, m. V. *chasse, cavalerie, auberge.*

CHASSIE, f. V. *œil.*

CHÂSSIS, m. V. *menuisier, peinture, photographie, automobile.*

---

— Cloisonnage. Cloison. — Contrevent. — Contre-latte. — Croix de Saint-André. — Ecart, simple, carré, plat, en sifflet, à mi-bois. — Emboîtement. — Embrasure. — Empatture. — Enchevauchure. — Enchevêtrure. — Enlaçure. — Etançon. — Enrayure. — Epi. — Lattes. Lattis. — Lierne. — Lioube. — Rayure. — Renton. — Ruinures. — Tasseau. — Tholus. — Tirant. — Travée. — Traverse.

### CHARRUE

**Détail de la charrue.** — Corps de charrue. Soc. Sep. Talon de sep. Gendarme. Soupeau. Oreille ou Versoir. — Train de charrue. Age. Flèche ou Haye. Etançon. Manche. Mancherons. Rets. Caquetoire. Entretoise. Traînoir. — Avant-train. Epée. Essieu. Timon. Régulateur. Sellette. Armons. Court-bouton. Crochet d'attelage. Epar. Paumillon.

**Sortes de charrues.** — Araire. — Charrue à avant-train. — Charrue à tourne-oreille. — Charrue Dombasle. — Charrue Brabant. — Charrue balance. — Charrue polysoc. — Charrue à tracteur. — Charrue à disques.

Binet. — Brandilloire. — Extirpateur. — Houe à cheval. — Bineuse. — Cavaillonneuse. — Arracheuse. — Défonceuse. — Défricheuse. — Fouilleuse. — Rigoleuse. — Diviseuse. — Piocheuse. — Ratissoire. — Vigneronne.

**Qui a trait à la charrue.** — Charron, charronnage. — Taillandier, taillanderie. — Laboureur. Valet de charrue. Conducteur. — Travaux aratoires. LABOUR, labourage. Enrayer (tracer le premier sillon). Sillon. Enrue (large sillon). Entrure (profondeur). — Attelage. Joug. Traits. — Curer la charrue. Débouchoir. — Faire passer la charrue sur. — Mettre la charrue devant les bœufs.

### CHASSE

**Chasse à courre.** — Grande chasse. Chasse clameuse. Chasse à cor et à cri. — Vénerie. Veneur. — Equipage. — Vautrait (pour le sanglier). — Meute. Chiens. Mâtins. Piqueur. — Fanfare. Cor de chasse. Trompe. Cornet. — Couteau de chasse. Epieu. Vouge. — Rendez-vous de chasse. Muette. — Fauconnerie, FAUCON, fauconnier.

Animal courable. Bêtes fauves. Bêtes rousses, noires. Harde. Harpaille. — Fort. Pays. Se cantonner. Forlonger. Forpaître. S'embûcher. Brosser. Se flâtrer. Reposée. Ressui. Régalis. Remise. Relevé. — Debucher. Fortitrer. Refuir. Donner le change.

Quête. Trolle. — Taïaut. Tout-coi. Velaut (cris). — Revoir d'un cerf. Dépister. Détourner. — Erres. Traces. Voies. Pistes. Route. Brisées. Foulées. Menée. — Lancer. Relancer. — Relever un défaut. Hourvari. Prendre le contre-pied, le change. Revoir de bon temps. Renceinte. Traquer.

Poursuite. Forcer. Forhuir (sonner du cor). Grailler (rappeler les chiens). Hallali. Daguer. Honneurs du pied. Curée. Nappe. Drap de curée. Menus droits. Fouaille (curée de sanglier). Faire carnage.

**Chasse à tir.** — Affût. Buisson. Cabane. Hutte. Vache. — Chasse à l'espère. — Bourrée ou Chasse au hallier. — Chasse à la passée, à la « croûle ». — Battue. Battre le bois. Batteurs. Rabat, rabatteurs. — Etraquer. Quêter. CHIEN d'arrêt. Chien courant. Randonnée. — Halbrener. — Giboyer. — GIBIER. Plume et Poil. Remise. Réserve. Garenne. Gîte. Tiré. — Tir, tireur. Tirer au vol, au jugé, au posé. Avuer. — Gibecière. Carnier. Carnassière. Pièce. Tableau.

**Chasse aux engins.** — Appeau. Appelant. Courcaillet. — Engins. Pièges. FILETS. Bourses. Tirasse. Collets. Gluaux. Pipée. — Breste (à la glu). Glaner (les canards). — Fureter, furet. — Oiseleur. Tendue. Trictrac. — Trappe, trappeur. — Enfumer les renards. — Braconner, braconnier.

**Qui concerne la chasse.** — Conservateur des chasses. — Lieutenant de louveterie. — Permis de chasse. Port d'armes. — Chasseur, chasseresse, chasser. — Garde-chasse. — Ouverture, fermeture de la chasse. — Partie de chasse. Retour de chasse. — Exploit cynégétique. — Grand chasseur. Nemrod. Actéon. Diane. Saint Hubert.

### CHASSER

**Congédier.** — Renvoyer, renvoi. — Remercier. — Donner son compte. — Donner congé. Congédier. — Se défaire de. — Faire maison nette. — Donner son paquet. — Mettre, flanquer à la porte. — Faire SORTIR. — POUSSER dehors. — Mettre sur le pavé. — Chasser. Faire partir. — Eloigner. — Envoyer promener. — Donner campos. — Envoyer paître. — Donner au diable.

**Ecarter violemment.** — Mettre à l'ÉCART. — Econduire. — Mettre dehors. — Chasser. — Expulser, expulsion. — Rebuter. Rebuffade. — Rejeter. — Repousser. — Consigner à sa porte.

**Chaste.** V. *vierge, vertu.*
CHASTETÉ, f. V. *chaste.*
CHASUBLE, f. V. *prêtre.*
**Chat,** m.
**Châtaigne,** f.
CHÂTAIGNERAIE, f. Châtaignier, m. V. *châtaigne.*
CHÂTAIN. V. *cheveu.*
CHÂTEAU, m. V. *architecture, palais, fortification.*
CHÂTELAIN, m. Châtelaine, f. V. *noble, féodal.*
CHÂTELAINE, f. V. *chaîne.*

CHAT-HUANT, m. V. *hibou.*
CHÂTIER. V. *corriger.*
CHATIÈRE, f. V. *chat.*
CHÂTIMENT, m. V. *peine, supplice.*
CHATON, m. V. *chat, bijou, fleur.*
CHATOUILLER. V. *caresse, rire.*
CHATOUILLEUX. V. *délicat.*
CHATOYER. V. *briller, réfléchir, changer, éblouir.*
CHÂTRER. V. *mutiler, mâle.*

CHATTÉE, f. V. *chat.*
CHATTEMITE, f. V. *chat, doux.*
CHATTER. V. *chat.*
CHATTERIE, f. V. *cajoler.*
CHAUD. V. *chaleur, zèle, fièvre.*
CHAUDE, f. V. *feu.*
CHAUDEAU, m. V. *potage.*
CHAUDIÈRE, f. V. *chaudron, vapeur, machine, bateau.*
**Chaudron,** m. V. *cuisine.*
CHAUDRONNERIE, f. Chaudronnier, m. V. *chaudron.*

---

Pourchasser. — Poursuivre. — Mettre en fuite. — Etranger (le gibier). — Effaroucher. — Déloger. — Dénicher. — Débusquer. — Exorciser, exorcisme. Adjurer. Conjurer. — Prendre la place de. Remplacer. Déposséder. Dégoter. — Ejection. — Excrétion. — Evacuation.

**Faire disparaître.** — OTER. — Enlever. — Supprimer, suppression. — Eliminer, élimination. — Extirper. — Faire le vide. Vider. — Dissoudre, dissolution. — Disperser, dispersion. — Dissiper. — Licencier, licenciement. — Elaguer. — Annihiler.

Suffixe *fuge* dans : Fébrifuge, Vermifuge, etc.

**Exclure d'une situation.** — BANNIR, ban, bannissement. — Exiler, exil. — Expulser, expulsion, arrêté d'expulsion. — Disgrâce, disgracier. — Déposséder, dépossession. — Eviction. — Exclusion. — Excommunier, excommunication. — Proscrire, proscription. — Répudier, répudiation. — Divorcer, divorce. — Séparer, séparation. — Forclore, forclos, forclusion.

## CHASTE

**Continence.** — Continent. — Chaste, chasteté. — Abstinence. S'abstenir des plaisirs. — Innocent, innocence. — VIERGE. Virginité. Virginal. — Puceau, pucelle. — PUR, pureté. — Immaculé. — Fleur d'oranger. Fleur de lis. — Rosière.

Vœu de chasteté : Moine. Prêtre. Religieuse. Nonne. Vestale. — Célibat, célibataire. — Rester SAGE.

**Vertu.** — Bonnes MŒURS. Moralité. — Austère, austérité. — Sévère, sévérité. — Honnête, honnêteté. — Décence, décent. — Pudeur, pudique. — Retenue. — Bienséances. — Convenances. — Respect humain. — Honneur. — Fidélité conjugale. Lucrèce. Pénélope. — Avoir de la vertu. — Avoir honte. Rougir. — Décorum.

Pudibond, pudibonderie. — Prude, pruderie. — Sainte-Nitouche. Bégueule. — Airs affectés. Affectation. Baisser les yeux. Faire des manières.

## CHAT

**Les chats.** — Chat. Chatte. Chaton. — Chat commun. Matou. Chat de gouttière. Chat angora. Chat de Siam. Chat persan. — Race féline. Chat sauvage. Lynx. Guépard. Civette. — Chat rayé, vergeté, ocellé, tigré.

Appellations : Minet. Minette. Minon. Mistigri. Raton. Raminagrobis. Grippeminaud. Maître Mitis.

**Qui concerne les chats.** — Barbe. Moustache. Griffes. Yeux fendus. Miauler, miaulement. Ronron. — Faire le gros dos. Faire patte de velours. Se farder. — Chatter. Chattée. — Chatière (trou à chat). — Cataire ou Chataire (herbe aux chats). — Chatterie. — Chattemite. — En catimini. — Bouillie pour les chats.

**Expressions familières.** — Mon petit chat. — Non, c'est le chat. — Acheter chat en poche. — Donner sa langue au chat. — A bon chat, bon rat. — Chat échaudé craint l'eau froide. — La nuit, tous les chats sont gris. — Le chat parti, les souris dansent. — Ne réveillez pas le chat qui dort.

## CHÂTAIGNE

**Qui concerne la châtaigne.** — Châtaignier. — Châtaigneraie. — Châtaigne. Bogue ou Hérisson. — Macre ou Châtaigne d'eau. — Châtaignes printanières, portalonnes, du Limousin, etc. — Châtain (couleur de châtaigne). — Bois de châtaignier. Extrait de châtaignier.

Marronnier. Marron. — Marrons de Lyon, d'Italie, du Périgord, etc. — Marrons grillés, marrons glacés. — Marronnier d'Inde.

## CHAUDRON et CHAUDIÈRE

**Chaudronnerie.** — Chaudronnier, chaudronnerie. — Drouineur (chaudronnier ambulant). — Dinandier, dinanderie. — Poêlier. — Ferblantier. — Tôlier. — Etameur.

Cuivre. Tôle. Fer-blanc. Potin. — Planer le cuivre. Chever. Ecrouir. Emboutir. — Retreindre (façonner au marteau), retreinte. Canter (orner). — Rabattre les bords, rabattoir. Carre (bord). — Rivet, riveter. — Enclumes : Bigorne. Potence. Boule. Suage. Tas. — Etamer, étamage. Paillon. Polastre (poêlon). Paroir.

**Chaudronnerie de cuisine.** — Batterie de cuisine. — Casseroles. — Casse. — Poissonnière. Turbotière. — Marmite. Pot-au-feu. Houle. Crémaillère. Trépied ou Chevrette. — Chaudron. Hanche. Happes ou Oreilles. — Poêle. Poêlon. Tuile. Queue. — Bassin. Bassine. Bassinoire. — Tourtière.

CHAUFFAGE, m. V. *feu, chaleur.*
CHAUFFE, f. V. *feu, navire.*
CHAUFFE-BAIN, m. V. *bain.*
CHAUFFER. V. *chaleur, feu, exciter.*
CHAUFFERETTE, f. V. *chaleur.*
CHAUFFERIE, f. V. *forge, navire.*
CHAUFFEUR, m. V. *automobile, bandit, chemin de fer.*
CHAUFFOIR, m. V. *chaleur.*

CHAUFFURE, f. V. *acier.*
CHAUFOUR, m. Chaufournier, m. V. *four, chaux.*
CHAULAGE, m. Chauler. V. *blé.*
CHAUME, m. Chaumer. V. *paille, blé.*
CHAUMIÈRE, f. V. *paille, maison.*
CHAUSSE, f. V. *jambe, filtre.*
CHAUSSÉE, f. V. *pavé, chemin, étang.*

CHAUSSE-PIED, m. V. *soulier.*
CHAUSSER. V. *chaussure, pied.*
Chausses, f. p. Chaussette, f. V. *habillement.*
CHAUSSEUR, m. V. *soulier.*
CHAUSSON, m. V. *chaussure.*
Chaussure, f. V. *soulier.*
Chauve. V. *cheveu.*
CHAUVE-SOURIS, f. V. *chauve.*
CHAUVIR. V. *âne, oreille.*
Chaux, f. V. *maçon.*

---

**Chaudières.** — Chaudière. Bassin. Barne (de saline). Pistolet (de papeterie). Payelle (à sel). Catin (de fondeur). Campane (de savonnier).

Chaudières à bouilleur. Foyer. Bouilleur. Cylindre. Corps de chaudière. Niveau d'eau. Indicateur. Sifflet. Soupape. Alimentation.

Chaudières tubulaires. Foyer. Boîte à fumée. Prise de vapeur. Soupape. Tubes. Corps de chaudière. — Chaudière multitubulaire. — Chaudière inexplosible.

Vapeur. Pression. Atmosphère. Manomètre. Combustibles : Charbon. Coke. Pétrole. Mazout. Essence. Gaz.

## CHAUSSES et BAS

**Bonneterie.** — Chausses. — Chaussette. Bas. — Guêtre. Houseau. — Genouillère. — Chausson.

Bas de laine, de fil, de soie, de coton. — Mettre, enfiler, ôter des bas.

Cuissard. Jambe. Pied. Talon. Semelle. Coins. Mailles. Côtes. Baguettes. — Jarretières. Jarretelles.

**Travail.** — Métier. Forme. Moule. Pommelle. Râtelier. — Enformer. Garnir.

TRICOT, tricoter, tricotage, tricoteuse. Aiguilles à tricoter.

Repriser. Faire une reprise. — Ravauder, ravaudage. Remmailler, remmaillage.

## CHAUSSURE

**Cordonnerie.** — Cordonnier. — Bottier. — Chausseur. — Sabotier. — Savetier.

Cuir : Cheval. Vache. Veau. Box-calf. Chevreau. Reptile. — Cuir verni. — Crépin. — Caoutchouc. Crêpe. — Bois.

Chaussure clouée, cousue, à vis. — Chaussure vernie, claquée. — Chaussure à lacets, à boutons, à élastiques. — Chaussure à semelle de cuir, de crêpe, de bois. — Chaussure sur mesure. Chaussure de confection.

Prendre mesure. Tailler. Monter. Clouer. Piquer. Border. — Ressemeler, ressemelage. Rapiécer.

Alène. Poix. Ligneul. Forme. Marteau. Pointe. Clous. Tranchet. Lissoir. Tire-pied. Pied-droit.

**Détails de la chaussure.** — Empeigne. — Contrefort. — Quartier. — Tige. — Semelle. — Talon. Talon plat. Talon haut. —

Claque. — Bout. Poulaine. — Trépointe. — Tirants. — Brides. — Pattes. — Œillet. — Lacet. — Boutonnière, bouton. — Crochet. — Talonnière. — Talonnette. — Ailette. — Boucle.

**Sortes de chaussures.** — SOULIER. Brodequin. Bottine. Patin. Mocassin. Godillot. — BOTTE. — Escarpin. Babouche. Pantoufle. Mule. Sandale. — Sabot. Socque. Galoche. Snow-boot. — Espadrille. Chausson de lisière. — Soulier de bal. Chausson de danse. Cothurne. — Bain de mer. — Savate. Ribouis, f.

**Qui a trait aux chaussures.** — Chausser, chaussage, chaussant. — Pointure. Point. Chausser du. — Botter. — Déchausser. Déchaux. — Lacer, délacer. Boutonner. — Chausse-pied. Corne. Tire-bouton. — User. Déformer. Eculer. — Cirer, cirage. Brosser, brosse. Décrotter, décrotteur, décrottoir, décrottoire (brosse). Astiquer. — Mettre en forme.

## CHAUVE

**Etat de chauve.** — Alopécie. — Calvitie. Chauveté. — Pelade. — Xérasie. — Madarosis.

Tête chauve. — Tête chenue. — Tête pelée. — Tête rasée. — Cheveux rares, clairsemés. — Se dégarnir. — Se déplumer. — Etre glabre.

Perruque. Faux toupet. — Dépiler, dépilation, dépilatoire. — Epiler, épilage, épileur. — Dénuder.

**Chauve-souris.** — Chéiroptère. Membrane aliforme.

Chauves-souris diverses : Céphalote. Harpie. Rhinolophe. Barbastelle. Epomophore. Fer-à-cheval. Myoptère. Noctule. Oreillard. Roussette. Vampire. Vespertilion, etc.

## CHAUX
### (latin, *calx*)

**La chaux.** — Pierre à chaux. Calcaire. — Calcium. Calcique. — Four à chaux ou Chaufour. Foyer. Cendrier. Chaudière. Gueulard. Porte-feu. — Chaufournier. — Calciner, calcination. — Cuire la pierre, cuite. Cuisson intermittente. Cuisson continue. Cuisson à courte flamme. Cuisson à longue flamme. — Recuits.

Chaux. Ciment. Plâtre. Craie.

CHAVIRER. V. *renverser, bateau.*

CHÉCHIA, f. V. *coiffure.*

**Chef,** m. V. *diriger, tête, blason, bureau, cuisine, guerre.*

CHEF-D'ŒUVRE, m. V. *art, parfait.*

CHEF-LIEU, m. V. *ville.*

CHÉGROS, m. V. *fil.*

CHEIK, m. V. *Arabes.*

CHEIROPTÈRE, m. V. *aile.*

CHELEM, m. V. *carte.*

CHÉLONE, f. V. *tortue.*

**Chemin,** m. V. *marcher, promenade.*

---

**Préparations.** — Chaux vive. — Chaux éteinte. — Chaux hydraulique. — Chaux grasse. — Chaux maigre. — Lait de chaux. Échaudage. — Eau de chaux. — Laitance (dépôt).

Détremper la chaux. Bassin de sable. Râble. Bouloir. — Eteindre la chaux. Saturer la chaux. — Foisonner (se gonfler). — Fuser (s'amortir).

**Usage.** — Maçonnerie. Mortiers. Béton. — Chauler, chaulage. — Badigeonner, badigeonnage. — Enchaussener (les peaux), enchaussenage. Plain (cuve à chaux). Plamée.

### CHEF et MAÎTRE

**Formes du pouvoir.** — Absolutisme. — Monarchie. Royauté. — Empire. — Autocratie. — Dictature. — Despotisme. — Domination. — Toute-puissance. — Tyrannie. — Règne. — Trône. Sceptre. Couronne. — Régence. — Autorité. — Puissance. — Commandement. — Souveraineté. — Protectorat. — Aristocratie. — Seigneurie. — Démocratie. — Consulat. — Papauté. — Exarchat. — Patriarchat. — Prééminence. — Supériorité. — Hégémonie. — Suprématie. — Dignités. — Honneurs. — Titres. — Privilèges. — Maîtrise.

Administration. — Ministère. — Préfecture. — Direction. — Gouvernement. — Parlement. — Généralat. — Prévôté. — Majorat. — Décanat. — Episcopat. Prélature. Prieuré. — Bâtonnat. — Patronat. — Rectorat. Provisorat. Principalat.

**Exercice du pouvoir.** — Faire la loi. — Dicter des lois. — Imposer sa volonté. — Régner. — Etre maître. — Dominer. — Commander. — Tyranniser. — Opprimer. — Régenter. — Exercer l'autorité. — Présider. — Ordonner. — Disposer de. — Tenir en mains. — Diriger. — Administrer. — Mener. — Maîtriser. — Soumettre. — Primer.

Pouvoir absolu. Autocratique. Royal. Impérial. Consulaire. Présidentiel. Papal. Dictatorial. Préfectoral. Directorial. Ministériel. Patronal. Rectoral. Provisoral. Episcopal. Seigneurial. Patriarcal. Administratif. Aristocratique. Démocratique. Parlementaire. Central. Régional. Commercial.

Pouvoir autoritaire. Despotique. Oppressif. Tyrannique. Dominateur. Impératif. Rigide. Strict. Sévère. Dur. Impérieux. Arbitraire. Honorifique.

**Seigneurs et maîtres.** — Roi, reine. — Souverain, souveraine. — Empereur, impératrice. — Régent. — Prince, princesse. — Monarque. — Potentat. — Autocrate. — César. — Dictateur. — Tyran. — Grand maître. — Primat. — Prévôt. — Les grands. Duc. Marquis. Comte, etc. Tyranneau. Principicule. Président. — Ministre. — Sénateur. — Dé-

puté. — Maire. — Les autorités. — MAGISTRAT. — Conseiller. — Officier. — Gros bonnet. — Bailli. — Syndic. — Bâtonnier. — Doyen. — Maître, maîtresse. — Patron. — Chef. — Chef de file. — Professeur. — Maître d'école. — Préposé. — Surveillant. — Majordome. Intendant, etc.

**Hiérarchies diverses.** — Ordre hiérarchique. — Supérieur. Inférieur.

MINISTRE. Directeur. Chef de bureau. Sous-chef. Préfet. Sous-préfet. Maire. — Inspecteur. Contrôleur.

Général. Colonel. Commandant. Capitaine. Lieutenant. — Amiral. Contre-amiral.

Recteur. Inspecteur. Proviseur. Censeur. Principal. Directeur d'école.

Pape. Cardinal. EVÊQUE. Vicaire général. Curé.

Procureur général. Procureur de la République. Substitut. — Président de chambre. Conseiller. Juge.

**Chefs anciens ou étrangers.** — Pharaon. — Satrape. — Harmoste. — Ephore. — Stratège. — Lucumon. — Brenn. — Consul. Proconsul. Préteur. Propréteur. Questeur. Edile. Légat. Tribun. Centurion.

Baile. — Stathouder. — Burgrave. — Margrave. — Landgrave. — Staroste. Barine. — Doge. Gonfalonier. Provéditeur. Podestat. — Laird. — Leude. — Hospodar. — Voïvode. — Magnat. — Hetman.

Grand seigneur. Sultan. Calife. Emir. Chérif. Pacha. Padischah. Khédive. Vizir. Grand vizir. Reis-effendi. — Dey. — Bey. — Caïmacan. — Capitan pacha. — Aga. — Séraskier. — Cheik.

Soudan. — Négus. Ras. — Cacique. — Khan. — Grand mogol. — Mandarin. — Mikado. Taïcoun. — Nabab. Radjah. Maharadjah. — Shah. — Sofi.

### CHEMIN

**Voies.** — Voie publique. — Chemin. Chemin communal, vicinal, rural. — Chemin de grande communication, d'intérêt commun. — Grand chemin. — Route. Route nationale, départementale — Grand-route. — Chemin de ronde. — Chemin couvert. Chemin détourné. — Allée. Contre-allée. Allée cyclable. — Avenue. Artère. Boulevard. Rue. Ruelle. Venelle. — Sentier. Sente. Laie. Randon. Faux-fuyant. — Levée. Digue. — PROMENADE. Mail. Patte-d'oie. — PASSAGE. GALERIE. Corridor. Couloir. Tunnel. — Viaduc. Pont. Passerelle.

**Détail des chemins.** — Chaussée. Aire. — Palier. Pente. Côte. Raidillon. Rampe. — Accotement. Trottoir. Banquette. Bordure. — Ruisseau. Caniveau. Cassis. Ornière. Trou. Nid de poule. Fondrière. — Bifurcation. Fourche. Embranchement. Carrefour. Rond-point. Etoile. — Tournant. Coin de rue.

**Chemin de fer,** m.
CHEMINEAU, m. V. *marcher.*
**Cheminée,** f. V. *feu, fumée, poêle, architecture.*
CHEMINEMENT, m. Cheminer.

V. *chemin, marcher.*
CHEMINOT, m. V. *chemin de fer.*
**Chemise,** f. V. *linge.*
CHEMISETTE, f. V. *chemise.*

CHEMISIER, m. V. *chemise.*
CHÊNAIE, f. V. *chêne.*
CHENAL, m. V. *canal, rivière.*
CHENAPAN, m. V. *méchant, bandit.*

---

Lacet. — Débouché. Issue. Cul-de-sac. Impasse. — Poteau indicateur. Signaux de route. Borne kilométrique. Pierre milliaire.

**Usage des chemins.** — Ouvrir, tracer, frayer le chemin. — Parcourir un chemin, parcours, droit de parcours. Servitude de passage. — S'acheminer. Cheminement. — Enfiler un chemin. Suivre une route. — Se mettre en route. — Faire route. Marcher. Arpenter. — Suivre une direction. Prendre par. Couper au court. — S'égarer. Se perdre. Se fourvoyer. Dévier. Prendre le chemin des écoliers. — Passer. Route passante. — Aller à. Se rendre à. Aboutir.

Chemin mauvais, impraticable, dangereux, montant, ondulé, tortueux, raviné, défoncé, dégradé, raboteux, étroit, encaissé.

Chemin agréable, pittoresque, praticable, carrossable, roulant, plat, battu.

**Entretien des chemins.** — Ponts et chaussées. Agent voyer. Service de la voirie. — Vicinalité. Viabilité. — Cantonnier, casseur de pierres. — Aplanir. Fascinage. — Empierrer. Caillouter. Macadamiser. Ferrer. — Paver, PAVÉ, paveur. — Rouler, rouleau. — Terrassements. Déblai. Remblai. Encaissement. Cylindrer, cylindrage. — Goudronner, goudronnage, goudronneuse. — Bitumer, bitumage. — Asphalter, asphalte. — Bétonner, béton. — Balayer, balayeur.

## CHEMIN DE FER

**Réseaux.** — Réseau. Compagnie. — Grandes lignes. Petites lignes. — Lignes du Nord, de l'Est, P.-L.-M., etc. — Chemin de fer d'intérêt général, d'intérêt local, industriel. — Chemin de fer souterrain. Métropolitain. — Chemin de fer aérien. Funiculaire. Téléférique. — Tramway.

**Voie.** — Tracé. Profil. Remblai. Tranchée. — Superstructure. Ballast. Rail. Contre-rail. Crémaillère. Traverse. Eclisse. Coussinet. Champignon. Coin. — Aiguille. Levier de manœuvre. — Signaux. Sémaphore. Disque. Signal avancé. Signal d'arrêt. Cloche électrique. Indicateur de vitesse. Crocodile. — Voie principale. Contre-voie. Voie de raccordement. Voie de garage. Plaque tournante. Transbordeur. Butoir. — Croisement. Bifurcation. Embranchement. — Passage à niveau, inférieur, supérieur. Barrière. — Pont. Ponceau. Pont métallique. Viaduc. Tunnel. — Equipement électrique. Fils télégraphiques. — Poste d'aiguillage.

**Traction.** — Locomotive. Tender. Chasse-neige. Feux. — Locomotive compound. — Locomotive électrique. — Tracteur automobile. Automotrice. — Wagon. Tampon. Truck. Bogie. Roues. Freins. — Wagon à voyageurs. Wagon-restaurant. Wagon-salon. Wagon-lit. Sleeping-car. Wagon postal. Wagon à marchandises, à bestiaux. Fourgon. Wagon-écurie. Wagon frigorifique. Plate-forme. Wagonnet. Draisine. — Trains. Train de luxe. Train rapide. Train express. Train omnibus. Convoi. Rame de wagons. Compartiments.

**Exploitation.** — Gare. Station. Halte. Gare des voyageurs. Gare des marchandises. — Cour. Marquise. Hall. Salle d'attente. Salle des bagages. Guichets. Billets. Tickets. Coupons. Classes. — Quais. Embarcadère. Débarcadère. — Chargement. Déchargement. Grue. Chariot. Tricycle à bagages. Diable. — Enregistrement des bagages. Dépôt. Consigne. — Messageries. Colis postaux. Grande vitesse. Petite vitesse. Tarif. Catégories. Lettres de voiture. — Indicateur. Horaire. Livret. Guide. — Correspondances. Voitures à la gare. Voitures de livraison. — Contraventions. — Buffet. Hôtel Terminus. —

**Personnel.** — Directeur. Ingénieur. Chef de gare. Sous-chef. Chef de station. Chef de traction. Employés. Hommes d'équipe. Ouvriers de la voie. Garde-barrière. — Signaleur. Aiguilleur. — Mécanicien. Chauffeur. Chef de train. Contrôleur. Serre-frein. Cheminot. — Commissionnaire. — Commissaire de surveillance.

## CHEMINÉE

**La cheminée.** — Atre. Cœur. Contre-cœur. Plaque. Foyer. Coffre. Jambages. Joues. Socle. Encadrement. Ebrasement. Linteaux. — Manteau. Tablette. Hotte. Chambranle. Traverse. Rebord. Rideau. Tablier. Trappe. Devant de cheminée. Faux-manteau. Console. — Tuyau. Conduit. Poteries. Gorge. Registre. Tirage. Bouche de chaleur. Appel. Ventouse. — Landier. Chenets. Hâtier. Chevrette. Barre. Crémaillère.

**Sortes de cheminées.** — Cheminée monumentale. — Cheminée d'appartement. — Cheminée de campagne. — Cheminée à la prussienne. — Grille. — Cheminée à feu continu. — Poêle. Poêle mobile. Salamandre.

Cheminée d'usine, en brique, en ciment, en tôle. Carneaux. Foyer.

**Le feu.** — Faire du FEU. Coin du feu. — Combustible. Bois. Charbon. Panier à bois. Seau à charbon. Allume-feu. — Bûche. Tison. Fumeron. SUIE.

Garniture de cheminée. Pelle. Pincettes. Tisonnier. Fourgon. Soufflet. Garde-feu. Ecran.

Tirer. Ronfler. Fumer. Appareil fumifuge, fumivore. Gueule de loup. Mitre. Buse. Capuchon. — Fumiste, fumisterie. Poêlier. — Feu de cheminée. Extincteur. Ramoner, ramonage, ramoneur. Hérisson. Grappin.

## CHEMISE

**Sortes de chemises.** — Chemise d'homme, de femme, d'enfant. — Chemise de jour, de nuit. — Chemise de sport. —

*Chêne*, m. V. *arbre, meuble.*
CHÉNEAU, m. V. *toit, pluie.*
CHENET, m. V. *cheminée.*
CHÈNEVIÈRE, f. Chènevis, m. V. *chanvre.*
CHENIL, m. V. *chien.*
*Chenille*, f. V. *ver, papillon, passementerie, casque.*
CHENU. V. *chauve, vieux.*

CHEPTEL, m. V. *ferme, bestiaux.*
CHÈQUE, m. V. *finance, compte, billet.*
CHER. V. *précieux.*
*Chercher.* V. *curieux, but.*
CHERCHEUR, m. V. *chercher.*
CHÈRE, f. V. *manger, plaisir.*
CHÉRI, m. V. *aimer.*

CHÉRIF, m. V. *Arabes.*
CHÉRIR. V. *aimer.*
CHERTÉ, f. V. *prix.*
CHÉRUBIN, m. V. *ange.*
CHESTER, m. V. *fromage.*
CHÉTIF. V. *fragile, langueur, médiocre.*
*Cheval*, m. V. *quadrupède, vapeur.*

---

Chemise blanche. Chemise de couleur. — Chemise de soie, de batiste, de linon, de coton, de flanelle, de madapolam, de nansouk, d'oxford, de percale, de toile, de cretonne. — Linge de corps. Chemisette. Camisole. Gilet de corps. Sous-vêtement. Combinaison. — Chemise de pénitent. Haire. Cilice.

**Parties de chemises.** — Corps. Plastron. Manche. Encolure. Col. Faux col. Devant. Jabot. Manchette. Poignet. Boutonnière. Gousset. Boutons. Patte. Epaulette. Empiècement. Queue de chemise.

Décolleté. Entre-deux. Fronces. Broderie. Dentelle. Plis. Rubans. Garniture. Coulisse.

**Qui concerne la chemise.** — Chemiserie, chemisier. — Lingerie, lingère. — Tailler. Piquer. Plisser. Froncer. Garnir. Broder. Entretien. Laver. Repasser, repasseuse. Empeser. Glacer.

Mettre une chemise. — Passer, ôter sa chemise. — Etre en chemise. — Etre en manches de chemise.

### CHÊNE
(latin, *quercus;* grec, *drys*)

**Chênes.** — Chêne. Chêneau. — Chênaie. Forêt de chênes. Taillis de chênes. Garigue. — Dryades (déesses des chênes).

Rouvre. Tauzin. Chêne pubescent. Chêne chevelu. Chêne nain. — Chêne blanc. Chêne de Caroline. Chêne à noix de galle. — Chêne tinctorial.

Chêne vert. Yeuse. — Chêne-liège. — Chêne kermès.

**Produits.** — Bois de charpente, de menuiserie, de tonnellerie. — Lames de parquet. — Merrain. Bourdillon. Buisserole.

GLAND. Gland doux. Glandée.

Ecorce. Tan. — Liège. — Quercitron (colorant). — Noix de galle. — Kermès.

### CHENILLE

**La chenille.** — Larve. Cocon, coconner. Coque. Pattes. Filière. — Métamorphose. Mue, muer. Nymphe. Chrysalide. Papillon. — Paquet de chenilles. Echeniller.

**Les chenilles.** — Ver à soie. Bombyx. Magnan, magnanerie. — Ver-coquin (de la vigne). Chenille arpenteuse. Allongeresse. Annulaire. Bedaude (de l'orme). Pubescente (velue). Fileuse. Rouleuse. — Chenilles processionnaires.

### CHERCHER

**Effort pour trouver.** — Battre la campagne, la plaine, les bois, les buissons. —

Battue. Chasse. Aller à la chasse. — Quêter. Flairer. — Aller à la découverte. Battre l'estrade. Eclairer, éclaireur. Aller en reconnaissance. Patrouiller. — Aller au-devant. Aller à la rencontre. — Explorer, exploration. — Se mettre en quête de. Chercher. Fouiller. Farfouiller. Fureter. Fourgonner. — Quérir. Aller quérir. — Sonder, sondage. — Visiter (à la douane).

**Effort pour connaître.** — Chercher, chercheur. — Rechercher, recherche. — Curiosité, CURIEUX. — S'enquérir. — S'informer, information. — Inquisition, inquisiteur, inquisitorial. — Examiner, EXAMEN. — Eplucher. — Interroger, interrogation. — Demander, demande. — Questionner, question. — Prendre langue.

Réfléchir, réflexion. — Scruter. — Tâtonner. — Chercher midi à quatorze heures. — Chercher la petite bête.

Instruire une affaire, instruction. Juge d'instruction. — Perquisition. — Enquête. Enquêteur. Policier. Détective.

**Effort pour obtenir.** — Courir après. — Chercher à. S'efforcer de. Tâcher. Prendre à tâche. — Essayer. Tenter. — S'ingénier. — Intriguer. Briguer. Ambitionner. — Quêter, quête. Frapper à toutes les portes. — S'intéresser à. — Entreprendre, entreprise. Poursuivre.

### CHEVAL
(latin, *equus;* grec, *hippos*)

**Sortes de chevaux.** — Cheval. Jument. Etalon. Poulinière. Poulain. Pouliche. — Cheval entier. Hongre.

Cheval pur-sang. Demi-sang. Anglo-normand. Breton. Tarbais. Percheron. Boulonnais. Arabe. Barbe. Flamand. Russe. Espagnol. Mecklembourgeois, etc.

Cheval d'armes. Destrier. Auferrant (cuirassé). — Postier. Porteur. Sous-verge. Limonier. Bricolier. Carrossier. Sommier. Mallier. Roussin. — Monture. Coursier. Palefroi. Haquenée. Genet. Cob. Poney. — Bidet. Cavale. Poutre. Rosse. Haridelle. Canard. Mazette. — Cheval de courses. Crack. Yearling. — Mulassier.

**Anatomie.** — Squelette. — Muscles. — Membres ou Ars. — Tête. Salière. Chanfrein. Naseaux. Souris. Joues. — Bouche. Lèvres. Ganache. Auge. Barbe. Barbillon. Crans. Barres. Ecume. — Encolure. Crinière. Oreilles. — Epaule. Paleron. Poitrail. Garrot. — Dos. Enfourchure. Reins ou Sucpion. Ventre. Flancs. Croupe. Fesses. Arête caudale. Queue. — Avant-main. Arrière-main.

CHEVALEMENT, m. V. *soutenir.*

CHEVALERESQUE. V. *noble, généreux.*

**Chevalerie,** f. V. *noble, ordre.*

CHEVALET, m. V. *instruments de musique, cuir, torture, peinture.*

CHEVALIER. V. *cheval.*

CHEVALIER, m. V. *cavalerie, ordre.*

CHEVALIÈRE, f. V. *bague.*

CHEVAUCHÉE, f. V. *cavalerie.*

CHEVAUCHEMENT, m. V. *inégal.*

CHEVAUCHER. V. *équitation, couvrir.*

CHEVAU-LÉGER, m. V. *cavalerie.*

CHEVECIER, m. V. *église.*

CHEVELU. V. *cheveu.*

CHEVELURE, f. V. *cheveu.*

CHEVET, m. V. *église, lit.*

CHÉVETAIN, m. V. *chef.*

CHEVÊTRE, m. V. *bandage, charpente.*

---

— Jambes de devant. Bras. Avant-bras. Coude. Genou. Canon. Châtaigne. — Jambe de derrière. Hanche. Cuisse. Grasset. Jarret. — Pied avant. Pied arrière. Boulet. Paturon. Couronne. Fanons. Ergot. — Sabot. Talon. Glome. Quartier. Sole. Pince. Mamelles. Muraille. Fourchette. Lacune. — Dentition. Incisives centrales ou Pinces. Incisives mitoyennes. Incisives externes ou Coins. Surdents. Crochets. — Fourreau. Penis. Vulve.

**Couleur.** — Poil. Robe. Pelage. — Taches : Ladre. Balzane. Etoile. Marque. Pelote. Arzel. Tête lisse. Belle-face. Boire blanc. Zébrure.

Alezan brûlé. Alezan doré. Aubère. Isabelle. Bai. Bai cerise. Bai brun. Bai clair. Moreau. Cap de more. Griotte. Blanc. Blanc argenté. Gris. Gris moucheté. Gris pommelé. Gris tourdille. Louvet. Miroité. Noir. Zain. Noir jais. Noir mal teint. Pie. Porcelaine Rouan. Rubican. Saure. Soupe au lait. Tacheté. Tigré. Charbonné. Truité. Vineux. Zébré. Robe lavée.

**Caractères ou défauts.** — Oreillard. Monaut. Courtaud. — Œil vairon. Œil nictitant. Yeux de cochon, de bœuf, cernés. — Déchargé d'encolure. Encolure de cerf, de cygne, penchée. — Corps acculé, efflanqué, bien traversé. — Epaules clouées, chevillées, entreprises. — Ventre avalé, levretté. — Croupe de mulet. Ensellé. Plongeant. Ehanché. Goussaut. — Arqué ou Brassicourt. Cagneux. Court-jointé. Long-jointé. Haut-monté. Ouvert. Panard. Bouleté. Bouté. Jarreté. Juché. Pinçard. Rampin. Vidé. — Boiterie. Flageolement. — Rétif. Ombrageux. Vicieux. Quinteux. Bouleux. — Fougueux. Fringant. Vif. Franc du collier.

**Maladies.** — Arêtes. — Atteintes. — Albugo. — Bleime. — Campane. — Chancres. — Cornage, corner. — Courbature. — Couronné. — Crapaudine. Dartres. — Effort. — Enclouure. — Embarrure. — Eparvin. — Etranguillon. — Faim-valle. — Fic. — Filandres. — Fortraiture. — Fourbu. — Frayé aux ars. — Gale. Gomme. Gourme. — Gras-fondu. — Jarde. — Javart. — Lampas ou Fève. — Loupe. — Malandres. — Molette. — Morfondu. — Morve. — Œil lunatique. — Polype. — Pousse, poussif. — Rogne. — Seime. — Solbature. — Souffle, souffler. — Suros. — Solandre. — Taie. — Tranchées.

**Allures.** — Air ou Allure. Actions. — Battue ou Temps. Passage. — Allure douce. Allure basse. Allure terre à terre. — Galop, galoper, galopade. Temps de galop. Grand galop. Galop écourté. Galoper faux. — Amble, ambler. Aubin, aubiner. Entrepas. Mésair. — Trot, trotter, trotteur. Temps de trot. Grand et petit trot. Trottiner. Trot raccourci. — Pas. Aller au pas. Pas cadencé. Pas relevé. Pas écourté. — Saut, sauter. Sautiller. Caracoler. Fringuer. — S'emporter. Aller à bride abattue, ventre à terre. — Se dérober. Prendre le mors aux dents.

**Mouvements.** — S'abattre. — S'acculer. — S'armer. — Se donner des atteintes. — Battre à la main. — Billarder. — Bourrer. — Broncher. — Buter. — Se cabrer. Cabriole. — Chauvir des oreilles. — Chopper. — Se couper. — Faire la courbette. — Ecart. — S'ébrouer. — S'embarrer. — S'enchevêtrer. — S'empêtrer. — S'enterrer. — S'entrecouper. — S'éparer. — Estrapade. — Faucher. — Tomber les quatre fers en l'air. — Forger. — Harper. — Hennir. — Pétarade. — Piaffer, piaffement. — Pointe. — Quinte. — Quoailler. — Raser le tapis. — Ruer, ruade. — Saccade. — Saut de mouton. — Tiquer. — Volte. — Virevolte.

**Elevage.** — Eleveur, élève. — Maquignon. — Vétérinaire. — Maréchal ferrant. — Palefrenier. Valet d'écurie. Groom. Lad. Haras. — Monte. Saillie, saillir. Etalonner. — Pedigree. — Stud-book. — Echappé d'espèce.

Ecurie. Stalle. Box. Litière. — Ration. Avoine. Foin. Paille. Son. Barbotage. Picotin. Fourrage. — Panser, pansage. — Abreuver. Abreuvoir. — Faire le poil. Bouchonner. — Guéer. Aiguayer. — Mettre au vert. Entraver. — Raser. Marquer. Démarquer. — Couper la queue. Courtauder. — Couper les oreilles. Bretauder.

**Usage.** — Cheval de selle, de course, de main, de poste, de gros trait, de trait léger, de parade, d'armes, de chasse, de polo, de réforme, de bât.

Atteler, attelage. Attelage au collier, à la bricole. Attelage à la Daumont, en tandem, en flèche. Four in hand. — Harnais, harnacher, harnachement. — Cavalerie légère, de ligne. Grosse cavalerie. — Train des équipages. Train d'artillerie. — Cheval de renfort. Cheval haut le pied. — Paire. — Traction. Chevauchée. Monter. Aller à cheval. — Remonte.

**Equitation.** — Monter à cheval. Cavalier. Amazone. Ecuyer, écuyère. Piqueur. — Académie. Manège. Carrousel. Concours hippique. Cirque. Cavalcade. — Dresser, dressage. Capote. Chambrière. Fouet. Cravache. Mors. Mors de filet. Rênes. Bride. Caveçon. Eperon. Molette. Pilier. Gaule. Corde.

Monte. Monte de dame. Califourchon. — Position des jambes, plaçe, fermée, d'attaque. — Tenue des rênes, à deux mains, de la main gauche. — Voltige. Haute école.

CHEVÊTRIER, m. V. *moulin*.
**Cheveu**, m. V. *mince*.
CHEVILLARD, m. V. *bœuf*.
CHEVILLE, f. V. *axe, clou, articulation, remplissage*.

CHEVILLER. V. *charpente*.
CHEVIOTE, f. V. *drap*.
**Chèvre**, f. V. *bestiaux, grue*.
CHEVREAU, m. V. *chèvre, cuir*.

CHÈVREFEUILLE, m. V. *chèvre*.
CHÈVRE-PIED, m. V. *chèvre*.
CHEVRETTE, f. V. *chevreuil*.
CHEVREUIL, m. V. *chèvre*.
CHEVRIER, m. V. *berger*.

---

Cheval fait. — Avoir la bouche tendre, forte, bonne. — Saut. Saut en hauteur. Saut en largeur. Saut en liberté. — Croupade. Cabrade. Courbette.

**Courses.** — Steeple-chase. Course au clocher. — Course plate. Course d'obstacles, de haies. Course au trot monté. Course au trot attelé. Sulky. — Cross-country. Rally-paper. — Courir. Entraînement. Travail. — Jockey. Gentleman-rider. Monte. — Sport. Sportman. — Hippodrome. Tribunes. Pesage. Paddock. Pelouse. Piste. Parcours. Ligne. Départ. Arrivée. — Pari, parieur. Pari mutuel. Book. Bookmaker. Tuyau. — Ecurie de courses. Couleurs. Casaque. Toque. — Chevaux engagés. Favori. Outsider. — Surcharge. Handicap. — Stayer. Sprinter. — Obstacles. Banquette irlandaise. Bulfinch. Haie. Rivière. Mur. — Galop d'essai. Canter. Walk-over. Rush. Débouché. Dead-heat. — Record. Performance.

**Relatif au cheval.** — Hippologie. — Hippisme, hippique. — Hippiatrie. — Hippophagie. — Hippopotame. — Hippocampe. — Hippogriffe. — Hippobosque. — Hippomane. Chevalin. — Chevalet. — Cheval de bois. — Petits chevaux. — Cheval mécanique. — Cheval hygiénique. — Cheval de frise. — Cheval fondu. — Cheval-vapeur. — Petit cheval (machine auxiliaire). — Equarrir, équarrisseur. Ecorcheur.

## CHEVALERIE

**Le chevalier.** — Jeune noble. Damoiseau. Varlet. Page. — Ecuyer (18 ans). Chevalier (22 ans). — Conférer la chevalerie. — Noviciat. Probation. Récipiendaire. Veillée des armes. Armer chevalier. Parrainage. Accolade. — Lance. Ecu Casque. Eperons d'or. Cheval d'armes. Devise. — Bachelier. Banneret.

**Les chevaliers.** — Ordre équestre (à Rome). — Féodalité. — Ordres de chevalerie. Chevaliers de la Table Ronde, Teutoniques, de MALTE, Templiers, etc. — Chevalier errant. Paladin. Preux. — Chevalier servant. — Fleur de chevalerie. — Chevalier sans peur et sans reproches, Bayard. — Chevalier de la Triste Figure, Don Quichotte.

**Vie du chevalier.** — Esprit chevaleresque. — Culte de l'honneur. — Prouesses. — Fraternité d'armes. — Esprit de sacrifice. — Héroïsme. — Combats. Chasses. Joutes. TOURNOIS.

Défendre la religion. — Protéger la veuve et l'orphelin. — Défendre les opprimés. — Redresser les torts. — Servir sa dame. — Porter les couleurs de sa dame. Galanterie.

## CHEVEU
(latin, *capillus*)

**Nature.** — Système pileux. Cheveux. Crins. Poils. Cuir chevelu. Racine. Pointe. — Chevelure. Couronne. Epi. Faces.

Cheveux bien plantés, fins, épais, touffus, fournis, hérissés, ondulés, frisés, crépus, cotonnés, raides, souples, rares, clairsemés.

Etre chevelu. — Avoir tous ses cheveux. — Chute des cheveux. Se dégarnir. Calvitie. Alopécie. Etre CHAUVE. Pelade, pelé. — Pityriasis. Plique. Teigne, teigneux. Gourme. Pellicules. Favus.

**Couleur.** — Blond. Blondin, blondine. — Doré. D'or. Mordoré. — Rouge. Roux. Rousseau. Poil de carotte. — Noir. Noir d'ébène, de jais, de corbeau. — Brun. Brunâtre. Brunet, brunette. — Châtain. Châtain clair, foncé. — Gris. Grison. Poivre et sel. — Blanc. De neige. Chenu.

**Soins de la chevelure.** — Faire les cheveux. — Coiffer, coiffure. — Couper. Tailler. Rafraîchir. Tondre. Raser la tête, la nuque. Couper ras. Epiler. — Lotion. Shampooing. Friction. Lavage de tête. Singeing. — Peigner. Brosser. Démêler. Tresser. Natter. Cordeler. Etager. Retaper. Bichonner. — Anneler. Boucler. Friser, frisure. Calamistrer. Crêper. Papilloter. Mettre en plis. — Teindre. Poudrer. Pommader. Lisser.

Coiffeur. Perruquier. Barbier. Artiste capillaire. Figaro. Merlan. Frater.

**Coiffure.** — Accroche-cœur. — Anglaises. — Anneaux. Bandeaux. — Boucles. — Boudin. — Cache-peigne. — Cadenette. — Chignon. — Coin. — Coques. — Corymbe. — Cheveux épars, flottants. Flots. — Frisons. Mèches. — Natte. — Ondes. Ondulations. — Plis. — Queue. — Raie. — Rouleaux. — Tire-bouchon. — Tonsure. — Touffe. — Toupet. — Tresse.

Cheveux courts. Cheveux longs. Cheveux tirés. — Chignon haut, bas, à la grecque. — Coiffure à la Titus, à la malcontent, en brosse, à la Jeanne d'Arc, à la chien, aux enfants d'Edouard, etc. — Hirsute.

**Accessoires.** — Peigne. Peigne fin. Démêloir. — Rouleau. Papillotes. Bigoudis. Epingles. Pinces. — Fer à friser. Fer à onduler. — Filet. Réseau. Catogan. — Poudre. — Teinture. Henné. — Pommade. Brillantine. Fixatif. — Appareil hydraulique. — Appareils électriques. — Ciseaux.

**Perruques.** — Perruque. Poupée. Passée. Coiffe de perruque. Champignon. Bilboquet.

Perruque à marteaux, à nœuds, ronde, à ailes de pigeon, etc. — Binette. — Cheveux artificiels. Faux cheveux. Postiche. Faux toupet. — Tour de cheveux.

## CHÈVRE et CHEVREUIL
(latin, *capra*)

**Chèvres.** — Espèce caprine. — Bouc. Bouquin. Chèvre. Chevrette. Chevreau. Cabri. Bique. Biquet. — Poil. Toison. Barbe. Cornes. Mamelles. Bêlement.

Chevron, m. V. *charpente, manche.*
Chevroter. V. *chant, trembler, prononcer.*
Chevrotine, f. V. *balle.*
Chic, m. V. *manière, élégance, toilette.*

**Chicane**, f. V. *auxiliaires de justice, subtil, argument.*
Chicaner. Chicanier, m. V. *chicane, résister, minutie.*
Chiche. V. *avare.*
Chicon, m. Chicorée, f. V. *salade.*

Chicot, m. V. *dent.*
**Chien**, m. V. *animal, fusil.*
Chiendent, m. V. *chien.*
Chienlit, m. V. *carême.*
Chienner. Chiennerie, f. V. *chien.*
Chier. V. *excrément.*

---

Chèvre commune. Chèvre du Tibet, d'Angora, naine, imberbe, mousse, etc. — Chèvre sauvage. Bouquetin. Chamois. Isard. Steinbock. Huèque. Tragélaphe. — Capricorne. Capripède.

**Relatif à la chèvre.** — Cabriole, cabrioler. — Chevroter (mettre bas). — Chamoiser (tanner). Peau de chamois. Chevreau (cuir). Chevrotin. Maroquin. — Chevrier. — Peau de bouc. Outre. — Chevretin (fromage). — Hircosité (odeur de bouc). — Cachemire. Camelot (tissu). — Chèvrefeuille (plante). Dieux chèvre-pieds : Pan. Sylvains. Faunes. Satyres. — Bouc émissaire.

**Chevreuil.** — Chevreuil. Chevrette. Chevrillard. Broquart. — Daim, daine. Faon. Faonner. — Cornes. Broches. Enflure. Fraise. — Régalis (traces). — Venaison. Cuissot. Filet. — Chevrotine (plomb de chasse).

### CHÈVRE (appareil)

**Pour élever.** — Appareil de levage. — Chèvre à trois pieds. Chèvre à haubans. Chèvre verticale. Chèvre de tranchée. Chèvre à déclic. — Grue. — Guindeau. — Machine à mâter.

Hanches ou Bras. — Entretoise. — Haubans. — Treuil. — Manivelle. — Poulies. — Barres ou Leviers. — Chable. — Brayer. — Bicoq. — Guiterne.

**Pour enfoncer.** — Chèvre. — Sonnette. Sonnette à tiraude. Sonnette à déclic. — Queue de sonnette. Patin. Tiraude. Déclic. — Sonneurs. — Mouton. — Coulisseau. Course. Corvée. Refus.

### CHICANE

**En justice.** — Chicaner, chicanerie, chicanier, chicaneur. — Argutie, argutieux. — Distinguo. — Avocasser, avocassier, avocasserie. — Maquis de la procédure. — Procédurier. Processif. — Involution de procédure. — Manœuvres dilatoires. Anicroches. — S'inscrire en faux. — Faire opposition. — Soulever des incidents.

**Dans la discussion.** — Mauvaise foi. Mauvaises raisons. — Détour. Subterfuge. Echappatoire. Equivoque. — Disputer, disputeur, dispute. Epiloguer. Chipoter. Ergoter, ergoteur. Raisonner, raisonneur. Couper les cheveux en quatre. — Soulever des difficultés. Faire des objections. Faire des histoires. — Contredire, contradiction, contradicteur. — Contrarier. Esprit de contrariété. — Taquiner, taquin, taquinerie.

Minutie, minutieux. Pointilleux. — Purisme, puriste. — Subtilité, subtil. Logomachie.

## CHIEN
(latin, *canis*; grec, *cyôn*)

**Le chien.** — Chien. Chienne. Lice. Chiot. — Robe. Soie. Poil long. Poil ras. Mantelure (couleur différente du dos). Epié (qui a un épi au front). Hérigoté (marqué aux jambes). — Gueule. Museau. Crocs. Canines. Nez. Odorat. Flair. — Oreilles. Bien coiffé. Courtaud. Monaut. Essorillé. — Pattes. Pataud. Ergot. Eperon. — Yeux. Vairon. — Queue, en balai, en trompette, en fouet. — Corps : Reinté. Etristé (de bons jarrets). Etriqué (de peu de corps). Epointé (de cuisse tassée). Harpé.

*Maladies.* Hydrophobie, hydrophobe. Rage, enragé. — Louvette. — Tique. — Gale. — Rouvieux. — Aggrave. — Buture. Encastelure (maux de pattes). — Etruffure (mal à la cuisse). Décousure.

*Reproduction.* — Etre en chaleur. En chasse. — Lacer. Mâtiner. — Chienne nouée. — Chienner, chiennerie. Mettre bas. — Chiennée. Portée. Laitée.

**Espèces de chiens.** — Race canine. — Chien de berger. Beauceron. Briard. Grœnendael. Malinois. Berger des Pyrénées. Berger d'Alsace.

Chien de garde. Chien de basse-cour. Chien-loup. Dogue. Bouledogue. Molosse. Mastiff. Danois. Saint-Bernard. — Chien de luxe. Caniche. Loulou. Carlin. King-Charles. Pékinois. Ecossais. Griffon. Fox-terrier. Bichon. Doguin. Levrette. Gredin.

Chien d'arrêt. Chien couchant. Braque. Epagneul. Griffon. Cocker. Blenheim. Choupille. Chien à double vue. Pointer. Setter Gordon. — Chien courant. Normand. Limier. Bâtard. Bassets, à jambes droites, à jambes torses. Lévrier. Corneau. Briquet. Mâtin. Clabaud. Vautrait.

Chien de trait. Esquimau. — Chien d'armée. Chien de police. Chien sanitaire. — Chien vulgaire. Chien errant. Roquet. Tournebroche. Houret. Barbet.

**Actions du chien.** — Aboyer. Gronder. Glapir. Japper. Hurler. Clabauder. Se récrier. Brailler. — Chasser. Flairer. Quêter. Arrêter. Barrer. Bourrer. Piller. Briller. Quoailler. Trolle. Rapporter. — Eventer la voie. Halener. Rencontrer. Empaumer la voie. Dérober la voie. Bricoler. Rabattre ses voies. Prendre le change. Prendre le contre-pied. Etre en défaut. Harpailler. Relever le défaut. Donner. Mener. Coiffer. Faire curée. Faire carnage. — Veiller. Garder. Etre de bonne garde. Ramener le bétail. — Happer. Gueuler (saisir). — Faire le beau. Lécher. Caresser.

**Chiffon,** m. V. *étoffe, papier.*
CHIFFONNER. V. *pli, chagrin.*
CHIFFONNIER, m. V. *chiffon, armoire.*
CHIFFRE, m. Chiffrer. V.

nombre, calcul, quantité, secret.
CHIGNOLE, f. V. *percer.*
CHIGNON, m. V. *arrière, cheveu.*
CHIMÈRE, f. Chimérique. V.

imagination, monstre, vain, projet.
**Chimie,** f.
CHIMIQUE. V. *chimie.*
CHIMISTE, m. V. *chimie.*
CHIMPANZÉ, m. V. *singe.*

---

**Traitement du chien.** — Chenil. Niche. Loge. Muselière. Collier. Laisse. Grelot. — Attacher. Museler. Siffler. Mettre à l'attache. Tenir en laisse. Fouetter. Dresser. Détacher. Rebaudir. Soupe. — Epucer. Essoriller. Ecourter. Everrer. Dérater.

Equipage. Piqueur. Veneur. Meute. Ameuter. Accoupler. Attitrer. Découpler. Harder, déharder. Rompre les chiens. Laisser courre. Relayer. Vautrer. Appuyer les chiens. Crier tout beau, tout coi, pille.

**Relatif au chien.** — Faim canine. — Canicule. — Chiendent. — Cynégétique. — Cynique. — Cynocéphale. — Chien de fusil. — Vie de chien. — Chien de mer. — Chien du commissaire. — Temps de chien. — Entre chien et loup.

## CHIFFON

**Chiffonnerie.** — Chiffon. Chiffe. Haillon. Loque. Lambeau. Oripeau. Guenille. Pilot. Vieux papiers. Vieux linge. Vieux habits. Vieux galons.

Chiffonnier, chiffonnière. Biffin. — Ramassage. Tas. Poubelle. Hotte. Crochet. — Trier. Dérompre. Effilocher. Détordre des chiffons. — Chiffonner (mettre en chiffons).

## CHIMIE

**Science chimique.** — Chimie. Chimie minérale. Chimie organique. Chimie biologique. Chimie industrielle. Chimie physique. Chimie agricole. — Chimie élémentaire. — Chimie expérimentale. — Electrochimie. Thermochimie. Gazochimie. Pharmacochimie. Halochimie. — Alchimie. Palingénésie.

Lois. Formules. Nomenclature. Notation atomique. Notation en équivalents. Caractères. Signes. Symboles. — Méthodes. Analyse. Synthèse. Induction. Déduction.

**Etats des corps.** — Matière. Corps. Fluide. Liquide. Solide. Gaz. Vapeur. Métal. Métalloïde. Acide. Base. Sel. Haloïde. Ferment. Résidu. Précipité. Essence. Esprit. Extrait. — Etat naturel. Etat naissant. Allotropie. — Corps dimorphe, trimorphe, polymorphe, amorphe, isomorphe. — Corps simple, composé, homogène, hétérogène, hydraté, halogène, neutre, binaire, ternaire, gazeux, univalent, divalent, etc.

Atome. Molécule. Ion. Cellule. Cristaux. Facettes.

**Propriétés des corps.** — Affinité moléculaire. — Agrégation. — Acidité. Basicité. Solubilité. Fusibilité. Hydratation. Cohésion. Conductibilité. Odeur. Saveur. Isomérie. Polymérie. Densité. Poids atomique. Température de fusion, d'ébullition. Valence.

Etre soluble, insoluble, odorant, inodore, sapide, insipide, clivable, friable, fusible, volatil, bon ou mauvais conducteur.

**Opérations chimiques.** — Calcination. Catalyse. Cémentation. Coagulation. Combinaison. Combustion. Composition. Concentration. Cristallisation. Décantation. Désagrégation. Dessiccation. Départ. Désoxydation. Dissolution. Distillation. Docimasie. Dosage. Ebullition. Elambication. Evaporation. Fermentation. Fluidification. Fusion. Lessive. Lévigation. Lixiviation. Minéralisation. Précipitation. Réduction. Saturation. Solidification. Stratification. Sublimation. Subtilisation. Volatilisation.

**Le laboratoire.** — Analyse chimique, qualitative, quantitative. — Synthèse, synthétique. — Manipulation, manipuler. — Expérience, expérimenter. — Préparation, préparer. — Electrolyse. — Agent chimique. Action. Réaction.

Chimiste. Préparateur. Manipulateur.

Appareil. Alambic. Ballon. Cloche. Flacon. Matras. Moufle. Récipient. Eprouvette. — Cornue. Retorte. Creuset. Test. Coupelle. Capsule. — Fourneau. Four électrique. Lampe à alcool. Réchaud à gaz. Chalumeau. Trépied. — Tube. Tube en V. Tubulure. Tuyau. Aludel. Siphon. — Eudiomètre. — Exsiccateur. — Défécateur hermétique.

**Corps simples.** — Aluminium. Antimoine ou Stibium. Argent. Argon. Arsenic. Azote ou Nitrogène. Baryum. Bismuth. Bore. Brome. Cadmium. Cæsium. Calcium. Carbone. Cérium. Chlore. Chrome. Cobalt. Colombium. Cuivre. Dysprosium. Erbium. Etain. Europium. Fer. Fluor. Gadolinium. Gallium. Germanium. Glucinium. Hélium. Holmium. Hydrogène. Indium. Iode. Iridium. Krypton. Lanthane. Lithium. Lutécium. Magnésium. Manganèse. Mercure ou Hydrargyre. Molybdène. Néodyme. Néon. Nickel. Niton (émanation du radium). Or. Osmium. Oxygène. Palladium. Phosphore. Platine. Plomb. Potassium ou Kalium. Praséodyme. Radium. Rhodium. Rubidium. Ruthénium. Samarium. Scandium. Sélénium. Silicium. Sodium. Soufre. Strontium. Tantale. Tellure. Terbium. Thallium. Thorium. Thulium. Titane. Tungstène ou Wolfram. Uranium. Vanadium. Xénon. Ytterbium. Yttrium. Zinc. Zirconium.

**Composés minéraux.** *Acides.* Hydracide. Oxacide. Acide fort, faible, neutre. Anhydride. — Acide acétique, nitrique, oxalique (sel d'oseille), sulfurique (vitriol), carbonique. — Eau-forte. Eau régale. — Basicité. Atomicité. — Epreuve au tournesol.

*Oxydes.* Peroxyde. Protoxyde. Bioxyde. Sesquioxyde. — Oxyde métallique, neutre, indifférent, singulier. Hydroxyde. Oxyde basique. Anhydride.

Eau. Litharge. Massicot. Minium. Chaux. Potasse. Orpiment. Vert-de-gris. Rouille.

CHINCHILLA, m. V. *fourrure.*
Chine, f.
CHINOIS, m. V. *Chine, confiserie.*
CHIOURME, f. V. *galère.*
CHIPER. V. *voleur.*
CHIPOTER. V. *minutie.*
CHIQUE, f. V. *puce, tabac.*

CHIQUENAUDE, f. V. *battre.*
CHIQUER. V. *tabac, mâchoire.*
CHIROGRAPHAIRE. V. *signature.*
CHIROLOGIE, f. V. *sourd.*
CHIROMANCIE, f. V. *main.*
CHIROMANCIEN, m. V. *devin.*
CHIRURGICAL. V. *chirurgie.*

Chirurgie, f. V. *main.*
CHIRURGIEN, m. V. *chirurgie, médecine, blessure.*
CHISTERA, f. V. *paume.*
CHIURE, f. V. *mouche.*
CHLAMYDE, f. V. *habillement.*
CHLORE, m. V. *chimie.*

---

*Alliages.* Amalgame. — Alliage binaire. ternaire, quaternaire. — Solution solide. Alliage hypertrempé, trempé, recuit, revenu. — Métallographie. — Examen macrographique, micrographique. — Diagramme. — Allotropie. — Liquation. Segrégation.

Acier. Fer. Fonte. Aciers spéciaux. Ferronickel. Fer-chrome. Aciers à coupe rapide. — Laiton. Bronze. Bronze d'aluminium. — Cupronickel. — Maillechort. — Duralumin. Magnalium. Alpax. Alferium. Antifriction. — Monnaie.

*Bases.* — Hydrate métallique. — Anhydride basique. — Soude. Potasse. Ammoniaque. Alcali, etc.

*Sels.* Sel marin. — Sel acide, neutre, anhydre. — Carbonate. Sulfate. Acétate. Oxalate (sel d'oseille). Alun. Ammoniac. Borax. Nitrate. Nitre. Salpêtre.

**Composés organiques.** — *Alcools.* Eau-de-vie. Esprit-de-vin. — Alcool à brûler. Distillation. Alcool primaire, secondaire, tertiaire. — Alcool éthylique, méthylique, propylique, butylique, éthylénique, aromatique. — Alcool saturé, absolu, solidifié. — Polyalcool. Glycérine.

*Aldéhydes.* Aldéhyde formique, acétique, crotonique, benzoïque, salicylique, cinnamique. — Furfurol. Paraldéhyde. Glucose. Galactose. Vanilline. Pipéronal.

*Amides.* Amide primaire, secondaire, tertiaire. — Acétamide. Acétanilide. Formamide. Benzamide. Anilide. Acide hippurique. Urée.

*Amines.* Amine primaire, secondaire, tertiaire, acyclique. — Méthylamine. Ethylamine. Arylamine. Aniline. Toluidine. Xylidine. Naphtylamine. Diphénylamine.

*Cétones.* Cétone simple, mixte, cyclique, terpénique. — Acétone. Propione. Butyrone. Cétone de Michler.

### CHINE

**Vie publique.** — Race jaune. Chinois. Céleste. Mandchou. Mongol. — Tao-Taï (gouverneur). Mandarin. Lettré. Coolie. — Sinologie, sinologue. — Les grandes dynasties. Les Tchéou. Les Ming. Les Tsing. — Les Sères (ancien nom). — La République chinoise.

**Usages.** — Bouddhisme. Bonzes. Bonzerie. — Confucius. — Shintoïsme, shintoïste. — Gong. Moulin à prières. — King (livres sacrés). — Ecriture au pinceau. Clefs. Traits. — Jonque. Sampan. Bateau de fleurs. — Fête des lanternes. — Yo (flûte). — Magot. — Taël (monnaie). — Nid d'hirondelles.

**Productions et arts.** — Thé. Riz. Soie. Opium. — Chinoiseries. Laque. Jade. Porcelaine. Bronzes. Potiches. — Pagodes. Temples. Bouddhas. Colosses. Grande muraille.

**Termes géographiques.** — Chan ou Ling (montagne). — Fu ou Tchéou (chef-lieu). — Haï (mer). — Ho ou Kiang (fleuve). — Hou (lac). — Kien (chef-lieu). — King (cour). — Nan (sud). — Pé (nord). — Tong (est). — Tsen (village). — Sen (province).

### CHIRURGIE

**Opérateurs.** — Chirurgien. Opérateur. Médecin. Chirurgien-major. Praticien. Prosecteur. Interne. Carabin. — Accoucheur. — Oculiste. — Auriste. — Oto-rhino-laryngologiste. — Radiologue. — Stomatologue. Dentiste. Chirurgien- dentiste. Mécanicien-dentiste. — Chiropodiste. Pédicure. — Masseur. Ventouseur. — Rebouteux. Rhabilleur. Bailleul.

**Médecine opératoire.** — Chirurgie. — Endormir. Chloroformer. Insensibiliser. Anesthésie, anesthésier. Asepsie, aseptiser. — Opérer. Amputer, amputation. Ablation. Abscission. Extirpation. Section. Résection, réséquer. Trépanation, trépaner. Vivisection. Charcuter. — Thérapeutique chirurgicale. Panser. Bander. Cautériser, cautérisation. Ponction. Acuponcture. Acupressure. — Incision, inciser. Ouvrir. Excision. Dédolation. Diérèse. Exérèse. — Périérèse. Enucléation. Empyème. — Bronchotomie. Laryngotomie. Lithotomie. Phlébotomie. Syringotomie. Trachéotomie. Ovariotomie. Artériotomie. Laparotomie. Gastrotomie. Opération césarienne. — Sonder. Cathétériser, cathétérisme. Dilatation. Extension. Saignée. Ligature. Suture. — Réduction, réduire. Catartisme. Coaptation. Anaplastie. Greffe osseuse. Ostéoclasie. Ruginage. — Hétéroplastie. Greffe animale. Anaplérose. — Injection, injecter. Transfusion du sang. — Extraire, extraction. Avulsion. — ACCOUCHER, accouchement. — Lithotritie. — Ventouser. Scarifier.

Anatomie. Dissection. Autopsie. — Prothèse. — Choc opératoire. — Opéré. Patient.

**Matériel.** — Salle d'opération. Ambulance. Poste de secours. Clinique. Table d'opération.

Instruments chirurgicaux. — Bistouri. Scalpel. Amphithéâtre. Flammette. — Scie. Couteau. — Forceps. Pinces. Bec-de-cane. Bec-de-corbin. Valet. Erigne. Tenailles. Trépan. Modiole. Tire-fond. — Seringue. Pyulque. — Sonde. Canule. Cathéter. Bougie. — Curette. Lancette. Aiguilles. Trocart. — Dilatateur. Spéculum. Glossocatoche. Abaisse-paupière. — Thermocautère. Galvanocautère. — Ostéoclaste. Rugine. — Davier. — Trousse.

CHLOROFORME, m. V. *insensible*.

CHLOROPHYLLE, f. V. *vert, plante*.

CHLOROSE, f. V. *pâle*.

*Choc*, m. V. *rencontre, attaque*.

*Chocolat*, m.

CHOCOLATIER, m. V. *chocolat*.

CHOCOLATIÈRE, f. V. *vase*.

CHŒUR, m. V. *chant, église*.

CHOIR. V. *tomber*.

CHOISIR. V. *choix*.

*Choix*, m. V. *parfait, trier*.

CHOLAGOGUE. V. *médicament*.

CHOLÉDOQUE. V. *bile*.

CHOLÉRA, m. Cholérique. V. *bile*.

CHÔMAGE, m. Chômer. V. *ces-*

ser, manque, travail, fête.

CHÔMEUR, m. V. *ouvrier, oisif*.

CHOPE, f. V. *mesure, vase*.

CHOPINE, f. V. *mesure, bouteille*.

CHOPPER. V. *cheval, choc, échec*.

CHOQUER. V. *battre, dégoût*.

CHORAL, m. V. *chant*.

CHORÉE, f. V. *convulsion*.

CHORÈGE, m. V. *chant*.

CHORÉGRAPHIE, f. V. *danse*.

CHORISTE, m. et f. V. *chant, théâtre*.

CHOROÏDE, f. V. *œil*.

CHOSE, f. V. *exister, matière*.

CHOTT, m. V. *étang*.

*Chou*, m. V. *légume, pâtisserie*.

CHOUAN, m. Chouannerie, f. V. *sédition*.

CHOUCAS, m. V. *corbeau*.

CHOUCHOU, m. V. *choix*.

CHOUCROUTE, f. V. *chou*.

CHOUETTE, f. V. *hibou*.

CHOU-FLEUR, m. V. *chou*.

CHOU-PALMISTE, m. V. *palmier*.

CHOUQUET, m. V. *mât*.

CHOYER. V. *traiter, faveur, cajoler*.

CHRÊME, m. V. *sacrement, oindre*.

CHRESTOMATHIE, f. V. *recueil, choix*.

CHRÉTIEN, m. Chrétienté, f. V. *Christ*.

CHRISME, m. V. *Christ*.

*Christ*, m.

---

Arceau. Appareil. BANDAGE. Charpie. Catgut. Mèche. Séton. Tampon. Bourdonnet. Sindon. Linge fenêtré. Emplâtre. Cataplasme. Moxa. Onguent. VENTOUSE.

## CHOC

**Choc violent.** — Collision. — Chute d'une masse. Avalanche. Poussée d'une force. Séisme. Ecrasement. — Abordage, s'aborder. — Brisement des flots, se briser. — Ressac. — Percussion. — Explosion. — Commotion. — Ebranlement, ébranler. — Contusion, contus, contondant.

**Choc occasionnel.** — S'achopper, achoppement. — Chopper, choppement. — S'aheurter, aheurtement. — Donner contre. — Se cogner. — Se cosser. — S'entre-heurter. S'entrechoquer. — S'entretailler. Faux pas. — Broncher, bronchade. — Battre, battement. — Fouetter, fouettement. — Meurtrir, meurtrissure. — Secousse. Cahot. Contrecoup.

**Choc intentionnel.** — Choquer. — Heurter. — Cogner. — Cotir. — Frapper. — Battre. — Estoquer. — Boxer. — POUSSER. — Taper. — Frotter. — SECOUER. — Coudoyer. — Froisser. — TOUCHER.

Conflit. — Lutte. — Combat. — Choc d'armée. — Corps à corps. — Rencontre. — Bourrade. — Coup dur. — Coup sec. — Volée de coups.

## CHOCOLAT

**Fabrication.** — Cacaoyer. Cacaoyère (plantation). Amande. Cacao. — Chocolaterie. Chocolatier. — Nettoyer. Torréfier, torréfacteur. Concasser, concasseur. Broyer, broyeur. Cylindre. Mélangeur. Boudineuse. Moules. Tapoteuse. — Pâte. Sucre. Aromates. Vanille. — Tablettes. Papier d'étain. Enveloppes.

**Usage.** — Chocolatière (vase). Moussoir. Tasse. — Chocolat au lait, à l'eau. — Chocolat à croquer. Croquettes. Pastilles. Dragées. Bonbons. Bâton. — Poudre de cacao. Beurre de cacao.

## CHOIX
(latin, *eligo*; grec, *eclego*)

**Décision.** — Fixer son choix. Arrêter son choix. — Jeter son dévolu sur. — Décider, se décider. Se prononcer. — Nommer, nomination. — S'en tenir à. Choisir. — Arbitrer. Arbitraire. Volonté. Guise. — Poser une alternative, un dilemme.

**Préférence.** — Préférer, préférable. — Faire son choix. Choisir. — Elire, élection. Suffrage. Elu. — Opter, option. — S'affilier à. — Embrasser une profession, une opinion. — Epouser une querelle. — Prédilection. Jeter le mouchoir. Choyer. Vase d'élection. Favori. Chouchou. — Promotion au choix. — Distinction honorifique.

**Classement.** — Analectes. Anas. Anthologie. — Chrestomathie. Morceaux choisis. — Choix. Objets de choix. Assortiment. — Eclectisme, éclectique. — Distinguer, discerner. — Trier, triage, trié sur le volet. — Sélection. Méthode sélective. Sélectionner. — Eplucher. — Elite. Fleur. Crème.

## CHOU

**Les choux.** — Choux comestibles. Choux cabus ou pommés. Chou rouge. Chou de Milan ou frisé. Chou d'York. Chou cœur-de-bœuf. Chou quintal ou d'Alsace. — Chou-fleur. Chou de Bruxelles. Brocoli. — Chou-rave. Chou-navet ou Rutabaga. — Chou-palmiste.

Choux à vaches. Chou cavalier. Chou caulet. Chou à grosse tête. Chou branchu. Chou moellier.

**Relatif au chou.** — Feuille de chou. Côtes. Pomme. Cœur. Trognon. Cimettes. — Choucroute. Soupe aux choux. — Chou à la crème. — Faire ses choux gras de. — Aller planter ses choux. — Ramer des choux (ignorer tout). — Etre dans les choux (hors de course).

## CHRIST et CHRISTIANISME

**Personne du Christ.** — Jésus. Jésus-Christ. Agneau de Dieu. Agneau pascal. Agnus

*Christianisme*, m. V. *reli-gion*.
CHROMATIQUE. V. *musique, couleur*.
CHROMATISME, m. V. *couleur*.
CHROME, m. V. *chimie*.
CHROMOLITHOGRAPHIE, f. V. *couleur*.
CHRONIQUE. V. *temps, continuer*.
CHRONIQUE, f. Chroniqueur, m. V. *histoire, nouvelle, journal*.

*Chronologie*, f. V. *date, histoire*.
CHRONOLOGIQUE. V. *chronologie*.
CHRONOMÈTRE, m. V. *temps, horloger*.
CHRYSALIDE, f. V. *insecte*.
CHRYSANTHÈME, m. V. *fleur*.
CHUCHOTER. V. *parler, murmure, secret*.
CHUINTANT. V. *lettre*.
CHUT. V. *silence*.
CHUTE, f. V. *tomber, hydraulique, pire, bas*.

CHYLE, m. Chylifère. V. *digestion*.
CHYME, m. Chymifère. V. *estomac*.
CIBLE, f. V. *but*.
CIBOIRE, m. V. *messe*.
CIBOULE, f. V. *oignon*.
CICATRICE, f. Cicatriser. V. *blessure, plaie, marque, peau, guérir*.
CICERONE, m. V. *diriger*.
*Cidre*, m. V. *pomme, boisson*.
CIDRERIE, f. V. *cidre*.

---

Dei. — Fils de Dieu. Fils de l'homme. Fils de David. Fils de Marie. — Emmanuel. — Le Galiléen. Le Nazaréen. — Dieu fait homme. Le Verbe. Le Messie. L'oint du Seigneur. — Le Rédempteur. Le sauveur du monde. Notre sauveur. — Le crucifié. — Chrisme ou Labarum, XP. — Monogrammes : IHS, INRI, IXTUΣ.

**Doctrine du Christ.** — Les APÔTRES, apostolique. — Le Précurseur. Saint Jean-Baptiste. — L'Evangile, évangéliste, évangélique. — Les saints. — Christianisme. Chrétien. Chrétienté. — L'Eglise. Les Pères. Le vicaire de Jésus (le pape). — Le crucifix. — La Bible. La sainte Trinité. Les mystères. Le baptême.

Catholicisme, catholiques. Protestantisme, protestants. Orthodoxes. Arméniens. Coptes. Maronites. Chrétiens judaïsants.

L'Antéchrist. V. RELIGION.

**Vie du Christ.** — Annonciation. Annonce aux bergers. Noël. Epiphanie. Adoration des mages.

Présentation au Temple. Fuite en Egypte. Le baptême. La tentation. Les marchands du Temple. La Samaritaine. Les miracles. Les paraboles. Les disciples. La Cène. Le jardin des Oliviers. Judas. Pilate. Reniement de saint Pierre.

Flagellation. Couronnement d'épines. Passion. La croix. Le calvaire. La crucifixion. Descente de croix. Mise au tombeau. Le saint suaire.

La résurrection. L'apparition. L'ascension.

## CHRONOLOGIE

**Connaissance du temps.** — Chronographie, chronographe. — Chronologie, chronologique, chronologiste. — Calcul du temps. — Comput, computisme. — Anachronisme. Parachronisme. Métachronisme.

Tableau chronologique. Tableau synchronique. — Almanach. — Calendrier. — Agenda. — Fastes. — Annales. — Ephémérides. — Archives.

Cycle, cyclique. Cycle lunaire (19 ans). Cycle solaire (28 ans). Cycle pascal (532 ans). Période, périodique. Période chaldéenne (18 ans). Période dionysienne ou victorienne (532 ans). Période julienne (7.980 ans). Période d'Hipparque (304 ans).

**Division du temps.** — JOUR, journalier. SEMAINE, hebdomadaire. — MOIS, mensuel. — An, annuel. — Siècle, séculaire. — Lunaison. — Lustre. — Olympiade. — Triétéride. — Septénaire, septennal. — Millénaire. — Temps antérieurs, simultanés, postérieurs. — Succession des temps. Révolution.

**Les dates.** — Chronogramme. Date. Quantième. — Terme. Terme fixé. Terme suspensif, extinctif. Echéance. — Millésime. — Dater. Antidater. Postdater. — Fixer une date. Prendre date. — Tomber. Arriver. Echoir.

Dates commémoratives. Jour de naissance. Noces d'argent. Noces d'or. Jubilé. Année jubilaire. Cinquantenaire. Centenaire.

An émergent (départ de l'ère). Ere des Babyloniens. Ere des Olympiades. Ere de la fondation de Rome. Ere de la bataille d'Actium. Hégire. Ere chrétienne, etc.

Aujourd'hui. Hier. Demain. Après-demain. La veille. Le lendemain. Le surlendemain. Naguère. Jadis.

**Les âges.** — Age. Epoque. Période. — Age d'or. Age d'argent. Age d'airain. Age de fer. — Age paléolithique. Age néolithique. Age du bronze. Age du fer.

Temps préhistoriques, antédiluviens, fabuleux, mythologiques. — Temps primitifs, héroïques, bibliques, homériques.

Antiquité. Moyen âge. Epoque médiévale. Renaissance. Temps modernes. Epoque contemporaine.

## CIDRE

**Fabrication.** — Cidrerie. Cidrier. Industrie cidricole. — Pommes. Poires. — Pile (auge). Pilée. — Piler. Ecraser. Pilon. Meule. — Broyer, broyeur. — Pressoir. Motte. Pressurer. — Rémiage (deuxième pilage). Tierçage (troisième pressurage). Tuile. Marc. — Fermentation ou Bouillaison. — Défécation. Soutirage. Mise en bouteilles. Cidre mousseux. — Parer (durcir).

**Sortes de cidre.** — Gros cidre. Petit cidre. Cidre doux. Cidre dur. Cidre nouveau. — Pommé. — Poiré. — Halbi. — Piquette. — Baissière.

**Ciel,** m. V. *monde, Dieu, astre, lit, carrière, peinture.*

**Cierge,** m. V. *cire, église.*

CIERGIER, m. V. *cierge.*

CIGALE, f. V. *insecte.*

CIGARE, m. Cigarette, f. V. *tabac.*

CIGOGNE, f. V. *oiseau.*

CIGUË, f. V. *plante.*

CIL, m. V. *œil, protozoaire.*

CILICE, m. V. *poil, chemise.*

CILLER. V. *œil.*

CIMAISE, f. V. *bordure, art.*

CIME, f. V. *arbre, montagne.*

**Ciment,** m. V. *chaux, maçon.*

CIMENTER. Cimentier, m. V. *ciment, joindre.*

CIMETERRE, m. V. *sabre.*

CIMETIÈRE, m. V. *funérailles.*

CIMIER, m. V. *casque, cerf.*

CINABRE, m. V. *mercure.*

CINÉFACTION, f. V. *cendre.*

CINÉMA, m. V. *spectacle.*

CINÉMATIQUE, f. V. *mécanique.*

CINÉMATOGRAPHE, m. V. *optique.*

CINÉMATOGRAPHIE, f. V. *photographie.*

CINÉRAIRE. V. *cendre.*

CINGLEAU, m. V. *arpentage.*

CINGLER. V. *arpentage, navire, battre.*

**Cinq.**

CINQUANTAINE, f. V. *cinquante.*

CINQUANTE. V. *cinq.*

CINQUANTENAIRE. Cinquantième. V. *cinquante.*

CINQUIÈME. V. *cinq.*

CINTRE, m. Cintrer. V. *courbure, voûte, maçon.*

CIPPE, m. V. *colonne.*

CIRAGE, m. V. *vernis, soulier.*

CIRCONCISION, f. V. *juif, liturgie.*

CIRCONFÉRENCE, f. V. *cercle, entourer, courbe, géométrie.*

CIRCONFLEXE. V. *ponctuation.*

CIRCONLOCUTION, f. V. *diffus.*

CIRCONSCRIPTION, f. V. *portée.*

---

## CIEL

**Ciel des anciens.** — Voûte céleste. Voûte étoilée. Sphère céleste. Calotte des cieux. — Espaces aériens. Plaines célestes. — Empyrée. — Firmament. — Ether. — Air. — Uranie. — Atlas portant le ciel.

Olympe, olympien. Séjour des dieux. Ambroisie. Nectar. Apothéose. — Champs Elysées, élyséen.

Valhalla. Walkyries. — Brahmaloca (ciel de Brahma). Souarga (ciel d'Indra). — Paradis de Mahomet. Houris.

**Ciel des chrétiens.** — Ciel des cieux. — Habitacle du Très-Haut. — L'au-delà. — Là-haut. — Jérusalem céleste. — Célestes lambris. — Parvis sacrés. — Pourpris sacrés. — Royaume de Jésus. Cité sainte. — Tabernacles éternels.

Le Paradis. Anges. Justes. Elus. Bienheureux. Eglise triomphante. — Béatifier, béatification. Gloire. — Monter au ciel. Ascension. Assomption.

Béatitude. Bonheur éternel. Eternité bienheureuse. Félicité éternelle. Monde meilleur. Vie éternelle. Sein de Dieu.

**Ciel astronomique.** — Immensité des cieux. — Pôles. Ecliptique. Tropiques. Zénith. — Constellations. ETOILES. Planètes. — Atmosphère. Stratosphère. Couches de l'air. — Météores. Aérolithes. Bolides.

Astronomie. Uranographie.

## CIERGE

**Fabrication.** — Ciergier. Cirier. — Fabrication à la main : Cire. Cuiller. Cerceau. Tirer à la main. Rouloir. Lit à refroidir. Polissoire. Gravoir. Marque. — Fabrication mécanique. Stéarine. Paraffine.

**Usage.** — Cierge bénit. Cierge pascal. Cierge de communion. Cierge funèbre. — Chevecier (prêtre chargé des cierges). Luminaire (les cierges d'une cérémonie). — Chapelle ardente. — Fête de la Chandeleur. Porter un cierge. Céroféraire.

Flambeau. Candélabre. Pic. — Fiche. Souche. Pointe. Poignée. Chapiteau. — Allumer. Eteindre, éteignoir.

## CIMENT

**Le ciment.** — Calcaire dur. Calcaire tendre. Argile.

Malaxage. Dessiccation. Pulvérisation. Cuisson.

Ciment romain. Ciment à prise lente, à prise rapide. Ciment de Portland. Ciment de Vassy. Ciment de Pouilly. Mélange cimentaire. Ciment métallique. Lithocolle ou Ciment de lapidaire.

**Emploi.** — Cimentier. — Outils. Bassin. Rabot. Oiseau. Truelle. Talon. Arçon. — Cimenter, cimentation. — Enduire. Crépir. — Sceller. — Plaquer. — Jointoyer. — Maçonner.

Dallage. — Revêtement. — Joints. — Enduit. — Crépi. — Scellement. — Placage. — Bétonnage, béton. — Ciment armé. — Agglomérés. — Pierre artificielle.

**Matières analogues.** — CHAUX. — PLÂTRE. — Mortier. — Pisé. Torchis. Bauge. Blanc de bourre. Bousillage. — Staff. Stuc. Lastrico. — Corroi. Lut. — Mastic. Futée. Gros-blanc. — GOUDRON. Spalme. Ploc.

Piser, piseur. — Stuquer, stucateur. — Calfater, CALFAT. — Luter. — Mastiquer.

## CINQ et CINQUANTE
(latin, *quinque*; grec, *pente*)

**Dérivés de** *cinq.* — Le cinq du mois. Le cinq de pique. — Les Cinq-cents.

Cinquantaine (nombre). Cinquantenier. — Cinquantaine (âge, fête, jubilé). Cinquantième.

**Dérivés de** *quinque.* — Quinquennal. — Quinquangulaire. — Quinquérème. — Quinaire. — Quine. — Quintette. — Quintessence. — Quintidi. — Quintuple. — Quintil. — Quinto.

Quinquagénaire. — Quinquagésime.

**Dérivés de** *pente.* — Pentapole. — Pentaèdre. — Pentagone. — Pentamètre. — Pentathle. — Pentapétale. — Pentaptère. — Pentastyle. — Pentasyllabe.

Pentecôte (50 jours après Pâques).

CIRCONSCRIRE. V. *géométrie, cercle, limite.*
CIRCONSPECT. V. *prudence.*
**Circonstance,** f. V. *temps, événements.*
CIRCONSTANCIEL. V. *grammaire.*
CIRCONSTANCIER. V. *distinct.*
CIRCONVALLATION, f. V. *camp.*
CIRCONVENIR. V. *persuader.*
CIRCONVOLUTION, f. V. *cerveau.*
CIRCUIT, m. V. *tourner, détour, voyage.*
CIRCULAIRE. V. *lettre, rond, entourer.*
CIRCULATION, f. Circuler. V. *tourner, sang, marcher, mouvement.*

CIRCUMNAVIGATION, f. V. *navire.*
**Cire,** f. V. *miel, cierge, bougie, oindre.*
CIRER. Cireur, m. V. *cire, brosse, soulier, briller, polir.*
CIRIER, m. V. *cire.*
**Cirque,** m. V. *spectacle, équitation, vallée, montagne.*
CIRRE, m. V. *plante, insecte.*
CIRRHOSE, f. V. *foie.*
CIRRUS, m. V. *nuage.*
CISAILLE, f. Cisailler. V. *ciseau, couper.*
**Ciseau,** m. V. *menuisier, sculpture.*

CISEAUX, m. p. V. *tailleur, coudre.*
CISELER. Ciseleur, m. Ciselure, f. V. *orner, orfèvre, gravure, bijou.*
CITADELLE, f. V. *fortification.*
CITADIN, m. V. *ville.*
CITATION, f. V. *dire, appel, témoin, accusation.*
CITÉ, f. V. *pays, ville.*
CITER. V. *dire, appel.*
CITÉRIEUR. V. *côté.*
CITERNE, f. V. *pluie, réservoir.*
CITHARE, f. V. *guitare.*
CITOYEN, m. V. *libre, politique, ville, république.*
CITRIN. Citrique. V. *citron.*

## CIRCONSTANCE

**Faits accessoires.** — Fait circonstancié. — Détail circonstanciel. — Circonstance particulière, passagère. — Circonstance atténuante, aggravante. — Données. — Face des affaires. — Particularités. — Evénement. Episode.

Circonstancier. — Circonstances grammaticales. Temps. LIEU. Manière. Condition. Cause, etc. — Complément circonstanciel. — Conjonctions et adverbes de circonstance.

**Rencontre de faits.** — Conjoncture. — Concours de circonstances. — Entrefaites. — Rencontre. — Coïncidence. — Situation. — Etat de choses. — Eventualité. Fait éventuel. — Faits qui surgissent. EVÉNEMENTS. — Opportunité, opportun. — Cas. Cas d'espèce. Cas de guerre, etc. — Urgence. Cas urgent, pressant. — Temps qui court. — Profiter de l'heure. Heure du berger.

**Faits imprévus.** — Contingence, contingent. — HASARD. — Accident, accidentel. — Incident, incidence. — Occurrence. — Occasion, occasionnel. — Cas fortuit. Force majeure. Cas échéant. — Chance. Coup de veine. — Casualité, casuel.

## CIRE

**Production de la cire.** — Abeilles. Ruche. Alvéole. Rayon. Propolis. — Cire vierge. Cire blanche. Cire jaune. — Décirer. Emieller. Ecacher (pétrir). Eculer (mettre en pains). — Gâteau de cire. Pain de cire. Marquette (pain de cire vierge). — Purifier. Egoutter. Presser. Ebouillanter. Blanchir. Herberie. Grêler. Rubaner.

**Travail de la cire.** — Cirier. — Bougie. Cierge. Rat de cave. — Fonderie. Saumon. Péreau (chaudière). — Filer la cire. Filière. Lingotière. Cerceau. Romaine. Palon (spatule). Trempe. Couvrir une bougie. Jeter les mèches. Enrobage. — Polissoire. Rouloir. Gravoir. Taille-mèche.

Céroplastie, céroplaste. — Modeler, modeleur. — Figure de cire. — Fonte à cire perdue.

**Relatif à la cire.** — Cire à cacheter. Bâton de cire. Cachet. Empreinte. — Tablettes de cire. Diptyques. Triptyques. — Cirure. Cirage. Encaustique. — Cirer, cireur. Frotter, frotteur. — Cérat (onguent). — Ciré (vêtement). — Arbre à cire. — Cérifère. — Cérine. — Cire fossile. — Cérographie ou Peinture à la cire.

## CIRQUE

**Cirques anciens.** — Hippodrome. Spina. Bornes. Carrière. Carcères. Barrières. Courses. Chars. Cochers.

Arènes. Euripe. JEUX. Combats. Gladiateurs. Spoliaire. — Chasses. Sylve. — Naumachie. Amphithéâtre. Podium. Gradins. Coins. Travées. Vomitoires. Portiques. Arcades. — Le Colisée. Arènes de Nîmes. Arènes d'Arles, etc.

**Cirques modernes.** — Cirque. Piste. Ecuries. Orchestre. Loges. Places. Promenoir. — — Exercices équestres. Animaux savants. Ecuyers, écuyères. Gymnastes. Jongleurs. Clowns.

Arènes de taureaux. — Corrida. Quadrille. Toréador. Matador. Torero. Chulos. Peones. — Cape. Muleta. Espada. Estocade. Puntillera. — Caballero en plaza.

## CISEAU

**Ciseaux droits.** — Ciseau à froid. Biseau. — Ciseau droit. Ciseau biais. — Ciseaux à bois : Bec-d'âne. Ebauchoir. Gouge. Gougette. Poinçon. Plane. Clouet. — Ciseaux de sculpteur : Gradine. Hougnette. Riflard. Rondelle. — Ciseaux de ciseleur et graveur : Ciselet. Gouge. Burin. Grattoir. Rifloir. Matoir. Molette. Godronnoir. Onglet. Ovoir. Ecartoir. Repoussoir.

Entailler. Ciseler. Buriner. Graver. Tailler.

**Ciseaux à branches.** — Paire de ciseaux. Branches, mâle, femelle. Anneaux. Tranchant. Vis. Pointe. Bouton. Etui. — Carrelet (de tailleur). Ciseaux de couture. Ciseaux de broderie. Ciseaux à ongles. Ciseaux de chirurgie. — Sécateur. Forces. Forcettes. Ciseaux à découper. — Cisoir (à métaux). Ebarboir. Couper. Tailler. Ebarber. Trancher.

**Citron,** m. V. *jaune, acide.*
CITRONNADE, f. V. *citron.*
CITRONNELLE, f. V. *citron.*
CITRONNIER, m. V. *citron.*
CITROUILLE, f. V. *courge.*
ÇIVA, m. V. *Inde.*
CIVET, m. V. *gibier, mets.*
CIVETTE, f. V. *musc.*
CIVIÈRE, f. V. *porter.*
CIVIL. V. *ville, politesse.*
CIVILISATION, f. Civiliser. V. *société, instruction, progrès.*
CIVILITÉ, f. V. *politesse.*
CIVIQUE. V. *politique.*
CIVISME, m. V. *politique, république.*
CLABAUDER. V. *chien, parler.*
**Claie,** f. V. *osier.*
**Clair.** V. *couleur, facile, briller.*
CLAIRET, m. V. *vin.*
CLAIRE-VOIE, f. V. *grille, clôture, ouvert.*
CLAIRIÈRE, f. V. *clair, forêt.*
CLAIR-OBSCUR, m. V. *lumière, ombre.*

CLAIRON, m. Claironner. V. *trompette.*
CLAIRSEMÉ. V. *écart, rare.*
CLAIRURE, f. V. *clair.*
CLAIRVOYANCE, f. V. *voir, intelligence.*
CLAMEUR, f. V. *cri, bruit.*
CLAN, m. V. *Ecosse, famille, partisan.*
CLANDESTIN. V. *secret, prohiber.*
CLAPET, m. V. *soupape, pompe.*
CLAPIER, m. V. *lapin.*
CLAPOTER. Clapotis, m. V. *bruit.*
CLAPPER. V. *langue.*
CLAQUE, m. V. *chapeau.*
CLAQUE, f. V. *applaudir, battre, chaussure.*
CLAQUEMURER. V. *fermer.*
CLAQUER. V. *bruit, battre, fouet, main.*
CLAQUETTE, f. V. *bruit.*
CLARIFIER. V. *pur, filtre.*
CLARINE, f. V. *cloche, bestiaux.*

CLARINETTE, f. V. *instruments de musique.*
CLARTÉ, f. V. *lumière, briller, style.*
**Classe,** f. V. *division, espèce, peuple, société, degré, école, soldat.*
CLASSEMENT, m. Classer. V. *ordre, arranger, séparer.*
CLASSICISME, m. Classique. V. *littérature.*
CLASSIFICATION, f. V. *classe, ordre.*
CLAUDICATION, f. V. *boiter, difforme.*
CLAUSE, f. V. *convention, testament.*
CLAUSTRAL. V. *moine.*
CLAVEAU, m. V. *voûte.*
CLAVECIN, m. V. *instruments.*
CLAVELÉE, f. V. *mouton.*
CLAVETTE, f. V. *clou.*
CLAVICORNE. V. *corne.*
CLAVICULE, f. V. *os, épaule.*
CLAVIER, m. V. *orgue, piano.*
CLAYMORE, f. V. *Ecosse.*
CLAYONNAGE, m. V. *claie.*

---

**Cisailles.** — Cisaille, cisailler. — Cisaille d'établi. Bourriquet (support). — Taillet. — Cisaille à main. — Cisaille à haies. — Cisaille de chirurgie. — Coupe-boulons.

### CITRON

**Plante et fruit.** — Citron. Citronnier. — Limon. Limonier. — Limette. Limettier. — Cédrat. Cédratier. — Poncire. — Citronnelle.

**Produits.** — Jus de citron. Ecorce de citron. Tranches, zeste. Citronner. Citré. — Confiture de citron. Citronnat. — Citronade. Limonade. Citron pressé. — Citrine (huile). Acide citrique. Citrate. — Jaune citron. Citrin.

### CLAIE

**Travail.** — Osier. Jonc. Branchettes. Volards. Lattes. — Vannier, vannerie. Faissier. Clôturier. Treillageur. — Entrelacer. Trochle. Croiser. Tortiller. Clisser. Treillisser. Troller. Faisser. Natter. — Entrelacement. Clayonnage. Croiserie. Faisses. Crosses. Habillure.

**Sortes de claies.** — Claire-voie. — Clayer. — Clayon. — Clisse. — Eclisse. — Lasserie. — Lattis. — Natte. — Frisage. — Treillage. — Treillis. — Barrière. — Grille. — Grillage. — Parc à moutons. — Trolle (de chasse). — Auvel. Bordigue (de pêche). — Ecrille (fermeture d'étang).

### CLAIR

**Peu serré.** — Clair, s'éclaircir. — Clairsemé. — Eraillé, s'érailler. — Liquide. — Fluide, fluidité. — Transparent, transparence. — Pelé, peler. — Lâché, se relâcher. — Raréfié, raréfaction. — Séparé. — Déchiré,

se déchirer. — Sans consistance. — Qui a des vides.

**Choses à Jour.** — Claire-voie. — Clairière. — Clairure. — Eclaircie. — Déchirure. — Eraillement. — Crevés d'étoffe. — Jours de broderie. — Canevas. — Tulle. — Grillage. — Colonnade.

### CLASSE

**Catégories sociales.** — Noblesse. Les NOBLES. Aristocratie. Les aristocrates. Les grands. Grand seigneur. Grande dame. Gentilhomme. Patricien. Chevalier. — Bourgeoisie. Bourgeois. Roture. Roturier. Classe moyenne. Tiers Etat. — PEUPLE. Populace. Foule. Petites gens. Les petits. Basse classe. Prolétaire. Plébéien. — Finance. Financier. Employés. — Gens de robe. Basoche. Clercs. — Clergé. Monde clérical. Caste sacerdotale. — Commerce. Commerçant. Négociant. Marchand. Boutiquier. Commis. — Industrie. Industriel. Technicien. Ingénieur. Ouvriers. Manœuvres. — Agriculture. Agriculteur. Cultivateur. Fermier. Paysan. Ouvriers agricoles. — Armée et marine. Officiers. Sous-officiers. Soldats. Marins. — RICHES. PAUVRES. — Maîtres. Domestiques. Serviteurs. ESCLAVES.

**Situation sociale.** — Classe. — Caste. — Condition. — Echelle sociale. — Rang social. — Position sociale. — Hiérarchie sociale. — Etat. — DEGRÉ. — Haut et bas étage. — SOCIÉTÉ. — Milieu. — Ordre. — Monde. — ESPÈCE. — Sorte.

Race. FAMILLE. PARENTS. Extraction. Gent. Naissance. Bien né, mal né. — Se mésallier. — Dégénérer. — Déroger. — Déchoir, déchéance. — Se déclasser. — Soutenir son rang.

**Clef,** f. V. *serrure, fermer, secret, nœud, ongle.*

CLÉMENCE, f. Clément. V. *pardon, pitié, généreux.*

CLENCHE, f. V. *serrure.*

CLEPSYDRE, f. V. *horloger.*

CLERC, m. V. *église, bureau, agent.*

CLERGÉ, m. V. *prêtre, église, association, classe.*

CLÉRICAL. V. *prêtre, politique.*

CLÉRICATURE, f. V. *prêtre.*

CLÉROMANCIE, f. V. *dé.*

CLICHAGE, m. Cliché, m. Clicher. V. *imprimerie, photographie, image, gravure.*

CLIENT, m. Clientèle, f. V. *commerce, boutique, acheter, vendre, faveur, auxiliaires de justice.*

CLIGNEMENT, m. Cligner. V. *œil, geste.*

CLIMAT, m. V. *géographie, météore.*

CLIN D'ŒIL, m. V. *regard.*

CLINIQUE, f. V. *médecine, chirurgie.*

CLINQUANT, m. V. *métal, briller, emphase, vain.*

CLIO, f. V. *muse.*

CLIQUE, f. V. *accord, armée.*

CLIQUET, m. V. *cric.*

CLIQUETER. Cliquetis, m. V. *bruit, escrime.*

CLISSE, f. Clisser. V. *claie.*

CLIVAGE, m. Cliver. V. *pierre, fendre, diamant.*

CLOAQUE, m. V. *canal, oiseau, anus, sale.*

CLOCHARD, m. V. *aumône.*

**Cloche,** f. V. *couvrir, jardin, chapeau.*

CLOCHE-PIED. V. *pied, saut.*

CLOCHER. V. *boiter, mal, imparfait.*

CLOCHER, m. V. *église, haut.*

CLOCHETON, m. V. *architecture.*

CLOCHETTE, f. V. *cloche.*

CLOISON, f. V. *mur, clôture, charpente.*

CLOÎTRE, m. Cloîtrer. V. *fermer, commun, moine.*

CLONISME, m. V. *convulsion.*

CLOPIN-CLOPANT. V. *boiter.*

CLOPINER. V. *boiter.*

CLOPORTE, m. V. *insecte.*

CLOQUE, f. V. *brûler.*

CLORE. V. *fermer, limite.*

CLOS, m. Closerie, f. V. *campagne.*

**Clôture,** f. V. *entourer, finir, grille, barre, limite, abri, moine, parlement.*

CLÔTURER. V. *finir.*

CLÔTURIER, m. V. *claie.*

**Clou,** m. V. *pointe, menuisier, tumeur.*

---

## CLEF
### (latin, *clavis*)

**La clef.** — Anneau. — Balustre (ornement). — Branche ou Tige. Canon. Bouterolle (fente). Panneton (partie entrante). Museau (avant de panneton). Dents.

**Clefs de serrure.** — Clef bénarde (canon plein). — Clef forée. — Clef de sûreté. — Clef diamant. — Clef de coffre-fort. — Fausse clef. — Passe-partout.

Porte-clefs. — Trousseau de clefs. — Tour de clef.

Ouvrir. Fermer. — Forcer. Clavette. Crochet. Rossignol.

**Clefs de mécanique.** — Clef anglaise. — Clef à molette. — Clef plate. — Clef à tube. — Clef double. — Clef universelle. — Clef de montre. Clef de pendule. — Clef de Garengeot (de dentiste). — Clef de voûte.

## CLOCHE

**Grosses cloches.** — Cloche. Bourdon. — Panse. Gorge. Faussure. Cerveau. Calotte. Pont. Anses. — Battant. Batail. Bride. Bélière. Brayer.

Fonte d'une cloche. Fonderie. Tracé. Moulage. Moule. Noyau. Diapason. — Montage d'une cloche. Empoutrerie. Hune. Mouton. Sommier. — Baptême d'une cloche.

Clocher. Campanile. Beffroi. Tour. Clocheton. Carillon. Abat-son.

**Petites cloches.** — Clochette. Campène. Sonnaille. Clarine. Grelot. Grillet. — Sonnette. Timbre. Cordon. Renvoi. — Sonnette électrique. Piles. Fils. Electro-aimant.

**Sons de cloches.** — Sonner, sonneur. Mettre en branle. Sonnailler. Brimbaler. Carillonner. Sonner à toute volée. Piquer la cloche. — Sonner les matines, la messe, les vêpres, l'angélus, le glas, le couvre-feu, le tocsin.

Sonner. Résonner. Tinter, tintement. Frémir, frémissement. Sonnerie. Volée. Carillon.

## CLÔTURE

**Barrière.** — Barrière. Montants. Lisses. — Claire-voie. — Balustrade. — Banquette. — Barrage. — Echalier. — Haie. — Grillage. — Grille. — Chaîne ou Corde tendue. — Treillage. — Clayonnage. — Claie. — Fils barbelés. — Cheval de frise. — Barricade. — Herse. — Poteaux. — Palée (rangée de pieux). — Séparation. — Charmille. — Ronceraie. — Rampe (d'escalier). — Ridelle (de charrette).

**Enceinte.** — Clôture. — Enceinte. — Mur. Muraille. — Rempart. Retranchement. Fortification. — Champ clos. Lices. — Entourage. Bornage. Limites. — Parc. Palis. Palissade.

**Fermeture.** — Abattant. Volet. Volet brisé. Persienne. Contrevent. Jalousie. Vasistas. — Croisée. Fenêtre. Contre-fenêtre. Vitrage. Vitres. — Porte tambour. Tourniquet. — Cloison. Paroi. Colombage. — Coulisse. Couvercle. Trappe. — Devanture. Fermeture. Rideau de fer. — Barreaux.

Clôture d'une discussion, d'une session, d'un scrutin, d'une séance.

**Protection.** — Brise-vent. Paravent. — Brise-lames. — Digue, endiguement. — Levée. — Estacade. — Parapet. — Garde-fou. — Garde-corps. — Fossés. — Tranchées. — Remblai. — Obstacles : Epis. Chardons. Artichauts. Hérisson.

## CLOU

**Fabrication des clous.** — Clouterie, cloutier. Ferronnerie, ferronnier. Lormerie, lormier. Boutereau. Emboutissoir. Empointeur. Etampe. Etaple (enclume). Parer les clous. — Tréfilerie. Tréfiler. Filière. — Le clou : Tête. Collet. Tige. Pointe. Pas de vis. — Clous découpés. Clous fondus. Clous en zinc. Clous en cuivre.

CLOUAGE, m. Clouer. V. *clou, fixe.*

CLOUTER. V. *clou.*

CLOUTERIE, f. Cloutier, m. V. *clou.*

CLOVISSE, f. V. *coquillage.*

CLOWN, m. Clownerie, f. V. *bouffon, cirque.*

CLOYÈRE, f. V. *huître.*

CLUB, m. V. *société, association.*

CLUSE, f. V. *vallée.*

CLYSOIR, m. V. *anus.*

CLYSOPOMPE, m. V. *anus, pompe.*

CLYSTÈRE, m. V. *médicament.*

COADJUTEUR, m. V. *évêque, remplacer.*

COAGULATION, f. Coaguler. V. *chimie, épais, caoutchouc, fromage.*

COALITION, f. Coaliser. V. *joindre, association, complot.*

COALTAR, m. V. *goudron.*

COASSER. V. *grenouille.*

COBRA, m. V. *serpent.*

COCARDE, f. V. *ruban, insigne, chapeau.*

COCASSE. V. *rire, bizarre.*

COCCINELLE, f. V. *insecte.*

COCCYX, m. V. *os, dos.*

COCHE, m. V. *voiture.*

COCHE, f. V. *entaille, marque.*

COCHENILLE, f. V. *rouge, teindre.*

COCHER, m. V. *voiture, domestique.*

COCHET, m. V. *poule.*

COCHON, m. V. Cochonner. Cochonnerie, f. V. *porc.*

COCHONNET, m. V. *boule.*

COCKTAIL, m. V. *mélange.*

COCO, m. V. *palmier, boisson.*

COCON, m. Coconner. V. *chenille, soie.*

COCOSE, f. V. *beurre.*

COCOTE, f. V. *prostitution.*

COCOTIER, m. V. *palmier.*

COCTION, f. V. *cuire, mûr.*

COCU, m. Cocuage, m. V. *mariage, adultère.*

COCYTE, m. V. *enfer.*

CODA, f. V. *musique.*

CODE, m. V. *loi, règle.*

CODEX, m. V. *pharmacie.*

CODICILLE, m. V. *testament.*

CODIFIER. V. *loi, règle.*

CŒCUM, m. V. *intestin.*

COEFFICIENT, m. V. *multiple.*

CŒLENTÉRÉ, m. V. *polype.*

CŒLIAQUE, m. V. *ventre.*

COÉQUIPIER, m. V. *ami.*

COERCITION, f. V. *contrainte, punition.*

**Cœur**, m. V. *sang, milieu, intérieur, cheminée, cartes, blason, aimer, brave.*

COEXISTER. V. *joindre.*

**Coffre**, m. V. *boîte, meuble, serrer.*

---

**Sortes de clous.** — Ailes de mouche. Bec-de-cane. Boulon. Broche. Broquette. Caboche. Cabochon. Carvelle (mar.). Chevillette. Clavette. Pointe de Paris. Clous rivés. Clous barbelés. Semence. Clous en U. Crampillons. Crampon. Croc. Crochet. Dent-de-loup. Fiche. Goujon. Goupille. Patère. Patte. Patte-fiche. Piton. Pointe. Rosette. Tenon. Touret. Vis. Lasseret.

Cheville de bois. Fausset. Gournable. Tampon.

**Emploi des clous.** — Clous à bateau. Clous à plafonner. Clous à latter. Clous à parquet. Clous à ardoises. Clous de tapissier. Clous à chevaux. Clous à pentures. Clous à doublage. Clous de cordonnier.

Clouer, clouage. — Clouter, cloutage. — Ficher. — Cheviller. — Boulonner. — Cramponner. — River, rivure, — Mailleter, maille-tage. — Visser. — Enfoncer. — Araser. Noyer, noyure. — Etêter. — Rabattre. — Marteau.

Arracher. Déclouer. Dériver. — Tenailles. Tire-clou. Chasse-pointe. Chasse-rivet.

## CŒUR
(latin, *cor*; grec, *cardia*)

**L'organe.** — Base. Pointe. Oreillettes, auriculaire. Oreillette droite, gauche. Ventricules, ventriculaire. Ventricule droit, gauche. Colonnes charnues. Tendons. Cloison. Scrobe. Fosse ovale. Valvules, valvulaire. Valvule mitrale. Valvule sigmoïde. Valvule tricuspide. Tubercules.

Tuniques. Tissu musculaire. Endocarde. Péricarde. Isthme. Aorte. Artère pulmonaire. Veines pulmonaires. Veines caves. Veines coronaires. Systole. Diastole. Périsystole. Mouvement systaltique. Battement. Pulsation. Pouls. Contraction. Palpitation.

**Maladies et soins.** — Anévrisme. Atrophie. Cardialgie. Cardite. Bicardie. Hydrocardie. Tachycardie. Péricardite. Endocardite. Phénomènes endocardiques, exocardiques.

Cyanose. Hypertrophie. Cardiocèle. Cardiopathie. Cardiectasie. Perforation. Elancement. Intermittence.

Cardiologie. Cardioscopie. Cardiotomie. — Stéthoscope. — Remède cardiaque. Trinitrine. Belladone. Huile camphrée. Caféine. Digitale. Cordial.

Tension artérielle. Hypertension. Hypotension. Sphygmomanomètre.

**Dispositions morales.** — Cœur. Avoir du cœur. Homme de cœur. Prendre à cœur. Agir de bon cœur, de tout cœur. Manquer de cœur. — Donner son cœur. Affaire de cœur. Cœur d'artichaut. Joli cœur. — Amour. Amitié. Sentiments. Sensibilité. — Cordialité, cordial. Affectueux. Amical. — Courage. Caractère.

## COFFRE

**Détail d'un coffre.** — Fond. Couvercle. Parois. — Charnière. Obronnière. — Serrure. Houssette. Fermoir. Moraillon. — Portant. Main. — TIROIR. Chétron. Casier. Compartiments. — Garniture. Tortillon. Rosette.

**Espèces de coffres.** — Arche d'alliance. Bâche (de jardinier). Bahut. Banneton. Berniquet (à son). Bétuse (à avoine). BOÎTE. Cage. Caisse. Caissette. Caisson. Canastre (à thé). Cantine. CARTON. Cartonnier. Cassette. Cave à liqueurs. Cercueil ou Bière. Châsse. Coffre à bois. Coffre à charbon. Coffre-fort. Coffret. Ecrin. Emballage. Frigidaire. Garde-manger. Habitacle. Huche. Layette. Maie. Malle. Mallette. Montre (caisse vitrée). Nécessaire. Pétrin. Portemanteau. PUPITRE. Réceptacle. Reliquaire. Tabernacle. Tambour (de porte). Trémie. Tronc. Valise. Sac de voyage.

**Relatif au coffre.** — Emballeur. — Malletier. — Bahutier. — Maroquinier. — Cartonnier. — Layetier.

Emballer. Encaisser. Enfermer. Serrer. — Déballer.

COFFRE-FORT, m. **V.** *trésor.*

COFFRET, m. **V.** *bijou, tabletterie.*

COGNAC, m. **V.** *boisson.*

COGNÉE, f. **V.** *hache.*

COGNER. **V.** *battre, choc.*

COGNITION, f. **V.** *connaître.*

COHÉRENCE, f. Cohérent. **V.** *tenir.*

COHÉREUR, m. **V.** *télégraphie.*

COHÉSION, f. **V.** *joindre, chimie.*

COHIBITION, f. **V.** *obstacle.*

COHORTE, f. **V.** *armée.*

COHUE, f. **V.** *multitude, désordre.*

COIFFE, f. **V.** *chapeau, coiffure.*

COIFFER. **V.** *coiffure, bouteille, couvrir, chien.*

COIFFEUR, m. **V.** *cheveu, barbe.*

COIFFEUSE, f. **V.** *toilette.*

*Coiffure*, f. **V.** *toilette, orner, cheveu.*

*Coin*, m. **V.** *angle, marque, médaille, dent, relieur.*

COINCEMENT, m. Coincer. **V.** *coin, toucher.*

COÏNCIDENCE, f. Coïncider. **V.** *géométrie, joindre, égal, circonstance.*

COING, m. **V.** *fruit.*

COINTÉRESSÉ, m. **V.** *commun.*

COKE, m. **V.** *houille.*

COL, m. **V.** *habillement, fourrure, montagne, passage, vase.*

COLATURE, f. **V.** *pharmacie.*

COLBACK, m. **V.** *coiffure.*

COLCHIQUE, m. **V.** *fleur.*

COLÉOPTÈRE, m. **V.** *aile.*

*Colère*, f. **V.** *fureur, violence, fâché, menace.*

COLÉREUX. **V.** *colère.*

COLIBRI, m. **V.** *oiseau.*

COLIFICHET, m. **V.** *vain.*

COLIN-MAILLARD, m. **V.** *jeu.*

---

## COIFFURE

**Coiffures d'homme.** — Chapeau de feutre, de paille, à haute forme. Cape. — Bonnet. Bonnet carré, pointu, phrygien, etc. Bonnet de coton. Bonnet d'âne. — Béret. Fez. Barrette. Calotte. Casquette. — Couvrechef. Capuchon. Capuce. Aumusse. Mortier. Mitre Tiare. Toque.

Coiffure militaire. Casque. Bourguignotte. Shako. Colback. Képi. Chéchia. Schapska. Bonnet de police. Calot.

**Coiffures de femme.** — Chapeau. Cape. Capeline. Cabriolet. Toque. Toquet. — Mantille. Fanchon. Cornette. Capuchon. Coqueluchon. Marmotte. Serre-tête. — Hennin. Comète. Fontange. Diadème. Frontal. Frontière. — Tour. Réseau. Résille. — Béguin. Bourrelet. Tétière. — Bonnet. Bonnet plissé. Bonnet tuyauté. — Coiffe. Bavolet. Coiffe bretonne, normande, sablaise, arlésienne, charentaise, boulonnaise, auvergnate, alsacienne, etc.

**Eléments des coiffures.** — Dentelle. Rubans. Plumes. Fleurs. Soie. Velours. Feutre. — Plumet. Panache. Aigrette. — Carcasse. Calotte. Passe. Fond. Garniture. — Nœuds. Gland. Houppe. Pompon. — Papillon de bonnet. Pavillon. Brides. Mentonnière. Barbes. — Voilette. Voile.

**Art de coiffer.** — Modes, modiste. Coiffeur. Chapelier. Bonnetier. — Garnir un chapeau. Essayer. Coiffer. Chapeauter. Embéguiner. — Se coiffer. Se couvrir la tête. Se découvrir.

## COIN
(latin, *cuneus;* grec, *sphên*)

**Outil angulaire.** — Coin. Biseau. Cale. Fendoir. Bondieu (de scieur de long). Angrois (de manche d'outil). Moellonnier (de maçon). Patarasse (de calfat). Pipes (à meule). Pommelles (de carrières). Refenderet (d'ardoisier). Rossignol (à mortaise). Trésillon (de chantier).

Coincer, coinçage. Se coincer. Coincement. Cunéiforme. Cunéirostre. Os sphénoïde.

**Angle.** — Coin. Recoin. Encoignure. Coin de rue. Coin de feu. — Coins de la bouche, des yeux. — Rencogner. — Jouer aux quatre coins. — La connaître dans les coins.

## COLÈRE
(latin, *ira*)

**États de colère.** — Colère. Ire. — Accès de colère. Crise. Mouvement de colère. Paroxysme de la colère. Feu de la colère. Colère rentrée. — Colère (adj.). — Coléreux. Enflammé de colère. — Etre en ébullition, en effervescence, à bout. — Exaspération, exaspéré. Surexcitation, surexcité. Rage, rageur, enragé. Emportement, emporté. FUREUR, furieux, furibond. — Irritation, irrité, irritable. Irascibilité, irascible. Excitation, excité, excitable. Courroux, courroucé. Indignation, indigné. Bile, bilieux. Quinte, quinteux. — Animosité. Ressentiment. Fâcherie. Enervement. Emoi. Mauvaise humeur. Dépit. — Passion. Orage. Bourrasque. Transports. VIOLENCE. Brutalité. Brusquerie. Grossièreté.

Etre querelleur, HARGNEUX, chatouilleux, agressif, susceptible, prompt, VIF, forcené, frémissant, impatient, crispé, outré. — Avoir la tête chaude, la tête près du bonnet. — Etre irascible.

**Manifestations de la colère.** — Etre bouffi de colère. Bouillonner. Bouillir. Etre cramoisi, pourpre, rouge de colère. — Trembler, tremblement. Etre pâle. Suffoquer. — Montrer les dents. Grincer des dents. Trépigner. Fumer. Ecumer. — Jeter feu et flamme. Flamboyer. Regard flamboyant, foudroyant. Yeux étincelants. Froncer le sourcil. Sourciller. — Explosion de colère. Eclats de colère. Fulminer. — Frémir, frémissement. — Bondir de rage. Faire le gros dos. Voir rouge. Bouffée de colère. — Querelle. Gros mots. Injures. Parler vertement. S'en prendre à. Malmener. Algarade. Sortie. Tempête. Cris. — Scandale. Casser les vitres. — Mettre les pieds dans le plat. Pester. Bougonner. Gronder. Gourmer. Rembarrer. Brusquer. Brutaliser. — Jurer, jurons. Blasphèmes. Malédictions, MAUDIRE.

**Se mettre en colère.** — S'abandonner à la colère. S'irriter. S'emporter. S'échauffer. Eclater. Faire explosion. Se déchaîner. Ne plus se posséder. Jeter son feu. Sortir de ses gonds. — Se gendarmer. Se cabrer. S'indigner. Se révolter. Déborder. Se mutiner. S'énerver. S'impatienter. — Monter sur ses grands chevaux. Monter comme une soupe au lait. Etre aux cent coups. Monter sur ses ergots. Prendre la mouche. Se formaliser. Se fâcher tout rouge. Faire le MÉCHANT.

**Colique**, f. V. *ventre, attaque.*

COLIS, m. V. *marchandise, bagage, chemin de fer.*

COLISÉE, m. V. *Rome.*

COLLABORATEUR, m. Collaboration, f. Collaborer. V. *travail, association, participer, action, littérature.*

COLLANT. V. *colle, étroit.*

COLLATAIRE, m. V. *bénéfice.*

COLLATÉRAL, m. V. *famille.*

COLLATION, f. Collationner. V. *comparaison, vérifier, titre, fonction, manger.*

**Colle**, f. V. *amidon, école.*

COLLECTE, f. V. *amas, recevoir, aumône.*

COLLECTEUR, m. V. *impôt, égout.*

COLLECTIF. V. *public.*

COLLECTION, f. Collectionner. V. *amas, joindre, musée.*

COLLECTIVISME, m. V. *commun.*

COLLÈGE, m. V. *école, société, suffrage.*

COLLÉGIALE, f. V. *église.*

COLLÈGUE, m. V. *compagnon.*

COLLER. V. *colle, joindre, tenir, habillement, vin.*

COLLERETTE, f. V. *cou, fleur.*

COLLET, m. V. *cou, piège, dent.*

COLLETER. V. *cou, combat, piège.*

COLLIER, m. V. *cou, harnais, anneau, bijou, barbe, chien.*

COLLIGER. V. *amas.*

COLLIMATION, f. V. *arpentage.*

COLLINE, f. V. *montagne.*

COLLIQUATION, f. V. *dissoudre.*

COLLISION, f. V. *choc, combat.*

COLLODION, m. V. *bandage.*

COLLOQUE, m. V. *parler.*

COLLOQUER. V. *mettre.*

COLLUSION, f. V. *accord, ruse.*

COLLUTOIRE, m. V. *bouche.*

COLLYRE, m. V. *œil.*

COLMATER. V. *marais.*

COLOMBAGE, m. V. *charpente.*

COLOMBE, f. V. *pigeon, charpente.*

COLOMBIER, m. V. *pigeon, papier.*

COLOMBINE, f. V. *pigeon.*

COLOMBOPHILE. V. *pigeon.*

COLON, m. V. *colonie.*

COLONEL, m. V. *officier.*

COLONIAL. V. *colonie.*

**Colonie**, f. V. *pays, habiter.*

COLONISATEUR, m. Colonisation, f. Coloniser. V. *colonie.*

COLONNADE, f. V. *colonne, balustre.*

---

## Provoquer la colère. — Agacer. Agacer les nerfs. Etre agaçant. — Soulever, exciter, allumer la colère. — Mettre hors de soi. Mettre hors de ses gonds. Pousser à bout. Exaspérer. — Echauffer la bile. Faire bondir. Crisper. Faire enrager. — Courroucer. Irriter. Monter. Vexer. — Révolter. Révolutionner. Indigner. Outrer. — Froisser. Dépiter. Aigrir. — Impatienter. Importuner. Enerver. Fâcher. — Scandaliser. Emouvoir. — Exaspérer. Ulcérer. Déchaîner.

Calmer, apaiser, désarmer la colère.

## COLIQUE

**Espèces de coliques.** — Douleur d'entrailles, sourde, aiguë. — Colique bilieuse, hépatique, néphrétique, stomacale. — Colique spasmodique, venteuse, nerveuse. — Mal au ventre. Tiraillement d'intestins. Borborygmes. — Tranchées. Colique de miséréré. — Colique de plomb ou Saturnine. — Ménostase. — Passion iliaque, hypocondriaque, hystérique, etc.

**Qui concerne la colique.** — Intoxication. — Dysenterie. — Obstruction intestinale. Tension du ventre. — Diarrhée. — Calculs. — Hernie diaphragmatique. Invagination des intestins. — Analgésiques.

## COLLE

**Les colles.** — Colles végétales. Colles animales. Colle forte. Colle de poisson. Colle d'amidon. Colle de pâte. Colle de peaux. Colle navale ou Glu marine. Colle blanche. Colle claire. Colle de chapelier. Colle à bouche. Papier colle. Maroufle.

Manipulation : Echaudage des matières. Extraction de la gélatine. Soutirage. Clarification. Moulage. Découpage.

## Substances analogues. — BOUILLIE. Chas. Détrempe. Empois. Gélatine. GLU. Gluten. GOMME. Mastic. Poix. Résine. Goudron. Colloïdes.

**Usage.** — Coller, collage, colleur. Encoller. Recoller. — Maroufler, marouflage. — Couches de colle. — Réchaud à colle. Cassolle. Sorbonne. — Basser, poisser une trame. — Gommer. — Empeser, empesage. — Mastiquer. Engluer. — Appliquer. Faire tenir. Agglutiner.

**Effets.** — Adhérence, adhérent. — Agglutination, agglutinatif. — Collement, collant. — Ténacité, tenace. — Rendre poisseux, visqueux, gélatineux, sirupeux, adhésif.

## COLONIE

**Pays d'outre-mer.** — Colonie. Protectorat. Possession. Mandat. — Etablissement. Comptoir. Factorerie. — Métropole. Mère patrie. — Colonisation, coloniser. Fonder une colonie. — Colonisateur. Pionnier. Explorateur.

**Administration.** — Gouverneur. Résident. Administrateur. Fonctionnaires coloniaux. Conseils locaux. Notables. Conseil privé ou d'administration. Conseil de contentieux administratif. Conseils généraux. — Régime domanial. — Armée coloniale. Troupes indigènes. — Ordres coloniaux.

**Vie coloniale.** — Colon. Citoyen. Créole. — Indigène. — Homme de couleur. Métis. Mulâtre, mulâtresse. Quarteron. Octavon. — Sang-mêlé.

Exploitation. Plantation. Compagnies coloniales. Denrées coloniales.

Etablissement. Concession. — Colonie agricole. Colonie pénitentiaire.

**Colonne**, f. V. *architecture, armée, base, calcul, page, soutenir.*

OOLONNETTE, f. V. *colonne.*

OOLOPHANE, f. V. *gomme.*

COLORATION, f. V. Colorer. V. *couleur.*

COLORIER. V. *dessin, peinture.*

OOLORIS, m. V. *peinture, peau.*

COLOSSAL. V. *grand, extraordinaire.*

COLOSSE, m. V. *géant, force.*

COLPORTER. Colporteur, m. V. *commerce, errant, dire.*

COLTINER. V. *porter.*

COLURE, m. V. *astronomie.*

COLZA, m. V. *huile.*

COMA, m. Comateux. V. *maladie, abattement.*

**Combat**, m. V. *guerre, rival.*

COMBATIVITÉ, f. V. *dispute.*

COMBATTANT, m. V. *guerre.*

COMBATTRE. V. *battre, opposé.*

OOMBE, f. V. *vallée, montagne.*

COMBINAISON, f. Combiner. V. *joindre, chimie, machiner, projet, préparer, chemise.*

COMBLE, m. V. *charpente, extrême, complet.*

COMBLER. V. *abondance, terrassier.*

COMBUSTIBLE, m. V. *feu, bois, cheminée, brûler.*

COMBUSTION, f. V. *brûler.*

COMÉDIE, f. V. *rire, littérature.*

COMÉDIEN, m. V. *théâtre.*

COMESTIBLE, m. V. *manger.*

---

## COLONNE
(latin, *columna* ; grec, *stylos*)

**Détail de la colonne.** — Dé. Socle. Piédestal. Base. Stylobate. Bosel ou Tore. Plinthe. — Fût. Tige. Escape. Contracture. Tambour. Tronçon. — Chapiteau. Tailloir. Abaque. Architrave. — Diamètre. Module. Cathète (axe). Calibre. Galbe. Stylométrie.

**Ornements.** — Moulures. Armilles. Astragale. Boudin. Tondin. — Cannelure. Strie. Canal. Listel. Côte. — Volute (du chapiteau). Hélice. Enroulement. Echarpe. Cornes de bélier. Feuilles d'acanthe. Fleurs. Lotus. Ove. Orbe. Colarin.

**Sortes de colonnes.** — Colonne égyptienne, perse, dorique, ionique, corinthienne, composite, toscane.

Colonne adossée, géminée, unie, torse, cannelée, striée, cornière, engagée, feinte, fuselée, baguée, tronquée, renflée, rudentée.

Colonne commémorative, triomphale, rostrale. Pilastre. Dosseret. Demi-colonne.

Cariatide. Atlante. Télamon. Hermès.

Obélisque. Aiguille. Monolithe. Cippe. Stèle. Colonnette. Balustre. — Ante (pilier saillant). Pilier. Poteau. Pylône. Pied-droit. Montant. Jambe. Contrefort.

**Emploi des colonnes.** — Colonnade. Rangée de colonnes. Entre-colonnement. Galerie. Portique. Arcade. Propylées. Péristyle. Balustrade.

Edifice aréostyle, systyle, diastyle, hypostyle, péristyle, prostyle, amphiprostyle, tétrastyle, hexastyle, décastyle, etc., monoptère, diptère, périptère, pseudopériptère.

**Qui a forme de colonne.** — Colonne de journal. — Colonne barométrique. — Colonne vertébrale. — Colonnes basaltiques. — Colonne vespasienne. — Borne milliaire. — Lampadaire. — Pilori. — Phare. — Flèche de tour. — Colonne de lit. — Colonne d'air. — Colonne montante.

---

## COMBAT

**Guerre.** — Combattre. — Combat. Action. Affaire. Attaque. Assaut. Choc. Charge. Collision. Engagement. Echauffourée. Escarmouche. Journée. Rencontre. Mêlée. Corps à corps. Bataille rangée. Combat naval.

Se battre. Livrer combat. Engager le combat. Livrer bataille. En venir aux mains. Etre aux prises. Assaillir. Fort du combat. Donner. Branle-bas. Abordage. Combat à l'arme blanche. Charger. — Tactique. Stratégie. Guerre. Petite guerre. Théâtre de la guerre. Positions de combat. Se déployer. Marcher sur. Se porter en avant. — Champ de bataille. Champ d'honneur. Combattant. Assaillant. Ennemi. Hors de combat.

Guerrier. Belliqueux. Belliciste.

Gagner la bataille. Avantage. Victoire. Succès. Triomphe. Emporter de haute lutte, sans coup férir. — Lutter. Se défendre. Défensive. Vendre sa vie. Soutenir la lutte. Défaite. Désastre. Déroute. Fuite. Panique. Perdre la bataille.

Massacre. Carnage. Boucherie. Tuerie. — Combat sanglant, acharné, sans merci, à outrance.

**Duel.** — Défi. Cartel. Demander raison. Affaire d'honneur. Provoquer, provocation. Jeter le gant. — Vider un différend. Rendre raison. Aller sur le pré. Aller sur le terrain. En découdre. — Se mesurer. Se couper la gorge. — Duel, duelliste. Adversaires. Témoins. Seconds. Combat singulier. Combat judiciaire. — Prendre ses distances. Dégainer. Mettre l'épée à la main. Mettre flamberge au vent. — Escrime. S'escrimer. Ferrailler. Croiser le fer. Coups fourrés. Coup de Jarnac. Désarmer. Se battre au premier sang.

Bretteur. Spadassin. Batteur de fer. Ferrailleur. Batailleur. Provocateur.

**Sports.** — Jeux sacrés. Jeux publics. Jeux athlétiques. — Match. Tournoi. Lutte. Course. Joute. Championnat. Carrousel. — Arène. Piste. Camp. Champ clos. Lice. Stade. — Athlète. Champion. Lutteur. Pugiliste. Boxeur. Gladiateur. Bestiaire. — Boxe. Ceste. Pancrace. Lutte. Football. Tauromachie. Naumachie. — Juge. Arbitre. Record. Agonistique.

**Querelles.** — Antagoniste. Adversaire. — Antagonisme. Chicane. Conflit. Opposition. Lutte. Dispute. Polémique. Rivalité. Compétition. — Se chamailler. Se prendre aux cheveux. Se colleter. Rosser. Gifler. Empoigner. — Bagarre. Batterie. Rixe. Coups. Coups de poing, de couteau, de revolver.

**Comète,** f. V. *astre, ruban, porter.*

COMICE, m. V. *société, suffrage.*

COMIQUE. V. *rire, théâtre, poésie, bizarre.*

COMITÉ, m. V. *association, accord, politique.*

COMMAND, m. V. *achat.*

COMMANDANT, m. V. *officier.*

COMMANDE, f. V. *acheter.*

COMMANDEMENT, m. Commander. V. *ordre, chef, officier, diriger, demande.*

COMMANDERIE, f. Commandeur, m. V. *ordre, Malte.*

COMMANDITAIRE, m. Commandite, f. V. *association, prê-*

ter, part, finance, commerce.

COMMÉMORATION, f. Commémoratif. V. *mémoire, cérémonie.*

COMMENÇANT, m. V. *commencer, base.*

**Commencer.** V. *entreprendre.*

COMMENSAL, m. V. *manger.*

COMMENSURABLE. V. *quantité.*

COMMENTAIRE, m. Commenter. V. *expliquer, augmenter.*

COMMÉRAGE, m. V. *raconter, faux.*

COMMERÇANT, m. V. *vendre, boutique.*

**Commerce,** m. V. *acheter, vendre, rapport, classe.*

COMMERCER. V. *commerce.*

COMMERCIAL. V. *commerce.*

COMMÈRE, f. V. *femme, curieux, baptême.*

COMMETTANT, m. V. *mission.*

COMMETTRE. V. *confiance, corde.*

COMMINATOIRE. V. *menace.*

COMMIS, m. V. *agent, fonction, bureau, boutique.*

COMMISÉRATION, f. V. *pitié.*

COMMISSAIRE, m. V. *police, magistrat, adjudication, examen.*

COMMISSARIAT, m. V. *police.*

COMMISSION, f. V. *mission, fi-*

---

## COMÈTE

**Qui a trait aux comètes.** — Comète. Astre chevelu. Astre errant. Comète chevelue, barbue. Lonchite (en forme de lance). — Tête. Noyau. Queue. Chevelure. Barbe. Orbe. Orbite. Ellipse. Trajectoire. — Cométologie. Spectroscope. — Système cométaire. Comètes périodiques, de Halley, d'Encke, de Brorsen. Comètes à plusieurs queues, de Biéla, de Brooks.

Comète coudée, *bl.* (qui a une queue). Comété, *bl.* (qui a des rayons).

## COMMENCER

**Partir de.** — Commencement, commencer. — Début, débuter. Avoir le pied dans l'étrier. — Départ, point de départ. — Principe. Eléments. Remonter à. — Avènement. Matin. Printemps. Enfance. — Partir. Prendre. Se prendre. Se former. Etre en herbe. — Bout. Bord. Limite. Fondement. — Précédents. Antécédents. — Source. Racine. — Edition princeps. — Prémices. — Préliminaires.

Initial. Inchoatif. Primitif. Primordial. Primaire. Elémentaire. Rudimentaire. Inachevé.

Primo. De prime abord. De prime saut. Ab ovo. Da capo. Depuis. Dès.

**Naître.** — Naissance. Origine. Aube. Aurore. Berceau. Etat naissant. — Bourgeon. Germe. Embryon. — Apparaître. Se lever. S'élever. Emerger. Poindre. Sourdre. Percer. Pousser. Sortir de terre. Eclore. — Originaire. Natif. Aborigène.

**Mettre en train.** — Commencer. Recommencer. Amorcer. Attaquer. Entamer. Emmancher. » Engrener. — Se lancer dans. S'embarquer. Aborder. — Avoir de l'initiative. Créer, création. Fonder, fondation. Instituer, institution. Former, formation. — Attacher le grelot. Prendre les devants. Provoquer. Faire des avances. Nouer une intrigue. Intenter un procès. — Donner le signal. Faire partir. Faire avancer. — Conception. Prégnation. Grossesse. Incubation. — Préparer, préparation.

**Essayer.** — Commencer à. Se prendre à. Se risquer à. Se hasarder à. Entreprendre, ENTREPRISE. Tenter, tentative. — Se mettre en devoir de. Ebaucher. Esquisser. Préparer. Installer. — S'essayer. Coup d'ESSAI. — Prendre l'essor. — Faire ses premiers pas. Jeter au feu. Innover. — Essayer. Faire l'essai. Tâter. Y aller, *f.*

Commençant. NOVICE. Apprenti. Nouveau venu. Néophyte.

**Ouvrir.** — Entrer en danse. Ouvrir le ba¹ la marche. Frayer la route. — S'ouvrir. Ou verture. Prélude. Ouverture de la chasse Entrée de jeu. Entrée en matière. Entrée e¹ relations. Bienvenue. — Intronisation. Ins tallation. Inauguration. — Introduire. Initier, initiation.

Titre. En-tête. Frontispice. — Introduction. Préface. Préambule. Prolégomènes. Prologue. Exorde. Exposition. Introït. Epître préliminaire.

**Faire le premier.** — Déflorer, défloraison. Dépuceler. — Etrenner, avoir l'étrenne. — Prélibation. — Entamer. — Inaugurer, inauguration. — Donner l'exemple. — Lancer une mode. — Faire du neuf. — Etre original.

## COMMERCE

**Sortes de commerce.** — Gros, demi-gros, détail. — Monopole, commerce réglementé. — Spécial, général. — Intérieur, extérieur ou international. — Terrestre, maritime.

**Gens de commerce.** — Commerçant. Société commerciale (V. SOCIÉTÉ). Négociant. Marchand. Boutiquier. Trafiquant. Grossiste. Détaillant. Débitant. Patenté.

Brocanteur. Revendeur. Fripier. Regrattier. Maquignon. — Marchand forain. Colporteur. Porte-balle. Camelot.

Directeur. Gérant. Chef de rayon. Caissier. Comptable. Employé. Vendeur. Vendeuse. Commis. Factrice. Garçon de magasin. Demoiselle de magasin. Magasinier. Livreur.

Agent. Sous-agent. Représentant. Voyageur. Placier. Courtier. Commissionnaire. Correspondant.

*nance, juges, brevet, parlement, acheter.*

COMMISSIONNAIRE, m. V. *agent, commerce, bagage.*

COMMISSIONNER. V. *nomination.*

COMMISSURE, f. V. *angle, lèvre.*

COMMIS-VOYAGEUR, m. V. *voyage.*

**Commode.** V. *bien, facile, utile, meuble.*

COMMODITÉ, f. V. *commode.*

COMMOTION, f. V. *choc, trouble.*

COMMUABLE. Commuer. V. *changer.*

**Commun.** V. *public, médiocre, ordinaire, facile, joindre.*

COMMUNAL. V. *municipal, commun.*

COMMUNAUTÉ, f. V. *association, participer, égal, mariage.*

COMMUNE, f. V. *municipal, sédition.*

COMMUNÉMENT. V. *souvent.*

COMMUNIANT, m. Communier. V. *sacrement.*

COMMUNICATIF. V. *confiance, connaître.*

COMMUNICATION, f. V. *transmettre, télégraphe.*

COMMUNION, f. Communier. V. *messe, eucharistie, secte, accord.*

COMMUNIQUÉ, m. V. *nouvelle.*

COMMUNIQUER. V. *transmettre, dire, joindre.*

COMMUNISME, m. Communiste, m. V. *commun, politique.*

COMMUTATEUR, m. V. *fermer.*

COMMUTATION, f. V. *puni-*

---

**Organisation commerciale.** — Magasin. Boutique. Comptoir. Bazar. Bric-à-brac. Marché. Halle. Foire. — Bourse de commerce. Bourse des valeurs. Hanse. Corporation. Syndicat. — Production. Industrie. Usine. Fabrique. Bureaux. — S'établir. Fonder une maison. Succéder, successeur. Tenir boutique. Ouvrir, fermer boutique. Etre dans les affaires. Raison sociale. Patente. Bail. Registre du commerce. — Publicité. Réclame. Catalogue. Prospectus. — Accaparement, accaparer. Monopole, monopoliser. Trust, truster. Débouchés. Relations. — Inventaire, inventorier.

Livraison. Expédition. Transports. Frais de port. Franc de port. Lettre de voiture. Messageries.

**Opérations commerciales.** — Actes de commerce. Banque, lettre de change. — Fonds de commerce. Clientèle, achalandage, enseignes, nom commercial. — Nantissement.

Acheter, achat. Négoce. Affaires. Faire des affaires. Commercer, commerce. Trafic. Echanges. Brocante. Commande. Offre et Demande. — Acheteur. Client. Pratique. Chaland. — Gros. Demi-gros. Détail. Commission. Droit de commission. Criée. Articles. Marchandises. Echantillons. — Cours. Mercuriale. Cote. Tarif. Prix courant. Prix fixe. Surfaire.

Vendre, vente. Revendre, revente. Débiter, débit. Trafiquer. Négocier. — Faire l'article. Offres de service. Faire la place. Représentation. — Achalander. Etaler, étalage. Occasions. Soldes. Primes. — Vendre au comptant, à crédit, à terme. — Mercantile, mercantilisme.

**Finance commerciale.** — Capital. Commandite. Fonds de roulement. Fonds de garantie. Actif. Passif. Bilan. — Comptabilité. Caisse. Comptes. Tenue des livres. Grand livre. Journal. Copie de lettres. Livre des inventaires. — Crédit, créditer. Débit, débiter. Créancier, débiteur. Compte courant. — Agio, agiotage. Spéculation, spéculer. Se couvrir, couverture. Dépôt. Warrant. Opérations. Courtage. Commission. Change. — Effet de commerce. Billets. Traites. Lettres de change. — Facture. Escompte. Remise. Ristourne. Acquit. — Chiffre d'affaires. Bénéfices. Profits et pertes. Intérêts. — Impôts. Timbres. — Banqueroute. Faillite. Déposer son bilan. Concordat. Liquidation.

**Commerce extérieur.** — Libre-échange, libre-échangiste. — Protection, protectionnisme. Prohibition. Droits protecteurs. — Contingentement. — Exportation, exporter, exportateur. Prime à l'exportation. Dumping. — Importation, importer, importateur. — Echanges internationaux. — Fret, fréter. Affréter. Transit. Douane. Embargo. — Trêve douanière. Union douanière. — Port de commerce.

**Administration et Jurisprudence.** — Ministère du commerce. Conseil supérieur du commerce. Office national du commerce extérieur. Conseiller du commerce. Chambre de commerce. — Consulats. Consuls. Attachés commerciaux. — Bulletin commercial.

Tribunal de commerce. Code de commerce. Agréé. Juge consulaire. Jurande. Juré de commerce. Syndic. Liquidateur.

### COMMODE

**Commode d'usage.** — UTILE. SIMPLE. Praticable. Facile à manier. Maniable. Bien en main. Portable. Portatif. Léger. Peu embarrassant. FACILE. Avantageux. Usuel. Logeable. Habitable.

**Commode d'agrément.** — Agrément, agréable. — Vie heureuse. Bien-être. Confort, confortable. — Aise, aisance, aisé. — Satisfaction. Contentement. — Commodité. Commode. Appréciable. — Etre sortable, seyant, comme il faut, opportun. — Prendre ses aises. Se mettre à l'aise. Etre sans gêne, sans façon.

**Commode de caractère.** — Souple. Tranquille. Doux. Calme. Complaisant. Empressé. Sociable. Sûr. Patient. Raisonnable. Docile. De bonne humeur. Comme il faut. Bien élevé.

### COMMUN

**Communauté d'ordre général.** — Commun, communément. — Banal, banalité. — Universel, universalité. — Unanime, unanimité. — Général, généralité. — PUBLIC. Public. — Communiquer. — Usuel. Ordinaire. Trivial. Vulgaire.

Chemin battu. Chemin frayé. — Terrain vague. Vaine pâture. — Sens commun. Nom commun. — Un homme du commun. — Lieux communs.

*tion, pardon, changer.*
COMPACT. V. *épais, plein.*
COMPAGNE, f. V. *compagnon, mariage.*
COMPAGNIE, f. V. *Compagnon, association, société, armée, fréquenter.*
**Compagnon,** m. V. *amitié, ouvrier.*

COMPAGNONNAGE, m. V. *association.*
COMPARABLE. V. *comparer.*
**Comparaison,** f. V. *comparer, rapport, semblable.*
COMPARAÎTRE. V. *présent, venir.*
COMPARATIF, m. V. *grammaire.*

COMPARER. V. *comparaison, examen.*
COMPARSE, m. V. *théâtre, médiocre.*
COMPARTIMENT, m. V. *séparer, division, chemin de fer.*
COMPARUTION, f. V. *accusation.*

---

**Communauté d'intérêts.** — Etre de moitié, de compte à demi. Coïntéressé. Consorts. — Métayer. Codétenteur. Cojouissance. — Associé, association. Copreneur. Propriété collective. — Accord. Faire cause commune. —- Vivre en commun. Ménage. Famille. Familistère. — Confédération. Cartel. Syndicat. — Dichotomie.

**Régime de communauté.** — Légale, conventionnelle. — Réduite aux acquêts. Clause extensive de communauté. Communauté à titre universel. Forfait de communauté. Clause d'ameublissement. Reprise d'apport franc et quitte. Préciput conventionnel. — Clause de séparation de dettes. — Régime exclusif de communauté.

Propres, mobiliers, immobiliers. — Biens communs. Acquêts, conquêts. — Usufruit. — Liquidation. Actif, passif. — Rapport. Reprise. Récompense. — Acceptation. Renonciation. — Partage. Bénéfice d'émoluments. — Séparation de biens judiciaire.

Contrat de mariage. — Inventaire. — Avancement d'hoirie. — Subrogation. Emploi, remploi.

Indivision. Indivis. Communauté de pain et de pot.

**Communauté de biens.** — Commune, communal. Biens communaux. Communaliser. — Mitoyenneté. Mur mitoyen. Héberge. Rôtie. Payer la charge.

**Communauté religieuse.** — Communauté. Monastère. Cloître. Couvent, conventuel. — Cénobie, cénobite. — Communion. Règle. — Ordres religieux. Moine. Religieux. Religieuse. — Biens de mainmorte.

**Communauté politique.** — Parti politique. — Etat social. — Collectivisme, collectiviste. — Marxisme, marxiste. — Communisme, communiste. — Socialisme, socialiste. — Bolchévisme, bolchéviste. — Fouriérisme, fouriériste. — Phalanstère, phalanstérien. — Partageux. — Commune de Paris, communard.

## COMPAGNON

**Qui partage la vie.** — Compagnon. Copain. Compagne. Compagnie. — Compagnon ouvrier, compagnonnage. — Camarade, camaraderie. — Condisciple. — Collègue. Confrère. Pair. — Entourage. Ami. Convive. Invité. Proches. Mari. Femme. Parents. — Le prochain.

Vivre ensemble, en commun, côte à côte. — Etre inséparable. Aller de compagnie. — Aller de pair. — Se joindre à.

**Qui accompagne.** — Chevalier. Ecuyer. Cavalier. Sigisbée. Menin. — Dame de compagnie. Dame d'honneur. Fille ou Demoiselle d'honneur. — Duègne. Chaperon. Porterespect. — Guide. Dragoman ou Drogman. Cicerone. — Suivant, suivante. Serviteur. Domestique. Gens. Ombre. — Garde. Garde du corps. Gardien. Satellite. — Cortège. Escorte. Suite. Train. Equipage. Equipe. Troupe.

Conduire. Convoyer. Escorter. Accompagner. Suivre. Faire route avec. Naviguer de conserve.

**Qui assiste.** — Assistant, assistance. — Collaborateur, collaboration. — Associé, association. — Compère, compérage. Commère. — Complice, complicité. — Acolyte. Second. Partenaire.

Aide. Coadjuteur. Secrétaire. Accompagnateur. Adjoint. Subalterne. Sous-ordre.

Mutualiste, mutualité. — Coopérateur, coopération.

**Qui partage les sentiments.** — Frère. Sœur. Concitoyen. Compatriote. Coreligionnaire. — Ami. Client. Intime. — Sociétaire. Adhérent. Partisan.

Fraternité. Confraternité. — Société. Clan. — Coterie. Parti. Séquelle.

Fraterniser. Fréquenter. Hanter. — S'unir. S'inféoder. Adhérer. — Etre du même bord, du même parti.

## COMPARAISON

**Réduction à un type.** — Collationner une copie, collation. Vidimer. Conférer des textes. Recension d'un manuscrit. Récolement. — Terme de comparaison. Echantillon. Modèle. Parangon. — Commune mesure. RAPPORT. Relation. Relativité. Proportion. Valeur spécifique.

Par rapport à. A l'égard de. A côté de. Au prix de.

**Jugement par rapport à.** — Comparer, comparaison, comparable. Entrer en comparaison. — Confronter, confrontation. — Rapprocher, rapprochement. — Mettre en balance, en parallèle, en regard. — Ressemblance. Similitude. Parité. Assimiler. — Différence. Différencier. — Egalité. Infériorité. Supériorité. — Analogie, analogue. — Degrés de comparaison. Comparatif. Superlatif.

Expressions de comparaison. Plus. Moins. Autant. Aussi. Comme. Ainsi que. De même que. Pour ainsi dire.

*Compas*, m. V. *géométrie, boussole, menuisier, mesure.*
COMPASSÉ. V. *lent.*
COMPASSEMENT, m. V. *exact.*
COMPASSION, f. V. *bon, pitié.*
COMPATIBLE. V. *accord.*
COMPATIR. V. *pitié.*
COMPATRIOTE, m. V. *pays.*
COMPENDIUM, m. V. *abrégé.*
COMPENSATION, f. V. *compenser.*
*Compenser.* V. *égal, réparer, remplacer, annuler.*
COMPÉRAGE, m. Compère, m.

V. *association, répondre, baptême.*
COMPÉTENCE, f. Compétent. V. *juridiction, science, capable.*
COMPÉTITEUR, m. Compétition, f. V. *rival, combat, demande.*
COMPILATEUR, m. Compilation, f. Compiler. V. *recueil, amas, plagiat.*
COMPLAINTE, f. V. *chant.*
COMPLAIRE. V. *plaire, satisfaire.*
COMPLAISANCE, f. V. *permet-*

*tre, faveur, traiter, flatter.*
*Complaisant.* V. *bon, politesse, céder.*
COMPLANT, m. V. *arbre.*
COMPLÉMENT, m. Complémentaire. V. *complet, angle, grammaire.*
*Complet.* V. *plein, parfait.*
COMPLÉTER. V. *augmenter, suite.*
COMPLEXE. V. *difficile.*
COMPLEXION, f. V. *tempérament.*
COMPLEXITÉ, f. V. *plusieurs, mélange.*

---

**Procédé littéraire.** — Comparaison. — Image, imagé. Figure, figuré. Métaphore, métaphorique. — Allégorie, allégorique. Parabole, parabolique. — Parallèle. Etablir un parallèle.

## COMPAS

**Le compas.** — Tête. Branches. Rivet. Clef. Balustre. Brisures. Ouverture. Pointes. Pointe sèche. Tire-ligne. Coupe-cercle. Rallonge. — Curseur ou Poupée (du compas à verge).

**Les compas.** — Compas à pointe sèche. Compas à balustre. Compas porte-crayon. Compas de réduction. — Compas de proportion. Compas d'épaisseur. Compas à coulisse. Maître à danser. Chiffre-huit. Compas à quart de cercle. Compas à verge. Compas fixe. Rouanne. Compas à trois branches.

Compas de marine. Compas de route, renversé, compensé.

**Emploi.** — Compasser, compassement, compasseur. — Tracer des cercles. — Transporter des largeurs. — Racher. Rouanner (sur le bois). — Avoir le compas dans l'œil. — Boîte de compas.

## COMPENSER

**Compensation de force.** — Compensateur, compensatif. — Contre-balancer. Contre-peser. Faire contrepoids. — Equilibrer. Rétablir l'équilibre. — Egaler. Egaliser. Niveler. — Redresser. Relever. — Remplacer. Récupérer.

Du fort au faible. L'un portant l'autre.

**Compensation d'argent.** — Compenser, compensatoire. Intérêts compensatoires, donnatoires. — Cours de compensation. Chambre de compensation. Office de compensation. Clearing-house. — Légale, judiciaire, conventionnelle. — Compensation des dépens. — Bonifier, bonification. — Couvrir les frais. Défrayer. — Composition pécuniaire. Désintéresser. Dédommager. Dommages et intérêts. Indemniser, indemnité. — PAYER ses dettes. ANNULER une dette. Rembourser, remboursement. Racheter. Faire la différence.

Recouvrer, recouvrement. Récupérer, récupération. Se rattraper. Rentrer dans. Remploi.

**Compensation morale.** — Racheter une faute. Se racheter. Payer sa dette. Faire pénitence. — Expier, expiation, expiatoire. — Satisfaire. Donner satisfaction. Satisfaction condigne. — Réparer, réparation. — Remédier à. Corriger. Neutraliser.

Obtenir satisfaction. — Se revancher, revanche. — Se rabattre sur. Fiche de consolation. Moyen terme.

Au total. En somme. A tout prendre. Tout de même. Par contre.

## COMPLAISANT

**Qui cherche à plaire.** — Aimable, amabilité. Affable, affabilité. Liant. Accort. — Poli, politesse. GALANT, galanterie. — Attentif. Attentionné. Plein d'attentions. Aux petits soins. Sigisbée. Chevalier servant. — Flatteur, flatterie. Cajoleur, cajolerie. — Choyer. Gâter, gâterie. Faire des avances. — Déférent, déférence. Avoir des égards. Ménager, ménagement. — Agir de bonne grâce, avec le sourire.

**Qui cherche à servir.** — Bon, bontés. Bienveillant. Bénévole. Obligeant, obligeance. Serviable, serviabilité. — Complaisant, complaisance. Prévenant, prévenance. Empressé, empressement. Bons procédés. — Bonne VOLONTÉ. Accommodant. Arrangeant. Commode. FACILE. Faible. — Faire une concession. Accorder une FAVEUR. Condescendre, condescendance. — Se prêter à. Se mettre en quatre.

Faire le valet. Tenir la chandelle. Obséquieux, obséquiosité.

## COMPLET

**Rempli.** — Plein, plénitude. Faire le plein. Remplir. — Comble, combler. De fond en comble. — Bondé. Gorgé. — Au ras. A pleins bords.

En règle. POSITIF. Exact.

Appoint. — Compléter, complément, complémentaire. — Parfournir. — Partie intégrante. Soulte. Solde, solder. — Supplément. Parfaire.

**Entier.** — Entièrement. In extenso. De A à Z. Tout à fait. Sans réserve. A fond. Jusqu'au bout. Ensemble. Au total. En somme.

COMPLICATION, f. V. *difficile*.
COMPLICE, m. Complicité, f. V. *compagnon, participer, accord, action*.
COMPLIES, f. p. V. *liturgie*.
COMPLIMENT, m. V. *louange, politesse*.
COMPLIMENTER. Complimenteur, m. V. *applaudir, flatter*.
COMPLIQUER. V. *mélange, difficile*.
Complot, m. V. *association, intrigue, sédition, préparer, partisan*.
COMPLOTER. Comploteur, m. V. *complot*.
COMPONCTION, f. V. *regret*.
COMPORTER. V. *contenir, effet, conduite*.
COMPOSÉ. V. *chimie, grammaire*.
COMPOSER. V. *constituer,* *faire, céder, littérature, imprimerie*.
COMPOSITE. V. *architecture*.
COMPOSITEUR, m. V. *théâtre*.
COMPOSITION, f. V. *style, chimie, grammaire, école*.
COMPOSTEUR, m. V. *imprimerie*.
COMPOTE, f. V. *bouillie, fruit*.
COMPOTIER, m. V. *vaisselle*.
COMPRÉHENSION, f. Compréhensif. V. *contenir, connaître, pensée*.
COMPRENDRE. V. *intelligence, traduire, pénétrer, signifier*.
COMPRESSE, f. V. *bandage*.
COMPRESSION, f. V. *presse, air, gaz*.
COMPRIMER. V. *presser*.
COMPROMETTRE. V. *danger, indiscret*.
COMPROMIS, m. Compromission, f. V. *convention, participer, arbitre*.
COMPTABILITÉ, f. V. *commerce, finance, compte*.
COMPTABLE, m. V. *agent, bureau*.
COMPTANT, m. V. *vendre*.
Compte, m. V. *calcul, nombre*.
COMPTE-GOUTTES, m. V. *couler*.
COMPTER. V. *économie, dépense, payer*.
COMPTE RENDU, m. V. *raconter, abrégé*.
COMPTEUR, m. V. *mesure*.
COMPTOIR, m. V. *commerce, magasin, colonie*.
COMPULSER. V. *lire, procédure*.
COMPUT, m. V. *calendrier, calcul*.

---

Intact. Intégral, intégralité. Intégrité. Total, totalité. Somme. Le tout. — Indivis. Indécomposable.

**Parfait.** — Complet. Fini. Achevé. Accompli. Consommé. Terminé. Révolu. — Achèvement. Perfection. — Maturité, mûr. Homme fait. — Menteur fieffé. — Ne rien laisser à désirer. — Mettre la dernière main à. Mettre le sceau à. — De toutes pièces. De tout point. Tout PRÊT.

### COMPLOT

**Factions.** — Ligues factieuses, se liguer, ligueur. — ASSOCIATION secrète. Société secrète. — Affiliation. Affilié. Membre. Meneur. — Complot, comploter, comploteur. — Conjuration, conjuré. — Conspiration, conspirer, conspirateur. — Sédition, séditieux. Coup d'Etat. Tentative. Attentat. Haute cour de justice.

Tramer, ourdir un complot. — Déjouer, éventer un complot.

**Menées secrètes.** — Menées sourdes. Démarches secrètes. INTRIGUES. Manigances. Conciliabules. Conférences secrètes. Propagande secrète. — Plan secret. PROJET secret. Secret dessein.

Mener une campagne. — Se concerter. Agir de concert. — Se coaliser, coalition. — Machiner, machination. — Monter un coup, coup monté. — Se croiser contre, croisade. — Cabaler, cabale. — Briguer, brigue.

### COMPTE

**Comptes divers.** — Actif et Passif. — Appoint. — Article. — Balance. — Bilan. — Billet à ordre. — Boni. — Bordereau. — Budget. — CALCUL. — Capital. — Chèque. — Comptabilité en partie simple, en partie double. — Compte courant. — Compte rond. — Compte d'apothicaire. — Compte de caisse, de marchandises, d'effets à recevoir, d'effets à payer, de profits et pertes. — Compte de retour, d'ordre, collectif. — Contre-valeur. Contre-partie. — Crédit. — Débet. — Débit. — Décompte. — Déficit. — Devis. — Doit et Avoir. — Echéances. — Encaisse. — Escompte. — Etat. Etat liquidatif. — Extrait. — Facture. — Faux. — Intérêts. — Inventaire. — Mémoire. — Mécompte. — Montant. — Portefeuille. — Pourcentage. — Précompte. — Relevé de compte. — Reliquat. — Report. — Ristourne. — Solde. — Traite. — Valeurs. — Virement. Reddition de compte. Compte de tutelle.

**Opérations comptables.** — Ouvrir, fermer un compte. — Porter en compte. — Arrêter un compte. — Charger un compte. — Débiter. — Créditer. — Reporter. — Virer. — Liquider un compte. — Règlement de compte. Apurement. — Passer les écritures. Passation. Contre-passation. — Mettre à jour. — Pointer les articles. — Débattre, dépouiller un compte. — Inventorier. Répertorier. Enregistrer. Immatriculer. Mettre en ligne de compte. — Dénombrer. Enumérer. Facturer. — Faire entrer en compte. — Emarger. Apostille. — Rapporter un compte. — Rendre les comptes. — Donner quitus. — Reverser. — Bonifier, bonification. Ordonnancement.

**Livres de comptes.** — Grand livre. Journal. Brouillard. Mémorial. Main courante. Livre de caisse. Répertoire. REGISTRE. Sommier. Matricule. Livre de raison. — Comptabilité. Ecritures. Colonnes. — Carnet d'échéances. Carnet de chèques. Talon. Souche. — Tenir les livres. Folioter un livre. — Copie de lettres. Livre de correspondance.

**Agents de comptes.** — Banquier. Fondé de pouvoirs. Caissier. — Agent de change. Coulissier. Teneur de carnet. — Calculateur. Comptable. Teneur de livres. Commis aux écritures. — Capitaliste. Créancier. Créditeur. Débiteur. — Escompteur. Soldeur. — Personne responsable. Trésorier. Payeur. Magasinier. Guichetier. — Rapporteur. Liquidateur. Cour des comptes.

COMTE, m. V. *titre*.

COMTÉ, m. V. *province*.

CONCASSER. Concasseuse, f. V. *broyer*.

CONCAVE. Concavité, f. V. *courbure, creux, optique*.

CONCÉDER. V. *don, céder, permettre, avouer*.

CONCENTRATION, f. Concentrer. V. *épais, réduire, chimie*.

CONCENTRIQUE. V. *cercle*.

CONCEPT, m. V. *pensée*.

CONCEPTION, f. V. *mère, théorie, projet*.

CONCERNER. V. *rapport, propre*.

CONCERT, m. V. *chant, accord*.

CONCERTER. V. *complot, machiner, réfléchir, accord*.

CONCERTO, m. V. *musique*.

CONCESSION, f. Concessionnaire, m. V. *céder, entreprendre*.

CONCETTI, m. p. V. *affectation*.

CONCEVOIR. V. *pensée, imagination, mère*.

CONCHYLIOLOGIE, f. V. *coquille*.

CONCIERGE, m. et f. V. *garder, porte, maison, prison*.

CONCIERGERIE, f. V. *prison*.

Concile, m. V. *religion, société, évêque, pape*.

CONCILIABULE, m. V. *entrevue, complot*.

CONCILIANT. Conciliation, f. Concilier. V. *intervenir, arranger, attirer*.

CONCILIER (SE). V. *ami*.

CONCIS. Concision, f. V. *style, court, presser*.

CONCITOYEN, m. V. *compagnon*.

CONCLAVE, m. V. *chambre, cardinal, pape*.

CONCLURE. Conclusion, f. V. *finir, raison, argument, auxiliaires de justice*.

CONCOMBRE, m. V. *courge*.

CONCORDANCE, f. V. *accord, symétrie, temps*.

CONCORDAT, m. V. *convention, diplomatie, banqueroute*.

CONCORDE, f. V. *accord, paix, amitié*.

CONCORDER. V. *accord*.

CONCOURIR. Concours, m. V. *participer, joindre, rival, récompense*.

CONCRET. V. *style*.

Concrétion, f. V. *amas, épais*.

CONCUBINAGE, m. Concubine, f. V. *mariage, débauche*.

CONCUPISCENCE, f. V. *passion, luxure*.

CONCURRENCE, f. Concurrent. V. *rival, joindre*.

CONCUSSION, f. Concussionnaire, m. V. *voleur, crime*.

CONDAMNABLE. V. *injuste*.

CONDAMNATION, f. Condamner. V. *juges, proscrire, punition, fermer*.

CONDENSATEUR, m. V. *électricité*.

CONDENSATION, f. V. *air, gaz, presser*.

CONDENSER. V. *distiller, résumer*.

CONDENSEUR, m. V. *distiller*.

CONDESCENDANCE, f. Condescendre. V. *céder, permettre, approuver*.

CONDIMENT, m. V. *épice*.

CONDISCIPLE, m. V. *compagnon*.

CONDITION, f. V. *état, classe, profession, obligation, noble*.

CONDITIONNEL. V. *doute, verbe*.

---

## CONCILE

**Sortes de conciles.** — Concile œcuménique. Concile de Nicée, de Trente, de Latran, du Vatican, etc. — Concile national. — Concile provincial. — Concile diocésain. — Synode. — Conciliabule.

Pères d'un concile. — Canonistes. — Session.

**Actes de conciles.** — Convocation. Indiction. — Célébration. — Actes conciliaires. — Définition d'un dogme. — Canon. — Droit canonique. Canonicité. — Lettre synodique.

## CONCRÉTION

**La concrétion.** — Concréter. Concrescible. — Congélation. — Pétrification. — Ossification. — Cristallisation, cristalliser. Cristaux. — Se prendre.

**Concrétions.** — Concrétion saline. — Concrétion pierreuse. — Calcul biliaire. — Calcul du foie. — Calcul des reins. — Calcul de la vessie. — Gravelle. — Pierre enkystée. — Bézoard (de l'estomac des ruminants). — Tophus (nœud articulaire).

## CONDUITE

**Moralité.** — Bonne, mauvaise conduite. — Bon, mauvais exemple. — Bonnes, vaises MŒURS. — Tenir telle ou telle conduite. — Faire le bien, le mal. — Se gouverner bien ou mal. — Bon, mauvais sujet. — Se bien ou se mal comporter. — Tourner bien ou mal.

Se bien conduire. — Bonnes mœurs. — Bonne vie. — Marcher droit. — VERTU, ver-

tueux. — Edifier, édifiant. — Sainteté. — Honnêteté. Vie honnête. — Vie régulière, réglée. — Régime de vie. Règle de vie. — Suivre la bonne voie, la bonne route. — Bonnes œuvres. — Acheter une conduite.

Inconduite. — Vie scandaleuse, dépravée, déréglée, dissolue, désordonnée, relâchée, aventureuse. — Vie de chenapan, de polichinelle. — Mal tourner. — Rôtir le balai. — Faire des folies. — Jeter son bonnet par-dessus les moulins.

**Vices.** — Déportements. Dérèglements. Désordres. Excès. Débauches. Orgies. Saturnales. Bamboche. Noce. Frasques. Fredaines. Equipée. Bordée. Escapade. Incartade.

Immoralité. Débauche. Dépravation. Dissipation. Impureté. Lubricité. Lasciveté. Corruption. Licence. Intempérance. Incontinence.

**Pratiques de la vie.** — Actes. Actions. Agir. Faits et gestes. Exploits. Prouesses. Hauts faits. Œuvres.

Activité. HABITUDES. Attitudes. ALLURES. Façons. Manières. Maintien. Cérémonies. Formalités. — Jouer un rôle.

Ligne de conduite. Errements. — Genre de vie. Vie de plaisir, de travail, d'affaires. — Métier. Profession. — Arranger sa vie. Train de vie.

Mener sa barque. Etre habile homme. Savoir s'y prendre. Se démener. Jouer une partie. Intrigues. Entregent. Démarches. Négociations. Allées et venues. Manège. Manœuvres. Menées. Procédés. Recettes. — Réussir. Echouer.

CONDITIONNER. V. *restriction.*
CONDITIONNEUSE, f. V. *pharmacie.*
CONDOLÉANCE, f. V. *consoler, politesse.*
CONDOR, m. V. *oiseau.*
CONDUCTEUR, m. V. *diriger, électricité, voiture.*
CONDUCTIBILITÉ, f. V. *passer, transmettre.*
CONDUIRE. V. *diriger, conduite.*
CONDUIT, m. V. *canal.*
**Conduite,** f. V. *tuyau, action, faire, automobile.*
CONDYLE, m. V. *articulation, os, mâchoire.*

**Cône,** m. V. *géométrie, fruit.*
CONFECTION, f. Confectionner. V. *faire, habillement, tailleur.*
CONFÉDÉRATION, f. V. *association.*
CONFÉRENCE, f. V. *discours, expliquer, prêcher, dialogue, diplomatie.*
CONFÉRER. V. *titre, fonction, parler.*
CONFESSE, f. Confesser. Confesseur, m. V. *confession.*
**Confession,** f. V. *avouer, pénitence, péché, secte, dire.*

CONFESSIONNAL, m. V. *église.*
**Confiance,** f. V. *franc, ami, avouer.*
CONFIDENCE, f. V. *dire, secret.*
CONFIDENT, m. V. *ami, compagnon.*
CONFIDENTIEL. V. *confiance.*
CONFIER. V. *confiance, secret.*
CONFIGURATION, f. V. *forme.*
CONFINER. V. *limite, retraite.*
CONFINS, m. p. V. *limite.*
CONFIRE. V. *conserver.*
CONFIRMATION, f. V. *confirmer, sacrement.*

---

**Action de conduire.** — Conduite. Direction. — Politique. Diplomatie. — Stratégie. Tactique. — Négoce. Commerce. Entreprises. — Pilotage.

Directeur. Chef. — Gouvernant. Homme politique. — Capitaine. — Conducteur. Cocher. Chauffeur. Pilote. — Guide. Cornac. Cicerone.

Gouverner. Etre à la tête de. — Faire avancer. Diriger.

Mener. — Guider

## CÔNE

**Le cône.** — Base. Axe. Courbe directrice. Génératrice. Sections coniques. Tronc de cône. Sommet.

Cône acutangle, rectangle, obtusangle. — Cône droit. Cône oblique. Cône circulaire. — Conoïde, conoïdal.

**Qui a forme de cône.** — Conique. Coniforme. Convoluté. Infundibulé. Infundibuliforme. Strobiliforme. — Conirostre. Coniflore.

Cône de pin. — Cône d'embrayage. — Cône d'ombre. — Entonnoir. — Éteignoir. — Cornet. — Fuseau. — Pain de sucre. — Poire. — Strobile. — Turbine.

## CONFESSION

**Le pécheur.** — Pénitent, pénitente. — Examen de conscience. Contrition. Attrition. Remords. Repentir. Ferme propos. — Aller à confesse. Se confesser. Confesser ses péchés. Avouer, accuser ses péchés. S'accuser. — Confession. Confiteor. Battre sa coulpe. Mea culpa. Peccavi. — Confession publique. Proclamation (des religieux). Exomologèse (des premiers chrétiens).

Satisfaire à Dieu et à son prochain. — Faire pénitence. — Expier, expiation. Réparer, réparation. — Se réconcilier avec Dieu. Etre absous.

**Le prêtre.** — Confesseur. Directeur de conscience. Prêtre approuvé. Père spirituel. Grand pénitencier. — Confesser quelqu'un. Ouïr en confession. Confession auriculaire. — Justifier le pécheur. Lier et Délier. Remettre les péchés. Retenir les péchés. — Absoudre. Absolution. Absolution à cautèle. Absolution in extremis. — Secret de la confession. Sceau de la confession. Garder, violer le secret. — Billet de confession.

**Pénitence.** — Sacrement de pénitence. — Tribunal de la pénitence. Confessionnal. Guichet. — Cas de conscience. — Casuiste. — Cas réservé. Pénitencerie. — Le Pénitentiel (rituel). — Psaumes pénitentiaux. — Œuvres pénitentielles. — Accomplir une pénitence.

## CONFIANCE
(latin, *fides, fiducia*)

**Confiance dans les sentiments.** — Se confier. Se fier à. Confier. Confiant. — Confidence. Confident. Confidente. Confidentiel. — CROIRE, croyance. — Crédulité, crédule. — Epancher son cœur. S'épancher. Epanchement. Expansion, expansif. Communicatif. Effusion. — Ouvrir son cœur. S'ouvrir. — Livrer ses secrets. Se livrer.

Bonne foi. Ajouter foi. Confiance aveugle, irréfléchie, entière, ferme, solide, inébranlable.

**Confiance dans les actes.** — Investir de sa confiance. — Compter sur. Tabler sur. Faire fond sur. — Se reposer sur. S'en remettre à. — S'en rapporter à. — Commettre, commission. MISSION. Accréditer. — ESTIMER. Homme de confiance. Homme sûr. Affidé. Féal. FIDÈLE. — Traître. Trahir. Tromper la religion de.

**Confiance en soi.** — Assurance. Autorité. Audace. Hardiesse. Esprit d'entreprise. — Aplomb. Effronterie. Toupet. — Sûr de soi. Assuré. Audacieux. Effronté. Imperturbable. Tranquille.

Croire à son étoile. — Se faire fort de. — Espérer le succès. — Donner sa parole. Jurer. Prêter serment. S'engager.

**Confiance en affaires.** — Crédit. Etablissement de crédit. Créditer. — Créance. Lettre de créance. — Dépôt. Déposant. Dépositaire. — Fidéicommis. Blanc-seing. Carte blanche. Pouvoir. Procuration. — Circulation fiduciaire. Lettre de crédit. Traite. Chèque. Billet de banque. — Assurances. Assureur.

**Confirmer.** V. *affirmer, témoin, preuve, certitude, évêque, rhétorique.*

CONFISCATION, f. V. *saisie, punition.*

**Confiserie,** f.

CONFISEUR, m. V. *confiserie, sucre.*

CONFISQUER. V. *prendre.*

CONFIT, m. V. *oie.*

CONFITEOR, m. V. *prier.*

CONFITURE, f. V. *confiseur, cuire, fruit, sucre.*

CONFLAGRATION, f. V. *brûler.*

CONFLIT, m. V. *choc, dispute, opposé, discordant.*

CONFLUENT, m. V. *rivière, joindre.*

CONFONDRE. V. *mélange, trouble, étonnement, réfuter.*

CONFORMATION, f. V. *constituer, corps.*

CONFORME. Conformer. V. *exact, constituer.*

CONFORMISTE, m. V. *protestant.*

CONFORMITÉ, f. V. *forme, semblable, exact.*

CONFORT, m. Confortable. V. *commode, bonheur.*

CONFORTER. V. *force, consoler.*

CONFRATERNITÉ, f. V. *frère, ami.*

CONFRÈRE, m. V. *association, compagnon.*

CONFRÉRIE, f. V. *frère, société.*

CONFRONTATION, f. Confronter. V. *accusation, comparaison, témoin.*

CONFUCIUS, m. V. *Chine.*

CONFUS. Confusion, f. V. *erreur, désordre, honte, obscur.*

CONGAÏ, f. V. *Indochine.*

CONGÉ, m. V. *permettre, absence, repos, oisif, vacant, soldat, chasser, douane.*

CONGÉDIER. V. *destituer, chasser.*

CONGÉLATION, f. Congeler. V. *épais, concrétion, conserver.*

CONGÉNÈRE. V. *espèce, semblable.*

CONGÉNITAL. V. *naître, tempérament, transmettre.*

CONGESTION, f. Congestionné. V. *maladie, sang, poumon, cerveau.*

CONGLOBATION, f. V. *argument.*

CONGLOMÉRAT, m. V. *amas.*

CONGLUTINER. V. *joindre.*

CONGRATULATION, f. Congratuler. V. *applaudir, participer.*

CONGRE, m. V. *anguille.*

CONGRÉER. V. *corde.*

CONGRÉGANISTE, m. Congrégation, f. V. *société, religion, moine.*

CONGRÈS, m. V. *diplomatie, société, paix, entrevue.*

CONGRU. V. *assez, bien.*

CONIFÈRE, m. V. *pin.*

CONJECTURAL. Conjecture, f. V. *supposer, doute, devise.*

CONJECTURER. V. *juger, probable.*

CONJOINT, m. V. *mariage.*

CONJONCTION. f. V. *joindre, grammaire, astronomie.*

CONJONCTIVE, f. V. *membrane.*

CONJONCTIVITE, f. V. *œil.*

CONJONCTURE, f. V. *rencontre, événement, circonstance.*

CONJUGAISON, f. V. *verbe.*

CONJUGAL. V. *mariage.*

---

## CONFIRMER

**Donner de la force.** — Confirmer. Sacrement de confirmation. — Affermir, affermissement. Raffermir. — Fortifier. Renforcer. Renfort. — Consolider, consolidation. — Appuyer, appui. Subsidiaire. — Cimenter. — Enraciner. — Intensifier.

**Renforcer une affirmation.** — Affirmer, affirmation, affirmatif. — Parler d'autorité. Assurer. — Témoigner. Certifier. Attester. Garantir. Se porter GARANT. — Corroborer. Avérer. Appuyer. — Insister. Maintenir. — Soutenir. Plaider pour. Militer en faveur de. — Démontrer. Prouver. Arguments. Coïncidences. Circonstances aggravantes.

**Donner une valeur légale.** — Authentiquer, authenticité. — Acte de notoriété. — Légaliser, légalisation. — Homologuer, homologation. — Entériner, entérinement. — Rendre officiel. — Valider, validation. — Ratifier, ratification. — Sanctionner, sanction. — Autoriser, autorisation. — Sceller. Viser, visa. Vidimer.

## CONFISERIE

**Le métier.** — Confiserie. Laboratoire. Office. — Confiseur. Pâtissier. Glacier. Confiturier. Pastilleur. — Confire. Cuire. Décuire. Cuisson du sucre, au perlé, au cassé, au lissé. — Griller, rissoler dans le sucre. — Glacer au sucre. — Faire des glaces, des confitures, des gelées, des conserves. — Faire candir. — Façonner des pâtes de fruits. — Couler des SIROPS.

Fourneau. Bassines. Branloire. Tamis. Tambour. Poches. Moules. Sorbetière.

**Confitures et fruits.** — Confiture. Gelée. Marmelade. Compote. — Fruits confits. Ecorces confites. Marrons glacés. Pâtes de fruits.

Confitures de fraises, framboises, abricots, groseilles, prunes, mirabelles, oranges, citrons, rhubarbe, pommes, coings, cassis, myrtilles, mûres, cerises. — Raisiné.

Conserves de fruits. Fruits au jus. Fruits desséchés.

**Sucreries.** — Friandises. Bonbons. Dragées. Pralines. Fondants. Petits fours. Pastilles. Tablettes. Perles. Nonpareille. — Chocolats. — Sucre d'orge. Sucre de pomme. Sucre candi. Candis. Berlingots. Bonbons anglais. Caramels. — Amandes grillées. Pistaches. Nougat. Nougatine. — Cotignac. Citronnat. Orangeat. Moyeu. Chinois. — Pâtes de fruits, de réglisse, de lichen, etc. Bonbonnière. Drageoir. Boîte. Sac. Cornet.

**Glaces et sirops.** — Glaces. Sorbets. Parfaits. Cassades. — Glaces pralinées. Tranches napolitaines. Glaces à la vanille, à la fraise, au citron, à l'abricot, etc. — Café et Chocolat glacés. Riz glacé.

Préparations sirupeuses. Sirop de limon, de grenadine, d'orgeat, de fraise, d'orange, d'abricot, etc. — Sodas.

## CONNAÎTRE

**Connaissance spontanée.** — Conscience, conscient. Prendre conscience. — Connaissance infuse. Idées innées. Intuition, intuitif. — Lueur. Prénotion. Prescience, prescient. — Sens intime. Sentiment. Sentir. Percevoir. Connaître de vue.

CONJUGUER. V. *verbe, nerf.*

CONJURATION, f. Conjuré. V. *accord, sédition, complot.*

CONJURER. V. *magie, éviter.*

CONNAISSANCE, f. V. *intelligence, science, art, ami.*

CONNAISSEMENT, m. V. *navire, marchandises.*

CONNAISSEUR, m. V. *habile, délicat.*

**Connaître.** V. *pensée, fréquenter.*

CONNECTEUR, f. V. *télégraphe.*

CONNEXE. Connexion, f. Connexité, f. V. *rapport, joindre.*

CONNIVENCE, f. V. *accord, participer.*

CONNOTATION, f. V. *signifier.*

CONOÏDE. V. *cerveau.*

CONQUE, f. V. *coquille.*

CONQUÉRANT, m. Conquérir. V. *vainqueur, prendre, obtenir.*

CONQUÊT, m. V. *acheter.*

CONQUÊTE, f. V. *obtenir, guerre, amour.*

CONSACRER. V. *cérémonie, attribuer, offre.*

CONSANGUIN. V. *frère* et *sœur.*

**Conscience,** f. V. *esprit, pensée, raison, juger, juste, scrupule, franc, mœurs.*

CONSCIENCIEUX. V. *conscience.*

CONSCIENT. V. *connaître.*

CONSCRIPTION, f. Conscrit, m. V. *soldat.*

CONSÉCRATION, f. V. *cérémonie, bénir, prêtre.*

CONSÉCUTIF. V. *suite, continuer.*

**Conseil,** m. V. *diriger, avertir, société, auxiliaires de justice.*

CONSEILLER. V. *conseil.*

CONSEILLER, m. V. *magistrat.*

CONSENTEMENT, m. Consentir. V. *permettre, approuver, céder, accord, résignation.*

CONSÉQUENCE, f. V. *suite, dépendance, produire, important.*

CONSÉQUENT. V. *suite, rapport.*

CONSERVATEUR, m. Conserva-

---

**Connaissance acquise.** — Apprendre. S'instruire. S'informer. Se renseigner. — Savoir. Science. Connaissances. Erudition. Omniscience. — Savant. Docte. Expert. Expérimenté. Technicien. Connaisseur. Spécialiste.

Posséder. Savoir par cœur. Savoir sur le bout du doigt. Connaître à fond. — Etre versé dans, HABILE à, fort en, familier avec, de première force. — Avoir de l'acquis. Avoir une teinte de. Etre frais émoulu. Diagnostiquer. RECONNAÎTRE. Discerner. S'y connaître.

**Information.** — Communiquer, communication. — Mettre au courant. Mettre au fait. Faire connaître. — Initier, initiation. — Informer. Renseigner, RENSEIGNEMENT. — Publier, publication. Répandre un bruit, bruit qui court.

Etre informé, mis au courant, initié. — Accueillir un bruit. — Recevoir une nouvelle. — Avoir vent de. — Au vu et au su de tout le monde.

Chose connue, avérée, publique, notoire, rebattue.

**Sources de connaissance.** — Intelligence. Compréhension. Sensation. Perception. Sens. Vue. Toucher. — Science. Instruction. — Expérience. Pratique. Diagnostic. — Tradition. Notions. Données. — Livres. Rapports. Dossiers. — Informations. Publicité.

## CONSCIENCE

**La conscience.** — Conscience. Voix, cri de la conscience. — Lumière intérieure. Voix intérieure. For intérieur. Sens intérieur. Sens intime. Ame. Cœur. Sens moral. Raison pratique.

**Etats de conscience.** — Bonne conscience. Dignité personnelle. Honneur. — Conscience délicate, scrupuleuse, timorée, nette, pure. — Conscience large, élastique, endurcie, trouble, ulcérée.

Troubles, alarmes de la conscience. — Avoir un poids sur la conscience. — Inconscience.

**Actes de conscience.** — Examen de conscience. Interroger sa conscience. Cas de conscience. Se faire un cas de conscience. — Etre consciencieux. Faire par acquit de conscience. — Loi morale. Morale. MŒURS. — Prescriptions de la conscience. — Capitulation de conscience. Composer avec sa conscience. — Scrupules. Remords. Repentir. Contrition. Pénitence.

## CONSEIL

**Donner des conseils.** — AVERTIR, avertissement. Admonition. — Aviser, avis. — Conseiller, conseil. — Inspirer, inspiration. — Inculquer. — Insinuer, insinuation.

Motion. Proposer, proposition. — Opiner, OPINION. — Ouvrir un avis. Soumettre un avis. — Recommander, recommandation. — Suggérer, suggestion. — Porter conseil. — Avoir voix au chapitre.

**Diriger par ses conseils.** — Direction, directeur. Directeur de conscience. — Consultation, consultatif. Avocat, médecin consultant. — INFLUENCE, influencer. — Instigation, instigateur. — Exhorter. Encourager. Pousser à. Engager à. Exciter. Presser. — Décider. Induire. Subjuguer. Persuader. — Catéchiser. Arraisonner. Former. Leçons. Instructions. — Tenter. Séduire.

Déconseiller. Dissuader. Détourner. Prémunir contre.

Homme de bon conseil. Homme avisé. — Mentor. Egérie. Bon génie. — Conseiller, conseilleur. — Tentateur. Mauvais génie.

**Suivre des conseils.** — Demander avis, consulter. — Adopter un avis. Ecouter. Se référer à. S'en rapporter à. Prêter l'oreille à. — Suivre un conseil. Ecouter les leçons. Se rendre à. S'en remettre à. — Répondre à. Donner son adhésion. — Se laisser mener. Etre entraîné.

**Assemblée.** — Chambre du conseil. — Conseil des ministres. — Conseil d'Etat. — Conseil du commerce. — Conseil des affaires étrangères, etc.

tion, f. V. *conserver, hypothèque.*
CONSERVATOIRE, m. V. *école, art.*
CONSERVE, f. V. *navire.*
**Conserver.** V. *garder, sauver.*
CONSERVES, f. p. V. *fruit, légume.*
CONSIDÉRABLE. V. *beaucoup.*
CONSIDÉRANT, m. V. *expliquer.*
CONSIDÉRATION, f. Considérer. V. *regard, réfléchir, estime, respect.*
CONSIGNATAIRE, m. V. *agent.*
CONSIGNATION, f. V. *amende, payer.*
CONSIGNE, f. V. *garde, bagage, punition, soldat.*
CONSIGNER. V. *garder, note.*
CONSISTANCE, f. V. *épais, solide.*

CONSISTER. V. *état, constituer.*
CONSISTOIRE, m. V. *société, cardinal, protestant, juif.*
CONSOLATEUR, m. Consolation, f. V. *consoler.*
CONSOLE, f. V. *architecture, meuble, cheminée.*
**Consoler.** V. *calme, ranimer, résignation.*
CONSOLIDER. V. *soutenir, conserver, force, solide.*
CONSOMMATEUR, m. Consommation, f. V. *manger, boire.*
CONSOMMÉ, m. V. *potage.*
CONSOMMER. V. *auberge, détruire, parfait.*
CONSOMPTION, f. V. *ronger, langueur.*
CONSONANCE, f. V. *son.*
CONSONNE, f. V. *son, lettre.*
CONSORTS, m. p. V. *commun.*

CONSPIRATEUR, m. Conspiration, f. Conspirer. V. *association, intrigue, complot, partisan.*
CONSPUER. V. *salive, mépris.*
CONSTANCE, f. Constant. V. *même, continuer, fermeté.*
CONSTANTE, f. V. *égal.*
CONSTAT, m. V. *huissier.*
CONSTATATION, f. Constater. V. *affirmer, vérifier, preuve.*
CONSTELLATION, f. Constellé. V. *étoile, ciel.*
CONSTERNATION, f. Consterner. V. *chagrin, abattement.*
CONSTIPATION, f. Constiper. V. *intestin, excrément.*
CONSTITUANTE, f. V. *république.*
**Constituer.** V. *arranger, part.*

---

## CONSERVER

**Faire durer.** — Conserver. Prolonger, prolongation. — Préserver, préservation. — Entretenir, entretien. — Ménager, ménagement. — Consolider, consolidation. — Maintenir. — Alimenter. Nourrir. — Soigner. Donner ses soins à. — Conserver la mémoire. Perpétuer. Eterniser. Immortaliser.

**Garder en état.** — Conserver, conservation. — Garder, garde, gardien. — Conservateur. Conservateur des hypothèques. Conservateur de musée. Parti conservateur. — Conservatoire de musique. Conservatoire des arts et métiers. — Mesures conservatoires. Mettre sous séquestre. Mettre sous scellés. Déclarer inaliénable, incessible, insaisissable. Indivision. Tutelle, tuteur. — Protéger. Garantir.

Se conserver. Hygiène, hygiénique. Prophylaxie, prophylactique. Antisepsie, antiseptique.

**Conserver des aliments.** — Conserves alimentaires. — Conserves de viande, de poissons, d'œufs, de légumes. — Salaisons. Viandes frigorifiées, congelées. Corned beef. — Procédés de conserve. Dessiccation. Fumage. Salage. Congélation. — Elimination de l'air. Autoclave. — Confire, au vinaigre, au sel, au sucre. — Mariner, marinade. Faire macérer. Boîtes de conserve. Bocaux. Flacons. Fermetures, bouchons hermétiques. — Appareils frigorifiques. — Mettre en réserve, en cave, en grange. Ensiler, silo.

## CONSOLER

**Atténuer un chagrin.** — Consoler, consolation, consolateur. — Fiche de consolation. — Alléger, allégement, allégeance. — Atténuer, atténuation. Diminuer. — Calmer. modérer la douleur. — Apaiser un désespoir. — Soulager, soulagement, soulas. — Endormir, assoupir la douleur. — Flatter, amuser, tromper la douleur. — Condoléances.

**Faire oublier.** — Verser l'oubli. Verser du baume. Sécher les larmes. Ramener la joie.

— Médecin de l'âme. Remède à la douleur. Remédier. Cicatriser, GUÉRIR, fermer la plaie. — Charmer les ennuis. Incantations. — Faire diversion. Détourner l'esprit. — Dérider. Désennuyer. Distraire. Amuser. Egayer. Réjouir. — Etourdir. Tranquilliser. — Eteindre. Compenser.

**Remonter.** — Conforter. Réconforter, réconfort. — Remonter le courage. Faire reprendre courage. Encourager. — Retremper l'âme. Ranimer. Rendre l'espoir. Rafraîchir le sang. — Ramener la confiance. Rasséréner. Rassurer. — Réconcilier avec la vie. Prêcher la RÉSIGNATION.

## CONSTITUER

**Etablir.** — Faire. — Fonder, fondation, fondateur. — Etablir, établissement. Préétablir. — Asseoir. — Instaurer, instauration. — Former, formation. — Construire. Edifier. Elever. Bâtir.

Constituer avoué. — Constituer une rente. Se constituer prisonnier. Reconstituer. Rétablir. Recomposer. Rebâtir.

**Organiser.** — Constituer, constitution, constituant. Assemblée constituante. Constitution politique. Corps constitués. — Instituer, institution. — Organisation.

Arranger, arrangement. Composer, composition. Elaborer, élaboration. — Mettre en œuvre. — Monter, montage. — Fixer, fixation. — Conditionner. Conformer. — Synthèse, synthétique

**Choses qui constituent.** — Partie intégrante. Partie composante. — Fond des choses. Essence. Quintessence. Elément. Substance. Matière.

Composition qualitative, quantitative. Entrer dans. Ingrédient. — Constitution intime. PRINCIPE. Structure. Texture. Contexture. Conformation. — TEMPÉRAMENT. Diathèse. NATURE. — Organisme, organe, organique. Consister en. Etre composé de, constitué de, pétri de.

CONSTITUTIF. V. *constituer.*
CONSTITUTION, f. V. *état, santé, corps, forme, disposition, politique.*
CONSTITUTIONNEL. V. *politique, roi.*
CONSTRICTION, f. V. *presser, étroit.*
CONSTRUCTEUR, m. Construction, f. Construire. V. *architecture, bâtir, arranger, géométrie.*
CONSUBSTANTIALITÉ, f. V. *trinité.*
CONSUBSTANTIATION, f. V. *eucharistie.*
CONSUL, m. Consulat, m. V. *Rome, diplomatie, commerce.*
CONSULTA, f. V. *pape.*
CONSULTANT. V. *médecine.*
CONSULTATIF. V. *suffrage.*
CONSULTATION, f. Consulter. V. *interroger, conseil, renseignement.*

CONSUMER. V. *brûler, épuiser, détruire.*
CONTACT, m. V. *toucher, rencontre, rapport.*
CONTAGIEUX. Contagion, f. V. *épidémie, transmettre, étendre.*
CONTAMINER. V. *sale, tache.*
*Conte,* m. V. *raconter, mensonge.*
CONTEMPLATION, f. Contempler. V. *regard, pensée.*
CONTEMPORAIN. V. *temps, présent.*
CONTEMPTEUR, m. V. *mépris.*
CONTENANCE, f. Contenant. V. *intérieur, enveloppe, quantité, posture.*
*Contenir.* V. *entourer, retenir, calme.*
CONTENT. Contenter. V. *assez, satisfaire, bonheur, plaire.*
CONTENTIEUX, m. V. *procédure.*

CONTENTION, f. V. *attention.*
CONTER. V. *conte.*
CONTESTATION, f. Contester. V. *objecter, réclamer, résister, différend, doute.*
CONTEUR, m. V. *conte.*
CONTEXTE, m. V. *rédiger.*
CONTEXTURE, f. V. *arranger.*
CONTIGU. Contiguïté, f. V. *près, toucher, côté.*
CONTINENCE, f. Continent. V. *s'abstenir, modération, chaste.*
CONTINENT, m. Continental. V. *terre, géographie.*
CONTINGENCE, f. V. *hasard, circonstance.*
CONTINGENT, m. V. *quantité, part, armée.*
CONTINGENTEMENT, m. V. *commerce.*
CONTINU. Continuation, f. Continuel. V. *continuer.*
*Continuer.* V. *augmenter, suite.*

## CONTE

**Contes.** — Conte, conter, conteur. — Narration, narrer, narrateur. — RACONTER, raconteur. Récit.

Contes de fées. Contes moraux. Contes bleus. Contes de bonne femme. Contes de ma mère l'Oie. Contes populaires. Contes drolatiques. Contes fantastiques. — Recueils de contes. Décaméron. Heptaméron. Mille et une nuits, etc.

**Fables.** — Fable. Fabliau. Fabuliste. Fablier. — Apologue. — Parabole. — Allégorie, allégoriser, allégorique. — Affabulation. Fiction. Morale. Moralité. — Réciter des fables.

**Légendes.** — Légende, légendaire. — Récit fabuleux. Divinités de la Fable. — Mythologie, mythologique. Mythe. — Héros. Demi-dieu. Etre surnaturel.

**Romans.** — Roman, romanesque, romancer, romancier. — Roman d'amour, d'aventures, de chevalerie, de mœurs, historique, descriptif, picaresque, etc. — Romancero. Vie romancée. — Anecdote, anecdotique. — Nouvelle, nouvelliste. — Feuilleton, feuilletoniste. — Histoire. Historiette.

Action. Intrigue. Description. Personnages. Caractères. Evénements. Episodes.

## CONTENIR

**Contenir une étendue.** — Embrasser. — Comprendre. — Mesurer. — Enfermer. — Englober. — ENTOURER. — ENVELOPPER. — Enserrer. — Enclore. — Enceindre. — Enclaver. — Enchâsser.

ETENDUE. Aire. Surface. Superficie. Mesure. Teneur.

**Contenir une masse.** — Contenir. Tenir. — Renfermer. Inclure. Jauger. Mesurer. Cuber. Avoir. — Recéler dans ses flancs. Recevoir. Retenir.

Contenance. INTÉRIEUR. Volume. Capacité. Tonnage.

Contenant. Vase. Vaisseau. Caisse. Boîte. Enveloppe.

**Contenir des idées.** — Comprendre. — Contenir. — Embrasser. — Impliquer. — Comporter. — Entraîner.

Compréhension. — Hypothèse. — Déduction. — Conclusion. — Effet. Résultat. — Suite logique. — Tenants et aboutissants. — Etre compris, inclus, implicite.

## CONTINUER

**Durée.** — Cours du temps. — Durer, durable, durant. Perdurable. — Règne, régner. — Permanence, permanent. — Prolongation, prolongement, prolonger. — Longueur de temps, temps long. Longévité. — S'invétérer. — S'étendre. Extension. — Ancienneté, ancien. — Vieillesse, vieux. Vieillard. — Bail emphytéotique, à long terme. — Reculer le terme.

N'avoir pas de fin. — Pérennité, pérenniser. — Immortalité, immortel, immortaliser. — Eternité, éterniser, éternel. Sempiternel. — Perpétuité, perpétuel, perpétuer. — Consommation des siècles. — Vie éternelle. Dans tous les temps. Sans fin. Toujours. A jamais. De temps immémorial.

**Continuité.** — Faire une chose sans cesse, sans arrêt, sans trêve, sans repos, sans débrider, sans interruption, sans intermission, tout de go, d'une haleine, d'un seul jet, d'une traite, d'affilée, sans désemparer, sans discontinuer.

Continuel. Incessant. Indéfini. Infini. — Inépuisable. Interminable. Intarissable. Inextinguible. — Incurable. Inguérissable. — Continu. Suivi. Consécutif. Direct. — Plein. Sans vide. Viable. Vivace.

CONTINUITÉ, f. V. *temps, même.*

CONTORSION, f. V. *mouvement, tordre, grimace.*

CONTOUR, m. V. *cercle, entourer, limite, bord, forme.*

CONTOURNÉ. V. *courbure, affectation.*

CONTOURNER. V. *tourner, détour.*

CONTRACTER. V. *contraction, prendre, convention.*

CONTRACTILE. V. *contraction.*

**Contraction,** f. V. *muscle, convulsion, manque.*

CONTRADICTION, f. Contradictoire. V. *négation, impossible, faux.*

CONTRAINDRE. V. *contrainte.*

**Contrainte,** f. V. *violence, force, embarras, impôt.*

CONTRAIRE. V. *opposé.*

CONTRALTO, m. V. *voix, chant.*

CONTRARIER. Contrariété, f. V. *ennui, chagrin, déplaire, opposé, chicane.*

CONTRASTE, m. Contraster. V. *opposé, différent.*

CONTRAT, m. V. *convention, rédiger, mariage, notaire.*

CONTRAVENTION, f. V. *police, contrebande.*

CONTRE. V. *opposé, escrime.*

**Contrebande,** f. V. *prohiber, douane, faute.*

CONTREBANDIER, m. V. *contrebande.*

CONTRECARRER. V. *objection, nuire.*

CONTRECŒUR, m. V. *répugnance, cheminée.*

CONTRECOUP, m. V. *choc.*

CONTRE-COURANT, m. V. *rivière.*

CONTREDANSE, f. V. *danse.*

CONTREDIRE. V. *négation, chicane, réfuter, répondre.*

CONTRÉE, f. V. *pays.*

CONTREFAÇON, f. Contrefaire. V. *imiter, copie, faux, moquer.*

CONTREFAIT. V. *difforme.*

CONTREFORT, m. V. *mur, chaussure.*

CONTRE-JOUR, m. V. *éblouir.*

---

Continuation. Continuité. — SUITE. Fil du discours. Enchaînement. — Trame. Chaîne. — Feu continu. Feu roulant. — Statu quo. — Tacite reconduction.

Continuer. — Demeurer. Séjourner. Rester. — Etre assidu. — Maintenir. — Aller son chemin. — Travailler d'arrache-pied, jour et nuit.

**Fixité.** — Fixer, FIXE. Affermir. Consolider, SOLIDE. — Habituer, habituel, habitude. — Immanent, immanence. Stable, stabilité. — Uniforme, uniformité. Monotone, monotonie. Homogène, homogénéité. Consistance. — Etre à demeure. Subsister. S'enraciner. — Mal chronique. — S'appesantir sur. S'endormir dans. Immobile. — Immuable. — Impermutable. — Inaliénable. — Inamovible. — Inébranlable. — Invariable. — Incorruptible. — Indestructible. — Indissoluble. — Ineffaçable. — Impérissable. — Irrévocable. — Imprescriptible.

**Constance.** — Constant. — Persistant, persistance. — Persévérant, persévérance. — ENTÊTÉ, entêtement. — Opiniâtre, opiniâtreté. — Ferme, fermeté. — Résistant, résistance. — Tenace, ténacité. — FIDÈLE, fidélité. Ne pas se démentir. Ne pas en démordre. S'accrocher à. Persister. S'entêter. Résister. S'obstiner. Insister. Poursuivre. Continuer. Se soutenir. Suivre sa voie. Etre à l'épreuve.

### CONTRACTION

**Resserrement.** — Se contracter, contraction, contractilité. — Se resserrer, resserrement. — Se raccourcir, raccourcissement. — Se raidir, raide, raideur. Rigide, rigidité. — Se retirer, rétraction. Rétractilité. — Se rétrécir, rétrécissement. — Se ramasser. Se rentrer. Se tasser. — Elastique, élasticité. — Contracture. Stricture. Etranglement.

Contraction (en grammaire). Formes contractes. Crase. Synérèse.

**Repli.** — Se replier. PLI. — Se rider, ride, ridé. — Se plisser. Se froncer, froncement. — Se racornir, racornissement. Se ratatiner, ratatiné. Se recroqueviller. — Se gercer, gerçure. — Grésiller, grésillement. — Friser, frisure.

**Contraction des muscles.** — CONVULSION, convulsif. — Crispation, se crisper,

crispé. — GRIMACE, grimacer. — Spasme, spasmodique. — Trisme (des mâchoires). — Anaspase (de l'estomac). — Torsion des muscles. Entorse. Effort. — Mouvement contractile, rétractile. Serrer les poings, les dents. — Mouvement péristaltique (des intestins). — Mouvement systolique (du cœur). Systole.

### CONTRAINTE

**Violence.** — Contraindre, contrainte, contrainte par corps. — Délit. — Forcer. Forcer la main. Agir par force. — Maîtriser. — Opprimer, oppression. Tyranniser, tyrannie, tyran. — Despote, despotisme, despotique. — Violenter, violence. — Comprimer, compression. — Agir d'autorité. Intolérance. — Mener durement. Brider. Tenir la bride haute. Coercition. — Vaincre la résistance. Prendre par la famine. — Ordre impératif. Sanctions.

**Asservissement.** — Asservir, asservissement. — Assujettir, assujettissement. — Esclavage. Servitude. Sujétion. Joug pesant. Captivité. — Asservi. Sujet. Captif. Corvéable. — Lier les mains. Enchaîner. Entraver.

**Nécessité.** — Astreindre, astreinte. Contrainte administrative. — Contribution. Mandement. Obliger, obligation. Exiger, exigence. Sommer, sommation. Ordonner, ordre. Requérir, requête. — Nécessité. Fatalité. Carte forcée. Force majeure. — Imposer de la gêne, de l'EMBARRAS.

Soumission involontaire. Avoir les mains liées, le poignard sous la gorge. — Agir à son corps défendant, à contre-cœur, contre son gré, malgré soi.

### CONTREBANDE

**Trafic clandestin.** — Contrebande, contrebandier. — Faux saunage, faux saunier. — Braconnage, braconnier. — Commerce interlope, furtif, secret. — Marronnage, courtier marron. — Intrusion de marchandises. — Vente illégale. — Baraterie.

**Fraude.** — Frauder, fraudeur. Violer les règlements. — Contrevenir, contrevenant. — Contrefaçon. — Tromperie.

CONTREMAÎTRE, m. V. *ouvrier.*
CONTREMANDER. V. *annuler.*
CONTREMARCHE, f. V. *manœuvre.*
CONTREMARQUE, f. V. *théâtre.*
CONTREPARTIE, f. V. *compte.*
CONTRE-PIED, m. V. *opposé.*
CONTREPOIDS, m. V. *compenser.*
CONTREPOINT, m. V. *musique.*
CONTREPOISON, m. V. *opposé.*
CONTRESENS, m. V. *erreur.*
CONTRETEMPS, m. V. *obstacle, chagrin.*
CONTREVENIR. V. *violer, contrebande, faute.*
CONTREVENT, m. V. *fermer, fenêtre.*
CONTREVÉRITÉ, f. V. *erreur, mensonge.*
CONTRIBUABLE, m. V. *impôt.*
CONTRIBUER. Contribution, f. V. *dépense, part, secours.*
CONTRISTER. V. *chagrin.*
CONTRIT. Contrition, f. V. *pénitence, regret, confession.*
CONTRÔLE, m. V. *or, argent, bijou, impôt.*

CONTRÔLER. Contrôleur, m. V. *examen, vérifier, vrai, bureau.*
CONTROUVER. V. *trouver, faux.*
CONTROVERSE, f. Controverser. V. *dispute, argument, opposé.*
CONTUMACE, f. Contumax, m. V. *accusation, absence, juges.*
CONTUSION, f. Contusionner. V. *plaie, choc, blessure.*
CONVAINCRE. V. *persuader, toucher, éloquence, certitude.*
CONVALESCENCE, f. Convalescent. V. *mieux, guérir, maladie, langueur.*
CONVENABLE. V. *assez.*
CONVENANCE, f. V. *bien, accord, modération, politesse.*
CONVENIR. V. *plaire, seoir, avouer, convention.*
CONVENT, m. V. *franc-maçon.*
**Convention,** f. V. *négocier, accord.*
CONVENTIONNEL. V. *convention.*

CONVENTUEL. V. *moine.*
CONVERGENCE, f. Converger. V. *près, optique.*
CONVERS. V. *moine.*
CONVERSATION, f. V. *parler, dialogue.*
CONVERSION, f. V. *pénitence, rente, changer, tourner.*
CONVERTIR. V. *religion, réduire.*
CONVERTISSEUR, m. V. *acier, moulin.*
CONVEXE. Convexité, f. V. *rond, courbure, optique.*
CONVICT, m. V. *bannir.*
CONVICTION, f. V. *croire.*
CONVIER. V. *inviter, attirer.*
CONVIVE, m. V. *manger.*
CONVOCATION, f. V. *appel.*
CONVOI, m. V. *transport, mort.*
CONVOITER. Convoitise, f. V. *désir, passion.*
CONVOQUER. V. *appel.*
CONVOYER. V. *transport.*
CONVULSIF. V. *convulsion.*
**Convulsion,** f. V. *contraction, mouvement, fureur.*

## CONVENTION

**Conventions juridiques.** — Obligation. Engagement. — Contrat, principal, accessoire. — Contrat synallagmatique, bilatéral, unilatéral, commutatif, aléatoire, à titre gratuit, à titre onéreux, personnel, réel, consensuel, solennel, verbal, écrit. — Consentement. — Capacité. — Objet. —Cause. — Transfert de propriété. — Offre. — Acceptation. — Lésion. — Engagement pour autrui. — Stipulation pour autrui.

Contracter, contractant, contractuel. — Cassation du contrat. — Parties. — Témoin. — Notaire. — Acte sous seing privé, authentique. — Stipulation. Clause, article. Disposition. — Formalité. — Bonne et due forme. — Expédient.

Quasi-contrat.

Bail. Louage. Vente. Société. Mandat. Dépôt. Gestion d'affaire. — Contrat de mariage. — Contrat à la grosse. — Pacte successoral. — Pacte d'indivision. — Pacte adjoint.

**Conventions commerciales.** — Régler, conclure une affaire. — Donner sa signature, signer. — Traiter. Traiter à forfait, à titre gratuit, à titre onéreux. Traitant. Sous-traitant. — Négocier, négociation. — Noliser, nolisement. — Souscrire, souscription. — Soumissionner, soumission. — Transiger, transaction. — S'abonner, abonnement. — Vendre, vente. — Embaucher, embauchage.

Brevet. — Ecrit. Papier. — Billet. Traite. — Charte-partie. Cartel. Convention verbale. Concordat. Marché. — Conditions. Dispositions. Dédit. Contre-lettre. Libellé — Obligation. Engagement. Promesse de rente. — Faire face à ses engagements. S'exécuter.

**Conventions particulières.** — S'accorder. Accord. Accommodement. — S'arranger,

arrangement. Composer. Faire un compromis. — Convenir de, convention. — S'engager, engagement. — S'obliger, obligation. — S'entendre, entente. — Se fiancer. Fiançailles. Accordailles. — Arrêter un domestique. — Traiter de gré à gré.

**Conventions diplomatiques.** — Parties contractantes. — Négociations. Préliminaires. — Instrument diplomatique. Traité. Traité de paix. Traité de commerce. Concordat. Covenant. Pacte. Protocole. Stipulations. — Trêve. Armistice. Ultimatum. — Ratification, ratifier.

## CONVULSION

**Mouvements désordonnés.** — Chorée. Danse de Saint-Guy. — Saccade, saccadé. — Tremblement, trembler. — Tressaillir, tressaillement. — Sursauter, sursaut. — Gesticuler, gesticulation. — Grimacer, GRIMACE. — Tousser, toux. Eternuer, éternuement. Coqueluche. — Pandiculation. — Haut-le-corps. — Haut-le-cœur. — Carphologie (convulsion des doigts). — Rire convulsif. Fou rire. — Grincement, craquètement des dents. — Bégayement, bégayer.

**Distorsion.** — Convulsion, convulsif, convulsionner, convulsionnaire. — Convulsion tonique (persistante), clonique (irrégulière). — Bâillement, bâiller, bâilleur. Oscitation. Hiatus. — Contraction, se contracter. — Tétanos, tétanique. — Crispation, se crisper. — Crampe. — Goutte. — Torsion. — Distension. — Spasme, spasmodique. — Raideur, raidir. — Hélose (de l'œil). — Parastremme (de la bouche). — Tic, tiquer. — Prosopalgie (de la face). — Pyrosis (de l'estomac). — Vellication (des fibres). — Sanglot, sangloter. — Vomissement, vomir. — Hoquet.

COOLIE, m. V. *porter, Chine.*
COOPÉRATION, f. Coopérer. V. *joindre, action, participer.*
COOPÉRATIVE, f. V. *association.*
COOPTATION, f. V. *recevoir.*
COORDINATION, f. V. *ordre, grammaire.*
COORDONNÉE, f. V. *géométrie.*
COORDONNER. V. *joindre, arranger.*
COPAIN, m. V. *compagnon.*
COPEAU, m. V. *menuisier.*

Copie, f. V. *écrire, imprimerie, semblable, école.*
COPIER. V. *copie, imiter.*
COPIEUX. V. *abondance.*
COPISTE, m. V. *copie.*
COPTES, m. p. V. *Christ.*
COPULE, f. V. *joindre.*
COQ, m. V. *poule, girouette.*
COQ-À-L'ÂNE, m. V. *interruption.*
COQUE, f. V. *enveloppe, œuf, nœud, pli, bateau.*
COQUELICOT, m. V. *pavot.*
COQUELUCHE, f. V. *enfant.*

COQUERIQUER. V. *poule.*
COQUET. V. *plaire.*
COQUETIER, m. V. *œuf.*
COQUETTERIE, f. V. *plaire, galant.*
COQUILLAGE, m. V. *coquille, spirale.*
Coquille, f. V. *imprimerie, épée, grille.*
COQUIN, m. V. *vil.*
COR, m. V. *instruments, pied.*
Corail, m. V. *polype, bijou.*
CORALLITE, f. V. *corail.*
CORAN, m. V. *Mahomet.*

---

**Crise nerveuse.** — Attaque de nerfs. Crise de nerfs. Accès. — Epilepsie, épileptique. Mal caduc. Haut mal. Mal comitial. Tomber du haut mal. — Crise épileptiforme. — Eclampsie. — Eréthisme. — Maladie nerveuse. Névralgie, névralgique. — Hystérie. — Pâmoison, se pâmer. Syncope. Vapeurs.

### COPIE

**Transcription.** — Copie, copier, recopier, copiste. — Collation, collationner. — Expédition, expédier, expéditionnaire. — Grosse, grossoyer. — Transcription, hypothécaire, d'état civil. Transcrire. — Minute, minuter. — Lever un arrêt. Prendre copie. Compulsoire. — Mettre au net. — Original. Autographe. — Ampliation. Double. Duplicata. Copie conforme. — Tenue de livres. Copie de lettres. — Polycopie. Polygraphie. Autocopiste. Machine à écrire.

**Reproduction.** — Copie, copier. — Reproduction, reproduire. — Exemplaire. Epreuve. Fac-similé. — Imitation, imiter. — Contrefaçon, contrefaire. — Plagiat, plagier, plagiaire. — Copyright.

### COQUILLE et COQUILLAGE
(latin, *concha*)

**Parties des coquilles.** — Acétabule. — Battant. — Bouche. — Bourrelets. — Buccin. — Byssus. — Canal. — Cannelure. — Carapace. — Cataphracte. — Charnière. — Cloison. — Columelle. — Contre-écaille. — Cordelette. — Côtes. — Dent. — Disque. — Ecaille. — Echancrure. — Epiderme. — Epiphragme. — Fascies. — Fourreau. — Lamelles. — Lèvres. — Manteau. — Nacre. — Nervure. — Noyau. — Œil. — Ombilic. — Opercule. — Périlithe. — Perle. — Pointe. — Ruban. — Sinus. — Soie de mer. — Spire. — Stries. — Talon. — Test. — Tortillon. — Trompe. — Tube. — Tubercules. — Valve. — Valvule.

**Nature des coquilles.** — Terrestre. Marine. Fluviatile. Saxatile. — Acarde. Ampullacée. Bitestacée. Bivalve. Bombée. Bullée. Canaliculée. Cataphractée. Chambrée. Cloisonnée. Columellée. Conique. Conivalve. Conoïde. Cucullée. Cylindracée. Dentelée. Déprimée. Discoïde. Enroulée. Entomostracée.

Epineuse. Equivalve. Fasciée. Flambée. Foraminifère. Fruste. Fusiforme. Globuleuse. Gryphée. Inéquivalve. Lamelleuse. Lenticulaire. Monothalame. Multiloculaire. Multivalve. Mutique. Nacrée. Naviculaire. Ombiliquée. Operculée. Orbiculaire. Ostracée. Ovale. Ovoïde. Papyracée. Piriforme. Polythalame. Puppiforme. Quadrivalve. Rostrale. Scabre. Spirale. Striée. Tricotée. Trivalve. Tubuleuse. Tuilée. Tuniquée. Turbinée. Turriculée. Univalve. Variqueuse. Ventrue.

**Qui a trait aux coquillages.** — Mollusques. Ostéoderme. Ostracoderme. Tubicole. Recoquillement. Naissain. — Coquille. Conque. Bave. Cornes. Crochets. Tartre. — Conchifère. Conchylifère. Conchyliologie, conchyliologique. — Ostréiculture. Mytiliculture. Héliciculture. — Drague. Digot (bèche). — Ecailler. Etiquette (couteau). — Banc de coquillages. Terrain coquilleux. Calcaire coquillier. Falun, falunière. Cron. — Rocaille. Chimoine (ciment fait de coquillages).

**Principaux coquillages.** — Bénitier. Bernicle. Bigorneau. Bucarde. Calliostoma. Cardium. Clovis ou Clovisse. Colombelle. Cônes. Conque. Coque. Coquille Saint-Jacques. Couteau. Fuseau. Huître. Jambonneau. Lamellaire. Lime. Limnée. Littorine. Manche de couteau. Moule. Murex. Palourde. Paludine. Patelle. Pétoncle. Porcelaine. Rocher. Spondyle. Taret. Trialle. Tridacne. Triton. Truncatelle. Unio. Vénus. Vigneau ou Vignot. Volute.

**Fossiles.** — Ammonite. Belemnite. Cératite. Nautile.

### CORAIL

**Coraux.** — Corail. Branche de corail. Corail rouge, rose, blanc, noir. Toraille (corail brut). — Faux corail. Purpurine. Corallite (fossile).

Récifs de corail. Atoll. Protozoaires. Zoophytes. Madrépores. Formation madréporique. Coralline (polype).

**Relatif au corail.** — Pêche du corail. Pêcherie. Corallière ou Coralline (barque). Satteau (barque). Salabre (drague). Projeteur. Plongeur.

Corallien. Coralliforme. Coralligène. Corallin.

*Corbeau*, m. V. *oiseau, charpente.*
CORBEILLE, f. V. *panier, fleur.*
CORBILLARD, m. V. *funérailles.*
CORDAGE, m. V. *corde, bateau.*
**Corde,** f. V. *lier, pendre, mesure, cercle, bestiaux, instruments.*
CORDEAU, m. V. *jardin, arpentage.*
CORDELETTE, f. V. *corde.*
CORDELIÈRE, f. V. *tresse, ceinture.*
CORDIAL, m. V. *liqueur, médicament.*

CORDIAL. Cordialité, f. V. *cœur, aimer, bon.*
CORDIER, m. V. *corde.*
CORDITE, f. V. *détonation.*
**Cordon,** m. V. *lier, passementerie, portier, fœtus.*
CORDONNERIE, f. V. *chaussure.*
CORDONNET, m. V. *cordon, fil.*
CORDONNIER, m. V. *soulier.*
CORELIGIONNAIRE, m. V. *religion, association.*
CORIACE. V. *dur.*
CORINTHIEN. V. *architecture.*
CORME, f. Cormier, m. V. *fruit.*
CORMORAN, m. V. *oiseau.*
CORNAC, m. V. *éléphant.*

CORNAGE, m. V. *cheval, respiration.*
CORNALINE, f. V. *pierre.*
**Corne,** f. V. *bœuf, insecte, soulier, pli, automobile.*
CORNÉE, f. V. *œil.*
CORNEILLE, f. V. *corbeau.*
CORNEMUSE, f. V. *corne, berger.*
CORNER. V. *automobile.*
CORNET, m. V. *trompette, trictrac, enveloppe.*
CORNETTE, f. V. *coiffure, drapeau, moine.*
CORNIAU, m. V. *chien.*
CORNICHE, f. V. *architecture.*
CORNICHON, m. V. *courge.*

## CORBEAU

**Corbeaux.** — Corvidés. — Corbeau. Chocard. Choucas. Corbeau noir. Blanche-coiffe. — Corbillat. — Corbin.

*Cri :* Croasser, croassement. Grailler.

**Corneilles.** — Corneille commune. Freux. Grolle. Bedaude ou Corneille mantelée. — Cornillon.

*Cri :* Crailler, craillement. Babiller.

## CORDE

**Fabrication.** — Corderie. Cordier. Corder. Cordeler. Cordager. — Chanvre. Etoupe. Auffe. Jute. Teille. Fibre. Sparte. Alfa. — Touret. Ailes de touret. Rouet. Croisille. Curle. Râteau. Manivelle. Molette. Peignon. Paumelle. Epée. Conduisoir. Emerillon. Toupin. Retorsoir. — Ame. Brin. Duite. Fil de caret. Toron. Matton. Témoins.

Cordage simple. Cordage composé. Bitord. Garochoir. Câble. Corde. Ficelle.

Commettre, commettage. — Congréer, congréage. — Episser, épissure, épissoir. — Fourrage. Habiller. — Surlier. — Lisser. Goudronner.

**Cordages.** — Amarre. Amure. Baderne. Balancine. Bosses. Bouline. Brague. Brayer. Câble. Maître câble. Câblot. Caliorne. Cargue. Carguette. Cartahu. Ceintrage. Chable. Chambrière. Civière. Combleau. Cravate. Croupière. Drague. Drisse. Drosse. Ecoute. Elingue. Estrope. Etais. Filoche. Funin. Galhauban. Garant. Genope. Gomène. Guinderesse. Haubans. Herse. Manœuvre. Manoque. Orin. Prolonge. Raban. Ralingue. Suspente. Tire-veille. Torde. Tournevire. Trousse. Ureteau. Usne. Vavain.

**Cordes.** — Archigrelin. Astroc. Aussière. Behêne. Chablot. Cincenelle. Cordeau. Commende. Echarpe. Estroffe. Garcette. Goupille. Grelin. Hart. Jauge. Jonquille. Lacet. Lacs. Laisse. Lasso. Liure. Loch. Marticles. Queuede-rat. Seizaine. Séton. Simbleau. Singleau. Tortis. Tourtouse. Traille. Traîne. Trait. Verboquet.

**Ficelles.** Cacheron. Centaine. Chef. Cordelette. Fil. Filin. Fouet. Lignerolle. Lignette. Ligneul. Lisse. Lisseau. Volettes.

**Maniement des cordes.** — Attacher. Lier. Nouer. Ficeler. — Encorder. Estroper une poulie. — Amarrer. Etalinguer. — Tordre. Tortiller. Gléner. Rouer. Lover. — Tringler. Singler. — Tirer. Haler. Rabanner. — Usure. S'étriper. Raguer.

**Engins et objets à cordes.** — Palan. Palanquin. Moufle. Poulie. Treuil. Appareils de levage. — Filet. Chalut. Ligne de pêche. Bauffe. Bélée. — Fronde. Baliste. Catapulte. — Funiculaire. — Instruments à cordes : Monocorde. Tétracorde. Cordes à boyau. Chanterelle. — Faubert (balai de corde).

## CORDON

**Sortes de cordons.** — Cordon. Cordon de soulier. Cordonnet. Coulisse. Câblé. Lacet. Lacs. Lien. — Ganse. Liséré. Soutache. Passepoil. Rubans. Brides.

**Ouvrages en cordon.** — Aiguillettes. Bandereau (de trompette). Brandebourgs. Dragonne. — Cordelière. Gorgerette. Jarretière. Jarretelle. — Embrasse. Frange. — PASSEMENT. Passementerie. Galon. Tresse. — Tirant. Laisse (de chapeau). — Lanières. BANDES.

**Usage.** — Cordonner. Coulisser. Ganser. Lacer. Lisérage. Soutacher. Tresser. Ganeter. Aiguilleter. Enrubanner.

## CORNE
(latin, *cornu* ; grec, *céras*)

**Cornes de cerf.** — Bois. Cors. Andouiller. Cheville. Branches. Rameaux. Ramure. Broches. Couronne. Dagues. Enfourchure. Epois. Empaumure. Paramont.

Tête. Première tête. Deuxième tête. — Chandelier. Bosse. Meule. Fraise. Perlures. Pierrures. Merrain.

**Cornes d'animaux divers.** — Bêtes à cornes ou Aumailles. — Corne de bœuf, de bélier, de bouc, de mouflon, d'antilope, de rhinocéros, de licorne. — Animal cornu, haut encorné, bas encorné, longicorne, monocère. — Chèvre mousse (sans cornes). Vache dagorne (à corne rompue). — Corne persistante. Corne caduque.

Corne. ECAILLE. ONGLES. Griffes. Ergot. Eperon. Sabot des ruminants.

CORNIER, m. V. *arbre.*
CORNIPÈDE. V. *animal.*
CORNOUILLER, m. V. *arbre.*
CORNU. V. *corne.*
CORNUE, f. V. *distiller, chimie, gaz, acier.*
COROLLAIRE, m. V. *argument, suite, géométrie.*
COROLLE, f. V. *fleur.*
CORON, m. V. *houille.*
COROZO, m. V. *palmier.*
CORPORAL, m. V. *messe.*
CORPORALITÉ, f. V. *corps.*
CORPORATION, f. V. *société, profession, ouvrier.*
CORPOREL. V. *corps.*

CORPORIFIER. V. *corps.*
**Corps,** m. V. *anatomie, chimie, architecture, société, troupe, matière, cadavre, imprimerie.*
CORPS À CORPS, m. V. *escrime.*
CORPULENCE, f. Corpulent. V. *gros.*
CORPUSCULE, m. V. *corps, matière.*
CORRECT. Correctement. V. *bien, exact.*
CORRECTEUR, m. Correctif. V. *corriger.*
CORRECTION, f. V. *corriger.*

*style, imprimerie, punition.*
CORRECTIONNEL. V. *corriger.*
CORRÉLATIF. Corrélation, f. V. *rapport, dépendance.*
CORRESPONDANCE, f. Correspondre. V. *rapport, symétrie, répondre, écrire, poste, chemin de fer.*
CORRESPONDANT, m. V. *lettre, commerce.*
CORRIDA, f. V. *cirque.*
CORRIDOR, m. V. *passage, maison.*
**Corriger.** V. *changer, écrire, instruction, battre.*

---

**Travail de la corne.** — Faire macérer. Ramollir. — Aplatir, aplatisseur, aplatissoir. — Cornetier. — Ecouaner, écouane (lime). Planeter. Racler. Refendre. Embloquer.

**Objets en forme de corne.** — Corne d'abondance. — Corne d'Ammon. — Bicorne. Tricorne. — Cor. Cornet à pistons. Cornemuse. Corne d'appel. — Rhyton. — Cornet. Cornet de papier. — Cornette. — Cornichon. — Cornière. — Objet cornu, biscornu, corniforme, corné (transparent).

**Cornes d'insectes.** — Antennes. Antennules. Appendices. Tentacules. — Insecte antennifère, chrysocère, criocère, cryptocère, macrocère, oxycère. Clavicorne.

Vipère à cornes ou Céraste.

## CORPS
(latin, *corpus;* grec, *sôma*)

**Aspect.** — Corps. Ligne du corps. FORME du corps. Corps dégagé, découplé, élégant, ramassé, etc. — Charpente, bien charpenté. Bien bâti. — Constitution, bien constitué. — Conformation, bien conformé. — Corpulence. Embonpoint. Obésité. Maigreur. — Carrure. Proportions. Stature ou Taille, grande, petite, moyenne. — Allure. Port. — Taille (corsage), mince, fine, de guêpe, courte, épaisse. — Physique. Figure. VISAGE. Teint. Couleur. — CADAVRE.

**Parties extérieures.** — TÊTE. — CHEVEUX. Poil. Crinière. Barbe. — Front. Menton. Joue. Tempe. Occiput. OREILLES. YEUX. — BOUCHE. Gueule. Bec. — Nez. Naseaux. Mufle. Museau. — COU. Col. Encolure. — EPAULES. Garrot. — Buste. Thorax. Tronc. Torse. Coffre. Corsage. POITRINE. Poitrail. — Ceinture. Devant. Derrière. — Dos. Râble. Cimier. Echine. — Colonne vertébrale. Epine dorsale. Vertèbres. — CÔTES. Côtés. Flancs. Reins. — HANCHES. Bassin. Lombes. — Ventre. Bas-ventre. Aine. Giron. — MEMBRES. BRAS. MAIN. JAMBE. PIED. Cuisse. Gigot. — Fesses. Derrière. Croupe. Croupion. — PEAU. Pelage. Fourrure.

**Parties intérieures.** — Cerveau. Cervelle. — Vaisseaux. Veines. Artères. — INTESTINS. Viscères. Cœur. Foie. ESTOMAC. Reins. Rate. Vessie. — Organes des fonctions. Organisme. Appareil circulatoire, respiratoire, digestif, GÉNITAL, etc. — Chair. Tissus. MUSCLES.

MEMBRANES. ARTICULATIONS. — SANG. Nerfs. GRAISSE. HUMEURS. — Squelette. Os. Cartilages. DENTS.

**Relatif au corps.** — ANATOMIE. Pièces anatomiques. — Somatologie. Somatoscopie. Histologie. Physiologie. — Economie animale. — Expérience *in anima vili.* — Corporalité. Corporel, incorporel. Corpuscule, corpusculaire.

MATIÈRES animales. CONCRÉTIONS. Sécrétions. Excrétions. — Sens. SENSATIONS. Appétits charnels. — Corporifier, corporification. — Incorporer, incorporation. — Incarnation, s'incarner. Le Verbe fait chair. Corps glorieux (des élus).

## CORRIGER

**Amender des personnes.** — Redresser, redressement. Apprendre à vivre. Corriger, correction. Punir, PUNITION. Châtier, châtiment. Dompter. — GUÉRIR d'un défaut. Ramener au bien. Améliorer. Rendre meilleur. — Donner une leçon. Morigéner. Instruire. — Civiliser. Policer. Moraliser.

Rentrer en soi-même. Se repentir. Venir à résipiscence. Revenir au bien. Se vaincre.

**Amender des choses.** — Corriger des fautes. Correction. Correcteur. Corrigible. Correctif. — Relever des fautes. Revoir un livre. Corrigé. Correct. Exact. Erratum, errata. Revu et corrigé. — Amender, amendement. Bonifier, bonification. Perfectionner, perfectionnement. Emender un arrêt. Expurger. Repasser. — Dégrossir. Limer. Raboter. Polir. Retoucher, retouche. Rectifier, rectification, rectificatif. Epurer, épuration. — Redresser. Rajuster. Repasser un travail. Retravailler. — RÉPARER, réparation. Ravauder, ravaudage. Rapiécer. — Rature. Surcharge. Deleatur.

**Transformer.** — Transformation, transformateur. — Convertir, conversion, convertisseur. — CHANGER, changement. Heureux changement. — Remettre en état. Remettre à neuf. Restaurer. Retaper. Radouber. Replâtrer. Raccommoder. — Refaire, réfection. Refondre, refonte. Remanier, remaniement. — Réformer, réforme, réformateur. Renouveler, rénovation, rénovateur. Réorganiser, réorganisation. — Régénérer, régénération, régénérateur. — Rhabiller, rhabillage.

CORROBORER. V. *confirmer.*

CORRODER. V. *ronger.*

CORROMPRE. V. *gâter, séduire, débauche.*

CORROSIF. V. *caustique.*

CORROYER. Corroyeur, m. V. *cuir, argile, polir.*

CORRUPTEUR, m. Corruptible. V. *séduire.*

CORRUPTION, f. V. *gâter, mal, débauche, acheter.*

CORS, m. p. V. *corne, cerf.*

CORSAGE, m. V. *poitrine, habillement.*

**Corsaire,** m. V. *marine.*

CORSELET, m. V. *armure, insecte.*

CORSET, m. Corsetière, f. V. *habillement.*

CORTÈGE, m. V. *suite, troupe, fête.*

CORTÈS, f. p. V. *Espagne.*

CORTICAL. V. *écorce.*

CORUSCATION, f. V. *briller.*

CORVÉE, f. V. *travail, peine, féodal, soldat.*

CORVETTE, f. V. *navire.*

CORVIDÉ, m. V. *corbeau.*

CORYBANTE, m. V. *Cybèle.*

CORYMBE, m. V. *fleur.*

CORYPHÉE, m. V. *chant, danse.*

CORYZA, m. V. *rhume.*

COSAQUE, m. V. *cavalerie.*

COSINUS, m. V. *angle.*

COSMÉTIQUE, m. V. *toilette.*

COSMIQUE. V. *monde.*

COSMOGONIE, f. V. *monde.*

COSMOGRAPHIE, f. V. *astronomie.*

COSMOPOLITE. Cosmopolitisme, m. V. *monde, étranger.*

COSSE, f. V. *enveloppe, pois.*

COSSER. V. *tête.*

COSSETTES, f. p. V. *sucre.*

COSSU. V. *riche, légume.*

COSTAL. V. *côte.*

COSTUME, m. Costumier, m. V. *habillement, tailleur.*

COTATION, f. Cote, f. V. *finance, prix, impôt.*

**Côte,** f. V. *géographie, oblique, os, saillie, chemin, rivage.*

**Côté,** m. V. *bord, lieu, écarter, angle, parent.*

COTEAU, m. V. *montagne.*

CÔTELÉ. V. *côte, raie.*

CÔTELETTE, f. V. *viande, barbe.*

COTER. V. *prix, ordre.*

COTERIE, f. V. *troupe, partisan.*

COTHURNE, m. V. *chaussure.*

CÔTIER. V. *rivage.*

COTILLON, m. V. *habillement, danse.*

COTISATION, f. Cotiser. V. *payer, part, souscrire.*

**Coton,** m. V. *plante, fil, barbe, bandage.*

COTONNADE, f. V. *coton.*

COTONNEUX. V. *coton, doux.*

## CORSAIRE

**Corsaire.** — Corsaire (navire). Corsaire (capitaine). — Commission, commissionner. Lettres de marque. — Armer en course. Faire la course. Courir les mers. Croiser, croisière. — Capturer, capture. Prise. Part de prise. Conseil des prises. Droit de rescousse (dû pour navire repris).

**Pirate.** — Ecumeur de mer. BANDIT de mer. — Pirate, piraterie, pirater. — Flibustier, flibuste. — Contrebandier de mer. — Forban. Brigand. — Voler. Piller. Rançonner. — Négrier. Faire la traite.

## CÔTE
(latin, *costa;* grec, *pleura*)

**Cage thoracique.** — Thorax. Côtes. Vraies côtes. Fausses côtes. Sternum. Cartilages costaux. Côte asternale. Côte surnuméraire. — Défaut des côtes. — Muscle sternocostal, costo-abdominal, costo-vertébral, etc. — Costalgie. Fracture. Luxation. — Plèvre. Pleurésie. Point pleurétique. Pleuropneumonie. Point de côté.

**Relatif aux côtes.** — Costal. Intercostal. Sous-costal. Surcostal. — Côtelé. Costiforme. — Côtelette. Entrecôte. — Côte de chou, de melon, etc. Ecôter. — Aller côte à côte. Se tenir les côtes.

## CÔTÉ

**Partie latérale.** — Côté. Le bon côté. Les bas côtés. Coucher sur le côté. S'effacer de côté. Mettre de côté. — Aile d'armée. Aile de bâtiment. — Bord. Bordure. Lisière. Rive. Rivage. Côte. — Flanc. Profil. Versant. Joue. — Biais, biaiser. Oblique. De côté.

**Côté géométrique.** — Angle. Polyèdre. Polygone. — Unilatéral. Bilatéral. Trilatéral. Quadrilatéral. Equilatéral. Isocèle.

**Contiguïté.** — A côté de. Le long de. Adjacent. Parallèle. — Toucher. Longer. Flanquer. Tourner. Côtoyer. — Juxtaposer. — Ligne collatérale. Contre-allée. Canal latéral. — Contact. Contigu. Tangence, tangent. Attenant.

**Direction.** — Aire du vent. Rose des vents. Points cardinaux. — Sens. Gauche. Bâbord, Droite. Tribord. — Outre. Au-delà. Ultérieur. — En deçà. Citérieur. — Amont. Aval. — Devant. Derrière. — De tous côtés. De toute part.

**Surface.** — Avers. Revers. — Pile. Face. — Recto. Verso. — Pan. Paroi. — Chant (d'une brique). Lit (d'une pierre).

Face des choses. Aspect. Apparence. Les côtés d'une affaire.

## COTON

**Production.** — Cotonnerie. — Cotonnier. Capsule. Duvet cotonneux. — Coton. Bourre de coton. Coton bédelin, fin d'once, fin de rame. Fleuret. Jannequin. Capoc. — Balle de coton.

**Préparation.** — Filateur. Filature. Cotonnier. Industrie cotonnière.

Travail du coton brut : Egreneuse. Ouvreuse. Cardes. Nappe. Etireuse. Ruban. Peigneuse. Métier à filer. Retors. Apprêt. Vaporisation.

Travail du coton filé : Bobinage. Ourdissage, ourdissoir. Parage. Encollage. Tissage mécanique.

**Emploi.** — Cotonnades. Calicot. Percale. Zéphyr. Shirting. Madapolam, etc. — Velours et Crêpes de coton. — Cotonnis (mi-soie). — Ouate, ouater.

Pyroxile. Fulmicoton. Coton-poudre. Poudre pyroxilée.

Papier. Soie artificielle ou Rayonne.

COTONNIER, m. V. *coton, arbre.*
CÔTOYER. V. *près, côté.*
COTRE, m. V. *navire.*
COTRET, m. V. *bois.*
COTTE, f. V. *habillement, armes.*
COTYLE, f. V. *articulation.*
COTYLÉDON, m. V. *semence.*
Cou, m. V. *tête, vase, pied.*
COUAC, m. V. *manioc, farine.*
COUARD. V. *lâche.*
COUCHAGE, m. V. *coucher, lit.*
COUCHANT, m. V. *occident.*

Couche, f. V. *étendre, couvrir, jardin, lit.*
COUCHÉ. V. *bas, papier.*
Coucher. V. *nuit, auberge, sommeil, astronomie, bas.*
COUCHES, f. p. V. *accouchement, enfant.*
COUCHETTE, f. V. *lit.*
COUCOU, m. V. *oiseau.*
COUDE, m. V. *bras, articulation, détour.*
COUDÉE, f. V. *mesure.*
COU-DE-PIED, m. V. *pied.*
COUDER. V. *courbure.*

OOUDOYER. V. *bras, toucher.*
COUDRAIE, f. V. *noix.*
Coudre. V. *habillement, piquer, joindre.*
COUDRIER, m. V. *noix.*
COUENNE, f. V. *porc.*
COUETTE, f. V. *lit.*
COUFFIN, m. V. *panier.*
COULAGE, m. V. *verre, perte.*
COULANT, m. V. *bijou, anneau.*
COULÉ, m. V. *musique, billard.*
COULÉE, f. V. *fonderie.*

---

## COU
(latin, *collum*)

**Détail du cou.** — Cou. Nuque. Occiput. GORGE. Gosier. Larynx. Pharynx. Pomme d'Adam. Trachée artère. —· Collet. Encolure. Jabot. — Goitre. — Vertèbres cervicales. Atlas. Axis. Vertèbre proéminente. Apophyse odontoïde. — Cou d'ivoire, d'albâtre, de lis. — Cou de taureau, de cygne, de cigogne.

**Ce qu'on met au cou.** — Bijou de cou. Collier. Chaîne. Châtelaine. Coulant. Pendentif. Bulle. Phalère. Rivière de diamants. Rang de perles.

Collerette. Collet. Col. Faux col. Cravate. Tour de cou. Fichu. Foulard. Mouchoir. Pointe. Cache-col. Fraise. Fraisette. Gorgerette. Gorgerin. Guimpe. Rabat. Rotonde. Hausse-col.

Carcan. Cangue. Collier de force. Tribart. Grelot. Tortouse (corde de pendu).

**Relatif au col.** — Cervical. Nuchal. Vertébral. Intervertébral. Intercervical. — Oiseau nudicolle, plumicolle. — Objet colliforme. Col de vase.

Etrangler, strangulation. Tordre le cou. — Décapiter, décapitation. Couper le cou. Décoller, décollation. — Décolleter, décolletage, décolleteur. — Torticolis.

## COUCHE

**Matière étendue.** — Enduit, enduire. Badigeon, badigeonner. — Beurrée, beurrer. Tartine. — Etaler. ÉTENDRE. — Joncher. Jonchée. Litière. — Superposer. Banc de sable. Banc de houille. Filon. Gisement. Veine. Couche. Couchis. — Coucher. Rangée. Ligne. TRANCHE.

**Disposition à plat.** — Lit. Liter. Aliter des sardines. Délit, déliter. — Fond. Feuille. Lame. Bande. — Plaque. Plaquer, placage. — Strate. Stratification. Stratifier. — Pelure. Pellicule.

## COUCHER
(latin, *cubare*)

**Etendre.** — Coucher. ÉTENDRE. Etaler. — Appliquer. Déposer. — Mettre sur le côté. Mettre sur chant. — Verser. Echouer, échouage. — Abattre. Renverser. — Muscle supinateur. Supination.

**S'étendre.** — Se coucher, couchage. Découcher. — Gésir, gisant. Gîte. — Se prosterner. — Se tapir. Se flâtrer. Se raser. — Ramper. Reptile. — Se vautrer. Se ventrouiller. — Couver, couvaison.

Tomber à la renverse, par terre, à plat ventre, de tout son long.

Horizontal. Penché. Incliné. OBLIQUE. Procombant. Incube. Succube.

## COUDRE

**Ouvriers.** — Maison de couture. Atelier. Ouvroir. Pompe (chez les tailleurs).

Couturier. Couturière. Tailleur. Confectionneur, confectionneuse. Costumier. Coupeur. Pompier. Appiéceur. Lingère. Couseuse. Culottière. Giletière. Jupière. Mécanicienne. Brodeuse. Essayeuse. Rentrayeuse. Ravaudeuse. Cameriste. Femme de chambre.

**Travail.** — Prendre mesure. Couper, coupe. Tailler. — Bâtir. Faufiler. Baguer. Epingler. Empointer. Dépointer. — Coudre. Découdre. Piquer, piqûre. Dépiquer. Rentraire, rentraiture, rentrayage. Surjet, surjeter. — Rempli, remplier. Border, bordure. Ourler, ourlet. Rabattre. — Pince, pincer. Fronce, froncer. — Broderie, broder. Ruché. Feston. — Rapiécer. Rapetasser. Ravauder. Stopper, stoppage. Repriser, reprise, reprise perdue. Rosette. — Boutonnière. Marque, marquer.

Brédir des cuirs. — Brocher un livre. — Ciller un faucon. — Faire une suture.

**Matériel.** — Aiguilles. Dé à coudre. Epingles. Ciseaux. Fil. Bobine. Machine à coudre. — Fournitures. Garnitures. Mercerie. Porte. Agrafe. — Chiffonnier. Nécessaire. Sac à ouvrage. Etui. Pelote. Œuf. — Patron. Mannequin. — Carreau (à repasser). Buisse. Passecarreau.

**Points.** — Points usuels. Point devant. Point arrière. Point de côté. Point d'ourlet. Point de piqûre. Point arrière perlé. Point de surjet. Point de chausson. Point de boutonnière. Point de marque. Point de reprise. Point d'arrêt.

Points d'ornement. Point de chaînette. Point d'épine. Point de feston. Point de croix. Point natté d'Alger. Point de traits. Point Gobelins.

**Couler.** V. *liquide, rivière, fonderie, blanchir, naufrage, fromage, fruit.*
**Couleur,** f. V. *peinture, style, drapeau.*
COULEUVRE, f. V. *serpent.*
COULEUVRINE, f. V. *artillerie.*
COULIS, m. V. *mets.*
COULISSE, f. V. *corde, raie, théâtre, finance.*

COULISSER. V. *corde.*
COULISSIER, m. V. *agent.*
COULOIR, m. V. *galerie.*
COULOIRE, f. V. *filtre.*
COULOMB, m. V. *mesure.*
COULPE, f. V. *pénitence.*
COULURE, f. V. *couler.*
COUP, m. V. *choc, plaie, chagrin, pêche, cartes.*
COUPABLE. V. *faute.*

COUPAGE, m. V. *vin.*
COUPE, f. V. *couper, tailleur, forêt, fourrage, géométrie, cartes, vase, récompense.*
COUPÉ, m. V. *voiture.*
COUPE-FEU, m. V. *feu.*
COUPE-GORGE, m. V. *bandit, tuer.*
COUPELLE, f. V. *chimie.*

---

## COULER
(latin, *fluo* ; grec, *réô*)

**Couler avec force.** — Cours d'eau. Eau vive. Fleuve. RIVIÈRE. TORRENT, torrentiel, torrentueux. RUISSEAU, ruisseler. — Cours. Courant. Contre-courant. Fil de l'eau. Remous. — Courir. Suivre le cours. Aller à vau-l'eau. — Lit de rivière. Mouver du fond. — Affluer, affluent. Confluer, confluent. Refluer, reflux. — Charrier. Déborder, débordement. Inonder, INONDATION. — Flux. Vague. Flot. Rouler des flots. — CASCADE. Cataracte. Chute d'eau.

**S'écouler.** — Couler, écoulement. Découler. — CANAL. Egout. Décharge, se décharger. Puisard. Renard. — Gouttière. Gargouille. Tuyau. ROBINET. Canule. — Circuler. Se répandre. Se déverser. GLISSER. Filer. Passer. Fuir. — Filet d'eau. Veine d'eau. Coulée. Fuite. Onde fugitive. Veine fluide. Fluide, fluidité.

Faire couler. Soutirer. Transvaser. Dépoter. Transfuser. Passer. Filtrer. Verser.

**Jaillir.** — Jaillissement. Jet. Pissement. Surgeon d'eau. Source. Geyser. Hémorragie. Hémorroïde. Epanchement. Bave.

Jaillir. Rejaillir. Sortir de terre. Sourdre. S'extravaser. S'épancher. Se débonder. Pisser. Gicler. — Exprimer. Faire jaillir.

**Couler par gouttes.** — S'égoutter. Couler goutte à goutte. Dégoutter. — S'infiltrer, infiltration. Se dégorger, dégorgement. — Exsuder, exsudation. — Suinter, suintement. Suppurer, suppuration. — Suer, sueur. Transpirer, transpiration. — Pleurer, pleurs. Couler, coulage (perte). — Fluence, flueurs. Leucorrhée. Catarrhe, catarrhal.

Egoutter. Egouttoir. Compte-gouttes. Stilligoutte. — Distiller, distillation. — Instiller, instillation. — Filtrer, FILTRE, filtration. — Suffusion.

## COULEUR
(latin, *color* ; grec, *chrôma*)

**Technique des couleurs.** — OPTIQUE. La chromatique. Chromatisme, chromatique, chromatiser. — Achromatisme, achromatique, achromatiser. — Chromatoscopie. — Pseudochromie (vue fausse). Daltonisme. — Chromolithographie. Chromotypographie.

Couleurs prismatiques. Couleurs simples et composées. Couleurs complémentaires.

Matière colorante. Colorant. Pigment. — Couleurs minérales, végétales, animales, vitrifiables. — Alizarine. Aniline, etc.

**Modalité des couleurs.** — Couleur. Coloris. Email (en blason). — Ton. Tonalité. Teinte. Demi-teinte. Grisaille. Nuance. Gamme. Touche. Reflet. — Pelage. Plumage. Robe. Tatouage. — Bariolage, bariolé. Moirure, moiré. Moucheture, moucheté. Jaspure, jaspé. Bigarrure, bigarré. Diaprure, diapré. Tache, tacheté. Chiné. Pommelé. Panaché. Truité.

Eclat, éclatant. — Vivacité, vif. — Fraîcheur, frais. — Pâleur, PÂLE. — Couleur délavée, rabattue, décolorée.

**Coloration.** — Clair. — Foncé. Sombre. — Changeant. Chatoyant. Uni. Monochrome. Incolore. — Polychrome, multicolore. Pie. Dégradé. — Vif. Tranché. Voyant. Criard. — Haut en couleur. Poussé. Coloré. Colorié. — Neutre. Obscur. Clair-obscur. — Tirant sur. Faux. — Franc. Net. — Tendre. — Camaïeu.

**Mettre de la couleur.** — Peintre. Coloriste. Enlumineur. Aquarelliste. Teinturier. — Colorer. Colorier. Enluminer. Grisailler. — Barioler. Teinter. Moirer. Panacher. — Assourdir. Fondre. Dégrader. — Farder. Tatouer.

**Perdre sa couleur.** — Se décolorer. Déteindre. Pâlir. Ternir. Foncer. S'altérer. — Blanchir. Grisonner. — Rougir. Blondir. Jaunir. Bleuir. Noircir. Verdir.

**Couleurs diverses.** — BLANC. Blanchâtre. Blanc de neige. Argenté. Grivelé.

Gris. Gris de fer, de lin, de souris, pommelé, etc. Livide. Plombé. Rubican. Rouan.

ROUGE. Rougeâtre. Amarante. Balais. Pourpre. Cerise. Incarnat. Incarnadin. Nacarat.

Rose. Rosé. Rosâtre. Chair. Irisé. Gorge-de-pigeon.

JAUNE. Jaunâtre. Feu. Aurore. Beige. Bis. Blond. Blond ardent, doré, cendré. Café au lait. Capucine. Cuivré. Doré. Fauve. Feuille-morte. Isabelle. Mordoré. Orange. Citron. Kaki. Caca d'oie.

Brun. Brunâtre. Bai. Bai brun. Chamois. Chocolat. Marron. Noisette. Châtain. Puce. Rouille. Roux. Roussâtre. Saur.

BLEU. Bleuâtre. Bleu marine. Bleu clair. Bleu foncé. Bleu turquoise. Bleu d'azur. Bleu bleuet. Indigo.

Violet. Violacé. Violâtre. Vineux. Lie de vin. Lilas. Ardoisé. Mauve. Prune. Violine. Zinzolin.

NOIR. Basané. Bistre. Fuligineux. Noirâtre. VERT. Vert bronze. Vert Céladon. Vert pomme. Glauque. Verdâtre. Pers. Olive. Olivâtre. Jade.

Couper. V. *ciseau, couteau, arrêt, interruption, obstacle, mélange, escrime, jeu, blé, barbe, tailleur.*
COUPERET, m. V. *hache, cuisine, boucherie.*
COUPEROSE, f. V. *vitriol, peau.*
COUPEUR, m. V. *tailleur.*
COUPLE, m. et f. Coupler. V. *deux, sexe, joindre.*
COUPLET, m. V. *chant, poésie.*

COUPOLE, f. V. *couvrir, voûte.*
COUPON, m. V. *étoffe, rente, finance, théâtre.*
COUPURE, f. V. *plaie, papier.*
Cour, f. V. *maison, roi, juges, amour.*
COURAGE, m. Courageux. V. *cœur, brave, fermeté.*
COURANT, m. V. *couler, rivière, aimant.*
COURBATURE, f. V. *fatigue.*

Courbe. V. *cercle, rond, géométrie, détour.*
COURBER. V. *courbe, bas, vieux.*
COURBET, m. V. *faucille.*
COURBETTE, f. V. *cheval, saut, saluer.*
Courbure, f. V. *rond, oblique.*
COURETTE, f. V. *cour.*
COUREUR. V. *courir, débauche.*

---

## COUPER
(latin, *secare ;* grec, *temnô*)

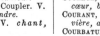

**Couper au ras.** — Raser, rasoir. Tonsurer, tonsure. TONDRE, tonte. Scalper, scalp. — Abattre un arbre, abattage. Recéper, recépage. — Faucher, fauchage. Moissonner, moisson. — Couper les cheveux. Rogner. Bretauder les oreilles. — Circoncire, circoncision. — Moucher une chandelle. — Cisailler, cisaillement, cisailles, ciseaux.

**Couper par morceaux.** — Découper, découpure. Charcuter. Dépecer, dépècement. Disséquer, dissection. — Tailler, taille. Sécateur. — Taillader, taillade. Trancher. Sabrer. Hacher. Enlever le morceau. Emporte-pièce. Emincer. Déchiqueter. — Raboter, rabot. Planer, plane. Doler, doloire. — Autopsier, autopsie.

**Couper un membre.** — Amputer, amputation. Mutiler, mutilation. — Tronquer. Tronçon. Moignon. — Châtrer, castration. OTER. Enlever. Trancher. Ablation. — Raccourcir. Réséquer, résection. — Décapiter, décapitation. Guillotiner. Décollation. — Emonder. Ecimer. Etêter. Ebrancher. Ecrêter. — Ecourter. Ecouer. Essoriller. — Lit de Procuste.

**Entailler.** — ENTAILLE. Estafilade. Balafre, balafrer. — Fendre. Pourfendre. Découdre. — Ouvrir (en chirurgie). Abscission. Incision, inciser. Excision, exciser. Scarification, scarifier. Couper dans le vif. Vivisection. — Entamer, entame. Déchiqueter. Déchirer. — Echancrer, échancrure. Encoche. Dentelure.

**Séparer.** — Séparation. Section. Secteur. Sécante. — Sectionner, sectionnement. — Diviser, division. Fractionner, fractionnement. — Anatomie. Analyse. — Scier. Débiter. Détailler. Stéréotomie. — Scinder, scission. — Césure. Coupe. Coupure. — Interrompre, interruption. — Couper la communication, le sifflet, la parole.

## COUR

**Cours diverses.** — Avant-cour. Arrière-cour. — Cour d'honneur. Cour d'école, de caserne, de prison. — Courette. — Basse-cour. Pailler. Courtil. — Préau. Cloître. — Cour des Miracles. Assemblée. — Cours et Tribunaux. Cour d'appel. Cour d'assises. Cour de cassation. Haute-Cour. Cour des comptes.

## COURBE

**Courbes géométriques.** — Sections coniques. — Hyperbole, hyperbolique. Hyperboloïde. — Ellipse, elliptique, ellipticité. Ellipsoïde, ellipsoïdal. — Hélice. Hélicoïde, hélicoïdal. — Spirale, spire, spiral. — Parabole, parabolique. Paraboloïde. — Ovale, oval, ové. — Trajectoire. — Sphéroïde. — Réfractoire. — Tractoire. — Cissoïde. — Caustique. — Chaînette. — Conchoïde. — Cycloïde. Epicycloïde. — Quadratrice. — Orbite. — Circonférence. Contour.

Courbe plane, radiale, redondante, transcendante, orthogonale, pélécoïde, isochrone, logarithmique, obovale, focale, etc.

**Données des courbes.** — Abscissse. Apsides. Arc. Asymptote. Axe. Sommet. Pôle. Tangente. Foyers. Degré. Branche. Diamètre. Courbure. Rayon de courbure. Nœud. Courbe génératrice.

Lignes et points conjugués. Lignes coordonnées, ordonnées. — Point double. Point générateur. Point d'inflexion. Point multiple. Point d'osculation, de contact. Point singulier. Point de rebroussement. Point de serpentement. — Paramètre.

**Dessin de courbe.** — Décrire, tracer, rectifier une courbe. — Ellipsographe. Curvigraphe. Curviligne. Compas. Coupe-cercle. Equerre. Pistolet. Plume géométrique. — Trait. Singliots. Spire. Volute. Tympan. Cercle.

## COURBURE

**Dans l'art.** — Arc. Arcature. Arceau. Arche. — Arcade. Archivolte. — Dôme. Coupole. — VOÛTE. Douelle (courbure de la voûte). Cintre. — Méplat. Galbe. Rond. — Bosse. Saillie. Cabochon. — Entrelacement. Lacis. Feston. Ornement plexiforme. — Croissant. Pied-de-biche. Retroussis.

**Dans le travail.** — Bomber. Bosseler. Bigorner. Chever. — Arrondir. Contourner. Tourner. Chantourner. Arquer. Cintrer. — Plisser. Replier. Rabattre. Recourber. Rouler. Retrousser. — Emboutir. Retreindre. River. — Gauchir. Fausser. Voiler.

**Dans les lignes.** — Anguleux. Arrondi. Bancal. Bombé. Bossu. Bosselé. Concave. Convexe. Coudé. Dévié. Courbé. Crochu. Biscornu. Gauche. Déjeté. De guingois. De travers. En zigzag. Tortu. Tortueux. Tors. Si-

*Courge*, f. V. *légume*.
COURGETTE, f. V. *courge*.
*Courir*. V. *jambe, pied, allure, cheval, prompt, débauche*.
COURLIS, m. V. *oiseau*.
*Couronne*, f. V. *cercle, chef, guirlande, gloire, pain, dent*.
COURONNÉ. V. *cheval*.

COURONNEMENT, m. Couronner. V. *roi*.
COURRE. V. *chasse*.
COURRIER, m. V. *mission, poste*.
*Courroie*, f. V. *lier, bande*.
COURROUCER. Courroux, m. V. *colère, mer*.
COURS, m. V. *couler, rivière, astronomie, finance, com-*

*merce, promenade, prix, vogue*.
COURSE, f. V. *courir, mouvement, voiture, cheval, corsaire, jeu*.
COURSIER, m. V. *cheval, canal*.
COURSIVE, f. V. *navire*.
COURSON, m. V. *vigne, branche*.

---

nueux. Infléchi. Replié. Cagneux. OBLIQUE. Réfracté. Incurvé. Contourné. Cambré. Chantourné. Arqué. Cintré. Tremblé. Onduleux. Racorni. Recroquevillé.

**Dans les mouvements.** — Se courber, courbure, courbette. Muscle curvateur. Curvatif (qui se courbe). — Se cambrer, cambrure. — Fléchir, flexion, fléchissement. S'infléchir. Inflexion. — S'incliner, inclinaison. — Se TORDRE, torsion. Se déjeter. Se disloquer. Ressaut. — Se replier. Se ratatiner. Se racornir. — Se déformer. Jouer. — Se voûter. Chanceler. Tituber. — Onduler, ondulation. Serpenter.

**Objets à courbure.** — Outils courbes. Sonde ancylomèle. Bistouri ancylotome. — Bec-de-corbin. Crochet. — Courbet. Serpe. Faux. Faucille. — Arc. Cimeterre. Bancal. — Crosse. Boucle. Lentille. Siphon. — Coude. Jarret. — Parenthèse. Virgule. Cédille. — Griffe. Serre, etc.

### COURGE

**Culture.** — Melonnière. Couche. Cloche de verre. — Arrêter des melons. Pincer. Bras. Vrilles. Maille (œil), mailler. Tiges coureuses. Côtes. Tranches. Chair. Eau. Pépins.

**Cucurbitacées.** — Aubergine. Concombre. Cornichon. Coloquinte. — Courge. Courgette. Pâtisson. Courge-bouteille. Calebasse. — Melon. Cantaloup. Sucrin. Pastèque. Citrouille. Potiron.

### COURIR

(latin, *cursus*, course ; grec, *dromos*)

**Vive allure d'homme.** — Courir. Courir à toutes jambes, à perdre haleine. Courir comme un dératé. — Prendre ses jambes à son cou. Jouer des jambes. — Prendre son élan. S'élancer. Se précipiter. Fondre sur. Se ruer. — Accourir. Distancer. Devancer.

Pas de course. Pas gymnastique. Pas accéléré. — Doubler le pas. Hâter le pas. Aller à pas précipités.

Léger à la course. Leste. Prompt. — Coureur. Courrier. Estafette. — Qui se fait en courant. Cursif.

**Sport.** — Course. Course plate. Course au trot. Course d'obstacles. Steeple-chase. — Course à pied. Course cycliste. Course cyclopédestre. — Régates. — Course d'automobiles. — Course de chars. — Course de lévriers. — Course de taureaux.

Champ de course. Hippodrome. Arène. Carrière. Piste. Stade. Autodrome. Vélodrome.

**Vive allure d'animaux.** — Trotter, trotteur, trotte. Trottiner. — Galop, galoper, galopade. — Courir ventre à terre, à bride abattue, à franc étrier. — Fendre l'air. Brûler le pavé. Filer. Détaler. Charger.

**Poursuite.** — Courir le cerf. Chasse à courre. Animal courable. — Chien courant. — POURSUIVRE. Courir après. — Faire la course (sur mer). Armer en course. — Courir les honneurs. — Courir la prétentaine.

### COURONNE

**Insigne de la puissance.** — Couronne royale. Bandeau. Diadème. — Couronne de fer (des Lombards). — Tiare. Règne. Triérège (du pape). — Couronne d'épines (de Jésus). — Auréole. Nimbe. Gloire (des saints).

Ceindre la couronne. Couronner, couronnement. Tête couronnée. Découronnement.

**Couronnes héraldiques.** — Couronne impériale, aulique, royale, des fils de France, de duc, de marquis, de comte, de vicomte, de baron, de chevalier.

Couronne cintrée, à fleurons, fermée, ouverte, perlée, radiale, tourelée. Tortil.

**Décorations.** — Couronne de chêne. Couronne de laurier. Lauriers. Lauréat. — Couronne de rosière, de mariée, de communiante. — Couronne de fleurs. Chapeau de fleurs, de roses. — Guirlandes. — Tresser des couronnes.

Couronnes antiques. Couronne civique, castrense, murale, vallaire, obsidionale, navale, rostrale. triomphale.

### COURROIE

**Courroies d'équipement.** — Buffleterie. Baudrier. Ceinturon. Fourniment. CEINTURE. Bretelle. Brassières. Bandes molletières.

**Courroies de harnachement.** — Bride. Rênes. Guides. — Licou. Longe. Plate-longe. — Collier. Bricole. Traits. — Etrière. Etrivière. — Sangle. Sous-ventrière. — Soupente (de voiture).

**Autres courroies.** — Bande. Bandage. — Attache. Lien. — Lanière. Lasso. — Laisse. Couple. — Tirant. Sous-pied. — FOUET. Escourgeon. — Courroie de machine. Courroie de transmission. Brin conducteur, brin conduit.

**Court.** V. *abrégé, petit.*
COURTAGE, m. V. *commerce, finance.*
COURTAUD, m. V. *court.*
COURTAUDER. V. *queue, oreille.*
COURT-BOUILLON, m. V. *mets.*
COURTEPOINTE, f. V. *couverture.*
COURTIER, m. V. *agent, prix.*
COURTIL, m. V. *jardin.*
COURTISAN, m. V. *roi, flatter.*
COURTISANE, f. V. *prostitution.*
COURTISER. V. *galant, cajoler, fréquenter.*
COURT-JOINTÉ. V. *cheval.*
COURTOIS. Courtoisie, f. V. *politesse, galant, élégance.*

COUSCOUS, m. V. *bouillie, Arabes.*
COUSIN, m. V. *parent.*
COUSINER. V. *ami, accord.*
**Coussin,** m. V. *siège, dentelle.*
COUSSINET, m. V. *axe.*
COÛT, m. V. *prix, payer.*
**Couteau,** m. V. *armes, coquillage.*
COUTELAS, m. V. *couteau.*
COUTELIER, m. Coutellerie, f. V. *couteau, aiguiser.*
COÛTER. Coûteux. V. *prix, perdre.*
COUTIL, m. V. *étoffe.*
COUTRE, m. V. *charrue.*
COUTUME, f. Coutumier. V. *habitude, ordinaire.*

COUTURE, f. V. *coudre, raie.*
COUTURIER, m. Couturière, f. V. *habillement, tailleur.*
COUVAIN, m. V. *insecte.*
COUVÉE, f. V. *oiseau.*
COUVENT, m. V. *moine, commun.*
COUVER. V. *œuf, poule, chaleur, préparer, regard.*
COUVERCLE, m. V. *couvrir.*
COUVERT, m. V. *vaisselle, ombre, abri.*
COUVERT. V. *couvrir, cacher.*
COUVERTE, f. V. *émail, porcelaine.*
**Couverture,** f. V. *couvrir, enveloppe, lit, livre, garant, garde, aile.*
COUVEUSE, f. V. *œuf.*

---

## COURT
(latin, *brevis*; grec, *brachys*)

**Court dans le temps.** — Moment. Instant. Minute. — Temps qui fuit. Vie courte. — Passade. Météore. Feu de paille. — Passer. Passer comme un éclair. Etre sans durée. — Faire en un clin d'œil, en un tour de main, en moins de rien.

Ephémère. Instantané. Bref. Momentané. Passager. Précaire. Provisoire. Temporaire. Transitoire. Viager.

**Court dans l'espace.** — Accourcir. Raccourcir. Contracter. DIMINUER. Réduire. Limiter. Borner le cours. Resserrer. — Ecourter. Couper. Tronquer. Mutiler. Raser.

Court. Bref. Petit. PLAT. APLATI. Ecrasé. Rabougri. — Etriqué. Court-vêtu.

**Court de taille.** — Nain. Pygmée. Nabot. Avorton. Lilliputien. Bout d'homme. Petit Poucet. Tom Pouce. — Poney. Cheval goussaut.

Petit. Courtaud. Gros et court. Rondelet. Trapu. Tassé. Ramassé. Mignon. Ragot. Mal venu.

**Court d'expression.** — Bref, brièveté, brièvement. — Concis, concision. — Laconique, laconisme. — Précis, précision. — Succinct, succinctement. — Sommaire, sommairement. — ABRÉGÉ, abréviation. — Elliptique, ellipse. — Brachylogie. — Dire en un mot, en peu de mots. Style nerveux. — Couper court.

## COUSSIN

**Sortes de coussins.** — Coussin. Coussinet. Carreau. Semelle. — Boudin. Bourrelet. Pelote. — SIÈGE de fauteuil, de canapé, de voiture. Rond de cuir. — Oreiller. Traversin. Matelas. Edredon. — Paillasse. Paillot. Sac.

**Façon.** — Bourre. Crin. Plume. Coton. Laine. Duvet. Paille. Capoc. Varech. — Toile. Coutil. Drap. Soie. Velours. Tapisserie.

Tapissier. Matelassier. Bourrelier. — Matelasser. Rembourrer, rembourrage. Capitonner, capitonnage.

## COUTEAU

**Fabrication.** — Coutellerie. Coutellerie de Thiers, de Châtellerault, de Nogent, de Langres. — Acier. Corne. Bois, etc. — Ouvrier coutelier. Marteleur. Forgeur. Limeur. Emouleur. Polisseur. Plaqueur. Métreur. Cacheur. Monteur. Affileur.

**Parties de couteau.** — Balance. Battement. Châsse. Coquille. Coulisse. Crosse. Cuvette. Embase. Dos. Frayé. LAME. MANCHE. Mentonnet. Mitre. Onglet. Plate-bande. Platines. Pointe. Queue. Rainure. Ressort. Rosette. Soie. Taillant. Talon. Tranchant. Virole. Vis en T.

**Couteaux divers.** — Couteau de table, à dessert, de poche. — Couteau de cuisine, de chasse, de chirurgie. — Couteau à découper, à trancher, à dépecer, à vendanger. — Couteau à papier, à conserves, à huîtres. — Couteau à virole, à pompe, à palette, à loquet. Bistouri. Scalpel. Lancette. Flamme. Coutelas. Coutille. Couteau-poignard. Navaja. Eustache, f. Surin, f. — Canif. Jambette. — Coupe-cors. Grattoir. Tranchet. Rasoir. — Couperet. Hachoir. Tranchelard. — Epluchoir. Etiquette. Plane. Paroir. Greffoir. Serpette.

**Relatif au couteau.** — AIGUISER. Repasser. Affûter. Affiler. — Pierre. Fusil. Pâte. — Fil. Morfil. — Coutelière. Ecrin. Trousse. — Gaine. Etui. — Service à découper.

## COUVERTURE

**Sortes de couvertures.** — Couverture de voyage. Plaid. Mante. — Couverture de lit. Couverte. Couvre-lit. Courtepointe. Couvre-pieds. Edredon. — Bâche. Banne. Bagnolet. Pavage. Prélart. — Housse. Toilette. Tapis. Centon.

**Fabrication.** — Couverturier. Aplaneur, aplaner. Croisée (corde). — Laine. Coton. Ploc. Toile. Toile cirée. — Piquer. Bourrer. — Type fin, marchand, grand fin, grand repassé, passe grand fin.

**Usage.** — Etendre. — Enrouler. — Couvrir. Housser. — Bâcher. Banner. — Berner.

COUVI. V. *œuf.*

COUVRE-CHEF, m. V. *chapeau.*

COUVRE-FEU, m. V. *soir.*

COUVRE-NUQUE, m. V. *casque.*

COUVRE-PIED, m. V. *lit.*

COUVREUR, m. V. *toit, ardoise.*

**Couvrir.** V. *sur, abri, défendre, abondance, nuage, commerce.*

COVENANT, m. V. *association, convention, paix.*

COW-BOY, m. V. *Amérique.*

COXALGIE, f. V. *hanche.*

CRABE, m. V. *crustacé.*

CRACHAT, m. V. *poitrine, rhume, ordure, bijou.*

CRACHEMENT, m. Cracher. V. *bouche, salive, jet.*

CRACHIN, m. V. *brouillard, pluie.*

CRACHOTER. V. *salive.*

**Craie,** f. V. *terre.*

CRAILLER. V. *corbeau.*

CRAINTE, f. Craintif. V. *peur, défiance.*

CRAMOISI, m. V. *rouge.*

CRAMPE, f. V. *convulsion.*

CRAMPON, m. Cramponner. V. *clou, fixe.*

CRAN, m. V. *entaille, raie.*

CRÂNE, m. V. *tête, cerveau.*

CRÂNE. Crâner. V. *brave, hardi.*

CRÂNERIE, f. V. *bravade.*

CRÂNIEN. Craniologie, f. V. *cerveau.*

**Crapaud,** m. V. *reptile, piano.*

CRAPAUDINE, f. V. *axe.*

CRAPULE, f. Crapuleux. V. *vil, débauche.*

CRAQUE, f. V. *mensonge.*

CRAQUELÉ. V. *fente.*

CRAQUELIN, m. V. *pâtisserie.*

CRAQUER. V. *bruit, casser.*

CRASE, f. V. *contraction.*

CRASSANE, f. V. *poire.*

CRASSE, f. Crasseux. V. *sale, ordure.*

CRATÈRE, m. V. *volcan.*

CRATICULATION, f. V. *dessin.*

CRATIE (suff.). V. *pouvoir.*

CRAVACHE, f. Cravacher. V. *cheval, punition.*

CRAVATE, m. V. *cavalerie.*

CRAVATE, f. V. *cou.*

CRAYEUX. V. *blanc.*

**Crayon,** m. V. *dessin, écrire.*

CRÉANCE, f. V. *croire, confiance, dette, prêter.*

CRÉANCIER, m. V. *compte,*

*commerce, payer, dette.*

CRÉATEUR, m. V. *cause.*

CRÉATION, f. V. *nature, génération, faire.*

CRÉATOPHAGE. V. *chair.*

CRÉATURE, f. V. *animal, faveur.*

CRÉCELLE, f. V. *bruit.*

CRÈCHE, f. V. *étable, enfant, aumône.*

CRÉDENCE, f. V. *armoire, autel.*

**CRÉDIT**, m. V. *confiance, estime, influence, dette, commerce, prêter, vendre, finance.*

CRÉDITER. Créditeur, m. V. *compte.*

CREDO, m. V. *prier.*

CRÉDULE. Crédulité, f. V. *croire, confiance, naïf, superstition.*

CRÉER. V. *faire, imaginer, théâtre.*

CRÉMAILLÈRE, f. V. *cheminée, dent, pendre.*

CRÉMATION, f. Crématoire. V. *brûler, cadavre, funérailles.*

CRÈME, f. V. *lait, bouillie, pâtisserie, écume.*

CRÉMERIE, f. Crémier, m. V.

---

## COUVRIR
(latin, *tegere, tectum*)

**Recouvrir.** — Couvrir une maison. Couverture. Couvreur. TOIT. Toiture. Coupole. Dôme. Pavillon. — CACHER sous. — Chape. Chapiteau. Couvercle. Cloche. Dessus. Dais. Opercule. — Imbriquer, imbrication. Clin (de bateau). — Chevaucher. Enchevauchure. Brocher sur. — Joncher. Parsemer. — Recouvrir de terre. Enterrer. Enfouir.

**Revêtir.** — Coiffer, coiffe, coiffure. Calotte. Capuchon. Chapeau. — Habillement. Vêtement. Manteau. Tunique. VOILE. — Drap mortuaire. Poêle. Linceul. — ENVELOPPE. Fourreau. Gaine. Etui. — Harnais. Harnachement. Bât. Courtepointe. — Housser, housse.

**Appliquer.** — Appliquer. Application. — Tapisserie, tapisser. Tenture, tendre. Lambris, lambrisser. Placage, plaquer. — Peinture, peindre. Revêtement. Plâtrer. Enduit, enduire. Couche. — Couverture. Recouvrage. Doublure. Doublage. — PEAU. Epiderme. Croûte. Ecorce. Membrane. Pellicule. Tégument. — Volet. Fermeture. Rideau. — Gazer. Voiler, voile. Masquer, masque. Bander, bandeau.

**Protéger.** — Protection. Couvrir une place. — Abriter, abri. TENTE-abri. Mettre à couvert. — Couvre-chef. Couvre-nuque. Se couvrir. Couvrir un enfant. — Armer, ARMURE. Cuirasser, cuirasse. Barder de fer. — Carapace. Coquille. Test. — Couvre-culasse. Couvrecapot.

Couvrir quelqu'un. Excuser. Pallier.

---

## CRAIE
(latin, *creta*)

**La craie.** — Carbonate de chaux. Craie. Blanc d'Espagne. Blanc de Meudon. — Agaric (craie fossile). — Craie de Briançon (talc). — Argile blanche. Marne. — Tuffeau. — Craie préparée (médicament).

**Relatif à la craie.** — Crétification. Crayère. Crétacé. Crayeux. — Pain de craie. Bâton de craie. Crayon blanc. — Tableau noir. Tringler. — Caves de Champagne. — Falaises.

---

## CRAPAUD

**Le crapaud.** — Batracien. Anoure. Insectivore. — Crapaud, crapaude. Crapelet. — Crapaud commun. Crapaud accoucheur. Agua. — Crapaudière. Têtard. Frai. — Bave. Mains et pieds. Verrues. Pustules verruqueuses. Parotides. Venin.

---

## CRAYON

**Matières.** — Mine de plomb. Plombagine. — Charbon. Fusain. — Graphite. Sanguine. Ocre. Pastel. Rosette (craie rouge). — Ardoise. Pierre infernale. — Pierre noire (argile).

**Emplois.** — Crayon de bois. Crayon de couleur. Crayon Conté. — Porte-crayon. Portemine. Tire-ligne. Estompe. Touche.

Crayonner. Dessiner. Estomper. — Esquisse. Schéma. Tracé.

*lait, fromage, auberge.*
CRÉMONE, f. V. *fenêtre.*
CRÉNEAU, m. V. *fortification.*
CRÉNELER. V. *mur, entaille.*
CRÉOLE, m. et f. V. *colonie.*
CRÉOPHAGE. V. *chair.*
CRÉOSOTE, f. V. *goudron.*
CRÊPE, m. V. *étoffe, bandage, caoutchouc, funérailles.*
CRÊPER. V. *pli.*
CRÉPI, m. V. *ciment.*
CRÉPIN, m. V. *soulier.*
CRÉPINE, f. V. *charcuterie.*
CRÉPIR. V. *mur, maçon.*
CRÉPU. V. *poil.*

CRÉPUSCULE, m. V. *soir, nuit, ombre.*
Cresson, m. V. *salade.*
CRESSONNIÈRE, f. V. *cresson.*
CRÉTACÉ. V. *craie.*
CRÊTE, f. V. *oiseau, saillie.*
CRÉTIN, m. Crétinisme, m. V. *difforme, sot.*
CRETONNE, f. V. *étoffe.*
CRETONS, m. p. V. *suif, résidu.*
CREUSER. V. *fond, fosse, ouvert, attention.*
CREUSET, m. V. *chimie, fonderie.*

Creux. V. *vide, antre, main, souterrain, sot.*
CREVASSE, f. V. *creux, fente, plaie.*
CRÈVE-CŒUR, m. V. *chagrin.*
CREVER. V. *casser, mort, pus, cuire.*
CREVETTE, f. V. *crustacé.*
Cri, m. V. *voix, plainte.*
CRIAILLER. V. *cri.*
CRIARD. V. *cri, hargneux, aigu, couleur.*
CRIBLE, m. Cribler. V. *tamis, graine, trier, passer.*
CRIBRATION, f. V. *passer.*

---

## CRESSON

**Qui a trait au cresson.** — Cresson de fontaine. Cresson alénois. Véronique cressonnée. Cardamine.

Cressiculture. Cressiculteur. Cressonnière. Salade de cresson. Jus de cresson (dépuratif). La santé du corps.

### CREUX

**Parties creuses.** — Angle rentrant. Cannelure. Cavité. Cellule. Ciselure. Compartiment. Concavité. Cotyle (d'articulation). Coulisse. Coulisseau. Crapaudine (de ferrure). Douille. Emboutissage. Enfoncement. FOURREAU. Glyphe (dans Triglyphe). Godet. Intrados. MORTAISE. Pli. Salières (des épaules). Sinus. Ventricule. Yeux (du fromage).

**Choses creuses.** — Alcôve. Alvéole. AUGE. Bassin. BOÎTE. Bouteille. BOURSE. Caisse. CANAL. Canon. Cave. Chambre. Citerne. Conduit. Creuset. Cuiller. FOSSE. Fossette. Fistule. Gouttière. Loge. MOULE. Niche. Poche. Pochette. Tube. Tunnel. Tuyau. Vaisseau. Vaisselle. VASE.

**Creux de terrain.** — Anfractuosité. ANTRE. Caverne. Gorge. — Vallée. Val. Vallon. Dépression. Thalweg. Ravin. Cavée. — Creux. Flache. Fondrière. Ornière. — Affouillement. Gour. Ravine. — Gouffre. Abîme. Précipice. — Golfe. Baie. Anse. Crique.

**Excavation.** — Fouilles, fouiller. Fossé. Tranchée. — MINE. Puisard. Puits. — Retranchement. Sape. Galerie. — Sillon. Enrue. Silo. — Effondrement. Fondis. Déblais.

**Fente.** — Crevasse. Fente. Ouverture. Coupure. Echancrure. Interstice. — Trou. Forage. — RAIE. Rainure. Ride. Trace. Cicatrice. ENTAILLE.

**Façons d'être creux.** — Creux. Cave. Profond. Ouvert. Fendu. Echancré. Rayé. Ridé. Miné. Sapé. Fouillé. Effondré. Concave. Entaillé. Plissé. Sillonné. Imprimé.

**Travail en creux.** — Fouiller. Affouiller. — Canneler. Creuser. Chever. — Crever. Se crevasser. — Déblayer. — Emboutir. Enfoncer. — Echancrer. Evider. — Excaver. Fouir. Enfouir. — Graver. Ciseler. — Labourer. Miner. — PÉNÉTRER. PERCER. Forer. Ouvrir. — Rider. Plisser. Sillonner. — Vider. Saper. Caver. — Piocher. Bêcher.

---

## CRI

**Cri violent.** — Acclamer, acclamation. — Crier, criard. Cri aigu, strident, perçant. Pousser des cris, des clameurs. — Vociférer, vocifération. — Brailler, braillard. Gueuler, gueulard. — Crier à pleine gorge, à gorge déployée, à tue-tête. — Percer les oreilles. Corner aux oreilles. — Tempêter. Hurler. — S'égosiller. S'époumoner. — Chasser à cor et à cri. Hucher. Mener grand bruit.

**Cri modéré.** — Cri étouffé, sourd, inarticulé. Laisser échapper un cri. — Sanglot, sangloter. Plainte, plaintif, se plaindre. Gémissement, gémir. Geindre, geignard. Lamentation, se lamenter. — Vagir, vagissement. — Piauler, piaulement. — Crier, criée, crieur. Proclamer, proclamation. Ban.

**Récrimination.** — Se récrier. — Criailler, criaillerie, criailleur. — Réclamer, réclamation. Tolle général. Protester, protestation. Crier comme un beau diable. — Clabauder. Déblatérer. Huer, huée. Haro.

**Cri exclamatif.** — Exclamation, s'exclamer. Interjection. — Oh! Ah! — Hip! Hurrah! — Au secours! A moi! — Vive! Vivat! Bravo! Bis! — En avant! — Qui vive? — Sauve qui peut! etc.

**Cris des animaux.** — Ane. Braire. — *Bœuf* et *vache*. Beugler. Meugler. Mugir. — *Brebis* et *mouton*. Bêler. — *Buffle*. Souffler. — *Cerf* et *daim*. Bramer. Raire. — *Chameau*. Blatérer. — *Chat*. Miauler. Ronronner. — *Cheval*. Hennir. S'ébrouer. — *Chèvre*. Bêler. — *Chien*. Aboyer. Hurler. Clabauder. Japper. — *Eléphant*. Barrir. — *Grenouille*. Coasser. — *Lion*. Rugir. — *Loup*. Hurler. — *Porc*. Grogner. — *Renard*. Glapir. — *Serpent*. Siffler. — *Souris*. Chicoter. — *Tigre*. Feuler. Rauquer.

*Aigle*. Trompeter. — *Alouette*. Tirelirer. Turluter. — *Butor*. Butir. — *Caille*. Courcailler. Margotter. — *Chouette*. Ululer. Tutuber. — *Cigogne*. Craqueter. — *Coq*. Coqueriquer. — *Coq de bruyère*. Dodeldir. — *Corbeau*. Croasser. Grailler. — *Corneille*. Crailler. Babiller. — *Coucou*. Coucouler. — *Dindon*. Glouglouter. — *Geai*. Cajoler. — *Grue*. Craqueter. — *Hibou*. Bubuler. — *Hirondelle*. Trisser. — *Huppe*. Pupuler. — *Milan*. Huir. — *Moineau*. Pépier. Chucheter. — *Oie*. Cacarder. — *Oiseaux divers*. Chanter. Gazouiller. Fredonner. Frouer. Ramager. — *Perdrix*.

*Cric*, m. V. *machine*.
CRICKET, m. V. *paume*.
CRIÉE, f. V. *vendre, adjudication*.
CRIER. V. *cri, voix, bruit, fureur, public*.
CRIEUR, m. V. *adjudication, journal*.
*Crime*, m. V. *mal, faute, tuer, injuste*.
CRIMINEL. V. *méchant, bandit*.
CRIN, m. Crinière, f. V. *poil, cou, cheval, casque*.

CRINOLINE, f. V. *habillement*.
CRIQUE, f. V. *mer, abri*.
CRIQUET, m. V. *sauterelle*.
CRISE, f. V. *embarras, danger, attaque, maladie, fureur, passion*.
CRISPATION, f. Crisper. V. *contraction, grimace, convulsion, colère*.
CRISPIN, m. V. *gant*.
CRISSEMENT, m. Crisser. V. *bruit, aigu*.
*Cristal*, m. V. *verre, transparent, sel*.

CRISTALLERIE, f. V. *cristal*.
CRISTALLIN. V. *cristal*.
CRISTALLISATION, f. Cristalliser. V. *concrétion, chimie, minéral, sel*.
CRISTÉ. V. *oiseau*.
CRITÉRIUM, m. V. *juger, vérifier*.
CRITIQUE, f. Critiquer. V. *blâme, examen, attaque, littérature*.
CROASSER. V. *corbeau*.
*Croc*, m. V. *pendre, prendre, dent, chien*.

Cacaber. — *Pie*. Jacasser. — *Pigeon*. Roucouler. — *Poule*. Caqueter. Glousser. Crételer (après ponte). — *Poulet*. Piauler. — *Rossignol*. Rossignoler.
*Cigale*. Striduler. — *Grillon*. Grilloter.

## CRIC

**Les crics.** — Cric simple (1 pignon). Cric composé. Vérin. Cric d'automobile. Cric à noix.

**Parties du cric.** — Chape. Crémaillère. Cliquet. Pignon. Tête de crémaillère. Champignon. Croissant. Manivelle.

### CRIMES ET DÉLITS

**Crimes.** — Assassinat. Meurtre. Crime capital. Attentat. Forfait. Attaque à main armée. Brigandage. Banditisme. Guet-apens. Atrocités. Horreurs. Viol. Empoisonnement. Incendie. Trahison. Abus de confiance. Vol qualifié. Sacrilège. Lèse-majesté. Lèse-humanité.

Acte criminel, abominable, exécrable, atroce, odieux, indigne, infamant.

Cas grave, impardonnable, irrémissible, pendable.

**Délits.** — Fait délictueux. Méfait. Mauvais coup. FAUTE. Délit. Quasi-délit. Violation de la loi. Fraude. Faux. Escroquerie. Vol. — Contravention. Prévarication. Malversation. Concussion. Tricherie. Flagrant délit. — Corps du délit. MAL. VICE. PÉCHÉ. Excès. Désordres.

Actes d'immoralité, de perversité, de méchanceté, d'iniquité, de turpitude, de noirceur.

**Criminels et malfaiteurs.** — Assassin. Meurtrier. Scélérat. Homicide. Parricide. Fratricide. — Brigand. BANDIT. Apache. Gibier de potence. Homme de sac et de corde. Forban. Pirate. — Malfaiteur. Incendiaire. Traître. — Faussaire. Escroc. Voleur. Cambrioleur.

Malandrin. — Vaurien. Pendard. Coquin. Fripon. — Coupable. Délinquant. — Sacrilège. Relaps. — Forçat. Convict. Repris de justice. Récidiviste.

**Action judiciaire.** — Criminalité. Culpabilité. — Accusation. Chambre de mise en accusation. — Confrontation. Criminaliser. — Tribunaux. Cour d'assises. Tribunal correctionnel. — Justice de paix. Tribunaux spéciaux. Circonstances atténuantes. Circonstances aggravantes. Preuves convaincantes. Condamnation. Verdict. Criminaliste.

Peine. Peine de mort. Travaux forcés. Galères. Réclusion. PRISON. Déportation. — Dégradation civique. Casier judiciaire. Flétrissure. Infamie. — Interdiction de séjour. Exil. Proscription. — Arrêté d'expulsion.

### CRISTAL

**Constitution des cristaux.** — Cristalliser, cristallisation, cristallisable. Cristallin. — Cristal de roche. Cristallière. — Sels. — Concrétions. — Cavités cristallifères : Craque. Druse. Géode.

Parties des cristaux : Base. Face. Facette ou Troncature. Lame. Lamelle. Molécules. Noyau. Angles. Réfraction.

Cristal artificiel. Cristallerie. Cristal de Baccarat, de Bohême, de Venise. — Véricle. Strass.

**Cristallisation.** — Cristaux naturels. Cristaux artificiels. — Procédés de cristallisation : Fusion. Sublimation. Dissolution et évaporation. Dissolution à chaud et refroidissement. Courant électrique.

Systèmes cristallins, cubique, quadratique, orthorhombique, hexagonal, rhomboédrique, clinorhombique, triclinique. — Axe de symétrie. Angles dièdres et polyèdres. — Clivage. — Substances isomorphes, dimorphes, polymorphes.

Stalactite. — Stalagmite. — Dendrite. — Fer de lance. — Prisme. — Table. — Cristaux aciculaires, lenticulaires, hyalins, squamiformes, prismatiques, géniculés. — Arbres, de Diane (argent), de Mars (fer), de Saturne (plomb), de Vénus (cuivre).

**Etude des cristaux.** — Cristallographie. Cristallométrie. Cristallonomie. Cristallotomie. — Minéralogie. — Chimie. — Goniométrie.

### CROC

**Croc.** — Croc. Croc à ciseaux. Croc à émerillon. Croc à fumier. Croc à pommes de terre. Croc de boucherie. — Crocs de chien.

**Crochet.** — Crochet à boutons. Crochet de boîte. Crochet de seau. Crochet de puits. Crochet d'attelage. Crochet d'architecture. Crochet de serrurier. Crochet de couturière. Crochet à dentelle. Crochet de commissionnaire. Clou à crochet.

CROCHET, m. V. *croc, dent, dentelle, tricot, porter.*
CROCHETER. V. *serrure.*
CROCHETEUR, m. V. *porter.*
CROCHU. V. *croc.*
**Crocodile**, m. V. *reptile.*
**Croire.** V. *confiance, juger.*
CROISADE, f. V. *Croisé, m. V. croix, guerre, pèlerin.*
CROISÉE, f. V. *fenêtre, ancre, barre, chardon, croix.*
CROISEMENT, m. Croiser. V. *croix, traverser, rencontre, mélange, entrelacer, espèce, métis.*
CROISERIE, f. V. *claie.*
CROISEUR, m. V. *navire.*
CROISIÈRE, f. V. *marine, voyage.*

CROISILLON, m. V. *charpente.*
CROISSANCE, f. V. *grand, augmenter.*
CROISSANT, m. V. *courbure, lune, Mahomet, boulanger.*
CROÎTRE. V. *augmenter, rivière, plante.*
**Croix**, f. V. *Christ, église, Malte, bijou, insignes.*
CROQUANT, m. V. *peuple.*
CROQUE-MITAINE, m. V. *peur.*
CROQUE-MORT, m. V. *funérailles.*
CROQUER. V. *mordre, dessin.*
CROQUET. V. *jeu, pâtisserie.*
CROQUETTE, f. V. *chocolat.*
CROQUIGNOLE, f. V. *battre, pâtisserie.*

CROQUIS, m. V. *dessin, projet.*
CROSSE, f. V. *bâton, évêque, fusil, paume.*
CROSSER. V. *battre, mépris.*
CROSSETTE, f. V. *vigne.*
CROTALE, m. V. *serpent.*
CROTTE, f. Crotter. V. *boue, sale, tache.*
CROTTIN, m. V. *excrément.*
CROULER. V. *tomber, échouer.*
CROUP, m. V. *gorge, enfant.*
CROUPADE, f. V. *saut, cheval.*
CROUPE, f. V. *arrière, cheval, montagne.*
CROUPIER, m. V. *jeu.*
CROUPIÈRE, f. V. *harnais.*
CROUPION, m. V. *queue, oiseau.*

---

**Objets en forme de croc.** — Agrafe. Ancre. Bec-de-cane. Bec-de-corbin. Crampon. Crémaillère. Croche (de musique). Croissant. Crosse. Devers (de forge). Epi (en fer). Esse. Fermoir. Gaffe. Grappin. Griffe. Hameçon. Harpon. Havet (d'ardoisier). Main-de-fer. Patère. Patte (d'ancre). Patte-fiche. Pied-de-biche. Pince monseigneur. Porte-mousqueton. Râble (pour le four). Renard (de débardeur). Rivet. Rossignol. Sergent (d'établi). Tire-botte. Valet (de menuisier). Virgule.

**Relatif au croc.** — Crocher. Accrocher. Décrocher. Raccrocher. — Crocheter, crochetable. — Crochetier. — Crochu. — Croc-en-jambe. — Accroc. Raccroc. — Unciforme. Unciné. Uncirostre.

Agrafer. Cramponner. Harponner. PENDRE. Suspendre. River.

## CROCODILE

**Qui concerne le crocodile.** — Crocodile. Caïman. Alligator. Gavial. — Hydrosaurien. Crocodilien. — Sténéosaure. Téléosaure (fossiles).

Dents (68). Pattes palmées. Queue aplatie. Carapace. Plaques. Arêtes. Odeur musquée. Œufs.

Crocodilopolis. — Larmes de crocodile (hypocrisie).

## CROIRE
(latin, *credere*)

**Avoir confiance.** — Croire, croyable. Croire sur parole. Croire dur comme fer. — Crédule, crédulité. — Crédibilité. Crédit. Créance. Foi. Ajouter foi à. Prêter foi à. — Se fier à. Se confier à. CONFIANCE. — S'en rapporter à. Prendre au sérieux. Etre entiché de. Etre coiffé de. S'embéguiner. En tenir pour. Donner dans.

Naïf, naïveté. — Etre dupe. Prêter l'oreille à. Mordre à l'hameçon. Gober, gobeur. Prendre argent comptant. Avaler la pilule, des couleuvres. Etre poire.

**Adopter une opinion.** — Avoir une opinion, une doctrine, une CERTITUDE, une conviction. — Admettre. Tenir pour admissible, plausible, recevable. — Etre d'avis que. Etre convaincu, persuadé, imbu. JUGER. Opiner. Penser. Etre infatué de. Se fourrer dans la tête.

Embrasser une opinion. Partager l'opinion. Se rallier à. Adhérer à. Se faire disciple de. Reconnaître.

S'attendre à. Se douter de. Soupçonner. SUPPOSER. Prévoir. Deviner. Conjecturer. S'imaginer. ESPÉRER. Parier. Présumer. Putatif.

**Avoir une foi religieuse.** — Croire. Credo. Croyance. Croyant. — Article de foi. Profession de foi. Acte de foi. Symbole des apôtres. Symbole de Nicée. — Catéchisme. Dogme, dogmatique. Confesser la foi. Confesseur. — Fidèle. Catéchumène.

Foi de charbonnier. Dévotion. Tradition religieuse. — Orthodoxie, orthodoxe. Hétérodoxie. Hérésie, hérétique. Incrédulité, incrédule, mécréant. — SUPERSTITION, superstitieux. — SECTE.

## CROIX
(latin, *crux*)

**Croix de la Passion.** — La croix. Arbre. Bras. Branche. Croisillon. Pied. — Bois de la vraie croix. La sainte croix.

Portement de la croix. Chemin de croix. Mise en croix. Crucifixion. Erection de la croix. Crucifiement, crucifier, le Crucifié. Descente de croix.

Semaine de la Passion. Vendredi saint. Golgotha. Calvaire. — Adoration de la croix. Exaltation de la sainte croix.

**Symbole chrétien.** — Croix. Crucifix. Croix pectorale. Croisette. Jeannette (bijou). — Signe de la croix, se signer. — Porter la croix. Etendard de la croix. Prendre la croix. Se croiser, croisade, croisé.

Croix de Malte. Croix de Lorraine (deux croisillons). Croix de Saint-André (en X). Croix de Saint-Antoine (en T). Croix papale, grecque, latine.

Croix ansée, ancrée, gammée, potencée, tréflée, recerclée, fleurdelisée, pennonée, pommelée, écotée.

CROUPIR. V. *arrêt, sale, paresse.*

CROUPON, m. V. *cuir.*

CROUSTILLANT. V. *dur.*

CROÛTE, f. Croûton, m. V. *pain, peau, peinture.*

CROYANCE, f. Croyant, m. V. *opinion, pensée, religion.*

CRU, m. V. *produit, vin.*

CRU. V. *acide, brut, dur, brusque, licence.*

CRUAUTÉ, f. V. *cruel.*

CRUCHE, f. Cruchon, m. V. *vase, pot, bouteille.*

CRUCIAL. V. *croix.*

CRUCIFÈRE. V. *croix, fleur.*

CRUCIFIER. V. *croix, supplice.*

CRUCIFIX, m. V. *Christ.*

CRUDITÉ, f. V. *digestion, licence.*

CRUE, f. V. *augmenter, inondation.*

Cruel. V. *méchant, barbare.*

CRURAL. V. *jambe.*

Crustacé, m. V. *animal.*

CRYPTE, f. V. *église.*

Cryptogame, m. V. *plante, champignon.*

CRYPTOGRAPHIE, f. V. *écrire, secret.*

CUBE, m. V. *géométrie,*

*multiple, mesure.*

CUBER. V. *contenir.*

CUBIQUE. V. *géométrie.*

CUBITAL. Cubitus, m. V. *bras, os.*

CUCULLE, f. V. *moine.*

CUCURBITACÉE, f. V. *courge.*

CUEILLETTE, f. V. *fruit, vendange.*

CUEILLIR. V. *prendre, arracher.*

CUILLER, f. V. *vaisselle, café, pêche.*

CUILLERÉE, f. V. *avaler.*

Cuir, m. V. *peau, soulier, prononcer.*

---

## Choses en forme de croix. — Croix
(insigne). Croix de la Légion d'honneur. Croix de guerre. Croix-Rouge, etc. — Croix du Sud (constellation). — Croisement, entrecroisement, croisée, croisillon, croiser. — Plante crucifère. Incision cruciale. — Sautoir. — Chiasme.

## CRUEL

**Sanguinaire.** — Cruel, cruauté. — Meurtrier, meurtre. — Barbare, barbarie. — Atroce, atrocité. — Féroce, férocité. — Boucher. Bourreau. Exterminateur. Monstre. — Sanguinaire. Buveur de sang. Ivre de sang. Altéré de sang. Tigre. Vampire. — Soif de sang. Carnage. — Ogre. Cannibale. Anthropophage. — Fléau du genre humain. Barbe-Bleue. Néron. Attila.

**Inhumain.** — SAUVAGE. Farouche. Dénaturé. Insensible. Impitoyable. Sans entrailles. Sans cœur. Sans pitié. — Terrible. Forcené. Violent. Brute. Brutal. — TYRAN. Despote. Tortionnaire. Torturer, TORTURE. — Furieux, furibond, furie. Fanatique. Persécuteur. Marâtre. — Inhumain. Horrible. Odieux. MÉCHANT.

**Rigoureux.** — Draconien. Rigide. Inflexible. Rude. DUR. Implacable. Inexorable. Inclément. Sévère. Intolérant.

Fatal. Déchirant. Pénible.

## CRUSTACÉ

**Organes.** — Test. Carapace. Ecaille. Cuirasse. Corselet. Plastron. Languette. — Thorax. Abdomen. Cloaque. — Articles. Apodèmes. Antennes. Antennules. Branchies. — Mâchoires. Mandibules. Pattes mâchoires. Palpe. Fouet. Rostre. — Pinces. Doigts. Pattes. Pattes ambulatoires, thoraciques, natatoires, branchiales. Fausses pattes. — Yeux. Pédoncules oculaires.

**Caractères.** — Entomostracés. Malacostracés. Gigantostracés. Mérostomacés. — Phyllopodes. Ostracodes. Copépodes. Cirripèdes. Isopodes. Amphipodes. Schizopodes. Stomatopodes. Décapodes.

**Types.** — Homard. Langouste. Cigale. Ecrevisse. — Crevette. Chevrette. Salicoque.

Bouquet. - - Crabe. Cancre. Carcin. Araignée de mer. Tourteau. — Apus. Cloporte. Limule. Squille. — Anatife. Balane. Bernard-l'ermite. Pagure. Oursin.

**Relatif aux crustacés.** — Homarderie. Homardier. Langoustier. — Breveux. Casier. Nassone. Balances. — Homard à l'américaine. Buisson, bisque d'écrevisses. Œufs. Rouge. — Crustacéologie. Crustacéen. Mue, muer. — Crustacite (fossile).

## CRYPTOGAME

**Organes.** — Conceptacle. Capsule. Conidie. Elytre. Follicule. Scutelle. — Ovaire. Urne. Apophyse. Coiffe. Columelle. Gainule. Opercule. Thèque. Soie. Péristome. — Sore. Sporange. Spore. Sporule. — Cistule. Crampons. Epiphragme. Gemmule. Globule. Indusie. Mammule. Mycine. Bulbille. Plumule. Paraphyses. — Fronde. Stipe.

**Espèces.** — Cryptogames cellulaires. Algues. Bactéries. Barbes. Champignons. Fucus. Goémon. Lichens, d'Islande, pulmonaires, pyxidés, etc. Moisissures. Mousses. Mucor. Oscillaires. Thallophytes.

**Maladies cryptogamiques.** — Mildiou. Oïdium. Rouille. Blanc. Carie. Charbon. Piétin. Ergot. Muguet. Aspergillose. Actinomycose.

Cryptogamie. — Bryologie.

## CUIR
(latin, *corium*)

**Sortes de cuir.** — Peau brute. Peau verte. Cuir cru. Cuir vert. Carbatine. Sauvagine. — Buffle. Cheval. Vache. Baudrier. Vachin. Veau. Box-calf. Chevreau. Mouton. Reptile. — Fleur. Agnelin. Bisquin. Fourrure. Cuir mégis. — Basane. Chamois. Daim. Maroquin. Chagrin. Canepin. Cartelle. Cuir de Russie. Cuir de poule. — Galuchat. Roussette. — Parchemin. Vélin.

Cuir fort. Cuir plaqué. Cuir verni. Cuir grenu. Cuir bouilli.

Patte. Flanc. Collet. Croupon. Tête. Culée. — Issues. Rognures. Déchets. Oreillons. Raffes. — Pelure. Effleurure. Effleurer. Bourre.

CUIRASSE, f. V. *armure, poitrine.*

CUIRASSER. Cuirassier, m. V. *défendre, navire, cavalerie.*

**Cuire.** V. *feu, mets.*

**Cuisine,** f. V. *mets, auberge.*

CUISINIER, m. Cuisinière, f. V. *mets, domestique, fourneau.*

CUISSAGE, m. V. *féodal.*

CUISSARD, m. V. *armure.*

CUISSE, f. V. *jambe, volaille.*

CUISSEAU, m. V. *veau.*

CUISSIÈRE, f. V. *tambour.*

CUISSOT, m. V. *chevreuil.*

CUISTRE, m. V. *grossier.*

CUITE, f. V. *cuire, sucre.*

**Cuivre,** m. V. *métal.*

CUIVRER. Cuivrerie, f. V. *cuivre.*

CUL, m. V. *arrière, fond.*

CULASSE, f. V. *fusil, artillerie, automobile.*

CULBUTE, f. Culbuter.V. *saut, tomber, renverser.*

CUL-DE-JATTE, m. V. *mutiler.*

CUL-DE-LAMPE, m. V. *orner.*

CULÉE, f. V. *pont, maçon.*

CULERON, m. V. *harnais.*

CULINAIRE. V. *cuisine.*

CULMINANT. V. *haut, supérieur.*

CULMINATION, f. V. *étoile, midi.*

CULOT, m. V. *dernier, fonderie, pipe.*

CULOTTE, f. V. *jambe, habillement.*

CULOTTER. V. *habillement, pipe.*

CULOTTIER, m. V. *tailleur.*

CULPABILITÉ, f. V. *faute, crime.*

CULTE, m. V. *religion, liturgie, protestant, honneur.*

---

**Travail du cuir.** — Tannerie, tanner, tanneur. — Trempe. Etirage. Foulage. Craminage. Débourrage. Mise en fosse. Brossage. Battage. Cylindrage. Séchage.

Mollèterie. — Corroyer, corroyage, corroyeur. — Mégisser, mégisserie, mégissier. — Chamoiser, chamoisage. — Maroquiner, maroquinage, maroquinier. — Chagriner, chagrin, chagrinier. — Hongroyer, hongroyeur. — Aluner. — Mettre au gras.

Affaiter. Echarner. Craminer. Ratisser. Débourrer. Dépiler. Habiller. Charger. Chiper. Confire. Dégraisser. Echauffer. Eclaircir. Plainer. Coudrer. Encuver. Passer au blanc, à l'huile. Détremper. Fouler. Défoncer. Meurtrir. Tordre. Biller. Palissonner. Tendre. Rétaler. Parer. Lustrer. Plisser. Cambrer.

**Matières et outillage.** — Tan. Tannée. Tanin. Ecorce de mimosa, de bouleau. Extrait de châtaignier. Jus. Epine-vinette. Chrome. — Bain. Cuvelée. Jusée. — Apprêt. Suif. Dégras. Alun. Huile. Œufs. Farine. Orge. Plâtre. Plain (chaux).

Cuve. Coudret. Douve. Fosse. — Chevalet. Paroir. Herse. Table. Marbre.

Butoir. Faux. Echarnoir. Pesson. — Clan. Peloir. — Etire. Croc. Hard. Palisson. Paumelle. Tenaille. Valet. Bille. — Moulin à fouler. Pile à fouler. Bigorne. — Echauffe. Penderie.

### CUIRE

**Faire cuire.** — Cuisson. Culinaire. — Cuisiner, CUISINE. Mettre au feu. — Faire bouillir. Faire crever. Echauder. — Rôtir, rôtisserie. Griller. — Torréfier, torréfaction. Braiser. Brasiller. Havir. — Frire, friture. Fricasser. Faire revenir. Rissoler. Roussir. Sauter.

Cuisson industrielle. Cuite. Recuite. Cuisage. Ustulation.

**Etre cuit.** — Cuire. Cuire à petit feu. Bouillir, ébullition. Jeter un bouillon. Mijoter. Mitonner. Crever. Brûler. Réduire. Etre saignant, saisi.

**Mets cuits.** — Rôti. Grillade. Friture. Fricassée. Ragoût. Bouilli. Bouillon. Court-bouillon. Consommé. Soupe. Bouillie. Sauce. Compote. Marmelade. Confiture. Infusion. Décoction.

### CUISINE

**Art culinaire.** — Cuisine. — Gastronomie, gastronome. Gourmet. — Gastrologie. Livre de cuisine. Recettes. Bonne chère. Gargote. — Dépense de table. Menu. METS. Sauces. Dessert. — Restaurant. Hôtel. AUBERGE. Rôtisserie. — Vatel. Carême. Brillat-Savarin.

**Matériel.** — FOUR. FOURNEAU. Cuisinière. Potager. Réchaud. Appareils à gaz, à pétrole, électriques.

Batterie de cuisine. Casseroles. Chaudron. Chaudière. Poêle. Trépied. Bassine. Marmite. Faitout. — Daubière. Poissonnière. — Rôtissoire. Lèchefrite. Broche. Coquille. GRIL. — Bouilloire. Bouillotte. Coquemar. Cafetière. Théière. — Brûloir. Moulin à café. Boîtes à épices. Salière. Poivrière. — Evier. Egouttoir. — Passoire. Presse-purée. Ecumoire. — Couperet. Hachoir. Hache-viande. Couteau. Coutelas. Lardoire. — Cuiller. Cuiller à pot. Louche. Fourchette. — Bain-marie. Moules. Terrines. Plats. Assiettes.

Ballottine. Caisse. Papillote.

Office. Dressoir. Buffet de cuisine. Garde-manger.

**Personnel.** — Cuisinier. Chef. Maître queux. Maître coq. Cuisinière. Cordon bleu. — Maître d'hôtel. Restaurateur. Rôtisseur. Gargotier. — Aide de cuisine. Garçon. Marmiton. Gâte-sauce. Fille de cuisine. — Plongeur. Laveuse. Souillon.

Officier de bouche. Ecuyer tranchant. Hâteur de rôt. Galopin.

**Opérations culinaires.** — Cuisiner. Faire la cuisine. — Découper. Emincer. Barder. Larder. Piquer. Trousser. Brider. Parer. Habiller. — Blanchir. Echauder. Faire revenir. — Faire bouillir. Ecumer. Etouffer. Mouiller. Passer. — Farcir. Enrober. Mariner. — Rôtir. Sauter. Frire. Fricasser. Rissoler. — Accommoder les restes. — Coup de feu. Gratiner.

### CUIVRE
(latin, *cuprum*)

**Le cuivre.** — Minerai de cuivre, cuivreux, cuprifère. Cuivre natif. Azurite. Malachite. Cuprite. Pyrites cuivreuses. Bournonite.

CULTIVATEUR, m. V. *labour.*

CULTIVER. V. *labour, instruction.*

CULTURE, f. V. *terre, instruction.*

CUMUL, m. Cumuler. V. *plusieurs, fonction.*

CUMULUS, m. V. *nuage.*

CUNÉIFORME. Cunéirostre. V. *coin.*

CUPIDE. V. *désir, avare.*

CUPIDON, m. V. *amour, Vénus.*

CUPRITE, f. Cuprique. V. *cuivre.*

CURAÇAO, m. V. *liqueur.*

CURAGE, m. V. *étang.*

CURATEUR, m. Curatelle, f. V. *tuteur.*

CURATIF. V. *médicament.*

CURE, f. V. *guérir, médecine, bénéfice.*

Curé, m. V. *église, bénéfice, prêtre.*

CURE-DENT, m. V. *dent.*

CURÉE, f. V. *chasse, cerf, intestin.*

CURE-MÔLE, m. V. *boue.*

CURE-PIED, m. V. *maréchal.*

CURER. V. *nettoyer, boue.*

CURÈTES, m. p. V. *Cybèle.*

CURETTE, f. V. *chirurgie.*

Curieux. V. *intérêt, indiscret, bizarre.*

CURIOSITÉ, f. V. *attention, chercher, extraordinaire.*

CURSEUR, m. V. *compas, géométrie.*

CURSIVE, f. V. *écrire.*

CURULE. V. *siège.*

CURVATEUR, m. V. *courbure.*

CURVIGRAPHE, m. V. *tracer.*

CURVILIGNE. V. *courbe, ligne, géométrie.*

CUSCUTE, f. V. *parasite.*

CUSPIDE, f. V. *dent.*

CUSTODE, f. V. *autel, rideau, voiture.*

CUTANÉ. V. *peau.*

CUTTER, m. V. *navire.*

Cuve, f. V. *réservoir, vendange, papier, cuir.*

CUVELAGE, m. V. *cuve.*

CUVELÉE, f. V. *cuir.*

CUVELER. V. *puits, mine.*

CUVER. V. *cuve, ivre.*

CUVETTE, f. V. *vase, laver.*

CUVIER, m. V. *vaisseau, blanchir.*

CYANURE, m. V. *chimie.*

---

Cuivre rouge. Cuivre gris. Cuivre jaune. Cuivre panaché. Cuivre pyriteux. Cuivre sulfuré. Cuivre sulfaté. Cuivre électrolytique.

Cuivre raffiné. Métal de prime. Cuivre de rosette. Cuivre de roi (de fond).

**Alliages et dérivés.** — Airain. Bronze. Laiton. Chrysocale. Clinquant. Cuivre de Corinthe. Cuivre de mitraille. Oripeau. Paillette. Potin gris. Potin jaune. Similor. Similibronze. Tombac. Polosse. Maillechort.

Vert-de-gris. Verdet. Couperose. Cristaux de Vénus. Patine. — Composés cuivreux. Eau de cuivre. Produits cupriques. Cuproïde. Bouillie bordelaise.

**Industrie du cuivre.** — FONDERIE. Fondeur. Affiner. Liquation. Pelote. Cémentation. Laminer. — Cuivrerie. Dinanderie. Dinandier. Bronzier. — Tréfilerie, tréfiler. — Chaudronnerie, chaudronnier. — Etamage, étamer. — Quincaillerie, quincailler.

Etirer. Marteler. Décaper. Cuivrer. — Barres, saumons, tubes, fils de cuivre. — Bassines, casseroles de cuivre, quincaille. — Instruments à vent. — Monnaie de cuivre, billon. — Plates de gravure. Chalcographie. — Menus poids.

## CURÉ

**Fonction.** — Archiprêtre, archipresbytérat. — Aumônier, aumônerie. — Curé de canton, de village. — Décan, décanat. — Doyen, doyenné. — Desservant, desservir. — Pasteur. Chargé d'âmes. — Prieur-curé. — Pléban (nommé par un chapitre). — Recteur, rectorat. — Vicaire, vicariat. — Synode et Calendes (assemblées).

**Résidence et bénéfice.** — Paroisse, paroissial, paroissien. Clocher. Curé, curial. Presbytère, presbytéral. — Casuel. Cure congruaire (à portion congrue). Eglise succursale.

## CURIEUX

**Désireux de connaître.** — Curieux, curiosité. — Attentif, attention. — Avide, avidité. — Chercheur. Chercher. Recherche. — Examiner, examen. — Interroger, interrogation. — Enquêter, enquête, enquêteur. — Investigation, investigateur. — Fouiller. — Observer, observateur. — Explorer, explorateur. — Faire le guet, guetter, guetteur. Epier. Etre à l'affût. — Aller à la découverte. Espion, espionner. — Inquisiteur, inquisition.

**Indiscret.** — Ecouter aux portes. — Etre aux écoutes. — Fourrer son nez partout. Fureter, fureteur. — Flairer. — Dénicher. Dépister. Tirer les vers du nez. — Se mêler de tout. — Indiscrétion.

Commère, commérage. — Fille d'Eve. — Badaud. Importun. Raseur.

**Digne d'être connu.** — Chose curieuse, extraordinaire, rare, intéressante. — Spectacle étonnant, surprenant. — Une curiosité. Une rareté. Phénomène. — Piquer la curiosité. Intriguer.

Repère. Indication. Données. Trace. Piste. Vestige.

## CUVE

**Sortes de cuve.** — Abîme. Bac. Bachotte. Baquet. Benaut et Cagnotte (de vendange). Brassin et Guilloire (de brasserie). Charnier. Chaudron. Cuveau. Cuvette. Cuvier. Emprimerie et Plain (de tanneur). Gerlon (de papeterie). Jale. Jatte. Lauriot (de boulanger). Minette (pour le sable). Tinette. TONNEAU.

**Qui a trait aux cuves.** — Fond de cuve. Foncer une cuve. — Douve. — Cercle, cercler, décercler. — Relier, reliage. — Bonde. Bondon, bondonner. — Cuver, cuvée. Encuver. Décuver. — Cuveler, cuvelage. — Abreuver une cuve (la tremper).

Cybèle, f. V. *Saturne*.
CYCLADE, f. V. *île*.
CYCLAMEN, m. V. *plante*.
CYCLE, m. Cyclique. V. *cercle, chronologie*.
CYCLISME, m. V. *jeu*.
CYCLOÏDE, f. V. *courbe, cercle*.
CYCLONE, m. V. *tempête*.
CYCLOPE, m. V. *géant*.
CYCLOPÉEN. V. *architecture*.

CYCLOSTOME, m. V. *poisson*.
Cygne, m. V. *oiseau*.
CYLINDRE, m. V. *rouleau, géométrie, machine*.
CYLINDRER. V. *chemin*.
CYLINDRIQUE. V. *rond*.
CYMBALE, f. V. *instruments de musique*.
CYME, f. V. *fleur*.
CYNÉGÉTIQUE. V. *chasse, chien*.

CYNIQUE. Cynisme, m. V. *chien, indifférent, grossier*.
CYNOCÉPHALE, m. V. *singe*.
CYPHOSE, f. V. *bosse*.
CYPRÈS, m. V. *arbre*.
CYPRIN, m. V. *poisson*.
CYSTIQUE. V. *bile*.
CYSTITE, f. V. *vessie*.
CYTHÈRE, f. V. *Vénus*.
CYTISE, m. V. *arbre*.

## CYBÈLE

**Culte de Cybèle.** — Bonne déesse. Grande déesse. Mère des dieux. Rhée. Ops. La Terre.

Prêtres de Cybèle. Corybantes. Curètes. Dactyles. Galles. Ménagyrtes. — Pin (arbre sacré). Taurobole et Egobole (sacrifices).

Atys (aimé de Cybèle).

## CYGNE

**Le cygne.** — Cygne blanc. Cygne noir. — Cycnoïde. — Cycnus (changé en cygne). Caystre (fleuve aimé des cygnes).

**Locutions.** — Cygne de Mantoue (Virgile). — Cygne de Cambrai (Fénelon). — Chant du cygne. — Blanc comme cygne. — Cou de cygne.

# D

Dᴀ-ᴄᴀᴘᴏ. V. *musique.*
Dᴀᴄᴛʏʟᴇ, m. V. *poésie.*
Dᴀᴄᴛʏʟᴏɢʀᴀᴘʜᴇ, m. et f. Dactylographie, f. V. *doigt, écrire, prompt, bureau.*
Dᴀᴅᴀ, m. V. *caprice.*
Dᴀᴅᴀɪs, m. V. *sot.*
Dᴀɢᴜᴇ, f. Daguer. V. *poignard, chasse.*
Dᴀɢᴜᴇʀʀᴇ́ᴏᴛʏᴘɪᴇ, f. V. *photographie.*
Dᴀɢᴜᴇᴛ, m. V. *cerf.*
Dᴀʜʟɪᴀ, m. V. *fleur.*
Dᴀɪᴍ, m. V. *chevreuil, cuir.*

Dᴀɪɴᴛɪᴇʀs, m. p. V. *cerf.*
Dᴀɪs, m. V. *pavillon, abri.*
Dᴀʟʟᴀɢᴇ, m. V. *pavé.*
Dᴀʟʟᴇ, f. V. *pavé, funérailles.*
Dᴀʟᴍᴀᴛɪǫᴜᴇ, f. V. *prêtre.*
Dᴀʟᴛᴏɴɪsᴍᴇ, m. V. *voir, couleur.*
Dᴀᴍᴀs, m. V. *broder.*
Dᴀᴍᴀsǫᴜɪɴᴇʀ. V. *argent, marqueterie.*
Dᴀᴍᴀssᴇʀ. V. *étoffe, linge.*
Dᴀᴍᴇ, f. V. *femme, cartes.*
Dᴀᴍᴇs, f. p. V. *jeu, bateau.*

**Dᴀᴍɪᴇʀ,** m. V. *tabletterie.*
Dᴀᴍɴᴀᴛɪᴏɴ, f. V. Damner. V. *péché, enfer.*
Dᴀᴍᴏɪsᴇᴀᴜ, m. Damoiselle, f. V. *noble, galant.*
Dᴀɴᴄɪɴɢ, m. V. *danse.*
Dᴀɴᴅɪɴᴇᴍᴇɴᴛ, m. Dandiner. V. *mouvement, balancer.*
Dᴀɴᴅʏ, m. V. *élégance.*
**Dᴀɴɢᴇʀ,** m. V. *difficile.*
Dᴀɴɢᴇʀᴇᴜx. V. *danger.*
Dᴀɴᴏɪs. V. *Scandinave.*
**Dᴀɴsᴇ,** f. V. *pied, mouvement, théâtre.*

---

## DAMIER

**Jeu de dames.** — Damier. Echiquier. Cases. Blanc. Noir. — Pion, pionner. — Dame, damer. Aller à dame. Faire une dame. Dédamer. — Damer le trait (entrée de jeu). Dame touchée, dame jouée. — Souffler. Souffler n'est pas jouer.

## DANGER
(latin, *periculum*)

**Péril.** — Danger, dangereux. Danger de mort. Courir des dangers. Affronter le danger. — Conjurer le danger. Echapper au danger. L'échapper belle. — Péril, périlleux. — Atteinte. Hors d'atteinte. — Affaire chaude. Traîtrise. Pɪᴇ̀ɢᴇ. Embûche. Coupegorge. Eᴄᴜᴇɪʟ. Récif.

Alarme. Donner l'alarme. Crier gare. Battre la générale. Crier sauve qui peut.

**Risque.** — S'exposer. Jouer sa vie. Payer de sa personne. Casse-cou. Aventureux. Risquetout. — Aventurer. Risquer. — Téméraire, témérité. Imprudent, imprudence. — Hasarder, ʜᴀsᴀʀᴅ, hasardeux. Courir la chance. Sauter le pas. Passer le Rubicon. Attacher le grelot. Faire le saut périlleux. — Enjeu. Mise. Jouer gros jeu. Risquer gros. — Jouer son va-tout. — Encourir. Etre sujet à. Etre susceptible de. Etre en jeu. — Tenter la fortune. Ne pas se couvrir. Placer à fonds perdu.

**Situation critique.** — Crise. Détresse. Angoisse. Péril en la demeure. Position fâcheuse. Désastre imminent. Mauvaise passe. Malchance. Impasse. Guêpier. Epée de Damoclès.

Etre dans un bourbier. S'embourber. — Etre désarmé. Etre désarçonné. L'avoir manqué belle. — Etre dans la nasse. Etre dans la gueule du loup. Etre à la merci de. Avoir le couteau sous la gorge. Etre en butte à. Etre pris entre deux feux. — Danser sur un volcan, sur la corde raide.

Péricliter. Menacer ruine. — Menacer. Pendre au nez.

**Situation difficile.** — Terrain brûlant. — Terrain mouvant, glissant. — Mauvais pas.

— Fausse position. — Eᴍʙᴀʀʀᴀs. Difficultés. Inquiétudes. — S'enferrer. Se compromettre. Prêter le flanc. Offrir prise. — Etre acculé à. Etre à la merci de. — Marcher sur des œufs.

Situation ꜰʀᴀɢɪʟᴇ, chancelante, peu solide, peu sûre, scabreuse, véreuse, critique.

## DANSE

**Sortes de danses.** — Danses antiques : Danses sacrées. — Danse dionysiaque. Thiase. Bibasis. — Pyrrhique. — Cordace. — Sicinnis. — Emmélie. — Gymnopédie.

Danses anciennes : Sarabande. — Courante. — Loure. — Gavotte. — Menuet. — Passe-pied. — Chaconne. — Branle. — Passacaille. — Pavane. — Tambourin. — Gaillarde. — Carmagnole.

Danses du xɪxᵉ siècle : Contre-danse. Quadrille. Lanciers. — Valse. — Polka. — Redowa. — Scottish. — Pas de quatre. — Berline. — Mazurka. — Galop. — Cotillon. — Cancan. Chahut.

Danses du xxᵉ siècle : Boston. — Cakewalk. — Matchiche. — One step. — Fox-trot. — Tango. — Java. — Blue. — Danse rythmique, etc.

Danses de certains pays : Fandango. Cachucha. Boléro. Jota. Séguedille. — Tarentelle. Saltarelle. Forlane. — Gigue. — Polonaise. Czardas. — Allemande. — Bourrée. Dérobée. Farandole. Montferrine. Fricassée. — Bamboula. Danse du ventre.

**Mouvements de danse.** — Assemblé. — Avant-deux. — Balancé. — Battement de pied. — Pas de bourrée. — Chassé. — Chassécroisé. — Chaîne anglaise. — Contre-temps. — Coulé. — Coupé. — Déchassé. — Dégagement. — Dérobé. — Ecart. — Entrechat. — Entretaille. — Figure. — Fleuret. — Fouetté. — Glissé. — Jeté. — Jeté battu. — Moulinet. — Pas de deux, de trois, droit, grave, assemblé, marché, tombé, relevé, tortillé, etc. — Passe-pied. — Pirouette. — Plié. — Rond de jambe. — Volte.

Aile de pigeon. — Sautillement. Trémoussement. Tordion. — Gambade. Cabriole. Saut de carpe. — Grand écart.

DANSER. Danseur, m. Danseuse, f. V. *danse.*

**Dard,** m. V. *armes, pointe, serpent.*

DARDER. V. *jet, rayon.*

DARNE, f. V. *trancher.*

DARSE, f. V. *port.*

DARTRE, f. V. *peau.*

DASYURE, m. V. *animal.*

DATAIRE, m. V. *pape.*

**Date,** f. V. *jour, temps, chronologie.*

DATIF, m. V. *grammaire.*

DATTE, f. Dattier, m. V. *palmier.*

DAUBE, f. V. *cuisine.*

DAUBER. V. *blâme, battre.*

DAUMONT. V. *cheval.*

DAUPHIN, m. V. *cétacé, prince.*

DAVIER, m. V. *pince, dent.*

**Dé,** m. V. *jeu, doigt.*

DÉAMBULER. V. *promenade.*

DÉBÂCLE, f. V. *gelée, ruine.*

DÉBÂCLER. V. *rivière.*

DÉBALLAGE, m. Déballer. Déballeur, m. V. *emballer, ôter, boutique.*

DÉBANDADE, f. V. *fuite, désordre.*

DÉBANDER. V. *ressort, disperser.*

DÉBARBOUILLER. V. *laver, visage.*

DÉBARCADÈRE, m. V. *bateau, port, chemin de fer.*

DÉBARDER. Débardeur, m. V. *bateau, charger.*

DÉBARQUEMENT, m. Débarquer. V. *bateau, sortir, port, guerre.*

DÉBARRAS, m. Débarrasser. V. *dégager, arracher, abandon.*

DÉBAT, m. V. *argument, auxiliaires de justice, juges, parlement.*

DÉBATTRE. V. *disputer, examen, négocier.*

DÉBATTRE (se). V. *résister.*

**Débauche,** f. V. *conduite, boire, excès, luxure, licence, vice.*

DÉBAUCHER. V. *attirer, séduire, ouvrier.*

---

**Danseurs.** — Danseur, danseuse. Cavalier. Valseur. Danseur mondain. Partenaire. Vis-à-vis. — Corps de ballet. Etoile. Ballerine. Coryphée. Rat. Mime. — Almée. Bayadère. Dancing-girl. — Maître de ballet. Maître de danse. — Danseur de corde. Funambule. Acrobate.

**Lieux de danse.** — Bal. Bal costumé. Bal travesti. Bal masqué. Soirée dansante. Redoute. — Salle de bal. Dancing. — Bal champêtre. Bal public. Guinguette. Bastringue. Bal musette. — Opéra. Music-hall.

**Relatif à la danse.** — Chorégraphie, chorégraphique. — Ballet. Intermède. Figures. — Cadence. Rythme, rythmique. — Mimique, mimer. — Danse de caractère. — Danser. Dansomanie. Dansotter. Ouvrir le bal. — Costume. Travesti. Loup. Masque. — Orchestre. Jazz-band. Piano. Accordéon. Vielle. Castagnettes.

### DARD

**Armes de jet.** — Angon. Dard. Dardille. Digon (pour la pêche). Dolon et Canne-poignard. Carreau. Falarique. FLÈCHE. Framée. Gèse. — Harpon. Javeline. Javelot. Pilum. Pique. Thyrse. Trait. Tragule. Trident. Vireton. Zagaie.

Quintaine (poteau de but). Courroie (de jet).

### DATE

**Epoque précise.** — CHRONOLOGIE. — Ere. — Période. — Epoque. — Temps. — Date. — Millésime. — Synchronisme. Tableau synchronique. — Anachronisme. — Ephémérides. — Chronogramme.

**Jour précis.** — Date, dater. Antidate, antidater. Postdate, postdater. Contre-dater. Datable. Date authentique. Prendre date. — An. Année. An de grâce. *Anno domini.* — Echéance. Echoir. Tomber tel ou tel jour. Terme échu. — Quantième. Rubrique (indication de date).

### DÉ

**Jeux de dés.** — Dés. — Cabriolet. — Jeu des trois couleurs. — Krabs. — Jeu de l'oie. — Pair et impair. — Passe-dix. — Quinquenove. — Toton. — TRICTRAC. — Zanzibar. — Poker d'as. — Tope.

**Termes de jeu.** — Dé. Coup de dés. Tenir le dé. Dé changé. Dé pipé. Piper les dés. — Toper. — Servir. — Point. Amener le point. — As. Besas. Ternes. Carmes ou Quadernes. Quine. Sonnez. — Hasards. Momon. Doublet. Rafle. — Cornet. Remuer les dés. Jeter les dés. Flatter le dé. Couper les dés. Rompre les dés.

### DÉBAUCHE

**Etats de débauche.** — Corruption. Dépravation. Démoralisation. Crapule. — Débordements. Déportements. Egarements. — Dérèglement. Dévergondage. Désordre. Dissipation. Dissolution. — Relâchement. Irrégularité.

Luxure. LICENCE. Impudicité. Immoralité. Indécence. Inconduite. Incontinence. Galanterie. Volupté. Vice. Polissonnerie.

Intempérance. Gourmandise. Gloutonnerie. Ivrognerie. Ivresse. Sybaritisme.

Perdition. Perversité. Indignité. Avilissement. Ignominie. Turpitude. Infamie. Cynisme.

**Actes de débauche.** — Bacchanales. — Saturnales. — Fêter Carnaval. — Faire carrousse. — Faire la bombe. — Faire la noce. — Faire la vie. — Orgie. — Bambocher, bamboche. — Se donner à la débauche. — Boire à l'excès. — S'enivrer. — Se soûler. — Excès.

Fredaines. — Ecarts. — Vie de bohème. — Faire ses farces. — Faire des FOLIES. — Se débaucher. — Se déranger. — Se dévergonder. — Jeter sa gourme. — Dissiper son bien. — Folles dépenses. — Mœurs relâchées. — Vagabondage.

Conduite légère. — Rôtir le balai. — Concubinage. — Adultère. — Commerce galant. — Libertinage. — Actes licencieux. — Plaisirs illicites. — PROSTITUTION, se prostituer. — Stupre. — Se plonger dans les voluptés. — Vivre dans l'ordure. — Conduite honteuse, indigne, infâme. — SCANDALE. — Jeter son bonnet par-dessus les moulins. — Polissonner.

DÉBET, m. V. *dette.*
DÉBILE. Débilité, f. V. *faible, fragile.*
DÉBINE, f. V. *pauvre.*
DÉBIT, m. V. *parler, lire, dette, pompe, finance, auberge.*
DÉBITANT, m. V. *commerce.*
DÉBITER. V. *discours, marchandise, partage, compte.*
DÉBITEUR, m. V. *acheter, dette.*
DÉBITRICE, f. V. *dette, vendre.*
DÉBLAI, m. V. *terrassier.*
DÉBLATÉRER. V. *parler.*
DÉBLAYER. V. *terrassier, préparer.*
DÉBOIRE, m. V. *dégoût, ennui, chagrin.*
DÉBOISEMENT, m. Déboiser. V. *bois, forêt, ôter.*
DÉBOÎTEMENT, m. Déboîter. V. *articulation, disloquer.*
DÉBONDER. V. *tonneau.*
DÉBONNAIRE. V. *doux, patience, faible.*
DÉBORDEMENT, m. V. *inondation, excès.*
DÉBORDER. V. *plein, sortir, couler, rame.*
DÉBOTTÉ, m. V. *botte.*
DÉBOUCHÉ, m. V. *commerce.*
DÉBOUCHER. V. *bouteille, sortir.*
DÉBOUCLER. V. *boucle.*
DÉBOUQUER. V. *navire.*
DÉBOURBER. V. *boue, fonderie.*
DÉBOURRER. V. *bourre, cuir.*
DÉBOURS, m. Débourser. V. *bourse, dépense, payer.*

DEBOUT. V. *posture.*
DÉBOUTER. V. *juger.*
DÉBOUTONNER. V. *bouton, dégager, avouer.*
DÉBRAILLÉ. V. *habillement.*
DÉBRAYAGE, m. Débrayer. V. *automobile.*
DÉBRIDER. V. *harnais, panser.*
DÉBRIS, m. V. *rebut.*
DÉBROUILLARD. V. *ressource.*
DÉBROUILLER. V. *dégager, expliquer, action.*
DÉBUCHER. V. *chasse.*
DÉBUSQUER. V. *chasser.*
DÉBUT, m. Débutant, m. Débuter. V. *commencer.*
DÉCA (préf.). V. *dix.*
DÉCACHETER. V. *sceau, ôter.*
DÉCADE, f. V. *dix.*
DÉCADENCE, f. V. *tomber, bas, ruine, barbare.*
DÉCAGONE, m. V. *géométrie.*
DÉCAISSER. V. *coffre, ôter.*
DÉCALITRE, m. V. *mesure.*
DÉCALOGUE, m. V. *Bible.*
DÉCALQUER. V. *dessin.*
DÉCAMÈTRE. V. *arpentage.*
DÉCAMPER. V. *camp, partir, fuite.*
DÉCANAT, m. V. *chef.*
DÉCANTATION, f. Décanter. V. *verser, pur, chimie.*
DÉCAPER. V. *nettoyage, cuivre.*
DÉCAPITATION, f. Décapiter. V. *tête, couper, supplice.*
DÉCARÊMER. V. *carême.*
DÉCASYLLABE. V. *syllabe.*
DÉCATIR. Décatissage, m. V. *drap, étoffe.*

DÉCÉDER. V. *mort.*
DÉCELER. V. *montrer.*
DÉCEMBRE, m. V. *mois.*
DÉCENCE, f. Décent. V. *bien.*
DÉCENNAL. V. *dix, année.*
DÉCENTRALISER. V. *séparer.*
DÉCEPTION, f. V. *tromper.*
DÉCERNER. V. *attribuer, récompense.*
DÉCÈS, m. V. *mort.*
DÉCEVOIR. V. *tromper, chagrin.*
DÉCHAÎNER. V. *dégager, exciter, violence.*
DÉCHANTER. V. *chant, diminuer, céder.*
DÉCHARGE, f. V. *détonation, artillerie, fontaine, étang, quittance.*
DÉCHARGEMENT, m. V. *port, chemin de fer.*
DÉCHARGER. V. *charger, ôter, annuler, excuse.*
DÉCHARGEUR, m. V. *porter, port.*
DÉCHARNÉ. V. *chair, maigre.*
DÉCHAUMER. V. *labour.*
DÉCHAUSSER. V. *chaussure, vigne.*
DÉCHAUX. V. *chaussure.*
DÉCHÉANCE, f. V. *diminuer, incapable, ruine, honte.*
DÉCHET, m. V. *manque, résidu, perdre.*
DÉCHIFFRER. V. *lire, intelligence, traduire.*
DÉCHIQUETER. V. *déchirer, mordre.*
DÉCHIREMENT, m. V. *déchirer.*
**Déchirer.** V. *arracher, casser, usé, chagrin, souffrir.*

---

Corrompre. — Séduire. — Débaucher. — Démoraliser. — Dépraver. — Exciter à la débauche. — Courir après les femmes. Courailler.

**Les débauchés.** — Ivrogne. — Buveur. — Bambocheur. — Bohême. — Débauché. — Dissipateur. — Mauvais sujet. — Mauvais garnement. — Joyeux drille. — Viveur. — Enfant prodigue. — Vaurien. — Farceur. — Vagabond. — Ribaud. — Noceur. — Libertin. — Sybarite. — Pourceau d'Epicure. — Cochon.

Polisson. — Paillard. — Séducteur. — Don Juan. — Lovelace. — Un coq. — Coureur de filles. — Roué. — Ruffian. — Entremetteur.

Drôlesse. — Fille publique. — Courtisane. — Grue. — Cocotte. — Poule. — Demimondaine. — Femme galante. — Prostituée. — Ribaude. — Coquine. — Coureuse. — Femme perdue. — Ivrognesse. Noceuse.

**Caractère des débauchés.** — Immoral. — Corrompu. — Dépravé. — Perverti. — Dévergondé. — Dissipé. — Déréglé. — Dissolu. — Effronté. — Ehonté. — Ignoble. — VIL. — Infâme. — Cynique. — Crapuleux.

Intempérant. — GOURMAND. — Sensuel. — Incontinent. — Luxurieux. — Libidineux. — Vicieux. — Impudique.

### DÉCHIRER
(latin, *lacerare*)

**Mettre en morceaux.** — Déchirer, déchirure. Déchirer à belles dents. — Lacérer, lacération. Dilacérer. Déchiqueter. — Dépecer, dépècement. Découper. — Morceler. Démembrer. — Couper. Trancher. Diviser. Séparer. — Entamer. Morceau. Lambeau. — Arracher. Tirailler. Casser. Briser.

Accroc. — Abrasion.

User, usure. Choses USÉES. HAILLONS. Loques. — Délabrer, délabrement. — Déguenniller. Guenilles.

**Taillader.** — Erafler, éraflure. — Egratigner, égratignure. — Griffer, griffade. Labourer le visage. Dévisager. — Ecorcher, écorchure. — Erailler, éraillure. Mordre, morsure. — Faire une plaie. — Tenailler. — Etriller. Gratter. Racler. Ratisser.

S'érailler. S'écorcher. S'excorier, excoriation. — Se raguer. S'étriper (se dit des cordages).

Déchirure, f. V. *déchirer.*
Déchoir. Déchu. V. *bas, malheur, classe.*
Déci (préf.). V. *dix.*
Décider. V. *projet, conseil.*
Décilitre, m. V. *mesure.*
Décimal. V. *dix, calcul.*
Décimateur, m. V. *dîme.*
Décime, m. V. *monnaie, impôt.*
Décimer. V. *tuer, détruire, punition.*
Décimètre, m. V. *mesure.*
Décisif. V. *finir, certitude.*
Décision, f. V. *choix, volonté, projet, arbitre, brave.*
Déclamation, f. Déclamer. V. *prononcer, emphase, rhétorique, théâtre.*
Déclaration, f. V. *état, amour, guerre, douane.*
Déclarer. V. *affirmer, avouer.*
Déclasser. V. *bas, classe.*
Déclencher. V. *serrure.*
Déclic, m V. *ressort.*
Déclin, m. V. *astronomie, âge.*
Déclinaison, f. V. *écart, boussole, étoile, grammaire.*
Déclinatoire, m. V. *arpentage.*
Décliner. V. *pire, faible, langueur, finir.*
Déclinomètre, m. V. *aimant.*
Décliqueter. V. *roue.*
Déclivité, f. V. *bas, oblique.*
Décloîtrer. V. *dégager.*
Déclouer. V. *clou.*
Décocher. V. *flèche, jet.*
Décoction, f. V. *cuire, boisson.*

Décoiffer. V. *cheveu, ouvert.*
Décollation, f. V. *cou, supplice.*
Décoller. V. *séparer, partir, aéronautique.*
Décolletage, m. Décolleter. V. *cou, poitrine, nu, tourneur.*
Décoloration, f. Décolorer. V. *couleur, effacer, pâle, terne.*
Décombres, m. p. V. *rebut, ordure.*
Décommander. V. *annuler.*
Décomposer. Décomposition, f. V. *séparer, dissoudre, gâter.*
Décompte, m. V. *compte, calcul.*
Déconcerter. V. *embarras, abattement.*
Déconfire. Déconfit. Déconfiture, f. V. *malheur, embarras, abattement, ruine, humilité.*
Déconseiller. V. *conseil, écart.*
Déconsidérer. V. *nuire.*
Décontenancer. V. *embarras.*
Déconvenue, f. V. *ennui, malheur, échouer.*
Décorateur, m. Décoratif. V. *orner, garnir, art.*
Décoration, f. Décorer. V. *art, honneur, insignes.*
Décortication, f. Décortiquer. V. *peler, graine, peau.*
Décorum, m. V. *politesse.*

Découcher. V. *coucher.*
Découdre. V. *coudre, couper, fente, combat.*
Découler. V. *couler, effet.*
**Découper.** V. *couper, partage, volaille, boucherie.*
Découpler. V. *chien.*
Découpure, f. V. *fragment.*
Découragement, m. Décourager. V. *abattement, fatigue, lâche.*
Découronner. V. *couronne, arbre.*
Découvert, m. V. *finance, dette.*
Découverte, f. V. *trouver, science.*
Découvrir. V. *dégager, trouver, coiffure, escrime.*
Décrasser. V. *laver.*
Décrépit. V. *vieux.*
Décret, m. Décréter. V. *ordre, loi, public.*
Décri, m. Décrier. V. *nuire, blâme, mépris.*
Décrire. V. *raconter, expliquer.*
Décrocher. V. *croc, dégager.*
Décrotter. V. *nettoyer, boue, chaussure.*
Décrottoire, f. V. *brosse.*
Décrue, f. V. *diminuer.*
Décruer. V. *teindre.*
Décruser. V. *teindre.*
Déculotter. V. *habillement.*
Décuple. V. *dix.*
Décuver. V. *tonneau.*
Dédaigner. Dédaigneux. V. *orgueil, mépris, rebut.*
Dédale, m. V. *détour.*
Dedans, m. V. *milieu.*

## DÉCOUPER

**Couper les viandes.** — Découper, découpage, découpoir. — Couteau à découper. Tailloir (plat de bois). — Ecuyer tranchant. Maître d'hôtel. — Lever une cuisse, une aile. — Tranches. Aiguillettes. Filets. — Hacher. Démembrer. Déchiqueter.

**Tailler selon un dessin.** — Couper un vêtement, coupe, coupeur. — Découpage (du drap). Découpure. Découpeuse à métaux. — Denteler, dentelure. — Festonner, feston. — Laciniation (découpage en lanières). — Créneler. — Faire des jours (de lingerie). — Filigrane.
Patron. — Châssis. Silhouette. Marron (lettre découpée). Poncis (papier découpé).

## DÉFENDRE

**Défendre par les armes.** — Défense, défenseur, défensif, défensive. Légitime défense. Se défendre pied à pied. Hors de défense. — Arme, armure, armement. S'armer. Prendre les armes. — Bouclier. Levée de boucliers. Egide. Cuirasse. — Rempart. Mur. Muraille. Fortification. — Boulevard. Barricade. — Garde. Garnison. Escorte. Soldat. Champion.

Combattre. Lutte. Résistance. — Se défendre. Parer les coups. Parade. Contre-batterie. Contre-mine.

**Défendre par la parole.** — La défense. Défenseur. Défenseur d'office. Avocat. Moyens de défense. — Défendeur, défenderesse. Avoué. — Moyens de défense. Exception. Réplique. Duplique. Triplique. Procédure. — Répondre, plaid, plaidoirie, plaidoyer. — Répondre, réponse. Réfuter, réfutation. Répliquer. Riposter. Exciper de. — Disputer. Discuter. Avoir bec et ongles. Montrer les dents.
Prendre le parti de. Partisan. Prendre fait et cause. — Patronner, patronage, patron. Soutenir. Tenir pour, tenant. Se prononcer pour. — Apologie, apologétique. Apostolat, apôtre. — Se porter garant. Excuser. Intercéder, intercession. — Médiateur, médiation.

**Protéger.** — Garder, gardien. Chien de garde. — Porte-respect. Chaperon. Duègne. Chevalier servant. — Protecteur, protection. Tuteur, tutelle. Sauvegarde. Garantie.
Sauveur. Sauver. Sauvetage. — Secourir. Aider. Venir au secours. Donner son soutien. — Mettre à couvert. Couvrir. Abriter, abri. Envelopper. Entourer. — Refuge. Asile. Planche de salut.

Dédicace, f. Dédier. V. attribuer, offre.

Dédire. Dédit, m. V. dire, négation, annuler, convention, payer.

Dédommager. V. compenser, réparer, payer.

Dédoubler. V. séparer.

Déduction, f. Déduire. V. ôter, effet.

Déesse, f. V. dieu.

Défâcher. V. réconcilier.

Défaillance, f. Défaillir. V. faible, insensible, absence.

Défaire. V. détruire, vainqueur.

Défaire (se). V. vendre, abandon.

Défait. V. maladie.

Défaite, f. V. vaincu, combat, échouer, détour, prétexte.

Défaitiste. V. chagrin.

Défalquer. V. ôter.

Défausser (se). V. cartes.

Défaut, m. V. mal, vice, manque, absence, chien.

Défaveur, f. V. déplaire, défiance.

Défécation, f. V. excrément.

Défectif. V. imparfait.

Défection, f. V. manque,

éclipse, abandon, trahir.

Défectueux. V. manque, imparfait.

Défenderesse, f. Défendeur, m. V. défendre, procédure.

Défendre. V. protéger, auxiliaires de justice, prohiber.

Défenestration, f. V. fenêtre.

Défense, f. V. guerre, fortification, procédure, précaution, excuse.

Défenses, f. p. V. ivoire.

Défenseur, m. V. discours, auxiliaires de justice.

Défensif. Défensive, f. V. combat.

Déférence, f. V. estime, politesse, respect.

Déférer. V. don, accusation.

Déferler. V. mer, voile.

Déferrer. V. maréchal.

Défi, m. V. appel, attaque.

Défiance, f. V. doute, précaution.

Défiant. V. défiance.

Défibrer. V. fibre, papier.

Déficit, m. V. moins, manque, compte, perdre.

Défier. V. attaque, pari.

Défiguré. V. difforme, laid.

Défigurer. V. visage, changer.

Défilé, m. V. étroit, troupe, spectacle.

Défilement, m. V. fortification.

Défiler. V. fil, marcher.

Défini. V. fixe, limite.

Définir. V. expliquer, fixe.

Définitif. V. finir.

Définition, f. V. expliquer.

Déflagration, f. V. brûler.

Défleurir. V. fleur.

Déflorer. V. gâter, commencer, fleur.

Défoncer. V. labour, jardin, fond, percer.

Déformation, f. Déformer. V. forme, gâter, difforme.

Défourner. V. four, boulanger.

Défrayer. V. payer.

Défrichement, m. Défricher. V. inculte, préparer, arracher.

Défricheuse, f. V. charrue.

Défriser. V. cheveu, embarras.

Défroque, f. V. habillement.

Défroquer (se). V. moine.

Défunt, m. V. mort.

Dégagé. V. élégance, hardi, vif.

Dégager. V. ôter, ouvert, promesse.

---

## DÉFIANCE

**Défiance qu'on éprouve.** — Défiance, défiant, se défier. — Méfiance, méfiant, se méfier. — Etre sur le qui-vive. Se tenir en garde. — Suspicion. Soupçon, soupçonner, soupçonneux. — Prendre de l'ombrage, ombrageux. — Prévention, prévenu. Douter de, DOUTE. — Précaution, précautionneux. Prudence, prudent. Méticuleux. Mettre à l'épreuve. Ne pas juger sur l'apparence. — Craindre, crainte, craintif. Redouter. Timoré. Dissimuler, dissimulation. — Tenir secret. — Sournois, sournoiserie. — Répondre en Normand. — JALOUX, jalousie. — Inquisition, inquisitorial.

**Défiance qu'on inspire.** — Défaveur, défavorable. — Discrédit, discrédité. Décri, décrié. — Disgrâce, disgracié. — Impopularité, impopulaire. — Anguille sous roche. Eveiller les soupçons. — Porter ombrage. — Sujet à caution. Suspect. Louche. Véreux. — Etre déchalandé, décrédité.

## DÉGAGER

**Dégager de ce qui embarrasse.** — Débarrasser. Déblayer. Désencombrer. Débâcler. Désobstruer. — Débourber. Désembourber. Désensabler. — Dépêtrer. Désempêtrer. — Décharger. Démeubler. Dégorger. — Débrouiller. Démêler. Elucider. Simplifier. — Vider. Désemplir. Désopiler. Purger. — Evider. Chantourner. Séparer. Diviser. — Elaguer. Emonder. Sarcler. Echeniller.

**Dégager de ce qui recouvre.** — Déballer. Dépaqueter. Désemballer. — Dénuder. Déshabiller. Dévoiler. Dévêtir. Défubler. OTER. Déchausser. Déganter. Décoiffer. Démasquer. — Déboucher. Décacheter. Décalotter. Décapuchonner. — Déharnacher. Débâter. — Débarbouiller. Nettoyer. Décaper. Désencroûter. Démastiquer. Dérouiller. — Découvrir. Défricher. Développer. Révéler. — Distinguer. Abstraire.

**Dégager de ce qui retient.** — Débarrer. Débarricader. Débloquer. Déchaîner. Démarrer. Détacher. Désenchaîner. Désentraver. Délier. Débander. Déboucler. Déboutonner. Débrider. Déceindre. Décercler. Déchiqueter. Desceller. Déverrouiller. Déprisonner. Décloîtrer. Déclouer. Décoller. Décrocher. Dégainer. Dégluer. Dégommer. Dégrafer. Délacer. Démailloter. Démuseler. Dénouer. Dévisser. Dételer. Désenlacer. Désentortiller. Détortiller. Désenclouer. Désengrener. Désenrayer. Dessertir. Désensorceler. Lâcher. Larguer. Démarrer. Débrayer.

**Dégager d'une obligation.** — Acquitter. Acquit. QUITTANCE. Quitte. Donner quitus. Donner décharge. — Affranchir, affranchissement. — Remettre une dette. Remise. — Dégrever, dégrèvement. Exonérer, exonération. Exempter, exemption. — Relever d'un vœu. Dispense. — Alléger, allégeance. — Lever une opposition. Retirer une plainte. — Rendre sa parole. Reprendre sa parole. — Secouer le joug.

DÉGAINE, f. V. *allure, manière.*

DÉGAINER. V. *dégager, arme, fourreau.*

DÉGARNIR. V. *ôter, manque, cheveu.*

DÉGÂT, m. V. *gâter, pillage.*

DÉGAUCHIR. V. *tailler.*

DÉGEL, m. Dégeler. V. *gelée, fondre, calme.*

DÉGÉNÉRER. Dégénérescence, f. V. *espèce, classe, changer, pire.*

DÉGINGANDÉ. V. *allure, difforme.*

DÉGLUTITION, f. V. *avaler.*

DÉGOISER. V. *parler.*

DÉGOMMER. V. *gomme, destituer.*

DÉGONFLER. V. *enflé.*

DÉGORGER. V. *gorge, couler, vide.*

**Dégoût**, m. V. *répugnance, horreur, chagrin.*

DÉGOÛTANT. Dégoûter. V. *dégoût, déplaire.*

DÉGOUTTER. V. *liquide, couler, goutte.*

DÉGRADATION, f. V. *destituer, fonction, gâter, ruine.*

DÉGRADÉ. V. *vil, couleur.*

DÉGRADER. V. *honte, diminuer.*

DÉGRAFER. V. *dégager.*

DÉGRAISSER. Dégraisseur, m. V. *graisse, nettoyer, teindre.*

DÉGRAS, m. V. *huile, cuir.*

**Degré**, m. V. *mesure, portée, angle, cercle, thermomètre, parent, liqueur, géographie.*

DÉGRÈVEMENT, m. Dégrever. V. *diminuer, dégager.*

DÉGRINGOLER. V. *tomber.*

DÉGRISER. V. *ivre.*

DÉGROSSIR. V. *gros, instruction, tourner.*

DÉGUENILLÉ. V. *haillon.*

DÉGUERPIR. V. *fuite, abandon.*

DÉGUEULER. V. *vomir.*

DÉGUISEMENT, m. Déguiser. V. *habillement, changer, cacher.*

DÉGUSTATEUR, m. V. *vin.*

DÉGUSTER. V. *goût, essai, manger, boire.*

DÉHANCHEMENT, m. V. *hanche.*

DÉHARNACHER. V. *dégager.*

DÉHISCENCE, f. V. *fente.*

DEHORS. V. *hors, apparaître.*

DÉIFIER. V. *Dieu.*

DÉISME, m. V. *religion, philosophie.*

DÉITÉ, f. V. *Dieu.*

DÉJECTION, f. V. *excrément, astrologie.*

DÉJETER (se). V. *bois, difforme.*

DÉJEUNER, m. V. *matin, manger.*

DÉJOUER. V. *obstacle, jeu.*

DÉJUCHER. V. *oiseau.*

DÉLABRÉ. Délabrement, m. Délabrer. V. *gâter, ruine, usé.*

---

## Dégager d'un péril.

**Dégager d'un péril.** — Délivrer, délivrance. Libérer, libération, libérateur. — Tirer de peine. Tirer d'embarras. Tirer une épine du pied. — Sauver, sauveur, salut. — Racheter. Rachat. Rançon. Rédempteur, rédemption. — Relâcher. Relaxer, relaxation. Rompre les chaînes. — Soustraire à. Dégager de. Acquitter, acquittement. GUÉRIR, guérison. — Remettre les péchés. Absoudre, absolution.

## DÉGOÛT

**Inspirer le dégoût.** — Dégoûter, dégoûtant. — Soulever le cœur. Faire VOMIR. Faire mal au cœur. Barbouiller le cœur. Ecœurer. — Emousser le goût. Blaser. — Affadir, affadissement. FADE, fadeur, fadasse. Insipide. — N'être pas ragoûtant. Immangeable. — Puer, PUANT, puanteur. Nauséabond. Nauséeux. — Ordure. SALE, saleté. — Rebuter, rebutant. Repousser, repoussant. Révolter, révoltant. Choquer, choquant. — Abreuver de dégoût. Soûler. — Odieux. Ignoble. — DÉPLAIRE, déplaisant. Désenchanter. Fastidieux. Ennuyeux.

**Dégoût physique.** — Soulèvement de cœur. Haut-le-cœur. Nausée. Envie de vomir. — Inappétence. Anorexie. Dysorexie. Cacositie. — Faire la petite bouche. Ne pas toucher à. — Satiété. Rassasié. Etre soûl de. En avoir son soûl. — Etre dégoûté, DÉLICAT. Faire la moue. — Déboire. — Hydrophobie, hydrophobe. — Fi ! Pouah !

**Dégoût moral.** — RÉPUGNANCE. Répulsion. Aversion. HORREUR. Eloignement. — Ecœurement. Désenchantement. Déboires. — Antipathie. Misanthropie. Esprit chagrin. HAINE. — Lassitude. Etre las de. ENNUI. En avoir assez. En avoir par-dessus la tête. — Spleen. Byronisme. Etre blasé.

## DEGRÉ
(latin, *gradus*)

**Marches.** — Marche. Gradin. Echelon. Cran. Redans (de maçonnerie). — ESCALIER. Perron. ECHELLE. Marchepied. — Superposition. Etage. Etagère. Amphithéâtre. Rang. Rangée.

Monter, descendre les degrés. Gravir pas à pas, pied à pied.

**Hiérarchie.** — Rang. Hiérarchiser, hiérarchique. — Echelons du commandement. Grade, gradé. Monter en grade. Dégrader, dégradation. Rétrograder, rétrogradation. — Subordonner, subordonné, subordination. — Degré de l'échelle sociale. S'élever par degrés. — Degré d'enseignement. Degré de bachelier, de licencié, etc. — CLASSE, classer, classement. Classifier, classification. — Succession, successif.

**Intensité.** — Gradation. Gradation ascendante. Gradation descendante. Graduel. — Progression. ETENDUE. Intensité. FORCE. PORTÉE. Nuance. — Dernier degré. Paroxysme. Apogée. Maximum. Minimum. — Degré, stade d'une maladie. Le plus haut période. — Gamme, degré conjoint, disjoint. Ton. Hauteur. Diapason. — Degrés de comparaison. — Dégression, dégressif.

Au fur et à mesure. De proche en proche. Petit à petit. Pied à pied. — De plus en plus. De moins en moins. — Au plus haut point. Au fort de.

**Mesure.** — Graduer, graduation. Echelle. — Degrés du baromètre, du thermomètre, etc. — Degrés de chaleur. — Degré centésimal. — Degrés d'un angle. Minute. Seconde. Tierce. Quarte. — Division. Subdivision. Vernier (appareil). — Equations du premier, du second, du troisième degré.

DÉLACER. V. *lacet, dégager.*

**Délai,** m. V. *arrêt, attendre, futur, tard.*

DÉLAISSER. V. *partir, abandon.*

DÉLAITER. V. *lait, beurre.*

DÉLASSEMENT, m. Délasser. V. *repos, oisif, plaisir.*

DÉLATEUR, m. V. *espion, accusation.*

DÉLAVÉ. V. *terne, humide.*

DÉLAYAGE, m. Délayer. V. *liquide, étendre, plâtre, diffus.*

DELCO, m. V. *automobile.*

DÉLECTATION, f. Délecter. V. *plaire.*

DÉLÉGATION, f. Délégué, m. Déléguer. V. *attribuer, mission, remplacer.*

DÉLESTER. V. *poids.*

DÉLÉTÈRE. V. *poison.*

DÉLIBÉRATION, f. Délibérer. V. *suffrage, examen.*

**Délicat.** V. *beau, doux, scrupule, sentiment, goût, élégance.*

DÉLICATESSE, f. V. *délicat.*

DÉLICE, m. Délicieux. V. *plaisir, bonheur, goût.*

DÉLIÉ. V. *mince, écrire.*

DÉLIER. V. *dégager, pardon.*

DÉLIMITER. V. *limite.*

DÉLINQUANT, m. V. *faute.*

DÉLIQUESCENCE, f. V. *fondre.*

DÉLIRE, m. Délirer. V. *fièvre, fureur, passion, enthousiasme.*

DÉLIT, m. V. *faute, crime.*

DÉLITER. V. *maçon, soie.*

DÉLIVRANCE, f. Délivrer. V. *secours, libre, dégager, accouchement.*

DÉLOGER. V. *logement, abandon, chasse.*

DÉLOYAL. Déloyauté, f. V. *injuste, infidèle, trahir.*

DELTA, m. V. *rivière, Egypte.*

DÉLUGE, m. V. *inondation.*

DÉLURÉ. V. *vif.*

DÉLUSTRER. V. *terne.*

DÉMAGOGIE, f. Démagogue, m. V. *peuple, politique.*

DÉMAILLOTER. V. *enfant.*

DÉMANCHER. V. *manche, violon.*

**Demande,** f. V. *prier, procédure, aumône.*

DEMANDER. V. *demande, question.*

DEMANDEUR, m. Demanderesse, f. V. *procédure.*

DÉMANGEAISON, f. Démanger. V. *piquer, désir.*

DÉMANTELER. V. *fortification.*

DÉMANTIBULER. V. *disloquer.*

DÉMARCATION, f. V. *limite.*

DÉMARCHE, f. V. *allure, action, intrigue.*

DÉMARQUER. V. *effacer.*

DÉMARRER. V. *partir.*

---

## DÉLAI
(latin, *differre, dilatum*)

**Délai légal.** — Atermoyer, atermoiement. — Continuer une cause. A huitaine. A quinzaine. — Mesure dilatoire. — Arrêt suspensif. Remise. — Sursis. Surseoir. Lettres de surséance. — Délai péremptoire. Délai de faveur. Délai de grâce. Délai de rigueur. — Délai-congé. — Préfinir les délais. — Péremption, périmer, périmé. — Prorogation, proroger, prorogatif. — Moratoire. — A vue. — Annion (délai d'un an). Quinquenelle (de cinq ans). — Fin du délai. Expiration, expirer. Echéance, échoir. Terme. — *Dies a quo. Dies ad quem.*

**Retardement.** — Retarder, retard, retardatif. — Faire attendre. Faire durer. Eterniser. Traîner en longueur. Lanterner. Tenir le bec dans l'eau. Tirer en longueur. Faire poser. — Tenir en suspens. Suspendre. Amuser. Promener quelqu'un.

Arrêter, arrêt. Retenir. Quarantaine. Starie (arrêt de navires).

Attendre, attente. — Demeurer, demeure. Péril en la demeure. — Patienter. Temporiser, temporisation. — Prendre son temps. Traîner, traînard. — Tarder, tardif, TARD. — Perdre son temps. Lenteur. Longueur. Temps perdu. — Rester en souffrance. Faire long feu.

**Remise.** — Ajourner, ajournement, réajournement. — Reporter. Différer. Eloigner. Remettre, Remettre au lendemain. — Prolonger, prolongation. — Transférer, transfert. — Reculer, recul. Renvoyer, renvoi. Procrastination. — Réserver. Gagner du temps. — Accorder du temps. Atermoyer. Acte d'atermoiement. Allonger. — TRÊVE. Répit. Pause. Temps de REPOS.

## DÉLICAT

**Délicat de goût.** — Savoureux. Exquis. Suave. Délicieux. Friand. Sucré. Fin. Superfin. De premier choix. Affriolant.

Bonbons. Friandises. Douceurs. Sucreries. Gourmandises. Délices. Chatteries.

**Délicat de manières.** — Gracieux, GRÂCE. Elégant, ÉLÉGANCE. Distingué, distinction. — Maniéré. Précieux. — Doucereux. Doucet. Mielleux. — Affété, afféterie. — Affecté, affectation. — Mignard, mignardise. — GALANT, galanterie. Fleurettes. — Cajoleur, cajolerie. Câlin, câlinerie. Flatteur. Complimenteur. — Faire le dégoûté. Faire le renchéri. Faire la petite bouche. — Efféminé. — Damoiseau.

**Délicat d'esprit.** — Fin, finesse. — SPIRITUEL, esprit. Sel. — Attique, atticisme. — Raffiné, raffinement. Raffiner. Recherche. Quintessencier. — Jugement délicat. Goût sûr. — Subtil, subtilité. Ingénieux, ingéniosité. — Précieux, préciosité. Marivaudage. — Scrupuleux, scrupule. Minutieux, minutie. — Faire le difficile. Amateur. Gourmet. Connaisseur.

**Délicat de cœur.** — Délicat, délicatesse. — Tendre, tendresse. — Sentimental. Amour platonique. Céladon. — Sensible, sensibilité. Sentiment. — Voluptueux, volupté. — Pur, pureté. — Poli, politesse.

Sensitive. Chatouilleux. Susceptible. Facile à froisser, à blesser. — Difficile. Exigeant.

**Délicat d'apparence.** — Joli, joliet. Chic. Rare. Gentil. Gracieux. Elégant. Bien tourné. Séduisant. Coquet. Mignon. LÉGER. Flou. Fignolé. Léché. Soigné. Ciselé. Caressé. Perlé.

Faible. Frêle. Fragile. MINCE. Menu. Svelte. Morbide. — Femmelette. Mauviette. Gringalet.

## DEMANDE
(latin, *petere, postulare*)

**Action de demander.** — Demander. — Exprimer, formuler, adresser une demande. — Exposer sa demande. Présenter un placet.

DÉMASQUER. V. *montrer, artillerie.*

DÉMÂTER. V. *mât.*

DÉMÊLÉ, m. V. *dispute.*

DÉMÊLER. Démêloir, m. V. *trier, peigne, intelligence.*

DÉMEMBRER. V. *découper, disloquer, partage.*

DÉMÉNAGEMENT, m. Déménager. V. *logement, partir, transport.*

DÉMENCE, f. V. *folie.*

DÉMENER (se). V. *mouvement.*

DÉMENTI, m. Démentir. V. *négation, opposé.*

DÉMÉRITER. V. *mal, mérite, mœurs.*

DÉMESURÉ. V. *excès.*

DÉMETTRE. V. *chasser, abandon.*

DÉMEUBLER. V. *logement, meuble.*

DEMEURE, f. Demeurer. V. *logement, continuer, arrêt.*

DEMI (préf.). V. *moitié.*

DEMI-CLEF, f. V. *nœud.*

DEMI-GROS, m. V. *commerce.*

DEMI-JOUR, m. V. *ombre.*

DEMI-LUNE, f. V. *fortification.*

DEMI-MONDE, m. V. *prostitution.*

DÉMIS. V. *membre, disloquer.*

DEMI-SANG, m. V. *cheval.*

DEMI-SOLDE, m. V. *officier.*

DÉMISSION, f. Démissionner. V. *destituer, fonction.*

DÉMIURGE, m. V. *Dieu.*

DÉMOBILISER. V. *paix.*

DÉMOCRATE, m. Démocratie, f. Démocratique. V. *politique, république.*

DÉMOGRAPHIE, f. V. *habiter.*

DEMOISELLE, f. V. *fille, jeune.*

DÉMOLIR. Démolition, f. V. *détruire, ruine.*

DÉMON, m. V. *diable, méchant, magie.*

DÉMONÉTISER. V. *monnaie.*

DÉMONIAQUE. V. *fureur.*

DÉMONSTRATIF. V. *preuve.*

DÉMONSTRATION, f. V. *argument, raison, geste.*

DÉMONTER. V. *disloquer, abattement, artillerie, sot.*

DÉMONTRER. V. *montrer, expliquer, preuve, certitude.*

DÉMORALISATION, f. Démoraliser. V. *séduire, mœurs, abattement.*

DÉMORDRE. V. *cesser.*

DÉMOULER. V. *moule.*

DÉMUNIR. V. *ôter, perdre, abandon.*

DÉNATURER. V. *changer, gâter.*

DENDRITE, f. Dendroïde. Dendrologie, f. V. *arbre.*

DÉNÉGATION, f. V. *négation, résister.*

DÉNI, m. V. *résister.*

DÉNIAISER. V. *instruction.*

DÉNICHER. V. *nid, oiseau, chasser, curieux.*

DENIER, m. V. *rente.*

DÉNIER. V. *négation.*

DÉNIGREMENT, m. Dénigrer. V. *blâme, accusation, mépris.*

DÉNOMBREMENT, m. Dénombrer. V. *nombre, état.*

DÉNOMINATION, f. Dénommer. V. *nom, appel, mot, qualifier.*

DÉNONCER. Dénonciation, f. V. *accusation, plainte, annuler.*

DÉNOUEMENT, m. Dénouer. V. *nœud, finir, dégager, théâtre.*

DENRÉE, f. V. *marchandise, provision.*

DENSE. Densité, f. V. *épais, solide, plein, chimie.*

**Dent**, f. V. *bouche, ivoire, scie.*

---

Chercher à OBTENIR. — Prier, prière. Prière instante. — Supplier, suppliant, supplique. Implorer, imploration. — Demander à cor et à cri. Harceler. Obséder. Importuner, importunité. Insister, insistance. — Souhaiter, souhait. Désirer, DÉSIR. Desideratum. — Quémander, quémandeur. Quêter, quête. Mendier, mendiant, mendicité. — Faire appel. Appel de fonds. — Faire un prix. Surfaire. — INTERROGER. Questionner. — INVITER. Retenir. — S'abonner. Souscrire.

Exaucer, accorder, repousser, rejeter la demande. — Faire la grâce de, la faveur de.

**Demandes impératives.** — Mander, mandement. Adresse. Rescrit. — Mission. Commission. Ordonnance. Dire à quelqu'un. — Réquisition. Contribution. — Vouloir, VOLONTÉ. Exiger, exigence. — Commander. Faire une commande. — Sommer, sommation. Revendiquer, revendication. RÉCLAMER, réclamation. Pétitionner, pétition, pétitionnaire. — Ultimatum.

**Candidature.** — Briguer, brigue. — Etre candidat. Poser sa candidature. Se mettre sur les rangs. Se présenter à. — Prétendre à, prétendre. Postuler, postulant. — Compétition, compétiteur. Concurrence, concurrent. — Solliciter, solliciteur. Visites. Faire antichambre. — Intrigues. Apostille. Recommandation.

**Demandes en Justice.** — Demandeur, demanderesse. Demande préparatoire, principale, accessoire, incidente, nouvelle, préjudiciable, reconventionnelle, subsidiaire, provisoire, en intervention. PROCÉDURE.

## DENT

**Denture.** — Bouche. Mâchoire. Arcade dentaire. Articulation. — Incisives. Canines. Molaires. — Dents de lait. Grosses dents. Dents de sagesse. Dent de l'œil. Dents du haut. Dents du bas. — Surdent. Chicot. Quenotte. — Faire ses dents. Percer ses dents. Les 32 dents. — Bouche bien meublée. Bien denté. — Perdre ses dents. Edenté. Sans dents.

Dents d'animaux : Crocs (chien). Broches (sanglier). Défenses (éléphant). Coins (cheval). Crochet (serpent). Fanons (baleine).

**La dent.** — Dentition. Première dentition. Deuxième dentition.

Gencives. Follicules dentaires. Alvéole. Bulbe. Racine. Périoste. Collet. Couronne. Cuspides. Pulpe dentaire. Dentine ou IVOIRE. Ciment. Email. Nerf dentaire. — Dent barrée. Racine bifurquée.

**Action des dents.** — Mâcher, mastication. — Broyer, broiement. — MORDRE, morsure. — Déchirer. Déchirer à belles dents. — RONGER. Grignoter. — Ruminer. Mâchonner. Chiquer.

Serrer les dents. Grincer des dents. Crisser. Craquer. Claquer. — Consonnes dentales. — Grommeler (parler entre les dents).

**Maux de dents.** — Déchaussement. — Carie. — Dent creuse. Dent gâtée. Mauvaise dent. — Mal de dents. Rage de dents. Odontalgie. — Gingivite. — Abcès. — Périostite. — Fluxion. — Odontite (inflammation). — Pyorrhée. — Tartre. — Chute des dents. Branler. Tomber. Brèche-dent.

DENTAIRE. V. *dent*.

DENTAL. V. *prononcer*.

DENTELER. V. *dent, découper*.

**Dentelle,** f. V. *habillement, orner*.

DENTELLIÈRE, f. V. *dentelle*.

DENTELURE, f. V. *dent, entaille*.

DENTIER, m. V. *dent*.

DENTIFRICE. V. *nettoyer, dent*.

DENTINE, f. V. *dent*.

DENTISTE, m. Dentisterie, f. V. *dent, médecine*.

DENTURE, f. V. *dent*.

DÉNUDER. V. *dégager, nu*.

DÉNUEMENT, m. Dénuer. V. *besoin, manque, pauvre*.

DÉPAQUETER. V. *ouvert*.

DÉPAREILLER. V. *discordant*.

DÉPART, m. V. *partir*, com- mencer, chimie, voyage.

DÉPARTAGER. V. *égal*.

DÉPARTEMENT, m. V. *pays, province*.

DÉPARTIR. V. *don, abandon*.

DÉPASSER. V. *passer, saillie, supérieur, excès*.

DÉPAVER. V. *paver*.

DÉPAYSER. V. *pays, égarer*.

DÉPECER. V. *couper, partage*.

DÉPÊCHE, f. V. *poste, nouvelle, lettre, diplomatie*.

DÉPÊCHER. V. *mission*.

DÉPEINDRE. V. *représenter, raconter*.

**Dépendance,** f. Dépendre. V. *obéir, juridiction*.

DÉPENDRE. V. *pendre*.

DÉPENS, m. p. V. *punition, procédure*.

**Dépense,** f. V. *luxe, payer*.

DÉPENSER. V. *dépense*.

DÉPENSIER. V. *provision*.

DÉPERDITION, f. V. *perdre*.

DÉPÉRIR. Dépérissement, m. V. *langueur, gâter, pire*.

DÉPÊTRER. V. *pied, dégager*.

DÉPEUPLEMENT, m. Dépeupler. V. *désert, ôter*.

DÉPHOSPHORATION, f. V. *phosphore*.

DÉPILER. V. *arracher*.

DÉPIQUER. V. *graine, épi*.

DÉPISTER. V. *trace, chasse, reconnaissance, curieux*.

DÉPIT, m. Dépiter. V. *fâché, regret, chagrin*.

DÉPLACÉ. V. *inconvenant*.

DÉPLACEMENT, m. Déplacer. V. *changer, fonction*.

---

**Soins de la bouche.** — Odontotechnie. Art dentaire. Dentisterie. Dentiste. Opérateur. Mécanicien. — Nettoyer les dents. Détartrer. Brosse à dents. Eau, poudre, savon dentifrice. Cure-dent. — Extraire. Insensibiliser. Arracher. Davier. Clef de Garengeot. Elévateur. — Plomber. Aurifier. Obturer. Tour. Fraise. Meule. Fouloir. — Prothèse. Poser des dents. Prendre empreinte. Dentier. Râtelier. Fausses dents. Plaques. Crochets. Couronne. Bridge. Dents à pivot.

**Choses en forme de dent.** — Barbe (de serrure). — Came. — Cheville. — Cran. — Créneau. — Déclic. — Découpure. — Denticule. — Feston. — Languette. — Morfil. — Picot. — Pointe. — Rochet.

**Objets qui ont des dents.** — Pignon. — Outil bretté. — Crémaillère. — CRIC. — Roue dentée. — Dentelle. — Dentelure. — Endenture. — Engrêlure. — Engrenage. — FOURCHE. Fourchette. — Peigne. — Râteau. — Trident. — Scie. — Mur crénelé. — Fil barbelé.

### DENTELLE

**Travail.** — Dentellerie. Dentellier. Dentellière. Lunévilleuse. — Affiquage. — Assemblage. — Couchure. — Engrêlure. — Entoilage. — Mailler, maille. — Picot. — Piquer, piqûre. — Remplir, remplissure. — Repriser, reprise. — Lever, levage. — Faire la bouclure. — Faire la brode. — Faire le tracé. — Brider. — Guiper. — Bordure. — Entretoile. — Entre-deux. — Point coupé, point noué, point gaze, point à la reine, etc.

**Outillage.** — Métier. Carreau. Métier tournant. Coussin. — Aiguille. Fuseau. Navette. Crochet. — Vélin. Patron. Dessin. — Pince. Bobinoir. Guipoir. Tambour. — Cartisane. Fil. Soie. Or. Argent.

**Dentelles.** — *A l'aiguille* : Point de Venise, d'Alençon, d'Argentan, de Sedan, de France, d'Angleterre, de Bruxelles, Colbert. Gaze.

*Au fuseau :* Valenciennes. Malines. Chantilly. Blonde. Point de Paris, de Milan, de Gênes, de Flandre, de Bruges.

*Guipure :* Point de rose, de Flandre, d'Irlande, du Puy, de Cluny, Colbert.

*Au crochet :* Point de chaînette. Barrette. Picots. Irlande. Bretonne.

*A la navette :* Frivolité. Dentelle à la fourche. Mignonnette. Gueuse. Lacis. Bisette. Réseau. Filet. Tulle. Feston.

Dentelle mécanique. Dentelle d'imitation.

### DÉPENDANCE

**Dépendance territoriale.** — Accense. Apanage. Mouvance. Arrière-fief. Tenure. — Possessions extérieures. Colonie. Protectorat. Annexions. — Appartenance. Dépendances. — Annexe. Succursale. — Dehors. Faubourg. Alentours. Ramification. Embranchement. — Appentis. Entourage. — Contre-allée. Canal latéral. — Tenant. Joignant. Servitude.

**Sujétion.** — Dépendre de. Dépendance. Indépendance. — Relever de. Ressortir de. Etre du ressort de. — Soumission. Obédience. — Sujet. Subordonné. Satellite. — Subordination. Subjonctif. — Condition. Conditionnel.

**Accompagnement.** — Auxiliaire. Subsidiaire. — Complément, complémentaire. Supplément, supplémentaire. Remplissage. Surplus. Appoint. — Attirail. Fourniture. Garniture. BAGAGE. Harnachement. — Cortège. Escorte. Comparse. Figurant. — Particularités. CIRCONSTANCES. Détail. — Digression. Parenthèse. Variations. Intermède. Incise. Episode. Incident. — Appendice. Ornement. Monture. Petite oie. — Préparatifs. Prélude. —Hors-d'œuvre. Sauce.

**Conséquence.** — Antécédents et Conséquents. — Tenants et Aboutissants. — EFFET. Résultat. Développement. Expansion. Prolongement. — Corrélation, corrélatif. — Solidarité, solidaire. — Rapport. Se rapporter à. Relatif. — SUITE. Faire suite à. Consécutif.

### DÉPENSE
(latin, *impensa, sumptus*)

**Dépenses personnelles.** — Economie, économe. Calculer sa dépense. Plaindre la dépense. Etablir son budget. Compter. — Charges. Carte à payer. Prix, coût de la vie.

**Déplaire.** V. *répugnance, dé-goût, laid.*

DÉPLAISIR, m. V. *déplaire, fâ-ché, chagrin.*

DÉPLANTER. V. *arbre, trans-port.*

DÉPLIER. V. *étendre, étoffe.*

DÉPLOIEMENT, m. V. *étendre, armée.*

DÉPLORER. V. *mal, chagrin, plainte, regret.*

DÉPLOYER. V. *étendre, ma-nœuvres.*

DÉPLUMER. V. *plume, ôter.*

DÉPOLIR. V. *terne.*

DÉPONENT. V. *verbe.*

DÉPOPULATION, f. V. *peuple.*

DÉPORT, m. V. *délai, arbitre.*

DÉPORTATION, f. V. *punition, prison.*

DÉPORTEMENT, m. V. *débau-che.*

DÉPORTER. V. *bannir, aban-don.*

DÉPOSANT, m. V. *témoin, garder.*

DÉPOSER, m. V. *témoin, aban-don.*

DÉPOSITAIRE, m. V. *magasin.*

DÉPOSITION, f. V. *dire, té-moin.*

DÉPOSSÉDER. V. *ôter, perdre, destituer.*

DÉPOSSESSION, f. V. *posses-sion.*

DÉPÔT, m. V. *amas, con-fiance, pus, magasin, gar-der.*

DÉPOTER. V. *pot.*

DÉPOUILLE, f. V. *peau, cada-vre, trophée.*

DÉPOUILLEMENT, m. V. *suf-frage.*

DÉPOUILLER. V. *prendre, abandon.*

DÉPOURVOIR (se). V. *abandon.*

DÉPOURVU. V. *manque.*

DÉPRAVATION, f. Dépraver. V. *conduite, vice, luxure, gâ-ter.*

DÉPRÉCATION, f. V. *prier, maudire.*

DÉPRÉCIATION, f. Déprécier. V. *réputation, prix, mépris.*

DÉPRÉDATION, f. V. *voleur, pillage.*

DÉPRENDRE. V. *dégager.*

DÉPRESSION, f. V. *bas, creux, baromètre, abattement.*

DÉPRIER. V. *annuler.*

DÉPRIMER. V. *bas, presser.*

DE PROFUNDIS. V. *psaume.*

DÉPUCELER. V. *commencer.*

DÉPURATIF. V. *pur, médica-ment.*

DÉPUTATION, f. Député. V. *parlement, envoi.*

DÉRACINER. V. *racine, arbre.*

DÉRAILLER. V. *chemin de fer.*

DÉRAISON, f. Déraisonner. V. *raison, folie.*

DÉRANGER. V. *changer, désor-dre.*

DÉRAPER. V. *ancre, glisser.*

DÉRATER. V. *rate, rire.*

DÉRATÉ. V. *courir.*

DERBOUKA, m. V. *tambour.*

DERECHEF. V. *répétition.*

DÉRÈGLEMENT, m. V. *excès, débauche.*

DÉRÉGLER. V. *règle, désordre.*

DÉRIDER. V. *consoler, rire.*

DÉRISION, f. V. *moquer, mé-pris.*

DÉRIVATION, f. V. *détour, effet, grammaire.*

DÉRIVE, f. V. *errant, navire.*

DÉRIVER. V. *canal, gram-maire.*

DERMATOLOGIE, f. V. *peau.*

DERMATOSE, f. V. *peau.*

DERME, m. Dermique. V. *peau.*

---

Vie chère, coûteuse. — Choses dispendieuses. Faux frais. Menus plaisirs. Extras. — Dé-penser. Dépocher. Débourser, débours. PAYER, paiement. Régler, règlement. Rembourser, remboursement. Faire face à. Joindre les deux bouts.

Subvenir à. Faire les frais de. Soutenir. En-tretenir. Aider de sa bourse. Faire bouillir la marmite. Payer les violons. — Impenses. — Dépenses nécessaires, utiles, somptuaires (chez possesseur de bonne foi et usufruitier).

**Dépenses collectives.** — Faire bourse commune. Boursiller. Payer à frais communs. — Cotiser. Se cotiser. Cotisation. — Contri-buer. Contribution. Mettre à contribution. — Ecot. Pique-nique. Quote-part. — Econo-mat. Econome.

**Dépenses excessives.** — Dépense effré-née. Folle dépense. Profusion. — Dépensier. Bourreau d'argent. Mange-tout. Panier percé. Gouffre. — Dépenser sans compter. Dissiper, dissipation, dissipateur. Dilapider, dilapida-tion, dilapidateur. Gaspiller, gaspillage, gas-pilleur. Jeter l'argent par les fenêtres, à plei-nes mains. Prodiguer, prodigalité, prodigue. Semer son argent. — Se ruiner. Manger, dé-vorer sa fortune. Manger son blé en herbe. Epuiser ses ressources. PERDRE son bien. Se saigner.

Ruiner. Mettre à sec. Tenir la bourse. Gru-ger. Vivre aux crochets de.

**Dépenses légales.** — Budget. Impôts. Impositions. Contributions directes et indi-rectes. Taxes, taxation. Lois somptuaires. —

Constituer en frais. Dépens. Compensation. Componende. Distraction de dépens. Frais préjudiciaux. Provision. — Principal. Inté-rêts. Titre onéreux.

## DÉPLAIRE

**Choquer l'esprit.** — Déplaire, déplaisir, déplaisant. — Contrarier, contrariété. — Agacer. Ennuyer, ENNUI, ennuyeux. Fâcheux. — Désagrément, désagréable. — Scandale, scandaliser, scandaleux. — Vilain, vilenie. — Rebuter. Porter ombrage. Désenchanter. Dé-sillusionner. — Aliéner les esprits. Discré-diter, discrédit. Démériter, démérite. — IN-CONVENANT. Indiscret. Maussade.

**Heurter les sentiments.** — Blesser, bles-sant. Offenser, offense, offensant. Vexer, vexant. Froisser, froissement. — Peiner. In-disposer. Mécontenter. Offusquer. Désobliger. — Indigner. Irriter. Révolter. Effaroucher. — N'être pas en odeur de sainteté. Etre la bête noire. Puer au nez

Encourir l'antipathie, l'aversion, la répu-gnance, la défaveur, l'impopularité, la dis-grâce, la haine.

Antipathique. Impopulaire. Odieux. Détes-table. Répugnant.

**Gêner.** — Gênant, gêne. Inconvénient. In-commode, incommodité. Importun, importu-nité. — Insupportable. Intolérable. Lourd. — Fatiguer, fatigant. Etre à charge. — Dégoûter. Faire mal au cœur. Etre dur à di-gérer. Fade. Insipide. — Déchirer les oreilles. Choquer la vue. — Contrecarrer.

**Dernier.** V. *après, arrière, nouveau.*

DÉROBER. V. *voleur, cheval.*

DÉROGATION, f. Déroger. V. *noble, classe, violer.*

DÉROUILLER. V. *nettoyer, dégager.*

DÉROULER. V. *tourner, bandage.*

DÉROUTE, f. V. *combat, fuite.*

DÉROUTER. V. *égaré, embarras.*

DERRICK, m. V. *puits.*

DERRIÈRE. V. *arrière, anus.*

DERVICHE, m. V. *Mahomet.*

DÉS, m. p. V. *jeu.*

DÉSABUSER. V. *erreur.*

DÉSACCORD, m. V. *fâché, discordant.*

DÉSACCOUTUMER. V. *habitude.*

DÉSAFFECTION, f. V. *haine.*

DÉSAGRÉABLE. V. *déplaire.*

DÉSAGRÉGATION, f. Désagréger. V. *dissoudre, chimie.*

DÉSAGRÉMENT, m. V. *chagrin.*

DÉSALTÉRER. V. *satisfaire, soif.*

DÉSANCRER. V. *ancre.*

DÉSAPPOINTEMENT, m. Désappointer. V. *tromper, chagrin.*

DÉSAPPRENDRE. V. *oubli.*

DÉSAPPROBATION, f. V. *blâme.*

DÉSAPPROPRIATION, f. V. *abandon.*

DÉSAPPROUVER. V. *blâme.*

DÉSARÇONNER. V. *équitation.*

DÉSARMEMENT. Désarmer. V. *combat, paix, escrime.*

DÉSARROI, m. V. *désordre.*

DÉSARTICULER. V. *disloquer.*

DÉSASTRE, m. V. *malheur, ruine, vaincu, détruire.*

DÉSAVANTAGE, m. V. *perdre, vaincu, malheur.*

DÉSAVANTAGER. V. *nuire.*

DÉSAVEU, m. V. *négation, mensonge.*

DÉSAVOUER. V. *renier, blâmer.*

DESCELLER. V. *dégager, sceau.*

DESCENDANCE, f. Descendant, m. V. *enfant, parent, famille.*

DESCENDRE. V. *origine, bas, rivière, voix, logement.*

DESCENTE, f. V. *tuyau, police.*

DESCRIPTIF. V. *description.*

**Description**, f. V. *représenter.*

DESCRIPTIVE, f. V. *géométrie.*

DÉSEMPARER. V. *malheur, abandon.*

DÉSEMPLIR. V. *vide.*

DÉSENCHAÎNER. V. *chaîne.*

DÉSENCHANTER. V. *chagrin, dégoût, magie.*

DÉSENFLER. V. *enflé.*

DÉSENNUYER. V. *plaisir.*

DÉSÉQUILIBRE, m. V. *folie.*

**Désert**, m. V. *vide, stérile, géographie.*

DÉSERTER. Déserteur, m. Désertion, f. V. *soldat, fuite, abandon, trahir.*

DÉSERTIQUE. V. *désert.*

DÉSESPÉRER. Désespoir, m. V. *malheur, abattement.*

DÉSHABILLER. V. *nu, montrer.*

DÉSHABITUER. V. *habitude.*

DÉSHERBER. V. *sarcler.*

DÉSHÉRENCE, f. V. *testament.*

DÉSHÉRITER. V. *ôter, héritage.*

DÉSHONNÊTE. V. *injuste.*

DÉSHONNEUR, m. V. *honte, mépris, adultère.*

DÉSHONORER. V. *nuire, réputation.*

DESIDERATUM, m. V. *besoin.*

DÉSIGNATION, f. Désigner. V. *marque, signifier, nomination.*

DÉSILLUSION, f. V. *chagrin.*

DÉSINENCE, f. V. *finir, mot.*

DÉSINFECTER. Désinfection, f. V. *pur, épidémie.*

DÉSINTÉRESSEMENT, m. Désintéresser. V. *modération, compenser, payer.*

DÉSINVITER. V. *annuler.*

DÉSINVOLTURE, f. V. *élégance, franc.*

---

## DERNIER
(latin, *ultimus*)

**Dernier en date.** — Récent. Nouveau. Moderne. — Précédent. — Le plus jeune. Dernier-né. Cadet. Puîné. Culot (d'une couvée). — Dernièrement. En dernier lieu. En dernier ressort. — Derniers instants. Moment suprême. Chant du cygne. — Avoir le dernier mot. Coup de grâce. — Ultimatum. — Dernières volontés. — Fin. Terme. Clôture.

**Dernier en rang.** — Marcher en dernier. Fermer la marche. Etre en queue. Arrière-garde. — Terminaison. Fin. Extrémité. Bout. Limite. — Etre au bout. Extrême. Ultime. Infime. — Suivre. Venir à la suite. Serre-file. Traînard. — Avant-dernier. Pénultième. Antépénultième.

## DESCRIPTION

**Description linéaire.** — Lignes. Schéma. Contours. Tracé. Trait. Coup de pinceau. — DESSIN, dessiner, dessinateur. Crayon, crayonner. Croquis. Ebauche. Esquisse. Image. Portrait. Silhouette. — Dessin graphique. Graphique. Figures de géométrie. — Plan. Topographie. Carte.

**Description littéraire.** — Décrire, descriptif. — Peindre, dépeindre. Pittoresque. — Faire voir. Exposer. DIRE. Retracer. — Description. Portrait. Peinture. Scène. Tableau. Hypotypose (fig. de rhétorique). — EXPLIQUER, explication. Développer, développement. Détailler, détail. Analyser, analyse. — RACONTER. Récit. Narration. Exposé. Compte rendu. Aperçu. Résumé.

**Description documentaire.** — Etat. Bordereau. Statistique. — Procès-verbal. Rapport. Traité. — Programme. Itinéraire. Livret-guide. Prospectus. — Signalement. Fiche signalétique. — Recette. Formulaire. — Biographie. *Curriculum vitæ.*

Composés en *graphie* : Monographie. Géographie. Cosmographie. Ethnographie, etc.

Composés en *logie* : Physiologie. Minéralogie. Entomologie. Paléontologie, etc.

## DÉSERT

**Terre inculte.** — Désert. Fond des déserts Forêt vierge. Le bled. La jungle. Pampas. Savanes. Steppes. Toundras. Llanos. Maquis.

Le Sahara. Oasis. Sables. Mirages. Simoun. — Déserts de Kalahari, d'Arabie, de Gobi, du Colorado, etc.

**Isolement.** — Pays perdu. Lieu retiré, écarté, éloigné, abandonné, solitaire, VIDE, dépeuplé. Endroit sauvage.

Solitude. Abandon. Dépeuplement. Désolation.

Thébaïde. Anachorète. Ermite, ermitage. Vie érémitique.

**Désir,** m. V. *besoin, volonté, penchant, sensualité.*
DÉSIRER. V. *désir, aimer.*
DÉSISTEMENT, m. V. *abandon.*
DESMOGRAPHIE, f. V. *membrane.*
DÉSOBÉIR. Désobéissance, f. V. *résister, violer.*
DÉSOBLIGER. V. *déplaire.*
DÉSŒUVRÉ. Désœuvrement, m. V. *oisif, paresse.*
DÉSOLATION, f. Désoler. V. *détruire, désert, chagrin.*
DÉSOPILER. V. *joie, rire.*
DÉSORDONNÉ. V. *discordant.*
**Désordre,** m. V. *trouble, li-* cence, *débauche, sédition.*
DÉSORGANISER. V. *désordre.*
DÉSORIENTER. V. *égarer, trouble.*
DÉSOSSER. V. *os, ôter.*
DÉSOXYDATION, f. V. *chimie.*
DESPOTE, m. Despotisme, m. Despotique. V. *tyran, chef, dur.*
DESQUAMATION, f. V. *écaille.*
DESSAISISSEMENT, m. V. *abandon.*
DESSALER. V. *sel.*
DESSÈCHEMENT, m. Dessécher. V. *marais, sec.*
DESSEIN, m. V. *but.*
DESSELLER. V. *selle.*
DESSERRER. V. *lâche.*
DESSERT, m. V. *cuisine, fruit.*
DESSERTE, f. V. *mets, ressource.*
DESSERTIR. V. *dégager.*
DESSERVANT, m. V. *curé, bénéfice.*
DESSERVIR. V. *nuire, manger.*
DESSICCATION, f. V. *sec, chimie, conserver.*
**Dessin,** m. V. *art, image, description.*
DESSINATEUR, m. V. *dessin.*
DESSINER. V. *dessin, tracer, représenter.*

---

## DÉSIR

**Appétit.** — Appéter, appétence, appétissant. — Désirer. Désir insatiable. PASSION. — Vouloir de. Demander de. Avoir envie. Avoir du goût pour. Lorgner. — Avoir besoin. Avoir FAIM, soif. Etre affamé, altéré. — Etre GOURMAND, friand, vorace. — Désir charnel. Concupiscence. Aiguillon de la chair.

**Convoitise.** — Désir, désirer, désirable. Exprimer un désir. — Désir ardent, pressant. Violent désir. Etre désireux de. — Convoitise, convoiter. Dévorer des yeux. Guigner. Guetter. — Envie, envier, envieux. Porter envie. — CAPRICE. Fantaisie. — Démangeaison. Tentation. Crever de jalousie. Rage. — Chercher. Rechercher. Jeter son dévolu sur. Tenir à. — Apre au gain. Avide. Cupide. Insatiable.

**Aspiration.** — Inclination. Penchant. Tendance. Attrait. — Aspirer à. Aspirant. Soupirer après. Soupirant. — Ambition, ambitionner, ambitieux. — Briguer, brigue. — Avoir à cœur. Brûler de. Vœu. Souhaiter, souhait. Poursuivre de ses désirs. Appeler de ses vœux. Déprécation, déprécatif. — Prétendre à, prétention. Viser à, visée. Penser à, PENSÉE. Intention. — Emulation. Candidature. Vote.

**Attente.** — Etre dans l'attente. Attendre. — ESPÉRER. Espoir. Espérance. — Bayer après. Rester bouche bée. — Etre sur des charbons ardents. Griller d'impatience. — S'impatienter. Il me tarde. Avoir hâte de. — Compter sur. Rêver de. Se soucier de. — Le Messie.

## DÉSORDRE

**Désordre dans la nature.** — Anomalie, anomal, anormal. — Monstruosité, monstrueux. MONSTRE. — Asymétrie, asymétrique. — Arythmie, arythmique. — Chaos, chaotique. — Cataclysme. Catastrophe. Cyclone. Orage. Tempête. Intempéries. — MAL. MALADIE. — Irrégulier. Erratique. Clonique. INÉGAL. Informe.

**Désordre dans l'esprit.** — Divaguer, divagation. Battre la campagne. Langage décousu. Paroles indistinctes. Perdre son latin. — Parler à bâtons rompus, à tort et à travers. Propos DISCORDANTS. Propos interrompus. Galimatias. Incohérence, incohérent. — Confusion. Coq-à-l'âne. Imbroglio. Contresens. — Excentricité. Inconséquence. Esprit brouillon. — Rabâcher, rabâchage, rabâcheur. Radoter, radotage, radoteur. — Texte OBSCUR, indéchiffrable, inextricable. — Egarement, égaré. FOLIE. — Chercher midi à quatorze heures. Perdre la tête.

**Désordre dans la conduite.** — Désarroi. Dérèglement. Dévoiement, dévoyé. Conduite irrégulière, désordonnée. DÉBAUCHE. — Prodigalité, prodigue. Dépense, dépensier. Défaut d'économie. — Etourdi. Hurluberlu. — Vagabond, vagabonder. Aller à la débandade. — INCONVENANT. Incongru. Impoli. — Turbulent, turbulence. Tohu-bohu. Tapage. Tumulte. Chahut. Charivari. Brouhaha. — Cohue. Bousculade. Promiscuité. Altercation. DISPUTE. Querelle. Noise. Chicane. Scène. Rixe. Bagarre.

**Désordre dans les choses.** — Bouleversement, bouleverser. Chambardement, chambarder. Débâcle. Aria. Remue-ménage. Tourbillon. Mettre ses dessus dessous, à l'envers. — Déranger, désorganiser. Détraquer. Démonter. Dérégler. DISLOQUER. Déplacer. — Brouiller. Embrouiller. Emmêler. Entortiller. Chiffonner. — Bric-à-brac. Fouillis. Fatras. Gâchis. Ramassis. Micmac. Capharnaüm. Brouillamini. — Galvauder. Gaspiller. Eparpiller. Disperser. Saccager. — Mélanger, mélange. Pêle-mêle. Complication. Cacophonie. Disparate. Dépareillé. — Laisser traîner. Laisser à l'abandon. Jeter en tas.

**Désordre social.** — Troubles. Fomenter des troubles. Pêcher en eau trouble. — Discorde. Dissensions. Conflit. — Démêlés. Différends. Controverse. Polémique. Zizanie. — Agitation. Perturbation. Collision. Grève, gréviste. Emeute, émeutier. SÉDITION, séditieux. — Révolution, révolutionnaire. — Anarchie, anarchique, anarchiste. — Etat antisocial. Pétaudière. Tour de Babel.

## DESSIN

**Art du dessin.** — Dessin au trait. Dessin ombré. Dessin linéaire. Dessin d'imitation. Dessin d'ornement. Dessin d'après nature. Académie. Dessin d'après la bosse. Dessin à main levée. Dessin graphique. Dessin géométrique. Dessin d'architecture. Dessin coté. Topographie. Stéréographie. Dessin de fabrique.

DESSOUCHER. V. *arbre.*
DESSOUDER. V. *séparer.*
DESSOUS, m. V. *fond.*
DESSUS, m. V. *sur.*
**Destin,** m. V. *futur.*
DESTINATAIRE, m. V. *envoi.*
DESTINATION, f. V. *but.*
DESTINÉE, f. V. *destin.*
DESTINER. V. *attribuer.*
**Destituer.** V. *chasser, fonction.*
DESTITUTION, f. V. *destituer.*
DESTRIER, m. V. *cheval.*
DESTRUCTION, f. V. *détruire.*
DÉSUÉTUDE, f. V. *oubli, abandon.*
DÉSUNION, f. Désunir. V. *séparer, fâché, casser.*
DÉTACHEMENT, m. Détacher. V. *séparer, dégager, indifférent, troupe.*

DÉTACHER. V. *tache, nettoyer.*
DÉTAIL, m. V. *partage, petit.*
DÉTAILLANT, m. V. *boutique.*
DÉTAILLER. V. *séparer, vendre.*
DÉTALER. V. *partir, fuite.*
DÉTECTEUR, m. V. *télégraphe.*
DÉTECTIVE, m. V. *chercher, police, photographie.*
DÉTEINDRE. V. *couleur, terne, influence.*
DÉTELER. V. *dégager.*
DÉTENDRE. V. *ressort, lâche, repos.*
DÉTENIR. V. *possession, garder.*
DÉTENTE, f. V. *gaz, fusil, oisif.*
DÉTENTEUR, m. V. *possession.*

DÉTENTION, f. V. *prison, retenir.*
DÉTENU. V. *prison.*
DÉTERGER. V. *pur.*
DÉTÉRIORATION, f. V. *mal, pire.*
DÉTÉRIORER. V. *gâter, usé.*
DÉTERMINATIF. V. *distinct.*
DÉTERMINATION, f. V. *volonté, cause, limite, projet.*
DÉTERMINER. V. *qualifier, persuader.*
DÉTERMINISME, m. V. *philosophie.*
DÉTERRER. V. *arracher, ôter.*
DÉTERSIF. V. *médicament.*
DÉTESTER. V. *maudire, haine.*
DÉTIRER. V. *tirer.*
DÉTONATEUR, m. V. *détonation.*
**Détonation,** f. Détoner. V. *bruit, poudre, fusil.*

---

Représentation. Configuration. Contours. Perspective. Méplat. Rehaut. Ombre. Profil. Projection. Raccourci. Réduction. Levés de plan. Relevé. Lignes. Tracé. — Hachures. Pointillé. Grené. Couleur. Lavis. — Développement. Echelle. Légende.

**Sortes de dessins.** — Etude. Croquis. Esquisse. Ebauche. Figure. Académie. Charge. Caricature. Silhouette. Paysage. — Plan. Coupe. Elévation. Diagramme. Epure. Schéma. Carte. — Calque. Décalque. Transparent. — Patron. Gabarit. Signage (de vitraux). — Illustration. Gravure. Image. Vignette. — Motif. Ornement. Arabesque. Poncif. Tatouage.

**Matériel.** — CRAYON. Fusain. PASTEL. Bistre. Sépia. Encre de Chine. Mine de plomb. — Porte-crayon. Plume. Tire-ligne. Godet. Pinceau. Ponce. Estompe. Fixatif. — Album. Carton. Cadre. Planche. Planchette. Selle. Mannequin. — Règle. Double décimètre. Té. Pistolet. Equerre. Rapporteur. Traçoir. Curvigraphe. Curvimètre. COMPAS. Carreau. Treillis. Pantographe. Chambre noire.

**Travail.** — Dessiner, dessinateur. Caricaturiste. Décorateur. Ornemaniste. Graveur. — Crayonner. Croquer. Esquisser. Profiler. Représenter. — Chiner. Colorier. Hacher. Laver. Ombrer. Pointiller. Estomper. Damasser. — Dresser, lever un plan. Rapporter. Coter. Relever. Tracer. Projeter. Craticuler. Réduire. Calquer. Décalquer.

### DESTIN

(latin, *fatum*)

**Fatalité.** — Destin. La Fortune. Les Parques. Nécessité. Fatum. — Arrêts du destin. Aveugle destin. Ordre du ciel. C'est dit. C'est écrit. Livre des destins. — Fatal. Fatidique. NÉCESSAIRE. Immuable. Invariable. Etre né sous une bonne ou une mauvaise étoile. Horoscope.

**Avenir.** — Destinée. Futur. — Sort. Lot. Hasard. — Prédiction. Oracle. Vaticination, vaticiner. Prédire. — Prédestination. Vocation.

### DESTITUER

**Révoquer.** — Destituer, destitution. Chambre de discipline. Casser. Mettre à pied. Révoquer, révocation. Retirer les pouvoirs. Retrait d'emploi. Dégommer. Dégrader, dégradation. — Déposséder. Déposer. Détrôner. Interdire. Déchéance. — Appeler à d'autres fonctions. Déplacer. Remplacer. — Suspendre, suspension. Disgracier, disgrâce. — Donner son compte. Chasser. Donner congé. Congédier. Remercier. Mettre sur le pavé. Renvoyer, renvoi.

**Mettre à la retraite.** — Admettre à la retraite. Mettre aux Invalides. Libérer du service. Libération. Licencier, licenciement. Mettre en disponibilité, en non-activité. Demi-solde. — Mettre dans la réserve. Cadre de réserve. — Réformer, réforme. Retraité. Honoraire. Emérite. Vétéran. Pensionné.

**Démissionner.** — Se démettre. Démission, mise à la retraite, en disponibilité, démissionnaire. Désistement. — Abdiquer, abdication. — Renoncer à, renonciation. — Se dévêtir (d'un droit). — Résigner ses fonctions. Remettre ses pouvoirs. — Se retirer. Quitter sa place. S'en aller. Donner son compte. — Perdre son grade. — Faire le saut. Sauter.

### DÉTONATION

**Action d'exploser.** — Explosion, explosible. Détoner, détonation. Eclater, éclatement. Voler en éclats. Partir. Sauter. — S'enflammer, inflammable. — Fulmination, fulminant. — Déflagration, déflagrant. — Tonner, tonnant. Crépiter, crépitation. Pétiller, pétillement. Tir. Coup de canon. Volée d'artillerie. Coup de fusil. Décharge. Pétarade. Coup de tonnerre. Fracas.

**Choses qui explosent.** — Capsule. Détonateur. Exploseur. Amorce. Fusée. Pétard. Etoupille. — Cartouche. Charge. Balle explosible. — Canon. Fusil. Mine. Torpille. — Volcan. FOUDRE. — Feu d'artifice. — Grisou. Gaz. Essence minérale.

DÉTONNER. V. *ton, discordant.*
DÉTORDRE. V. *fil.*
DÉTORTILLER. V. *tordre.*
**Détour,** m. V. *indirect, tourner, oblique, chicane.*
DÉTOURNER. V. *égarer, conseil, chasse, prendre.*
DÉTRACTEUR, m. V. *blâme.*

DÉTRAQUER. V. *disloquer.*
DÉTREMPE, f. V. *peinture, colle.*
DÉTREMPER. V. *humide, mélange.*
DÉTRESSE, f. V. *malheur, pauvre, danger, souffrir.*
DÉTRIMENT, m. V. *manque.*
DÉTRITER. V. *olive.*

DÉTRITUS, m. V. *rebut.*
DÉTROIT, m. V. *étroit, mer.*
DÉTROMPER. V. *instruction.*
DÉTRÔNER. V. *roi, chasser.*
DÉTROUSSER. V. *voleur.*
**Détruire.** V. *gâter, annuler, tuer.*
**Dette,** f. V. *prêter, finance, payer.*

---

## Explosifs. — *Explosifs détonants.* Dynamite.

Bellite. Sécurite. Mélinite. Lyddite. Crésylite. Tolite. Cheddite. Panclastite. Fulminates. Cordeaux détonants. Explosifs à air liquide.

*Explosifs déflagrants.* Poudre noire. Poudre chloratée. Poudre au picrate. Coton-poudre. Pyroxyle ou Poudre sans fumée. Balistite. Cordite. Mèche à canon. Cordeau Bickford. Mèche d'étoupille.

## DÉTOUR

**Détour dans la direction.** — Se détourner. Allonger le chemin. Contourner, contour. Passer à côté. Tournoyer. S'égarer. — Circuit. Randonnée. Tour et Retour. Crochet. — Défléchir, déflexion. S'infléchir, inflexion. Obliquer. Dévier. Faire une conversion. Evoluer, évolution. — Virer, virage. Tourner, tournant.

Sinuosité. Labyrinthe. Méandres. Lacets. Embranchement. Fourche. Tortille (allée). — Tortuosité. Tortueux. Tortu. Sinueux. Fourchu. Flexueux. — Aller de côté. Serpenter. — Ricochet. Ressaut. — Dérivation. Déviation. Détournement.

**Détour dans les lignes.** — ANGLE, anguleux. Biais, biaiser. Ligne brisée, brisure. — Coude, couder. — Courbe, COURBURE, courber. — PLI. Repli, replier. — SPIRALE. Spires. — Ligne tremblée. Zigzag. — Ligne OBLIQUE, obliquité. — Saillies. Anfractuosités. — Fléchir, flexion. — Gauchir, gauchissement. — Tortiller, tortillage. — Réfracter, RÉFRACTION, réfrangible. — Se diffracter, diffraction.

**Détour dans le langage.** — Ambages. Circonlocution. Périphrase. Digression. Circuit de paroles. Tourner autour du pot. Tournailler. — Défaite. Mauvaise raison. Fausse excuse. Faux-fuyant. Cachotterie, cachottier. — Alambiquer, alambiqué. Sophisme, sophistique, sophiste. Entortiller. Embrouiller. Equivoque, équivoquer. CHICANE, chicaner. — Conter des histoires. Mentir, mensonge. Plaider le faux. Calembredaines. — Parabole. Image. Figure. Allégorie. — Eluder. Ton évasif. Répondre en Normand.

**Détour dans les actes.** — Capitulation de conscience. Se dévoyer. S'ÉGARER, égarement. Conduite louche. Aberration. ECARTS. — Louvoyer. Expédients. INTRIGUE, intriguer. Manège. Manigance. Manœuvres. — TROMPER, tromperie, trompeur. Duper, duperie, dupeur. Ruser, RUSE, rusé. Sournois.

Façons tortueuses. Tergiverser, tergiversation. Porte de derrière. Restriction mentale. Subterfuge. Refuites. Diversion. — Fin matois. Fin politicien. Machiavel.

## DÉTRUIRE

**Faire périr.** — Exterminer, extermination. Faire périr. TUER, tuerie. Massacrer, massacre. Immoler, immolation. Sacrifier, sacrifice. Décimer. — Anéantir, anéantissement. Annihiler, annihilation. Consumer, consomption. Foudroyer. Faucher. Faire rentrer dans le néant. — GUERRE. Poison. NAUFRAGE. Foudre. — Délétère. Méphitique. Mortel.

**Dévaster.** — Dévastation, dévastateur. Détruire, destruction, destructeur, destructif. Ravager, ravage. Désoler, désolation. Réduire en cendres. — Abîmer. Faire des dégâts. Ruiner, ruine. Nuire à. — Cataclysme. Fléau. Désastre. MALHEUR. Perte. — Ouragan. Cyclone. Avalanche. TORRENT.

**Mettre en pièces.** — CASSER. Briser. Fracasser. Battre en brèche. Faire sauter. — Ecraser. Broyer. Pulvériser. Ronger. User. — Défaire. Démonter. Détraquer. Disloquer. — Saccager. Mettre à sac. Piller. — Dépecer. Couper par morceaux. Coupe réglée. Bande noire.

**Supprimer.** — Suppression. Faire cesser. Faire disparaître. EFFACER. Rayer. Eliminer, élimination. — Abolir, abolition. ANNULER, annulation. Amortir, amortissement. Eteindre, extinction. — Dissiper. Dissoudre. Etouffer une affaire. — Extirper. Réduire à néant. Mettre fin à. GUÉRIR. — Désorganiser, désorganisation. Subversion, subversif. Réformer les abus.

**Abattre.** — Abattement. Abattis. — Jeter bas. Renverser. Culbuter. Faire tomber. Détruire de fond en comble. Démolir. Démanteler. Démaçonner. Déraciner. Raser. — Saper, sape. Miner, mine. Ebranler.

**Etre détruit.** — Périr. Dépérir. DISPARAÎTRE, disparition. S'éteindre. Passer. Devenir à rien. S'user. S'écrouler. Tomber en poussière.

## DETTE

**Dette.** — Contracter une dette. Dettes criardes. Faire des dettes. Etre criblé de dettes. — S'endetter. S'obérer. S'obliger, OBLIGATION. Engagements. Exigibilité, exigible. — Débiteur. Codébiteur. — Echéance, échoir. Devoir. Dû. Arriéré. Mise en demeure de payer. Contrainte.

DEUIL, m. V. *mort, perdre, funérailles, regret, noir.*

DEUTÉRONOME, m. V. *Bible.*

**Deux.**

DEUXIÈME. V. *deux.*

DÉVALER. V. *bas.*

DÉVALISER. V. *voleur.*

DÉVALORISER. V. *monnaie.*

DEVANCER. V. *avant, premier, prompt.*

DEVANCIER, m. V. *passé.*

DEVANT, m. V. *avant, chemise.*

DEVANTURE, f. V. *boutique.*

DÉVASTATEUR, m. V. *Dévasta-*tion, f. *Dévaster.* V. *détruire, ruine, pillage.*

DÉVEINE, f. V. *malheur.*

DÉVELOPPEMENT, m. *Développer.* V. *étendre, grand, progrès, photographie.*

DEVENIR. V. *commencer, changer.*

DÉVERGONDAGE, m. *Dévergondé.* V. *débauche, vice, licence.*

DÉVERS, m. V. *menuisier.*

DÉVERSER. V. *verser, oblique.*

DÉVERSOIR, m. V. *moulin, écluse.*

DÉVÊTIR. V. *abandon.*

DÉVIATION, f. V. *détour, articulation, astronomie.*

**Dévider.** V. *écheveau, bobine, fil, soie.*

DÉVIDOIR, m. V. *dévider, pompe.*

DÉVIER. V. *détour, écart.*

**Devin,** m. V. *avant.*

DEVINER. V. *intelligence, pénétrer, trouver, reconnaissance.*

DEVINERESSE, f. V. *devin.*

DEVINETTE, f. V. *devin.*

DÉVIRER. V. *cabestan.*

---

Payer, paiement. Acquitter, acquit, QUITTANCE. Régler, règlement. Rembourser. Remboursement. Amortir, amortissement. Boucher un trou. — Solvabilité, solvable, insolvable. — Etre en retard. Etre de reste. — Prescription. — Dette passive. Dette civile, commensale, consulaire, personnelle, réelle. — Remise de dette. — Reconnaissance de dette. — Séparation de dette. — Dette alimentaire. — Cession de dette.

Emprunt. Prêt. Tribut. — Dette publique. Dette inscrite, perpétuelle, consolidée, remboursable, amortissable, flottante, viagère.

Passif. Déficit. — Banqueroute, banqueroutier. FAILLITE, failli. — Liquidation, liquidateur. Syndic. Concordat. Remise. Décharge conventionnelle.

**Créance.** — Créance. Dette active. Créance véreuse. Vérification de créance. Déléguer une créance. Transport de créance. Subrogation. Recouvrer une créance, recouvrement. — Créancier. Créancier privilégié. Créancier chirographaire. Masse, collocation, ordre des créanciers. — Effets. Billets. Papier. Reconnaissance. Traite. — Nantissement. Garantie. Warrant. Gages. — Hypothèque, hypothéquer, hypothécaire. Grever d'hypothèque. Purge d'hypothèque.

**Crédit.** — Crédit, créditer. Compte créditeur. — Débit, débiter. Compte débiteur. — Doit et avoir. — Etre en compte. Passer au compte. Reliquat de compte. Chèque. — Comptes. Arrérages. Redevances. Intérêts. Taux. — Débet. Solde. Virement. Etre redevable de. Découvert. — Capital, capitaliser, capitalisation. Valeurs. — Actif. Passif. Bilan.

### DEUX

**Réunion de deux.** — Coupler, couple. Apparier, paire. — Accoupler, accouplement. Marier, mariage. — Dualisme. Hermaphrodite. Hybride. Métis. Bâtard. — Duo. Tête-à-tête. L'un et l'autre. Tous les deux. — Jumeau, jumelle. — Combat singulier. Duel, duelliste. — Manichéisme (croyance à deux principes), manichéen. — Arme à deux tranchants. Faire d'une pierre deux coups. Courir deux lièvres à la fois. Miser sur les deux tableaux.

**Doublement et dédoublement.** — Double, doubler. Duplicata, duplication, duplicatif. Dédoubler. Redoubler. Réduplication, réduplicatif. — Géminer. Jumeler. Double face. — Mitoyenneté, mitoyen. Pendant. Moitié. — Pair. Paroli. Martingale. — Répéter, RÉPÉTITION. — Second. Deuxième. Secundo. — Equivoquer, équivoque. Manger à deux râteliers. Jouer le double jeu.

**Composés en** *amb* **ou** *amphi.* — Ambesas. Ambidextre. Ambigu. Amphibie. Amphibologie. Amphisbène.

**Composés en** *bi.* — Biceps. Biennal. Biforme. Bifurcation. Bigame. Bilingue. Bimane. Biner. Binocle. Binôme. Bipède. Bisannuel. Bissac. Bissectrice. Bisser. Bivalent. Bivalve. Besson (jumeau).

**Composés en** *di.* — Dichotomie. Dilemme. Diphtongue. Diose. Diplopie. Diptère. Diptyque. Dispaste (à 2 poulies). Dissyllabe. Distique.

### DÉVIDER

**Appareils à dévider.** — Dévidoir. Ailes du dévidoir. ROUET. Tour. Touret. Séchoir. Tournette. Aspe. Chignole. Travouil (à écheveaux). Moustache et Diligent (pour l'or). Escaladou (pour la soie). Caret (à cordes). Ficellier. Peloteuse. Ourdissoir.

Bobine. Fuseau. Espolin. Carmette. Pelote. Peloton. Lisseau.

**Action de dévider.** — Dévider, dévidage, dévideur. — Bobiner, bobinage, bobineur. Charger les bobines. Envider. Tracanner. Voluter. — Espoleur. Echée (charge). Echeveau. — Ourdir, ourdissage, ourdisseur. — Peloter, pelotage. Pelotonner. — TOURNER. Tortiller. — Mettre en écheveau. Plier sur la main. — Tirage de la soie.

### DEVIN

**Devins et oracles.** — Devin, devineresse. Interprète des dieux. Chresmologue. Aruspice. Astrologue. Augure. Cabaliste. Magicien. Psychagogue. Nécromant. Sorcier, sorcière. Chiromancien. Cartomancien. Somnambule. Voyant, voyante. Illuminé. Inspiré.

Devins anciens : Calchas. Tirésias. Amphiaraüs. Cassandre. Carmenta. Les Sibylles. Pythie de Delphes. Pythonisse d'Endor.

Oracles : Delphes. Didyme. Ténédos. Délos. Olympie. Dodone. Epidaure. Trophonius. Préneste.

DEVIS, m. V. *proposer, parler.*

DÉVISAGER. V. *regard, battre.*

DEVISE, f. V. *inscription, maxime.*

DEVISER. V. *parler.*

DÉVISSER. V. *vis, dégager.*

DÉVOIEMENT, m. V. *excrément.*

DÉVOILER. V. *voile, nu, devin, révéler, expliquer.*

DEVOIR, m. V. *obligation, politesse, école.*

DEVOIR. V. *nécessaire, dette.*

DÉVOLU. Dévolutif. V. *béné-*

*fice, transmettre, choix.*

DÉVOLUTION, f. V. *testament, transmettre.*

DEVON, m. V. *pêche, appât.*

DÉVORER. V. *manger, gourmand.*

DÉVOT, m. V. *religion, fanatique.*

DÉVOTION, f. V. *croire, zèle.*

DÉVOUEMENT, m. Se dévouer. V. *zèle, généreux, fidèle.*

DÉVOUER. V. *vœu.*

DÉVOYER. V. *désordre, détour.*

DEXTÉRITÉ, f. V. *habile.*

DEXTRE, f. V. *main, blason.*

DEXTRINE, f. V. *amidon.*

DEY, m. V. *Arabes.*

DIA. V. *voiture.*

DIABÈTE, m. Diabétique. V. *urine, maladie.*

**Diable,** m. V. *enfer, méchant, bois.*

DIABLERIE, f. V. *diable.*

DIABLESSE, f. Diablotin. V. *diable.*

DIABOLIQUE. V. *méchant.*

DIACONAT, m. V. *prêtre.*

DIACONESSE, f. V. *église.*

DIACOUSTIQUE, f. V. *son.*

DIACRE, m. V. *prêtre.*

DIADÈME, m. V. *roi, couronne.*

---

**Prophètes.** — Prophète, prophétesse. Pseudo-prophète.

Les grands prophètes. Isaïe. Jérémie. Elie. Elisée. Ezéchiel. Daniel. — Le roi prophète. David.

Les petits prophètes. Osée. Joël. Amos. Abdias. Michée. Jonas. Nahum. Habacuc. Sophonie. Aggée. Zacharie. Malachie. — Balaam. Baruch. Débora. Joseph. Samuel. Siméon, etc.

**Art de la divination.** — Connaissance de l'avenir. Annoncer l'avenir. Dévoiler l'avenir. Rendre des oracles. Prophétiser. Vaticiner. Augurer. — Interpréter les songes. Dire la bonne aventure. Tirer les cartes. Lire dans les astres.

Astrologie. Art spéculatoire. Art divinatoire. Art augural. Clédonisme (cris d'oiseaux).

Onirocritie et Oniromancie (songes). Brizomancie (songes). Chiromancie (lignes de la main). Nécromancie (évocation des morts). Théomancie (inspiration des dieux). Géomancie (points de la terre). Gyromancie (tournoiement). MAGIE.

Spiritisme. MAGNÉTISME. Somnambulisme. Hypnotisme. Suggestion. Révélation. Cabale. Illuminisme. Extase. Inspiration. Fureur prophétique.

Présage. Horoscope. Augure. Auspices. — Prophétie. Prédiction. Paroles oraculaires. Enigme. — Livres sibyllins. Sorts prénestins, homériques, virgiliens. — Grand jeu, petit jeu.

Date fatidique. Esprits frappeurs. Tables tournantes. Baguettes. Marc de café. Cartes. Tarots.

**Anticipation.** — Annoncer. Prédire. Présager. Pronostiquer, pronostic. — Sonder, découvrir, dévoiler l'avenir. Anticiper. — Préjuger. Augurer de. — Espérer. Se flatter de. Avoir en perspective. — Présumer, présomption. S'attendre à. Etre prescient, prescience. Prendre ses précautions. N'être pas pris au dépourvu.

**Intuition.** — Deviner. Entrevoir. Se douter de. Entrevoir. Soupçonner. — Prévoir. Pressentir. Voir de loin. — S'imaginer. Percer le voile. Prévenir. — Flairer. Avoir du flair. Avoir du nez. — Lire dans les yeux.

Inspiration. Clairvoyance. Prévision. Instinct. Avant-goût. Prévoyance. Prévention. Perspicacité. Vue perçante. Pressentiment. Probabilité. Croyance. Invention.

**Divination raisonnée.** — Calculer, calcul. — Conjecturer, conjecture, conjectural. Interpréter, interprétation. — Pénétrer, pénétration. Rencontrer juste. Trouver. Voir venir. — Révéler, révélation, révélateur. — JUGER. Comprendre. Résoudre, solution.

Pronostic. Probabilités. Almanach. Indication. Indice. Enigme. Rébus. Devinette. Charade. — Météorologie. Phrénologie.

## DIABLE
(latin, *diabolus*; grec, *daimon*)

**Le diable.** — Satan. Le Démon. Ange des ténèbres. Lucifer. Prince des ténèbres. Esprit du mal. Le Malin. Esprit de mensonge. Le Maudit. L'Esprit immonde. Le Tentateur. L'Ennemi.

Cornes du diable. Pied fourchu. Fourche du diable. Enfer.

**Autres démons.** — Divinités infernales. Puissances de l'Enfer. Pandémonium. — Astaroth. Belzébuth. Asmodée. Mammon. Bélial. Méphistophélès. Baphomet. — Dieux malfaisants : Ahriman (Perse). Siva (Inde). Typhon (Egypte). — Génies malfaisants : Gorgones, Grées. Harpies. Lamies. Larves. Lémures. Goules. Djinns (des Arabes). Devas (des Perses). — Diablotins. Elfes. Lutins. Gnomes. Farfadets.

**Démonologie.** — Démonographie. Démonolâtrie. Démonisme. Démonomancie. — Diablerie. Satanisme, satanique. Manichéisme (croyance au principe du mal). Déisidémonie (crainte superstitieuse). — Possédé du démon, possession. Energumène (possédé). Obsédé du diable. Pacte avec le diable. Sabbat. — Exorciser, exorcisme.

**Qui a rapport au diable.** — Diablesse. Diable incarné. Diable déchaîné. — Pauvre diable. Bon diable. — Faire le diable à quatre. Envoyer au diable. — Diable (interjection). Diantre. — Endiablé. Diabolique. — Diable (brouette). Diable (chariot).

Travailler à la diable. Tirer le diable par la queue. Avoir une faim du diable, etc.

DIAGNOSTIC, m. Diagnostiquer. V. *médecine, connaître*.

DIAGONALE, f. V. *ligne, oblique, traverser*.

DIAGRAMME, m. V. *géométrie, chimie*.

DIALECTE, m. V. *langage*.

DIALECTIQUE, f. V. *raison, philosophie, argument*.

DIALIES, f. p. V. *Jupiter*.

**Dialogue**, m. V. *entrevue, dire, répondre, théâtre*.

DIALOGUER. V. *dialogue*.

**Diamant**, m. V. *pierre, bijou*.

DIAMANTAIRE, m. V. *diamant*.

DIAMANTER. V. *diamant*.

DIAMÈTRE, m. V. *cercle*,

*géométrie, traverser, large*.

**Diane**, f. V. *lune, réveil*.

DIANTRE. V. *diable*.

DIAPASON, m. V. *accord, son, ton, instruments*.

DIAPHANE. V. *transparent*.

DIAPHRAGME, m. V. *membrane, photographie*.

DIAPRÉ. V. *varié*.

DIARRHÉE, f. V. *intestin, colique, excrément*.

DIASTASE, f. V. *écart, ferment, amidon*.

DIASTOLE, f. V. *cœur, pouls*.

DIATHÈSE, f. V. *tempérament, état, santé*.

DIATONIQUE. V. *musique*.

DIATRIBE, f. V. *blâme, pamphlet, accusation*.

DICACITÉ, f. V. *blâme*.

DICHOTOMIE, f. V. *partage, moitié*.

DICOTYLÉDONE. V. *graine*.

DICTAME, m. V. *baume, calme*.

DICTATEUR, m. Dictature, f. V. *chef, politique, tyran*.

DICTÉE, f. V. *écrire, école*.

DICTION, f. V. *dire, prononcer, rhétorique*.

**Dictionnaire**, m. V. *livre*.

DICTON, m. V. *maxime*.

DIDACTIQUE. V. *poésie, instruction*.

DIÈDRE. V. *angle*.

DIÈSE, m. V. *musique*.

DIÈTE, f. V. *jeûne, s'abstenir, société, diplomatie*.

**Dieu**, m.

## DIALOGUE

**Entretien.** — Dialogue, dialoguer. Dialogueur. Interlocuteur. — Conversation, converser. S'entretenir. Entrevue. Interview. Tête-à-tête. Conciliabule. — Demande et Réponse. Réplique, répliquer. Monologue, aparté, soliloque (opposés à dialogue).

**Composition alternée.** — Dialogisme. Forme dialogique. — Dialogues de Platon. Dialogues philosophiques ou littéraires. Dialogues des morts. — Vers amébées. Oaristys. Strophe et Antistrophe. Couplets. — Scène de théâtre. Discussion. Conférence. Catéchèse. Catéchisme.

## DIAMANT

**Nature.** — Diamant brut. Diamant en gangue. Diamant d'alluvion. — Bort. Carbonado. Egrisée. — Adamantin. Terrain diamantifère.

Formes cristallines. Carbone. — Sortes : Parangon. Jargon. Etincelle. Semence. — Qualités : Eau. Eclat. Feu. Carat (poids). — Défauts : Givre, givreux. Glace, glaceux. Paille, pailleux. Paillette. Point. Dragonneau. Etonnement. Gendarme. Crapaud.

Faux brillants. Strass. Véricle.

**Taille.** — Diamantaire. Lapidaire. Diamanter. — Clivage. Sciage. Ebrutage. Polissage. Egrisage. Brillantage.

Coupes du brillant. Couronne. Pavillon. Facette. Biseau. Table. Culasse. Feuilletis.

Formes : Rose. Rose plate. Rose double. Brillant arrondi. Brillant triangulaire. Brillant poire. Briolette. Pendeloque. Taille américaine. Lasque.

**Applications.** — Joyaux. Brillants. Chaîne de cou. Collier. Rivière. Attaches. Barrette. Epi. Aigrette. Bague. Solitaire. Ganse. Bijou enrichi de brillants.

Scie diamantée. Perforateur diamanté. Outil diamanté. Diamant de verrier.

**Diamants célèbres.** — Régent. Sancy. Kohi-Noor. Bleu de Hope. Etoile du Sud. Grand-Mogol. Etoile polaire. Orloff. Grand-duc de Toscane. Pacha. Schah. Nasack. Impératrice Eugénie. Dresden. Stewart. Jubilee.

## DIANE

**La déesse.** — Diane. Artémis. Phœbé. Hécate. Cynthie. La lune.

Attributs : Croissant. Flèches. Carquois. Endromide. Biche.

Statues : Diane chasseresse. Diane de Gabies. Diane de Houdon. Diane de Falguière, etc.

**Relatif à Diane.** — Actéon. Endymion. — Temple d'Ephèse. — Fêtes de Diane. Artémisies. Ephésies. Elaphébolies. — Mégabyses (prêtres). Canéphores. — Diamastigose (flagellation devant l'autel de Diane).

## DICTIONNAIRE

**Dictionnaires divers.** — Dictionnaire. Glossaire. Lexique. Encyclopédie. Gradus. Thésaurus.

Dictionnaire étymologique. Dictionnaire analogique. Dictionnaire des rimes. Dictionnaire des synonymes, des homonymes.

Vocabulaire. Répertoire. Index. Apparat. Catalogue.

Table des matières. Dictionnaire de poche. Jardin des racines grecques.

Dictionnaires français de Furetière, de Trévoux, de l'Académie, de Littré. Dictionnaire général. Dictionnaire Larousse.

**Relatif au dictionnaire.** — Lexicographie, lexicographique. Lexicologie, lexicologue. Encyclopédiste, encyclopédique. — Article de dictionnaire. Nomenclature. Ordre alphabétique. Ordre de dérivation. Lettrines. — Commission du dictionnaire.

## DIEU
(latin, *deus* ; grec, *théos*)

**La divinité.** — Dieu. Le Bon Dieu. L'Eternel. Le grand Etre. L'Etre suprême. Le Père Eternel. Le Seigneur. Le Tout-Puissant. Le Très-haut. Le Père céleste. Maître de la nature. Roi du ciel et de la terre. — Le Créateur. Le grand architecte. Le Démiurge. L'auteur de la nature. L'archétype. — Le Dieu vivant. Le saint des saints. L'Homme-Dieu. La Trinité. — Dieu de vérité, de justice, de miséricorde, des armées.

DIFFAMATION, f. Diffamer. V. *accusation, blâme, nuire, réputation.*
DIFFÉRENCE, f. V. *différent, manque.*
DIFFÉRENCIER. V. *différent.*

DIFFÉREND, m. V. *dispute, discordant.*
Différent. V. *distinct, opposé.*
DIFFÉRENTIEL, m. V. *automobile.*

DIFFÉRER. V. *différent, délai, attendre.*
Difficile. V. *peine, obstacle, délicat.*
DIFFICULTÉ, f. V. *difficile, embarras, danger.*

---

Cause première. L'incréé. L'infini. L'omnipotent. L'omniscient. L'omniprésent. La perfection. Le principe universel. La Providence. Le souverain bien. Le grand tout. La vérité suprême. L'Un.

**Théories sur la divinité.** — Déisme, déiste. Monothéisme, monothéiste. Dualisme ou Manichéisme (deux principes). Polythéisme. Panthéisme, panthéiste, panthéistique. Athéisme, athée. Paganisme, païen. Evhémérisme (croyance aux hommes divinisés). Fétichisme, fétichiste. Totémisme, totem.

Théodicée. Théologie, théologien, théologique. Mythologie, mythe, mythographe. Théogonie, théogonique.

**Qui concerne la divinité.** — Diviniser, divin, dive. — Déifier. Déicide. Déicole. — Dimanche (jour du Seigneur). — Emanation divine. Voies de Dieu. Doigt de Dieu. Voix de Dieu. Révélation. Incarnation. — Apothéose. Immortalité. — Sainteté. Surnaturel. Surhumain. — Religion. Culte. Sacrifices. Idolâtrie. Zoolâtrie. Panthéon. — Ciel. Royaume céleste. Paradis. Olympe. Walhalla. — Théocratie, théocratique. — Théologal. Théophanie. Théurgie. Théophilanthropie.

**Divinités souvent citées.** — Dieux. Déesses. Déités. Dieux supérieurs. Dieux inférieurs. Dieux indigètes. Dieux infernaux.

Jupiter. Neptune. Mars. Apollon. Mercure. Vulcain. Saturne. Pluton. Bacchus. Junon. Vénus. Minerve. Diane. Cérès. Vesta. Cybèle. Amphitrite.

Iris. Aurore. Téthys. Proserpine. Flore. Fortune. Pomone. Bellone. Palès. Eros ou Cupidon. Pan. Plutus. Janus. Momus. Morphée.

Nymphes. Grâces. Muses. Cabires. Faunes. Satyres. Tritons. Mânes. Lares. Pénates.

Demi-dieux. Hercule. Dioscures. Castor et Pollux. Esculape. Ganymède. Hébé.

Osiris. Iris. Hathor. Phtha. Râ. Ammon. Anubis. Apis. Sérapis. Typhon.

Ormuzd. Ahriman. Azer. Mithra.

Brahma. Bouddha. Siva. Vichnou. Indra.

Jehovah ou Iahveh. Adonaï.

Astarté. Dercéto. Baal, Bel. Moloch. Dagon. Odin ou Wotan. Freya. Saga. Walkyries. — Teutatès ou Thor.

Le grand Manitou.

### DIFFÉRENT

(latin, *alius, alter;* grec, *hétéros, allos*)

**Qui n'est pas semblable.** — Différent. Dissemblable. Dissimilaire. Disparate. Inégal. Incomparable. — Plus grand. Moindre. Majeur. Mineur. Supérieur. Inférieur. — Différence. Dissimilitude. Différenciation. Différencier. Disparité. Dissemblance. — Yeux vairons.

**Qui est autre.** — Autre. ETRANGER. NOUVEAU. — Hétéroclite. Hétérodoxe. Hétérogène. Hétérogyne. Hétérophylle. Hétéroptère. — Le prochain. Autrui. Alter ego. Un second soi-même. — Un tiers. — Ailleurs. Alibi. D'ailleurs. Autrement. Autrefois. Autre part. — Alterner, alterne, alternance, alternatif, alternative.

**Qui est modifié.** — Altérer, altération, altérable, altérabilité. — Aliéner, aliénation, aliénable. — Varier, variation, variété, variante, variable. — Divers, diversité, diversifier. — MÉLANGE, mélanger. Mêler, mêlé. Croiser, croisement de races. Hybride. — Désassortir, désassorti. — Complexe, complexité. Compliquer, complication. — Transformé. Méconnaissable. Changé. — Autre histoire. Version différente.

**Qui s'oppose.** — Contraire, contrarier. — Contraste, contraster. — DISTINCT, distinguer. — Nuance, nuancer. — Etre DISCORDANT. Jurer. Hurler. — Opposition. Exception, exceptionnel. — Faire bande à part. Scission. Non-conformiste. Sortir de sa voie. Déroger, dérogation. — Partage, partager. Démarcation. — Allopathie, allopathe. Allotropie.

**Qui est à côté.** — Appoint. Ecart. Excédent. Surplus. Reste. Solde. Soulte. — Hors-d'œuvre. Digression. — Eloigné. Loin de compte. A cent lieues de.

### DIFFICILE

**Dont on se tire difficilement.** — Difficulté, difficultueux. Embarras, embarrassant. Tracas. Tourment. Aria. Epreuves. Situation délicate. — Danger, dangereux. Péril, périlleux. Extrémité. Crise. Impasse. Mauvais pas. — Lourde tâche. Dure besogne. Travail d'Hercule. Tour de force. Corvée. — Faire effort. Avoir du mal. — Dédale. Labyrinthe. Obstacle.

Apre. Ardu. Escarpé. Rude. Pénible. Malaisé. — Epineux. Scabreux.

**Qui se fait difficilement.** — Demander des efforts. Donner de la peine, de la tablature, du fil à retordre. Donner du mal, du tintouin. — Soulever des difficultés. Souffrir quelque difficulté. — Dur à digérer. Dur à la détente. Dur à émouvoir. — Dyspepsie. Dysodie. Dyspnée. Dysurie. Dysménorrhée. Dystocie, etc. — Chemin RAIDE, raboteux. Chemin du paradis.

DIFFICULTUEUX. V. *difficile.*
**Difforme.** V. *forme, laid, infirme, vice.*
DIFFORMITÉ, f. V. *difforme.*
DIFFRACTION, f. V. Diffringent. V. *réfraction.*
**Diffus.** V. *étendre, parler.*
DIFFUSEUR, m. V. *transmettre.*
DIFFUSION, f. V. *répandre, envoi, disperser.*
DIGÉRER. V. *estomac.*
DIGESTE, m. V. *loi.*
DIGESTIF. V. *digestion, liqueur.*

**Digestion,** f. V. *manger, intestin, préparer.*
DIGITAL. V. *doigt.*
DIGITALE, f. V. *plante.*
DIGITIGRADE, m. V. *doigt, marcher.*
DIGNE. V. *mérite, bon.*
DIGNITAIRE, m. V. *titre, fonction.*
DIGNITÉ, f. V. *honneur, mérite, chef, conscience, astrologie.*
DIGRESSION, f. V. *parler, style, écart, diffus.*
DIGUE, f. V. *hydraulique.*

DILACÉRER. V. *déchirer.*
DILAPIDATION, f. Dilapider. V. *perdre, dépense.*
DILATATION, f. Dilater. V. *étendre, enflé, chaleur, gaz.*
DILATOIRE. V. *délai, chicane.*
DILECTION, f. V. *aimer.*
DILEMME, m. V. *argument.*
DILETTANTE, m. V. *musique.*
DILIGENCE, f. Diligent. V. *soin, zélé, prompt, voiture.*
DILUER. Dilution, f. V. *liquide, pharmacie.*
DILUVIEN. V. *inondation.*
**Dimanche,** m.

## Difficile pour l'esprit. — Alambiqué.
Complexe, complexité. Contourné. Compliqué. Entortillé. Embrouillé. Confus, confusion. Obscur, obscurité. — Enigme, énigmatique. Grimoire. Logogriphe. Hiéroglyphes. Rébus. Charade. Lettre close. Inintelligible. Illisible. — Déchiffrer, déchiffrement. Résoudre une difficulté, un problème. — Raffiné. Quintessencié. Subtil. Tiré par les cheveux. — Profond. Abstrait.

Rester court, sot, penaud. — Etre déconcerté, dérouté, désorienté, pris au dépourvu. — Etre perplexe. Perdre la tête. Perdre son latin. S'enferrer.

**Impossible à faire.** — Impénétrable. IMPOSSIBLE. Impraticable. Imprenable. Inabordable. Inaccessible. Inconcevable. Indéchiffrable. Indécrottable. Insoluble. Inexpugnable. Inextricable. Infaisable. Introuvable. Incalculable. Irréalisable, etc.

Abandonner. Renoncer. Jeter sa langue aux chiens.

## DIFFORME

**Contrefait.** — INFIRME, infirmité. Difforme, difformité. MONSTRE, monstruosité. — Mal fait. Mal bâti. Nabot. Avorton. Pygmée. — Vice de conformation. Disproportion. — BOITER, boiteux Claudication. Pied bot. Bancal. Cul-de-jatte. — Estropié, estropiat. Eclopé. Manchot. — Bossu, BOSSE. — Etre borgne. Loucher. — Rachitisme. Crétinisme. Proptose. Scoliose.

Personnages contrefaits : Esope. Thersite. Scarron. Mayeux. Quasimodo. Polichinelle. Riquet à la houppe, etc.

**Déformé.** — Déformation. Contorsion. Distorsion. Disgrâce.

Défiguré. Disgracié. Disracieux. Mal gracieux. Vilain. Affreux. Hideux. Horrible. — Rabougri. Baroque. Biscornu. Bistourné. Racorni. Ratatiné. Recroquevillé. Grimaçant. Crochu. — LAID. Laideron. Malotru. Maritorne. — Tordu, tors. Tortueux. Gauchi. Déjeté. De guingois. De travers. — INÉGAL. Irrégulier. Hétéroclite. — Massif. Trapu. Ramassé. Bouleux. — Paralytique. Rhumatisant. Arthritique.

**Qui prête à rire.** — Caricature, caricatural. Charge. — Ridicule. Risible. Grotesque. Bizarre. — Fée Carabosse. Magot. Poussah. Morions. Fou du roi. Marmouset. — Grand escogriffe. Grande perche. Dégingandé. Ours mal léché.

## DIFFUS

**Qui parle trop.** — Bavard, bavarder, bavardage. Prolixe, prolixité. Surabondant, surabondance. Phraseur, phraser. Diffus, diffusion. — Développer à l'excès. Amplifier, amplification. S'étendre longuement. Faire des phrases. Allonger la sauce. Noyer la pensée sous les mots. — Déluge de mots. Flux de paroles. Longueurs. Discours interminable. — Redondant. Verbeux. Ennuyeux. Monotone. Verbiage. Verbosité.

**Qui parle à côté.** — Désordre dans les idées. Galimatias. Délayage. Bafouillage. — Digression. Paraphrase, paraphraser. Glose, gloser. Divagation, divaguer. Explications oiseuses. — Circonlocution. Périphrase, périphrastique. Style lâche. — Rabâcher, rabâchage. Radoter, radotage.

## DIGESTION

**Fonctions digestives.** — Ingestion des aliments. Mastication. Trituration. Salivation. Déglutition. — Eupepsie. Digestion, digérer, digestif. Bien passer. — Assimilation. Coction. Elaboration du chyle. ESTOMAC.

Ruminer, rumination, ruminants. Induire sa gorge (faucons).

**Sucs et ferments.** — Salive. Saburres, saburral. Suc gastrique. Pepsine, peptique. Peptone, peptonifier. Suc pancréatique. Bile. Sécrétion biliaire. — Chyme. Bol alimentaire. Chyle.

**Gênes et douleurs.** — Estomac paresseux. Pesanteur d'estomac. Apepsie. Dyspepsie. Bradypepsie. — Arrière-goût. Crudités. Aigreurs. Tiraillements. Boulimie. — Eructation. Rot, roter. Retour. Revenir. Flatuosité. Crampes. Hoquet. — Indigestion, indigeste. Rester sur le cœur. — Mal au cœur. Haut-le-cœur. Nausée. Vomissement. — Colique. Céliaque. Lienterie.

## DIMANCHE

**Qui concerne le dimanche.** — Dimanche. Jour du Seigneur. Dominical. Lettre dominicale (qui marque le dimanche). — Dimanche de la Passion, des Rameaux, de Pâques, etc. — Fêter le dimanche. Observer, Chômer le dimanche. Sanctifier le dimanche. S'abstenir d'œuvres serviles. — Endimancher, s'endimancher.

Offices du dimanche : Grand-messe. Vêpres. Complies. Salut. Bénédiction.

**Dîme,** f. V. *dix, impôt.*
DIMENSION, f. V. *mesure, étendue, quantité.*
**Diminuer.** V. *réduire, abrégé, moins, prix.*
DIMINUTIF. Diminution, f. V. *diminuer.*
DINANDERIE, f. V. *cuivre.*
DINDE, f. V. *dindon.*
**Dindon,** m. V. *volaille.*
DINDONNEAU, m. V. *dindon.*

DÎNER, m. Dînette, f. V. *manger.*
DIOCÈSE, m. V. *province.*
DIOÏQUE. V. *fleur.*
DIONYSIES, f. p. V. *Bacchus.*
DIOPTRIE, f. V. *optique, mesure.*
DIORAMA, m. V. *peinture.*
DIPHTONGUE, f. V. *syllabe.*
DIPLOMATE, m. V. *diplomatie, agent.*

**Diplomatie,** f. V. *politique, négocier.*
DIPLOMATIQUE, f. V. *écrire.*
DIPLÔME, m. V. *université, brevet, récompense.*
DIPLÔMÉ, m. V. *capable, nomination.*
DIPLOPIE, f. V. *œil.*
DIPTÈRE. V. *aile.*
DIPTYQUE, m. V. *peinture, écrire.*

---

## DÎME

**Sortes de dîmes.** — Grosses dîmes. Menues dîmes. Dîme de charnage (sur la viande). Dîmes vertes (sur les légumes). Novales (sur les terres). Dîmes inféodées (concédées aux laïques). — Décime (impôt du dixième).

**Relatif à la dîme.** — Dîmer, dîmerie. — Décimateur (percepteur). Dîmier (employé). Paulier (dîmier des gerbes).

## DIMINUER

**Diminuer de dimension.** — Diminuer, diminution. — Accourcir, raccourcir, raccourcissement. Abréger, abréviation. — Amoindrir. Apetisser. Rapetisser. Etrécir. Rétrécir. — Comprimer. Resserrer. Contracter. Dégonfler. Désenfler. — Dégrossir. Elégir (ôter l'épaisseur). Evider. Chantourner. Echancrer. Entamer. Ebrécher. — Mutiler. Rogner. Découper. User. — Réduire (un dessin). Réduction. Craticuler.

**Diminuer de quantité.** — Amincir. Amenuiser. Amaigrir. — OTER. Enlever. ÉPUISER. Tarir. — Restreindre. Eclaircir. Ecorner. RONGER.

Fondre. Se dissoudre. Se réduire. — Venir à rien. Aller en mourant. Mourir. — Disïale (déchet de poids). Tare. Déperdition. ïoulage. — Gradation descendante. Série ïonvergente.

**Diminution de quotité.** — Baisse de prix. Diminution. Rabais. Rabat. Escompte. Remise. — Appauvrissement. Raréfaction. Dépréciation. Déchet. Déficit. — Dégrèvement. Réduction. Tempérament. — Remède ou Tolérance (dans les alliages). — Total ramené à. Somme à valoir. Acompte.

**Diminution de force.** — Affaiblir, affaiblissement. Alléger, allègement. Ebranler, ébranlement. Infirmer. — Adoucir. Calmer. Atténuer. Amortir. Attiédir. Refroidir. — Ralentir. Modérer. Relâcher. — Mitiger. Gazer. Mettre une sourdine. Pallier, palliatif. — Euphémisme. Litote. Diminutif.

CÉDER. Décroître. Faiblir. Perdre de sa force. Péricliter. — Rémission. Rémittence. Abaissement.

**Diminution d'importance.** — Décadence. Déchéance, déchoir. Baisser d'un cran. Dégringoler. Décliner, déclin. Descendre. Tomber. Chute. — Déchanter. Voir pâlir son étoile. Mettre de l'eau dans son vin.

Corriger. Réformer. Rabaisser. Ravaler. Ternir l'éclat. Dégrader.

## DINDON

**Relatif au dindon.** — Poulet d'Inde. Dindon. Dinde. Dindonneau. — Troupeau de dindons. Dindonnier.

Caroncule. — Glouglouter. Glousser. — Faire la roue. Prendre le rouge.

## DIPLOMATIE

**Personnel diplomatique.** — Corps diplomatique. Ministre des affaires étrangères. Ambassadeur. Chargé d'affaires. Ministre plénipotentiaire. Agent diplomatique. Diplomate. — Nonce. Internonce. Légat. Ablégat. — Attaché d'ambassade. Conseiller de légation. Consul. Vice-consul. Résident. Secrétaire. Drogman. Courrier. — Envoyé. Député. Négociateur. Médiateur. Parlementaire. Représentant. Emissaire.

**Institutions.** — Ambassade. Chancellerie. Légation. Nonciature. — MISSION. Députation. — Relations internationales. Bureau international. Société des Nations. — Audience. Réception. Conférence. Congrès. Diète. — Accréditer. Commissionner. Dépêcher. Déléguer. Mandater. — Parlementer. Echanger des vues. Causer.

Lettres de créance, de recréance. Exéquatur. Exterritorialité. Instructions. Pouvoirs. Passeports. Sauf-conduit. Rappel. Valise diplomatique. — Titres diplomatiques. Excellence. Hautes puissances contractantes.

**Actes diplomatiques.** — Traité de paix. Traité de commerce. Articles de traité. Dénonciation d'un traité. — Ultimatum. Déclaration de guerre. Trêve. Armistice. — Négociations. Médiation. Dépêche. Note. Memorandum. Manifeste. Referendum. — Actes préliminaires. Protocole. Ratification. Concordat.

**Dire.** V. *parler, affirmer, avertir.*
DIRECT. V. *droit, grammaire.*
DIRECTEUR, m. V. *diriger, bureau, chef.*
DIRECTION, f. V. *diriger, conduite, influence.*
DIRIGEANTS, m. p. V. *important.*

**Diriger.** V. *ordre, conseil, conduite.*
DIRIMANT. V. *annuler.*
DISCERNEMENT, m. V. *raison, intelligence.*
DISCERNER. V. *voir, connaître, choix, distinct.*
DISCIPLE, m. V. *école.*
DISCIPLINE, f. Discipliner.

V. *règle, ordre, punition.*
DISCIPLINÉ. V. *céder.*
DISCOBOLE, m. V. *gymnase.*
DISCOÏDE. V. *rond.*
DISCONTINUITÉ, f. V. *interruption.*
DISCONVENIR. V. *négation.*
DISCORD. Discordance, f. V. *discordant.*

---

## DIRE
(latin, *dictum ;* grec, *logos*)

**Prendre la parole.** — Dire, diseur. PARLER, parleur. Redire. S'entredire. — Causer, causeur, causerie. Converser, conversation. Tenir des propos. DIALOGUE. Monologue. Tradition orale. Bavarder, bavardage, bavard. — PRONONCER des paroles, prononciation. Dires (d'avoué, d'avocat, etc.). Débiter, débit. Diction. Dicter, dictée. Réciter, récitation. — Avoir la langue bien pendue. Flux de paroles. Abondance verbale.

C'est-à-dire. — Soi-disant. Susdit. — Indicible.

**Emettre une opinion.** — Affirmer, affirmation. Confirmer, confirmation. Assertion. Avancer. Articuler des faits. Exprimer, expression. Enoncer. Répéter. Ressasser. — Exposer. Manifester. Dévoiler. Présenter. Mentionner. — Indiquer. Marquer. Constater. Alléguer. Reconnaître. — AVOUER. Déclarer. Confesser. Professer. Se prononcer. TÉMOIGNER. Révéler. — Rendre sa pensée. Opiner. TRADUIRE. Version. — Rétracter. Se dédire. Contredire. — Juger, jugement. Verdict. Dicton. — Discourir, DISCOURS. Pérorer. Disserter. Aborder un sujet. Thèse. Thème. — Proférer des imprécations. Exhaler sa colère.

**Informer.** — Information, informateur. Annoncer, annonce. Apprendre. Communiquer. Rendre compte. Donner connaissance. Faire savoir. Mettre au courant, au fait. Faire part de. TRANSMETTRE. Renseigner. — Publier. RACONTER. Colporter. Divulguer. Ebruiter. Propager. Dévoiler. Répandre une NOUVELLE. Trompeter. — Rapporter, rapport. Relater, relation. — Narrer, narration. Récit. Compte rendu. Développer. Détailler. Enumérer. Citer, citation, précité.

Bruit qui court. Rumeur. Cri public. Chronique. Nouvelles. Commérage. Racontar. On-dit. Ouï-dire. Vains propos. Cancan. Potin.

**Dire de façon discrète.** — Parler à demi-mot, à mots couverts. Laisser entendre. Donner à entendre. Insinuer, insinuation. Sous-entendre. Suggérer, suggestion. Faire allusion. — Eventer un secret. Trahir un secret. Glisser. Souffler. — Confier, confidence. S'ouvrir. Se déboutonner. Défiler son chapelet.

**Dire d'autorité.** — Dire de. Ordonner. Assigner. Commander. Dicter sa volonté. Intimer. Mander. — AVERTIR. Aviser. Notifier. Proclamer. Nommer. Signifier. Dénoncer. — RECOMMANDER. Spécifier. Trancher. Stipuler. — Instruire. Inculquer. EXPLIQUER, expliciter. Préciser. Rectifier. — Rendre des oracles. Jeter à la figure. Parler haut.

## DIRIGER

**Imposer une direction.** — Acheminer. Amener. Emmener. Ramener. Pousser vers. Envoyer vers, envoi. — Conduire. Mener. Mener en laisse. TRAÎNER. Remorquer. Trimbaler. — Mettre en mouvement. Mettre en branle. Faire mouvoir. Moteur.

Aller vers. Se diriger vers. Gagner. Faire route. Faire voile. Voguer. Prendre tel chemin. Se rendre à. Mettre le cap sur. Cingler vers. Converger. Diverger.

Direction. Impulsion. Courant. Cours. Marche des choses.

**Tourner vers.** — Boussole. Points cardinaux. Aire des vents. Orientation, orienter. Exposition. Exposé à. — TOURNER. Virer. Braquer. Appuyer à droite. Tendre vers. Pencher vers. Trajectoire. Verticité. — Ajuster. Viser. Mirer, mire. Bornoyer. Collimation. Coucher en joue. Pointer, pointage.

**Conduire.** — Guider, guide. Cicerone. Maître de cérémonies. Chaperon. Chien d'aveugle. Fil d'Ariane. — Mener. Mener par la main. Donner le bras à. Promener. Produire dans le monde. — Montrer, indiquer le chemin. Mettre sur la voie. Indiquer, indication, indicateur.

Conduire, conducteur. Berger. Pasteur. Cocher. Automédon. Phaéton. Chauffeur. Pilote. Cornac.

Guides. Rênes. Volant. Guidon. GOUVERNAIL. Timon. — Itinéraire. Carte. Jalon. Ligne à suivre.

Signalisation. Phare. Fanal. Poteau indicateur. Borne kilométrique. Flèche. Main. Affiche. Plaque.

**Commander.** — Commandement, commandant. Gouverner, gouverneur. Ordonner, ordonnateur, ordonnance. Régenter, régence, régent. PRÉSIDER, président. Etre préposé. Etre à la tête de. CHEF. — Gouvernement. POLITIQUE. POLICE. Stratégie. Tactique. — Avoir la haute main. Etre maître. Faire la pluie et le beau temps. — Manier. Faire manœuvrer. Mener, meneur. — Maîtriser. Mettre au pas. Mener par le bout du nez. Porter les culottes.

**Administrer.** — Diriger, direction. Directeur, directorial. Personnel dirigeant. Codirecteur. — Administrer, administration, administrateur. — Recteur, rectorat, rectoral. Gérer, gérance, gérant. Gestion, gestionnaire. — Régir, régisseur, régie. — Econome, économat. — Intendant. Majordome. Maître d'hôtel. Surveillant. Tenir une maison. — Curateur, curatelle. Tuteur, tutelle. — Règlement. Réglementation. Formulaire. Code.

**Discordant.** V. *mal.*
DISCORDE, f. V. *haine.*
DISCOURIR. V. *rhétorique, dire.*
**Discours,** m. V. *parler, éloquence, littérature.*
DISCOURTOIS. V. *grossier.*
DISCRÉDIT, m. Discréditer. V. *réputation, mépris, défiance.*
DISCRET. Discrétion, f. V.

prudence, secret, modéra-tion, cacher, libre.
DISCRIMINATION, f. V. *séparer.*
DISCULPER. V. *innocent, excuse.*
DISCUSSION, f. Discuter. V. *dispute, objection, raison, argument.*
DISERT. V. *éloquence.*
DISETTE, f. V. *faim, manque.*

DISEUR, m. V. *dire.*
DISGRÂCE, f. Disgracier. V. *malheur, destituer, chasser, difforme.*
DISGRACIEUX. V. *laid.*
DISJOINDRE. Disjonction, f. V. *ouvert, écart, séparer.*
DISLOCATION, f. V. *disloquer.*
**Disloquer.** V. *casser.*
DISPACHE, f. Dispacheur, m. V. *arbitre, assurances.*

---

### Diriger moralement. — Conseiller. Avertir. — Entraîner. Tenter. EXCITER. Influer sur. — Enseigner. Instruire. — Former. Inspirer. Styler. — Directeur de conscience. Mentor. Egérie. Bon génie. Ange gardien. — Educateur. Gouverneur. Précepteur. Gouvernante. Guide. — Conduite. Discipline. Règle. Principe. Maxime. — Suggérer. Souffler. Instigateur. Meneur. — Exemple. Ton. Influencer, influence. Tendance. Mobile. Tenter, tentateur. — Modérateur.

### DISCORDANT

**Désaccord en musique.** — Désaccordé. Instrument discord. Discordance, discorder. Dissonance, dissonant, dissoner. — Fausse note. Chanter faux. Détoner. — Inharmonie, inharmonique. — Bruits discordants. Cacophonie. Tohu-bohu. Charivari. Ecorcher les oreilles.

**Dans une union.** — Désaccord. Brouille. Se brouiller. Désunion. Mésintelligence. S'accorder comme chien et chat. — Mésalliance. — Déchirements intérieurs. Faire mauvais ménage. Le torchon brûle. — Séparation. Divorce, divorcer. Tiraillements. Rupture, rompre.

**Dans la vie sociale.** — Discorde. Foyer de discorde. Ferment, brandon de discorde. — Dissensions. Divisions. Faction, factieux. Guerre civile. TROUBLES. Emeute. — Conflit. Lutte. Opposition. — Dissidence, dissident. Schisme, schismatique. Scission. — Zizanie. Querelle. Dispute. Démêlés. Différends. Rompre en visière. — Insociabilité, insociable. Insocial. Vie d'enfer. Traiter en ennemi. — Anarchie, anarchique.

**Dans les idées.** — Différer d'opinion. Avis partagés. Propos discordants. Dissentiment. Tiraillements. Malentendu. Polémique. — Divergence d'opinion. Disconvenance. Incompatibilité, incompatible. — Anarchie, anarchique. Incohérence, incohérent. — Anormal. Inconséquent. Irrationnel. — Etre loin de compte. S'écarter de. S'éloigner. — Inconséquence.

**Dans les choses.** — Désordre. Asymétrie, asymétrique. Disproportion. Anomalie. — Aller mal. Boiter. Clocher. Loucher. Grimacer. Jurer. — INCONVENANT. Malséant. Couleur criarde. Ton cru. — Disparate. Dépareillé. Désassorti. — INÉGAL. Décousu. Dérangé. Désordonné.

### DISCOURS

**Art oratoire.** — ELOQUENCE, politique, judiciaire, religieuse, délibérative. — RHÉTORIQUE. Art de la parole. Procédés discursifs. — Action. Geste. Elocution. Débit. Diction. Mélopée. — Style oratoire. Période. Figures. Ithos et Pathos. Emphase. Mœurs. — Exorde. Exposition. Proposition. Division. Disposition. Confirmation. Narration. Réfutation. Péroraison. — Invention. Improvisation. Précautions oratoires. Preuves. Points du discours.

**Sortes de discours.** — Discours académique. Discours d'apparat. — Panégyrique. Oraison funèbre. Eloge. Compliment. — Discours politique. Invective. Harangue. Proclamation. Manifeste. Adresse. — Eloquence de la chaire. Prédication. Homélie. Sermon. Prône. Prêche. — Plaidoyer. Plaidoirie. Plaid. Défense. Réquisitoire. Mercuriale. — Allocution. Speech. Conférence. Causerie. Discussion. — Déclamation. Tirades. Paraphrase. Boutades. Réplique. Boniment.

**Orateurs.** — Orateur politique. Tribun. Harangueur. — Apologiste. Panégyriste. — Avocat. Défenseur. — Prédicateur. Prêcheur. Prédicant. Sermonnaire. — Conférencier. Diseur et Causeur. — Déclamateur. Péroreur. Bonimenteur.
Forum. Rostres. Agora. Tribune. Chaire. Barreau. Tréteaux.

**Façons de discourir.** — Prendre la parole. Monter à la tribune, en chaire. Prononcer un discours. Discourir. PARLER. — Manier la parole. Parler d'abondance. Improviser. Débiter. Réciter. — Plaider. — Prêcher. Tonner du haut de la chaire. — Déclamer. Haranguer. Exhorter. — Invectiver. Complimenter. — Discuter. Disserter. Répliquer. — PERSUADER. Convaincre. Toucher. — Paraphraser. Pérorer. Psalmodier.

### DISLOQUER

**Altérer la structure.** — Démettre un membre, démis. Luxer, luxation. Désarticuler. Disloqué. Déhanché. Dégingandé. — Disloquer. Déboîter. Démancher. Démantibuler. Désajuster. Désengrener. — TORDRE, torsion. Entorse. — Déranger. Brouiller. Fausser. Mêler une serrure. Abîmer. Détraquer. GÂTER.

**Disjoindre.** — Démembrer. Désagréger. Désagencer. Désassembler. Démonter. Dépiécer. Dessouder. Déboulonner. — Désorganiser. Disperser. Lotir. Briser. Casser.

**Disparaître.** V. *passé, mort, absence, perdre.*

DISPARATE. V. *discordant.*

DISPARITÉ, f. V. *différent.*

DISPARITION, f. V. *disparaître.*

DISPENDIEUX. V. *prix, dépense.*

DISPENSAIRE, m. V. *aumône.*

DISPENSATEUR, m. V. *bienfait.*

DISPENSE, f. V. *faveur, mariage, carême.*

DISPENSER. V. *exempt, annuler, soldat.*

**Disperser.** V. *désordre, loin, chasser, rare.*

DISPERSION, f. V. *disperser.*

DISPONIBILITÉ, f. V. *fonction, oisif, destituer.*

DISPOS. V. *santé.*

DISPOSER. V. *arranger, mettre, cause, pouvoir.*

DISPOSITIF, m. V. *ordre.*

**Disposition,** f. V. *volonté, manière, état, penchant, art.*

DISPROPORTION, f. V. *proportion, inégal, excès.*

DISPUTAILLER. V. *dispute.*

**Dispute,** f. V. *chicane, combat.*

DISPUTER. Disputeur, m. V. *dispute.*

DISQUALIFIER. V. *qualifier.*

DISQUE, m. V. *cercle, rond, phonographe, chemin de fer.*

DISSECTION, f. V. *cadavre.*

DISSEMBLABLE. Dissemblance, f. V. *différent.*

DISSÉMINER. V. *dispersion, loin, rare.*

DISSENSION, f. V. *désordre, haine.*

---

## DISPARAÎTRE

**Disparaître de la vue.** — Echapper aux regards. Etre invisible, invisibilité. Etre perdu de vue. N'être plus vu. Se soustraire à la vue. S'éclipser, éclipse. Se cacher. S'évanouir. S'évaporer. Se coucher, coucher (d'un astre). Faire disparaître. Escamoter, escamotage. Supprimer.

**Disparaître de la présence.** — Disparition. Disparu. Absence. Absent (droit). — S'en aller. S'échapper. S'enfuir. S'envoler. S'esquiver. Glisser des mains. Se sauver. — PARTIR, départ. S'absenter. Mettre la clef sous la porte. Se disperser, DISPERSION. — Etre emporté, entraîné, enlevé. — Effarouché. Fugace. Fugitif.

**Disparaître de l'existence.** — Mourir, MORT. S'éteindre. Cesser d'exister. Périr. Péri en mer. — S'anéantir. S'épuiser. Se tarir. Se dissiper. S'absorber. Se fondre. Se perdre. — Couler bas. S'enfoncer. Tomber au gouffre, à l'abîme. — Anéantissement. Destruction. Annulation.

## DISPERSER

**Envoyer en tous sens.** — Dissiper, dissipation. Eparpiller, éparpillement. Disséminer, dissémination. Disperser, dispersion. Parsemer. — Envoyer au loin. Eclabousser, éclaboussement. Cracher, crachement. Crachoter, crachotement. — Répandre. Diffusion. — Effeuiller. Débander. Désagréger. Disloquer.

**Se disperser.** — Aller de tous côtés, à la débandade. Voltiger. Se perdre. S'égailler. — Epars. Clairsemé. Maladie sporadique. Feuilles sparses. Etoiles sparsiles. — Rayonner, rayonnement. Irradier, irradiation. Aberration de la lumière. Lumière diffuse. — Diverger, divergent. Disposé en éventail. — Eclater. Voler en éclats.

## DISPOSITION

**Aptitude.** — Apte à. Propre à. Idoine. Fait pour. Constitué pour. Né pour. Qualifié pour. Bien doué. — Avoir la bosse de. Avoir dans le corps. Avoir de l'étoffe. Avoir ce qu'il faut. — Capacité, CAPABLE. Spécialité. Facilité. — Etre favorisé de la nature. Disposition, disposé. Don de la parole, de la musique, des langues, etc. — Prédisposition, prédisposé. Vocation. Penchant. Tendance. Inclination. — Promettre.

**Qualité naturelle.** — Avantage naturel. Don naturel. Moyens naturels. — Dispositions morales. CARACTÈRE. TEMPÉRAMENT. Etat d'âme. — Tournure d'esprit. Esprit. Facultés. Talent. Génie. INTELLIGENCE. MÉMOIRE. Jugement. Habileté. Goût. — Constitution. Organisation. Manière d'être. — Infus. Inné. Instinctif.

## DISPUTE

**Rivalité.** — Se disputer le succès. Rivaliser, RIVAL. Emulation, émule. Concours, concurrent, concurrence. Tournoi. Match. Champion. — Disputer le terrain. Conflit. Lutte. Combat. Collision.

**Querelle.** — Chercher une affaire. Chercher dispute. Chercher noise. Querelle d'Allemand. Provocation. ATTAQUE, s'attaquer à. — Altercation. Se disputer, disputeur. Quereller, querelleur. Se chamailler. Chicaner, CHICANE. Disputailler. Avoir maille à partir. — Faire une scène. Fâcherie. Brouille. Grabuge. Bisbille, f. — Mauvais coucheur. HARGNEUX, hargne. Taquin, taquinerie.

Apaiser une querelle. Mettre le holà. S'interposer. Intervenir.

**Violence.** — Bataille de mots. Se prendre de bec. — Injures, injurier. S'engueuler. Gros mots. — Chanter pouilles. Apostrophe. Tempêter. Ton agressif. — S'échauffer. Animosité. Aigreur. Etre à couteaux tirés. — Chercher plaie et bosse. Se colleter. S'arracher les yeux. Se crêper le chignon. Rixe. — Eclat. Esclandre. Scandale. Orage. Tempête.

**Différend.** — Affaire. Litige, litigieux. Procès. Débat. Démêlé. Désaccord. Discorde. Dissentiment, dissentiment. Malentendu. Difficultés. — Discussion. Contestation, contester, conteste. Récriminer, récrimination. Se défendre, défense.

**Discussion d'idées.** — Agiter une question. Mettre en question. Discuter, discussion, discutable. Ouvrir, clore la discussion. Délibérer, délibération. — Traiter un sujet. Argumenter, argumentation, ARGUMENT. S'expliquer, explication. THÈSE. — Controverse, controverser. Logomachie. Polémique, polémiquer, polémiste. Préopinant. Objection, objecter. Réplique, répliquer. Rétorquer un argument. — Disserter, dissertation. Donner le pour et le contre. Départager les avis.

DISSENTIMENT, m. V. *discordant.*

DISSÉQUER. V. *couper, anatomie.*

DISSERTATION, f. Disserter. V. *argument, instruction.*

DISSIDENCE, f. Dissident. V. *opposé, séparer, secte.*

DISSIMILITUDE, f. V. *différent.*

DISSIMULATION, f. Dissimuler. V. *cacher, mensonge, secret.*

DISSIPATION, f. V. *conduite, inattention, plaisir.*

DISSIPER. V. *disperser, dépense.*

DISSIPER (se). V. *léger, disparaître.*

DISSOCIER. V. *séparer.*

DISSOLU. V. *débauche, vice.*

DISSOLUTION, f. V. *chimie, liquide, parlement.*

DISSOLVANT, m. V. *dissoudre.*

DISSONANCE, f. Dissonant. V. *son, discordant, dur.*

*Dissoudre.* V. *fondre, réduire, détruire.*

DISSUADER. V. *écart, conseil.*

DISSYLLABE. Dissyllabique. V. *syllabe.*

*Distance,* f. V. *loin, courir, supérieur.*

DISTANCER. V. *distance.*

DISTANT. V. *orgueil.*

DISTENDRE. Distension, f. V. *tirer, étendre, enflé.*

DISTILLATEUR, m. Distillation, f. Distillatoire. V. *distiller.*

*Distiller.* V. *liqueur, goutte, chimie, gaz, subtil.*

DISTILLERIE, f. V. *distiller.*

*Distinct.* V. *marque, différent.*

DISTINCTIF. V. *distinct.*

DISTINCTION, f. V. *honneur, élégance, politesse, estime.*

DISTINGUER. V. *séparer, préférer, argument, gloire.*

DISTIQUE, m. V. *poésie.*

DISTRACTION, f. V. *plaisir, repos, oubli, inattention.*

DISTRAIRE. V. *écart, consoler.*

DISTRAIT. V. *léger, oubli.*

---

## DISSOUDRE
(latin, *dissolvo* ; grec, *analyô*)

**Faire fondre un corps.** — Dissoudre, dissolution, dissolutif. Voie sèche, voie humide. — Dissolvant. Véhicule. Catarrhectique. Eau régale (pour l'or). Alcaest (des alchimistes). — Liquéfier, liquéfaction. Colliquation, colliquatif. Fondre, fusion. Infuser, infusion. — Solubilité, soluble, solution. Résoluble, résolutif, résoudre. Hydrolyte (qui se dissout dans l'eau). Déliquescent, déliquescence. — Contenir en suspension. Précipité, précipiter. Extrait.

Dissolvant. Intermède. Véhicule.

**Modifier l'état d'un corps.** — Décomposer, décomposition. Analyser, analyse. Catalyser, catalyse, catalyseur. — DISTILLER, distillation. Evaporer, évaporation. Volatiliser, volatilisation. Sécréter, sécrétion. — Désagréger, désagrégation. Diviser, division. SÉPARER. — Mordre sur, mordant. Gâter. Corrompre.

## DISTANCE

**Distance.** — Distancer. Prendre de la distance. Distant. Equidistant, équidistance. — Ecarté, écartement. Eloigné, éloignement. — Intervalle. Portée. Vol d'oiseau. Espace, espacement. Stampe (dans les mines).

**Parcours.** — Trajet. Tour. Traite. Marche. Trotte. Course. Etape. — Itinéraire. Chemin. Route. — Sillage. Cinglage. — Aphélie. Périhélie. Apogée.

**Mesures.** — Mesure itinéraire. Lieue. Mille. Kilomètre, hectomètre, mètre. Stade. Parasange. Verste. Pas. Poste. — Mille marin. Nœud. Encâblure. Estime (calcul d'un parcours marin). — Distances légales (dans Procédure. Lois. Servitudes. Plantations. Constructions. Vues.)

**Appareils de mesure.** — Apomécomètre. Odomètre. Pédomètre. Compte-pas. — Compteur kilométrique. Taximètre. Loch. Sonde. Baromètre de hauteur. — Télescope. Télé-

mètre. — Borne kilométrique. Pierre milliaire. Colonne leucaire (à lieues). Cippe.

## DISTILLER

**Appareils.** — Appareil distillatoire. Alambic. Pélican. — Cucurbite. Chapiteau. Réfrigérant. Serpentin. Cheminée. Capsule. Tubulure. Tube. Allonge. Bec. — Cornue. Cuine. Col. Panse. Voûte. — Fourneau. Chaudière. Embrasure. Tirette. Rigole. Robinet. Tuyau de décharge. — Condenseur. Récipient. Preuve.

**Matières et produits.** — Charge de l'alambic. Vins. Marcs. Moûts. Mélasses. Canne à sucre. Betteraves. Pommes de terre. Topinambours. Grains. Intermède (substance ajoutée).

Produits de tête, de queue. — Spiritueux. Alcool. Eau-de-vie. Cognac. Armagnac. Calvados. Blanquette. Seconde. — Essences. Huiles essentielles. Fleurs. Extraits. — Produits volatils.

**Travail.** — Distiller, distillation. Distiller au bain-marie, au bain de sable, à feu nu. Distiller *per ascensum, per descensum.* — Bouillir, bouilleur de cru. Branderie, brandevinier. Brûler, brûlerie, brûleur. — Circuler (distiller plusieurs fois), circulation. Cohober (redistiller), cohobation. — Déflegmer (séparer les parties aqueuses). Rectifier, rectification. Spiritualiser. Sublimer (séparer les parties volatiles), sublimation. Volatiliser. Vaporiser. Condenser. — Esprits. Degré des esprits.

Distillerie. Distillateur. Liquoriste. Laboratoire.

## DISTINCT
(grec, *idios*)

**Séparé.** — Divis, indivis, diviser, division. Dégagé, dégagement. Débrouiller, débrouillement. — Abstrait, abstraire, abstraction. — Absolu. Indépendant. Isolé. Pur. SEUL. UNIQUE. — Un à un. L'un après l'autre. Discontinu. — Quantité discrète (à parties séparées).

DISTRIBUER. Distributeur, m. V. *don, répandre, imprimerie.*

DISTRIBUTION, f. V. *partage, récompense, poste, automobile.*

DISTRICT, m. V. *province, police.*

DIT, m. V. *procédure.*

DITHYRAMBE, m. Dithyrambique. V. *Bacchus, poésie, enthousiasme.*

DIURÉTIQUE. V. *urine, médicament.*

DIURNE. V. *jour.*

DIVAGATION, f. Divaguer. V. *écart, errant, bestiaux.*

DIVARICATION, f. V. *écart.*

DIVERGENCE, f. Diverger. V. *discordant, écart, rayon, dispersion.*

DIVERS. Diversifier. V. *différent, changer, varié.*

DIVERSION, f. V. *détour, consoler.*

DIVERSITÉ, f. V. *mélange, plusieurs.*

DIVERTIR. Divertissement, m. V. *écart, plaisir, bouffon.*

DIVETTE, f. V. *théâtre.*

DIVIDENDE, m. V. *arithmétique, partage, finance.*

DIVIN. V. *Dieu, parfait.*

DIVINATION, f. V. *devin.*

DIVINISER. V. *Dieu.*

DIVIS. V. *partage.*

DIVISER. V. *division.*

DIVISEUR, m. Divisible. V. *calcul.*

**Division,** f. V. *couper, part, fragment, rhétorique, armée, calcul, discordant.*

DIVORCE, m. Divorcer. V. *mariage, annuler, abandon.*

DIVULGATION, f. Divulguer. V. *dire, révéler, secret, public.*

DIVULSION, f. V. *arracher.*

**Dix.**

DIXIÈME. Dizaine, f. V. *dix.*

DIX-CORS, m. V. *cerf.*

DO, m. V. *musique.*

DOCILE. Docilité, f. V. *doux, sage, obéir, céder.*

DOCIMASIE, f. V. *essai, minéral.*

DOCK, m. V. *magasin, garder.*

DOCKER, m. V. *port, porter.*

DOCTE. V. *connaître.*

**Docteur,** m. V. *université, science, médecine.*

DOCTORAL. Doctorat, m. Doctoresse, f. V. *docteur.*

DOCTRINAIRE, m. V. *système.*

DOCTRINE, f. V. *science, théorie, philosophie.*

DOCUMENT, m. Documentation, f. Documenter. V. *renseignement, science, histoire.*

DODÉCAGONE, m. V. *douze.*

DODÉCANÈSE, m. V. *douze.*

DODELINER. V. *tête.*

DODINER. V. *balancer.*

DODO, m. V. *sommeil.*

DOGE, m. V. *Venise.*

DOGMATIQUE. V. *religion.*

DOGMATISER. V. *emphase.*

DOGMATISME, m. V. *système.*

DOGME, m. V. *religion, affirmer, certitude.*

---

**Particulier.** — Individuel, individualité. PROPRE, propriété. Singulier, singularité. PARticulier, particularité. — Différent. Bizarre. EXTRAORDINAIRE. Rare. — Décentraliser, décentralisation. Autonomie. Particularisme. Idiogyne. Idiopathie. Idiosyncrasie. Idiotisme. Idiome.

**Caractérisé.** — Caractère, caractéristique. Etre SOI. Avoir son cachet. Décidé. Tranché. Marqué. — Déterminer, détermination, déterminatif. Circonstancier. Désigner nommément. — Spécial, spécialité, spécialiser. Spécifier, spécifique. *Sui generis.*

**Qui apparaît nettement.** — Apparent, apparaître. Ressortir. Se découper. Se détacher. Faire saillie, saillant. — Discernable. Visible. Distinct, distinctif. Net. Catégorique. Intelligible. Explicite. Précis. POSITIF. — Sensible. Reconnaissable. Remarquable. — Articuler. Parler à haute voix.

### DIVISION

**Divisions politiques.** — Subdivision. Gouvernement. Province. Département. Arrondissement. Circonscription. Canton. District. Diocèse. Ressort. Bailliage. Quartier. — Tribu. Famille. — CLASSE. Caste. Ordre. — Parti. Clan.

**Divisions d'un écrit.** — Acte. Scène (de théâtre). — Livre (d'un traité). Chant (d'un poème). Titre (d'une loi). Tome (d'un ouvrage). — Strophe. Couplet. Verset. Sourate. — Chapitre. Article. Clause. Catégorie. — Alinéa. Colonne. Entrefilet. Paragraphe. — Passage. Morceau. Fragment. Episode. Phrase. — Règnes de la nature. Classe. Ordre. Genre. ESPÈCE. Famille.

**Divisions d'un objet.** — Compartiment. Case. Casier. — Alvéole. Loge. Cellule. — Partie. Pièce. Elément. — Molécule. Atome.

Ion. Electron. — Section. Segment. TRANCHE. Côte. — Portion. Part. — Fragment. Fraction. — Monnaie divisionnaire. Degrés de graduation.

Bénéfice de division.

### DIX
(latin, *decem*; grec, *deca*)

**Composés du préfixe** *déca.* — Décacorde. Décade. Décadi. Décaèdre. Décagone. Décagramme. Décagyne. Décalitre. Décalobé. Décalogue. Décaméron. Décamètre. Décan. Décandrie. Décapétale. Décaphylle. Décapode. Décasyllabe. Décastyle, etc.

**Du préfixe** *déci.* — Décigramme. Décilitre. Décimal. Décimale. Décimer. Décimètre. Décime. Décistère. Dîme.

**Du mot** *decem.* — Décembre. Décemvir, décemvirat. Décennaire. Décennal. Décuple, décupler. Décurie, décurion. Décempède. Dextil (aspect).

**Du mot** *dix.* — Dixième. Dizain. Dizaine. Dizenier. Dizeau (10 gerbes). Endizener. Dix-sept, dix-huit, etc.

### DOCTEUR

**Titres.** — Docteur. Doctoresse. — Docteur ès lettres, ès sciences, en droit, en médecine, en théologie, *in utroque jure* (droit civil et droit canon). — Docteur de l'Eglise ou Père de l'Eglise. Pères grecs. Pères latins. Sorboniste. — Docteur de la loi (anciens juifs). Rabbin (juif). — Didascal (grec). — Mandarin lettré (chinois). — Pandit (indien). — Mollah. Taleb. Uléma (musulmans).

**Relatif aux docteurs.** — Doctorat. Doctoral. — Thèse. — Grade. Titre. Gradué. — Robe ou Toge. Chaperon ou Chausse. Epitoge. Bonnet carré. Toque.

Dogue, m. **V.** *chien.*
**Doigt,** m. **V.** *main, instruments, mesure, montrer.*
Doigté, m. **V.** *instruments.*
Doigtier, m. **V.** *doigt.*
Doit, m. **V.** *dette.*
Dol, m. **V.** *tromper, voleur.*
Doléance, f. **V.** *plainte.*
Dolent. **V.** *souffrir, langueur.*
Dolichocéphale. **V.** *tête.*
Dollar, m. **V.** *monnaie.*
Dolman, m. **V.** *habillement.*
Dolmen, m. **V.** *pierre.*
Doloire, f. **V.** *tonneau.*
Domaine, m. Domanial. **V.** *propriété, possession.*
Dôme, m. **V.** *architecture, voûte, église, couvrir.*

Domestication, f. **V.** *familier.*
Domesticité, f. **V.** *domestique.*
**Domestique. V.** *maison.*
Domestiquer. **V.** *familier.*
Domicile, m. Domicilier. **V.** *habiter, logement.*
Domification, f. **V.** *zodiaque, astrologie.*
Dominant. **V.** *haut.*
Dominante, f. **V.** *musique.*
Domination, f. Dominer. **V.** *supérieur, chef, pouvoir, influence.*
Dominicain, m. **V.** *moine.*
Dominical. **V.** *dimanche.*
Domino, m. **V.** *masque.*
Dominos, m. p. **V.** *jeu.*

Dommage, m. **V.** *perdre, gâter.*
Dommages et intérêts, m. p. **V.** *punition.*
Dompter. Dompteur, m. **V.** *animal, bateleur, vainqueur.*
**Don,** m. **V.** *offrir, bienfait, art, habile.*
Donataire, m. Donateur, m. Donation, f. **V.** *testament, bienfait, transmettre.*
Donjon, m. **V.** *tour.*
Donne, f. **V.** *cartes.*
Donnée, f. **V.** *connaître, circonstances, argument, question.*
Donner. **V.** *attribuer, bienfait, fertile, but, jeu.*

---

## DOIGT
(latin, *digitus*; grec, *dactylos*)

**Les doigts.** — Doigts de la main : Pouce. Index. Médius. Annulaire. Auriculaire. — Doigts du pied. Orteils. Gros orteil. — Gros doigt. Petit doigt. — Griffes. Pinces.

**Structure.** — Phalanges. Phalangines. Phalangettes. — Ongles. — Doigts fuselés, carrés. — Face palmaire. Face dorsale. — Muscles lombricaux. Osselets. Os sésamoïdes (des jointures). — Racine des doigts. Bout des doigts.

Brachydactyle. Orthodactyle. Didactyle. Tridactyle. Tétradactyle.

**Usage.** — Faire œuvre de ses doigts. Avoir des doigts de fée. — Toucher. Tripoter. Pincer, pincée. Prendre, prise. — Donner une chiquenaude, une pichenette. — Jouer d'un instrument. Pizzicato. — Dactylographier, dactylographe. — Prestidigitation, prestidigitateur. — Jouer au doigt mouillé, à la mourre. — Faire craquer ses doigts. — Montrer au doigt. — Doigter, doigté. — Digitigrade. Digité.

Dé. Doigtier. Onglet. Bague.

**Relatif aux doigts.** — Digital, interdigital. — Dactyloptère. — Le doigt de Dieu. — Doigt de gant. — Empan (mesure du pouce au bout du petit doigt).

Maux de doigt. Concrétion (jointure anormale). Panaris. Mal blanc. Tourniole. Fourchet. Onglée. Envie.

---

## DOMESTIQUE

**Service.** — Servir. Appartenir à. Etre en condition. Etre en maison. Place. Etre en maison. — Les gens. La livrée. Personnel. Domestiques. Domesticité. Valetaille. Train de maison. Suite. — Office. Antichambre. Les communs. — Placement. Bureau de placement. Gages. Livret. Certificat. — Arrêter quelqu'un. Contrat de louage. Louage de services. Délai-congé. Contrat de travail. Certificat. — Casser aux gages. Renvoyer. Faire maison nette. — Donner son compte. Rendre son tablier. — Fonctions serviles. Opérations ancillaires. Faire danser l'anse du panier. Faire de la gratte.

**Serviteurs.** — Gens de maison. — Concierge. Portier. Suisse. Cavas. Frère convers. — Majordome. Maître d'hôtel. — Laquais. Larbin. Valet de chambre. Boy. Brosseur. Valet de pied. — Cuisinier. Sommelier. Marmiton. — Cocher. Chauffeur. Piqueur. Chasseur. — Palefrenier. Garçon d'écurie. Lad. Groom. — Homme de peine. Frotteur. — Garçon de café. Garçon de bureau. — Valet de ferme, de charrue. — Esclave.

**Servantes.** — Bonne. Bonne à tout faire. Bonne d'enfants. — Femme de chambre. Chambrière. Soubrette. Camériste. — Femme de ménage. Femme de charge. Lingère. — Cuisinière. Cordon bleu. Fille de cuisine. — Nourrice sur lieu. Nourrice sèche. Nurse. — Sœur tourière. Sœur converse.

**Serviteurs supérieurs.** — Chambellan. Camérier. Officier de bouche. Ecuyer. Page. — Gouverneur. Gouvernante. Précepteur. — Secrétaire. Dactylographe. — Dame de compagnie. Duègne. — Huissier. Appariteur. Bedeau. Licteur. — Garde-malade. Infirmier. Infirmière. — Intendant. Caissière.

**Termes anciens.** — Ancelle. Ancelette. Dame d'atours. Dariolette. Suivante. Berceuse. Remueuse. Souillon. — Cuistre. Echanson. Bouteiller. Cellerier. Patronet. — Estafier. Heiduque. Icoglan. — Galopin. Coureur. Jockey. Postillon. Trottin. — Porte-coton. Portequeue. — Maître Jacques. Jocrisse. Courtaud. — Officieux (sous la Révolution). — Recors (d'huissier). Goujat (de maçon).

---

## DON

**Libéralité.** — Largesse. Libéralité. Générosité. Munificence. Assistance. Philanthropie. Charité. — Bienfaits. Dons. Largesses. Libéralités. Aumône. Subside. Subventions. — Ouvrir sa bourse. Répandre ses dons. Obliger. Assister. Aider. Subvenir aux besoins de. — Se dépouiller de. Abandonner. Laisser. Faire un sacrifice. Sacrifier son argent. Prodiguer, prodigalité. — Remettre une dette. Prêter, prêt. Faire un don gratuit. Payer pour. Contribuer. — Combler de. Gorger. Rassasier. Saturer. Inonder. Remplir. Repaître. Assouvir. Gaver. Soûler. — Faire le don de soi-même. Se sacrifier.

DONNEUR, m. V. *pari.*
DONZELLE, f. V. *fille.*
DORADE, f. V. *poisson.*
DORER. V. *or, orner.*
DORIDES, f. p. V. *nymphes.*
DORIQUE. V. *architecture.*
DORIS, m. V. *bateau.*
DORLOTER. V. *cajoler.*
DORMANT. V. *sommeil, filet.*
DORMEUR, m. Dormeuse, f. V. *sommeil.*
DORMIR. V. *sommeil, nuit, calme.*
DORMITIF. V. *médicament.*
DORSAL. V. *dos.*

DORTOIR, m. V. *école.*
DORURE, f. V. *or, peinture.*
**Dos,** m. V. *arrière, corps, relieur.*
DOSAGE, m. Dose, f. Doser. V. *mesure, quantité, chimie.*
DOSSERET, m. V. *balustre.*
DOSSIER, m. V. *meuble, renseignement, auxiliaires de justice.*
DOSSIÈRE, f. V. *harnais.*
DOT, f. Dotal. Doter. V. *don, fille, mariage.*
DOUAIRE, m. V. *hériter, rente.*

**Douane,** f. V. *port, commerce.*
DOUANIER, m. V. *douane.*
DOUAR, m. V. *tente.*
DOUBLE. V. *deux, hypocrite, fantôme.*
DOUBLÉ, m. V. *bijou, billard.*
DOUBLEAU, m. V. *charpente.*
DOUBLER. V. *augmenter, remplacer, passer.*
DOUBLET, m. V. *mot, grammaire.*
DOUBLIS, m. V. *tuile.*
DOUBLON, m. V. *monnaie.*

---

**Présent.** — Cadeau. Offrande. Etrennes. Envoi. Corbeille de mariage. Œuf de Pâques. Douceurs. — Une gracieuseté. Une galanterie. Un hommage. Une politesse. Une faveur. — Générosité. Gratification. Pot-de-vin. Pourboire. Batchich. Denier à Dieu. Epices. Epingles. Sportule. — Donner de la main à la main. Graisser la patte. Donner la pièce. Mettre à la tirelire. — Ex-voto. Don votif.

**Don juridique.** — Donation, donateur, donatrice. Donataire. — Donation entre vifs, à cause de mort. Testament. Legs. — Acte solennel. Acte notarié. — Don manuel, mutuel. — Donation gratuite, onéreuse, conditionnelle, alternative, rémunératrice. — Donation *sub modo*, avec charge, de biens à venir. — Capacité. — Dessaisissement. Acceptation. — Irrévocabilité. Révocation. Inexécution des conditions. Ingratitude. Survenance d'enfants. — Donner et retenir ne vaut. — Quotité disponible. — Action en réduction. Succession. Rapport. Partage. Retour légal, conventionnel.

**Répartition.** — Assigner, assignation. Conférer, collation. Départir. Donner en partage. Gratifier de. Investir de. Destiner, destinataire. — Céder, cession. Concéder, concession, concessionnaire. Rétrocéder, rétrocession. Déléguer, délégation, délégataire. Allouer. Adjuger à. Résigner. Disposer de. — Dispenser. Fournir. Passer à. Faire passer à. TRANSMETTRE. Pourvoir. Nantir. Servir. Mettre en possession.

**Attribution.** — Donner. Accorder. ATTRIBUER. Conférer. Décerner à. Octroyer, octroi. — Jeter. Lancer. Envoyer. Emettre. Asséner. Appliquer. Porter. — Procurer à. Remettre. RENDRE. Livrer. — Consacrer. Administrer (les sacrements).

**DOS**
(latin, *dorsum ;* grec, *nôtos*)

**Dos.** — Dos, dorsal. Etre large du dos. Etre carré des épaules. Carrure. — Etre couché sur le dos. Tomber à la renverse. Avoir le dos au feu. Voyager à dos de mulet. — Plier le dos (céder). Tourner le dos (fuir). Se mettre à dos (s'aliéner).

Râble. Echine. Croupion. Crête (de poisson).

**Relatif au dos.** — Adosser. Dos à dos. — Dos d'âne. Dos de vêtement. Dos de lettre. Dos de lame. Dos de la main. — Dossier.

Dossière (harnais). Dossard. — Endos, endosser, endossement.

Composés en *dorsi* : Dorsibranche. — En *dorso* : Dorso-costal. — En *noto* : Notoptérygien.

**Physiologie du dos.** — Colonne vertébrale. Epine dorsale, spinal. Moelle épinière. Rachis. Axe rachidien. Coccyx, coccygien. Omoplate. Omocotyle. Lombes. Région lombaire. Sacrum. — Vertèbre, vertébral, intervertébral. Vertèbres cervicales, dorsales, lombaires, sacrées. Vertèbre proéminente. Suture médiane.

**Maladies du dos.** — Bosse. Cyphose. Lordose. Scoliose. — Nouure, noué, se nouer. — Point de côté. Lumbago. — Rachialgie. Rachitisme. Hydrorachis. — Tabès dorsal. Myélite.

S'arrondir. Se courber. Se voûter. Se déjeter.

## DOUANE

**Administration.** — Douanes. Ligne de douanes. Rayon frontière. Rayon des côtes. Union douanière. Zone franche.

Direction des contributions. Contributions indirectes. Droits réunis. Régie. Octroi. — Service sédentaire. Service actif. Bureaux. Brigades.

**Employés.** — Directeur général. Administrateur. Conseil d'administration. Directeur. Douanier. Brigadier de douane. Préposé. Gabelou. Garde-côtes. — Employé d'octroi. Commis de barrière.

Employé de la régie. Rat de cave. — Contrôleur. Inspecteur. Vérificateur. — Receveur. buraliste.

**Droits et frais.** — Tarif douanier, général, autonome, légal. Tarif conventionnel. — Traités de commerce et de navigation. — Double tarif. Tarif général maximum, minimum.

Taxes fiscales, protectrices, prohibitives. — Droits à l'importation, de statistique, de navigation, de produits accessoires. Surtaxes. Taxes accessoires. — Taxe réelle, légale. — Primes d'exportation. Dumping. Droits d'entrée. Droits d'octroi. Droits spécifiques. Droits *ad valorem*. Droits de consommation. — Accise. Tarif. Draw-back. — Congé. Acquit à caution. Passe-debout. Passavant. — Transit. Péage. — Aides. Gabelle.

DOUBLURE, f. V. *arrière, fourrure, tailleur, théâtre.*
DOUÇAIN, m. V. *arbre.*
DOUCEÂTRE. V. *fade.*
DOUCEREUX. V. *doux, délicat.*
DOUCETTE, f. V. *salade.*
DOUCEUR, f. V. *doux, plaisir.*
DOUCHE, f. Doucher. V. *bain, arroser, folie.*
DOUCINE, f. V. *menuisier.*
DOUER. V. *don.*
DOUET, m. V. *laver.*
DOUILLE, f. V. *creux, manche.*
DOUILLET. V. *délicat.*

DOUILLETTE, f. V. *fourrure.*
DOULEUR, f. Douloureux. V. *mal, souffrir, plainte, chagrin.*
DOURA, m. V. *maïs.*
**Doute**, m. V. *croire, défiance, indécis.*
DOUTER. V. *doute.*
DOUTEUX. V. *possible, faux.*
DOUVAIN, m. V. *tonneau.*
DOUVE, f. V. *tonneau, fosse, mouton.*
**Doux.** V. *commode, bonheur, modération.*
DOUZAINE, f. V. *douze.*
**Douze.**

DOUZIÈME. V. *douze.*
DOXOLOGIE, f. V. *hymne, psaume.*
DOYEN, m. V. *âge, chanoine, université.*
DOYENNÉ, m. V. *chanoine, poire.*
DRACHME, f. V. *monnaie.*
DRACONIEN. V. *cruel.*
DRAGÉE, f. V. *confiserie.*
DRAGEOIR, m. V. *boîte.*
DRAGEON, m. V. *rejeton.*
DRAGON, m. V. *serpent, monstre, cavalerie.*
DRAGONNE, f. V. *épée.*
DRAGUE, f. Draguer. V. *boue,*

---

**Opérations.** — Importation. Exportation. Réexportation. — Douaner. Plomber. Estampiller. Entreposer, entrepôt, réel, fictif. — Exercer, exercice. Visiter, visite. Fouiller, fouille. Sonder, sondage. — Velter (un tonneau). Jauger. Mesurer. Vérifier. — Confiscation. Saisie. Procès-verbal. Contravention. Amende. — Déclaration. Contrebande. Fraude. — Admission temporaire.

## DOUTE

**Etat douteux.** — Conjecture. Supposition. Hypothèse. Condition. Futur contingent. EMBARRAS. Enigme. Eventualité. Ambiguïté. Risque. Litige. Perspective. Possibilité. Présomption. Probabilité. Problème. Controverse. Incertitude. Invraisemblance. Casualité. Hasard. Inconnue. Obscurité. Ouï-dire.

**Caractère douteux.** — Apocryphe. Apparent. Casuel. Sujet à caution. Conditionnel. Conjectural. Contentieux. Contestable. Controversable. Embarrassant. Enigmatique. Eventuel. Sujet à examen. Fragile. Gratuit. Hasardé. Risqué. Aléatoire. Hypothétique. Incertain. INCONNU. Incroyable. INDÉCIS. Ambigu. Invraisemblable. Litigieux. Louche. OBSCUR. Possible. Présumable. Prétendu. PROBABLE. Problématique. Provisoire. Putatif. Suspect. Véreux.

**Ceux qui doutent.** — Libre penseur. Mécréant. Esprit fort. Sceptique. Pyrrhonien. — Incroyant. Incrédule. Un saint Thomas. — Soupçonneux. Scrupuleux. Défiant. — Indécis. Perplexe. — Blasé. Dégoûté.

**Action de douter.** — Défiance. Méfiance. Doute. Incrédulité. Manque de foi. Hésitation. Scrupule. Soupçon. Indécision. Jugement suspensif. Scepticisme. Doute méthodique.

Chanceler dans sa foi. Ne pas croire. Décroire. Conjecturer. Se défier. Se méfier. Hésiter. Avoir des scrupules. Soupçonner. Suspecter. Suspendre son jugement. Etre sur ses gardes. Rester en suspens. Présumer. Conjecturer. SUPPOSER.

Ebranler la foi. Contester. Objecter. Controverser. Elever des doutes. Infirmer. Mettre en question. Révoquer en doute. Poser le problème.

## DOUX

**Doux au goût.** — Doux, douceur, douceâtre. FADE, fadeur, fadasse. Suave. suavité. Sucré, SUCRE. Edulcoré. Mielleux, miel. Liquoreux, liqueur. Sirupeux, SIROP. — Vin doux. Vin de liqueur. Cidre doux. Emulsion.

**Doux à toucher.** — MOU. Moelleux. Souple. Flou. — Tendre. DÉLICAT. — Onctueux. Huileux. Savonneux. — Soyeux. Velouté. Satiné. Cotonneux. Duveteux. — Poli. UNI. Raboté. Lisse.

**Doux de caractère.** — Accessible. Accort. Accointable. Affable. Amène. Aimable. FACILE. — Aimant. Affectueux. Tendre. — BON. Bénin. Candide. Sans fiel. Angélique. MODESTE. — Conciliant. Coulant. FAIBLE. Débonnaire. Tolérant. Clément. Indulgent. — Calme. Serein. — Discipliné. Endurant. Docile. Souple. — Persuasif. Onctueux. — Compatissant. Pitoyable. Charitable. — Timide. Craintif. Humble. — Inoffensif. Innocent. Doux comme un agneau.

**Doux de manières.** — Cajoleur. Câlin. Caressant. Flatteur. — Gracieux. Mignon. Mignard. Gentil. Douillet. Sade. — Poli. Complaisant. Patient. Maniable. Traitable. — FAMILIER. Liant. Insinuant. — HYPOCRITE. Doucereux. Patelin. Chattemite. Patte-pelu. Patte de velours. Confit en dévotion. Mielleux. Doucet.

**Rendre doux.** — Adoucir. Assouplir. Attendrir. Radoucir. — Affaiblir. Calmer. Apaiser. Modérer. Diminuer. Corriger. — Edulcorer. Lénifier. Dulcifier. Mitiger. Apprivoiser. Civiliser. Polir. Désaigrir. — Concilier. Mettre du liant. Ménager. Tolérer.

BAUME. Liniment. Emollient. Elixir parégorique. — Euphémisme. Litote. — Euphonie. Harmonie. Mélodie.

## DOUZE

(latin, *duodecim;* grec, *dôdéca*)

**Relatif à** *douze.* — Douzain. Douzaine. Douzième. In-douze. Treize pour douze. Grosse ou Douze douzaines.

**Relatif à** *duodecim.* — Duodécimal. Duodecimo. Duodénaire. Duodécennal. Duodénum (intestin qui a 12 travers de doigt).

*nettoyer, bateau, filet.*
DRAIN, m. Drainer. V. *sec, canal, marais, prairie.*
DRAISINE, f. V. *chemin de fer.*
DRAMATIQUE. V. *poésie, passion.*
DRAMATURGE, m. V. *littérature.*
DRAME, m. V. *théâtre, action.*
**Drap,** m. V. *laine, tissu, lit.*
DRAPÉ. V. *sculpture, peinture.*
**Drapeau,** m. V. *pavillon, soldat, opinion, enfant.*
DRAPER. V. *habillement.*

DRAPERIE, f. Drapier, m. V. *drap.*
DRAPIÈRE, f. V. *épingle.*
DRASTIQUE. V. *purger.*
DRÈCHE, f. V. *bière, résidu.*
DRESSAGE, m. Dresser. V. *instruction, habitude, animal.*
DRESSOIR, m. V. *meuble, vaisselle.*
DRISSE, f. V. *corde, voile.*
DROGMAN, m. V. *traduire.*
DROGUE, f. Droguer. V. *médicament.*

DROGUERIE, f. V. *pharmacie.*
DROGUISTE, m. V. *pharmacie.*
**Droit,** m. V. *loi, politique, mérite, juste.*
DROIT. V. *ligne, côté.*
DROITE, f. V. *politique, main, géométrie.*
DROITIER, m. V. *main.*
DROITS, m. p. V. *impôt.*
DROITURE, f. V. *pur, juste.*
DROLATIQUE. Drôle. Drôlerie, f. V. *rire, bouffon, bizarre.*
DRÔLESSE, f. V. *débauche.*

---

**Relatif** à *dôdéca.* — Dodécaèdre, dodécaédrique. Dodécagone, dodécagonal. Dodécandre. Dodécagyne. Dodécapétale. Dodécastyle. Dodécasyllabe. Dodécuple. Dodécanèse. Dodécarchie. Dodécapole.

## DRAP

**Sortes de draps.** — Drap d'Elbeuf, de Louviers, de Sedan, de Roubaix. Drap mélangé. Drap imperméable. — Peigné. Montagnac. Tweed. Cheviote. Ratine. Serge. Casimir. — Cuir de laine. Velours de laine. Bourre de laine. — Castorine. Peluche. — Bure. Bureau. Droguet. Futaine. — Carpette. Feutre. Haire.

**Fabrication.** — Filature. Tissage. Ain (centaine de fils à la chaîne). Corde. Lainer. Carder. Aplaigner. Emplaigner. — Apprêt, apprêteur. Cati, catir, catisseur. Epincelage, épinceler. — Dégraissage, dégraisser, dégraisseur. Case. Dégorgeage, faire dégorger. — Epoutirage (nettoyage), époutier, épouti. — Foulage, fouler, foulon, foulerie. Terre à foulon. Moulin à foulon. — Rentrayage, rentrayer. — Garnissage, garnir. — Tondage, tondre, tonte. Forces (ciseaux). — Brossage, brosser. — Pressage à chaud. Décatissage, décatir. Pressage à froid. — Gratteronage. — Parer. Lustrer. Ramer. Satiner. — Pliage. Etranglure. Pinçure. — Appointer. Entoiler.

**Qui concerne le drap.** — Chef. Lisière. Témoin. Lé. Contre-poil. — Pièce. Coupon. Coupe. — Draperie, drapier. — Draper, drapé. — Drapière (épingle). — Lanice (bourre).

## DRAPEAU

**Drapeaux.** — Drapeau. Drapeau tricolore. Etendard. Fanion. Pavillon. Guidon. Bannière. Banderole. Oriflamme. Flamme. Gaillardet. — Aigles. Labarum. Enseigne. Pennon. Cornette. Gonfalon.

**Détail du drapeau.** — Hampe. Bâton. Battant. Guindant. Canton. — Baudrier. Brayer. Gaine. — Cravate. Bout de hampe. Pomme de flamme. Pique. Aigle. Fleur de lis. — Epars (de pavillon). Traversier (de bannière). — Plis.

**Relatif au drapeau.** — Arborer un drapeau. Amener, hisser le pavillon. — Pavoiser. Mettre en berne. — Planter le drapeau. Sonner au drapeau. Saluer le drapeau.

Cornette. Enseigne. Porte-étendard. Porte-drapeau. Gonfalonier. Vexillaire.

## DROIT

**Côté droit.** — Droit, droite. Main droite. Droitier. Tourner à droite. — Dextre. Ambidextre. Adextré *bl.* (qui a à sa droite). Dextrochère *bl.* (bras droit avec main). Plante dextro-volubile. — Tribord, tribordais. — La droite (d'une assemblée). — Hue, huhau (cris de charretier).

**Choses à direction droite.** — Ligne. Alignement. Azimut. Zénith. Perpendiculaire. Verticale. Niveau. Front. — Poteau. Mât. Bâton. Piquet. Cierge. Colonne. Accore (étai). Jalon. Montant. TIGE. — Escarpement. Falaise. Haie. Raidillon. A pic. — Fil. Fil à plomb. Enfilade. Rang. Rangée. — Plan, Palier. Plaine. CARRÉ. Rectangle. — RÈGLE. Equerre. — Rectiligne. Direct. D'aplomb. Aligné.

**Mettre en ligne droite.** — Aligner. Aplanir. Dégauchir. Déplisser. Planer. POLIR. Raboter. Racler. Ratisser. Niveler. Equarrir. — Mettre d'aplomb. Planter debout. Mettre sur pied. Planter. Ficher. Arborer. — Dresser. Eriger, érection, érectile. Lever. Hérisser. — Relever. Redresser. Déschouer. Rectifier. Orthopédie, orthopédique. — Régler. Caler. — Se cabrer. Garder l'équilibre. Se tenir droit.

**Notion du droit.** — Justice, JUSTE. Equité, équitable. — Le droit. Le bon droit. — Droit strict ou droit étroit. Bonne foi. — Droit divin. Droit naturel. Droit positif. — Droit commun. Droit spécial.

**Sortes de droits.** — Droit coutumier. Droit écrit. Jurisprudence. Doctrine. — Droit privé. Droit public. — Droit national. Droit international. — Droit civil. Droit commercial. Procédure civile et commerciale. Voies d'exécution. Législation du travail. Propriété littéraire et artistique. Législation coloniale. Législation financière. Droit maritime. Droit aérien. Droit constitutionnel. Droit administratif. Droit pénal. Instruction criminelle. Droit international public. Droit international privé. Législation comparée. Droit romain. Histoire du Droit. Droit canonique. Economie politique. — Droit honoraire ou prétorien. Droit des gens. Droit féodal. Ancien droit. Droit intermédiaire. — Droits naturels. Droits ac-

DROMADAIRE, m. **V.** *chameau.*
DROSSE, f. **V.** *corde.*
DROSSER. **V.** *traîner.*
DROUSSE, f. **V.** *corde.*
DRU. **V.** *santé.*
**Druide,** m. **V.** *Gaule, prêtre.*
DRUIDIQUE. **V.** *druide.*
DRUPE, f. **V.** *fruit, noyau.*
DRYADE, f. **V.** *nymphe, forêt.*
DÛ, m. **V.** *dette.*
DUALISME, m. **V.** *deux.*
DUBITATIF. **V.** *doute.*

DUC, m. Ducal. **V.** *titre, hibou.*
DUCAT, m. **V.** *monnaie.*
DUCHÉ, m. **V.** *province.*
DUCTILE. Ductilité, f. **V.** *étendre, céder, tréfilerie.*
DUÈGNE, f. **V.** *vieux, garder.*
DUEL, m. Duelliste, m. **V.** *deux, combat, grammaire.*
DUGONG, m. **V.** *cétacé.*
DUITE, f. **V.** *navette.*
DULCIFIER. **V.** *doux.*
DULIE, f. **V.** *saint.*

DÛMENT. **V.** *obligation.*
DUNE, f. **V.** *sable.*
DUNETTE, f. **V.** *navire.*
DUO, m. **V.** *musique.*
DUODÉCIMAL. **V.** *douze.*
DUODÉNUM, m. **V.** *intestin.*
DUPE, f. Duper. **V.** *tromper, croire, maladresse.*
DUPLICATA, m. **V.** *deux, copie, semblable.*
DUPLICATION, f. **V.** *deux.*
DUPLICITÉ, f. **V.** *tromper, mensonge.*

---

quis. — Droits civils. Droits civiques ou politiques. — Droits de famille. Droits personnels (droits de créance). Droits réels (propriété, usufruit, usage, habitation, servitudes, emphytéose, privilèges, hypothèques, nantissement, gage, antichrèse). — Droit de correction. Droit de garde. Droit de retour. Droit de représentation. Droit du conjoint survivant. Droit de présentation. Droit de préférence. Droit de suite. Droit de rétention. Droit de préemption. Droit de superficie. Droit d'affouage. Droit d'auteur. Droit de reproduction. Copyright. — Droit de grâce. Droit d'abolition. Droit d'évocation. Droit de visite. Droit d'expulsion.

**Exercice du droit.** — Détenir, détention. Prescrire, prescription. Usucaper, usucapion. Posséder, possession. Aliéner, aliénation. Livrer, livraison. Poursuivre. Agir, action. Plaider. Ester. Compromettre, compromis. Transiger, transaction. Exécuter, exécution. Sommer, sommation. Faire commandement. Saisir, saisie ou opposition. Hypothéquer. Inscrire un privilège, une hypothèque. Se désister. Annuler, annulation. Résoudre, résolution. Résilier, résiliation. Contracter une obligation. Exercer une servitude. Vendre, vente. Donner, don, donation. Tester, testament. Léguer, succéder, recueillir, accepter, renoncer. Déposer, dépôt. Echanger, échange. Louer, location, bail. Donner une procuration. Gérer, gestion. Prêter, prêt. Reconnaître, reconnaissance. Produire. Affirmer. Garantir, garantie. Cautionner, cautionnement. Gager. Souscrire. Tirer. Endosser. Avaliser.

**Situations juridiques.** — Aptitude, apte. Qualité, qualifié. Habile à, habilité. De plein droit ou De plano. Ab intestat. — Ayant droit. Ayant cause. Tiers. Propriétaire. Usufruitier. Possesseur. Détenteur. — Vendeur, vendu. Acheteur, acheté. Donateur, donné, donataire. — De cujus. Testateur, légué, légataire. Hoir. Successeur. Descendant. Ascendant. Collatéral. Héritier. Hérité. Recueilli. Fideicommissaire. Exécuteur testamentaire. — Déposant, déposé, dépositaire. Echangiste, échangé. — Bailleur. Loué. Locataire. Preneur. Fermier. Métayer. Emphytéote. — Mandant, mandataire. Gérant d'affaire, géré. Patron. Employeur. Employé. Salarié. Prêteur, prêté Emprunteur. Débiteur saisi, liquidé judiciaire, failli. Banqueroutier. Garant, garanti. Caution. Caution, cautionné. — Créancier, saisissant. privilégié, hypothécaire, chiro-

graphaire, nanti, gagiste, antichrésiste. — Souscripteur. Tireur, tiré. Endosseur. Avaliseur. Porteur. Bénéficiaire. — Majeur. Célibataire. Marié. Père de famille. — Tuteur. Subrogé tuteur. Administrateur légal. Conseil judiciaire. — Incapable. Autorisé. Assisté. Représenté. Femme mariée. Mineur émancipé. Mineur. Pupille. Prodigue. Interdit. Interné. — Légitime. Légitimé. Naturel. Adultérin. Incestueux. Consanguin. Utérin. Germain. — Déchu. Dégradé. Rétrogradé. Emprisonné. Détenu. Déporté. Relégué. Banni. Exilé. Absent. — Délictuel. Consensuel. Contractuel. Stipulé. Conditionnel. Ambulatoire. A terme. Résolu. Résolutoire. Vicié. Nul. Annulable. Inexistant. Compromis. Inscrit. Affirmé. Publié. Enregistré. Prescrit. Forclos. — Demandeur. Défendeur. Défenseur. Intervenant. Opposant. Appelant. Intimé. Perdant. Débouté. Renonçant. Juge. Arbitre. Partie. — Poursuivant. Partie civile. Accusé. Contrevenant. Coupable. Délinquant. Criminel. Complice. Recéleur. Acquitté. Condamné. Gracié. Réhabilité. — Sommé. Protesté. Instruit. Expertisé Convaincu. Administré. Concilié. Transigé. Plaidé. Délibéré. Jugé. Arrêté. Rendu. Tranché. Signifié. Exécuté. Exécutoire. Suspendu. Suspensif.

**Taxes.** — Droits de douane. Droit de statistique. Droits d'octroi. Droit d'entrée. Droits de chancellerie. Droits d'enregistrement. Droits de timbre. Droits fixes. Droits proportionnels. Droit d'ancrage. Droit de bassin. Droit de tonnage.

Droit d'aubaine. Droit d'épave. Droit de prise. Droit de saisine. Droit d'issue. Droit de détraction. Droit de capitation. Droit de bâtardise. Droit de formariage. Droit de relief et de vente. Droit de four. Droit de moute. Droit de pressurage. Droit de pacage ou de vaine pâture.

## DRUIDE

**Culte des druides.** — Druide, druidique. Druidesse. Velléda. Collège des druides. Druidisme. — Grand druide. Eubages. Evates. — Bardes. Rote (harpe). Gui sacré. — Sacrifices humains.

**Pierres druidiques.** — Alignements. Allée couverte. Peulven. Cairn. Cromlech. Dolmen. Menhir. — Pierres branlantes, levées, posées. — Tumulus. Galgal.

**Dur.** V. *solide, brusque.*
DURABLE. V. *solide.*
DURCIR. V. *dur.*
DURÉE, f. V. *temps, continuer.*
DURE-MÈRE, f. V. *cerveau.*
DURER. V. *exister, long.*
DURETÉ, f. V. *dur, avare, sourd.*
DURILLON, m. V. *pied.*
DUVET, m. V. *poil, plume.*

DYNAMIQUE. V. *force.*
DYNAMISME, m. V. *force, pouvoir.*
DYNAMITE, f. V. *poudre.*
DYNAMO, f. V. *machine.*
DYNAMOMÈTRE, m. V. *mécanique.*
DYNASTIE, f. Dynastique. V. *famille, roi.*
DYNE, f. V. *mesure, mécanique.*

DYSENTERIE, f. Dysentérique. V. *ventre.*
DYSODIE, f. V. *puant.*
DYSOREXIE, f. V. *faim.*
DYSPEPSIE, f. V. *digestion, estomac, difficile.*
DYSPNÉE, f. V. *respiration.*
DYSSYMÉTRIE, f. Dyssymétrique. V. *symétrie.*
DYSTOCIE, f. V. *accouchement.*
DYSURIE, f. V. *urine.*

---

## DUR

**Dur au toucher.** — Dureté. Dur comme l'airain, le bronze, le fer. Acéré. Consistant. Ferme. SOLIDE. Résistant. Adamantin. — Raide. Rêche. Rugueux, rugosité. Scabreux. Noueux. Racorni. Raboteux. Abrupt. — Pétrifié. Pierreux. Cassant. — Calleux. Cal. Calus. Durillon. Callosité. Cor aux pieds. Induré, induration. Corné. Osseux. — Dense. Incompressible. Réfractaire.

**Dur au goût.** — Aigre, aigreur. Apre, âpreté. Amer, amertume. Coriace. Cru, crudité. — Croquant. Croustillant. Croûte. Croûton. Craquelin. — Ecorcher le gosier.

**Dur à supporter.** — Dissonant. Discordant. Ecorcher les oreilles. — Pénible. Douloureux. — Repoussant. GROSSIER. Choquant.

**Dur de sentiment.** — Dur. Acerbe. HARGNEUX. Acrimonieux. Renfrogné. Revêche. — Rogue. Rude. Bourru. BRUSQUE. COLÈRE. Irritable. — Féroce. Barbare. CRUEL. MÉCHANT. Dénaturé. Marâtre. Corsaire. — Egoïste. Inhu-

main. Sans cœur. Sans entrailles. SEC, sécheresse de cœur. Froid, froideur. Insensible. Inhospitalier. Mauvais riche. Sourd aux prières. Désobligeant.

**Dur d'autorité.** — Se faire craindre. Sévir, sévices. Maltraiter. Malmener. Rudoyer. Traiter de Turc à More. — Parler en maître. Parler d'autorité. Ton impératif. Ne pas badiner. Montrer les dents. Cassant. Rembarrer. — Discipline. Main de fer. Inflexible. Rigide. Sévère. Strict. Tenace. Rigoureux. Exigeant. — Terrible. Tyrannique. Brutal. Despotique. — Rébarbatif. Pas commode. Grondeur. Menaçant. Cerbère. Intimider.

Inébranlable. Inexorable. Implacable. Inclément. Intolérant.

**Dur de vie.** — Austère. Ascète. Insociable. Rabat-joie. — Bien trempé. Stoïque. Stoïcien. Spartiate. Impassible. — Endurci. Aguerri. Cuirassé. Invulnérable. A l'épreuve de. — Vie de chien. Coucher sur la dure. — Sérieux. Grave. Sombre. RAIDE. — Rustre. Rustaud. SAUVAGE.

# E

*Eau*, f. **V**. *liquide, hydraulique, vapeur, diamant.*
EAU-DE-VIE, f. **V**. *liqueur.*
EAU-FORTE, f. **V**. *gravure.*
EBAHI. **V**. *étonnement.*
EBARBER. **V**. *ôter, relieur.*
EBAT, m. **V**. *mouvement.*
EBATTRE (s'). **V**. *libre, joie.*
EBAUBI. **V**. *étonnement.*
EBAUCHE, f. Ebaucher. **V**. *commencer, imparfait.*
EBAUCHOIR, m. **V**. *sculpture.*
EBAUDIR (s'). **V**. *plaisir, bouffon.*
*Ebène*, f. **V**. *bois, noir.*

EBÉNIER, m. **V**. *ébène.*
EBÉNISTE, m. Ebénisterie, f. **V**. *menuisier, meuble.*
EBERLUER. **V**. *éblouir.*
*Eblouir.* **V**. *briller, émousser, aveugle.*
EBLOUISSANT. **V**. *éblouir, beau.*
EBLOUISSEMENT, m. **V**. *séduire, vertige.*
EBONITE, f. **V**. *gomme.*
EBORGNER. **V**. *œil, bourgeon.*
EBOUILLANTER. **V**. *bouillir.*
EBOULEMENT, m. Eboulis, m. **V**. *tomber, ruine.*

EBOULER (s'). **V**. *ruine.*
EBOURGEONNER. **V**. *bourgeon.*
EBRANCHER. **V**. *couper.*
EBRANLEMENT, m. Ebranler. **V**. *mouvement, secouer, choc.*
EBRASEMENT, m. **V**. *ouvert.*
EBRÉCHER. **V**. *diminuer.*
EBRIÉTÉ, f. **V**. *boire, ivre.*
EBROUEMENT, m. Ebrouer (s'). **V**. *bruit, respiration, cheval.*
EBRUITER. **V**. *dire, public.*
EBULLITION, f. **V**. *bouillir, chaleur, vapeur.*

---

## EAU
(latin, *aqua*; grec, *hydor*)

**Etats de l'eau.** — Eau. Aigue. Onde. — Elément humide. Cristal des eaux. — Eau vive. Eau dormante. Eau courante. Cours. Courant. — Eau douce, salée, saumâtre. Doucin. — Cours d'eau. Fleuve. Eau fluviale. RIVIÈRE. TORRENT. Ruisseau. Ru. Filet d'eau. — Nappe d'eau. Lac. ETANG. Vivier. — Chute d'eau. Cascade. Cataracte. — Eau jaillissante. Eau de roche. Veine. SOURCE. FONTAINE. Geyser. — Eau stagnante, croupissante. Marais. Mare. Flaque. Chott. Lagune. — Océan. Mer. Marée. Flot. Vague. — Glace. — Grêle. Neige. — PLUIE. Déluge. Ondée. Rosée. Brume. VAPEUR. GOUTTES. Gouttelettes. — Inondation. Tourbillon. Remous. Bouillons. — Humidité. Suintement. — LIQUIDE. Fluide. HUMEUR. Sueur. SUC.

**Science de l'eau.** — Hydrographie. Hydrochimie. Hydrodynamique. Hydrologie. Hydrométrie. Hydrostatique. Hydroscopie. Hygrométrie.

Hydraulique. Captation d'eau. Houille blanche. Adduction d'eau. Service d'eau. Les eaux et forêts. Les ponts et chaussées.

Hydrothérapie. Médication thermale. Eaux sulfureuses. Eaux chlorurées sodiques. Eaux alcalines. Eaux arsénicales. Eaux calciques et magnésiennes. Eaux ferrugineuses. Eaux indéterminées.

**Garde et transport.** — Bassin. Pièce d'eau. Carré d'eau. Rond d'eau. Miroir d'eau. — Réservoir. Barrage. CANAL. Citerne. PUITS. Puisard. — Abreuvoir. Lavoir. — Aquarium. Piscine. — Bouteille. Carafe. Bidon. Cruche. Cruchon. Aiguière. — Baignoire. Lavabo. Evier. — Prise d'eau. Canalisation. Conduite. TUYAU. Branchement. Siphon. Robinet. Filtre. Poste d'eau.

**Usages de l'eau.** — Boire. Eau potable. Eau rougie. Eau gazeuse. — Puiser. Pomper. Aiguayer. Aiguade. — Clarifier. Filtrer. Stériliser. Egoutter. — Laver, lavage. Arroser. Asperger. Baptiser. Eau bénite. — Délaver. Etendre d'eau. Dilution. Tremper son vin. Couper. — Immerger. Plonger. Submerger. NOYER. — Prendre un BAIN. Se baigner. Se doucher. Se jeter à l'eau. Faire une pleine eau. PLONGER. Nager. Nager entre deux eaux, à fleur d'eau. Barboter. — Aller aux eaux. Prendre les eaux. Faire une cure d'eau. — Faire bouillir. Echauder.

Appareils à eau. Jet d'eau. Grandes eaux. Clepsydre. Moulin à eau. Turbine, etc.

**Relatif à l'eau.** — Aqueux, aquosité. Hydraté. — Aquatique. Aquatile. Amphibie. — Eveux. Marécageux. Lacustre. Fluvial. Fluviatile. Torrentiel.

Eaux mères. Eaux résiduaires. Eau-de-vie. Eau blanche. Eau régale. Eau oxygénée. Eau de Cologne.

Hydrogène. — Hydromel. — Hydre. — Hydrocéphale. — Hydropique. — Hydrophobe. — Hydropote. — Ondine. Naïade.

Sourdre. Jaillir. Affleurer. Dégoutter. Suinter. — Onduler, ondulation, ondulé. Ondé. Ondoyer, ondoiement. — Aller au fil de l'eau, à la dérive, à vau-l'eau.

## ÉBÈNE

**Qui a trait à l'ébène.** — Ebénier. — Arbre ébénacé. Aubours. Cytise. Envilasse. — Noir d'ébène. — Ebéniste. Ebénisterie. Ebéner (colorer en ébène).

## ÉBLOUIR

**Troubler la vue.** — Eblouir, éblouissant, éblouissement. — Aveugler. — Donner la berlue. Eberluer. — Blesser la vue. Offusquer la vue. Donner dans les yeux. — Faire voir trente-six chandelles. — Donner le VERTIGE. Faire tourner la tête.

Chatoyer, chatoiement. Papilloter, papillotement. Miroiter, miroitement. — Etinceler, étincelant, étincelle. Rayonner, rayonnant. Jeter des reflets. — Mirage. Faux jour. Contre-jour. Réverbérer.

**Troubler l'esprit.** — Eblouir. — Fasciner, fascination. — Jeter de la poudre aux yeux. — Etonner, ÉTONNEMENT. — Epater. Emerveiller. Monter le coup. — TREMPER. Bluffer. — Halluciner, hallucination. — SÉDUIRE, séduction.

Eburnéen. V. *ivoire.*
Ecacher. V. *plat, aiguiser.*
Ecafer. V. *osier.*
**Ecaille,** f. V. *enveloppe, tortue, poisson, peau.*
Ecailler. V. *écaille.*
Ecailler (s'). V. *fente.*
Ecale, f. V. *noix.*
Ecarlate, f. V. *rouge.*
Ecarquiller. V. *écart, posture.*
**Ecart,** m. V. *loin, ouvert, faute, danse, cartes.*
Ecarté. V. *écart, distance.*
Ecarteler. V. *quatre, écart, supplice, blason.*
Ecartement, m. Ecarter. V. *distance, étendre, obstacle, cartes.*
Ecchymose, f. V. *plaie, peau, sang.*
Ecclésiaste, m. V. *Bible.*
Ecclésiastique. V. *église, prêtre.*

Ecervelé. V. *inattention, irréflexion, folie.*
**Echafaud,** m. V. *plancher, bourreau.*
Echafaudage, m. Echafauder. V. *bâtir, maçon, arranger.*
Echalas, m. V. *pieu, vigne.*
Echalote, f. V. *oignon.*
Echancrer. Echancrure, f. V. *entaille, casser, éclipse.*
Echange, m. Echanger. V. *acheter, changer, réciproque.*
Echanson, m. V. *domestique.*
Echantillon, m. V. *modèle, comparaison, commerce.*
Echappatoire, f. V. *excuse, prétexte, éviter.*
Echappée, f. V. *interruption, voir.*
Echappement, m. V. *sortir, horloger.*
Echapper. V. *fuite, exempt.*

Echarde, f. V. *épine.*
Echardonner, V. *sarcler.*
Echarner. Echarnure, f. V. *chair, parchemin, cuir.*
Echarpe, f. V. *bande, habillement, insignes, parlement.*
Echarper. V. *battre.*
Echasse, f. V. *bâton.*
Echassier, m. V. *animal.*
Echaudage, m. V. *chaux.*
Echaudé, m. V. *pâtisserie.*
Echauder. V. *chaleur, laver, brûler, cuisine.*
Echaudoir, m. V. *boucherie, teindre.*
Echauffer. V. *chaleur, colère.*
Echauffourée, f. V. *combat.*
Echauguette, f. V. *garde.*
Echéance, f. V. *date, billet, payer.*
Echec, m. V. *échouer.*
**Echecs,** m. p. V. *jeu.*

---

## ÉCAILLE
(latin, *squama*)

**Ecailles diverses.** — Ecaille. Contreécaille. Ecaillette. — Carapace. Test. Coquille. Coquillage. — Lames. Feuilles. Feuillets. Paillettes. Plaques. — Squame (écaille en botanique). Squamelle. Squamule. — Ecaillement (du cuivre). Ecaillure (du plomb). — Porrigo (du cuir chevelu). Pellicule.

**Animaux à écailles.** — Tortue. Caret. Tatou. Pangolin. — Poissons. Reptiles. Amphibiens. Crustacés. Lépidoptères.

**Relatif à l'écaille.** — Ecailler, écaillage, écaillère. — Ecailleux. S'écailler. — Exfoliation, s'exfolier. — Desquamation, se desquamer. — Imbrication, imbriqué. — Squameux. Squamoderme. Squamiforme. Squamifère. Squamifolié. — Porrigineux. Furfuracé. — Ecu papelomé, bl. (chargé d'écailles).

## ÉCART

**Repousser de côté.** — Ecarter, écart, écartable. — Ecart violent. Diastase. Luxation. — Jeter de côté. Rejeter. Repousser. — Dilater, dilatation. — Ebraser, ébrasement. — Evaser, évasement, évasure. — Ecarquiller, écarquillement. — Elargir, élargissement. — Ouvrir, ouverture. — Disjoindre, disjonction.

**Séparer.** — Ecarter, écartement. Tenir à l'écart, à distance. Eloigner, éloignement. Défier l'ancre du bord. Amovible. — Mettre à part. Garer, gare, garage. Reléguer, relégation. Séquestrer, séquestration. — Ecarteler, écartèlement. Fendre, fente. — Espacer. Disperser. Clairsemé. Rare. — Empêcher de. Débaucher un ouvrier.

**S'écarter.** — Se détourner. Dévier, déviation. Diverger, divergence. Aberration (des étoiles). Déclinaison (de l'aiguille aimantée). — S'évaser. Angle obtus. En éventail. — Sor-

tir de. Rayonner. Irradier. Se ramifier. Divariquer, divarication (écartement des rameaux). — Se départir de. Se garder de. Eviter. Fuir. — Se tenir à l'écart. Solitaire, solitude.

**Ecarter de la pensée.** — Déconseiller. Dépersuader. Dissuader, dissuasion, dissuasif. Détourner de. — Détourner l'attention. Digression. Divagation. — Distraire, distraction. Divertir, divertissement. Egarer. — Ajournement. Question préalable. Remettre au lendemain. Procrastination.

## ÉCHAFAUD

**Echafauds.** — Echafauds fixes. Sapines. — Echafauds mobiles. Pylônes. — Echafauds sur plans verticaux, sur plans horizontaux. — Pièces d'échafaudage : Baliveaux. Ecoperches. Boulins. Opes. Tasseaux. Chablots. Solives. Tréteaux. Planches. — Echafauds volants. Chevalet. Chaufaud. — Echafauds roulants. — Contignation. Charpente. Tribune. Estrade. — Echafaud de supplice. Guillotine.

**Relatif aux échafauds.** — Echafauder, échafaudeur. Dresser un échafaud. — Monter à l'échafaud. Exécution capitale.

## ÉCHECS

**Les échecs.** — Echiquier. Tablier. Damier. Cases. Blancs. Noirs. — *Pièces :* Roi. Dame ou Reine. Fous. Cavaliers. Tours. Pions. Pion coiffé.

**Jeu.** — Avoir le trait. Adouber une pièce. Toucher une pièce. Découvrir une pièce. — Marche. Aller à dame. Emprisonner. Prendre. Pionner. Roquer. — Donner échec. Echec au roi. Echec à la dame. Echec et mat. — Mat, mater. Pat, être ou faire pat. Donner une lunette. Gambit. Coup du berger.

Joueur d'échecs. Pousse-bois. — Palamède (inventeur du jeu). Café de la Régence.

ECHÉE, f. V. *fil, écheveau.*

**Echelle,** f. V. *degré, escalier, proportion, géographie.*

ECHELON, m. V. *degré.*

ECHENILLER. V. *chenille.*

**Echeveau,** m. V. *dévider.*

ECHEVELÉ. V. *cheveu.*

ECHEVIN, m. V. *municipal.*

ECHIDNÉ, m. V. *animal.*

ECHINE, f. V. *dos, viande, architecture.*

ECHINÉE, f. V. *porc.*

ECHINER. V. *battre.*

ECHINODERME, m. V. *épine, animal.*

ECHIQUIER, m. V. *échecs, damier.*

ECHO, m. V. *son, répétition, nouvelle.*

ECHO, f. V. *nymphe.*

ECHOIR. V. *chronologie.*

ECHOPPE, f. V. *boutique, soulier, pointe.*

ECHOPPER. V. *gravure.*

ECHOUAGE, m. V. *échouer.*

**Echouer.** V. *bateau, écueil, obstacle, malheur.*

ECLABOUSSER. Eclaboussure, f. V. *boue, jet, tache, effet.*

ECLAIR, m. V. *fondre, subit, pâtisserie.*

ECLAIRAGE, m. V. *lumière.*

ECLAIRCIE, f. V. *nuage, clair.*

ECLAIRCIR. V. *lumière, tailler, expliquer.*

ECLAIRÉ. V. *science, raison.*

ECLAIRER. V. *lumière, briller, vrai, examen, chercher.*

ECLAIREUR, m. V. *avant, armée.*

ECLAMÉ. V. *casser.*

ECLAMPSIE, f. V. *convulsion.*

ECLANCHE, f. V. *mouton, épaule.*

ECLAT, m. V. *briller, bruit, fragment, couleur, scandale.*

ECLATER. V. *briller, détonation, colère, casser, subit.*

ECLECTISME, m. Eclectique. V. *choix.*

ECLIMÈTRE, m. V. *arpentage.*

**Eclipse,** f. V. *cacher, astronomie.*

ECLIPSER. V. *supérieur.*

ECLIPSER (s'). V. *disparaître.*

ECLIPTIQUE, f. V. *astronomie.*

ECLISSE, f. V. *claie, panier, bandage.*

ECLOPÉ. V. *blessure, infirme.*

ECLORE. Eclosion, f. V. *naître, fleur, commencer.*

**Ecluse,** f. V. *hydraulique, port, canal.*

---

## ÉCHELLE
(latin, *scala*)

**Echelles.** — Echelle simple. Echelle double. Echelle volante. Echelle à coulisse. Echelette. — Echelle de corde. Corde à nœuds. — Echelier ou Rancher (montant avec chevilles). Echelle à crampons. — Ridelle (de chariot). — ESCALIER. Marchepied. — Gradin. — Haubans. — Echelle à poisson.

**Parties des échelles.** — Branches. Bras. Montants. Tête. Queue. Boulons. Marches. DE-GRÈS. Echelon. Crampons. Entures. Enfléchures. Pieds.

**Relatif à l'échelle.** — Monter à l'échelle. Escalader. Faire la courte échelle. — Agir sur une vaste échelle. — Echelle sociale. — Echelle de musique. — Echelonner.

## ÉCHEVEAU

**Echeveaux.** — Echeveau. Echevette. Flotte (de soie). Manoque (de cordelette). Maque (de fil). Moche (de fil ou de soie). — Echée (sur dévidoir). Pièce de fil. Pelote. Peloton. — Paquets d'écheveau. Pantine. Matteau. Bouin. — Botte ou Torque (de fil métallique).

**Travail.** — Dévider, dévidoir. Travouil. — Plier sur la main. — Démêler ou Décrampiller. — Trafusoir (à séparer les écheveaux).

## ÉCHOUER

**Se mettre à la côte.** — Echouer, échouage, échouement. Faire côte. — Donner de la bande. S'accoter. — Embarquer. S'ensabler, ensablement. S'engraver. S'engager. Talonner. Toucher le fond. — Faire naufrage. Sombrer. Couler.

Déséchouer. Renflouer. — Caréner, carénage.

**Avoir un insuccès.** — Pierre d'achoppement, s'achopper. Broncher. Buter sur l'obstacle. Faire un faux pas. Trébucher. Se briser contre. — Manquer son coup. Trouver buisson creux. Rater. Laisser échapper l'occa-

sion. — Perdre la partie. Etre capot. Etre échec et mat. — Ne pas réussir. Echouer. Succomber. Avoir le dessous. — Faire fausse route. Faillir. Faire un four. Recevoir un soufflet. — Tourner mal. Prendre mauvaise tournure.

Echec. Défaite. Déroute. Chute. Désappointement. Déconvenue. Déception. Eviction. Non-réussite.

Désappointé. Quinaud. Déçu. Défrisé. Débouté. Evincé. Déchu. VAINCU.

**N'arriver à rien.** — Etre bredouille. Faire chou-blanc. Faire fiasco. — Perdre son temps, sa peine. — Rester court. Etre à court.

Aller à vau-l'eau. S'en aller en eau de boudin. Crouler. Tomber à l'eau. — Avorter. Ne pas prendre. — RUINE des projets.

Fruit sec. Impuissant. Incapable. Insuffisant. Maladroit. Malheureux. — Efforts stériles, vains, superflus.

## ÉCLIPSE

**Eclipses.** — Eclipse vraie, visible, invisible. — Eclipse totale, partielle. — Eclipse solaire, lunaire. — Eclipse annulaire, centrale. Eclipse apparente. Appulse (éclipse d'une faible partie). — Passage d'astre. Occultation. — Doigts écliptiques. — Type des éclipses.

**Phases.** — Défection. — Echancrure, s'échancrer. — S'éclipser. — Emersion. Immersion. Entrée. Sortie. — Obscuration. Ombre. Cône d'ombre. Pénombre. — Récupération. — Retour. Périodes.

## ÉCLUSE

**L'écluse.** — Chambre d'écluse. Sas. Radier. Seuil. Bajoyers. — Pont tournant.

Porte d'amont ou de tête. Porte d'aval ou de mouille. Avant-bec. Busc (butée). Enclaves. Crapaudine. Aiguilles (leviers). Poteaux. Vantaux. Vannes.

Bief de canal. Chute. Mur de chute. Déversoir.

Eclusée, f. Ecluser. Eclusier, m. V. écluse.
Ecobuer. V. labour.
Ecœurer. V. dégoût.
Ecoinçon, m. V. angle.
Ecoine, f. V. lime.
**Ecole**, f. V. instruction, système, art, novice.

Ecolier, m. V. école.
Econduire. V. chasser, résister.
Economat, m. V. bureau, dépense.
Econome. V. économie.
Econome, m. V. agent.
**Economie**, f. V. modération,

finance, géographie, gain, avare.
Economique. V. prix, arranger.
Economiser. V. abstenir (s').
Economiste, m. V. finance.
Ecope, f. V. pelle.
Ecoperche, f. V. perche.

---

**Sortes d'écluses.** — Ecluse simple. Ecluse double. Ecluse carrée (à un vantail). Ecluse à flotteur. Ecluse de chasse. Ecluse de fuite. Barrage.

**Mouvements.** — Eclusier. — Ecluser. Eclusage. Eclusée. — Ouvrir, fermer l'écluse. Ouvrir, fermer les vannes. — Lâcher l'écluse. Donner une chasse.

### ÉCOLE
(latin, schola)

**L'enseignement.** — Université. Enseignement supérieur, secondaire, primaire, technique. — Facultés des lettres, des sciences, de droit, de médecine, de pharmacie. Ecoles de droit, de médecine, de pharmacie. — Instituts.
Lycées et Collèges de garçons. Lycées et Collèges de jeunes filles. Classes de sciences, de philosophie, de lettres, de grammaire. Premier et Deuxième cycle. — Ecoles primaires supérieures. Ecoles primaires élémentaires. Cours complémentaires. Ecoles enfantines. Ecoles maternelles.
Ecoles techniques. Ecoles professionnelles. Ecoles pratiques de commerce et d'industrie. Œuvres postscolaires. — Ecole des sourds-muets. Ecole des jeunes aveugles.
Enseignement libre.

**Principales écoles spéciales.** — Ecole normale supérieure. Ecole normale secondaire de jeunes filles. Ecoles normales primaires. — Ecole polytechnique. Ecole de Saint-Cyr. Ecole navale. Ecoles militaires. — Ecole des mines. Ecole des ponts et chaussées. Ecole supérieure d'électricité. Ecole centrale des arts et manufactures. Ecole de physique et chimie industrielles. Ecoles des arts et métiers. Conservatoire des arts et métiers. — Institut agronomique. Ecole des eaux et forêts. Ecoles d'agriculture. — Ecole des Hautes études commerciales. Ecoles supérieures de commerce. — Ecole des Beaux-Arts. Conservatoire de musique et de déclamation. — Ecole des Chartes. — Ecole des Hautes études. — Ecole des Sciences politiques. — Ecole coloniale. — Ecole d'Athènes, de Rome. — Ecoles du service de santé militaire, maritime. — Ecoles dentaires. — Ecole vétérinaire d'Alfort. — Ecole d'hydrographie. — Séminaires. — Prytanée.

**Maîtres et élèves.** — Universitaire. Professeur. Chargé de cours. Maître de conférences. Professeur adjoint. Maître répétiteur. Instituteur. Maître d'école. Magister. Pion. — Recteur. Doyen de faculté. Inspecteur général. Inspecteur d'académie. Proviseur. Cen-

seur. Principal. Directeur d'école. Econome. Chef d'institution. Préfet des études. — Titulaire. Suppléant. Emérite (retraité).
Pédagogue. Educateur. Humaniste.
Pédant. — Pédagogie. Propédeutique. Enseignement. Méthode. Education.
Etudiant. Lycéen. Collégien. Normalien. — Ecolier. Externe. Interne ou Pensionnaire. Boursier. — Elève. Disciple. Potache. Condisciple. Camarade. Vétéran. Nouveau. — Fruit sec. Cancre. Crétin.

**Vie scolaire.** — Classes. Etudes. Devoirs. Leçons. Explications. Conférences. Cours. — Exercices. Compositions. Copies. Corrections. Interrogations. Colles. — Places. Nominations. Notes trimestrielles. Bulletin hebdomadaire. Tableau d'honneur. Exemption. Bon point. Livret scolaire. — Concours. Examens. Prix. Diplôme. Baccalauréat. Brevet. — Salle de classe. Etude. Dortoir. Réfectoire. — Gymnase. Cour de récréation. Quartier. Terrain de jeux. Préau. — Parloir. — Chaire. Pupitre. Tableau. Tableau noir. — Sortie. Rentrée. Vacances. Congés. Promenade. — Discipline scolaire. Conseil de discipline. Retenue. Piquet.

### ÉCONOMIE

**Epargne.** — Epargner, épargnant, épargnes. — Economie, économiser, économique. — Mettre de côté. Faire provision de. Garder une poire pour la soif. Fourmi. Faire sa bourse. Bas de laine. — Prévoyance. Prévoyant de l'avenir. Caisse d'épargne. — Réserve. Ressources. Magot. Pécule. Pelote. Masse. — Joindre les deux bouts. Se restreindre, restriction. — Sobre, sobriété. Frugal, frugalité.

**Avarice.** — Avare, avarice, avaricieux. Lésine, lésiner. Parcimonie, parcimonieux. Intéressé. — Thésauriser, thésauriseur. Amasser. Entasser. Trésor. — Dur à la détente. Serré. Chipotier. Regardant. Regrattier. Mesquin. Ladre. Pingre. Rat. Chien.
Se gêner. Liarder. Regratter. Tondre un œuf. Plaindre la dépense. Couper un liard en quatre. Se priver, privations.

**Gestion de maison.** — Economie domestique. Economiste. — Econome, économat. — Ménager, ménagère. Bien conduire son ménage. Ménager sa dépense. Régler ses dépenses. Entendre la dépense. Connaître le prix de l'argent. — Calculer. Compter. Tenir ses comptes. Livres de comptes. Livre de raison. — Ordre. Bon ordre. Ordonné. — Se ranger, rangé. — Modération. Sagesse. Vivre de peu.

*Ecorce*, f. V. *enveloppe, bois, plante.*
ECORCER. V. *ôter, peler.*
ECORCHER. Ecorchure, f. V. *déchirer, peau, blessure, prix.*
ECORNER. V. *corne, casser, diminuer.*
ECORNIFLEUR, m. V. *parasite.*
ECOSSAIS. V. *Ecosse.*
*Ecosse*, f.
ECOSSER. V. *pois, légume.*
ECOT, m. V. *part, dépense.*
ECÔTER. V. *côte.*
ECOUER. V. *queue.*

ECOULEMENT, m. Ecouler. V. *couler, passer, pus, vendre.*
ECOURTER. V. *court, couper, mutiler.*
ECOUTE, f. V. *corde, entendre.*
ECOUTER. V. *entendre, attention.*
ECOUTEUR, m. V. *téléphone.*
ECOUTILLE, f. V. *navire.*
ECOUVILLON, m. V. *balai, artillerie.*
ECRAN, m. V. *abri, cacher.*
ECRASEMENT, m. Ecraser. V. *presse, poids, broyer, vainqueur, abattement.*

ECRÉMER. V. *lait, ôter, écume.*
ECRÉMEUSE, f. V. *beurre.*
ECRÉNER. V. *imprimerie.*
ECREVISSE, f. V. *crustacé.*
ECRIER (S). V. *cri, dire.*
ECRIN, m. V. *boîte.*
*Ecrire.* V. *lettre, rédiger.*
ECRIT, m. V. *écrire, livre.*
ECRITEAU, m. V. *inscription, tableau.*
ECRITOIRE, f. V. *encre.*
ECRITURE, f. V. *écrire, lettre, papier.*
ECRITURES, f. p. V. *compte, Bible.*
ECRIVAILLER. V. *écrire.*

---

## ÉCORCE
### (latin, *cortex*)

**Nature de l'écorce.** — Ecorce première. Ecorce seconde. — Couches corticales. Fibres corticales. Clostres ou Cellules. Stomates. — MEMBRANE. Enveloppe. Grume. — PEAU. Pelure. Robe. — Teille. Liber. — Croûte. Escarre (de plaies).

**Ecorces usuelles.** — Cannelle (aromatique). Gayac (aromatique). Cascarille (fébrifuge). Quinquina (fébrifuge). Quercitron (tinctoriale). Sainbois (vésicante).

Ecorces résineuses. Ecorces textiles. — Liège. — Tan. Tannée. Vallonée. — Papyrus. — Son. Balle.

**Relatif à l'écorce.** — Ecorcer, écorcement. Décortiquer, décortication. Excortiquer. — Ecorcher. Ecroûter. Excorier, excoriation. — Teiller, teillage. — Tanner, tannage, tannerie. — Bois en grume (avec écorce). Bois pelard.

## ÉCOSSE

**Le pays.** — Ecosse, écossais. Highlands, higlander. Lowlands. — Calédonie, calédonien. Pictes. Scots. — Gaëls, gaélique.

**Couleur locale.** — Laird (lord). Thane (comte). — Bardes. Rote (harpe). — Claymore (épée). Dirk (poignard). — Kilt (jupon). Broques (chaussures). Tartan. Plaid. L'écossais (étoffe). — Clan (tribu). — Presbytériens. Covenant. — Cairn (monument druidique). — Elfes (génies). — Scottish (danse).

## ÉCRIRE
### (latin, *scribo*; grec, *graphô*)

**Eléments de l'écriture.** — Alphabet. Lettres. LETTRES conjointes, entravées, monogrammatiques, moulées. Majuscules. Minuscules. — Caractères. Signes. Chiffres. Hiéroglyphes. Hiérogrammes. Cunéiformes. Runes.

Principes d'écriture. Barre. Trait. Bâton. Boucle. Panse. Liaison. Plein. Déliés. Jambage. — Rature. Surcharge. Licences (ornements).

Interligne. Alinéa. Accolade. Sigle. Parafe. Renvoi. — Signes de ponctuation. Accents. Guillemets. Tiret. — PAGE. Ligne.

**Sortes d'écriture.** — Calligraphie. Grosse. Fine. Moyenne. A main levée. A main posée. — Lisible. Illisible. Indéchiffrable. Tremblée. Vilaine écriture. Griffonnage. Gribouillage. Pattes de mouche.

Anglaise. Bâtarde. Ronde. Gothique. Italique. Coulée. Cursive. Expédiée. Duchesse. Orbiculaire. Onciale. — Hiératique. Hiéroglyphique. Idéographique. Boustrophédone. Phonétique. — Ecriture arabe, hébraïque, chinoise.

Ecriture en chiffre. Cryptographie. — Tachygraphie. Télégraphie. Sténographie. Sténotypie. Dactylographie.

**Matériel d'écriture.** — Encre. Encrier. Ecritoire. Cornet. Galimart (étui). — BUREAU. Table. Pupitre. — Cahier. Registre. Agenda. Album. Rôle. Papier. Parchemin. Vélin. Cartelle. — Plume. Porte-plume. Plumier. Stylographe. — CRAYON. Taille-crayon. Canif. — — Ardoise. Touche. — Tableau noir. Craie. — Sous-main. Transparent. Guideâne. — Brouillard. Buvard. Grattoir. Poudre. Sable. — Machine à écrire. Pâte à polycopier.

Style. Calame. Tablettes. Diptyque. Codex.

**Ecrits.** — Actes. Archives. Charte. Document. Contrat. Cédule. Codicille. Rescrit. Protocole. Pièce. Convention. Dossier. — Brouillon. COPIE. Grosse. Minute. Faux. — Bulletin. ETAT. Liste. Affiche. Pancarte. — Œuvre littéraire. Ecrit. Livre. PAMPHLET. Libelle. Factum. Mémoires. — Lettre. Epître. Suscription. SIGNATURE. Post-scriptum. Apostille. BILLET. Billet doux. NOTE. Mot. — Proclamation. Pétition. Placet. — BREVET. Diplôme. Procès-verbal. — INSCRIPTION. Titre. Ecriteau. Enseigne. Etiquette.

Autographe. Original. Manuscrit. Blancseing. — Testament olographe. Créance chirographaire. — Texte. Teneur. — Ecritures. Paperasses. Grimoire. Chiffon de papier.

**Ecrivains.** — Ecrivain. Homme de lettres. Auteur. Littérateur. — Secrétaire. Correspondant. — Archiviste. NOTAIRE. Greffier. Scripteur. — Bureaucrate. Scribe. Commis aux écritures. Rédacteur. Expéditionnaire. Gratte-papier. Copiste. — Sténographe. Tachygraphe. Dactylographe. Sténotypiste. —

ECRIVAILLEUR, m. V. *littéra-ture, bureau.*
ECRIVAIN, m. V. *littérature.*
ECROU, m. V. *vis, prison.*
ECROUELLES, f. p. V. *scro-fule.*
ECROUER. V. *registre.*
ECROUIR. V. *marteau, forge.*
ECROULEMENT, m. V. *tom-ber, ruine, détruire, mal-heur.*
ECRU. V. *brut.*
ECU, m. V. *bouclier, blason, papier, monnaie.*
ECUBIER, m. V. *ancre.*
**Ecueil,** m. V. *rocher, mer, danger.*
ECUELLE, f. V. *vase.*
ECUISSER. V. *casser.*
ECULER. V. *chaussure, usé.*
**Ecume,** f. V. *salive, bouillir, sueur.*

ECUMER. V. *cuisine, colère.*
ECUMOIRE, f. V. *cuisine, per-cer.*
ECURIE, f. V. *cheval, étable.*
ECUSSON, m. Ecussonner. V. *greffe, bourgeon, plaque.*
ECUYER, m. V. *cheval, équi-tation, domestique, cirque.*
ECZÉMA, m. V. *peau.*
EDACITÉ, f. V. *détruire.*
EDEN, m. V. *jardin.*
EDENTÉ. V. *dent, casser, vieux.*
EDICTER. V. *loi.*
EDIFIANT. Edification, f. V. *modèle, mœurs, vertu, re-ligion, instruction.*
EDIFICE, m. V. *architecture.*
EDIFIER. V. *bâtir, conduite.*
EDILE, m. Edilité, f. V. *mu-nicipal, architecture, ville.*
EDIT, m. V. *loi.*

EDITER. Editeur, m. Edition, f. V. *livre, imprimerie, apparaître, public.*
EDREDON, m. V. *plume.*
EDUCATEUR, m. Education, f. V. *instruction, politesse.*
EDULCORER. V. *doux, sirop.*
EDUQUER. V. *instruction.*
EFAUFILER. V. *fil, arracher.*
EFFACEMENT, m. V. *effacer.*
**Effacer.** V. *annuler, humi-lité, estime.*
EFFARER. V. *trouble, horreur.*
EFFAROUCHÉ. V. *sauvage.*
EFFAROUCHER. V. *peur.*
EFFECTIF. V. *positif.*
EFFECTIF, m. V. *nombre, troupe.*
EFFECTUER. V. *faire, pro-duire, cause, effet.*
EFFÉMINÉ. V. *délicat.*
EFFÉMINER. V. *femme.*

---

Expert. Faussaire. — Ecrivassier. Ecrivailleur. Barbouilleur. Paperassier. Griffonneur. Gribouilleur.

**Action d'écrire.** — Calligraphier. Avoir une belle main. Mouler ses lettres. Ecrire gros, fin. — Rédiger. Ecrire sous la dictée. Copier. Grossoyer. Transcrire. Minuter. — Consigner. Coucher par écrit. Délivrer par écrit. — Déguiser son écriture. Contrefaire. Falsifier. Maquiller un texte. — Inscrire. Noter. Dresser un inventaire. Enregistrer. Enrôler. — Ponctuer. Signer. Emarger. Parafer. Souscrire.

Corriger. Raturer. Effacer. Rayer. Récrire. Surcharger. Souligner.

**Relatif à l'écriture.** — Graphie. Un graphique. — Graphologie, graphologue. Graphomancie. — Paléographie. La diplomatique. Cartulaire. — Orthographe, orthographier, orthographique. *Lapsus calami.* — Déchiffrer. — Faire un pâté. Faire cracher sa plume.

### ÉCUEIL

**Obstacles de rochers.** — Ecueil. Mer semée d'écueils. Roches. Rocs. Brisants. Récif. Sèche (à sec à marée basse). — Rochers à fleur d'eau : Banche. Cayes. Etoc. Formique. — Barrage. Banquise. Ecore (côte escarpée). Vigie (roche droite).

Echouer. Talonner. Toucher. NAUFRAGE.

**Obstacles de sables.** — Assablement. Banc de sable. Accore. Barre. Allaise (banc de rivière). Faraillon. Traverse. — Bas-fond. Bassier. Batture. Sables mouvants. Syrtes.

S'assabler. Embanquer. Débanquer. Engraver. Ensabler.

**Protection et passages.** — Amers. Balise, balisage. Bouée. — Phare. Sirène. Cloche.

Chenal. Coureaux. Passe. — Rapides. Remous. Tourbillons.

### ÉCUME
(latin, *spuma*)

**Choses écumantes.** — Ecume, écumeux. Bave, baveux. Salive. Crachat. — Spumosité, spumeux, spumescent. Bouillons. — Crème, crémeux, crémant. — Mousse, mousseux. — Mucilage, mucilagineux. — Ferments. Levure. — Impuretés. Epistase (d'urine). Fleurs (de vin). Rocher (de bière). — Eau de savon, savonneux. — Moutons (des flots). — SUEUR.

**Ecumes métalliques.** — Arcot (de cuivre). Cendrée (de plomb). Chiasse (de métaux fondus). Buissures (de métaux chauffés). — Scories, scoriforme. Laitier. Mâchefer. — Magnésite ou Ecume de mer.

**Action d'écumer.** — Ecumer. Bouillonner. Bouillir. Mousser. Baver. Moutonner. Crémer. Rocher. Suer. Fermenter. Pétiller.

**Relatif à l'écume.** — Ecumoire. Ecumeur. — Ecrémer. — Déblanchir. Despumer, despumation. — Friquet (à friture). Moussoir (à chocolat).

### EFFACER
(latin, *deleo*)

**Suppression d'écrit.** — Effacer. Délébile. Indélébile. — Raturer, rature. Barrer, barre. Biffer, biffement. Passer un trait sur. *Deleatur.* — Surcharger. Palimpseste. — Oblitérer, oblitération. — Démarquer. Gratter.

**Suppression de couleur.** — Décolorer, décoloration. — Décolorant. Chlore. Eau de Javel. Eau oxygénée. Sel d'oseille. — Manger la couleur. — Dédorer. — Déteindre. Se déteindre. Faux teint. — Ternir.

**Suppression morale.** — Supprimer. Faire disparaître. Faire table rase. — Annuler. Anéantir. Détruire. — Oublier, OUBLI. Passer l'éponge sur. Racheter une faute. — Rayer, radiation. — S'effacer, effacement.

EFFERVESCENCE, f. V. *chaleur, bouillir, ferment, trouble, passion.*

**Effet,** m. V. *produire, dépendance, suite, finance, commerce, billard, bagage.*

EFFEUILLER. V. *ôter, feuille.*

EFFICACE. Efficacité, f. V. *effet, force, utile.*

EFFICIENT. V. *cause, effet.*

EFFIGIE, f. V. *image, médaille.*

EFFILÉ. V. *mince, aigu.*

EFFILER. V. *arracher, fil.*

EFFILÉS, m. p. V. *passementerie.*

EFFLOQUER. V. *fil, tissu.*

EFFLANQUÉ. V. *mince, maigre.*

EFFLEURER. V. *toucher, fleur, matière.*

EFFLORESCENCE, f. V. *gâter, peau.*

EFFLUENCE, f. V. *vapeur.*

EFFLUVE, m. V. *sortir, odeur, vapeur, subtil, marque.*

EFFONDREMENT, m. Effondrer. V. *casser, ruine, fond.*

EFFONDRILLES, f. p. V. *poussière.*

EFFORCER (s'). V. *volonté, peine.*

EFFORT, m. V. *peine, essai, blessure.*

EFFRACTION, f. V. *casser.*

EFFRAIE, f. V. *oiseau.*

EFFRAYER. V. *peur, horreur.*

EFFRITER. V. *labour, ruine.*

EFFROI, m. V. *peur, horreur.*

EFFRONTÉ. Effronterie, f. V. *hardi, confiance, grossier,*

*honte, mensonge, licence.*

EFFROYABLE. V. *peur.*

EFFUSION, f. V. *répandre, franc.*

EGAILLER (s'). V. *disperser.*

**Egal.** V. *même, symétrie, niveau, continuer.*

EGALISER. V. *uni, polir.*

EGALITAIRE. Egalité, f. V. *égal, république.*

EGARDS, m. p. V. *estime, respect, politesse.*

EGAREMENT, m. V. *trouble, folie, désordre, erreur.*

**Egarer.** V. *perdre, errant.*

EGAYER. V. *joie, rire, plaisir.*

EGÉRIE, f. V. *conseil.*

EGIDE, V. *défendre.*

EGLANTINE, f. V. *rose.*

**Eglise,** f. V. *religion, société, pape, architecture.*

---

## EFFET

**Effet d'une action.** — Aboutir, aboutissement. Atteindre le but. Réussir. Succès. — Porter coup. Porter ses fruits. Avoir une portée. Mener loin. Avoir la force de. Opérer. Agir. — Effectuer. Efficacité, efficace. Cause efficiente. — Impliquer. Comporter. Entraîner. Amener. Servir à. — Réagir, réaction, réactif. Rétroagir. — Laisser des traces.

Découler. S'ensuivre. Dépendre de. Tenir à. Se ressentir de. — Conséquence, consécutif. Effet. Résultat. Issue. Contre-coup. SUITE. — Evénement. Œuvre. Prémices. — Se refléter, reflet. Rejaillir sur.

**Résultat d'un raisonnement.** — Conséquence. Corollaire. Résultante. Analogie, analogisme. — Conclusion, conclure. Déduction, déduire. Induction, induire. Inférer. — Enchaînement. Correspondance. — Exciper de. Arguer. Argumenter. Juger par. Remonter aux causes.

**Expressions de conséquence.** — En conséquence. Partant. Par conséquent. Donc. Adonc. Ainsi. Aussi. Lors. Pour lors. Ensuite. En effet. Finalement. En définitive. Aussi. Il appert. Il s'ensuit. Il suit de là. D'où je conclus.

**Provenance.** — Dériver, dérivation. — Descendre, descendance. — Provenir, procéder de. — Sortir de. Emaner de. Etre tiré de. Venir de. — Rejeton. Fruit. Produit. Production. Ramification. — Filiation. INFLUENCE. — Originaire. Issu.

## ÉGAL
(latin, *aequus;* grec, *isos*)

**Egalité matérielle.** — SYMÉTRIE, symétrique. Synchronisme, synchronique. Équilibre. Constante. Parallélisme, parallèle. Conformité, conforme. — Balancer. Contre-balancer, COMPENSER. Répartir, répartition. — Atteindre. Joindre. Coïncider, coïncidence. — Egaliser, égal. Mettre de NIVEAU. Niveler, nivellement. Parangonner, parangonnage. —

Equation. Péréquation. Parité, pair. — Parisyllabe, parisyllabique. — Troc pour troc. Tant pour tant. Talion. — Le même. Pareil. SEMBLABLE. Identique.

**Egalité morale.** — Aller de compagnie. Aller de front. Marcher côte à côte. Etre sur la même ligne. Aller de pair. Etre sur le même pied. Etre à deux de jeu. — Egalité, égal, égalitaire. Fraternité, fraterniser. Communauté, commun. Réciprocité, RÉCIPROQUE. — Etre à la hauteur de. Rivaliser avec. Etre manche à manche. Rendre la pareille. — Tenir lieu de. Remplacer.

Adéquat. *Ex æquo.* Comparable. Pareil. Semblable. Tel que. Tel père, tel fils. Tenir la balance. Mettre sur le même pied. Départager. Impartialité, IMPARTIAL. Equité, équitable.

**Composés en** *équi.* — Equiangle. Equidistant. Equilatéral. Equinoxe, équinoxial. Equivalence, équivalent. Equipollent. Equivalve. Equiaxe, etc.

**Composés en** *iso.* — Isocèle. Isochrone. Isomérie. Isométrique. Isomorphe. Isopode. Isotherme, etc.

## ÉGARER

**Egarer.** — Egarer. Adirer. Perdre. — Dérouter. Détourner. Dévoyer. Fourvoyer. — Désorienter. Dépayser. Ecarter. — Tromper. Monter le coup. Mettre dedans. Bluffer.

**S'égarer.** — Etre égaré. Etre dépaysé. — Errer. Faire fausse route. Perdre son chemin. Se fourvoyer. Forpayser. — Etre perdu. Etre désorienté. Ne pas se reconnaître. Etre dérouté.

Perdre la tramontane. Egarement. — Aller à la dérive. Epave. — Labyrinthe. — Situation inextricable.

## ÉGLISE
(latin, *ecclesia*)

**Assemblée de fidèles.** — Eglise catholique, apostolique et romaine. Eglise latine. Catholicité. — Eglise gallicane. — Eglise

EGLOGUE, f. V. *poésie.*

EGOÏNE, f. V. *scie.*

EGOÏSME, m. Egoïste, m. V. *personne, soi, dur, passion.*

EGORGER. Egorgeur, m. V. *gorge, tuer.*

EGOSILLER (s'). V. *cri.*

EGOUT, m. V. *canal, ville.*

EGOUTIER, m. V. *ordure.*

EGOUTTER. V. *goutte, couler.*

EGOUTTOIR, m. V. *vaisselle.*

EGRAPPER. V. *raisin, arracher.*

EGRATIGNER. V. *déchirer, ongle.*

EGRENER. V. *graine, épi.*

EGRENEUSE, f. V. *coton.*

EGRISÉE, f. V. *polir.*

EGRISER. V. *marbre.*

EGUEULER. V. *casser.*

**Egypte, f.**

EGYPTIEN. V. *Egypte.*

EGYPTOLOGIE, f. V. *Egypte.*

EHONTÉ. V. *hardi, honte.*

EJACULATION, f. Ejaculatoire. V. *jet, prier.*

EJECTION, f. V. *jet, chasser.*

ELABORATION, f. Elaborer. V. *préparer, travail, faire.*

ELAGUER. V. *arbre, tailler, dégager.*

ELAN, m. V. *cerf, mouve-*

ment, zèle, passion, prier.

ELANCÉ. V. *mince, élégance.*

ELANCEMENT, m. V. *souffrir.*

ELANCER (s'). V. *saut, marcher.*

ELARGIR. Elargissement, m. V. *large, étendre, écart, plus, prison.*

ELASTICITÉ, f. Elastique. V. *étendre, contraction, réfléchir, céder, gaz, gomme, ressort.*

ELATÉRITE, f. V. *bitume.*

ELECTEUR, m. Election, f. V. *république, suffrage.*

**Electricité, f.**

---

grecque ou d'Orient. — Eglise réformée. Eglise schismatique. Eglise primitive. — Notre mère l'Eglise. Giron de l'Eglise. — Eglise militante (les fidèles). Eglise souffrante (les âmes du purgatoire). Eglise triomphante (les saints au ciel).

**Eglises diverses.** — Cathédrale. Basilique. Eglise paroissiale. Baptistère. Abbaye. Chapelle. Oratoire. — Eglise conventuelle. Moutier. — Eglise collégiale. Patriarcale. Pontificale. Métropolitaine. — Aide. Annexe. Succursale. — Lieu saint. Maison de Dieu. — Synagogue. Mosquée. TEMPLE.

**L'édifice.** — Parvis. Narthex. Façade. Portail. Tours. — Nef. Vaisseau. Travée. Abside. Chevet. Transept. Bas-côtés. Ailes. Galerie. Triforium. Arcades. Déambulatoire. — Autel. Tabernacle. Confession (place des reliques). Maître-autel. Autel latéral. Chapelle. — Chœur. Sanctuaire. Jubé. Ambon. — Clocher. Campanile. Flèche. — Caveau. Crypte. — Voûte. Dôme. Pinacle. — Arcs. Ogives. Rose. Rosace. Tympan. — Vitraux. Verreries. — Fonts baptismaux. Chaire. Confessionnal. Sacristie.

**Gens d'église.** — Clergé. Ecclésiastique. Prêtre. Clerc. — Curé. Vicaire. Chapelain. Desservant. Chanoine. Diacre. Officiant. — Paroissien. Fidèle. Oblat.

Maître de chapelle. Organiste. La maîtrise. Manécanterie. Chantre. Choriste.

Maître des cérémonies. Bedeau. Marguillier. Suisse. Enfant de chœur. Porte-missel. Portechape. Porte-croix. Sacristain. Sonneur de cloches. Donneur d'eau bénite. — Diaconesse. Sacristine.

**Mobilier.** — Bancs. Chaises. — Banc d'œuvre. Stalles. Miséricorde (planche d'appui). — Agenouilloir. Prie-Dieu. — Luminaire. Candélabre. Chandelier. Flambeau. Cierge. — Orgue. Lutrin. Ophicléide. Serpent. — Vestiaire. Chapier. — Chemin de croix. Tableaux. — Baldaquin. — BÉNITIER. — Cloche. Bourdon. — Tronc. Plat. Bourse.

**Objets du culte.** — CROIX. Crucifix. Bannière. — Châsse. Reliquaire. Fierte. Reliques. — Hostie. Pain azyme. Saint-Chrême. Saintes huiles. — Vases sacrés. Objets sacramentaux. Ornements sacerdotaux. — Pain bénit. Eau bénite. Goupillon. — Evangile. Légile ou Voile. — Paix. Patène. Tavaïole. — Encens. Encensoir.

**Gestion d'une église.** — Cure. Chapitre. Fabrique, fabricien. Marguillerie, marguillier. Chevecerie, chevecier. Œuvre (fabrique). — Paroisse. Desserte. — Registres. Cartulaire (chartes). Calendaire (dons). Obituaire (services).

Offrandes. Quêtes. Fondations pieuses.

Bénédiction. Consécration. Invocation. Vocable. Saint patron.

LITURGIE. Offices. MESSE. Vêpres. Prières. Chants.

## ÉGYPTE

**Ancienne.** — Pyramides. Mastabas. Hypogées. Vallée des rois. — Pharaon. Pschent. Uræus. — Temples. Pylônes. Obélisques. Sphinx. Salle hypostyle. Hiéroglyphes. — Osiris. Isis. Râ. Ammon. Hathor. Anubis. — Bœuf Apis. Crocodile. Ibis. — Papyrus. Lotus. — Momies. — Plaies d'Egypte. — Egyptologie, égyptologue.

**Moderne.** — Delta. Canal de Suez. Barrages du Nil. Nilomètre. — Khédive. Effendi. Fellah. Mameluck. — Copte. — Dahabieh. Chadouf.

## ÉLECTRICITÉ

**Généralités.** — Ambre. — Bon conducteur. Mauvais conducteur. Corps neutre, isolant, diélectrique. — Electron. Proton.

Electricité vitrée, résineuse, positive, négative, statique, dynamique, atmosphérique, médicale. — Pyroélectricité. — Piézoélectricité. — Electrobiologie. — Electrophysiologie. — Electrothérapie. — Galvanisation. — Faradisation. — Franklinisation. — Electrochimie. — Electrolyse.

**Electricité statique.** — Electrisation par frottement, par influence. — Machine électrostatique. Condensateur. Bouteille de Leyde. — Charge électrique. Capacité. Potentiel.

**Electricité dynamique.** — Courant continu, alternatif, diphasé, triphasé, polyphasé. — Courant de Foucault. — Courant galvanique, voltaïque, magnétoélectrique, thermoélectrique, induit, primaire, secondaire.

Intensité. Ampère. — Force. Volt. — Energie. Watt. — Résistance. Ohm. — Résistivité. Boîte de résistance. Shunt. Conductance. Rhéostat. Court-circuit. — Montage en série, en tension, en dérivation. — Introduction. Self-induction. Réactance. Henry.

ELECTRISER. V. *exciter, toucher, passion.*

ELECTRO-AIMANT, m. V. *attirer.*

ELECTROCUTER. V. *supplice.*

ELECTROLYSE, f. V. *métal, chimie.*

ELECTRON, m. V. *matière, petit.*

*Elégance*, f. V. *beau, délicat, grâce, luxe, style.*

ELÉGANT. V. *élégance.*

ELÉGIAQUE. Elégie, f. V. *poésie, chant.*

ELÉMENT, m. Elémentaire. V. *principe, simple, constituer, matière, science.*

*Eléphant*, m. V. *animal, ivoire.*

ELÉPHANTIASIS, f. V. *lèpre.*

ELÉPHANTIN. V. *éléphant.*

ELEVAGE, m. V. *bestiaux.*

ELÉVATEUR, m. V. *haut, dent.*

ELÉVATION, m. V. *haut, architecture, sublime, prier, messe, pouls.*

ELÈVE, m. V. *école, art, jardin, arbre.*

ELEVER. V. *haut, bâtir, grand, supérieur.*

ELEVEUR, m. V. *bestiaux.*

ELIDER. V. *ôter, grammaire.*

ELIGIBILITÉ, f. Eligible. V. *suffrage.*

ELIMÉ. V. *usé.*

ELIMINER. V. *chasser, trier.*

ELINGUE, f. V. *lier.*

ELIRE. V. *choix, suffrage, nomination.*

ELISION, f. V. *manque.*

ELITE, f. V. *choix, supérieur, peuple, parfait.*

ELIXIR, m. V. *liqueur, médicament.*

ELLÉBORE, m. V. *purge.*

ELLIPSE, f. Elliptique. V. *courbe, géométrie, manque, grammaire.*

ELOCUTION, f. V. *parler, discours.*

ELOGE, m. Elogieux. V. *louange, discours.*

ELOIGNEMENT, m. Eloigner. V. *loin, distance, chasser, dégoût.*

*Eloquence*, f. V. *discours.*

---

**Appareils de mesure.** — Galvanomètre. Voltmètre. Ampèremètre. Wattmètre. — Lois d'Ohm, de Joule, de Faraday, de Kirchhoff.

**Magnétisme.** — Aimant. Electro-aimant. Fer doux. Boussole. — Champ magnétique. Spectre magnétique. — Force magnéto-motrice. Réluctance. Entrefer.

**Machines.** — Machine magnéto-électrique, dynamo-électrique. — Machine de Gramme. — Alternateur monophasé, diphasé. — Inducteur. — Induit. — Enroulement ondulé, imbriqué. — Alternateur triphasé. — Montage en étoile, en triangle.

Dynamo. — Collecteur. — Balai. — Machine unipolaire, multipolaire. — Excitation séparée, indépendante. Auto-excitation.

Moteur électrique, synchrone, asynchrone. — Transformateur. — Commutatrice. — Redresseur. — Soupape électrolytique. — Bobine de Ruhmkorff.

**Energie électrique.** — Centrale thermique. Centrale hydroélectrique. — Turbine. — Facteur de puissance. — Ligne. — Isolateur. — Pylône. — Câble. — Canalisation.

**Électrochimie.** — Electrolyse. — Pile. — Accumulateur. — Batterie. — Anode. Cathode. — Electrode. — Electrolyte. — Ion. Anion. Cation. — Force contrélectromotrice. Polarisation.

### ÉLÉGANCE

**Dans les formes.** — Beauté. Pureté de formes. Ligne. Galbe. Vénusté. — Avoir des formes. Etre bien proportionné, bien tourné, bien troussé. — Visage régulier. Taille de guêpe. — BEAU. Bien fait. Bien pris. Bien découplé. Dégagé. Elancé. Svelte. Fin.

**Dans les manières.** — Avoir de la tenue. Avoir du maintien. Se bien tenir. — Aisance. Désinvolture, désinvolte. Distinction, distingué. Belles façons. Belles manières. Bon genre. Bonne grâce, gracieux. — Politesse. Urbanité. Bien élevé. Comme il faut. — Bel air. Homme du monde. Mondain. Galanterie. Coquetterie. — AFFECTATION. Snobisme, snob. Petit-maître.

**Dans le costume.** — Jeunesse dorée. Dandy. Dameret. Damoiseau. Gandin. Fashionable. Incroyable. Merveilleux. Muguet. Godelureau. Muscadin. Gommeux. Serin. — Elégant, élégante. Brave, braverie. Pimpant. Pomponné. Bien mis. Bien habillé. Tiré à quatre épingles. Faraud. Endimanché. — Vieux beau. Poupée. Mannequin. — Mise recherchée. Elégance. Parure. Bonne coupe. Mode. — Avoir du chic. Avoir du cachet. Etre à la mode. Nouveautés.

**Dans le langage.** — Atticisme. Purisme. Délicatesse. Bon goût. Bon ton. — Raffinement. Courtoisie. Galanterie. — Préciosité. Langage fleuri. — Esprit. Pointes. Sel. Brillant. Parole facile.

### ÉLÉPHANT

**Relatif à l'éléphant.** — Eléphant, éléphant, éléphanteau. — Proboscidien. Pachyderme. Mammouth. — Trompe. Défenses. Ivoire. — Barrir, barrit. — Cornac. — Eléphantin. Chryséléphantin. — Eléphantiasis.

### ÉLOQUENCE

**Don de la parole.** — Faconde. Abondance verbale. Facilité d'expression. Elocution. — Loquacité. Verbiage. Bagout. Bavardage. — Volubilité. Verve. — Chaleur. Flamme. Feu. Ardeur. — Etre beau diseur. Bien PARLER. Bien manier la parole. Improviser, improvisateur. Pérorer, péroreur.

**Art oratoire.** — Orateur. Tribun. Rhéteur. Foudre d'éloquence. Eloquent. Disert. Déclamateur. — Rhétorique, rhéteur. Calliope (muse). — Convaincre. PERSUADER. Emouvoir. Remuer. Entraîner. Enlever. — Action. Geste. Mouvement. — Passion. ENTHOUSIASME. Sentiment. Pathétique. — Elévation. Couleur. Force. — Grâce. Elégance. Atticisme. Onction. Ironie. — Inspiration. Richesse de pensées, d'expression. — RHÉTORIQUE.

Emphase, emphatique. Pompe, pompeux, pompier. Arrondir sa phrase. Style SUBLIME. — Périodes. Tirades. Figures. Images. Métaphores. — Débit. Diction. Déclamation, déclamatoire.

ELOQUENT. V. *éloquence.*

ELU. V. *politique, choix.*

ELUCIDER. V. *lumière, expliquer.*

ELUCUBRATION, f. V. *veiller, travail.*

ELUDER. V. *détour, excuse, éviter.*

ELYTRE, m. V. *aile, insecte, cryptogame.*

EMACIÉ. V. *maigre.*

**Email,** m. V. *couleur, vernis, porcelaine, bijou, orfèvre.*

EMAILLER. V. *émail, orner.*

EMANATION, f. V. *vapeur, odeur, gaz, subtil.*

EMANCIPATION, f. Emanciper.

V. *esclave, tuteur, âge, libre.*

EMANER. V. *effet, sortir.*

EMARGER. V. *signature, compte, quittance.*

EMASCULER. V. *sexe.*

EMAUX, m. p. V. *orfèvre, blason.*

EMBÂCLE, m. V. *gelée.*

EMBALLAGE. V. *emballer, boîte, panier, papier.*

EMBALLEMENT, m. V. *enthousiasme.*

**Emballer.** V. *enveloppe, lier, marchandises.*

EMBALLEUR, m. V. *coffre.*

EMBARCADÈRE, m. V. *voyage, bateau, chemin de fer.*

EMBARCATION, f. V. *bateau.*

EMBARDÉE, f. V. *automobile.*

EMBARGO, m. V. *obstacle, commerce.*

EMBARILLER. V. *tonneau.*

EMBARQUEMENT, m. Embarquer. V. *bateau, port, partir.*

**Embarras,** m. V. *obstacle, ennui, trouble, malheur, orgueil.*

EMBARRASSANT. V. *embarras, difficile.*

EMBARRASSÉ. V. *embarras, inquiet.*

EMBARRASSER. V. *embarras.*

EMBARRER. V. *cabestan.*

EMBASEMENT, m. V. *architecture.*

---

**Formes d'éloquence.** — Genre démonstratif. Genre délibératif. Genre judiciaire. — Eloquence politique. Tribune. — Eloquence religieuse. Chaire. — Eloquence judiciaire. Barreau. — Eloquence académique. — Eloquence militaire.

DISCOURS. Harangue. Proclamation. — Panégyrique. Eloge. Oraison funèbre. — Sermon. Homélie. — Plaidoirie. Réquisitoire. — Conférence. — Allocution. Speech. Toast.

## ÉMAIL

**Les émaux.** — Email. Contre-émail. — Email translucide. Email champlevé. Email cloisonné. Email mixte. Email en relief. Nielle. — Email des peintres. Rocaille. — Couverte (de céramique). Rassade (de verroterie). Vernis. Peinture émail.

Altérations : Boursouflures. Ecailles. Œillets.

**Travail.** — Emailler, émailleur, émaillage, émaillure. — Champlever. Bordoyer, bordement. Ciseler. Repousser. Graver. Flinquer (rayer le métal). — Souffler à la lampe. Parfondre. Mitonner (faire cuire). Moufler (cuire au moufle). — Nettoyer. Dérocher. Glacer. User. — Nieller. — Peindre en émail. Vernisser.

**Matériel.** — Four. Fournette. Lampe à souder. Chalumeau. Moufle. — *Outils :* Onglet. Couperet. Spatule. Pince. Diamant. — Tubes. Baguettes.

Matières vitrifiables : Sable siliceux. Potasse. Plomb. Soude. Oxydes métalliques.

## EMBALLER et CHARGER

**Emballages.** — Paniers, en osier brut, en osier blanc. Tortue. Corbeille. Manne. Civière. Banaste. Tambour. — Cageot, en roseau, en liteaux. Cagette. Basquet. Toilette simard. — Boîte en bois. Caisse. Caissette. Layette. Boîte en carton. — COFFRE. Malle. Mallette. Valise. — Balle. Ballot. Paquet. Colis. — Paquetage. SAC. Poche. — Enveloppe. Bâche. Toile. Toilette. Serpillière. Chemise. — TONNEAU. Baril.

**Emballer.** — Emballer, emballeur. Encaisser. Emboîter. Empaqueter. Embariller. Encaquer. Entoiler. — Fermer un paquet. Corder un ballot. LIER. Attacher. Carrelet (aiguille). Drapière (épingle).

Paille. Foin. Fibre. Sciure. Liège. Varech. Papier.

Etiquette. Inscriptions. Marque. Contremarque. Plomb, plombage.

**Chargement.** — Charger. Chargement. Chargement en vrac. Cargaison. — Arrimer, arrimeur. Attinter (des futailles). Embreler (fixer sur voiture). Engrener (garnir les vides). Estiver (presser). — Transborder, transbordement. — Poids brut. Tare. — Lège (sans chargement).

Déballer, déballage, déballeur. — Désemballer. Décaisser. Dépaqueter. — Décharge, déchargement, déchargeur. — Débarder, débardage, débardeur. Débatelage.

## EMBARRAS

**Dans le langage.** — Balbutier, balbutiement. Bégayer, bégaiement. Zézayer, zézaiement. Barboter. — S'embarrasser dans ses discours. Se brouiller. Se couper. S'enferrer. S'empêtrer. Patauger. Perdre le fil. Perdre son latin. — Etre interloqué. Rester interdit. Rester court. Rester sot. — Langage obscur, entortillé.

**Dans l'attitude.** — Etre mal à l'aise, malaise. Etre sur des charbons ardents. Ne savoir sur quel pied danser. — Perdre contenance. Se sentir déplacé. — Décontenancé. Déconfit. Penaud. Confus. Timide, intimidé. — Air forcé. Air emprunté. Gaucherie, gauche. Se dandiner. Dadais. — Embarrassé. Contraint. Gêné. Empêché. Engoncé.

**Dans l'esprit.** — Dérouté. Défrisé. Déconcerté. Démonté. Dépaysé. Désarçonné. Désorienté. Démoralisé. — Etre pris au dépourvu. Etre sur le gril. — Se troubler. Perdre la tête. Egaré. Perdu. Etonné. — Ne savoir auquel entendre. Perplexe. Hésitant. Embarrassé. INDÉCIS. — Incertain. Craintif. INQUIET. — Donner à penser. DOUTE. Dilemme. Alternative.

EMBASTILLER. V. *prison.*
EMBAUCHAGE, m. Embaucher.
V. *convention, ouvrier, attirer.*
EMBAUCHOIR, m. V. *botte.*
EMBAUMEMENT, m. Embaumer. V. *cadavre, odeur.*
EMBÉGUINER. V. *amour, persuader.*
EMBELLIE, f. V. *météore, calme.*
EMBELLIR. Embellissement, m. V. *beau, orner, mieux.*
EMBÊTER. V. *ennui.*
EMBLAVER. Emblavure, f. V. *blé, labour.*
EMBLÉE. V. *prompt.*
EMBLÈME, m. V. *signifier, insignes, image.*
EMBOÎTAGE, m. V. *relieur.*
EMBOÎTEMENT, m. V. *articulation, charpente.*
**Emboîter.** V. *entrer, arranger.*
EMBOLIE, f. V. *artère, sang.*
EMBONPOINT, m. V. *gros, corps, santé.*
EMBOSSER (s'). V. *navire.*
EMBOUCHE, f. V. *bestiaux.*
EMBOUCHER. V. *bouche, trompette.*
EMBOUCHURE, f. V. *bouche, rivière, instruments.*
EMBOUQUER. V. *navire.*
EMBOURBER. V. *boue.*
EMBOURRER. V. *bourre.*
EMBOUTIR. V. *emboîter, enclume.*
EMBRANCHEMENT, m. V. *chemin, animal.*
EMBRASEMENT, m. Embraser. V. *feu, brûler, passion.*
EMBRASSE, f. V. *rideau.*

EMBRASSEMENT, m. Embrasser. V. *bras, caresse, contenir, prendre, paix.*
EMBRASURE, f. V. *fenêtre, fortification.*
EMBRAYAGE, m. Embrayer. V. *emboîter, automobile.*
EMBROCATION, f. V. *oindre.*
EMBROCHER. V. *percer, rôtir.*
EMBROUILLER. V. *mélange, difficile.*
EMBRUMÉ. V. *brouillard.*
EMBRUN, m. V. *mer, brouillard.*
EMBRYOGÉNIE, f. Embryon, m. V. *fœtus, bourgeon, commencer.*
EMBÛCHE, f. V. *piège, danger.*
EMBUSCADE, f. V. *piège, guerre, attaque.*
EMBUSQUER (s'). V. *piège.*
EMERAUDE, f. V. *pierre.*
EMERGER. V. *sortir, nager, haut.*
EMERI, m. V. *polir, frotter.*
EMERILLON, m. V. *faucon, corde.*
EMÉRITE. V. *école, fonction.*
EMERSION, f. V. *astronomie, éclipse.*
EMERVEILLER. V. *éblouir, étonnement.*
EMÉTIQUE. V. *vomir.*
EMETTRE. V. *produire, dire, finance.*
EMEUTE, f. Emeutier, m. V. *trouble, sédition.*
EMIETTEMENT, m. Emietter. V. *broyer, fragment.*
EMIGRANT, m. Emigré, m. V. *étranger, bannir.*
EMIGRER. V. *partir, sortir.*

EMINCÉ, m. V. *mince, cuisine.*
EMINENCE, f. V. *supérieur, haut, saillie, cardinal.*
EMINENT. V. *supérieur, extraordinaire.*
EMIR, m. V. *prince, Arabes.*
EMISSAIRE, m. V. *envoi.*
EMISSION, f. V. *jet, public, finance.*
EMMAGASINER. V. *amas, provision.*
EMMAILLOTER. V. *enfant.*
EMMANCHER. V. *manche, emboîter.*
EMMANCHURE, f. V. *manche.*
EMMANUEL, m. V. *Christ.*
EMMÊLER. V. *mélange, désordre.*
EMMÉNAGEMENT, m. Emménager. V. *logement, meuble, arranger.*
EMMENER. V. *prendre, diriger.*
EMMÉTROPE. V. *voir.*
EMMITOUFLER. V. *fourrure.*
EMOI, m. V. *inquiet, trouble, colère.*
EMOLLIENT. V. *doux, mou.*
EMOLUMENT, m. V. *salaire.*
EMONCTION, f. V. *nez.*
EMONCTOIRE, m. V. *humeur, caustique.*
EMONDAGE, m. Emonder. V. *branche, tailler, trier.*
EMOTION, f. V. *trouble, chagrin, sentiment.*
EMOTIVITÉ, f. V. *sentiment.*
EMOTTER. V. *jardin.*
EMOUCHER. V. *mouche.*
EMOUCHET, m. V. *faucon.*
EMOUDRE. V. *aiguiser, trancher.*

---

Avoir martel en tête. Avoir du tintouin. — Soins. Soucis. PEINE. Tourments. Tracas. — Trouble. HONTE. Remords.

**Dans la conduite.** — Gêne. Crise. Moment critique. Situation délicate, difficile. Fausse position. Difficultés. Détresse. — Etre dans de beaux draps. Etre dans ses petits souliers. Etre à la torture. N'être pas à la noce. Etre dans le pétrin, à quia, aux abois. — Etre réduit aux expédients. Etre au pied du mur. Etre à bout. Etre pris au piège. Etre entre deux feux, entre deux selles. Ne savoir que faire. — Avoir sur les bras. Avoir une épine au pied. Sujétion.

Donner de la tablature. Gêner. Empêcher. Etre à charge. — Tenir en échec. Acculer. Asservir.

**Dans les mouvements.** — Aria. Encombre, encombrement. Obstruction. OBSTACLE. Enchevêtrement. Empêchement. Anicroche. Incommodité. Gêne. Paralysie. — S'empêtrer. Etre engoncé. — Labyrinthe. Dédale. Détours. — DANGER. Péril.

## EMBOÎTER

**Faire entrer l'un dans l'autre.** — Emboîter, emboîtement. Emboutir, emboutissage. Aboucher (des tubes). Abouement (de menuiserie). Embréver (une pièce de bois). Emmortaiser. Emmancher. Empatter, empattement. — Engager dans. Encliquer. Engrener, engrenage. Embrayer, embrayage. — Insérer, insertion. Greffer, greffe. Enter, ente. Entrelacer.

Assemblages : Entaille. Lioube. Rainure. Languette. Pas. Mortaise. Tenon. Onglet.

**Ajuster.** — Ajustement. Adapter. Appliquer. Enchevaucher. Embroncher (des ardoises). Imbriquer. — Monter, montage, monture. — Articuler, ARTICULATION. — JOINDRE, jonction, jointure. — Souder, soudure. Braser, brasement.

**Fixer dans.** — Encadrer. Encastrer. Incruster, incrustation. Sertir, sertissure, serte. Enchâsser, enchâssement. — Mosaïque. Emaux. Damasquinage. Niellure. Marqueterie.

**Emousser.** V. *pointe, usé.*

EMOUVOIR. V. *trouble, passion, intérêt, pitié.*

EMPAILLER. Empailleur, m. V. *paille, arranger, animal.*

EMPALER. V. *supplice.*

EMPAN, m. V. *mesure, doigt.*

EMPANACHER. V. *plume.*

EMPARER (s'). V. *prendre, usurper.*

EMPÂTEMENT. Empâter. V. *épais, pâte, peinture, gros.*

EMPATTEMENT, m. V. *base, voiture.*

EMPAUMER. V. *paume, prendre.*

EMPAUMURE, f. V. *cerf.*

EMPÊCHEMENT, m. Empêcher. V. *obstacle, embarras, retenir, prohiber.*

EMPEIGNE, f. V. *soulier.*

EMPENNAGE, m. V. *plume, aéronautique.*

EMPENNER. V. *flèche.*

EMPEREUR, m. V. *chef.*

EMPESÉ. V. *affectation.*

EMPESER. V. *linge, chemise, blanchir, raide.*

EMPESTER. V. *odeur, puant.*

EMPÊTRER. V. *pied, lier, embarras.*

**Emphase,** f. V. *affectation, rhétorique, éloquence.*

EMPHATIQUE. V. *emphase.*

EMPHYSÈME, m. V. *pus.*

EMPHYTÉOTIQUE. V. *louage.*

EMPIÈCEMENT, m. V. *chemise.*

EMPIERRER. V. *pierre, chemin.*

EMPIÉTEMENT, m. Empiéter. V. *pied, usurper, entrer.*

EMPIFFRER (s'). V. *gourmand, manger.*

EMPILE, f. V. *pêche.*

EMPILER. V. *amas.*

**Empire,** m. V. *chef, supérieur.*

EMPIRER. V. *pire, maladie, gâter.*

EMPIRIQUE. Empirisme, m. V. *pratique, médecine, philosophie.*

EMPLACEMENT, m. V. *lieu.*

EMPLANTURE, f. V. *mât.*

EMPLASTRATION, f. V. *emplâtre.*

**Emplâtre,** m. V. *médicament, caustique.*

EMPLETTE, f. V. *acheter.*

EMPLIR. V. *plein.*

EMPLOI, m. V. *occupation, travail, fonction, servir.*

EMPLOYÉ, m. V. *agent.*

EMPLOYER (s'). V. *action, zèle.*

EMPLUMER. V. *plume, oiseau.*

EMPOCHER. V. *sac, recevoir, gain.*

EMPOIGNER. V. *prendre, main.*

EMPOINTER. V. *épingle.*

EMPOIS, m. V. *colle, amidon.*

EMPOISONNEMENT, m. Empoisonner. V. *poison, tuer, crime, puant.*

EMPOISSONNER. V. *poisson.*

EMPORTÉ. Emportement, m. V. *vif, colère, violence, passion.*

EMPORTE-PIÈCE, m. V. *arracher.*

---

## ÉMOUSSER

**Emousser nos facultés.** — Emousser le jugement, l'esprit. Esprit obtus. Hébéter, hébétude. — Abattre. Affaiblir. Gâter. — Affadir. Blaser. Enerver.

Eblouir. Vue faible. Amblyopie. — Assourdir. Oreille dure. — Impuissant. Vieilli. Gâteux. — Anesthésier. Paralyser. Endormir.

**Emousser des armes.** — Emousser, émoussement. Arrondir. Epointer. User la pointe. Pointe mousse. — Armes courtoises. Lance mornée, morne (anneau). Fleuret moucheté, mouche (bouton). Epée rabattue (sans tranchant ni pointe).

## EMPHASE

**Dans le ton.** — Affectation. Grands airs. Prétention, prétentieux. Faire de l'embarras. — Pédanterie. Pédantisme. Pédantesque. Pédant. Archipédant. Sentencieux. — Dogmatiser, dogmatique. Doctoral. Magistral. Savantasse. — Ton emphatique, outré, exagéré. Bouffissure. Déclamation. Dramatiser. Théâtral. Mélodramatique. Tragique. — Pontifier. Solennel. Gourmé. Guindé. Empesé. — Viser à l'effet. Etalage. FANFARON. Charlatan. Boniment.

**Dans le style.** — Emphase. Boursouflure. Enflure. Pathos. Grands mots. Mots ronflants. — Faux éclat. Clinquant. Chercher à éblouir. — Style d'apparat. Style SUBLIME. Style pompeux. Emboucher la trompette. — Style figuré. Style ampoulé. Hyperbole. Galimatias. Gargarisme. Phébus. Bafouillage. — Faux lyrisme. Pindariser, pindarique. Dithyrambe, dithyrambique.

## EMPIRE
(latin, *imperium*)

**Relatif à l'empire.** — Empire. Impérial. — Empereur. Impératrice. — Les Impériaux. — Impérialisme, impérialiste. — Couronne impériale. — Autocratie. Pouvoir autocratique.

**Empires qui sont.** — Empire britannique. — Empire du Japon. Mikado. — Empire d'Abyssinie. Négus.

**Empires qui furent.** — Empire romain. Les Césars. — Empire d'Occident. Empire latin. Rome. — Empire d'Orient. Bas Empire. Byzance. — Saint Empire. Charlemagne. — Premier Empire français. Napoléon Ier. — Second Empire. Napoléon III. — Empire d'Autriche. Les Habsbourg. — Empire d'Allemagne. Les Hohenzollern. — Empire de Russie. Tsar. — Céleste Empire. Chine. Fils du ciel. — Empire turc. Grand seigneur.

## EMPLÂTRE

**Sortes d'emplâtres.** — Emplâtre. Bouillie. Cataplasme. Illutation. Charge (pour animaux). — Appareil. Compresse. — Pansement. — Diachylon. Sparadrap. Taffetas d'Angleterre. — Topique. Thapsia. Vésicatoire. Sinapisme.

Onguent. Cérat. Embrocation. Pommade. Baume.

**Nature de l'emplâtre.** — Adhésif. Agglutinant. Agglutinatif ou Anaplérotique (qui fait repousser les chairs). Astringent. Dessiccatif. Corrosif. Emollient. Fomentatif. Epispastique (qui produit inflammation). Résolutif (qui résout l'humeur). Révulsif. Sédatif. Tonique. Fortifiant. Vésicant.

EMPORTER. V. *porter, prendre, arracher.*

EMPORTER (s'). V. *fureur, cheval.*

EMPOTÉ. V. *maladresse.*

EMPOTER. V. *pot, jardin.*

EMPOURPRER. V. *rouge.*

EMPOUTRERIE, f. V. *cloche.*

EMPREINTE, f. V. *marque, gravure, médaille, influence.*

EMPRESSÉ. Empressement, m. V. *zèle, prompt, complaisant, galant.*

EMPRISONNEMENT, m. Emprisonner. V. *prison, fermer, punition.*

EMPRUNT, m. Emprunter. V. *prêter, imiter, embarras.*

EMPUANTIR. V. *puant.*

EMPYRÉE, m. V. *ciel.*

EMPYREUME, m. V. *puant.*

EMULATION, f. Emule, m. V. *rival, désir, zèle, opposé.*

EMULSION, f. V. *pharmacie.*

ENARTHROSE, f. V. *articulation.*

ENCABLURE, f. V. *mesure.*

ENCADREMENT, m. Encadrer. V. *tableau, bord, entourer.*

ENCAGER. V. *cage.*

ENCAISSE, f. V. *compte, monnaie.*

ENCAISSER. V. *coffre, recevoir, fermer.*

ENCAN, m. V. *adjudication.*

ENCAPUCHONNER. V. *coiffure, équitation.*

ENCAQUER. V. *tonneau.*

ENCARTER. V. *carton, relieur.*

EN-CAS, m. V. *parapluie.*

ENCASTRER. V. *emboîter.*

ENCAUSTIQUE, f. V. *cire.*

ENCAVER. V. *cave, cadavre.*

ENCEINTE, f. V. *entourer, clôture, fortification.*

ENCEINTE. V. *mère.*

**Encens,** m. V. *gomme, flatter, louange.*

ENCENSER. Encensoir, m. V. *encens, louange, balancer, église.*

ENCÉPHALE, m. V. *cerveau.*

ENCÉPHALITE, f. V. *tête.*

ENCERCLER. V. *entourer.*

ENCHAÎNEMENT, m. V. *joindre, continuer, rapport.*

ENCHAÎNER. V. *chaîne, lier, obstacle.*

ENCHANTEMENT, m. Enchanter. V. *magie, bonheur, séduire.*

ENCHÂSSER. V. *emboîter.*

ENCHAUSSER. V. *salade.*

ENCHÈRE, f. Enchérir. V. *adjudication, offre, augmenter, prix.*

ENCHEVÊTRER. V. *entrelacer, embarras.*

ENCHEVÊTRURE, f. V. *charpente.*

ENCHIFRENÉ. V. *nez, rhume.*

ENCLAVE, f. Enclaver. V. *intérieur, fermer.*

ENCLIN. V. *penchant.*

ENCLORE. V. *entourer, contenir.*

ENCLOS, m. V. *fermer.*

ENCLOUER. Enclouure, f. V. *clou, obstacle, maréchal.*

**Enclume,** f. V. *forge.*

ENCOCHE, f. V. *entaille.*

ENCOIGNURE, f. V. *coin.*

ENCOLLER. V. *colle, relieur.*

ENCOLURE, f. V. *cou, cheval, chemise.*

ENCOMBRE, m. Encombrement, m. V. *obstacle, embarras, plein.*

ENCOMBRER. V. *multitude, obstacle.*

ENCONTRE. V. *opposé.*

ENCORBELLEMENT, m. V. *architecture.*

ENCORDER. V. *corde.*

ENCORNÉ. V. *corne.*

ENCOURAGER. V. *ranimer, louange.*

ENCOURIR. V. *punition, danger.*

ENCRASSER. V. *sale.*

**Encre,** f. V. *écrire, imprimerie.*

ENCRER. V. *encre.*

ENCROÛTÉ. V. *habitude, maladresse.*

ENCUVER. V. *cuve, cuir, vendange.*

ENCYCLIQUE, f. V. *lettre, pape.*

ENCYCLOPÉDIE, f. Encyclopédique. V. *dictionnaire, tout, science, recueil.*

---

**Emploi de l'emplâtre.** — Emplâtrer, emplastration. — Appliquer, application. — Fomenter, fomentation. — Lever un emplâtre. — Malaxer un cataplasme. Sinapiser. — Panser.

## ENCENS
(latin, *thus*)

**Encens.** — Encens mâle ou Oliban. Encens femelle (de genévrier). — Grain d'encens. Manne d'encens. Pastille du sérail. — Encens blanc ou Galipot (du pin). — Arbres thurifères.

**Encenser.** — Encensement. — Encensoir. Calice. Dôme. Bonnet. Poignée. Chaîne. — Navette (vase à encens). — Brûler de l'encens. Thuribulaire. Thuriféraire.

## ENCLUME

**Sortes d'enclumes.** — Enclume. Enclumeau. Enclumette (de faucheur). Tas (enclume portative). Tasseau. Bigorne. Dé (d'orfèvre). Etaple (de cloutier). Potence (à planer). Enclume de couvreur.

**Détail de l'enclume.** — Bigornes. Estomac. Table. Billot. Tête. Tige. Tronçon (base). Arêtes. Tranche (à couper le fer).

**Usage.** — Battre le fer. Emboutir. Ecrouir. Forger. Marteler. Donner une façon.

## ENCRE

**Sortes d'encres.** — Encre noire. Encre de couleur. Encre de Chine. Encre à copier. Encre d'imprimerie. Encre lithographique. — Encre indélébile. Encre sympathique. — Encre simple. Encre double. — Carmin. Sépia.

**Qui concerne l'encre.** — Ecritoire. Encrier. Encrier portatif, inversable, syphoïde, à la romaine. — Pâté. Tache d'encre. — Encrer. — Plumée. — Encrivore.

## ENFANT
(latin, *puer;* grec, *pais*)

**Filiation.** — Engendrer. Enfanter. — Fils. Fille. Petit-fils. Petite-fille. Rejeton. Neveu. — Aîné. Cadet. Puîné. Jumeaux. — Enfant légitime. Enfant naturel. BÂTARD. Enfant adultérin, incestueux. Enfant adoptif. Enfant trouvé. Champi. — Orphelin. Orbité. — Héritier. Prince héritier. Dauphin. Infant. — Majeur. Mineur. Mineur émancipé.

GÉNÉRATION. Progéniture. Descendance. Lignage. Lignée. Postérité. — Paternité. Maternité. Désaveu de paternité. Reconnaissance. Légitimation. Adoption. — Tutelle. Pupille. Emancipation. Curatelle. — Capacité. Incapacité.

Petits des animaux. Couvée. Portée. Nichée. Laitée. Ventrée.

ENDÉMIQUE. V. *épidémie.*
ENDENTÉ. V. *dent, faim.*
ENDETTÉ. V. *dette.*
ENDÊVER. V. *chagrin, fâché.*
ENDIABLÉ. V. *diable, vif.*
ENDIGUER. V. *hydraulique, obstacle.*
ENDIMANCHER. V. *dimanche, toilette.*
ENDIVE, f. V. *salade.*
ENDOCARDE, m. V. *cœur.*
ENDOCTRINER. V. *opinion, influence.*
ENDOLORI. V. *souffrir.*
ENDOMMAGER. V. *gâter, nuire.*
ENDORMIR. V. *sommeil, engourdi, émousser.*
ENDOS, m. V. *billet.*
ENDOSMOSE, f. V. *membrane, pénétrer.*
ENDOSSER. V. *dos, signature.*
ENDROIT, m. V. *lieu, pays, avant.*
ENDUIRE. Enduit, m. V. *étendre, couvrir, couche, peinture, ciment.*
ENDURANCE, f. V. *patience, fermeté.*
ENDURCIR. V. *dur, force, habitude.*
ENDURER. V. *souffrir, supporter, résignation.*
ENERGIE, f. Energique. V. *volonté, fermeté, force, action.*
ENERGUMÈNE, m. V. *diable, fureur.*

ENERVER. V. *nerf, lâche, langueur.*
ENFANCE, f. V. *enfant.*
**Enfant,** m. V. *génération, âge.*
ENFANTER. V. *mère, accouchement, produire.*
ENFANTILLAGE, m. V. *vain, caprice.*
ENFANTIN. V. *naïf.*
ENFARINER. V. *farine.*
**Enfer,** m. V. *diable, méchant.*
ENFERMER. V. *fermer, cacher, contenir, intérieur.*
ENFERRER. V. *fer, escrime, difficile, maladresse.*
ENFIÉVRER. V. *fièvre.*
ENFILADE, f. V. *suite.*
ENFILER. V. *fil, aiguille, épée, artillerie.*
ENFLAMMER. V. *feu, passion, plaire.*
ENFLÉ. V. *gros.*
ENFLÉCHURE, f. V. *échelle.*
ENFLURE, f. V. *emphase, gros.*
ENFONCEMENT, m. V. *fond, angle, creux.*
ENFONCER. V. *bas, fond, pousser, clou.*
ENFOUIR. Enfouissement, m. V. *fond, cacher, terre.*
ENFOURCHER. V. *fourche, jambe, équitation.*
ENFOURCHURE, f. V. *branche, cheval.*

ENFOURNER. V. *four, boulanger.*
ENFREINDRE. V. *violer.*
ENFUIR (s'). V. *fuite, disparaître.*
ENFUMAGE, m. V. *gomme.*
ENFUMÉ. V. *noir.*
ENFUMER. V. *fumée.*
ENFUTAILLER. V. *tonneau.*
ENGAGEANT. V. *plaire.*
ENGAGEMENT, m. V. *convention, promesse, dette, louage, guerre, escrime.*
ENGAGER. V. *entrer, retenir, attirer, conseil.*
ENGAGER (s'). V. *affirmer, entreprendre, confiance, soldat.*
ENGAVER. V. *bec.*
ENGEANCE, f. V. *espèce.*
ENGELURE, f. V. *froid.*
ENGENDRER. V. *génération, produire.*
ENGERBER. V. *moisson.*
ENGIN, m. V. *moyen, outil, piège.*
ENGLOBER. V. *amas, contenir.*
ENGLOUTIR. Engloutissement, m. V. *fond, avaler.*
ENGLUER. V. *glu.*
ENGOBE, m. V. *porcelaine.*
ENGONCEMENT, m. Engoncer. V. *raide, habillement.*
ENGORGEMENT, m. Engorger. V. *plein, obstacle.*
ENGOUEMENT, m. Engouer. V. *aimer, entêté, partisan.*

---

**Dénominations d'enfants.** — Garçon. Garçonnet. Fillette. — Bébé. Baby. Poupon. Poupard. — Gosse. Marmot. Marmaille. Môme. Mioche. — Petit bonhomme. Bambin. Blondin. Diablotin. Lutin. Galopin. Polisson. — Ange. Chérubin.

**Puériculture.** — Accoucher, accouchement. Naissance. — Nouveau-né. Né viable. Mort-né. Avorton. — Pouponnière. Maternité. Tour. Crèche. — Enfant à la mamelle. Nourrisson. — NOURRICE. Bonne d'enfant. Infirmière. Nurse. — Elever au sein. Allaiter. Donner le sein. — Elever au biberon, à la cuiller. Autoclave. Stérilisation. — Sevrer, sevrage. Bouillie.

Langes. Couches. Drapeaux. Maillot. Emmailloter. Démailloter. — Berceau. Bercelonnette. Moïse. — Bavette. — Brassières. Lisières. — Bourrelet. Béguin. Têtière. — Hochet.

Vagir, vagissement. Baver, bave. Faire ses dents, dentition. — *Maladies des enfants :* Croup. Diarrhée infantile. Coqueluche. Croûtes. Carreau.

**Education.** — Pédologie. Pédotrophie. Pédagogie, pédagogue. Précepteur. Institutrice. Gouverneur. Gouvernante. — Garderie. Nursery. — Ecole maternelle. Asile. — Classes. Cours et leçons. Lire et écrire.

Enfance, enfantin, enfantillage. Puérilité, puéril. — Tendres années. Innocence. Babil. — Jeux d'enfant. Jouet. Joujou. — Enfant terrible. Enfant gâté. Enfant sage.

Etre voué au blanc et au bleu. — Porter la bulle et la prétexte (à Rome).

### ENFER
(latin, *inferi*)

**Enfer des anciens.** — Champs Elysées. Tartare. Erèbe. — Hadès ou Pluton. Perséphone ou Proserpine. — Les Euménides ou Furies : Alecto. Mégère. Tisiphone. — Les Parques : Clotho. Lachésis. Atropos. — Les juges : Minos. Eaque. Rhadamante. — Les fleuves : Styx. Cocyte. Achéron. Phlégéthon. Léthé. — Les sombres bords. Charon. Cerbère. — L'empire des morts. L'Averne. Les Ombres. Les Mânes. — Tantale. Danaïdes. Sisyphe. Tityos, etc.

**Enfer chrétien.** — L'enfer, infernal. Le purgatoire. Les limbes. — Le diable, diabolique. Satan, satanique. Démons. Pandémonium. Puissances de l'enfer. — Expiation. Damnation, damner. Les damnés. Les maudits. Les réprouvés. — Peines éternelles. Peine du dam. Peine du sens. Feu éternel. La géhenne. L'abîme.

**Engourdi.** V. *immobile, sommeil, insensible, abattement.*

ENGOURDISSEMENT, m. V. *engourdi.*

ENGRAIS, m. V. *fumier.*

ENGRAISSEMENT, m. Engraisser. V. *graisse, bestiaux.*

ENGRANGER. V. *grange, moisson.*

ENGRÊLURE, f. V. *broder.*

ENGRENAGE, m. Engrener. V. *dent, emboîter, machine.*

ENGUEULER. V. *dispute, injure.*

ENHARDIR. V. *hardi.*

ENHERBER. V. *fourrage.*

ENIGMATIQUE. Enigme, f. V. *obscur, secret, question, difficile.*

ENIVREMENT, m. Enivrer. V. *ivre, aimer, enthousiasme.*

ENJAMBÉE, f. V. *jambe, marcher.*

ENJAMBER. V. *allure, passer.*

ENJEU, m. V. *jeu, pari.*

ENJOINDRE. V. *ordre, avertir.*

ENJÔLER. V. *cajoler, mensonge.*

ENJOLIVER. V. *beau, orner, faux.*

ENJOUÉ. Enjouement, m. V. *joie.*

ENKYSTER (s'). V. *tumeur.*

ENLACEMENT, m. Enlacer. V. *lier, caresse, serpent.*

ENLAIDIR. V. *laid, pire.*

ENLÈVEMENT, m. Enlever. V. *ôter, prendre, acheter, chasser.*

ENLISEMENT, m. V. *sable.*

ENLUMINER. Enluminure, f. V. *couleur, orner, peinture.*

ENNÉAGONE. V. *neuf.*

ENNEMI, m. V. *combat, haine.*

ENNOBLIR. V. *noble.*

**Ennui,** m. V. *déplaire, chagrin, peine, dégoût, fatigue, malheur.*

ENNUYER. Ennuyeux. V. *ennui.*

ENONCÉ, m. V. *question.*

ENONCER. V. *dire.*

ENORGUEILLIR. V. *orgueil.*

ENORME. V. *grand, monstre, beaucoup.*

ENORMITÉ, f. V. *erreur.*

ENQUÉRIR (s'). V. *question, chercher.*

ENQUÊTE, f. V. *interroger, examen, renseignement, juges.*

ENQUÊTER. Enquêteur, m. V. *chercher, accusation.*

ENRACINER. V. *racine, tenir, habitude.*

ENRAGER. V. *rage, fureur.*

ENRAYER. V. *arrêt, voiture, charrue.*

ENRAYURE, f. V. *labour.*

ENREGISTREMENT, m. Enregistrer. V. *registre,*

écrire, bagage, impôt, loi.

ENRHUMÉ. V. *rhume, maladie.*

ENRICHIR. Enrichissement, m. V. *riche, gain, abondance.*

ENROCHEMENT, m. V. *pierre.*

ENRÔLEMENT, m. Enrôler. V. *soldat, persuader.*

ENROUÉ. Enrouement, m. V. *gorge, rhume, voix.*

ENROULEMENT, m. Enrouler. V. *spirale, architecture, couverture.*

ENRUBANNER. V. *ruban.*

ENSABLEMENT, m. Ensabler. V. *sable, rivière, échouer.*

ENSACHER. V. *sac.*

ENSAISINEMENT, m. V. *possession.*

ENSANGLANTER. V. *sang.*

ENSEIGNE, f. V. *drapeau, boutique.*

ENSEIGNE, m. V. *officier.*

ENSEIGNEMENT, m. Enseigner. V. *instruction, école, science.*

ENSELLÉ. V. *cheval.*

ENSEMBLE, m. V. *tout, amas, accord.*

ENSEMENCER. V. *semence.*

ENSERRER. V. *serrer, cacher, contenir.*

ENSEVELIR. Ensevelissement, m. V. *funérailles, mort, sommeil.*

ENSILER. V. *provision, conserver.*

---

## ENGOURDI

**Privé de mouvement.** — Engourdi, engourdissement, engourdir. — Assoupi, assoupissement, assoupir. Endormi, endormir. — Léthargique, léthargie. Cataleptique, catalepsie. Somnolent, somnolence. SOMMEIL. — Alourdi, alourdir. Appesanti, appesantir. Lent, lenteur. — Inerte, inertie. Immobile, immobilité. Estivation. Hibernation, hibernant. Marmotte.

**Privé de sensibilité.** — INSENSIBLE, insensibilité. — Anesthésié, anesthésie. Narcotique. — Paralysé, paralysie, paralytique. Hémiplégique, hémiplégie. — Languissant, langueur, languide. — RAIDE, raideur. Perclus. — Gourd. Doigts gourds. Onglée. — Transi, transissement. — Etourdi, étourdissement. — Assourdi, assourdissement.

**Privé d'intelligence.** — Stupide, stupidité. — Hébété, hébétude. — Abruti, abrutissement. — Stupéfait, stupéfaction. Stupeur. — Torpide, torpeur. — Etonné, étonnement. — Esprit lourd, pesant, lent. — Balourd, balourdise. Lourdaud. Imbécile.

Fade. Insipide. Insignifiant. — Lassant. Assommant. — Endormant. Somnifère. — Monotone. Long. Diffus. Qui n'en finit pas. Eternel.

Ce qui rompt les oreilles. Répétition. Bavardage. Verbiage. Litanie. Scie. Rabâchage. Jérémiade.

**Contrariété.** — Ennui. Dépit. Déconvenue. — Déplaisir. Embêtement. — Agacement. Impatience. — S'impatienter. Se morfondre. Droguer.

Ennuyeux. Fâcheux. Importun. Insupportable. Intolérable. Vexant. Agaçant. Déplaisant. Embêtant, f. Fastidieux.

Ennuyer. DÉPLAIRE. Embêter. Chiffonner. Vexer. Offusquer. Faire perdre patience. Tanner, f. Agacer. Scier le dos, f. Etre à charge.

**Tourment.** — Embarras. Gêne. Fardeau. — PEINE. Chagrin. Inquiétude. Tracas. Souci. Déboire. — Angoisse. Accablement. Fatigue. — Dépérir d'ennui. Avoir martel en tête. Etre au supplice. Le temps me dure. — Tourmenter. Accabler. Fatiguer. Persécuter. Obséder.

**Humeur triste.** — Ennui. Spleen. — Humeur chagrine. Mélancolie. Hypocondrie. Tristesse. Misanthropie. — Obsession. Nostalgie. — Glace. Froideur.

Maussade. Ombrageux. Bougon. Hargneux. Quinteux.

---

## ENNUI

**Dégoût.** — Etre dégoûté, être blasé. — Las, lassitude. De guerre lasse. — N'avoir goût à rien. — Bâiller, bâillement. Oscitation. — En avoir assez. Avoir les oreilles rebattues.

ENSORCELER. V. *magie, plaire, séduire.*
ENSOUFRER. V. *soufre.*
ENSOUPLE, f. V. *tissu.*
ENSUITE. Ensuivant. V. *suite, après.*
ENTABLEMENT, m. V. *architecture.*
ENTACHER. V. *tache, réputation.*
Entaille, f. V. *couper, fente, raie, creux.*
ENTAILLER. V. *entaille, ciseau.*
ENTAME, f. Entamer. V. *couper, entaille, commencer.*

ENTASSEMENT, m. Entasser. V. *amas, presser, beaucoup, avare.*
ENTE, f. V. *greffe.*
ENTENDEMENT, m. V. *intelligence, raison.*
ENTENDEUR, m. V. *intelligence.*
**Entendre.** V. *oreille, intelligence, habile.*
ENTENTE, f. V. *ami, association, convention.*
ENTER. V. *arbre, bourgeon.*
ENTÉRINER. V. *confirmer, approuver, juges.*
ENTÉRITE, f. V. *intestin.*

ENTERREMENT, m. Enterrer. V. *terre, cacher, funérailles.*
EN-TÊTE, m. V. *titre.*
**Entêté.** V. *volonté, continuer, caprice, préjugé.*
ENTÊTEMENT, m. V. *entêté.*
ENTÊTER. V. *tête, vertige.*
**Enthousiasme,** m. V. *passion, sublime, art, zèle.*
ENTHOUSIASTE. V. *enthousiasme.*
ENTHYMÈME, m. V. *argument.*
ENTICHER (s'). V. *aimer, opinion.*
ENTIER. V. *tout, entêté, cheval.*

---

## ENTAILLE

**Partie enlevée.** — Entaille, entailler, entaillure — Taille. Contre-taille. Tailler. — Entaille à queue d'aronde. Entaille en biseau. Entaille droite. — MORTAISE. Coche. Encoche. Encochure. Lioube. Rablure. Rainure. Trait de scie. — Entame, entamer. TRANCHE, trancher.

**Ouverture.** — Brèche, ébrécher. Cassure. — Coupure. Découpure. Echancrure. — Cran. Créneau. Crénelure. — CREUX. Cavité. Crevasse. FENTE. — Dentelure. Endentelure. Déchiqueture. — Rainure. RAIE. Coulisse. Onglet. Jable.

## ENTENDRE
(latin, *audio;* grec, *acouô*)

**Percevoir un son.** — Ouïe. Sens auditif. Oreille fine. Oreille dure. SOURD, surdité. — Entendre. Ouïr. Saisir, percevoir un son. — SON. Sonorité. Voix. Musique. Bruit. — Sonore. Audible. — Audition. Acoustique.

**Instruments d'audition.** — Cornet acoustique. Porte-voix. Stéthoscope. — Appareils à son. Sirène. — Instruments de musique. — Phonographe. Machine parlante. — Téléphone. Microphone. Appareil radiophonique.

**Prêter attention.** — Prêter l'oreille. — Ausculter, auscultation. — Ecouter, écoute, écouteur. Sans-filiste. — Entendre dire. Entendeur. Apprendre une nouvelle. Ouï-dire. Inouï. Témoin auriculaire. — Attention, attentif. Curiosité, CURIEUX. Auditeur. Auditoire. — Faire entendre. Donner audience. Audition musicale. Auditionner. — Entendre de travers. Faire la sourde oreille.

## ENTÊTÉ

**Obstiné.** — S'obstiner, obstination. — S'acharner, acharnement, acharné. — Ne pas céder. Ne pas démordre. Soutenir mordicus. RÉSISTER, résistance. Insister, insistance. — Persister, persistance. Opiniâtreté, opiniâtre, s'opiniâtrer. Tenir bon. Tenace, ténacité. — Se buter, buté. S'entêter, entêté, entêtement. — Ne vouloir rien entendre. Encroûté. Endurci.

Tête dure. Têtu. Mule. Cabochard, *f.* Bûche. Souche. Bloc.

**Entiché.** — S'enticher de. Se coiffer de. S'embéguiner. S'engouer, engouement. S'éprendre. S'infatuer, infatuation. CAPRICE. Parti pris. PRÉJUGÉ. Avoir son siège fait. Etre fixé. Etre à cheval sur.

**Entier.** — Ferme, fermeté. Constant, constance. Volonté immuable. Volontaire. — Raide, raideur. — Exclusif. Systématique. FANATIQUE, fanatisme.
Intraitable. Inflexible. Inexorable. — Indiscipliné. Incorrigible. Indocile. Indomptable. Indécrottable.

## ENTHOUSIASME

**Surexcitation de l'âme.** — Enthousiasme, enthousiaste, s'enthousiasmer. Aspirations de l'âme. Elan du cœur. — Exaltation. Ivresse. Enivrement. Transports. — Etre hors de soi. Emotion. S'émouvoir. Se pâmer. — Passion, se passionner, passionné. — Ardeur, ardent. Flamme, enflammé. Chaleur, chaleureux. — Fougue, fougueux.
Paroxysme de la joie, de la douleur. Hyperesthésie.

**Enthousiasme religieux.** — Ravissement. Extase. Ravir en extase. Anagogie, anagogique. Embrasement de l'âme. Suspension des sens. — Mysticisme, mystique. Contemplation, contemplatif. — Visions, visionnaire. Illuminations, illuminé. Lumière surnaturelle. — RÉVÉLATION. Inspiration. Prophète, prophétie, prophétique. Voix célestes. — Possession, possédé. Sainte horreur. Pythie. Pythonisse. Sibylle. Derviche. Fakir. — Fanatisme, FANATIQUE.

**Surexcitation de l'esprit.** — Délire, délirer, délirant. Frénésie, frénétique. Griserie, griser. — Admiration, admirer, admiratif. Engouement, s'engouer. Emballement, s'emballer. — Elévation d'esprit. Elever ses pensées. Sublimité, SUBLIME. — Rêve, rêver, rêverie. Illusion, s'illusionner. — Brio. Entrain. Exubérance. ZÈLE.

**Enthousiasme littéraire.** — Génie. Inspiration. IMAGINATION. Verve. — Veine poétique. Fureur poétique. Lyrisme. Ton lyrique, épique, pindarique. — ELOQUENCE. Dithyrambe, dithyrambique. EMPHASE, emphatique. — Romanesque. Romantique.

ENTITÉ, f. V. *exister, méta-physique.*
ENTOILER. V. *étoffe, emballer.*
ENTOMOLOGIE, f. Entomolo-giste, m. V. *insecte, papil-lon.*
ENTONNER. V. *verser, chant.*
**Entonnoir**, m. V. *tonneau, gouffre.*
ENTORSE, f. V. *tordre, mem-bre, articulation, boiter.*
ENTORTILLER. V. *tordre, lier, affectation.*
ENTOURAGE, m. V. *bord, clô-ture, fréquenter.*
**Entourer**. V. *bande, fermer, contenir.*
ENTOURNURE, f. V. *manche.*
ENTRACTE, m. V. *théâtre, arrêt.*
ENTRAIDE, f. V. *secours.*
ENTRAILLES, f. p. V. *ventre, intestin, pitié.*

ENTRAIN, m. V. *mouvement, joie.*
ENTRAÎNEMENT, m. V. *imi-ter, habitude, cheval.*
ENTRAÎNER. V. *traîner, exci-ter, diriger, persuader.*
ENTRAÎNEUR, m. V. *équita-tion.*
ENTRAIT, m. V. *charpente.*
ENTRAVE, f. V. Entraver. V. *lier, jambe, cheval, obs-tacle.*
**Entre**. V. *milieu.*
ENTREBÂILLER. V. *ouvert.*
ENTRECHAT, m. V. *danse, saut.*
ENTRECÔTE, f. V. *côte, viande.*
ENTRECOUPER. V. *interrup-tion.*
ENTRECROISEMENT, m. V. *tra-verser.*
ENTRE-DEUX, m. V. *dentelle.*
ENTRÉE, f. V. *entrer, ouvert,*

*commencer, venir, mets.*
ENTREFAITES, f. p. V. *temps, circonstance.*
ENTREFILET, m. V. *journal.*
ENTREGENT, m. V. *habile, in-trigue, fréquenter.*
ENTREJAMBE, m. V. *habille-ment.*
**Entrelacs**. V. *nœud, tresse.*
ENTRELACS, m. V. *architec-ture.*
ENTREMÊLER. V. *mélange.*
ENTREMETS, m. V. *mets, pâ-tisserie.*
ENTREMETTEUR, m. V. *agent, prostitution.*
ENTREMISE, f. V. *intervenir, négocier.*
ENTREPAS, m. V. *allure.*
ENTREPONT, m. V. *navire.*
ENTREPOSER. Entrepôt, m. V. *marchandises, garder, magasin, douane.*

## ENTONNOIR

**L'entonnoir.** — Forme évasée. Pavillon. Queue. Ajutage. — Entonner. Verser.

**Les entonnoirs.** — Entonnoir conique. Entonnoir ovale. Autoclave. Cornet. Cuvette. Culot. Perloir. Chantepleure. Siphon.

## ENTOURER

(latin, *circum*, autour ; grec, *peri*)

**Choses qui entourent.** — Cercle. Cir-conférence. Zone. Anneau. — Bandage. Ban-de. Ceinture. Bordure. Clôture. — Cadre. Châssis. — Contour. Pourtour. Périmètre. — Enceinte. Circonvallation. Chemin de ronde. — Péristyle. — Couronne. Jante. — En-veloppe. Cordon. Courroie. — Entours. Alen-tours. Banlieue. Périphérie. — Atmosphère. Circonstances. Ambiance. Entourage. Milieu. Bain.

**Disposé autour.** — Annulaire. Circons-crit. Périptère. Environnant. Périmétrique. Circonvoisin. — Ambiant. Enroulé. Envelop-pant. — Circulaire. Circompolaire.

**Action d'entourer.** — Encercler. Cer-ner. Circonscrire. Ceindre. — Enclore. En-claver. Encadrer. Entourer. Environner. — CONTENIR. Embrasser. — Enfermer. Enserrer. Bloquer. Enchâsser. — Couronner. Border. — Envelopper. Rouler autour. LIER. Entor-tiller. — Sertir. Insérer.

**Mouvement autour.** — Circuler, circu-lation, circulatoire. — Circuit. Circumnaviga-tion. Voyage circulaire, circompolaire. — Faire le tour de. Tourner. Contourner. Traquer. — Circonvolution. Circumduction.

## ENTRE

**Idée de milieu.** — Entre les deux. Moyen. Transition. Médiat, médiateté. — Entre-deux. Entre-deux-mers (vignoble). Entremets. En-tretoise. Intermède. Entrefilet. — Mitoyen, mitoyenneté. — Interposer, interposition. Intercaler, intercalation, intercalaire. Inter-

poler, interpolation. Entremêler. Entrelarder. Disposer parmi. — Incise. Parenthèse. Inser-tion.

INTERVENIR, intervention. S'entremettre, en-tremise. Intermédiaire. Entregent.

**Intervalle.** — Discontinuité. Espace. Ecart. Distance. Travée. Interstice. — En-trouvrir. Entrebâiller. Entrecouper.

Entrecolonne. Entrecolonnement. Entrecôte. Entrecoupe. Entrepont. Entresol. Entrevous. Entrefenêtre. Entrecuisse. Entrerail. Entre-nerf. Entre-nœud (d'une tige). Entrefer (espace entre les inducteurs et l'induit).

Interligne, interlignaire. — Intercutané. Interdigital. Intercostal. — Interocéanique. Interstellaire.

**Intervalle de temps.** — Entre-temps. Entracte. Interrègne. Intérim, intérimaire. Interlune, interlunaire. — Temps d'arrêt. Relâche. Suspension d'audience. — Armis-tice. Trêve. Répit. — Intermittence, inter-mittent.

**Réciprocité.** — S'entr'appeler. S'entre-nuire. S'entre-baiser. S'entre-tuer. S'entrete-nir, etc. — S'entrechoquer. S'entrelacer. S'entrecroiser. — Interdépendance. Interchan-ger, interchangeable. Intervertir. — Inter-section. — Interlocuteur. — International. Interallié.

## ENTRELACER

**Choses entrelacées.** — Lacis. Lacs. En-trelacs. — NŒUD. Epissure. Plexus. — Ré-seau. Rets. Lacet. FILET. Mailles. — Tissu. TRICOT. Dentelle. Tresse. Treillis. Treillage. NATTE. — Claie. Panier. Corbeille. — Laby-rinthe. Dédale. — Frette. Guillochis.

**Action d'entrelacer.** — Entrelacement. Enlacer, enlacement. Enverger. — Croiser, croisement, croisure. Entrecroiser, entrecroi-sement. — Enchevêtrer. TRAVERSER. Passer l'un dans l'autre. — Nouer. Episser. Entor-tiller. Lacer. Natter. Tresser. Tisser. Tri-coter.

**Entreprendre.** V. *commencer, projet, essai, but, hardi.*
ENTREPRENEUR, m. V. *bâtir.*
ENTREPRISE, f. V. *entreprendre, conduite, travail.*
**Entrer.** V. *pénétrer, pousser.*
ENTRESOL, m. V. *maison.*
ENTRETAILLER. V. *allure.*
ENTRETEMPS, m. V. *temps.*
ENTRETENIR. Entretien, m. V. *conserver, réparer, dépense, entrevue, dialogue.*
ENTRETOISE, f. V. *charpente.*

ENTREVOIR. V. *voir.*
ENTREVOUS, m. V. *plancher.*
**Entrevue,** f. V. *rencontre, visite, parler.*
ENUCLÉATION, f. Enucléer. V. *noyau, œil, chirurgie.*
ENUMÉRATION, f. Enumérer. V. *nombre, dire, beaucoup.*
ENVAHIR. Envahissement, m. V. *entrer, guerre.*
ENVASER. V. *boue.*
**Enveloppe,** f. V. *contenir, emballer, cacher, lettre, aéronautique.*

ENVELOPPER. V. *enveloppe.*
ENVENIMER. V. *poison, haine, exciter.*
ENVERGER. V. *papier, tissu.*
ENVERGURE, f. V. *étendre, aile.*
ENVERS. V. *arrière, opposé, renverser.*
ENVIE, f. V. *désir, besoin, jalousie, ronger, doigt.*
ENVIER. Envieux. V. *jalousie.*
ENVIRONNER. V. *entourer.*
ENVIRONS, m. p. V. *près.*

---

## ENTREPRENDRE

**Commencer.** — Se mettre à. Se mettre à l'œuvre. — Y aller de tout cœur. — Mettre en train. Fonder. Etablir. Créer. — S'adonner à. Se livrer à. Embrasser une profession. — Agir, action, actif. Travailler à. Exécuter. Faire. — Prendre l'initiative. Attaquer, ATTAQUE. Intenter un procès. Engager le combat. — Aborder un sujet. Entamer une discussion. Entrer en matière.

**Courir un risque.** — Entreprise. Tentative. ESSAI. Epreuve. Expérience. — Expédition. Risque. — Chercher à. S'efforcer de. Tenter de. Essayer de. Se risquer à. Hasarder. — Se mêler de. S'occuper de. En goûter. En tâter. — Prendre sur soi de. Se jeter. Se lancer. Remuant. Entreprenant. — Risquer le paquet. Faire le saut. Passer le Rubicon. Brûler ses vaisseaux.

**Se charger d'une affaire.** — S'engager dans. — Entrer dans une affaire. S'embarquer dans. Lancer une affaire. — Prendre à forfait. Soumissionner, soumission, soumissionnaire. Entreprise, entrepreneur, sous-entrepreneur. Concession, concessionnaire. Adjudication, adjudicataire. Ferme, fermier. — Spéculer, spéculation, spéculatif. — Mettre la main à. Tâche. Tâcheron.

## ENTRER

**Entrer dans un lieu.** — Entrer, entrée, entrant. Rentrer, rentrée. — S'introduire. Passer dans. Avoir accès. PÉNÉTRER. S'embarquer. S'engouffrer. — Donner dans. S'engager. S'enfoncer dans. Embouquer (dans un détroit). S'embûcher. — Se faufiler. Se glisser. S'insinuer. S'infiltrer. Fureter.

Lieu d'entrée. Accès. Embouchure. Ouverture. Pas. Passage. Seuil. Porte. Vestibule. Antichambre.

**Entrer de force.** — Se jeter dans. Se lancer dans. Se précipiter dans. Se frayer un passage. Forcer le passage. Faire irruption. — Faire une trouée, une percée. Percer les obstacles. Fendre la foule. — Envahir. Invasion. Incursion. Razzia. Raid. — Occuper un pays. Infester un pays. Prendre possession de. — Se faire jour. — Empiéter, empiétement. Envahissement. Intrus.

**Entrer dans une affaire.** — INTERVENIR, intervention. S'immiscer, immixtion. S'impatroniser. S'ingérer, ingérence. — Etre impliqué dans. Etre initié à, initiation. — Etre embauché, embauchage. Etre incorporé, incorporation. Etre intronisé, intronisation. Etre réintégré, réintégration.

**Faire entrer.** — Enfoncer. Ficher. Planter. Implanter. — POUSSER dans. Engager. EMBOÎTER. Engrener. — Fourrer dans. Empocher. Encaisser. — Enclaver. Incruster. Enchâsser. — Introduire. Importer. — Insérer. Interpoler. Epenthèse. — Instiller. Insinuer. Inoculer. Insuffler. — Plonger dans. Verser dans. Immerger.

## ENTREVUE

**Rencontre privée.** — Entrevue. Interview. Colloque. Entretien, s'entretenir. Conversation. — Communication, communiquer. Abouchement, s'aboucher. — DIALOGUE. Discussion. Explication. — Rencontre. Tête-à-tête. Rendez-vous. — Relations. VISITE, visiter. Voir. FRÉQUENTER. Hanter. — Aller trouver. Aborder. Accoster. Chambrer.

Abordable. Accessible. Accueillant. Affable.

**Rencontre publique.** — Admission. Audience. Réception. Visites officielles. — Conférence. Conciliabule. Confrontation. Négociations. — Parlementaire. Pourparlers. — Palabre. — Congrès. Assemblée. Réunion. Convocation.

Admettre. Donner audience. Recevoir. — Conférer. Parlementer. Palabrer. — Réunir. Convoquer.

## ENVELOPPE

**Enveloppes végétales.** — Bogue (de châtaigne). Brou (de noix). Capsule. Coque. Cosse. Cupule. Ecale. ECORCE. Gousse. Involucre. Péricarpe. Périgone. Silique. Spathe. Spathelle. Tunique. Volva (de champignon).

**Enveloppes animales.** — Coquille. Ecaille. Test. Cataphracte. — PEAU. Epiderme. Pellicule. Tégument. Croûte. — MEMBRANE. Muqueuse. Péricarde. Kyste. — Périoste.

**Enveloppes d'objets divers.** — Enveloppement. Empaquetage. Couverture. Revêtement. Entortillement. — Emballage. Papier. Carton. Toile. Toile cirée. — FOURREAU. Gaine. Etui. Housse. — Poche. Sac. Sachet. Toilette. Taie. — Boîte. Cornet. Contenant. — Reliure. Chemise. — Barde.

ENVISAGER. V. *regard, réflé-
chir, juger.*
**Envoi,** m. V. *don, mission.*
ENVOLER (s'). V. *voler, dis-
paraître.*
ENVOÛTEMENT, m. V. *magie.*
ENVOYÉ, m. V. *diplomatie.*
ENVOYER. Envoyeur, m. V.
*envoi.*
EPACTE, f. V. *lune.*
EPAGNEUL, m. V. *chien.*
**Epais.** V. *concrétion, lourd.*
EPAISSEUR, f. V. *épais,mesure.*
EPANCHEMENT, m. Epancher.

V. *verser, couler, humeur,
confiance.*
EPANDAGE, m. Epandre. V.
*étendre, fumier, ordure, se-
mence.*
EPANOUIR (s'). Epanouisse-
ment, m. V. *ouvert, fleur,
joie.*
EPARGNE, f. Epargner. V.
*économie, trésor, pardon.*
EPARPILLER. V. *disperser,
jet.*
EPARS. V. *disperser, rare.*
EPARVIN, m. V. *cheval.*

EPATÉ. V. *casser, plat.*
EPATER. V. *fanfaron, éblouir.*
**Epaule,** f. V. *bras.*
EPAULEMENT, m. V. *mur,
abri, artillerie.*
EPAULER. V. *soutenir, pro-
téger, fusil.*
EPAULETTE, f. V. *passemen-
terie.*
EPAULIÈRE, f. V. *armure.*
EPAVE, f. V. *naufrage.*
EPEAUTRE, m. V. *blé.*
**Epée,** f. V. *armes, escrime.*
EPÉISTE, m. V. *épée.*

---

Emballer. Empaqueter. Enrouler. — Envelopper. Enfermer. Revêtir. Recouvrir.

**Enveloppes du corps humain.** — Vêtement. HABILLEMENT. Habits. Toilette. — Manteau. Mante. Pardessus. Capuchon. — Robe.
Tunique. Chemise. — Maillot. Bande. Bandage. — Armure.

Vêtir. Habiller. Accoutrer. Emmitoufler.
Affubler. — Emmailloter. Bander.

## ENVOI
(latin, *mittere,* envoyer)

**Envoi de choses.** — Envoi. Colis. Paquet. — Envoyer, envoyeur. Expédier, expédition, expéditeur. Diriger sur. Destination,
destinataire. — Messageries. Transport. Port.
— Livrer une commande. Livraison. — Renvoyer, renvoi. — Emettre, émission. Diffu-
ser, diffusion. Lancer, lancement. Disperser,
dispersion. — Envoi en possession. Absence.
Successeurs irréguliers.

**Envoi de missive.** — Lettre. Message.
Pli. — Dépêche. Télégramme. — Chargement. Mandat. — Adresser, adresse. Mettre
à la poste. Distribuer, distribution.

**Envoi de gens.** — Ambassade, ambassadeur. Députation, député. Délégation, délégué. Mission, missionnaire. — Emissaire.
Envoyé. Agent. — Messager. Courrier. Un
exprès. Estafette. — Dépêcher. Déléguer. Dé-
puter. — Détacher, détachement. Expédition,
corps expéditionnaire. — Reléguer, relégation. Bannir, bannissement. Exiler, exil.

## ÉPAIS
(latin, *crassus ;* grec, *pachys, dasys*)

**Epais.** — Epaisseur, épaissir, épaississe-
ment. — GROS, grossir. Gras, engraisser. —
Pâteux, PÂTE. Empâté, empâtement. Mat. —
LOURD. Pesant. DUR. Solide. Résistant.

Pachyderme. Pycnocarpe. Pycnophylle.
Crassirostre.

**Coagulé.** — Coaguler, coagulant, coagulation. — Cailler, caillement. Caillot. Caillette (des ruminants). — Lait caillé. Caillebotte. Caille-lait. Présure. Chardonnette. —
Grumeau, grumeleux, se grumeler. — Crème,
crémeux. — Cristalliser, cristallisation, cristaux. — Congeler, congélation.

**Dense.** — Densité. Dasymètre. Condenser,
condensation. — Concentré, concentration,

concentrer. — Concréfier. Concrétion. Concrescible. — Opaque, opacité. — Compact.
Dru. Touffu. Serré. — Touffe. Fourré. Fort
(d'un fauve). — Humeurs crasses.

**Consistant.** — Consistance. — Prendre
corps. Prendre, prise. Se figer, figé. — BOUIL-
LIE, pultacé. — BOUE, boueux. Fange. Vase.
— Lie. RÉSIDU. Sédiment. Dépôt. — Gluant.
Sirupeux.

## ÉPAULE
(latin, *humerus ;* grec, *ômos*)

**Epaule dans le corps.** — Omoplate. Acromion. Clavicule, claviculaire. Aisselle, axillaire. Muscle deltoïde. Humérus, huméral.
Col de l'humérus. Cavité glénoïde. — Carré
des épaules. Carrure.

Eclanche. Paleron. Garrot.

**Epaule dans le costume.** — Monter,
garnir l'épaule. Remonture. — Epaulière
(pièce d'armure). — Epaulette. Attente.
Patte d'épaule. Corps. Tournante. Franges.
Gros-grain. Torsade. — Nœud d'épaule. Ecusson. Aiguillettes. Bourrelet. — Chaperon.
Chausse. Mantelet. Etole. Scapulaire. — Baudrier. Bretelle. Bricole.

**Qui a trait à l'épaule.** — Manche (de
gigot). — Géranis (bandage). — Epauler,
épaulement, épaulée. — Hausser les épaules.
— Regarder par-dessus l'épaule. — Donner
un coup d'épaule. — Gagner l'épaulette.

## ÉPÉE

**Détail de l'épée.** — Poignée. Pommeau.
Fusée. Amande. Soie. Talon. LAME ou Alumelle. — Garde. Branches. Pas-d'âne. Ecusson. Quillon. Calotte. Coquille. Plaque. Pontet. — Faible et Fort de la lame. Fil. Pointe.
Arête. Nervure. Evidement. Bâte. Carre. Dos.
Plat. Tranchant. — Garniture.

**Sortes d'épées.** — Epée longue. Epée
courte. Epée à deux mains. Epée de chevet.
Epée de parade. Epée de combat. Epée rabattue (sans pointe ni tranchant). Epée baïonnette.

Alfange. Brand. Braquemart. Brette. Carrelet. Claymore. Colichemarde. Croisette.
Espadon. Estoc. Estramaçon. Flamberge. Rapière. Palache. Briquet. Fleuret. Glaive. —
Coutelas. Coutille. Dague. Poignard.

Durandal (Roland). Joyeuse (Charlemagne).
Epée de Damoclès.

EPELER. Epellation, f. V. *lettre, mot, lire.*
EPERDU. V. *trouble.*
EPERLAN, m. V. *poisson.*
**Eperon,** m. V. *cheval, botte, bateau.*
EPERONNER. V. *équitation, piquer.*
EPERVIER, m. V. *faucon, pêche.*
EPHÈBE, m. V. *jeune.*
EPHÉMÈRE. V. *jour, court, fragile.*
EPHÉMÉRIDES, f. p. V. *chronologie, calendrier.*
EPHOD, m. V. *juif.*
**Epi,** m. V. *fleur, graine, charpente.*

EPIAGE, m. V. *épi.*
EPICARPE, m. V. *main, fruit.*
**Epice,** f.
EPICER. V. *épice, méchant.*
EPICERIE, f. Epicier, m. V. *épice.*
EPICRÂNE, m. V. *cerveau.*
EPICURIEN, m. Epicurisme, m. V. *philosophie, sensualité.*
EPICYCLE, m. V. *cercle.*
**Epidémie,** f. V. *maladie.*
EPIDÉMIQUE. V. *épidémie.*
EPIDERME, m. V. *peau, enveloppe.*
EPIER. V. *regard, curieux, espion.*
EPIERRER. V. *pierre.*

EPIEU, m. V. *lance, bâton.*
EPIGASTRE, m. V. *estomac.*
EPIGLOTTE, f. V. *gorge.*
EPIGRAMME, f. V. *spirituel, blâme, moquer.*
EPIGRAPHE, f. Epigraphie, f. V. *inscription.*
EPILATOIRE. V. *poil.*
EPILEPSIE, f. Epileptique. V. *convulsion, tomber.*
EPILER. V. *arracher, poil.*
EPILOGUE, m. V. *après, finir.*
EPILOGUER. V. *chicaner, minutie.*
EPINARD, m. V. *légume.*
**Epine,** f. V. *plante, aigu, dos.*
EPINETTE, f. V. *piano.*
EPINEUX. V. *épine, difficile.*

---

**Maniement de l'épée.** — Mettre l'épée à la main. Dégainer. Mettre flamberge au vent. — Tirer l'épée. Croiser le fer. Pointer. Estoquer. — Pourfendre. Embrocher. Enfiler. Percer. Enfoncer jusqu'à la garde. — Brandir. Faire sauter. Fausser. — Rengainer. Rendre son épée.

Escrime. Cliquetis. Coup d'estoc, estocade. Coup de pointe. Coup de taille. Echarpe. Coup de revers.

Escrimeur. Epéiste. Bretteur. Spadassin. Pourfendeur.

**Port de l'épée.** — Baudrier. Ceinturon. Bélière. Dragonne. FOURREAU. Bouterolle. Pendant. Nœud d'épée. — Ceindre l'épée. Porter l'épée. — Boutonner. Moucheter. Démoucheter. Fourbir.

### ÉPERON

**L'éperon.** — Branche. Membret. Broche. Molette ou Rosette. Collet. Collier. — Porteéperon. Bride. Surpied. — Eperon à vis et crampons.

**Relatif à l'éperon.** — Eperonnier. Larmier. — Eperonner. Appuyer de l'éperon. Pincer. Diguer. Piquer. Piquer des deux. Talonner. — Chausser les éperons. — Gagner ses éperons.

### ÉPI

**L'épi.** — Epi. Epillet. Arêtes. Barbes. Ecailles. Gaine. Loge. Rachis. Râpe. Balle ou Glume.

Epi aristé. Barbu. Capitulé. Diffus. Clair. Distique. Grenu. Hexastique. Interrompu. Verticillé. Mutique.

GRAPPE. Grappillon. Régime. Thyrse. Panicule.

**Relatif à l'épi.** — Epier, épiation, épiage. — Dépiquer, dépiquage. — Glaner, glane, glanage, glaneur, glanure. — Egrener. S'égrener.

### ÉPICE

**Les épices.** — Aromate. Plantes aromatiques. Assaisonnement. Condiment. Quatre épices. Denrées coloniales. — SEL blanc. Sel gris. Sel fin. Gros sel. — Poivre blanc. Poivre noir. Cari. Paprika. Piment. — Cannelle. MUSCADE. Vanille. Fenouil. Anis. Cumin. Genièvre. Coriandre. — Bétel. Cubèbe. Gingembre. MOUTARDE. Safran. — Thym. Laurier. Clou de girofle. Sauge.

**Vente et usage.** — Epicier, épicière, épicerie. — Epicer. Aromatiser. Assaisonner. Poivrer. Saler. Pimenter. Safraner. — Salade. Marinade. Poivrade. — Salière. Poivrière. — Donner du goût, du montant, du piquant.

### ÉPIDÉMIE

**Caractères.** — Microbe. Bacille. — Virus. Virulence. — Bouton. Bubon. Pustule. — Miasmes. Exhalaisons méphitiques. Méphitisme. Pestilence, pestilentiel. — Contagieux, contagion. Se communiquer. Infecter, infection. Se gagner. — Epidémie, épidémique, épidémicité. — Endémie. Mal endémique. — Mal sporadique. Epizootie.

Fléau. Calamité. Mortalité. — Régner. Sévir. Ravager. Dépeupler.

**Les épidémies.** — Epidémiologie. Peste. Choléra. Béribéri. Fièvre jaune ou Vomito negro. Dysenterie. — Fièvre typhoïde. Typhus exanthématique. — Diphtérie. Croup. Oreillons. — Variole. Rougeole. Fièvre scarlatine. — Grippe. Suette miliaire. — Lèpre, etc.

Pestiféré. Cholérique. Typhique. Varioleux. Fiévreux. Grippé.

**Moyens de protection.** — Aseptiser, asepsie, aseptique. — Antiseptiser, antisepsie, antiseptique. — Vacciner, vaccin. Inoculer, inoculation. — Injecter, injection. — Fumiger, fumigation. Désinfecter, désinfection.

Laboratoire. Etuves. — Service sanitaire. La Santé. Lazaret. Quarantaine. Patente. Pratique. Billet de santé.

### ÉPINE
(latin, *spina ;* grec, *acantha*)

**Epines et épinales.** — Epine. Piquant. Aiguillon. Echarde. — Poils spinescents. Stimules. — Epineux. Spinifère. Erinacé. — Armé. Inerme.

**Epingle**, f. V. *pointe, coudre, bijou.*
EPINGLER. V. *épingle.*
EPINOCHE, f. V. *poisson.*
EPIPHANIE, f. V. *apparaître, Christ.*
EPIPHÉNOMÈNE, m. V. *après.*
EPIPLOON, m. V. *membrane, intestin.*
EPIQUE. V. *poésie.*
EPISCOPAL. Episcopat, m. V. *évêque.*      .
EPISODE, m. Episodique. V. *dépendance, événement, théâtre.*
EPISPASTIQUE. V. *caustique.*
EPISSER. Epissoir, m. V. *corde, entrelacer, nœud.*
EPISTOLAIRE. Epistolier, m. V. *lettre.*
EPITAPHE, f. V. *funérailles.*
EPITHALAME, m. V. *chant, mariage.*
EPITHÉLIUM, m. V. *membrane.*
EPITHÈTE, f. V. *grammaire, qualifier.*
EPITOGE, f. V. *auxiliaires de justice.*
EPITOMÉ, m. V. *abrégé.*
EPÎTRE, f. V. *lettre, messe, Bible.*

EPIZOOTIE, f. V. *épidémie, vétérinaire.*
EPLORÉ. V. *larme.*
EPLOYER. V. *étendre, aile.*
EPLUCHER. V. *ôter, légume, blâme, choix.*
EPLUCHURE, f. V. *rebut.*
EPODE, f. V. *chant.*
EPOINTER. V. *pointe, émousser, aiguille.*
**Eponge**, f. V. *polype, laver.*
EPONGER. V. *éponge, sec.*
EPOPÉE, f. V. *histoire, sublime.*
EPOQUE, f. V. *temps, date, chronologie.*
EPOUILLER. V. *pou.*
EPOULMONER (s'). V. *cri.*
EPOUSAILLES, f. p. V. *mariage.*
EPOUSER. V. *mariage, partisan.*
EPOUSSETER. V. *poussière, nettoyer.*
EPOUSSETTE, f. V. *balai.*
EPOUVANTAIL, m. V. *horreur.*
EPOUVANTE, f. Epouvanter. V. *peur.*
EPOUX, m. p. V. *mariage.*
EPRENDRE (s'). V. *amour.*
EPREUVE, f. V. *essai, difficile,*

*malheur, examen, imprimerie, gravure, photographie.*
EPROUVÉ. V. *sûr, solide.*
EPROUVER. V. *vérifier, supporter, souffrir.*
EPROUVETTE, f. V. *chimie.*
EPUCER. V. *puce.*
EPUISEMENT, m. V. *épuiser.*
**Epuiser**. V. *vide, fatigue, faible, finir.*
EPUISETTE, f. V. *filet.*
EPURATION, f. V. *pur, mieux.*
EPURE, f. V. *dessin, architecture.*
EPURER. V. *pur, corriger.*
EQUARRIR. Equarrissage, m. V. *carré, tailler, peau, cheval.*
EQUATEUR, m. V. *terre, géographie.*
EQUATION, f. V. *égal, astronomie.*
EQUATORIAL. V. *géographie, astronomie.*
EQUERRE, f. V. *règle, géométrie, arpentage.*
EQUESTRE. V. *cheval.*
EQUI (préf.). V. *égal.*
EQUIANGLE. V. *angle.*
EQUIDISTANT. V. *distance.*

---

Epiniers. Broussailles. Essarts. Friches. Haie. Buisson.

**Plantes à épines.** — Aubépine. Epine noire. Epine-vinette. — Eglantier. Rosier. Ronces. Framboisier. Groseillier. Prunellier. — Cactus. Cactées. ALOÈS. Figuier d'Inde. Cierge du Pérou. Nopal. — Orties. Ramie. — Acanthe. CHARDON. Grateron. — Acacia. Ajonc. Adragant.

**Animaux à épines.** — Echidnés. Echidnéens. Echinodermes. Acalèphes (zoophytes). Acanthoptères (poissons). — Porc-épic. Hérisson. Oursin.

### ÉPINGLE

**Formes.** — Epingle. Tête. Branche. Pointe. — Epingle à tête enroulée, à tête ronde. Epingle rubannière. Drapière. Camion (très petite). — Epingle de sûreté. — Epingle d'entomologiste. — Epingle à cheveux. Epingle à onduler. — Epingle à chapeau. Epingle de cravate.

**Usage.** — Carte. Boîte. Pelote. Sébile. — Epingler, épinglage. Piquer. Attacher. — Fixer. Maintenir.

**Fabrication.** — Epinglerie. Epinglier. Matières : Laiton. Cuivre. Acier, etc. Fabrication à la main. Etibeau (billot). Bobille (cylindre). Pannoir (marteau). Etampe (poinçon à tête). — Dresser le fil, dressée. Cueillée (paquet de fils). Cueillir (couper les fils). — Affiner, ajuster, enfiler les têtes. Entêtoir. Tour à pointes.

Façonner à la machine. Couper les branches. Empointer. Trémie. Règle d'entraînement. Meule.

Décapage. Etamage. Vernissage.

Boutage (en papier). Etresse (papier). Peigne (à trouer). Piquage.

### ÉPONGE
(latin, *spongia*)

**Nature.** — Eponge. POLYPE. Polypier. Zoophyte. — Eponges fines douces, fines dures, blondes, etc. — Spongiosité. Fongosité. Pores. — Spongieux, spongiaire. Poreux. Elastique. Mou.

**Emploi.** — Eponge de toilette. Eponge de bain. Eponge de voiture. — Porte-éponge. — Aspirer l'eau. Boire l'eau. Pomper l'eau. S'imbiber. — Eponger. Laver. Imbiber. Nettoyer.

### ÉPUISER

**Vider.** — Mettre à sec. Epuiser. Epuisevolante (machine). — Tarir, tarissement. Dessécher, desséchement. — Désemplir. Dégarnir. — Absorber. Consumer. Exhaustion. — DÉPENSER. Consommer. — Pressurer. Appauvrir. Traiter à fond.
Inépuisable. Intarissable.

**Affaiblir.** — Epuiser, épuisement, épuisé. — Surmener. Excéder. — Exténuer, exténuation. Affaiblir, affaiblissement, faiblesse. — Miner. RONGER. Effriter. User. — Lasser. Fatiguer. Forcer. — S'user. Etre à bout.

EQUILATÉRAL. V. *géométrie.*
EQUILIBRE, m. Equilibrer. V.
  *égal, balance, compenser,*
  *immobile, mécanique, gym-*
  *nastique.*
EQUILIBRISTE, m. V. *bate-*
  *leur.*
EQUINOXE, m. V. *astronomie,*
  *saison.*
EQUIPAGE, m. V. *bagage, ba-*
  *teau, armure, voiture,*
  *chasse.*
EQUIPE, f. V. *rame, ouvrier.*
EQUIPÉE, f. V. *faute, hardi.*
EQUIPEMENT, m. Equiper. V.
  *soldat, bagage, garnir, ar-*
  *ranger.*
EQUIPOLLENCE, f. V. *pouvoir.*
EQUITABLE. V. *juste, égal,*
  *impartial.*

*Equitation,* f. V. *cheval.*
EQUITÉ, f. V. *juste.*
EQUIVALENCE, f. Equivalent.
  V. *valoir, égal.*
EQUIVOQUE. Equivoquer. V.
  *obscur, indécis, chicane,*
  *détour, subtil.*
ERABLE, m. V. *arbre.*
ERADICATION, f. V. *arracher.*
ERAFLER. V. *déchirer.*
ERAILLÉ. V. *déchiré, usé.*
ERATO, f. V. *muse.*
ERE, f. V. *chronologie, temps,*
  *géologie.*
ERECTION, f. V. *bâtir, raide.*
EREINTEMENT, m. Ereinter.
  V. *rein, blâme, fatiguer.*
ERÉMITIQUE. V. *ermite.*
ERÉTHISME, m. V. *convulsion,*
  *tension.*

ERGASTULE, m. V. *esclave.*
ERGOT, m. V. *ongle, poule,*
  *cerf.*
ERGOTER. Ergoteur, m. V.
  *chicane, argument, minu-*
  *tie.*
ERICINÉE, f. V. *bruyère.*
ERIGER. V. *haut, bâtir.*
ERIN, f. V. *Irlande.*
ERISTIQUE, f. V. *raison.*
ERMITAGE, m. V. *ermite.*
*Ermite,* m. V. *seul, retraite,*
  *moine.*
EROS, m. V. *amour.*
EROSION, f. V. *ronger, usé,*
  *géologie.*
EROTIQUE. V. *amour.*
*Errant.* V. *mouvement,*
  *voyage.*
ERRATA, m. V. *faute.*

## ÉQUITATION

**Exercices équestres.** — Monter à cheval. Monter un cheval. Etre en selle. — Equitation. Monte. Monter à la française, à l'anglaise, à l'américaine. Chevaucher long ou court (des étriers). Monter à cru, à califourchon, en croupe, en trousse.
Académie. Manège. Cirque. Hippodrome. Piste. Allée cavalière. — Dresser un cheval. Dressage. Débourrer. — Haute école. Carrousel. Quadrille. Voltige. Evolutions. Manœuvres. — Sport équestre. Chevauchée. Cavalcade. Course. Concours hippique. Chasse à courre. Polo.
Cadence. Allure. Pas. Trot. Galop. Saut. — Aller à bride abattue, ventre à terre. Courir à francs étriers. Brûler le pavé.

**Gens de cheval.** — Chevalier. Cavalier. Gentleman rider. Amazone. — Ecuyer. Ecuyère. Créat (sous-écuyer). — Piqueur. Postillon. Courrier. — Entraîneur. Jockey. Lad. Palefrenier. — Centaure. Cow-boy. Gaucho.

**Mouvements du cavalier.** — Enfourcher. — Manier un cheval. Tenir les rênes. Changer de main. — Affermir. Assurer la bouche. Désarmer. Egarer la bouche. — Gourmander. Ramener. Hocher le mors. Saccade. Cravacher. — Faire parader. Arrêter. Mettre sur les hanches. — Attaquer.
Eperonner. Appuyer. Piquer. — Lâcher la bride. Baisser la main. Prendre la main. — Vider les arçons, les étriers.

**Mouvements du cheval.** — Airs. Airs bas, relevés. Foulées. A-coup. Le partir. Caracole. Courbette. Croupade. Pesade. Pirouette. Pointes. Cabrade. Virevolte. Volte. Estrapade.
Eventer (lever le nez). S'encapuchonner (abaisser la tête). Bégayer (lever la tête). S'armer de la lèvre. — S'emballer. Se dérober. — Se défendre. Doubler les reins. Désarçonner. Démonter.

## ERMITE

**Personnages.** — Ermite. Anachorète. Ascète. Solitaire. Stylite. Pères du désert.

**Vie.** — Vie érémitique. Vie solitaire. Vie spirituelle. Vie contemplative. Ascétisme. —

Ermitage. Cellule. Cabane. Caverne. — Solitude. Désert. Thébaïde.

## ERRANT

**Errant de nature.** — Peuples nomades. Horde. Tribu. — Arabes. Bohémiens. Tsiganes. Gitanos, etc. — Camper, campement. Roulotte. — Courir le monde. Globe-trotter. Cosmopolite. — Vagabonder, vagabond. N'avoir ni feu ni lieu. Etre sans domicile. — Astre errant. PLANÈTE. — Migrateurs. Oiseaux de passage.

**Errant par occasion.** — Aventurier. Aller à l'aventure. — Aller à la découverte. Batteur d'estrade. — Faire l'école buissonnière. Courir la prétentaine. — Rôder, rôdeur. Mendier, mendiant, mendicité. — Marauder, maraude, maraudeur. Gens sans aveu. — Rouler sa bosse. Colporter, colportage, colporteur. Porteballe. — Faire la place. Placier. — Comédien errant. Forain. Trouvère. Troubadour. Cirque ambulant. — Chevalier errant. — Juif errant. Chemineau.

**Egaré.** — S'égarer. Se perdre. S'écarter. Dévier. Se fourvoyer. Faire fausse route. — Etre dérouté, dépaysé. Battre la campagne. — Aller à la dérive. — Bloc erratique.

**Allées et venues.** — Aller et venir. Aller çà et là. Circuler. Errer. Vaguer. Divaguer, divagation. — Aller au hasard. Faire tours et détours. Flâner, flânerie, flâneur. Battre le pavé. Muser, museur. Musarder, musard. Badauder, badaud. Polissonner.
Se promener, promenade, promeneur. Faire une marche. Randonnée. Circuit. Tournée. — Se déplacer, déplacement. Courir le monde. Voyage. Voyage en mer. Voyageur. Touriste, tourisme, touristique. — Aller par monts et par vaux. Aller par voies et par chemins. — Noctambule.

## ERREUR

**Action de se tromper.** — Commettre une erreur. Donner dans l'erreur. Erreur grossière. — Voir de travers. Avoir la berlue. Bévue. Aberration. — Se tromper lourdement. Etre loin de compte. Se méprendre, méprise. Faillir, faillible, infaillible. — Etre en défaut. Avoir tort. Errer.

ERRATIQUE. V. *errant.*
ERRATUM, m. V. *erreur.*
ERRE, f. V. *allure, navire, trace.*
ERREMENTS, m. p. V. *conduite, habitude.*
ERRER. V. *mouvement, erreur.*
**Erreur,** f. V. *mal, faux.*
ERRONÉ. V. *erreur.*
ERUBESCENT. V. *rouge.*
ERUCTATION, f. V. *digestion, flatuosité.*
ERUDIT, m. Erudition, f. V. *connaître, science, littérature.*
ERUPTIF. Eruption, f. V. *sortir, peau, pus, volcan.*
ERYSIPÈLE, m. V. *peau.*
ERYTHÈME, m. V. *rouge.*
ESCABEAU, m. V. *banc, siège.*

ESCADRE, f. Escadrille, f. V. *marine, aéronautique.*
ESCADRON, m. V. *cavalerie.*
ESCALADE, f. Escalader. V. *échelle, haut, gymnastique.*
ESCALE, f. V. *port, arrêt.*
**Escalier,** m. V. *échelle, maison, degré, haut.*
ESCALOPE, f. V. *viande, mets.*
ESCAMOTAGE, m. Escamoter. V. *habile, disparaître, ruse.*
ESCAMOTEUR, m. V. *bateleur.*
ESCAPADE, f. V. *fuite, absence, caprice.*
ESCARBILLE, f. V. *charbon.*
ESCARBOUCLE, f. V. *rubis.*
ESCARCELLE, f. V. *bourse.*
ESCARGOT, m. V. *mollusque, spirale.*

ESCARMOUCHE, f. V. *combat.*
ESCAROTIQUE. V. *caustique.*
ESCARPE, m. V. *bandit.*
ESCARPE, f. V. *fortification.*
ESCARPEMENT, m. V. *rocher.*
ESCARPIN, m. V. *chaussure.*
ESCARPOLETTE, f. V. *balancer.*
ESCARRE, f. V. *plaie.*
ESCHE, f. V. *appât.*
ESCHER. V. *pêche.*
ESCIENT, m. V. *connaître.*
ESCLANDRE, m. V. *scandale, public.*
ESCLAVAGE, m. V. *esclave.*
**Esclave,** m. V. *servir, obéir, domestique, inférieur.*
ESCOMPTE, m. Escompter. V. *billet, intérêt, diminuer, finance, commerce.*

---

Confondre, confusion. Malentendu. Croire indûment. — Prendre le change. S'égarer. Se blouser. Se fourvoyer. Se dévoyer. Passer à côté. Ne pas y être. — Erreur juridique, sur l'objet, sur la nature, sur la qualité, sur la personne. Erreur de fait, de droit. — Paiement de l'indu. Restitution de l'indu. — Vices du consentement.

Relever une erreur. — Se reprendre.

**Faute.** — Fautif. FAUTE lourde, légère. Erroné. Incorrect, incorrection. Inexact. Inexactitude. Qui n'est pas juste. — Anerie. Balourdise. Pataquès. Enormité. — Sottise. Bourde. Impair. Ecole. Boulette. Brioche. — Faire par mégarde. MALADRESSE. Lapsus. Coquille. Etourderie. — Mécompte. Anachronisme. Quiproquo. Cacographie. — Faux pas. Pas de clerc. Broncher. — OUBLI, oublier. Omission, omettre. Erratum.

**Illusion.** — S'abuser, abusif. S'aveugler, aveuglement. S'égarer, égarement. Se leurrer, leurre. — S'illusionner. Bâtir des châteaux en Espagne. Voir tout en beau. Prendre des vessies pour des lanternes. — Compter sans son hôte. Mâcher à vide.

Ecart d'imagination. Rêve, rêverie. Hallucination, halluciné. — Chimère, chimérique. IMAGINATION, imaginaire. Illusion, illusoire. Prestige, prestigieux. — Simulacre. FANTÔME. Trompe-l'œil. Vision. Mirage. — Rêveur. Visionnaire. Songe-creux.

Désabuser. Dessiller les yeux. Désillusionner, désillusion. Décevoir, déception.

**Voies fausses.** — Contresens. Non-sens. — Vérité méconnue. MENSONGE. Contrevérité. FAUX. Fausseté. — Fausse opinion. Paralogisme. Paradoxe, paradoxal. PRÉJUGÉ. Prévention. — Hérésie, hérésiarque. Hétérodoxie, hétérodoxe. Superstition. Les infidèles. — Sophisme, sophiste, sophistique. Utopie, utopique. — Prendre à rebours. Prendre le contre-pied.

## ESCALIER

**Les escaliers.** — Escalier dans l'œuvre, en hors-d'œuvre. Escalier droit. Escalier à vis. Escalier en limaçon. Escalier tournant. Escalier à jour. Escalier en fer à cheval. Escalier à double volée. Escalier à gousset. Escalier suspendu.

Escalier de commande. Escalier de dégagement. Escalier dérobé. Escalier de service. Escalier d'honneur.

Perron. Casse-cou. Echelle de meunier. Descente de cave. Gat (descente à la mer).

**Pièces d'escalier.** — Cage. Capot. Carré. Palier. Etage. — Noyau. DEGRÉ. Marche. Pas. Marche palière. Collet. About. Giron. Limon. Coquille. Emmarchement. — Rampe. Balustrade. Main courante. Volée. Volée droite. Volée en quartiers tournants. — Haut. Bas. Montée. Echappement.

**Appareils de montée.** — Ascenseurs, hydraulique, électrique, hydro-électrique. Cabine. Boutons de commande. Piston. Colonne. — Escalier tournant. Escalier mobile. — Escabeau, à échelle, à gradins, droit. — ECHELLE. Echelle double. Echelle à coulisse. Echelle de corde.

## ESCLAVE
(latin, *servus*)

**L'esclavage.** — Réduire en esclavage. Asservir, asservissement. — Esclavagiste. Traite des nègres. Négrier. Marché d'esclaves. Bazar. — Enchaîner. Entraves. Collier. Fers. FOUET. Ergastule. — Galères. Patron. Maître.

Esclavage. Captivité. — Servitude. Servage. Mainmorte. — Tomber en esclavage. Perdre la liberté. Aliéner sa liberté. — Servilité, servile.

**Les esclaves.** — Esclave. Esclave fugitif. — Captif. — NÈGRE, négresse. Nègre marron. — Serf. Serf attaché à la glèbe. Ilote. — GALÉRIEN. — Eunuque. Muet du sérail. — Homme lige.

**Libération.** — Délivrer. Abolition, abolitionniste. — Affranchir, affranchissement, affranchi. — Emanciper, émancipation. Manumission. Pécule. — Racheter. Rachat. Rançon. Rédemption. Ordre de la Merci.

Escopette, f. V. *fusil.*

Escorte, f. Escorter. V. *garde, compagnon, défendre.*

Escouade, f. V. *troupe.*

Escourgeon, m. V. *orge.*

**Escrime,** f. Escrimeur, m. V. *épée, armes.*

Escroc, m. V. *voleur, bandit.*

Escroquer. Escroquerie, f. V. *prendre, crime, ruse.*

Esotérique. V. *secret, philosophie.*

Espace, m. V. *étendue.*

Espacer. V. *distance.*

Espadon, m. V. *épée, poisson.*

Espadrille, f. V. *chaussure.*

**Espagne,** f.

Espagnol. V. *Espagne.*

Espagnolette, f. V. *fenêtre.*

Espalier, m. V. *jardin, mur.*

Espars, m. p. V. *perche.*

**Espèce,** f. V. *nature, division, animal.*

Espèces, f. p. V. *monnaie.*

Espérance, f. V. *espérer.*

**Espérer.** V. *désir, croire, attendre, futur.*

Espiègle. Espièglerie, f. V. *vif, jeu.*

Espingole, f. V. *fusil.*

Espion, m. V. *curieux, examen, accusation, trahir.*

Espionnage, m. Espionner. V. *espion.*

Esplanade, f. V. *place.*

Espoir, m. V. *espérer.*

## ESCRIME

**Escrime.** — Académie d'armes. Salle d'armes. — Maître d'armes. Prévôt. Escrimeur. Tireur. — Faire des armes. Faire assaut. Tirer. Tirer à la muraille. — Fleuret. Epée. Sabre. Epée boutonnée, mouchetée. Fort et faible de l'épée. — Veste. Plastron. Masque. Gant. Crispin. Sandale. — Cliquetis. Fausser l'épée.

**Positions.** — Salut des armes. — Se mettre en garde. Se camper. Garde haute. Garde basse. — Croiser le fer. Corps à corps. — Lignes hautes. Lignes basses. — Prime. Seconde. Tierce. Quarte. Quinte. Sixte. Septime.

**Coups.** — Engagement. Attaque. Défense. Parade. Dégagement. — Battement. Tentement. Tâter le fer. Feinte. — Botte. Botte secrète. — Coulé. Coupé. Coup droit. Coup de pointe. Coup fourré. — Coup de revers. Echarpe. Coup de manchette. Taille. Moulinet. — Riposte. Coup pour coup. Contre. — Toucher, touche.

**Mouvements.** — Escrimer. Appel, appeler. Battre du pied. Contre-appel. — Battre le fer. Engager. Dégager. Se couvrir. Se découvrir. — S'allonger. Porter une botte. Temps et Contretemps. Appuyer la botte. — Pointer. Bourrer. Couper. Parer. Ferrailler. — S'effacer. Marcher. Courir. Passer. Rompre. Volter. S'écraser. — Rabattre. Désarmer. S'enferrer.

## ESPAGNE

**Vie publique.** — Espagnol. Madrilène. Catalan. Castillan. Aragonais. Basque. Andalou. Valencien. Galicien. Mozarabe. — Majestés catholiques (rois). Infants. — Grands d'Espagne. Hidalgo. Camarera. Camarilla. — Cortès. Junte. Ayuntamiento. Fueros. Pronunciamiento. — République espagnole. — Alcade. Alguazil. Corrégidor. — Garde civique. Miquelet.

**Couleur locale.** — Escurial. Alcazar. Alhambra. Généralife. Le Prado. La Giralda. — *Danses espagnoles :* Fandango. Flamenco. Cachucha. Boléro. Séguedille. — *Costumes :* Alpargates. Châle. Mantille. Boléro. Basquine. — Corrida de toros. Toréador. Espada. Picador. — Gitanes. Guitare. Castagnettes. —

Patio. Brasero. Alcarazas. — Romancero. Gongorisme. Genre picaresque. — Guérilla. Armada. Galion. — Sierra.

## ESPÈCE
(latin, *genus*)

**Catégorie.** — Ordre. Sous-ordre. — Genre. Sous-genre. Générique. — Espèce. Branche. Catégorie. Variété. Division. Subdivision. Section. — Classe, classer, classement. Classifier, classification. Déclasser, déclassement. — Règnes de la nature, animal, végétal, minéral. — Sexes. — Taxologie. Taxonomie.

**Groupement particulier.** — Espèce. Spécial. Spécialité. Spécialiser. — Spécifier, spécification. — Parenté, parent. Famille. Race. Tribu. Gent. Engeance. — Congénère. Compatriote. Coreligionnaire. — Essence d'arbres.

**Nature.** — Espèce. Sorte. — Type. Caractère. — Qualité. Manière d'être. — Aspect. Face. Point de vue. — Dégénérer, dégénérescence. — Croiser, croisement. Hybridation, hybride. Métissage, métis. — De même calibre, étoffe, goût, pâte, fabrique, farine, trempe.

## ESPÉRER

**Concevoir l'avenir.** — Concevoir des espérances. — Attendre, attente. Expectative, expectatif, expectant. — S'attendre à. Compter que. Avoir en perspective. Perspective d'avenir. — Prévoir, prévision, prévoyance. — Avoir la persuasion. Etre persuadé. Croire. Conviction intime. — Prétendre, prétention. Désirer, désir.

**Avoir confiance dans l'avenir.** — Espérer, espoir, espérance. Nourrir l'espoir. — Renaître à l'espoir. Reprendre courage. — Avoir confiance, confiant. Etre assuré, assurance. — Escompter l'avenir. Se flatter de. Se promettre. — S'imaginer. Se bercer de. Rêver, rêve. Se repaître de chimères. Se faire des illusions. Vain espoir.

## ESPION

**Agent secret.** — Espion, espionner, espionnage. — Mouchard, moucharder. Mouche. Mouton. — Inquisiteur, inquisition, inquisitorial. — Sœur écoute. — Cafard, cafarder, cafardise. — Faux frère. Vendre ses amis, ses frères. — Traître, trahison, trahir.

ESPOLIN, m. **V.** *bobine.*

**Esprit**, m. **V.** *intelligence, pensée, nature, élégance, chimie, fantôme, spirituel.*

ESQUIF, m. **V.** *bateau.*

ESQUILLE, f. **V.** *blessure.*

ESQUINANCIE, f. **V.** *gorge.*

ESQUISSE, f. Esquisser. **V.** *projet, commencer, dessin, description, imparfait.*

ESQUIVER. **V.** *éviter, partir.*

**Essai**, m. **V.** *entreprendre, imparfait, vérifier.*

ESSAIM, m. Essaimer. **V.** *troupe, miel.*

ESSANGER. **V.** *laver.*

ESSART, m. **V.** *inculte.*

ESSAYER. **V.** *essai, chercher, tailleur.*

ESSELIER, m. **V.** *charpente.*

ESSENCE, f. **V.** *exister, état, constituer, quintessence,*

espèce, liqueur, subtil.

ESSÉNIEN, m. **V.** *Juif.*

ESSENTIEL. **V.** *essence, pur.*

ESSEULÉ. **V.** *seul.*

ESSIEU, m. **V.** *voiture, axe.*

ESSOR, m. **V.** *voler, mouvement, oiseau.*

ESSORER. **V.** *sec.*

ESSOREUSE, f. **V.** *blanchir.*

ESSORILLER. **V.** *oreille, couper.*

ESSOUFFLEMENT, m. Essouffler. **V.** *respiration, fatigue.*

ESSUIE-MAIN, m. **V.** *linge.*

ESSUYER. **V.** *frotter, nettoyer, poussière, supporter.*

EST, m. **V.** *orient.*

ESTACADE, f. **V.** *pieu, clôture.*

ESTAFETTE, f. **V.** *mission.*

ESTAFIER, m. **V.** *domestique.*

ESTAFILADE, f. **V.** *plaie.*

ESTAMINET, m. **V.** *auberge, café.*

ESTAMPE, f. **V.** *gravure, image.*

ESTAMPER. **V.** *marque, orfèvre.*

ESTAMPILLE, f. Estampiller. **V.** *sceau.*

ESTER. **V.** *procédure, apparaître.*

ESTHÉTIQUE, f. **V.** *beau, art, philosophie, littérature.*

ESTIMABLE. **V.** *estime.*

ESTIMATION, f. **V.** *prix, arbitre.*

**Estime**, f. **V.** *aimer, confiance, respect, honneur.*

ESTIMER. **V.** *estime, opinion, juger.*

ESTIVAL. Estivant. **V.** *saison.*

ESTOC, m. **V.** *épée, pointe.*

ESTOCADE, f. **V.** *battre.*

---

Limier de police. Inspecteur de police. Détective. — Filer, filature. S'attacher aux pas.

**Information.** — Enquêteur, enquête, enquêter. Rapporteur, rapport, rapporter. Recherche, rechercher. — Observateur, observation, observer. Inspecteur, inspection, inspecter. Surveillant, surveillance, surveiller. — Guetteur, guet, guetter. Epieur, épier. Eclaireur, éclairer. — Délateur, délation. Dénonciateur, dénonciation. Sycophante.

## ESPRIT
(latin, *mens ;* grec, *psyché*)

**Ame.** — Substance incorporelle, immatérielle, immortelle. — Nature psychique, suprasensible, spirituelle. — Emanation divine. Entéléchie. — Etre simple, inétendu, invisible, impalpable. — Principe vital. Pénétration de l'âme et du corps.

**Doctrines sur l'âme.** — Psychologie, psychologique. Spiritualisme, spiritualiste. Matérialisme, matérialiste. Evolutionnisme, évolutionniste. Métaphysique, métaphysicien. Animisme. — Morale, moraliste. — Immortalité de l'âme. — Métempsycose. Migration des âmes. Spiritisme, spirite.

**Facultés mentales.** — La PENSÉE. INTELLIGENCE. Entendement. RAISON. Jugement. CONSCIENCE. Sentiments. Cœur. VOLONTÉ. CARACTÈRE. Instinct. Goût. — IMAGINATION. MÉMOIRE. — Génie. Talent. Idées. Pensées.

**Dispositions de l'esprit.** — Elévation. Profondeur. Magnanimité. Idéalisme. Pénétration. Perspicacité. Réflexion. Force. Délicatesse. Distinction. Vivacité. Finesse, etc. Esprit supérieur. Affiné. Primesautier. Sérieux. Précis. Positif. Absolu. Net. Simple. Bas. Vil. Vulgaire. Lourd. Obtus, etc.

**Etres imaginaires.** — Esprits. Ames en peine. Ames des morts. Mânes. Revenants. Esprits frappeurs — Psychagogie. Evocation. Médium.

Démons. Dévas. Eons. — Elfe. Farfadet. Génie. Esprit follet. Drac. Lutin. Troll.

Gnome. Kobold. — Fée. Péri. Sylphide. Ondine. Valkyrie. Houri. — Esprits des éléments.

## ESSAI

**Epreuve en général.** — Expérience, expérimentale. Expérience *in anima vili.* Expérimenter, expérimentation, expérimentateur. — Essai, essayer, essayeur. — Prendre à l'essai. Eprouver. Tâter. Sonder. — EXAMEN, examiner. — Déguster, dégustation, dégustateur. Goûter, goût, avant-goût. — Vérifier, vérification. Test. Critérium. — Jugement de Dieu. Ordalie (épreuve judiciaire).

Temps d'épreuve. Stage. Noviciat. Apprentissage.

**Epreuve des métaux.** — Voie sèche. Voie humide. — Chalumeau. Flamme. — Fonderie. Coupelle. Creuset. Filière. — Docimasie (essai de minerai). Prise d'essai. Lotissage. — Essai d'or et d'argent. Goutte. Bouton. Aiguille d'essai. Pierre de touche. — Bureau de garantie.

**Tentative.** — Essai, essayer. Tentative, tenter. — Ebauche. Esquisse. — Tâtonner, tâtonnement. Ballon d'essai. — Entreprendre, entreprise. Tâter de. S'efforcer de. — Tenter l'aventure. Risquer.

## ESTIME

**Estime qu'on éprouve.** — Estimer. Faire cas, grand cas. Apprécier. — Priser. Coter haut. Attacher du prix à. — Faire état de. Tenir compte de. Attacher de l'importance. — S'intéresser à. Remarquer quelqu'un. Opinion favorable. — Tenir à. Ne pas dédaigner. — Avoir confiance dans. Avoir une haute idée de.

**Estime qu'on inspire.** — Inspirer la CONFIANCE. Etre estimé, considéré. Avoir du crédit. — Etre estimable, recommandable, appréciable. — Etre à côté. Avoir la cote. Etre comme il faut. — Honorable, honneur. Honnête, honnêteté. Méritant, mérite. Respectable, respectabilité.

Estomac, m. V. digestion, poitrine, enclume.
ESTOMAQUÉ. V. fâché.
ESTOMPE, f. Estomper. V. dessin, pastel.
ESTOURBIR. V. battre.
ESTRADE, f. V. échafaud.
ESTRAGON, m. V. salade.
ESTRAMAÇON, m. V. épée.
ESTRAPADE, f. V. punition, cheval.
ESTROPE, f. V. poulie.
ESTROPIAT, m. Estropié. V. difforme, aumône.
ESTROPIER. V. mutiler.
ESTUAIRE, m. V. mer, rivage, rivière.
ESTURGEON, m. V. poisson.
Etable, f. V. bestiaux, berger.

ETABLI, m. V. menuisier.
ETABLIR. Etablissement, m. V. bâtir, constituer, faire, colonie, profession, mariage, commerce, habiter.
ETAGE, m. V. architecture, haut, géologie.
ETAGER. V. degré.
ETAGÈRE, f. V. meuble, brique.
ETAI, m. V. soutenir, maçon, corde.
Etain, m. V. métal.
ETAL, m. V. marché, boucherie.
ETALAGE, m. Etaler. V. offre, marchandises, boutique, montrer, étendre, briller.
ETALAGISTE, m. V. boutique.
ETALE. V. mer.

ETALIER, m. V. boucherie.
ETALINGUER. V. corde, ancre.
ETALON, m. V. mâle, cheval, génération, modèle.
ETAMAGE, m. V. étain, cuivre.
ETAMBOT, m. V. bateau.
ETAMINE, f. V. fleur, sexe, étoffe.
ETAMPER. V. percer, vin.
ETANCHE. Etancher. V. sec, arrêt, fermer.
ETANÇON, m. V. charpente, charrue.
ETANÇONNER. V. soutenir.
Etang, m. V. eau.
ETAPE, f. V. distance, voyage, arrêt, soldat.
ETAPLIAU, m. V. ardoise.
ETARQUER. V. voile.

---

**Action d'honorer.** — Témoigner de l'estime. Marques d'estime. Considérer, considération. — Distinguer, distinction. Rendre HONNEUR. Honorer. Décoration. Récompense publique. — Avoir des égards. Déférence, déférent. Rendre hommage. Respecter, respect. — RÉPUTATION. Renommée. VOGUE. Réhabilitation.

## ESTOMAC

**L'estomac.** — Petite courbure. Grande courbure. — Œsophage. Cardia. Pylore. — Pancréas. Duodénum. — Membranes, séreuse, musculeuse, celluleuse, muqueuse. — Glandes. Follicules. Sécrétions. Pepsine. Suc pancréatique. Chyme. — Creux de l'estomac. Epigastre. Nerf pneumogastrique. Contraction péristaltique, antipéristaltique.

Estomac des ruminants : Panse. Feuillet. Bonnet. Caillette.

Estomac des oiseaux : Gésier. Jabot. Ventricule. Mulette.

**Maux d'estomac.** — Indigestion. Dyspepsie. Gastrite. Gastralgie. Dilatation. Aérophagie. Crudités. Aigreurs. Tiraillements. Hoquet. Pyrosis. Estomac paresseux. Mal au cœur. Nausée. Gastro-entérite. Ulcère. Cancer.

**Qui a trait à l'estomac.** — DIGESTION, digérer, digestible, indigeste. — Stomacal. Stomachique. — Gastrologie. Gastronomie, gastronome. Gastrolâtre. — Avoir de l'estomac. S'estomaquer.

## ÉTABLE
(latin, stabulum)

**Sortes d'étables.** — Ecurie. — Etable. Etable simple. Etable double. — Bouverie. Vacherie. — Bergerie. Bercail. — Porcherie. Toit à porcs. Soue.

**Disposition intérieure.** — Mangeoire. Crèche. Râtelier. Barreaux. — Auge. Barbotoire. Abreuvoir. — Stalle. Séparation. Bat-flanc. — Couloir d'alimentation. Passage. Rigole.

**Tenue de l'étable.** — Palefrenier. Valet d'écurie. Vacher. Berger. — Etabler, établage. Stabulation. — Grenier à foin. Abat-foin. FOURRAGE. — Litière. Fumier. — Panser. Soigner. Nourrir. Gaver.

## ÉTAIN

**Le métal.** — Minerai stannifère. Cassitérides. — Etain. En brique. En saumon. En appeau (feuilles roulées). En grains. En larmes. En lames. Papier d'étain.

Alliages. Aloyage. Tain. Tintenague. Potosse. Bronze. Claire-soudure. Basse étoffe. Etoffure. Oxyde, acide stannique. Stannate.

**Poterie d'étain.** — Pot. Cuiller. Plat. Menuiserie. — Bâte (plaque d'étain). Belouze (pièce sur tour). — Outillage : Tour. Crochet. Empreinte. Plane. Moule. — Défauts : Grumelure. Retirure. — Rannir (vernisser). Aviver.

**Etamage.** — Décaper, décapage. — Etamer, étamage. Paillonner. — Etameur. Drouineur. Ferblantier. — Poêle. Eprouvette. Paroir. — Cuivre étamé. Fer-blanc. Fer galvanisé. Moiré.

## ÉTANG
(latin, stagnum)

**Les étangs.** — Etang. Eau stagnante. Chaîne d'étangs. — Lac. Bassin lacustre. — Lagon. Lagune. Etang maritime. — Chott. Sebkha. Mare. Eau dormante.

Routoir (à rouir). — Réservoir. Piscine.

Assec, assécher, assèchement. — Dessécher. — Curer, curage.

**Structure.** — Bief. — Chaussée. — Décharge. Déversoir. Epanchoir. — Queue. — Ecrille (grille). Cage. — Vanne. Empellement. Pale. Bonde. — Pêcherie ou Poêle.

**Pisciculture.** — Vivier. Etang de pose. Etang de mise. Carpière. Forcière. Alevinier. — Empoissonner, empoissonnement. — Nourrain. Alevin, aleviner, alevinage.

**Etat,** m. V. *exister, manière, forme, compte, descrip- tion, santé, pays, société, politique.*

**Etatisme,** m. V. *politique.*

**Etat-major,** m. V. *armée.*

**Etau,** m. V. *presser.*

**Etayer.** V. *mur, soutenir.*

**Eté,** m. V. *saison, chaleur.*

**Eteignoir,** m. V. *éteindre, chandelle.*

**Eteindre.** V. *annuler, ces- ser, disparaître, chaux, feu.*

**Etendage,** m. V. *étendre, sec.*

**Etendard,** m. V. *drapeau, cavalerie.*

**Etenderie,** f. Etendoir, m. V. *sec.*

**Etendre.** V. *long, tendre, augmenter, couche, mé- lange, blanchir.*

---

## ÉTAT

**Manière d'être.** — Bon ou mauvais état. Qualité. Modalité. Mode. — Existence. Réa- lité. — Caractère. Disposition. Diathèse. — Constitution. Contexture. Conformation. — Tempérament. Complexion. Habitude. — Es- sence. Fond. Forme.

Se comporter, comportement. — Tel quel. Homogène. Hétérogène. — Etat de nature. Dénaturé. Dégénéré.

Statut juridique. Etat des personnes. Pos- session d'état. Réclamation d'état. Etat-civil.

Etat de lieux. Etat de siège. Etat gazeux, liquide, etc.

**Situation.** — Assiette. Ordre. Arrange- ment. — Choses en état. Cours des choses. — *Statu quo.* Circonstances. Conjoncture.

Etat d'âme. Etat heureux ou malheureux. — Sort. Destin. Destinée. — Condition. Pro- fession. Occupation. — Genre de vie. Fortune. Classe sociale. — Etre sur un bon, un mau- vais pied. Etre en mesure de.

**Liste descriptive.** — Etat descriptif, détaillé. Etat nominatif et signalétique, si- gnalement. Etat déclaratif, déclaration. Etat des lieux. — Etats de service. — Dresser un état.

Dénombrement. Enumération. Nécrologe. Canon des saints — Bordereau. Lettre de voiture. Connaissement. Feuille d'impôt. Fac- ture. — Inventaire. Bilan. Contrôles. — Table des matières. Index. Errata. — Pro- gramme. Prospectus. Pancarte. — Carte de restaurant. Menu. — Tarif. Mercuriale. Devis.

**Ecrit documentaire.** — Catalogue. Ré- pertoire. Tableau. Tableau synoptique. — Registre d'état civil. Rôle de contributions. Matricule, immatriculer. Bulletin officiel. — Budget. Livre de comptes. Cahier des char- ges. — Cadastre. Cens. Recensement. — Sta- tistique. Nomenclature. — Exposé. Relevé. Mémoire. Compte rendu. Rapport. Résumé. — Procès-verbal. Notice. NOTE. — Police d'assurances.

**Gouvernement.** — Nation. Etat simple, composé. — Union personnelle, réelle. — Con- fédération d'Etats. — Etat fédéral. — Etat souverain, protégé, vassal. — Monarchie. République. Aristocratie. Ploutocratie. Démo- cratie. — Grandes puissances. Etat secondaire. — Conseil d'Etat. Etat-major.

## ÉTAU

**Etaux.** — Etau de menuisier. Etau d'ébé- niste. Etau de bijoutier. — Etau paral- lèle. Etau à chanfrein. Etau à main. Etau à vis. Etau à pied. — Ane. Bidet. Mordache. Serrer. PRESSER.

**Pièces.** — Billot. Branches. Clef. Griffes. Mâchoires. Mors. Pied. Ressort. Vis.

## ÉTEINDRE
(latin, *extinguere*)

**Supprimer le feu.** — Eteindre, extinc- tion. Extincteur. Grenade extinctive. Etei- gnoir. — Extinguible, inextinguible. — Détiser le feu. Désenflammer. — Etouffer le feu, étouffoir. — Souffler la chandelle. Fer- mer le gaz, l'électricité.

**Faire disparaître.** — Anéantir. DÉTRUIRE. — ANNULER. Amortir. Eteindre une dette. — Apaiser. Calmer. Eteindre la soif. — Etein- dre l'éclat. Ternir.

S'éteindre. DIMINUER. Languir. Mourir. DIS- PARAÎTRE. Finir. CESSER.

## ÉTENDRE

**En largeur.** — Déplier. Déployer, déploie- ment. — Déplisser. Détordre. Déferler la voile. — Elargir, élargissement. Développer, développement. — Etendre les ailes. Eployer. Envergure. — Etendre du linge, étendoir, étendage, étenderie. — Ecarter, écartement. Expliquer, explication. Explicite.

**En longueur.** — Etendre, extension, extensif, extenseur. — Allonger. Prolonges. — Tendre, tension. Tirer. Etirer, étirage. Ductilité, ductile. — Dérouler. Détirer. Don- ner *in extenso.* — Se coucher. Se vautrer. Pandiculation. — Chevalet. Lit de Procuste. — Rangée. File.

**En volume.** — AUGMENTER. Accroître. Grossir. Exagérer. — Distendre, distension. Gonfler. Diastole. Anévrisme. — Elasticité, élastique. — Dilater, dilatation, dilatable. Ins- trument dilatatoire. — Délayer, délayage. Diluer, dilution.

S'épanouir. Se ramifier, ramification. — Fermenter. Gonfler. Lever.

**En surface.** — COUCHER, couche. Etaler, étalage. — Revêtir. Badigeonner. Enduire. Peindre. Bitumer. — Disperser. Parsemer. Disséminer. RÉPANDRE. Epandre, épandage. Gagner du terrain. Empiéter, empiétement. — S'agrandir. Se répandre. S'épancher. S'épan- dre, expansible.

**Autour de soi.** — Rayonner, rayonne- ment. Irradier, irradiation. — Communiquer, communication. Transmettre, transmission. — Contagion. Epidémie. — Expansion. Diffu- sion. — Propager, propagation, propagateur. Propagande. Réclame.

**Etendue,** f. V. *géométrie, quantité, mesure, limite.*
ETERNEL, m. V. *Dieu.*
ETERNEL. Eterniser. V. *temps, continuer, même, long.*
ETERNITÉ, f. V. *vie, futur, continuer.*
ETERNUER. Eternuement, m. V. *nez, rhume.*
ETÉSIEN. V. *vent.*
ETÊTER. V. *tête, couper, casser.*
ETEUF, m. V. *boule*
ETEULE, f. V. *tige.*
ETHER, m. Ethéré. V. *ciel, pur, quintessence.*

ETHIQUE, f. V. *mœurs, philosophie.*
ETHNIQUE. V. *pays, peuple.*
ETHNOGRAPHIE, f. V. *géographie.*
ETIAGE, m. V. *rivière.*
ETINCELANT. Etinceler. V. *briller, lumière, regard, éblouir.*
ETINCELLE, f. V. *feu.*
ETIOLER (s'). V. *plante, longueur.*
ETIOLOGIE, f. V. *cause.*
ETIQUE. V. *maigre.*
ETIQUETER. V. *note, marque.*
ETIQUETTE, f. V. *marque, ins-*

*cription, marchandises, règle, cérémonie.*
ETIRAGE, m. Etirer. V. *étendre, tirer, fonderie, tréfilerie.*
ETISIE, f. V. *maigre.*
**Etoffe,** f. V. *tissu, acier, matière.*
ETOFFER. V. *étoffe, garnir.*
**Etoile,** f. V. *astre, ciel, chemin, théâtre, danse, cheval.*
ETOILÉ. V. *étoile.*
ETOLE, f. V. *prêtre.*
ETONNANT. V. *extraordinaire, beau.*

---

## ÉTENDUE

**Surface.** — Etendue superficielle. Aire. — Espace. Espacement. — LIEU. Place. Emplacement. Terrain. — Carrière. Champ. Plaine. — Plan. Nappe.

**Contenance.** — Circonférence. Tour. Circuit. — Capacité. — Format. — Circonscription. Juridiction. Région. — Enceinte. Cadre. LIMITE. Marge. — Superficie. Are. Hectare.

**Développement.** — Dimension. Grandeur. Hauteur. Largeur. Longueur. Profondeur. — Volume. — MESURE. — DISTANCE. — Immensité. Infini.

## ÉTOFFE

**Commerce des étoffes.** — Nouveautés. Chiffons. — Rayon. Comptoir. — Etiqueter, étiquette. Billeter. — Plier. Déplier. Chiffonner. Etoffer. — Auner. Mesurer. Métrer.

Pièce d'étoffe. Chef (tête de pièce). Manteau (bout). Chaîne. Trame. Lisière. Cordeau. Entre-bande. Liteau. — Endroit. Envers. — Corps. Lustre. Souplesse. Œil. Grain. — Tissu ras, velu, velouté, uni, écru, pelucheux, cotonneux. — Coupon. Laize ou Lé. Echantillon. — Marque de fabrique. Estampille. Plomb. — Défauts. Clairure. Flambure. Eraillure. Douillage.

**Disposition des étoffes.** — Raies. Rayures. Ramages. Carreaux. Quadrillage. — Damassure. Gaufrure. Chinure. Ondes. — A pois. A fleurs. A côtes. — Broché. Piqué. Moiré. Pointillé. Vergé.

**Travail des étoffes.** — Apprêter. Dégraisser. Teindre. Biser (reteindre). — Fouler. Feutrer. Catir. Décatir. Calandrer. Bruir (passer à la vapeur). Glacer. Gommer. — Friser. Gaufrer. Lustrer. Onder. Crêper. — Imprimer. Brillanter (d'or ou d'argent). Brocher. Damasser. Chiner. Ciseler. Satiner. Moirer. Tabiser. Velouter. — Entoiler. Plier. Corroyer (rouler). — Effiler. Effilocher. Egratigner.

**Soieries.** — Armure. Batik. Bourre de soie. Brocart. Brocatelle. Corah. Crêpe. Crêpon. Damas. Etamine. Faille. Florence. Foulard. Gaze. Gros grain. Lampas. Moire. Panne. Peau de soie. Pékin. Peluche. Pongé. Pope-

line. Pou-de-soie. Satin. Shantung. Tabis. Taffetas. Toile de soie. Tussor. Velours, ciselé, frappé, épinglé, frisé, d'Utrecht, de Gênes, etc. Voile. Lamé.

**Lainages.** — Alpaga. Bourre de laine. Bure. Bureau. Cachemire. Cuir de laine. Diagonale. Drap. Droguet. Gabardine. Jersey. Mérinos. Molleton. Moquette. Peigné. Ratine. Reps. Sayette. Serge. Tartan. Thibaude. Tricot.

**Cotonnades.** — Basin. Calicot. Coutil. Cretonne. Finette. Futaine. Guingan. Indienne. Jaconas. Madapolam. Nansouk. Organdi. Oxford. Percale. Percaline. Perse. Pilou. Piqué. Rouenneries. Satinette. Shirting. Tarlatane. Tissu éponge. Velours anglais.

**Toiles.** — Batiste. Bougran. Canevas. Linon. Mayenne. Prélart. Serpillière. Toile à voile. Toile de lin. Treillis.

**Fils divers.** — Tissu de jute, de ramie, de raphia, d'aloès. — Tissu de crin, de poil de chèvre, de poil de chameau. — Rapatelle (de crin). — Linoléum.

## ÉTOILE
(latin, *stella*; grec, *aster*)

**Sortes d'astres.** — Constellations australes, boréales. Zodiaque. Voie lactée ou Galaxie. — Corps célestes. Feux du firmament. Astre. Etoile. Planète. Comète. Satellite. — Etoile simple, double. Etoile fixe, changeante. — Etoile de première, de deuxième, de troisième grandeur. — Etoiles circompolaires, errantes, filantes. Sporades. — Etoiles informes, luisantes, nébuleuses. Etoiles télescopiques. — Etoiles géantes. Etoiles naines. — Novæ (étoiles nouvelles).

**Mouvement.** — Aberration. Nutation ou Déviation (faible mouvement annuel). Lever. Coucher. Mouvement diurne. Déplacement. Passage. Culmination.

**Disposition.** — Planisphère ou Carte des étoiles. Les hémisphères. — Système d'étoiles. — Tête et Queue d'une constellation. — Noyau, chevelure et queue d'une comète. — Astérisme (groupe d'étoiles). — Désignations. Alpha. Bêta. Gamma, etc. — Position. Coordonnées. Ascension droite. Déclinaison. Appulse (proximité de la lune).

ETONNÉ. V. *trouble, regard.*

**Etonnement,** m. V. *embarras, mystère.*

ETOUFFEMENT, m. Etouffer. V. *respiration, souffrir, chaleur, sourd, cuisine.*

ETOUFFOIR, m. V. *charbon.*

ETOUPE, f. V. *chanvre.*

ETOUPER. V. *calfat.*

ETOUPILLE, f. V. *artillerie, pyrotechnie.*

ETOURDERIE, f. V. *irréflexion, caprice, oubli, maladresse.*

ETOURDIR. Etourdissement, m. V. *engourdi, trouble, insensible, vertige.*

ETOURNEAU, m. V. *oiseau, sot.*

ETRANGE. V. *bizarre, extraordinaire.*

**Etranger.** V. *pays, voyage, différent, indifférent.*

ETRANGETÉ, f. V. *bizarre.*

ETRANGLEMENT, m. V. *étroit.*

ETRANGLER. V. *cou, gorge, presser.*

ETRAQUER. V. *suite.*

ETRAVE, f. V. *bateau.*

ETRE, m. V. *vie, personne, métaphysique.*

ETRE. V. *exister, présent, possession.*

ETRÉCIR. V. *étroit, diminuer.*

ETREINDRE. Etreinte, f. V. *prendre, presser, caresse.*

ETRENNE, f. Etrenner. V. *commencer, don.*

ETRÉPER. V. *sarcler.*

ETRES, m. p. V. *lieu, maison.*

ETRÉSILLON, m. V. *charpente.*

ETRESSE, f. V. *épingle.*

ETRIER, m. V. *selle, bandage.*

ETRILLE, f. V. *râteau.*

ETRILLER. V. *frotter, battre.*

ETRIPER. V. *ventre, arracher, poisson.*

ETRIQUÉ. V. *étroit, habillement, petit.*

ETRIVIÈRE, f. V. *courroie, fouet.*

---

### Relatif aux étoiles. — Astral. Sidéral.

Stellaire. Interstellaire. — Planétaire. — Zodiacal.

Spectre stellaire. — Connaissance des temps. — Jour stellaire.

Etoilé. Constellé. — Etinceler, étincelant. — Scintiller, scintillant. — Sidéromancie. — Astérisque. — Astéroïde (fleur en étoile).

### Nomenclature. — *Signes du Zodiaque.*

Bélier. Taureau. Gémeaux. Cancer. Lion. Vierge. Balance. Scorpion. Sagittaire. Capricorne. Verseau. Poissons.

*Principales constellations.* — Aigle. Andromède. Couronne boréale. Bouvier. Cancer. Cassiopée. Grand Chien. Petit Chien. Cocher. Cygne. Dauphin. Dragon. Gémeaux. Hercule. Lion. Lyre. Grande Ourse. Petite Ourse. Orion. Persée. Poisson austral. Sagittaire. Scorpion. Vierge.

*Principales étoiles.* — Akharnar. Alcor. Aldébaran. Algol. Altaïr. Antarès. Arcturus. Bételgeuse. Canope. Capella. Castor. Chèvre. Deneb. Fomalhaut. L'Epi. Mizar. Polaire. Pollux. Procyon. Régulus. Rigel. Sirius. Véga.

*Principales planètes.* — Mercure. Vénus. Mars. Jupiter. Saturne. Uranus. Neptune. Pluton. Terre. — Lune (satellite).

*Principales comètes.* — Comètes de Halley, de Biela, de Brooks.

### ÉTONNEMENT

**Surprise.** — Etonnement, étonné. — S'écrier. S'exclamer, exclamation. — Tressaillir, tressaillement. Sursauter, sursaut. Soubresaut. Haut-le-corps. — Etre surpris. Tomber de son haut. Tomber des nues.

Etonnant. Bizarre. Etrange. Singulier. Imprévu. Inattendu. Inopiné. Inouï. Inespéré. Surprenant. Insolite.

Etonner. Surprendre. Prendre au dépourvu. Dépayser. — Coup de théâtre. Surprise.

**Saisissement.** — Saisir, saisissant. Ravir, ravissement. Eblouir, éblouissement. Fasciner, fascination. En imposer, imposant. — Emerveiller, émerveillement. Ebahir, ébahissement. Epater, épatement. — Faire événement. Faire sensation. Piquer la curiosité. Intriguer. — Merveille. Miracle. Prodige. MYSTÈRE.

S'étonner. S'émerveiller. Admirer, admiration, admirateur. — Contempler, contemplation. Extase. Etat extatique.

Fabuleux. Incroyable. EXTRAORDINAIRE. Inconcevable. Incompréhensible. Inimaginable. Mystérieux. Merveilleux. Prodigieux. Magique. Mirifique. Mirobolant.

**Etat de trouble.** — Etourdir, étourdissement, étourdissant. Ahurir, ahurissement, ahurissant. Abasourdir, abasourdi. — Hébéter, hébétement. Stupéfier, stupéfaction, stupéfait. Stupeur. Stupide. — Interloquer, interloqué. Dérouter. Embarrasser. Décontenancer. — Troubler, TROUBLE, troublant. Frapper, frappant. Impressionner, impressionnant. Effrayer, frayeur, effroi. — Anéantir, anéantissement. Pétrifier, pétrifiant. Consterner, consternation. — Confondre, confusion. Ebouriffer. — Coup de foudre. Effet foudroyant.

Rester bouche bée. Rester interdit, pantois, sot. Recevoir un coup. Ne plus s'y reconnaître.

**Expression de l'étonnement.** — Ah! Bah! Bon! Bon Dieu! Ciel! Dame! Diable! Diantre! Eh! Ha! Heu! Dieux! Malepeste! Oh! Ouais! Quoi! En vérité! Peste! Miséricorde! — Est-il possible? Je n'en reviens pas. Les bras m'en tombent. J'en suis bleu. Cela me surpasse, etc.

### ÉTRANGER

**Personnes étrangères.** — Etranger. Hors venu. Métèque. Aubain. — Immigrant. Immigré. Naturalisé. — Banni. Exilé. Réfugié. — Emigrant. Emigré. — Colon. Créole. — Voyageur. Touriste. Visiteur. Pèlerin.

**Relations avec l'étranger.** — Relations extérieures. Droit des gens. Droit international privé et public. Exterritorialité. Immunité diplomatique. Traités. Pactes. Congrès. Extradition. — Exporter, exportation. Importer, importation. Provenance étrangère. — Expatrier, expatriation. Transplanter, transplantation. Coloniser, colonisation. — Exiler. BANNIR. — Emigrer, émigration. Immigrer. — Naturaliser, naturalisation. Permis de séjour. — Carte d'identité. Immatriculation. — Migration. VOYAGES. Tourisme. Passeport.

**Etroit.** V. *contraction, angle, mince.*

ETRONÇONNER. V. *tronc.*

ETUDE, f. V. *science, école, attention, mémoire, bureau.*

ETUDIANT, m. V. *université, instruction, jeune.*

ETUDIER. V. *science, examen, affectation.*

ETUI, m. V. *boîte, fourreau.*

ETUVE, f. V. *chaleur, bain.*

ETUVÉE, f. V. *mets.*

ETYMOLOGIE, f. Etymologique. V. *mot, origine, grammaire.*

**Eucharistie,** f. V. *sacrement.*

EUCHARISTIQUE. V. *eucharistie.*

EUCOLOGE, m. V. *liturgie.*

EUDIOMÈTRE, m. V. *air.*

EUDISTE, m. V. *moine.*

EUGÉNÉSIE, f. V. *génération.*

EULOGIE, f. V. *bénir.*

EUNUQUE, m. V. *sexe, stérile.*

EUPEPSIE, f. V. *digestion.*

EUPHÉMISME, m. V. *doux, modération.*

EUPHONIE, f. Euphonique. V. *doux, son, grammaire.*

EUPHORBE, f. V. *plante.*

EUPHUÏSME, m. V. *affectation.*

EURUS, m. V. *vent.*

EURYTHMIE, f. V. *rythme, accord.*

EUTERPE, f. V. *muse.*

EUTHANASIE, f. V. *mort.*

EUTHYMIE, f. V. *calme.*

EVACUATION, f. Evacuer. V. *sortir, abandon, pur, intestin.*

EVADER (s'). V. *sortir, libre.*

EVALUATION, f. Evaluer. V. *juger, prix.*

EVANGÉLIQUE. Evangéliste, m. V. *religion, apôtre, protestant.*

EVANGÉLISER. V. *prêcher.*

EVANGILE, m. V. *Christ, apôtre, messe, Bible, liturgie, église.*

EVANOUIR (s'). V. *disparaître.*

EVANOUISSEMENT, m. V. *insensible.*

EVAPORATION, f. Evaporer. V. *vapeur, chimie, disparaître.*

EVASÉ. Evasement, m. V. *vase, ouvert, large.*

EVASIF. V. *indirect.*

EVASION, f. V. *prison, fuite, sortir.*

EVÊCHÉ, m. V. *évêque.*

EVEIL, m. V. *réveil, veiller.*

EVEILLÉ. V. *veiller, vif.*

EVEILLE (s'). V. *réveil, sommeil.*

**Evénement,** m. V. *action, effet, circonstance, nouvelle.*

---

**Etat moral.** — Cosmopolitisme, cosmopolite. Internationalisme, international. — Exotisme. exotique. — Nostalgie, nostalgique. — Hospitalité, hospitalier. — Extranéité. Pérégrinité. — Xénophobe, xénophobie. Chauvin, chauvinisme.

Composés en *phile :* Francophile, etc.

Composés en *mane :* Anglomane, etc.

Composés en *phobe :* Germanophobe, etc.

### ÉTROIT

**Etat resserré.** — Etroit. Estrac (cheval). Etréci. Rétréci. — Juste. Serré. Etriqué. Collant. — Linéaire. Effilé. Fin. Capillaire. — Menu. Amenuisé. MINCE. Aminci. — Aigu. Etranglé. Peu large. — Resserré. Restreint. Mesquin.

**Action de resserrer.** — Serrer, serrement. Resserrer, resserrement. Arctation. Coarctation. — Contracter, contraction. Constriction. Astriction. Restreindre, restriction. — Etrécir, étrécissement. Rétrécir, rétrécissement. Amincir, amincissement. — Brider. Etrangler, étranglement. Strangulation. — Constiper, constipation. Astringence, astringent.

**Passages étroits.** — Détroit. Bosphore. Bouque. La Manche. — Canal. Chenal. Pertuis. — Goulet. Goulot. Bouche. Embouchure. — Défilé. Boyau. Gorge. — Passage. Pas. Passe. Col. Ruelle. Venelle. Sente. — Langue de terre. Isthme.

**Objets étroits.** — Aiguille. Angle. Bande. Coin. Cordelette. Cou. Courroie. Fil. Languette. Lanière. RUBAN. Tuyau, etc.

Angustirostre (à bec étroit). Sténoptère (à aile étroite).

### EUCHARISTIE

**L'institution.** — Le Cénacle. La Cène. — Eucharistie, eucharistique. Les espèces. Corps et sang du Christ. Agneau pascal. — Pré-

sence réelle. Concomitance. Coexistence. Consubstantiation. Transsubstantiation. — Sacrement de l'autel. Saints mystères. — La PÂQUE. Le Saint Graal. Le Sacro Catino. — Les Pâques.

**La communion.** — Tabernacle. — Calice. Ciboire. Coupe. — Custode. Pale. Volet. Voile. Patène. — Hostie. Pain à chanter. Pain des anges. Pain azyme. — Consacrer le pain et le vin. Consécration. Elévation. Fraction du pain.

Faire ses dévotions. Faire ses pâques. Recevoir les sacrements. Communier, communiant, communion. Communion spirituelle. Communion indigne. Communier sous les deux espèces. — Sainte Table. Nappe. — Porte-Dieu. Viatique.

**Le Saint Sacrement.** — Exposition. Adoration. Adoration perpétuelle. — Procession. Sacre. Fête-Dieu. — Ostensoir. Lunette. Dais. — Reposoir. — Bénédiction. Salut solennel.

### ÉVÉNEMENT

**Ce qui arrive.** — Evénement. — Fait. Cas. ACTION. Acte, actuel. — Accident, accidentel. Incident. — Circonstance. Conjoncture. Entrefaites. — Précédent. Effet. Fait d'actualité. Cas échéant. — Un bonheur. Un succès. — Un MALHEUR. Mésaventure. Malencontre. Vicissitude. — Accès. Attaque.

**Effet du hasard.** — Chance. Aléa, aléatoire. Hasard, hasardeux. Bonne ou mauvaise fortune. Fortuit. — Jeux de la fortune, du hasard. — Eventualité, éventuel. Contingence. — Coup de fortune. Coup de théâtre. Catastrophe. — Occasion, occasionnel. Occurrence. Rencontre. Coïncidence, coïncider.

**Façons d'arriver.** — Advenir. Arriver. Avenir. Avoir lieu. Se passer. — Se produire. Se réaliser. Se faire. — Se rencontrer. Se présenter. Se trouver. — Intervenir. Venir. Echoir. Eclater. S'élever. Surgir. Survenir. Tomber bien ou mal. Tourner bien ou mal.

Event, m. V. *air, cétacé.*

Eventail, m. V. *vent, air.*

Eventaire, m. V. *vendre.*

Eventé. Eventer. V. *air, acide, bouteille, mine, secret.*

Eventration, f. V. *ventre, hernie.*

Eventrer. V. *percer, tuer.*

Eventualité, f. V. *circonstance, événement, futur.*

Eventuel. V. *possible, probable.*

Evêque, m. V. *prêtre.*

Evertuer (s'). V. *zèle, peine.*

Evhémérisme, m. V. *dieu.*

Eviction, f. V. *chasser.*

Evidence, f. Evident. V. *certitude, vrai, voir, apparaître.*

Evider. V. *creux, diminuer, dégager.*

Evier, m. V. *cuisine, vaisselle, laver.*

Evincer. V. *ôter, possession.*

Evitable. V. *éviter.*

Evitée, f. V. *navire.*

Eviter. V. *fuite, écart, bateau.*

Evocation, f. V. *appel, magie.*

Evhémérisme, m. V. *dieu.*

Evoluer. Evolution, f. V. *changer, manœuvrer.*

Evolutionnisme, m. V. *philosophie.*

Evoquer. V. *mémoire, magie, juges.*

Evulsion, f. V. *arracher.*

Exacerbant. V. *souffrir.*

Exact. V. *juste, vrai, complet, certitude, scrupule, présent.*

Exaction, f. V. *impôt, voleur.*

Exactitude, f. V. *exact.*

Exagération, f. Exagérer. V. *excès, fanfaron.*

---

**Suite d'événements.** — Aventure. Fait divers. Trait de mœurs. Cours des choses. — Scène. Episode. Péripétie. Crise. Dénouement. — Anecdote. Roman. Nouvelle. Historiette. Conte. — Histoire. Epopée. Ephémérides. — Tragédie. Comédie. — Accident. Catastrophe. Guerre.

## ÉVENTAIL
(latin, *flabellum*)

**Les éventails.** — Eventail à gaine, à lames, à plumes. — Eventail peint. Eventail plissé, brisé. — Eventail indien. Panka. Flabellum. Chasse-mouche.

**Fabrication.** — Tête. Rivure. Gorge. Baguettes ou Bâtons. Brins. Maîtres-brins. Flèches. — Feuille. Soie. Vélin. Papier. Dentelle. Plume. — Monture. Nacre. Ivoire. Ecaille. Bois, etc.

**Relatif à l'éventail.** — Eventaillerie. Eventailliste. — Ouvrir, fermer, plier un éventail. — Jouer de l'éventail. S'éventer. Flabellation. — Eventaillé. Flabelliforme.

## ÉVÊQUE
(latin, *episcopus*)

**Titres des évêques.** — Evêques, épiscopat. Evêque *in partibus.* — Coadjuteur. Vicaire apostolique. — Patriarche, patriarcat. — Primat, primatie. — Evêque de Rome. Pape.

Prélat. Pontife. Pasteur. Successeur des apôtres. Prince de l'Eglise. Père de l'Eglise. Docteur de l'Eglise.

**Dignité.** — Exaltation. Bulle. Institution canonique. Investiture. Consécration, consacrer. Sacre, sacrer. Installation. Intronisation. — Monseigneur. Sa Grandeur.

Cathédrale. Trône. Dais. — Mitre. Fanons. — Chape. Rochet. Mosette ou Camail violet. Pallium. — Bâton pastoral. Crosse, crossillon. — Anneau d'améthyste. Croix pectorale. Cordon d'or. Armoiries.

**Fonctions.** — Fonctions épiscopales. — Pouvoir d'ordre. — Bénédiction. — Confirmation, confirmer. Saint Chrême. — Ordination, ordonner. Ordinant. Dimissoire. Lettre dimissoriale. — Concile. Voyage *ad limina.*

**Administration.** — Siège épiscopal. Evêché. Evêché suffragant. Diocèse, diocésain. — Archevêché. Métropole. — Direction des fidèles. Les ouailles. Mandements. Ordonnances. Œuvres diocésaines. — Nominations ecclésiastiques. Surveillance. Censure. — Juridiction ecclésiastique. Officialité. Appel comme d'abus. Excommunication, excommunier. — Mense. Déport. — Grand-vicaire. Vidame (ancien représentant au temporel).

## ÉVITER

**Se sauver de.** — Eviter. Esquiver. Se tirer de. — Echapper, s'échapper. Se dérober. Se soustraire. — Fuir, fuite. S'évader, évasion. Se dispenser de. S'exempter. Eluder. Frauder. — S'excuser, excuse. Echappatoire. Faux-fuyant. Paroles évasives.

**Faire dévier.** — Eviter, évitage. Passer à côté. Laisser de côté. — Eloigner. Ecarter. Détourner. — Conjurer. Empêcher. Prévenir, préventif. — Parer, parade. S'effacer. Se tourner.

**Prendre garde.** — Garder. Se garder. — Garantir, garantie. Se garantir. — Prémunir. Se prémunir. — Préserver, préservation, préservatif. Se préserver. — Précaution. Se précautionner. — Abriter, abri. S'abriter. — Garer, garage. Se garer. Gare. — S'abstenir. Epargner. — Se défendre. Se protéger. — Parapluie. Paratonnerre. Paragrêle. — Tourner une difficulté.

## EXACT

**Conforme aux données.** — Juste, justesse. Ajusté. Appliqué. Moulé. — Fait au compas, par compas et mesure. Compasser, compassement. — Conforme, conformité. Reproduction fidèle. Trait pour trait. — Matériellement, strictement exact.

A la lettre. Littéral. Mot à mot. Textuel. Sans changer un iota. Traduction servile.

**Conforme à la règle.** — Rationnel. Méthodique. Mathématique. Géométrique. — Positif. Certain, certitude. Assuré. — Réglé. En règle. Régulier, régularité. — Correct, correction. Bien. Comme il faut. — Puritain, puritanisme. — Purisme, puriste. Sens propre. Propriété des termes. Mot consacré. Mot technique.

EXALTATION, f. V. *enthousiasme, bonheur, folie.*

EXALTER. V. *louange.*

**Examen,** m. V. *instruction, interroger, chercher, curieux.*

EXAMINATEUR, m. Examiner. V. *examen.*

EXANTHÈME, m. V. *variole.*

EXARCHAT, m. V. *chef.*

EXASPÉRATION, f. Exaspérer. V. *colère, fâché.*

EXAUCEMENT, m. Exaucer. V. *demande, vœu, satisfaire, obtenir.*

EXCAVATEUR, m. V. *terrassier.*

EXCAVATION, f. V. *creux.*

EXCÉDENT, m. V. *bagage.*

EXCÉDER. V. *plus, tourmenter.*

EXCELLENCE, f. V. *supérieur, titre, diplomatie.*

EXCELLENT. Exceller. V. *supérieur, bien, parfait.*

EXCENTRICITÉ, f. Excentrique. V. *bizarre, caprice, cercle.*

EXCENTRIQUE, m. V. *vapeur, axe, machine.*

EXCEPTER. V. *exception.*

**Exception,** f. V. *ôter, restriction, différent, règle.*

EXCEPTIONNEL. V. *extraordinaire, rare.*

**Excès,** m. V. *beaucoup, passion, licence, débauche*

EXCESSIF. V. *plus, inconvenant.*

EXCIPER. V. *raison, excuse.*

EXCIPIENT, m. V. *pharmacie.*

EXCITABILITÉ, f. V. *exciter, colère.*

EXCITATION, f. V. *exciter.*

---

**Ponctuel.** — Exact, exactitude. Ponctuel, ponctualité. — Etre à l'heure. Heure militaire. — Assidu, assiduité. Régulier, régularité, présence régulière. — Venir à point, à point nommé. — Observer religieusement. Payer recta, rubis sur l'ongle.

**Méticuleux.** — Strict. Précis. Rigoureux. Minutieux. Consciencieux. Scrupuleux. A cheval sur les principes. — Rigide. Sévère. Regardant. — Attentif. Zélé. FIDÈLE.

### EXAMEN

**Etude d'une question.** — Etudier une question. Prendre connaissance. Débrouiller. Ventiler. — S'arrêter sur. Approfondir. Creuser. Scruter. Peser. Retourner. Eplucher. — Tirer au clair. En avoir le cœur net. Envisager. Vérifier. — Se renseigner. Sonder. — Rechercher, recherches. Essayer. ESSAI.

Considérer. Analyser, analyse. Comparer, comparaison. Examen attentif. — Critiquer, critique. Scepticisme, sceptique. — Critique de texte. Recension. Collation. Revision.

Discuter. Délibérer. Débattre, traiter une question. Disserter. Se consulter.

**Examen scolaire.** — Commission d'examen. Jury. Examinateur, examiner. — Interrogateur, interroger. — Examen. Concours. Baccalauréat. Brevet. Certificat. — Epreuves. Questions. Interrogations. Réponses. Notes. Diplôme. — Passer un examen. Se présenter à. — Etre reçu, admissible, admis, refusé, ajourné.

**Examen légal.** — Informer, information. A plus ample informé. Enquête, enquêter, enquêteur. Contre-enquête. Instruction, instruire une affaire. — Compulser des registres. Dépouiller un dossier. Apurer un compte. — Censurer, censure, censeur. — Inspecter, inspection, inspecteur. Contrôler, contrôle, contrôleur. Vérifier, vérification, vérificateur. — Expert, expertise, expertiser. Procès-verbal. Visa. — Tenir conseil. Commission, commissaire. — Recenser, recensement.

**Examen des lieux.** — Explorer, exploration, explorateur. Investigation. — Regarder. Observer, observation. — Contempler, contemplation. S'orienter, orientation. — Eclairer, éclaireur. Reconnaître un pays. Reconnaissance. Patrouille. — Espionner, espion-

nage, ESPION. — Surveiller, surveillance, surveillant. Ronde. — Visiter, visite, visiteur.

### EXCEPTION

**Violation de la règle.** — Irrégularité, irrégulier. Accroc à la règle. — Aberration. Déviation. — Anomalie, anomal. Anormal. — Licence. Déréglé. — Faux. Faussé.

**Mise à part.** — Exception, exceptionnel. Excepter. — Exclusion, exclure, exclusif. — RESTRICTION, restrictif, restreindre. — Réserver, réservation. — Séparer. Mettre de côté. Faire abstraction.

Excepté. Hors. Hormis. Fors. Sauf. A la réserve de. A l'exclusion de. A cela près. — A moins de. A moins que.

**Particularité.** — Particulier. Unique. — Bizarrerie, BIZARRE. Singularité, singulier. Hétéroclite. Extraordinaire. — Insolite. Inaccoutumé. Rare, rareté.

### EXCÈS

**Défaut de mesure.** — Abus, abuser, abusif. Franchir, dépasser les bornes. Forcer la note. Aller trop loin. — Comble. Combler la mesure. Excès, excessif. Excéder, excédent. — Disproportion, disproportionné. Enorme. Monstrueux. Colossal. Démesuré. — Désordre, désordonné. Dérèglement, déréglé. Effréné. — Encombrement, encombrer. Débordement, déborder. Grossissement, grossir. Accumulation, accumuler. — Pléthore. Réplétion. Trop-plein. — Surplus. Reste. En avoir à revendre. — Prix fou. Prix exorbitant. Compte d'apothicaire. — A l'EXTRÊME. A la fureur. A la folie. Plus que de raison.

**Excès dans le langage.** — Enflure. Emphase, emphatique. Déclamation, déclamatoire. Redondance, redondant. Hyperbole, hyperbolique. — Exubérance, exubérant. Prolixité, prolixe. DIFFUS. — Extravagance, extravagant. Exagération, exagérer. Broder. Dire des énormités. Déraisonner. — ENTHOUSIASME, enthousiaste. Fanatisme, FANATIQUE. — Inconvenance, INCONVENANT. LICENCE. — Affectation. Raffinement. Préciosité. — Charlatanisme, charlatan. Fanfaronnade, FANFARON. — Faire mousser. Promettre monts et merveilles. — Blague, blaguer. Charge, charger. — Pléonasme. Mot explétif.

*Exciter.* V. *appel, cause, sentiment, ranimer, applaudir, persuader.*

EXCLAMATION, f. V. *cri, étonnement.*

EXCLURE. V. *hors, ôter, prohiber.*

EXCLUSIF. V. *seul, entêté.*

EXCLUSION, f. V. *chasser.*

EXCOMMUNICATION, f. V. *excommunier.*

*Excommunier.* V. *religion, chasser, maudire, péché, évêque.*

EXCORIATION, f. V. *déchirer, peau.*

*Excrément,* m. V. *ordure, anus, latrines.*

EXCRÉTION, f. V. *humeur, suc, urine.*

EXCROISSANCE, f. V. *chair.*

EXCURSION, f. V. *hors, voyage, promenade.*

EXCUSABLE. V. *excuse.*

---

**Excès dans les jouissances.** — Débordements. Dérèglements. Incontinence. Intempérance. Débauche. — Profusion. Prodigalité. Luxe. — Avoir à satiété. Mener la vie à grandes guides. Plaisirs immodérés. — Gourmandise, gourmand. Faire la noce.

**Dépassement.** — Marqué par *outre, ultra :* Outrecuidance, outrecuidant. Outrepasser. Outrer, outrance. — Ultra-royaliste. Ultra-violet.

Par *sur :* Surabondance. Suranné. Surcharge. Surérogatoire. Surexcitation. Surfaire. Surhumain. Surmenage, surmener. Surpasser. Sursaturer. Surnombre. Surtaxe, etc.

Par *super :* Superfétation. Superflu. Superfluité. Superfin. Superphosphate, etc.

Par *hyper :* Hypermètre. Hyperdynamie. Hyperhémie. Hypertrophie. Hypertension. Hypersécrétion, etc.

### EXCITER

**Mettre en action.** — Actionner. Imprimer le mouvement. Mouvoir. Mettre en train. Donner l'impulsion. Mettre en branle. Donner le branle. Donner l'essor. — Activer. Ferment. Levain. — Agiter, agitation, agitateur. Inciter. Monter la tête. Promoteur. — Soulever le peuple. Ameuter. — Entraîner, entraînement. Boute-en-train. — Solliciter. Décider. PERSUADER. Porter à. — Appeler aux armes. Allumer la haine, la discorde. Déclarer la guerre. Boute-feu. — Embaucher.

**Stimuler.** — Stimulant. Exciter. Animer. Emouvoir. Remuer. Emoustiller. Echauffer. — Tenir en haleine. Emulation. Fouetter. Harceler. Aiguillonner. Talonner. Piquer. Eperonner. — Encourager. Fortifier le courage. Enhardir. — Exhorter. Pousser à. Pousser à la roue. Presser de. — Réconforter, réconfort. Relever. Remonter. Retremper. Raffermir. Ranimer. Ragaillardir. Rassurer. Réveiller.

Alerte ! Allez ! Allons ! Sus ! Courage ! Ferme !

**Aviver.** — Ouvrir, aiguiser l'appétit. — Attiser le feu, la haine. Brandon de discorde. — Irriter. Exacerber. Surexciter. Envenimer les choses. — Vivifier. Donner du ton, du nerf, de la vigueur. — Accélérer. Précipiter. — Exalter. Déchaîner. — Enthousiasmer. Fanatiser. — Embraser. Enflammer. Electriser.

**Provoquer.** — Provocation, provocateur. Mettre au défi. — Exciter, excitation, excitateur. — Fomenter la discorde. Fauteur de troubles. Instigateur, instigation. — Susciter. Faire naître. Causer. Produire. — Inspirer, inspiration, inspirateur. Suggérer, suggestion. Insuffler. — Tenter, tentation. Inviter. Convier. — Agacer, agacerie. Asticoter.

### EXCOMMUNIER

**Excommunication.** — Excommunication majeure. Excommunication mineure. — Excommunier. Excommunié. Dénoncer un excommunié. — Retrancher de la communion. — Sentence d'excommunication. Prononcer, lancer, lever l'excommunication.

**Anathème.** — Bulle d'anathème. — Anathématiser. Anathématisme (formule). — Etre anathème. Encourir l'anathème. Foudres de l'Eglise. Glaive spirituel.

**Censure.** — Censurer. Censure comminatoire. — Monition. Monitoire. — Fulmination. Aggrave (deuxième fulmination). — Interdiction, interdire. Frapper d'interdit. Suspension, suspendre.

### EXCRÉMENT

(latin, *stercus ;* grec, *scaton, copros*)

**Excréments de l'homme.** — Déjections. Selles. Matière fécale. Fèces. Matières. Evacuation alvine. Bran, breneux. Merde, merdeux. Chiasse.

**Excréments des animaux.** — Ambre gris (de cachalot). Chiure (de mouche). Colombine (de pigeon). Cordylée (de lézard). Crotte. Crottin. Emeut (de faucon). Emonde (d'oiseau). Fiente. Fumées (de cerf). Guano (d'oiseaux de mer). Laissées (de loup). Litière (de ver à soie). Repaire (de lièvre). Bouse (de vache). — Fumier.

**Fonctions.** — Fonctions naturelles. Défécation. Nécessités. Besoins. — Avoir envie. Faire ses besoins. Avoir le ventre libre. — Aller par le bas. Se soulager. Aller à la selle. Evacuer. Chier. Rendre.

Anus. Cloaque. Rectum.

Lieux d'aisance. Cabinets. LATRINES. Retrait. — Selle. Chaise percée. Garde-robe. Siège. Pot de chambre. — Water-closets. Lavabos.

**Maladies.** — Appendicite. Cholérine. COLIQUE. Colliquation. Constipation, constiper. Courante. Cours de ventre. Echauffement. Dévoiement. Dérangement de corps. Diarrhée. Dysenterie. Entérite. Epreinte (fausse envie). Flux céliaque. Flux de ventre. Lienterie. Obstruction intestinale. Tranchées.

**Excuse,** f. V. *prétexte, pardon, couvrir, défendre.*

EXCUSER. V. *excuse, exempt.*

EXEAT, m. V. *sortir.*

EXÉCRABLE. V. *mal, goût.*

EXÉCRATION, f. Exécrer. V. *maudire, haine, horreur.*

EXÉCUTER. V. *faire, obéir, pratique, musique.*

EXÉCUTEUR, m. V. *bourreau.*

EXÉCUTIF. V. *politique, juges.*

EXÉCUTION, f. V. *action, travail, supplice, saisie.*

EXÉGÈSE, f. Exégète, m. V. *expliquer, Bible.*

EXEMPLAIRE. V. *bon, parfait.*

EXEMPLAIRE, m. V. *modèle, imprimerie.*

EXEMPLE, m. V. *modèle, grammaire.*

**Exempt.** V. *dégager, faveur, manque.*

EXEMPTER. Exemption, f. V. *exempt, pardon, école.*

EXEQUATUR, m. V. *diplomatie.*

EXERCÉ. V. *habile.*

EXERCER. V. *instruction, manœuvre, fonction.*

EXERCICE, m. V. *exercer, mouvement, impôt, année, pratique.*

EXERGUE, m. V. *inscription, médaille.*

EXERT. V. *fleur.*

EXFOLIATION, f. V. *feuille, écaille, fente.*

EXHALAISON, f. Exhaler. V. *vapeur, odeur, souffle, répandre.*

EXHAUSSER. V. *haut, augmenter.*

EXHAUSTION, f. V. *épuiser.*

EXHÉRÉDER. V. *testament.*

EXHIBER. Exhibition, f. V. *montrer, offre, spectacle.*

EXHORTATION, f. Exhorter. V. *conseil, exciter, recommander.*

EXHUMATION, f. Exhumer. V. *cadavre.*

EXIGEANT. Exiger. V. *réclamer, demande, contrainte, délicat.*

EXIGENCE, f. V. *volonté, besoin, nécessaire, restriction.*

EXIGIBLE. Exigibilité, f. V. *obligation, payer.*

EXIGU. V. *petit.*

EXIL, m. Exiler. V. *bannir, proscrire, pays.*

EXILITÉ, f. V. *maigre.*

EXISTENCE, f. V. *exister, vie.*

**Exister.** V. *naître, continuer, état, personne.*

EXODE, m. V. *sortir, Bible.*

EXONÉRATION, f. Exonérer. V. *dégager, ôter, impôt.*

EXORABLE. V. *céder.*

EXORBITANT. V. *excès, prix.*

EXORCISER. Exorcisme, m. V. *chasser, diable, bénir, baptême.*

EXORDE, m. V. *discours, commencer.*

EXOSMOSE, f. V. *membrane, sueur.*

EXOTÉRIQUE. V. *instruction.*

EXOTIQUE. Exotisme, m. V. *hors, étranger.*

---

**Soins.** — Purgatif, purge, purger, purgation. Copragogue. Prendre médecine. — Laxatif. Relâcher. Faire aller. — Lavement. Clystère. Douche intestinale. Douche ascendante. Garder un lavement. — Astringent. Antidiarrhéique. Suppositoire.

Changer un enfant. Couches. Alèze.

**Relatif aux excréments.** — Excrémentiel. Excrémenteux. — Stercologie. Stercoral. Stercoraire. — Scatologie. Scatologue. Scatophage. — Coprophage (insecte). Copronyme. — Vidange, vidanger. Tinette. Fosse. Tout à l'égout. Poudrette.

### EXCUSE

**Moyen de défense.** — Arguer de. Alléguer, allégation. — Se défendre, défense. Chicaner, chicane. — Habiller les faits. Défaite. Bourde. — Echappatoire. S'échapper par la tangente. Donner un alibi. — Eluder. DÉTOURS. Faux-fuyant. — Contremand. Moyen dilatoire. — Excuses juridiques, légales, absolutoires, atténuantes. — Délit.

**Justification.** — Donner une excuse. Excuser, excusable. Excuse plausible. S'excuser. — Disculper, disculpation. Se disculper. — Justifier, justification, justificatif. — Expliquer sa conduite. Explications. Raisons. — Exciper de. Invoquer. — Prétexter, prétexte. Agir sous couleur de. Fin de non recevoir.

**Regrets.** — Faire des excuses. Se confondre en excuses. — Regretter. Témoigner ses regrets. — Faire amende honorable. Demander pardon. Se jeter aux pieds de. — Raccommoder, raccommodement. Replâtrer, replâtrage. — Réparation. Expiation.

**Atténuation.** — Adoucir, adoucissement. Atténuer, atténuatif. Corriger, correctif. — Pallier, palliatif. Innocenter. Couvrir. Voiler. — Fermer les yeux. Etre coulant, indulgent. — Passer une chose. Tolérer. — Décharger. Témoin à décharge. — Flatter les défauts. Gâter un enfant.

### EXEMPT

**Défendre contre.** — Protéger contre, protection. Ecarter de. Garantir, garantie. Abriter, ABRI. — Préserver, préservation, préservatif. Immuniser, immunité. Antiseptiser, antiseptique. — Epargner à. Débarrasser. — Talisman. Amulette. Egide. — EVITER. Echapper à.

**Libéré de.** — Libérer, libération. Amnistier, amnistie. Affranchir, affranchissement, affranchi. — Acquitter, acquittement. Pardonner. Gracier. — Remettre une peine. Remise. Absoudre, absolution. — Décharge. Excuser. — Franchise. Franc alleu. Franc de port. Franco.

Purger une hypothèque. Se rédimer. Etre quitte. Payer ses dettes.

**Sans atteinte.** — Intact. Vierge, virginal. PUR. Blanc. NET. — Sain. Sauf. Sain et sauf. — Etranger à. Exempt de.

**Non soumis à.** — Exempt, exempter, exemption. Non sujet à. Soustrait à. — Dispensé, dispense, dispenser. Dispense religieuse. Componede (bureau des dispenses à Rome). — Faveur, favorisé. Privilège, privilégié. Indépendance, indépendant. — Qui s'exempte. Fraudeur. Resquilleur, f. Tire au flanc, f. — Contrefacteur.

### EXISTER

**Existence personnelle.** — Personne, personnalité, personnifier. Le moi. Individu, individuel, individualité. — Créature. Etre. Etre créé. Sujet. — Venir au monde. NAÎTRE, naissance. — Vie. Vivre. Les vivants. — Exister, existence. Subsister, subsistance.

EXPANSIF. V. *franc, confiance.*
EXPANSION, f. V. *étendre, hors, confiance.*
EXPATRIATION, f. V. *bannir, étranger.*
EXPECTATIVE, f. V. *attendre, espérer, patience.*
EXPECTORER. V. *salive, poitrine.*
EXPÉDIENT, m. V. *intrigue, ressource, moyen.*
EXPÉDIER. Expéditeur, m. V. *envoi, commerce, transport.*
EXPÉDITIF. V. *prompt.*
EXPÉDITION, f. V. *marchandises, bagage, copie, guerre.*
EXPÉDITIONNAIRE, m. V. *bureau.*
EXPÉRIENCE, f. V. *pratique, habile, connaître, science.*
EXPÉRIMENTAL. Expérimenter. V. *vérifier, pratique, science, chimie.*
EXPERT. V. *habile, pratique.*
EXPERT, m. Expertise, f. V. *arbitre, juger, adjudication, examen.*
EXPIATION, f. Expiatoire. Expier. V. *peine, compenser, réparer, satisfaire.*
EXPIRATION, f. V. *respiration, finir.*
EXPIRER. V. *respiration, mort, finir.*
EXPLÉTIF. V. *plus, remplissage, grammaire.*
EXPLICATION, f. V. *expliquer, traduire, description, dispute.*
EXPLICITE. Explicitement. V.

*expliquer, positif, distinct.*
**Expliquer.** V. *dire, instruction, signifier.*
EXPLOIT, m. V. *action, conduite, guerre, huissier.*
EXPLOITATION, f. Exploiter. V. *utile, carrière, forêt, labour.*
EXPLORATION, f. Explorer. V. *chercher, curieux, examen, voyage.*
EXPLOSIF, m. V. *poudre.*
EXPLOSION, f. V. *détonation, mine, bruit, choc, subit.*
EXPORTATION, f. Exporter. V. *transport, marchandises, pays, étranger.*
EXPOSANT, m. V. *rapport.*
EXPOSÉ, m. V. *description, expliquer, proposer.*
EXPOSER. Exposition, f. V. *montrer, art, public, boutique, raconter, commerce, théâtre, abandon, lieu.*
EXPOSER (s'), V. *danger, bravade.*
EXPRÈS. V. *mission, positif.*
EXPRESS, m. V. *chemin de fer.*
EXPRESSIF. V. *signifier, regard.*
EXPRESSION, f. V. *parler, rédiger.*
EXPRIMER. V. *dire, presser, tirer.*
EXPROPRIER. V. *possession, ôter.*
EXPULSER. Expulsion, f. V. *bannir, chasser, pousser, hors.*

EXPURGER. V. *corriger, ôter.*
EXQUIS. V. *délicat, goût.*
EXSANGUE. V. *pâle.*
EXSUDER. V. *sueur, gomme, couler.*
EXTASE, f. Extasier (s'). V. *enthousiasme, étonnement, magnétisme, bonheur, amour.*
EXTENSEUR. Extensif. Extension, f. V. *étendre, tendre, muscle, gymnastique, violon, signifier.*
EXTÉNUATION, f. Exténuer. V. *épuiser, maigre, langueur, faible.*
EXTÉRIEUR. V. *hors, apparaître, superficie, étranger.*
EXTERMINER. V. *tuer, détruire.*
EXTERNE, m. Externat, m. V. *hors, école, médecine.*
EXTERRITORIALITÉ, f. V. *étranger.*
EXTINCTION, f. V. *feu, finir.*
EXTINGUIBLE. V. *éteindre.*
EXTIRPER. V. *arracher, racine.*
EXTORQUER. V. *prendre, tirer, obtenir.*
EXTRA (préf.). V. *beaucoup.*
EXTRACTION, f. V. *tirer, pierre, houille, famille, origine.*
EXTRADITION, f. V. *accusation, prison.*
EXTRADOS, m. V. *voûte.*
EXTRAIRE. Extrait, m. V. *tirer, arracher, distiller, chimie, suc, abrégé.*

---

**Existence des choses.** — Chose. Objet. — Affaire. Fait. ÉVÉNEMENT. — La matière. Le concret. Le monde extérieur. — Exister. Coexister. Préexister. — Etre. Etat. Consister en. — Réalité, réel. Actualité, actuel. — Règne, régner. Durée, durer. Etre en vigueur. — Se trouver. Se voir. Se rencontrer.

Existence juridique. Absence de cause. Nonexistence.

**Existence abstraite.** — Abstraction. Terme abstrait. Concept. Noumène. — Notions métaphysiques. Ontologie. — Absolu. Essence. Quintessence. — Substance. Accident. Substratum. Support. — Entité. Entéléchie. Monade. Hypostase.

## EXPLIQUER

**Expliquer un texte.** — Exégèse, exégétique, exégète. Herméneutique (explication des Ecritures). — Interpréter, interprétation, interprète. Scoliaste, scolie. Glose, gloser, glossateur. — Intelligence du texte. Lire un auteur. Explication littérale.

TRADUIRE, traduction, traducteur. Version. Truchement. — Cryptographie. Clef. Grille.

**Expliquer des idées.** — Avant-propos. Avertissement. Avis au lecteur. — Préface. Prolégomènes. Introduction. Notice. — Conférence, conférencier. Exposé, exposition. Enseignement, enseigner. Mettre à la portée de. — THÉORIE, théorique. La critique. Un critique. Critiquer. — Elucider. Rendre lucide. Démontrer, démonstration. S'étendre sur.

**Expliquer des faits.** — Description, décrire, descriptif. Procès-verbal. Compte rendu. Reportage. Commentaire. — Débrouiller une affaire. Détailler, détails. Circonstancier, circonstances. — Dévoiler. Montrer. Tourner les choses à sa manière. — Donner la raison de. Dire la cause. Motiver. Justifier. Justification. Considérants.

**Développer un sens.** — Expliquer, explication, explicable. — Commenter, commentateur. Commentaire. NOTES explicatives. — Mettre en lumière. Faire comprendre. Eclairer. Eclaircir, éclaircissement. Débrouiller. Explicite. — Exemples. Illustrer. Paraphrase, paraphraser. — Anagogie (sens mystique). — Définir, définition. Déduire, déduction. Induire, induction. Conclure, conclusion. — Déchiffrer.

*Extraordinaire.* V. *beaucoup, étonnement, rare, bizarre.*
EXTRAVAGANCE, f. Extravagant. V. *excès, caprice, bizarre.*
EXTRAVAGUER. V. *folie.*
EXTRAVASER (s'). Extravasion, f. V. *couler, sortir.*

*Extrême.* V. *dernier, proportion, beaucoup.*
EXTRÊME-ONCTION, f. V. *sacrement.*
EXTRÉMISME, m. V. *politique.*
EXTRÉMITÉ, f. V. *extrême, limite, mort, violence.*
EXTRINSÈQUE. V. *hors.*

EXUBÉRANCE, f. V. *abondance.*
EXULCÉRATION, f. V. *plaie.*
EXULCÉRER. V. *caustique.*
EXULTER. V. *joie.*
EXUTOIRE, m. V. *caustique, ouvert.*
EX-VOTO, m. V. *vœu, offre, don.*

## EXTRAORDINAIRE

**Hors de l'ordre courant.** — Contraire à la nature. Antiphysique. Anomal, anomalie. Anormal. Excessif. — Peu commun. Exceptionnel, EXCEPTION. Curieux, curiosité. — Remarquable. Notable. Insigne. Signalé. Saillant. IMPORTANT. — Eminent. Excellent. SUPÉRIEUR. Hors ligne. Incomparable. Nonpareil. — Superlatif. EXTRÊME.

**Singulier.** — Phénix. Merle blanc. Seul. Unique. — Inconnu. Inouï. Insolite. Inusité. — RARE, rareté, rarissime. — NOUVEAU. Nouveauté. Trouvaille. — BIZARRE. Etrange. Surprenant. DIFFÉRENT. — Etonnant. Etourdissant. Stupéfiant. Epatant. — Paradoxal. Extravagant. Phénoménal.

**Prodigieux.** — SUBLIME. Surhumain. Surnaturel. Grandiose. PARFAIT. — Colossal. Pyramidal. Monstrueux. — Fabuleux. Merveilleux. Miraculeux. Mirifique. Mirobolant. Prestigieux. — Féerique. Magique. Fascinant. Hallucinant.

Merveille. Prestige. Perfection. — Miracle. Prodige. Doigt de Dieu. Coup de théâtre.

**Qu'on ne peut se représenter.** — Difficile à admettre. Invraisemblable. Mystérieux. — Incompréhensible. Inconcevable. Improbable. Incroyable. — Indéfinissable. Introuvable. Inimitable. — Indicible. Ineffable. Inexprimable. Inénarrable.

## EXTRÊME

**Le haut.** — Sommité. Sommet. Cime. Eminence. Faîte. Flèche. Pignon. POINTE. — Tête. Crête. — Source. Pôle.

**Le bas.** — BASE. Fond. Fondement. — Le plus bas. Cave. — Queue. Talon. Pied. Patte.

**Le bout.** — LIMITE. Borne. Confins. — Bord. Bordure. Lisière. — Extrémité. Les extrêmes. Terminaison. Fin. — Aboutissement, aboutir. Terme. Terminus. Embouchure. — Acrostiche. — Arrière-garde. — Moignon. Queue.

Abouter, aboutement. Mettre à bout. Rabouter. Rallonge.

**Le dernier point.** — Paroxysme. Le plus haut période. — Apogée. Bâton de maréchal. *Nec plus ultra.* — Le comble. Maximum. Summum. Superlatif. — L'infini. La perfection. PARFAIT. Au DERNIER chef. — Radical. Complet. Absolu. Tranché. — Opinion extrême. Extrémisme, extrémiste. — Situation tendue. Etre aux abois.

# F

Fᴀ, m. **V.** *musique.*
Fᴀʙʟᴇ, f. **V.** *conte, men-songe.*
Fᴀʙʀɪᴄᴀᴛɪᴏɴ, f. **V.** *industrie.*
Fᴀʙʀɪᴄɪᴇɴ, m. **V.** *église.*
FᴀʙʀɪQᴜᴇ, f. **V.** *industrie, église, peinture.*
FᴀʙʀɪQᴜᴇʀ. **V.** *faire, ouvrier.*
Fᴀʙᴜʟᴇᴜx. **V.** *extraordinaire.*
Fᴀʙᴜʟɪsᴛᴇ, m. **V.** *poésie.*
FᴀÇᴀᴅᴇ, f. **V.** *avant, maison, architecture, apparence.*
Fᴀᴄᴇ, f. **V.** *visage, avant, côté, superficie, monnaie, opposé.*
FᴀᴄÉᴛɪᴇ, f. Facétieux. **V.** *rire, bouffon, spirituel.*
Fᴀᴄᴇᴛᴛᴇ, f. **V.** *cristal.*

**Fâché. V.** *colère, dispute, regret.*
Fᴀ̂ᴄʜᴇʀɪᴇ, f. **V.** *fâché.*
Fᴀ̂ᴄʜᴇᴜx. **V.** *mal, déplaire, indiscret.*
Fᴀᴄɪᴀʟ. **V.** *visage.*
Fᴀᴄɪᴇs, m. **V.** *visage.*
**Facile. V.** *simple, habile, complaisant, patience.*
FᴀᴄɪʟɪᴛÉ, f. **V.** *facile.*
Fᴀᴄɪʟɪᴛᴇʀ. **V.** *secours.*
FᴀÇᴏɴ, f. **V.** *travail, ma-nière, art, labour, cérémo-nie, affectation, habille-ment.*
Fᴀᴄᴏɴᴅᴇ, f. **V.** *parler, élo-quence.*
FᴀÇᴏɴɴᴇʀ. **V.** *faire, tailleur,*

*labour, orner, affectation.*
FᴀÇᴏɴɴɪᴇʀ, m. **V.** *ouvrier, faire.*
Fᴀᴄ-sɪᴍɪʟÉ , m. **V.** *imiter, copie, semblable.*
Fᴀᴄᴛᴀɢᴇ, m. **V.** *transport.*
Fᴀᴄᴛᴇᴜʀ, m. **V.** *porter, agent, poste, piano, calcul.*
Fᴀᴄᴛɪᴄᴇ. **V.** *faux, faire.*
Fᴀᴄᴛɪᴇᴜx. **V.** *sédition, par-tisan.*
Fᴀᴄᴛɪᴏɴ, f. **V.** *complot, garde, attendre.*
Fᴀᴄᴛɪᴏɴɴᴀɪʀᴇ, m. **V.** *soldat, guet.*
Fᴀᴄᴛᴏʀᴇʀɪᴇ, f. **V.** *commerce, colonie.*
Fᴀᴄᴛᴏᴛᴜᴍ, m. **V.** *agent.*

---

## FÂCHÉ

**Colère.** — Se fâcher tout rouge. Se mettre en ᴄᴏʟᴇ̀ʀᴇ. Prendre la mouche. — Montrer les dents. Froncer le sourcil. — Etre monté contre. Avoir une dent contre. Tenir rigueur. — Avoir mauvais caractère. Ne pas entendre raillerie. Ombrageux.

Courroux, courroucé, courroucer. — Irri-tation, irrité, s'irriter. — Exaspération, exas-péré, exaspérer. — Excitation, excité, exci-table, excitabilité. — Indignation, indigné, s'indigner. — Ressentiment. — Ton sec. — Accueil glacial.

**Blessure.** — Offensé. Vexé. Ulcéré. Froissé. — Avoir la fibre sensible. Chatouil-leux. Mal endurant. Susceptible, susceptibi-lité. — S'effaroucher. Se choquer. Se scanda-liser. Délicat.

Vexer, vexation, vexatoire. Offenser, offense. — Piquer au vif. Piqûre. Taquiner, taquinerie. — Froisser, froissement. Morti-fier, mortification. Humilier, humiliation. — Faire de la peine. Chagriner. Heurter. Cho-quer. — Ulcérer. Blesser. Meurtrir. Molester. — Brusquer. Provoquer.

**Mécontentement.** — Etre fâché. Se for-maliser. Se gendarmer. Prendre mal. Prendre en grippe. — Avoir de l'humeur. Etre de mauvaise humeur. Faire mauvais visage. Faire grise mine. Se renfrogner. — Etre ᴄʜᴀɢʀɪɴ. Voir tout en noir. Pessimisme, pessimiste. — Faire à contre-cœur. Hargneux.

Affecter. Indisposer. Ennuyer. — Agacer, agacement. — Contrarier, contrariant, con-trariété. — Désobliger, désobligeance. Mé-contenter, mécontent. — Dᴇ́ᴘʟᴀɪʀᴇ, déplaisir. Offusquer. — Avoir à dos. Se mettre à dos. Défaveur. Discrédit. Disgrâce.

**Dépit.** — Se dépiter, dépiteux, dépiter. Boutade. Dépit concentré. — Avoir sur le cœur. Avoir un air contraint. Ronger son frein. — Etre buté. Pester. S'aigrir, aigreur. Ne pouvoir digérer. — Bisquer. Bouder. Ma-ronner. Faire la moue. Faire la grimace. —

Etre impatient, impatience. Jalouser, jaloux. — Endêver. Faire endêver.

**Brouille.** — Fâcherie. Pique. Refroidisse-ment. — Froideur. — Désaccord. Désunion. Nuages. Ombrage. — Se fâcher avec. S'alié-ner. Se brouiller. Battre froid. — Briser avec. Se séparer, séparation. Rompre, rupture. — Brouiller les cartes. Envenimer les rapports. — Etre mal avec. Etre à couteaux tirés. Dɪsᴘᴜᴛᴇ. Querelle. — Inimitié. Hᴀɪɴᴇ. Ran-cune.

## FACILE

**Qu'on peut faire.** — Facile, facilité. Faisable. Exécutable. Réalisable. Imitable. — Possible. Facultatif. Uni. Aisé. — Sans difficulté. Sans effort. En un tour de main. — C'est un jeu, un jeu d'enfant. Ce n'est rien. Ce n'est pas la mer à boire. — Travail ᴅᴏᴜx. Service doux.

**Qu'on peut mettre en œuvre.** — Cᴏᴍ-ᴍᴏᴅᴇ, commodité. Praticable. Maniable. Por-tatif. — Usuel. Courant, couramment. — Aller tout seul. Aller sur des roulettes. Réus-sir d'emblée. Aller tout de go. — Aplanir les difficultés. Faciliter. Préparer les voies. Frayer le chemin, chemin battu. Mâcher les morceaux. — Faire à peu de frais, à bon marché. — Facilité de parole. Abondance ver-bale. Couler de source.

**Facile à comprendre.** — Intelligible. Compréhensible. Concevable. — Clair, clarté. Simple, simplicité, simplifier. Lucide, luci-dité, élucider. — Elémentaire. Commun. Or-dinaire. — Etre à la portée de tous. Tomber sous le sens. Pont aux ânes.

Débrouiller. Démêler. Déchiffrer, déchiffra-ble. Expliquer, explicable, explicite.

**Facile à vivre.** — Humeur facile. Trai-table. Souple. — Sociable. Accueillant. Ser-viable. — Accommodant. Indulgent. — Affa-ble. Abordable. Accessible. — Familier. Rond. Simple. Bon enfant.

FACTRICE, f. V. *boutique.*

FACTUM, m. V. *pamphlet.*

FACTURE, f. Facturer. V. *vendre, compte, faire.*

FACULTATIF. V. *libre, facile, pouvoir.*

FACULTÉ, f. V. *pouvoir, disposition, pensée, université.*

FADAISE, f. V. *vain, parler.*

Fade. V. *doux, dégoût.*

FADEUR, f. V. *fade, affectation.*

Fagot, m. V. *branche, bois.*

FAGOTER. V. *fagot, habillement.*

FAIBLAGE, m. V. *monnaie.*

Faible. V. *fragile, délicat, mou, bon, médiocre.*

FAIBLESSE, f. V. *faible, penchant, faute, abattement.*

FAIBLIR. V. *faible, céder.*

FAÏENCE, f. Faïencier, m. V. *porcelaine, pot.*

FAILLE, f. V. *géologie, étoffe.*

FAILLI, m. V. *banqueroute.*

FAILLIBLE. Faillir. V. *faute, erreur, manque, péché.*

Faillite, f. V. *banqueroute.*

Faim, f. V. *manger, jeûne.*

FAÎNE, f. V. *hêtre.*

FAINÉANT. Fainéantise, f. V. *paresse, oisif.*

## FADE

**Fade au goût.** — Fadeur, fadasse. Insipidité, insipide. — Douceâtre. Ecœurer, écœurant. Aigre-doux. — Mal assaisonné. Manquer d'assaisonnement. — Etre blasé. Dégoût, dégoûter. Goût émoussé.

**Fade à l'esprit.** — Fadaise. Fadeurs. Niaiserie, niais. Insignifiance, insignifiant. — Plat, platitude. Sans sel. — Ennuyer, ennuyeux. — Affadir, affadissement.

## FAGOT

**Sortes.** — Fagot. Fagotin. Bourrée. Falourde. Fascine. — Margotin. Cotret. — Botte. Gerbe. FAISCEAU. Paquet. — Branchage. Broutilles. Ramilles.

**Façon.** — Fagoter, fagotage, fagoteur. — Ame (menues branches). Brins. Parement. Rondin. — Liens : Hart. Prue. Rouette.

## FAIBLE
(latin, *debilis;* grec, *asthenès*)

**Fragile.** — FRAGILE, fragilité. Frêle. Faible. — Grêle, gracilité. MINCE. Exile. Menu. — Flexible. Inconsistant. — Chancelant. Vacillant. Branlant. Croulant. — Attaquable. Friable. Cassant. — Précaire. Etiolé.

**Faible de santé.** — Faible, faiblesse. Débile, débilité, débiliter, débilitant. DÉLICAT, délicatesse. — Fluet. Chétif. Malingre. Gringalet. Mauviette. — Malade. Valétudinaire. Souffreteux. Rachitique. Patraque, *f.* Mal hypothéqué.

Consomption. LANGUEUR, languissant. Anémie, anémié. Asthénie, asthénique. Inanition. Sang pauvre. — N'avoir que le souffle. Etre mourant.

**Affaibli.** — Affaiblissement, affaiblir. Diminué, diminution. Appauvri, appauvrissement. Défaillant, défaillance, défaillir. Caduc, caducité. Déclin, décliner. — Délabré, délabrement. Epuisé, épuisement. Usé, usure. Emoussé. — Invalide. Infirme. Impotent. Convalescent. — Sénile, sénilité. Cassé, se casser. — Exténué. Fatigué. Ereinté. — Atrophié, atrophie. Enervé, énervant.

Demi-jour. Demi-teinte. Demi-voix. — Voix éteinte. Parler bas. Chuchoter. — Mémoire labile. — Amblyopie. Lueur.

**Faible de caractère.** — Débonnaire. Bonasse. Inoffensif. — Pusillanime, pusillanimité. Veule, veulerie. LÂCHE, lâcheté. Mou, mollesse. Poule mouillée. Femmelette. —

Abattu, ABATTEMENT. Inerte, inertie. Cœur tremblant. — Manquer de vigueur, de nerf, d'énergie. — Imbécile. INDÉCIS. Inconstant. Nul. — Peureux. Craintif. Timide. — Fausse honte. Respect humain. Snobisme.

**Sans force.** — Atone, atonie. Impuissant, impuissance. — Sans défense. Souffre-douleur. Victime. — Avoir le dessous. CÉDER. Plier. — INCAPABLE. MÉDIOCRE. Mazette. — Démuni. Dégarni. Désarmé. — Insensible. Imperceptible. Léger. Terne. Petit.

## FAILLITE

**Mauvaises affaires.** — Dettes. Déficit. Découvert. Déconfiture. Atermoiements. Insolvabilité, insolvable. Fermer la caisse. Lever le pied. Faire un trou à la lune. Faire la culbute. Krach. Sinistre. Débâcle. Ruine.

Déconfiture. — Liquidation judiciaire. — Faillite. — Banqueroute simple. Banqueroute frauduleuse.

**Opérations judiciaires.** — Déposer son bilan. Jugement de liquidation judiciaire. Jugement de déclaration de faillite. Apposition de scellés.

Arrêt de comptes. Inventaire. Produire à la faillite, production des titres. Vérification et affirmations de créances. Collocation des créanciers.

Assemblée des créanciers. Concordat simple. Concordat par abandon d'actif. Union. Clôture pour insuffisance d'actif. Jugement d'homologation. Répartition de l'actif. Distribution de dividende. Désintéresser les créanciers. Réhabilitation.

Créanciers poursuivants, chirographaires, privilégiés et hypothécaires. — Liquidé judiciaire. Failli. Banqueroutier.

Juge-commissaire. Contrôleurs. Syndics. Liquidateur. Concordataire.

## FAIM
(latin, *fames;* grec, *orexis*)

**Besoin de manger.** — Faim dévorante. Faim de loup. Fringale. Malefaim. — Envie de manger. Etre affamé. Avoir l'estomac vide. Etre à jeun. — Appétit, appétissant. Aiguiser l'appétit. Ouvrir l'appétit. Apéritif. — GOURMAND, gourmandise. Glouton, gloutonnerie. Vorace, voracité. Avide, avidité. Porté sur la gueule. Bien endenté.

Calmer, apaiser, satisfaire, assouvir la faim. — Rassasier. Satiété. — Manger à sa faim.

*Faire.* V. *action, produire, cause, gain.*

FAIRE (se). V. *patience, habitude.*

FAISABLE. V. *possible, facile.*

*Faisan,* m. V. *oiseau.*

FAISANDÉ. V. *gâter.*

FAISANDERIE, f. V. *faisan.*

*Faisceau,* m. V. *amas, joindre.*

FAISEUR, m. V. *intrigue, habillement.*

FAISSE, f. Faisserie, f. V. *claie, panier.*

FAIT, m. V. *action, événement, nouvelle, vrai.*

FAÎTAGE, m. V. *toit, charpente.*

FAÎTE, m. V. *architecture, haut, limite.*

FAÎTIÈRE, f. V. *tuile.*

FAITOUT, m. V. *cuisine.*

FAIX, m. V. *porter.*

FAKIR, m. V. *Inde.*

FALAISE, f. V. *rocher.*

FALBALA, m. V. *habillement.*

FALLACE. Fallacieux. V. *tromper, ruse.*

FALLOIR. V. *nécessaire, besoin, obligation.*

FALOT. V. *lampe, moquer.*

FALSIFICATION, f. Falsifier. V. *faux, tromper, changer.*

FALUN, m. V. *coquille.*

FAMÉLIQUE. V. *faim, pauvre.*

FAMEUX. V. *réputation, gloire, public.*

FAMILIAL. V. *famille.*

FAMILIARISER. Familiarité, f. V. *familier.*

*Familier.* V. *ami, fréquenter, habitude, libre, caresse.*

---

**Privation de nourriture.** — Abstinence. Diète. Régime. — Jeûne, jeûner. Carême. Ramadan.

Rester sur sa faim. Endurer la faim. Dîner par cœur. Avoir le ventre creux, la dent creuse. Se serrer le ventre. Se brosser. — Disette. Famine. Famélique. Mourir, crever de faim. Meurt-de-faim. — Manquer de pain. Etre sans pain. — Tomber d'inanition.

Affamer, affameur. Couper les vivres.

**Perversions de la faim.** — Anorexie. Inappétence. Dégoût. — Appétit insatiable. Boulimie. Aplestie. Faim canine. Alouvi (insatiable). — Appétit dépravé. Pica (désir de choses sales). Dysorexie. — Fausse faim. Tiraillements d'estomac.

Faim-valle (du cheval). — Mal subtil (du faucon).

### FAIRE

**Créer.** — Création, créateur. Genèse. Tirer du néant. Faire naître. — Donner la vie, le jour, l'existence. Mettre au jour. Enfanter. Engendrer. Procréer. Génération. — Causer, cause. Cause efficiente. — Effectuer. PRODUIRE, production, producteur. — Inventer. Imaginer. Improviser, improvisation, improvisateur. Auteur.

Suffixe *urge* dans : Démiurge. Dramaturge. Thaumaturge.

**Fabriquer.** — Faire, faiseur, faiseuse. — Façonner. Façon. Facture. — Artisan. Façonnier. Facteur (de pianos). — Confectionner, confection, confectionneur. — Fabriquer, fabrique, fabricant. Manufacturer, manufacture. — Conditionné bien ou mal. Factice.

**Etablir.** — Etablissement. Fonder, fondation, fondateur. Instaurer, instauration. — CONSTITUER, constitution. Instituer, institution. — Composer, composition. MACHINER, machination. — Dresser un plan. Prendre des mesures. — Edifier, édifice. Bâtir, bâtiment. Building. Construire, construction. Eriger, érection.

**Accomplir.** — Accomplissement. Achever, achèvement. Terminer. Finir. Expédier. — Parachever. Parfaire. Limer. — Remplir ses devoirs. S'acquitter de. Observer, observance. Garder la loi. — Se conformer à. SATISFAIRE à. Suivre (les ordres). Tenir sa

parole. Vaquer à ses occupations. — Opérer, opération. Pratiquer, PRATIQUES. Actions. Actes. CONDUITE. — Fait accompli. Evénement.

**Mettre en œuvre.** — Agir. Exécuter, exécution. Œuvre. Ouvrage. Ouvrier. Main-d'œuvre. — Perpétrer, perpétration. — Réaliser, réalisation. — Bâcler. Trousser. Malfaçon. Fainéant. — Elaborer, élaboration. Procéder à. Entreprendre, entreprise. Faisable, infaisable. — Former, formation. Exercer, exercice. — Manière de faire. Moyen. Procédé. — Intenter un procès. Commettre un crime.

### FAISAN

**Qui concerne le faisan.** — Coq faisan. Poule faisane. Faisandeau. — Faisan argenté, doré, cendré, versicolore, panaché, commun, etc. Argus. — Faisanderie. Faisandier. — Faisander.

### FAISCEAU

**Faisceau.** — Faisceaux. — Fascine. FAGOT. Bauge (d'échalas). — Gerbe, gerbée, gerbillon gerbier. Gerbière (voiture). Engerber. — Trochée. Moissine (de grappes). — Bouquet. Trochet (de fruits). — PINCEAU. Aigrette.

**Botte.** — Botteau. Bottelette. Bottillon. — Botteler, bottelage. Embotteler. — Botte de foin. Botte d'asperges. Broqueline (de tabac). Charnier (d'échalas). Ecossette (de betteraves). — Javelle, javelage. Javeler. Enjaveler. — Tas. Meule. Veillotte (de foin). Moyette (de gerbes).

**Assemblage.** — AMAS. Ramassis. Agrégat. Agglomérat, agglomération. — Poignée. GRAPPE, grappillon. Glane. Pile. TOUFFE. — Trousseau. Trophée. — Chignon. Toupet. Mèche. — Cahier. Fascicule. Liasse. Main de papier.

**Paquet.** — Paquetage. Paqueter. Empaqueter. Dépaqueter. — Balle. Ballot. Pacotille. — BOULE. Pelote. QUENOUILLE. ECHEVEAU. Maque (de fil). Moche (de soie). Manipule (d'herbes). Torque (de fil de fer). — Bouchon de paille.

### FAMILIER

**Etroitement lié.** — Ami, amical. Amitié. — Camarade, camaraderie. — Intime,

FAMILISTÈRE, m. V. *commun.*
**Famille**, f. V. *parent, classe, espèce, société.*
FAMINE, f. V. *faim.*
FANAGE, m. V. *fourrage.*
FANAL, m. V. *lampe.*
**Fanatique.** V. *religion, zèle, partisan, passion, fureur.*
FANATISER. Fanatisme, m. V. *fanatique.*
FANE, f. V. *feuille, fleur.*
FANÉ. V. *terne.*
FANER. V. *prairie.*

FANFARE, f. V. *trompette, chasse.*
**Fanfaron**, m. V. *affectation, orgueil, mensonge.*
FANFARONNADE, f. V. *fanfaron.*
FANFRELUCHE, f. V. *orner.*
FANGE, f. Fangeux. V. *boue, ordure, vil.*
FANION, m. V. *drapeau.*
FANONS, m. p. V. *bœuf, cétacé.*
FANTAISIE, f. V. *imagina-*

*tion, caprice, volonté, pain.*
FANTAISISTE. V. *vain, imiter.*
FANTASIA, f. V. *cavalerie.*
FANTASMAGORIE, f. Fantasmagorique. V. *imagination, fantôme.*
FANTASQUE. V. *caprice.*
FANTASSIN, m. V. *soldat.*
FANTASTIQUE. V. *imagination, bizarre.*
FANTOCHE, m. V. *bizarre.*
**Fantôme**, m. V. *apparaître.*
FAON, m. V. *cerf, chevreuil.*

---

intimité. Compagnon. Copain, f. — Privauté. Familiarité, se familiariser. — Etre à tu et à toi. Tutoyer. Etre de pair à compagnon. — Fraternité. Fraternel. — Fréquenter. Hanter. Cousiner.

**D'humeur sociable.** — Abordable. Accessible. Accostable. Accointable. — Affable, affabilité. Liant. Engageant. Admettre tout le monde. — Pas fier. Rond. Simple. Facile. Doux. — Maniable. Traitable.

**Domestiqué.** — Domestiquer, domestication, domestique. — Apprivoiser, apprivoisement, apprivoisé. — Dompter, domptable. Dresser, dressage. Former, formation. — Priver, privé. Habituer, habitué. — Affaiter (un faucon). Manger dans la main.

### FAMILLE

**Descendance.** — Extraction. Origine. Issu de. Né de. — Ligne. Lignée. Parage. Race. Gent. Sang. Souche. Tige. Tronc. — Ascendance. Ascendants. Ancêtres. Aïeux. — Descendance. Descendants. Postérité. Progéniture. — Filiation. Parenté, PARENTS. Apparentement. — Branche aînée. Branche cadette.

**Degrés de parenté.** — Trisaïeul. Bisaïeul. — Grand-père. Grand-mère — Père. Mère. Mari. Femme. — Enfants. Frère. Sœur. — Beau-père. Belle-mère. Beau-frère. Belle-sœur. Beau-fils ou Gendre. Belle-fille ou Bru. — Oncle. Tante. Cousin. — Arrière-cousin. Proche parent. Parent éloigné.

**Droit familial.** — Etat civil. Registres. — Chef de famille. Autorité paternelle. Droits des époux. Droits des enfants. — Patrimoine. Héritage, héritier, héréditaire. — Enfant légitime, consanguin, utérin, adoptif. — Une génération. La parenté. Parentèle. Collatéraux. Allié. — Tuteur. Tutelle. Conseil de famille. Curatelle. Conseil judiciaire. — Nom. Nom de famille. Nom patronymique. Généalogie. — Blason. Parchemins. Science héraldique. — Clan. Caste. Dynastie. Tribu. Smala. — Classe. Rang. Lieu.

**Vie de famille.** — Demeure familiale. Intérieur. Maison. Ménage. Le chez soi. Toit paternel. — Foyer domestique. Pénates. Maisonnée. Les siens. Vie patriarcale. — Traditions. Fêtes de famille. Naissances. Mariages. Noces d'argent. Noces d'or. Repas de famille. — Domesticité. Domestiques. Serviteurs. —

Entrer dans une famille. Alliance. S'allier. Se mésallier. — Querelles intestines. Divorce.

### FANATIQUE

**Caractère.** — Fanatisme, fanatique, fanatiser. — Intolérance, intolérant. Persécution. persécuteur. — PASSION, passionné, ENTHOUSIASME, enthousiaste. Zèle, zélé. — Dévotion, dévot. SUPERSTITION, superstitieux. — Foi dans le surnaturel. — Rigorisme. Puritanisme.

**Personnes.** — Fanatiques. Zélateurs. Dévots. — Illuminés. Voyants. Visionnaires. — Théosophes. Gnostiques. — Puritains. Piétistes. Inquisiteurs. — Flagellants. Convulsionnaires. Fakirs. Aïssaouas.

### FANFARON

**Fanfaron de courage.** — Fanfaronnade. Fanfaronnerie. Forfanterie. Rodomontade. Craquerie. — Outrecuidance, outrecuidant. Crânerie, crâne. Bravade.

Faux brave. Bravache. Capitan. Matamore. Fier-à-bras. Tranche-montagne. Glorieux. — Pourfendeur. Traîneur de sabre.

**Vantard.** — Se vanter, vantardise, vanterie. Se flatter. Se glorifier. Se prévaloir. — Se targuer de. Se piquer de. Se faire fort de. Se donner des gants. — Jactance. Ostentation. Parade. Esbrouffe. — Vanité, vaniteux. Faire des embarras. Etaler, étalage. Epater, épate, épateur. — Gascon, gasconnade, gasconner. Blagueur, blague, blaguer. Hâbleur, hâblerie, hâbler. — Casseur d'assiettes ou de raquettes. Enfonceur de portes ouvertes.

**Charlatan.** — Charlatanisme, charlatanesque. Boniment. Bagout. — Pouf. Puffisme. Réclame. — Banquiste. Camelot. Marchand d'orviétan, de poudre de perlimpinpin. Arracheur de dents. Avaleur de sabre. — Beau parleur. Fort en gueule. Menteur. Trompeur. Faiseur de dupes. — Battre la grosse caisse. Promettre monts et merveilles.

### FANTÔME

**Fantômes.** — Ame en peine. Ame errante. Larves. Lémures. Esprits. Double. — Vampire. Strige. Goule. Brucolaque. — Monstres. Lamies. Lilith. — Revenants. Gobelins. Ombres. — Spectre. Squelette. Danse macabre. — Esprit follet. Elfe. Gnome. Génie. Lutin. Korrigan.

FAQUIN, m. V. *vil, lance.*
FARANDOLE, f. V. *danse.*
FARCE, f. Farceur, m. V. *bouffon, rire, bateleur.*
FARCE, f. Farcir. V. *garnir, cuisine, plein.*
FARD, m. V. *toilette, affectation.*
FARDEAU, m. V. *porter, lourd, peine.*
FARDER. V. *visage, couleur.*
FARDIER, m. V. *voiture.*
FARIBOLE, f. V. *vain.*
**Farine, f.** V. *moulin, poudre.*
FARINEUX. V. *farine.*
FARNIENTE, m. V. *oisif.*
FAROUCHE. V. *sauvage, fuite.*
FASCE, f. V. *blason.*
FASCICULE, m. V. *faisceau, livre.*

FASCINATION, f. Fasciner. V. *magnétisme, influence, éblouir, plaire, regard.*
FASCINE, f. V. *faisceau.*
FASCISME, m. V. *Italie.*
FASHIONABLE. V. *habillement.*
FASTE, m. V. *riche, orgueil.*
FASTES, m. p. V. *calendrier.*
FASTIDIEUX. V. *ennui, dégoût.*
FASTUEUX. V. *luxe.*
FAT. V. *affectation.*
FATAL. Fatalité, f. V. *destin, contrainte, malheur, hasard.*
FATALISME, m. Fataliste, m. V. *philosophie, résignation, Mahomet.*
FATIGANT. V. *fatigue, déplaire.*

**Fatigue, f.** V. *abattement, peine, ennui.*
FATIGUER. V. *fatigue.*
FATIMITES, m. p. V. *Mahomet.*
FATRAS, m. V. *amas, désordre, mélange.*
FATUITÉ, f. V. *affectation.*
FAUBERT, m. V. *balai.*
FAUBOURG, m. V. *ville.*
FAUCARDER. V. *rivière.*
FAUCHAISON, f. Faucher. V. *couper, prairie, moisson.*
FAUCHEUR, m. V. *blé.*
FAUCHEUX, m. V. *araignée.*
**Faucille, f.**
**Faucon,** m. V. *oiseau, chasse.*
FAUCONNEAU, m. V. *faucon, artillerie.*
FAUCONNIER, m. V. *faucon.*

---

**Visions.** — Fantasmagorie, fantasmagorique. Fantastique. — Apparition. Evocation. Vision extatique. — Hallucination. Illusion. Phantasme. Vision mensongère. — Terreurs nocturnes. Cauchemar.

## FARINE

**Farine de blé.** — Farine de blé dur, de blé tendre. Farine fromentée. — Farine première. Farine seconde. Fleur de farine. Farine entière. Farine de gruau. — Repasse. Recoupe. Bisaille. Grésillon. Remoulage. — Amidon. Diastase. Dextrine. Gluten. Albumine. — Farine prise. Farine sableuse. Folle farine. — Son. Bran. — Issues.

**Autres farines.** — Farine de méteil, d'avoine, de sarrasin, d'orge. — Farine de chènevis, de graine de lin, de moutarde, etc. — Farine de manioc. Cassave. Couac. — Fécule de tapioca, d'arrow-root, de pomme de terre, de riz, etc. Sagou. Racahout. — Semoule.

**Mouture.** — Meunerie, meunier. Minoterie, minotier. — Moudre, mouture, moulin. — Bluter, blutage, blutoir. Tamiser, TAMIS. — Féculerie, féculiste. — Manutention, manutentionner. Couper les farines.

**Relatif à la farine.** — Pâte. Bouillie. Branée. Brenade. — Enfariner. Saupoudrer. — Farineux. Farinacé. Siligineux. Glutineux. — Huche. Pétrin. — Ver cadelle. Charançon. — Pityriasis. Furfuracé.

## FATIGUE

**Epuisement physique.** — Fatigue, fatiguer, fatigant. — Epuisement, épuiser. — Ereintement, éreinter. — Accablement, accabler. — Exténuation, exténuer. — Lassitude, lasser. — Courbature, courbaturer. — Essoufflement, essouffler. — Assommer, briser de fatigue. — Harasser. Echiner. Excéder.

Etre sur les dents. Etre las, fourbu, recru, rendu, courbatu, moulu, roué. N'en pouvoir plus.

Forcer, crever un cheval. Cheval fourbu, fortrait. — Chien aggravé. — Bête épaulée.

**Fatigue d'esprit.** — Cassement de tête. Avoir la tête cassée, rompue, fendue. — ENNUI, ennuyeux. — Fatigue intellectuelle. Surmenage. — Anémie cérébrale. Amnésie. Perdre la mémoire. — Abattement, abattu. Découragement, découragé. Déprimé. N'avoir plus ses moyens.

**Travail fatigant.** — Travail dur, pénible. Labeur. Corvée. Faix. Charge. Fardeau. Surcharge. — Métier de chien. Vie de galérien. Collier de misère.

Se donner du mal. Trimer. Peiner. Etre écrasé de besogne. — Suer sang et eau. Suer d'ahan. Ahaner. Succomber sous le faix. — Haleter.

## FAUCILLE

**Instruments de fauchage.** — Faux. Fauchon. Faux flamande. Sape. — Faucille. Faucillon. Fauchard. Volant. Etrape. — Serpe. Serpette. Vouge. Courbet. Croissant.

**Pièces.** — Fer. Nervure. Tranchant. Pointe ou Bec. Queue. Talon. Porreau (saillie d'arrêt). — Armure. Manche. Crosse. Engerai (râteau). — Dents (de faucille).

**Fauchaison.** — Faucher, fauchage, faucheur. Faucher à toute volée. Fauche. Fauchée (surface fauchée en un jour). Andain (surface fauchée d'un coup). — Scier, sciage. Moissonner. Etraper. Faner.

Aiguiser. Ecacher. Coffin ou Coyer (étui à pierre). — Marteler. Enclumette. Tas.

## FAUCON

**Oiseaux chasseurs.** — Oiseau de haut vol, de bas vol. — Faucon. Lanier. Gerfaut. Busard. Emerillon. Autour. Epervier. Crecerelle. Chevêche.

Faucon niais. Faucon branchier. Faucon hagard ou Pérégrin. Antannier (qui n'a pas mué). — Tiercelet (mâle). Lancret (mâle de lanier). Emouchet (mâle d'épervier). Forme et Sacre (femelles). Parons (père et mère). Fauconneau.

FAUFILER. V. *coudre.*
FAUFILER (se). V. *pénétrer.*
FAUNE, m. V. *Pan.*
FAUNE, f. V. *animal.*
FAUSSAIRE, m. V. *faux, signature, monnaie.*
FAUSSER . V. *faux, violer, disloquer, courbure.*

FAUSSET, m. V. *chant, tonneau.*
FAUSSETÉ, f. V. *faux, mensonge, ruse.*
**Faute,** f. V. m. *mal, maladresse, erreur, crime, péché, manque.*
FAUTER. V. *faute.*

FAUTEUIL, m. V. *meuble, siège.*
FAUTEUR, m. V. *exciter.*
FAUTIF. V. *faute.*
FAUVE. V. *couleur, gibier.*
**Fauvette,** f. V. *oiseau.*
**Faux.** V. *mensonge, crime, compte, imiter, discordant.*

**Aspects particuliers.** — Plumage. Pennage. Saurage (premier pennage). Manteau (couleur). — Mahute (haut de l'aile). Cerceaux (plumes de l'aile). Vannes (pennes des ailes). — Balai (queue). Barres (bandes de queue). Rectrice (grande plume de queue). Couvertes (plumes de queue). — Coué (avec queue). Ecoué (sans queue). — Taches : Aiglures. Egalures. Mailles. — Main (patte). Ongles. Serres. Griffes. Avillons. — Brayer (derrière). Mulette (gésier). — Court enjointé. Halbrené (pennes rompues).

**Elevage.** — Fauconnerie, fauconnier. — Aire. Volière. Muette. — Paître l'oiseau. Pât. Beccade. Faire boyau. Gorge (nourriture). Gorgée. Gorge chaude. Donner bonne gorge. Digérer sa gorge. — Airer. Désairer. — Désempeloter (faire rendre gorge). Curer ou Vider (purger). Emeut (fiente). Emeutir. — Faucon familleux (vorace). Attrempé (ni gras ni maigre). — Siller (coudre les paupières). Dessiller. — Vol (groupe d'oiseaux).

**Dressage.** — Arroi (équipage). Dresser. Affaiter. Oiseler. Duire. Enoiseler. Oiseau famil (apprivoisé). Oiseau de bonne affaire. — Tenir sur le poing. Gant. — Jeter l'oiseau. Lancer. Mettre en amont, en assurance. — Bûcher (faire percher). Bloc (perche). Blot (chevalet). Longe. Filière. Créance. — Chaperonner, chaperon. Faire la tête. Décoiffer. — Acharner. Charnière (lieu de pâture). Mettre à poil, à plume. Donner l'escape. — Réclamer (rappeler), réclame. Leurrer, leurre. — Apoltronir (rogner les ongles). Chausser la grande serre. Brider les serres. Entraver. — Armer (mettre des sonnettes au pied). Grillet (grelot).

Vol. Montée. Carrière. Esplanade. Branle. — Chevaucher. Ecarter. Voler de haut, d'amour. Faire le large. — Vervelle (plaque de propriété).

**Chasse.** — Oiseau de grand travail. Etre bien à la chair. Giboyer. — Vol à la couverte, à la renverse, à la source. Fondre en rondon. Faire la pointe. Griffer. Prendre coup. Ecumer (dépasser). Bander au vent. Tenir l'amont. — Avuer la perdrix. Voler la pie, le héron. — Cris du fauconnier : Cluze ! Guairo ! Volte ! — Droit de l'oiseau. Faire courtoisie (laisser plumer). Détrousser (soustraire la proie du faucon). — Se dépiter, dépiteux. Charrier (emporter la proie).

### FAUTE
(latin, *culpa*)

**Faute de langage.** — Faute, fautif. Incorrection, incorrect. Enormité. Faute d'ortho-graphe. — Faute d'inattention Inadvertance. Lapsus. Pataquès. — Barbarisme. Solécisme. Cacographie. — Contresens. Faux sens. ERREUR. — Inexactitude. Impropriété. Quiproquo. Errata.

**Faute de conduite.** — Commettre une faute. Fauter. Etre en défaut. — Faillir, faillible. Broncher. Chute. Faux pas. Pas de clerc. Ecole. — Mal faire. Méfait. — Démérite, démériter. Forfaire, forfaiture. — Se mettre dans son tort. Désobéir, désobéissance. — DÉSORDRE. Ecart. Equipée. Escapade. Fredaine. FOLIES. — VICE. Souillure. Scandale. Faiblesse. Tache. Défaut. Travers. — Inconvenance. Incongruité. MALADRESSE.

**Faute juridique.** — Responsabilité, délictuelle, contractuelle, sans faute. — Délit, quasi-délit. Délit civil, pénal. — Faute lourde, légère. — Faute de commission, d'omission. Imprudence. — Maladresse. — Préjudice. — Risque. Risque professionnel. — Dommages-intérêts. — Enfreindre la loi, infraction. Contrevenir, contrevenant, contravention. VIOLER. Transgresser la loi. — Illégalité, illégal. Illégitimité, illégitime. — CRIME, criminel. Circonstances aggravantes, atténuantes. — Culpabilité, coupable. Récidive, récidiviste. Complicité, complice. — Délit. Délit correctionnel. — Mauvais cas. ACCUSATION. Inculpation, inculper. — Prévarication, prévaricateur. — Contrebande, contrebandier.

**Faute religieuse.** — Péché, pécher, pécheur, pécheresse. Péché mortel. Péché véniel. Péché par omission. Coulpe. — Offenser Dieu. Blasphème. Sacrilège. Impiété. Mauvaise pensée. — Athéisme. Hérésie.

**Degrés de la faute.** — Légère. Vénielle. Excusable. Pardonnable. Réparable. — Grave. Blâmable. Enorme. Impardonnable. Inexcusable. Irréparable.

### FAUVETTE

**Principales espèces.** — Fauvette à tête noire. Fauvette des jardins. Sylvie des marais. Rousette des bois. Bergeronnette. Grignette (bleuâtre). Grisette. Moineau de haie. Queue-rouge, etc.

### FAUX
(latin, *falsus* ; grec, *pseudos*)

**Fausse opinion.** — Illogisme, illogique. Paradoxe, paradoxal. Sophisme, sophistique. — Extravagance, extravagant. Sottise, SOT. — Absurde. Contradictoire. Déraisonnable. Insensé. Irrationnel. Dérisoire. — Sans fondement. Insoutenable. Irrecevable. — Improbable. Douteux. Spécieux. Superficiel. — Con-

FAUX, f. V. *faucille.*
FAUX-BOND, m. V. *promesse.*
FAUX-BOURDON, m. V. *chant.*
FAUX-FUYANT, m. V. *prétexte.*
FAUX-SEMBLANT, m. V. *tromper.*
**Faveur,** f. V. *bienfait, recommande, vogue, amour, ruban.*
FAVORABLE. V. *faveur.*
FAVORI, m. V. *faveur, préférer, roi, cheval, barbe.*
FAVORISER. V. *faveur, protéger.*
FAVORITISME, m. V. *préférer.*
FÉAL. V. *féodal, confiance.*
FÉBRIFUGE, m. V. *médicament.*
FÉBRILE. V. *fièvre.*

FÉCAL. V. *excrément.*
FÈCES, f. p. V. *résidu.*
FÉCOND. V. *fertile.*
FÉCONDATION, f. Féconder. V. *génération.*
FÉCONDITÉ, f. V. *fertile, mère.*
FÉCULE, f. V. *farine.*
FÉCULENT. V. *poudre.*
FÉDÉRAL. Fédéralisme, m. V. *politique, république.*
FÉDÉRATION, f. V. *association.*
FÉE, f. V. *magie.*
FÉERIE, f. Féerique. V. *beau, extraordinaire.*
FEINDRE. V. *tromper, apparaître, faux.*
FEINTE, f. V. *mensonge, escrime.*
FEINTISE, f. V. *ruse.*

FELDSPATH, m. V. *pierre.*
FÊLER. V. *fente.*
FÉLICITATION, f. V. *louange.*
FÉLICITÉ, f. V. *bonheur.*
FÉLICITER. V. *applaudir.*
FÉLIN. V. *chat.*
FELLAH, m. V. *Egypte.*
FÉLON. Félonie, m. V. *trahir, infidèle, méchant.*
FELOUQUE, f. V. *navire.*
FÊLURE, f. V. *vase.*
FEMELLE, f. V. *femme.*
FÉMININ. V. *femme, grammaire, rime.*
FÉMINISME, m. Féministe, m. V. *femme.*
**Femme,** f. V. *mariage, sexe, âge, domestique.*
FEMMELETTE, f. V. *délicat.*

---

traire à la vérité. Controuvé. Inexact. Erroné. — Contresens. Non-sens. ERREUR. Entorse à la vérité. — Hérésie, hérétique. Hétérodoxie, hétérodoxe.

**Faux écrit.** — Un faux, faussaire. Faux en écriture publique, commerciale, privée. Contrefaire une écriture, une signature. — S'inscrire en faux. Arguer de faux. — Acte fiduciaire. Fidéicommis. Vente fictive. Faux titre. — Antidater. Postdater. — Pseudonyme. Prête-nom. Homme de paille. — Torturer le sens. Traduction infidèle. Interpolation. Ouvrage apocryphe.

**Fausseté.** — Faire semblant. Feindre, feinte, fictif. Mentir, MENSONGE, menteur. Simuler, simulation, simulacre. Dissimuler, dissimulation. — Fausse APPARENCE. Air affecté. AFFECTATION. Hypocrisie, HYPOCRITE. Faux dehors. Faux semblant. Masque. — Simagrées. Grimaces. Larmes de crocodile. Jouer la douleur. — Pour la forme. Pour la frime. Du bout des lèvres. — Artificiel. Factice. D'emprunt. — Sous le voile de. Sous couleur de. Sous les dehors de. — Chafouin. Faux comme un jeton. Rusé. — Ruser. Agir subrepticement.

**Falsification.** — Falsifier, falsificateur. Frelater, frelatage. Sophistiquer, sophistication. — Contrefaire, contrefaçon, contrefacteur. Imiter, imitation. Pasticher, pastiche. Démarquer, démarquage. — Fausser. Adultérer. Truquer. Maquiller. Flatter un portrait. Gourer.

Fausses pierres. Fausses perles. — Postiche. Plaqué. — Alliage. Mauvais aloi.

Mots en *pseudo* : Pseudo-prophète. Pseudomorphe, etc.

**Fausse imagination.** — Contes bleus. Contes en l'air. Fiction. Fable, fabuleux. Mythe. Légende. — Paroles en l'air. Fausse nouvelle. Canard, f. Supposition gratuite. — Cancans. Commérages. Contes à dormir debout. Visions cornues. Chansons. FANTÔME, fantastique. Illusion, illusoire. Chimère, chimérique. — Imagination, imaginaire. Invention, inventé. Prétention, prétendu. — Voir à travers un prisme. Enjoliver. — Fol espoir. Hypothèse. Supposition.

### FAVEUR

**Faveur qu'on accorde.** — Avoir un faible pour. Bien TRAITER. Choyer. Népotisme. — S'intéresser à. Se passionner pour. Préférer, préférence. Prédilection. Acception de personnes. Distinguer. — Pousser quelqu'un. S'employer pour. Combler de faveurs. Favoriser. Etre favorable, propice. — Protéger, protecteur. DÉFENDRE, défenseur. Prendre parti pour. Etre partial, partialité. — Bonne volonté. Bon vouloir. Bonnes dispositions. Complaisance. Egards. Ménagements. Encouragements. — Avantager, avantage. Bienfaits. Dons. — Obliger. Rendre service. Aider, aide. Seconder. Soutenir, soutien. Appui. Esprit de corps.

Octroyer une grâce. Pardon. Amnistie. Commutation de peine.

**Faveur qu'on reçoit.** — Etre bien en cour. Etre en crédit. Etre dans les bonnes grâces. Etre dans les papiers de. Avoir des protections. — Protégé. Client. Créature. Ame damnée. — Favori. Favorite. Menin. Mignon. — Passer le premier. Avoir un tour de faveur. Etre des élus. — Etre l'obligé de. Recevoir un service. Obtenir un délai, un répit.

**Privilège.** — Avantages. Prérogative. Attributions. Privilège, privilégier. — Dispense, dispenser. Exemption, exempter. Immunité. Passe-droit. — Autorisation spéciale. Permission. Licence. BREVET. Monopole. — Préciput. — Distinction honorifique.

### FEMME
(latin, *femina*; grec, *gyné*)

**Sexe féminin.** — Femme, féminin. Femelle. Mère. Maman. Epouse. Jeune mariée. — FILLE. Vieille fille. Jeune fille. Vierge. Nubile. Formée. Fillette. — Fiancée. Amante. Maîtresse. — Beau SEXE. Sexe faible. Filles d'Eve.

FÉMORAL. Fémur, m. V. *os, jambe.*

FENAISON, f. V. *fourrage.*

FENDEUR, m. V. *fente, fanfaron.*

FENDILLER. V. *fente.*

FENDIS, m. V. *fente, ardoise.*

FENDRE. V. *fente, couper, ouvert.*

FENDRE (se). V. *jambe.*

FENÊTRAGE, m. V. *fenêtre.*

Fenêtre, f. V. *architecture, maison, ouvert.*

FENIL, m. V. *fourrage.*

FENNEC, m. V. *renard.*

FENOUIL, m. V. *plante.*

Fente, f. V. *entaille, creux, casser, interruption.*

Féodal. V. *noble, chevalier, barbare, politique.*

FÉODALITÉ, f. V. *féodal.*

---

**Titres de femmes.** — Dame. Doña. Donna. Lady. Matrone. — Madame. Mademoiselle. Mistress. Miss, etc. — Reine. Impératrice. Princesse. Duchesse. Marquise. Comtesse. Vicomtesse. Baronne. — Amirale. Maréchale. Générale. — Présidente. Directrice. Supérieure. — Professeur. Maître (femme avocat). Docteur (femme médecin).

**Types de femmes.** — Une beauté. Une belle personne. Une belle. — Une blonde. Une brune. Une rousse. Blondine. Brunette. — Maîtresse femme. Maîtresse de maison. Femme d'intérieur. Ménagère. — Mondaine. Caillette. Snobinette. Péronnelle. — Ingénue. Jouvencelle. Femmelette. Tendron. — Cotillon. Grisette. Midinette. Soubrette. — Commère. Luronne. Gendarme. Virago. Hommasse. Mégère. — Maritorne. Laideron. — Houri. Bayadère. Almée. Odalisque. — Créature. Courtisane. Cocote. Donzelle. Demi-mondaine. Poule, f. — Amazone. Héroïne. — Bas-bleu. — Sirène. NYMPHE. Déesse.

**Qui a trait aux femmes.** — Féminisme, féministe. Misogyne. — Féminiser. Efféminer, efféminé. — Gynécée. Harem. Sérail. — Monogamie. Bigamie. Polygamie. — Gynécologie, gynécologue. — Gynécocratie. Héritage en quenouille. — Dameret. Damoiseau. GALANT.

### FENÊTRE
(latin, *fenestra*)

**Fenêtres.** — Fenêtre à deux battants. Fenêtre à croisée. Fenêtre atticurge. Fenêtre à guillotine. Fenêtre glissante, basculante, pivotante. Fenêtre gisante ou Mezzanine (plus large que haute). — Double fenêtre. Fausse fenêtre. Fenêtre dormante. — Croisée. Porte-croisée. — Bow-window. Moucharabieh. Véranda. — LUCARNE. Jour. Tabatière. Œil-de-bœuf. Lunette. Vasistas. Soupirail. — Guichet. Judas. Meurtrière. — Rosace. Rose. Verrière. — Hublot. Sabord.

**Maçonnerie.** — Allège (mur d'appui). Appui. Accoudoir. Tablette. Enseuillement. Plate-bande. Claveau. — Baie. Ébrasement, ébraser. Jouée. Tableau. Feuillure. Embrasure. Ecoinçon. — Pied-droit. Jambages. Plafond. Ogive. Voussure. Trumeau. — Balcon. Balustrade.

**Menuiserie.** — Châssis. Châssis dormant. Abattant. Battant. Vantail. Battement. — Chambranle. Montant. Coulisse. Croisillon. Traverse dormante. Meneau. — Jet d'eau. Reverseau. Larmier. — Linteau. Sommier.

**Ferronnerie.** — Crémone. Espagnolette. Crochet. Lasseret. Panneton. Targette. Crampon. — Penture. Paumelle. — Fiche. Broche. Charnière. — Tourniquet et Birloir.

**Protection.** — Contrevent. Volet. Jalousie. Persienne. — Grille. Barreaux. Grillage. Treillage. Treillis. — Garde-fou. — Calfeutrage. Bourrelet.

**Garniture.** — Vitre. Carreau. Vitrage. Vitrail. Verrière. — Rideau. Double rideau. Store. Brise-bise. — Embrasses. Porte-embrasses. Tringles. Potences. Cordons de tirage.

**Qui concerne la fenêtre.** — Fenêtrage (disposition). Fenestral. — Condamner. Boucher. Murer. Aveugler. — Pratiquer. Percer. — Vue. Vue de côté. Boucher les vues. — Impôt des portes et fenêtres. — Défenestration.

### FENTE

**Séparation.** — Fendre, fendage, fendeur. Cliver, clivage. Fendis. — Refendre. Bambou refendu. Osier écaffé. Bois de refend. Eclisse ou Cerce. — Fendoir. Scie. Merlin. Coin. — COUPER, coupure. Inciser, incision. Découdre, décousure. Déchirer, déchirure. — CASSER, cassure. Fracturer, fracture. Eclat — S'écarter, écartement. Déhiscence, déhiscent. Se disjoindre. Craquer. — Solution de continuité. Interstice. Intervalle. Jour. Joint. Jointure. — FOURCHE, fourchure, fourcher. Bifurcation, bifurquer.

**Fissure.** — Fissuration, se fissurer. Fissile (qui se fend). Bifide. Trifide. — Abreuvoir ou Gouttière (fente d'arbre). S'ébarouir (se fendre par la sécheresse). Gélivure. Arbre gélif. — Se déjeter. Boucler (en parlant d'un mur). Eventure. — Fil d'une carrière. Se déliter (se fendre suivant le fil). Faille. Filon. — S'entrouvrir. Crevasse. Lézarde. Fuite. — Sillon. Sillage. — Entaille. Cicatrice. Suture. Bec de lièvre. Malandre (d'un cheval).

**Fêlure.** — Fêler, fêlé, se fêler. — Se fendiller, fendillement. Se craqueler, craquelé. S'étoiler, étoilement, étoile. Porcelaine truitée. — Rayer, RAIE. Strier, strie. — Crique (dans une arme). Paille (dans le fer). Etonnement (dans le diamant). Langue (dans le verre).

**Exfoliation.** — S'exfolier. S'écailler, ÉCAILLEMENT, écailleux. — Gercer, gerçure. Rhagades (aux lèvres). — Pierre scissile. Schiste, schisteux. — Se rêler (se dit du sucre). Se tressailler (se dit d'un tableau).

### FÉODAL

**Féodalité.** — Moyen âge. Régime féodal. Féodalisme. — Suzeraineté. Vasselage. — Noblesse. Nobles. Gentilhommerie. Titres. Blason. — Château. Castel. Donjon. —

*Fer*, m. V. *métal, forge, arme.*
FER-BLANC, m. V. *tôle.*
FERBLANTERIE, f. V. *tôle.*
FERBLANTIER, m. V. *tôle.*
FÈRE (suff.). V. *porter, produire.*

FÉRIÉ. V. *jour, fête, repos.*
FÉRIR. V. *battre.*
FERLER. V. *pli, voile.*
FERMAGE, m. V. *louage, fermier.*
FERMAIL, m. V. *bouton.*
FERME. V. *fermeté.*

FERME, f. V. *maison, labour, charpente.*
*Ferment*, m. V. *chimie, exciter, discordant.*
FERMENTABLE. V. *ferment.*
FERMENTATION, f. Fermenter. V. *ferment, pâte, gâter.*

---

Châtellenie. Seigneurie. Apanage. — Haute et basse justice. — Foi et hommage. Féal. Félon, félonie. — Etats généraux. — Féodaliste. Feudiste.

**Seigneurs et vassaux.** — Seigneur, seigneurial. Suzerain. Châtelain. Seigneur direct. Seigneur dominant. Seigneur censier. Bénéficier. Haut-justicier. — Grands vassaux. Pairs. Leudes. Haubergier. Hobereau. — Ban. Arrière-ban. Feudataire. Fivatier (possesseur de fief). — Homme lige. Vassal. Arrière-vassal. Vavasseur. Censitaire. Cavier (doit le service à cheval). — Roturier. Tenancier. Vilain. Manant. — Serf, servage. Collibert (demi-serf). Sainteur (serf d'église).

**Fiefs.** — Fief. Fieffer. Féage. Inféoder, inféodation. — Arrière-fief. Fief dominant. Franc fief, franchise. Fief mouvant. Fief médiat, médiatiser. Fief couvert. Forfaire un fief. — Domaine, domanial. Domaine utile. Domaine congéable. — Alleu. Franc-alleu. Allodial. — Bénéfice. — Tenure.

Frarage (partage). Parage. Dépié (démembrement). — Retrait féodal. Réversion.

**Droits.** — Droits féodaux, seigneuriaux. — Bavouer (état des droits). Cueilleret (état des redevances). — Redevances. Rente. Rente censuelle. Cens. Caverie. Chambellage. Redevances en nature. Champart (en blé). Doublage (redevance double). — Prestations. Banalité, banal. Corvée. Péage. Seigneuriage (droit sur monnaie). Cuissage. Jambage.

**Coutumes.** — Allégeance. Esporle. Hommage. Ligement. Prestation de foi. Baisemain. — Investiture. Ensaisinement. — Mainmorte. Amortissement. Mainmission. — Mainmise. Confiscation. Commise. — Aveu (déclaration de biens). Papier terrier (rôle du domaine).

### FER
(latin, *ferrum* ; grec, *sidéros*)

**Etat chimique.** — Fer, ferreux. Ferrugineux, ferruginosité. Mars (en alchimie), martial. Chair du fer. Arbre de Mars. — Acier. Aimant. Ferro-nickel. Ferro-manganèse, etc. — Oxyde ferrique, ferrocyanique, ferrico-cuivrique, etc. — Couperose verte. Atramentaire. Rouille.

Sidérites. Minerais. Gisement. Mine. Pyrites. Gangue. Rognons. — Pierres et sables ferrugineux : Aétite. Emeri. Hématite. Limonite. Magalèse. Marcassite. Minette. Mispickel. Nigrine. Ocre. Oligiste. Purette. Pyrocète. Sidérotète.

**Travail du fer.** — Métallurgie, métallurgiste. Sidérurgie. Usine. Atelier. — FOURNEAU. Haut fourneau. — FONDERIE, fondeur. Fonte. Gueuse. Affinage, affiner. — FORGE. petite, grosse. Maître de forges. — Laminer, laminage, laminoir. Aplatisserie, aplatissoir. — Fendre (mettre en verges). Tréfiler, tréfilerie. Filière. Allemanderie.

Corrompre le fer. Battre, batterie. Ecrouir. Chauffer. Braser. — Galvaniser, galvanisation. — Mâchefer.

**Fers travaillés.** — Fonte. ACIER. Fer doux. — TÔLE. Fer-blanc. Fer battu. Fer galvanisé. — LAMES de fer. Feuillard. Carillon. — Lingot. Barre. Barreau. Rangette. Cornette. Cottière. Souchon. — Tringle. Verge. Fenton. Caton. Coulière. Côte de vache. — Fil de fer. Fil d'archal. — Limaille.

**Qualités et défauts.** — Fer nerveux, ductile, malléable. — Fer aigre, cendreux, écru, rouverin.

Blanc-ployant. Noir-ployant. Cendrure. Chauffure. Surchauffure. Cassure. Moine. Nerfs. Paille.

**Relatif au fer.** — Ferrer, ferrage, déferrer. Ferrement. Ferret. Ferrure. Eau ferrée. — Ferron, ferronnier, ferronnerie. Maréchal ferrant. Lormier. Serrurier. Ferblantier. Quincailler, quincaillerie. — Ferrailler. S'enferrer. — Sidérographie.

### FERMENT

**Fermentation.** — Fermenter, fermentable, fermentatif, fermentescible. Bouillir. Bouillaison (du cidre). Guiller. Guillage (de la bière). Cuve guilloire. — Fermentation alcoolique ou vineuse, acide ou acétique, panaire, saccharine, putride, tumultueuse, insensible. — Animation (en alchimie). — Mousse. ECUME.

**Travail.** — Entrer en fermentation. Effervescence, effervescent. — Travailler. Couver. Se gonfler. Lever. S'étendre. Monter. Prendre. — Frémir. Friller. Mousser. Ecumer. Foudroyer.

Piquer. Tourner. Aigrir. Surir. Moisir. Marcir.

**Ferments.** — Levure. Levain. Chef (pâte à levain). Levain de chef.

Diastases : Ptyaline. Pancréatine. Pepsine. Kéfir. Présure. Saccharomyces. Substances zymogènes.

Microbes. Bouillon de culture. Vitamines. Virus.

**Fermer.** V. *obstacle, serrure.*
**Fermeté,** f. V. *volonté, force, brave.*
**FERMETURE,** f. V. *fermer, clôture.*
**Fermier,** m. V. *louage, finance.*
**FERMOIR,** m. V. *fermer.*
**FÉROCE.** Férocité, f. V. *cruel, dur, sauvage, animal.*
**FERRAGE,** m. V. *maréchal.*
**FERRAILLE,** f. V. *fer.*
**FERRAILLER.** V. *escrime.*
**FERREMENT,** m. V. *fer.*
**FERRER.** V. *fer, maréchal, pêche, chemin.*
**FERRET,** m. V. *lacet.*
**FERREUX.** V. *fer.*
**FERRONNERIE,** f. Ferronnier, m. V. *fer, clou.*
**FERRONNIÈRE,** f. V. *bijou.*
**FERRUGINEUX.** V. *oxyde.*
**FERRURE,** f. V. *fer, serrure.*
**FERS,** m. p. V. *chaîne, prison.*
**Fertile.** V. *produire, beaucoup.*
**FERTILISER.** V. *fertile.*

---

**Technique.** — Zymologie. Zymotechnie. Zymomètre. — Manier les levains. Fatiguer les levains. Remouiller, remouillure. — Pasteuriser, pasteurisation. Produit antizymique. Muter le vin.

### FERMER
(latin, *claudere*)

**Fermer.** — Fermer une porte, une fenêtre, un tiroir. — Fermer à clef. Fermer à double tour. Cadenasser. Verrouiller. — Bâcler une porte, un port. Bâclage. Barrer, barrage. Barricader, barricade. Condamner. — Boucler. Boutonner. Agrafer.

Fermeture. Barre. Barreau. Barrière. Bobinette (barre de bois). Chaîne. — Volet. Contrevent. Battant. Vantail. RIDEAU. Portière. Serrure. CLEF. Verrou. Loquet. — Fermeture hermétique. SOUPAPE. Valve. Registre. Diaphragme. Vanne. Sphincter. — Fermeture de circuit. Manette. Commutateur. BOUTON. Agrafe. Fibule. Fermail. Fermoir. — Clef de voûte. Clausoir.

Bâillonner, bâillon. Museler, muselière. Nouer, nœud. — Replier les ailes.

**Enclore.** — Clore, clos. Clôture, clôturer. Enclos. Pourpris. — Entourer. Murer. Murs. Enceinte. Rempart. Fortification. — Enclaver, enclave, enclavement. — Griller. Grille. Haie. Palissade. Claire-voie. — Investir, investissement. — Limiter. Borner.

**Enfermer.** — Envelopper. Empaqueter. EMBALLER. Coudre dans. — Encaisser. Encaquer. Encuver. — Inclure. Renfermer. Coffrer. — Bloquer. Blocus. Emprisonner. Confiner. Reléguer. Consigner. Priver de la liberté. — Reclure, réclusion, reclus. Cloîtrer, cloître. — Claquemurer. Chambrer. Séquestration. Parquer, parc. — Mettre en lieu sûr. — Recouvrir. Couvercle. Opercule. Coquille.

**Boucher.** — Bouchage. Bouchon, bouchonnier. Tape, tapette, taper. — Cacheter. Capsuler. Coiffer. Boucher à l'émeri. — Bonde. Bondon, bondonner. Broche. Brochette. Cheville. Fausset. ROBINET. Cannelle. — Aveugler. Calfater. Calfeutrer. Capitonner. Étouper. Garnir. Rendre étanche. Bourrelet. — Obturer, obturation. Jointoyer. Mastiquer. Luter, lutation. Tamponner, tampon. Enclouer, enclouage. — Boucher un trou. Pièce. Plaque. Prélart. Tirette. — Combler. Remblayer, remblai.

**Obstruer.** — Obstruction, obstructif. Désobstruer. — Occlusion. Opiler, opilation, opilatif. Désopiler, désopilant. — Engorger, engorgement. Congestion, congestionner. —

Encombrer, encombrement. Embarrasser, embarras. — Remplir, remplissage. Imperforation. Atrésie.

### FERMETÉ

**Assurance.** — Avoir, montrer du caractère. Caractère bien trempé. — Homme, femme de tête. Maître homme. Maîtresse femme. — Aplomb. Affermissement. Sang-froid. Calme. Tranquillité, tranquille. — Faire bonne contenance. Etre d'aplomb. Etre ferme sur les arçons. Etre imperturbable. Ne pas broncher.

**Résistance.** — Constance, constant. S'armer de constance. Tenir bon. Résister. — Entêtement. Obstination. Ténacité. — Endurance. Dureté. Impassibilité. — Rigidité. Rigueur. — Stoïcien, stoïque, stoïcisme. Supérieur aux événements. — Inébranlable. Ferme comme un roc. Inflexible. Invincible. Immuable. SOLIDE. Stable.

**Volonté.** — Force d'âme. Fermeté, ferme. Énergie, énergique. — Décision, décidé. Détermination, déterminé. Résolution, résolu. — Courage, courageux. Bravoure, BRAVE. Intrépidité, intrépide. — Hardiesse, hardi. Vigueur, vigoureux. — Avoir du nerf, des muscles. Etre un Romain, un Spartiate, un homme. — Mâle. Viril. Volontaire.

### FERMIER et FERME

**Fermages.** — Affermage. Métayage. Amodiation. Bordage. — Accensement. Grangeage. Colonage ou Colonat partiaire. Tenure. Ténement. Prendre à ferme. Ferme. Sous-ferme. — Location. LOUAGE. Bail, bail à comptant. Concession. — Redevances. Faisances. Loyer. Cense. Accense. Censive.

**Fermiers.** — Fermier, fermière. Arrière-fermier. Métayer. Amodiateur. Bordier. Closier. Colon. Tenancier. Censier. — Engagiste. Exploitant. Cultivateur. Laboureur. Planteur.

**Ferme.** — Une ferme. Métairie. Borderie. Closerie. Exploitation agricole. Plantation. — Villa. Mas. Estancia. Ranch. — Ferme modèle. Ferme-école.

Locaux d'habitation. Champs. COUR. Basse-cour. Cheptel. Ecurie. ÉTABLE. Granges.

### FERTILE

**Abondance.** — Terre en plein rapport. Terre en amour. — Terre féconde, riche, plantureuse, prodigue, inépuisable, intarissable. — Excellente terre. Bon terrain. Bon pays. Pays de Cocagne. Sol généreux. Gras pâturage. Grenier, jardin de la France. Oasis.

FÉRULE, f. V. *roseau, bâton.*
FERVENT. Ferveur, f. V. *chaleur, religion.*
FESSE, f. V. *derrière.*
FESSÉE, f. Fesser. V. *punition, fouet.*
FESTIN, m. Festiner. V. *manger, fête, plaisir.*
FESTIVAL, m. V. *fête, cérémonie.*
FESTON, m. Festonner. V. *or-*

ner, *guirlande, passementerie, bord, découper, broder.*
FESTOYER. V. *fête, manger.*
**Fête,** f. V. *joie, cérémonie.*
FÊTE-DIEU, f. V. *liturgie, procession.*
FÊTER. V. *fête.*
FÉTICHE, m. V. *amulette.*
FÉTICHISME, m. V. *religion, superstition.*

FÉTIDE. Fétidité, f. V. *puant.*
FÉTU, m. V. *paille, petit.*
**Feu,** m. V. *brûler, briller, chaleur, lumière, fusil, passion.*
FEU. V. *mort.*
FEUDATAIRE, m. V. *féodal.*
FEUILLAGE, m. V. *feuille.*
FEUILLAISON, f. V. *feuille.*
FEUILLARD, m. V. *cercle, tonneau.*

---

— Sein maternel de la terre. Exubérance. Profusion.

**Production.** — Produire, productif, producteur. — Donner. Donner à profusion. — Fructifier, fructification. Fructueux. — Rapporter, rapport. Prolifère. Prolifique.

**Faire produire.** — Féconder, fécondation. Multiplier, multiplication. — Faire donner. Faire rapporter. Faire rendre. — Fertiliser, fertilisation. Engraisser. Fumer.

### FÊTE

**Fêtes publiques.** — Réjouissances publiques. Jours fériés. — Assemblée. Kermesse. Ducasse. Pardon. Pèlerinage. — Foire. Fête foraine. CARNAVAL. Carousse. Cocagne. Bamboula. Tam-tam. — Fête nationale, patronale, commémorative. Inauguration. Solennité. — Fête de gymnastique. Fête sportive. Courses. Régates. Match. TOURNOI. Joute. Carrousel. Fantasia. — Cortège. Procession. Revue. Défilé. — Festival. Représentation théâtrale. Jeux du cirque. — Feu d'artifice. Feu de Saint-Jean. Grandes eaux.

**Fêtes particulières.** — Jour de naissance. Baptême. Communion. Mariage. Noces d'argent, d'or. — Anniversaire. Saint patron. Jubilé. La bonne année. La fête. — Réunion. Réception. Bal. Soirée. Gala. — Festin. Frairie. Banquet. Dîner d'affaires. — Festoyer. Faire la noce. Tuer le veau gras. — Donner un dîner. Traiter ses amis. Tirer les rois.

**Fêtes religieuses.** — *Chrétiennes :* Noël. Pâques. Pentecôte, etc. V. LITURGIE. — Fêtes carillonnées. Dimanche.

*Juives :* Pourim. Yom-Kippour. Sabbat. Tabernacles.

*Romaines :* Bacchanales. Saturnales. Compitales. Lupercales. Lectisterne. TRIOMPHE.

*Grecques :* Epinicies. Panathénées. Dionysies. Antesthéries. Thermophories. Eleusinies. Jeux olympiques, isthmiques, pythiques, néméens. Panégyries.

*Musulmanes :* Ramadan. Mouloud. Baïram. Pour les autres fêtes, voir les noms de pays particuliers.

**Célébration.** — Célébrer, fêter. Célébration SOLENNELLE. Solenniser. Sanctifier. — CÉRÉMONIE, cérémonial. Comité des fêtes. Organisateur. Ordonnateur. Ordre et marche. Programme. — Pavoiser. Drapeaux. Oriflammes. Guirlandes. — ILLUMINER, illuminations. Projections lumineuses. Fontaines lumineu-

ses. Feu de JOIE. Feu d'artifice. — Musiques. Orchestres. Fanfares. Concerts. — Salves. Ovations. Danses. Mascarades. — Couronne. Compliment. Bouquet. Cadeau. — Prendre part, figurer à une fête. S'endimancher. S'amuser. Chômer.

### FEU
(latin, *ignis ;* grec, *pyr*)

**Allumage et entretien.** — Allumer. Allume-feu. Allumette. — Briquet. Battre le briquet. Amadou. Fusil. Pyrogène. — Mèche. Copeaux. Fagots. Margotins.

Attiser le feu, attisoir. Tisonner, tisonnier. SOUFFLET. Pelle. Pincettes. Râble. Mordache. Fourgon, fourgonner.

Combustible. Corps inflammable. Bois. Bûche. Charbon. Briquette. Boulet. Aggloméré. Tourbe. Pétrole. Gaz. Courant électrique.

**Appareils à feu.** — Atre. Foyer. CHEMINÉE. — Fourneau. Haut fourneau. POÊLE. Calorifère. — Chaufferette. Bassinoire. Réchaud. Brasero. — Fournaise. Brasier. — Phare. Fanal. Lustre. Lampe. Flambeau. Torche. Brandon. — Lance-flammes. Chalumeau. Pyrobole. — Arme à feu. Falarique.

Fumiste, fumisterie. Tirer, tirage. — Ventouse. Appareil fumivore.

**Effets du feu.** — Brûler, brûlure. Combustion. Calciner, calcination. Réduire en cendres. — Embraser, embrasement. Enflammer. Prendre. Ignescence. Ignition. — Chauffer. Réchauffer, réchauffement. Chaude. Ardeur. — Cuire. Griller. Torréfier. Cautériser. Saisir. Rôtir. — Jaillissement. Grisou. Détonation. Explosion. Déflagration. — Illuminer. Eclairer. Incandescence. Eclater. — Incendie. Sinistre. Dévorer. Brûler. Ravager.

**Aspects du feu.** — Flamme. Tourbillon de flammes. Jet de flamme. Feu vif. Flambée. Flamboiement. — Flammèche. Bluette. Etincelle. Flammerole. — Tison. Fumeron. Braise. CENDRES. — Lumière. Lueur. Scintillement. — Fumée.

Flamber. Flamboyer. Briller. Etre ardent. Scintiller. Luire. — Couver. Pétiller. Crépiter.

**Emploi du feu.** — Chauffer, chauffage. Se chauffer. Chauffer à blanc, au rouge. — Flamber, flambage. — Incendier, incendiaire. — Cuire, cuisson, cuisine. — Incinérer, incinération. Four crématoire. — Eclairer, éclai-

**Feuille**, f. V. *arbre, plante, papier, menuisier, caoutchouc.*
FEUILLÉE, f. V. *feuille.*
FEUILLÉES, f. p. V. *camp.*
FEUILLET, m. V. *estomac, imprimerie, page.*
FEUILLETAGE, m. V. *pâte.*

FEUILLETER. V. *page, pâte.*
FEUILLETON, m. Feuilletoniste, m. V. *journal, littérature, conte.*
FEUILLETTE, f. V. *tonneau, vin.*
**Feutre**, m. V. *poil, bourre, chapeau.*

FEUTRER. V. *feutre, bourre.*
FEUX, m. p. V. *salaire, adjudication.*
**Fève**, f. V. *graine.*
FÉVEROLE, f. V. *fève.*
FÉVRIER, m. V. *mois.*
FEZ, m. V. *coiffure.*
FIACRE, m. V. *voiture.*

---

rage. Illuminer. — Cautériser, cautère. Pyroponcture. Pointes de feu. — Feu de joie. Feu de Saint-Jean. Feu grégeois. Autodafé. — Arts du feu. Fonderie. Forge. Métallurgie. Traction mécanique. Verrerie. Emaux. Porcelaine.

**Extinction du feu.** — ETEINDRE. Extincteur. Couvre-feu. — Pompe. Pompier. Sauveteur. Vigile. — Bouche d'incendie. Prise d'eau. Conduite. Tuyaux. Seaux. Faire la chaîne. — Combattre l'incendie. Faire la part du feu. Coupe-feu. — Lance. Jet. Casque. Masque à gaz. Hache. Echelle. Avertisseur. — Débraiser. Désenflammer. Détiser. — Ignifuge. Réfractaire. — Assurances.

**Sciences et croyances.** — Phlogistique. Pyrologie. Pyrométrie. Pyrotechnie. — Calorique. Calorie. — Plutonisme.

Pyrolâtrie. Pyrée (autel). Azer (des Mages). Guèbre. Parsi. Mazdéisme. — Vesta. Mithra. Vulcain. Cyclopes. Prométhée. — Salamandre. — L'Enfer.

### FEUILLE
(latin, *folium* ; grec, *phyllon*)

**Feuillage.** — Feuilles. Bouquet de feuilles. Feuillée. Frondaison. Ramée. Verdure. Treille. — Feuillage. Fanage (d'une plante). Feuillade (de fougère). Pampre (de vigne). — Feuille, simple, composée. Bouton. Bourgeon. Béquillon. Bractée. Phylle. Follicule. Foliole (de composée). Pampre et Fane (de céréales). Fronde (de fougère). Surfeuille. Phyllite (fossile).

Feuilles ornementales. Arabesques. Moresques. Rinceaux. Festons. Guirlandes. Palmes. Feuilles d'acanthe, de laurier, de chêne.

**Feuillaison.** — Feuiller. Verdoyer. Verdir. Plante foliipare. Feuillu. Touffu. Pousse des feuilles, pousser. S'épanouir. — Evolution des feuilles. — Feuilles persistantes. Feuilles caduques. — Chute des feuilles. S'effeuiller. Se dépouiller. Défeuillaison. Défoliation. Maladies des feuilles : Frisolée. Cloque. Galle. Jaunisse. Blanc. Se coffiner (se rouler). — Miellure (exsudation sucrée). Nutation (orientation selon lumière).

**Eléments des feuilles.** — Aisselle, partie axillaire. Appendice. Appendicule. Auricule. Bord. Canalicule. Capillature. Carde ou Côte. Chlorophylle. Collet. Digitation. Disque. Dos. Duvet. Entrefeuille. Epiderme. Face interne et externe. Gaine. Lame. Ligule. Limbe. Lobe. Lobule. Nervure. Oreille. Oreillette. Parenchyme. Pétiole. Pétiolule. Pointe. Rachis. Sinus. Stipule. Stomate. Stries. Suçoirs. Talon. Veines. Veinules. Vrilles.

**Disposition des feuilles.** — Foliation. Phyllotaxie.

Plante allophylle. Anisophylle. Aphylle. Brachyphylle. Dasyphylle. Distichophylle. Diphylle. Tétraphylle. Hexaphylle. Heptaphylle. Phyllanthe.

Feuilles solitaires. Géminées. Alternes ou Eparses. Amplexicaules. Cornées. Opposées. Verticillées. Chevauchantes. Confluentes. Englobées. Conniventes. Perfoliées. Sessiles. Décurrentes. Fasciculées. Imbriquées. Florales. Radicales. Terminales, etc.

**Caractères de la feuille.** — Abrupte. Acéreuse. Acinaciforme. Acuminée. Ailée. Auriculée. Bifide. Bulleuse. Capillaire. Capuchonnée. Cartilagineuse. Charnue. Ciliée. Circinée. Cordiforme. Cornée. Cotonneuse. Crénée. Crépue. Cunéiforme. Cuspidée. Déchiquetée. Dentée. Denticulée. Digitée. Dolabriforme. Elliptique. Empennée. Enerve. Engainée. Ensiforme. Entière. Exstipulée. Fenestrée. Festonnée. Filiforme. Gaufrée. Gibbeuse. Glabre. Gladiée. Godronnée. Hastée. Hérissonnée. Incisée. Involutée. Laciniée. Lancéolée. Ligulée. Linéaire. Lobée. Lyrée. Marginée. Mucronée. Multifide. Natante. Nervée. Obtuse. Obovale. Obvolutée. Ombiliquée. Orbiculée. Ovée. Palmée. Panachée. Parabolique. Pédalée. Pectuse. Pétiolée. Pinnée. Plissée. Pubescente. Radiciforme. Runcinée. Sagittée. Scabre. Sinuée. Spatulée. Stimuleuse. Stipuleuse. Striée. Subulée. Tréflée. Tridentée. Trinerve. Tubulée. Vaginante. Vasculiforme. Vrillée, etc.

**Qui a trait aux feuilles.** — Feuillet. Folio. Interfolier. — Feuille de papier, d'or, etc. — Feuilleton, feuilletoniste. — Foliiforme. Phylloïde. Folié. Folium (courbe de feuille). S'exfolier, exfoliation. Expansion foliacée. — Feuilletage (pâtisserie). Feuilleté. — Effeuiller. Effaner. Erusser. Ecôter.

### FEUTRE

**Etats du feutre.** — Feutre de poils, de laine, de soie. Bourre. Drap. — Batte. Capade. Nappe.

**Travail.** — Feutrier. Foulon. Feutrer. Feutrage. Fouler. — Dégaler, éjarrer les peaux. Sécréter (mouiller les poils). Crisper. Battre le poil, la laine. Arçonner. Travailler au hardeneur, au plankeur. Marcher l'étoffe. Marches et remarches.

### FÈVE et HARICOT

**Fèves.** — Fève. Gourgane. Féverole. Favelotte ou Fève des marais. Fève de jardin. Fève Julienne. Fève de pourceau. Fève naine. Cacao. CAFÉ. Kola. Tonka (fève odorante).

# FIG

227

FIANÇAILLES, f. p. V. *accord.*
FIANCÉ, m. Fiancée, f. V. *mariage.*
FIANCER (se). V. *promesse.*
FIASCO, m. V. *échouer.*
FIASQUE, f. V. *bouteille*
**Fibre,** f. V. *bois, chair, membrane, bourre, papier.*
FIBREUX. Fibrille, f. V. *fibre.*
FIBRINE, f. V. *sang.*
FIBROME, m. V. *tumeur.*
FIBULE, f. V. *boucle.*
FICELLE, f. Ficeler. V. *corde, fil, lier.*
FICHE, f. V. *clou, marque.*

FICHER. V. *clou, entrer, moquer.*
FICHIER, m. V. *bureau.*
FICHU, m. V. *habillement, cou.*
FICOÏDE. V. *figue.*
FICTIF. V. *mensonge.*
FICTION, f. V. *imagination, faux, conte.*
FIDÉICOMMIS, m. V. *testament.*
**Fidèle.** V. *confiance, sûr, religion, continuer.*
FIDÉLITÉ, f. V. *fidèle, chaste.*
FIDUCIAIRE. V. *confiance.*
FIEF, m. V. *féodal.*
FIEFFÉ. V. *beaucoup.*

FIEL, m. V. *foie, bile, chagrin.*
FIELLEUX. V. *méchant, bile.*
FIENTE, f. V. *excrément.*
FIER. V. *noble, orgueil.*
FIER (se). V. *confiance.*
FIERTÉ, f. V. *orgueil.*
**Fièvre,** f. V. *maladie, passion.*
FIÉVREUX. V. *fièvre.*
FIFRE, m. V. *flûte.*
FIGÉ. V. *épais.*
**Figue,** f. V. *fruit.*
FIGUIER, m. V. *figue.*
FIGULINE, f. V. *terre.*

---

**Haricots.** — Haricot. Flageolet. Faviole. Fayot. — Haricots verts. Haricots secs. — Haricots blancs, rouges, noirs. — Haricot princesse, beurre, mange-tout, renflé, suisse, nain, sabre. — Haricot de Laon, de Soissons, d'Espagne, etc.

**Qui concerne le haricot.** — Cosse, cossu. Gousse. Silique. Ecosser. — Hile. Ecale, écaler. — Décortiquer, décortication. — Ramer. — Cassoulet. Purée.

### FIBRE

**Eléments fibreux.** — Fibres musculaires, nerveuses. Fibres corticales, ligneuses. — Fibre. Fibrille, fibrilleux. Fibrine. — Tissu cellulaire. Cellules. Capillature. — Cartilage, cartilagineux. — Tissu fibro-cartilagineux, fibro-muqueux.

**Développements fibreux.** — Fil. Filament. Filet. Filandres, filandreux. Cordon. Ligament. Linéament. Nervure. Faisceau. Réseau. Nille. Vrille ou Cirre. Traînées.

**Pathologie fibreuse.** — Eréthisme. Vellication. Orgasme. — Chalasie. Flaccidité, flasque. — Défibrer, défibrage. — Desmologie. Desmographie. Desmotomie.

### FIDÈLE

**Sentiments.** — Attachement. Amour. Amitié. — Fidélité. Constance. Chasteté conjugale. — Dévouement. Dévotion. Hommage. — Foi. Bonne foi. Foi jurée. Parole donnée. Promesse sacrée. — Honneur. Loyauté. CONFIANCE. Incorruptibilité. Probité. Sûreté. — Piété. Religion. Scrupule. — Exactitude. Véracité. — Pervenche (symbole).

**Personnes.** — Un fidèle. Ami. Ame damnée. Affidé. Dévot. Féal serviteur. Homme de confiance.

Homme fidèle, dévoué, constant, éprouvé, sûr, incorruptible, loyal, JUSTE, pieux, scrupuleux, vertueux.

Esclave de sa parole. Homme d'honneur. Galant homme. Homme de parole. Religieux observateur.

**Actes.** — Prêter serment. Serment d'allégeance. — Engager, garder, tenir, dégager sa parole. — Remplir ses engagements, ses devoirs. Faire face aux engagements. — Tenir sa promesse, son serment. — Exécuter fidèlement. Observer. Satisfaire à. Se dévouer.

### FIÈVRE
(latin, *febris*)

**Sortes de fièvres.** — Fièvre. Fiévrotte. Fièvre intermittente. Fièvre double, tierce, double tierce, quarte, double quarte, quinte, etc. — Malaria. Fièvre paludéenne. Fièvre jaune. Fièvre bilieuse. Fièvre chaude. — Fièvre miliaire. Fièvre cérébrale. Fièvre hectique. Fièvre puerpérale. Fièvre scarlatine. Fièvre muqueuse. Fièvre typhoïde, etc.

**Caractères des fièvres.** — Adéno-nerveuse. Aiguë. Anticipante. Ardente. Chronique. Continente. Continue. Diaphorétique. Epiale. Erratique. Eruptive. Idiopathique. Inflammatoire. Intercurrente. Larvée. Maligne. Périodique. Pernicieuse. Pourprée. Proleptique. Putride. Rémittente. Topique. Traumatique.

**Etats morbides.** — Pyrexie. Etat fébrile. Enfiévré. Fiévreux. Fébricitant. — Accès. Crise. Période. Stade. Paroxysme. Redoublement. Rémission. Rémittence. — Echauffement. Chaleur. Rougeur. Feu de la fièvre. Inflammation. Irritation. Adynamie. — Frisson, frissonner. Tremblement. — Sueur. Délire. Cauchemar. — Température. Pulsations. POULS accéléré, agité.

**Soins.** — Pyrétologie. — Antiphlogistique. Antipyrète, antipyrétique. Antifébrile. — Fébrifuge. Antipyrine. Quinine. Pyramidon.

### FIGUE

**Figues et figuiers.** — Figue. Carique. Cervantine. Coucourelle. Goureau. Cotona. Cordelière. Coctane. Cotignacenque. — Figues violettes. Figues blanches. — Figues de Marseille, de Bougie, de Smyrne, d'Espagne. Figuier. Figuier nain. Figuier de Barbarie ou Cactus. Figuier d'Inde ou Nopal. Figuier d'Adam ou Bananier. Palétuvier. Sycomore. — Le Ruminal (de Romulus et Rémus).

**Relatif aux figues.** — Figuerie. Caprification (maturation artificielle). Crossette (bouture). Lait de figuier (suc). — Figues sèches. Quatre mendiants. Fic (tumeur). Ficoïde. Sycose. — Sycophante.

FIGURANT, m. **V.** *théâtre, présent.*

FIGURE, f. **V.** *visage, peinture, comparaison, style, grammaire, rhétorique, danse, signifier.*

FIGURER. **V.** *représenter.*

FIGURINE, f. **V.** *sculpture.*

**Fil,** m. **V.** *coudre, aiguiser, lier, perle, épée.*

FILAIRE, f. **V.** *ver.*

FILAMENT, m. **V.** *fil, champignon.*

FILANDIÈRE, f. **V.** *fil, rouet.*

FILANDRES, f. p. **V.** *fibre, cheval, vétérinaire.*

FILANDREUX. **V.** *fibre.*

FILASSE, f. **V.** *chanvre, fil.*

FILATEUR, m. **V.** *fil, industrie.*

FILATURE, f. **V.** *laine, police.*

FILE, f. **V.** *long, suite.*

FILER. **V.** *fil, rouet, laine, courir, couler, chant, navire.*

**Filet,** m. **V.** *entrelacer, pêche, chasse, dentelle, passementerie, viande, cheveu, voix, langue, plâtre.*

FILETAGE, m. Fileter. **V.** *filet, découper, tourneur, moulure.*

FILEUR, m. Fileuse, f. **V.** *fil, rouet.*

FILIATION, f. **V.** *origine, parent, effet, joindre.*

FILIÈRE, f. **V.** *fil, tréfilerie, fer, soie, cire, araignée, chenille.*

FILIFORME. **V.** *fil.*

FILIGRANE, m. **V.** *orfèvre, découper, papier.*

FILIN, m. **V.** *corde.*

**Fille,** f. **V.** *femme, âge, vierge, prostitution.*

FILLETTE, f. **V.** *fille, enfant.*

FILLEUL, m. Filleule, f. **V.** *baptême.*

FILM, m. **V.** *image, spectacle.*

FILON, m. **V.** *mine, carrière.*

FILOSELLE, f. **V.** *bourre, soie.*

---

## FIL

**Sortes de fils.** — Brin de fil. Caret. Cordonnet. Filet. Ficelle. Fil écru. — Fil plat. Sangle. Penne. Lingard. Doublot. — Fil tors. Tortis. Fil retors. — Effilure. Fil détors. — Ligneul. Chégros.

Fil de lin, de LAINE, de coton, de soie, de CHANVRE, de ramie, etc. — Fil d'Ecosse, de Hollande, de Bretagne. — Fils métalliques. — Fil d'Ariane. Fil des Parques.

**Préparation.** — Textiles. FIBRES. Filaments. Ploc. — Fil en gros. Filasse. Effiloques. Loquette. — Nappes. Manchon. Ruban. Mèches. — Teiller, teillage, teille. Carder, cardage.

**Fabrication.** — Quenouille. Chambrière. Quenouillée. Ploque. Charger la quenouille. — ROUET. Touret. Fuseau. Vertillon. Fusée. Poupée. — DÉVIDER. Envider. Bobines. Broches. Renvideur mécanique. — Boudiner, boudinage. — Tordre, tordage. Détordre. Retordre, retordoir. — Pelote. Peloton, pelotonner. Echée. Echeveau. Doitée. Filure. Cartisane. — Etirer, étirage. Banc d'étirage. Cylindres étireurs. — Filer. Filage. Fileur, fileuse, filandière. Filature. Filerie. Le filé. — Doubler, doublage, doubloir. Filer en gras, en maigre.

Métier. Guindre. Jeannette. Métiers continus. Mull-jenny. — Laminoir. Filière. Tréfiler, tréfilerie.

## FILET

**Confection du filet.** — Lacer, laceur. Maille, mailler. Mailles accrues. Levure (demi-mailles de début). Boucles. Boucles ajoutées. Clairet (maille supérieure). Contre-maille. — Navette. Ficelle. Lisseau (peloton). Moule. Jauge. — Border un filet. Chappe. Ralingue. Aussière. — Nappe. Roulée. — Ravauder. Marander.

**Parties des filets.** — Entrée. Cerceau. Chambre. Poche. Ailes. Follée. Bire. Tête. Tour. Contre-tour. Bouque. Contrebouque. Tessure. — Flotte. Flotteron. Flotteur. Patenôtre. — Gousses de plomb. Plombée. — Cordes. Bruine. Collier, Raban, etc.

**Maniement.** — Jeter. Lancer. Poser. Lever. Coup de filet. — Ensabler. Tendre à poste. Envaler. Caler. Câblière ou Bande (pierre à caler). — Draguer. Traîner. — Liéger un filet.

**Filets de pêche.** — Araigne. Bâche. Balance. Boulier. Bordigue. Buhotier. Carrelet. Casier à homards. Chalut. Chausse. Dideau. Diguial. Filet dormant. Drague. Echiquier. Epervier. Epuisette. Folle. Gabare. Ganguid. Gille. Guideau. Harenguière. Havenet. Langoustière. Louve. Nasse. Palis. Paradière. Pentière. Seine. Seinette. Tente. Tournée. Tramail. Verveux, etc.

*Enceintes de filets :* Pan à petite tournée. Pan sur palot. Pan sur filets. Ravoir. Courtine. Crousille. Fauvrade. Madrague. Palicot. Seinche. Parc.

**Filets de chasse.** — Rets. Lacs. Réseaux. Panneau, panneauter. Pans de rets. Traînasse. Traîne. Tirasse. — Araignée (merles). Bourse ou Poche (lapins). Bricolet (cerf). Collet (lièvres). Ecladouère (oiseaux). Guide (oiseaux). Lassière (loups). Marcolières (oiseaux de mer). Pantière et Tomberelle (perdrix). Passée (bécasse). Ridée (alouettes). Tonnelle (cailles), tonneler.

## FILLE

**Condition naturelle.** — Petite fille. Fillette. Jeune fille. Vierge, virginité, virginal. Pucelle, pucelage. — Pubère. Impubère. — Formation. Se former. Etre formée. — Menstruation, menstrues. Règles. — Ingénue. Innocente. Oie blanche.

**Condition sociale.** — Fille. Demoiselle. Mademoiselle. — Héritière. Infante. — Pensionnaire. Ecolière. Etudiante. Jeune ouvrière. Jeune paysanne. — Célibataire. Nubile, nubilité. Doter une fille, dot. — Fiancée. Coiffer sainte Catherine.

**Termes familiers.** — Une jeunesse. Jeune personne. — Bachelette. Blondine. Brunette. Caillette. Dariolette. Donzelle. Grisette. Midinette. Nicette. Jouvencelle. Nonnain. Nonnette. Poulette. Soubrette. Tortillon. Tendron. — Gamine. Gosse. *f.*

FILOU, m. Filouterie, f. V. *voleur, ruse.*

FILS, m. V. *enfant.*

Filtre, m. V. *passer, traverser, eau, café, pur.*

FILTRER. V. *filtre.*

FIN, f. V. *finir, limite, but.*

FIN. V. *mince, délicat, subtil, pur.*

FINAL. V. *finir, limite.*

FINALE, m. V. *musique.*

FINALE, f. V. *finir.*

Finance, f. V. *compte, bourse, impôt.*

FINANCER. V. *payer.*

FINANCIER, m. V. *bourse.*

FINASSERIE, f. V. *ruse.*

FINAUD. V. *ruse.*

FINESSE, f. V. *mince, spirituel.*

FINETTE, f. V. *étoffe.*

Finir. V. *cesser, parfait.*

FINISSAGE, m. V. *finir.*

FIOLE, f. V. *bouteille.*

FIRMAMENT, m. V. *ciel.*

FISC, m. Fiscalité, f. V. *impôt, finance.*

FISSICULATION, f. V. *anatomie.*

FISSILE. V. *fente.*

FISSIPARITÉ, f. V. *infusoire, polype.*

FISSIPÈDE. V. *animal.*

FISSURATION, f. Fissure, f. V. *fente, raie.*

FISTULE, f. V. *anus.*

FIXATIF. Fixation, f. V. *fixe.*

---

### FILTRE

**Filtration.** — Filtrer. Passer, passage. Clarifier, clarification. Epurer, épuration, épuratif. Couler. Colature. Purifier, purification.

**Infiltration.** — Filtrer. S'infiltrer. Passer. PÉNÉTRER. Traverser. — Dégoutter. Stillation, stillatoire. Suinter, suintement. Suer. Transsuder. Porosité.

**Appareils à filtrer.** — Filtre. Fontaine à filtre. Cylindre. — Entonnoir. Etamine. Cornet. Papier à filtrer. Chausse. Carrelet à blanchet. Châssis à champi. Couloire. — Tamis. Passoire. Pierre poreuse. — Système de filtration. Bassin filtrant. Bougie filtrante. Filtres Chamberland, etc.

### FINANCE

**Gens de Bourse.** — Boursier. Agent de change. Coulissier. Remisier. Courtier. Démarcheur. Porteur de carnet.

Spéculateur. Acheteur. Vendeur. Haussier. Baissier. Agioteur. Boursicotier. Tripoteur. Gogo.

**La Bourse.** — Bourse du commerce. Bourse des marchandises. Bourse des valeurs. Marché des valeurs. Parquet. Corbeille. Hémicycle. Coulisse. Banquier. Pied humide. — Opération, au comptant, à terme, comptant différé, à découvert. — Marché ferme. Marché à prime. Stellage. Stipulation de double. — Ordre. Cours moyen. Premier, dernier cours. Au mieux. Ordre stop. Ordre fixe. — Echelle de primes. Dédit. Ecart de primes. Réponse des primes. — Liquidation. Report. Déport. Différence. Cours de compensation. — Achat. Vente. Arbitrage. — Carnet. Bordereau. Courtage. — Cours. Cote, coter. Cote officielle. — Hausse. Baisse. Pair. Position. — Couverture.

Acheter. Vendre. Spéculer. Jouer. Tripoter. Négocier. Réaliser. Se racheter. — Liquider. Reporter. Exécuter.

**Titres.** — Action, actionnaire. Obligation, obligataire. Part de fondateur. Rente. Annuité. Bons. Scrip. Valeurs. Titre au porteur. Titre nominatif. — Dividende. Coupon. Arrérage. Acompte. Solde. Boni. Taux. INTÉRÊT. — Emission, émettre. Lancement, lancer. Appel de fonds. Remboursement, rembourser. Amortissement, amortir. — Tirage. Lot. — Libérer une action. — Détacher, toucher des coupons.

**Banque.** — Banque d'émission. Banque d'escompte. Banque de dépôt, de virement. Banque de circulation. Banque hypothécaire, agricole, de spéculation, populaire. — Banque de France. Etablissement de crédit. Banquier. Banquable. — Billet de banque. Coupure. Banknote. Billets. Effets. Lettres de change. Traite. Traite documentaire. Document. Lettre de voiture. Connaissement. Chèque. Carnet de chèques. Lettre de crédit. — Maison de banque. Guichet. Caisse. — Opérations de crédit. Ouvrir un crédit. Commission. Escompte, escompter. Avance sur encaissement. Change, changer, changeur. Cambiste. Avances sur titres. Financer. — Mouvement des fonds. Versement. Virement Crédit. Débit. — Affaires. Participations. Réserves. — Compte courant. Balance des comptes.

**Fonds publics.** — Ministère des finances. Cour des comptes. Caisse des dépôts et consignations. Caisse d'amortissement. Caisse d'épargne. — Trésor public. Trésorerie générale, trésorier payeur. Recette des finances, receveur. Perception, percepteur. Officier payeur. Inspection des finances, inspecteur. Contrôleur des finances. Contrôle.

Charges de l'Etat. Budget. Dette flottante. Dette consolidée. Grand Livre. Liste civile. Dotations. Mandats. — Emprunt d'Etat. Emprunt forcé. Conversion. — Fisc. Fiscalité. Impôts. Taxes. — Monnaie. Papier-monnaie. Monétiser les billets. — Régie. Intendance. Ferme générale. Crédit municipal ou Mont-de-piété. Assurances sociales. Caisses des retraites, etc.

**Fonds privés.** — Capital, capitaliser, capitalisation. Manieur d'argent. Commandite, commanditaire. — Comptabilité, comptable. Caisse, caissier. Recettes. Paiements. Effets de commerce. Bénéfices. Pertes. Déficit. Encaisse. Fonds de roulement, de réserve. Bilan. — Société. Fonds social. Tontine. Coopérative. Economat. Mise de fonds. Masse. Mense. — Faire valoir ses fonds. Bailleur de fonds. Placement. Prêts. Viagers. Hypothèques. Revenus. — Economie politique. Economie domestique. Economies.

### FINIR

**Mettre un terme.** — Clore, clos. Clôture d'une séance. Lever, fermer une séance. Tirer le rideau. — Arrêter, ARRÊT. Dénoncer un traité. Expédier une affaire. Vider un diffé-

*Fixe.* V. *solide, tenir, certitude.*

FIXER. V. *fixe, continuer, voir, photographie.*

FIXITÉ, f. V. *fixe.*

FLABELLUM, m. Flabelliforme. V. *éventail.*

FLACCIDITÉ, f. V. *mou.*

FLACON, m. V. *bouteille.*

FLAGELLANT, m. Flagellation, f. V. *fouet, pénitence.*

FLAGELLER. V. *fouet, blâme.*

FLAGEOLER. V. *trembler.*

FLAGEOLET, m. V. *flûte, fève.*

FLAGORNER. Flagornerie, f.

Flagorneur, m. V. *flatter, intrigue.*

FLAGRANT. V. *présent.*

FLAIR, m. Flairer. V. *nez, chien, chercher, devin.*

FLAMBEAU, m. V. *lampe.*

FLAMBÉE, f. V. *feu, brûler.*

FLAMBER. V. *feu, volaille.*

FLAMBOYANT. V. *regard, architecture.*

FLAMBOYER. V. *briller, brûler, colère.*

FLAMINE, m. V. *prêtre.*

FLAMME, f. V. *feu, lumière, amour, zèle, drapeau.*

FLAMMÈCHE, f. V. *feu, chandelle.*

FLAN, m. V. *pâtisserie, médaille.*

FLANC, m. V. *côté, corps, armée.*

FLANCHET, m. V. *viande.*

FLANELLE, f. V. *étoffe.*

FLÂNER. Flânerie, f. Flâneur, m. V. *marcher, lent, errant, oisif.*

FLANQUER. V. *côté, soutenir, fortification.*

FLASQUE. V. *mou, lâche.*

FLÂTRER. V. *brûler, coucher.*

*Flatter.* V. *louange, mensonge, séduire.*

FLATTERIE, f. Flatteur. V. *flatter, complaisant.*

---

rend. Mettre le sceau à. — Sortir d'une difficulté. Sortie. Issue. Résoudre. Solution. Dénouer, dénouement. — Evénement définitif. Résultat. Succès bon ou mauvais. — Limiter, LIMITE. Délimiter. Borner. Définir. Résumer. Récapituler. — N'avoir pas de fin. Infini, infinité.

**Etre à la fin.** — Fin. Bout. Extrémité. Queue. — Point d'arrivée. BUT. Terminus. Point final. — En dernier lieu. Chant du cygne. Bouquet d'artifice. Dessert. Jugement dernier. — RESTE. Surplus. Relief. Complément, complémentaire. — Terminaison, se terminer. Finale. Désinence, désinentiel. Suffixe. — Péroraison. Epilogue. Epode. Refrain. — Arrière-garde. Fermer la marche. Etre en queue.

**Prendre fin.** — Tirer à sa fin. Baisser. Etre au bas. Décliner, déclin. Vieillir, vieillesse, vieux. — Etre à son couchant. Chute du jour. — Venir à fin. Toucher au terme. Echoir, échéance. Cesser, cessation. — Etre au bout de son rouleau. Expirer. Périr. Mourir, mort. Extinction. Passer. — Aboutir, aboutissement. Se décider, décision, décisif. Se terminer. — C'en est fait. C'est tout.

**Achever.** — Mener à bonne fin. Accomplir, accomplissement. Achever, achèvement. Mettre la dernière main. Finir, finissage, fini, finition. Terminer. — Parfaire. Parachever. Porter au plus haut point, au summum, au maximum. — Couronner, couronnement. Conclure, conclusion. — Consommation des siècles. Temps révolu.

## FIXE

**Attaché.** — Fixe, fixité. Accroché, accrochage. — Arrêté, cran d'arrêt. — Amarré, amarre. Ancré, ancre, ancrage. Embosser, embossage. — Assuré. Assujetti, assujettissement. Calé, cale. Fiché, fiche. Scellé, scellement. Cimenté, ciment. Vissé, vis. Cloué, clou. Collé, colle. Chevillé, cheville. Cramponné, crampon. Soudé, soudure. — Boutonné, bouton. Attaché, attache. Lié, lien. Noué, NŒUD. Lacé, lacet. Bouclé, boucle. — Retenu. Maintenu. Soutenu. — Enraciné. Prendre racine. Adhérer, adhérence. Tenir ferme. — Affixe. Préfixe. Suffixe.

Fixer. Accrocher. Amarrer. Frapper une amarre. Ancrer. Arrêter. Embosser. Assurer. Assujettir. Caler. Ficher. Sceller. Cimenter. Visser. River. Clouer. Coller. Cheviller. Cramponner. SOUDER. Boutonner. Attacher. LIER. Nouer. Lacer. Boucler. Retenir. Maintenir. Soutenir. Enraciner.

**Persistant.** — Fixe. Continu. Permanent. Maintenu. Invariable. Immuable. — ENTÊTÉ. Résistant. Inébranlable. — Gravé. Imprimé. Inculqué. Incrusté. — Indélébile. Ineffaçable. Invétéré. Irrémissible. Irrévocable.

Mal chronique. — Idée fixe. — Obsession. — Beau fixe.

**Déterminé.** — Arrêté. Décisif. Décrétoire. Péremptoire. Sans retour. Sans remise. Avoir son siège fait. — Déterminé. Déterminatif. Défini. Définitif. Délimité. — Assuré. Certain. Consacré. Fatal. — Préfix. Réglé. Précis. Précisé. Stéréotypé. Formulaire. Formule. Canon. Code. — Terme. Echéance. Temps donné. Préfinir.

**Stable.** — Fixité. Aplomb. Assiette. Centre de gravité. Affermi, affermissement. Bien assis. Lesté, lest. SOLIDE, solidité. Consolidé. Stabilité, stabiliser. — Ferme, fermeté. Consistant. — Rester en place, à poste fixe. Sédentaire. Etre à demeure. — Rester en état. Stationnaire. Statu quo. Habituel. Immobile. Inamovible. Indestructible. Irréductible. Inconvertible.

## FLATTER

**Flatteurs.** — Courtisan. Flatteur. Thuriféraire. Caudataire. — Adulateur. Flagorneur. Cajoleur. — Enjôleur. Louangeur. Complimenteur. GALANT. Adorateur. — Vil complaisant. Plat valet. Sauteur. — HYPOCRITE. Bénisseur. — Obséquieux. Patelin. Doucereux. Mielleux.

**Flatteries.** — Adulation. LOUANGES. Flatterie. Encens. Coup d'encensoir. — Blandices. Cajolerie. Flagornerie. Compliments. — POLITESSE affectée. Fadeurs. Eau bénite de cour. — Paroles confites, emmiellées. Langue dorée. — Servilité. Complaisance. Basse approbation. Obséquiosité. Souplesse. Hypocrisie. Tromperie.

FLATULENCE, f. Flatulent. V. *flatuosité*.

*Flatuosité*, f. V. *digestion, bruit*.

FLAVESCENT. V. *jaune*.

FLÉAU, m. V. *fouet, balance, malheur, blé, porter*.

*Flèche*, f. V. *dard, marque, girouette, charrue, architecture, cheval, mât*.

FLÉCHIR. V. *courbure, pli, bas, toucher, pardon*.

FLÉCHISSEMENT, m. Fléchisseur, m. V. *fléchir, muscle*.

FLEGME, m. Flegmatique. V. *humeur, salive, indifférent, calme*.

FLEGMON, m. V. *tumeur*.

FLÉTRI. V. *terne, passer, pâle*.

FLÉTRIR. Flétrissure, f. V. *gâter, honte, mépris, punition, blâme*.

*Fleur*, f. V. *botanique, rhétorique, farine, cuir, vin, mieux*.

FLEURER. V. *odeur*.

FLEURET, m. V. *escrime, coton*.

FLEURETTE, f. V. *fleur, amour*.

FLEURIR. V. *plante, orner, briller, bonheur, succès*.

FLEURISTE, m., f. V. *fleur*.

FLEURON, m. V. *fleur, architecture*.

FLEUVE, m. V. *géographie, rivière*.

FLEXIBLE. V. *pli, mince, fragile*.

FLEXION, f. V. *gymnastique, grammaire*.

FLEXUEUX. V. *détour*.

FLIBUSTIER, m. V. *bandit, corsaire*.

FLIRT, m. Flirter. V. *fréquenter, galant, séduire*.

FLOCON, m. V. *laine, neige*.

FLONFLON, m. V. *chant*.

FLORAISON, f. V. *plante, fleur*.

---

**Action de flatter.** — Applaudir. Complimenter. Encenser. Brûler de l'encens pour. Aduler. — Chatouiller l'amour-propre. Gratter. CAJOLER. — Faire sa cour. Courtiser. Flagorner. — Diviniser. Déifier. — En conter. Dorer la pilule. TROMPER. — Avoir l'échine flexible. Ramper. S'aplatir. Faire le valet.

### FLATUOSITÉ

**Dégagement de gaz.** — Flatuosité, flatueux. Hoquet. Gaz. Borborygme. — Vent, venteux. Pet, péter. Vesse, vesser. Incongruités. — Eructation, éructer. Rot, roter. — Aigreurs d'estomac. Rapports. Renvois. Arrière-bouche. Arrière-goût. Crudités.

Graines carminatives. Fenouil. Cumin.

**Ballonnement.** — Emphysème. — Météorisme. Flatulence. Maladie flatulente. Aérophagie. Tympanite. — Ballonner. Gonfler. Grouiller (se dit du ventre).

### FLÈCHE et ARC.

**Armes.** — Arme neurobalistique. — Arc. Bois. Cordes. Cornes. Cranequin et Armatot (pour bander l'arc). Carquois. Trousse. Arbalète. Noix. Poignée. Coche. Fût. Guindard. Arbalète à jalet. — Baliste. Scorpion.

**Projectiles.** — Flèche. Fer. Pointe. Barbeau. Flèche barbelée. Flèche à barbillons. Pennes, pennons, empennons (garniture de plumes). Empenner, empennage. Flèche empennée. — Flèche empoisonnée. — Flèches spéciales. Carreau. Vireton. Boncon. Cestre. Dondaine. Falarique. — Javelot. Trait. Dard. Dardelle. Garrot.

**Maniement.** — Archer. Franc-archer. Arbalétrier. Cranequinier. Sagittaire. Sbire (italien). — Archer crétois, parthe, écossais, etc.

Bander, bandage, débander. Tendre, détendre. Encocher, décocher. — Tirer de l'arc. Grêle de flèches. Frissement (sifflement).

Cible. Butte. Estaque. Pavois.

### FLEUR
(latin, *flos ;* grec, *anthos*)

**Eléments des fleurs.** — Aile. Anus. Appendice. Bourre. Bouton. Bractée. Bractéole. Bulle. Calice. Calicule. Capuchon. Carène. Chapiteau. Collerette. Cordon. Corolle (Limbe. Gorge. Fond). Corollule. Ecailles. Eperon. Epigone. Etendard ou Pavillon. Fane. Fleuron. Floscule. Foliole. Fraise. Glume ou Balle. Godet. Gynophore. Hampe. Induvie. Involucre. Involucelle. Labelle ou Sabot. Lame. Languette. Lèvre. Ligule. Lobe. Lobule. Manteau. Nectaire. Nervure. Onglet. Opercule. Oreille. Oreillette. Oreillon. Paillette. Palais. Panne. Papilles. Pédicelle. Pédoncule. Périgone. Périanthe. Pétale. Phylle. Râpe. Réceptacle. Sépale. Spathe. Tube. Urne. Valve.

**Fécondation.** — Androcée. Etamine. Filet. Anthère. Pollen, pollination. — Adelphie. Diadelphe. — Anandrie. Monandrie, monandre. Diandre. Heptandre. Décandre. Icosandre, etc. Gynandre.

Gynécée. Pistil, simple, composé. Style. Carpelle. Stigmate. Papilles. Ovaire. Ovule. Placentaire. — Monogynie, monogyne. Digyne. Décagyne, etc.

Fleur simple, double. Fleur unisexuée, mâle, femelle, androgyne, hermaphrodite, neutre, monocline, dicline, monoïque, dioïque.

**Caractères des fleurs.** — Abortive. Ambigène. Amentacée. Anisopétale. Apérianthée. Apétale. Caduque. Calycanthème. Catapétale. Chénotrique. Cœnothalame. Corollacée. Dasystémone. Dasystyle. Décapétale. Décidue. Dipétale. Dodécapétale. Eleuthéranthère. Eleuthérogyne. Ellipanthe. Epicorollée. Fugace. Gamopétale. Gamosépale. Glumacée. Hypocorollée. Incomplète. Instaminée. Instipulée. Météorique. Monopétale. Monophylle. Monosépale. Monostyle. Péricorollée. Péristaminée. Pétalée. Polypétalée. Thalamiflore. Unilatérale. Unipétalée.

**Caractères des éléments floraux.** — Calice adhérent, connivent, bidenté, supère, tubulé. — Anthère apicifixe, basifixe, biscornue, cornée, connivente, didyme, incombante, introrse, médifixe. — Etamines déclinées, incluses, exertes, sympétalées, synanthérées, numérables, innumérables, périgynes, épigynes, didynames, tétradynames, monadelphes, diadelphes, polyadelphes. — Pistil libre, supère, adhérent, infère. — Ovaire infère, supère, unicellulaire, pluricellulaire. — Co-

FLORE, f. V. *botanique, fleur, suif.*
FLORÉAL, m. V. *fleur.*
FLORER. V. *suif.*
FLORÈS. V. *vogue.*
FLORILÈGE, m. V. *fleur.*
FLORIN, m. V. *monnaie.*
FLORISSANT. V. *succès, vogue.*
FLOT, m. V. *couler, flux, mer.*
FLOTTAGE, m. V. *rivière, train, bois.*

FLOTTAISON, f. V. *bateau.*
FLOTTANT. V. *nager, indécis.*
FLOTTE, f. V. *marine.*
FLOTTEMENT, m. V. *mouvement, indécis.*
FLOTTER. V. *nager, balancer.*
FLOTTEUR, m. V. *pêche.*
FLOTTILLE, f. V. *marine.*
FLOU. V. *mou, doux.*
FLOUER. V. *tromper.*
FLUCTUATION, f. V. *mouvement, changer.*

FLUET. V. *mince, faible.*
FLUEURS, f. p. V. *couler.*
FLUIDE. Fluidité, f. V. *liquide, couler, magnétisme, chimie, aimant.*
FLUIDIFICATION, f. V. *chimie.*
Flûte, f. V. *instrument, berger, boulanger.*
FLÛTISTE, m. V. *flûte.*
FLUVIAL. V. *eau.*
Flux, m. V. *mouvement, mer, balancer, humeur.*

---

rolle dialypétale, gamopétale, régulière, irrégulière. — Palais ridé, comprimé, velu.

Insertion. Exertion. Diffinité. Affinité. Epistaminie. Calycandrie. Estivation.

**Formes et aspects.** — Fleur anomale. Campaniforme. Campanulée. Cardiopétale. Carnée. Caryophyllée. En casque. Ciliée. Colorée. Crispiflore. Cruciforme. En cuiller. Cylindracée. Dentée. Diffuse. Discoïde. Echancrée. Entière. Fastigiée. Fissiflore. Flosculeuse. Fouettée. Infundibulée. Jaspée. Labiée. Multifide. Panachée. Papilionacée. Peltée. Peluchée. Pénicillée. Personnée. Plicatile. Radicée. Résupinée. Rosacée. Sessile. Stipitée. Terminale. Tubuleuse. Turbinée. Urcéolée.

**Inflorescence.** — Aigrette. Anthèle. Capitule. Chaton. Corymbe. Cyme. Epi. Epillet. Faisceau. Fascicule. Grappe. Grelot. Ombelle. Panicule. Sertule. Spadice. Thyrse. Trochet. Verticille.

Fleurs solitaires, unilatérales, agrégées, alternes, bigéminées, conglomérées.

**Principales fleurs.** — Absinthe. Achillée. Aconit. Adonide. Agératum. Alcée ou Rose trémière. Amarante. Amaryllis ou Belladone. Améthyste. Ancolie. Anémone. Angélique. Anis. Anthémis ou Chrysanthème. Aristoloche. Armoise. Arum. Asphodèle. Aster. Aubépine. Azalée. Balsamine. Basilic. Bégonia. Belle-de-nuit. Bétoine. Bluet. Boule-de-neige. Bourrache. Bouton d'or. Bruyère. Calcéolaire. Camélia. Camomille. Campanule. Capucine. Centaurée. Chardon. Chèvrefeuille. Ciguë. Cinéraire. Clématite. Colchique. Coquelicot. Coréopsis. Coucou. Crête-de-coq. Crocus. Cyclamen. Dahlia. Datura. Digitale. Edelweiss. Eglantine. Euphorbe. Fraxinelle. Fritillaire. Fuchsia. Garance. Gardénia. Genêt. Gentiane. Géranium. Giroflée. Glaïeul. Glycine. Gueule-de-loup. Héliotrope. Hortensia. Hysope. Immortelle. Iris. Ixia. Jacinthe. Jasmin. Jonquille. Joubarbe. Lavande. Lilas. Lis. Liseron. Marguerite. Marjolaine. Mauve. Mélilot. Mélisse. Menthe. Millefeuille. Millepertuis. Mimosa. Mouron. Muguet. Myosotis. Myrte. NARCISSE. Nénuphar. ŒILLET. Œillet d'Inde. Orchidées. Ortie. Pâquerette. Passiflore. Pavot. Pélargonium. Pensée. Perce-neige. Petunia. Phlox. Pied-d'alouette. Pissenlit. Pivoine. Pois de senteur. Primevère. Reine-des-prés. Reine-marguerite. RENONCULE. Réséda. Rhododendron. Romarin. ROSE. Saponaire. Sauge. Scabieuse. Sensitive. Seringa. Silène. Soleil.

Souci. Thym. Trèfle. Tubéreuse. TULIPE. Valériane. Véronique. Verveine. VIOLETTE. Volubilis. Yucca. Zinnia.

**Vie des fleurs.** — Flore. Fleur. Fleurette. Arrière-fleur. Folles fleurs. Fausses fleurs. — Fleur diurne, nocturne, éphémère, printanière, estivale, lucinocte, plicatile, solaire. Odorante, inodore. — Graine. Plant. Bouture. Caïeu. Oignon. Rejeton. Griffe. — Préfloraison. Estivation. Floraison ou Fleuraison. Anthèse. — Eclore, éclosion. S'épanouir, épanouissement. Fleurir. Surfleurir. — Défleurir. Effloraison. — S'effeuiller, effeuillaison. — Nutation. — Castration.

Jardin, jardinier. — Corbeille. Plate-bande. Massif. Parterre. Pot de fleurs. Couronne. Bouquet. Guirlande. Feston. Chapeau de fleurs.

**Qui a trait aux fleurs.** — Anthographie. Anthologie. Langage des fleurs. — Bourgeon florifère, floripare. — Parsemer, émailler de fleurs. Fleurir une table. Jardinière (vase). — Fleur artificielle. Fleuron. Damassure. Florencé (marqué d'un lis). — Florissant. Faire florès. — Anthologie (recueil). Florilège. Jeux floraux. Floréal (mois). — Déflorer. Effleurer. — Fleurs du vin. Fleur de l'âge.

## FLÛTE

**Flûtes.** — Flûte à bec. Traversière. Fifre. — Embouchure. Trous. Clefs. Patte. Bec. Pompe. Allonge. Emboiture. Tons. — Flûteur. Flûtiste. Flûte (artiste).

**Instruments analogues.** — Clarinette. Clarinette basse. Hautbois. Cor anglais. Flageolet. Chalumeau. Musette. Cornemuse. Galoubet. Pipeau. Ocarina. Mirliton. Kenob (flûte arabe). Ty et Yo (flûtes chinoises).

Anche, ancher, désancher. Cuivrette (anche de cuivre). — Emboucher. Turluter. Canarder.

**Termes antiques.** — Monaule. Diaule. Capistrum. Eléphantine. Fistule. Flûte paroénienne. Flûte parthénienne. Plagiaule. Tonarion. Syringe. Sarrane.

Joueur de flûte. Aulétride. Aulète. Choraule. Spondaule. Tibicine. — Aulédie (art). Syrinx (nymphe changée en roseau).

## FLUX et REFLUX

**Le flux.** — Flot. Flux. Barre. Mascaret. Macrée. — Fluer. Monter. Mer montante. Plein de l'eau. Mer haute. Mer étale.

Fluxion, f. V. *gros, poumon.*
Foc, m. V. *voile.*
Focal. V. *milieu.*
Fœtal. V. *fœtus.*
**Fœtus,** m. V. *génération.*
Foi, f. V. *croire, religion, confiance, fidèle, jurer.*
**Foie,** m. V. *bile.*
Foin, m. V. *fourrage, herbe.*
Foire, f. V. *marché, fête.*

Foire, f. Foireux. V. *excrément.*
Fois, f. V. *temps.*
Foison, f. Foisonner. V. *abondance, augmenter, multitude.*
Folâtre. V. *bouffon, léger.*
Folâtrer. V. *rire, plaisir.*
Foliation, f. V. *feuille.*
Folichon. V. *joie, bouffon.*

**Folie,** f. V. *trouble, fureur, passion.*
Foliiforme. V. *feuille.*
Folio, m. V. *page, livre, imprimerie.*
Foliole, f. V. *feuille, fleur.*
Folle, f. V. *filet.*
Folliculaire, m. V. *pamphlet.*
Follicule, m. V. *graine.*

---

**Le reflux.** — Baisse. Reflux. Jusant. Retrait. — Mer descendante. Descente, retraite des eaux. — Baisse des eaux. Mer basse. Basses eaux. Bas de l'eau. — Perdre. Refluer. Se retirer. Baisser.

**Les marées.** — Marée montante, descendante. — Grande marée. Marée équinoxiale. Marée bâtarde. — La morte-eau. Le mort d'eau. — Rapport de marée. Reverdie. Eaux vives. Le vif de l'eau. Marner. — Syzygie (temps des hautes marées). — Contre-marée. Lit de marée. Refouler la marée. Raz de marée.

Etablissement des marées. Etablir un port. Echelle des marées.

## FŒTUS et EMBRYON

**Etat embryonnaire.** — Embryogénie, dilatée, condensée. Formation. — Fœtus. Embryon. Ovule. Blastoderme. Blastomère. Epiblaste. Hypoblaste. Germe. — Placenta. Cotylédons. — Point saillant.

**Le fœtus.** — Conception. Génération. Gestation. Fœtation. Fardeau. Faix. Fruit. — Superfétation. Môle. Faux germe. — Etat fœtal. Vie intra-utérine. Vie fœtale. — Œuf humain. Membranes allantoïde, amnios, chorion, caduque. Trou botal. Cordon ombilical. Ouraque. — Ostéogénie. Fontanelle. Méconium. Arc viscéral. — Accouchement. Délivre.

**Etude.** — Embryographie. Embryologie. embryologue. Embryotomie. Histologie. — Stéthoscope.

## FOIE
(latin, *jecur;* grec, *hépar*)

**L'organe.** — Foie. Hépatique. Jécoral. — Lobes, grand, moyen, petit. Lobules hépatiques. Ligament coronaire. Ligament suspenseur ou falciforme. Ligaments triangulaires. — Grande scissure. Sillons. Hile. — Veine porte. Eminences portes. Canaux hépatiques. Conduits excréteurs. — Fiel. Bile. Glycogène, glycogénie.

**Maladies.** — Cachexie hépatique. Hépatisie. Hépatite. Coliques hépatiques. Calculs. Granulations. Cirrhose, cirrhotique. Squirre, squirreux. Sclérose, scléreux. Diabète. Hépatirrhée. — Douve (du mouton). — Hépatologie.

## FOLIE

**Formes de folie.** — Maladie mentale, cérébrale. Aliénation mentale, aliéné. Lésion cérébrale. Dérangement du cerveau. Transport au cerveau. — Perdre la raison. Etre fou, folle. Folie. Vésanie. Démence, dément. Frénésie, frénétique. — Démence sénile. Tomber en enfance. — Absence. Aberration. — Avoir l'esprit frappé. Avoir un coup de marteau. Avoir un grain. Avoir des visions. Visionnaire. Lunatique. Battre la campagne. — Hypocondrie. Lypémanie. Neurasthénie. — Mégalomanie. Démonomanie. Nymphomanie. Erotomanie. Hystérie. — Agoraphobie. Aérophobie. — Crétinisme.

**Manifestations.** — Troubles mentaux. Esprit détraqué. Egarement. Déséquilibre. — Excitation du cerveau. Exaltation. Agitation. Fièvre. Délire. Divagation. — Accès de fureur. Actes désordonnés. Colère. Violence. Emportement. — Imagination dépravée. Hallucination. Vertiges. — Oblitération intellectuelle. Yeux hagards. Périblepsie. Hébétude. Air hébété. — Inconscience.

**Déraison.** — S'affoler, affolement. Ne pas se posséder. Perdre la tête, la boule, la boussole, la tramontane. — Aberration. Absurdité. Insanité. Imbécillité. Aveuglement. Illogisme. — Déraisonnable. Illogique. Absurde. Insensé. — Cerveau brouillé, fêlé. Etre timbré, toqué. Déraisonner. Déménager. — Etre hors de son bon sens. Outrager le bon sens. Idées biscornues. Visions cornues. — Cerveau brûlé. Témérité, téméraire. Se jeter à corps perdu, tête baissée. Risque-tout. Imprudence, imprudent. Donquichottisme. — Mouvements exagérés. Ivresse. Enivrement. Enthousiasme. Parti pris.

Idiot. Imbécile. Sot. Niais.

**Extravagance.** — Tête à l'envers. Tête éventée. Tête sans cervelle. Ecervelé. Braque. Extravaguer. — Faire des folies. Faire des siennes. Jeter sa gourme. Avoir le diable au corps. — Ecarts de jeunesse. Egarements. Coup de tête. Equipée. Escapade. Frasque. Fredaine. — Lubie. Caprice. Manie. Monomanie. Toquade. Dada. Marotte.

Idolâtrer. Faire le fou. Folichonner. — Fête des fous. Carnaval. Agiter les grelots de la folie. — Débauche. Désordre.

**Traitement des fous.** — Aliéniste. Psychiatre. — Maison de fous. Asile d'aliénés. Salpêtrière. Bicêtre. Petites Maisons. — Enfermer. Interner. Cabanon. — Camisole de force. Douche. Hydrothérapie. Ellébore.

Irresponsabilité. Interdiction, interdire. Curateur. Curatelle. Tuteur. Tutelle. Conseil de famille. — Aliéné, interné, non interné. — Prodigue. Conseil judiciaire.

FOMENTATION, f. Fomenter.
V. emplâtre, panser, exci-
ter.
FONCÉ. V. couleur, obscur.
FONCER. V. fond, couleur,
poursuivre.
FONCIER. V. possession, fond.
**Fonction,** f. V. mission,
profession, travail, servir,
action.

FONCTIONNAIRE, m. V. fonction, agent, bureau.
FONCTIONNER. V. fonction,
action, machine.
**Fond,** m. V. limite, base,
extrême, mine, matière,
ressource, peinture, juges.
FONDAMENTAL. V. base, im-
portant.
FONDANT, m. V. confiserie.

FONDATEUR, m. V. bâtir.
FONDATION, f. V. architec-
ture, faire, messe.
FONDEMENT, m. V. base,
principe, anus.
FONDER. V. bâtir, faire,
constituer, base.
**Fonderie,** f. V. minéral,
métal.
FONDEUR, m. V. moule.

---

## FONCTION

**Fonctions.** — Fonction publique. Fonc-
tion civile. Dignité. Emploi. Poste. Sinécure.
— Situation. Position. Place. Profession. —
MISSION. Office. Charge. Ministère. Magistra-
ture. Chaire. Grade. — TITRE. Délégation.
Suppléance. Intérimat. — Brevet. Diplôme.
Commission. Nomination.

**Fonctionnaires.** — Fonctionnaire amovi-
ble, inamovible. Titulaire. Suppléant. Intéri-
maire. Surnuméraire. — Retraité. Honoraire.
Emérite. — Personnel. Collègues. Hiérarchie.
Ordre hiérarchique. — MAGISTRAT. Officier.
Officier public. Dignitaire. — Membre d'un
conseil. Administrateur. Chargé de mission.
Délégué. — Employé. Commis. Auxiliaire. —
Serviteur de l'Etat. Budgétivore.

**Collation des fonctions.** — Créer une
fonction. Présenter. Recevoir. Reconnaître. —
Appeler à une fonction. Nommer, nomination. Placer. Caser. — Investir, investiture.
Installer, installation. Introniser, intronisation. Conférer un grade. — Titulariser. Promouvoir, promotion. Mutation. — Vacance,
vaquer. Pourvoir à une vacance. — Destituer,
destitution. Dégrader, dégradation. Déplacer,
déplacement. Suspendre, suspension. Interdire, interdiction. — Mettre à la retraite.
Mettre en disponibilité. Mettre à pied. —
Vénalité des charges. Paulette.

**Exercice des fonctions.** — Entrer en
fonction. Exercer, remplir une fonction. Fonctionner. Occuper un emploi. — Avancer,
avancement. Parvenir à. Passer. Monter en
grade. — Etre en service actif, en activité,
en fonctions, en pied. — Suppléer. Faire l'intérim. Permuter. — Devoirs et droits. Servir
l'Etat. Prêter serment. — Administrer. Gérer.
Diriger. Jouer un rôle. — INSIGNES. Titres
honorifiques. — Attributions. Ressort. Pouvoir.
Puissance. Autorité. — Traitement. Appointements. Honoraires. Retenue. Pension. —
Prévarication. Péculat. Concussion. Dilapidation. Cumul. Forfaiture. — Abus de pouvoir.
— Etre de service. Tableau de service.

Résigner ses fonctions. Démissionner, démission, démissionnaire. Se démettre. Prendre
sa retraite.

## FOND
(latin, fundus; grec, bathos)

**Fond.** — Bas. Base. Fondement. Piédestal.
— Cul. Culasse. Culot. — Fin fond. PRIN-
CIPES. Eléments. Fondements, fondamental.
— Fonds. Bien fonds. Tréfonds. — Dessous.
Cale. Sentine. Fonçailles (de tonneau). —
RÉSIDU. Lie. Précipité. Boue. Vase.

Foncer. Défoncer. Enfoncer, enfoncement.
S'enfoncer. — Effondrer, effondrement, s'effondrer. — Toucher le fond. — Examiner au
fond. — Foncier. Rente foncière. Crédit foncier. Propriétaire foncier, tréfoncier.

**Profondeur.** — Profond. Approfondir,
approfondissement. Bathomètre. — Abîme.
GOUFFRE. — Haut-fond. Bas-fond. Gué, guéa-
ble. — Fosse. Trou. Cave. Crâne (de rivière).
— Puits. Aven. Souterrain. Excavation. —
Enfonçure. Cavité. Renfoncement. Recoin. —
Calaison, caler. Tirant d'eau, tirer.

Creuser. Draguer. Sonder. — Enfouir. Plonger dans. Submerger. Noyer. Engloutir. —
Perdre pied. Avoir pied. Plonger.

**Intérieur.** — Dedans. MILIEU. Cœur.
Noyau. Entrailles. — Charpente. Bâti. Ossature. Squelette. Canevas. — Fond des choses.
Substratum. Substance. — SECRET. Mystère.
Arrière-pensée. — Fond des terres. Arrière-
pays. Pays perdu. Région inaccessible, impénétrable.

## FONDERIE

**L'usine.** — Fonderie. Aciérie. Affinerie.
Finerie. Mazerie. Forge. — Maître de forges.
Fondeur. Affineur. Marteleur. Martineur. Mou-
leur. Sableur.

**Outillage.** — Bocard (écraseur). — Four-
neau. Haut fourneau. Feu de fusion. Soufflé-
rie. — Fondant. Flux. Borax. Erbue. —
Creuset. Attrape (pince). Brasque (enduit).
— Bassin. Casse. Catin. Coupelle. Echeneau.
Patouillet. — Moule. Cône. Lingotière. —
Coulée. Godet. Matrice. Enterrage. Events.
Potée. Sable. — Grue. Griffe. — Marteau-
pilon. Enclume. Laminoir. Martinet. — Outils
à main. Périer. Râble. Ringard. Poche. Serre.
Secoueur.

**Opérations.** — Traiter le minerai. Débourber. Bocarder. Griller le minerai. Charger. — Fondre, fusion. Allier les métaux,
alliage. Brasser, brassage. — Couler. Mouler.
Jeter en fonte, jet. — Battre. Cingler. Corroyer. Affiner. Affinage, aux bas foyers, par
mazéage, par puddlage. — Epurer, épuration.
Liquation et Départ (séparations de métaux).
— Laminer, laminage. Granuler, granulation.
Etirer, étirage. — Dépouiller une pièce. Ebarber.

**Etats du métal.** — Mine. Minerai. Gangue. Lave. — Pâte. Fonte. Matte. — Masselotte. Gâteau. — Gueuse. Lingot. Lopin.
Loupe. Saumon. Pigne (d'or). — Barbure.
Bavure. Soufflure. — Grumeaux. — Scories.
Sorne (scorie riche). Cochon ou Porc (détritus).

Fondoir, m. V. *graisse, suif.*
Fondre. V. *dissoudre, brûler, mélange, attaque.*
Fondrière, f. V. *creux, chemin, boue.*
Fondrilles, f. p. V. *résidu.*
Fonds, m. V. *propriété, commerce, finance.*
Fondue, f. V. *fromage.*
Fongosité, f. V. *champignon.*
**Fontaine, f.** V. *eau, source.*
Fontainier, m. V. *fontaine, robinet.*
Fontange, f. V. *coiffure.*

Fonte, f. V. *fondre, fonderie, fer.*
Fontes, f. p. V. *selle.*
Fonts, m. p. V. *fontaine, baptême.*
Football, m. V. *paume.*
For, m. V. *conscience.*
Forage, m. V. *percer, sonde, puits.*
Forain. V. *hors, marché, bateleur.*
Forban, m. V. *bandit.*
Forçat, m. V. *punition.*
**Force, f.** V. *solide, contrainte, beaucoup, industrie.*

Forcené. V. *colère.*
Forceps, m. V. *pince, chirurgie.*
Forcer. V. *force, contrainte, violence, chasse, fatigue, augmenter, poursuivre.*
Forcine, f. V. *arbre.*
Forclore. Forclusion, f. V. *perdre, annuler.*
Forer. V. *sonde, puits, creux.*
Forestier. V. *forêt.*
**Forêt, f.** V. *arbre.*

---

Couleur de la fonte. Coruscation. Eclair. Fulguration. Iris. — Noir-fuyant. Noir-ployant. Blanc-mordant. Passe-violet.

### FONDRE
(latin, *fundere, fusum*)

**Liquéfier.** — Fondre, fondeur, fondoir. Liquéfier, liquéfaction. Parfondre. — Dissoudre, dissolvant. Infuser, infusion. — Souder, soudure. Chalumeau. Lampe d'émailleur. — Cération. Résolvant. Résolutif. — Dégeler.

**Etre liquéfié.** — Liquéfaction, liquéfiable. Fusion. Infusion. Fonte. Dégel. — Bain. Dissolution. Solution, soluble. — Fusibilité, fusible. Colliquation. Amollissement, s'amollir. — Défaillance. Déliquescence. — Insoluble. Réfractaire. Apyre.

### FONTAINE

**Sortes de fontaines.** — Fontaine. Source. Cascade. Eau vive. Fontanelle. — Fontaine jaillissante. Puits artésien. Fontaine intermittente. — Fontaine jaculatoire. Jet d'eau. Grandes eaux. — Pièce d'eau. Mare. Miroir d'eau. Nymphée. — Fontaine filtrante. Borne-fontaine. Fontaine Wallace. — Fonts baptismaux.

**Parties.** — Bac. Baquet. Bassin. Vasque. Coupe. Cuvette. — Mascaron. Dégueuleux. Robinet. Cannelle. — Pied. Support. Piédestal. — Trop-plein. Décharge. — Niche. Grotte.

**Fontaines célèbres.** — Aganippe. Castalie. Hippocrène. Aréthuse. — Fontaine de Vaucluse, de Médicis, etc. — Fontaine de Jouvence.

**Relatif aux fontaines.** — Hydraulique. — Fontainier. — Sourcier. — Naïades. — Débit, débiter. Jaillir. — Puiser. Tarir. — Canaux. Canalisation.

### FORCE
(latin, *robur ;* grec, *dynamis*)

**Forces physiques.** — Force mécanique, hydraulique, électrique. — La dynamique. Forces composantes, concourantes, etc. Parallélogramme des forces. Force d'inertie. — Dynamisme. Dynamie. Atmosphère. Puissance de *x* chevaux. Kilogrammètre. Dynamomètre. — Transport de force.

**Force corporelle.** — Bien constitué. Bien charpenté. Bien découplé. Mâle. De belle venue. — Vigoureux. Robuste. Solide. Valide. Bien portant. — Vigueur. Force. Verdeur. Santé. Sève. Virilité. — Athlète, athlétique. Colosse, colossal. Un Hercule, herculéen. — Luron. Virago. — Gros. Trapu. Bouleux. Carré des épaules, carrure. Membru. Musclé. Râblé. Osseux. — Homme fait. Adulte. Fleur de l'âge. Pleine force.

Avoir du nerf, du biceps, de la poigne, des bras d'acier, des bras de fer, un corps de fer, du sang dans les veines. — Etre fort comme un bœuf, comme un cheval. Etre dur comme un chêne, infatigable, résistant.

Types de force : Hercule. Samson. Milon de Crotone.

**Force morale.** — Courage, courageux. Héroïsme, héroïque. Energie, énergique. Hardiesse, hardi. Fougue, fougueux. — Fermeté, ferme. Ténacité, tenace. Tenir bon. Tenir ferme. — Avoir du ressort. Etre à l'épreuve. Etre bien trempé. — Caractère inflexible, imployable, indompté, invaincu, invincible. — Vertu, vertueux. Grandeur. Gravité. Sérénité. Conviction profonde. Foi. Honneur.

**Puissance.** — Force, fort. Efficacité, efficace. Virulence, virulent. Violence, violent. Véhémence, véhément. Intensité, intense. Haut degré. Pouvoir. Puissance, puissant. — Concentration, concentrer. Concision, concis. — Force majeure. Autorité. Contrainte. Sanction. — Remède souverain. Remède drastique. Faire de l'effet. — Vin capiteux, généreux, corsé. Avoir du corps. — Forcer la voix. Voix de stentor. Crier à tue-tête. — Forcer à. Agir sur. Foudre de guerre, d'éloquence. Formidable. Redoutable.

Beaucoup. Fort. Très. Puissamment. A tour de bras, etc.

**Rendre fort.** — Fortifier. Renforcer. Augmenter. Redoubler. — Consolider. Affermir. Etayer. Cimenter. — Reconstituer. Remettre sur pied. — Vivifier. Tonifier. Nourrir. — Enhardir. Réconforter. Ranimer. Ragaillardir. — Endurcir. Cuirasser. — Prêter main-forte. Soutenir. Corroborer. Confirmer.

### FORÊT
(latin, *sylva*)

**Masses d'arbres.** — Forêt, forestier, sylvestre. Forêt vierge. Forêt d'Etat. Bois. Bois communaux. Grairie (bois en commun). —

FORFAIRE. V. *faute, honneur.*

FORFAIT, m. V. *crime, convention.*

FORFAITURE, f. V. *trahir, fonction.*

FORFANTERIE, f. V. *fanfaron.*

**Forge**, f. V. *maréchal, fer, marteau, enclume.*

FORGER. Forgeron, m. V. *forge.*

FORLIGNER. V. *honte.*

FORMALISER (se). V. *fâché.*

FORMALISME, m. Formaliste, m. V. *minutie, cérémonie.*

FORMALITÉ, f. V. *forme, convention, procédure, cérémonie.*

FORMAT, m. V. *livre, étendue.*

FORMATION, f. V. *forme, géologie, armée.*

**Forme**, f. V. *apparaître, constituer, cérémonie, manière, papier, chaussure, chapeau.*

FORMEL. V. *positif, cérémonie.*

FORMER. V. *forme, préparer, diriger.*

FORMICATION, f. V. *fourmi, piquer.*

FORMIDABLE. V. *force.*

FORMIQUE. V. *fourmi.*

FORMULAIRE, m. V. *recueil.*

FORMULE, f. Formuler. V. *règle, modèle, rédiger.*

FORT, m. V. *fortification, abri, chasse.*

FORT. V. *force, santé, porter.*

FORT. Fortement. V. *beaucoup.*

FORTERESSE, f. V. *fortification.*

---

Bocage. Boqueteau. Bouquet d'arbres. Taillis. Remise. Gault (bois). — Parc. Bosquet. Massif. Touffe d'arbres. — Fort d'un bois. Couvert. Maquis.

Chênaie. Hêtraie. Châtaigneraie. Pinède. Sapinière. Olivaie. Ormaie. Frênaie. Boulaie. Verger.

**Accès.** — Avenue. Route forestière. Chemin forestier. — Allée. Cavée. Laie. Tortillère. — Sentier. Randon. Filet. — Percée. Clairière. Eclaircie. Escarre. Coupe-feu. Trouée. Carrefour. Rond-point. — Lisière. Orée. Rain.

**Espèces de bois.** — Futaie. Haute futaie. Bois marmenteau. Rabine. Taillis. — Pied d'arbre. Pied cornier. Baliveau, d'âge, moderne, ancien. Lais. Brin. Parois. Plant. — Essences. Essence feuillue, résineuse. — Taillis. Fourré. Gaulis. Pueil. — Pousse. Cépée. REJETON. Repousse. — Sous-bois. Mort-bois. Brousse. Broussailles. Buisson. Epiniers. — Bois d'œuvre. Bois de chauffage. — Bois mort. Chablis.

**Exploitation.** — Sylviculture, sylviculteur. Industrie sylvicole. — Boiser, boisement. Reboiser, reboisement. Peupler. Peuplement, jeune, naturel. Planter, plantation. Repeupler. — Canton. Cépée. Feuille. Vente. Réserve.

Exploiter, exploitation. Aménager, aménagement. Balivage (choix des baliveaux). Furetage (choix des gros brins). Etaillissage (coupe des pousses faibles). Coupe. Coupe blanche, réglée, sombre, claire. Révolution (intervalle entre coupes). Age. — Eclaircir. Dépressage. Taille. Débrousser. Essarter.

Abattage, abattis. Déboiser, déboisement. — Marquer. Marteler. Rotoquer. — Embûcher (commencer la coupe). Recéper (couper au pied), recépage. Essoucher. — Récolement. Souchetage. — Bûcheron. Boquillon. Cognée. Courbet. Marteau.

**Administration.** — Conservateur des eaux et forêts. Garde forestier. Garde-bois. Garde-chasse. Garde-marteau. Garde-vente. Garde champêtre.

Usage, usager. Forestage. Droit forestier. — Parcours. Vaine pâture. Paisson. — Affouage. Chauffage. Glandage. Panage. Pesselage.

Anciennes juridictions : Gruerie, gruyer. Verderie, verdier. Ségréage, ségrayer. Maîtrise des eaux et forêts.

**Culte des forêts.** — Divinités sylvicoles, némorales. — Diane. Féronie. Dryades. Hamadryades. Sylvain. Faunes. Satyres. Sylvains. — Culte des Druides.

### FORGE

**Les forges.** — Forge. Batterie. Forge de campagne. Forge volante. — Usine. Fonderie. Chaufferie. Hauts fourneaux. — Ferronnerie. Serrurerie. Clouterie. Armurerie. — Forges de Vulcain.

**Outillage.** — Fourneau. Hotte. Foyer. Massif. Bune. Bure (dessus du fourneau). — Soufflerie. Soufflet. Tuyère. Ventilateur. Courbotte (balancier). Chien. — ENCLUME. Etampe. Chasse-ronde. Tranche. — MARTEAU, à une main, à deux mains. Fonçoir. — Taillet. Trousse. — Tenailles. Pinces. Davier. Devers. — Fourgon (à feu). Chambrière. — Etang (à tremper).

**Travail.** — Forger. Forger à froid, à chaud. Contre-forger. — Battre le fer. Ecrouir. — Charger le fer. Larder. — Donner une chaude. — Fer forgé. Fer encrené. Mise (pièce à souder). Moine (boursouflure). — Forgeron. Frappeur. Marteleur. — MARÉCHAL ferrant. Ferrer un cheval.

### FORME
(latin, *forma* ; grec, *morphê*)

**Forme humaine.** — Conformation. Constitution. Figure. Tournure. Silhouette. Dégaine. — Formes plastiques, athlétiques. Belles proportions. Taille élancée, dégagée. — Bien ou mal bâti, fait, tourné, taillé, conformé, constitué, fichu, *f.* — Fait au tour. Bien découplé. Bien pris. Svelte. Avoir de la ligne. — Anthropomorphisme.

DIFFORME. Gros. Court. Ramassé. Bouffi. Ventru. Bossu.

**Formes naturelles.** — Etat. Manière d'être. APPARENCE. Extérieur. — Disposition. Arrangement. Structure. — Surface. Superficie. Volume. Contour. — Former, formation. Déformer. — Transformer, transformation. Métamorphose. Façonner, façon. Figurer, figure.

**Fortification,** f. V. *défendre,* *abri, fermer, armée.*
FORTIFIER. V. *force, augmenter.*
FORTIN, m. V. *abri.*
FORTUIT. V. *hasard, circonstance.*

FORTUNE, f. V. *hasard, bonheur, riche, état.*
FORUM, m. V. *Rome.*
**Fosse,** f. V. *creux, terrassier, houille, latrines.*
FOSSÉ, m. V. *fosse, canal, fortification.*

FOSSETTE, f. V. *fosse, tête.*
**Fossile,** m. V. *géologie.*
FOSSOYEUR, m. V. *fosse, funérailles.*
FOU. V. *folie, excès.*
FOUACE, f. V. *pâtisserie.*
FOUAILLER. V. *battre.*

---

Biforme. Informe. Multiforme. — Amorphe. Anamorphe. Isomorphe. Polymorphe.

Mots en *oïde* : Ovoïde. Sphéroïde. Métalloïde, etc.

### Formes imposées ou convenues.
— Forme (moule). Formier. Former. Enformer. Format. — Forme (convention). Formel. Formalité. Forme. Fond. Vice de forme. Forme authentique, notariée, sous seing privé. Formalisme. Formaliste. — Formule. Formuler. Formulaire. — Moule, mouler. Modèle, modeler. Gabarit. Galbe. Patron. — Formes grammaticales. Morphologie.

Uniforme, uniformité, uniformiser. — Conforme, conformité. Conformer.

### FORTIFICATION

**Forteresses.** — Fort. Fortin. Fort détaché. Fort à coupole. — Château fort. Citadelle. Bastille. Donjon. Kasbah. Acropole. — Place forte. Blockhaus. Bicoque. — Camp retranché. Lignes fortifiées. Positions préparées.

Fortifications. Ouvrages. Ouvrage de défense, avancé, à cornes, à couronne. Etoile. Redan. Réduit. Place d'armes.

**Détails de la fortification.** — Remparts. Enceinte. Muraille. Mur. Escarpe. Contrescarpe. Glacis. Barbette. Cavalier. Boulevard. Esplanade. — Tour. Tourelle. Bastion. Demi-bastion. Pans. Faces. Flancs. Gorge. — Angles saillants, rentrants, flanqués, morts, etc. Eperon. Branches. Flanquement, flanquer. — Demi-lune. Lunette. Courtine. Merlon. Front. Orillon. Plate-forme. — Barbacane. Créneau. Mâchicoulis. Bretèche. Meurtrière. Embrasure. — Passages. Caponnière. Casemate. Galerie. Chemin de ronde. Chemin couvert. — Echauguette. Guérite. Vedette. Logement. — Fossé. Douve. Chasse d'eau. — Portes. Poterne. Pont-levis. Herse.

**Retranchements.** — Circonvallation. Contrevallation. — Tranchées, droite, double, à crochet, tournante, etc. Zigzags. Cheminements. — Ligne continue. Ligne d'approche. Parallèles. Défilement. Epaulement. Coupure. Retirade. — Terre-plein. Talus. Revêtement. Parapet. Plongée. Banquette. — Chevaux de frise. Fils barbelés. Gabions, gabionnage. Corbeilles. Fascines, fascinage. Pieux. Palissade. Palanque.

Se retrancher. Se remparer. Ouvrir une tranchée. Terrasser. Tracé. Pionnier. — Camoufler, camouflage. Rideau.

**Attaque des places.** — SIÈGE. Approches. Contre-approches. — Assaut. Brèche. Escalade. Sorties. — Investir, investissement. Bombarder, bombardement. Tir d'enfilade, rasant,

fichant. Batteries. Canons. Grosse artillerie. Avions de bombardement. — Défense. Travaux de défense. Place imprenable, inexpugnable, inaccessible. — Génie. Ingénieurs. Mines, contre-mines. Sape, saper, sapeur. — Démanteler. Raser.

### FOSSE

**Fosse.** — Basse-fosse. Cul de basse-fosse. Fosse à fauves. — Fosse d'aisances. Fosse à purin. — Puits. Puisard. Souterrain. Oubliettes. Silo. — Marcheux (de briqueterie). Fauldes (à charbon). Bouldure (de moulin). Billard (à plants de vigne). Auget (à semis). Cuvette (entre deux arbres). — Excavation. Trou. Creux. Cavité. Fossette. — Tombe. Tombeau.

**Fossé.** — Le fossé. Avant-fossé. Crête. Levée. Talus. Revers. Cunette. — Rigole. Saignée. Echaux (de prairie). Euripe (du cirque). — Retranchement. Tranchée. Saut de loup. — Sillon.

**Creusement.** — Excavation. Exfoliation. — Piocher. Fouir. Creuser. Fouiller. — Ecrêter. Escarper (tailler à pic). — Fossoyer, fossoyage. — Fossoyeur. Terrassier. Pionnier.

### FOSSILE
(grec, *oryctos*)

**Qui a trait aux fossiles.** — Oryctogéologie. Oryctographie. Oryctologie. Oryctozoologie. Paléontographie. Paléontologie. — Plantes et animaux fossiles. Espèces perdues. Etres antédiluviens. — Fossilisation. Pétrification. Terrain fossilifère.

**Fossiles caractéristiques.** — *Terrain silurien.* Trilobites. Scorpion. Orthoceras. Nautilus. Cyathocrine. — *Dévonien.* Cephalaspis. Ptérygote. Bothriolepis. Holoptychius. Polypier. — *Carbonifère.* Sténoneure. Aspidosome. Calamite. Sigillaire. Pécoptéris. Sphénoptéris. — *Permien.* Actinodon. Branchiosaure. — *Trias.* Mastodonsaure. Paréiasaure. Pemphix. — *Jurassique.* Ichthyosaure. Iguanodon. Plésiosaure. Stégosaure. Archœoptéryx. Diplodocus. Ptérodactyle. Eurysternon. Rhinobate. Æger insignis. — *Crétacé.* Ichtyornis. Mosasaure. Bélemnite. Acanthoceras. Prionotropis. Ananchytes. — *Eocène.* Paléothérium. Anoplothérium. Cryptornis. Platax. Enchelyope. Cérithe. Sassafras. — *Oligocène.* Ptérodon. Anas. Grenouille. — *Miocène.* Mésopithèque. Mastodonte. Dinothérium. Hipparion. Rhinocéros. Halithérium. — *Pliocène.* Machaerodus. Eléphant. Hippopotame. — *Pléistocène.* Ours des cavernes. Glyptodon. Mégathérium. Mégaceros. Scélidothérium. Dinornis. Homme pléistocène.

FOUDRE, m. V. *tonneau.*
**Foudre**, f. V. *météore.*
FOUDROYANT. V. *subit.*
FOUDROYER. V. *foudre.*
**Fouet**, m. V. *corde, cheval, aile, pâtisserie.*
FOUETTER. V. *punition, battre, queue, exciter.*
FOUGASSE, f. V. *poudre.*
FOUGER. V. *sanglier.*
FOUGÈRE, f. V. *plante.*
FOUGUE, f. Fougueux. V. *vif, brave, prompt.*
FOUILLE, f. Fouiller. V.
*chercher, creux, douane.*
FOUILLIS, m. V. *désordre, mélange.*
**Fouine**, f. V. *animal, fourrure.*
FOUIR. V. *creux.*
FOUISSEUR, m. V. *animal.*
FOULAGE, m. V. *presser.*
FOULARD, m. V. *habillement.*
FOULE, f. V. *multitude, peuple, troupe.*
FOULÉE, f. V. *chasse, équitation.*
FOULER. V. *presser, presse, vendange, blessure.*
FOULON, m. V. *drap, feutre.*
FOULURE, f. V. *blessure.*
**Four**, m. V. *chaleur, cuisine, boulanger, porcelaine, acier.*
FOURBE. Fourberie, f. V. *mensonge, ruse, injuste.*
FOURBI, m. V. *bagage.*
FOURBIR. V. *frotter, polir, nettoyer.*
FOURBU. V. *cheval, fatigue.*
**Fourche**, f. V. *pointe, dent.*

---

### FOUDRE

**Eclair.** — Feu du ciel. Eclair. Eclair de chaleur. Epars. — Eclair fulminant. Eclair arborescent. Eclair en chapelet. Eclair sinueux. Eclair en boule. Eclair en nappe. — Eclairer.

Lueur. Coruscation. Fulguration. — Eclair de lycopode, de magnésium.

**Tonnerre.** — Foudre. Coup de tonnerre. Décharge électrique. Traits de Jupiter. — Tonner. Gronder, grondement. Rouler, roulement. Eclater, éclat. — Tonnerre en boule. Choc en retour. — Foudroyer, foudroyant, foudroiement. — Tomber. — Détoner, DÉTONATION. Faire explosion. Fulminer, fulmination.

**Relatif à la foudre.** — Paratonnerre. Verge. Chaîne. Parafoudre. Perd-foudre. — Orage. MÉTÉORE. — Putéal ou Bidental (autel sur lieu foudroyé). — Voix tonitruante. — Fulminaire. Fulminal. — Fulminer, fulminant. — Fulminate.

### FOUET
(latin, *flagellum* ; grec, *mastix*)

**Les fouets.** — Fouet : Manche. CORDE. Bosse. Forcet. Lanière. Mèche. Monture. — Perpignan. — Fléau : Manche. Verge. Escourgeon. — Objet flagellaire, flagelliforme. — Claquer, claquement. Clic-clac. Flic-flac.

**Ce qui sert à fouetter.** — Fouet. Chambrière. Discipline. Escourgée. Martinet. Chat à neuf queues. Knout. — Etrivières. Sangle. Plombeaux. Garcette. — Badine. Verges. Battogues. — Cravache. Houssine. Nerf de bœuf. Sachet de sable.

**Fustigation.** — Fustiger. Donner le fouet. Coup de fouet. Flageller, flagellation. Fouetter, fouetteur. Fouailler. — Fesser, fesseur. Donner la fessée. — Donner la discipline. Flagellants. Pénitents. — BATTRE. Frapper. Cingler. Cravacher. Sangler. Passer par les verges. Sabouler. — Correction. Punition. Déchirer la chair. — Diamastigose (à Sparte).

### FOUINE

**Genre fouine.** — Fouine. Chafouin. — Belette. Chinchilla. Civette. Furet. Genette. Glouton. Hermine. Ichneumon. Mangouste. Martre. Moufette. Pékan. Putois. Rat musqué. Skunks. Vison. Viverrin. Zibeline. — Blaireau. Grisard. Taisson.

**Chasse.** — Trappeur. Fouinetier. Trappe, trapper. Piège, piéger. Brayon (piège). — Détranger (éloigner). Enfumer.

### FOUR

**Four ordinaire.** — Four de boulanger. Four de cuisine. — Aire ou Sole. Aiselle ou Reins. Atre. Chapelle. Cul de four. Grille. Bouche ou Gueule. — Bouchoir. Porte. Plaque. Sergent. Couvercle. Manique. — Four de campagne. Cloche. — Fourneau. Cuisinière.

**Fours industriels.** — Four de verrerie. Arches. Bonard. Bonichon. Cavalet. Glaie. Ouvreau. Margeoir, marger, démarger. Tuilette. — Four à glaces. Sourcilier. Tonnelle. Embassure. — Four à chaux. Chaufour. Porte-feu. — Four à céramique. Carneaux. Bombarde. Tettin. Pièces.

**Usage du four.** — Boulangerie. Pâtisserie. Cuisine. Cuisson. — Fournil. Fournier. Fournée. Enfourner. Défourner. — Chauffe, au bois, au charbon, au gaz. Chaufferie. — Garnir. Tiser, tisage. Attisoir. Fourgon. Râble. — Débraiser. Tire-braise. Ecouvillon. Pelle (à enfourner). Pelleron. Rondeau.

Four banal. Fournage (droit au four). Fornage (droit seigneurial).

### FOURCHE
(latin, *furca*)

**La fourche.** — Fourche : Dents. POINTES. Cornes. Branches. Fourchon. Douille. Manche.

**Les fourches.** — Fourche. Fourche-fière. Fourfière. Fouine. Bibale. Tire-fient. Bident. Cornuet. Havet. — Trident (de pêche). Fouène. Fichure. Harpon. — Fichoir (de lessive). Fourchette. Forquine (d'arquebuse). — Fourche de fer, de bois. — Fourches patibulaires. Fourches Caudines.

**Qui a trait à la fourche.** — Affourcher, affourchement. Enfourcher, enfourchement, enfourchure. — Fourcher. Fourchure ou Fourchet. Fourché. Fourchu. — Fourcheté. Fourchetée. — Fendu. Bifide. Trifide. — Furcifère. Bisulque. Bicuspidé. Biceps. — Bifurcation, bifurquer. Embranchement. Séparation. se SÉPARER.

FOURCHE-FIÈRE, f. V. *fourche.*
FOURCHER. V. *erreur, langue.*
FOURCHETTE, f. V. *fourche, vaisselle, oiseau.*
FOURCHU. V. *fourche.*
FOURGON, m. V. *voiture, chemin de fer, barre.*
FOURIÉRISME, m. V. *commun.*
**Fourmi,** f. V. *insecte, piquer.*
FOURMILIER, m. V. *animal.*
FOURMILIÈRE, f. V. *fourmi.*
FOURMILLEMENT, m. Fourmiller. V. *beaucoup, piquer.*

FOURNAISE, f. V. *four, chaleur.*
**Fourneau,** m. V. *brûler, poêle, forge, fonderie, mine.*
FOURNÉE, f. V. *boulanger.*
FOURNIER, m. Fournil, m. V. *four, boulanger.*
FOURNIMENT, m. V. *soldat.*
FOURNIR. V. *satisfaire, garnir, produire.*
FOURNISSEUR, m. V. *provision, marchandises.*
FOURNITURE, f. V. *marchandises, salade.*
**Fourrage,** m. V. *herbes,*

*paille, bestiaux, cheval.*
FOURRAGER. V. *pillage.*
FOURRAGÈRE, f. V. *cavalerie, corde.*
FOURRÉ, m. V. *forêt.*
**Fourreau,** m. V. *enveloppe, épée, aile, parapluie.*
FOURRER. V. *garnir, mettre, cacher, plein, fourrure, médaille.*
FOURREUR, m. V. *fourrure.*
FOURRIER, m. V. *logement.*
FOURRIÈRE, f. V. *animal.*
**Fourrure,** f. V. *peau, poil, orner, blason.*

---

## FOURMI
(latin, *formica*)

**Les fourmis.** — La fourmi : Corps. Etranglements. Nœud. Mandibules. Pattes. Ailes. Formicidés. Fourmi ailée. Fourmi-lion. Fourmi fauve. Fourmi noire. Fourmi rouge. Fourmi amazone. Fourmi à miel. Termite, etc.

**Vie des fourmis.** — Fourmilière. Galeries. — République des fourmis. — Insectes hétérogynes. Femelles. Neutres ou Soldats. Ouvrières. — Œufs. Nymphes. Larves.

**Qui a trait aux fourmis.** — Animaux formicivores. Fourmilier. Pangolin. Tamanoir. Crapaud. — Acide formique. Formiate. — Formication. Pouls formicant. — Sentir des fourmis dans les jambes. — Fourmiller, fourmillement. Grouiller, grouillement. Remuer, remuement.

## FOURNEAU

**Fourneaux domestiques.** — Fourneau de cuisine. Cuisinière. Potager. — Poêle. Coquille. Réchaud. — Calorifère. Hypocauste. Chaudière. Chauffe-bain. — Fourneau à charbon, à bois, au gaz, électrique. — Fumisterie, fumiste.

**Détails.** — Foyer. Sole. Chambre ou Etuve. Cendrier. Chapiteau. Buse. Cheminée. Tuyau. Chemise ou Garniture. Briques réfractaires. Grille. Portes, à bascule, à coulisse. Hotte. Tirette. Registre. Appel d'air. Ventouse. Aspiraux.

**Fourneaux industriels.** — Haut fourneau : Trémie. Gueulard. Charge. Cuve. Ventre. Etalages. Ouvrage. Creuset. — Soufflerie : Courant d'air. Trompe. Tuyère. Treuil. — Appareils fumivores, récupérateurs.

Fourneau de forge : Bure. Massif. Buse. — Fourneau de verrerie : Carcaise. Cratère. Ouvreau. — Fourneau à reverbère : Calotte. Dôme. — Fourneau de coupelle. — Fourneau d'affinage ou Finerie. — Fourneau de puddlage. — Fourneau de grillage. — Fourneau d'évaporation. — Fourneau d'émaillage.

## FOURRAGE

**Sortes de fourrages.** — Plantes fourragères. Fourrage vert. Fourrage sec. Fourrage mêlé. Hivernage. — Prairies naturelles. Prairies artificielles. Pâturages. Alpages. — Her-

bages. Herbes. Pâturin. Alleluia. Ray-grass. Gazon, etc. — Mauvaises herbes : Carex. Canche. Ivraie. Cuscute. Ortie. — Foins. Luzerne. Sainfoin. Trèfle incarnat. Lotier. Colza. Escourgeon. Fenasse. Spergule. — Betterave. Carotte. Rutabaga. Choux. Fève. Lupin. Gesse. Vesce. — Paille. Tourteaux. Drèches.

**Récolte.** — Faucher, fauchage, fauchaison, faucheur. Couper, coupe. Andain (ce qu'on fauche d'un coup). Regain. — Faner, fanage, fenaison, faneur, faneuse. Râteler, râtelée. Ramasser, ramasseur. Sécher, séchage. Botte. Botteau. Botteler, bottelage, botteleur. Lier les bottes. — Meule, emmeuler. Moie. Moyette. Mulon. Billotte. Buirette. Veillote, enveilloter. — Rentrer le foin. Ramer. — Fenil. Fenière. Grenier à foin.

**Usage.** — Affourrager. Enherber. Mettre à l'herbe. Mettre au vert. Engrener (mettre au grain). — Pâture. Pât. Pouture (engraissement à l'étable). Provende. Ration. — Râtelier. Abat-foin. Mangeoire. — Hachoir. Hachepaille. Coupe-racine. Dépulpeur. — Marché au foin. — Un cent, un mille de bottes. Botte fourrée. — Fourrager, fourrageur. Fourragère (corde). Trousse de fourrage.

## FOURREAU

**Fourreau de lame.** — Fourreau de sabre. Bélière. Bouterolle. Dard. Crochet. Faux fourreau. — Gaine de couteau, de poignard. — Engainer. Dégainer. Tirer du fourreau. Rengainer.

Feuille engainante. Gainule.

**Etuis.** — Etui à ciseaux, à couteaux, à aiguilles. Etui de revolver. — Fontes. Trousse. — Enveloppe. Housse. Chemise. — Boîte. Caisse. Plumier. Carquois. Botte (boîte à fusil). — Tube. Fourreau. — Sac. Poche. Bourse. — Gousse. Elytre.

**Fabrication.** — Gainier, gainerie. Couvrir, couverture. — Mandrin. Repoussoir. — Bois. Cuir. Chagrin. Galuchat. Toile. Soie. Velours. Nacre.

## FOURRURE

**Fourrures d'animaux.** — Astrakan, noir, gris. Breitschwanz. Castor. Chèvre. Chinchilla. Fouine. Gazelle. Genette. Grèbe (plumage). Grisard. Hamster. Hermine. Lapin.

Fours, m. p. V. *pâtisserie*.

Fourvoyer. V. *égarer, erreur*.

Foyer, m. V. *feu, chaudière, fourneau, cheminée, optique, théâtre, famille*.

Frac, m. V. *habillement*.

Fracas, m. Fracasser. V. *bruit, casser, fanfaron*.

Fraction, f. V. *part, calcul, division*.

Fractionnaire. V. *calcul, nombre*.

Fractionner. V. *partage, casser, séparer*.

Fracture, f. Fracturer. V. *blessure, casser, os*.

Fragiforme. V. *fraise*.

Fragile. V. *casser, faible*.

Fragilité, f. V. *fragile*.

Fragment, m. V. *casser, part*.

Fragmentation, f. Fragmenter. V. *fragment*.

Fragrance, f. V. *odeur*.

Frai, m. V. *poisson*.

Fraîcheur, f. V. *froid, nouveau, jeune, teint*.

Fraîchir. V. *vent*.

Frairie, f. V. *plaisir*.

Frais. V. *froid, nouveau*.

Frais, m. p. V. *dépense*.

Fraise, f. V. *fruit, intestin, lime, cerf*.

Fraiser. V. *tourneur*.

Fraisier, m. V. *fraise*.

Framboise, f. Framboisier, m. V. *mûre*.

Framée, f. V. *armes*.

---

Léopard. Lièvre. Loup. Loutre. Lynx. Marmotte. Martre. Mouflon. Mouton. Murmel. Opossum. Ours. Ourson. Panthère. Pékan. Petit-gris. Phoque. Poulain. Ragondin. Rat musqué. Renard commun, bleu, noir, argenté, blanc. Skunks. Singe. Taupe. Tigre. Vair. Vigogne. Vison. Zibeline.

**Pelleterie.** — Pelletier. Fourreur. — Fourrer. Triballe (outil). Doubler, doublure. Garnir, garniture. Moucheter. — Aumusse. Boa. Etole. Chausse. Frileuse. Berthe. Palatine. Chaperon. Col. Collet. — Manchon. Toque. Parements. Col. Collet. — Douillette. Manteau. Pelisse. Pelisson. Pèlerine. Jaquette. Dolman. Rotonde. — S'emmitoufler.

Mites. Teigne. Dermestes. — Mangé. Mité. Rongé.

## FRAGILE

**Qui peut se briser.** — Fragile, fragilité. Peu solide. Mal assuré. Grêle. Frêle. Friable. — Branler. Branler dans le manche. Branlant. Château branlant. Vaciller, vacillant. — Chanceler, chancelant. Crouler, croulant. S'écrouler, écroulement. — Ebranlé. Disloqué. Détraqué. Fêlé. — Cassant. Clastique. Craquer. — Ne pas tenir. Manquer par la base. Menacer ruine. Etre bâti sur le sable, en l'air.

**Périssable.** — Santé fragile. Débile. Délicat. Faible. Chétif. Epuisé. — Péricliter. Etre en mauvais état, en danger. Etre bien malade. — S'en aller. Dépérir. N'avoir que le souffle. Battre de l'aile. Ne tenir qu'à un fil. — S'altérer, altérable. Couler (fruits), coulure. Véreux. — Exposé. Risqué. Délébile. Destructible.

**Peu durable.** — Court. Temporaire. Ephémère. — Précaire. Provisoire. Passager. — Caduc. Révocable. — Feu de paille. Déjeuner de soleil. — Faux teint. Mémoire labile. — Fait de boue et de crachat. Colosse aux pieds d'argile. — Disparaître. S'évanouir. Passer.

**Sans fermeté.** — Inconstant. Mouvant. Instable. Sans résistance. Flexible. — Faible. Faillible. Peu sûr. — Changeant. Fugace. Vain. — Conscience fragile.

## FRAGMENT

**Eclats.** — Battiture (de métal). — Bout de bois. — Bractéole. — Bribe. — Brimborion. — Chapelure. — Charpie. — Chicot. —

Cisailles (rognures). — Copeau. — Débris. — Décombres. — Détritus. — Ebarbure. — Echarde. — Echarnure (de cuir). — Effelures (de peau). — Emondes. — Epaufrure (de pierre). — Epaves. — Escarbilles. — Esquille. — Fragment. — Grains (de sable). — Guenille. — Haillon. Lambeau. Loque. — Limaille. — Menus. — Miettes. — Mitraille. Paillette. Paillon. — Planure. — Poussière. Poudre. — Rebuts. — Recoupe (de pierre). Retailles. — Résidus. Restes. — Rognures. — Sciure. — Tesson.

Fragmenter, fragmentation. Emietter, émiettement. Comminution, comminutif.

**Morceaux.** — Bouchée. Brife (de pain). Chanteau. Darne. Entame. Tranche. Aiguillettes. Rogatons. — Boulette. Tablette. Pastille. Languette. Lame. — Bille de bois. Loupe. Bille d'acier. Rognon (de minerai). Lingot. Saumon (de métal). — Tronçon. Trognon. Moignon. — Coupon. Echantillon. — Pièce. Lopin. Piécette. — Morceaux choisis. Analectes. Chrestomathie. Centon. Béquet. Passages.

Hacher. Couper. Morceler. Trancher. Tronçonner. Entamer.

**Divisions.** — Portion. Part. Fraction. Lot. Parcelle. — Lobe. Lobule. Côte (de melon). Quartier (d'orange). — Section. Segment. — Atome. Molécule. Cellule. — Chapitre. Strophe. Paragraphe. Livre. Chant, etc. — Feuille. Feuillet.

Diviser, division. Découper, découpure. Débiter, débit. Démembrer, démembrement. Dépecer, dépeçage. Détailler, détail.

## FRAISE

**La fraise.** — Fraisier. Fraiserat (stérile). Plante rosacée, fragifère. Traînées (filaments). — Fraise des bois. Fraise des quatre-saisons. Héricart. Moraire. Fressan, etc. — Rougissure (maladie). — Fraisette (liqueur).

**Le genre fraise.** — Fruit fragiforme. Arbouse, arbousier. Framboise, framboisier. Mûre, mûrier. Ronce.

## FRANC

**Franchise de langage.** — Etre franc. Avoir son franc parler. Parler franc. — Dire tout haut, en toutes lettres, tout uniment, bonnement, purement et simplement, crûment. — Brusque, brusquerie. Carré, carrément.

**Franc.** V. *vrai, simple, positif, pur, libre.*

FRANC, m. V. *Gaule.*

FRANÇAIS. V. *Gaule.*

FRANC-BORD, m. V. *canal.*

FRANCE, f. V. *Gaule.*

FRANCHIR. V. *saut, passer.*

FRANCHISE, f. V. *franc, exempt, avouer.*

FRANCISCAIN, m. V. *moine.*

FRANCISQUE, f. V. *hache.*

FRANC-MAÇON, m. V. *franc-maçonnerie.*

**Franc-maçonnerie, f. V.** *association.*

FRANCO. V. *prix, exempt.*

FRANC-PARLER, m. V. *libre, parler.*

FRANC-TIREUR, m. V. *armée.*

FRANGE, f. V. *passementerie, bord, tapis.*

FRANGIBLE. V. *casser.*

FRANGIPANE, f. V. *pâtisserie.*

FRANQUETTE, f. V. *simple.*

FRAPPE, f. V. *marque, monnaie.*

FRAPPER. V. *battre, choc, blessure, punition, malheur, médaille.*

FRASQUE, f. V. *caprice.*

FRATERNEL. V. *frère, compagnon.*

FRATERNISER. V. *ami.*

FRATERNITÉ, f. V. *accord, charité, république.*

FRATRICIDE. V. *crime.*

FRAUDE, f. Frauder. V. *injuste, ruse, contrebande, tromper, voleur.*

FRAUDULEUX. V. *tromper.*

FRAYER. V. *frotter, usé, monnaie, fréquenter.*

FRAYEUR, f. V. *peur.*

FREDAINE, f. V. *plaisir, folie.*

FREDONNER. V. *chant.*

FRÉGATE, f. V. *navire.*

FREIN, m. V. *harnais, machine, aile.*

FREINER. V. *obstacle.*

FRELATER. V. *gâter, voleur.*

FRÊLE. V. *mince, fragile, délicat.*

FRELON, m. V. *miel.*

FRELUCHE, f. V. *passementerie.*

FRÉMIR. Frémissement, m. V. *mouvement, balancer, peur, colère.*

**Frêne,** m. V. *arbre.*

FRÉNÉSIE, f. Frénétique. V. *fureur, passion, enthousiasme.*

FRÉQUENCE, f. Fréquent. V. *souvent, ordinaire, pouls.*

FRÉQUENTATIF. V. *répétition.*

FRÉQUENTATION, f. V. *fréquenter.*

**Fréquenter.** V. *ami, compagnon, familier, rapport.*

---

Cru, crudité. Paysan du Danube. — Dire en face. Dire son fait. Ne pas mâcher les mots. — Langage nu, ouvert, uni, expressif, explicite, formel. — Netteté, net. Clarté, clair. Véracité, VRAI. Véridique. — Primesautier. Sincère, sincérité. VIF, vivacité. Parler à cœur ouvert. — Aller droit au fait. Appeler un chat un chat. Dire en bon français. Ne pas chercher midi à quatorze heures.

Aveu, avouer. Confident, confidence. Confiant, confiance. Communicatif. Expansif. Décharger son cœur. Se déboutonner.

**Franchise de manières.** — Naturel. Rondeur. Simplicité. Bonhomie. — Désinvolture. Laisser-aller. Abandon. — Agir sans façon, sans cérémonie, à la bonne franquette. — Familiarité. Cordialité. Liberté. — Bonne foi. Conscience. Loyauté. Candeur. Naïveté. Ingénuité. — Etre tout en dehors, sans détours. Visage épanoui. — Parler à cœur ouvert. Elan du cœur. Effusion. — Jouer cartes sur table. Jouer bon jeu, bon argent.

**Libre de charges.** — Franc de port. Franco. — Entrée en franchise. Port franc. — Affranchir, affranchissement.

## FRANC-MAÇONNERIE

**Membres.** — Franc-maçon. Maçon. — Maçonnerie bleue, rouge, noire. Grades. Les trente-trois degrés. — Grand maître. Vénérable. Adeptes. Apprenti. Compagnon. Maître. Rose-croix. Kadoche, etc. — Frère. — Louveteau (enfant de maçon).

**Organisation.** — Institution maçonnique. Orient. Grand Orient. Convent. — Temple. Pas-perdus. — Loge. Surveillants. Orateur. Frère servant. — Réception. Admettre à la lumière. Epreuves. — Mot sacré. Mot de semestre. Tuiler (reconnaître). Signes maçonniques. — Emblèmes : Compas. Equerre. Niveau. Tablier. Truelle. — Bijoux. — Rite. Rituel. Solstices.

## FRÊNE

**Espèces.** — Frêne commun, argenté, doré, à feuilles simples, horizontal, pleureur, à fleurs, pendant, parasol, etc. — Orne ou Frêne à manne. Fraxinelle. Fraisse (ancien nom).

**Relatif au frêne.** — Frênaie. Fraissine. — Dégouttement du frêne. Manne. — Faîne (fruit). — Perpignan (fouet de frêne). — Fraxinine (alcali).

## FRÉQUENTER

**Chercher l'affection.** — S'attacher à. Se lier. Se familiariser. — Familiarité. Liaison. Liens. Nœuds. — Cultiver l'AMITIÉ. Commerce d'amitié. Relations intimes. Intimité. Camaraderie. Compagnonnage. Cousinage. Compérage. — Courtiser. Faire sa cour. Etre galant. Galanterie. Flirt, flirter, flirteur, flirteuse.

Gens qui se fréquentent. Amis. Camarades. Compagnons. Amants. Fiancés.

**Chercher des relations.** — Fréquenter, fréquentation. Entretenir des rapports, des relations. Avoir des accointances. Frayer avec. — Hanter. S'encanailler. — Faire connaissance. Connaître. — Rechercher la compagnie. Compagnie. Entourage. Se frotter à. Parler à. Entregent. Assiduité. — Avoir accès auprès. Approcher. Aller chez quelqu'un. Etre reçu. — Rendre des devoirs. Rendre VISITE. Visiter. — Vivre dans la SOCIÉTÉ de. Voir quelqu'un. Se voir. Voisiner. Relations de voisinage. Entretiens.

**Rechercher l'affluence.** — Courir les bals, fêtes, spectacles, conférences, sermons, magasins. — Chaland. Pratique. Client. Habitué. Pilier de cabaret. — Suivre des cours. Cours suivi.

Rue passante. Chemin battu. — Etre en VOGUE. Avoir la vogue. Etre couru.

**Frère,** m. V. *parent, ami, moine.*

FRESQUE, f. V. *peinture.*

FRET, m. Fréter. V. *navire, transport, marchandises.*

FRÉTILLER. V. *mouvement.*

FRETIN, m. V. *poisson.*

FREUX, m. V. *corbeau.*

FRIABLE. V. *poussière.*

FRIAND. Friandise, f. V. *gourmand, délicat, pâtisserie.*

FRICANDEAU, m. V. *mets.*

FRICASSÉE, f. Fricasser. V. *mets, cuire, friture.*

FRICHE, f. V. *inculte.*

FRICOT, m. Fricoter. V. *manger.*

FRICTION, f. Frictionner. V. *oindre, frotter, cheveu.*

FRIGIDAIRE, m. V. *froid.*

FRIGIDITÉ, f. V. *froid, stérile.*

FRIGORIE, f. V. *chaleur.*

FRIGORIFIQUE, m. V. *conserver.*

FRILEUX. V. *froid.*

FRIMAS, m. V. *brouillard, gelée.*

FRIME, f. V. *apparaître, vain.*

FRIMOUSSE, f. V. *visage.*

FRINGALE, f. V. *faim.*

FRINGANT. V. *vif, cheval.*

FRIPER. V. *pli.*

FRIPERIE, f. Fripier, m. V. *habillement, commerce.*

FRIPON, m. Friponnerie, f. V. *tromper, voleur, vif.*

FRIQUET, m. V. *moineau.*

FRIRE. V. *cuire, friture.*

FRISE, f. V. *architecture.*

FRISER. V. *poil, cheveu, pli, près.*

FRISON, m. V. *boucle.*

FRISOTTER. V. *pli.*

FRISSON, m. Frissonner. V.

*trembler, froid, peur, fièvre, horreur.*

FRISURE, f. V. *cheveu.*

**Friture,** f. V. *cuire, graisse, mets.*

FRIVOLE. V. *léger, vain.*

FRIVOLITÉ, f. V. *vain, dentelle.*

FROC, m. V. *habillement.*

FROCARD, m. V. *moine.*

**Froid.** V. *gelée, calme, grave, indifférent.*

FROIDEUR, f. V. *froid, traiter.*

FROIDIR. V. *froid.*

FROIDURE, f. V. *saison.*

FROISSEMENT, m. Froisser. V. *pli, chagrin, colère, fâché.*

FRÔLEMENT, m. Frôler. V. *toucher, frotter, près.*

**Fromage,** m. V. *lait, charcuterie.*

---

### FRÈRE et SŒUR

**Degré de parenté.** — Frère. Frère germain. Demi-frère. Frère utérin, consanguin. Frère adoptif. Frères jumeaux. Frère aîné, cadet, puîné. Beau-frère.

Sœur. Sœur aînée, cadette. Demi-sœur. Jumelles. Belle-sœur.

Frère (d'un ordre). — Confrère (de profession).

**Relations de fraternité.** — Consanguinité. Primogéniture. — Collatéral. Cohéritier. — Parage. Frairage.

Fraternel. Sororial. Fraternité. — Confrérie. Confraternité. Confraternel. — Fratricide. Inceste.

### FRITURE

**La friture.** — Poêle. Tuile. Friquet (écumoire). Affriter une poêle. — Fariner. Frire. Fricasser. Faire sauter. — Frit à l'huile, à la graisse, au beurre.

**Les fritures.** — Beignet. Crêpe. Croquette. Croûton. Galette. Friteau. Frittole. Pet de nonne. — Friture de poisson. Cervelle frite. Légumes frits. Fruits frits. Pommes de terre frites.

### FROID
(latin, *frigus*)

**Nature du froid.** — Abaissement de température. Basse température. L'hiver. Saison froide. — Froid. Froidure. Degrés de froid. Fraîcheur. Temps frais. — Intempéries. Gelée. Neige. Glace. Frimas. Giboulée. — Aquilon. Bise. Vent du Nord. Brise fraîche. Intensité du froid. — Il fait froid, frisquet, un froid de loup, un froid de chien.

Froid glacial, hivernal, polaire, intense, à pierre fendre, rigoureux, rude, âpre, noir, vif, pénétrant, cuisant, piquant.

Froideur. — Frigidité.

**Maux du froid.** — Avoir le nez bleu, les oreilles bleues. — Claquer des dents. — Avoir la figure coupée, les mains gourdes. Etre transi, morfondu. — Trembler de froid. Trembloter. Grelotter. Frissonner, frisson, frissonnement. — Engelures. Crevasses. Onglée. Gerçures. Chair de poule. — Congestion. Refroidissement. Rhume. — Gélivure.

**Usage du froid.** — Conservation des denrées. Frigidaire. Appareils frigorifiques. Mélanges réfrigérants. Glacière. — Rafraîchir. Refroidir. Alcarazas. Gargoulette. Ventilateur. Eventail. — Rafraîchissements. Crèmes et boissons glacées. Glaces.

### FROMAGE
(latin, *caseus*)

**Fabrication.** — Fromagerie, fromager. Buron, buronnier. Fruitière, maître fruitier. Chalet. Armaillis (en Suisse). Marcaire. — Laiterie. Crémerie, crémier, crémière. Lait. Laitage. Lait caillé. Petit-lait. — Brasser le lait. Présure, emprésurage. Coagulation. Salage. Cuite.

Egoutter, égouttage, égouttoir. Sangler. Presser. Mouler. Affiner.

Moules. Cageron. Cagerotte. Cannelon. Caserette. Chaseret. Eclisse. Clisse. Claie. Clayon. Formes. Faisselle. Poches. — Outils. Tranche-caille. Brassoir. Moussoir. Ménole. Mésadou. Sonde.

Mise en cave. Cave de maturation. — Meule. Pain. Pâte. Croûte. Yeux.

**Espèces.** — *Fromages maigres.* Fromage blanc. Fromage à la pie. Cancoillote. Cœur. Jonchée. Caillebotte.

*Fromages à pâte molle.* — Double crème. Demi-sel. Petit suisse. Chabrillou. Fromage de chèvre. Brie. Coulommiers. Camembert. Neufchâtel. Gournay. Géromé. Saint-Remy. Pont-l'Evêque. Livarot. Marolles. Reblochon. Mont-Dore. Bondon.

*Fromages à pâte ferme.* Gruyère. Vachelin. Comté. Emmenthal. Hollande. Cantal. Chester. Parmesan. Port-Salut. Bleu d'Auvergne. Roquefort. Gorgonzola. Persillé, etc.

FROMAGERIE, f. V. *fromage.*
FROMENT, m. V. *blé.*
FRONCE, f. V. *orner, coudre.*
FRONCEMENT, m. Froncer. V. *pli, contraction.*
FRONDAISON, f. V. *feuille.*
**Fronde,** f. V. *corde, arme, sédition.*
FRONDER. V. *fronde.*
FRONDEUR. V. *hargneux.*
FRONT, m. V. *visage, avant, armée.*
FRONTAL. V. *os, bandage.*

FRONTIÈRE, f. V. *pays, limite, coiffure.*
FRONTISPICE, m. V. *architecture, livre.*
FRONTON, m. V. *architecture, avant, paume.*
FROTTÉE, f. V. *battre.*
FROTTEMENT, m. V. *frotter.*
**Frotter.** V. *toucher, oindre, brosse, balai.*
FROTTIS, m. V. *peinture.*
FROUER. V. *bruit.*
FRUCTIDOR, m. V. *fruit.*

FRUCTIFIER. V. *fruit, fertile, produit.*
FRUCTUEUX. V. *utile, gain.*
FRUGAL. Frugalité, f. V. *manger, modération, économie, simple.*
FRUGIFÈRE. V. *plante.*
FRUGIVORE. V. *animal.*
**Fruit,** m. V. *botanique, plante, effet, gain, accouchement.*
FRUITERIE, f. V. *fruit.*
FRUITIER. V. *arbre.*

---

**Relatif au fromage** — Caséine. Caséation. Caséeux. Acide caséique. Caséate. — Se piquer. Grouiller de vers. Fermenter. Couler. Se miter. — Canapé au fromage. Ramequin. Flamiche. Fondue. Quiche. — Fromageux. Tyroïde.

### FRONDE

**Qui concerne la fronde.** — Fronde. Espingarde. Frondibale. Frondule. Fustibale. — Cordes. Bourse. Poche. Culot. Panier. — Balles. Glands. Cestres (traits). — Fronder. Frondeur.

### FROTTER

**Polir.** — Poli. Polissage, polisseur. — Fourbir, fourbissage, fourbisseur, fourbissure. — Astiquer, astic (os à polir). — Egriser (le diamant), égrisage, égrisée (poudre). — Lisser, lisse. — Poncer, poncis, pierre ponce. — Roder, rodage. Aiguiser, aiguisage. — Frayer. Frai. Médaille fruste. Frayure (du cerf). — User, usure. — Frottage. Attrition. — Tripoli. Papier de verre. Poudre dentifrice. Produits d'entretien. Emeri

**Racler.** — Racle, racloire, raclure. — Gratter, grattage, grattoir, gratte, gratture. Palimpseste (manuscrit gratté). — Limer, lime. Râper, râpe. — Parer, paroir. Riper, ripe. Corroyer. — Ecorcher. Erafler. Erailler. — Rader, radoire. — Etriller, étrille. — Crisser, crissement. Grincer des dents.

**Nettoyer.** — Brosse, brosser, brosseur. — Frotter, frotteur, frottoir. — Bouchon, bouchonner. Tampon, tamponner. — Balai, balayer. — Torchon, torcher. Essuyer, essuiemain. Serviette. Touaille. — Lavette. Peau de chamois. — Ramoner, ramonage.

**Toucher en frottant.** — Frottement. Frictionner, friction. — Masser, massage, masseur. — Chiffonner. Froisser, froissement. — Frôler, frôlement. Glisser sur. — Caresser. Chatouiller, chatouillement, chatouilleux. Flatter de la main. Effleurer. — Lécher. OINDRE, onction, onguent. Liniment.

### FRUIT
(latin, *fructus;* grec, *carpos*)

**Constitution.** — Arille. — Capsule. — Carpelle. — Cellule. — Chair. — Cloison. — Cœur. — Columelle. — Coque. — Côte. — Coton. — Couronne. — Cupule. — Diaphragme. — Duvet. — Ecorce. — Endocarpe. — Epicarpe. — Fleur. — Hampe. — Hile. — Induvie. — Locule. — Loges. — NOYAU. — Ombilic. — Parenchyme. — Paroi. — Peau. — Pédoncule. — Pépin. — Péricarpe. — Pruine. — Pulpe. — Queue. — Suture. — Tégument. — Valve. — Zeste.

**Forme.** — Fruit. Fruits jumeaux. — Akène. — Baie, bacciforme. — Cône. — Coquille. — Corymbe. — Cosse. — Drupe. Drupéole. — Ecale. — Elatérie. — Epi. — Fève. — Follicule. — Gallioque. — Gousse. — Graine. — Grappe. Grappillon. — Pignon. — Régime. — Sacelle. — Samare. — Silique. — Strobile. — Trochet.

**Caractères** — Adhérent. Amphisarque. Bicapsulaire. Biloculaire. Bivalve. Brachycarpe. Carpellaire. Celluleux. Charnu. Chrysocarpe. Columellé. Côtelé. Cotonneux. Dasycarpe. Déhiscent. Deltocarpe. Dicarpe. Dicoque ou Bicoque, tricoque, etc. Discoïde. Drupacé. Duveteux. Indéhiscent. Induvié. Ligneux. Loculaire. Monocarpe. Monopyrène. Monosperme. Nuculaire. Oligosperme. Polycarpe. Polysperme. Siliqueux. Univalve.

**Récolte** — Se nouer, nouure. — Mûrir. Maturation. Maturité. Aoûter, aoûtement. — Fruits précoces. Primeurs. — Plein rapport. — Fruits tardifs. — Avorter, avortement. Couler, coulure. Tomber. — Cueillir, cueillette, cueillaison. — Gauler. Effruiter. Dépouille. — Vendanger, vendange. — Meurtrir. Cotir. Défleurir (ôter le velouté).

Fruit mûr, vert, blet, meurtri, talé, avarié, véreux, pourri.

Fruits naturels, civils, industriels. — Perception des fruits. Possesseur de bonne foi. Usufruitier. — Usager.

**Consommation.** — Dessert. — Beignet. Compote. Gelée. Confiture. Marmelade. — Conserves. Fruits confits. Fruits glacés. Fruits tapés. — Fruits secs. Mendiants. — Sirop, sirupeux. — Distiller. Bouillir. Bouilleur de cru. Marc. Liqueurs. Vin. Cidre. — Corbeille de fruits. Compotier.

Peler. Enucléer, énucléation. Ecaler. — Mordre à. Trognon. — Découper. Tranche.

Chair fondante, fine, tendre, aqueuse, pâteuse, spongieuse, graveleuse, pierreuse, farineuse, veloutée. — Fruit grumeleux, juteux, pulpeux.

FRUITIÈRE, f. V. *légume, lait.*
FRUSQUES, f. p. V. *bagage.*
FRUSTE. V. *usé, inégal, médaille.*
FRUSTRER. V. *ôter, tromper.*
FRUTESCENT. V. *arbre, rejeton.*
FUCHSINE, f. V. *teindre.*
FUGACE. V. *fuite, court.*
FUGITIF. V. *fuite, vain.*
FUGUE, f. V. *absence, musique.*
FUIE, f. V. *pigeon.*
FUIR. V. *fuite.*

*Fuite,* f. V. *partir, abandon, vase, secret, combat.*
FULGURATION, f. V. *foudre.*
FULIGINEUX. V. *suie, noir.*
FULMICOTON, m. V. *coton.*
FULMINATE, m. V. *poudre.*
FULMINER. V. *foudre, colère.*
FUMAGE, m. V. *conserver, fumier.*
*Fumée,* f. V. *feu, orgueil, cerf.*
FUMER. V. *cheminée, tabac, charcuterie, labour.*
FUMERIE, f. V. *opium.*

FUMEROLLE, f. V. *volcan.*
FUMERON, m. V. *charbon.*
FUMET, m. V. *goût, odeur, gibier.*
FUMEUR, m. V. *fumée.*
FUMEUX. V. *vapeur.*
*Fumier,* m. V. *excrément, étable, jardin, sale.*
FUMIGATION, f. V. *fumée, pur, épidémie.*
FUMISTE, m. Fumisterie, f. V. *fumée, poêle, cheminée, bouffon.*
FUMIVORE. V. *fourneau.*

---

**Principaux fruits.** — Abricot. AMANDE. Ananas. Arbouse, BANANE. Cacao. Café. Calebasse. Câpre. Caroube. Cassis. Cénelle. CERISE. CHÂTAIGNE. CITRON. Coing. Corme. Cornouille. Datte. Faîne. FIGUE. FRAISE. Framboise. Goyave. GRENADE. Groseille. Kaki. Litchi. Mangue. Marron. Merise. MÛRE. MUSCADE. Nèfle. Noisette. NOIX. OLIVE. Orange. Pamplemousse. Pêche. Pistache. POIRE. POMME. Prune. Prunelle. RAISIN.
Citrouille. Melon. COURGE. Courgette. Tomate. Cornichon.

**Relatif aux fruits.** — Carpologie. Carpophage. Carpolithe (fossile). — Fructifier, fructification. Fructifère. Verger. Arbre fruitier. — Fruitier. Fruitière. Marchande des quatre-saisons. — Fructueux. Infructueux. — Frugivore. Frugal, frugalité. — Fruité (qui a goût de fruit). Fruiterie (resserre). — Fructidor (mois). Pomone (déesse). Vertumne (dieu).

**FUITE**
(latin, *fuga*)

**Fuite désordonnée.** — Fuir. Fugitif. Fuyard. Prendre la fuite. — S'enfuir. Déroute. Panique. Sauve-qui-peut. — Battre en retraite. Se débander, débandade. Se disperser. — Prendre ses jambes à son cou. Jouer des jambes. Détaler. Courir. Il court encore. — S'effaroucher. Farouche. Sauvage, sauvagerie.

**Echappade.** — Escapade. — S'échapper. Se sauver. S'évader, évasion. Prendre la clef des champs. — Filer. Se donner de l'air. Se dérober. Fugace, fugacité. — Prendre la poudre d'escampette. Tirer ses grègues, ses chausses. S'esbigner, *f*. Décaniller, *f*. — DISPARAÎTRE, disparition. Fugue. — S'éclipser, éclipse. Glisser. Se glisser. — Se soustraire à. Se replier. Se mettre à l'abri. — EVITER. Refuite (du cerf). — Subterfuge. Faux-fuyant.
Fuite d'eau. Fuite de gaz. Echappement de vapeur.

**Départ hâtif.** — Lever le camp. Décamper. Déguerpir. — Céder la place. Déménager. Déloger. — Se retirer. Plier bagage. — S'éloigner. Gagner le large. — PARTIR. Démarrer. — Evacuer un pays. Vider les lieux. Migration.

**Abandon.** — Abandonner. Quitter. Mettre la clef sous la porte. — Emigrer, émigration.

— Quitter son poste. — Déserter, désertion, déserteur. — Faire défection. Tourner casaque. — Passer à l'ennemi. Transfuge. — Tourner le dos. Tourner les talons. Lâcher pied. Reculer. — Lever le pied. Faire un trou à la lune. — Quitter la partie. Faire Charlemagne.

**Faire fuir.** — Mettre en fuite. Déloger. Mettre en déroute. — CHASSER. Effaroucher. — Repousser. Ecarter. Eloigner. Disperser. — Force centrifuge. — Produit ignifuge, vermifuge, fébrifuge, etc.

**FUMÉE**

**Production de la fumée.** — Atre. CHEMINÉE. Tuyau. — Fumeron. Fumerolle. — Fumiste, fumisterie. Appareil fumivore. — Encenser, encensoir. — Evaporation. — Produits volatils. — TABAC. Pipe. Cigare. Cigarette. Fumer, fumeur, fumoir.

**Etats de la fumée.** — Fumer. Fumant. Fumeux. — Fumée. Nuage de fumée. — Tourbillon. Ruban. Flot. Volutes. Bouffées. — Buée. Vapeur.
S'envoler. Monter. Se rabattre. Tourbillonner. Se dissiper.

**Action de la fumée.** — Enfumer. Lieu enfumé. — Noir de fumée. SUIE. — Fumer. Viande fumée. Poisson fumé. — Boucaner. boucaner. Boucan. Pemmican. — Saurer. Hareng saur. Saurir, saurissage, saurisserie. — Fumiger, fumigation, fumigatoire. — Fumet. Odeur.

**FUMIER**

**Engrais divers.** — Engrais animal, végétal, minéral. — Fumier. Crottin. Guano. Purin. Poudrette. — Boues. Immondices. Gadoues. Terreau. Litière. Ruée (paille pourrie). Tannée. — Cendres. Compost. Falun. Sablons. — Marne. Varech. Goémon. — Marcs. RÉSIDUS. Scories. — Chaux. Phosphates. Superphosphates. Nitrates. — Fourrages azotés. — Nitrification.

**Action de fumer.** — Fumer une terre. Fumage. Fumure. — Tas de fumier. Meule. Antoiser (mettre en tas). Tire-fient (fourche). Belneau (tombereau). — Epandre, épandage. Fumer en couverture. Enterrer le fumier. — Amender, amendement. Engraisser. Fimbrer. — Faluner. Marner. Chauler. — Acoter (une couche). Amorcer (une vigne).

FUMOIR, m. V. *tabac.*
FUMURE, f. V. *fumier.*
FUNAMBULE, m., f. V. *bateleur.*
FUNÈBRE. V. *funérailles.*
**Funérailles,** f. p. V. *cadavre.*
FUNÉRAIRE. V. *funérailles.*
FUNESTE. V. *nuire, malheur.*
FUNICULAIRE, m. V. *corde, chemin de fer.*
FUR, m. V. *mesure.*
FURET, m. V. *lapin.*

FURETER. V. *chasse, chercher.*
**Fureur,** f. V. *folie, colère, enthousiasme, passion.*
FURFURACÉ. V. *farine.*
FURIBOND. V. *fureur.*
FURIE, f. V. *fureur, enfer.*
FURIEUX. V. *fureur, fâché.*
FURONCLE, m. V. *pus.*
FURTIF. V. *cacher, secret, honte.*
FUSAIN, m. V. *crayon, arbre.*
FUSEAU, m. V. *bobine, rouet, dévider, dentelle.*

FUSÉE, f. V. *axe, pyrotechnie, presse, marque.*
FUSELAGE, m. V. *aéronautique.*
FUSELÉ. V. *doigt.*
FUSER. V. *chaux, pyrotechnie.*
FUSEROLLE, f. V. *navette.*
FUSIBILITÉ, f. V. *chimie.*
FUSIBLE. V. *fondre.*
FUSIFORME. V. *bobine.*
**Fusil,** m. V. *armes, boucherie.*

---

## FUNÉRAILLES

**La mort.** — Mort. Trépassé. Défunt. — Corps. CADAVRE. Restes mortels. Dépouille. Cendres. — Fermer les yeux. Veiller un mort. Veillée mortuaire. — Embaumer, embaumement. Ensevelir, ensevelissement. Linceul. Suaire. Sindon (du Christ). Le saint suaire. — Bière. Cercueil. Châsse. Fierte. Mettre en bière. Clouer dans le cercueil. — Médecin des morts. Extrait mortuaire.

**Funérailles.** — Pompes funèbres. Ordonnateur. Croque-mort. Billet de faire-part. — Maison mortuaire. Exposition du corps. Catafalque. Drap mortuaire. Tentures noires. Larmes d'argent. — Levée du corps. Obsèques. Convoi. Cortège funèbre. Enterrement. — Char funèbre. Corbillard. Comète. — Couronnes. Fleurs. Poêle. Cordons du poêle. — Cérémonie funèbre. Derniers devoirs. Honneurs funèbres. Oraison funèbre. — Frais funéraires. — Cérémonie commémorative. Bout de l'an.

**Cérémonies religieuses.** — Service funèbre. Office des morts. Messe des morts. Messe de requiem. Tendre l'église. Litre (tenture seigneuriale). Luminaire. Chapelle ardente. Glas. — Donner l'absoute. *De profundis. Dies iræ. Requiem æternam. Libera.* — Anniversaire. Fondation pieuse. Obit (service fondé). Registre obituaire. Autel privilégié.

**Sépulture.** — Cimetière. Dernier asile. Champ du repos. — Mausolée. Chapelle funéraire. Crypte. — Monument. Sépulcre. Tombe. Tombeau. Caveau. Fosse. Cénotaphe. Confession (tombe de martyr). — Fosse commune. Charnier. Gémonies. Voirie. — Pierre tombale. Dalle. Entourage. Epitaphe. Croix. Cippe. Tertre funéraire. Eminence. Cyprès. — Concession, temporaire, à perpétuité. Un terrain. — Enterrer. Inhumer, inhumation. Porter en terre. Enfouir. — Inscription à la mémoire. Ci-gît. Ici repose. — Déterrer. Exhumer, exhumation.

Crémation. Four crématoire. Incinérer, incinération. Cendres. Urne.

**Le deuil.** — Prendre le deuil. Etre en deuil. Grand deuil. Petit deuil. Demi-deuil. — Durée du deuil. Quitter le deuil. — Vêtements noirs. Voile. Crêpe. Air lugubre. Egayer son deuil. — Mener le deuil. — Signes de deuil. Drapeaux en berne. Fusils renversés. Piques traînantes.

**Termes antiques.** — Pyramides. Mastabas. Hypogées. Momies. — Nécropole. Columbarium. Catacombes. Le Céramique (à Athènes). — Bûcher. Urne cinéraire. Sarcophage. — Libitinaire (ordonnateur). Conclamation. Feretrum (civière). — Pleureuses. Chants funèbres. Xénie. Thrène. — Silicerne (banquet funèbre). — Sacrifices funèbres. Parentales. Novemdial. — Tumulus. Cairn (chez les Celtes).

## FUREUR

**Colère.** — Irritation. Exaspération. Emportement. Rage. Fureur. — Accès. Transport. Déchaînement. VIOLENCE. Explosion. Paroxysme. — S'emporter. Tempêter. Eclater. Bouillir. Enrager. Fulminer. Fumer. Sortir de ses gonds. Ne plus se connaître. — Etre déchaîné, furibond, enragé, exaspéré, furieux. — Un furieux. Une furie. Mégère.

**Folie.** — Etre hors de soi, hors de sens. Forcené. — Démence, dément. Fou furieux. Fou à lier. Epimane. — Transport au cerveau. Délire, délirer. Crise. — Ivresse. Alcoolique. *Delirium tremens.* — Frénésie, frénétique. Possédé. Démoniaque. — Erotomane. Nymphomane. — Hydrophobie.

**Exaltation.** — Enthousiasme, enthousiaste. — Fanatisme, fanatique. — Bacchant. Bacchante. Ménade. Corybante. — Fureur prophétique. Pythie. Sibylle. — Energumène. Convulsionnaire. — Pythonisse. Derviche tourneur. Aïssaoua. — Avoir le diable au corps.

**Manifestations.** — Etre échevelé, effaré, éperdu, égaré, troublé. — Cheveux hérissés. Yeux hagards. Regards farouches. — Grincer des dents. Serrer les poings. Ecumer. Baver, bave. — Bondir, bonds. Trépigner, trépignements. Se ruer. TREMBLER, tremblement. — Avoir des CONVULSIONS. Se tordre les bras. — Rugir, rugissement. Crier, cris. Malédictions. Jurons. — Suffoquer, suffocation. Etouffer.

## FUSIL

**Armes modernes.** — Fusil de munition. Fusil à pierre. Fusil à piston. Fusil à tabatière. Fusil à aiguille. Fusil à percussion. Fusil à répétition. Fusil automatique. — Fusil de chasse, choke-bored, hammerless. Canardière. Fusil à deux coups. Fusil de précision. — Carabine. Mousqueton. Rifle. — Fusil Lebel. Mauser. Winchester, etc. — Fusil mitrailleur. — PISTOLET. Revolver. Pistolet automatique.

Fusilier, m. V. *soldat.*
Fusillade, f. V. *fusil.*
Fusiller. V. *tuer, supplice.*
Fusion, f. V. *fondre, liquide, mélange.*
Fusionner. V. *association.*

Fustiger. V. *bâton, fouet.*
Fût, m. V. *tronc, colonne, armes, tonneau.*
Futaie, f. V. *forêt.*
Futaine, f. V. *étoffe.*
Futé. V. *spirituel.*

Futile. Futilité, f. V. *vain, léger.*
Futur, m. V. *temps, verbe.*
Futur, m. Future, f. V. *mariage.*
Fuyard. V. *lâche, vaincu.*

---

**Armes anciennes.** — Arquebuse à mèche, à croc, à rouet. Escopette. Espingole. Haquebute. Mousquet. Biscaïen (gros mousquet). Tromblon.

**Pièces.** — Fût. Crosse. Talon. Bec. Poignée. Battant. — Platine à rouet, à silex, à batterie, à percussion. — Canon lisse, rayé, cannelé. — Culasse mobile. Chien. Cran d'arrêt. Percuteur. Levier. Ressort à boudin. Cylindre. Détente. Pontet. Ressort de gâchette. Tête mobile. Boîte de culasse. Auget. Magasin. Tonnerre. — Hausse. Mire. Evidement. Grenadière. Guidon. Tenon. Quillon. Embouchoir. — Ame. Calibre. — Bassinet. Batterie. Cheminée. Baguette (dans les anciens fusils.)

**Fabrication.** — Armurerie, armurier. Arquebusier. Monteur-équipeur. Fourbisseur. — Maquette. Lame. Chemise. Ruban. — Forer un canon, forage. Semer un canon (vérifier). Fraiser. Aléser, alésage, alésoir. — Fourbir. Bronzer. Damasquiner. — Enture (du fût).

**Charge.** — Charger. Recharger. Décharger. Charger à plomb, à balle. — Munitions. Poudre. Balles. Chevrotines. Grenaille. Dragée. — Amorce. Capsule. Bourre. Cartouche. — Chargeur. Magasin. — Poudrière. Sac à plomb. Tire-bourre. Tire-balle. Baguette. — Moule à cartouches. Mandrin.

**Tir.** — Etre à l'arrêt. Armer. Epauler. Ajuster. Viser. — Lâcher le coup, la détente. Faire feu. Détonation. Décharge. Tirer. Tirailler. Tirer à la cible. Tirer à bout portant, au vol, à l'affût, au jugé. Tirer à blanc. — Coup de fusil. Coup de feu. Salve. Feux de file, de peloton, croisés. — Fusillade. Arquebusade. Escopetterie. Mousquetade. — Champ de tir. Stand. — Fusiller. Passer par les armes. Canarder. Brûler la cervelle. Casser la tête. — Désarmer un fusil. — Partir. Eclater. Faire balle. — Cracher. Faire long feu. Rater. Reculer, recul. — Portée.

**Accessoires.** — Baïonnette. Sabre, épée, couteau-baïonnette. Douille. Arrêtoir. Fourreau. — Bretelle. Cartouchière. Giberne. Cache-platine. — Botte (boîte à fusil). — Fourchette d'arquebuse ou de mousquet. Mèche de mousquet. Pierre à fusil. — Porte-crosse. Porte-mousqueton. — Râtelier.

**Relatif au fusil.** — Fusilier. Tirailleur. Carabinier. Mousquetaire. — Port de l'arme. Port d'armes. Porter en bandoulière, sur l'épaule. — Démonter. Remonter. — Faisceau. Former les faisceaux. Bourrer (de la crosse). Bourrade.

## FUTUR

**Temps à venir.** — Temps prochain, proche. Lendemain. Demain. Désormais. Dorénavant. Dans quelques jours. Bientôt. Sous peu. Tout à l'heure. Tantôt. Prochainement. — Eventualité, éventuel. — Délai. Différer. — Suite. Suivre. Ensuite.

Temps reculé. Temps lointain. Le futur. L'avenir. Siècles futurs. — Evénements ultérieurs, postérieurs. — Destinée. Fatalité. Ce que Dieu, la fortune, nous réserve. Ce qui va venir. Ce qui doit arriver.

L'éternité. L'autre vie. Un monde meilleur.

**Gens à venir.** — Ceux qui viendront après nous. Générations futures. — Enfants. Petits-enfants. Descendants. Arrière-neveux. — Postérité. Successeurs. Héritiers.

**Idée de l'avenir.** — Etre en espérance, en herbe, en germe, en expectative, en attente, en perspective, en imagination, en projet. — Possibilité, possible. — Futur contingent.

Deviner. Prédire. Pronostiquer. — Présager. Promettre. — Menacer. Faire craindre. — Avenir incertain, douteux, prometteur. — Horizon pur, chargé. — Prévoir, prévoyance. Préparer, préparation. — Espérer. Souhaiter. Vœux. — Vues d'avenir.

Futur grammatical. Futur antérieur. Futur périphrastique. Potentiel. Auxiliaires *aller, devoir.*

# G

GABARE, f. **V.** *bateau, filet.*

GABARIT, m. **V.** *modèle, dessin.*

GABEGIE, f. **V.** *tromper.*

GABELLE, f. **V.** *impôt, sel.*

GABELOU, m. **V.** *douane.*

GABIER, m. **V.** *matelot, mât.*

GABION, m. **V.** *fortification.*

GÂCHE, f. **V.** *serrure.*

GÂCHER. **V.** *plâtre, gâter.*

GÂCHETTE. f. **V.** *fusil.*

GÂCHIS, m. **V.** *boue, désordre.*

GAÉLIQUE. **V.** *Irlande.*

GAFFE, f. **V.** *perche, bateau.*

GAGE, m. **V.** *garant, salaire, jeu.*

GAGER. Gageure, f. **V.** *pari.*

GAGISTE, m. **V.** *salaire.*

GAGNANT, m. **V.** *jeu.*

GAGNE-PAIN, m. **V.** *profession.*

GAGNE-PETIT, m. **V.** *paume, travail.*

GAGNER. **V.** *gain, succès, but, vainqueur, progrès, influence, obtenir.*

GAI. **V.** *joie, bouffon.*

GAIETÉ, f. **V.** *plaisir, joie.*

GAILLARD. Gaillardise, f. **V.** *hardi, licence, santé.*

GAILLETERIE, f. **V.** *houille.*

**Gain,** m. **V.** *intérêt, riche, bonheur, vainqueur.*

GAINE, f. **Gainerie**, f. **V.** *fourreau.*

GALA, m. **V.** *cérémonie.*

**Galant.** **V.** *plaire, séduire, amour, délicat, politesse.*

GALANTERIE, f. **V.** *galant, chevalerie, débauché.*

GALANTIN, m. **V.** *galant.*

GALANTINE, f. **V.** *charcuterie.*

GALAXIE, f. **V.** *étoile.*

GALBE, m. **V.** *courbure, forme, élégance.*

GALE, f. **V.** *peau.*

GALÉASSE, f. **V.** *navire.*

GALÈNE, f. **V.** *plomb.*

**Galère,** f. **V.** *bateau, punition.*

---

## GAIN

**Rapport.** — Revenu. INTÉRÊTS. Dividende. Revenant bon. Fruit. Temporel. — Traitement. Emoluments. Honoraires. Appointements. Feux (d'acteur). SALAIRE. — Produit, produire. Rendement, rendu. Rapporter. Donner.

Exploiter, exploitation. Faire valoir. Moissonner, moisson. Récolter, récolte. — Faire fructifier, fructueux. Tirer parti de.

Gagner sa vie. Gagne-pain. — Joindre les deux bouts.

**Profit.** — Bénéfice, bénéficier. Bénéfice net, brut. Profits, profiter, profitable. Gain, gagner gros. — Casuel. Aubaine. Avantage, avantageux. Tirer avantage. Boni. Bonification. — Butin. Prise. Capture. Conquête. — Faire ses affaires. S'enrichir. Lucre, lucratif. — ECONOMIES. Pécule. Faire sa pelote. — Gratifications. Dons. Prime.

Trouver son compte. S'engraisser. Faire ses choux gras. Faire son beurre. Mettre de l'argent dans ses poches. — Mercantilisme, mercantile. — Etre avide, cupide, intéressé, âpre au gain, à la curée. — Gagne-petit.

**Gain de jeu.** — Gagner, gagnant. Faire le point. Gagner la partie. — Etre à jeu. Se refaire. Tricher. — Faire un bon coup. Faire sauter la banque. Décaver. Nettoyer le tapis. Empocher. — Tirer son épingle du jeu. Faire Charlemagne.

**Gain illicite.** — Raccroc. Gratte. Rapine. Picorée. Tour de bâton. Pot-de-vin. Faire sauter l'anse du panier. — Faire argent de tout. Fricoter. Glaner. Grappiller. Grignoter. Haricoter. Rafler. — Pêcher en eau trouble. Prendre pour vache à lait. — Griveler, grivèlerie, griveleur. — Usure, usurier, usuraire. — Grippesou. Harpie. Vautour.

## GALANT

**Galants.** — Cavalier. Chevalier servant. Sigisbée. Céladon. — Galant. Galantin. Flir-teur. — Dameret. Damoiseau. Petit-maître. Godelureau. Muguet. — Séducteur. Don Juan. Lovelace. Bourreau des cœurs. — Mondain. Courtisan. Fat. — Enjôleur. Cajoleur. Complimenteur.

**Galanterie.** — Amabilité, aimable. Coquetterie, coquet. Courtoisie, courtois. Gentillesse, gentil. Gracieuseté, gracieux. — Attentions, attentionné. Empressement, empressé. Complaisance, COMPLAISANT. — Soins. Respects. Egards. — Belles manières. Politesse. Savoir-vivre. — Offrir le bras, la main. Baiser la main.

Flirt, flirter. Conter fleurette. Faire sa cour. Courtiser. Faire le joli cœur. — Faire des grâces. Débiter des compliments, des douceurs, des fadeurs. Marivauder. Mugueter. — CAJOLER. FLATTER.

## GALÈRE

**Galères.** — Galère réale. Galère amirale. Galère capitane. Galère patronne. — Galère sultane (turque). Mahonne. Galéasse (de Venise). Galiote (de Tunis). Prame. Sensile (grande). Fuste (petite).

Birème. Trirème. Quadrirème. Quinquérème. — Monère. Trière. Pentécontore.

**Détails de la galère.** — Bande. Bacalar. Tapière. Enceinte. — Dracène (poupe). Carrosse (dunette). Tendelet. Gigante (figure de poupe). Coursier (coursive). — Mât ou arbre de mestre. Mât de trinquet. Marabout (voile). Maraboutin.

Palamente (ensemble des rames). Apostis (support de rame). Banc. Bancasse. Pédagne (appui du pied).

**Equipage.** — Capitaine. Majordome. Maistrance. Comites. Argousins. — Arbalétriers. Pertuisaniers. — Timonier. Rémolar (préposé aux rames).

Chiourme. Galérien. Forçat. Bonnevoglie. Vogueur. Rameur. — Ramer. Voguer. Vogue. Passe-vogue.

**Galerie**, f. V. *mine, abri, passage, art, armée, archi-tecture, public, tapis.*
**Galérien**, m. V. *galère.*
**Galet**, m. V. *pierre, roue.*
**Galetas**, m. V. *chambre.*
**Galette**, f. V. *pâtisserie, pain, plat.*
**Galeux**. V. *peau.*
**Galhauban**, m. V. *corde.*
**Galiléen**, m. V. *Christ.*
**Galimatias**, m. V. *diffus, parler.*
**Galion**, m. V. *navire.*
**Galiote**, f. V. *galère.*
**Galipot**, m. V. *gomme, en-cens.*
**Gallican**. V. *Gaule.*
**Gallicisme**, m. V. *Gaule.*
**Gallinacé**. V. *poule.*
**Gallon**, m. V. *mesure.*

**Gallo-romain**. V. *Rome, Gaule.*
**Galoche**, f. V. *chaussure, sabot.*
**Galon**, m. V. *tresse, bande, insignes.*
**Galop**, m. V. *allure, équita-tion, danse.*
**Galoper**. V. *cheval, pied.*
**Galopin**, m. V. *enfant, vil.*
**Galoubet**, m. V. *flûte.*
**Galuchat**, m. V. *cuir.*
**Galvanique**. V. *électricité.*
**Galvaniser**. V. *zinc, fer.*
**Galvanoplastie**, f. V. *pla-que.*
**Galvauder**. V. *gâter.*
**Gambade**, f. V. Gambader. V. *jambe, danse, saut.*
**Gamelle**, f. V. *vase, manger.*
**Gamin**, m. V. *enfant.*

**Gamme**, f. V. *musique, ton, degré.*
**Ganache**, f. V. *mâchoire, sot.*
**Ganglion**, m. V. *glande, scro-fule.*
**Gangrène**, f. Gangréneux. V. *ronger, gâter, plaie.*
**Gangue**, f. V. *minéral.*
**Gannir**. V. *renard.*
**Ganoïde**, m. V. *poisson.*
**Ganse**, f. V. *corde, passe-menterie.*
**Gant**, m. V. *main, escrime.*
**Gantelet**, m. V. *gant, ar-mure.*
**Ganter**. Ganterie, f. Gantier, m. V. *gant.*
**Garage**, m. V. *abri, écart, voiture.*
**Garance**, f. V. *teindre, rouge.*
**Garant**, m. V. *assurance.*

## GALERIE
(latin, *porticus*)

**Galeries architecturales.** — Arcades. Cloître. Colonnade. Péristyle. — Passage. Galerie. Loges du Vatican. — Jubé ou Ambon. Triforium. — Transept. Travée. — Porche. Portique. Narthex. Propylées.

**Galeries de circulation.** — Corridor. Couloir. Enfilade. — Véranda. Vestibule. Galerie (pièce longue et étroite). — Préau. Promenoir. Galerie vitrée. Galeries (magasins). — Galeries souterraines. Galerie de mine. Métropolitain. Tunnel. Egout.

## GALÉRIEN ou FORÇAT

**Termes modernes.** — Bagne. Pénitencier. Travaux forcés. Déportation. Relégation. — Forçat. Bagnard. Déporté. Relégué. — Condamné à temps, à perpétuité. — Transport. Convoi. — Gardien. Surveillant. — Libéré. Evadé.

**Termes anciens.** — Galérien. Condamné aux galères. Chiourme. — Bonnet rouge. Bonnet vert. Casaque. — Chaîne (groupe enchaîné). Alganon (petite chaîne). — Boulet, traîner le boulet. Fers, ferrer. Marque, marquer. — Garde-chiourme. Comite. Argousin. Gourdin.

## GANT

**Sortes de gants.** — Gant d'homme. Gant de femme. — Gant à crispin, à manchette. Gant fourré. Mitaine. Miton. Moufle.

Gants de peau, de chevreau, de chamois, de daim, de chien, etc. Gant de Suède. — Gants de laine, de fil, de soie, de filoselle, de tricot. — Gants blancs, noirs, de couleur. — Gants brodés, glacés, parfumés. — Gants longs, courts, lavables.

Gantelet. Gant d'escrime. Gant de boxe. Ceste. Gant de chirurgie. Gant de travail. Manique.

**Fabrication.** — Dépecer. Parer. Etavillon (pièce découpée). Paissonner (étendre), pais-son. Déborder (étirer). Doler (amincir), doloir. Dresser un gant. — Coudre, cousoir. Piquer. Raffiler (arrondir le bout).

Pièces du gant. Carabin. Fourchette. Empaumure. Carreau. Chape. Doigts. Pouce. Poignet. Fente. Bras.

**Vente.** — Ganterie, gantier, gantière. Bonnetier. Mercier. Rayon de gants. — Paire de gants. Boîte à gants. — Pointure. Pointer. — Ganter, déganter. — Ouvrir un gant. Baguette à gants. Renformer, renformoir.

## GARANT

**Garanties.** — Garantie légale, conventionnelle, de fait. — Réelle, personnelle. — Demande en garantie. Contre-garantie. — Gage. Contre-gage. — Caution. Caution bourgeoise. Cautionnement. Fidéjussion. *Judicatum solvi.* — Couverture. Warrant. Nantissement. — Dépôt. Arrhes. — Assurances. Hypothèques. — Engagement. Endos. Endossement.

**Donner une garantie.** — Continuer. Fournir caution. — Se porter garant. Garantir. Couvrir. Pleiger, pleige. — Nantir. Déposer un gage. Hypothéquer. Donner en otage. — Etre comptable de. Donner des arrhes. Endosser un billet. — Répondre. Répondant. Responsabilité. Personne responsable. Homme de paille. — Solidaire. Solidarité. Se solidariser. — Sauvegarder. Assurer, assureur. — Patronner. Patron. Parrain.

**Prendre une garantie.** — Prendre ses sûretés. Prendre une assurance. Etre assuré. — Assigner en garantie. Avoir recours sur. Se réclamer de. — Prêt hypothécaire. Contrat pignoratif. — Mesures conservatoires. Saisie. Saisie-gagerie. Saisie-warrant.

**Garantie civile.** — Sûreté. Sauvegarde. Protection. Assistance. — *Habeas corpus.* Droits de l'homme et du citoyen. — Carte d'électeur. Passeport. Sauf-conduit. Patente. — Pièces d'identité. Carte d'identité. — Livret de famille.

GARANTIE, f. V. *garant, sûr, précaution, prêter, défendre.*

GARANTIR. V. *garant, confirmer, conserver, obstacle.*

GARBURE, f. V. *potage.*

GARCE, f. V. *fille.*

GARCETTE, f. V. *corde.*

GARÇON, m. V. *enfant, domestique.*

GARÇONNET, m. V. *petit.*

GARDE, m. V. *garder, soldat.*

**Garde**, f. V. *défendre, conserver, attendre, épée, escrime, relieur.*

GARDE-BARRIÈRE, m. V. *chemin de fer.*

GARDE-BOIS, m. V. *forêt.*

GARDE-CHASSE, m. V. *chasse.*

GARDE-CROTTE, m. V. *voiture.*

GARDE-FOU, m. V. *clôture, pont.*

GARDE-MALADE, m., f. V. *maladie.*

GARDE-MANGER, m. V. *cuisine.*

GARDE-MEUBLE, m. V. *magasin.*

**Garder.** V. *protéger, retenir, possession, chien.*

GARDER (se). V. *précaution, éviter.*

GARDERIE, f. V. *enfant.*

GARDE-ROBE, f. V. *armoire.*

GARDEUR, m. Gardeuse, f. V. *berger.*

GARDIEN, m. V. *garder.*

GARDON, m. V. *poisson.*

GARE, f. V. *abri, arrêt, chemin de fer, canal.*

GARENNE, f. V. *chasse, lapin.*

GARER. V. *abri, éviter.*

GARGARISER (se). Gargarisme, m. V. *gorge, médicament.*

GARGOTE, f. Gargotier, m. V. *cuisine, auberge.*

GARGOUILLE, f. V. *toit, canal.*

GARGOUILLEMENT, m. Gargouiller. V. *bruit.*

GARGOUSSE, f. V. *poudre.*

GARIGUE, f. V. *chêne.*

GARNEMENT, m. V. *méchant.*

GARNI, m. V. *auberge.*

**Garnir.** V. *bourre, orner, mets, coiffure.*

---

**Protection.** — Garantir. Protéger. Couvrir. Abriter. — Armure. Masque. — Ecran. Garde-feu. — Garde-fou. Garde-main. — Parapluie. Ombrelle. Paratonnerre. Paravent. — Blouse. Tablier. Couvre-nuque. Cache-poussière. — Préservatif. Pare-choc. Pare-clou, etc. — Garde (de livre). Feuillet de garde. — Palladium. Talisman. AMULETTES.

### GARDE

**Protection militaire.** — Garde avancée. Grand-garde. Flanc-garde. Avant-garde. Arrière-garde. — Avant-poste. Bivouac. Postes. — Défense. Redoute. Blockhaus. Garnison. — Couverture. Rideau de troupes. Lignes de défense. — Mobilisation, mobiliser. — Escorte. Cortège.

**Service de garde.** — Etre de garde. Prendre la garde. — Monter la garde. Corps de garde. Poste de garde. — Faction. Consigne. Qui-vive. Mot d'ordre. Contre-mot. — Piquet. Guérite. — Factionnaire. Sentinelle. Vedette. Planton. Vigie. — Garde montante. Garde descendante. Relever la garde. Parade. — Ronde, contre-ronde. Patrouille, patrouiller. Reconnaissance, reconnaître. Guetter, guet, guetteur. — Etre de quart. Faire le quart. Grimper aux hunes. — Croiser, croisière, croiseur.

**Corps de troupe.** — Garde royale. Garde écossaise. Gardes-françaises. Gardes-suisses. Gardes du corps. — Garde impériale. — Garde nationale. — Garde municipale. Garde républicaine. Garde mobile. Gendarmerie. Police. — Gardes-côtes. Douaniers. Garde-frontière. — Maréchaussée. Chevaliers du guet. Milice, milicien. Vigiles. — Prétoriens. Satellites. Mameluks. Janissaires.

Gardien. — Garde champêtre. — Garde-chasse.

### GARDER

**Manières de garder.** — Garder. Garder à vue. Garder avec soin. Garder par devers soi. Détenir, détenteur. Retenir. — Consigne, consignation, consignataire. Garde-meuble. Dépôt, dépositaire. — Entrepôt, entrepositaire. Dock. Réservoir. Magasin. Garde-manger. Garde-robe. Frigorifique. — Garderie.

Gardiennage. Surveillance. Geôle. — Coffrefort. Caisse d'épargne. Caisse des dépôts et consignations.

**Gardiens.** — Garde champêtre. Garde forestier. Garde-bois. Garde-chasse. Messier. Verdier. Garde-pêche. Garde-barrière. — Gardien. Geôlier. Garde-chiourme. — Surveillant. Veilleur. — Inspecteur. Conservateur. Garde des sceaux. — Magasinier. Garde-magasin. — Concierge. Portier. Portier-consigne. Suisse. — Berger. Pasteur. Gardeur, gardeuse. Cornac. — Chien de garde. Cerbère. — Duègne. Muet du sérail. Eunuque.

**Mettre en garde.** — Consigner. Déposer. Droits de garde. Entreposer. Warranter. — Séquestrer. Mettre sous séquestre. — Conserver. Réserver. Faire une réserve. Faire provision. Emmagasiner. — Confier à. Remettre à. — Mettre de côté. Economiser. Garder une poire pour la soif.

### GARNIR

**Munir.** — Armer, armement, armateur. — Equiper, équipement, équipage. — Gréer, gréement. Agrès. — Fournir, fourniment, fourniture. Approvisionner, approvisionnement. Ravitailler, ravitaillement. Pourvoir, pourvoyeur. — Munir, munition. Prémunir. Monter de. Nantir. Lotir. — Habiller, habillement. Nipper. Harnacher. Meubler, ameublement. — BAGAGE. Attirail. Accessoires. Assortiment. — Se précautionner de.

**Bourrer.** — Bourre, bourrer, bourrage. — Bourrelier. Embourrer. Rembourrer, rembourrage, rembourrure. — Fourrer, fourrure. Ouater, ouatage. — Capitonner, capitonnage. Matelasser. Remplir, REMPLISSAGE. Empailler. Etoffer. Etouper. — Plastronner, plastron. Barder. — Farcir, farce. — Boucher. Tamponner.

**Revêtir.** — Revêtir, revêtement. — Tapisser, tapisserie. — Lambrisser, lambris, lambrissage. — Plaquer, placage. — Maroufler. Entoiler, entoilage. Rentoiler. — COUVRIR. Envelopper. Entourer. — Doubler, doublage, doublement, doublure. — Garnir, garniture. ORNER, ornement. Enjoliver, enjolivure. Décorer, décor, décoration.

GARNISON, f. V. *garde, défendre, armée.*

GARNITURE, f. V. *remplissage, orner.*

GARROT, m. V. *cheval, presser.*

GARROTTER. V. *punition, supplice.*

GARS, m. V. *homme.*

GASCON, m. Gasconnade, f. V. *fanfaron.*

GASPILLAGE, m. Gaspiller. V. *dépense, désordre.*

GASTÉROPODE. V. *mollusque.*

GASTRALGIE, f. Gastrite, f. V. *estomac.*

GASTROLOGIE, f. V. *estomac.*

GASTRONOME, m. Gastronomie,

f. V. *ventre, cuisine, manger.*

GÂTEAU, m. V. *pâtisserie, cire.*

**Gâter.** V. *perdre, pire, préférer.*

GÂTERIE, f. V. *cajoler.*

GÂTE-SAUCE, m. V. *cuisine.*

GÂTEUX. V. *gâter.*

**Gauche.** V. *côté, sct, politique.*

GAUCHER. V. *gauche, main.*

GAUCHERIE, f. V. *embarras, maladresse.*

GAUCHIR. V. *oblique, difforme.*

GAUCHO, m. V. *bœuf.*

GAUDE, f. V. *bouillie.*

GAUDRIOLE, f. V. *bouffon, rire, joie.*

GAUFRE, f. V. *pâtisserie.*

GAUFRER. Gaufrure, f. V. *pli, étoffe, relieur.*

**Gaule,** f. V. *France.*

GAULE, f. V. *bâton, pêche.*

GAULER. V. *secouer, fruit.*

GAULIS, m. V. *branche.*

GAULOIS, m. V. *Gaule.*

GAULT, m. V. *argile.*

GAUSSER (se). V. *moquer.*

GAVE, m. V. *torrent.*

GAVER. V. *volaille, rassasier.*

GAVIAL, m. V. *crocodile.*

GAVION, m. V. *gorge.*

GAVOTTE, f. V. *danse.*

---

## GÂTER

**Dommage.** — Dégât. — Endommager, endommagement, dommageable. — Dégrader, dégradation. Détériorer, détérioration. Avarier, avarie. Abîmer. — Froisser. Friper. Meurtrir, meurtrissure. Cotir, cotissure. — Atteindre, atteinte. Entamer. — Ruiner, RUINE. Perdre, perte. Nuire à. Empoisonner. Mettre en mauvais état. — User, usure. Injures du temps. — Infester. Ravager, ravage. Dévaster, dévastation. Détruire, destruction. Délabrer.

**Altération.** — Altérer, altération. Adultérer, adultération. Dénaturer. Falsifier, falsification. Frelater, frelatage. Gourer. Sophistiquer, sophistication. — Défigurer. Déformer, déformation. Désorganiser. — Tacher, TACHE. Gâter. — Déflorer. Défriser. Emousser. — Estropier les mots.

S'atrophier, atrophie. — Se délabrer, délabrement. — Dépérir, dépérissement. — Enlaidir, enlaidissement. — Empirer, empirement. — Vieillir. Vieillesse. Sénilité. Gâtisme, gâteux. — Se flétrir. Appauvrissement du sang. S'étioler, étiolement. — Geler. Brouir. Biser (en parlant des plantes)

**Dépravation.** — Gâter, gâterie. — Dépraver, dépravation, dépravateur. Pervertir, perversion. Perdre, perdition. — Dégrader, dégradation, dégradant. Déprécier, dépréciation. Dépriser. — Profaner, profanation. Souiller, souillure. — Flétrir, flétrissure. Salir. Ternir. Déshonorer, déshonneur. — Tarer, tare. Vicier, vice.

S'abâtardir. Dégénérer, dégénérescence. Forligner. — Vicieux. Véreux.

**Malfaçon.** — Bâcler, bâclage. Brocher. Faire à la diable. — Brasser. Trousser. Torcher. Sabrer. — Barbouiller, barbouillage. Bousiller, bousillage. Gribouiller, gribouillage. — Négliger, négligence. Galvauder. Saboter. Saveter, f. Cochonner, f. — Manquer. Gâcher. Massacrer. Estropier.

**Corruption.** — Aigrir, aigre, aigrelet. Tourner. Se piquer, piqué. Fermenter, fermentation. Rancir, rance, rancidité. Passer de goût. Eventé. — Se corrompre, corrompu, corruption. Se décomposer, décomposition. Fai-

sander, se faisander, faisandé. Mortification, mortifier. Viande avancée. — Remugle (odeur de renfermé). Croupir. Eau croupie. Rouir, rouissage, roui. Rouiller. — S'échauffer.

Blé germé. Poire blette. Raisin sorbé. Olives marcies. Beurre fort. Fleurs du vin.

Piqué des vers. Vermoulu. Mangé. Mite. — Chancre, cancer, cancéreux. Gangrène, se gangrener.

**Putréfaction.** — Se putréfier, putréfait. Pourrir, pourriture. Œuf pourri, couvi. Putride, putridité. Nécrose. — Fétide, fétidité. Méphitisme. Exhalaison méphitique. Miasme délétère. Empester, pestilence. Infecter, infection, infect. Puer, puant, puanteur. — Charogne. Cadavre, cadavéreux. Pus, purulent. — Moisir, moisissure. Carie, carier. — Livide, lividité. Cadavérique. Verdâtre. Violacé. Persillé.

## GAUCHE

**Qui a trait à la gauche.** — Main gauche. Sénestre. Gaucher. — Côté gauche. La gauche. Doubler à gauche. Bâbord, bâbordais. Aller à dia. — Gauche (maladroit). Gauchir, gauchissement. — Sénestrogyre. Sénestrovolubile.

## GAULE et FRANCE
(latin, *gallia*)

**Gaule.** — La Gaule. Gaulois. Celte. Celtique. Gaélique. Gallo-romain. — Gaule cisalpine, transalpine, belgique, lyonnaise, aquitaine, narbonnaise. — DRUIDES, druidisme. — Vergobret (magistrat annuel). — Brennus. Vercingétorix.

**France.** — Francs. Francs Ripuaires. Francs Saliens. Francs chevelus. — Framée. Francisque. Pavois. — Leudes.

Rois de France. Mérovingiens. Rois fainéants. Carlovingiens. Capétiens. Bourbons. Branches des Valois, d'Orléans. — Fleurs de lis. Oriflamme.

France. Français. Franciser. Francophile. Francophobe.

République française. Drapeau tricolore. Marseillaise.

Gallicisme. — Gallican. Eglise gallicane.

**Gaz,** m. V. *vapeur, flatuosité, subtil, chimie, houille, aéronautique.*

**Gaze,** f. V. *étoffe.*

**Gazéifier.** V. *gaz.*

**Gazelle,** f. V. *quadrupède.*

**Gazer.** V. *cacher, couvrir, automobile.*

**Gazette,** f. V. *nouvelle, journal.*

**Gazeux.** V. *gaz, léger.*

**Gazier,** m. V. *gaz.*

**Gazochimie,** f. V. *chimie.*

**Gazomètre,** m. V. *gaz.*

**Cazon,** m. Gazonner. V. *herbe, prairie.*

**Gazouiller.** Gazouillis, m. V. *oiseau, bruit.*

**Geai,** m. V. *oiseau.*

**Géant,** m. V. *monstre, grand.*

**Géhenne,** f. V. *enfer, supplice.*

**Geindre.** V. *plainte, murmure.*

**Gélatine,** f. V. *colle.*

**Gel,** m. V. *gelée.*

**Gelée,** f. V. *météore, froid, confiserie.*

**Geler.** V. *gelée.*

**Gélif.** V. *arbre.*

**Gelinotte,** f. V. *perdrix.*

**Gélivure,** f. V. *fente.*

**Gémeaux,** m. p. V. *étoile.*

**Géminer.** V. *deux.*

**Gémir.** Gémissement, m. V. *cri, plainte, chagrin.*

**Gemmage,** m. V. *pin, gomme.*

**Gemmation,** f. V. *bourgeon.*

**Gemme,** f. V. *pierre, minéral, bourgeon.*

**Gémonies,** f. p. V. *cadavre.*

**Gênant.** V. *déplaire.*

**Gencive,** f. V. *bouche.*

**Gendarme,** m. Gendarmerie, f. V. *cavalerie, police.*

**Gendarmer** (se). V. *colère.*

**Gendre,** m. V. *mariage.*

**Gène** (suff.). V. *produire.*

**Gêne,** f. Gêné. V. *embarras, ennui, pauvre.*

**Généalogie,** f. Généalogique. V. *naître, origine, famille.*

**Gêner.** V. *obstacle, embarras.*

**Général,** m. V. *officier.*

**Général.** V. *tout, commun.*

**Généralat,** m. V. *chef.*

**Générale,** f. V. *tambour.*

**Généraliser.** V. *tout, étendre.*

**Généralité,** f. V. *tout, ordinaire.*

---

## GAZ

**Sortes de gaz.** — Gaz. Corps gazeux, gazéiforme. Vapeur. Gaz parfait. Gaz permanent. Gaz rare. — Atmosphère. Air. Fluide aériforme. Air déphlogistiqué. — Oxygène. Ozone. Azote. Argon. Hydrogène. Hydrogène carboné, phosphoré, sulfuré, etc. Gaz d'éclairage. Grisou. Gaz ammoniac. Cyanogène. Gaz oléigène. Gaz hilarant. Gaz d'hélium. Ethylène. Acétylène, etc. — Gaz délétère, insalubre, méphitique. Miasmes. — Gaz acides. Acide carbonique. Acide acétique. Acide sulfurique, etc.

Gaz de guerre. Gaz lacrymogène, sternutatoire, suffocant, vésicant, asphyxiant, toxique. Ypérite. Phosgène, etc.

**Propriétés des gaz.** — Dilatation, dilatable, se dilater. — Condensation, condensable, se condenser. — Compression, compressible. — Elasticité, élastique. — Fluidité, fluide. — Volatilité, volatil, se volatiliser. — Solubilité, soluble, insoluble. — Densité. Volume. — Tension. Détente. — Coercible. Impalpable. Intactile. Intangible. — Rarescence.

Se dégager. Emaner. — Globules. Bulles. Vapeurs.

**Etude des gaz.** — Gazochimie. Loi de Mariotte. Loi de Gay-Lussac. — Combinaison. Mélange. Synthèse. — Liquéfaction, liquéfier. Compression, comprimer. Raréfaction, raréfier. Gazéification, gazéifier. Volatilisation, volatiliser. — Ballon. Cuve pneumatique. Machine pneumatique. Cloche. Eprouvette. Eudiomètre. Manomètre.

**Gaz d'éclairage.** — Gaz de houille. Gaz d'eau. Hydrogène bicarboné. — Distillation. Epuration physique, chimique.

Usine à gaz. Cornue. Obturateur. Tube adducteur. Barillet. Réservoir d'eau. Tubes réfrigérants. Epurateur à coke. Caisse d'épuration chimique. Tuyau de conduite. Gazomètre. Canalisations.

Tuyaux de gaz. Appareils à gaz. Bec de gaz. Manchon de bec. Brûleur. Candélabre. Réverbère. Lampe. Fourneau à gaz. Compteur. Robinets. — Fuite de gaz. — Gazier.

## GÉANT
(latin, *gigas*)

**Nature de géant.** — Géant, géante. Gigantisme. Gigantesque. — Colosse, colossal. Titan, titanique. Cyclope, cyclopéen. Ogre, ogresse. — Gigante (figure de poupe). Gigantologie. Gigantomachie. — Grand. Enorme. Monstrueux. Tambour-major.

**Géants célèbres.** — Adamastor. Aloéus. Antée. Atlas. Briarée. Cacus. Encelade. Eurymédon. Gargantua. Goliath. Japet. Orion. Polyphème. Samson. Stentor. Teutobochus. Tityos. Typhée. — Lestrygons. Patagons.

## GELÉE

**Action du froid.** — Gelée. Gelée blanche. — Geler. Gel. Dégel, dégeler. — Glacer, glace. Congeler, congélation. Froid glacial. Neige, neiger. — Froidure. Frimas. Giboulées. Givre. — Engelure. Gélivure. Gerçures, gercer. Crevasses, crevasser. — Brûler (les plantes). Brouir. — Solidifier. Se geler. Prendre.

**La glace.** — Glaces polaires. Banquise. Glaces flottantes. Iceberg. Banc de glace. Glaçons. — Montagne de glace. Mer de glace. Glacier. Névé. Sérac. Crevasse. Moraine. — Verglas. Grêle. Grêlon. Grésil. — Débâcle. Embâcle. — Fonte des glaces. Avalanche. — Glace artificielle.

**Usage de la glace.** — Conserver. Frigorifique. Frigidaire. Glacière. — Rafraîchir. Frapper. Seau à glace. — Faire prendre une crème. Glaces. Sorbets. Sorbetière.

Sports d'hiver. Patinage, patiner, patinoire, patineur. — Ski, skieur. Faire du ski. — Luge. Bobsleigh. — Curling. — Hockey sur glace. — Glissade, glisser, glissoire. — Traîneau. — Boules de neige.

GÉNÉRATEUR, m. V. *génération*.

**Génération,** f. V. *origine, produire, famille*.

**Généreux.** V. *noble, bon*.

GÉNÉRIQUE. V. *espèce*.

GÉNÉROSITÉ, f. V. *bienfait, charité*.

GENÈSE, f. V. *Bible, produire*.

GÉNÉSIQUE. V. *génération*.

**Genêt,** m. V. *jonc*.

GÉNÉTHLIOLOGIE, f. V. *astrologie*.

GENÉVRIER, m. V. *genièvre*.

GENGIVITE, f. V. *bouche*.

GÉNICULÉ. V. *genou*.

GÉNIE, m. V. *esprit, magie, art, armée*.

**Genièvre,** m.

GÉNISSE, f. V. *vache*.

GÉNITAL. V. *génération*.

GÉNITIF, m. V. *grammaire*.

**Genou,** m. V. *jambe, articulation, prier*.

GENOUILLÈRE, f. V. *chausses, armure*.

GENRE, m. V. *division, espèce, manière, grammaire*.

GENS, m. p. V. *personne, domestique*.

GENT, f. V. *famille, classe*.

GENTIANE, f. V. *plante*.

GENTIL. V. *beau, profane*.

GENTILHOMME, m. V. *noble, classe*.

GENTILITÉ, f. V. *profane*.

GENTILLESSE, f. V. *plaire, grâce, politesse*.

GENTLEMAN, m. V. *politesse*.

GÉNUFLEXION, f. V. *pli, saluer, se prosterner*.

GÉODÉSIE, f. V. *terre, arpentage*.

GÉOGRAPHE, m. V. *géographie*.

**Géographie,** f. V. *terre*.

GÉOGRAPHIQUE. V. *géographie*.

---

## GÉNÉRATION

**Doctrines.** — Génération, génératif. Génération spontanée. Génésie, génésique. Génital. — Genèse. Parthénogénèse. Pangénèse. Palingénésie. — Création. Transformisme. Evolution, évolutionnisme, évolutionniste. Sélection naturelle. Ovarisme. — Reproduction. Fécondation. Conception. Formation. Multiplication.

**Les hommes.** — Anthropogénie. — Paternité. Maternité. Atavisme. Hérédité. Maladies congénitales. — Procréer, procréation. Engendrer, engendrement. Enfanter, enfantement. — Faire souche. Descendance. Progéniture. — Gestation. PARTURITION. Accouchement. Fœtus. Enfant. Sexe masculin, féminin. — Métis. Mulâtre. Quarteron. Octavon. — Femme prolifique, féconde, STÉRILE, bréhaigne.

**Les animaux.** — Reproduire. Animal reproducteur. — Etalon. Poulinière. Haras. — Apparier. Sélectionner. Amélioration des races. Eugénésie. Pedigree. — Croiser les races. Croisement. Télégonie. Métissa *e. Mulet. — Mettre bas. Portée. Petits. Vêler. Pouliner. — Pondre. Couver. — Œufs. Naissain. Couvain. Frai. — Multipare. Vivipare. Ovipare. Ovovivipare. Fissipare.

**Les plantes.** — Propagation, propager. Provignement, provigner. SEMENCE, semer, semis. Graine. Fleurs. — Pousses. REJETONS. Hybrides. — Anthogénèse. Apogynie. Digénèse. Gemmiparité. Germiniparie. — Fécondation artificielle.

## GÉNÉREUX

**Don d'argent.** — Bienfaisance, BIENFAIT, bienfaisant. Charité, charitable. Aumône. Secours, secourable. — Largesse, large. Magnificence, magnifique. Munificence. Générosité, généreux. — Libéralité, libéral. Don. Présent. Pourboire.

Se mettre en frais. Se dépouiller. — Dépenser royalement. Payer grassement. Prodiguer, prodigue, prodigalité.

Cession gratuite. Paiement surérogatoire.

**Don de soi-même.** — Abnégation. Désintéressement, désintéressé. Détachement, détaché. — Dévouement, dévoué, se dévouer. Se donner. S'immoler, immolation. — Renonce-

ment, renoncer. S'oublier, oubli de soi-même. Se sacrifier, SACRIFICE. — Bonté, bon. Bon cœur.

**Ame haute.** — Grandeur d'âme, grand. Noblesse, noble. Belle âme. Générosité de cœur. — Héroïsme, héros, héroïne, héroïque. — Magnanimité, magnanime. Longanimité, longanime. Ame chevaleresque. — Obliger, obligeant, obligeance. Officieux. Rendre service. — Pardonner. Epargner. Ménager. Clémence. Indulgence.

## GENÊT

**Les genêts.** — Genêt commun. Genêt d'Espagne. Genêt des teinturiers. Genêt à balais. Genêt épineux. — Sparte. Ajonc. Jan. Brusc. — Genêtière.

## GENIÈVRE

**Plante et produits.** — Genévrier. Cade ou Oxycèdre. Genévrier rouge. Sabine. — Genévrière. Gin. Genièvre (liqueur). Grains de genièvre. Huile de cade. Sandaraque. Vernis. Encens.

## GENOU
(latin, *genu*; grec, *gonu*)

**Articulation.** — Genou. Rotule. Région rotulienne. Ligament rotulien. Creux poplité. Synovie. Muscle génuflecteur.

Maladies du genou. Cagneux. Goutte. Gonagre. Gonocèle. — Synovite. Tumeur blanche. Arthrite. Genu-valgum. — Malandre (du cheval), malandreux. Râpes (crevasses). Cheval couronné.

**Mouvements.** — Agenouiller, s'agenouiller. Fléchir les genoux. Se mettre à genoux. Tomber à genoux. Mettre un genou en terre. Génuflexion. — Se jeter aux genoux de. Embrasser les genoux.

**Relatif au genou.** — Agenouilloir. Prie-Dieu. — Géniculé. Genouillé. Genouilleux. — Genouillère.

## GÉOGRAPHIE

**Sciences géographiques.** — Géographie, géographique, géographe. — Géographie physique, politique, économique, mathématique, historique. — Géologie, géologique. Topographie, topographique. Orographie. Hydrographie, hydrographe. Géohydrographie. — Cosmographie. Cosmogonie. Cosmologie. — Chorographie. Périégèse (description). Climatologie. Ethnographie. Ethnologie. Climatologie. Biogéologie. — Statistique. Economie politique.

## Situation géographique. — Points cardinaux. Nord. Sud. Est. Ouest. — Points collatéraux. Nord-est. Nord-ouest. Nord-nord est. Nord-nord-ouest, etc. Aire des vents. Rose des vents. Rhumb. — Hémisphère. Zénith. Nadir. — Longitude. Latitude. Degrés. Méridien. Parallèle. — PÔLES, polaire. Circumpolaire. — Equateur, équatorial. Ligne équinoxiale. — Tropiques. Cancer. Capricorne. — Climat. Zones. Zone glaciale, tempérée, torride.

NORD. Septentrion, septentrional. Boréal. Arctique. — Sud. MIDI. Méridional. Austral. Antarctique. — Est. ORIENT, oriental. Levant. — Ouest. OCCIDENT, occidental. Ponant.

## Représentation géographique. — Carte. Carte murale. Atlas. Planisphère. SPHÈRE. Globe. Mappemonde. Portulan. Carte de Mercator. Géorama. — Carte réduite, muette, graduée, etc. — Carte géographique, topographique, marine, routière, aéronautique, d'état-major, etc.

Service géographique. Cartographie. Dresser, faire une carte. Relever sur la carte. — Echelle. Légende. Projection. Plan. Développement. — Orienter une carte. Pointer une carte. Positionnaire (poinçon).

## Aspects géographiques. — Continents. Parties du monde. PAYS. Contrées. Régions. — Etats. Provinces. Départements. Contours. Enclaves. Colonies. — VILLES. Capitale. Cheflieu. Bourg. Village. Hameau. — Mer. Océan. — Côte. RIVAGE. Promontoire. Cap. Pointe. Plage. Dune. Falaise. Ecueil. Récif. — Golfe. Baie. Rade. Crique. PORT. — ILE, îlot. Presqu'île. Péninsule. Archipel. — Détroit. Passe. Goulet. — Oued. Ruisseau. — Cours. Confluent. Estuaire. Embouchure. Delta. — MONTAGNE. Mont. Volcan. Chaîne. Pic. Sommet. Ballon. Aiguille. Col. Hauteurs. Colline. Plateau. Causse. Défilé. Gorge. — VALLÉE. Val. Vallon. Combe. Bassin. Dépression. Plaine. — Lac. Lagune. Etang. Chott. Marais. — DÉSERT. Oasis. Pampa. Savane. Toundra.

## Pays et habitants. — Abyssinie. Abyssin. — Achaïe. Achéen. — Afghanistan. Afghan. — Afrique. Africain. — Albanie. Albanais. — Algérie. Algérien. — ALLEMAGNE. Allemand. — Alpes. Alpin. — Alsace. Alsacien. — Altaï. Altaïque. — Andalousie. Andalou. — Andorre. Andorran. — ANGLETERRE. Anglais. — Anjou. Angevin. — Annam. Annamite. — Aquitaine. Aquitain. — ARABIE. Arabe. — Aragon. Aragonais. — Arcadie. Arcadien. — Archipel. Archipélagien. — Arménie. Arménien. — Artois. Artésien. — Asie. Asiatique. — Asturies. Asturien. — Atlantide. Atlantes. — Auge (vallée). Augeron. — Australie. Australien. — Autriche. Autrichien. — Auvergne. Auvergnat.

Bactriane. Bactrien. — Bade. Badois. — Batavie. Batave. — Bavière. Bavarois. —

Béarn. Béarnais. — Beauce. Beauceron. — Belgique. Belge. — Béloutchistan. Béloutchi. — Bengale. Bengali. — Berbérie. Berbère. — Berri. Berrichon. — Bigorre. Bigourdan. — Birmanie. Birman. — Biscaye. Biscayen. — Bocage. Bocain. — Bohème. Bohémien. Tchèque. — Bolivie. Bolivien. — Bosnie. Bosniaque. — Bothnie. Bothniaque. — Boukharie. Boukhare. — Bourgogne. Bourguignon. — Brabant. Brabançon. — Brandebourg. Brandebourgeois. — Brésil. Brésilien. — Bresse. Bressan. — Bretagne. Breton. — Brie. Briard. — Bulgarie. Bulgare.

Cafrerie. Cafre. — Calabre. Calabrais. — Californie. Californien. — Canada. Canadien. — Canaries. Canarien. — Castille. Castillan. Catalogne. Catalan. — Caucase. Caucasien. — Caux. Cauchois. — Cerdagne. Cerrétain. — Cévennes. Cévenol. — Ceylan. Cinghalais. — Chaldée. Chaldéen. — Champagne. Champenois. — Chanaan. Chananéen. — Chili. Chilien. — Chine. Chinois. — Chio. Chiote. — Chypre. Chypriot. — Circassie. Circassien. — Cochinchine. Cochinchinois. — Congo. Congolais. — Corée. Coréen. — Corfou. Corfiote. — Cornouaille. Cornouaillais. — Corse. Corse. — Cos. Coaque. — Crète. Crétois. — Crimée. Criméen. — Croatie. Croate. — Cuba. Cubain.

Dacie. Dace. — Dalécarlie. Dalécarlien. — Dalmatie. Dalmate. — Danemark. Danois. — Danube. Danubien. — Dauphiné. Dauphinois. — Délos. Délien. — Doride. Dorien.

Ecosse. Ecossais. — EGYPTE. Egyptien. — Epire. Epirote. — Esclavonie. Esclavon. — ESPAGNE. Espagnol. — Estonie. Estonien. — Ethiopie. Ethiopien. — Etrurie. Etrusque. — Eubée. Eubéen. — Europe. Européen.

Finlande. Finlandais. Finnois. — Flandre. Flamand. — Forez. Forézien. — Formose. Formosan. — France. Français. — Franche-Comté. Franc-Comtois. — Franconie. Franconien. — Frioul. Forlan. — Frise. Frison.

Galatie. Galate. — Galice. Galicien. — Galilée. Galiléen. — Galles. Gallois. — Gange. Gangétique. — Gascogne. Gascon. — GAULE. Gaulois. — Géorgie. Géorgien. — Germanie. Germain. — Gétulie. Gétule. — Gévaudan. Gabalitain. — Gex. Gexois. — Gironde. Girondin. — Gothie. Goth. — Grèce. Grec. — Groenland. Groenlandais. Esquimau. — Groix (île de). Groisillon. — Guadeloupe. Guadeloupéen. — Gueldre. Gueldrois. — Guernesey. Guernesais.

Hainaut. Hainuyer. — Haïti. Haïtien. — Hanovre. Hanovrien. — Hébrides. Hébridéens. — Hellespont. Hellespontique. — Hesse. Hessois. — Hindoustan. Hindou. — HOLLANDE. Hollandais. — Holstein. Holsteinois. — HONGRIE. Hongrois. — Hybla (mont). Hybléen. — Hydaspe. Hydaspien. — Hymette (mont). Hymettien.

Ibérie. Ibère. — Idumée. Iduméen. — Illyrie. Illyrien. — INDE. Indien. — Indochine. Indochinois. — Ionie. Ionien. — IRLANDE. Irlandais. — Islande. Islandais. — Istrie. Istrien. — Italie. Italien. — Ithaque. Ithacien.

Jamaïque. Jamaïquain. — JAPON. Japonais. — Java. Javanais. — Jersey. Jersiais. — Judée. JUIF. — Jura. Jurassien. — Jutland. Jutlandais.

Kabylie. Kabyle. — Kalmoukie. Kalmouk. — Kamtchatka. Kamtchadale. — Kent. Kentien. — Kurdistan. Kurde.

Laconie. Laconien. — Landes. Landais. — Languedoc. Languedocien. Occitanien. — Laponie. Lapon. — Latium. Latin. — Lemnos. Lemnien. — Lesbos. Lesbien. — Lettonie. Letton. — Libye. Libyen. — Limousin. Limousin. — Lituanie. Lituanien. — Livonie. Livonien. — Locride. Locrien. — Lombardie. Lombard. — Lorraine. Lorrain. — Luxembourg. Luxembourgeois. — Lycie. Lycien. — Lydie. Lydien.

Macédoine. Macédonien. — Madagascar. Malgache. — Madère. Madérien. — Madian. Madianite. — Maine. Manceau. — Majorque. Majorquin. — Malabar. Malabare. — Malaisie. Malais. — Malte. Maltais. — Mandchourie. Mandchou. — Maroc. Marocain. — Martinique. Martiniquais. — Maurice. Mauricien. — Mauritanie. Maure — Médie. Mède. — Méditerranée. Méditerranéen. — Médoc. Médoquin. — Messénie. Messénien. — Mexique. Mexicain. — Milo. Mélien. — Minorque. Minorquin. — Moldavie. Moldave. — Moluques. Moluquois. — Monaco. Monégasque. — Mongolie. Mongol. — Monténégro. Monténégrin. — Moravie. Morave. — Morbihan. Morbihanais. — Morée. Moraïte. — Morvan. Morvandeau. — Moscovie. Moscovite.

Navarre. Navarrois. — Naxos. Naxien. — Népaul. Népalien. — Neustrie. Neustrien. — Nigritie. Nigritien. — Noirmoutiers. Noirmoutin. — Normandie. Normand. — Northumberland. Northumbre: — Norvège. Norvégien. — Nubie. Nubien. — Numidie. Numide.

Océanie. Océanien. — Olympe. Olympien. — Ombrie. Ombrien. — Otaïti. Otaïtien. — Oural. Ouralien.

Palatinat. Palatin. — Palestine. Palestin. — Pamphylie. Pamphylien. — Pannonie. Pannonien. — Paphlagonie. Paphlagonien. — Paraguay. Paraguéen. — Patagonie. Patagon. — Péloponèse. Péloponésien. — Perche. Percheron. — Périgord. Périgourdin. — Pérou. Péruvien. — Perse. Persan. — Phénicie. Phénicien. — Phocide. Phocidien. — Phrygie. Phrygien. — Picardie. Picard. — Piémont. Piémontais. — Poitou. Poitevin. — Pologne. Polonais. — Poméranie. Poméranien. — Portugal. Portugais. — Posnanie. Posnanien. — Pouille. Apulien. — Provence. Provençal. — Prusse. Prussien.

Quercy. Quercinois. — Quiberon. Quiberonais. — Rhétie. Rhétien. — Rhin. Rhénan. — Rhodes. Rhodiot. — Romagne. Romagnol. — Rouergue. Rouergois. — Roumanie. Roumain. — Roussillon. Roussillonnais. — Russie. Russe.

Saba. Sabéen. — Saintonge. Saintongeois. — Samnium. Samnite. — Sandwich. Sandwichien. — Sardaigne. Sarde. — Sarmatie. Sarmate. — Savoie. Savoyard. — Saxe. Saxon. — Scythie. Scythe. — Sénégal. Sénégalais. — Serbie. Serbe. — Siam. Siamois. — Sibérie. Sibérien. — Sicile. Sicilien. — Silésie. Silésien. — Slovénie. Slovène. — Sologne. Solognot. — Souabe. Souabe. — Soudan. Sou-

danais. — Styrie. Styrien. — Suède. Suédois. — Suisse. Suisse. — Sumatra. Sumatrien. — Syrie. Syrien.

TARTARIE. Tartare. — Tessin. Tessinois. — Texas. Texien. — Tchécoslovaquie. Tchécoslovaque. — Thessalie. Thessalien. — Thrace. Thrace. — Thuringe. Thuringien. — Tibet. Tibétain. — Toscane. Toscan. — Touraine. Tourangeau. — Transylvanie. Transylvain. — Tripolitaine. Tripolitain. — Tunisie. Tunisien. — Turquie. Turc. — Tyrol. Tyrolien.

Ukraine. Ukrainien. — Valachie. Valaque. — Valais. Valaisan. — Valois. Valésien. — Valteline. Valtelin. — Vaucluse. Vauclusien. — Vaud. Vaudois. — Venaissin (comtat). Comtadin. — Vendée. Vendéen. — Venezuela. Vénézuélien. — Virginie. Virginien. — Volhynie. Volhynien. — Vosges. Vosgien.

Westphalie. Westphalien. — Wurtemberg. Wurtembergeois. — Yemen. Yéménien. — Yougoslavie. Yougoslave. — Zélande. Zélandais.

## Villes et habitants.
— Abdère. Abdéritain. — Agen. Agénois. — Agrigente. Agrigentin. — Albi. Albigeois. — Alençon. Alençonnais. — Alexandrie. Alexandrin. — Alger. Algérois. — Amalfi. Amalfitain. — Amiens. Amiénois. — Ancône. Anconitain. — Angers. Angevin. — Annecy. Annecien. — Anvers. Anversois. — Argos. Argien. — Arles. Arlésien. — Arras. Arrageois. — Athènes. Athénien. — Auch. Auchois. — Auray. Alréen. — Autun. Autunois. — Auxerre. Auxerrois. — Avranches. Avranchin.

Babylone. Babylonien. — Bagnols. Bagnolais. — Bâle. Bâlois. — Bar. Barrésien. — Barcelone. Barcelonais. — Bayeux. Bayeusain. — Bazas. Bazadois. — Beaune. Beaunois. — Beauvais. Beauvaisien. — Belfort. Belfortain. — Bénévent. Bénéventin. — Bergame. Bergamasque. — Berlin. Berlinois. — Berne. Bernois. — Besançon. Bisontin. — Bethléem. Bethléémite. — Béziers. Biterrois. — Biarritz. Biarrot. — Biskra. Biskri. — Blois. Blaisois. — Bologne. Bolonais. — Bordeaux. Bordelais. — Boulogne. Boulonais. — Bourges. Berruyer. — Brescia. Brescian. — Brest. Brestois. — Briançon. Briançonnais. — Bruges. Brugeois. — Burgos. Burgalèse. — Byzance. Byzantin.

Cadix. Cadissien. — Caen. Caennais. — Cahors. Cadurcien. — Calais. Calésien. — Cambrai. Cambraisien. — Candie. Candiot. — Cannes. Cannois. — Carcassonne. Carcassonnais. — Carthage. Carthaginois. — Castres. Castrais. — Cayenne. Cayennais. — Chalon-sur-Saône. Chalonnais. — Châlons-sur-Marne. Châlonnais. — Chambéry. Chambérien. — Chamonix. Chamoniard. — Chartres. Chartrain. — Charolles. Charollais. — Cherbourg. Cherbourgeois. — Clermont. Clermontois. — Clèves. Clévois. — Cluny. Cluninois. — Colmar. Colmarien. — Cologne. Colonais. — Côme. Cômasque. — Condom. Condomois. — Constantine. Constantinois. — Constantinople. Constantinopolitain. — Corbeil. Corbeillais. — Cosenza. Cosentin. — Coulommiers. Columérien. — Courbevoie. Courbevoisien. — Coutances. Coutançais. — Cracovie. Cracovien. — Crémone. Crémonais. — Crotone. Crotoniate.

Damas. Damasquin. — Dantzig. Dantzicois. — Delphes. Delphien. — Die. Diois. — Dieppe. Dieppois. — Dijon. Dijonnais. — Dinan. Dinannais. — Douai. Douaisien. — Dunkerque. Dunkerquois.

Egine. Eginète. — Elbeuf. Elbeuvien. — Elée. Eléate. — Embrun. Embrunois. — Epernay. Sparnacien. — Ephèse. Ephésien. — Evreux. Ebroïcien. — Exideuil. Exidolien.

Falaise. Falaisien. — Faléries. Falisque. — Feltre. Feltrin. — Ferrare. Ferrarois. — Fez. Fâsis. — Florence. Florentin. — Francfort. Francfortois. — Fribourg. Fribourgeois.

Gap. Gapençais. — Gênes. Génois. — Genève. Génevois. — Gien. Giennois. — Glaris. Glaronnais. — Gomorrhe. Gomorrhéen. — Gourdon. Gourdonnais. — Granville. Granvillais. — Gray. Graylois. — Grenade. Grenadin. — Grenoble. Grenoblois. — Groningue. Groninguen. — Guérande. Guérandais.

Havane. Havanais. — Le Havre. Havrais. — Héliopolis. Héliopolitain. — Honfleur. Honfleurais.

Iakoutsk. Iakoute. — Iéna. Iénois. — Inspruck. Inspruckois. — Issoudun. Issoldunois. — Jérusalem. Hiérosolymitain. — Kief. Kiovien.

Lacédémone. Lacédémonien. — Lamia. Lamiaque. — Lampsaque. Lampsacénien. — Landau. Landawien. — Landerneau. Landernien. — Langres. Langrois. — Lannion. Lannionais. — Laodicée. Laodicéen. — Laon. Laonnais. — Larisse. Larisséen. — Laval. Lavallois. — Liége. Liégeois. — Lille. Lillois. — Lima. Liménien. — Limoges. Limougeaud. — Lisbonne. Lisbonnin. — Lisieux. Lixovien. — Liverpool. Liverpoolien. — Livourne. Livournais. — Lodi. Lodien. — Londres. Londonien. — Lorient. Lorientais. — Loudun. Loudunois. — Louvain. Lovanois. — Lubeck. Lubecquois. — Lucerne. Lucernois. — Luçon. Luçonnais. — Lucques. Lucquois. — Lyon. Lyonnais.

Mâcon, Mâconnais. — Madrid. Madrilène. — Mamers. Mamertin. — Le Mans. Manceau. — Mantes. Mantais. — Mantinée. Mantinéen. — Mantoue. Mantouan. — Marseille. Marseillais. — Les Martigues. Martiguois. — Mauléon. Malléonien. — Mayence. Mayençais. — Meaux. Meldien. — Mégare. Mégarien. — Melun. Melunois. — Memphis. Memphite. — Messine. Messinois. — Metz. Messin. — Mézières. Macérien. — Milan. Milanais. — Mitylène. Mitylénien. — Modène. Modénois. — Mons. Montois. — Montauban. Montalbanais. — Montevideo. Montévidéen. — Montpellier. Montpelliérain. — Morlaix. Morlaisien. — Mortain. Mortainais. — Mulhouse. Mulhousien. — Munich. Munichois. — Murcie. Murcien. — Mycènes. Mycénien.

Namur. Namurois. — Nancy. Nancéien. — Nantes. Nantais. — Naples. Napolitain. — Narbonne. Narbonnais. — Nazareth. Nazaréen. — Neufchâtel. Neufchâtelois. — Nevers. Nivernais. — New-York. New-Yorkais. — Nice. Niçois. — Nîmes. Nîmois. — Ninive. Ninivite. — Niort. Niortais. — Novare. Novarois. — Noyon. Noyonnais. — Nuits. Nuiton. — Numance. Numantin. — Nuremberg. Nurembergeois.

Oran. Oranais. — Orléans. Orléanais. — Orvieto. Orviétan. — Ostende. Ostendois. — Oxford. Oxonien.

Padoue. Padouan. — Palerme. Palermitain. — Palmyre. Palmyrien. — Pampelune. Pampelunien. — Paris. Parisien. — Parme. Parmesan. — Patras. Patreusien. — Pau. Palois. — Pavie. Pavesan. — Pergame. Pergaménien. — Pérouse. Pérugin. — Persépolis. Persépolitain. — Phalère. Phaléréen. — Philadelphie. Philadelphien. — Philippes. Philippien. — Pise. Pisan. — Plaisance. Placentin. — Platée. Platéen. — Ploërmel. Ploërmelais. — Poitiers. Poitevin. — Poix. Poyais. — Pondichéry. Pondichérien. — Pont-à-Mousson. Mussipontain. — Pontivy. Pontivien. — Posen. Posnanien. — Prague. Pragois. — Préneste. Prénestin. — Priène. Priénéen. — Provins. Provinois. — Pylos. Pylien.

Quillebeuf. Quillebois. — Quimper. Quimpérois. — Quimperlé. Quimperléen. — Raguse. Ragusain. — Ravenne. Ravennate. — Reggio. Reggien. — Reims. Rémois. — Rennes. Rennais. — Rethel. Rethelois. — Rochefort. Rochefortais. — La Rochelle. Rochelais. — Rome. Romain. — Rouen. Rouennais.

Sables-d'Olonne. Sablais. — Sagonte. Sagontin. — Saint-Brieuc. Briochin. — Saint-Cloud. Clodoaldien. — Saint-Denis. Dionysien. — Saint-Dié. Déodatien. — Saint-Dizier. Bragard. — Sainte-Menehould. Menehouldien. — Saint-Emilion. Saint-Emilionnais. — Saintes. Saintais. — Saint-Etienne. Stéphanois. — Saint-Flour. Sanflourain. — Saint-Germain. Saint-Germinois. — Saint-Jean-d'Angély. Angérien. — Saint-Lô. Laudinien. — Saint-Malo. Malouin. — Saint-Nazaire. Nazairien. — Saint-Omer. Audomarois. — Saint-Pol-de-Léon. Léonnais. — Saint-Quentin. Saint-Quentinois. — Saint-Servan. Servannais. — Saint-Valery. Valéricais. — Saint-Yrieix. Arédien. — Saïs. Saïte. — Salé. Salétain. — Salente. Salentin. — Salerne. Salernitain. — Salins. Salinois. — Samarie. Samaritain. — Santorin. Santorinois. — Saragosse. Saragossain. — Sardes. Sardien. — Sarlat. Sarladais. — Sarrebruck. Sarrebruckois. — Saumur. Saumurois. — Sedan. Sedanais. — Ségeste. Ségestain. — Ségovie. Ségovian. — Segré. Segréen. — Senlis. Senlisien. — Sens. Sénonais. — Séville. Sévillan. — La Seyne. Sédénien. — Sidon. Sidonien. — Sienne. Siennois. — Smyrne. Smyrniote. — Sodome. Sodomite. — Soissons. Soissonnais. — Spa. Spadois. — Sparte. Spartiate. — Spolète. Spolétan. — Stagire. Stagirite. — Strasbourg. Strasbourgeois. — Sybaris. Sybarite. — Syracuse. Syracusain.

Tanger. Tingitan. — Tarare. Tararais. — Tarbes. Tarbais. — Tarente. Tarentin. — Tarragone. Tarragonais. — Tégée. Tégéate. — Thèbes. Thébain. — Thespies. Thespien. — Thurgovie. Thurgovien. — Tivoli. Tiburtin. — Tolède. Toledan. — Tonnerre. Tonnerrois. — Toul. Toulois. — Toulon. Toulonnais. — Toulouse. Toulousain. — Tournay. Tournaisien. — Tournon. Tournonais. — Tours. Tourangeau. — Tréguier. Trégorois.

GEÔLE, f. Geôlier, m. V. *prison, garder.*
**Géologie,** f. V. *terre, minéral.*
GÉOLOGIQUE. Géologue, m. V. *géologie.*
GÉOMÈTRE, m. V. *géométrie.*
**Géométrie,** f. V. *mathématiques, arpentage.*
GÉOPHAGIE, f. V. *terre, manger.*

GÉORGIQUES, f. p. V. *poésie.*
GÉRANCE, f. V. *diriger, association.*
GÉRANIUM, m. V. *fleur.*
GÉRANT, m. V. *agent, maison, bureau.*
GERBE, f. Gerber. V. *faisceau, moisson, blé.*
GERCER. Gerçure, f. V. *fente.*
GÉRER. V. *diriger, maison.*
GERFAUT, m. V. *faucon.*

GERMANIQUE. Germanisme, m. V. *Allemagne.*
GERME, m. V. *fœtus, origine, cause.*
GERMER. V. *graine, bourgeon, augmenter.*
GERMINAL, m. V. *mois.*
GERMINATION, f. V. *plante.*
GÉRONDIF, m. V. *verbe.*
GÉRONTOCRATIE, f. V. *vieux.*
GÉSIER, m. V. *estomac.*

---

— Trente. Trentin. — Trèves. Trévire. — Trévise. Trévisan. — Trieste. Triestain. — Troie. Troyen. — Tunis. Tunisien. — Turin. Turinois. — Tyr. Tyrien.
Uzès. Uzèque. — Valence. Valencien. — Valenciennes. Valenciennois. — Vannes. Vannetais. — Vence. Vencien. — Vendôme. Vendômois. — Venise. Vénitien. — Verdun. Verdunois. — Vérone. Véronais. — Versailles. Versaillais. — Vervins. Vervinois. — Vicence. Vicentin. — Vichy. Vichyssois. — Vienne. Viennois. — Villers-Cotterêts. Cotteréziens. — Vire. Virais. — Vitré. Vitréais. — Voiron. Voironnais. — Zurich. Zurichois.

## GÉOLOGIE

**Science.** — Géologie, géologique, géologue. — Géognosie, géognostique. — Géogénie. — Physique du globe. — Minéralogie. — Orographie. — Stratigraphie. — Paléontologie. Oryctogéologie. — Préhistoire, préhistorique. — Epoques antédiluviennes.

**Divisions de la géologie.** — Formations. Eres. Systèmes. Etages. — Formation ignée. Terrain primitif ou archéen. Formation sédimentaire.
*Ere primaire.* Systèmes, permien, carbonifère, dévonien, silurien, précambrien.
*Ere secondaire.* Systèmes, crétacé supérieur, crétacé inférieur, jurassique supérieur, jurassique moyen, jurassique inférieur ou Lias, triasique.
*Ere tertiaire.* Systèmes, éogène-oligocène, éogène-éocène, néogène-pliocène, néogène-miocène.

**Phénomènes géologiques.** — Affaissement. — Alluvion. — Aven. — Bassin. — Blocs erratiques. — Blouse. — Brèche. — Catavothre. — Caverne. — Cirque. — Claya. — Combe. — Conglomérat. — Contraction. — Cluse. — Dépôt. — Détritus. — Diaclase. — Dyke. — Ecorce terrestre. — Erosion. — Faille. — Filon. — Fissure. — Fondis. — Fossile. — Fracture. — Géode. — Gisement. — Gîte. — Grotte. — Maar. — Marmite. — Nid. — Nodule. — Oule. — Pierres. — Plissement. — Poudingue. — Roches. — Rognons. — Sédiment. — Soulèvement. — Strate. — Stratification. — Terrain.

**Formations caractéristiques.** — Gneiss. — Granit. — Basalte. — Porphyre. — Feldspath. — Meulière. — Quartz. — Micaschiste. — Schistes. — Phyllades. — Ardoises. —

Calcaire. Calcaire carbonifère. Calcaire ruiniforme. — Oolithe. — Dolomie. — Phosphorite. — Marbre. — Gypse. — Grès. Grès rouge. — Argile. — Sables. Sablons. Sables verts. — Marnes. — Faluns. — Craie. — Tuffeau. — Plages. — Dunes. — Alluvions. — Moraines.

## GÉOMÉTRIE

**Sciences.** — Géométrie, géométrique, géomètre. — Géométrie euclidienne, non euclidienne. — Géométrie élémentaire. Géométrie plane. Géométrie dans l'espace. — Géométrie supérieure. Homographie. Homologie. Involution. Inversion. — Géométrie analytique. Systèmes de coordonnées. — Géométrie infinitésimale. — Géométrie descriptive. Dessin graphique. — Géométrie à plus de trois dimensions. — Trigonométrie. — Stéréométrie. — Géodésie. Planimétrie. Altimétrie. Arpentage.

**Termes généraux.** — Axiome. Postulat. Lemme. Porisme. Corollaire. Scolie. — Théorème. Problème. Enoncé. Données. Solution. Poser. Elucider. Démontrer, démonstration. Résoudre.
Décrire. Description. Tracer. Diagramme. Figure. Figure tronquée. Schéma. Base. Corps. Coupe. Section. Intersection. Graphique.
Construire, construction. Circonscrire. Inscrire. Exégèse linéaire. Complément, complémentaire. — Proportion, proportionnel. Parallélisme, parallèle. Symétrie, symétrique. Homologue. Réciproque. Régulier.
Appliquer, application. Superposer, superposition. Coïncider, coïncidence. Congruence. — Faire tourner. Développer, développement. Génération. Excentricité, excentrique.
Grandeurs. Etendue. Dimensions. Perspective. — Mesurer, MESURE. Toiser. Commensurable, incommensurable.

**Lignes.** — Droite. Oblique. Perpendiculaire. Verticale. Horizontale. — LIGNE médiane, bimédiale, bissectrice, brisée, ajoutée. — COURBE, curviligne. CERCLE. Ellipse. Hyperbole. Abscisses. Ordonnées. Asymptotes. — Diamètre, diamétral. Rayon. Tangente. Corde. Arc. Flèche. Sinus. Cosinus. Sécante. Cosécante. — Arête. AXE. Diagonale. Côté. Hypoténuse. Vecteur. Apothème. — Directrice. Divisoire. Génératrice. Rayon vecteur. Quadrature. — Spirale. Dextrorsum. Sinistrorsum. — Point. Point multiple.

GÉSINE, f. V. *parturition, accouchement.*
GÉSIR. V. *coucher, mort.*
GESTATION, f. V. *génération, mère, fœtus.*
**Geste**, m. V. *mouvement, action.*
GESTICULER. V. *geste, menace.*
GESTION, f. V. *diriger.*
GEYSER, m. V. *source.*
GÈZE, m. V. *toit.*
GHASI, m. V. *Turc.*
GIAOUR, m. V. *Mahomet.*
GIBBEUX. V. *bosse.*
GIBBON, m. V. *singe.*
GIBBOSITÉ, f. V. *bosse.*
GIBECIÈRE, f. V. *sac.*
GIBELOTTE, f. V. *mets.*
GIBERNE, f. V. *fusil.*
GIBET, m. V. *pendre, supplice.*
**Gibier**, m. V. *chasse, viande.*

GIBOULÉE, f. V. *météore, neige.*
GIBOYER. V. *chasse, oiseau.*
GIBOYEUX. V. *gibier.*
GIBUS, m. V. *chapeau.*
GICLER. V. *jet, couler.*
GICLEUR, m. V. *automobile.*
GIFLE, f. Gifler. V. *battre, main, punition.*
GIGANTESQUE. V. *grand, géant.*
GIGOT, m. V. *mouton, viande.*
GIGUE, f. V. *jambe, danse.*
GILDE, f. V. *association.*
GILET, m. Giletier, m. V. *habillement, tailleur.*
GIN, m. V. *liqueur.*
GINDRE, m. V. *boulanger.*
GINGEMBRE, m. V. *épice.*
GIRAFE, f. V. *quadrupède.*
GIRANDOLE, f. V. *chandelle, fleur.*
GIRATOIRE. V. *cercle, tourner.*

GIRON, m. V. *ventre, blason.*
GIRONDIN, m. V. *république.*
**Girouette**, f. V. *toit, changer.*
GISANT. V. *bas.*
GISEMENT, m. V. *géologie, mine.*
GITANE, m., f. V. *errant.*
GÎTE, m. V. *abri, retraite.*
GIVRE, m. V. *gelée.*
GLABRE. V. *poil, nu.*
GLACE, f. V. *gelée, froid, miroir, voiture, confiserie.*
GLACER. V. *gelée, briller, polir, blanchir.*
GLACIAL. V. *froid.*
GLACIER, m. V. *gelée, confiserie, montagne.*
GLACIÈRE, f. V. *gelée.*
GLACIS, m. V. *oblique, fortification, peinture.*
GLAÇON, m. V. *gelée.*
**Gladiateur**, m. V. *combat.*

---

**Surfaces.** — ANGLE aigu, obtus, droit, alterne, correspondant, etc. — TRIANGLE, triangulaire. Triangle isocèle, équiangle, équilatéral, scalène. — Carré, quadrangulaire. Rectangle. Quadrilatère. Parallélogramme. Losange. Rhombe. Trapèze, trapézoïde. — Polygone. Tétragone. Pentagone. Hexagone, etc. — Angle dièdre. Angle polyèdre. — Aire. Surface. Plan. Circonférence. Périmètre. Section. Face. — Ellipse. Couronne. Secteur. Segment. SPHÈRE. Calotte. Fuseau. Zone. CÔNE. Cylindre.

**Volumes.** — Solide. — Cube, cubique. — Prisme, prismatique. — PYRAMIDE, pyramidal. — Cône, conique. — Sphère, sphérique. — Cylindre, cylindrique. — Parallélépipède. — Trapézoèdre. — Polyèdre. Trièdre. Tétraèdre. Décaèdre, etc.

**Instruments.** — Compas. Curseur. Equerre. Rapporteur. Beauveau. Cercle. Parallélographe. Echelle de réduction. Curvigraphe. Grammomètre. Micromètre. — Altimètre. Angloir. Holomètre. Goniomètre. Jalon. Vernier ou Nonius.

### GESTE

**Gestes naturels.** — Attitude. Allure. MOUVEMENTS. Dégaine. — Gesticuler, gesticulation, gesticulateur. Se démener. S'agiter. Faire des démonstrations. Démonstratif. Action oratoire. — Faire aller les bras. Agiter les bras. — Se dandiner. Dandinement. — Contorsions. CONVULSIONS. Tic, tiquer. — Grimacer, GRIMACE. — Hocher la tête, hochement. — Incliner la tête. — Coup d'œil. Œillade. Clin d'œil. Cligner les yeux, clignement. Clignoter, clignotement. — Sauter. Sautiller. Se remuer.

**Gestes conventionnels.** — Façons. Manières. Momeries. Simagrées. Singeries. Minauderie, minauder. — Mines. — Salut. Salutations. Révérence. Baise-main.

Danse. Danse rythmique. Ballet. — Gym-

nastique. Mouvements d'ensemble. — Mimer. Mime. Mimique. Pantomime. Jeu muet. Scène muette. Signes. Signal. — Dactylologie. Passes magnétiques. — Bouffonneries. Faire les cornes, la nique, un pied de nez.

### GIBIER

**Chasse.** — Bêtes fauves. — Bêtes noires ou rousses : Sanglier. Renard. Loup, etc. — Gros gibier : Cerf. Daim. Chevreuil. Sanglier, etc. — Menu gibier : Lièvre. Lapin. Perdrix. Faisan. Caille. Bécasse. Canard, etc. — Gibier à plume. Gibier à poil. Gibier d'eau. — Pièce de gibier. Sauvagine.

Giboyeux. Giboyer. — Chasseur. Carnassière. Carnier. Tableau. Bourriche.

**Viande.** — Gibier. Venaison. Cuissot. — Se faisander, faisandé. Fait. Fumet. Sauvagin. — Marinade. Salmis. Civet. Pâté. Brochette. Rôti. Conserve.

### GIROUETTE

**La girouette.** — Bâton. Pivot. Support. Tige. Plaque. Flèche. Drapeau. Coq (dans girouettes ordinaires). — Fût. Equinette. Etamine (en marine). — Girouetté.

**Les girouettes.** — Girouette féodale. Panonceau. — Girouette marine. Pennon. Flouette. — Girouette de cheminée. Capuchon mobile. Tabourin. Tourne-vent.

### GLADIATEUR

**Vie du cirque.** — Arène. Laniste. Mastigophore. Gladiateurs. Gladiateurs homogrammes, éphèdres, catervaires. Gladiateur postulé. — *Morituri te salutant.* — Pouce baissé. Pouce tendu. — Spoliaire (dépôt des cadavres). — Rudiaire (retraité).

**Sortes de gladiateurs.** — Essédaires (sur chars). Cavaliers. Mirmillon. Thrace. Samnite. Sécuteur. Rétiaire. Laquéaire. Hoplomaque. Parmulaire. — Belluaire. Bestiaire.

GLAIRE, f. V. *glaireux, humeur, œuf.*
GLAISE, f. V. *argile.*
GLAIVE, m. V. *épée.*
**Gland**, m. V. *chêne.*
GLANDAGE, m. V. *gland.*
**Glande**, f. V. *humeur.*
GLANDÉE, f. V. *bestiaux.*
GLANDULAIRE. V. *glande.*
GLANE, f. Glaner. V. *blé, épi, prendre.*
GLAPIR. Glapissement, m. V. *bruit, renard.*

GLAS, m. V. *cloche, funérailles.*
GLATIR. V. *aigle.*
GLAUCOME, m. V. *œil.*
GLAUQUE. V. *bleu, vert.*
GLÈNE, f. V. *os.*
GLISSADE, f. Glissement, m. V. *glisser.*
GLISSÉ, m. V. *danse.*
**Glisser.** V. *couler, tomber.*
GLISSER (se). V. *pénétrer.*
GLISSIÈRE, f. Glissoire, f. V. *glisser.*

GLOBE, m. V. *boule, sphère, œil.*
GLOBULE, m. V. *grain, sang.*
**Gloire**, f. V. *briller, mérite.*
GLORIA, m. V. *café.*
GLORIEUX. V. *gloire, orgueil.*
GLORIFIER. V. *gloire, louange, saint.*
GLORIOLE, f. V. *orgueil.*
GLOSE, f. V. *expliquer, Bible.*
GLOSSAIRE, m. V. *dictionnaire.*

---

## GLAND
(latin, *glans;* grec, *balanos*)

**Le gland.** — Gland pédonculé. Gland sessile. — Gland doux. — Cupule. Alvéole. Capuchon.

**Relatif au gland.** — Glandifère. Glandiforme. — Glandivore. Glandée. Animal glandaire. Rossignol à gland (porc). — Glandage. Panage. — Balane (coquille). — Gland (passementerie). — Gland (extrémité d'organe). Balanite (maladie du gland).

## GLANDE
(latin, *glandula;* grec, *adên*)

**Nature des glandes.** — Glande. Glandule. Glandulation. Corps glandulaires. Points glanduleux. Chair glanduleuse ou Caroncule. —Follicules. Points glanduleux. Ganglions. Système ganglionnaire. — Glandes tubuleuses, composées, acineuses, excrémentielles, récrémentitielles.

**Principales glandes.** — Glande conoïde ou pinéale. — Glande thyroïde. — Glandes cérumineuses, lacrymales, mammaires, muqueuses, sébacées, pituitaires, salivaires, etc. — Amygdales, amygdalin. — Luette. — Pancréas, pancréatique. — Prostate, prostatique. — Testicules. — Parotides. — Thymus ou Ris de veau.

**Relatif aux glandes.** — Adénologie. Adénographie. — Adénisation (aspect glandulaire). Adénoïde. Glanduliforme. — Adénotomie. Eglander.
Maladies des glandes. Adénite. Adénalgie. Adénoncose. Amygdalite. Pancréatite. Prostatite. Orchite. Oreillons. — Cheval glandé.

## GLISSER

**Action de glisser.** — Glisser, glissement, glissade, glisseur. — Ne pouvoir se retenir. Descendre une pente. Tomber. — Glisser des mains. Couler. Echapper. Manquer. — Déraper, dérapage. — Valser. Patiner. — S'insinuer. RAMPER.

**Ce qui fait glisser.** — Surface polie. Parquet ciré. Glace. Verglas. Glissoire. Patinoire. — Pavé gras. Chaussée humide. Asphalte. Goudron. — Huile. Graisse. Lubri-

fiant. — Glissière. Coulisse. Coulisseau. Rainure. ROULEAU.

**Ce qui glisse.** — Traîneau. Luge. Ski. Patin. TIROIR. Piston. Curseur. Nœud coulant, etc.

## GLOIRE
(latin, *gloria;* grec, *doxa*)

**Illustration.** — Etre illustre. Etre immortel, immortalité. — BRILLER. Triompher, triomphateur. Etre éminent. Exceller. Etre en vedette. — Gloire. Lustre. Eclat. Honneur. — Etre célèbre. — Passer à la postérité. Renommée. — Titre de gloire. MÉRITE, mériter. Action méritoire. Actions mémorables, dignes de mémoire, glorieuses. — Grandeur. Grand homme. Jouer un grand rôle. — Héroïsme. Héros. Héroïne. Héroïque. — Se couvrir de gloire. Marcher à la gloire. Faire moisson de gloire, de lauriers. — Se distinguer. Se signaler. Se faire remarquer. — Marquer. Faire époque. Avoir du succès.

**Glorification.** — Apogée. Apothéose. Faîte de la gloire. Auréole. — Glorifier. Célébrer, célébration. Déifier, déification. Exalter, exaltation. Immortaliser. — Mettre sur le pavois. Porter au pinacle. Porter aux nues. Dresser des autels. — Illustrer. Fastes de l'histoire. Epopée. Poème épique. — Prôner. Les Louanges. Trompettes de la Renommée. — Honorer, honneurs. Décorer, décorations. Lauriers. COURONNES, couronner. Palmes. TRIOMPHE. Trophées. — Porter en triomphe. Acclamer, acclamation. Ovation. Vivats. — Rendre gloire à Dieu. Hosanna. Gloria. Doxologie.

**Réputation.** — Réputé. Célèbre. Connu. Renommé. Fameux. Famé. Insigne. Populaire. Signalé. Vanté. — Hors de pair. Marquant. Considérable. Considéré. Accrédité. Important. Eminent. Honorable.
Célébrité. Marque. Considération. Crédit. Importance. Honorabilité. Popularité. — Nom. Renom. Renommée. Etre en faveur, en vogue. Etre à la mode. — Publicité. Réclame. Engouement.

**Vanité.** — Fumées de la gloire. Enivrement de la gloire. — Se faire gloire de. Gloriole. Se glorifier. Un glorieux. Se vanter. Vantardise. — Vain, vanité. Vaniteux. — Fier, fierté. Orgueil, orgueilleux. — Parade, parader. Faire la roue.

GLOSSALGIE, f. V. *langue.*
GLOTTE, f. V. *gorge.*
GLOUGLOU, m. V. *bouteille.*
GLOUGLOUTER. V. *dindon.*
GLOUSSER. V. *poule.*
GLOUTON. Gloutonnerie, f. V. *gourmand, avaler.*
**Glu**, f. V. *colle, oiseau.*
GLUANT. V. *glu.*
GLUCIN, m. V. *oiseau, piège.*
GLUCOSE, m. V. *sucre.*
GLUME, f. V. *blé, paille.*
GLUTEN, m. V. *farine.*
GLYPTIQUE, f. Glyptothèque, f. V. *art.*
GNEISS, m. V. *géologie.*
GNOMIQUE. V. *maxime.*
GNOMON, m. V. *cadran, proportion.*
GNOSE, f. V. *religion, science.*
GNOSTICISME, m. Gnostique. V. *religion, philosophie.*

GOBELET, m. V. *tasse.*
GOBELINS, m. p. V. *tapis.*
GOBER. V. *appât, croire.*
GOBERGER (se). V. *gourmand.*
GODAILLER. V. *boire.*
GODELUREAU, m. V. *galant.*
GODER. V. *pli.*
GODET, m. V. *vase, creux.*
GODICHE. V. *sot, maladresse.*
GODILLE, f. Godiller. V. *bateau, rame.*
GODIVEAU, m. V. *pâtisserie.*
GODRON, m. Godronner. V. *orfèvre, pli, gravure.*
GOÉLETTE, f. V. *navire.*
GOÉMON, m. V. *cryptogame.*
GOGO (à). V. *abondance.*
GOGUENARD. V. *moquer.*
GOINFRE, m. Goinfrerie, f. V. *manger, gourmand.*
GOITRE, m. Goitreux. V. *cou.*
GOLFE, m. V. *creux, mer.*

GOLGOTHA, m. V. *croix.*
GOMMAGE, m. V. *gomme.*
**Gomme**, f. V. *colle, baume, caoutchouc.*
GOMMER. V. *gomme.*
GOMMEUX. V. *affectation.*
GOMMIER, m. V. *gomme.*
GOMPHOSE, f. V. *os.*
GOND, m. V. *porte, axe.*
GONDOLE, f. Gondolier, m. V. *bateau, Venise.*
GONFALONIER, m. V. *chef.*
GONFLEMENT, m. Gonfler. V. *enflé, augmenter, pneumatique, orgueil.*
GONG, m. V. *Chine.*
GONGORISME, m. V. *emphase.*
GONIOMÉTRIE, f. V. *angle.*
GONNE, f. V. *armure.*
GORET, m. V. *porc.*
**Gorge**, f. V. *cou, bouche, creux, montagne, femme.*

---

## GLU

**Substances gluantes.** — Agar-agar. Albumine. — Bave. — Cire. — Colle. Colloïde. — Dextrine. — Fibrine. — Gélatine. — Glaire. — Glu. — Glucose. — Gluten. — Gomme. — Goudron. — Graisse. — Guttapercha. — Miel. — Mucilage. Mucosité. Mucus. — Onguent. — Poix. Pommade. — Sérum. — Sirop. — Sperme. — Synovie. — Viscose.

**Etat gluant.** — Gluant. Glutinatif, glutineux, glutinosité. Agglutinant, agglutiner. Adhérent, adhéreux. — Collant, coller. Poisseux, poisser. Gommeux, gommé. Visqueux, viscosité. — Sirupeux. Séreux, sérosité. Filant, filer. Baveux, baver. — Epais, épaissir. Pâteux. Filandreux. — Gélatineux. Muqueux. Mucilagineux. — Gras, graisser. Huileux. Onctueux, onctuosité. Lubrifié. Savonneux.

**Chasse à la glu.** — Pipée. Breste (chasse à la glu). — Piper. Engluer. Dégluer. — Pipeau. Perches. Pliants. Arbret.

### GOMME et RÉSINE

**Gommes.** — Gommier. Arbre gommeux, gommifère. — Gomme. Gomme adragante. Gomme ammoniaque. Gomme arabique. Gomme élastique. Gomme laque. Gutta-percha. Chewing-gum. Cachou. Dextrine.

Gommer, gommage. Gommite (principe gommeux). Gommose (maladie des arbres). Gouache (peinture à la gomme). Gommeline (apprêt).

**Résines.** — Résines proprement dites. Résine. Galipot. — Ambrine. Chibou. Colophane. Copal. Dammar. Elémi. Gaïac. Jalap. Laque. Mastic. Succin. Sandaraque.

Baumes. Benjoin. Baume du Pérou. Baume de Tolu. Storax. Styrax.

Gommes résines. Assa-fœtida. Aloès. Euphorbe. Galbanum. Gutte. Myrrhe. Encens. Opopanax. Scammonée.

Térébenthines. Gomme de pin. Baume du Canada. Copahu.

Produits résiniformes. Arbre résineux, résinifère. Résinifier. Résinification.

**Caoutchouc.** — Caoutchouc, caoutchouteux. Latex. — Hévéa. Lianes. Manihot. Euphorbia. Ficus elastica. Landolphia. Castilloa elastica.

Caoutchouc artificiel. Caoutchouc vulcanisé, durci. — Ebonite. Chatterton. Kérite. Vulcanite. — Caoutchoutier. Caoutchouter.

**Récolte.** — *Des résines.* Résinage, résinier. Gemmage, à mort, à vil. Gemmeur. — Exsudation, exsuder. Larmes. — Inciser, incision. Térébration. Crot (godet). — Gâteau ou Pain de résine.

*Du latex.* Coagulation. Boule. Crêpe. Plaque. Poire. — Fumer. Enfumage.

### GORGE

**La gorge.** — Gorge, guttural. Gosier. Cou. Pomme d'Adam. — Pharynx, pharyngé, pharyngien. — Pharynx supérieur, buccal, inférieur. Luette. Amygdales. Piliers. Muscle constricteur. Palato-staphylin. Péristaphylin. Pharyngo-staphylin. — Larynx. Os hyoïde. Ligament thyroïdien. Cartilages thyroïde, cricoïde, aryténoïde. Glotte. Epiglotte. Membrane thyro-hyoïdienne. Cordes vocales. Ventricule. — Trachée artère. — Œsophage. — Carotide. Vaisseaux jugulaires. Nerfs glossopharyngien, pneumogastrique, spinal, hypoglosse, grand sympathique.

Ris de veau. Fanon. Jabot. Gavion.

**Maux de gorge.** — Amygdalite. — Angine. Angine couenneuse, membraneuse, gangréneuse, etc. Esquinancie. — Diphtérie, diphtérique. Croup. Engorgement. — Laryngite. — Pharyngite. — Glottite. — Cionite. Staphyloncie. — Trachéite. Trachéocèle. Trachéosténose. — Crétinisme, crétin. Goitre, goitreux. Thyrocèle. Strumosité. — Enrouement, enroué. — Etranguillon (du cheval).

GORGÉE, f. V. *avaler.*
GORGER. V. *plein, avaler, don.*
GORGERETTE, f. V. *habillement.*
GORGERIN, m. V. *armure.*
GORGONE, f. V. *monstre.*
GORILLE, m. V. *singe.*
GOSIER, m. V. *gorge, boire.*
GOTHIQUE. V. *architecture.*
GOUAILLER. V. *moquer, rire.*
**Goudron,** m. V. *houille, bitume.*
GOUDRONNAGE, m. Goudronner. V. *goudron, pavé, chemin.*
**Gouffre,** m. V. *creux, fosse, perdre.*
GOUGE, f. V. *menuisier.*

GOUJAT, m. V. *maçon, grossier.*
GOUJON, m. V. *clou, axe, poisson.*
GOULE, f. V. *cadavre.*
GOULET, m. V. *étroit, port.*
GOULOT, m. V. *vase, bouteille.*
GOULU. V. *gourmand, manger.*
GOUM, m. Goumier, m. V. *Arabes, cavalerie.*
GOUPIL, m. V. *renard.*
GOUPILLE, f. Goupiller. V. *clou, axe.*
GOUPILLON, m. V. *pinceau, église.*
GOURBI, m. V. *tente.*
GOURD. V. *engourdi.*

GOURDE, f. V. *bouteille.*
GOURDIN, m. V. *bâton.*
GOURER. V. *mensonge.*
GOURMADE, f. V. *battre.*
**Gourmand.** V. *manger.*
GOURMANDER. V. *réprimande.*
GOURMANDISE, f. V. *gourmand.*
GOURMB, f. V. *cheveu, cheval.*
GOURMÉ. V. *grave, orgueil.*
GOURMER. V. *colère, battre.*
GOURMET, m. V. *délicat, cuisine.*
GOURMETTE, f. V. *chaîne.*
GOUSSE, f. V. *plante, pois, oignon, architecture.*
GOUSSET, m. V. *bras, sac, monnaie.*

---

**Soins.** — Laryngologie. Pharyngologie. — Staphylotomie. Trachéotomie. — Pharyngoscope. — Collutoire. Gargarisme. Se gargariser. Badigeonner. Désenrouer. — Sérothérapie. Sérum.

**Coups à la gorge.** — Prendre à la gorge. Serrer la gorge. Mettre le couteau sous la gorge. — Etrangler, étrangleur. Strangulation. Lacet. Garrotte. — Couper la gorge. Couper le sifflet. — Trancher le col. Couper le cou. Hache. Guillotine. — Egorger, égorgeur, égorgement. Juguler. — Pendre, pendaison. Potence. Hart. Corde au cou. — Etouffer. Suffocation.

**Qui a trait à la gorge.** — Respiration. Phonation. Déglutition. — Gorger. Gorgée. Gorge (nourriture de faucon). Dégorger. Rendre gorge. — Ingurgiter, ingurgitation. Gaver. Engaver. Engouer, engouement. — Gorgerin. Gorgerette. — Se débrailler, débraillé. Se décolleter, décolleté. — Se rengorger. Bouler (pigeon). Enfler sa gorge (serpent). Gorge-de-pigeon (couleur).

### GOUDRON et POIX

**Goudron.** — Goudron de houille. Coaltar. — Goudron végétal. Créosote. — Goudron minéral. Goudron animal. — Brai. Pègle. Guitran. Deggut. — Corps goudronneux. — Bitume. Huile bitumineuse.

**Emploi du goudron.** — Eau de goudron. Sirop de goudron. Créoline. — Goudronner, goudronnage. Coaltariser. Bitumer. Brayer. — Gonne (baril). Pain de goudron. — Prélart (toile goudronnée). Cordage noir.

**Poix.** — Poix blanche. Poix noire. Poix de Bourgogne. Poix résine. Poix de houille. — Couret. Rase. Saragousti. Spalme. Galipot. Galgale.

**Emploi de la poix.** — Empoisser. Poisser. Poisseux. — Calfater, calfatage, calfat. Spalmer. — Ligneul. Fil ciré.

### GOUFFRE

**Gouffres.** — Gouffre sans fond. Gouffre béant. FOSSE. Abîme. — Précipice. — Oubliettes. — Puisard. PUITS. Entonnoir. — Perte de rivière. Tourbillon. — Sables mouvants. Marécage. Bourbier.

Barathre. Charybde. Maelström.

**Relatif au gouffre.** — Abîmer. Plonger dans l'abîme. — Jeter au fond. S'enfoncer. — Précipiter. — Engloutir. Engouffrer. — Enliser, enlisement.

### GOURMAND

**Plaisirs de la table.** — Gastrologie. Gastronomie, gastronomique. Gastronome. Gourmet. Friand. Délicat. — Sybarite, sybaritisme. Gourmand, gourmandise. Viveur. Fricoteur. Ventru. Pansu. — Etre sur sa bouche. Aimer les bonnes choses, les bons morceaux, la table, la bonne chère. Sensualité.

Savourer. Goûter. Déguster. Se régaler, régal. — Friandise. Chatteries. Douceurs. Gâteries. — Se goberger. Fricoter. S'en donner. Avaler. Lamper. Faire un bon dîner, un gueuleton. — Vivre à gogo. Se remplir la panse. Manger son soûl, à satiété. Boire à sa soif.

**Gros appétit.** — Adéphagie. Gastrolâtrie, gastrolâtre. — Gloutonnerie, glouton. Goinfrerie, goinfre, goinfrer. Voracité, vorace. Insatiabilité, insatiable. — Manger avec avidité. Bâfrer, bâfreur, bâfrerie. Dévorer. Brifer, f. S'empiffrer. Engouffrer. Se gaver. Se gorger. Friper. — Etre affamé, famélique. — Manger comme quatre, comme un ogre, à belles dents. — Avoir un estomac d'autruche. Avoir les dents longues. — Goulu. Gueulard. Safre. Piffre. Mange-tout. — Parasite. Ecornifleur. Pique-assiette.

**Excès de table.** — Festin de Balthazar, de Lucullus, de Pantagruel, de Gamache. — Faire la noce. Faire ripaille. Faire bombance. Etre en goaille. — DÉBAUCHE. Orgie. Crevaille. Goinfrade. — Incontinence, incontinent. Intempérance, intempérant. Ivrognerie, ivrogne. — Se donner une indigestion. Se crever. Manger à ventre déboutonné. Manger comme quatre.

**Goût,** m. V. *sensation, élégance.*

**Goûter.** V. *goût, essai, aimer.*

**Goutte,** f. V. *distiller, articulation, convulsion, pluie, petit.*

**Gouttelette,** f. V. *goutte, rosée.*

**Goutteux.** V. *goutte.*

**Gouttière,** f. V. *toit, bandage, canal.*

**Gouvernail,** m. V. *bateau, aéronautique.*

**Gouvernante,** f. V. *domestique.*

**Gouverne,** f. V. *règle.*

**Gouvernement,** m. V. *diriger, politique, chef.*

**Gouverner.** V. *diriger.*

**Gouverneur,** m. V. *colonie, magistrat.*

**Goyave,** f. V. *fruit.*

**Grabat,** m. Grabataire. V. *lit, infirme.*

**Grabuge,** m. V. *dispute.*

**Grâce,** f. V. *plaire, délicat, bienfait, pardon.*

**Grâces,** f. p. V. *reconnaissance, prier.*

**Grâcier.** V. *pardon.*

**Gracieux.** V. *doux, léger.*

**Gracilité,** f. V. *faible.*

**Gradation,** f. V. *ordre, degré, rhétorique.*

**Grade,** m. V. *officier, capable.*

**Gradin,** m. V. *degré, échelle, cirque, houille.*

**Graduation,** f. V. *degré, thermomètre.*

**Graduel.** V. *degré.*

**Graduer.** V. *degré, partage.*

---

## GOÛT
### (latin, *gustus*)

**Variété des goûts.** — Goût. Saveur, savoureux. — Fumet. Relent. — Goût excellent, exquis, succulent, délicieux. — Bon goût. Haut goût. Goût de terroir. — Goût sucré, doux, douceâtre, fade, fadasse. — Mauvais goût. Goût exécrable, saumâtre, faisandé, sauvagin, fort, rance, nidoreux. — Goût de brûlé, de renfermé, d'éventé, de moisi, de graillon. — Goût du vin. Bouquet. Sentir le fût, le bouchon. — Goût épicé, relevé, salé. — Amer, amertume. Acide, acidulé, acidité. Acre, âcreté. Apre, âpreté. Aigre, aigreur. Sur, suret.

**Sens du goût.** — Gustation. Nerf gustatif. Papilles de la langue. Sapidité, sapide. Insipidité, insipide. — Appétit. Appétence. Faim. Caprice. — Goût dépravé. Malacie. Répugnance. — Raffinement, raffiné. Affiné. Finesse, fin. Délicatesse, délicat. Epurer le goût. — Etre blasé, dégoûté. — Assaisonner. Relever.

**Dégustation.** — Goûter. Déguster, dégustation, dégustateur. Tâter de. Essayer. Goûtevin. — Prendre goût. Entrer en goût. Savourer. Etre gourmet, friand.

Avant-goût. Arrière-goût. Dégoût, dégoûter. Ragoût, ragoûter. Bonne bouche. Déboire. Renvoi. — Flatter le palais. Avoir de la pointe, du montant. Piquer la langue. Racler le gosier.

## GOUTTE

**Goutte de liquide.** — Goutte. Gouttelette. Mère-goutte. — Goutte de pluie. Goutte de rosée. Goutte de métal. — Compte-gouttes. N'y voir goutte. — Boire la goutte. Donner la goutte. Goutte de lait (œuvre d'allaitement).

**Production de gouttes.** — Tomber goutte à goutte. Tomber en rosée. Pleuvoir, pluie. — Dégoutter, dégouttement. Egoutter, égouttage, égouttoir, égoutture. Gouttière. — Instiller, instillation. — Distiller, distillation. — Pulvériser, pulvérisation, pulvérisateur. Vaporiser, vaporisation.

**Maladie articulaire.** — Goutte. Goutte froide, chaude, gypseuse, mignarde, irrégulière, etc. — Rhumatisme, douleurs rhumatismales, arthritiques. — Arthrite. Arthro-

dynie. Sciatique. Chiragre. Gonagre. Podagre, etc. Tophus. Crampe. Amaurose ou Goutte sereine. — Goutte remontée.

Goutteux. Arthritique. Rhumatisant. Podagre. Perclus. Impotent. Travaillé par la goutte.

## GOUVERNAIL

**Appareils.** — Gouvernail de navire. Safran (partie sous l'eau). — Mèche (support). Couteau (arête de mèche). Tête (de mèche). Talonnière (bas de mèche). Ferrures. Pentures. Barre. Timon. Traversin (du timon). Drosse. Roue. Treuil.

Volant d'automobile. Banc de direction. — Gouvernails d'avion. Gouvernail de direction. Gouvernail de profondeur. Manche à balai. Commandes.

**Manœuvre.** — Timonerie. Timonier. Barreur. Homme de barre. Pilote. Pilotin. — Gouverner, gouverne. Piloter. Tenir la barre. Donner un coup de barre. — Braquer. Redresser.

## GRÂCE

**Grâce corporelle.** — Avoir de la grâce. Mouvements gracieux. — Vénusté. Beauté. — Adresse. Légèreté. Souplesse. Sveltesse. — Elégance. Bonne tournure.

Vénus, déesse de la grâce. — Les Grâces. Les Charites. Les trois Grâces : Aglaé. Euphrosine. Thalie.

**Grâce des manières.** — Faire des grâces. Gracieuseté, gracieux. Bonne grâce. Gentillesse, gentil. Agrément, agréable. — Amabilité, aimable. Accueil gracieux. Figure avenante. Accortise. — Politesse. Délicatesse. Simplicité. — Onction, onctueux.

**Faveur.** — Grâce d'état. Titre gracieux. — Etre en grâce, en disgrâce. Etre dans les bonnes grâces. — Accorder une grâce. Trouver grâce. De grâce. Par la grâce de Dieu. — Rendre grâces.

Faire grâce. Faire grâce de la vie. Droit de grâce. Gracier. Remise, réduction, commutation de peine. — Grâce générale, particulière. — Amnistie. — Recours en grâce. Demander grâce.

**Grâce théologique.** — Grâce habituelle ou sanctifiante. Grâce actuelle. Grâce efficiente. Grâce suffisante ou congrue. — Etat

GRAILLEMENT, m. V. *rhume.*
GRAILLON, m. V. *graisse.*
GRAILLONNER. V. *rhume.*
**Grain,** m. V. *graine, pluie, vent.*

Graine, f. V. *semence, fleur.*
GRAINETIER, m. V. *graine.*
GRAISSAGE, m. V. *graisse.*
Graisse, f. V. *oindre, gros.*
GRAISSER. V. *graisse, tache.*

GRAISSET, m. V. *grenouille.*
GRAISSEUR, m. V. *automobile, machine.*
GRAISSEUX. V. *graisse.*
GRAMINÉE, f. V. *herbe.*

---

de grâce. Coopérer à la grâce. Confirmé en grâce. — Docteur de la grâce (saint Augustin). — Doctrines de la grâce. Jansénisme. Molinisme. Pélagianisme. Thomisme.

## GRAIN

**Forme de grain.** — Grain. GRAINE. Grain de blé, d'orge, etc. — Grain de raisin. Grain de SABLE. Grain de plomb ou Dragée. Grain (petit poids). — Bouton. Bourgeon. Grain de beauté. — Granule. Grenaille. Grenure. — Boulette. Globule. PERLE. Grêlon. Grain de santé. — Papille. Grumeau. Perlure. Granulations. Pépites.

**Aspect de grain.** — Graniforme. Aciniforme. Granulaire. Granuleux, granulosité. Grené. Grenu. Grumelé. Grumeleux. Globuleux. Perlé. Ratineux. Sableux.

**Façon de grain.** — Grener. Greneler. Grenailler. Granuler, granulage. Grèneter, grènetis. Créneler, crénelage. Chagriner, peau de chagrin. Perler. — Friser (une étoffe), frisage. Ratiner, ratine. — Se grumeler. Perler (sortir en perles).

## GRAINE

(latin, *semen ;* grec, *sperma*)

**Eléments.** — Aigrette. Akène. — Albumen. — Amande. — Arête. — Balle. — Barbe. — Blaste. — Bourrelet. — Capsule. — Caroncule. — Caryopse. — Cellule. — Chalaze. — Cloison. — Coléoptile. — Corcule. — Cordon. — Cosse. — Cotylédon. — Crinule. — Diaphragme. — Ecailles. — Ecale. — Embryon. — Embryotège. — Endoplèvre. — Endostome. — Epi. — Exostome. — Funicule. — Germe. — Glume. — Glumellule. — Gousse. — Hile. — Leucoplastide. — Lobe. — Lobule. — Loge. — Lorique. — Membrane. — Nucelle. — Nucléoplasma. — Ombilic. — Oosphère. — Ovaire. — Ovule. Primine. Secondine. Tercine. Quartine. — Paléole. — Pappe. — Pépin. — Périsperme. — Placenta. — Prostype. — Radicule. — Raphé. — Réceptacle. — Sarcoderme. — Silicule. — Silique. — Spore. — Suspenseur. — Suture. — Tegmen. — Test. — Trophosperme. — Tunique. — Utricule. — Valve. — Vitellus.

**Caractères.** — Aciniforme. — Acotylédone. — Aigrettée. — Ailée. — Albuminée. — Anatrope. — Angiosperme. — Cardiosperme. — Bicotylédone. — Bilobée. — Biloculaire. — Candée. — Cellulée. — Chauve. — Chevelue. — Cloisonnée. — Cœlosperme. — Cotylédonée. — Cryptosperme. — Déhiscente. — Dicotylédone. — Dispermatique. — Echinée. — Endosperme. — Farineuse. — Gastérospore. — Géoblaste. — Goniosperme. — Gymnosperme. — Hilosperme. — Inalbu-

minée. — Indéhiscente. — Légumineuse. — Lenticulée. — Lobuleuse. — Loriquée. — Monocotylédone. — Monosperme. — Oléagineuse. — Oligosperme. — Polysperme. — Réniforme. — Ruptile. — Septifère. — Septiforme. — Tegminée. — Utriculée.

**Graines usuelles.** — Céréales. BLÉ. Orge. Avoine. Sarrasin. Seigle. Maïs, etc. — Millet. Mil. Chènevis. — Anis. Badiane. Cardamome. Coriandre. Cumin. Carvi. — Santoline. Sénevé. Graine de lin. — Haricot. Pois. Lentille. FÈVE. Erre. Vesce. — Œillette. Linette. Sésame. — Poivre. RIZ. Café.

**Manutention.** — Grainetier. — Semer, SEMENCE. Dissémination. Semences froides, chaudes. — Germer, germination. Grenaison. Monter en graine. Fructification. Epier. S'ouvrir. Avorter. — Battre, battage. Dépiquer, dépiquage. Cribler, criblure. — Décortiquer, décortication. Egrener, égrenage. — Ecosser. Ecaler. — Engrener (nourrir au grain), engrenage. Bernage. Bisaille. Dragée. Maucorne.

## GRAISSE

**Corps gras.** — Graisse, graisseux. Pain de graisse. Couche de graisse. Tache de graisse. — Graisse de porc. Saindoux. Oing. Lard. Lardon. Axonge. Panne. — Panouille (d'oie). Parement (d'agneau). Ratis (de boyaux). SUIF. Rognon. Cretons. — Graisse végétale. Cocose. Végétaline. — Beurre. Butyrine. Margarine. Oléo-margarine. — Blanc de baleine. Suint. Glu. — Graisse minérale. Graisse consistante. Lanoline. Paraffine. Vaseline. Stéarine. — HUILE. Dégras. Glycérine. Onguent. SAVON. Graillon. Cambouis.

Graisseux. Graillonneux. Huileux. Onctueux. Savonneux. Visqueux. Mucilagineux. Stéarique.

**Embonpoint.** — Graisse. Obésité. Corpulence. Grosseur. Pléthore. Enflure. Empâtement. Engraissement. Polysarcie.

Adipeux. Gras. Grasset. Grassouillet. Gros. Obèse. Corpulent. Replet. Rebondi. Gras à lard. Entrelardé. Plein de soupe. Bien nourri. Potelé. Dodu. Charnu. Joufflu. Mafflu. Pansu. Fessu. Boulot.

Engraisser. Faire du lard. Grossir. Prendre du ventre. Avoir double, triple menton.

**Manipulation des graisses.** — Graissier, graisserie. Fondre, fondoir. — Frire, friture. Fricasser. Piquer. Larder. Barder. — Graisser, graisseur, graissage. Lubrifier, lubrifiant. — Oindre, onction. — Saponifier, saponification. — Engraisser (animaux). Engrener (volaille). Ensimer (étoffes). Chamoiser (peaux).

Dégraisser, dégraissage, dégraisseur. — Dessuinter, dessuintage.

*Grammaire,* f. V. *langage,* | GRAMMAIRIEN, m. V. *gram-* | GRAMMATICAL. V. *grammaire.*
*rhétorique.* | *maire.* | GRAMME, m. V. *poids.*

---

**Relatif au gras.** — Faire gras. Jour gras. Charnage. — Engrais. Terre grasse. Plante grasse. — Gras fondu. Lipome. Liparocèle. — Payer grassement. — Parler gras. Grasseyer, grasseyement.

## GRAMMAIRE

**Etudes grammaticales.** — Grammaire, grammairien. Grammaire générale. Grammaire historique. Grammaire comparée. — Linguistique, linguiste. — Philologie, philologique, philologue. — Lexicologie, lexicologique, lexicologue. — Etymologie, étymologique, étymologiste. — Phonétique. — Morphologie. — Syntaxe, syntactique. — Purisme. — Critique des textes. — Exégèse. — Paléographie, paléographe. — Langue. Langage. Elocution. — Orthographe, orthographique. — Prose. — Versification. Métrique. Prosodie. Rimes. Assonances. Coupes. Rythme. Cadence. Harmonie.

**Sons et lettres.** — Alphabet. Lettres. Lettres doubles. Lettres muettes. — Voyelles. Voyelles pures. Voyelles fermées, ouvertes, longues, brèves. Voyelles nasales. Semi-voyelles. — Consonnes. Explosives. Continues. Nasales. Liquides. Sons mouillés. Fortes ou Sourdes. Douces ou Sonores. Gutturales. Fricatives. Vélaires. Labio-vélaires, etc. — Consonnes orthographiques. — Syllabes. — Accentuation. Accent tonique. Accents orthographiques, aigu, grave, circonflexe. — Ponctuation.

**Formes grammaticales.** — Parties du discours. Mots variables. Nom ou Substantif. Article. Pronom. Adjectif. Verbe. — Mots invariables. Adverbe. Préposition. Conjonction. Interjection. — Genres. Masculin. Féminin. Neutre. — Nombres. Singulier. Pluriel. Duel. — Déclinaison. Cas. Nominatif. Vocatif. Accusatif. Génitif. Datif. Ablatif. Locatif. Instrumental. Cas sujet. Cas régime. — Flexions. — Conjugaison. Conjugaison vivante, morte. — Radical. Désinences. Augment. Redoublement. — Verbe régulier, irrégulier, auxiliaire, impersonnel, défectif. — Voix. Actif. Passif. Déponent. Moyen. — Forme active, passive, pronominale. — Modes. Indicatif. Impératif. Conditionnel. Subjonctif. Infinitif. Participe. Gérondif. Optatif. Potentiel. Irréel. — Personnes. Modes personnels, impersonnels. — Temps. Temps simples, composés. Présent. Imparfait. Passés. Parfait. Prétérit. Plus-que-parfait. Futur. Futur antérieur. Aoriste. — Comparatif. Superlatif. — Locutions verbales, adverbiales, prépositives, conjonctives. — Particules. Enclitiques. Proclitiques. Elision. Contraction.

**Sens.** — Article défini, indéfini, partitif. — Nom propre, commun, collectif. — Pronom personnel, possessif, démonstratif, relatif, interrogatif, indéfini. — Adjectif quali-

ficatif, pronominal, numéral, distributif. — Verbe actif, passif, réfléchi, réciproque, transitif, intransitif, factitif, inchoatif, affirmatif, négatif, dubitatif, etc. — Adverbes de temps, de lieu, de manière, de quantité, d'affirmation, de négation, de doute. — Prépositions d'objet, d'attribution, de temps, de lieu, de manière, de cause, de but, d'accompagnement, etc. — Conjonctions copulatives, adversatives, temporelles, causales, finales, conditionnelles, concessives, restrictives, consécutives, comparatives. — Propriété des termes. Impropriété. — Sens propre, figuré, étendu, restreint, connexe. — Mots fréquentatifs, diminutifs, augmentatifs, péjoratifs.

**Syntaxe.** — Groupe de mots. Accord, accorder, s'accorder. Varier, variation. — Membre de phrase. Propositions. — Construction. Construction directe. Inversion. — Phrase. Période. — Gouverner. Régir. Compléter. — Déterminer, Modifier. — Coordonner, coordination. Juxtaposer, juxtaposition. Subordonner, subordination. — Emploi des mots. — Règles. Paradigmes. Exemples. — Faute. Incorrection. Cacographie. Locution vicieuse. Solécisme. Barbarisme.

**Analyse.** — Sujet. Sujet réel, apparent. — Objet. Complément d'objet. — Complément direct, indirect. — Compléments circonstanciels. Complément d'attribution, de temps, de lieu, de manière, de cause, de moyen, d'accompagnement, d'origine, etc. — Complément partitif. — Complément d'adjectif, de pronom, d'adverbe, etc. — Epithète. — Apposition. — Attribut, de sujet, d'objet. — Antécédent.

Proposition principale, indépendante, incise, incidente. — Proposition subordonnée, objet, sujet, apposition, complément (de tel ou tel sens).

**Vocabulaire.** — Origine. Emprunt. Formation. Formation populaire, savante. — Racine. Radical. Terminaison. — Mots simples, composés, dérivés. Vocables. Locutions. — Composition. Dérivation. Préfixe. Suffixe. Affixe. — Famille de mots. Doublets. — Homonyme. Synonyme. Antonyme. Paronyme. Homophone. — Périphrase. Circonlocution. Tautologie. — Archaïsme. Néologisme. Idiotisme. Gallicisme. Anglicisme, etc. — Mots explétifs.

**Figures.** — Figures de diction. Prothèse. Epenthèse. Paragoge. Aphérèse. Syncope. Apocope. Métathèse. Diérèse. Crase, etc.

Figures de construction. Ellipse. Anacoluthe. Asyndète. Zeugma. Syllepse. Hyperbate. Conjonction. Disjonction. Pléonasme. Attraction. Répétition. Opposition, etc.

Tropes. Métaphore. Allégorie. Allusion. Ironie. Sarcasme. Catachrèse. Hypallage. Synecdoche. Métonymie. Euphémisme. Antonomase. Enallage. Métalepse. Antiphrase, etc.

**Grand.** V. *haut, corps, classe.*

GRAND-DUC, m. V. *prince.*

GRANDESSE, f. V. *titre.*

GRANDEUR, f. V. *grand, géométrie, force, gloire, titre.*

GRAND-GARDE, f. V. *garde, camp.*

GRANDILOQUENCE, f. V. *parler.*

GRANDIOSE. V. *grand, noble.*

GRANDIR. V. *grand, augmenter.*

GRAND-MÈRE, f. Grand-père, m. V. *parent.*

**Grange,** f.

GRANIT, m. V. *pierre.*

GRANIVORE. V. *oiseau.*

GRANULATION, f. V. *grain, poudre.*

GRANULE, m. Granuler. Granuleux. V. *grain.*

GRAPHIE (suff.). V. *description.*

GRAPHIQUE. V. *tracer, géométrie, description.*

GRAPHITE, m. V. *crayon, plomb.*

GRAPHOLOGIE, f. V. *écrire.*

GRAPHOMÈTRE, m. V. *angle, arpentage.*

**Grappe,** f. V. *faisceau, raisin, fleur.*

GRAPPILLER. V. *vendange.*

GRAPPILLEUR. V. *avare.*

GRAPPILLON, m. V. *raisin.*

GRAPPIN, m. V. *croc, ancre, bateau.*

GRAS. V. *graisse, gros, viande.*

GRAS-DOUBLE, m. V. *mets.*

GRASSEYER. V. *langue, prononcer.*

GRASSOUILLET. V. *graisse.*

GRAT, m. V. *poule.*

GRATERON, m. V. *épine.*

GRATIFICATION, f. V. *don, récompense.*

GRATIFIER. V. *payer, attribuer.*

GRATIS. V. *prix, gratuit.*

GRATITUDE, f. V. *reconnaissance.*

GRATTE-CIEL, m. V. *architecture.*

GRATTE-PAPIER, m. V. *écrire.*

GRATTER. V. *frotter, effacer, piquer.*

GRATTOIR, m. V. *couteau.*

**Gratuit.** V. *don.*

GRATUITÉ, f. V. *gratuit.*

GRAVATS, m. p. V. *ordure.*

**Grave.** V. *calme, important.*

---

## GRAND
(latin, *magnus;* grec, *megas*)

**Grande taille.** — Haute stature. Grandeur. — Colosse. Géant, géante. Titan. Patagon. Tambour-major. Grenadier. — Léviathan. Baleine. Éléphant, etc. — Grand diable. Grand escogriffe. Grand flandrin. Dégingandé. Échalas.

**Grande dimension.** — Grand. Grand Océan. Grand chemin. Grand mât, etc. — Colossal. Cyclopéen. Démesuré. Gigantesque. EXTRAORDINAIRE. Énorme. Monstrueux. — Monumental. Imposant. IMPORTANT. Magnifique. Prodigieux. — Immense. Considérable. Vaste. Spacieux. Volumineux. Étendu. — Illimité. Sans bornes. A perte de vue. Infini. Indéfini. — Ample. LARGE. GROS. HAUT. Profond. LONG. — Indicible. Inexprimable. Ineffable.

**Agrandissement.** — Agrandir. Amplifier. amplification. AUGMENTER, augmentation. — Elever, élévation. Surélever. Hausser. Exhausser. — Approfondir. — Etendre, extension. — Accroître, accroissement.

Grandir. Croître, croissance. Pousser, pousse. Grossir. Elargir. S'allonger. S'élever. Se développer, développement.

Age adulte. — Majorité, majeur.

**Grandeur morale.** — Grandeur d'âme. Hauteur, élévation de caractère. Magnanimité, magnanime. — Majesté, majestueux. Avoir grand air. — Faire grand. Magnificence, magnifique. Voir grand. Louis le Grand. — Grandiose. Surhumain. Surnaturel. — Mégalomanie, mégalomane.

**Grandeur sociale.** — Les grands. Les grands de la terre. Grand personnage. — Haute situation. Les grandeurs. — Grand maître. Grand prêtre. Magnat. — Grandesse (titre). Grandissime. Suprême, suprématie. — Supérieur, supériorité.

## GRANGE

**Bâtiment.** — Aire. Grange. Grenier. Pailler. Fenil. — Las (place des gerbes). Lassière (place des grains).

**Usage.** — Battre en grange. — Engranger, engrangement. Grangée. Grangeage. — Granger (métayer). Grangerie.

## GRAPPE

**Les grappes.** — Grappe. Grappelette. Grappillon. Allebote. — Régime (de bananes). EPI. FAISCEAU.

**Relatif aux grappes.** — Grappu. Grappeux. — Egrapper, égrappage. — Grappiller, grappilleur. Alleboter.

## GRATUIT

**Qui ne coûte rien.** — Gratuit, gratuité, gratuitement. Gratis. Sans bourse délier. A l'œil. — Franco. Franc de port. Sans frais. — Franchise. Affranchir, affranchissement. — A crédit. A tempérament. — Entrée libre. Lieu public.

**Qui ne rapporte rien.** — Don. Donation. Faveur. Générosité. — A titre gratuit. Travailler pour rien. Peine perdue. — Emploi non rétribué. Honoraire. Surnuméraire. — Faire crédit. Prêt gratuit. En être de sa poche.

## GRAVE

**Gravité naturelle.** — Gravité. Maintien grave. Majesté, majestueux. — Se tenir bien. Tenue. Retenue. Réserve, réservé. — Sérieux. Garder son sérieux. Digne, dignité. Flegme, flegmatique. — Austère, austérité. Sévère, sévérité. Rigide, rigidité. — Posé. Réfléchi. Philosophe. — CALME. SAGE. Silencieux. — Préoccupé. Chagrin.

**Gravité affectée.** — Air composé. Raideur, raide. Froideur, FROID. Sécheresse, Ton SEC. S'observer. Collet monté. Gourmé. — Pédant, pédantisme, pédantesque. — Solennel, solennité. Sentencieux. Vieille barbe. — M. Prudhomme, prudhommesque.

GRAVELEUX. Gravelure, f. V. *licence.*

GRAVELLE, f. V. *rein, vessie, urine.*

GRAVÉOLENCE, f. V. *puant.*

GRAVER. Graveur, m. V. *gravure.*

GRAVIER, m. V. *sable.*

GRAVILLON, m. V. *pierre.*

GRAVILLONNER. V. *pavé.*

GRAVIR. V. *haut, degré.*

GRAVITATION, f. V. *mouvement, attirer, poids, astronomie.*

GRAVITÉ, f. V. *grave.*

GRAVITER. V. *attirer.*

GRAVOIS, m. p. V. *maçon, reste.*

**Gravure**, f. V. *art.*

GRÉ, m. V. *volonté, reconnaissance, accord.*

GRÈBE, m. V. *oiseau.*

**Grec.**

GRÈCE, f. V. *grec.*

GRÉCITÉ, f. V. *grec.*

GRECQUE, f. Grecquer. V. *orner, relieur.*

GREDIN, m. Gredinerie, f. V. *vil, avare.*

GRÉEMENT, m. Gréer. V. *bateau, mât, garnir.*

GREFFE, m. V. *bureau.*

**Greffe**, f. V. *jardin, joindre.*

GREFFER. V. *greffe.*

GREFFIER, m. V. *juges.*

GRÉGAIRE. V. *troupe.*

GRÈGE. V. *soie, brut.*

GRÉGORIEN. V. *calendrier.*

GRÈGUE, f. V. *habillement.*

GRÊLE. V. *mince, faible.*

GRÊLE, f. V. *météore, neige.*

GRÊLÉ. V. *variole.*

GRELIN, m. V. *corde.*

GRÊLON, m. V. *neige.*

GRELOT, m. V. *cloche.*

GRELOTTER. V. *trembler.*

GRENADE, f. V. *fruit, bombe.*

GRENADIER, m. V. *arbre, soldat.*

GRENADIÈRE, f. V. *fusil.*

GRENAILLE, f. V. *grain.*

GRENAISON, f. V. *graine.*

GRENAT, m. V. *pierre, rouge.*

GRENER. Grèneter. V. *gravure, médaille.*

GRENIER, m. V. *maison, magasin.*

---

**Importance.** — Affaire grave. Gravité d'un cas. — Aggraver, aggravation. Circonstance aggravante. — IMPORTANT, importer. Avoir du poids. Tirer à conséquence. — Imposant, imposer. Magistral.

## GRAVURE

**Procédés.** — Toreutique. Graver. Graveur. Aquafortiste. — Taille douce. Pointe sèche. Eau-forte. Aquatinte. Mezzo-tinto ou Manière noire. Gravure en relief. Gravure en creux. Gravure en couleurs. — Gravure sur bois ou Xylographie. Gravure sur cuivre ou Chalcographie. Gravure sur zinc ou Zincographie ou Gillotage. — Héliogravure. Photogravure. Phototypie. — Galvano. Cliché. — Lithographie. Chromolithographie. — Similigravure. — Pyrogravure. — Nielle.

**Matériel.** — Alésoir. — Baquet. — Berceau. — Bloc. — Boësse. — Bouterolle. — Brunissoir. — Burin. — Chape. — Charnière. — Ciment. — Ciselet. — Dressoir. — Eau-forte. — Echoppe. — Flatoir. — Godronnoir. — Grattoir. — Lancette. — Matoir. — Mixtion. — Onglet. — Perloir. — Planche, contre-planche. — Poinçon. — Racloir. — Soie. — Touret. — Traçon. — Vernis dur, mou.

**Opérations.** — Graver. — Tailler. Taille. Taille d'épargne. Contre-taille. Entretaille. — Bavocher. — Boësser. — Border. — Buriner. — Champlever. — Ciseler, ciselure. — Coupe. — Creuser. — Découvrir la planche. — Dessiner. — Ebarber. — Ebaucher. — Echopper. — Egratigner, égratignure. — Empâter, empâtement. — Enjoliver. — Enluminer, enluminure. — Filer. — Fouiller. — Frapper un trait. — Godronner. — Faire le grain, grener. — Hacher, contre-hacher. — Historier. — Piquer. — Poinçonner. — Pointiller, pointillage. — Rentrer. — Repousser. — Touches fortes, tendres. — Tracer.

**Estampes.** — Estampe. Image. Illustration. Frontispice. Cul-de-lampe. Vignette. — Une gravure. Exemplaire. Œuvre. — Passepartout. Portefeuille. — Maîtres. Petits-maîtres.

Epreuve, avant la lettre, après la lettre. Lettre blanche, grise, noire, avec remarque. — Epreuve grise, neigeuse, brillante. — Venir bien. Belle pâte. Venir mal. Empreinte. Coulé. — Fond blanc. — Godron. — Grené. — Griffonis. — Grignotis. — Guillochis. — Hachures. — Mâchonné. — Pointillé. — Rehauts. — Titre-planche. — Traits.

**Pierres gravées.** — Glyptique. Glyptographie. Glyptothèque. — Antique. Camaïeu. Camée. Scarabée. — Lithoglyphie. Intaille. Ectype. Relief.

## GREC

**Grèce ancienne.** — Grecs. Hellènes. Hellade. — Athènes. Acropole. Agora. Archontes. Solon. Périclès. Démosthène. — Sparte. Lycurgue. Ephores. — Amphictyons. Aréopage. — Art grec. Auteurs grecs. — Dialectes, ionien, dorien, attique, éolien. — Ordres, dorique, ionique, corinthien. — Grands jeux, olympiques, isthmiques, pythiques, néméens. — Temple d'Olympie. Oracle de Delphes. Parthénon. Panathénées. Dionysies. — Hellénisme, hellénistique. Atticisme. Laconisme. — Helléniste. Grécité. — Gréciser. Grécoromain. Gallo-grec. — Byzance. Art byzantin. Byzantinisme.

**Grèce moderne.** — Grec vulgaire ou romaïque. Itacisme. — Eglise grecque. Rite grec. — Panhellénisme. — Philhellène. — Erigones. Clephtes. Fanariotes.

## GREFFE

**Procédés de greffe.** — Greffe par approche. Greffe par rameau détaché. Greffe en fente, en fente double, en fente pleine ou à cheval, en fente anglaise. Greffe en placage. Greffe en couronne. Greffe par œil ou bouton. Greffe en écusson. Greffe en flûte.

**Travail de la greffe.** — Greffer, greffage. Ente, enter. Oculer, oculation. Ecussonner. Ecusson. Scion. Bourrelet. Poupée. Empeau. — Lever des greffes. Rapporter, Sevrer une branche greffée. — Ecussonnoir. Entoir. Fendoir. Greffoir. — Sujet. Sauvageon. Arbre franc.

**Grenouille,** f. V. *reptile.*
GRENOUILLÈRE, f. V. *grenouille.*
GRENU. V. *grain.*
GRÈS, m. V. *pierre, pot.*
GRÉSIL, m. V. *neige.*
GRÉSILLER. V. *neige.*
GRESSERIE, f. V. *pot.*
GRESSIN, m. V. *pain.*
GRÈVE, f. V. *rivage, ouvrier, cesser.*
GREVER. V. *lourd.*
GRIBOUILLAGE, m. Gribouilleur, m. V. *écrire.*
GRIEF, m. V. *accusation.*
GRIFFE, f. V. *ongle, croc, bijou, signature.*
GRIFFER. V. *déchirer.*
GRIFFON, m. V. *monstre, canal.*
GRIFFONNAGE, m. V. *écrire.*
GRIGNOTER. V. *manger, dent.*
GRIGOU, m. V. *avare.*
**Gril,** m. V. *rôtir, cuisine.*
GRILLADE, f. V. *mets, viande.*

GRILLAGE, m. V. *grille.*
**Grille,** f. V. *clôture, abri, balustre, fourneau, cheminée, secret.*
GRILLER. V. *chaleur, brûler, rôtir, cuire.*
GRILLON, m. V. *sauterelle.*
**Grimace,** f. V. *bouffon, contraction, affectation.*
GRIMACER. V. *visage, moquer, hypocrite.*
GRIME, m. V. *théâtre.*
GRIMER (se). V. *visage.*
GRIMOIRE, m. V. *magie, écrire.*
GRIMPER. V. *haut.*
GRIMPEUR. V. *haut, oiseau.*
GRINCEMENT, m. Grincer. V. *bruit, dent, aigu.*
GRINCHEUX. V. *hargneux.*
GRINGALET. V. *petit.*
GRIOTTE, f. V. *cerise.*
GRIPPE, f. V. *rhume, fâché.*
GRIPPER. V. *prendre, contraction.*

GRIS. V. *couleur.*
GRISAILLE, f. V. *pâle, couleur.*
GRISÂTRE. V. *couleur.*
GRISER. Griserie, f. V. *ivre.*
GRISOLLER. V. *alouette.*
GRISON, m. V. *âne, cheveu.*
GRISONNER. V. *vieux.*
GRISOU, m. V. *gaz, mine.*
**Grive,** f. V. *oiseau.*
GRIVÈLERIE, f. V. *voleur.*
GRIVOIS. V. *licence.*
GROG, m. V. *liqueur.*
GROGNARD, m. V. *soldat.*
GROGNER. V. *porc, bruit, murmure, plainte.*
GROGNON. V. *hargneux.*
GROIN, m. V. *museau, porc.*
GROMMELER. V. *murmure, parler.*
GRONDER. Gronderie, f. V. *bruit, colère, réprimande.*
GRONDIN, m. V. *poisson.*
GROOM, m. V. *domestique.*
**Gros.** V. *graisse, poids.*

## GRENOUILLE

**Grenouilles.** — Grenouille. Raine. Rainette. Graisset. Grenouille verte. Grenouille rousse. Grenouille agile. Grenouille-taureau, etc.

**Vie.** — Batracien. Amphibie, amphibien. Têtard. — Grenouillère. Frai. — Coasser, coassement. — Pêche aux grenouilles. — Batrachomyomachie.

## GRIL

**Le gril.** — Gril. Châssis. Barres creuses. Barres doubles. Pieds. Creux. — Boucan. Grilloir. Grille-pain. — Grill-room.

**Usage.** — Griller, grillage. — Viande grillée, grillade. Carbonnade. Charbonnée. Riblette. — Braiser. Brasiller. — Torréfier, torréfaction.

## GRILLE

**Grilles de fonte.** — Grille de clôture. Griller. Grilletier. — Châssis. Barreau. BARRE. Traverse. Pilastre. Panneau. Travée. Tourillon. — Chardons. Artichaut. Fer de lance. Epis.

Grille d'égout. — Grille à charbon. Grille de fourneau. — Coquille. — Grille de chaudière.

**Grillages.** — Claire-voie. Barrière. CLÔTURE. — CLAIE. Clayonnage. Egrilloir (grille à poissons). — Treillage. Treillis. Lattis. — Guichet. Jalousie. Persienne. — Pan. CAGE. — Râtelier. Ridelle.

Grillager. Treillisser. Latter.

## GRIMACE

**Grimace comique.** — Grimacer, grimaçant, grimacerie. Faire des grimaces. — Gri-

macier. Grime. Se grimer. — Bouffonnerie, bouffon. — Faire le singe. Singerie. Singer. — Bouffer (gonfler les joues). — Cligner de l'œil, clignement. Clignoter, clignotement. — Faire la nique. Faire un pied de nez. Tirer la langue. — Gesticuler.

**Grimace douloureuse.** — Contorsion. Contraction. Convulsion, convulsif. — Se tordre. Distorsion, Tordre la bouche. — Crispation, se crisper. Défiguré. — Froncer le sourcil. Grincer des dents. — Faire la moue. Visage rechigné. Air renfrogné. Se renfrogner. — Mine chafouine. — Tic, tiquer, tiqueur.

**Air affecté.** — Grimaces. — Minauderie, minauder. Faire des mines. — Momeries. Simagrées.

## GRIVE

**Sortes de grives.** — Grive commune ou viscivore. Fraye. Draine. Calandrette. Litorne. Mauvis. Tourd, etc.

## GROS et ENFLÉ

**Grosseur du corps.** — Corpulence, corpulent. Carrure. Membru. Embonpoint. Obésité, obèse. Taille épaisse, épaisseur. — Ventripotent. Prendre du ventre. Ventru. Bedaine. Bedon. — Etre en chair. Charnu. Fort. Etoffé. Bien nourri. Gras. — Rotondité. Potelé. Rebondi. Rondelet. Joufflu. Poupard. Pleine lune. Plein de soupe. — Colosse. Enorme. Monstrueux. — Mastoc. Courtaud. LOURD. Lourdaud. Mafflu. Mamelu. Fessu. Paquet. Pataud. — Gros père. Grosse mère. Grosse dondon. Poussah. — Baleine. Eléphant. Bœuf.

**Grosseurs maladives.** — Anévrisme. — Ballonnement. — Bosse, bossu. Gibbosité, gibbeux. — Bouffissure, bouffi. — Boursouflure, boursouflé. — Cal, calleux, callosité. — Car-

GROS, m. V. *vendre, armée.*
GROSEILLE, f. V. *fruit, acide.*
GROS-ŒUVRE, m. V. *architecture.*
GROSSE, f. V. *écrire, copie, juges.*
GROSSESSE, f. V. *mère, accouchement.*
GROSSEUR, f. V. *tumeur.*
**Grossier.** V. *brut, injure, vil, inconvenant.*
GROSSIÈRETÉ, f. V. *grossier.*
GROSSISSEMENT, m. Grossir. V. *augmenter, graisse.*
GROSSISTE, m. V. *commerce.*
GROTESQUE. V. *bouffon, rire.*
GROTTE, f. V. *centre, ouvert, jardin.*

GROUILLEMENT, m. Grouiller. V. *mouvement, multitude, ver.*
GROUPE, m. Grouper. V. *joindre, plusieurs, association, troupe, parlement.*
GRUAU, m. V. *farine.*
**Grue,** f. V. *machine, port, oiseau.*
GRUERIE, f. V. *forêt.*
GRUGER. V. *ronger, voleur.*
GRUME, f. V. *écorce, arbre.*
GRUMEAU, m. V. *épais, poudre.*
GRUMELÉ. V. *inégal, grain.*
GRUYÈRE, m. V. *fromage.*
GUANO, m. V. *fumier.*
GUARDIAN, m. V. *berger.*

GUÉ, m. V. *passage, rivière.*
GUENILLE, f. Guenilleux. V. *haillon, usé, déchiré.*
GUENON, f. V. *singe.*
GUÊPE, f. V. *miel.*
GUÊPIER, m. V. *miel, danger.*
GUERDON, m. V. *don, récompense.*
GUÈRE. V. *négation.*
GUÉRET, m. V. *labour.*
GUÉRIDON, m. V. *table.*
GUÉRILLA, f. V. *guerre.*
**Guérir.** V. *ranimer, sauver, maladie, santé, ôter.*
GUÉRISON, f. Guérisseur, m. V. *guérir.*
GUÉRITE, f. V. *abri, garde, guet.*

---

reau (enflure du ventre). — Empâtement, s'empâter. — Emphysème, emphysémateux. — Engelure. — Enflure. — Excroissance. — Intumescence. — Fluxion. — Goutte, goutteux. — Hydropisie, hydropique. — Hypertrophie. — Loupe. — Météorisme (des bestiaux). — Œdème, œdémateux. — Physconie. — Protubérance. — Tubercule, tuberculose, tuberculeux. — Tubérosité. — Tuméfaction. — Tumescence. — Tumeur. — Tympanite. — Tophus.

**Choses de forme renflée.** — Billot. — Bloc. — Bosse. Bosselure. — Bouffant. — Bouffette. — Boule. — Bourrelet. — Bulbe. — Bulle. — Caboche. — Citrouille. — Cul de bouteille. — Globe. — Mamelon. — Monceau. — Muid. — Oignon. — Outre. — Peloton. — Pomme. Tas. — Tonneau.

**Etats de gros.** — Arrondi. Rond. Bombé. Bosselé. Renflé. Bulbeux. Globuleux. Tubéreux. — Dilaté. Enflé. Ballonné. Soufflé. Turgescent. Turgide. Distendu. Tuméfié. — Proéminent. Protubérant. — Volumineux. Plein. — Epaté. Trapu. Bouleux.

**Grossir et faire grossir.** — Grossir. S'arrondir. Bouffer. Enfler. Gonfler. — Se développer. S'étendre. Se distendre. Se dilater. S'épaissir. S'empâter. — Grossissement. Intumescence. Rondeur. Développement. Plénitude.
Souffler. Bomber. Distendre. Etendre. Tuméfier. Dilater. Gonfler. — Dégonfler. Dégrossir. Désenfler.

### GROSSIER

**Grossier de formes.** — Massif. Mastoc. Pataud. Taillé à coups de hache. — Pesant. Lourd. Lourdaud. Rustaud. — Cheval de charrue. Ours mal léché. — Mal fait. Informe. Malgracieux. Disgracieux. — Inélégant. Grotesque. Burlesque. — Hommasse. Virago. Maritorne.

**Grossier de nature.** — SAUVAGE, sauvagerie. BARBARE, barbarie. Bestial, bestialité. Brutal, brutalité. Brute. — Primitif. Incivilisé. INCULTE, inculture. SIMPLE, simplicité. Rustique, rusticité. Brut. — Grossier, gros-

sièreté. VIL. Bas, bassesse. Rude, rudesse. Cru, crudité. — Terre à terre. Abruti. DUR. Abrupt.
Campagnard. Rustre. Paysan. — Manant. Vilain. Populace. Bas peuple. — Canaille. Valetaille.

**Grossier de manières.** — Butor. Goujat. Charretier. Crocheteur. Portefaix. Malotru. Maroufle. Paltoquet. Voyou. Faubourien. — Harengère. Poissarde. Pecque. — Malappris. Mal élevé. Malhonnête, malhonnêteté. Impoli, impolitesse. Inconvenant, inconvenance. Irrévérencieux, irrévérence. Incongru, incongruité. — Impertinent, impertinence. Saugrenu. Insolent, insolence. Discourtois. Injurieux, INJURE, injurier. — Impudent, impudence. Cynique, cynisme. Ehonté. Effronté, effronterie.
Mauvais ton. Mauvais genre. Ton commun. Vulgarité, vulgaire. Trivialité, trivial. — Manières libres. Sans-gêne. Indélicatesse, indélicat. Désobligeant. Balourd, balourdise. — Langage grossier. Grossièretés. Jurons. Catéchisme poissard. Argot.

### GRUE MÉCANIQUE

**Machines.** — Grue à volée. Grue fixe. Grue locomobile. Grue électrique. Grue dynamométrique. Grue tourelle. — Sapine. Treuil. Pont roulant. Chèvre. Truck.

**Mécanisme.** — Axe. Fût. Flèche. Volée. Empattement. Portée. — Leviers. Roues d'engrenage. Pignons. — Chariot. Benne basculante. Bourriquet. — Câble. Elingue. — Lever, levage. Virer.

### GUÉRIR

**Rendre la santé.** — Guérir, guérison. Sauver. Délivrer de. Rappeler à la vie. RANIMER. — Médecine. Thérapeutique. Cure. Traitement. Régime. Médication. — Médecin. Chirurgien. Spécialiste. Guérisseur. Rebouteur. — Soigner. Traiter. Médicamenter. Porter remède. Remédier. — Soulager. Pallier. Calmer. Apaiser. Adoucir. — Panser. Cicatriser une plaie. — Opérer, opération. Remettre un membre.

**Guerre,** f. V. *vainqueur, vaincu, combat, dispute.*
GUERRIER. V. *guerre, brave.*
GUERROYER. V. *guerre.*
**Guet,** m. V. *attendre, veiller.*
GUET-APENS, m. V. *crime, piège.*
GUÊTRE, f. V. *chausses.*
GUETTER. Guetteur, m. V. *guet, garde, espion.*
GUEULARD, m. V. *fourneau.*
GUEULE, f. V. *bouche, ouvert, gourmand, injure.*
GUEULER. V. *cri.*
GUEULES, m. V. *blason.*

GUEULETON, m. V. *manger, gourmand.*
GUEUSE, f. V. *fer, fonderie.*
GUEUSER. Gueuserie, f. V. *pauvre, aumône.*
GUEUX. V. *pauvre, vil.*
GUI, m. V. *plante, druide.*
GUICHET, m. V. *porte, ouvert.*
GUICHETIER, m. V. *portier.*
GUIDE, m. V. *diriger, voyage.*
GUIDE, f. V. *courroie.*
GUIDER. V. *diriger, avant.*
GUIDON, m. V. *drapeau.*
GUIGNE, f. V. *cerise.*
GUIGNER. V. *regard, œil.*

GUIGNOL, m. V. *automate.*
GUIGNON, m. V. *malheur.*
GUILLEMET, m. V. *ponctuation.*
GUILLERET. V. *vif, joie.*
GUILLERI, m. V. *moineau.*
GUILLOCHER. V. *orfèvre.*
GUILLOCHIS, m. V. *raie.*
GUILLOTINE, f. Guillotiner. V. *échafaud, couper, supplice, bourreau.*
GUIMAUVE, f. V. *mauve.*
GUIMPE, f. V. *habillement, voile.*
GUINDANT, m. V. *drapeau.*

---

**Remèdes.** — MÉDICAMENT. Remède. Panacée. — Médicaments externes, internes, officinaux, magistraux. — Antidote. Calmant. Purge. Lavement. Fébrifuge. Diurétique. Vermifuge. Baume. Lotion.
Médicaments d'action générale. — Modificateurs du système nerveux. Hypnotiques. Antispasmodiques. Anesthésiques. Stimulants. — Modificateurs des sécrétions. Hypersécrétoires. Hyposécrétoires. — Modificateurs de la nutrition. Toniques. Altérants. — Modificateurs du cœur. Cardiaques. Vaso-constricteurs. Vaso-dilatateurs. — Modificateurs de la température. Antithermiques. Hyperthermiques. — Modificateurs du tube digestif. Vomitif. Purgatif. — Topiques. Emollients. Astringents. Caustiques. Irritants. Rubéfiants. Vésicants. — Parasiticides. Désinfectants. Antiseptiques. — Emménagogues. — Cholagogues.

**Recouvrer la santé.** — Guérir, guéri. Guérison radicale. — Echapper à. Réchapper de. S'en tirer. Ressusciter. — Etre hors de danger. Revenir à la vie. Revivre. Aller mieux. Etre en voie de guérison. — Convalescence. Salut. — Se remettre. Se rétablir. Recouvrer ses forces. Reprendre des forces. Se refaire. — Sortir de maladie. Relever de maladie.

### GUERRE

**Sortes de guerres.** — Guerre nationale. Guerre étrangère. Guerre civile. Guerre de religion. Guerre sainte. Croisade. — Expédition militaire. Campagne. Guerre coloniale. — Guerre sur mer. Guerre de course. Guerre sous-marine. — Hostilités. Invasion. Incursion. — Guerre de partisans. Guérilla. — Guerre offensive. Guerre défensive. — Petite guerre.

**Organisation.** — Armée nationale. Armée de métier. Milices. — Armée active. Armée de réserve. Armée territoriale. Troupes indigènes. — Recrutement. Conscription. Engagements. Levée en masse. — Ministère de la guerre. Bureaux. Services. Commandement. Etat-major. — Armement. Infanterie. Artillerie. Cavalerie. Aviation. Intendance. Train des équipages. — Art militaire. Stratégie. Tactique. Formations. — FORTIFICATIONS. Défense fixe. Défense mobile. — Transports. Approvisionnements. Munitions.

**Faits de guerre.** — Camper. Cantonner. Prendre ses quartiers. Hiverner. — Occuper un pays, une position, des lignes, des tranchées. — Offensive. Défensive. ATTAQUE. Défense. — MANŒUVRES. Mouvements. Marches. Contremarches. — Bataille. COMBAT. Engagement. Charge. — Ruse de guerre. Stratagème. Diversion. Embuscade. — Investissement. SIÈGE. Blocus. — Assaut. Escalade. — Débarquement. — Patrouille. Reconnaissance. Raid. — Maraude. Razzia. Pillage. Ravages. — Représailles. Rescousse. — Fusillade. Canonnade. Bombardement. — Massacre. Carnage. Tuerie. — Victoire. Succès. — Défaite. Déroute. Débâcle. Echec. — Retraite. Repli. — Hauts faits. Exploits. Actions d'éclat.

Occupation. Capture. Prise. — Confiscation. Séquestre. Contribution. Réquisition. Prestation.

**Les hommes à la guerre.** — Combattant. Guerrier. Héros. — Militaire. SOLDAT. Marin. Corsaire. Espion. — Troupes. Renforts. Réserves. — Stratège. Tacticien. Grand capitaine. Chef. — L'ennemi. L'adversaire. — Les braves. Les poilus. Les lâches. — VAINQUEUR. VAINCU. — Fuyard. Prisonnier. Transfuge. Déserteur. — Embusqué.
Belligérant. Neutre. Non-combattant.

**Phases de la guerre.** — Déclaration de guerre. Mobilisation, mobiliser. Entrée en guerre. Prendre les armes. — Faire la guerre. Porter la guerre. Guerroyer. Se battre. — Etat de siège. — Théâtre de la guerre. Ouvrir, cesser les hostilités. — Parlementer, parlementaire. Chamade. Trêve. Armistice. — Capituler, capitulation. Se rendre. Honneurs de la guerre. — Traité de paix.

Droit. — Déclaration de guerre. — Blessé. — Neutralité. Neutre. — Blocus. — Droit de capture. Occupation. — Guerre terrestre, maritime. Droit de prise. — Guerre de course. — Parlementaire. — Armistice. Traité de paix, etc.

### GUET

**Action de guetter.** — Etre à l'affût. Etre aux aguets. Attendre. — Avoir l'œil au guet. Etre de faction. Etre sur le qui-vive. — Epier. Guetter, guet. Observer, observation. Espionner, espionnage. Surveiller, sur-

UINDEAU, m. **V.** *cabestan.*
UINDER. **V.** *poulie.*
UINÉE, f. **V.** *monnaie.*
UINGOIS, m. **V.** *oblique.*
UINGUETTE, f. **V.** *auberge.*
UIPER. **V.** *broder.*
UIPURE, f. **V.** *dentelle, pas-*
*  sementerie.*
**Guirlande,** f. **V.** *fleur, ar-*
*  chitecture.*

GUISE, f. **V.** *volonté, manière.*
**Guitare,** f. **V.** *instrument.*
GUITARISTE, m. **V.** *guitare.*
GUSTATION, f. **V.** *goût.*
GUTTA-PERCHA, f. **V.** *gomme.*
GUTTURAL. **V.** *gorge.*
GYMNASE, m. **V.** *gymnastique,*
*  école.*
GYMNASIARQUE, m. **V.** *bate-*
*  leur.*

GYMNASTE, m. **V.** *gymnasti-*
*  que.*
**Gymnastique,** f.
GYMNOPÉDIE, f. **V.** *danse.*
GYMNOSPERME, m. **V.** *plante.*
GYNÉCÉE, m. **V.** *femme.*
GYNÉCOLOGIE, f. Gynécologue,
*  m. **V.** *femme, médecine.*
GYPAÈTE, m. **V.** *aigle.*
GYPSE, m. **V.** *plâtre.*

---

eillance. — Guetteur. Factionnaire. Vedette. Sentinelle. Vigie. — Observateur. Espion. Croiser, croisière, croiseur.

**Postes de guet.** — Affût. Cachette. Guet-pens. Embuscade. — Guérite. Echauguette. Oréneau. Meurtrière. — Tour. Clocher. Ga-ie ou Hune. — Sémaphore. Phare. Poste-vigie.

### GUIRLANDE

**Guirlandes.** — Branchages. Chaîne de euilles. Chapeau de fleurs. Couronne. Fes-ons. Chapelet. Tortis.

### GUITARE

**L'instrument.** — Manche. Table. Rose. Chevalet. Cordes. Boutons. Chevilles. Capo-asto. Sillet. Touches. — Jeu. Double jeu.

Guitariste, guitariser. Pincer de la gui-are. Battre, batterie. — Citharède. Lyriste chez les anciens).

**Sortes de guitares.** — Guitare. Cithare. Mandoline. Mandore. Luth. Lyre. Guiterne. Balalaïka. Banjo. Sistre.

### GYMNASTIQUE

**La gymnastique.** — Education physique. Exercices physiques. — Gymnastique. Gym-nastique de chambre. Gymnastique suédoise. Maître de gymnastique. — Gymnase. Acadé-mie. Salle. Gymnaste. — Sport athlétique. Athlétisme. Jeux gymniques. Stade. Athlète.

Champion. — Cirque. Arène. Gymnasiarque. Acrobate.

Développer les muscles. Assouplir les mem-bres. Fortifier le corps. Régulariser les fonc-tions.

**Appareils.** — Exerciseur. Extenseur. Hal-tères. Massues. Poids. — Barre fixe. Barres parallèles. Barre à boule. — Echelle simple. Echelle horizontale. Echelle dorsale. Echelle de corde. — Corde lisse. Corde à nœuds. Corde à consoles. Corde à perroquets. Corde à lutter. — Poutre horizontale. Passe-rivière. Tremplin. Pas de géant. — Portique. Trapèze. Anneaux. Escarpolette. Perche fixe. Perche oscillante. — Mur d'assaut. — Octogone. — Mât. — Echasses. — Cheval de bois.

**Exercices.** — Flexion. Circumduction. Extension. Elévation. — Appui. Equilibre. — Saut en hauteur. Saut en largeur. — Course de vitesse. Course de fond. Pas gymnastique. — Natation. Plongeon. — Ramer. — Lancer le ballon, le disque, le javelot. — Lever des poids, des barres. — Grimper. Escalader. — Boxe. Lutte. Jiu-jitsu. — Voltige. — Marche. — Sports divers.

**Termes antiques.** — Agonistique. Pales-trique. Orchestique. — Palestre. Stade. — Pédotribe (maître). — Pancrace. Pugilat. — Pentathle (saut, course, disque, javelot, lutte). — Lampadéphorie ou Course de Marathon. — Athlète. Pugiliste. Pancratiaste. — Ceste (gant). Amphotide (calotte à oreilles). Apody-tère (vestiaire). Endromide (peignoir).

# H

**Habile.** Habileté, f. V. *capable, art.*
HABILITER. Habilité, f. V. *capable, droit.*
HABILLAGE, m. Habiller. V.

*boucherie, cuisine, rôtir.*
**Habillement,** m. Habiller. V. *toilette, orner, couvrir.*
HABILLEUSE, f. V. *habillement.*

HABIT, m. V. *toilette, habillement.*
HABITABLE. V. *habiter.*
HABITACLE, m. V. *boussole.*
HABITANT, m. V. *habiter.*

---

## HABILE

**Adroit.** — Adresse. Dextérité. Doigts de fée. — Main sûre. — Savoir s'y prendre. — Habileté, habile. Facilité. Aisance, aisé. — Bon ouvrier. Bon faiseur. Main de maître. Chef-d'œuvre. — Agilité, agile. Légèreté, LÉGER. Grâce, gracieux. — Vivacité, vif. Promptitude, PROMPT. Preste. Leste. — Tour d'adresse. Prestidigitation, prestidigitateur. Escamotage, escamoter, escamoteur. Ambidextre. Equilibriste.

**Expert.** — Expérimenté, expérience. Praticien, pratique. Capacité, CAPABLE. Exercice, exercé. Aptitude, apte. Savoir-faire. Idoine. — Etre au fait de, au courant, à la hauteur. — Savant, SCIENCE. Spécialiste, spécialité. Ferré. Grand clerc. Calé. Rompu à. — DISPOSITION. Don. Faculté. Jugement éclairé. — Compétent, compétence. Connaisseur, connaissances, s'y connaître. Entendu, s'entendre à. — Exceller, excellent. Virtuose. Artiste. Aigle. As. Champion. De première force. Fort en.

**Fin d'esprit.** — Eveillé. Futé. Dégourdi. Malin. Avisé. Perspicace, perspicacité. Pénétrant, pénétration. Sagace, sagacité. Avoir du flair. Avoir du coup d'œil. — Clairvoyant, clairvoyance. Judicieux. Sensé. Homme de sens. — Présence d'esprit. Tact. Saisir l'occasion. Prendre la balle au bond. — Avoir de l'esprit. SPIRITUEL. Fine mouche. Subtil, subtilité.

Insinuant, s'insinuer. Intrigant, intriguer. Entregent. Captieux. Bien mener sa barque. — Diplomate, diplomatie. Fin politique. La politique. — Astucieux, astuce. Rusé, RUSE. Roué, rouerie. Finaud, finasserie. Madré. Matois. Retors. Vieux routier.

**Inventif.** — Invention, inventer. — Création, créer. — Ingéniosité, ingénieux, s'ingénier. Industrie, industrieux. — INTELLIGENCE, intelligent. Génie, génial. Talent, talentueux. Goût. — Inspiration, inspiré. Imagination, imaginatif. Idée lumineuse.

Homme de ressource. Tirer parti de. Savoir se retourner. Se tirer d'affaire. Retomber sur ses pattes. Avoir plusieurs cordes à son arc. — Sorcier. Magicien. Artificieux. — Artifice. Stratagème. Manigance. Sortilège.

## HABILLEMENT

**L'habillement.** — Habits. Vêtement. Costume. Complet. TOILETTE. Accoutrement. Affublement. Uniforme. Livrée. Déguisement. — Ajustement. Parure. Atours. Affiquets. Coli-

fichets. Frivolités. Fanfreluches. Chiffons. — Bagage. Equipage. Effets. Hardes. Trousseau. Linge. Garde-robe. — Défroque. Dépouille. Nippes. Loques. Haillons. Friperie.

**Action d'habiller.** — Habiller. Accoutrer. Costumer. Vêtir. Revêtir. Affubler. Déguiser. Culotter. Fagoter. — Equiper. Nipper. — Parer. Attifer. Ajuster. Arranger. Bichonner. Pomponner.

Aller bien ou mal. Coller. Draper.

**Façons de s'habiller.** — Habit bourgeois. Habit de cérémonie, de gala. — Vêtement d'intérieur, de tout aller, du dimanche. — Costume de sport, de travail, de chasse, de bain, etc. — Tenue de soirée, de ville. Grande, petite tenue. — Etre en civil, en uniforme, à l'ordonnance, en grand deuil, en demi-deuil, en négligé. — Déshabillé. — Mise élégante, soignée, décente, indécente, sordide, négligée.

S'habiller. S'accoutrer. S'affubler. Se travestir. — Mettre un vêtement. Passer un habit, une robe. — S'habiller de neuf. S'endimancher. Se mettre en grande toilette. Se décolleter. — Suivre la mode. Etre à la mode. Porter la toilette.

Se déshabiller. Mettre habit bas. — Se changer. Changer de costume, de linge.

Bien mis. Elégant. Fashionable. Coquet. Tiré à quatre épingles. — Bien tenu. Soigneux de sa personne. Brave. — Endimanché. Engoncé. — Court-vêtu. Etriqué. — Fagoté. Mal ficelé. — Débraillé. Dépenaillé. Loqueteux.

**Travail de l'habillement.** — Couture. Façon. Confection. Essayage. Réparations. Ravaudage.

Couturier. Tailleur. Coupeur. Pompier. — Costumier. Culottier. Chemisier. Giletier. Fripier. — Modiste. Lingère. Couturière. Corsetière. Jupière. — Confectionneur, confectionneuse. — Femme de chambre. Habilleuse. Camériste. Ravaudeuse.

Prendre mesure. Tailler. Couper. Monter. Doubler. — Coudre. Piquer. Rabattre. Ourler. Border. — Essayer. Passer. Ajuster. — Relever. Croiser. Retrousser. — Broder. Chamarrer. Galonner. — Plisser. Froncer. Baleiner. — Attacher. Boucler. Boutonner. Agrafer. — Entretenir. Réparer. Raccommoder. Stopper. Ravauder. Repriser. Retourner un habit.

**Pièces et accessoires.** — Corps. Dos. Ceinture. Manche. Poignet. Emmanchure. Fond de culotte. Jambe. Entrejambe. Fourchette. Entournure. Revers. Taille. Pont. Poches. Gousset. Braguette. — Corsage. Em-

HABITAT, m. V. *lieu, plante.*
HABITER. V. *logement.*
HABITS, m. p. V. *bagage.*
HABITUDE, f. V. *habituer, manière, pratique.*

HABITUDES, f. p. V. *conduite.*
HABITUÉ, m. V. *fréquenter.*
HABITUEL. V. *habitude, ordinaire, continuer, pratique.*

HABITUER. V. *habitude, familier, pratique.*
HABITUER (s'). V. *pratique.*
HÂBLERIE, f. Hâbleur, m. V. *fanfaron, mensonge.*

---

piècement. Décolletage. Epaulette. Parement. Col. Collet. Manchette. — Basque. Pan. Biais. Patte. Pince. Pli. — Jupe. Volant. Traîne. Queue — Paniers. Vertugadin. Crinoline. Bouffante. Tournure. — Capuchon. Capuce. Chaperon.

Bougran. Baleine. Busc. Rembourrage. Doublure. Ouate. — Coulisse. Ourlet. Nervure. Bordure. Liséré. — Garniture. Broderies. Dentelle. Bouillons. Falbalas. Fanfreluches. Ruban. Petite oie. Coque. Canons. Ruché. Passement. Frange. Effilé. Galon. Passepoil. Fronce. — Brandebourgs. Aiguillettes. — Bretelle. Ceinture. Sous-pied. — Fournitures. Agrafe. Porte. Boucle. Bouton. Bouton à pression. Œillet. Lacet.

**Vêtements d'homme.** — Paletot. Pardessus. Manteau. Pelisse. Douillette. Houppelande. Raglan. Ulster. Carrick. Macfarlane. — Pèlerine. Cape. Caban. Burnous. Djellaba. Limousine. — Blouse. Sarrau. Soutanelle. Cafetan. Simarre. Robe de chambre. Robe d'avocat. Lévite. Touloupe. Domino. Surtout. Souquenille. — Habit. Redingote. Jaquette. Veston. Veste. Pet-en-l'air. Justaucorps. Frac. Spencer. Casaque. Hoqueton. Pourpoint. Surcot. Vareuse. Sayon. Bourgeron. Carmagnole. — Pantalon. Culotte. Caleçon. Braies. Haut-de-chausses. Chausses. Trousses. Houseaux. Rhingrave. Grègues. — Gilet. Soubreveste. Maillot. Pull-over. — Tricot. — Chemise. Pyjama. Maillot. Gandourah. — Col. Faux col. Cravate. Foulard. Cache-nez. Plaid. — Pagne. Sampot.

Laticlave. Angusticlave. Prétexte. Toge. — Pénule. Paludamentum. Sagum. — Pallium. Chlamyde.

**Vêtements de femme.** — Robe, de ville, de bal, tailleur, etc. Amazone. Canezou. — Jupe. Jupon. Cotillon. Cotte. Basquine. — Manteau. Mante. Mantelet. Mantille. Palatine. Rotonde. — Corsage. Casaquin. Caraco. Camisole. Brassière. Jaquette. Boléro. Tunique. — Peignoir. Haïk. Waterproof. Matinée. Blouse. Fourreau. Cache-poussière. — Tablier. Devantière. — Corset. Ceinture. — Chemise. Chemisette. Combinaison. Culotte. Cache-corset. Soutien-gorge. Pointe. Echarpe. Collerette. Berthe. Bavette. — Coiffe. Béguin. Cornette. Voilette. Barbette.

Péplum. Stola. Palla. Indusium. — Chiton. Himation.

**Vêtements militaires.** — Capote. Manteau. Pèlerine. Cape. — Tunique. Dolman. Veste. Vareuse. Bourgeron. — Pantalon. Culotte. — Bottes. Brodequins. Guêtres. Jambières. — Casque. Képi. Shako. Calot, etc. V. COIFFURE.

Cuirasse. Buffle. Casque. Cotte d'armes. Harnois. V. ARMURE.

**Vêtements ecclésiastiques.** — Soutane. Soutanelle. Froc. — Surplis. Aube. Rochet. — Chasuble. Chape. Dalmatique. Petit collet. Camail. Mosette. Scapulaire. — Cagoule. Haire. Cilice. V. PRÊTRE.

## HABITER

**Habitants.** — PEUPLE. Population. Habitants. Nationaux. Ames. — Bourgeois. Citadin. Rural. — Citoyen. Concitoyen. Compatriote. — Autochtone. Aborigène. Natif. Indigène. Naturels. Insulaires. — Immigrant. Hivernant. Estivant. Hôte. — Occupant. Résidant. Colon. — Nomade. Cosmopolite. Métèque. — Réfugié.

**Conditions d'habitation.** — Lieux habitables, peuplés, populeux. — Pays. Colonie. Ville. Localité. Commune. — Demeure. Maison. LOGEMENT. Appartement. Gourbi. Tente. — Résidence. Séjour. Villégiature. — Propriété. Location. HOSPITALITÉ. — Etablissement. Colonie. Plantation. Ferme, etc.

Habiter. Cohabiter. — Elire domicile. Domicilier. — S'établir, établir. Se fixer. Planter sa tente. — Résider. Rester. Séjourner. Demeurer. Vivre dans. — Occuper. Peupler. — Passer. Hiverner. Estiver.

**Administration.** — Nationaliser, nationalité. — Naturaliser, naturalisation. — Indigénat. — Démographie. Statistique. — Recenser, recensement. Dénombrer, dénombrement. — Edilité. Services municipaux. Règlements.

## HABITUDE

**Habitudes.** — Habitude. Accoutumance. Entraînement. — Habitudes actives, passives. — Habitude enracinée, invétérée, ancienne, chronique, constante. — Habitude personnelle, familière, machinale, routinière. — Pratique. Routine. Trantran. — Manie. Marotte. Péché mignon. Dada. Tic.

**Habituer.** — Accoutumer. Habituer. Entraîner. — Dresser. Former. Façonner. Instruire. Exercer. Rompre à. Assouplir. — Familiariser. Apprivoiser. Acclimater. Déshabituer. Désaccoutumer. — Réhabituer. Raccoutumer.

**S'habituer.** — Contracter une habitude. — Se faire à. Se mettre au courant. Prendre le pli. — S'endurcir. S'acclimater. — Se familiariser. S'apprivoiser. — S'adonner à. Apprendre. S'initier à. — Faire profession de. Faire métier de. — Se plier aux circonstances.

Habitué. Accoutumé. Familiarisé. — Dressé. Stylé. Formé. — Aguerri. Endurci. — Routinier. Maniaque. Encroûté. — Blasé.

**Hache,** f. V. *hacher, bourreau, armer.*
HACHE-PAILLE, m. V. *fourrage.*
HACHER. V. *hache, couper.*
HACHETTE, f. V. *boucherie.*
HACHIS, m. V. *mets.*
HACHOIR, m. V. *cuisine.*
HACHURE, f. V. *gravure, raie.*
HACHURES, f. p. V. *dessin.*
HACIENDA, f. V. *Amérique.*
HAGARD. V. *horreur, trouble, faucon.*
HAGIOGRAPHIE, f. Hagiographe, m. V. *saint, Bible.*
HAIE, f. V. *fermer, arbre.*
**Haillon,** m. Haillonneux. V. *chiffon, déchirer, aumône.*
**Haine,** f. Haineux. V. *passion, venger.*

HAÏR. V. *haine, fâché.*
HAIRE, f. V. *poil, chemise.*
HAÏSSABLE. V. *haine.*
HALAGE, m. V. *canal, rivière.*
HALBRAN, m. V. *canard.*
HALBRENÉ. V. *plume.*
HÂLE, m. Hâlé. V. *sec, teint, soleil.*
HALEINE, f. V. *respiration, bouche, souffle.*
HALENÉE, f. V. *respiration.*
HALENER. V. *respiration.*
HALER. V. *bateau, corde, traîner.*
HÂLER. V. *peau, soleil.*
HALÈTEMENT, m. V. *respiration.*
HALETER. V. *respiration, fatigue.*
HALEUR, m. V. *bateau.*

HALL, m. V. *hôtel, maison.*
HALLALI, m. V. *chasse, cerf.*
HALLE, f. V. *marché, commerce.*
HALLEBARDE, f. V. *lance, armes.*
HALLIER, m. V. *arbre.*
HALLUCINATION, f. V. *folie.*
HALLUCINER. V. *éblouir.*
HALO, m. V. *lumière, cercle, soleil.*
HALOCHIMIE, f. V. *chimie.*
HALOÏDE. V. *chimie.*
HALOGRAPHIE, f. V. *sel.*
HALTE, f. V. *arrêt, immobile, chemin de fer.*
HALTÈRE, m. V. *gymnastique.*
HALURGIE, f. V. *sel.*
HAMAC, m. V. *balancer.*
HAMADRYADE, f. V. *arbre.*

---

**Usage.** — Coutume, coutumier. Tradition, traditionnel. Usage, usuel, usité. Habitude, habituel. Mœurs, moral. — Passé en usage, en habitude. Banal. Commun. Ordinaire. Reçu. Admis. Sanctionné. — Mode. Vogue. — Us et coutumes. Habitude régnante. Errements. Chemin battu. Ornière. — Règle générale. Lieu commun. Maxime. Proverbe. Formule. — Faire comme tout le monde. Suivre le cours des choses. Se conformer à l'usage. Se faire à.

### HACHE

**Haches diverses.** — Hache. Manche. Tête. Taillant. Marteau (dos).

Aissette. Cochoir. Doloire (hache de tonnelier). Besaiguë (de charpentier). Herminette (de menuisier). Cognée et Merlin (de bûcheron). — Hachette. Hachereau. Couperet. — Hache d'incendie. Hache de sapeur. Hache de maçon. — Hache d'armes. Hache d'abordage. Hallebarde. Bipenne. Francisque. — Hache du licteur. Hache du bourreau. — Hache de silex.

**Qui concerne la hache.** — Hacher. Trancher. Tailler. Fendre. Débillarder (le bois). — Hachoir. Hache-viande. Hache-paille. Hache-écorce. Hache-fromage. — Hachis. Hachure. — Billot. Coup de hache.

### HAILLON

**Etoffe déchirée.** — Haillon. CHIFFON. Guenille. Loque. Oripeau. Penaillon. — Pièces et morceaux. Lambeau. Pendeloque. — Accroc. DÉCHIRURE.

**En haillons.** — Haillonneux. Guenilleux. Loqueteux. Dépenaillé. Déguenillé. — Minable. Miteux. Miséreux. — Vêtement délabré, usé, déchiré, effiloché.

### HAINE
(latin, *odium ;* grec, *misos*)

**Sentiments de haine.** — Passion haineuse. Ferments, levain de haine. — Aversion. Révulsion. Antipathie. Horreur. Abomination. Exécration. — Animosité. Antagonisme. Inimitié. Hostilité. Rivalité. — Fiel. Bile. Aigreur. Acrimonie. Amertume. Ulcération. — Jalousie. Malveillance. — Misanthropie. Misogynie. Misogamie.

Haine farouche, déclarée, implacable, cordiale, invétérée, sourde, intestine, vive, acharnée, mortelle, jurée, irréconciliable, infernale, inexorable.

**Action de haïr.** — Haïr. Concevoir de la haine. Prendre en haine. — Haïr à outrance. Haïr comme la peste. Haïr à mort. S'entre-haïr. — Détester. Exécrer. Abhorrer. — Se buter contre. S'acharner contre. S'arracher les yeux. Etre à couteaux tirés. — S'aigrir. Jalouser. En vouloir à. Avoir une dent contre. Ne pouvoir sentir. — Prendre en grippe. Avoir à dos. Faire mauvais ménage. Etre mal avec. Etre comme chien et chat. — Etre haineux, rancunier, malveillant.

**Excitation à la haine.** — Aigrir les esprits. Aliéner les cœurs. Exciter les passions. Animer, soulever, prévenir contre. — Irriter. Exaspérer. Indisposer. — Rebuter. Ulcérer. DÉPLAIRE. Répugner. — Désunir. Diviser. Envenimer. — Détacher. Dépopulariser. Désaffectionner. Désenamourer.

Personne ou chose haïssable, odieuse, détestable, abominable, exécrable, antipathique, déplaisante, repoussante, désagréable, dégoûtante.

Adversaire. Ennemi. RIVAL. Antagoniste. Jaloux.

**Manifestations de la haine.** — Querelles. Disputes. Discorde. — Désaccord. Mésintelligence. Désunion. — Dissensions. Divisions. Troubles. — Exaspération. Indignation. Colère. Irritation. Ressentiment. VENGEANCE. — Imprécations. Virulence. Griefs. — Brouille. Fâcherie. Rupture. Scission. — Prévention. RÉPUGNANCE. Répulsion. Dégoût. Défaveur. Disgrâce. — Rancune. MÉPRIS. — Mauvais vouloir. — Actes nuisibles. Attentats. Violences. Mauvais procédés.

AMEAU, m. V. *village.*
**ameçon**, m. V. *pêche.*
AMMAM, m. V. *bain, Arabe.*
AMPE, f. V. *lance, tige, drapeau, fleur, cerf.*
**anche**, f. V. *corps, articulation.*
ANDICAP, m. V. *cheval.*
ANGAR, m. V. *voiture, aéronautique.*
ANNETON, m. V. *insecte, inattention.*
ANSE, f. Hanséatique. V.

Allemagne, association.
HANTER. V. *fréquenter, ami, compagnon.*
HAPPER. V. *prendre, chien.*
HAQUENÉE, f. V. *cheval.*
HAQUET, m. V. *tonneau.*
HARANGUE, f. Haranguer. Harangueur, m. V. *discours, éloquence, rhétorique.*
HARAS, m. V. *cheval.*
HARASSER. V. *fatigue.*
HARCELER. V. *demande, tourmenter, poursuivre.*

HARDE, f. V. *cerf, chasse.*
HARDES, f. p. V. *habillement.*
**Hardi.** Hardiesse, f. V. *brave.*
HAREM, m. V. *femme, Arabe.*
**Hareng**, m. Harengère, f. V. *poisson.*
HARGNE, f. V. *hargneux.*
**Hargneux.** V. *fâché, colère, chagrin.*
HARICOT, m. V. *pois, fève.*
HARICOTER. V. *minutie.*
HARIDELLE, f. V. *cheval.*

## HAMEÇON

**Instrument.** — Hameçon. Haim. — Hampe. Crochet. — Hameçon à palette, à nneau. — Hameçon droit. Hameçon reourbé, à avantage. — Bricole (à 2 crochets). Trappin (à 3 ou 4 crochets).

**Usage.** — Ligne. Bauffe (corde garnie ('hameçons). Empile (hameçon monté sur fil). – Amorcer. Escher. Embecquer. Hameçon-er. Pêcher. — Mordre à l'hameçon.

## HANCHE

**Hanche.** — Os iliaque. Tête, col du fémur. Articulation coxo-fémorale. Cavité cotyloïde. schion.

**Maladies.** — Déhanchement. Coxalgie. Arhrite. Fracture du col. Luxation congénitale.

## HARDI

**Audace.** — Audacieux. Hardi, hardiesse. ntrépide, intrépidité. Brave, bravoure. — 'éméraire, témérité. Casse-cou. — Aguerri.

S'aventurer, aventureux. Hasarder, hasar-eux. Risquer, risque, risque-tout. Tenter la ortune. — Affronter les périls. N'avoir pas roid aux yeux. Se lancer à corps perdu. S'exposer. Se jeter tête baissée. — Equipée. Echauffourée. Coup de tête. — Moyen héroï-ue, désespéré.

Défier, défi. Franchir le fossé, le Rubicon. Sauter le pas. Casser les vitres. Risquer le aquet. Jouer son va-tout. Brûler ses vais-eaux.

**Effronterie.** — Cynique, cynisme. Impu-lent, impudence, impudeur. Effronté. Indis-ret, indiscrétion. Toupet. — Insolent, inso-ence. Impertinent, impertinence. Ton tran-hant.

Se permettre. LICENCE, licencieux. Osé. Ef-'réné. Avoir le front de. Payer d'audace. S'ar-oger un droit. — Familiarité excessive. Sans êne. Pétulance, pétulant. Hardi comme un age. Libres propos. INCONVENANT, inconve-ance. — S'afficher. S'émanciper. Lever le nasque. S'enhardir.

Gaillard, gaillardise. Dégourdi. Dégagé. — nconsidéré. Irréfléchi. Etourdi.

**Assurance.** — Aplomb. Calme. Sang-froid. Hardiesse. Sûreté. — Faire bonne conte-nance. Assuré. Sûr de soi. Crâne, crânerie. Rassuré. Confiant, CONFIANCE. — Résolu, réso-lution. Déterminé, détermination. Ferme, FER-METÉ. Décidé, décision. — Assumer une res-ponsabilité. Parler carrément. Trancher le mot. — Compère. Commère. Maîtresse femme. Virago. Luron. — Outrecuidance, outrecui-dant. Présomption, présomptueux. Prétention, prétentieux.

Agir sans sourciller, sans hésiter, sans broncher, sans se cacher. — RÉSISTER de pied ferme.

## HARENG

**Pêche.** — Clupéide. Hareng. Graisson. — Banc de harengs. Bouillon. — Hareng laité, œuvé, gai. — Chalutier. Touque. Trinquart. — Harengade (filet). Haranguière. Flammè-gue. — Harengaison (saison). — Haque (ap-pât).

**Préparation.** — Caque. Encaquer, enca-queur. — Fouler (mettre en baril), foulage. Liter, litage. Rempaquement. — Hareng saur. Sauret. Saurin. Caquelot. Kipper. — Saurer, saurir, saurissage. Saurisserie. Saurisseur. — Saler, salage. Brailler, braillage. Varander (faire égoutter), varandeur.

## HARGNEUX

**D'humeur chagrine.** — Atrabilaire. Hy-pocondre, hypocondrie. Cacochyme. Bilieux. — Morose. Mélancolique, mélancolie. Maus-sade, maussaderie. Quinteux, quinte. Ren-frogné. — Misanthrope, misanthropie. Pes-simiste, pessimisme. — Aigreur, s'aigrir. Acrimonie, acrimonieux. Hargne, hargneux. Récrimination, récriminer.

Grincher, grincheux. — Bouder, boudeur, bouderie. — Bougonner, bougon. Gronder, grondeur. — Grogner, grognon. Grognonner. Grommeler. — Rechigner, rechigné.

**Peu sociable.** — Difficile à vivre. Incom-mode. Insupportable. Insociable. Intolérable. — Acariâtre. Revêche. Criard. Harpie. Pie-grièche. — Malotru. Déplaisant. Désagréable. — Ours mal léché. Bourru. Rêche. Inabor-dable. Inaccessible. — Taciturne. Rogue. Dur. Farouche. Loup. — Esprit de contradiction. Contradicteur. Contrariant. Frondeur. — Bé-gueule, bégueulerie. Prude, pruderie. Pecque. Pimbêche.

HARMONIE, f. Harmonieux. Harmonique. V. *accord, musique, style.*
HARMONISER. V. *arranger.*
HARMONIUM, m. V. *orgue.*
HARNACHEMENT, m. Harnacher. V. *harnais.*
**Harnais**, m. V. *cheval.*
HARNOIS, m. V. *armure.*
HARPAIL, m. V. *chasse.*
**Harpe**, f. Harpiste, m. V. *instruments.*
HARPIE, f. V. *monstre, hargneux.*

HARPON, m. V. *croc, pêche.*
HARPONNER. V. *cétacé.*
HART, f. V. *corde.*
**Hasard**, m. Hasarder. Hasardeux. V. *circonstance, danger, entreprendre.*
HASCHISH, m. V. *chanvre.*
HÂTE, f. V. *prompt.*
HÂTER. V. *prompt.*
HÂTIF. V. *prompt.*
HAUBANS, m. p. V. *corde, échelle.*
HAUBERGERIE, f. V. *armure.*
HAUBERT, m. V. *armure.*

HAUSSE, f. V. *augmenter prix, artillerie.*
HAUSSER. Haussement, m. V. *augmenter, grand, haut.*
HAUSSIER, m. V. *finance.*
**Haut.** V. *grand, aigu.*
HAUTAIN. V. *haut, orgueil.*
HAUTBOIS, m. V. *instruments*
HAUT-DE-CHAUSSE, m. V. *ha billement.*
HAUTE ÉCOLE, f. V. *cheval.*
HAUTEUR, f. V. *haut, mon tagne, mesure, noble.*
HAUT-FOND, m. V. *mer.*

---

**Irritable.** — Mauvais caractère. Mauvais coucheur. Bâton merdeux, f. Mégère. — Colère, coléreux. Humeur massacrante. Dépiteux. Ombrageux. Mal endurant. Susceptible. — BRUSQUE, brusquerie. Impatient, impatience. — Rabroueur, rabrouer. Rebuffer, rebuffade. Coup de boutoir.

Brailler, braillard. Criailler, criailleur. Etre après les gens. Chicaner, CHICANE, chicaneur. Disputer, DISPUTE, disputeur. Engueuler, engueulade.

## HARNAIS

**Mettre les harnais.** — Harnacher, harnachement, déharnacher. — Equiper, équipage. — Atteler, attelage, dételer. Accoupler. Atteler en flèche, en arbalète, à la Daumont. — Seller. Desseller. — Brider, débrider. — Sangler, dessangler. — Bâter, débâter. — Entraver, désentraver. — Enchevêtrer, désenchevêtrer.

Sellier, sellerie. Bourrelier, bourrellerie. Lormier, lormerie.

**Bât.** — Bât. Bardelle. Cacolet. — Courbet (du bât). Contrebât. Bateuil. Bourre. — Bridon. Licou. Chevêtre. — Garniture de tête. — Hottes. Paniers. Echelette. — Sangle. Sommière.

**Trait.** — Collier. Bricole. — Croupière. Reculement. Barres. Avaloire. Culeron. Bacul. Culière. — Guides. Grandes guides. Œillères. Anneau d'attelle. — Têtière. Frontal. Muserolle. Mors. Bossette. Gourmette. Sous-gorge. Sous-barbe. Chanfrein. — Dossière. Sellette. Coussinet. Surdos. Poitrail. Sous-ventrière. Porte-brancard. — Trait. Courroie. Portetrait. Boucles de haut. — Timon. Brancard. Palonnier. Joug.

**Selle.** — Bridon. Bride. Rênes. Branches. Montants. Courts-côtés. Filets. — Selle. Martingale. Sangle. Surfaix. — Tapis. Housse. Caparaçon. Chabraque. — Paquetage. Portemanteau. Fontes. Sacoches. Trousse. — Caveçon. Mors. Frein. Torche-nez.

## HARPE

**Qui concerne la harpe.** — Corps de harpe. Colonne. Console. Caisse sonore. Table d'harmonie. Ouïes. Cuvette. — Pédales. Mécanique. Cordes. — Crochet. Bouton. Cheville. Clef.

Harpe à pédales. Harpe chromatique. - Harpe éolienne. — Harpe égyptienne, ch noise, nègre. — Sambuque. Trigone.

Harpiste. Jouer de la harpe ou Harper.

## HASARD

**Imprévu.** — Coup de hasard. Cas fortuit Occurrence. Rencontre, se rencontrer. Occa sion, occasionnel. — CIRCONSTANCE. Contir gence. Vicissitude. — Eventualité, éventue Fatalité, fatal. DESTIN. — Adventice. Ina tendu. Fortuit. Casuel. Contingent. — Pa hasard. Fortuitement. D'aventure. A l'impro viste.

**Bonne ou mauvaise chance.** — Jeux e Caprices de la Fortune. Heur et malheur Chance et malchance. Bonne et mauvaise for tune. Bonne ou mauvaise étoile. Etre bien o mal loti. Avoir des hauts et des bas. Succè et Insuccès.

BONHEUR. Aubaine. Veine. Raccroc. — MAL HEUR. Accident. Déveine. Guignon. — Sort Lot. Aléa. Coup de dés. Tirer au sort. Joue à pile ou face. LOTERIE. — Chanceux. Aléa toire. Accidentel.

**Risque.** — Hasarder, hasardeux. Aventu rer, aventureux. Tenter, brusquer la fortune — Risquer. Risquer le paquet. Jouer son va tout. — Agir à l'aventure, à l'aveuglette, a petit bonheur, à la grâce de Dieu.

## HAUT
(latin, *altus*)

**Haut de terrain.** — Montagne. Mont Ballon. Promontoire. Colline. Coteau. Falaise — Mamelon. Butte. Monticule. Tertre. Dune Tumulus. — Point culminant. Eminence. Pic Piton. Pointe. Aiguille. — Sommet. Sommité Cime. Crête. Croupe. — Escarpement. Con trefort. — Côte. Montée. Amont. — Plateau TERRASSE.

**Haut de construction.** — Flèche. Clo cher. Minaret. TOUR. Tourelle. Campanile. — Citadelle. Donjon. Phare. — Obélisque. Pyra mide. — Colonne. Pilier. Pile. — Couronne ment. Faîte. Pinacle. — Enfaîtement. Che minée. Toit. Toiture. Grenier. — Fronton Chapiteau. — Belvédère. Terrasse. Plate forme. — Digue. Chaussée. Levée. Rembla — Estrade. Echafaud. Tribune. Trône. – GALERIE. Jubé. Balcon.

**ẠUT FOURNEAU**, m. V. *acier, fer.*

**ẠUT-PARLEUR**, m. V. *téléphone.*

**ẠUT-RELIEF**, m. V. *sculpture.*

**ẠVE**. V. *pâle, maigre.*

**ẠVENET**, m. V. *filet, pêche.*

**ẠVER**. Haveur, m. V. *houille.*

**ẠVIR**. V. *brûler.*

**ẠVRE**, m. V. *abri, port.*

**ẠVRESAC**, m. V. *bagage, sac.*

**ẹEAUME**, m. V. *casque.*

**ẹEBDOMADAIRE**. V. *sept, semaine.*

**ẹÉBERGER**. V. *auberge, hospitalité.*

**ẹÉBÉTÉ**. V. *sot, engourdi.*

**ẹÉBÉTEMENT**, m. V. *étonnement.*

**ẹÉBÉTER**. V. *émousser.*

**ẹÉBÉTUDE**, f. V. *folie.*

**ẹÉBRAÏQUE**. V. *juif.*

**ẹÉBREU**, m. V. *juif.*

**ẹÉCATOMBE**, f. V. *cent, bœuf.*

**ẹECTARE**, m. V. *cent, mesure.*

**ẹECTIQUE**. V. *fièvre.*

**ẹECTOGRAMME**, m. V. *cent, mesure.*

**ẹECTOLITRE**, m. V. *cent, mesure.*

**HECTOWATT**, m. V. *mesure.*

**HÉDÉRACÉ**. V. *lierre.*

**HÉGÉMONIE**, f. V. *pouvoir, chef.*

**HÉGIRE**, f. V. *chronologie.*

**HELCOSE**, f. V. *ulcère.*

**HÉLER**. V. *appel.*

**HÉLICE**, f. V. *spirale, bateau, aéronautique.*

**HÉLICOÏDAL**. V. *spirale.*

**HÉLICOPTÈRE**, m. V. *aéronautique.*

**HÉLICULTURE**, f. V. *coquillage, mollusque.*

**HÉLIOGRAVURE**, f. V. *gravure.*

**HÉLIOMÈTRE**, m. V. *astronomie, soleil.*

**HÉLIOTROPE**, m. V. *soleil.*

**HELLÈNE**, m. Hellénique. Hellénisme, m. Helléniste, m. V. *Grec.*

**HELMINTHE**, m. V. *ver.*

**HELVÉTIE**, f. Helvétique. V. *Suisse.*

**HÉMATÉMÈSE**, f. V. *sang.*

**HÉMATITE**, f. V. *fer, crayon.*

**HÉMATURIE**, f. V. *sang, urine.*

**HÉMI** (préf.). V. *moitié.*

**HÉMICYCLE**, m. V. *cercle.*

**HÉMIPLÉGIE**, f. V. *paralysie, engourdi.*

**HÉMISPHÈRE**, m. V. *sphère, géographie, cerveau.*

**HÉMISTICHE**, m. V. *poésie.*

**HÉMOGLOBINE**, f. V. *sang.*

**HÉMOPTYSIE**, f. V. *sang, poumon.*

**HÉMORRAGIE**, f. V. *sang, plaie, couler.*

**HÉMORROÏDES**, f. p. Hémorroïdal. V. *sang, anus.*

**HÉMOSTASE**, f. Hémostatique. V. *sang.*

**HENDÉCAGONE**, m. V. *onze.*

**HENDÉCASYLLABE**. V. *onze.*

**HENNÉ**, m. V. *cheveu, teindre, Arabe.*

**HENNIN**, m. V. *coiffure.*

**HENNIR**. Hennissement, m. V. *cheval.*

**HÉPATIQUE**. V. *foie, bile.*

**HÉPATITE**, f. V. *foie, pierre.*

**HEPTA** (préf.). Heptagone. Heptaméron, etc. V. *sept.*

**HÉRA**, f. V. *Jupiter.*

**HÉRACLÈS**, m. Héraclide, m. V. *Hercule.*

**HÉRALDIQUE**. V. *blason.*

**HÉRAUT**, m. V. *public.*

**HERBACÉ**. V. *herbe.*

**HERBAGE**, m. V. *herbe, prairie, paître.*

**HERBAGER**, m. Herbageux. V. *herbe, paître.*

**Herbe**, f. V. *plante.*

**HERBER**. V. *herbe, blanchir.*

---

**Haut de son.** — Hauteur de son. Notes ạautes. Son aigu. — Gamme ascendante. Note ịominante. Dièze. — Voix haute. Ténor. Sorano. Alto. — Cri. Hurlement. Sifflement. — Pousser les hauts cris. Parler à haute ṿoix.

**Haut de nature.** — Hauteur. Altitude. ̣lévation. — Surélévation. Superposition. Surlomb. — Etiage (hauteur des basses eaux). ṆIVEAU. — Etage. Comble. Dessus. — Tête. ̣ront. Paramont. — Ciel. Zénith. Verticale. — TAILLE. Stature. Altimétrie. Hypsométrie.

**Haut de situation.** — Titres. Altesse. ̣lautesse. Grandeur. Eminence. Excellence. — ̣laute situation. Hautes sphères. Pinacle. ̣lautes classes. — Supériorité. Transcendance. ̣xaltation. — Hauteur. Morgue. Orgueil. ̣ierté. Traiter de haut. — Altier. Hautain. ̣rgueilleux. Fier. — Avoir la haute main. ̣arler haut.

**Mettre en haut.** — Lever. Elever. Dresṣer. Eriger. Hausser. Hisser. Guinder. Arboẹer. — Monter. Soulever. Exhausser. Suréleṿer. Couronner. Superposer. Rehausser. — Ṣoulever. Enlever. Echafauder. Redresser. — ̣monceler. Amasser. Combler.

Ascension. Gravir. Grimper. Escalader. ̣aire la courte échelle. — Prendre de la ̣auteur. Prendre son essor.

**Moyens d'atteindre haut.** — Escalier. ̣CHELLE. Marchepied. — Ascenseur. Monteẹharge. Elévateur. — Appareils de levage.

Grue. Chèvre. Levier. — Echafaudage. Rampe. — Echasses. — Ballon. Aéroplane. Cerfvolant.

**Se tenir en haut.** — Dominer. Surplomber. Culminer. — Jaillir. Emerger. Flotter. — Jucher. Percher. — Voler. Planer.

Elevé. Surélevé. Exhaussé. — Elancé. Proéminent. Turgescent. Bombé. — Dominant. SUPÉRIEUR. — Supère. Exert. Fastigié (en botanique).

## HERBE

**Espèces d'herbes.** — Herbe. Herbette. Chiendent. Laîche. Ægilops. Amourette. Fétuque. Flouve. Gazon. Graminées. Fromental ou Ray-grass. Houque. Ivraie. Cuscute. Nard. Paturin. Spargoute. Vulpin, etc. — Foin. Regain.

Plantes herbacées. Mauvaises herbes. Fines herbes. Herbes potagères. Herbes médicinales. Herbes marines.

Herbe à la reine (tabac). — Herbe aux chantres (vélar). — Herbe aux chats (cataire). — Herbe aux cuillers (cochléaria). — Herbe aux écus (nummulaire). — Herbe aux gueux (clématite). — Herbe aux Patagons (hydrocotyle). — Herbe au pauvre homme (gratiole). — Herbe aux perles (grémil). — Herbe aux verrues (héliotrope). — Herbe du siège (scrofulaire). — Herbe aux ânes (onagraire). — Herbe d'amour (myosotis). — Herbe de la Saint-Jean (millepertuis). — Herbe à la magicienne (circée). — Herbe à éternuer (bouton d'argent), etc.

HERBETTE, f. V. *herbe.*

HERBIER, m. V. *botanique.*

HERBIVORE. V. *paître, ruminant.*

HERBORISER. V. *botanique.*

HERBORISTE, m. V. *pharmacie.*

HERCHAGE, m. Hercheur, m. V. *mine, houille.*

**Hercule,** m. Herculéen. V. *force, bateleur.*

HÈRE, m. V. *cerf.*

HÉRÉDITAIRE. Hérédité, f. V. *génération, parent, transmettre.*

HÉRÉSIE, f. Hérésiarque, m. V. *religion, secte, erreur.*

HÉRÉTIQUE, m. V. *secte, impie.*

HÉRISSER. V. *raide, poil.*

**Hérisson,** m. V. *clôture, hydraulique.*

**Héritage,** m. V. *propriété, famille.*

HÉRITER. V. *héritage, après.*

HÉRITIER, m. Héritière, f. V. *enfant, héritage.*

HERMANDAD, f. V. *inquisition.*

HERMAPHRODITE, m. V. *sexe.*

HERMÉNEUTIQUE, f. V. *Bible.*

HERMÈS, m. V. *Mercure*

HERMÉTIQUE. V. *alchimie, fermer.*

HERMINE, f. V. *fourrure.*

HERMINETTE, f. V. *menuisier.*

**Hernie,** f. Hernieux. Herniaire. V. *maladie.*

HÉROÏ-COMIQUE. V. *poésie.*

HÉROÏNE, f. V. *femme, brav*

HÉROÏQUE. V. *brave.*

HÉROÏSME, m. V. *héros, gloir*

HÉRON, m. V. *oiseau.*

HÉROS, m. V. *brave.*

HERPÉTIQUE. V. *peau.*

HERSE, f. V. *labour, clôtur*

HERSER. V. *blé.*

HÉSITANT. V. *embarras.*

HÉSITATION, f. Hésiter. V. *i* *décis.*

HESPÉRIDES, f. p. V. *nym* *phes.*

HÉTÉROCÈRES, m. p. V. *p* *pillon.*

HÉTÉROCLITE. V. *bizarre, v* *rié.*

HÉTÉRODOXE. V. *erreur.*

HÉTÉROGÈNE. V. *état.*

---

**Lieux garnis d'herbe.** — Boulingrin. Allée verte. Tapis vert. Vertugadin. — Gazon. Pelouse. Parterre. Banc de gazon. — Herbage. Pâturage. Prairie. Pré. Pâtis. — Touffes d'herbe.

Terrain herbé, enherbé, herbu, herbifère, gazonneux, verdoyant.

**Qui concerne l'herbe.** — Enherber. Gazonner. — Désherber. Ecobuer. Sarcler. — Herbivore. Paître. Pâturer. — Herbager. — Faucher. Faner. Fourrage. — Herboriser, herborisation, herborisateur. — Herboriste, herboristerie. Simples. Jus d'herbe. — Herber le linge (étendre). Herberie. — Marché aux herbes (aux légumes). Herbière.

### HERCULE

**Qui a trait à Hercule.** — Hercule. Héraclès. Alcide. — Massue. Peau du lion de Némée. — Alcmène (mère). Déjanire (femme). Omphale (maîtresse). — Tunique de Nessus. Le mont Octa. Philoctète. Apothéose. — Héraclées (fêtes). Jeux néméens. Peuplier (arbre consacré). — Héraclides (descendants). — Colonnes d'Hercule. — Un hercule. Force herculéenne.

**Les douze travaux.** — Lion de Némée. Hydre de Lerne. Biche aux pieds d'airain. Sanglier d'Erymanthe. Ecuries d'Augias. Oiseaux du lac Stymphale. Taureau de Crète. Chevaux de Diomède. Bœufs de Géryon. Amazones vaincues. Thésée délivré des enfers. Pommes d'or des Hespérides.

### HÉRISSON

**Genre hérisson.** — Hérisson. Echidnés. Porc-épic. — Echinoderme. Oursin.

Piquants. Epines. Pointes. Poils spinescents.

### HÉRITAGE et SUCCESSION

**Constitution d'un héritage.** — Patrimoine. Dot. Legs. Donation. — Biens. Biens propres. Biens adventices. Biens meubles et immeubles. — Masse. Acquêts. Accroissement. — Mainmorte. Dépouille. Défroque.

**Formes de succession.** — Successio légitime, *ab intestat,* testamentaire. TESTA MENT. Clauses. — Succession régulière, irre gulière, anomale. — Droit de retour. — Héritage. Hoirie. — Avancement d'hoiri Douaire. Avantages. Usufruit. Majorat. Per sion. — Part d'héritage. Portion civil Emolument. — Préciput. Prélegs. — Fidé commis. Tradition. Substitution.

**Réglementation.** — Ouverture de succes sion. — Habile à succéder. Héritier. Hoi Légataire. Donataire. — Saisine légale, jud ciaire. — *De cujus.*

Ordres successoraux. — Souche. Têt Fente. — Degré. Parenté. Ligne directe, col latérale. — Auteur commun. Présomption d survie. — Ascendants. Descendants. Collaté raux. Frères consanguins, utérins. — Repré sentation. — Concours. Conjoint survivant — Part d'enfant légitime le moins prenant — Emploi. Remploi. — Héritier présompti Héritier naturel. Héritier indigne.

Adition d'hérédité. Acceptation. Répudia tion. Acceptation sous bénéfice d'inventaire — Envoi en possession. — Renonciation. – Paiement des dettes. Contribution aux dettes — Partage. Indivision. — Rapport. Reprise

Déclaration de succession. — Enregistre ment. — NOTAIRE. — Droits. — Taxe succes sorale. — Droit de mutation. — Inventaire — Actif. Passif. — Liquidation.

Héritier apparent. Succession jacente. Suc cession vacante. Curateur. — Tomber e déshérence.

Exécuteur testamentaire. — Biens de mi neurs. Tuteur.

### HERNIE

**Maladie.** — Hernie, hernieux. Hernie d force. Hernie de faiblesse. Hernie étranglée — Hernie intestinale, ombilicale, inguinale crurale, etc. — Effort. Descente. Eventration Etranglement aigu ou chronique. — Entéro cèle. Epiplocèle. Gastrocèle, etc.

**Soins.** — Bandage, bander. Réduction, ré duire, réductibilité. Coaptation. Chirurgi herniaire. Débrider une hernie.

HÊTRAIE, f. V. *hêtre*.
**Hêtre**, m. V. *arbre*.
HEUR, m. V. *bonheur*.
**Heure**, f. V. *temps*.
HEURES, f. p. V. *prier*.
HEUREUX. V. *plaisir, bonheur*.
HEURT, m. V. *choc*.
HEURTER. V. *battre, porte, opposé*.
HEURTOIR, m. V. *marteau*.
HÉVÉA, m. V. *caoutchouc*.
HEXA (préf.). Hexagone.
Hexaptère, etc. V. *six*.
HEXAMÈTRE, m. V. *poésie*.
HIATUS, m. V. *rencontre, prononcer*.
HIBERNATION, f. V. *sommeil*.
**Hibou**, m. V. *oiseau*.
HIDALGO, m. V. *Espagnol*.
HIDEUX. V. *laid*.
HIE, f. V. *pavé*.
HIER. V. *jour*.
HIÉRARCHIE, f. Hiérarchique.

V. *fonction, degré, chef*.
HIÉRATIQUE. V. *saint*.
HIÉROGLYPHE, m. V. *écrire, Egypte*.
HIÉROPHANTE, m. V. *prêtre, Cérès*.
HIGHLANDER, m. V. *Ecosse*.
HILARITÉ, f. V. *rire*.
HILE, m. V. *fève*.
HIMALAYA, m. V. *Inde*.
HINDOU, m. Hindoustan, m. V. *Inde*.
HIPPIATRE, m. Hippiatrie, f. V. *vétérinaire*.
HIPPIQUE. V. *cheval*.
HIPPODROME, m. V. *cheval, cirque, courir*.
HIPPOPHAGIE, f. Hippophagique. V. *cheval, viande*.
HIPPOPOTAME, m. V. *mammifère*.
HIRCOSITÉ, f. V. *chèvre*.
**Hirondelle**, f. V. *oiseau*.

HIRSUTE. V. *poil, cheveu*.
HIRUDINATION, f. V. *sangsue*.
HISPANIQUE. V. *Espagne*.
HISSER. V. *haut, voile*.
**Histoire**, f. V. *littérature, conte*.
HISTOLOGIE, f. V. *peau, chair*.
HISTORIEN, m. V. *histoire*.
HISTORIETTE, f. V. *histoire*.
HISTORIQUE. V. *histoire*.
HISTRION, m. V. *bouffon*.
HIVER, m. V. *saison*.
HIVERNAGE, m. V. *saison, fourrage*.
HIVERNAL. V. *saison*.
HIVERNANT. V. *habiter*.
HIVERNER. V. *labour*.
HOBEREAU, m. V. *noble*.
HOCHER. V. *secouer, tête*.
HOCHET, m. V. *enfant*.
HOIR, m. V. *hériter*.
HOIRIE, f. V. *hériter*.
**Hollande**, f. V. *Hollandais*.

---

## HÊTRE

**Qui a trait au hêtre.** — Hêtre. Fau. Fayard. Fouteau. — Hêtre rouge, noir, pleureur, à feuilles pourpres, etc. — Hêtraie. — Faîne (fruit).

## HEURE

**Sortes d'heures.** — Heure solaire vraie. Heure solaire moyenne. Equation du temps. — Heure légale. Heure d'été. — Heure sidérale. — Fuseaux horaires. — Les Heures (déesses).

**Divisions.** — Heure. Minute. Seconde. Tierce. Quarte. Quinte. Scrupule. — Demie. Quart. Trois quarts. — Les 24 heures. Midi. Minuit. — Heures antiques ou planétaires (12 de jour, 12 de nuit). — Heures liturgiques. Matines. Laudes. Vêpres. Complies.

**Indications.** — Cadran solaire. Cadran d'horlogerie. Aiguilles. Marquer. — Sonnerie. Timbre. Sonner. — Heure sonnante. Heure militaire. Couvre-feu. — Signaux horaires. — Heure avancée. Heure indue. De bonne heure. Horographie. Horométrie.

## HIBOU

**Oiseaux et cris.** — Hibou. Chat-huant. Chouette. Chevêche. Duc. Grand duc. Effraie. Hulotte. Huette. — Strix. Strigidés.
Bubuler. Huer. Tutuber. Holer.

## HIRONDELLE

**Les hirondelles.** — Hirondelle. Aronde. Hirondelle de cheminée ou Martinet. Hirondelle de fenêtre. Hirondelle de rivage. Hirondelle de mer. Salangane.
Trisser. Gazouiller. — Nid d'hirondelle. — Procné (changée en hirondelle).

## HISTOIRE

**Sciences historiques.** — Histoire. Philosophie de l'histoire. Critique historique. —

Bibliographie. Paléographie. Epigraphie. Diplomatique. Archives. — Archéologie. Philologie. — CHRONOLOGIE. — Ethnographie. Ethnologie. — Numismatique. Sigillographie. — Politique. Economie politique.

Monuments écrits. Monuments figurés. — Faits. EVÉNEMENTS. — Vies des hommes illustres. — Civilisations. Mœurs. Coutumes. Sciences et arts.

**Formes de l'histoire.** — Histoires. Ouvrages historiques. Manuels. — Annales. Fastes. Ephémérides. — Chroniques. Relations. Mémoires. Commentaires. — Biographies. Monographies. Notices. — Récits. Anecdotes. Episodes. Exposés. — Epopées. Légendes. Traditions. Mythes. — Journaux. Revues. Pamphlets. — Chronologies. Tableaux synchroniques.

**Historiens.** — Historien. Historiographe. Annaliste. Chroniqueur. — Biographe. Mémorialiste. — Anecdotier. Narrateur. Nouvelliste. — Archiviste paléographe. Archéologue. Erudit. — Bénédictin. Bollandiste.

Dépouiller les documents. Classer. Composer. Raconter. Exposer. Ressusciter le passé. — Souci de la vérité, de l'authenticité. Impartialité, impartial.

**Les histoires.** — Préhistoire. Histoire ancienne. Histoire du moyen âge. Histoire des temps modernes. Histoire contemporaine. — Histoire universelle. Histoire nationale. — Histoire ecclésiastique. Histoire sainte. Vie des saints. Martyrologe.

## HOLLANDE

**Qui concerne la Hollande.** — Hollande. Pays-Bas. Néerlande. — Hollandais. Néerlandais. Bataves. Frisons. Flamands. — Indes néerlandaises.

Digues. Polders. Canaux. Moulins à vent. Tulipes. — Art hollandais. Style hollandais. Ecole hollandaise. Faïences de Delft. Marqueterie. — Fromages de Hollande.

HOLOCAUSTE, m. V. *sacrifice.*
HOMARD, m. Homardier. V. *crustacé.*
HOMÉLIE, f. V. *prêcher, discours.*
HOMILIAIRE. V. *prêcher.*
HOMÉOPATHIE, f. V. *semblable, médecine.*
**Homère,** m. V. *poésie.*
HOMÉRIQUE. V. *Homère, rire.*
HOMICIDE. V. *tuer, homme.*
HOMMAGE, m. V. *honneur, politesse, féodal.*
HOMMASSE. V. *grossier.*
**Homme,** m. V. *soldat, mariage.*

HOMOGÈNE. Homogénéité, f. V. *même, régulier.*
HOMOLOGATION, f. V. *confirmer.*
HOMOLOGUE. V. *géométrie.*
HOMOLOGUER. V. *juger.*
HOMONYME. Homonymie, f. V. *semblable, grammaire.*
HOMOPHONE. Homophonie, f. V. *son, accord.*
HONGRE, m. V. *cheval, sexe.*
HONGRER. V. *animal.*
**Hongrie,** f.
HONGROIS. V. *Hongrie.*
HONNÊTE. V. *bien, chaste, politesse.*
HONNÊTETÉ, f. V. *bien.*

**Honneur,** m. V. *conscience, noble, titre, mœurs.*
HONNEURS, m. p. V. *cérémonie, gloire, chef.*
HONNIR. V. *maudire, blâme, honte.*
HONORABILITÉ, f. V. *honneur.*
HONORABLE. V. *bien, blason.*
HONORAIRE. V. *fonction.*
HONORAIRES, m. p. V. *salaire, gain.*
HONORARIAT, m. V. *honneur.*
HONORER. V. *honneur, estime.*
HONORIFIQUE. V. *honneur.*
**Honte,** f. V. *bas, pauvre.*
HONTEUX. V. *honte.*

---

## HOMÈRE

**Œuvres d'Homère.** — Epopées homériques. Iliade. Odyssée. Hymnes homériques. — Batrachomyomachie.

Recension de Pisistrate. Chorizontes. Diascévastes. Aristarque. Zoïle.

Rapsodes. Rapsodies. Aèdes. Homérides. Style homérique.

## HOMME
(latin, *homo;* grec, *anthropos*)

**Type humain.** — Espèce humaine. Races. Familles. — Race blanche ou indo-européenne. Race jaune ou mongole. Race noire ou éthiopienne. Sémites. Malais. Peaux-Rouges. — Angle facial. Type orthognathe. Type prognathe. — Taille. Géant. Nain.

Mammifère supérieur. Station droite. Bimane. Bipède. — Fonctions de nutrition, relation, reproduction.

**Sexe.** — Sexe masculin. Sexe fort. — Sexe féminin. Sexe faible. — Homme. Homme fait. Femme. Femme mûre. Monsieur. Dame. — Jeune homme. Jeune fille. Garçon. Fille. Garçonnet. Fillette. Demoiselle. — Vieillard. Vieux. Vieille. — Monogamie, monogame. Polygamie, polygame. Polyandrie.

**Caractère humain.** — Genre humain. INDIVIDU. Personne. — Le prochain. Nos semblables. Nos frères. Autrui.

Intelligence, intelligent. Raison, raisonnable. Pensée. Idées. Passions. Instincts.

Humain, humanité. Inhumain, inhumanité. — Philanthrope, philanthropie. Misanthrope, misanthropie. — Viril, virilité. — Mortel, mortalité.

**Relatif à l'homme.** — Humaniser. Humanitaire, humanitarisme. — Anthropomorphisme, anthropomorphique. Anthropomorphe. — Anthropophagie, anthropophage. Cannibalisme, cannibale. — Homicide.

## HONGRIE

**Relatif à la Hongrie.** — Hongrois. Magyar. Heiduque. Pandour. Honved. — Vin de Tokay. — Polka. Redowa. Mazurka. Czardas.

## HONNEUR

**Dignité personnelle.** — Honneur. Homme d'honneur. Point d'honneur. Parole d'honneur. — Se piquer d'honneur. Forfaire à l'honneur. — Honorabilité, honorable. Honneur d'une femme. — Noblesse. Délicatesse. Scrupules. — Réputation. Considération. Estime. Nom. Renommée. — Déshonneur, déshonorer.

**Situation en vue.** — Dignités. Grandeurs. Honneurs. Titres honorifiques. — Parvenir aux honneurs. Etre au faîte des honneurs. — Haute fonction. Hiérarchie. Autorité. Prérogative. Préséance. — Illustration. Gloire. Mérite. — Elévation. Promotion. Rang. Grade. — Aristocratie. Elite. Les honorables. Tenir le haut du pavé.

**Honneurs rendus.** — Honorer. Conférer, décerner des honneurs. Collation d'honneurs. Combler d'honneurs. — Rendre un culte. Honneurs divins. Adorer, adoration. Apothéose.

Rendre hommage. Témoignage d'honneur. Garde d'honneur. Dame d'honneur. Révérer. Respecter. — Distinction honorifique. Rehausser le mérite. Décorer, décoration. Couronner, couronne. Insignes. Lauriers. Livre d'or, etc. — Acclamer, acclamations. Porter en triomphe. Ovation. — FONCTION honoraire. Honorariat. Professeur émérite. — Réhabiliter, réhabilitation.

## HONTE

**Honte qu'on éprouve.** — Honte. Courte honte. Fausse honte. — Confusion. Repentir. Déconvenue. Componction. — EMBARRAS. Timidité. Humilité. — Pudeur. Respect humain. Pudibonderie. Vergogne.

Honteux. Confus. — Embarrassé. Timide. Humble. — Pudique. Pudibond. — Furtif. Piteux. Penaud. Quinaud.

Avoir honte. Mourir de honte. Rougir. Devenir cramoisi. — Baisser la tête. Avoir l'oreille basse. — Se CACHER. N'oser se montrer.

**Honte qu'on inflige.** — Faire honte. Couvrir de honte. Abreuver de honte. — Affront, faire affront. Avanie. Camouflet. Soufflet, souf-

**Hôpital,** m. V. *aumône, blessure.*
**HOQUET,** m. V. *digestion, convulsion.*
**HORAIRE.** V. *heure.*
**HORAIRE,** m. V. *heure, chemin de fer.*
**HORDE,** f. V. *sauvage, errant.*
**HORDÉACÉ.** V. *orge.*

**HORION,** m. V. *battre.*
**HORIZON,** m. V. *astronomie, voir.*
**HORIZONTAL.** V. *ligne.*
**HORLOGE,** f. V. *horloger.*
**Horloger,** m. Horlogerie, f. V. *temps, machine.*
**HORODICTIQUE.** V. *cadran.*
**HOROGRAPHIE,** f. V. *cadran.*

**HOROMÉTRIE,** f. V. *heure, cadran.*
**HOROSCOPE,** m. V. *astrologie, destin.*
**Horreur,** f. V. *peur, répugnance.*
**HORRIBLE.** V. *horreur.*
**HORRIFIER.** V. *horreur.*
**HORRIPILATION,** f. V. *poil.*

---

fleter. — Stigmatiser. Noter d'infamie. Mettre au pilori. Marquer un criminel. — Dégrader, dégradation. Flétrir, flétrissure. Honnir, honnissement. — Humilier, humiliation. Mépriser, MÉPRIS. Mortifier, mortification. Confondre. — Déshonorer, déshonneur.

Discréditer, discrédit. Décrier, décri. — Avilir. Vilipender. Traîner dans la boue. Ternir la réputation. — Diffamer, diffamation, diffamatoire. Chantage. — Montrer au doigt. Conspuer. HUER, huées.

Etre décrié, avili, flétri, perdu de réputation, méprisable. — Déchoir, déchu, déchéance. Démériter, démérite. Déroger, dérogation. Dégénérer. Forligner, forlignement. Se mésallier, mésalliance. — Déshonneur, déshonorant, déshonnête. — Ignominie, ignominieux. Indignité, indigne. — Infamie, infâme, infamant. Opprobre. — Turpitude. Souillure.

Effronterie, effronté. Cynisme, cynique. Impudence, impudent. Ehonté. — Impudicité, impudique. Indécence, indécent. Dévergondage, dévergondé. SCANDALE, scandaleux, scandaliser.

Forfaire à l'honneur. Tomber bien bas.

## HÔPITAL et HOSPICE

**Etablissements.** — Hôpital. Hôtel-Dieu. Hôpital civil. Hôpital militaire. — Hospice. Asile. Maison de retraite. Maison de vieillards. Orphelinat. — Infirmerie. Ambulance. Dispensaire. Clinique. — Maternité. — Sanatorium. — Léproserie. Maladrerie. — Couvents hospitaliers. Domerie. — Fondations charitables.

**Organisation.** — Médecin. Chirurgien. Radiologue. Assistant. Aide. Interne. Externe. — Econome. Aumônier. — Infirmier. Infirmière. Garde-malade. Sœur hospitalière. Nurse. Bénévole.

Pavillons. Salles. Lits. Appareils sanitaires. — Hospitaliser. Consultations. Visites. Soins. Opérations

**Administration.** — Ministère de la santé publique. Services d'hygiène. — Assistance publique. Bureau de bienfaisance. Commissions administratives. — Service de santé. — Sociétés de secours aux blessés. Croix-Rouge. Dames de France, etc.

## HORLOGER

**Horloges.** — Horloge à poids. Horloge à plusieurs cadrans. Horloge pneumatique. Horloge électrique. — Pendule. Œil-de-bœuf. Cartel. Compensateur. Coucou. Semaine. — Ré-

veil. Tournebroche. — Clepsydre. Sablier. — Cadran solaire. Gnomon.

Cage. Boîte. Caisse. Cadran. Aiguilles. — Avancer. Retarder. Donner l'heure. Marquer. Sonner. S'arrêter. Se déranger. Aller bien ou mal.

**Montres.** — Montre, ronde, plate, à double boîte, à sonnerie, à réveil, à répétition, à secondes. — Chronomètre. Montre marine. Savonnette. Oignon. — Montre à remontoir, à clef, à cylindres.

Cadran. Cuvette. Boîtier. Bélière. Mousqueton. Remontoir. Clef. Verre. Lunette.

**Mécanisme.** — Mouvement. Moteur. Régulateur. Poids. Contrepoids. Minuterie. Cylindres. Retard. Rosette. Piliers. Platines. Plaque. Cadrature. Tambour. Tic tac. Arrêt.

Balancier. Coq. Potence. Couteau. Fourchette. Dodiner. — Pendule. Battement. Compensateur à grille. Lentille. Oscillations. Verge.

Pendule simple, composé, d'équation, à compensation, à grille, à mercure. Compensateur de Bréguet.

Roues. Arbre. Axe. Canon. Chaussée. Coussinets. Croisée. Dents. Engrenage. Menée. Pignon. Pivot. Rochet. Rouage. — Roue de champ, de compte, d'échappement, de renvoi, de rencontre, de chaussée, de canon, etc.

Ressort. Barillet. Fusée. Cliquet. Fouillot. Lame. Grand ressort. Ressort spiral, plat, cylindrique, etc.

Echappement. Ancre. Tige. Palette. — Echappement à recul, à repos, à ancre, à réveil, à roue de rencontre, à cylindre, libre, dépendant, de Dupleix, de Graham.

Sonnerie. Timbre. Carillon. Détente. Marteau. Jaquemart. Bascule. Chevilles. Compteur. Répétition. Crémaillère. Volant. Surprise.

**Horlogerie.** — Horométrie. Horlogerie, horloger. — Monter, montage. Remonter, remontage. — Régler, réglage. Mettre à l'heure. Rhabiller, rhabillage. Réparer, réparation. Nettoyer, nettoyage. Repasser, repassage.

## HORREUR
(latin, *horror ;* grec, *phobos*)

**Ressentir de l'horreur.** — Abhorrer. Abominer. Détester. Exécrer, exécration. — HAINE. Aversion. Antipathie. Répulsion. DÉGOÛT. — Effroi. Terreur. Epouvante. Cauchemar. Affres. Peur — Emotion. Saisissement. Stupeur. Stupéfaction, stupéfait. — Egarement. TROUBLE. Effarement. Yeux hagards. Horripilation. — Tremblement, TREMBLER.

**Hors.** V. *exception, fureur.*
HORS D'ÂGE. V. *âge.*
HORS-D'ŒUVRE, m. V. *hors.*
HORTENSIA, m. V. *fleur.*
HORTICULTURE, f. V. *jardin.*
HOSANNA, m. V. *applaudir.*
HOSPICE, m. V. *hôpital, logement, aumône.*
HOSPITALIERS, m. p. V. *Malte.*
HOSPITALISER. V. *hospitalité.*
**Hospitalité,** f. V. *logement, traiter, recevoir.*

HOSTIE, f. V. *victime, eucharistie.*
HOSTILITÉ, f. V. *nuire, sentiment.*
HOSTILITÉS, f. p. V. *guerre.*
HÔTE, m. Hôtesse, f. V. *auberge, logement, habiter.*
HÔTEL, m. V. *maison, auberge, hospitalité.*
HÔTEL DE VILLE, m. V. *palais.*
HÔTEL-DIEU, m. V. *hôpital.*

HÔTELIER, m. V. *auberge, manger.*
HÔTELLERIE, f. V. *auberge.*
**Hotte,** f. V. *cheminée, panier, porter.*
HOTTÉE, f. V. *hotte, vendange.*
HOUBLON, m. V. *bière.*
HOUE, f. V. *jardin.*
**Houille,** f. Houiller. V. *charbon.*
HOUILLÈRE, f. V. *mine.*

---

Frémissement, frémir. Frisson, frissonner. Chair de poule. Grincer des dents. — Indignation, s'indigner. Malédiction, maudire. Imprécations. Déprécation.

Suffixes *phobe* et *phobie.* Ex. Hydrophobe. Hydrophobie, etc.

**Inspirer de l'horreur.** — Effrayer, effroyable. Epouvanter, épouvantable. Terrifier, terrible. Tragique. — Figer, glacer le sang. Stupéfier. Pétrifier. Méduser. — Saisir d'horreur. Soulever le cœur. Dégoûter, dégoûtant. — Emouvoir. Indigner, indignité. Révolter, révoltant.

FANTÔME. Spectre. Bête noire. MONSTRE. — Hideur. Laideur. Difformité. — Noirceur. Infamie. Atrocité. Monstruosité. — Horrible. Odieux. Abominable. Exécrable. Détestable. Monstrueux. Hideux.

### HORS

**Situation en dehors.** —SAILLIE. Saillant. Extrados. Corps avancé. — Extérieur. Surface. Couverture. — Circonférence. Contour. Bord. Bout. Extrémité. — Périphérie. Faubourg. Extra-muros. — Extériorité. ETRANGER. Exotique. Lointain. Outremer. — Externe. Extrinsèque. Ultérieur.

Hors. Dehors. Au-delà. Par-delà. A la porte. A l'air. En plein air.

Mots à préfixe *ultra.* Ex. Ultramontain, etc. — Mots à préfixe *trans.* Ex. Transalpin, etc.

**Mouvement vers le dehors.** —Chasser. Renvoyer, renvoi. Mettre à la porte. Expulser, expulsion. Exclure, exclusion. — Extirper, extirpation. Extraire, extraction. Extrader, extradition. — Extérioriser. Emettre émission. Exporter, exportation. — Excréter, excrétion, excrément. — Expression. Expansion. Extravasion. Emergence. Emersion. Extroversion. — Expirer. Exhaler. — Sortir. Jaillir, etc.

**Hors de question.** — Exception. Excepté. Sauf. Hormis. Hors. — Hors-d'œuvre. Hors rang. Hors ligne. Extraordinaire. — Excentrique. Explétif. — Digression. Divagation. divaguer. Extravagance, extravaguer. Etre à côté, hors de propos. — Extrajudiciaire. Extralégal. — Impertinent, impertinence. Outrepasser.

### HOSPITALITÉ

**Réception.** — Hôte. Hôtesse. Amphitryon. — Exercer l'hospitalité. Faire les honneurs.

Inviter. Recevoir. Accueillir. Bien traiter. Recevoir à sa table. Donner le vivre et le couvert. Héberger. — Invité. Hôte. Visiteur. Parasite.

Hôtel, hôtelier. Auberge, aubergiste. Logement, loger, logeur. Restaurant, restaurateur. Pension, pensionnaire.

**Charité.** — Hospitaliser, hospitalisation. Hôpital. Hospice. Asile. — Hospitaliser. Œuvres hospitalières. Institutions charitables. — Assistance publique.

### HOTTE

**Qui concerne la hotte.** — Hotte. Hottereau. Bachou. Banne. Planchette. Vendangeoir. Hotte poissée. Tandelin (de saunier). — Bretelles. Collet. Dossier. Maques. — Hottée. Charge. — Chargeoir. — Hotte de cheminée.

### HOUILLE

**La houille.** — Charbon de terre. — Houille maréchale. Houille grasse à longue flamme. Houille grasse à courte flamme. Houille sèche. Houille maigre. — Anthracite. Lignite. — Tout venant. Gailleterie. Gailletin. Tête de moineau. — Agglomérés. Briquettes. Boulets. — Coke. — Concassage. Triage. Criblage. Lavage.

**Houillère.** — Bassin, terrain houiller. Couches carbonifères. Charbonnage. Mine. — Gisement. Affleurement. Faille. Veine. Pendage (inclinaison). — Grisou. — Coron. Fosse. Puits. Puits de descente. Puits d'aération. — Galeries. Voies d'aérage. — Boisage. Poteaux de mine. — Assèchement. Roulage.

**Extraction.** — Extraire. Haver. Abattre. — Mineur. Haveur. Hercheur. Bouteur. Serveur. Remblayeur. Bosseyeur. — Abattage par gradins, par gradins renversés. Dépilage. Taille par gradins couchés. Grandes tailles. Petits massifs.

Lampe de mineur. Pic. Marteau-piqueur. Haveuse. Perforatrice. — Wagonnets.

**Traitement de la houille.** — Combustion. Distillation. Produits volatils. Charbon de cornue. Coke.

*Dérivés.* Gaz. Gaz épuré. Gaz débenzolé. — Ammoniaque. Hydrogène sulfuré. Composés cyanés. — Benzol. Xylènes. Toluène. Benzène. — Matières colorantes. Aniline. — Hydrazines. Antipyrine. Pyramidon, etc. — Goudron. Huiles légères. Huiles moyennes. Huiles lourdes. Brai. — Phénol. Mélinite. Acide salyci-

HOULE, f. V. *mer, tempête.*
HOULETTE, f. V. *bâton, berger.*
HOUPPE, f. V. *touffe, orner.*
HOURDIS, m. V. *maçon, plancher.*
HOURI, f. V. *femme.*
HOURRAH. V. *applaudir.*
HOURVARI, m. V. *chasse.*
HOUSEAUX, m. p. V. *chausses.*
HOUSPILLER. V. *battre, réprimande.*
HOUSSAIE, f. V. *houx.*
HOUSSE, f. V. *enveloppe.*
HOUSSER. V. *couverture.*
HOUSSINE, f. V. *bâton.*
HOUSSOIR, m. V. *balai.*
**Houx**, m. V. *arbre.*

HOYAU, m. V. *jardin, labour.*
HUBLOT, m. V. *navire, fenêtre.*
HUCHE, f. V. *boulanger.*
HUCHER. V. *appel, huer.*
HUE. V. *voiture.*
HUÉE, f. V. *huer.*
**Huer.** V. *cri, mépris.*
HUETTE, f. V. *hibou.*
HUGUENOT, m. V. *protestant.*
**Huile**, f. V. *graisse, oindre.*
HUILER. V. *graisse.*
HUILERIE, f. V. *huile.*
HUILEUX. V. *huile.*
HUILIER, m. V. *salade.*
HUIS, m. V. *porte.*
HUIS CLOS, m. V. *juges.*
HUISSERIE, f. V. *porte.*

**Huissier,** m. V. *bureau.*
**Huit.**
HUITAINE, f. Huitième. V. *huit.*
**Huître,** f. V. *mollusque.*
HUÎTRIER, m. V. *huître.*
HUMAIN. V. *homme, bon.*
HUMANISER. V. *homme, toucher.*
HUMANISTE, m. V. *littérature.*
HUMANITAIRE. V. *homme, bon.*
HUMANITÉ, f. V. *homme, charité.*
HUMBLE. V. *modeste, humilité, simple.*
HUMECTER. V. *humide, liquide.*

---

lique, Salol, Aspirine, etc. — Huiles à naphtaline. Naphtol. Naphtylamine. — Huiles à créosote. — Huiles anthracéniques. Anthracène. Alizarine.

## HOUX

**Plante.** — Houx. Houx panaché. Houx frelon. Housset. Aigrefeuille. — Houssaie. Houssière.

**Usage.** — Houssine, houssiner. Houssoir. Tête de houx ou de loup.

## HUER

**Cris de réprobation.** — Avanie. Imprécations. — Charivari. Clameurs. Vociférations. — Grognements. Murmures. Sifflets. — Mouvements divers. Tollé général.

Huer. Conspuer. Couvrir de huées. Crier haro. — Ameuter contre. Vociférer. — Honnir. Montrer au doigt. Bafouer. — Siffler, *f.* — Chahuter, *f.*

**Cris de chasse.** — Huer. Huée. Huage. Huerie. — Hucher. — Rabattre, rabattage. Appuyer les chiens. — Hallali. Tayaut, etc.

## HUILE
(latin, *oleum*)

**Sortes d'huiles.** — *Huiles végétales.* Huile d'olives. Huile d'amandes. Huile d'arachide. Huile de noix. Huile d'œillette. Huile d'aspic (de lavande). Huile de roses. Huile d'oranger ou Néroli. Huile de colza. Huile de croton. Huile de faînes. Huile de sésame. Huile de ricin. Huile de cade. Huile de navette. Huile de palme. Huile de camomille, etc.

*Huiles minérales.* Naphte. Pétrole. Mazout. Huiles de graissage. Huile de vaseline. Hydrocarbures liquides. Gazoline. Essence minérale. Gaz-oil.

*Huiles animales.* Huile de poisson. Huile de baleine. Huile de pied de bœuf. Huile de foie de morue. Castoréum.

**Nature des huiles.** — Aromatique. Volatile. Essentielle. Consistante. Visqueuse. Siccative. Grasse. Grenue. Gélidé. Epurée. Blanche. Rance. Empyreumatique. Lampante. Purgative. Médicinale. Comestible.

**Fabrication.** — Huilerie. — Broyeur. Moulin. Pressoir. Presse hydraulique. Pressurage. Décantation. Filtrage. — Réservoirs. Fûts. — Tourteaux. Résidus. Marcs. Trouille. — Oléomètre. — Huile vierge. Huile de froissage, de rebat.

**Relatif aux huiles.** — Huiler. Huileux. Oléagineux. — Huilier. Burette. Huilière (cruche). — Cuisine à l'huile. Friture. Rancir, rancidité. — Travail à l'huile. Dégras. Drousser, droussage. Ensimer, ensimage. — Saponifier, saponification. — Graisser, graissage. Lubrifier, lubrifiant. — Oindre, onction. Chrême. Saintes huiles. — Lampe à huile. Lampe à pétrole, à essence. — Moteur à essence, à huile lourde.

## HUISSIER

**Fonction Judiciaire.** — Officier ministériel. Huissier. Clerc d'huissier. Huissier commis. — Stage. Chambre de discipline. Bourse commune. — Huissier audiencier. Instrumentaire. — Sergent. Recors. — Porte-contrainte. — Etude d'huissier. Office. Charge. Serment. Matricule, immatriculé.

Ministère d'huissier. Instrumenter. Exploit. Commandement. Signification. Saisie. Procès-verbal. Constat. Copies. Original.

**Sortes d'huissiers.** — Huissier. Huissier à chaîne. Appariteur. Introducteur. — Héraut. Porte-masse. Porte-verge. — Licteur. Suisse. Bedeau. Chaouch.

## HUIT

**Dérivés de *huit*.** — Huitain. Huitaine. Huitième. — Huit jours. Huit-reflets. Huit-ressorts.

**Dérivés de *octo*.** — Octante. Octave. Octavo. Octavon. Octobre. Octidi. Octuple. Octogénaire. Octacorde. Octaèdre. Octogone, octogonal. Octogynie. Octopétale. Octopode. Octostyle, etc.

## HUÎTRE

**Espèces d'huîtres.** — Huître de Marennes, de Cancale, d'Arcachon, d'Ostende. — Huître portugaise. — Pied-de-cheval. Pintadine. — Huître perlière. Méléagrine. Huîtres blanches, vertes.

HUMER. V. *odeur, boire.*
HUMÉRAL. V. *bras.*
HUMÉRUS, m. V. *bras.*
**Humeur,** f. V. *suc, pus, chagrin.*
**Humide.** V. *eau.*
HUMIDIFIER. V. *humide.*
HUMIDITÉ, f. V. *humide.*
HUMILIATION, f. Humilier. V. *honte, bas, injure.*
HUMILIER (s'). V. *céder.*
**Humilité,** f. V. *honte.*

HUMORISME, m. V. *humeur.*
HUMORISTE, m. Humoristique. V. *spirituel.*
HUMOUR, m. V. *spirituel.*
HUMUS, m. V. *terre.*
HUNE, f. V. *mât.*
HUNIER, m. V. *voile.*
HUPPE, f. V. *plume.*
HURE, f. V. *tête, sanglier, charcuterie.*
HURLEMENT, m. V. *cri.*
HURLER. V. *cri, loup.*

HURLUBERLU, m. V. *irréflexion, brusque.*
HUSSARD, m. V. *cavalerie.*
HUTTE, f. V. *abri, sauvage.*
HYADES, f. p. V. *étoiles.*
HYALIN. V. *verre.*
HYBRIDE. V. *génération, métis, différent.*
HYDARTHROSE, f. V. *articulation, hydropisie.*
HYDRARGYRE, m. V. *argent, mercure.*

**Détail de l'huître.** — Charnière. Coquille. Valves. Manteau. Nacre. Peigne. — Naissain. — Verdir.

**Pêche et élevage.** — Huîtrier. — Banc d'huîtres. Drague, draguer, dragueur. Cloyère. — Ostréiculture. Ostréiculteur. Ostréicole. — Parc, parquer. Claires. Rucher collecteur. Toit collecteur. Plancher collecteur. — Cueillette. — Bourriche. Ecaillère, écailler. Fourchette à huîtres.

## HUMEUR

**Humeurs.** — Humeurs cardinales : Sang. Bile. Atrabile. Pituite. — Bave. — Blennorrhée. — Cérumen. — Chassie. — Chyle. — Cire. — Crachat. — Ecume. — Excrétions. — Flegme. — Glaire. — Gourme. — LAIT. — LARME. — Lymphe. — Morve. — Mucilage. — Mucosité. — Suc pancréatique. — Pepsine. — Pus. — Saburre. — SALIVE. — Sanie. — Sécrétions. — Sérosité. — Sérum. — Sève. — Sperme. — Suc. — SUEUR. — Suint. — Synovie. — URINE. — Venin. — Virus. — Humeur vitrée.

**Clinique.** — Humorisme (doctrine), humoriste. — Blennopyrie. Blennorragie. — Cachexie, cachexique. Cacochyme. — Catarrhe, catarrheux. Fluxion. — HYDROPISIE, hydropique. — Kyste, kysteux. — Leucocytose. Lymphatisme, lymphatique. — Pléthore, pléthorique. — SCROFULES, scrofuleux. — Orgasme. — Tumeur.

Remèdes antispastiques, épispastiques. Vésicatoire. Cautère. Révulsif. Dériver. Répercuter. Déflegmer. — Emonctoires. Sac. Abcès. Séton.

**Nature des humeurs.** — Humorale. — Acre, âcreté. Aqueuse. Baveuse. Catarrhale. Chassieuse. Chylaire. Crasse. Crue. Dépravée, dépravation. Excrémentielle. Glaireuse. HUMIDE. LIQUIDE. Lymphatique. Maligne. Mordicante. Morveuse. Muqueuse. Peccante. Putride. Sanieuse. Séreuse. Synoviale. Viciée. Virulente. Visqueuse.

**Modalité des humeurs.** — Afflux. — Anadrome. — Anastase. — Atténuation. — Coction. — Colliquation. — Congestion. — Débordement. — Dépravation. — Dépôt. — Ecoulement. — Elaboration. — Engorgement. — Epanchement. — Extravasation. — Filtration. — Fluctuation. — Flux. — Incrassation. — Intempérie. — Jetage. — Redondance. — Réplétion. — Rétention. — Révulsion. — Stagnation. — Stase. — Suffusion. — Suintement. — Suppuration.

**Humeur morale.** — Bonne humeur. Mauvaise humeur. — Humeur sombre, morose, chagrine, fantasque, querelleuse. — BILE, bilieux. Mélancolie, mélancolique. Flegme, flegmatique. — Humour, humoristique. Humoriste, humoriser.

## HUMIDE
(latin, *humidus ;* grec, *hygros*)

**Humidité.** — Eau. LIQUIDE. HUMEUR. SUEUR. Moiteur. Fraîcheur. — Pluie. Crachin. ROSÉE. Saison pluvieuse. — Brouillard. Brume. Temps brumeux. — MARAIS. Marécage. Grenouillère. Eau bourbeuse. — Terrain aqueux, éveux, marécageux.

Chose humide, fraîche. Mouillure. Peau moite. Pierre gélisse. Pavé gras. — Sujet à mouiller. Perméable. Déliquescent. Mouillette. Eponge.

Hygromètre, hygrométrie, hygrométrique. — Hydrofuge. — Assécher. Pomper. Drainer. Imperméabiliser.

**Etre mouillé.** — Etre abreuvé d'eau. Boire l'humidité. — Dégoutter. Ruisseler, ruissellement. Suer. Ressuer, ressuage. Suinter, suintement. — Mouillé, mouillé comme un canard. Percé, percé jusqu'aux os. Trempé, trempé comme une soupe. Traversé. — Patauger. Barboter.

**Humidifier.** — Mouiller, mouillage. Arroser, arrosage. — Inonder, INONDATION. Submerger, submersion. — Temper, trempage. Immerger, immersion. Plonger dans. Baigner, bain.

Imbiber, imbibition. Imprégner, imprégnation. Saturer, saturation. S'infiltrer, in filtration. Détremper, détrempe. Pénétrer. — Echauder. LAVER, lavage. — Humecter, humectation. Madéfier, madéfaction. — Eclabousser, éclaboussement. — OINDRE, onction. Ondoyer, ondoiement. — Infuser, infusion. Diluer, dilution. Macérer, macération.

VERSER. Répandre. Seringuer. Saucer. Rafraîchir. Ramollir. Délaver.

## HUMILITÉ

**Humilité.** — Humble. Timide, timidité. Réservé, réserve. — Doux, douceur. FAIBLE, faiblesse. — SIMPLE, simplicité. MODESTE, modestie. Médiocre, médiocrité. — Obscur, obscurité. Petites gens. — Effacé, effacement. Résigné, RÉSIGNATION. Abnégation. — Respectueux, RESPECT. Déférence.

HYDRATE, m. Hydraté. V. *eau.*

**Hydraulique,** f. V. *eau, mécanique.*

HYDRAVION, m. V. *aéronautique.*

HYDRE, f. V. *serpent.*

HYDROCÉPHALE. V. *tête.*

HYDRODYNAMIQUE. V. *hydraulique.*

HYDRO-ÉLECTRIQUE. V. *hydraulique.*

HYDROFUGE. V. *sec.*

HYDROGÈNE, m. V. *gaz.*

HYDROGLISSEUR, m. V. *hydraulique.*

HYDROGRAPHE, m. Hydrographie, f. V. *eau, mer, géographie.*

HYDROMEL, m. V. *miel, boisson.*

HYDROPHILE. V. *eau.*

HYDROPHOBE. V. *eau, rage.*

**Hydropisie,** f. Hydropique. V. *eau.*

HYDROSAURIEN, m. V. *crocodile, reptile.*

HYDROSTATIQUE, f. V. *eau.*

HYDROTHÉRAPIE, f. V. *bain, médecine.*

HYGIÈNE, f. Hygiénique. V. *santé, toilette.*

HYGROMÈTRE, m. Hygrométrie, f. V. *humide, pluie.*

HYMEN, m. Hyménée, m. V. *mariage.*

HYMÉNOPTÈRE, m. V. *insecte.*

HYMNAIRE, m. V. *hymne.*

**Hymne,** m. V. *chant, liturgie.*

HYMNIQUE. V. *hymne.*

HYPER (préf.). V. *excès.*

HYPERBOLE, f. Hyperbolique. V. *excès, emphase, courbe.*

HYPERESTHÉSIE, f. V. *sensation.*

HYPERTENSION, f. V. *tendre.*

HYPERTROPHIE, f. V. *enflé.*

HYPNOSE, f. V. *sommeil.*

HYPNOTIQUE. V. *insensible.*

HYPNOTISER. V. *magnétisme.*

HYPNOTISME, m. V. *magnétisme.*

HYPOCONDRE, m. Hypocondrie, f. V. *rate, chagrin.*

HYPOCRISIE, f. V. *hypocrite.*

**Hypocrite.** V. *faux, tromper, flatter, religion.*

---

Baisser les yeux. Courber le front. S'incliner. Se tenir à l'écart.

**Humiliation.** — Humilier. Abaisser. Abattre. Avilir. — Mater. Dompter. — Mortifier. Faire honte.

Humilié. Mortifié. Déconfit. Penaud. Piteux. — Honteux, HONTE. Blessé, blessure. Froissé, froissement. — Bas, bassesse. Vil, vilenie. Servile, servilité. — Rampant. Obséquieux, obséquiosité. Plat, platitude.

S'abaisser. S'humilier. — Fléchir les genoux. Se prosterner. Se courber. Ramper. — Se faire petit. S'aplatir. Se ravaler. — Baisser le ton. En rabattre. CÉDER.

### HYDRAULIQUE

**Science hydraulique.** — L'hydraulique. Hydrauliste. Ingénieur hydraulicien. Ecole des Ponts et Chaussées. — Hydrologie, hydrologique. Hydrographie, hydrographe. Hydrodynamique. Hydromécanique. Hydrostatique. Hydrométrie. — Hydrothérapie. Cure hydrothermale, hydrominérale.

**Constructions hydrauliques.** — Barrage, mobile, à claire-voie, etc. — Batardeau. Estacade. Ecluse. Déversoir. — Digue, endiguer, endiguement. Chaussée. Levée. Glacis. — Epi. Eperon. — Môle. Jetée. Quai. — PONT. Culée. Arche. — Fondations. Radier. Pilotis. Caisson. Encaissement. Enrochement. — Corroi (fond de glaise battue), corroyage. Cuvelage, cuveler. Daller, dallage. — Echelle à poisson.

**Machines hydrauliques.** — Machine élévatoire. Levier hydraulique. Bélier hydraulique. Ejecteur. Balancier hydraulique. — Chapelet hydraulique. Buse. Dégorgeoir. Hérisson. Godet. — Noria. Pompe. Pompe d'épuisement. — Hydromoteur. Roue. Tambour. Turbine. Vis d'Archimède. Vis hollandaise. — Presse hydraulique. Bascule hydraulique. Vérin hydraulique. Tourniquet hydraulique. — Hydroglisseur. — Usine hydro-électrique.

**Circulation de l'eau.** — Source. Courant. Veine fluide. — Chute. Cataracte. Cascade.

Cascatelle. — Nappe. Surface liquide. — Affouillement. Infiltration. Perte.

Aqueduc. Conduite. Canalisation. Siphon. TUYAU. Tube. — Réservoir. Château d'eau. Conserve. Citerne. Charge d'eau. — Chasse d'eau. Vanne. Décharge. Renard. — Prise d'eau. CANAL. Dérivation. Débit. — Colonne d'eau. Compteur à eau. ROBINET.

**Jets d'eau.** — Grandes eaux. Théâtre d'eau. Buffet d'eau. — Aigrette. Berceau. Bouillons d'eau. Champignon. Chandelier. Cierge. Cordon. Filet. Gerbe. Girandole. Obélisque. Perron. Pont d'eau. Pyramide. Rampe. Soleil.

Souche. Jet. Lance. Ajoutoir.

**Bassins.** — Bassin. Bassin de marée. Port fluvial. — Bassin d'épuration. Bassin de radoub. — Pièce d'eau. FONTAINE. Galerie d'eau. Parterre d'eau. Rond d'eau. Miroir d'eau. Demi-lune. — Sas d'écluse. Aquarium. Piscine. Cuvette. Goulette.

### HYDROPISIE

**Mal et soins.** — Hydropisie, hydropique. Enflure. Bourrelet. — Anasarque. Ascite. Hydarthrose. Hydrocéphalie. Hydropéricarde. Hydrothorax. Hydropneumothorax. Tympanite, etc.

Ponction. Paracentèse. Acuponcture. Cure antihydropique.

### HYMNE

**Religion.** — Hymne. Cantique. Psaume. Verset. Palinod (refrain d'hymne à la Vierge). — Liturgie. Rit romain. — Psalmodie. Plainchant. Entonner un hymne. — Prose. Séquence. Doxologie. — Hymnaire (recueil).

**Poésie.** — Ode. Stances. Strophes. — Chant. Hymne national. — Poèmes hymniques. Hymnes homériques. Hymnes orphiques. — Hymnologie. Hymnographe.

### HYPOCRITE

**Affectation de vertu.** — Momerie. Bigot, bigoterie. Cagot, cagoterie. Faux dévot, fausse dévotion. Tartufe, tartuferie, tartufier. Papelard, papelardise. Etre confit en dévotion.

HYPOGÉE, m. V. *souterrain, funérailles.*
HYPOSTYLE. V. *temple.*
HYPOSULFATE, m. Hyposulfite, m. V. *soufre.*
HYPOTÉNUSE, f. V. *triangle, ligne, géométrie.*

HYPOTHÉCAIRE. V. *hypothèque, dette.*
HYPOTHÉNAR. V. *pied, main.*
**Hypothèque,** f. V. *prêter, propriété.*
HYPOTHÉQUER. V. *hypothèque.*
HYPOTHÈSE, f. V. *argument,*

*supposer, science, faux, probable.*
HYPOTHÉTIQUE. V. *supposer.*
HYPOTYPOSE, f. V. *rhétorique.*
HYSTÉRIE, f. V. *confusion, folie.*
HYSTÉRIQUE. V. *nerf.*

---

Jouer à l'homme vertueux. — Pharisien, pharisaïsme. — Prude, pruderie. Bégueule, bégueulerie. Sainte-nitouche.

**Fausseté.** — Hypocrite, hypocrisie. Faux bonhomme. Patelin. Archipatelin. Chattemite. Patte-pelu. Cafard, cafardise. Cauteleux, cautèle. Fourbe, fourberie. — Faux, fausseté. Comédien, comédie.

Simagrées. Singeries. Grimacier, grimacer. — Doucereux. Mielleux. Tortueux. Cajoleur. Enjôleur. Trompeur, tromperie. Artificieux, artifice. Sournois, sournoiserie. Supercherie. Imposteur, imposture.

Double, duplicité. Machiavélisme, machiavélique. Jésuitisme, jésuitique. Escobarderie. — Félon, félonie. Déloyal, déloyauté. Simulation, simulacre.

**Hypocrite.** — Agir de biais, en dessous, sous le masque. — Faire semblant. Simuler. Jouer la comédie. — Faire le bon apôtre. Pateliner. Papelarder. Cafarder. — Cacher son jeu. Dissimuler. Feindre. Contrefaire. Grimacer. — Faire patte de velours. Cajoler. Enjôler. Entortiller. — En imposer. Tromper. Capter la confiance.

## HYPOTHÈQUE et PRIVILÈGE

**Hypothèques.** — Hypothèque. Privilège. Gage. Garantie. — Hypothèques légales, judiciaires, conventionnelles. Acte notarié. — Rang. Première, seconde hypothèque. Hypothèque subsidiaire. — Hypothéquer son bien. Dette hypothécaire. Bien grevé d'hypothèque. — Créancier privilégié. Recours.

Droit réel, accessoire. — Droit de rétention. — Ordre. — Indivisibilité. — Spécialité. — Tiers détenteur.

Privilège sur les meubles, du bailleur, du vendeur, du créancier gagiste, de l'aubergiste, du Trésor, etc — Séparation des patrimoines.

**Fonctionnement.** — Bureau de l'enregistrement. Conservation des hypothèques. Conservateur.

Inscription. Transcription. Affectation. Certificat. Bordereau. — Saisie immobilière. — Taxe hypothécaire.

Extinction. Renonciation. Prescription. Purge. Radiation. Renouvellement. Réduction.

Droit de préférence. Droit de rétention. Droit de suite.

# I

Iambe, m. Iambique. V. poésie.
Ibère, m. V. Espagne.
Ibis, m. V. oiseau.
Ible (suff.). V. pouvoir.
Iceberg, m. V. gelée.
Ichneumon, m. V. fouine, mouche.
Ichtyophage. V. manger, poisson.
Icone, f. V. image, Russie.
Iconoclaste, m. V. casser.
Iconographie, f. V. image.
Icosaèdre, m. Icosandrie, f. V. vingt.
Ictère, m. Ictérique. V. bile.
Idéal, m. V. art, théorie.
Idéal. V. beau, pur, parfait.
Idéalisme, m. V. imagination, esprit.
Idée, f. V. intelligence, représenter, projet, juger, littérature.
Idem. V. même.
Identifier. V. même.
Identique. V. même, semblable.
Identité, f. V. personne.

Idéologie, f. Idéologue, m. V. imagination.
Ides, f. p. V. jour, calendrier.
Idiome, m. V. langage.
Idiosyncrasie, f. V. tempérament, propre.
Idiot. V. sot.
Idiotisme, m. V. langage, propre.
Idoine. V. capable, disposition.
Idolâtre, m. V. religion.
Idolâtrer. V. amour, aimer.
Idole, f. V. dieu, aimer.
Idylle, f. V. berger, poésie.
If, m. V. illuminer.
Igname, f. V. plante.
Ignare. V. ignorance.
Igné. V. feu.
Ignifuge. V. feu.
Ignition, f. V. brûler.
Ignoble. V. laid, dégoût.
Ignominie, f. Ignominieux. V. honte.
**Ignorance**, f. V. incapable, barbare.
Ignorant. V. ignorance, profane.

Ignorantisme, m. V. ignorance.
Ignoré. V. inconnu.
Iguane, m. V. reptile.
**Ile**, f. V. géographie.
Iléon, m. V. intestin.
Iliade, f. V. Homère.
Iliaque. V. hanche.
Illation, f. V. reliques.
Illégal. Illégalité, f. V. injuste, prohiber.
Illégitime. V. injuste.
Illettré. V. lire, ignorance.
Illicite. V. injuste, prohiber.
Illico. V. prompt.
Illimité. V. grand.
Illisible. V. lire, difficile.
Illogique. Illogisme, m. V. raison, faux.
Illumination, f. V. illuminer.
**Illuminer**. V. lumière, briller, fête.
Illuminisme, m. V. lumière, superstition, devin.
Illusion, f. Illusionner. V. imagination, apparaître, erreur.

## IGNORANCE

**Défaut d'instruction.** — Ignorant. Ignare. Inculte. Ignorance crasse. — Mauvais écolier. Élève faible. Minus habens. Arriéré. Borné. Cancre. Crétin. Ane. — Illettré. Anonner. Ne savoir ni lire ni écrire. — Ne rien savoir. Nullité, nul. Etat de barbarie. Etat primitif. — Demi-savant. Demi-savoir. Faux savoir. Connaissances superficielles. — Radotage. Bavardage. — Empirisme, empirique. Routine, routinier.

Ignorer. Croupir dans l'ignorance. — Oublier. Désapprendre. Se rouiller. S'encrasser. — Méconnaître.

Ignorantisme, ignorantin. Obscurantisme. Inculture.

**Défaut de pratique.** — Impéritie. Incapacité. Insuffisance. Inexpérience. Incompétence. — Maladresse. Gaucherie. Tâtonnement. Anerie.

Profane. Etranger à. Incompétent. Béjaune. — Novice. Apprenti. Inexpérimenté. Neuf. — Incapable. Maladroit. Rouillé. — Travail grossier, primitif.

Ne pas s'y connaître. N'y rien connaître. N'être pas au courant. N'y rien entendre. — Tâtonner. Faire son apprentissage. Apprendre à travailler.

**Naïveté.** — Naïf. Innocent, innocence. Niais, niaiserie. Ingénu, ingénuité. Candide, candeur. Simple, simplicité. — Sot. Stupide. Nigaud. Idiot. Jocrisse. — Oie blanche. Agnès.

Nicette. Inconscient, inconscience. Inconséquent, inconséquence. Irresponsable, irresponsabilité.

Agir inconsciemment, à l'aveuglette. — Ne se douter de rien. — Etre de son village.

## ÎLE

**Iles et similaires.** — Ile. Ilot. Ilet. Archipel. Cyclades. — Insulaire, insularité. — Atoll. Caye. — Delta. Atterrissement. Javeau. — Iceberg.

Presqu'île. Péninsule, péninsulaire. Chersonèse. — Isthme.

Ilot de maisons. Ile de verdure. Oasis.

## ILLUMINER

**Fêtes lumineuses.** — Illuminations. Illuminer. Eclairer à giorno. Grand éclairage. Embrasement général. — Luminaire.

**Procédés.** — Lampion. Ballon. Lanterne. Lanterne de couleur, de Venise, japonaise, etc. Transparent. Pot à feu. Torche.

If. Rampe. Girandole. Lustre. Lampadaire. Torchère. — Fontaines lumineuses. Motifs lumineux.

Rampes de gaz. Bandes électriques. — Projecteurs. Projections. Lampes à arc. Phares. — Lampes à vapeur de mercure. Tubes au néon.

Pyrotechnie. Feu de Bengale. Feu d'artifice. Feu de joie.

ILLUSOIRE. V. *vain, faux.*
ILLUSTRATION, f. V. *image, peinture, honneur.*
ILLUSTRE. V. *gloire.*
ILLUSTRER. V. *livre, gloire.*
**Image,** f. V. *représenter, optique, dessin, amulette, comparaison, description.*
IMAGÉ. V. *style.*
IMAGINAIRE. V. *imagination, faux.*
IMAGINATIF. V. *imagination.*
**Imagination,** f. V. *intelligence, trouver, pensée.*

IMAGINER. V. *imagination, projet.*
IMAGINER (s'). V. *supposer, espérer, croire.*
IMAN, m. V. *prêtre, Mahomet.*
IMBÉCILE. Imbécillité, f. V. *faible, sot.*
IMBERBE. V. *barbe.*
IMBIBER. V. *humide, arroser, attirer.*
IMBRICATION, f. Imbriqué. V. *écaille, toit, tuile.*
IMBROGLIO, m. V. *mélange, désordre, obscur.*

IMBU. V. *croire.*
IMITATEUR, m. Imitation, f. Imitatif. V. *imiter.*
**Imiter.** V. *semblable, faux.*
IMMACULÉ. V. *tache, pur.*
IMMANENCE, f. Immanent. V. *continuer.*
IMMANQUABLE. V. *certitude.*
IMMATÉRIEL. V. *pur, léger.*
IMMATRICULER. V. *inscription, registre.*
IMMÉDIAT. V. *près, après, subit, prompt.*
IMMÉMORIAL. V. *mémoire.*

---

## IMAGE
(latin, *imago* ; grec, *icon*)

**Images diverses.** — DESSIN. Caricature. Charge. — Estampe. GRAVURE. Illustration. — Enluminure. Chromo. — Trompe-l'œil. Silhouette. Découpure. — Transparent. Dépliant. — Epreuve photographique. Cliché. — Projection. Film. — Image religieuse. Bondieuserie. Icone.

**Représentations.** — Effigie. Figure. PORTRAIT. — Statue. Statuette. Figurine. Buste. — Tableau. Miniature. — Emblème. Symbole. Simulacre. Fétiche. — Reproduction. Empreinte. Image virtuelle. — Vue photographique. Carte postale. — Carte géographique.

**Art de l'image.** — Imagerie, imagier. Dessiner, dessinateur. Reproduire. Figurer. — Peindre, PEINTURE, peintre. Colorier, coloriste. Enluminer, enlumineur. Portraitiste. Miniaturiste. Chromolithographie. — Sculpter, SCULPTURE, sculpteur. Statuaire. Modeler, modeleur. — Photographier, PHOTOGRAPHIE, photographe. — Graver, graveur. Chalcographie. — Illustrer. — Tourner un film. Cinématographie
Iconographie, iconographe. Iconologie.

**Relatif aux images.** — Culte des images. Iconolâtrie, iconolâtre. Fétichisme. Iconoclaste. — Iconostase. Iconomane, iconomanie. — Stéréoscope. Iconostrophe. — Iconomètre. Iconoscope.

## IMAGINATION
(grec, *fantasia*)

**Faculté d'imaginer.** — Imagination. Imaginative. Imagination fertile, féconde, riche, ardente, vagabonde. — Idéalisme. Exaltation. Fantaisie. Folle du logis. — Génie. Talent. Verve. — Inspiration. Invention. Souffle créateur. — Feu sacré. ENTHOUSIASME. Extase.

**Formes de l'inspiration.** — Imaginer, imaginaire, imaginable. Se figurer. Concevoir, conception, concept. SUPPOSER, supposition.
PROJETS. Plan. Utopie. SYSTÈME. THÉORIE. Hypothèse. — Rêve, rêverie, rêver, rêvasser. Fantasmagorie, fantasmagorique.
Fantastique. Romanesque. Rocambolesque. — Idéal, idéaliser. Se faire des idées. — Fiction, feindre. Etre dans les nuages. —

Débauche d'imagination. Ecarts d'imagination. Châteaux en Espagne. Chimères, chimérique. Féerie, féerique. Illusions, illusoire.
Se monter la tête. Se persuader. Se frapper. S'aveugler. — Contemplation, contempler. Visions, visionnaire. — Pressentiment, pressentir. — Délire, délirer. Fantôme. Divagation, divaguer. Hallucination. — Mirage. Prestiges.
Esprit. Humour. Poésie.

**Etres imaginatifs.** — Imaginatif. Créateur. Inventeur. Inventif. — Rêveur. Rêvasseur. Contemplateur. Contemplatif. — Idéologue. Songe-creux. Utopiste. Théoricien. Idéaliste. — Exalté. Halluciné. Visionnaire. Inspiré. Prophète. — Fantaisiste. Fantasque. Humoriste. Poète.

## IMITER

**Contrefaire.** — Imiter, imitation, imitable. Harmonie imitative. Contrefaire, contrefaçon. Mimétisme. — Pasticher, pastiche. Plagier, plagiat, plagiaire. — Singer, singe. Caricaturer, caricature, caricatural. Travestir, travestissement. — Charger, charge. Oiseau moqueur. Perroquet. — Mimer, mimique, mime. Pantomime. — Parodier, parodie, parodiste. Imitations théâtrales. — Emprunter, emprunt. Faire d'après, à la manière de.
Chose artificielle, factice. Fausse porte. Fausse fenêtre, etc.

**Reproduire.** — Reproduction, reproductible. Faire SEMBLABLE. Attraper la ressemblance. Fac-similé. — Copier, copiste. COPIE. Double. Ampliation. Conformité, conforme. — Rendu. Bien ou mal rendu. Calquer, calque. — Répéter, répétition. Echo. — Feindre. Faire semblant de. Simuler. Affecter un air. Faire le brave, le généreux, etc.

**Suivre l'exemple de.** — Imitateur. Disciple. Elève. Etre à l'école de. — Se modeler sur. Marcher sur les traces de. Chasser de race. Egaler, égal. — Faire chorus. Hurler avec les loups. Se mettre à l'unisson.
Se laisser entraîner, entraînement. Mouton de Panurge. Gent moutonnière. — Observer la coutume. Suivre la mode. Snob, snobisme. — Suivre les errements de. Se traîner dans l'ornière. Servilité, servile.
Comme. De même que. Ainsi que. A l'exemple de. A la façon de. A l'instar de.

IMMENSE. Immensité, f. V. *mesure, étendue, grand.*

IMMERGER. V. *eau, plonger.*

IMMÉRITÉ. V. *mérite, injuste.*

IMMERSION, f. V. *plonger, éclipse, astronomie.*

IMMEUBLE, m. V. *immobile, propriété, maison.*

IMMIGRANT, m. V. *habiter.*

IMMIGRÉ, m. V. *étranger.*

IMMIGRER. V. *pays.*

IMMINENCE, f. Imminent. V. *près, probable.*

IMMISCER (s'). V. *entrer, intervenir, indiscret.*

IMMIXTION, f. V. *mélange, entrer.*

**Immobile.** V. *fixe, arrêt.*

IMMOBILIAIRE. Immobilier. V. *propriété.*

IMMOBILISATION, f. V. *immobile, rente.*

IMMOBILISER. V. *immobile.*

IMMOBILITÉ, f. V. *immobile.*

IMMODÉRÉ. V. *excès.*

IMMODESTE. Immodestie, f. V. *inconvenant, orgueil.*

IMMOLATION, f. Immoler. V. *sacrifice, tuer, victime.*

IMMONDE. V. *sale, honte.*

IMMONDICES, f. p. V. *ordure.*

IMMORAL. Immoralité, f. V. *mœurs, conduite, débauche, licence, injuste.*

IMMORTALISER. V. *conserver.*

IMMORTALITÉ, f. Immortel. V. *continuer, vie, mémoire.*

IMMUABLE. V. *continuer, même, fixe.*

IMMUNISER. Immunité, f. V. *exempt, faveur, impôt.*

IMPAIR. V. *inégal.*

IMPAIR, m. V. *maladresse, erreur.*

IMPALPABLE. V. *poudre, toucher.*

IMPANATION, f. V. *eucharistie.*

IMPARDONNABLE. V. *mal.*

**Imparfait.** V. *brut, manque.*

IMPARFAIT, m. V. *verbe, passé.*

IMPARISYLLABIQUE. V. *syllabe.*

**Impartial.** V. *égal, juste, calme.*

IMPARTIALITÉ, f. V. *impartial, histoire.*

IMPARTIR. V. *partage.*

IMPASSE, f. V. *ville, danger, difficile.*

IMPASSIBILITÉ, f. Impassible. V. *insensible, immobile, calme, patience, fermeté, impartial.*

IMPASTATION, f. V. *pâte.*

IMPATIENCE, f. Impatient. V. *patience, colère, brusque.*

IMPATIENTER. V. *tourmenter.*

## IMMOBILE

**Manque de mouvement.** — Immobile, immobilité. Assiette. Stable, stabilité. Equilibré, équilibre. La statique. — Etre FIXE. Fixité. — Fixation. Borne. Pieu. Pilier. Poteau. — Etre à demeure. Immeuble. Bien immobilier. — Ne pas remuer. Eau dormante. Filet dormant. Stagner, stagnation. — Rester en place. Sédentaire. Casanier. — Stationner, stationnement. Etre à l'ancre. — Rester tranquille. Rester coi. — Etre assis. — Se tenir raide. — *Statu quo.* Inamovibilité, inamovible.

**Arrêt de mouvement.** — S'arrêter, ARRÊT. Faire halte. Jeter l'ancre. Etre en panne. — S'asseoir. Se coucher. Se reposer. Rester les bras croisés. — Repos. SOMMEIL. Engourdissement. Léthargie. Coma. Etat léthargique, comateux. — Ankylose, ankylosé. Impotent. Perclus. Podagre. — Apoplexie, apoplectique. Catalepsie, cataleptique. Paralysie, paralytique. — Faire le mort. Rester interdit. Etre pétrifié. Etre immobilisé, immobilisation. — Prisonnier. Captif. Interné.

**Immobilité morale.** — Calme. Flegme, flegmatique. Impassibilité, impassible. — Fermeté, ferme. Assurance, assuré. Idée arrêtée. Inébranlable. Immuable, immutabilité. — INSENSIBLE, insensibilité. Passif, passivité. Inerte, inertie. Nirvâna. — Inactif, inaction. Croupir dans l'inaction. Oisif, oisiveté. — Tranquille. Paisible.

## IMPARFAIT

**Inachevé.** — Inachèvement. Peu avancé. A peine commencé. En voie de. Travaux en cours. — Charpente. Bâti. Carcasse. Pierre d'attente. — Embryon. Germe. Larve. Chrysalide. Etre dans l'œuf. — Imparfait. Informe. Prématuré. Hâtif. Enfance de l'art. — Négligence. Façon superficielle. *Grosso modo.* En gros. — Précoce. Vert. Dur. — Procès pendant. Etre en suspens.

**Incomplet.** — Fait à demi, à moitié. Demi-savant. Demi-mesure. Demi-teinte. Entendre à demi-mot. Demi-monde, etc. — En partie, partiel. FRAGMENT. Morceau. — Manque. Mutilé. Tronqué. Dépouillé. Ecorné. — Non développé. Ellipse. Verbe défectif. Vers catalectique. — Essai. Escarmouche. — Priver de. Châtrer. Eunuque. MONSTRE. — Aperçu. Spécimen. Echantillon. Morceaux choisis. Extraits.

**Ebauché.** — Ebaucher, ébauchage. Entamer. Mettre en train. — Ebauche. PROJET. Canevas. Cartons. Esquisse. Croquis. Maquette. — Etat approximatif. Approximation. Etat BRUT. Rudiment, rudimentaire. — Premier jet. Pochade. Brouillon. — Dégrossir (une matière). Esquisser (un dessin). Bâtir (un vêtement). Effleurer (un sujet), etc.

**Défectueux.** — Défaut. Défectuosité, défectueux. Imperfection. — FAUTE, fautif. Incorrection, incorrect. Inexactitude, inexact. — Mal fait. Malfaçon. Où il y a à redire, à reprendre. — Avorté. Avorton. Abâtardi. Enfant arriéré. — Infirme. Boiteux. Borgne. Louche. — Insuffisant. Inadéquat. Clocher. Locher. — Vice, vicieux. Tare. Tache. Véreux.

## IMPARTIAL

**Sans parti pris.** — Impartialité, impartial. Jugement ÉGAL. Egalité pour tous. Justice, JUSTE. Equité, équitable. — Neutralité, neutre. Etre ni pour ni contre. — Etre sans prévention, sans préjugé, sans amour, sans haine, sans préférence, sans distinction. — Traiter impartialement, sans acception de personnes. Tenir la balance égale. Ne point faire de faveurs. Intégrité, intègre. Désintéressement, désintéressé.

**Sans émotion.** — CALME. Flegme. Sang-froid. Impassibilité, impassible. Indifférence, indifférent. Insensibilité, INSENSIBLE. MODÉRATION, modéré.

IMPATIENTER (s'). V. *désir*.
IMPATRONISER (s'). V. *intervenir*.
IMPECCABLE. V. *parfait, pur*.
IMPÉCUNIOSITÉ, f. V. *pauvre*.
IMPÉNÉTRABILITÉ, f. Impénétrable. V. *pénétrer, mystère*.
IMPÉNITENCE, f. V. *pénitence, impie*.
IMPÉRATIF. V. *ordre, verbe*.
IMPERCEPTIBLE. V. *faible, petit*.
IMPERFECTIBLE. Imperfection, f. V. *mal, imparfait*.
IMPÉRIAL. V. *empire*.
IMPÉRIALE, f. V. *barbe, voiture*.
IMPÉRIALISME, m. Impérialiste. V. *empire, politique*.
IMPÉRISSABLE. V. *continuer*.
IMPÉRITIE, f. V. *incapable, maladresse, ignorance*.
IMPERMÉABLE. V. *pluie, tissu*.
IMPERSONNEL. V. *personne, verbe*.

IMPERTINENCE, f. Impertinent. V. *inconvenant*.
IMPERTURBABLE. V. *fermeté, confiance, indifférent*.
IMPÉTIGO, m. V. *peau*.
IMPÉTRANT, m. Impétrer. V. *bénéfice, obtenir*.
IMPÉTUEUX. Impétuosité, f. V. *prompt, violence*.
Impie. V. *infidèle, profane, péché, scandale*.
IMPIÉTÉ, f. V. *impie*.
IMPITOYABLE. V. *cruel*.
IMPLACABLE. V. *dur, cruel*.
IMPLANTER. V. *planter*.
IMPLICATION, f. V. *participer*.
IMPLICITE. V. *contenir, indirect, mélange*.
IMPLIQUER. V. *contenir, cause, effet, entrer*.
IMPLORATION, f. Implorer. V. *larme, pitié, prier, demande*.
IMPLUVIUM, m. V. *pluie*.
IMPOLI. Impolitesse, f. V. *inconvenant, grossier, injure*.
IMPONDÉRABLE. V. *léger, subtil*.
IMPOPULAIRE. Impopularité, f. V. *déplaire, défiance, peuple*.
IMPORTANCE, f. V. *important*.
Important. V. *intérêt, grave, affectation*.
IMPORTATEUR, m. Importation, f. Importer. V. *commerce, transport, étranger, entrer, pays*.
IMPORTER. V. *important*.
IMPORTUN. Importuner. V. *indiscret, poursuivre, tourmenter, déplaire*.
IMPORTUNITÉ, f. V. *ennui, demande*.
IMPOSABLE. V. *impôt*.
IMPOSANT. V. *grave, noble*.
IMPOSER. Imposition, f. V. *sur, imprimerie, impôt*.
IMPOSSIBILITÉ, f. V. *impossible*.
Impossible. V. *difficile, vain*.

## IMPIE

**Personnes impies.** — Antéchrist. Antichrétien. Antireligieux. — Athée. Libre-penseur. Libertin. Mécréant. Incrédule. Irréligieux. — Infidèle. Païen. — Apostat. Renégat. Laps et relaps. — Hérétique. Pécheur. Les méchants. — Sacrilège. Profanateur. Blasphémateur.

Sceptique. Rationaliste. Déiste. Panthéiste. Matérialiste. Philosophe.

**Opinions impies.** — Irréligion. Athéisme. Impiété. Incrédulité. Antichristianisme. Indifférentisme. Libertinage. — Paganisme. Naturalisme. Matérialisme. Scepticisme. Déisme. Panthéisme.

**Actes impies.** — Ne pas croire. Ne pas pratiquer. N'avoir pas la foi. — Vivre dans l'impénitence, dans l'indifférence. — PÉCHÉ. SCANDALE. Lèse-majesté divine. — Sacrilège. Profanation, profaner. — Blasphème, blasphémer. Paroles blasphématoires. — Renier sa foi, reniement. Apostasie, apostasier.

## IMPORTANT

**Personne d'importance.** — Personnage important, considérable, marquant, influent, respectable. — Hauts personnages. Les puissants. Les grands. Les notables. Les notabilités. — Les autorités. Les gouvernants. Les dirigeants. — Les gros bonnets. Les supérieurs. — Un homme de poids. Une sommité. Une illustration. Un as. — Coq du village. Premier moutardier du pape. — Ame d'une affaire. Meneur. Chef d'emploi. Bras droit. Cheville ouvrière. — Elite. Fleur. Crème.

Jouer un rôle. Faire l'important. Etre en évidence.

**Chose d'importance.** — Grande affaire. Affaire d'Etat. Affaire capitale. Affaire de conséquence. Affaire pressante. — Grands projets. Vastes desseins. — Nœud d'une situation. Grand point. Point essentiel, dominant, culminant, saillant. — Cas de force majeure. Circonstance aggravante. Coup décisif. — Points cardinaux. Centre. FOND. Fondement. Quintessence. — Faîte. Sommet. Cime. Fleuron. — Maîtresse pièce. Ressort. — Idée mère. Fin mot. Loi organique. Pierre angulaire. Arc-boutant. Appui. Soutien. Charpente. — Bâti. Carcasse. — Gond. Pivot. — BASE. Piédestal. Clef de voûte. Colonne. Support. — Capitale. Chef-lieu. Métropole.

**Etat d'importance.** — Supériorité. Importance, important. Grandeur, grand. Force, fort. Puissance, puissant. — Autorité. Pouvoir. Ascendant. INFLUENCE. Crédit. Considération. — Gravité, grave. Aggravation. Haut INTÉRÊT. Urgence, urgent. Nécessité, NÉCESSAIRE. — Apparence, apparent. Grosseur. Valeur. Utilité. — Tirer à conséquence. Avoir de la portée. Peser d'un grand poids. Importer. Dominer.

Capital. Principal. Fondamental. Cardinal. Central. Vital. — Insigne. Marquant. Important. Notable. Remarquable. Bien connu. — SUPÉRIEUR. Magistral. Majeur. — Précieux. Substantiel. Spécial. Privilégié.

## IMPOSSIBLE

**Qui ne peut se faire.** — Impossible, impossibilité. Moralement impossible. — Infaisable. Inexécutable. Irréalisable. Impraticable.

Problème insoluble. Quadrature du cercle. Mouvement perpétuel, etc.

C'est la mer à boire. Cela nous dépasse. Il n'y a pas moyen.

IMPOSTE, f. V. *architecture.*
IMPOSTEUR, m. Imposture, f.
V. *tromper, mensonge, hypocrisie.*
**Impôt**, m. V. *payer.*
IMPOTENT. V. *immobile, lent.*
IMPRATICABLE. V. *impossible.*
IMPRÉCATION, f. V. *maudire, jurer.*
IMPRÉGNATION, f. Imprégner.
V. *humide, pénétrer, teindre.*
IMPRESARIO, m. V. *théâtre.*
IMPRESSIF. V. *sentiment.*
IMPRESSION, f. V. *pensée, sensation, peinture, imprimerie.*
IMPRESSIONNER. V. *influence, étonnement, sentiment, toucher.*
IMPRESSIONNISTE, m. V. *peinture.*
IMPRÉVOYANCE, f. Impré-

voyant. V. *irréflexion, léger.*
IMPRÉVU. V. *subit.*
IMPRIMÉ, m. V. *imprimerie, poste.*
IMPRIMER. V. *imprimerie.*
**Imprimerie**, f. V. *presse, marque.*
IMPRIMEUR, m. V. *imprimerie.*
IMPROBABLE. V. *doute.*
IMPROBITÉ, f. V. *injuste.*
IMPRODUCTIF. V. *stérile.*
IMPROMPTU, m. V. *subit, poésie.*
IMPROPRE. Impropriété, f. V. *inconvenant, faute, style.*
IMPROVISATEUR, m. Improvisation, f. V. *discours, éloquence.*
IMPROVISER. V. *parler, trouver, subit.*
IMPRUDENCE, f. Imprudent.

V. *irréflexion, danger, maladresse.*
IMPUBÈRE. V. *âge.*
IMPUDENCE, f. Impudent. V. *hardi, mensonge.*
IMPUDEUR. f. V. *honte, luxure.*
IMPUDICITÉ, f. Impudique. V. *licence, débauche.*
IMPUISSANCE, f. V. *incapable, faible.*
IMPULSIF. V. *irréflexion.*
IMPULSION, f. V. *mouvement, pousser, diriger, irréflexion.*
IMPUNITÉ, f. V. *punition, pardon.*
IMPUR. Impureté, f. V. *mal, sale, vil, péché.*
IMPUTATION, f. Imputer. V. *attribuer, accusation, payer.*
INACCESSIBLE. V. *difficile, orgueil.*
INACHEVÉ. V. *imparfait.*
INACTIF. Inaction, f. Inacti-

**Qui ne peut se comprendre.** — Déraisonnable. Absurde. Contradictoire. Incompatible. — Erroné. Faux. Inadmissible. — Ridicule. Saugrenu. Insensé. Fou. Impossible.

Impliquer contradiction. Répugner à la raison.

## IMPÔT

**Impôts modernes.** — Contributions. Impositions. Taxes. Charges. Redevances. — Impôts directs. Impôts indirects. — Impôt de capitation. Cote personnelle. Cote mobilière. Prestations. — Impôt sur le revenu. Impôt cédulaire. Impôt général. — Taxes d'Etat. Taxes municipales. Patentes. Centimes additionnels. — Impôt de consommation. Régie. Monopole. — Droits de DOUANE. Droits d'octroi. Péage. — Droits de succession. Droits de mutation. Droits d'enregistrement. Droits de timbre. — Droit fixe. Droit proportionnel. Décimes.

**Impôts anciens.** — *Généraux.* Aides. Cens. Censive. Centième denier. Champart. Corvée. DÎME. Gabelle. Jambage. Laude. Lods et ventes. Panage. Pellage. Régale. Taille. Taillon. Tonlieu, etc.

*Spéciaux.* Abeillage. Afforage. Affouage. Annate. Auban. Bâtage. Charnage. Chevage. Dispense. Etalage. Fouage. Gréage. Hallage. Indult. Marcaige. Métivage. Minage. Novales. Paulette. Quillage. Ségrage. Tavernage. Terrage. Traite foraine. Vertemoute. Vientrage. Vinage, etc.

**Assiette des impôts.** — Asseoir l'impôt. Budget. Voter l'impôt. — Etablir un impôt. Frapper d'un impôt. Imposer. Taxer. — Charger. Accabler. Pressurer. — Contributions directes et indirectes. Fisc. Régime fiscal. Fiscalité. — Lever des impôts. Matière imposable. Taxation. Exercice. — Contrôle, contrôleur des finances. Répartition, répartiteur. — Cadastre. Matrice. Rôle. Etat.

Contribuable. Assujetti. Patenté. Imposé.

**Perception des impôts.** — Trésorier payeur général. Receveur des finances, recette des finances. Percepteur, bureau de perception. Receveur buraliste, recette buraliste. Receveur municipal. — Enregistrement, domaines et timbre. Trésor public. — Recouvrement des impôts. Collecteur d'impôts. Extrait du rôle. Feuille de contributions. — Avertissement. Sommation. Contrainte. Frais. Amende.

Ferme (concession royale), fermier. Fermier général. Traitant. Publicain. — Maltôte (perception illégale). Péculat (vol des deniers publics).

Exonération. Dégrèvement, dégrever. Détaxe. — Trop-perçu. — Immunité. — Remise. — Rappel.

## IMPRIMERIE

**Profession.** — Imprimerie, imprimeur, maître imprimeur. Librairie, libraire. Proterie, prote. Typographie, typographe. — La Presse. L'Edition. La Publicité.

Impression. Typographie. Lithographie. Stéréotypie. Xylographie. Chalcographie. Chromolithographie. Métallochromie. Collotypie. Photozincographie.

**Composition.** — Composer, compositeur. Lever la lettre. — Châssis. Composteur. Forme. Galée. Plateau. Coulisse. Equerre. — Casse. Casseau. Cassetin. Haut de casse. Bas de casse. — Copie. Visorium (support). — Colonne. Ligne. Espace, espacer. Approche. Interligne, interligner. Alinéa. Filets. Entrefilets. — Enfoncer une ligne. Justification, justifier. Blocage, bloquer. Paquets. — Titre. Titre courant. Faux titre. Marge. Manchette. — Parangonnage. Rattrapage. Réclame. — Mettre en pages. Metteur en pages. Tomber en page, en belle page.

Fautes. Bourdon. Doublon. Chasse. Chevauchement. Transposition. Coquille. Papillotage.

Linotype. Linotypiste. Monotype.

vité, f. V. *repos, oisif, paresse.*

INADMISSIBLE. V. *impossible.*
INADVERTANCE, f. V. *inattention, oubli.*
INAMOVIBILITÉ, f. V. *destitué.*
INANIMÉ. V. *mort, insensible.*
INANITÉ, f. V. *vain.*
INANITION, f. V. *faim.*

INAPPÉTENCE, f. V. *indifférent.*
INAPPRÉCIABLE. V. *précieux.*
INAPPRIVOISÉ. V. *sauvage.*
INAPTITUDE, f. V. *incapable.*
INATTENTIF. V. *inattention.*
**Inattention,** f. V. *léger, oubli.*
INAUGURATION, f. Inaugurer.

V. *commencer, fête, cérémonie.*
INCANDESCENCE, f. Incandescent. V. *lumière, chaleur, feu.*
INCANTATION, f. V. *magie, maudire.*
**Incapable.** V. *ignorance, vain.*

---

**Décomposition.** — Débloquer, déblocage. Décharger une forme. Dépâtisser. Distribuer, distribution. — Laver une forme. Lessive. — Baquet. Brosse. Bardeau.

**Caractères.** — Corps. Point (6, 7, 8, etc.). Gros œil. Petit œil. Canon. Calibre. — Lettres. Chiffres. Capitales. Initiales. Majuscules. Minuscules. Ligature. Lettrine. Cadrat et Cadratin (pour blancs) —. Signes. PONCTUATION. Paragraphe. Tirets. Crochets. Accolade. Astérisque. — Fleuron. Vignette. Cul-de-lampe.
Caractères gras. Caractères mobiles. Grosses (pour affiches). — Romain. Italique. Gothique. Normande. Egyptienne droite, allongée. Ronde. Gaillarde. Elzévir. Gros texte. Petit texte. Parisienne. Palestine. Parangon. Nonpareille. Mignonne. Perle, etc.
Fonte. Fonderie. Sortes. — Cliché. Clichage. Clicherie. Galvano.

**Feuilles et formats.** — Feuille d'impression. Feuillet. Carton. Petit carton (tiers de feuille). Grand carton (deux tiers). — Cahier. Onglet (double page ajoutée). — Folio, folioter. Paginer, pagination. Signature.
Format. In-folio (4 pages). In-quarto (8). In-octavo (16). In-douze (24). In-seize (32).

**Presses.** — Presse à bras. Presse à pédale. Presse en blanc. Presse à réaction. Presse à retiration. — Rotative. Presse à papier continu.
*Pièces.* Jumelles. Chapeau. Bandes. — Train. Berceau. Sommiers. — Cylindres. Marbre. — Coffre. Tympan. Platine. Frisquette. Barreau. Vis.

**Tirage.** — Tirer, tirage. Fouler, foulage. Mâchurer, mâchuration. — Conducteur. Leveur. Margeur. — Garnir une presse, le tympan. Encrer, encrage. Touches. — Mettre en train. Imposer, imposition. Pointer, pointage. Retiration. — Feuille de mise en train. Côté de première. Côté de seconde. — Rouler. Faire rouler. Dérouler. — Bonnes feuilles. Placards. Epreuves. Mains de passe. Défets.

**Outillage.** — Coins. Cales. Taquoir. — Réglette. Typomètre. Pont-calibre. — Ebarboir. Echoppe. Couteau à découpage. Scie à coulisse. Ciseaux. Coupoir. — Marteau. Décognoir. Chasse-page. Chasse-griffe. Gratte-filet. — Clef. Pince. Broche. — Rouleaux, à bras, de machine. Table à encre. — Matériel de clichage. Châssis à serrage. Rabot. Rabot à biseauter. Moule à bascule. Fourneau-moule. Matrices.

**Corrections.** — Corriger, correction, correcteur. *Deleatur.* Fusée. — Remanier, remaniement. Collationner. Béquet. — Dégrossir une épreuve. Lire sur le plomb. Détransposer. — Piqueur. Boîte à correction. Pointe. — Revision, reviseur. Bon à tirer. Ebarber. Créner. Echopper.

**Edition.** — Editeur. Privilège. Brevet. — Editer. Publier. Faire paraître. Réimprimer, réimpression. — Paraître. Parution. Lancement. Edition princeps. Incunable. Exemplaire. Spécimen. Contrefaçon.
Imprimés. Livres. Revues. Publications. Brochures. Journaux. Livraisons. Fascicules. — Bilboquets (ouvrages de ville). Camelote (ouvrages de colportage). Labeurs (ouvrages importants).

## INATTENTION

**Distraction.** — Distrait, se distraire. Dissipé, dissipation. Etre ailleurs. Etre dans les nuages. — Absence, absent. Rêverie, rêveur. — Etourderie, étourdi. Léger, légèreté. — Inattention, inattentif. Ne pas faire attention. N'écouter que d'une oreille. — Se relâcher, relâchement. Faire par mégarde. Ne pas apercevoir. Passer. Passer à côté. — Oublier, oubli, oublieux. Omettre, omission. Perdre de vue. — Préoccupé, préoccupation. Affairé. Absorbé. — *Lapsus linguae. Lapsus calami.* Quiproquo.

**Irréflexion.** — Tête à l'évent, à l'envers. Tête de linotte. Ecervelé. Evaporé. Hurluberlu. Cerveau creux. — Inadvertance. Faute involontaire. Echappade. Se tromper. Faire ERREUR. — Inapplication. Précipitation. Acte machinal. — Imprudence. Imprévoyance. Agir aveuglément, à l'aveuglette, sans précaution. — Irréfléchi. Superficiel. Inconsidéré. Pas sérieux. Fou. — Inconséquence, inconséquent. Divagation, divaguer. Parler à tort et à travers.

**Indifférente.** — INDIFFÉRENT. Insouciant, insouciance. Inconscient, inconscience. — Faire au HASARD, au petit bonheur. Faire vaille que vaille. Bâcler. — Incurie. Désordre, désordonné. Sans soin. — Nonchalant, nonchalance. Engourdi, engourdissement. Mou, mollesse. Ne penser à rien. S'abandonner. — Ne pas prendre garde. Fermer les yeux. Laisser faire. — Négligent, négligence. Laisser de côté. Insoucieux.

## INCAPABLE

**Impuissant.** — Incapable. Incapacité. Incapacité de travail. — Etre hors d'état de. Ne valoir rien. N'y pouvoir rien. — Impuissance. Faiblesse, FAIBLE. Incapacité de nuire.

**INCAPACITÉ**, f. V. *incapable, tuteur.*

**INCARCÉRATION**, f. Incarcérer. V. *prison, punition.*

**INCARNAT.** V. *couleur, rouge.*

**INCARNATION**, f. Incarner (s'). V. *corps, chair, Dieu.*

**INCARTADE**, f. V. *caprice, brusque.*

**INCAS**, m. p. V. *Amérique.*

**INCENDIAIRE**, m., f. V. *crime, bandit.*

**INCENDIE**, m. Incendier. V. *brûler, feu.*

**INCERTAIN.** V. *indécis.*

**INCERTITUDE**, f. V. *doute.*

**INCESSANT.** V. *continuer.*

**INCESTE**, m. V. *parent.*

**INCHOATIF.** V. *commencer.*

**INCIDENCE**, f. V. *indépendance, optique.*

**INCIDENT**, m. V. *circonstance, événement, chicane.*

**INCINÉRATION**, f. Incinérer. V. *cendre, funérailles.*

**INCISE**, f. V. *dépendance.*

**INCISER.** V. *couper.*

**INCISIF.** V. *mordre.*

**INCISION**, f. V. *fente, couper, chirurgie.*

**INCISIVE**, f. V. *dent.*

**INCITANT.** Inciter. V. *exciter.*

**INCIVIL.** Incivilité, f. V. *prohiber, injure.*

**INCLÉMENCE**, f. V. *dur.*

**INCLINAISON**, f. V. *oblique, boussole.*

**INCLINATION**, f. V. *disposition, amour, préférer.*

**INCLINER.** V. *bas.*

**INCLINER** (s'). V. *posture, céder, saluer, résignation.*

**INCLURE.** V. *contenir, fermer.*

**INCLUS.** V. *intérieur.*

**INCOGNITO.** V. *inconnu.*

**INCOHÉRENCE**, f. Incohérent. V. *désordre, interruption.*

**INCOLORE.** V. *pâle, couleur.*

**INCOMBER.** V. *propre.*

**INCOMBUSTIBLE.** V. *brûler.*

**INCOMMENSURABLE.** V. *géométrie.*

**INCOMMODE.** Incommodité, f. V. *embarras, déplaire.*

**INCOMPARABLE.** V. *supérieur, parfait, beaucoup.*

**INCOMPATIBILITÉ**, f. V. *opposé, discordant.*

**INCOMPÉTENCE**, f. Incompétent. V. *incapable, ignorance, juridiction.*

**INCOMPLET.** V. *imparfait.*

**INCOMPRÉHENSIBLE.** V. *intelligence.*

**INCONCEVABLE.** V. *mystère, extraordinaire.*

**INCONDUITE**, f. V. *vice, débauche.*

**INCONGRUITÉ**, f. V. *inconvenant, faute.*

**Inconnu.** V. *doute, cacher, étranger.*

**INCONNUE**, f. V. *inconnu.*

**INCONSCIENCE**, f. Inconscient. V. *irréflexion, ignorance.*

**INCONSÉQUENCE**, f. Inconséquent. V. *inattention, caprice, léger.*

**INCONSIDÉRÉ.** V. *indiscret, léger, maladresse.*

**INCONSISTANT.** V. *changer, fragile, léger.*

**INCONSOLABLE.** V. *regret.*

**INCONSTANCE**, f. Inconstant. V. *changer, infidèle.*

**INCONTESTABLE.** V. Incontesté. V. *certitude.*

**INCONTINENCE**, f. Incontinent. V. *excès, débauche, urine.*

**INCONVENANCE**, f. V. *inconvenant.*

**Inconvenant.** V. *déplaire, grossier.*

---

Inoffensif. — Insuffisant, insuffisance. Inapte, inaptitude. N'être pas fait pour. — Stérilité, STÉRILE. Eunuque.

**Ignorant.** — IGNORANCE. Impéritie. Nullité, nul. Ne pas savoir. — Inexpérience, inexpérimenté. Novice. Propre à rien. — Incompétence, incompétent. N'entendre rien à. Jeter sa langue aux chiens. — Maladroit, maladresse. Malhabile. Inhabile. — Rester court. SOT, sottise. Inepte, ineptie. Pauvre d'esprit, pauvreté.

**Privé de certains droits.** — Incapacité légale, juridique. Prodigue. — Interne. — Aliéné. Inhabilité. — Indignité, indigne. Déchéance légale. Déchu de ses droits. — Mineur, minorité. Etre en curatelle, en tutelle. — Etre en puissance de mari. — Etre interdit. Interdiction. Avoir un conseil judiciaire. — N'avoir pas qualité pour. Etre intestable. — Emanciper, émancipation.

## INCONNU

**Ignoré.** — Inconnu. L'inconnu. Une inconnue. — Méconnu. Incompris. Incertain. — EXTRAORDINAIRE. Inouï. Inédit. NOUVEAU. — Etranger. Nouveau venu. Tombé des nues. — Inconscient. Oublié. Tombé dans l'oubli. — Je ne sais quoi. Je ne sais qui. Monsieur X. Un tel. — Ni vu ni connu. — Acheter chat en poche.

**Caché.** — Anonyme, anonymat. Pseudonyme. Apocryphe. — Incognito. Voilé. Masqué. — Mystérieux, MYSTÈRE. OBSCUR, obscurité. — Solitaire. SECRET. Inaperçu. — Pays perdu.

## INCONVENANT

**Grossier.** — Inconvenant, inconvenance. Impudent, impudence. — Impoli, impolitesse. Impertinent, impertinence. Malhonnête, malhonnêteté. Déshonnête. — Intempérance de langage. Incongru, incongruité. Malséant. Malsonnant. — GROSSIER, grossièreté. Ordurier, ordure. Choquant. Sale. Malpropre. Répugnant.

**Indécent.** — Violer la modestie, les convenances, les bienséances. — Blesser la pudeur. Indécent, indécence. Immodeste, immodestie. Obscène, obscénité. Ordure. — Liberté excessive. LICENCE, licencieux. Trop libre. — Oubli de soi-même. S'oublier. Débraillé, se débrailler. NU, nudité, nudisme. — Contraire aux bonnes mœurs. Prohibé. Défendu. — Honteux. Odieux.

**Mal à propos.** — Hors de propos. Hors de saison. A contretemps. Déplacé. — Intempestif. Malencontreux. Inopportun, inopportunité. Déraisonnable. Désordonné. Immodéré. Excessif. Abusif. — Impropre. Indu. Insolite. Saugrenu. — INDISCRET, indiscrétion. Importun, importunité. — Maladroit, MALADRESSE. Sot, sottise. Parler à tort et à travers. Tomber mal. — Prématuré. Fait avant le temps. Tardif.

**De mauvais effet.** — Aller mal. Faire mal. Messeoir, messéance. Qui ne sied pas. Clocher. — Faux goût. Fausse note. Faux pli. — Mauvaise tenue. Mauvais génie. Gaucherie, gauche. — Ton cavalier. Brusquerie, BRUSQUE. — Discordance, discordant. Mauvais effet. Un déclassé. Un parvenu.

INCORPORATION, f. Incorporer. V. *corps, joindre, entrer, soldat.*

INCORRECT. Incorrection. f. V. *faute.*

INCORRIGIBLE. V. *entêté.*

INCRÉDULE. Incrédulité, f. V. *croire, doute.*

INCRIMINER. V. *accusation, blâme.*

INCROYABLE. V. *extraordinaire*

INCROYANT, m. V. *doute.*

INCRUSTATION, f. Incruster. V. *emboîter, marqueterie, orner.*

INCUBATION, f. V. *œuf, maladie, préparer.*

INCUBE, m. V. *coucher.*

INCULPATION, f. Inculpé. V. *accusation.*

INCULQUER. V. *instruction, persuader, pénétrer.*

**Inculte.** V. *sauvage, brut, nature.*

INCULTURE, f. V. *inculte.*

INCURABLE. V. *continuer.*

INCURIE, f. V. *inattention.*

INCURSION, f. V. *courir, attaque.*

INCURVÉ. V. *courbure.*

INCUSE. V. *médaille.*

**Inde,** f.

INDÉCENCE, f. Indécent. V. *inconvenant, honte.*

INDÉCHIFFRABLE. V. *obscur.*

**Indécis.** V. *embarras, doute.*

INDÉCISION, f. V. *indécis.*

INDÉFECTIBLE. V. *continuer.*

---

## INCULTE

**Terres en friche.** — Laisser en friche, à l'abandon. Affricher. — Aridité, aride. Stérilité, stérile. Infertilité, infertile. — Inculture. Sol illabouré, inexploité, indéfriché, incultivable.

Terrain nu, vide, sablonneux. — Terre vierge. Jachère. Alpage. Bois. Forêt. — Brandes (bruyères). Broussailles. Chardonnière. EPINES. Ronces. Orties. JONCS. ROSEAUX. Mauvaises herbes. — Pierres. Pierrailles. — Varenne. Savart. MARAIS. Marécage.

**Défrichement.** — Défricher. Fertiliser. Cultiver. — Novale. Rotis, rotisser. Essart, essarter, essartage. — Echardonner, échardonnage. Essoucher. Epierrer. Ecobuer, écobuage. Sarcler, sarclage.

**Etendues incultes.** — Lande. Garigue. Dune. Causse. Maquis. — Désert. Jungle. — Pampas. Paramos. Llanos. Savanes. — Steppe. Toundra.

## INDE

**Pays.** — Hindoustan. Bengale. — Himalaya. Gange. Indus. — Jungle. Mousson. — Eléphants. Tigres. Boas. — Cachemire. Calicot. — Hindoustani. Sanscrit. Pracrit. — Cipaye. Sikh. Lascar. — Bégum. Bayadère. Satî. — Turban. Pagne.

**Religion.** — Védisme. Brahmanisme. Hindouisme. Bouddhisme. Parsisme. Islamisme.

Dieux védiques. Agni. Indra. Soura. Devas. — Trimourti ou Trinité hindoue. Brahma (créateur). Vichnou (conservateur). Çiva (destructeur). — Incarnations ou Avatars de Vichnou. Krichna. Rama. Bouddha, etc. — Avatars de Çiva. Pârvatî. Prithivî. Kâli. Dourga.

Apsaras (houris). Asouras (démons). Çâkya-Mouni. Nirvâna.

Brahmane. Brahmine. Lama. Talapoin. Santon. Yogi. Fakir.

**Etat social.** — Les castes. Brahmane (prêtre). Kchatriya (guerrier). Vaiçyâ (bourgeois). Çoûdra (paysan). Paria.

Sultan. Nabab. Radjah. Maharadjah.

**Lettres et arts.** — Les Védas. — Les épopées de Valmitri. Râmâyana. Mahâbhârata. — Livres sacrés. Pourânas. Tântra. — Les fables. Pantchatântra. Hitopadésa. — Lois. Dharmaçastras. Lois de Manou. — Philosophies. Sankhya. Yoga. Vedanta.

Temples. Sculptures. Miniatures. Orfèvrerie. Mobilier.

Architecture. Styles dravidien, chaloukya, septentrional. Influence hellénique.

## INDÉCIS

**Irrésolu.** — Irrésolution. Indécis, indécision. Velléité, velléitaire. — Incertain, incertitude. Perplexe, perplexité. Craintif, crainte. Ame en peine. Ne savoir que faire. — Hésiter, hésitation. Balancer. Se tâter. Barguigner, barguignage. Chipoter. Lanterner. — Tergiverser. Louvoyer. Biaiser. Osciller.

Débat intérieur. Scrupule. Rester en suspens. Suspendre son jugement. EMBARRAS, embarrassé. Ballotté. — Y regarder à deux fois. Etre ébranlé. Chanceler, chancelant. — Temporiser. Ajourner. Différer.

Tâter le terrain. Ménager la chèvre et le chou. Courir deux lièvres à la fois.

**Imprécis.** — Ambigu, ambiguïté. Enigmatique, énigme. Douteux. Pas net. Incertain. Changeant. — Vague. Illimité. Indéfini. Indéterminé, indétermination. — Enveloppé. Latent. Implicite, implicitement. En gros. — Faux-fuyant. Répondre en Normand. Tortiller. Tournailler. Tourner autour du pot. — Situation en équilibre, en balance. Flottement. Fluctuation.

**Indistinct.** — Indistinction. Confus, confusion. — Amorphe. Inconsistant. Indéfinissable. Indiscernable. — Brouillard. Brouillé. Vaporeux. Incolore. — Obscur, obscurité. Inintelligible. Indéchiffrable. — Parole embarrassée. Anonner, ânonnement. Bafouiller. Son inarticulé. Rumeur sourde. — Tâtonner. Aller à tâtons. Vue trouble.

**De nature double.** — Double face. Double sens. Alternative, alterner. — Equivoque, équivoquer. Amphibologie. — Amphibie. Hermaphrodite. MÉTIS. Hybride. Bâtard.

Juste MILIEU. Entre-deux. Moyen terme. Etat neutre. — Mélangé. Mêlé. Mixte. Ni bien ni mal. Entre le zist et le zest. Moitié figue, moitié raisin.

**Mots indéfinis.** — Infinitif. Temps indéfini. Article indéfini. Pronom indéfini. — Personne. Rien. On. — Le premier venu. N'importe qui. N'importe quoi. — Aucun. Certain. Quelque. — Tel quel. Quel qu'il soit. Quelconque. — Quelqu'un. Quiconque. Je ne sais qui. Je ne sais quoi. — Presque. Parfois. Quelquefois. Tantôt l'un, tantôt l'autre.

INDÉFINI. V. *indécis, limite.*
INDÉLÉBILE. V. *marque, fixe, effacer.*
INDÉLICAT. Indélicatesse, f. V. *injuste, grossier.*
INDEMNE. V. *payer.*
INDEMNISER. Indemnité, f. V. *compenser, amende, récompense.*
INDÉNIABLE. V. *négation.*
INDÉPENDANCE, f. Indépendant. V. *libre, résister.*
INDEX, m. V. *doigt, tableau, renvoi, prohiber, pape.*
INDICATEUR, m. V. *montrer, chemin de fer.*
INDICATIF, m. V. *verbe.*
INDICATION, f. V. *marque, montrer.*
INDICE, m. V. *trace, renseignement, marque.*

INDICIBLE. V. *beaucoup, dire.*
INDICTION, f. V. *concile.*
INDIENNE, f. V. *étoffe.*
INDIFFÉRENCE, f. V. *indifférent.*
**Indifférent.** V. *inattention, insensible.*
INDIGENCE, f. V. *manque, besoin.*
INDIGÈNE, m. V. *pays, colonie.*
INDIGENT, m. V. *pauvre, aumône.*
INDIGESTE. Indigestion, f. V. *manger, digestion.*
INDIGNATION, f. V. *colère, mépris.*
INDIGNE. V. *méchant, injuste.*
INDIGNER. V. *déplaire.*
INDIGNER (s'). V. *colère.*

INDIGNITÉ, f. V. *vil, honte, mal, injuste.*
**Indigo,** m. V. *bleu, teindre.*
INDIGOTIER, m. V. *indigo.*
INDIQUER. V. *dire, montrer.*
**Indirect.** V. *oblique, grammaire.*
INDISCERNABLE. V. *voir.*
INDISCIPLINE, f. V. *résister, sédition.*
**Indiscret.** V. *inconvenant, curieux, déplaire, parler.*
INDISCRÉTION, f. V. *indiscret.*
INDISPENSABLE. V. *nécessaire.*
INDISPOSER. Indisposition, f. V. *déplaire, fâché, maladie.*
INDISSOLUBLE. V. *fixe.*
INDISTINCT. V. *indécis, obscur.*

## INDIFFÉRENT

**Que rien n'émeut.** — Egoïsme, égoïste. Indifférent, indifférence. INSENSIBLE, insensibilité. Cœur SEC, sécheresse de cœur. Cynique, cynisme. — Impassible, impassibilité. Flegme, flegmatique. Imperturbable. Apathique, apathie. Nirvâna. — Froid, froideur. Glacé, glacial. glaçon. — Passif, passivité. Résigné, RÉSIGNATION. — CALME. Tranquille. Paisible. Serein.

**Insouciant.** — Indifférent, indifférence. Insouciance. Insoucieux. Inappétence. — Incurieux, incuriosité. INATTENTION, inattentif. Ne penser à rien. — Se faire à tout. Accepter indistinctement. — Indolent, indolence. Nonchalant, nonchalance. MOU, mollesse. — Négligence. Laisser-aller. Oublieux, OUBLI. — Se relâcher. Faire vaille que vaille.

Vivre sans souci. Ne se soucier de rien. Prendre le temps comme il vient. Ne pas s'en faire, f. Ne pas attacher d'importance. S'en moquer, etc.

**Détaché.** — Détachement. Se détacher de. Désintéressé, désintéressement. Ne pas tenir à. — Blasé. Dégoûté, DÉGOÛT. Laisser de côté. — IMPARTIAL, impartialité. Neutre, neutralité. Sans amour ni haine. — Étranger à. Libre. — Tiède, tiédeur. Désenamouré. Séparé, séparation. — Ne pas s'occuper de. S'en laver les mains.

## INDIGO

**Couleur.** — Indigo. PASTEL. — Indigotine. — Bleu d'Inde. — Céruline. — Indigocarmine.

**Préparation.** — Indigotier (arbre). Florée. Tournesol. — Indigoterie, indigotier (ouvrier). — Batterie. Cuve. Reposoir. Déblanchi. — Tablettes et Boules d'indigo.

## INDIRECT

**Ligne indirecte.** — Obliquité, oblique, obliquer. Biais, biaiser. — Courbe, COURBURE. Sinueux, sinuosité. — Voie détournée. DÉTOUR.

Crochet. Coude. Circuit. — Aller de CÔTÉ. Côtoyer. Louvoyer. — Voie latérale. Ligne collatérale. — Déviation, dévié. Reflet. Réflexion, réfléchir. Ricochet. Contre-coup.

**Moyens indirects.** — Tourner une difficulté. Eluder. Faux-fuyant. — Parler évasivement. Ton évasif. Insinuer, insinuation. Tirer les vers du nez. — Intervenir, intervention. Intriguer, INTRIGUE, intrigant. Agir par surprise. — Faire par commission, par l'entremise de, par personne interposée. — Médiat, médiation, médiatisation, médiatiser.

**Langage indirect.** — Implicite. Tacite. Sous-entendu. — Convention, conventionnel. Code. Chiffre. — Allégorie, allégorique. Figure, figuré. Parabole. — Diversion. Digression.

Complément indirect. Style indirect.

## INDISCRET

**Sans-gêne.** — S'immiscer, immixtion. S'ingérer, ingérence. Se mêler de. Intrus, intrusion. — Obsession, obséder. Importunité, importuner. Importun. Fâcheux. Se permettre de. — Déranger, dérangement. Fatiguer, fatigant. Gêner, gênant, gêneur. Excéder. Ennuyer, ennuyeux. — Persécuter. POURSUIVRE. Insupportable. Intolérable. — INCONVENANT, inconvenance. HARDI, hardiesse. Curieux, curiosité. Ecouter aux portes.

PARASITE. Quémandeur, quémander. Mendiant, mendicité, mendier.

**Qui parle mal à propos.** — Parler à tort et à travers, inconsidérément. Inconsidéré. Bavarder, bavardage, bavard. — Indiscret, indiscrétion. Révéler un secret, révélation. Ne pas garder un secret. — Laisser échapper. Se trahir.

Se couper. Se compromettre, compromettant.

Manquer de tact. Faire une gaffe. Enfant terrible. — Imprudent. Maladroit. Malavisé. — Interpeller. Presser de questions. Questionneur.

*Individu,* m. V. *personne, seul, unité, exister.*
INDIVIDUALISME, m. V. *soi.*
INDIVIDUEL. V. *individu, propre, distinct.*
INDIVIS. V. *partage, joindre.*
INDIVISIBLE. V. *simple.*
INDIVISION, f. V. *possession, héritage, conserver.*
*Indochine,* f.
INDOCILE. V. *entêté, libre.*
INDOLENCE, f. Indolent. V. *mou, oisif, paresse.*
INDOMPTABLE. V. *force.*

INDU. V. *mal, injuste.*
INDUBITABLE. V. *certitude.*
INDUCTION, f. Induire. V. *argument, raison, exciter.*
INDULGENCE, f. V. *pardon, supporter, permettre, patience.*
*Indulgences,* f. p. V. *pénitence.*
INDULGENCIER. V. *bénir.*
INDULT, m. Indultaire, m. V. *bénéfice, pape.*
INDURATION, f. V. *dur, tumeur.*

INDUSTRIALISME, m. V. *industrie.*
*Industrie,* f. V. *commerce, mécanique, travail.*
INDUSTRIEL. V. *industrie.*
INDUSTRIEUX. V. *habile.*
INÉBRANLABLE. V. *fixe, fermeté.*
INÉDIT. V. *nouveau.*
INEFFABLE. V. *sublime, extraordinaire.*
INEFFICACE. V. *vain.*
*Inégal.* V. *différent, saillie.*
INÉGALITÉ, f. V. *inégal.*

---

## INDIVIDU

**Termes familiers.** — Une bonne âme. — Un bon apôtre. — Le camarade. — Un mauvais chien. — Un joli coco. — Citoyen, citoyenne. — Un bon, un triste compagnon. — Compère, commère. — Un heureux coquin. — Un drôle de corps. — Un mauvais coucheur. — Une créature. — Un bon diable. Un bon drille. — Un drôle. Une drôlesse. — Un bon enfant. — Un gaillard. — Le galant. — Un bon garçon. — Un gars. — Braves gens. — Un pauvre hère. — Un je ne sais qui. — Un lapin. — Un mâle. — Un mâtin. — La grosse mère, la petite mère. — Un beau, un vilain merle. — Un vilain monsieur. — Un plaisant museau. — Un joli moineau. — Un gros père. — Le particulier, la particulière. — Mon petit. — La petite dame. — Une bonne pièce. — Un drôle de pistolet. — Une pratique. — Un pauvre sire. — Un bon, un mauvais sujet. — Une mauvaise tête. — Une tête brûlée. — Un bon vivant. — Un personnage. — Un quidam. — Un tel. — Un type.

Autres termes. V. HOMME, FEMME.

## INDOCHINE

**Pays.** — Annam, annamite. Cambodge, cambodgien. Cochinchine, cochinchinois. Tonkin, tonkinois.

Bac (nord). Nam (sud). Dong (champ). Haï (mer). Lang (village). Ngoï (rivière). Nui, Hon, Pon, Khao, Pnom (montagne). Song, Mé, Se, Lach (fleuve). — Tinh (province). Tong (canton). Xa (commune).

Arroyo. Cagna (hutte). Congaï (femme). Ngaké (paysan). Panca (éventail). — Choumchoum (eau-de-vie). Litchis (arbre). — Fête du Têt. Koueï (esprit).

**Poids, mesures, monnaies.** — *Poids.* Binh. Can. Luong. Nen. Picul. Quan. Taël. Yen.

*Mesures.* Bat. Covid. Hoc. Ly. Man. Thang. Vuong.

*Monnaies.* Ligature. Sapèque. Piastre.

**Administration.** — Caï-tong (chef de canton). Quan-huyen (sous-préfet). Quan-phu (préfet). Tong-doc (gouverneur).

Chan (division). Dinh (province). Huyen (arrondissement). Phu (préfecture). Thuan-phu (gouvernement).

## INDULGENCES

**Termes religieux.** — Indulgence plénière. Indulgence partielle. — Jubilé, jubilaire. Faire son jubilé. — Pardon. — Trésor des indulgences.

Sacramentaux (objets bénis). — Eglise stationnale. — Pardonnaire (distributeur d'indulgences). — Indulgencier. Accorder une indulgence. Gagner une indulgence.

## INDUSTRIE

**Industries diverses.** — Arts industriels. Arts mécaniques. — Grande et petite industrie. — Industrie extractive. Industrie agricole. Industrie manufacturière. Industrie commerciale. Industrie des transports.

Métallurgie. — Mines. — Tissages. — Produits chimiques. — Produits alimentaires. — Constructions mécaniques, etc.

**Travail industriel.** — Matières premières. — Personnel. Technicien. Ingénieur. Contremaître. Main-d'œuvre. OUVRIER. Travailleur. Manœuvre. — Usine. Manufacture. Fabrique. Etablissement. Atelier. — Outillage. MACHINES. Métiers. — Exploitations. MINE. Haut fourneau. FONDERIE. FORGE. Filature. MOULIN. Distillerie. Raffinerie, etc. — Force motrice. VAPEUR. Force hydraulique. Electricité. Moteurs. Transport de force. — Circulation. Chemins de fer. Camionnage. Batellerie. Lignes aéropostales.

Industrialiser, industriel. Entreprendre, entrepreneur. Exploiter, exploitant. Manufacturer, manufacturier. Fabriquer, fabricant. Confectionner, confectionneur. Produire, producteur.

**Qui concerne l'industrie.** — Economie politique. Echanges. Protection. — Industrialisme. — Invention, inventer, inventeur. Brevets. Expositions. — Lois sociales. Syndicats, syndicalisme. — Conseil d'administration. Bilan. Opérations financières.

## INÉGAL

**Qui n'est pas égal.** — Asymétrie, asymétrique. Dyssymétrie, dyssymétrique. — Trapèze. Triangle scalène. — Anisodactyle. Anisopétale. Anisophylle, etc. Inéquiangle. Inéquilatéral, etc. — Impair.

Eminence. Monticule. Montueux. — BOSSE, bossu. Renflement, renflé. Gonflement, gonflé.

INÉLUCTABLE. V. *nécessaire.*
INEPTE. Ineptie, f. V. *sot, maladresse.*
INÉPUISABLE. V. *épuiser.*
INERTE. Inertie, f. V. *engourdi, mou, paresse, faible, immobile.*
INESPÉRÉ. V. *étonnement.*
INEXACT. Inexactitude, f. V. *erreur, infidèle.*
INEXÉCUTION, f. V. *oubli.*
INEXORABLE. V. *dur, cruel, résister.*
INEXPÉRIENCE, f. V. *incapable, maladresse.*
INEXPÉRIMENTÉ. V. *ignorance, naïf.*
INEXPIABLE. V. *réparer.*

INEXPUGNABLE. V. *siège.*
INEXTINGUIBLE. V. *éteindre.*
INEXTRICABLE. V. *mélange.*
INFAILLIBILITÉ, f. Infaillible. V. *certitude, parfait, pape.*
INFAMANT. Infamie, f. V. *réputation, mépris, honte, crime.*
INFANT, m. V. *roi.*
INFANTERIE, f. V. *armée.*
INFATIGABLE. V. *force, travail, zèle.*
INFATUATION, f. Infatué. V. *sot, préjugé, orgueil.*
INFÉCOND. V. *stérile.*
INFECT. V. *puant.*
INFECTION, f. Infecter. V.

*maladie, gâter, plaie, sale, puant, épidémie.*
INFÉODÉ. V. *obéir, association.*
INFÉODER. V. *louange, joindre, féodal.*
INFÈRE. V. *bas.*
INFÉRER. V. *raison, argument, preuve.*
**Inférieur.** V. *bas, moins, chef.*
INFÉRIORITÉ, f. V. *inférieur.*
INFERNAL. V. *enfer.*
INFERTILE. V. *inculte, stérile.*
INFESTER. V. *pillage.*
**Infidèle.** V. *abandon, tromper, adultère, impie.*
INFIDÉLITÉ, f. V. *infidèle.*

---

— Ressaut. SAILLIE. Saillant. Balèvre. — Chevauchement, chevaucher. Dépassement, dépasser. Débordement, déborder. — Accidenté. Anfractuosité. Cran. Créneau, créneler. Dent, denteler, dentelure. Bretauder (tondre inégalement). Bretture, bretter.

Inégal, inégalité. Barlong (de longueur inégale). Tuyaux d'orgue. Vers libres. Etager. — Borgne. Louche. Boiteux. Vairon.

**Qui n'est pas uni.** — Abrupt. Apre, aspérité. Hérissé. — BRUT. Rustique. — Pierreux. Caillouteux. Rocailleux. — Raboteux. Rugueux. Scabreux. Rafleux (sucre). — Barbes, barbures. Effiloches, effiloché. Bavure, baveux. Bois racheux. — Ridé. Rayé. Pointillé. Tailladé. Troué. Haché. — Rude. Calleux, callosité. Noueux, NŒUD. — Dépoli. Fruste (médaille). Grenu. Grumelé, grumeaux. Peau de chagrin.

**Qui n'est pas régulier.** — Irrégulier, irrégularité. Disproportionné, disproportion. DISCORDANT. Changeant. Interrompu. Capricant (pouls). Douilleux (drap).

Mouvement inégal. Saccade. — Humeur inégale. Caprice. Lubie.

### INFÉRIEUR
(latin, *sub*, sous ; grec, *hypo*)

**Situé en dessous.** — Antipodes. Nadir. — Le bas. Le dessous. BASE. Piédestal. Cale. — Cave. Sous-sol. FOND. Cul. — Par-dessous. — Revers. Envers. Verso. Doublure. — Placé au-dessous. Inférieur. Infime. Infère. — Valeur en dessous. Moindre. Amoindri. Diminué. En baisse.

Hypocauste. — Hypoderme. — Hypogastre. — Hypogée. — Hypoglosse. — Hypogyne. — Hypophylle. — Hypotension. — Hypoténuse, etc.

Soucoupe. — Sous-bande. — Sous-vêtement. — Sous-cutané. — Sous-jacent. — Sous-marin. — Sous-pied. — Sous-sol. — SOUTERRAIN, etc.

Sublunaire. — Submersible, submersion. — Substratum. — Substruction. — Subterrané. — Subcostal.

**En sous-ordre.** — Venir APRÈS. Venir à la suite. DERNIER. — Hiérarchie, hiérarchique. Subordonné. Subalterne. Sous-officier. Contremaître. — Etre sous les ordres de. Sous-ordre. Employé. Commis. Domestique. Serviteur. — Obéir. Servir, service.

**Dépendant.** — Esclave, esclavage. Servitude. Serf, servage. Asservi, asservissement. — Etre sous le joug. Subjugué. Soumis, soumission. SUJET, sujétion. Assujetti, assujettissement. Tributaire. — Relever de. DÉPENDANCE. Allégeance. Hommage. Vassalité, vassal. Homme-lige. Satellite. — Client, clientèle. Créature. Protégé. Obligé. — Les inférieurs. — Etre sous la puissance de. Mineur, minorité. Interdit.

Etre aux pieds. Etre sous la coupe. Etre à la merci. — Avoir le dessous. Céder. S'incliner. Subir. Trouver son maître. Etre VAINCU, VICTIME.

**Remplaçant.** — Second, seconder. Adjoint. Un aide. Aide-major. Ame damnée. — En seconde ligne. En second rang. Auxiliaire. Secondaire. Subsidiaire. — Lieutenant. Substitut. Vicaire. Vice-président. Fondé de pouvoir. — Comparse. Doublure. — Succursale.

### INFIDÈLE

**Infidélité conjugale.** — ADULTÈRE. Commerce illégitime. Conversation criminelle. Faire des infidélités. Trahison, TRAHIR. TROMPER, tromperie. — Liaison. Caprice. Fugue. Passade. Flagrant délit. — Abandonner, ABANDON. — Lâcher, lâchage. Rompre, rupture. — Inconstant, inconstance. Léger, légèreté. Papillonner. Flirter.

**Infidélité religieuse.** — Manquer à sa foi. Renier sa foi, renégat, reniement. Apostasier, apostasie, apostat. Abjurer, abjuration. — Hérésie, hérétique. Laps et relaps. — Irréligion. Inobservance. Inobservation. — Infidèle. Irréligieux. Impie. Sacrilège.

**Qui manque à sa parole.** — Mauvaise foi. Déloyauté, déloyal. Foi punique. Perfidie, perfide. — Parjure, se parjurer Faux serment. — Faire faux bond. Démentir sa promesse.

INFILTRATION, f. Infiltrer (s').
V. *filtre, traverser, pénétrer, humide, hydraulique.*
INFINI. V. *limite, étendue, tout, continuer.*
INFINITÉ, f. V. *beaucoup.*
INFINITÉSIMAL. V. *petit.*
INFINITIF, m. V. *verbe.*
**Infirme.** V. *blessure, difforme, faible.*
INFIRMER. V. *annuler, doute.*
INFIRMERIE, f. Infirmier, m.
V. *hôpital, blessure, maladie.*
INFIRMITÉ, f. V. *infirme, mal.*
INFLAMMABLE. V. *brûler, passion.*
INFLAMMATION, f. V. *brûler, fièvre.*
INFLATION, f. V. *monnaie.*
INFLÉCHIR. V. *pli.*
INFLEXIBLE. V. *résister, fermeté, dur.*
INFLEXION, f. V. *oblique, voix, optique.*
INFLIGER. V. *punition.*
INFLORESCENCE, f. V. *fleur.*
**Influence,** f. V. *pouvoir,*

*persuader, action, aimant, astrologie.*
INFLUENCER. V. *influence.*
INFLUENZA, f. V. *rhume.*
INFLUER. V. *influence, diriger, presser, cause.*
IN-FOLIO, m. V. *livre.*
INFORMATION, f. Informateur, m. V. *avertir, nouvelle, témoin, dire, examen.*
INFORME. V. *grossier, laid, imparfait, brut.*
INFORMER. V. *renseignement, accusation.*
INFORTUNE, f. V. *malheur.*
INFRACTION, f. V. *faute, violer.*
INFRANGIBLE. V. *solide.*
INFRUCTUEUX. V. *vain, stérile.*
INFUS. V. *disposition.*
INFUSER. V. *répandre, pénétrer, cuire.*
INFUSION, f. V. *boisson, médicament, thé.*
**Infusoire,** m. V. *animal.*
INGAMBE. V. *jambe, vif.*
INGÉNIER (s'). V. *chercher.*

INGÉNIEUR, m. V. *industrie, architecture, mécanique.*
INGÉNIEUX. Ingéniosité, f. V. *intelligence, habile, délicat.*
INGÉNU. V. *simple, innocent, naïf, franc.*
INGÉNUE, f. V. *fille.*
INGÉNUITÉ, f. V. *pur, ignorance.*
INGÉRENCE, f. Ingérer (s'). V. *intervenir, entrer, indiscret.*
IGNOMINIE, f. V. *honte.*
INGRAT. Ingratitude, f. V. *reconnaissance, oubli.*
INGRÉDIENT, m. V. *constituer, mets.*
INGUÉRISSABLE. V. *continuer.*
INGURGITER. V. *gorge, avaler.*
INHABILE. Inhabileté, f. V. *maladresse.*
INHABILITÉ, f. V. *incapable.*
INHALATION, f. V. *vapeur.*
INHÉRENT. V. *tenir.*
INHIBITION, f. V. *prohiber.*
INHOSPITALIER. V. *dur.*
INHUMAIN. V. *cruel.*

---

Manquer à sa parole, manquement. — Se dédire, dédit. Rétracter, rétractation. Désavouer, désaveu. Reprendre sa parole. Revenir sur sa promesse. — Rompre, violer, ne pas remplir ses engagements.

**Qui manque à son devoir.** — Forfaire, forfaiture. Félonie, félon. Trahison, traître. — Abus de confiance. Faire un faux, faussaire. — Faire banqueroute, banqueroutier. Mauvais débiteur. — Malversation, malversateur. Prévarication, prévaricateur, prévariquer. — Violer la loi. Se révolter, révolte. Se soulever, soulèvement. — Ingrat, ingratitude. Inexact, inexactitude.

## INFIRME

**Infirme.** — Blessé. Mutilé. Amputé. Invalide. — Éclopé. Estropié. Estropiat. Impotent. — Boiteux. Cul-de-jatte. Jambe de bois. Manchot. Manicrot — Difforme. Crétin. Goitreux. Hernieux.

Infirmité. Invalidité. Mutilation. Difformité. Réforme.

**Perclus.** — Cacochyme Cassé. FAIBLE. Languissant. — Paralysé. Paralytique. Grabataire. Rachitique. Noué. — Rhumatisant. Goutteux. Podagre.

Goutte. Paralysie. Rhumatisme. Rachitisme. Langueur.

## INFLUENCE

**Action.** — Agir sur. Exercer une influence. Influer. Atteindre, atteinte. ATTIRER, attraction. — Manier. Façonner. Former. — Refléter sur, reflet. Rejaillir sur. — Impressionner, impression. Empreinte. Déteindre sur. — Modifier, modification. Affecter. Catalyse.

— Causer. Contribuer à. Produire un EFFET. — Avoir le mauvais œil. Jeter un sort, un maléfice.

**Autorité.** — Ascendant. Empire. Poids. Puissance. Pouvoir. — Dominer, domination, dominateur. Primer. Prépondérance, prépondérant. — DIRIGER, direction. Mener. Dicter des ordres. Faire la pluie et le beau temps. — Importance. Crédit. Donner le ton. Fasciner, fascination. Intimider, intimidation. — Donner l'exemple. Peser sur. Entraîner. EXCITER. Pousser. Faire aller. — Faire tourner. Plier. Pétrir. Styler.

**Persuasion.** — PERSUADER, persuasif. Convaincre. Porter la conviction. Catéchiser. Endoctriner. — SÉDUIRE, séduction, séducteur. Charmer, charme, charmeur. Enchanter, enchanteur. Captiver. Eblouir. Ensorceler, ensorceleur. S'impatroniser. — Circonvenir. Retourner. Gagner. Décider. — Pousser à. Inspirer, inspirateur. Suggérer, suggestion. — Influencer. Empaumer. Capter, captation, captateur.

## INFUSOIRE

**Description.** — Protozoaires. Microzoaires. Animaux microscopiques. — Infusoires ciliés. Infusoires tentaculifères. Vibrions. — Cils vibratiles. Cyclostome (bouche). Cytoprocte (anus). Organes rotatoires. Corps filiforme. Endoplaste. — Reviviscence. Fissiparité.

Micrographie, micrographe.

**Types d'infusoires.** — Amibe. Anguillade. Bursaire. Cyclide. Filine. Gonelle. Lamelline. Macrobiote. Monade. Polype. Protée. Urcéolaire. Virgulaire. Zoosperme, etc.

INHUMATION, f. Inhumer. V. *cadavre, funérailles.*

INIMITIÉ, f. V. *haine, nuire.*

ININTELLIGENCE, f. Inintelligent. V. *sot.*

ININTELLIGIBLE. V. *difficile, obscur.*

INIQUE. Iniquité, f. V. *injuste.*

INITIAL. V. *commencer.*

INITIATION, f. V. *instruction, entrer, mystère, commencer.*

INITIATIVE, f. V. *entreprendre, proposer, volonté.*

INITIER. V. *connaître, commencer, cérémonie.*

INITIER (s'). V. *habitude.*

INJECTER. Injection, f. V. *jet, laver, arroser.*

INJONCTION, f. V. *ordre, avertir.*

**Injure,** f. V. *colère, grossier, menace, dispute.*

INJURIER. V. *injure, maudire.*

INJURIEUX. V. *injure, attaque.*

**Injuste.** V. *méchant.*

INJUSTICE, f. V. *injuste, méchant.*

INNÉ. Innéité, f. V. *naître, disposition, intérieur.*

INNERVATION, f. V. *nerf.*

INNOCENCE, f. V. *innocent.*

**Innocent.** V. *juste, ignorance, naïf, vierge.*

INNOCENTER. V. *pardon, excuse.*

INNOCUITÉ, f. V. *innocent.*

INNOMBRABLE. V. *beaucoup.*

INNOVATION, f. Innover. V. *nouveau, trouver, changer.*

INOCULATION, f. Inoculer. V. *maladie, transmettre.*

INODORE. V. *odeur.*

---

## INJURE

**Outrage.** — Injure, injurier, injurieux. Éclater en injures. Abreuver d'injures. — Outrage, outrager, outrageant, outrageux. Insulte, insulter, insultant, insulteur. Invective, invectiver. — Offense, offenser, offenseur. Propos blessants, blesser. Affront sanglant. Manquer à quelqu'un. — Avanie. Huées. Camouflet. Soufflet. Imprécations. — Traiter indignement. Dire des infamies. Traîner dans la boue. — Cracher au visage. Bafouer. Huer. Conspuer. — Vilipender. Accommoder. Accoutrer. Écharper. Chanter pouilles. Blasphème, blasphémer, blasphémateur. — Malédiction, MAUDIRE. Injure publique, non publique. Délit. — Calomnie. Diffamation. Offense. Outrage. — Injure grave (cas de divorce).

**Querelle.** — Se chamailler. Chercher noise. Faire une scène. Faire un éclat, une violente sortie. — PROVOQUER, provocation. Braver, bravade. — Algarade. Incartade. Narguer. — Attaquer, ATTAQUE. Apostropher, apostrophe. — Pamphlet, pamphlétaire. Faire des personnalités. — Malmener en paroles. Crosser. Dauber. Déblatérer. — Se déchaîner contre. Déclamer contre. Récriminer, récrimination. Faire du SCANDALE. — Menacer, MENACES. Molester. Brusquer, brusquerie. — Humilier, humiliation.

**Grossièreté.** — Vomir des injures. Bordée d'injures. Débordement d'injures. — Fort en gueule. Attraper. Engueuler, engueulade. — Mal embouché. GROSSIER. Gros mots. Jurons. Ordures, ordurier. — Crudité de parole. Parler crûment. Langage des halles. Harengère. Poissarde. Catéchisme poissard. — Violences de langage. Atrocités. Horreurs. — Dépasser la mesure. Liberté de parole. Choquer, choquant.

**Impolitesse.** — Impoli. Incivil, incivilité. Malhonnête, malhonnêteté. — Insolent, insolence. Effronté, effronterie. Irrévérencieux, irrévérence. Saugrenu. Impertinent, impertinence. — Coup de bec. Coup de langue. Mauvais compliment. Sarcasme, sarcastique. — Dire des sottises. Railleries. Moquerie. — Nasarde. Pied de nez. Tirer la langue. Faire la nique. — Mauvais procédés. Manquer à, manquement. — Mortifier. Désobliger. Donner un démenti.

## INJUSTE

**Contraire à la Justice.** — Injustice, injuste. Injustice criante. Iniquité, inique. Arbitraire. — Abus de pouvoir, abusif. Usurper, usurpation. S'arroger. Empiéter. Intrus, intrusion. — Acception de personnes. Partialité, partial. Préférence aveugle. Faveur. Piston. Passe-droit.

Mal jugé. Peu fondé. Déraisonnable. Insoutenable. Irrévocable. Inadmissible. Injustifiable. — Irrégulier, irrégularité. Inégal, inégalité. Immérité. Indu. A tort. — Méconnaître, méconnaissance. Mésestimer, mésestime. Frustrer, frustratoire.

Machiavélisme, machiavélique. Moyens subreptices. Fausseté, fausser. Vénalité, vénal. — Méchant, méchanceté. Tortionnaire, torturer.

**Contraire à la loi.** — Illégal, illégalité. Illégitime, illégitimité. Illicite. Condamnable. Donner une entorse au droit. — Criminel, crime. Scélératesse, scélérat. — Friponnerie, fripon. Filouterie, filou. Vol, VOLEUR. Gueuserie, gueux. — Malversation, malversateur. Prévarication, prévaricateur. Concussion. Péculat. — Fraude, fraudeur. CONTREBANDE, contrebandier. Affaire louche. — Clandestin. Furtif. Marron.

Acte inconstitutionnel. Clause incivile.

**Contraire à la morale.** — Mauvaise foi. N'avoir ni foi ni loi. Déloyauté, déloyal. Tromperie, trompeur. Déshonnête. — Manquer à son devoir. Manquement. Forfaire, forfaiture. Infidélité, infidèle. FAUTE, fautif. — Pactiser avec sa conscience. Indélicat, indélicatesse. Immoral, immoralité. Indigne, indignité. — Improbité, improbe. Fourberie, fourbe. Rouerie, roué. — Faire le mal. Malfaisant. Méfait. PÉCHÉ.

Mauvais. Blâmable. Odieux. Inexcusable.

## INNOCENT

**Non coupable.** — Innocence. Conscience nette. — Acquitter, acquittement. Absoudre, absolution. Laver. — Innocenter. Disculper, disculpation. Décharger. Excuser, EXCUSE. Blanchir. — Pardonner, PARDON. Réhabiliter, réhabilitation. Donner gain de cause. — Justifier, justification. Apologie, apologiste, apologétique.

INOFFENSIF. V. *innocent*.
**Inondation,** f. V. *eau, beaucoup, rivière*.
INONDER. V. *inondation, humide*.
INOPINÉ. V. *subit*.
INOPPORTUN. V. *inconvenant*.
INOUÏ. V. *inconnu, nouveau, extraordinaire*.
**Inquiet.** V. *peur, chagrin, peine, embarras*.

INQUIÉTANT. Inquiété. V. *inquiet*.
INQUIÉTUDE, f. V. *inquiet, mouvement*.
INQUISITEUR, m. V. *fanatique*.
**Inquisition,** f. V. *chercher, défiance, torture, espion*.
INSALUBRE. V. *nuire, santé*.
INSANITÉ, f. V. *sot, folie*.
INSATIABLE. V. *rassasier*.
INSCIEMMENT. V. *ignorance*.

**Inscription,** f. V. *écrire, registre, géométrie*.
INSCRIRE. V. *inscription*.
INSCRIT, m. V. *suffrage*.
**Insecte,** m. V. *animal*.
INSECTICIDE. V. *insecte*.
INSECTIVORE. V. *insecte*.
INSECTOLOGIE, f. V. *insecte*.
INSENSÉ. V. *impossible, folie*.
INSENSIBILITÉ, f. V. *insensible*.

**Inoffensif.** — Innocuité. Innocent. Anodin. — Bon. DOUX. Agneau. Colombe. Pigeon. — Sans malice. Sans méchanceté. — VICTIME innocente. N'en pouvoir mais. — Massacre des Innocents.

**Pur.** — Candeur, candide. Blancheur, blanc comme neige. Immaculé. Fleur de lis. — Robe d'innocence. Virginité, VIERGE, virginal. Pureté, pur. Sans tache. Sans souillure. — Ingénu, ingénuité. Agnès. Sainte-Nitouche. — Etat de grâce. Sainteté, SAINT. Les Justes. — SIMPLE, simplicité. NAÏF, naïveté. Niais, niaiserie.

### INONDATION

**Inondation.** — Inonder, inondable. Couvrir d'eau. Submerger, submersion. Noyer. — Cataclysme. Pluies diluviennes. Orages. — Fonte des neiges. Crue. Débordement, déborder. — Irruption des eaux. Rupture des digues. Envahissement. — TORRENT, torrentiel.

**Déluge.** — Déluge universel. Cataractes du ciel. — Déluge de Noé, de Deucalion et Pyrrha, de Xisouthros, etc. — Arche de Noé. Mont Ararat. — Diluvien. Antédiluvien.

### INQUIET

**Tourment d'esprit.** — Inquiétude, inquiet, inquiétant, inquiéter. — Souci, soucieux, se soucier. Tracas, tracasser. Sollicitude. Soins. — Se mettre martel en tête. Se faire du mauvais sang. — Avoir la puce à l'oreille. Etre sur le qui-vive. — Ne pouvoir tenir en place. Ne pouvoir durer. Trépigner, trépignement. Ame en peine. — Tristesse, triste. Trouble, troubler. Chagrin, chagriner. — Emoi, émotion, émouvoir — Malaise, mal à son aise. Ennui, ennuyer. — Impatient. JALOUX. Ombrageux. — Donner à penser, pensif. Rêverie, rêver. Distraction, distrait. — Remords. Préoccupation.

**Perplexité.** — Perplexe. INDÉCIS, indécision. Incertain, incertitude. — En suspens. En attente. — Embarrassé. Etre dans l'EMBARRAS. Agité, ag'tation. — Etre aux cent coups. Etre sur le gril, sur des charbons ardents. — Scrupuleux, scrupule. Soupçonneux, soupçon.

**Angoisse.** — Etre angoissé. Etre à la torture. Etre dans tous ses états. — Dévoré, rongé d'inquiétude. Inquiétude mortelle. — Anxiété, anxieux. Détresse. Tourment, tour-

menté. Transes. — Insomnie. Perdre le sommeil. PEUR. Crainte. Trembler. Redouter. Pessimisme, pessimiste.

### INQUISITION

**Le tribunal.** — Congrégation du Saint-Office. Inquisition. — Inquisiteur. Le grand inquisiteur. Torquemada. Les Dominicains. — Tribunal secret. Tribunal de la foi. Recherche inquisitoriale. — Consulteur. Qualificateur. Sainte Hermandad. Familiers du Saint-Office.

**Les condamnés.** — Inquisitorié. Hérétique. Relaps. — TORTURE. Question. Autodafé. Bûchers de l'Inquisition. — Caroche (mitre). Samara (scapulaire). San benito (casaque).

### INSCRIPTION

**Inscriptions sur monuments.** — Académie des Inscriptions et Belles-Lettres. — Epigraphie, épigraphique, épigraphiste. Paléographie, paléographe. Déchiffrer une inscription. — Inscription bilingue. Inscription lapidaire, tumulaire. — Inscription commémorative, votive. — Cartouche. — Chronogramme. Anaglyphes. Hiéroglyphes. Runes. — Epitaphe.

**Inscriptions sur objets divers.** — Affiche, affichage. Annonce, annoncer. Ecriteau. Placard, placarder. Pancarte. — Enseigne. Plaque indicatrice. Panonceau. — Etiquette, étiqueter. Marque, marquer. — Empreinte. — Ecusson. Exergue. Légende. — Devise. Ame (paroles). Corps (figures). Cri (devise de cimier). Liston (bande portant la devise). — TITRE. Intitulé. Suscription. — Talisman. Phylactère. Téphilin. — Diptyque. Triptyque. Polyptyque.

**Inscriptions sur registres.** — Chartes. Archives. Fastes. — Rôle. Registre. Ecrou. — Inscrire. Inscription d'hypothèque. Enregistrer. Ecrouer. — Matricule, matriculaire. Immatriculer, immatriculation. — Conscription, conscrit. Inscription maritime, inscrit. — Liste. NOTE. Remarque. Apostille.

### INSECTE
(grec, *entomon*)

**Corps.** — Corps hexapode. — Tête. Yeux. Ocelles. Antennes. Bouche. — Thorax. Prothorax. Mésothorax. Métathorax. — Ailes. Elytres. — Abdomen. Anneaux. Tarière ou Oviducte. Trachées. Stigmates. — Pattes. — Appareil circulatoire. Vaisseau dorsal. — Appareil respiratoire.

# INS

**Insensible.** V. *dur, calme, paralysie.*
INSÉPARABLE. V. *compagnon.*
INSÉRER. Insertion, f. V. *mettre, entourer, entre, entrer, fleur.*
INSIDIEUX. V. *ruse.*
INSIGNE. V. *important.*
**Insignes,** m. p. V. *fonction, marque.*
INSIGNIFIANT. V. *vain, médiocre, petit.*
INSINUANT. V. *cajoler.*

INSINUATION, f. Insinuer. V. *accusation, indirect, avertir.*
INSINUER (s'). V. *entrer.*
INSIPIDE. Insipidité, f. V. *goût, fade.*
INSISTANCE, f. Insister. V. *réclamer, prier, répétition, continuer.*
INSOCIABLE. V. *sauvage, seul.*
INSOLATION, f. V. *soleil.*
INSOLENCE, f. Insolent. V. *injure, orgueil.*

INSOLITE. V. *extraordinaire, rare, étonnement.*
INSOLUBLE. V. *dissoudre, impossible.*
INSOLVABLE. V. *dette.*
INSOMNIE, f. V. *sommeil, veiller, maladie.*
INSONDABLE. V. *sonde.*
INSOUCIANCE, f. Insouciant. Insoucieux. V. *inattention, indifférent.*
INSOUMIS. Insoumission, f. V. *résister, sédition.*

---

**Pièces.** — Aiguillon. Dard. — Aigrette. — Antenne. Appendice. — Articles. — Brosses. — Cellules. — Cirre. — Corne. — Corselet. — Crochets. — Cuillerons. — ECAILLES. — Ecusson. — Elaste. — Epaulette. — Epines. — Fémur. — Filets. — Filière. — Haltère. — Labre. — Languette. — Mandibules. — Nervures. — Ovaire. — Palpe. — Pinces. — Poils. — Segments. — Soie. — Sternum. — Suçoir. — Tarses. — Tentacules. — Tibia. — Trochanter.

**Vie.** — Œufs. Couvain. — Métamorphoses. Larve. Chenille. Nymphe. Chrysalide. Insecte parfait. PAPILLON. — Cocon. Nid. Toile. — Mue. Dépouille. — Sociétés d'insectes, abeilles, fourmis, etc.

Voler. Ramper. Sauter. — Piquer. Ronger. Broyer. Térébrer. — Pulluler. Fourmiller. Grouiller. — Bourdonner. — Filer.

**Espèces.** — Hétérogynes. Sexués. Neutres. Ouvrières. — Utiles. Nuisibles. Vermine. Parasites. — Volatiles. Apodes. — Phytophages. Carnassiers. Omnivores.

*Orthoptères.* Campode. Podure. Lépisme. Forficule. Blatte. Mante. Phasme. Criquet. SAUTERELLE. Grillon. Libellule. Ephémère. Termite. Psoque ou Pou de bois, etc.

*Névroptères.* Panorpe. Fourmi-lion. Phrygane. Perce-oreille. Mantispe. Raphidie, etc.

*Strepsiptères.* Stylops, etc.

*Lépidoptères.* Piéride. Vanesse. Machaon. Paon de jour. Argynne. Sphinx. Saturnie. Noctuelle. Géomètre. Bombyx. Pyrale. Chylis. Carpocarpe. Hyponomeute, etc.

*Diptères.* Mouche. Cousin. Moustique. Taon. Hypoderme. Œstre. PUCE. Anthomyie. Cécidomyie, etc.

*Hémiptères.* Cigale. Ranatre. PUNAISE. Phylloxéra. Cochenille. Psylle. Puceron. Pou, Diaspis, etc.

*Coléoptères.* Hanneton. Charançon. Coccinelle. Crabe. Calosome, etc.

*Hyménoptères.* Abeille. Guêpe. Fourmi. Ichneumon. Tenthrède. Chalcis, etc.

**Relatif aux insectes.** — Entomologie, entomologiste, entomologiste. Entomographie, entomographe. — Insectarium. Insectier. — Insecticide. Insectivore. — Entomophage. Entomotille.

## INSENSIBLE

**Privé de sensation.** — Anesthésie, anesthésique, anesthésier. Analgésie, analgésique.

— Stupeur. Stupéfiant, stupéfier. — Chloroforme, chloroformer. Cocaïne, cocaïner. Ether, éthériser. Morphine, morphiniser, morphinisme, morphinomane. Chloral, etc.

Tomber sans connaissance. Perdre connaissance. Perdre le sentiment. Défaillir, défaillance. — Engourdissement, engourdir, ENGOURDI. Etourdissement, étourdir, étourdi. Evanouissement, s'évanouir, évanoui. — Tomber en syncope. Tomber en faiblesse. Se trouver mal. Se pâmer, pâmoison. Avoir ses vapeurs. Tourner de l'œil. — Sommeil magnétique. Hypnotisme.

Rappeler les esprits. Ranimer. — Reprendre ses sens. Revenir à soi.

**Privé de mouvement.** — MORT, mourir. Asphyxie, asphyxier. — Apoplexie, apoplectique. Catalepsie, cataleptique. Léthargie, léthargique. PARALYSIE, paralytique. — Sidération, sidéré. Coup de sang. Coup de foudre. — Rester inanimé, inerte. Etre comme une masse, une pierre, un morceau de bois. — Immobile, immobilité.

**Privé d'émotion.** — Apathique, apathie. Impassible, impassibilité. Insensible, insensibilité. — Raide, raideur. Imperturbable, imperturbabilité. — Froid, froideur. Inerte, inertie. — Indifférent, indifférence. Détaché, détachement. Nirvâna.

## INSIGNES

**Militaires.** — Bâton de maréchal. — Galons. Epaulettes. Etoiles. — Panache. Plumet. Pompon. — Ceinturon. Baudrier. — Médailles. Chevrons. — Uniforme. — Epée. Fanion.

**Religieux.** — Crosse. Mitre. Anneau pascal. — Etole. Camail. Cordelière. — Pallium. Chape. — Croix. — Croissant. — Rabat. — Ephod (de rabbin). Pectoral. Infule.

**De dignité.** — Couronne. Diadème. Sceptre. — Armoiries. Armes. Faisceaux. — Tiare. — Main de justice. Masse. Echarpe municipale. Bijou maçonnique.

Décoration. Croix. Ruban. Rosette. Cordon. Plaque. Palmes. Collier.

**De profession.** — Emblème. Attribut. Symbole. Panonceau. Plaque. — Toque. Toge. Epitoge. Hermine. — Couleurs. Livrée. — Chaîne d'huissier. Brassard. Cocarde. — Caducée. Ancre. Ailes. — Médaille.

INSPECTER. Inspecteur, m. Inspection, f. V. *regard, examen, veiller.*

INSPIRATEUR, m. V. *cause.*

INSPIRATION, f. V. *poésie, devin, conseil.*

INSPIRER. V. *influence, diriger, attirer.*

INSTABILITÉ, f. Instable. V. *changer, fragile.*

INSTALLATION, f. Installer. V. *fonction, mettre, maison.*

INSTANCE, f. V. *prier, presser, besoin.*

INSTANT, m. V. *temps, court.*

INSTANTANÉ. V. *subit, prompt, photographie.*

INSTANTANÉITÉ, f. V. *temps.*

INSTANTANÉMENT. V. *subit.*

INSTAURATION, f. Instaurer. V. *faire, constituer.*

INSTIGATEUR, m. V. *cause.*

INSTIGATION, f. V. *exciter, conseil.*

INSTILLATION, f. Instiller. V. *entrer, goutte, couler.*

INSTINCT, m. Instinctif. V. *animal, disposition, irréflexion.*

INSTITUER. V. *constituer.*

INSTITUT, m. V. *université, société.*

INSTITUTEUR, m. V. *école.*

INSTITUTION, f. V. *faire, commencer.*

INSTRUCTEUR, m. V. *manœuvre, instruction.*

**Instruction, f.** V. *montrer, préparer, connaître, dire, accusation.*

INSTRUCTIONS, f. p. V. *ordre, règle, mission.*

INSTRUIRE. V. *instruction.*

INSTRUMENT, m. V. *musique. outil, moyen, convention.*

INSTRUMENTAL. Instrumentation, f. V. *musique.*

INSTRUMENTER. V. *notaire, huissier, rédiger.*

INSTRUMENTISTE, m. V. *musique.*

**Instruments de musique.**

INSU, m. V. *ignorance.*

---

## INSTRUCTION

**Formes d'enseignement.** — Enseignement didactique. Enseignement dogmatique. Enseignement magistral. — Enseignement ésotérique. Enseignement exotérique. — Enseignement individuel. Enseignement universel. Enseignement mutuel. — Enseignement universitaire. Enseignement libre. — Ordres d'enseignement. Enseignement supérieur, secondaire, primaire, élémentaire, technique. — Enseignement littéraire, classique. Enseignement scientifique. Enseignement professionnel. Branches. — Enseignement religieux. Instruction civique.

Professorat. — Initiation. — Vulgarisation. — Propagande. — Apostolat. — Tradition.

**Art d'instruire.** — Pédagogie, pédagogique. Pédagogue. Maître. Professeur. Docteur. Instituteur. Précepteur. Instructeur. Pédant. — Culture. Disciplines. Méthodes. Connaissances. Lumières. Programmes. Cours. Leçons. Conférences. Expériences. Livres scolaires. — Examens. Interrogations. Colles.

Instruire, instruction. Former, formation. Diriger, direction. Préparer, préparation. — Professer. Enseigner. Dogmatiser. Montrer. Inculquer. — Documenter. Révéler. Dévoiler. Initier. — Démontrer, démonstration. EXPLIQUER, explication. Expérimenter, expérimentation. — Parler *ex cathedra.* Disserter, dissertation. Faire une leçon. Intéresser. En imposer. — CORRIGER, correction. Exercer, exercices. Répéter, répétition. Seriner. Interroger.

**Les études.** — Scolarité. Vie scolaire. Etre sur les bancs. Faire ses classes. Suivre des cours. Faire ses études. — S'instruire. Apprendre. Travailler, travail. Se bourrer. Pâlir sur ses livres. — Ecouter. Prendre des notes. Faire des devoirs. Apprendre des leçons. — Profiter. Acquérir des connaissances. Etre fort en. — Passer un examen, un concours. Préparer une composition. Repasser. Veiller. — Composer. Rédiger. Traduire.

Elève. Ecolier. Etudiant. Disciple. Adepte. Auditeur.

**L'éducation.** — Eduquer, éducateur. Façonner. — Donner de bonnes façons, de bonnes habitudes, de bons principes. — Former le cœur, l'esprit, les manières. — Moraliser, morale. Catéchiser. PRÊCHER, édifier, édification. — Habituer. Familiariser. Assouplir. — Dégrossir. Dégourdir. Déniaiser. — Dresser. Styler. Bien élever. — Reprendre. Morigéner. Surveiller. — Policer. Civiliser.

V. ECOLE.

## INSTRUMENTS DE MUSIQUE

**Instruments à cordes.** — Les cordes. — *Instruments à archet.* VIOLON. Pochette. Alto. Violoncelle ou Basse. Contrebasse. — Viole. Viole de gambe. Rebec. Rebab.

*A cordes pincées ou frappées.* HARPE. Luth. Lyre. Théorbe. Cithare. GUITARE. Guzla. Mandoline. Mandore. Balalaïka. — Cymbalum. Tympanon. Psaltérion.

Luthier. Lutherie. — Caisse. Coffre. Console. — Table. Fond. Chevalet. Croissants. Rose. Ouïes. Ame. — Manche. Chevilles. Clefs. Sillet. — Cordes de boyau, de laiton. Cannetille de cordes. Chanterelle. Sourdine. — Archet. Plectrum.

**Instruments à vent.** — *Cuivres.* Cornet à pistons. Bugle. Petit bugle. Alto. Saxhorn. Baryton. Basse. Contrebasse. Hélicon. Trombone, à coulisse, à pistons. Cor d'harmonie. Cor de chasse. Harmonicor. TROMPETTE, à clefs, droite. Clairon. Saxophone. Serpent. Ophicléide. Sarrussophone. Guimbarde. Ocarina.

*Bois.* FLÛTE. Petite flûte. Diaule. Fifre. Flageolet. Hautbois. Cor anglais. Clarinette. Basson. Pipeau. Chalumeau. Galoubet. Musette. Bombarde. CORNEMUSE. Biniou. Serinette. Sifflet. Mirliton.

Anche. Embouchure. Languette. Layette (verrou). Clefs. Pattes. Pavillon. Tuyaux. Pompe. Trous.

**Instruments à clavier.** — PIANO. Clavecin. Epinette. Orgue. Harmonium. Célesta. Typophone. Harmonica à clavier. Accordéon. Vielle. Rote. Carillon.

NSUBMERSIBLE. V. *nager.*

NSUBORDINATION, f. Insubordonné. V. *résister, sédition.*

NSUCCÈS, m. V. *échouer.*

NSUFFISANCE, f. Insuffisant. V. *mal, manque, incapable.*

NSUFFLATION, f. Insuffler. V. *souffle, entrer, exciter.*

NSULAIRE. V. *île.*

NSULTE, f. Insulter. V. *injure, attaque, mépris.*

NSUPPORTABLE. V. *déplaire.*

NSURGÉ, m. Insurrection, f. V. *sédition, trouble, résister.*

NTACT. V. *complet.*

NTAILLE, f. V. *gravure.*

NTANGIBLE. V. *toucher.*

NTÉGRAL. Intégralité, f. V. *complet, tout.*

NTÉGRALE, f. V. *mathématiques.*

NTÈGRE. V. *pur, juste, impartial.*

INTÉGRITÉ, f. V. *bien, mœurs, juste, complet.*

INTELLECT, m. V. *intelligence, juger.*

**Intelligence.** f. V. *esprit, raison, pensée, connaître, rapport.*

INTELLIGENT. V. *intelligence.*

INTELLIGIBLE. V. *signifier, facile, possible.*

INTEMPÉRANCE, f. Intempérant. V. *conduite, excès, débauche, ivre, gourmand.*

INTEMPÉRIE, f. V. *tempête.*

INTEMPESTIF. V. *temps, inconvenant.*

INTENDANCE, f. V. *armée.*

INTENDANT, m. V. *diriger, magistrat, agent.*

INTENSE. Intensité, f. V. *beaucoup, force.*

INTENTER. V. *procédure.*

INTENTION, f. Intentionnel. V. *volonté, but, cause.*

INTERCALAIRE. V. *calendrier.*

INTERCALER. V. *entre, joindre.*

INTERCÉDER. V. *intervenir, défendre.*

INTERCEPTER. V. *arrêt, interruption.*

INTERCESSION, f. V. *protéger, prier.*

INTERCHANGEABLE. V. *entre.*

INTERCOSTAL. V. *côte.*

INTERDÉPENDANCE, f. V. *entre.*

INTERDICTION, f. V. *prohiber, punition, tuteur.*

INTERDIRE. V. *proscrire, obstacle, incapable.*

INTERDIT. V. *trouble, embarras, étonnement.*

INTÉRESSANT. V. *intérêt.*

INTÉRESSÉ. V. *intérêt, participer, soi, association.*

INTÉRESSER. V. *intérêt.*

INTÉRESSER (s'). V. *intérêt, aimer, chercher, attention.*

**Intérêt,** m. V. *aimer, raconter, gain, rente, prêter.*

---

Facteur. Accordeur, accordoir. — Touches. Carcasse. Mécanique. Pédales. Cordes. Sautereau. Chapiteau. Marteau. — Registre. Soufflerie. Etouffoir. Tirant. Tirasse. Tuyaux d'orgue. Buffet. Soupape.

**Instruments à percussion.** — Grosse caisse. Timbales. Tambour. Caisse claire. Caisse roulante. Tambourin. Tambour de basque. Derbouka. Tam-tam. Gong. Cymbales. Chapeau chinois. Xylophone. Castagnettes. Sistre.

Mailloche. Baguettes.

**Instruments mécaniques.** — Orgue de Barbarie. Phonographe. Machine parlante. Piano mécanique. Appareils de T. S. F. Boîte à musique.

Manivelle. Cartons. Rouleaux. Cylindres. — Disques. Haut-parleur. Diffuseur.

**Exécution.** — Instrumentiste. Exécutant, exécuter. Virtuose. — Jouer. Attaquer la corde. Arpéger. Racler. Pincer. — Emboucher. Sonner. — Toucher. Pianoter. — Souffler. — Battre. Faire vibrer. — Faire tourner. — Jeu. Doigté. Son. — Métronome. Diapason.

V. Musique.

## INTELLIGENCE

**Faculté rationnelle.** — Intelligence, intelligible, intelligibilité. Raison, raisonner, raisonnable. Entendement. Intellect, intellectif, intellectuel. — Sentiment intérieur. Sens commun. Bon sens, sensé.

Conception, concept, concevoir, concevable. — Intuition, intuitif. — Perception. Aperception. Connaissance. — Jugement, jugeote, juger, judicieux. Réflexion, réfléchir. Méditation, méditer. Abstraction, abstraire. Induction. Déduction.

Esprit. Pensée. Imagination. Génie. Talent. — Idées. Idéal. Idéologie. Idées fausses,

fausser les idées. — Fermeté d'esprit. Avoir l'esprit ferme, sain, droit.

**Action de comprendre.** — Comprendre, compréhensible. Compréhension, compréhensif. Percevoir, perceptible. Se rendre compte. — Discerner, discernement. Apercevoir, aperçu. Distinguer, vue distincte. — Entendre, entente, entendeur. — Avoir l'intelligence de. — Découvrir le sens. Saisir le sens. Interpréter, interprétation, interprétatif. — Déchiffrer, déchiffrable. Clef. — Se faire une idée. S'expliquer une chose. Y être.

Entrer dans la tête. Etre intelligible, inintelligible.

**Vivacité d'esprit.** — Intelligence, intelligent, inintelligent. — Esprit clair, net, lucide, ouvert. — Clairvoyance. Lucidité. Voir clair. — Pénétrant, pénétration, pénétrer. Perspicace, perspicacité. Fin, finesse. Profondeur, profond. Vues de l'esprit. — Pressentir, pressentiment. Avoir du flair. — Inventif, invention. Avoir des idées. Imaginer. Se représenter. — Ingénieux, ingéniosité. Débrouiller. Démêler. S'entendre à. — Deviner. Saisir à demi-mot. Percer les voiles. — Avoir de l'esprit, du tact, de l'à-propos, de la repartie. Etre spirituel.

## INTÉRÊT

**Intérêt moral.** — Attacher. Etre attachant. Plaire. Charmer. — Piquer, piquant. Exciter l'attention. Captiver, captivant. — Etre palpitant, poignant, empoignant, dramatique. — Toucher, touchant. Emouvoir, émouvant. Toucher la corde sensible. — Concerner. Regarder. Intéresser, intéressant. — Embrasser la cause de. Se soucier de. — Sollicitude. Pitié. Compassion. — Tenir compte de. Avoir égard à. Etre sensible à. — Porter intérêt. Curieux, curiosité. Amateur.

INTERFÉRENCE, f. V. *lumière, optique.*

INTERFOLIER. V. *feuille.*

**Intérieur.** V. *contenir, milieu, maison, pensée.*

INTÉRIM, m. Intérimaire. Intérimat, m. V. *fonction, vacant, remplacer.*

INTERJECTION, f. V. *cri, grammaire.*

INTERLIGNE, m. V. *entre, ligne.*

INTERLIGNE, f. V. *imprimerie.*

INTERLOCUTEUR, m. V. *dialogue.*

INTERLOPE. V. *contrebande.*

INTERLOQUER. V. *embarras, étonnement.*

INTERMÈDE, m. V. *arrêt, interruption, théâtre.*

INTERMÉDIAIRE. V. *entre, milieu, intervenir, négocier.*

INTERMINABLE. V. *continuer.*

INTERMISSION, f. V. *interruption.*

INTERMITTENCE, f. Intermittent. V. *interruption, maladie.*

INTERNAT, m. V. *école.*

INTERNATIONAL. V. *pays.*

INTERNATIONALISTE, m. V. *politique.*

INTERNE. V. *intérieur, médicament, blessure.*

INTERNE, m. V. *école, hôpital.*

INTERNEMENT, m. Interner. V. *punition, pays, folie.*

INTERPELLATEUR, m. V. *parlement.*

INTERPELLATION, f. Interpeller. V. *appel, interroger.*

INTERPOLER. V. *entre, livre.*

INTERPOSER. V. *entre, mettre.*

INTERPOSER (s'). V. *intervenir.*

INTERPRÉTATION, f. V. *expliquer, signifier.*

INTERPRÈTE, m. V. *agent, parler.*

INTERPRÉTER. V. *intelligence, traduire.*

INTERRÈGNE, m. V. *roi, vacant.*

INTERROGATEUR, m. Interrogation, f. V. *interroger.*

INTERROGATOIRE, m. V. *juges.*

**Interroger.** V. *question, demande, examen, interroger.*

INTERROMPRE. V. *interruption.*

INTERRUPTEUR, m. V. *interruption.*

**Interruption,** f. V. *arrêt cesser, parler, parlement.*

---

### Intérêt d'utilité.

— Intérêt. Utilité. Avantage. Profit. — Nécessité. BESOIN. Importer, IMPORTANT. Il y a de. — S'intéresser à. S'occuper de. Prendre part à. PARTICIPER. Intéressés. Coïntéressés. — Désintéresser. — Attacher du PRIX à. Tenir à. Estime. — Offrir de l'intérêt. Se recommander, recommandable. S'adresser à. Etre du ressort de. — Etre intéressant, avantageux, profitable, utile.

### Intérêt d'argent.

— Intérêt. Taux. Pourcentage. — Revenu. Rapport. Bénéfice. Rente. Coupon. — Intérêt simple, composé. Intérêt légal, usuraire, moratoire, de retard. Intérêt légitime. — Dommages-intérêts. — Annuité. Acompte. Prélèvement. — Produire des intérêts. Louage de l'argent. Prix de l'argent. — Prêt, prêteur. Usure, usurier. Prêter à tant pour cent, au denier 20, à la petite semaine. — Banque, banquier. Capital et intérêts. Accumulation d'intérêts. Anatocisme. Escompte, escompteur.

### INTÉRIEUR

### Etre à l'intérieur.

— Cœur. Centre. Milieu. FOND. Entrailles. Sein. Ame. Sanctuaire. Noyau. Moelle. — For intérieur. Sens intime. *In petto.* Inclus. Infus. Inné. Intrinsèque. Interne. Introrse. Rentrant.

### Contenir.

— Contenance, contenu. Comprendre. Embrasser. Enclaver, enclave. Enserrer. — Périmètre. Limites. Enveloppe. Clôture. Elément vital. — Inscrire dans. Polygone inscrit. — Remplissage. PLEIN. Profondeur. Intimité. Fonds. Céans. Léans. Dans. Dedans. En deçà de. En. Es.

### Mettre dans.

— Faire entrer. Interner, internement, internat. Enfermer. Incarcérer. — Introduire, introduction. Incorporer, incorporation. Concentrer, concentration. — Amener dans, adduction. Importer, importation. — PÉNÉTRER, pénétration. S'infiltrer infiltration. S'insinuer. PERCER. TRAVERSER.

### INTERROGER

### Questionner.

— Poser une question. Presser de questions. — Demander, demande S'adresser à. Interpeller, interpellation. — QUESTION. Enigme. Devinette. Charade. — Question indiscrète. Indiscrétion, INDISCRET — Importuner de questions. Importunité, importun. — Curiosité, curieux. Prier de dire Adjurer.

Interrogation directe, indirecte. — Mots interrogatifs. Où? Quand? Comment? Pour quoi? Combien? — Qui? Que? Quel? Le quel? — Hein? Plaît-il? Vrai?

### Interroger.

— Interrogation. Interrogatoire. Interrogateur. — Mettre sur la sellette. Tourner et retourner quelqu'un. — Questionnaire. Catéchisme. Dialogue. Interrogation scolaire. Colle. — EXAMEN, examiner Passer, subir un examen. Examinateur. Inspecter, inspection, inspecteur.

### Enquêter.

— Enquête. Contre-enquête. En quêteur. — S'enquérir. S'informer, information. Prendre des renseignements. Se renseigner. — Pressentir quelqu'un. Prendre langue Interview. Reportage. — Consulter, consultation, consultatif, consultant. Demande CONSEIL. — Soulever une question. Rechercher, recherche. — Scruter. Sonder. Tirer les vers du nez. — Instruire un procès. Juge d'instruction.

### INTERRUPTION

### Arrêt.

— Arrêter. Arrêter COURT. CESSER cessation. Laisser en souffrance. — Interrompre, interruption. Interruption de prescription, naturelle, civile. Interrupteur. Intercepter, interception. — Briser, brisure. Rompre, rupture. Couper. — Suspendre, suspensif Suspension. En suspens. Trêve. Armistice. Vacances. — Eclaircie. Répit. REPOS. — Se taire. Faire silence.

**Intervalle.** — Espace intervallaire. Séparation, séparer. DISTANCE. Interstice, interstiel. Vide. — Ouverture. FENTE. Scission. - Interrègne, intersession. Entracte. Entremps. — Interposer, interposition. Interède, intermédiaire. Intérim, intérimaire. — ntre-deux. Médiat. Interstellaire. Intertroical.

**Discontinuité.** — Discontinu, discontiuer. Solution de continuité. — Intermittence, ntermittent. Par instants. A plusieurs fois. plusieurs reprises. Momentané. — Rémision, rémittent. Par saccades. Par sauts et ar bonds. Intercurrent. Intercadent. — lterner. Mouvement alternatif. Ligne brisée. nterférence. — Accès. Boutade. Bouffée. chappée. — Ondée. Giboulée. Averse. Raale.

**Langage sans suite.** — Discours déousu. Parler à bâtons rompus. Rompre les hiens. Propos interrompus. Coq-à-l'âne. — ncohérence, incohérent. Discours désorlonné, déréglé, irrégulier. Lacunes. — Paroes entrecoupées. Reprendre haleine. Marquer n temps d'arrêt. Epanorthose (arrêt avant le reprendre plus fort). — Rengainer son ompliment. Réticence, réticent. — Interompre quelqu'un, interruption, interrupteur. Couper la parole.

## INTERVENIR

**Se mêler de.** — Intervenir, intervention. Entrer dans. — S'immiscer, immixtion. S'inrérer, ingérence. S'impatroniser. Se fourrer lans une affaire. — Mettre la main à. Prenlre en main. S'occuper de. Se charger de. — Prendre part à. Participer, participation. Agir. ACTION. Agent. — Secourir, SECOURS. Aider, aide. — Négocier, négociation, négociateur.

**S'interposer.** — Interposition. Interposition de personnes. Stipulation pour autrui. Donation par personne interposée. S'entremettre, entremise, entremetteur, entremeteuse. S'entremêler. Proposer ses bons offices. ntermédiaire. — Prendre fait et cause pour. Plaider la cause de, plaidoyer. DÉFENDRE, défense. Défenseur. Avocat.

Intervenir. Arranger un différend. Composer. Rapprocher les parties. Médiateur, médiation. Arbitre, arbitrage. — Concilier, onciliation, conciliateur. RÉCONCILIER, ré-conciliation. Mettre d'accord. — Intercéder, intercession, intercesseur. Demander la grâce. Apaiser la colère. — Intervenant. Par le canal de. Par le ministère de.

## INTESTINS

(latin, *viscera ;* grec, *entera*)

**Les intestins.** — Entrailles. Viscères. POUMON. CŒUR. FOIE. REIN. RATE. ESTOMAC. VESSIE. VENTRE. Parties génitales. MATRICE. Utérus.

Intestin grêle. Gros intestin. — Duodénum. Jéjuno-iléon. — Cæcum. Côlon, ascendant, descendant, transverse. Rectum. — Tube digestif.

Pancréas. Péritoine. Epiploon. Mésentère. — Membrane. Muqueuse. Parenchyme. — GLANDES. Lobes. Circonvolutions. Vésicules. Parois. Villosités.

**Maladies.** — Borborygme. FLATUOSITÉ. — Colique. Dysenterie. Entérite. Colite. — Douleurs intestinales. Hémorragie intestinale. — Eventration. HERNIE. Descente. Iléose. Invagination. — Mésentérite. Péritonite. Pancréatite. — Polype. Tumeur. Cancer. Tuberculose. — Appendicite. Obstruction intestinale. — Fièvre typhoïde. Fièvre muqueuse. — Diarrhée. Constipation. — Ténia. Vers intestinaux. — Tympanite.

**Qui concerne les intestins.** — Entérologie. Entérographie. Histogénie. Histologie. Histographie. Splanchnologie. Splanchnographie. Iléographie.

Fonctions intestinales. Digestion. Nutrition. Evacuation. EXCRÉMENTS.

Diagnostic. Palpation. Radioscopie. Radiographie. — Purgation. Lavement.

**Boyaux.** — Tripes. Tripette. Tripaille. — Fraise. Fressure. Issues. Gras double. Gras fondu. Mou. Rognons. Cœur. Foie. Abats. Ratis (graisse grattée). — Curée (de cerf). Brouailles (de volaille). Breuilles (de hareng). Noues et Moges (de morue).

**Boyauderie.** — Triperie, tripier. Boyaudier. Echaudoir. — Eventrer. Etriper. Habiller. Vider. — Dégraisser. Blanchir. Laver. Souffler.

CHARCUTERIE en boyaux. Andouille. Andouillette. Boudin. Crépinette. Saucisse. Saucisson.

**Intrigue,** f. V. *action, indirect, machiner, complot, théâtre.*

INTRIGUER. V. *intrigue, chercher, étonnement.*

INTRINSÈQUE. V. *intérieur.*

INTRODUCTEUR, m. V. *huissier.*

INTRODUCTION, f. Introduire. V. *entrer, commencer, expliquer.*

INTRONISATION, f. Introniser. V. *fonction, titre, évêque.*

INTROSPECTION, f. V. *réfléchi.*

INTROUVABLE. V. *rare.*

INTRUS, m. Intrusion, f. V. *entrer, indiscret.*

INTUITIF. Intuition, f. V. *intelligence, connaître, devin.*

INTUITIONNISME, m. V. *philosophie.*

INTUMESCENCE, f. V. *gros.*

INUSITÉ. V. *extraordinaire.*

INUTILE. V. *vain.*

INVALIDATION. V. *suffrage.*

INVALIDE. V. *faible, blessure, infirme.*

INVALIDER. Invalidité, f. V. *annuler.*

INVARIABLE. V. *continuer.*

INVASION, f. V. *entrer, attaque, armée, barbare.*

INVECTIVE, f. Invectiver. V. *injure, pamphlet.*

INVENTAIRE, m. V. *état, commerce, compte.*

INVENTER. Inventif. Invention, f. V. *trouver, habile, mensonge.*

INVENTEUR, m. V. *imagination, progrès.*

INVENTORIER. V. *état.*

INVERSE. Inversion, f. V. *renverser, opposé.*

INVERTÉBRÉ. V. *animal.*

INVESTIGATION, f. V. *examen, curieux.*

INVESTIR. Investissement, m. V. *entourer, siège, possession.*

INVESTITURE, f. V. *bénéfice, nomination, cérémonie.*

INVÉTÉRÉ. Invétérer (s'). V. *fixe, continuer.*

INVINCIBLE. V. *vainqueur, brave.*

INVIOLABILITÉ, f. V. *respect.*

INVIOLABLE. V. *violer, sûr.*

INVITÉ, m. V. *société.*

**Inviter.** V. *prier, attirer, exciter.*

INVOCATION, f. V. *appel.*

INVOLONTAIRE. V. *irréflexion*

INVOLUCRE, m. V. *fleur.*

INVOQUER. V. *appel, prier.*

INVULNÉRABLE. V. *blessur*

IODE, m. V. *chimie.*

ION, m. V. *matière.*

IONIQUE. V. *architecture.*

IRAN, m. V. *Perse.*

IRASCIBLE. Irascibilité, f. V *prompt, colère.*

IRE, f. V. *colère.*

IRIDIUM, m. V. *métal.*

IRIS, m. V. *œil, fleur, co leur.*

IRISATION, f. Irisé. V. *o tique.*

**Irlande,** f.

IRONIE, f. Ironique. Ironise V. *moquer, opposé.*

IRRADIATION, f. Irradier. V *lumière, rayon, disperse optique.*

IRRATIONNEL. V. *raison.*

IRRÉALISABLE. V. *impossible*

IRRECEVABLE. V. *faux.*

IRRÉCUSABLE. V. *preuve.*

IRRÉEL, m. V. *verbe.*

IRRÉFLÉCHI. V. *irréflexion.*

**Irréflexion,** f. V. *inatten tion, léger.*

---

## INTRIGUE

**Entregent.** — Intrigant. Solliciteur. Solliciter, sollicitation. Démarches. Pas. Visites. — Se pousser. Pousser sa pointe. Se remuer. Remuer ciel et terre. — Faiseur. Savoir-faire. Jouer son jeu.

Flagorneur, flagornerie, flagorner. Flatteur, flatterie, FLATTER. Ecornifleur. Se faufiler. Courbettes. Salutations. — HABILE, habileté. Ingénieux, s'ingénier. — Souple, souplesse. Roué, rouerie. Rusé, ruse. Subterfuges. — Vil. Bas, bassesse. Pied plat. Parasite. Rastaquouère

**Action secrète.** — Intriguer, intrigue. Nouer, mener une intrigue. Briguer, brigue. — Dresser ses batteries. Manigances, manigancer. Manège. Manœuvres. Pratiques. Micmac. — Hypocrisie, HYPOCRITE. DÉTOURS. Moyens détournés. — Aventurier. Courir les aventures. — Se mêler de. S'entremettre. Maquignonnage. — Spéculer, spéculation, spéculateur. Pêcher en eau trouble. — Vivre d'expédients. Tripoter, tripotage. Chevalier d'industrie. Aigrefin.

**Action concertée.** — COMPLOT, comploter, comploteur. Pacte secret. Conjuration, conjuré. Conspiration, conspirateur. — Faction, factieux. Parti, partisan. Cabale. Camarilla. Coterie. Compérage, compère. Clique. — Tramer, ourdir des intrigues. Monter une cabale. Menées. Manœuvres tortueuses. Machination, machiner.

Intrigue d'un drame. Nœud. Dénouement. Ressorts.

## INVITER

**Prier.** — Inviter, invitation, invite. – Engager. Convoquer, convocation. Appele appel. — Presser de, pressant. Insister, insis tance. Instances. Prière instante.

**Convier.** — Lettre d'invitation. Bille Circulaire. — Inviter. Convier. Réunir, rét nion. — Réception. Hospitalité. Hôte, hc tesse. Amphitryon. — Invité. Convive. Con mensal. Hôte. Parasite.

## IRLANDE

**Choses et gens.** — Irlande. Erin. Hiber nie. — Chaussée des géants. — Saint Pa trick. — Irlandais. Paddy. — Fenians. Sin fein. Home rule. Land league. — Le gaé lique.

## IRRÉFLEXION

**Caractère irréfléchi.** — BRUSQUE, brus querie. VIF, vivacité. Mauvaise tête. — Broui lon. Etourneau. Ecervelé. Evaporé. Tête l'évent. Eventé. Hurluberlu. — Etourd étourderie. Dissipé, dissipation. Inattenti INATTENTION. Léger, légèreté. — Tête d linotte. Hanneton. Papillon. — Aveugle, aveu glement, aveuglément. — SOT, sottise. Stu pide, stupidité.

**Actes irréfléchis.** — Agir sans réflexior sans préméditation, sans examen, inscien ment, inconsciemment. — Action fortuite involontaire, inconsidérée. — Habitude. Ma nie. Réflexe. Automatisme. Routine. Gest

RRÉGULARITÉ, f. Irrégulier. V. *inégal, désordre, règle.*

RRÉLIGIEUX. Irréligion, f. V. *religion, impie.*

RRÉPARABLE. V. *parfait.*

RRÉPROCHABLE. V. *parfait.*

RRÉSOLU. Irrésolution, f. V. *indécis.*

RRÉVÉRENCE, f. V. *injure, mépris.*

RRÉVOCABLE. V. *fixe.*

RRIGATEUR, m. V. *seringue.*

RRIGATION, f. V. *arroser.*

RRIGUER. V. *prairie.*

RRITABILITÉ, f. V. *colère.*

RRITATION, f. Irriter. V. *colère, exciter, tourmenter, maladie.*

IRRORATION, f. V. *arroser.*

IRRUPTION, f. V. *attaque.*

ISABELLE. V. *couleur, cheval.*

ISARD, m. V. *chèvre.*

ISBA, f. V. *Russie.*

ISCHION, m. V. *os.*

ISLAM, m. Islamisme, m. V. *Mahomet.*

Iso (préf.). V. *égal.*

ISOLATEUR, m. V. *télégraphe.*

ISOLEMENT, m. Isoler. V. *seul, séparer.*

ISOLOIR, m. V. *suffrage.*

ISOMORPHE. V. *semblable.*

ISOTHERME. V. *chaleur.*

ISRAÉLITE. V. *juif.*

ISSU. V. *origine.*

ISSUE, f. V. *sortir, ouvert.*

ISSUES, f. p. V. *farine, boucherie.*

ISTHME, m. V. *géographie.*

ITALIANISME, m. V. *Italie.*

*Italie, f.*

ITALIQUE. V. *Italie.*

ITÉRATIF. V. *répétition.*

ITHOS, m. V. *rhétorique.*

ITINÉRAIRE, m. V. *voyage, diriger, distance.*

*Ivoire, m.* V. *os.*

IVOIRIN. V. *ivoire.*

IVRAIE, f. V. *blé.*

*Ivre.* V. *boire, joie, passion.*

IVRESSE, f. V. *ivre, enthousiasme.*

IVROGNE, m. Ivrognerie, f. V. *ivre, soif, débauche.*

---

nachinal, mécanique. — Impulsion, impulif. Inconséquence, inconséquent. Spontanéité, pontané. — Imprévoyance, imprévoyant. Imprudence, imprudent. Précipitation, précipité.

**Sentiments irréfléchis.** — Instinct, insinctif. L'inconscient. — Opinion non raisonnée. Préjugé, préjuger. Prévention, prévenu contre. Convention, conventionnel. — 'assion, passionné. Fanatisme, fanatique. — 'olie, fou. Possédé.

### ITALIE

**Qui concerne l'Italie.** — Italie. Italien. talianisme. Italianiser. — Transalpin. Ultranontain. — Italique. Italiote. Latin. — Etrurie. Etrusque. — Romain. Toscan. Lombard. Vénitien. Ombrien. Romagnol. Napolitain. Sicilien.

Royaume d'Italie. Etats de l'Eglise. Guelres et Gibelins. — Guerres et campagnes l'Italie. — Risorgimento. Irrédentisme. — Fascisme. Duce.

Rome papale. Le Vatican.

### IVOIRE

**Matière.** — Ivoire. Ivoire vert. Ivoire nort. Ivoire fossile. — Défenses d'éléphant. Dents de morse, d'hippopotame. Cornes de rhinocéros, de narval. — Morfil (ivoire brut). Râpures. Rognures. — Eclat ivoirin. Produit burnéen. Noir d'ivoire. Ivorine.

**Travail.** — Ivoirier, ivoirerie. — Objets en ivoire. Marqueterie. TABLETTERIE. Billes de billard. Crucifix. Bracelets. Colliers, etc. — Statues chryséléphantines. — Chaise curule. — Diptyques. Triptyques. Retables. — Netsukès (du Japon).

### IVRE
(latin, *ebrius*)

**Etat d'ivresse.** — Excès de boisson. Intempérance. Abus des liqueurs. — Ivresse. Délit d'ivresse. « Violon ». Ebriété. Ribote. Cuite, *f.* — Ivrognerie. DÉBAUCHE. Crapule. Orgie. — Enivrement. Griserie. Fumées du vin. — Soûlerie. Soulographie. — Alcoolisme. Intoxication éthylique.

**S'enivrer.** — BOIRE. Boire un coup. Boire comme un trou. Faire carrousse. Godailler. Ivrogner. Noyer ses chagrins. Se soûler. — Etre pris de boisson. Avoir une pointe, son pompon, son plumet. Etre en ribote, en goguette, pompette. Etre dans les vignes du Seigneur. — Cuver son vin. Etre entre deux vins.

Ivre. Aviné. Gris. Bu. Emu. Enivré. Soûl. Plein. Brindezingue. Ivre mort. — Ivrogne. Pochard. Soûlard. Buveur. Suppôt de Bacchus. Intempérant. Soiffard. Sac à vin. — Alcoolique.

**Ce qui enivre.** — Vins. Liqueurs. Eau-de-vie. Alcool. Cidre. Bière. — Opium. Hachisch. Cocaïne.

Porter à la tête. Monter à la tête. Enivrer. Soûler. Barbouiller le cœur. Entêter. Griser. Capiteux. Généreux. Fort. Alcoolique. — Stupéfiant. Inébriatif.

**Effets de l'ivresse.** — Nez bourgeonné. Teint couperosé. Visage enluminé. Trogne rouge. — Indigestion. Vertige. Etourdissement. Hoquet. Vomissement. — Bredouillement, bredouiller. Voix de rogomme. — Avoir la tête lourde. Aller de travers. Battre les murailles. Chanceler. Tituber. Flageoler. Trébucher. Rouler. — Baver. VOMIR. Puer. — Idées troubles. *Delirium tremens.* Folie. — Avoir le vin tendre, triste, gai.

# J

JABLE, m. V. *tonneau.*
JABOT, m. V. *gorge, oiseau, chemise.*
JABOTER. V. *parler.*
JACASSER. V. *parler, pie.*
JACENT. V. *vacant.*
JACHÈRE, f. V. *inculte.*
JACINTHE, f. V. *fleur.*
JACOBIN. V. *république.*
JACQUERIE, f. V. *sédition.*
JACTANCE, f. V. *fanfaron.*
JACULATOIRE. V. *prier.*
JADE, m. V. *Chine, bijou.*
JAILLIR. Jaillissement, m.
V. *jet, sortir, couler, haut.*

JAIS, m. V. *ambre, noir, bijou.*
JALON, m. V. *bâton, marque, diriger.*
JALONNEMENT, m. Jalonner.
V. *niveau, arpentage.*
JALOUSER. V. *jalousie.*
**Jalousie,** f. V. *fenêtre.*
JALOUX. V. *jalousie, rival, fâché, défiance, haine.*
JAMBAGE, m. V. *architecture, écrire, féodal.*
JAMBART, m. V. *botte.*
**Jambe,** f. V. *membre, marche, charpente.*

JAMBIÈRE, f. V. *jambe, armure.*
JAMBON, m. Jambonneau, m.
V. *porc, charcuterie.*
JANISSAIRE, m. V. *Turc.*
JANSÉNISME, m. V. *grâce.*
JANTE, f. V. *roue.*
JANVIER, m. V. *mois.*
**Japon,** m.
JAPPER. V. *chien.*
JAQUEMART, m. V. *horloge*
JAQUET, m. V. *jeu.*
JARD, m. V. *sable.*
**Jardin,** m. V. *arbre, fleur, légume.*

## JALOUSIE

**Formes de jalousie.** — Jaloux. Dévoré, rongé de jalousie. Othello. — Jalousie de métier. — Rivalité, rival. — Emulation, émule. Concurrence. — Envie, envieux. — Zélotypie.

**Manifestations.** — Jalouser. Voir d'un œil jaloux. Jaunir, sécher de jalousie. — Etre sombre, morose, chagrin. — Douter de. Avoir des doutes. Méfiant, méfiance. Défiant, défiance. Ombrageux. Soupçonneux, soupçonner. — Inquiet, inquiétude. Espionner. Guetter. Surveiller. — Craindre, crainte. Redouter. — Envier. Porter envie.

## JAMBE

**La jambe.** — Jambe. Cuisse. GENOU. Mollet. Gras de jambe. Cou de pied. Cheville. PIED. Doigts. Talon.

*Os de la jambe :* Fémur. Rotule. Tibia. Péroné. Astragale. Tarse. Métatarse. Calcanéum. — Trochanters. Condyles. Malléoles.

*Muscles de la jambe :* Biceps crural. Demitendineux. Demi - membraneux. Plantaire grêle. Adducteurs. Droits. Vastes. Couturier. Jumeaux. Jambiers. Soléaire. Extenseur. Fléchisseur. Poplité. Péroniers. Tendon d'Achille.

*Artères :* Fémorale. Anastomatique. Poplitée. Péronière. Tibiale antérieure. Tibiale postérieure. — *Veines :* Fémorale. Poplitée. Saphène. — *Nerfs :* Sciatique. Saphène. Tibial. Musculocutané.

**Pattes.** — Pattes de devant. Pattes de derrière. — Bras (du cheval). Canons. Paturon. Sabot. — Eclanche. Gigot. Jambon. Jambonneau. Cuissot (de chevreuil). Cuisseau (de veau). — Quasi (de veau). Souris (de gigot). JARRET. Nombles (de cerf). Trumeau (de bœuf). — Eperon. Ergot.

**Mouvements des jambes.** — Marcher. Courir. Trotter. Galoper. — Fléchir, flexion. S'agenouiller, génuflexion. — Allonger. Plier. Croiser. Ecarter, grand écart. Se fendre. — Enjamber, enjambée. Sauter, saut. Danser, danse. — Flageoler. Chanceler. — Gambader. Gigoter. Etre ingambe. — Enfourcher.

Se mettre à califourchon. — S'entretailler. Croc-en-jambe.

**Etat des jambes.** — Jambe fine, bien faite. Jambes arquées. Jambes gorgées. – Bien ou mal jambé. Bancal. Bancroche. Cagneux. Cul-de-jatte. — Animal court ou long jointé, haut ou bas enjambé.

Echasses. Quilles. Flûtes. Guibolles. Perches. Piliers. Gigues.

Sciatique. Varices. Ulcères. Fractures. Entorse. Goutte. Cors, etc. — Epointure (de chiens). Etruffure.

**Ce qu'on met aux jambes.** — Chausses. Haut de chausses. Pantalon. Culotte. Caleçon, etc. — Cuissard. Jambart. — Jambière. Molletière. Houseau. Guêtre. — Genouillère. Jarretière. — Bas. Chaussettes. — Jambes de bois. Appareils orthopédiques. Faux mollets. — Bracelet de jambe. Périscélide. — Entraves. Fer à cheval.

## JAPON

**Propre au Japon.** — Nippon (nom récent du Japon). Japonais. Japonaiserie. Japonerie. Japonisme. — Mikado. Taïcoun ou Schogoun (chef militaire). Daïmio. — Shintoïsme. Bouddhisme. Daïro (chef religieux). Bonzes. — Kimono. Obi (ceinture). — Kakémono. Sourimono. — Geisha. Shamizen (guitare). Mousmé. Yoshiwara. — Hara-kiri.

**Termes géographiques.** — Gawa (rivière). Oumi (mer). Saki (cap). Seto (détroit). Shima (île). Siwo (fleuve). Také (pic). Yama (montagne).

## JARDIN
(latin, *hortus*)

**Les jardins.** — Jardin. Jardinet. — Jardin d'agrément. Jardin à la française. Jardin anglais. Parc. — Jardin potager. Marais. — Jardin fruitier. Verger. — Closeau. Closerie. Courtil. Courtille. — Jardin public. Square. Champs Elysées. Quinconces. Mail. — Paradis terrestre. Eden. — Jardin botanique. Jardin d'acclimatation. Pépinière. — Oasis.

ARDINAGE, m. Jardiner. Jardinier, m. V. *jardin*.
ARDINIÈRE, f. V. *mets*.
ARGON, m. Jargonner. V. *langage, parler, diamant*.
ARRE, f. V. *vase*.
arret, m. V. *jambe, articulation*.
ARRETER. V. *jarret*.
ARRETIÈRE, f. V. *bande, chausses*.
ARS, m. V. *oie*.

JAS, m. V. *ancre*.
JASER. V. *parler, pie*.
JASERAN, m. V. *armure, chaîne*.
JASMIN, m. V. *fleur*.
JASPE, m. V. *marbre*.
JASPÉ. V. *varié*.
JATTE, f. V. *vase*.
JAUGE, f. Jauger. V. *mesure, règle, tonneau*.
JAUNÂTRE. V. *jaune*.
**Jaune**. V. *couleur, œuf*.

JAUNIR. V. *jaune*.
JAUNISSE, f. V. *bile*.
JAVELER. V. *blé*.
JAVELINE, f. V. *dard*.
JAVELLE, f. V. *moisson, faisceau*.
JAVELOT, m. V. *dard*.
JAZZ-BAND, m. V. *danse*.
JEHOVAH, m. V. *Dieu*.
JEJUNUM, m. V. *intestins*.
JÉRÉMIADE, f. V. *ennui*.
JERSEY, m. V. *tricot*.

---

**Détail des jardins.** — Allée. Contre-allée. Bordure. Banc. Banquette. — Planche. Plate-bande. Ados. Carré. — Couche. Plant. Semis. — Berceau. Tonnelle. Cabinet de verdure. Bosquet. — Terrasse. Pelouse. Parterre. Compartiments. Corbeille. Boulingrin. Tapis vert. Gazon. — Rond-point. Patte d'oie. Etoile. Labyrinthe. — Buisson. Charmille. Haie. — GRILLE. Palissade. Treillage. Clôture. — Escalier. Treille. — Serre. Serre chaude. Infirmerie. Orangerie. — Pièce d'eau. Bassin. Jet d'eau. Rigoles. — Kiosque. Vide-bouteille. Fabrique. Grotte.

**Travail de la terre.** — Cultiver, culture. Jardiner, jardinage. — Labourer. Défoncer. Bêcher. Biner. Serfouir. Mouver, remuer la terre. — Fouir. Piocher. Creuser. Effondrer. — Emotter. Epierrer. — Planter. Ficher en terre. Piquer. Repiquer. Rouler. Plomber. — Enfouir. Butter. Chausser. Blanchir (la chicorée). Clocher (mettre sous cloche). Couchage (coucher en terre). — Amender. Fumer, fumier. Couches. Réchaud. Terreau, terreauter. — Ratisser. Râteler. Sarcler. Echardonner. Echeniller. — ARROSER, arrosage. — Drainer, drain. — Gazonner. Mailler (tracer un parterre). — Empoter. Enserrer (mettre en serre). Encaisser. Ramer.

**Traitement des arbres.** — PLANTER. Déplanter. Replanter. Transplanter. — Arbre à plein vent. Arbre en espalier, en contre-espalier. Bulteau (en boule). Quenouille. Quinconce. — TAILLER, taille. Arrêter. Tondre. Elaguer. — Enter. Greffer, GREFFE. Ecussonner. Oculation. Œilletonner. — Marcotter, marcottage. Provigner. Bouture. Plançon branche replantée). Sevrer une branche. — Ebourgeonner. Eborgner. Pincer. Châtrer. — Baguer. Scarifier l'écorce. Incision. Cautère. — Elève. Tuteur. Armure (protection contre la gelée). Cerner (creuser autour du pied). — Effeuiller. Emousser.

**Matériel de jardinage.** — Arrosoir. Lance. Pompe. — Bêche. Bêcheton. Béquille. Besoche. Binette. Boquet. Crochet. Hayette. Houe. Hoyau. Lochet. Serfouette. — Pioche. — FOURCHE. Tire-fient. Râteau. — Serpe. Serpillon. Serpette. Vouge. Courcet. — Casse-motte. Cylindre. — Déplantoir. Manette. Sarloir. — Sécateur. Tondeuse. — Traçoir. Cordeau. — Grattoir. Ecussonnoir. Emoussoir. — Pot. Rame. Echalas. — Caisse. Mannequin. Manne. Panier. — Bâche. Brise-vent. Paillasson. Natte. Cloche de verre.

**Art du jardinage.** — Jardinier, jardinière. Horticulteur, horticulture. — Arboriste. Arboriculteur, arboriculture. Pépiniériste. Fleuriste. Maraîcher, culture maraîchère. — Architecte paysagiste. — Ecoles d'agriculture. Etablissement horticole. — Saint Fiacre (patron). Priape (dieu des jardins). Flore et Pomone (déesses).

### JARRET

**Qui a trait au Jarret.** — Jambe. Trumeau (jarret de bœuf). — Jarretier. Muscle poplité. — Cheval jarreté, enjarreté. — Eparvin. Jardon (tumeur). — Coupe-jarret (brigand). — Accouer (trancher le jarret d'un cerf). — Jarretière. Jarreter.

### JAUNE
(latin, *flavus* ; grec, *xanthos*)

**Nuances de Jaune.** — Aurore. Chamois. Jaune de chrome. Cuivré. Jaune d'or. Fauve. Doré. Isabelle. Jaunâtre. Jaune de Mars. Nankin. Ocre. Orange. Jaune paille. Quercitrin. Safrané. Saure. Flavescent. Jaune serin. Jaune de carthame. Beige. Café-au-lait. Citron. Jaune pâle. Souci.

**Teintures jaunes.** — *Minérales*. Protoxyde de plomb ou Massicot. — Iodure de plomb. — Jaune de cadmium. — Or mussif ou Bisulfure d'étain. — Jaune de Mars. — Ocres jaunes. Jaune d'urane. Jaune de Naples. — Jaune minéral de Paris, de Cassel, de Turner, de Vérone (oxychlorures de plomb). — Jaune d'antimoine. — Chromates de plomb ou de zinc. Acide picrique. — Jaune indien ou Purrhée. — Flavaniline. Chrysaniline, etc.
*Végétales*. Quercitrin. Mûrier jaune. Fustet. Nerprun. SAFRAN. Genêt. Fenugrec. Carthame. Camomille. Sarriette, etc. — Bois de châtaignier, de thuya, etc. — Racines d'épine-vinette, de curcuma, de carotte, etc. — Xanthine.

**Qui est d'aspect Jaune.** — Jaunir, jaunissant, jaunissement. — Fleurs jaunes. Capucine. Chrysanthème. Genêt. Souci. Jonquille. Primevère, etc. — Fruits jaunes. Orange. Citron. Banane. Coing. Poire, etc. — Pierres jaunes. Chrysobéryl. Topaze. Diamant jaune. — ARGILE. Cire. Paille. Laiton. Jaune d'œuf. Hareng saur. Serin, etc. — Jaunisse. Ictère, ictérique. Fièvre jaune. — Rire jaune.

JÉRUSALEM, f. V. *Juif.*
**Jésuite,** m. V. *moine, hypocrite.*
JÉSUITIÈRE, f. V. *jésuite.*
JÉSUITIQUE. Jésuitisme, m.
V. *jésuite.*
JÉSUS, m. V. *Christ, papier.*

**Jet,** m. V. *couler, répandre, dard, pompe, rejeton.*
JETÉ BATTU, m. V. *danse.*
JETÉE, f. V. *abri, mer, port, chemin.*
JETER. V. *fronde, pousser, pus, fonderie.*

JETON, m. V. *marque, jet, médaille.*
**Jeu,** m. V. *plaisir, action, manière, articulation, musique, combat.*
JEUDI, m. V. *Jupiter.*
JEUN (à). V. *jeûne.*

---

## JÉSUITE

**La congrégation.** — Ignace de Loyola. Société de Jésus. Pères de la foi. — Général des Jésuites. Procurateur. Provincial. Profès. — Province. Missions. — Devise A. M. D. G. — Règle : *perinde ac cadaver.* — Jésuite de robe courte.

**Doctrine.** — Probabilisme, probabiliste. Casuistique, casuiste. Direction d'intention. Restriction mentale.

Jésuitisme, jésuitique. Escobar, escobarderie, escobarder. Jésuitière. — *Les Provinciales* de Pascal.

## JET
(latin, *jaculatio*)

**Jet de liquide.** — Pluie. Jet d'eau. Cascade. Geyser. Source. Embruns. — Verser. Répandre. Arroser, arrosage. Eclabousser, éclaboussement. VOMIR, vomissement. Cracher, crachement. Injecter, injection. — Gicler. Jaillir, jaillissement. Rejaillir, rejaillissement. Sourdre.

Lance à eau. Pompe. Seringue. Injecteur. Pulvérisateur.

**Jet de projectile.** — Balistique. — Armes de jet. Armes à feu. Baliste. Catapulte. Arc. Fronde. — Lancer des traits. Décocher, décochement. Tirer, tir. Faire partir. Darder. — Décharge. Coup de feu. Trajectoire. — Fulminer, fulminant. Explosif.

**Formes diverses de jet.** — Jet, jeter, jetage. Rejet, rejeter. Interjeter. — Epandre. Répandre. Eparpiller. — Semer. Parsemer. Joncher. — Emettre, émission. — Pousser, poussée. Précipiter. — Projeter, projection. — Ejaculer, éjaculation, éjaculateur, éjaculatoire. Oraison jaculatoire. — Irradier, irradiation. — Lancer, lancement. Elan, élancement. Ruer, ruée. — Ejection. Evacuation. Déjection.

## JEU

**Jeux privés.** — Jeux d'adresse. Jeux de hasard. Petits jeux. Jeux innocents. Amusements. Amusettes. Passe-temps. Distractions. Partie.

CARTES. Baccara. Trente et quarante. — Dominos. TRICTRAC. Jaquet. Dames. ECHECS. — Jonchets. Osselets. — Taquin. Solitaire. Trou-madame. Roulette. — Dés. Creps. Zanzibar. Loto. Jeu de l'oie. Blason. Biribi. — LOTERIE. Corbillon. Patience. Furet. Gages. Mourre. — Qui perd gagne. Quitte ou double. Pair ou impair. Pile ou face. — Balle. Balle au chasseur, au pot, au camp, etc. Ballon. PAUME. Tennis. Thèque. Pelote. — Barres. Quatre coins. Cache-cache. Chat perché. Queue

du loup. — BILLARD. Billes. Bilboquet. Quilles. — BOULES. Cochonnet. — Croquet. Mail. Gouret. Palet. Bouchon. Tonneau. Passe-boules. — Volant. Grâces. Baguenaudier. — Cerceau. Marelle. Cerf-volant. — Toupie. Sabot. Toton. Pirouette. — Colin-maillard. Main chaude. — Poupée. Dînette. — Balançoire. Corde. — Cheval fondu. Saute-mouton. — Jouer aux métiers, à la madame, à la marchande, etc.

**Joueurs.** — Académie de jeu. Casino. Maison de jeu. Cercle. Tripot. Salle de jeu. — Fermier des jeux. Banquier. Croupier. — Le tapis. Les camps. La galerie. — Partenaire. Adversaire. Associé. — Joueur. Ponte. Tailleur. Parieur. — Tricheur. Filou. Grec. Philosophe. Pipeur. Bonneteur. — Beau joueur. Bon joueur. Capon. — Mauvais joueur. Mazette. Carottier. — Gagnant. Perdant. Rentrant.

Sportsman. Sportif. Equipier. Coéquipier. Athlète. Concurrent.

**Accessoires.** — Jeton. Fiche. Pion. Passe. — Jeu de cartes. Tapis vert. Sabot (à cartes). Table de jeu. Tableau. — Damier. Echiquier. Boîte (de jaquet). Cornet à dés. Sac de billes. — Corbeille. Marque. Râteau. Cartons. — Filet. RAQUETTE. Crosse. Arceaux. Bande. But.

**Opérations.** — Mettre au jeu. Mise, miser. Masse, masser. Aller de telle somme. Ponter. Arroser. Intéresser le jeu. Enjeu. — Tenir la banque. Faire sauter la banque. — Avoir la main. Avant-main. Tenir les cartes. Avantage. Débuter. Accuser son jeu. — Jouer. Jouailler. — Faire une levée. Faire un point. Faire la vole. Faire la belle. Faire un mort. Faire le contre.

Mêler les cartes. Faire son jeu. Donner, donne. Maldonne. — Manche. Manche à manche. Rendre des points. Couper, coupe. Raccrocher.

Carotter. Chicaner, chicane. Tricher, tricherie. Corriger la fortune. Flouer. Filouter, filouterie. Poucette. — Gagner. Marquer. Perdre. Etre capot. Faire Charlemagne. Faire une école. Prendre une culotte. — Mener un jeu d'enfer. Martingale. Paroli. Chouette. Revanche. Rob. Jouer son va-tout. Jouer sur parole. Faire des dettes de jeu.

Jeter les dés. Piper les dés. — Poser (le domino). Bouder. — Pousser (les dames). Souffler. Prendre. — Tailler. Râfler.

**Jeux publics modernes.** — Sports. — Courses de chevaux, de taureaux, de bateaux, d'automobiles, de bicyclettes. Rallye. Régates. — Matches. Concours. Championnats. — Exercices de gymnastique. Athlétisme. Cirque. — Lutte. Boxe. Joute à la lance. — Tennis.

**Jeune.** V. *nouveau, âge, novice.*
**Jeûne,** m. V. *abstenir (s'), maigre, pénitence, faim.*
**JEÛNER.** V. *jeûne.*

**JEUNESSE,** f. V. *jeune, âge.*
**JEÛNEUR,** m. V. *jeûne.*
**JOAILLERIE,** f. V. Joaillier, m. V. *bijou, orfèvre.*
**JOB,** m. V. *malheur.*

**JOBARD,** m. V. *sot.*
**JOCKEY,** m. V. *cheval.*
**JOCRISSE,** m. V. *sot.*
**Joie,** f. V. *plaisir, bonheur.*
**JOIGNANT.** V. *dépendance.*

---

Football. Rugby. Cricket. Base-ball. Hockey. — Course à pied. Saut. Perche. — Course en sac. Mât de cocagne. — Polo. Carrousel. Tournoi. — Tir à la cible. Tir à l'arc. — Concours de skis, de bobsleigh, de patinage, de natation.

Hippodrome. Vélodrome. Autodrome. — Stade. Lice. Carrière. — Terrain de jeu. Court. Piste. — Stand. — Piscine. Patinoire. — Arène.

**Jeux publics anciens.** — Grands jeux grecs. Olympiques. Pythiques. Isthmiques. Néméens. — Jeux gymniques. Agonistique (règles de l'athlétisme). Agonothète (président). Pentathle (les 5 concours).

Jeux Capitolins (à Rome). Jeux Palatins. Jeux séculaires. — Jeux du cirque. Combats de gladiateurs. Arènes. — Jeux scéniques. Jeux floraux.

**Jeux de mots.** — Acrostiche. — Anagramme. — Bon mot. — Bouffonnerie. — Boniments. — Bouts rimés. Calembour. — Charade. — Contre-petterie. — Enigme. — Epigramme. — Equivoque. — Trait d'esprit. — Jouer sur les mots. — Logogriphe. — Mots carrés. — Plaisanterie. — Pointe. — Pont-neuf. — Propos interrompus. — Quolibet. — Rébus. — Rosserie.

### JEUNE

**La jeunesse.** — Jeunes années. — Aurore, matin, printemps de la vie. — Le bel âge. La fleur de l'âge. — Premier âge. Enfance. — Adolescence. Puberté. Juvénilité.

Rajeunir, rajeunissement. Eau de Jouvence. Eclat. Fraîcheur. Beauté du diable. Sève. — Inexpérience. Irréflexion. — Ecarts, folies de jeunesse. Jeter sa gourme.

**Jeunes gens.** — Adolescent. Adulte. Ephèbe. Jeune homme. — Fils. Cadet. Puîné. — Petit jeune homme. Jeunet. Blancbec. Béjaune. Damoiseau. Bachelier. Godelureau. Jouvenceau. — Page. Novice. Ecolier. Etudiant. Apprenti. — Garçon. Gamin. Gosse.

**Jeunes filles.** — Fille. Demoiselle. Adolescente. Bachelette. Jouvencelle. — Cadette. Puînée. — Tendron. Vierge. Pucelle. — Jeune fille, impubère, nubile. — Ecolière. Etudiante. Apprentie. — Petite fille. Gamine.

### JEÛNE

**Jeûne religieux.** — Jeûne, jeûneur. Abstinence, abstinent. Abstinent, austère. — Jeûne de dévotion. Jeûne de pénitence. Jeûne de mortification. Jeûne eucharistique. — CARÊME. Quatre-temps. Vigile. Ramadan. Yom Kippour. — Observer le jeûne. Rompre le jeûne. Dispense.

**Jeûne médical.** — Diète, diététique. Inédie. Régime. — Vie réglée. Suivre un régime. — S'ABSTENIR de. Ne pas prendre. Renoncer à.

**Privation de nourriture.** — Bouder contre son ventre. Se brosser, se serrer le ventre. — FAIM. Famine. Dîner par cœur. Tomber d'inanition. — Etre à jeun. Avoir le ventre vide. — Se priver. Faire maigre chère. — Repas léger. Collation. Faire maigre.

### JOIE

**Nature joyeuse.** — Ami de la joie. Roger bon temps. Bon vivant. Joyeux drille. Gai luron. Compère. Commère.

Bien aise. Content. Heureux. Sans souci. Optimiste. — Ivre de joie. Délirant. Enchanté. Réjoui. — Enjoué. Folâtre. Badin. Baud. Gai. Jovial. — Gaillard. Dru. Emerillonné. Emoustillé. Guilleret. Dératé. — Facétieux. Malicieux. Drôle. — Egrillard. Grivois. Folichon. — Allègre. VIF. Pimpant. Frétillant. Fringant.

**Sentiments de joie.** — Alacrité. Joie. Bonheur. Contentement. Etat d'aise. Euthymie. Euphorie. — Déborder de joie. Nager dans la joie. Etre aux anges. Etre au ciel. Ravissement. ENTHOUSIASME. Extase. Délire. Ivresse. — Gaieté. Jovialité. Gaillardise. Hilarité. Jovialité. Liesse. — Belle humeur. Egalité d'humeur. Enjouement. Entrain. Etre en train. — Voir en rose. Voir tout en beau. Optimisme. — Satisfaction. Plaisir. Enchantement.

**Manifestations extérieures.** — Ne pas se posséder de joie. Sauter de joie. Tressaillir de joie. Se pâmer de joie. Transports de joie. — Délirer. Exulter. Etre radieux, rayonnant. Triompher. — Prendre ses ébats. S'ébattre. S'ébaudir. Se gaudir. — Réjouissances. Fête. Frairie. Gala. Se goberger. S'en donner à cœur joie. — Folâtrer. Batifoler. Badiner. Frétiller. Folichonner. — S'épanouir. Mine réjouie. Epancher sa joie. — RIRE. Se tordre de rire. Rigoler. — Facéties. Farces. Gaudrioles.

**Donner de la joie.** — Combler de joie. Transporter de joie. Enivrer. — Enchanter. Réjouir, réjouissant. Charmer, charmant. Contenter. Ravir, ravissant. PLAIRE, plaisant. — Ne pas engendrer la mélancolie. Egayer. Faire rire. Amuser. Emoustiller. Désopiler. — Ragaillardir. Remettre en joie. Désattrister. Dérider. — Boute-en-train. Humoriste. Hilarant. Plaisant. Plaisantin. Farceur. Rigolo.

**Participer à la joie.** — Congratuler, congratulation. Féliciter, félicitation. Complimenter, compliments. — Acclamer, acclamations. Cris de joie. Vivats. Ovation. Applaudissements, applaudir. — Fêter. Faire

**Joindre.** V. *accord, suite, faisceau, arranger, unité.*
**JOINT,** m. V. *joindre, tenir, angle, articulation.*

**JOINTOYER.** V. *maçon, ciment.*
**JOINTURE,** f. V. *emboîter, os, nœud.*

**JOLI.** Joliesse, f. V. *délicat, beau.*
**Jonc,** m. V. *bâton, claie, bijou.*

---

fête à. — Donner un festin. Tuer le veau gras. — Feu de joie. — Chants de joie. *Te Deum. Hosanna. Alleluia.* Noël.

## JOINDRE

**Assemblage.** — Aboucher (des tuyaux), abouchement. Abouter, aboutement, about. Mettre bout à bout. — Ajuster, ajustage, ajusteur. Appliquer, application. Adapter, adaptation. Assembler, assemblage. — Attacher, attache. Accoler, accolage. Rapporter. Rattacher. Apposer. Joindre. — Appareiller, appareillage. Accoupler, accouple. — Agglutiner, agglutination, agglutinatif. Agglomérer, agglomération. Englober. Empaqueter. — Emmancher. EMBOÎTER, emboîtement. Enlacer, enlacement. — Greffer, GREFFE. Enter, ente. Coudre, couture. Suture. — Coller, colle. GLU, gluant. Mastiquer, mastic. Cimenter, ciment. — Lier, lien. Ligament. Ligature. Nouer, NŒUD. Relier, reliure. — SOUDER, soudure. Sceller, scellement. Jointoyer, joint. — Clouer, clou. Cheviller, cheville. Goujonner, goujon. Crampon. Crochet.

**Réunion.** — Rassembler, rassemblement. Convoquer, convocation. Réunir. Rallier, ralliement. — Assemblée. Collège. Syndicat. Comité. — SOCIÉTÉ. Groupe. Troupe. Troupeau. Bande. Ramassis. Masse. — Communauté. Congrégation. Couvent. Eglise. Synode. Synagogue. — FAISCEAU. Agrégat, agrégation, agréger. — Collection, collectionner. Groupement, grouper. — Colliger. Ramasser.

**Jonction.** — Se joindre. Se toucher. — Adhérer. Adhérence. Tenir à. — Converger, convergent, convergence. Confluer, confluent. Rencontrer, RENCONTRE. — Rapprocher, rapprochement. Juxtaposer, juxtaposition. — Adhérence. Affinité. Anastomose (jonction de deux vaisseaux). — Jointure. Commissure (des lèvres). Intersection. Charnière. Articulation. Article. — Trait d'union. Accolade. Contact. — Transition. Connexion. Tenue. Continuité.

**Addition.** — Adjoindre, adjonction, adjoint. Additif, additionnel. Annexer, annexion, annexe. — Ajouter, ajoutage. Surajouter. Prolonger, prolongement. Allonger, allongement. Rallonge. Alèse. — Adjectif. Epithète. Surnom. — Affixe. Suffixe. Préfixe. Enclitique. Prothèse (addition de lettres initiales). Superfétation. Surplus. Surcroît. Appendice. Appendicule. Mot explétif. — Compléter, complément, complémentaire. — Post-scriptum. Codicille. Epilogue. — Supplément, supplémentaire. Surnuméraire. — Total. Somme. Appoint.

**Union d'êtres.** — Paire. Apparier, appariement. Couple, coupler. Accoupler, accouplement. — Marier, MARIAGE. Epouser, époux. Conjungo. Conjoints. Bigamie. Polygamie.

— Parenté. Filiation. Liens de famille. — Union. Union intime. Intimité. Amitié, amis. Amour. Sympathie. — S'aimer. Sympathiser. Se lier, liaison. Bien assorti.

**Action commune.** — S'allier, alliance, allié. S'associer, ASSOCIATION, associé. — Collaborer, collaboration, collaborateur. Coopérer, coopération, coopérateur. — Faire cause commune. Se coaliser, coalition. Conspirer, conspiration, conspirateur. Adhérer, adhésion, adhérent. — PARTICIPER à, participation. Concourir à, concours. A concurrence de. — Connivence. Intérêt commun. Solidarité, solidaire. Consorts. — Coïntéressé. Cohéritier. Copropriétaire. Codébiteur. Codétenteur. — Cohabiter, cohabitation. Colocataire. Cojouissance. — Aller de compagnie, de concert. Accompagner, accompagnement. — Accéder, accession. Confronter, rapprocher les points de vue. — S'entendre, entente. Unanimité, unanime. — Chanter en chœur. Etre à l'unisson.

**Rapports communs.** — Connexité, connexe. Coïndication. — Coexistence, coexistant, coexister. — Coïncidence, coïncider. — Concomitance, concomitant. — Communauté, commun. Concitoyen. — Communication, communiquer. — Simultanéité, simultané. Synchronisme, synchronique. — Contemporanéité, contemporain. — Indivision, indivis, indivisible. Inséparable. — Identification, identifier. Identique. Congénère. — Inféoder à, inféodé. — Concentrique (qui a même centre). — Synadelphe (sur même tige). — Consubstantiel (qui a même substance). —

**Association d'idées.** — Coordination, coordonner, coordinatif. Copule, copulatif. Conjonction, conjonctif. — Combiner, combinaison. Composer, composition. — Comprendre, compréhension. Synthèse, synthétique. Système, systématique. Synopsis (vue d'ensemble), synoptique. — Contexte. Correspondance, correspondre. Rapport, se rapporter. Relation, relatif. — Enchaînement. SUITE. — Syntaxe, syntaxique.

**Mélange.** — Mêler. — Fondre, fusion. Fusionner. — Confondre, confusion, confus. — Conglutiner, conglutination, conglutinatif. Conglomérer, conglomération. — Incorporer, incorporation. Insérer, insertion. Interpoler, interpolation. Intercaler, intercalation. — Concentrer, concentration. Cohérence, cohésion, cohérent. — Alliage. Mixture. Combinaison. Composition. — Contracter, contraction, contracte. Crase ou Synérèse (réunion de syllabes). Synizèse (contraction).

## JONC

**Les Joncs.** — Ajonc. Landier. Brusc. Jonc marin. Alfa. Auffe. Epart. Joncier. Genêt d'Espagne. Souchet. Spart. Rotang. Scirpe. Roseau. Canne, etc. — Jonchaie.

JONCHAIE, f. V. *jonc.*
JONCHÉE, f. V. *couche, fromage.*
JONCHER. V. *répandre, jet.*
JONCHETS, m. p. V. *jeu.*
JONCTION, f. V. *joindre, rencontre.*
JONGLER. Jongleur, m. V. *bateleur.*
JONQUE, f. V. *bateau.*
JONQUILLE, f. V. *couleur.*

JOUE, f. V. *visage, tête.*
JOUÉE, f. V. *porte.*
JOUER. V. *jeu, pari, instrument, théâtre.*
*Jouet,* m. V. *jeu.*
JOUEUR, m. V. *jeu, cartes.*
JOUFFLU. V. *gros.*
JOUG, m. V. *harnais, esclave.*
JOUIR. Jouissance, f. V. *bonheur, plaisir, possession, rente.*

JOUJOU, m. V. *jouet.*
JOULE, m. V. *mesure.*
*Jour,* m. V. *temps, matin, calendrier, lucarne, linge, visite.*
*Journal,* m. V. *jour, public, raconter, nouvelle, compte, mesure.*
JOURNALIER. V. *jour.*
JOURNALISME, m. Journaliste, m. V. *journal.*

---

**Objets en Jonc.** — Cordes. Paniers. Cabas. Corbeilles. Clisse. Joncage de chaises. Sparterie. Chapeaux. Nasse. Nasselle. Natte. — Jonchée (fromage dans du jonc).

## JOUET

**Jouets d'enfant.** — Jeux. Joujoux. Etrennes. — Poupée. Bébé. Poupard. — Pantin. Folie. Polichinelle. — Baigneur. Nageur. Poisson. — Ferme. Ménagerie. Bergerie. Animaux de bois, de fer, de carton. — Cheval de bois. Ours en peluche. Mouton bêlant. Lapin tambourineur, etc. — Cheval mécanique. Patinette. Automobilette. — Balançoire Bascule. — Boîtes de soldats. Soldats de plomb. Panoplies. — Boîtes de métiers. Ménage. Cuisine. Mercerie. Menuiserie. Magasin. Physique. Peinture, etc. — Chemins de fer. Jouets mécaniques. — Jeux de construction. Cubes. Cartonnages. Massacre. Passe-boule. — Tambour. Trompette. Jazz. Instruments divers. Lanterne magique. Kaléidoscope. Projections. Cinéma. Phonographe. — Croquet. Tennis. Quilles. Billes. BOULES. — Balle. Ballon. — Mobilier. Fourneaux. — Tir. Arbalète. Carabine. — Charrette. Fouet. Guides. Sifflet. — Autos. Avions. — Loterie. Billard japonais. — IMAGES. Albums. — Arche de Noé. Crèches. — Cerceau. Corde. Osselets. Jonchets. Diabolo. — TOUPIE. Toton. Sabot. V. JEUX.

## JOUR

(latin, *dies;* grec, *héméra*)

**Moments du jour.** — Point du jour. Petit jour. Potron-minet. MATIN. Aube. Aurore. Lever du soleil. Grand jour. Matinée. — HEURES. — Plein jour. Milieu du jour. Midi. Méridienne. Journée. — Après-midi. Relevée. Vêprée. — Déclin, chute du jour. Crépuscule. Coucher du soleil. Tombée de la nuit. A la brune. — SOIR. Soirée. Couvre-feu. Minuit. Pleine nuit.

**Jours qualifiés.** — Jour naturel. Jour artificiel. — Jour astronomique. Jour sidéral. Jour civil. — Jours complémentaires (de l'année républicaine). Jour bissexte (des années bissextiles). Jour intercalaire. — Jour natal. Jour anniversaire. — Jour faste. Jour néfaste. Jour férié. Jour ouvrable. — Jours concurrents ou Epactes du soleil (au-delà des 52 semaines de l'année). — Parascève (vendredi de carême).

**Jours datants.** — Calendrier actuel : Lundi. Mardi. Mercredi. Jeudi. Vendredi. Samedi. DIMANCHE. — Calendrier républicain : Primidi. Duodi. Tridi. Quartidi. Quintidi. Sextidi. Septidi. Octidi. Nonidi. Decadi. — Calendrier romain : Calendes. Nones. Ides. — Sabbat.

Aujourd'hui, mes'hui, an'hui, hui. — Demain. Après-demain. — Hier. Avant-hier. — Le quantième. — Le lendemain. Le surlendemain. — La veille. L'avant-veille. — Vigile.

**Relatif au Jour.** — Calendrier. Ephémérides. — DATE, dater. Antidater. — Décaméron (récit de 10 jours). Heptaméron (de 7). — Journal. Diurnal (livre de l'office du jour). — Journalier. Quotidien. Ephémère. Hebdomadaire. — Patron (saint du jour). — Aubade (concert donné à l'aube).

**Périodes de Jours.** — Année. Année bissextile. — Mois. — Décade. — Semaine. Huitaine. Octave. — Quinzaine.

**Phases du jour.** — Poindre. Apparaître. Se lever. — Décliner. Tomber. Disparaître. — Diminuer. Allonger. — S'achever. Passer. — Heures diurnes, matinales, crépusculaires, vespérales, nocturnes.

## JOURNAL

**Sortes de Journaux.** — La Presse. Journal. Feuille publique. Gazette. — Journal officiel. Journal politique, industriel, commercial, littéraire, scientifique, financier, sportif. — Journal illustré. Journal de modes. — Publication. Revue. Magazine. Bulletin. Plaquette. Pamphlet. Libelle. — Quotidien. Hebdomadaire. Mensuel. Périodique.

**Fonctionnement.** — Journalisme. Rédaction. Administration. — Directeur. Administrateur. Gérant. — Rédacteur en chef. Rédacteur. Secrétaire de rédaction. — Journaliste. Publiciste. Folliculaire. — Reporter. Correspondant. Echotier. Nouvelliste. Chroniqueur. Feuilletoniste. Courriériste. Critique. Photographe. — Couleur du journal. — Censure. Suspension.

**Contenu du Journal.** — Titre. Manchette. Colonnes. Pages. Rez-de-chaussée. Corps du journal. — Articles. Article de tête. Leader. Editorial. — Informations. Nouvelles. Faits divers. — Polémique. Bulletin. Courrier. Critique. Causerie. Chronique. — Reportage. Interview. Compte rendu. — Correspondances. — Echos. Entrefilet. Nouvelle à la main. — Feuilleton. — Publicité. Insertion. Communiqué. Réclame. Annonces.

Rubriques : Chambre. Sénat. Tribunaux.

JOURNÉE, f. V. *jour, travail, combat.*
JOURNELLEMENT. V. *souvent.*
JOUTE, f. Jouter. V. *tournoi, spectacle, rival.*
JOUVENCE, f. V. *fontaine.*
JOUVENCEAU, m. Jouvencelle, f. V. *jeune, près.*
JOUXTE. V. *près.*
JOVIAL. Jovialité, f. V. *joie.*
JOYAU, m. V. *précieux.*
JOYEUSETÉ, f. Joyeux. V. *bouffon.*

JUBÉ, m. V. *galerie.*
JUBILAIRE. V. *cinquante.*
JUBILATION, f. V. *joie.*
JUBILÉ, m. V. *cérémonie, indulgence.*
JUCHER. Juchoir, m. V. *percher, oiseau, cage.*
JUDAÏSME, m. V. *juif, religion.*
JUDAS, m. V. *plancher.*
JUDÉE, f. V. *juif.*
JUDICATUM SOLVI. V. *juges, procédure.*

JUDICATURE, f. V. *juges.*
JUDICIAIRE. V. *procédure.*
JUDICIAIRE, f. V. *raison, juger.*
JUDICIEUX. V. *juger, bien.*
JUGEMENT, m. V. *juger.*
Juger. V. *raison, opinion, dire, juges.*
Juges, m. p. V. *magistrat, arbitre, loi.*
JUGULAIRE, f. V. *coiffure, gorge.*
JUGULER. V. *gorge.*

---

Spectacles. Etranger. Bourse. Sports, etc. — Critique littéraire, scientifique, artistique. — Jeux d'esprit. Rébus. Enigmes. Charades. Mots carrés, etc.

**Fabrication et vente.** — Editeur. Imprimeur. Tirage. — Typographe. Linotypiste. Morassier. — Composition. Clichés. Epreuve. Morasse (dernière épreuve). — Presse. Papier. Plieur. — Numéro. Bande.
Service d'expédition. Messageries. Colportage. — Porteur. Distributeur. Crieur. Vendeur. — Dépôt. Dépositaire. Kiosque. — Abonné, abonnement. Lecteur. — Bouillon (invendus).

## JUGER et OPINER

**Apprécier.** — Appréciation, appréciable, appréciateur. — Estimer, estimation, estime. Priser, prisée. Commissaire-priseur. Avérage (estimation). — Examiner, EXAMEN. Délibérer, délibération. Peser le pour et le contre. Envisager. — Calculer, calcul. Evaluer, évaluation. — Critiquer, critique. Blâmer. Louer. Goûter. — Méjuger. Méconnaître. Jugement téméraire.

**Exprimer une décision.** — Décider, décisif. Statuer sur. Régler, règlement. — Juger, jugement. Prononcer un jugement. Motiver un jugement. — Rendre justice. — Arbitrer, arbitrage, arbitre. Sentence arbitrale. Vider un différend. Départager. Résoudre une difficulté. Solution. — Donner raison à. Faire droit à. — Donner tort. Condamner. — Arrêter. Déterminer. Déclarer, déclaration. Dire.

**Exprimer une opinion.** — Opiner, opinant. Donner son avis. Trouver que. — CROIRE, croyance. Penser, PENSÉE. Idée. Sentir, SENTIMENT. — Tenir pour. Regarder comme. — Conclure. Déduire. Inférer. — Préjuger, PRÉJUGÉ. Pressentir, pressentiment. Conjecturer, conjecture. Deviner. — Approuver. S'en rapporter à. Abonder. — Se raviser. Reconnaître. — Confesser. Avouer.
A mon compte. A mon idée. Il me semble que. Il me paraît que.

**Le jugement.** — Jugement sain, faux. Sûreté de jugement. — Judiciaire (faculté). RAISON. Intelligence. Intellect. Entendement. — Bon sens. Discernement. — For intérieur. Conscience. — Partialité. Impartialité. — Compétence. Incompétence. Critérium. — Rectitude. Fermeté. Intégrité.

Esprit judicieux, consciencieux, raisonnable, droit, impartial, éclairé, perspicace.

## JUGES

**Juges anciens.** — Connétable. Prévot. Lieutenant civil, criminel. Sénéchal. Bailli. Conseiller et Président de Parlement.

**Juges actuels.** — Garde des sceaux. Chancelier. — Magistrats assis. Présidents et Conseillers à la cour de Cassation, à la cour d'Appel. Présidents et Juges des Tribunaux civils. — Juge de paix. — Conseiller d'Etat, à la cour des Comptes. — Juges aux tribunaux de commerce ou Juges consulaires. Prud'hommes. Jurés. Arbitres. Experts. — Premier Président. Président de chambre. Vice-président. Juge au siège. Juge assesseur, commissaire, rapporteur, suppléant.

**Actes des juges.** — Rendre la justice. — Judicature. — Siéger.
Répondre une requête. Permettre de citer. Citer. Concilier. Instruire. Enquêter. Vérifier. Donner commission rogatoire. Commettre un autre juge. Décerner un mandat. Descendre sur les lieux, descente de justice. Interroger les témoins. Recueillir les dépositions. Confronter. Apprécier. Evaluer. Retenir une cause, la distribuer. Evoquer un procès. Joindre deux affaires. Exiger caution (judicatum solvi). Faire prêter serment.
Juger au civil ou au criminel. Statuer, en référé, sur le siège, à huitaine, sur rapport. Décider. Régler. Prendre acte. Débouter une partie de sa demande. Ordonner l'exécution provisoire. Acquitter. Absoudre. Adjuger. Faire droit. Entériner. Homologuer. Confirmer. Infirmer. Répéter une demande. Se prononcer sur le fond, sur la forme. Se déclarer incompétent. Se récuser. Se rétracter. Se méjuger. Méconnaître, condamner. Infliger une amende.

Enquête. Rapport. Ordonnance sur requête, de référé, de compulsoire, de non-conciliation. Procès-verbal de conciliation. Jugement avant faire droit, définitif, interlocutoire, d'expédient, sur requête, contradictoire, par défaut, par contumace, en premier et dernier ressort, à charge d'appel. Arrêt. Sentence d'arbitre. Verdict du jury.

Grosse. Minute. Expédition. Signification. — Motifs. Dispositif. « Attendus ». « Par ces motifs ».

*Juif.* V. *religion.*
JUIVERIE, f. V. *Juif.*
JUJUBE, m., f. V. *fruit, pâte.*
JULEP, m. V. *médicament.*
JULIENNE, f. V. *potage.*
JUMEAU, m. V. *enfant, deux.*
JUMELER. V. *joindre.*
JUMELLE, f. V. *jumeau, charpente, presse, œil.*
JUMENT, f. V. *cheval.*
JUNGLE, f. V. *désert.*

JUNON, f. V. *Jupiter.*
JUNTE, f. V. *Espagne.*
JUPE, f. V. *habillement.*
*Jupiter,* m. V. *air, planète.*
JUPON, m. V. *habillement.*
JURANDE, f. V. *commerce.*
JURÉ, m. V. *juges, arbitre.*
JUREMENT, m. V. *jurer.*
*Jurer.* V. *affirmer, promesse, témoin, colère, discordant.*
*Juridiction,* f. V. *loi.*

JURIDIQUE. V. *juridiction.*
JURISCONSULTE, m. V. *droit.*
JURISTE, m. V. *droit, loi, auxiliaires de justice.*
JURON, m. V. *injure, fureur.*
JURY, m. V. *arbitre, juges.*
JUS, m. V. *mets, suc.*
JUSANT, m. V. *flux.*
JUSTAUCORPS, m. V. *habillement.*
*Juste.* V. *droit, bon, étroit.*

---

## JUIF

**Peuple.** — Palestine. Judée. Terre sainte. Terre promise. — Hébreux, hébraïque Hébraïser. — Juif, juive. Judaïsme, judaïque, judaïser. — Israël. Israélite. — Jérusalem. Hiérosolymitain. — Sionisme. Sioniste. — Sémite, sémitique. Antisémitisme. — Peuple de Dieu. — Les tribus. Galiléen. Samaritain. — Pharisien, pharisaïsme. — L'exode. — Juif askenasi (de l'Europe centrale). Juif sephardim (de la Méditerranée).

**Religion.** — Temple. Grand prêtre. Lévites. — Synagogue. Rabbin, rabbinisme, rabbinique. Rabbi (appellation). Cohen (sacrificateur). Mohel (circonciseur). — Ephod (étole). Pectoral. Phylactère (inscription sacrée). Taleb (voile). — Saint des saints. Tables de la Loi. Arche d'alliance. Propitiatoire. — La Bible.

Thora. Talmud, talmudique, talmudiste. — Moïse. Loi mosaïque. Mosaïsme. — Consistoire israélite.

**Coutumes.** — Fête de la Pâque. Fête des Tabernacles ou Soucoth. Fête des Sorts ou Purim. Fête des Azymes. Yom Kippour (jeûne de l'expiation). Fête du jour de l'an ou Rosch Ha-schana. — Juiverie. Ghetto. — Circoncision, circoncis. — Sabbat. Sabbataire. Année sabbatique (tous les 7 ans). — Sanhédrin (tribunal). — Schohet (sacrificateur d'abattoir). — L'hébreu. Hébraïsme.

## JUPITER et JUNON

**Le dieu Jupiter.** — Père des dieux et des hommes. — Zeus. — Jupiter Olympien. Jupiter Capitolin. Jupiter Ammon. Jupiter tonnant. — Flamine diale (prêtre). Dialies (sacrifices). — Jupin.

Aigle. Chèvre Amalthée. Foudres. — Jeudi (jour de Jupiter).

**La planète.** — Bandes. Gardes. Satellites. Configuration. Taches. — Jovilabe (lunette).

**Junon.** — Junon Olympienne. — Héra. — Lucine. — Pronuba. — Zygie. — Le paon (oiseau sacré).

## JURER

**Serments.** — Jurer. S'engager par serment. S'obliger par serment. Déclarer sous la foi du serment. — Jurer sur l'Evangile, sur la croix, sur l'honneur. — Donner sa parole, sa parole d'honneur. — Prêter serment. Prestation de serment. Lever la main.

— Violer son serment. Parjure, se parjurer. Abjurer. — Religion du serment. — Vouer. Vœu.

Assermenter. Déférer le serment. — Recevoir le serment. Relever de serment. — Formulaire. Affirmation jurable. Caution juratoire. Ejuration (serment de récusation). — Juré. — Serment d'allégeance.

Serment politique, professionnel, judiciaire, décisoire, supplétoire, en plaids. — Faux serment.

**Jurons.** — Jurer, jureur. Jurer comme un païen, comme un charretier. — Sacrer. Lâcher un juron, un gros mot. Pester. Maugréer.

Bon Dieu. Nom de Dieu. Tudieu. Pâque Dieu. — Corbleu. Morbleu. Parbleu. Palsambleu. Ventrebleu. Ventre saint-gris. — Diable. Diantre. Morguienne. Palsanguienne. — Jarni. Jarnicoton. — Cadédis. Cap de diou. — Ma doué. — Bigre. Ma foi.

**Imprécations.** — Blasphémer, blasphème, blasphémateur, blasphématoire. — Exécrer, exécration. Proférer des imprécations. Détester, détestation. — Adjurer, adjuration. Conjurer, conjuration. — Attester, attestation. — Maudire, malédiction. — Exorciser, exorcisme.

## JURIDICTION

**Etendue.** — Juridiction, juridictionnel, juridique. Circonscription. Ressort. — Département. Arrondissement. Cercle. — Sphère. Cadre. Rayon. PORTÉE. — Finage. District. Détroit (district). — Généralité (étendue). — Enclave.

Dépendre, dépendance. Ressortir, ressortissant. Justiciable.

**Formes.** — Compétence, compétent, compéter. Droit de connaître. Incompétence, incompétent. — Qualité. POUVOIR. Puissance. Attributions. — Degrés de juridiction. Juridiction d'instruction, de jugement, d'exception, de droit commun. Juridiction gracieuse, contentieuse. — Conflit de juridiction, négatif, positif. Récuser. Décliner. Distraire. Renvoyer. — Tribunaux administratifs, judiciaires. — Privilège de juridiction.

## JUSTE

**Justice légale.** — Légalité, légal. Légitimité, légitime. Droit strict. Licite. — Justice, justicier. Equité, équitable. Justice dis-

JUSTESSE, f. V. *juste, raison, chant.*
JUSTICE, f. V. *juste, juger.*
JUSTICIABLE. V. *punition.*
JUSTICIER, m. V. *punition.*
JUSTIFICATION, f. Justifier. V. *preuve, excuse, innocent, juste, imprimerie.*
JUTEUX. V. *suc.*
JUVÉNILE. V. *jeune.*
JUXTAPOSER. V. *près, côté.*

**K**

KAABA, f. V. *Mahomet.*
KABYLE, m. V. *Arabes.*

KAKI, m. V. *couleur.*
KALI, m. V. *soude.*
KANGOUROU, m. V. *quadrupède.*
KANTISME, m. V. *philosophie.*
KAOLIN, m. V. *terre, porcelaine.*
KAPOK, m. V. *bourre.*
KÉPI, m. V. *coiffure.*
KERMÈS, m. V. *rouge.*
KERMESSE, f. V. *fête.*
KHAN, m. V. *Tartare.*
KHÉDIVE, m. V. *Egypte.*
KIF, m. V. *chanvre.*
KILO (préf.). V. *mille.*
KILO, m. V. *poids.*

KILOMÈTRE, m. V. *distance.*
KILT, m. V. *Ecosse.*
KIMONO, m. V. *Japon.*
KIOSQUE, m. V. *pavillon.*
KIPPOUR, m. V. *jeûne.*
KIRSCH, m. V. *cerise.*
KLAXON, m. V. *automobile.*
KNOUT, m. V. *fouet.*
KOHEUL, m. V. *Arabes.*
KOLA, f. V. *fève.*
KOPECK, m. V. *monnaie.*
KRACH, m. V. *banqueroute.*
KRISS, m. V. *arme.*
KYRIELLE, f. V. *suite.*
KYSTE, m. V. *tumeur.*
KYSTEUX. V. *membrane.*

---

tributive. Redresser les torts. — Haute et basse justice. — Juridique. Judiciaire. Juridictionnel. — Juste. Incorruptible. Intègre. — Donner gain de cause. Réhabiliter, réhabilitation.

**Justice morale.** — Homme de bien, le bien. Homme d'honneur, l'honneur. Brave homme. Prud'homme. — Sainteté, SAINT. — Vertu, vertueux. Rigorisme, rigueur. Austérité, austère. — Conscience, consciencieux. Bonne foi. Sincérité. SCRUPULE, scrupuleux. Strict.

Loyauté, loyal. Droiture, droit. Fidélité, FIDÈLE. Sûreté, sûr. — Pureté, PUR. Probité, probe. Délicatesse, délicat. — Moralité, moral, moraliser, moralisateur. — Honnêteté,

honnête. Honorable, honorabilité. Bons principes. Bonnes MŒURS.

**Justice intellectuelle.** — Juste, justesse. VRAI, véritable, vérité. — Rationnel. Fondé en raison. Raisonnable. — Plausible. Louable. Soutenable. Loisible. — Probité intellectuelle. Impartialité, IMPARTIAL. — Rectitude. Rectifier, rectification, rectificatif. Redresser. — Convenance, convenable. Juste milieu. — Bonne cause. Justifier, justification, justificatif.

**Justesse.** — Juste. Ajuster, ajusté. Justaucorps. — Adapté, adaptation, adapter. — Etroit, étroitesse. — Chanter juste. — EXACT, exactitude. — Précis, précision, préciser. — Propre. Propriété d'expression.

# L

LABARUM, m. V. *Christ.*

LABEUR, m. V. *travail, fatigue.*

LABIAL. V. *lèvre, lettre.*

LABIÉE, f. V. *fleur.*

LABILE. V. *manque.*

LABORATOIRE, m. V. *travail, chimie, confiserie, pharmacie.*

LABORIEUX. V. *occupation.*

**Labour**, m. V. *terre, charrue, fermier.*

LABOURAGE, m. V. Labourer. V. *labour, creux.*

LABYRINTHE, m. V. *détour, égarer, jardin, oreille.*

LAC, m. V. *géographie.*

LACER. V. *lacet, lier, filet.*

LACÉRATION, f. Lacérer. V. *déchirer.*

**Lacet**, m. V. *corde, passementerie, lier, bourreau.*

LACEUR, m. V. *filet.*

**Lâche**. V. *mou, céder, peur.*

LÂCHER. V. *lâche, céder, abandon.*

LÂCHETÉ, f. V. *lâche, paresse, abattement.*

LACIS, m. V. *entrelacer.*

LACONIQUE. Laconisme, m. V. *court, parler, style.*

LACRYMAL. V. *larme.*

LACS, m. p. V. *piège.*

LACTATION, f. V. *lait, vache, nourrice.*

LACTÉ. V. *blanc.*

LACTIQUE. V. *lait.*

LACTOSE, m., f. V. *sucre, lait.*

LACUNE, f. V. *manque, vide.*

LAD, m. V. *cheval.*

LADRE. V. *lèpre, avare.*

LADRERIE, f. V. *porc, avare.*

LAGON, m. V. *étang.*

LAGOPÈDE, m. V. *oiseau.*

LAGUNE, f. V. *étang, mer.*

LAICHE, m. V. *herbe.*

LAÏCISER. V. *profane.*

LAÏCITÉ, f. V. *profane.*

---

## LABOUR
(latin, *arare*, labourer)

**Economie rurale.** — Culture, cultiver. Grande et petite culture. — Cultivateur. Paysan. Fellah. — Agriculture, agriculteur, agricole. — Horticulture. Plantation. — Agronomie, agronomique, agronome. — Exploitation, exploiter, exploitant. Faire valoir. — Ferme, fermage, FERMIER. — Métairie, métayer. Colon. — Colonie, coloniser. — Produire, production, producteur. — Céréales. Mercuriale des blés. — Comice agricole. — Machines agricoles.

**Terre.** — Terre grasse, fertile, maigre, légère, meuble, sablonneuse, pauvre. — Terres arables, cultivables, incultes. — Champs. Emblavures. — Guérets. — Novale (terre défrichée). Jachère. — Prés. — Ségalas (terre à seigle). Oche (champ entouré de fossés). Sole (terre à culture alternée).

**Préparation du sol.** — Défricher. Défoncer. Effondrer. Essarter. — Essoucher. Emotter. Ecobuer. SARCLER. — Affiner. Ameublir. Rendre meuble. Mouver. Retourner. — Fertiliser. Amender. Engraisser. — Chauler. Fumer. Glaiser. Marner. — Etréper (charger de terre). — Façonner, façon. Cassaille (première façon). Biloquer et Sombrer (donner un premier labour). — Hiverner (labourer avant l'hiver). Labourer à demeure. — Alterner (les cultures). Dessoler. Assoler, assolement. Rotation.

**Labourage.** — Labour, labourer, labourable. Laboureur. — Chevaux, bœufs de labour. Tracteur agricole. — Instruments aratoires. Charrues. Araire. — Labour en billons, billonner. Labour en planches. Labour à plat. Labour profond, plein, léger. — Biner, binage. — Sillon. Rayon. Raie. Enrue (sillon large). — Enrayer (tracer le premier sillon), enrayure. Etramper (enfoncer le soc). Egratigner. — Emblaver (semer en blé), emblavure. Semailles. — Ouvrée (journée de labeur).

**Autres travaux de la terre.** — Bêcher, bêche. Houer, houe, hoyau. Locheter, lochet. — Rouler, couardise, rouleau. Herser, herse. — Repiquer, repiquage. Butter, buttage. Serfouir, serfouette. Biner, binette. — Extirper les racines. Extirpateur. Coupe-racines. — Piocher, pioche. Fouir. Fouiller. Creuser.

## LACET

**Lacet.** — Lacet de fil, de soie, de cuir, etc. — Ferret. Fer. Ferrer un lacet. — Aiguillette. — Crevet (lacet de tresse). — Lacet de corset, de soulier, etc.

**Emploi.** — Lacer, délacer. Enlacer. ENTRELACER. — Passer un lacet. Passe-lacet. — Serrer, lâcher un lacet. Œillets. Crochets. Coulisses.

## LÂCHE

**Peureux.** — Peur. Effroi, frayeur. — Couard, couardise. Lâche, lâcheté. Capon, caponner. Poltron, poltronnerie. — Poule mouillée. Sans cœur. Pied plat. — Fanfaron, fanfaronnade. — Fuyard, fuir, ruite.

Avoir peur. Manquer de courage. N'être pas un homme. — Caner. Lâcher pied. Reculer, reculade. — Faillir. Renâcler. — Crier merci. Demander grâce.

**Faible de caractère.** — Pusillanime, pusillanimité. Efféminé. Femmelette. Blêche. — Faible, faiblesse, faiblir. Mou, mollesse, mollir. Plat, platitude, s'aplatir. — Craintif, crainte, craindre. Trembleur, tremblant, trembler. — Abattu, abattement. Découragé, découragement. — Inerte, inertie. Engourdi, engourdissement. — Indécis, indécision. Manquer de ressort. — Se relâcher. S'abandonner.

— Rampant, ramper. Vil. Bas, bassesse.

**Détendu.** — Desserré, desserrement, desserrer. — Déraidi, déraidir. Débandé, débander. Détendu, détendre. — Ballant. Pendant. Pendillant. — Mollasse. Flasque, flaccidité. Lâche, lâcher. — Relâché, relâchement, relâ-

**Laid.** V. *difforme, horreur, honte.*
LAIDERON, m. V. *femme.*
LAIDEUR, f. V. *laid.*
LAIE, f. V. *sanglier.*
LAINAGE, m. V. *étoffe.*
**Laine,** f. V. *mouton, drap.*
LAINEUX. Lainerie, f. V. *laine.*
LAÏQUE. V. *profane.*
LAIS, m. V. *arbre.*
LAISSE, f. V. *courroie, chien.*

LAISSER. V. *abandon, permettre, oubli, testament.*
LAISSES, f. p. V. *mer.*
**Lait,** m. V. *mamelle, boisson.*
LAITAGE, m. V. *lait.*
LAITANCE, f. Laite, f. V. *poisson.*
LAITERIE, f. V. *lait, fromage.*
LAITEUX. V. *lait, suc.*
LAITIER, m. V. *lait, écume.*
LAITON, m. V. *cuivre, zinc.*
LAITUE, f. V. *salade.*

LAMA, m. V. *prêtre, quadrupède.*
LAMANEUR, m. V. *navire.*
LAMBDACISME, m. V. *parler.*
LAMBEAU, m. V. *déchirer.*
LAMBIN. Lambiner. V. *lent, paresse, tard.*
LAMBOURDE, f. V. *charpente.*
LAMBREQUIN, m. V. *pavillon.*
LAMBRIS, m. Lambrisser. V. *planche, menuisier, garnir, maçon.*

---

cher. Largue, larguer. — Libre. Flottant, flotter. Battre.

Atonie. Chalasie (des fibres). Symptose (des vaisseaux). Parésie. Prolapsus. Collabescence. Collapsus.

### LAID

**Mal fait.** — Laid, laideur. Enlaidir, enlaidissement, Vilain. — DIFFORME, difformité. Disgracié, disgrâce. Malbâti. Mal tourné. — Informe. Monstrueux. — GROSSIER. Lourd. — Chafouin. Hirsute. — Grotesque. Grimaçant, grimacer. — Défiguré. Déformé, déformation. — Rabougri. Ratatiné. Ridé.

**Qui inspire répulsion.** — Désagréable à voir. Disgracieux. Malséant. — Dégoûtant. Hideux. Repoussant. — Ignoble. Abominable. Odieux. — Affreux. Atroce. Horrible. — Effrayant. Effroyable. Epouvantable.

**Appellations de laideur.** — DIABLE. Démon. Furie. — Faune. Satyre. — Singe. Guenon. Magot. — MONSTRE. Avorton. — Bouc. Hibou. Crapaud. Ours mal léché. — Caricature. Masque. Repoussoir. — Laideron. Laidasse. — Grand escogriffe. Grande bringue. — Maritorne. Grimaud. — Vilain oiseau. Sale bête.

### LAINE
(latin, *lana*)

**La laine.** — Laine de MOUTON. Mérinos. Agneline. — POIL laineux, de chèvre, de vigogne, de chameau, etc. — Toison. Tondaille. — Laine brute. Laine en suint. Surge. Mère laine. — Brins. Mèches. Flocons. — Laine plate, lisse, frisée, vrillée, ondulée. — Cœur (laine longue). Blousse (laine courte). — Déchets. BOURRE. Picon.

*Impuretés.* Suint. Jarre. Lampourde. Graterons. Bourrons ou Nœuds. Matton.

Lanifère. Lanigère. Laineux. Lanugineux.

**Préparation.** — Tondre. Forces (ciseaux). Tonte, à la main, à la machine. Surtonte. — Laver, lavage. Lavée (ce qu'on lave). Lavage à dos, à chaud, à fond.

Apprêter, apprêteur. Dégorger, dégorgement. — Dégraisser, dégraissage. Passer à la chaux. Dessuinter. — Ejarrer. Délampourder. Egrateronner. Rabattre. — Tordre. Battre. Rompre. Louveter (briser). Soufrer. — Trier, triage. Mise en balle.

**Transformation.** — Lainier. Lainerie. Industrie lainière. — Carder, cardage. Car-

dage à la main. Cardage mécanique. Carde. Cardeuse. Cardée. — Feuillet. Ploque (plaque de laine cardée). Etaim (belle laine). — Peigner. Peignage. Peigné. — Filer. Filature. Fileuse. — Tisser. Tissu. — Lainage. DRAP. Feutre.

### LAIT
(latin, *lac* ; grec, *gala*)

**Le lait.** — Lait de femme, de chèvre, de brebis, etc. Vache laitière. Lactation.

Composition du lait : Eau. Caséine. Lactalbumine. Lactoglobuline. Lactose. Corps gras. Sels.

Modifications du lait : Se coaguler. Se grumeler. Cailler. Prendre. Tourner. Aigrir. Bleuir. — Lait pasteurisé, stérilisé, maternisé. — Lait condensé, concentré. Poudre de lait.

**Commerce du lait.** — Laiterie. Crèmerie. Vacherie. Nourricerie. — Ferme. Coopérative laitière. Fruitière. — Laitier, laitière. Crémier, crémière. Fruitier.

Traire. Tirer le lait. Mulsion. Traite, à la main, à la machine. — Examen du lait. Pèse-lait. Lactodensimètre. Lactobutyromètre. Saccharimètre. — Frauder. Falsifier. Coupage. Mouillage.

Age du lait. Lait vieux. Lait jeune. — Passer le lait. Passoire. Couloire. — Jattes. Pots. Boîte à lait.

**Allaitement.** — MAMELLE. Sein. Téton. Tétine. Pis. — Allaiter. Allaitement, naturel, artificiel. — Donner à téter. Donner le sein. Nourrir. NOURRICE. — Nourrir au biberon. — Téter. Nourrisson. Frère et sœur de lait. — Fièvre de lait. Flux de lait. — Colostre (premier lait). — Mouille. Vache amouillante. — Laitée (portée d'animaux). — Sevrer, sevrage.

**Produits du lait.** — Laitage. — Lait fermenté. Ferment lactique. Yoghourt. Maïa. Képhir. Koumiss. — Lait caillé. Caillot. Caillebotte. Caille-lait. Présure. — Beurre, butyreux. Babeurre. Petit-lait. — Crème, crémeux. Ecrémer, écrémage. — Délaiter le beurre, délaitage. — Fromage. Caséation. Caséum, caséeux. — Lactine. Acide lactique. Caséine. Galalithe.

**Relatif au lait.** — Laitance. Laite. — Laiteux. Lacté. Voie lactée ou Galaxie. — Régime lacté. — Lactescence, lactescent. Lactifère. Lactifique. — Lait de poule. Lait d'amande. — Laitue. Laiteron. Lactaire

**Lame, f.** V. *arme, plaque, ressort, plancher, mer.*
LAMÉ. V. *tissu.*
LAMELLE, f. V. *lame.*
LAMELLIBRANCHE, m. V. *mollusque.*
LAMENTATION, f. Lamenter (se). V. *plainte, chagrin, pitié.*
LAMENTIN, m. V. *cétacé.*
LAMER. V. *lame.*
LAMINAGE, m. Laminer. V. *lame, métal, fonderie.*
LAMINOIR, m. V. *presse.*

LAMPADAIRE, m. V. *lampe.*
LAMPADOPHORIE, f. V. *lampe.*
LAMPANT. V. *lampe.*
LAMPAS, m. V. *tapis.*
**Lampe, f.** V. *lumière.*
LAMPÉE, f. Lamper. V. *boire.*
LAMPION, m. V. *illuminer.*
LAMPISTE, m. Lampisterie, f. V. *lampe.*
LAMPYRE, m. V. *ver.*
**Lance, f.** V. *arme, arroser.*
LANCEMENT, m. V. *jet, public.*
LANCÉOLÉ. V. *lance.*
LANCER. V. *jet, chasse, pêche.*

LANCETTE, f. V. *chirurgie, sang.*
LANCIER, m. V. *lance, soldat.*
LANCIERS, m. p. V. *danse.*
LANCINER. V. *souffrir.*
LANCIS, m. V. *maçon.*
LANÇON, m. V. *poisson.*
LANDAU, m. Landaulet, m. V. *voiture.*
LANDE, f. V. *inculte, stérile.*
LANDGRAVE, m. V. *Allemagne.*
LANDIER, m. V. *cheminée.*
LANERET, m. V. *faucon.*
**Langage, m.** V. *parler.*

---

(champignon). — Lactifuge. Antilaiteux. — Lactiforme. — Galactologie.

### LAME
(latin, *lamina*)

**Lames.** — Lame. Dos. Tranchant. Soie. Talon. Nervure. Onglet. — Alumelle. Lame de couteau, de rasoir, d'épée, de sabre, de poignard. — Lame d'apprêteur, de fourreur, de parcheminier. Palisson. — Busc (de corset). Ruban (de scie). PLAQUE. Fer d'outil. Lame de ressort.

**Laminage.** — Laminer, laminerie, laminoir, lamineur. — Train de laminoir. Cylindres, mâle, femelle. — Dégrossir, dégrossisseur. Amincir. — Finir, finisseur. — Ductilité. Métal ductile.

**Mise en feuilles.** — Lamier. Lamer, lamé. — Battre un métal. Batteur d'or. Ecacheur, écacheur. Aplatir, aplatisseur. — Feuille d'or, d'argent, etc. Feuillet. — Lamelle. Paillette. Paillon. Clinquant. — Cliver, clivage. — Feuille de mica, de schiste, etc.

Lamellé. Lamelleux. Scissile. — Lamellirostre. Lamellicorne. Lamelliforme.

### LAMPE

**Lampes à l'huile.** — Lampes antiques, de terre, de bronze. — Lampion. Lumignon. — Lampe carcel. Lampe à modérateur. Quinquet. Veilleuse. Lampe d'église. Lampe de mineur. — Lampe à pétrole lampant. Lampe à mèche ronde, à mèche plate.

Socle. Réservoir. Crémaillère. Bec. Mèche. Roulette. Galerie. Calibre. Verre. Globe. Abatjour. Réflecteur. Dessous de lampe.

Lampiste, lampisterie. — Allumer. Monter. Baisser. Moucher. Eteindre. — Brûler. Charbonner. Fumer. Filer.

**Au gaz et à l'essence.** — Lampe à gaz. Bec de gaz. Bec à incandescence. Papillon. Manchon. — Lampe à acétylène. Gazogène. Brûleur. — Lampe au benzol. — Lampe à gaz surpressé. — Lampe à essence. — Lampe à alcool. Chalumeau. Lampe à souder.

**A l'électricité.** — Lampe électrique. Ampoule. Bougies. — Lampe à incandescence, à filaments, intensive ou demi-watt. — Lampe de poche. — Lampe à arc. Lampe à électrodes. — Tube à vapeurs de mercure. Tube au néon.

**Lanternes et appareils.** — Reverbère. Lanterne de monument. — Lanterne de voiture, de locomotive. Phares d'automobile. — Lanterne d'écurie. Lanterne tempête. Fanal. Falot. Lanterne sourde. — Pot à feu. Photophore.

Phare maritime, à feu fixe, à éclipse. Lentilles. Bouée lumineuse. Feu flottant. Projecteur.

Candélabre. — Lampadaire. — Lustre. — Herse. — Rampe. — If. — Torchère. — Coupole. — Plafonnier. — Motifs lumineux. — Enseignes lumineuses.

### LANCE

**Lances.** — Lance d'armes. Gros-bois. Bourdon. Fauchard. — Guisarme (à deux haches). Hallebarde. Bec-de-corbin. Pertuisane. — Pique. Demi-pique. Esponton. Epieu. — Lances anciennes. Sarisse. Haste. Pilum. Framée.

Lance de joute. — Baïonnette. — Sagaie. — Trident. — Digon (de pêche).

Lance d'arrosage. Lance d'incendie. — Lance de grille.

**Parties.** — Banderole. Flamme. Gonfanon. — Bois. Fût. Hampe. Talon. Douille. — Fer. Pointe. Traverse. Grappin. Rondelle. — Virole (à émousser). Frette. Morne. — Fer émoulu. Bocquet et Otelles, bl. (fers).

**Usage.** — Hommes d'armes. Compagnie de lances. — Hallebardier. Pertuisanier. Piquier. — Lancier. Cosaque. Uhlan. — Suisse d'église.

Brandir. Mettre en arrêt. — Pointer. Coup de lance. — Jouter. Rompre une lance. Courir une lance. — Randon (exercice). Quintaine (poteau). Faquin (mannequin). — Piques traînantes (aux funérailles).

### LANGAGE

**Langages généraux.** — Langage parlé. Langage écrit. Langage mimique. — Langue vivante. Langue morte. — Langues anciennes. Langues modernes. — Langue maternelle. Langues étrangères. — Langue mère. Langue fille. Langue sœur. — Langue analytique. Langue synthétique. — Langue monosyllabique. Langue agglutinante. Langue flexionnelle. — Famille de langues.

LANGE, m. V. *enfant.*
LANGOUREUX. V. *langueur.*
LANGOUSTE, f. V. *crustacé.*
**Langue**, f. V. *bouche, parler, style, Malte.*
LANGUETTE, f. V. *langue.*
**Langueur**, f. V. *abattement, fatigue, paresse, chagrin.*
LANGUEYER. V. *porc.*

LANGUIR. V. *langueur, attendre.*
LANGUISSANT. V. *langueur, mou, faible.*
LANIER, m. V. *faucon.*
LANIÈRE, f. V. *bande, courroie.*
LANIFÈRE. V. *laine.*
LANSQUENET, m. V. *soldat.*

LANTERNE, f. V. *illuminer, architecture.*
LANTERNER. V. *lent, délai.*
LAOS, m. V. *Indochine.*
LAPAROTOMIE, f. V. *ventre.*
LAPER. V. *boire, langue.*
LAPIDAIRE. V. *pierre, bijou.*
LAPIDATION, f. Lapider. V. *pierre, supplice.*

---

### Langages particuliers. — Langue savante. Langue littéraire. Langue populaire. — Idiome. Dialecte. Patois. — Langage de la cour. Langue des poètes. — Argot. Langue verte. Langage des halles. — Jargon. Baragouin. Charabia. Langage macaronique. — Langage technique. Langage conventionnel. Langage des fleurs.

Langue universelle. Volapük. Espéranto. Sabir.

Signalisation. Timonerie. Code des signaux.

### Vie du langage. — Cri. Onomatopée. — Métaphore. Analogie. Rayonnement. — Sons et lettres. Prononciation. Accent tonique. — Parties du discours. MOTS. — Racines. Flexions. Désinences. — Phrases. Périodes. Propositions. — Tours. Tournures. Liaison des mots. — Composition. Dérivation. Altérations. Emprunts.

Expressions. Locutions. Usage. Purisme. Elégance. Trivialité. — Prose. Poésie. RHÉTORIQUE. — Archaïsme. Néologisme. Tradition. — Idiotisme. Gallicisme. Latinisme. Hellénisme. Anglicisme. Germanisme, etc. — Langue riche, pauvre. — Se corrompre. Dégénérer. — Se ramifier. Se développer. — Vie des mots.

### Etude du langage. — GRAMMAIRE, grammairien. — Vocabulaire. DICTIONNAIRE. Lexique. Glossaire. — Linguistique, linguiste. Philologie, philologique, philologue. Lexicologie, lexicographie, lexicographe. — Phonétique. Morphologie. Syntaxe. Stylistique. Sémantique. — Grammaire comparée. Histoire de la langue. — Technologie. Terminologie. — Maître de langues. Polyglotte. Cosmopolite. — PARLER une langue. PRONONCER. — TRADUIRE.

Mots en *logie* et *logue* : Egyptologie, égyptologue. Sinologie, sinologue, etc.

### LANGUE
(latin, *lingua* ; grec, *glossa*)

### Organe buccal. — Os hyoïde. — Membrane hyoglossienne. Septum lingual. — Muqueuse. — Filets. — Ligaments. — Papilles, caliciformes, fongiformes, filiformes, foliées, hémisphériques. V lingual. — Hypoglosse. — Glandes folliculeuses. — Base. — Sillon. — Pointe. — Face dorsale. Face inférieure. — Trou-borgne.

### Etats et actions. — Langue nette, pâteuse, blanche, sale, fuligineuse, chargée. — Glossalgie. Glossite. Ulcération. — Tumeur. Pépie. — Tirer la langue. Happer. Lécher. Laper. Faire claquer. Verrition (mouvement dans la bouche).

Langueyer (un porc), langueyeur. Everrer (un chien).

### Organe de la parole. — Articulation linguale. Consonnes linguales. — Parler. Avoir la langue affilée, bien pendue. — Prendre langue. — Avaler sa langue (se taire). — Dénouer la langue. — Coup de langue. — Parler gras, grasseyer. — Fourcher. *Lapsus linguæ.*

### Analogues. — Languette. — Objet linguiforme. — Langue de vipère (médisant). — Langue d'aspic (tranchant d'outil). — Langue-de-bœuf (champignon). — Langue-de-carpette (burin). — Langue-de-cerf (scolopendre). — Langue-de-chat (gâteau). — Langue-de-chien (plante). — Langue-de-serpent (instrument dentaire). — Langue-de-vache (enclume). — Langue de terre (péninsule).

### LANGUEUR

### Etat de langueur. — Languir. Se traîner. N'en pouvoir plus. N'avoir que le souffle. Se mourir. Filer un mauvais coton. — Se consumer. S'épuiser. S'étioler. Dépérir. — Décliner. Baisser. Se détraquer. S'affaiblir. — Maigrir. Fondre. Pâlir. — Souffrir. Végéter.

Etat morbide. Santé délicate. — Sang appauvri. Membre atrophié. Visage décoloré, défait. Figure de papier mâché. — Valétudinaire. Convalescent. — Chétif. Rachitique. Chlorotique. Cachectique. Cacochyme. — Amaigrissement. Maigreur. — Pâleur. Faiblesse. FATIGUE.

Etre souffrant, souffreteux, infirme, malingre, fragile, usé, mal hypothéqué. — Etre hâve, PÂLE, étique, épuisé, énervé, patraque. — Se plaindre. Geindre. Dolent.

### Maladies de langueur. — Anémie. — Appauvrissement du sang. — Atonie. — Atrophie. — Cachexie. — Cacochymie. — Caducité. — Chlorose. — Consomption. — Débilité. — Délabrement d'estomac. — Dépérissement. — Enervation. — Epuisement. — Etiolement. — Etisie. — Exténuation. — Infirmité. — Marasme. — Morbidesse. — Phtisie. — Rachitisme. — Tabès. — Torpeur. — Usure.

### Langueur morale. — Languir, langueur. — Faire languir. Alanguir. — Languissant. Languide. Langoureux. Alangui. — Abattu, abattement. Découragé, découragement. Démoralisé, démoralisation. — Triste, tristesse. Morne. Morose. — Indolent, indolence. Apathique, apathie. Nonchalant, nonchalance. Engourdi, engourdissement. — Efféminé. FAIBLE de caractère.

*Lapin,* m. V. *quadrupède.*
LAPIS-LAZULI, m. V. *pierre, bleu.*
LAPS, m. V. *temps, secte.*
LAPSUS, m. V. *faute, langue.*
LAPTOT, m. V. *matelot.*
LAQUAIS, m. V. *domestique.*
LAQUE, f. V. *gomme, vernis.*
LARAIRE, m. V. *autel.*
LARCIN, m. V. *voleur.*
LARD, m. V. *porc, graisse.*
LARDER. V. *cuisine, percer.*
LARDON, m. V. *charcuterie.*
*Lares,* m. p. V. *dieu.*
*Large.* V. *étendre, loin, mer, généreux.*
LARGESSE, f. V. *don, bienfait.*
LARGEUR, f. V. *large, mesure.*
LARGO. V. *musique.*

LARGUER. V. *voile, lâche.*
LARIGOT, m. V. *orgue.*
*Larme,* f. V. *humeur, chagrin.*
LARMIER, m. V. *fenêtre, cerf.*
LARMOYER. V. *larme, œil.*
LARRON, m. V. *voleur.*
LARVE, f. V. *ver, insecte.*
LARYNGITE, f. V. *gorge.*
LARYNGOLOGIE, f. V. *médecine.*
LARYNX, m. V. *gorge.*
LAS. V. *fatigue.*
LASCIF. Lascivité, f. V. *plaisir, luxure.*
LASSER. V. *fatigue, ennui.*
LASSITUDE, f. V. *abattement.*
LASSO, m. V. *corde, nœud.*
LATANIER, m. V. *palmier.*

LATENT. V. *secret.*
LATÉRAL. V. *côté.*
LATEX, m. V. *caoutchouc.*
LATICLAVE, m. V. *habillement.*
LATIN. Latinité, f. V. *Rome.*
LATITUDE, f. V. *géographie, large.*
*Latrines,* f. p. V. *excrément.*
*Latte,* f. V. *bâton, charpente, sabre.*
LATTER. V. *latte, maçon.*
LATTIS, m. V. *claie.*
LAUDANUM, m. V. *opium, baume.*
LAUDATIF. V. *louange.*
LAUDES, f. p. V. *liturgie.*
LAURÉAT, m. V. *laurier, vainqueur, récompense.*

---

### LAPIN et LIÈVRE

**Lapin.** — Lapin, lapine, lapereau. Connil (nom ancien). — Lapin de garenne. Lapin domestique, lapin de chou. — Lapin à fourrure. Lapin angora. Léporide. — Garenne. Connillière. — Terrier. Rabouillère. Halot. — Clapier. Lapinière. — Se terrer. Se clapir. — Lapiner (mettre bas).

**Lièvre.** — Lièvre. Bouquin. Hase (femelle). Levraut. Trois-quarts. — Gîte. Musse (passage). Repaire. Randonnée. — Gîter. Se motter. Se flâtrer.

**Chasse.** — Chasse à l'affût, à la poche, à la bourse, au collet, au furet. — Colleter. Fureter. Levrauder. — Chien de chasse. Lévrier. Chien courant. — Forcer le lièvre. Velaut (cri de chasse).
Râble. Gibelotte. Civet. Pâté.

### LARES

**Qui concerne les lares.** — Dieux lares. Pénates. — Lares familiers, publics, militaires, maritimes, etc. — Autel des lares. Laraire. — Laralies. Compitales (fêtes des carrefours).

### LARGE
(latin, *latus*)

**Largeur.** — Large. Elargir, élargissement. — Etre au large. — Evasé. S'évaser, évasure. Epaté, épatement. — Diamètre, diamétral. Calibre. Module. — Travers. Laize. Lé. Voie (entre roues). — Latitude. — Epaules larges. Carrure.

**Ampleur.** — Amplitude, ample. Grosseur, gros. — Donner du large. Ouvrir. Elargir. — Dilater, dilatation, se dilater. Extension, étendre. — Etre au large. Avoir de la place. Se développer. — Prendre le large. Larger. — Largesse. Donner largement. — Mouvement large. Largo. Larghetto.

### LARME
(latin, *lacryma*; grec, *dacry*)

**Sécrétion des larmes.** — Conduits hygrophthalmiques. Canal lacrymal. Glande lacrymale. Sac lacrymal. — Couler. Ruisseler. — Larmier. — Larme. Pleur. Perle. — Larmoiement, larmoyer. Dacryorrhée. Fistule lacrymale. GOUTTE à l'œil. — Yeux rouges. Yeux humides, gonflés, mouillés, noyés de larmes.

**Verser des larmes.** — Pleurer. Arroser, baigner de larmes. Déluge, torrent, ruisseau de larmes. Fondre en larmes, en eau. — Verser des pleurs. Répandre des larmes. Pleurer à chaudes larmes. — Visage éploré. Visage inondé de larmes. — Pleurnicher, pleurnicherie, pleurnicheur. — Avoir le cœur gros, les yeux gonflés, les yeux rouges. — Ton pleurard, larmoyant. Pleurer comme un veau. — Implorer, imploration. — Don des larmes. — Larmes de crocodile. Larmes de sang.

**Cesser les larmes.** — Dévorer ses larmes. Cesser de pleurer. — Essuyer les larmes. Etancher les larmes. Sécher les larmes. Tarir les larmes. — Médicament apodacrytique. — Œil sec. — Rire jaune.

### LATRINES

**Cabinets.** — Cabinets d'aisances. Lieux d'aisances. Commodités. Garde-robe. Latrines. Lavabo. Lavatory. Retrait. Privé. Buen-retiro. Water-closet.

**Appareils.** — Siège. Lunette. Couvercle. Cuvette. Soupape. Chasse d'eau. — Chaise percée. Pot de chambre. Vase de nuit. — Bassin. Urinoir. Bourdalou. — Bidet. Seau hygiénique.

**Vidange.** — Fosse. Fosse aseptique. Tout-à-l'égoût. Tinette. — Matières. Gadoues. Excréments. — Urine. Vapeurs ammoniacales. — Conduits. Tuyaux. Poterie. — Vidanger, vidangeur. Pomper. Curer, vider une fosse.

### LATTE

**Lattes.** — Latte. Contre-latte. Latte jointive. — Bardeau. Baguette. Volige. — Echalas. — Treillage. Frisage.

**Usage.** — Latter, lattis. — Délatter. Contre-latter. Relatter. — Liaisonner les lattes. — Treillager.

**Laurier**, m. V. *arbre, gloire.*
LAVABO, m. V. *laver, toilette.*
LAVAGE, m. V. *laver, nettoyer, pur.*
LAVANCHE, f. V. *neige.*
LAVANDE, f. V. *plante.*
LAVANDIÈRE, f. V. *laver, blanchir.*
LAVE, f. V. *volcan.*
LAVEMENT, m. V. *seringue, anus.*
**Laver.** V. *toilette, lessive, vaisselle, dessin.*
LAVETTE, f. V. *laver.*
LAVEUR, m. Laveuse, f. V. *blanchir.*
LAVIS, m. V. *dessin.*
LAVOIR, m. V. *blanchir.*
LAVURE, f. V. *cuisine.*
LAXATIF. V. *purger.*
LAYETTE, f. V. *coffre, linge.*

LAZARET, m. V. *port.*
LAZARISTE, m. V. *moine.*
LAZZIS, m. p. V. *bouffon.*
LÉ, m. V. *étoffe.*
LÈCHEFRITE, f. V. *rôtir.*
LÉCHER. V. *langue, sucer, parfait.*
LEÇON, f. V. *instruction, réprimande, rédiger.*
LECTEUR, m. V. *lire, public, instruction.*
LECTURE, f. V. *lire.*
LÉGAL. V. *loi, juste.*
LÉGALISER. V. *confirmer, signature.*
LÉGALITÉ, f. V. *loi, capable.*
LÉGAT, m. V. *pape, diplomatie.*
LÉGATAIRE, m. V. *recevoir, héritage.*
LÉGATION, f. V. *mission.*

LÈGE. V. *charger, bateau.*
LÉGENDAIRE. Légende, f. V. *raconter, histoire, abrégé.*
**Léger.** V. *vif, mince, commode.*
LÉGÈRETÉ, f. V. *léger, inattention, caprice.*
LÉGIFÉRER. V. *loi.*
LÉGION, f. V. *armée, troupe.*
LÉGIONNAIRE, m. V. *soldat.*
LÉGISLATEUR, m. Législatif. V. *parlement, loi.*
LÉGISLATION, f. V. *loi.*
LÉGISLATURE, f. V. *parlement.*
LÉGISTE, m. V. *loi, auxiliaires de justice.*
LÉGITIME. Légitimité, f. V. *loi, mérite, mariage, roi.*
LEGS, m. Léguer. V. *don, héritage, transmettre.*

---

## LAURIER

**Plantes lauracées.** — Laurier. Lauriersauce. Laurier-cerise. Laurier-rose. Laurier-tulipier. Laurier-tin. — Lauriste ou Garou. Sainbois. Sassafras. Camphrier. Daphné. Lauréole.

**Emploi.** — Baie de laurier. Baccalauréat. Bachelier. — Couronne de laurier. Lauréat. Tête laurée. Palmes académiques. — Baume de Fioravanti. Condiment de sauce. Vésicatoire.

## LAVER

**Toilette.** — Se laver. Prendre son bain. — Débarbouiller. Baigner. Doucher. Nettoyer. Décrasser.

Bain. Douche. — Bain de pieds. Pédiluve. — Lavement. Injection. Gargarisme. Collutoire. — Lotion. Shampooing.

Lavabo. Cuvette. Pot à eau. Aiguière. — Piscine. Baignoire. Tub. Bidet. — Eponge. Serviette. Peignoir de bain. Essuie-mains. Torchon. Touaille. — Lave-mains. Laveoreilles. Brosse à ongles.

**Purification.** — Purifier. Ablution. Eau lustrale. Lustration. — Baptême, baptiser, baptismal. — Lavement des pieds (le jeudi saint). Mandatum, mandé.

**Blanchissage.** — Laveur, laveuse. Lavandier, lavandière. Blanchisseur, blanchisseuse. — Buanderie. Lessiveuse (chaudière). Laveuse mécanique. Cuvier. — Lavoir. Douet. — Laver, lavage. Blanchir, blanchissage. — LESSIVE, lessiver, lessivage. — Essanger. Faire bouillir. Savonner, savonnage. Battre le linge, battoir. Rincer, rinçage.

**Lavage.** — Laver à grande eau. Décrasser. Nettoyer. — Tremper. Faire tremper. Plonger dans l'eau. Immersion. Faire dégorger. — Echauder, échaudoir. — Faire la vaisselle. Evier. Lavette. — Passer à l'eau. Guéer. Mouiller. — Absterger, abstersion, abstersif.

— Aiguayer (un cheval). Décruser (des cocons). Rechinser (de la laine). — Délaver. Lavis.

## LÉGER

**Léger de poids.** — Léger, légèreté. Faible de poids. — Maniable. Portatif. — Leste. Agile. Vif. Sylphe. — MINCE. Menu. PETIT. — Sauteur. Volant. Voltigeant. Aérien.

Alléger, allégement. Délester, délestage. Décharger, déchargement. — Chose légère. Plume. Flocon. Gaze. Liège. Poussière. Feuille. — Navire lège. — Monnaie écharse. — Terre meuble.

**Léger de densité.** — GAZ, gazeux. VAPEUR, vaporeux, vaporiser. Volatilité, volatil, volatiliser. — Fumée. Vent. Zéphyr. — Monter. S'élever. Surnager. — Immatériel, immatérialité. Subtil, subtilité. — Aérien. Impondérable, impondérabilité. Impalpable, impalpabilité.

**Léger de caractère.** — Léger, légèreté. Mobile, mobilité. — Futile, futilité. Frivole, frivolité. — JEUNE, jeunesse. Inexpérimenté, inexpérience. Inconsidéré. — Faible de caractère, faiblesse. Inconstant, inconstance. Inconsistant, inconsistance. Volage. Sauteur. — Imprévoyant, imprévoyance. Imprudent, imprudence. Inconséquent, inconséquence. — Indocile, indocilité. Inappliqué, inapplication. — Indifférent, indifférence. Insouciant, insouciance. Incurie.

Faute légère, pardonnable, vénielle.

**Léger d'esprit.** — Vif d'esprit. Spirituel. Gracieux. — Badin. Folichon. Folâtre. — Plaisanterie, plaisanter. Badinage, badiner. Facétie, facétieux.

Légèreté d'esprit. Tête de linotte. — Irréfléchi, IRRÉFLEXION. Inattentif, inattention. Inadvertance. — Agir à la légère. — Etourdi, étourderie. Ecervelé. Evaporé. Eventé. Etourneau. Hanneton. — Versatile. Papillon. — Distrait, distraction. Oublieux. Dissipé, dissipation. — Peu sérieux. Cerveau vide, superficiel. Sot. — Fou. Follet.

**Légume**, m. V. *jardin*.
LÉGUMIER, m. V. *vaisselle*.
LÉGUMINEUX. V. *légume*.
LEMME, m. V. *argument*.
LEMNISQUE, f. V. *bande*.
LÉMURE, m. V. *fantôme*.
LENDEMAIN, m. V. *après, futur*.
LÉNIFIER. Lénitif. V. *doux, calme*.
**Lent.** V. *engourdi, tard*.
LENTE, f. V. *pou*.
LENTEUR, f. V. *lent*.
LENTICULAIRE. V. *rond*.

LENTILLE, f. V. *pois, optique*.
LENTISQUE, m. V. *amande*.
LENTO. V. *lent*.
LÉONIN. V. *lion, injuste*.
LÉPIDOPTÈRE, m. V. *papillon, aile*.
LÉPORIDE, m. V. *lapin*.
**Lèpre,** f. V. *peau*.
LÉPREUX. V. *lèpre*.
LÉPROSERIE, f. V. *hôpital*.
LÈSE-MAJESTÉ, f. V. *violer*.
LÉSER. V. *nuire, perdre*.
LÉSINE, f. Lésiner. V. *avare, économie, minutie*.

LÉSION, f. V. *blessure*.
LESSIVE, f. Lessiver. V. *blanchir, linge, nettoyer*.
LESSIVEUR, m. V. *papier*.
LESSIVEUSE, f. V. *blanchir*.
LEST, m. V. *poids, bateau, aéronautique*.
LESTE. V. *prompt, léger*.
LESTER. V. *lourd, fixe*.
LÉTHARGIE, f. V. *sommeil. engourdi, insensible*.
LÉTHÉ, m. V. *oubli*.
**Lettre,** f. V. *écrire, rédiger*.
LETTRÉ, m. V. *littérature*.

## LÉGUME

**Principaux légumes.** — *Feuilles.* SALADE. — Laitue. — Romaine. — Scarole. — Pourpier. — Mâche. — Barbe-de-capucin. — Cresson. — Chicorée. — Endive. — Pissenlit. — Bette. — Cerfeuil. — Persil. — Epinard. Tétragone. — Estragon. — OSEILLE. — CHOU. — Chou de Bruxelles. — Sarriette.

*Graines.* POIS. — Haricot. — Lentille. — Lupin. — Flageolet. — FÈVE. — Soja.

*Racines.* Salsifis. — Scorsonère. — Betterave. — Radis. — Rave. — Chou-rave. — NAVET. — Carotte. — Chervis. — Rutabaga. — Panais.

*Fruits.* COURGE. — Potiron. — Citrouille. — Pastèque. — Melon. — Concombre. — Cornichon. — Tomate. — Aubergine. — Piment.

*Tiges.* Ciboule. — Cardon. — ASPERGE. — Fenouil. — Poireau. — Céleri.

*Bulbes.* Ail. — OIGNON. — Echalote.

*Tubercules.* Pommes de terre. — Topinambour. — Patate. — Igname. — Truffe. — Crosnes. — Cerfeuil bulbeux. — Manioc.

*Fleurs.* Chou-fleur. — ARTICHAUT.

**Production et vente.** — Plantes potagères. Herbes. Verduresse. — JARDIN potager. Jardin légumier. — Jardinage. Culture maraîchère. Culture vivrière. — Jardinier. Maraîcher.

Herbière. Fruitier, fruitière. Marchand des quatre-saisons. Epicier. Marchand de comestibles. — Halles. Marché. Etal. — Vente au poids, à la botte, à la douzaine.

**Consommation.** — Légumes frais. Légumes secs. Légumes de conserve. — Primeurs. Légumes de saison. Conserves. — Eplucher. Peler. Ecosser. Décortiquer. — Cuire. Assaisonner. — Purée. Fécule. Julienne. Jardinière. Macédoine. Garniture. Bouillon de légumes. — Végétalisme. Végétarisme. Végétarien.

## LENT

**Lent à se mouvoir.** — Lent, lenteur. Ralentir, ralentissement. — Marcher à pas comptés. Bœuf. Tardigrade. Tortue. — LOURD, lourdeur, lourdaud. Pesant, pesanteur. — Cul de plomb. Emplâtre. — Traîner ses pas. Aller cahin-caha. Aller clopin-clopant. Clo-

piner. Boiter, boiteux. — S'alanguir, alanguissement. Languir, languissant, LANGUEUR. — S'engourdir, engourdissement, ENGOURDI. Torpeur, torpide. — Impotent. Paralysé. — Stagnant, stagnation. — MOU, mollesse. Nonchalant.

Dormir debout. S'endormir, endormi. Somnoler, somnolence. Sommeiller.

**Qui agit lentement.** — S'amuser. — Flâner, flâneur, flânerie. Muser, musard, musarder. Traînard. — Faire attendre. Traîner en longueur. — N'avancer à rien. Lanterner. Lantiponner. Tourner autour du pot. — Prendre son temps. Différer. Retarder, retardataire. — Temporiser, temporisation, temporiseur. Prolonger, prolongation.

Posé. Compassé. Flegmatique. — GRAVE. Tranquille. Calme. — Méthodique. Prudent. Tâtillon. Minutieux. — Tâtonner, tâtonnement.

Perdre son temps. Ne pas se fouler. Lambiner, lambin. — Inactif, inaction. Inerte, inertie. Apathique, apathie. — Paresseux, PARESSE. Négligent, négligence. OISIF, oisiveté.

**Qui se fait lentement.** — Tarder. Traîner. Ne pas avancer. — N'en pas finir. Mitonner. — DÉLAI. Retard. Retardement. Lenteurs. — Etat stationnaire. Chipotage. — Faire long feu. — Tardif. Traînant. Interminable. LONG. Graduel.

Mouvements lents. Adagio. Largo. Larghetto. Lento. Piano. Pianissimo.

Par degrés. A la longue. A petit feu. Petit à petit. Peu à peu. Pied à pied. Pas à pas. En douceur.

## LÈPRE

**Qui a trait à la lèpre.** — Lèpre. — Premier degré ou Alphos. Deuxième degré ou Leucé. — Eléphantiasis. Léontiase.

Lépreux. Ladre. Cagot. Meseau. Grigou. Malandrin. — Léproserie. Ladrerie. Maladrerie. — Ladrerie (du porc). Langueyer (inspecter la langue du porc ladre), langueyeur. Fy (du bœuf).

## LETTRE
(latin, *littera*: grec, *gramma*)

**Caractères.** — Lettre. Caractère. Type. — Lettre majuscule, minuscule, initiale, finale, capitale, géminée. — Lettre ornée,

LETTRES, f. p. V. *littérature, Chine.*

LETTRINE, f. V. *lettre, renvoi.*

LEUCOCYTE, m. V. *sang.*

LEUDE, m. V. *Gaule.*

LEURRE, m. V. *appât.*

LEURRER. V. *attirer, tromper.*

LEVAGE, m. V. *chèvre, grue.*

LEVAIN, m. V. *ferment, pain.*

LEVANT, m. V. *Orient.*

LEVANTIN, m. V. *Orient.*

LEVÉE, f. V. *haut, poste, appel, chemin, hydraulique, impôt, cartes.*

LEVER. V. *haut, prendre, augmenter, ferment.*

LEVER, m. V. *matin, soleil.*

**Levier,** m. V. *barre, moyen, cause, automobile.*

LÉVIGATION, f. V. *chimie.*

LEVIS. V. *pont.*

LÉVITE, m. V. Lévitique. V. *Juif.*

LEVRAUT, m. V. *lapin.*

**Lèvre,** f. V. *visage, bord.*

LÉVRIER, m. V. *chien.*

LEVURE, f. V. *ferment, champignon, boulanger.*

LEXICOGRAPHE, m. V. *dictionnaire.*

LEXIQUE, m. V. *dictionnaire, langage.*

LÉZARD, m. V. *reptile.*

LÉZARDE, f. V. *fente, ruine, passementerie.*

LIAIS, m. V. *pierre.*

LIAISON, f. V. *joindre, lier, écrire, parler, fréquenter, ami, rapport, ongle.*

LIAISONNER. V. *joindre.*

LIANE, f. V. *plante.*

LIANT. V. *familier, complaisant.*

LIARD, m. V. *monnaie.*

LIARDER. Liardeur, m. V. *avare, économe.*

LIAS, m. V. *géologie.*

LIASSE, f. V. *faisceau.*

LIBATION, f. V. *répandre, sacrifice, boire.*

LIBELLE, m. V. *livre, blâme.*

LIBELLER. V. *rédiger.*

LIBELLISTE, m. V. *pamphlet.*

LIBELLULE, f. V. *insecte.*

LIBER, m. V. *écorce.*

LIBÉRAL. Libéralité, f. V. *généreux, don.*

LIBÉRAL. Libéralisme, m. V. *libre, politique.*

LIBÉRATION, f. V. *libre, sauver, pardon.*

L I B É R E R. V. *libre, ôter, exempt, quittance, dégager.*

LIBERTAIRE, m. V. *libre.*

LIBERTÉ, f. V. *libre, permettre, république.*

LIBERTIN, m. Libertinage, m. V. *libre, débauche.*

LIBIDINEUX. V. *luxure, licence.*

LIBOURET, m. V. *pêche.*

LIBRAIRE, m. Librairie, f. V. *livre, imprimerie.*

LIBRATION, f. V. *pendule, lune.*

---

moulée, enclavée, entrelacée, historiée, gothique, goffe, onciale, cubitale, pleine, perlée. — Lettrine. Sigle (initiale pour mot). Ligature (lettres liées). Chiffre. Monogramme. — Ecriture. Plein. Liaison. Panse. Corps. Queue. Jambage.

V. ECRIRE et IMPRIMERIE.

**Alphabet.** — Les 26 lettres. — Lettres grecques connues : Alpha, *a.* Bêta, *b.* Delta, *d.* Gamma, *g.* Iota, *i.* Lambda, *l.* Oméga, *o.* Pi, *p.* Sigma, *s.* — N tildé (espagnol). — Lettres voyelles. Lettres consonnes. — Accents. — Signes. Idéogrammes. Hiéroglyphes. Cunéiformes. Runes.

Alphabet, alphabétisme. Abécé, abécédaire. Epeler, épellation. — Articuler. Prononcer. — Assembler les lettres. Métathèse (transposition de lettres). — Lire.

**Missives.** — Epître, épistolaire. Missive. Message. Mot. Billet. Poulet. — Dépêche. Pli. Réponse. — Contre-lettre. Duplicata. Apostille. — Circulaire. Mandement. Rescrit. — Pétition. Placet. — Encyclique. Lettre pastorale. Bref. Bulle.

Lettre de félicitation, de recommandation, d'invitation, de faire part, de condoléance. — Lettre de commerce. Lettre d'avis. Lettre de change. Lettre de voiture. Lettre de créance. Lettre de rappel. Sauf-conduit. — Pouvoir. Procuration.

**Correspondance.** — Correspondre, correspondant. Echange, commerce de lettres. Donner de ses nouvelles. Annoncer, marquer par lettre. — Secrétaire, secrétariat. Dactylographe, dactylographier. Sténographe, sténographier. Faire le courrier. — Expéditeur. Envoyeur. Destinataire.

Brouillon. Net. — En-tête. Date. Adresse. Suscription. Vedette. Signature, signer. — Texte. Teneur. Libellé. Post-scriptum. — Enveloppe. Cachet.

Clore. Fermer. Cacheter. — Décacheter. Ouvrir. Prendre connaissance. Dépouiller son courrier. — Ecrire. Rédiger. Copie de lettres. — Envoyer. Adresser. Expédier. — Recevoir une lettre. Accuser réception. Répondre par courrier.

**La poste.** — Lettre. Lettre chargée. Lettre recommandée. Carte-lettre. Carte postale. Carte-télégramme. Télégramme. Message téléphonique.

Timbre-poste. Timbrer. Affranchir, affranchissement. Port. Charger, chargement. — Oblitérer. Taxe. Surtaxe. — Formules.

Bureau de poste. Postier. Télégraphiste. Téléphoniste. Facteur. Vaguemestre. — Distribution. Levée. Boîte aux lettres. — Poste restante. Cabinet noir. — Service postal.

## LEVIER

**Leviers à bras.** — Point d'appui. Résistance. Force. — Anspect. Aiguille. Barre. Barreau. Bringuebale. Diable. Bras de levier. Louve. Pince. Pédale. Manivelle.

Peser, pesée. Embarrer. Soulever. Elever.

## LÈVRE

**Les lèvres.** — Lèvre supérieure. Lèvre inférieure. — Contours de la bouche. Commissure. Ourlet. Fossette. Sillon. Frein. — Bec-de-lièvre. Babine. Badigoince. — Grosses lèvres. Lèvres minces, fines, retroussées, vermeilles. — Lèvre pendante. Lippe, lippu. — Labre (d'insecte). Grandes et petites lèvres (de vulve). Lèvres (de fleurs).

**Qui concerne les lèvres.** — Manger du bout des lèvres. — Se mordre les lèvres. — Froncer les lèvres. Faire la moue. — Baiser. Un baiser. Poppysme. — Labial. Labié. Bilabié. — Sucer, succion. — Gercer, gerçure. — Moustache.

**Libre.** V. *volonté, permettre, vide, facile, familier.*
LIBRE ARBITRE, m. V. *volonté.*
LIBRE-ÉCHANGE, m. V. *commerce.*
LIBRETTISTE, m. V. *théâtre.*
LICE, f. V. *clôture, tissu, tapis, tournoi.*
**Licence,** f. V. *permettre, université, brevet, débauche.*

LICENCIÉ, m. V. *université.*
LICENCIEMENT, m. V. *Licencier.*
V. *libre, soldat, destituer.*
LICENCIEUX. V. *licence, inconvenant, vice.*
LICITATION, f. V. *partage, vendre.*
LICITE. V. *juste, permettre.*
LICORNE, f. V. *monstre.*
LICOU, m. (ou licol, m.). V.

*courroie, harnais, lier.*
LICTEUR, m. V. *garde.*
LIE, f. V. *résidu, ordure.*
LIED, m. V. *chant.*
**Liège,** m. V. *chêne, écorce.*
LIÉGER. V. *liège, filet.*
LIEN, m. V. *lier, obligation, ami.*
LIÉNITE, f. V. *rate.*
LIENTERIE, f. V. *excrément.*

---

## LIBRE

**Liberté de mouvement.** — Etre libre. Jouir de sa liberté. Avoir ses coudées franches. — Liberté sur parole, sous caution. — Avoir le champ libre. Avoir blanc-seing, pleins pouvoirs. — S'échapper. Se sauver. S'évader, évasion. Prendre l'essor. — Aise, aisé. Aisance. Air dégagé. Désinvolture, désinvolte. — S'ébattre. Prendre ses ébats. — Avoir du jeu. Jouer. — Ventre libre. — Commerce libre. Libre-échange. — Faculté, facultatif. Latitude. — Licite. Permis. Loisible. — Place libre, inoccupée, vacante, disponible. — Entrée libre.

**Liberté de caractère.** — Faire à sa discrétion. Agir librement. — Se permettre. — Indépendant, indépendance. FRANC, franchise. FAMILIER, familiarité. — Volontaire. HARDI, hardiesse, s'enhardir. — Ingénu, ingénuité. Spontané, spontanéité. — Agir à sa discrétion. Ad libitum. Motu proprio.
Agir librement, sans façon, sans cérémonie, sans gêne. — Prendre ses aises. Se mettre à l'aise. Etre à l'aise.
Insoumis. Indocile. Inassujetti. Insubordonné. Inasservi.

**Liberté individuelle.** — Garantie. — Liberté de la presse, de réunion, du travail. — Liberté surveillée. — Liberté provisoire. — Arrestation. Séquestration. Violation de domicile. — Menaces. Faire violence. — Homme libre. Citoyen. Etre son maître. — Liberté naturelle. Liberté civile. — Inviolabilité. *Habeas Corpus.* — *Exeat.*
Etre quitte, libéré, affranchi.

**Liberté politique.** — Souveraineté du peuple. Droits de l'homme et du citoyen. — Autonomie. Charte. Franchises. — Arbre de la liberté. — RÉPUBLIQUE, républicain. Démocratie, démocratique, démocrate. — Radicalisme, radical. Libéralisme, libéral. Progressisme, progressiste. — Idées avancées. Libertaire. — LICENCE. Anarchie.
Droit du plus fort. Pouvoir absolu, souverain, arbitraire, discrétionnaire.

**Liberté de pensée.** — Libre arbitre. Liberté de pensée. Liberté de conscience. — Liberté d'opinion. Liberté de la presse. — Esprit libre. Libre de préjugés. — Libre pensée, libre penseur. Libertin, libertinage. — Laïque, laïcité. Tolérant, TOLÉRANCE. — Libre parole. Franc-parler. Sans-gêne.

**Rendre libre.** — Libérer, libération, libérateur, libératoire. Délivrer. — Mettre en

liberté. Délier. Détacher. Découpler. Décloîtrer. — Relâcher. Elargir. Relaxer. — Licencier. Congédier. Donner congé. Renvoyer. — Briser les chaînes. Tirer de prison. — Racheter, rachat. Rédemption, rédempteur. — Acquitter, acquittement. Affranchir, affranchissement. Exempter. — Emanciper. — Laisser faire. Tolérer. PERMETTRE, permission. — Donner mainlevée. Donner QUITTANCE.

## LICENCE

**Langage licencieux.** — Liberté de langage. Intempérance de langage. — Gaudriole. Grivoiserie. Gravelure. — Obscénité. Ordure. Saleté. Vilain mot. — Souiller les oreilles. Faire rougir.
Licencieux. Scabreux. Obscène. Ordurier. Dégoûtant. — Cru. Débraillé. Gras. — Libre. Décolleté. Epicé. Graveleux. Grivois. Egrillard. — Equivoque. Déshonnête. — Cavalier. Leste. Léger.

**Vie licencieuse.** — Vie dissolue. DÉSORDRE. Dérèglement, déréglé. DÉBAUCHE, débauché, se débaucher. — Dévergondage, dévergondé, se dévergonder. Polissonner, polissonnerie. Courir. Garçonner. — S'émanciper. Jeter son bonnet par-dessus les moulins. — Mœurs faciles. Relâchement. SCANDALE, scandaliser. — Faire la noce. Mener une vie galante, une vie de plaisir.
Mauvais sujet. Garnement. Vaurien. Polisson. Débauché. Noceur. Salaud. Pourceau d'Epicure.

**Caractère licencieux.** — Immoralité, immoral. Impureté, impur. Inconvenance, INCONVENANT. Indécence, indécent. — Luxure, luxurieux. Impudicité, impudique. Lascivité, lascif. Galanterie, GALANT. Libidineux. — Gaillardise, gaillard. Friponnerie, fripon. — Grossièreté, grossier. Effronterie, effronté. Irrévérence, irrévérencieux. Irrespect, irrespectueux.

**Permission.** — Permis. Autorisation. — Avoir licence de. Licite. — Licence (droit au titre). Licencié.

## LIÈGE

**Le liège.** — CHÊNE-liège. Couche liégeuse, subéreuse. ECORCE. — Plateaux de liège. Démascler. Débiter. Raboter.
Mâcher (comprimer).
Bouchon. Boué. Flotteur. Flotte. Ceinture de sauvetage. Linoléum. Briquettes. Semelles. Poudre. — Liéger. Bouchonner.

*Lier.* V. *bandage, lacet, presser, prononcer, oiseau.*
LIER (se). V. *ami.*
*Lierre,* m. V. *plante.*
LIESSE, f. V. *plaisir, joie.*
*Lieu,* m. V. *pays.*
LIEU-COMMUN, m. V. *argument.*
LIEUE, f. V. *distance, mesure.*
LIEUTENANT, m. V. *officier, remplacer.*
LIÈVRE, m. V. *lapin.*

LIGAMENT, m. V. *articulation.*
LIGATURE, f. V. *Ligaturer.* V. *chirurgie, bandage, veine, nœud.*
LIGNAGE, m. V. *parent, enfant.*
*Ligne,* f . V. *droit, dessin, corde, géométrie, famille, imprimerie, escrime, télégraphe, chemin de fer.*
LIGNÉE, f. V. *enfant, famille.*
LIGNEUL, m. V. *fil, chaussure.*
LIGNEUX. V. *arbre, tige.*

LIGNIFIER. V. *bois.*
LIGNITE, m. V. *houille.*
LIGOTER. V. *lier.*
LIGUE, f. V. Liguer. V. *association, accord, complot.*
LIGUEUR, m. V. *sédition.*
LILAS, m. V. *fleur, couleur.*
LILIAL. V. *blanc.*
LILLIPUTIEN, m. V. *petit.*
LIMACE, f. V. *mollusque.*
LIMAÇON, m. V. *spirale.*
LIMAILLE, f. V. *lime, poudre.*
LIMANDE, f. V. *poisson.*

---

## LIER
(latin, *ligare*)

**Ce qui sert à lier.** — CORDE. Câble. Cordage. Cordelette. Bolduc. Ficelle. — Lien. CORDON. Lacet. Tresse. Hart. — Courroie. Lanière. Longe. — BANDE. Bandelette. RUBAN. — Chaîne. Chaînette. Fil de fer. — Cercle. Cerceau. — Fil. Ligament. NŒUD. — Liens d'osier, de jonc, de paille, de fibre.

**Retenir par des liens.** — Lier, liage. Liaison, liaisonner. Relier, reliure. — Attacher, attache. Amarrer, amarre. — JOINDRE, jonction. Coudre, couture. Ligaturer, ligature. — Entraver, entrave. — Accoler la vigne, accolage. — Accoupler les chiens, accouple. Harder les chiens, harde. Tenir en laisse. — Embosser un navire, bosse. — Jarreter, jarretière. — Atteler, attelage. Traits. — Embreler (corder un chargement), embrelage. — Frapper, fixer une poulie, un cordage.

**Entourer d'un lien.** — Lacer. Aiguilleter, aiguillette. Brider, bride. — Bander, BANDAGE. Ceindre, ceinture. Ceinturer. Harnacher, harnais. Sangler, sangle. — Emballer, emballage. Envelopper, ENVELOPPE. Empaqueter, empaquetage. Ficeler. Entortiller. — Mettre en FAISCEAU, en botte, en FAGOT, en bouquet. Fagoter, fagotage.

Charger de fers, de CHAÎNES. Enchaîner. — Mettre le cabriolet, les menottes, les poucettes, la camisole de force. Ligoter. Garrotter. — Museler, muselière

Cercler un tonneau, cercle. Fretter, fretté. Elinguer un ballot, élingue. — Enlacer, enlacement. Embrasser, embrassure. Vrilles.

## LIERRE

**Le lierre.** — Lierre en arbre. Lierre rampant. Petit lierre. Lierre à larges feuilles. Lierre terrestre. — Plante hédéracée, hédérifoliée. — Thyrse. Grains. Grappe. Gomme.

## LIEU
(latin, *locus;* grec, *topos*)

**Habitat.** — PAYS. Contrée. Région. Territoire. — Ville. Canton. District. Localité. Quartier. — Habitation. Demeure. Résidence. Logement. Local. — Climat. Milieu. Sol.

Résider. Habiter. Demeurer. Vivre dans. Occuper.

**Situation.** — Assiette. Emplacement. Place. — Endroit. Lieu. Théâtre. Siège. — Etres ou Aîtres. — Espace. Parage. Paysage. Terrain. — Zone. Point. Coin. — Intervalle. Passage. — Gisement. Fond.

**Situation sociale.** — Haut lieu. Bas lieu. — Monde. Milieu. Sphère. — Place. Position. Poste. — Rang. Condition. Classe. — Carrière.

**Détermination des lieux.** — Disposition des lieux. Orientation, orienté. Exposition, exposé. — Etre sis, situé. Position. Situation. — Localisation, localiser. — Limites. Limitrophe. — Contigu. Voisin. Adossé à. — Joindre. Toucher. Tenir à. — Se trouver. Reposer sur. — Avoir vue sur. Donner sur. — Topographie, topographique. — Local. Topique.

**Adverbes de lieu.** — Çà. Là. Çà et là. Par ci. Par là. — Céans. Ici. — Y. En. — Où. D'où. Par où. — Quelque part. Autre part. Nulle part. — Au delà. En deçà. — En haut. En bas. — Dedans. Dehors. — Devant. Derrière. — Loin. Près. A côté. — En face. Vis-à-vis. — Partout.

## LIGNE
(latin, *linea*)

**Lignes géométriques.** — Droite. Courbe. Oblique. Plane. Verticale. Horizontale. Brisée. Mixte. Perpendiculaire. Parallèle. — Côté d'angle. Côté de triangle. Bissectrice. Hauteur. Médiane. Hypoténuse. — Circonférence. Cercle. Diamètre. Rayon. — Arc. Corde. Flèche. Sinus. Cosinus. Coordonnées. — Diagonale. Apothème. Tangente. Sécante. — Directrice. Génératrice. AXE. — Ellipse. Parabole. Hyperbole.

**Disposition en ligne.** — Alignement, aligner. File. Rang. Rangée. Suite. — Allée. Quinconce. Haie. — Colonne. Chaîne. Sillon. — Ligne de bataille. Front. — Ligne de chemin de fer. Ligne télégraphique. — Ligne d'écriture. Ligne d'imprimerie. Interligne. Alinéa.

**Tracé des lignes.** — Dessin linéaire. Tire-ligne. Règle, réglette, réglure. Cordeau. Repère. — Rectiligne. Curviligne. Mixtiligne. — Trait. Rache. Contour. — Arête. Ligne de démarcation. — Raie. Rayure. Filet. Hachure. Ratures. — Réseau. Quadrillage. Entrelacs. Grecque. — Tiret. Accolade.

LIMBE, m. V. *bord.*
LIMBES, m. p. V. *enfer.*
Lime, f.
LIMER. V. *lime, frotter.*
LIMIER, m. V. *chien, police.*
LIMINAIRE. V. *commencer.*
LIMITATION, f. V. *limite.*
Limite, f. V. *extrême, bord, arrêt, portée.*
LIMITER. V. *limite, restriction.*
LIMITROPHE. V. *limite, lieu.*
LIMON, m. V. *citron, boue, voiture.*

LIMONADE, f. V. *boisson.*
LIMONADIER, m. V. *auberge.*
LIMONEUX. V. *boue.*
LIMONIER, m. V. *cheval.*
LIMOUSIN, m. V. *maçon.*
LIMOUSINE, f. V. *voiture.*
LIMPIDE. Limpidité, f. V. *pur, transparent.*
LIN, m. Linacé. V. *chanvre.*
LINCEUL, m. V. *mort, couvrir.*
LINÉAIRE. V. *ligne.*
LINÉAMENT, m. V. *ligne, visage.*
Linge, m. V. *bagages.*

LINGÈRE, f. Lingerie, f. V. *linge, coudre.*
LINGOT, m. V. *métal, fonderie.*
LINGOTIÈRE, f. V. *cire.*
LINGUAL, V. *langue.*
LINGUET, m. V. *cabestan.*
LINGUISTE, m. V. *langage.*
LINGUISTIQUE, f. V. *science, parler.*
LINIMENT, m. V. *oindre, baume.*
LINON, m. V. *étoffe.*
LINOT, m. V. *oiseau.*

---

TRACER. Tirer. Souligner. Quadriller. Rayer. Régler. Fileter.

**Lignes figurées.** — Ligne de tir. — Ligne haute et Ligne basse (en escrime). — Ligne d'horizon. — Ligne de conduite. — Ligne de pêche.

Ligne masculine, féminine, paternelle, maternelle, ascendante, descendante, directe, collatérale.

## LIME

**Outils.** — Lime à bois. Râpe. Limes à métaux. — Lime grosse, bâtarde, demi-ronde, ronde, douce, demi-douce, plane, coudée, etc. — Riflard. Rifloir. — Carreau. Carrelette. — Ecoine. Ecoinette. — Tiers-point. Queue-de-rat. Feuille-de-sauge. Lime en paille. — Fraise (d'horloger). — Rugine (en chirurgien). Lime à ongles.

Soie ou Queue. Dents ou Entailles. — Taille (sens des dents). Lime à une taille, à deux tailles.

**Usage.** — Limer. Blanchir. Dresser. — Ebaucher. Ebarber. Mordre. — Polir. Adoucir. Rifler. — Râper. Chapeler. — Ruginer. — Tailler. Faire des entailles.

Limaille. Limation. Limure. — Râpure.

## LIMITE

**Limites de l'étendue.** — Commencement. Origine. Entrée. — BORD. Côté. Lisière. — Contour. Périmètre. Circuit. — Extrémité. Bout. Queue. — Fin. Terme. Terminus. — Haut. Faîte. Tête. POINTE. Sommet. — Fond. Bas. — Face. Front.

Limiter, limite. Borner. Circonscrire. — Limité, illimité. Borné. Fini. Final. — DERNIER. EXTRÊME.

**Limites territoriales.** — Limites. Bornes. Ligne de démarcation. — Frontières. Confins. Marches. — Barrière. Clôture. Fermeture. Mur. — Bordure. Toral (butte de terre). Poteau. Piquet. Lisière. Rain (lisière de forêt).

Délimiter, délimitation. Borner, bornage. SÉPARER, séparation. — Clore. Enclore. FERMER.

Proche, proximité. Voisin, voisinage. Limitrophe. Tenant et aboutissant. — Confiner. TOUCHER à. Aboutir à. Finir à.

**Limites de quantité.** — Limiter, limitation, limitatif. Fixer des limites. — Déterminer, détermination, déterminatif. Définir, défini. — Se contenter de. Modérer, MODÉRATION. — Maximum. Minimum. *Nec plus ultra.* Epuiser. Aller à concurrence de.

Infini. Infinité. Infinitésimal. Indéfini.

## LINGE

**Lingerie.** — Linge blanc. Blanc. Exposition de blanc. — Linge de couleur. Linge à fleurs. Linge damassé. Linge à damiers. — Linge fin. Gros linge. — Magasin de lingerie. Rayon de lingerie. Chemiserie, chemisier. Bonneterie, bonnetier. — Lingerie. Lingère. Ouvroir.

Linge de toile, soie, fil, coton, batiste, percale, madapolam, etc.

**Linge de corps.** — CHEMISE. Chemise de jour, de nuit, d'homme, de femme. — Col. Faux col. Collerette. Jabot. Fraise. Manchette. — Pantalon. Caleçon. Pyjama. — Jupon. Combinaison. — Peignoir. Maillot. Camisole. — Tablier. Blouse. — Layette. Couches. — Fichu. Mouchoir. Pointe. Guimpe. — Bonnet. Coiffe. Cornette. Béguin. — Trousseau.

**Linge de ménage.** — Linge de table. Nappe. Napperon. Chemin de table. Serviette. Service de table. Service à thé.

Linge de cuisine. Torchon. Tablier. Touaille. Serpillière. Essuie-meubles. Chiffons.

Linge de toilette. Serviette de toilette. Serviette éponge. Fond de bain. Débarbouilloir. Essuie-mains.

Linge de lit. Draps. Taie d'oreiller. Alèze. Linceul.

**Confection.** — Tailler. Façonner. Ouvrer. Coudre. Piquer. Broder. Ourler. Marquer. Froncer.

Coutures. Piqûres. Broderies. Ourlets. Jours. Fronces. Festons. Chiffres. Entre-deux. — Bordure. Rayure. Liteaux. Liséré. Œil-de-perdrix. Nid d'abeille.

**Entretien.** — Changer de linge. Linge sale. — Blanchissage, BLANCHIR. Savonnage, savonner. Lessive. Etendre. Sécher. — Repasser. Calandrer. Glacer. Plier. — Raccommoder. Repriser. Ravauder. Mettre des pièces.

LINOTYPE, f. V. *imprimerie.*

LINTEAU, m. V. *charpente.*

**Lion,** m. V. *animal, brave, affectation.*

LIONCEAU, m. V. *lion.*

LIPOME, m. V. *tumeur.*

LIPPE, f. V. *lèvre, fâché.*

LIPPÉE, f. V. *manger.*

LIPPU. V. *visage.*

LIQUATION, f. V. *chimie, fonderie.*

LIQUÉFACTION, f. Liquéfier. V. *fondre, liquide, dissoudre.*

**Liqueur,** f. V. *liquide, boisson.*

LIQUIDATEUR, m. V. *banqueroute.*

LIQUIDATION, f. V. *partage, commerce, payer.*

**Liquide.** V. *eau, boisson, chimie, distinct.*

LIQUIDER. V. *compte, annuler, vendre.*

LIQUIDITÉ, f. V. *liquide.*

LIQUOREUX. V. *liqueur.*

LIQUORISTE, m. V. *liqueur, auberge.*

**Lire.** V. *lettre, prononcer.*

LIRE, f. V. *monnaie.*

LIS, m. V. *fleur.*

LISÉRAGE, m. V. *broder.*

LISÉRÉ, m. V. *raie, ruban.*

LISERON, m. V. *plante.*

LISEUR, m. Lisible. V. *lire.*

LISIÈRE, f. V. *bord, bande, drap, forêt.*

LISSE. V. *uni, doux.*

LISSE, f. V. *corde.*

LISSER. Lissoir, m. V. *polir.*

LISTE, f. V. *nombre, état.*

LISTEL, m. V. *moulure.*

---

## LION

**Le lion.** — Lion. Lionne. Lionceau. — Roi des animaux. Félin. — Lion de l'Atlas. Lion de Némée. Lion du Pérou ou Puma. — Crinière. Moustache. Queue. — Rugir, rugissement. Bondir, bond.

**Relatif au lion.** — Constellation du Lion. Léonides. — Lion marin. — Un lion de la mode. — Partage léonin.

Lions de blason. Lion couard, diffamé, dragonné, rampant, léopardé, naissant, lampassé.

## LIQUEUR

**Industrie.** — Liquoriste. Distillateur, distillerie. Brûleur, brûlerie. Distiller, distillation. — Bouilleur, bouillir. Bouilleur de cru. Brandevinier. — Spiritueux. Extraits. Essences. Vins liquoreux.

Alambic. — Degrés d'alcool. Alcoolomètre. Pèse-liqueur. — Faire macérer. Filtrer. Concentrer. Rectifier. Déféquer. — Alcooliser. Muter. Aromatiser. — Sirop. Arome. — Frelater. Falsifier. — Déposer, dépôt.

**Alcools.** — Fine champagne. Cognac. Armagnac. Eau-de-vie. Brandevin. Aguardiente. — Esprit-de-vin. Trois-six. — Marc. Calvados. Vodka. Whisky. Raki. — Rhum. Tafia. Ratafia. — Genièvre. Gin. — Kummel. — Absinthe. — Gentiane. — Menthe. — Kirsch. — Quetsch. — Mirabelle. Prunelle. — Cherrybrandy. — Elixir. Vulnéraire. — Eau de mélisse. Cordial.

**Liqueurs sucrées.** — Anisette. — Bénédictine. — Brou de noix. — Byrrh. — Cassis. — Crème de moka. — Crème de cacao. — Crème de noyau. — Curaçao. — Eau-de-vie de Dantzig. — Elixir de longue vie. — Fenouillette. — Guignolet. — Marasquin. — Nectar. — Vermouth. — Vespétro. — Vins de liqueur. — Grog. — Punch. — Cocktail. Ripopée (mélange).

**Liqueurs chimiques.** — Alcoolat. — Alcool amylique. — Acide butyrique. — Créosote. — Eau de Cologne. — Eau forte. — Eau régale. — Eau seconde. — Elixirs. — Ether. — Essences. — Huiles essentielles. Liqueurs pharmaceutiques. — Laudanum. — Baumes. — Teintures. — Véhicule.

**Effets.** — Capiteux. Généreux. Montant. — Apéritif. Digestif. — Force. Porter à la tête. — Enivrer. Ivresse. Ebriété. — Alcoo-

lisme, alcoolique. Ethéromanie, éthéromane. — Sclérose du foie. Goutte. *Delirium tremens.* Folie.

## LIQUIDE

**Etat liquide.** — Liquide, liquidité. Liqueur. — Humeur, humide, humidité. — Fluide, fluidité. — Eau, aqueux. — Sécrétion. Gouttes. Jus. — Flux. Courant.

Clarifier, clarification. Délayer, délayage. — Mouiller. Imbiber. Humecter. Humidifier. — Délaver. Détremper, détrempe. — Atténuer, atténuation.

Incoercible. Incompressible.

**Mouvement des liquides.** — Couler, coulant, coulée. S'écouler, écoulement. — Ruisseler, ruissellement. — Fluer. Refluer. — Dégoutter. Suinter, suintement. Filtrer. — S'infiltrer. S'épancher.

Hydraulique. Hydrodynamique. Hydrostatique. Hydrométrie.

**Liquéfaction.** — Liquéfier, liquéfiant, liquéfiable. — Liquation. Colliquation, colliquatif. — Fondre, fondant. Fusion. Fusible. — Dissoudre, dissolution, dissolvant. — Résoudre, résolutif. — Solution, solutif. Soluble, solubilité. — Dégel. Déliquescence, déliquescent. — Diluer, dilution. — Décuire.

## LIRE
(latin, *legere*)

**La lecture.** — Alphabet. Ordre alphabétique. — Méthode de lecture. Abécé. Abécédaire. Syllabaire. — LETTRES. Assembler les lettres. Syllabes. Mots. — Epeler, épellation. Psalmodier les lettres. Articuler, articulation. PRONONCER.

Lire tout bas. Lire tout haut, à haute voix. — Lire couramment. Lire à livre ouvert. Lecture courante. — Mettre l'accent. Observer la ponctuation. Faire les liaisons. — Débiter, débit. Déclamer, déclamation. Mettre le ton. — Déchiffrer, déchiffrement. Anonner, ânonnement.

Lisible. Illisible. Indéchiffrable. — Illettré. Ne savoir ni A ni B.

**Lecture des livres.** — Livres. Ouvrages. Bibliothèque. Cabinet de lecture. — Lecteur. Liseur. Lettré. — Etudier, étude. Collationner, collation. Compulser. — Dépouiller. Paperasser. — Lire. Se plonger dans la lec-

**Lit,** m. V. *meuble, couche, rivière, carrière.*
LITANIE, f. V. *liturgie, suite.*
LITEAU, m. V. *menuisier.*
LITERIE, f. V. *lit.*
LITHARGE, f. V. *plomb.*
LITHIASE, f. V. *vessie.*
LITHOCOLLE, f. V. *ciment.*
LITHOGRAPHE, m. Lithographie, f. V. *pierre, imprimerie.*
LITHOTRITIE, f. V. *vessie.*
LITIÈRE, f. V. *étable, fumier, couche.*
LITIGANT. V. *procédure.*
LITIGE, m. Litigieux. V. *dispute, doute.*
LITOTE, f. V. *moins.*
LITRE, m. V. *mesure.*
LITTÉRAIRE. V. *littérature.*
LITTÉRAL. V. *lettre, exact, rédiger.*
LITTÉRATEUR, m. V. *littérature.*
**Littérature,** f. V. *livre, style, art.*
LITTORAL, m. V. *rivage, bord.*

---

ture. Dévorer. — Relire. Repasser. Revoir. — Feuilleter. Parcourir. Jeter les yeux sur. Mettre le nez dans. — Leçon (de manuscrit). Lecture (d'une épreuve). Prélire (une épreuve).

## LIT

**Structure.** — Bois de lit. — Tête. Chevet. Pied. Pieds. Bord. Cadre. Châlit. Chantourné. Dossier. — Fond. Sangles. Traverses. — Pans. Panneaux. — Estrade. Colonnes. Balustrade. — Alcôve. Soupente. Ruelle.

**Garniture.** — Dais. Ciel. Baldaquin. — Rideaux. Tentures. Cantonnière. Pavillon. Pente. Chute. Soubassement.

Literie. Sommier. Paillasse. Matelas, de laine, de crin, de crin végétal, de varech, de balle. Couette. Lit de plume. — Traversin. Oreiller. Edredon. Duvet. — Couvre-pieds. Courte-pointe. Dessus de lit. Housse. — Drap de lit. Drap de dessus, de dessous. COUVERTURES. Taie d'oreiller.
Table de nuit. Descente de lit.

**Sortes de lits.** — Lit nuptial. Lit de parade. Lit de repos. Lit de camp. — Lit de bout. Lit de milieu. Lits jumeaux. — Lit à colonnes. Lit clos. Lit en bateau, en gondole, en tombeau. — Lit pliant. Lit-cage. Lit mécanique. — Lit de bois, de cuivre, de fer. — Couche. Couchette. Divan. Canapé. Sopha. Hamac. Natte. Grabat. — Berceau. Bercelonnette. Ber. — Lit de table (chez les anciens).

**Usage.** — Monter, démonter un lit. — Garnir un lit. Faire un lit. Dresser un lit. Faire la couverture. — Bassiner un lit. Bassinoire. Moine. — Valet de chambre. Femme de chambre. Femme de ménage.
Coucher, couchage. Se coucher. Se mettre au lit. S'étendre. — Prendre le lit. S'aliter. Garder le lit. — Se reposer. Dormir. SOMMEIL. Faire un somme. — Le coucher. Le lever. — Se lever. Saut du lit. Etre matinal. — Etre bien couché. Coucher sur la dure. — Coucher tête-bêche. — Border. — Bercer, berceuse.

**Qui concerne le lit.** — CHAMBRE à coucher. — Chambrée. Dortoir. Camarade de lit. — HOSPITALITÉ. Hôte. hôtesse. — Héberger. Logeur, loger. Gîte, gîter. — Matelassier. Tapissier. Marchand de meubles.

## LITTÉRATURE

**Gens de lettres.** — Ecrivain, écrivailleur, écrivassier. Auteur. Homme de lettres. Polygraphe. — Femme de lettres. Bas-bleu. — Littérateur. Lettré. Bel esprit. — Styliste.

Prosateur. Poète. Poétesse. — Auteur dramatique. Auteur comique. Dramaturge. — Historien. Mémorialiste. — Romancier. Narrateur. Conteur. — Philosophe. Moraliste. Fabuliste. — Polémiste. Critique. Pamphlétaire. — Publiciste. Journaliste. Rédacteur. Chroniqueur. Feuilletoniste. Courriériste. Folliculaire. — Humaniste. Erudit. Traducteur. Commentateur. Compilateur. — Grammairien. Lexicographe.

**Œuvres littéraires.** — Œuvres de théâtre. Drame. Tragédie. Comédie. Farce. — POÉSIE. Poèmes. Œuvres poétiques. Pièces fugitives. — Discours. Conférences. — PAMPHLETS. Polémique. — HISTOIRE. Mémoires. Notices. — Roman. Contes. Nouvelles. Œuvres philosophiques. — Analyse morale. Essais. Maximes et Caractères. — Œuvres didactiques. Critique littéraire. Variétés. Mélanges. Feuilleton. — Correspondance. Epitres. — Anthologie. Centon. Fragments. — Folklore. Voyages. — Œuvres de GRAMMAIRE. Lexicographie. Commentaires.

**Composition.** — Composer. Elucubrer, élucubration. Créer, création. — Concevoir, conception. Imaginer. Inspiration. — ECRIRE. Rédiger, rédaction. STYLE. — Compiler, compilation. Documents. Notes. — Sujet. Donnée. Matière. Canevas. Argument. — Plan. Sommaire. — Action. Intrigue. Mouvement. Episodes. Couleur locale. — Personnages. Sentiments. Idées. — Passion. Intérêt. Pathétique. — Décrire. Narrer. Raconter. — Exposer. Discuter. — Intéresser. Passionner. — Manuscrit.
Collaborer, collaboration, collaborateur. — Contrefaire, contrefaçon, contrefacteur. Plagier, plagiaire, plagiat.

**Publication.** — Ouvrage. Livre. Opuscule. Recueil. — Journal. Revue. — Œuvres complètes. Œuvres choisies. — Œuvre inédite. Œuvre anonyme. Pseudonyme.
Editer, édition, éditeur. Publier. Faire paraître. Mettre au jour. — Tirer, tirage. — Annoncer. Lancer.
V. LIVRE.

**Doctrines littéraires.** — RHÉTORIQUE. Poétique. Esthétique. — Apollon. Les Muses. — Académies. Sociétés littéraires. — Belles-lettres. Arts libéraux. Le gai savoir. — Erudition. Philologie. Traités. Manuels.
Les Anciens et les Modernes. Classicisme, classique. Romantisme, romantique. Parnasse, parnassien. Naturalisme, naturaliste. Réalisme, réaliste. Symbolisme, symboliste. Vérisme. Populisme. Unanimisme, etc.

**Liturgie,** f. V. *religion, cérémonie.*
LITURGIQUE. V. *liturgie.*
LIVIDE. V. *pâle, couleur.*
LIVIDITÉ, f. V. *terne, cadavre.*
LIVRAISON, f. V. *commerce, don, imprimerie.*
LIVRE, f. V. *poids.*
**Livre,** m. V. *papier, recueil, registre.*
LIVRÉE, f. V. *domestique, insignes.*
LIVRER. V. *commerce, don.*

LIVRET, m. V. *livre, théâtre, ouvrier, mariage.*
LIVREUR, m. V. *commerce.*
LIXIVIATION, f. V. *chimie.*
LOBE, m. V. *fleur, foie, cerveau.*
LOCAL. V. *lieu, logement.*
LOCALISER. V. *lieu.*
LOCALITÉ, f. V. *habiter.*
LOCATAIRE, m. V. *maison, logement.*
LOCATION, f. V. *louage, transmettre.*

LOCH, m. V. *corde, distance.*
LOCOMOBILE, f. V. *machine.*
LOCOMOTION, f. V. *mouvement, marcher, voyage.*
LOCOMOTIVE, f. V. *machine, vapeur, chemin de fer.*
LOCUTION, f. V. *parler, mot, grammaire.*
LOFER. V. *navire.*
LOGARITHME, m. V. *mathématiques.*
LOGE, f. V. *logement, théâtre, portier, franc-maçon.*

## LITURGIE

**Fêtes.** — Fête annuelle, solennelle. — Fête majeure, mineure. Fête mobile. Commémoration.

Noël. Epiphanie. Circoncision. Chandeleur. — CARÊME. Cendres. Passion. Rameaux. Semaine sainte. Pâques. Quasimodo. Ascension. Pentecôte. — Fête-Dieu. Fête du Sacré-Cœur. Trinité. — Assomption. Toussaint. — Avent. Quatre-Temps. Vigiles. Octave. — Fête des morts. — Rogations.

**Offices.** — Heures canoniales ou Cursus : Matines. Laudes. Prime. Tierce. Sexte. None. Vêpres. Complies.

Messe. Offrande. Office férial (des jours de semaine). — Salut du Saint-Sacrement. — Office de la VIERGE. — Nocturne. — Ténèbres (le vendredi saint). — Office des morts. Obit. Service. Absoute.

Baptême. Communion. Confirmation. Mariage. Obsèques.

**Livres liturgiques.** — Livres canoniques. BIBLE. Evangiles. Evangéliaire. Epistolier. Bréviaire. Missel. Paroissien. Eucologe. — Diurnal (offices du jour). Octavaire (d'un octave). Pentécostaire (de Pâques à la Pentecôte). Vespéral (des vêpres). Obituaire (de l'obit). Heures. — Rituel. Florilège. Cérémonial. Bénédictionnaire. Pénitentiel. — Canon pascal. Bref. Ordo (ordre annuel des offices). — Psautier. Hymnaire. Graduel (chants au lutrin). Litanies. — Prose. Strophe. Séquence. Réunion. — Antiphonaire. Antienne. Verset. Répons. — Doxologie (*gloria patri,* etc.).

**Actes liturgiques.** — Culte. — Célébrer, célébration. Officier, officiant. — Bénir, bénédiction. Eau bénite. Pain bénit. — Prône. Sermon. Homélie. — Procession. — Excommunier, excommunication. Exorciser, exorcisme. — Anathème. Monitoire.

Chant. Plain-chant. Chant grégorien. — Psaume. Motet. Pénitentiaux (psaumes de la pénitence). — Psalmodie, psalmodier. — Hymne. Cantique. — Chants liturgiques. *Alleluia. Te Deum. De profundis. Dies iræ. Requiem. Libera. Kyrie eleison.*

Entendre la messe. Dire des prières, des patenôtres, son chapelet. Approcher des sacrements.

**Rites.** — Liturgie, liturgiste. Rite, ritualisme. — Liturgie romaine, grecque, orientale, de saint Jean, de saint Jacques, de saint Basile, arménienne, nestorienne, copte, éthiopienne, maronite, lituanienne, ambrosienne, mozarabique, gallicane.

## LIVRE
(latin, *liber;* grec, *biblos*)

**Variétés de livres.** — Livre. Ouvrage. Bouquin. — Livres classiques. Livres de LITTÉRATURE, de sciences, d'art, d'étude, de dévotion. — Encyclopédie. DICTIONNAIRE. Lexique. Glossaire. — Publication. Revue. Livraison. Brochure. — Fascicule. Opuscule. Plaquette. Libellé. Prospectus. — ABRÉGÉ. Compendium. Epitomé. Mémento. — Livret. Cahier. Registre. Carnet. Agenda. Album. — Formulaire. Code. Codex. Grimoire. — Guide. Atlas. — Almanach. — Traité. Cours. Manuel. — Méthode. Rudiment. Abécédaire. — Auteurs. Recueil. Morceaux choisis. — Bréviaire. Missel. Eucologe. Paroissien. Catéchisme. — Livre de poche. Vade-mecum. Keepsake.

**Détails du livre.** — Cahier. Carton. Folio. Feuillets. — Page, paginer, pagination. — TITRE. Intitulé. Garde. Fausse page. Faux titre. — Chapitre. Paragraphe. Alinéa. Colonne. Marge, marginal.

Argument. Avant-propos. Avis au lecteur. Introduction. Préface. Prolégomènes. Dédicace. Epître liminaire. — Texte. Contexte. Passage. NOTES. Interpolation. Onglet. — Sommaire. Index. Table. — Errata. Renvoi. Lettrines.

Couverture. Plat. Dos. Coins. Tranche. Gouttière.

Illustration. Gravures. Enluminures. Vignettes. — Frontispice. Cul-de-lampe. Frise.

**Edition.** — Editer, éditeur. Publier, publication. Faire paraître. — Imprimer, imprimerie, imprimeur. Tirer, tirage. — Brocher, brochage, brocheur. Relier, reliure, relieur. Encarter. — Paraître, parution. Edition princeps. Première, dernière édition. Edition de luxe. Edition populaire. Edition expurgée. Edition revue et corrigée. — Œuvres. Volume. Tome, tomaison. Exemplaire. — Format. In-folio. In-quarto. In-octavo. In-seize. In-trente-deux, etc. — Droits d'auteurs. Domaine public.

**Diffusion.** — Libraire, librairie. Etalage. — Prospectus. Catalogue de librairie. Mise

**Logement**, m. V. *habiter, maison.*

LOGER. V. *logement.*

LOGEUR, m. V. *auberge.*

LOGICIEN, m. V. *raison, philosophie.*

LOGIE (suff.). V. *langage, description.*

LOGIQUE. V. *vrai, pensée, argument.*

LOGIS, m. V. *maison, retraite.*

LOGOGRIPHE, m. V. *jeu, obscur.*

LOGOMACHIE, f. V. *chicane.*

LOGUE (suff.). V. *langage.*

**Loi**, f. V. *juger, principe, science, religion.*

---

en vente. — Livre de fonds. Livre de dépôt. Spécimen. Rossignol. — Colporter, colportage. — Censurer, censure. Estampiller, estampille. — Bibliographie, bibliographe. — Bibliophile. Bibliomane, bibliomanie. Bouquiner. — Souscrire, souscription.

**Bibliothèque.** — Bibliothèque. Cabinet de lecture. *Ex-libris.* — Bibliothécaire. Conservateur. Lecteur. — Catalogue. Rayons. Tablettes. Vitrines. Casiers. Echelle. — Livré relié. Livre broché. Livres dépareillés. — Lecture. Lire. Feuilleter. — Collation. Recension. Interfolier. — Classeur. Biblorhapte. Fiches. Signet. Coupe-papier.

## LOGEMENT

**Demeure.** — Demeurer. Se fixer. Elire domicile. S'établir, établissement. — Habiter, habitation. Résider, résidence. Vivre dans. — Loger, logis. Maison. Toit. Feu. N'avoir ni feu ni LIEU. Domicile. Chez soi. INTÉRIEUR. Ses foyers. LARES. Pénates. — Adresse. Aîtres ou Etres. Jucher. Percher.

Château. Manoir. — Retraite. Ermitage. Couvent. — Internat. Hospice. Hôpital. Maison de santé. — Garnison. Caserne. Casernement. Quartier. — Baraque. Baraquement. Cabane. Hutte. TENTE. Cagna. Gourbi. — Bouge. Galetas. Taudis.

Habitant. Résidant. Domicilié. — Interne. — Sédentaire. Casanier.

**Appartement.** — Logement. Local. Garçonnière. Pied à terre. Garni. — Appartement vide. Appartement meublé. — Réduit. Cellule. Mansarde. — Pièces. Salon. Salle à manger. CHAMBRES. Cuisine, etc.

Louer, location, locataire. Bail. — Occuper, occupant. Emménager, emménagement. — Essuyer les plâtres. Pendre la crémaillère. — Ménage, ménagère. MEUBLE, meubler. Ameublement. Mobilier. — Loge de concierge. — Déménager, déménagement. Déloger. Démeubler. — Logeable. Confort.

**Logement de passage.** — S'arrêter. Loger. Descendre. — Camper, campement. Etre en camp volant. Cantonner, cantonnement. — Fourrier. Billet de logement. — Se réfugier, refuge. Asile. S'abriter, abri. — Séjourner, séjour. Passer l'été. Estiver. — Passer l'hiver. Hiverner, hivernage. — Héberger, hébergement. Donner le couvert. HOSPITALITÉ. Hôte, hôtesse. — Hôtel, hôtelier, hôtellerie. Hôtel meublé. AUBERGE, aubergiste. Logeur. Pension, pensionnaire.

## LOI

**Etude des lois.** — Faculté de droit. Etudiant, capacitaire, licencié, docteur en droit, agrégé. — Codes. Code civil, criminel, de procédure, commercial, etc. — Droit écrit. Droit positif. Droit coutumier. Droit des gens. — Droit romain. Digeste. Institutes. Pandectes. — Droit canon. — Jurisprudence. Législation. Constitution. Coutumes. — Corps de lois. Coutumier (recueil). Répertoire. — Texte de loi. Thèse de droit.

**Formes de lois.** — Tables de la loi. Sénatus-consulte. — Capitulaires. Capitulations. — Charte. Code. Statut. Règlement. Règle. Formulaire. — Arrêt. Commandement. Bulle. Edit. Mandat. Ordonnance. Rescrit. — Plébiscite. Référendum. — Firman. Fueros. Ukase. Bill. — Pragmatique. Canon. Décrétale. Bref. — Déclaration. — Lettres patentes. — Arrêt du conseil. Arrêt de règlement.

**Dénominations.** — Loi naturelle. Loi positive. Lois civiles. — Loi organique. Loi sociale. Loi fiscale. Loi agraire. Loi somptuaire. Loi martiale. Loi de finances. — Loi draconienne. Loi prohibitive. Loi répressive. Loi préventive. — Loi divine. Loi canonique. — Loi salique. — Loi de finance. — Loi de procédure, de compétence. — Loi commerciale. — Lois de police et de sûreté. — Loi parfaite, imparfaite. — Loi réelle, personnelle (conflit de lois). — Loi d'ordre public. — Loi constitutionnelle.

**Hommes de loi.** — Corps législatif, législateur. Conseil d'Etat, conseiller. Légiste. — Gens de robe. MAGISTRAT. JUGE. Avocat. Avoué. Huissier. — Jurisconsulte. Criminaliste. Canoniste. — Notaire. Commissaire-priseur. Clercs.

**Détail des lois.** — Exposé des motifs. Préambule. — Titre. Paratitle. Intitulé. — Dispositions. Dispositif. — Chapitre. Article. Clause. Prescriptions.

**La légalité.** — Conforme à la loi. Légal, illégal. Légaliser, légalisation. — Légitime, légitimité, illégitime. Légitimer, légitimation. — Réglementaire.

Observer. Se conformer à. Respecter. — Transgresser. Violer. Enfreindre. Infraction. Tourner.

**Mise en œuvre.** — Projet. Proposition. — Discussion. Délibération. — Décrets. — Commission. — Rapport. — Article. — Voter une loi. Porter une loi. Légiférer. Amender, amendement. Abroger, abrogation. — Sanctionner, sanction. — Promulguer, promulgation. Publier une loi. Journal officiel. — Bulletin des lois. — Edicter. Proclamer un édit. — Enregistrer, enregistrement. — Réglementer. Régler. Décréter. Etablir. Statuer. Décider, décision. Arrêter. — Prononcer. Juger. — Juridiction. — Interpréter. — Appliquer, application. Déroger, dérogation. —

**Loin.** V. *distance.*
LOINTAIN. V. *loin.*
LOIR, m. V. *rat.*
LOISIBLE. V. *pouvoir.*
LOISIR, m. V. *oisif, permettre.*
LOMBAIRE. V. *rein.*
LOMBRIC, m. V. *ver.*
**Long.** V. *étendre.*
LONGANIMITÉ, f. V. *patience.*
LONGE, f. V. *courroie, veau.*
LONGER. V. *côté, bord.*
LONGERON, m. V. *automobile.*
LONGÉVITÉ, f. V. *âge, vie, continuer.*
LONGITUDE, f. V. *terre,*

*géographie, astronomie.*
LONG-JOINTÉ. V. *cheval*
LONGUEUR, f. V. *long, diffus, mesure, style.*
LONGUE-VUE, f. V. *voir.*
LOPHOPHORE, m. V. *oiseau.*
LOPIN, m. V. *part.*
LOQUACE. Loquacité, f. V. *parler, éloquence.*
LOQUE, f. V. *haillon, chiffon.*
LOQUET, m. V. *fermer, serrure.*
LOQUETEUX. V. *haillon.*
LOQUETTE, f. V. *fil.*
LORD, m. V. *Angleterre.*
LORDOSE, f. V. *dos.*

LORGNER. V. *regard, œil.*
LORGNETTE, f. Lorgnon, m. V. *optique.*
LORIOT, m. V. *oiseau.*
LORMIER, m. V. *éperon.*
LOSANGE, m. V. *géométrie.*
LOT, m. V. *part, destin, amas, finance.*
**Loterie,** f. V. *jeu, hasard.*
LOTION, f. V. *bain, cheveu.*
LOTIR. Lotissement, m. V. *partage.*
LOTO, m. V. *loterie.*
LOTUS, m. V. *oubl. Egypte.*
LOUABLE. V. *louage, louange.*
**Louage,** m. V. *fermier.*

---

Interdire. Réprimer. Vindicte publique. — Tomber en désuétude.

Effet rétroactif. — Expectative. — Droits acquis. — « Nul n'est censé ignorer la loi ».

## LOIN

**Etre au loin.** — Eloigné, éloignement. Lointain. — ECART, écarté. Recul, reculé. Espace, espacement. DISTANCE. — A distance. A perte de vue. En perspective. — Aphélie. Apogée. — Etre en ARRIÈRE, arriéré. — Etre en avant, avancé. — Etre à cent lieues, aux antipodes, au bout du monde. — ABSENCE, absent. — ETRANGER. *In partibus.*

Outre. Au-delà. Par-delà. — Hors de portée, d'atteinte, de vue.

**Aller au loin.** — S'éloigner. S'écarter. Fuir. Gagner le large. S'expatrier. Se disperser. Forpayser (en vénerie). — Voyager. S'absenter. Partir pour. Courir le monde. Voyage au long cours. Tourisme, touriste, touristique. — Dépasser. Distancer. — Avancer, avance. — Dériver, dérivation. — S'enfoncer. PÉNÉTRER dans. — Porter loin. Voir de loin. Presbyte.

**Envoyer au loin.** — Eloigner. Espacer. Ecarter. Repousser. — Disperser, dispersion. Disséminer. Séparer, séparation. — Télégraphe, télégraphie. Téléphone, téléphonie. Télescope. Radiodiffusion. — Porte-voix. Vue perçante. — Enfoncer. Allonger un coup. Porter une botte. — Transporter. Transhumer, transhumance. Dépayser. — Proroger. Reculer. Différer.

## LONG

**Long de temps.** — Eternel, éternité. Perpétuel, perpétuité, se perpétuer. — Durable, durée, durer. Chronique, chronicité. Long âge. Longévité. Macrobien. — Emphytéose. Bail emphytéotique.

Longtemp. De temps immémorial. Sans fin. Indéfiniment. A la longue. A loisir.

Faire attendre. Différer. Retarder, retard. Prolonger, prolongation. Délai. — Patienter. Patience. — Longanimité. Endurer. Supporter.

**Long en paroles.** — Prolixe, prolixité. DIFFUS. Verbeux. Intarissable. — Délayer, dé-

layement. Développer, développement. S'étendre. — Pérorer. Bafouiller, f. — Longueurs. Paraphrase, paraphraser. — Circonlocution. Périphrase. Tour périphrastique.

**Long en dimension.** — Long. Longuet. Oblong. Barlong. — Longipède. Longirostre. Longimane. — Dolichocéphale. Macrocéphale. Macropode. Macroptère, etc. — Longitude, longitudinal. Longimétrie. — Chaîne. Enchaînement. Suite.

Grand flandrin. Grand échalas. Grande perche. Echasses (longues jambes).

**Allongement.** — Allonger, allonge. Rallonger, rallonge. Prolonger, prolongement. — S'allonger. Protractile, protraction. Ductile, ductilité. — Etendre, extension. — Etirer. Détirer. — Effiler. Filer un son. — File. Enfilade. — Infini. Indéfini. Interminable. — Syllabe longue. — Supplément. Appendice. — Chemin des écoliers.

## LOTERIE

**Qui a trait aux loteries.** — Jeu de hasard. Loterie. Loto. Loterie foraine. Loterie nationale. Obligations à lots. Tombola. — Billets. Titres. Cartons. Numéros. — Mise. Enjeu. Lots.

Mettre en loterie. Tirer, tirage. Urne. Roue. — Gagner, gagnant. Perdre, perdant. — Combinaisons de loterie. Extrait. Ambe. Terne. Quaterne. Quine. Martingale.

## LOUAGE

**Formes et réglementation du louage.** — Location, louer, loueur. Bail, bailler, bailleur. Convention. Contrat. Louage de choses, de services, d'industrie, d'ouvrage. — Bail à loyer, à ferme, à métayage, à colonage partiaire. — Bail à mi-fruits. Bail à cheptel. Bail de vaches. — Champart. — Bail à convenant, à domaine congéable. — Bail emphytéotique à culture perpétuelle, à métairie perpétuelle. Bail à rente. Bail à nourriture. — Superficie. — Loyer. — Ferme. — Bail à vie. — Preneur. Copreneur. — Accense, accensement. Amodiation, amodier. Arrenter, arrentement. Cens, cense, censive. — Affermer, affermage. Redevance. — Prêt, prêter, prêteur. — Embauchage, embaucher. Engagement, engager. Placement.

**Louange,** f. V. *approuver, gloire.*
LOUANGER. V. *louange.*
LOUCHE, f. V. *potage, cuisine.*
LOUCHER. V. *regard, oblique.*
LOUER. V. *louage, louange.*
LOUGRE, m. V. *navire.*
LOUIS, m. V. *monnaie.*
LOULOU, m. V. *chien.*
**Loup,** m. V. *animal, masque.*
LOUPE, f. V. *optique, arbre.*
LOUP-GAROU, m. V. *loup.*
**Lourd.** V. *poids.*

LOURDAUD, m. V. *lourd, grossier.*
LOURDEUR, f. V. *lourd, abattement, maladresse.*
LOURE, f. Lourer. V. *musique.*
LOUSTIC, m. V. *bouffon.*
LOUTRE, f. V. *animal.*
LOUVER. V. *pierre.*
LOUVETEAU, m. V. *loup, franc-maçon.*
LOUVETERIE, f. Louvetier, m. V. *loup, chasse.*
LOUVOYER. Louvoyeur, m. V.

*navire, oblique, détour.*
LOUVRE, m. V. *palais.*
LOVELACE, m. V. *débauche.*
LOVER. V. *tourner, corde, serpent.*
LOYAL. Loyauté, f. V. *juste, fidèle.*
LOYER, m. V. *louage, ferme, maison.*
LUBIE, f. V. *caprice, volonté.*
LUBRICITÉ, f. V. *luxure.*
LUBRIFIER. V. *huile, graisse, oindre.*
LUBRIQUE. V. *luxure.*

---

Fret, fréter. Affréter, affrétement, affréteur. Noliser, nolisement. Charte partie.

Location. — Conduction. — Prix. Objet. Capacité. — Fruits. Produits. Promesse de louage. — Acte d'administration. — Acte conservatoire. — Arrhes. — Denier à Dieu. Acompte. — Acte notarié. — Location verbale. — Délivrance. Remise. Action en exécution. Action en dommages-intérêts. — Entretien. — Reconstruction. — Amélioration. Impense. — Droit de rétention.

Cas fortuit. — Force majeure. — Garantie des vices. Eviction. — Troubles de jouissance, de fait, de droit. — Assurance. Incendie. Responsabilité. — Bail commercial. Locaux industriels. — Droit au bail. — Jouissance en bon père de famille. — Location. Garni. Meublé. Police des garnis. — Abus de jouissance. Dégradation. — Quittance. Reçu.

Inventaire. — Délai-congé. — Résolution. — Cession. — Privilège. — Date certaine. — Saisie-gagerie. — Inexécution.

**Louage de la terre.** — Bailler à ferme. Fermage. Ferme, fermier. — Bail à cheptel ou Exigue. Cheptelier. Cheptel simple, à moitié, de fer, à croît. — Métairie, métayer. Fermier partiaire. Grangeage, granger. Moison, moisonier. — Sous-ferme, sous-fermier. — Fief. Inféodation. — Menus suffrages.

**Louage d'habitation.** — Bail de 3, 6, 9. Bail à vie. — Bail sous seing privé, conventionnel, etc. — Céder, donner à bail. Passer un bail. Clauses du bail. — Entrer en jouissance. Etre à fin de bail. — Renouveler, renouvellement. Résilier, résiliation. — Expiration du bail. Congé. Donner, recevoir le congé. — Louer, location. Locataire, principal locataire. Sous-louer, sous-location, sous-locataire. — Loyer. Dédit. Tacite reconduction. — Terme. Demi-terme. Payer son terme. — Etat des lieux. Réparations locatives. — Expulser, expulsion. Vider les lieux.

## LOUANGE

**Eloge.** — Louer, louange, louable. Faire l'éloge de. Combler d'éloges. Elogieux. Los. — Prôner. Vanter. Préconiser. Recommander. — Faire valoir. Faire ressortir. Mettre en vogue. — Approuver, approbatif, approbateur. Rendre témoignage. Apporter son suffrage. — Féliciter, félicitation. Complimen-

ter, compliment. Congratuler, congratulation. Applaudir, applaudissement.

**Exaltation.** — Chanter, entonner les louanges de. Concert de louanges. Glorifier, glorification. Célébrer, célébration. — Exalter. Mettre au pinacle. Porter aux nues. Magnifier. — Apothéose. Dresser des autels. Diviniser. Canoniser. — Apologie, apologiste, apologétique. — Panégyrique, panégyriste. Eloge académique. — Eloge funèbre. Oraison funèbre.

**Flatterie.** — Louanger, louangeur. FLATTER, flatteur. Aduler, adulation, adulateur. — Encenser, encenseur. Thuriféraire. Coup d'encensoir. — Bénir, bénissage. Eau bénite de cour. — Courtisan, courtisanerie. Flagorneur, flagorner, flagornerie. Gratter. Caudataire. — Courtiser. Faire sa cour. Galant, galanterie. Politesse mondaine.

## LOUP
(latin, *lupus*; grec, *lycos*)

**Les loups.** — Loup. Louve. Louveteau. Louvart. — Loup gris, noir, rouge, des prairies, etc. — Ysengrin (dans *Roman du Renard*). Fenris (dans la mythologie scandinave). — Chien-loup. Loup marin. Loup-garou ou Lycanthrope.

Hurler, hurlement. — Se flâtrer. — Gîte. Liteau. Tanière. — Ligner (reproduire). Louveter (mettre bas). — Laisse (place à aiguiser les griffes). Déchaussure (place grattée). — Laissées (excréments). — Chambre et Louvière (pièges à loup).

**Relatif au loup.** — Louvetier, louveterie. — Louvet (couleur de loup). — Alouvi (affamé). — Lupercales (fêtes de Pan). — Lycopode. Lycoperdon.

Louve (appareil de levage). — Dents de loup (feston). — Tête de loup (brosse). — Saut de loup (fossé).

## LOURD

**Qui a du poids.** — Peser, pesant, pesée. Appesantir. — Lourd, lourdeur. Alourdir. — Charge, chargement. Charger, décharger. — Masse, massif. POIDS. — Faix. Fardeau. Somme, bête de somme. — Lest, lester, lestage. Délester. Navire lège (navire sur lest). — Poids. Haltères. Massue. — EPAIS. Dense. Compact.

**Lucarne,** f. V. *fenêtre, toit.*
LUCIDE. Lucidité, f. V. *lumière, raison.*
LUCIFER, m. V. *étoile, diable.*
LUCINE, f. V. *accouchement.*
LUCIOLE, f. V. *phosphore, ver.*
LUCRATIF. Lucre, m. V. *gain.*
LUDION, m. V. *physique.*
LUETTE, f. V. *gorge.*
LUEUR, f. V. *lumière, apparaître.*
LUGUBRE. V. *chagrin.*
LUIRE. V. *briller.*
LUMBAGO, m. V. *dos.*

**Lumière,** f. V. *briller, feu, lampe, science.*
LUMIGNON, m. V. *lampe.*
LUMINAIRE, m. V. *lumière, église, cierge.*
LUMINEUX. V. *lumière, raison.*
LUNAIRE. V. *lune.*
LUNAISON, f. V. *lune.*
LUNATIQUE. V. *bizarre, folie.*
LUNCH, m. V. *manger.*
LUNDI, m. V. *lune.*
**Lune,** f. V. *astre, caprice.*
LUNETIER, m. V. *optique.*
LUNETTE, f. V. *optique, as-*

*tronomie, ouvert, fortification.*
LUNULE, f. V. *ongle, lune.*
LUPANAR, m. V. *prostitution.*
LUPERCALES, f. p. V. *Pan, loup.*
LUPIN, m. V. *pois.*
LURON, m. V. *hardi.*
LUSTRAL. Lustration, f. V. *laver, pur.*
LUSTRE, m. V. *briller, illuminer, gloire, chronologie.*
LUSTRER. V. *briller.*
LUSTRINE, f. V. *étoffe.*

---

**Qui accable.** — Accabler, accablant, accablement. Ecraser, écrasant, écrasement. — Surcharger, surcharge. Surfaix. — Grever. Dégrever. — Onéreux, exonérer. Onéraire. — Douleur gravative. Pesanteurs. Indigestion, indigeste.

**Dénué d'aisance.** — Impotent. INFIRME. — Lourdaud. Gros. Pataud. Mastoc. Gros paquet. Cul de plomb. — Lourd d'esprit. Lourderie. Balourd, balourdise. — SOT, sottise. Stupide, stupidité. — Style lourd. — GROSSIER. Butor. Malappris. Maladroit.

### LUCARNE

**Espèces.** — Lucarne à la capucine, faîtière, demoiselle, flamande, etc. — Jour. Ouverture. — Œil-de-bœuf. Tabatière. — Fenêtre de mansarde.

**Construction.** — Jouées (murs). Chevrons. Linçoir (pièce d'assemblage). Poteau. Chapeau. Fronton. Aileron. Noue (tuile creuse). Noulet. Noquet (garniture de plomb). Pied-droit. Solin (filet de plâtre).

### LUMIÈRE
(latin, *lumen* ; grec, *phôs*)

**Effets lumineux.** — Clarté. Eclat lumineux. Coruscation. — Flots de lumière. Traînée de lumière. Jet de lumière. Jeux de lumière. — Faisceaux lumineux. Rayons. Echappée de lumière. Lumière diffuse. — Lueur. Reflet. Coloration. Phosphorescence. — Illumination. Eclairage. Eclaircie. — Transparence. Diaphanéité, diaphane. Clair-obscur.

Aube. Aurore. Aurore boréale. Arc-en-ciel. Clair de lune. Spectre solaire. — Plein jour. Demi-jour. Jour douteux. Crépuscule. — Faux jour. Contre-jour. Pénombre. — Auréole. Nimbe. Gloire. Halo.

**Sources de lumière.** — Foyer de lumière. — SOLEIL. Lune. Astres. MÉTÉORES. — FEU. Flamme. Eclair. Foudre. — Luminaire. Flambeau. Lustre. Fanal. Phare. Projecteur. — Bougie. CHANDELLE. Lampe à l'huile, au pétrole. Bec de gaz. Ampoule électrique. Arc électrique. Tubes lumineux. — Emission de lumière. Ondes lumineuses. — Incandescence. Combustion. — Rayons solaires. — Corps noctiluques. PHOSPHORE. Ver luisant. Luciole. Lampyre. Feu follet. — Eclairer. Illuminer. Allumer.

**Mouvements de la lumière.** — Propagation, se propager. Diffusion. Radiation. Irradiation, irradier. — Polarisation, lumière polarisée. Interférence. — Réfraction, se réfracter. Réflexion, se RÉFLÉCHIR. Réverbération, se réverbérer. — Eclater, éclat. Rayonner, rayonnement. Poindre. — Scintiller, scintillation, scintillement. Miroiter, miroitement. Chatoyer, chatoiement. Papilloter, papillotage. — Vitesse de la lumière.

**Etats de la lumière.** — Vive. Intense. Aveuglante. — Brillante. Eblouissante. Etincelante. Eclatante. — Faible. Fausse. Blafarde. Crépusculaire. — Diffuse. Réfrangible. — Chaude. Froide.

Luire. Reluire. BRILLER. Etinceler. — S'affaiblir. Pâlir. Baisser. Mourir.

**Sciences de la lumière.** — OPTIQUE. — Dioptrique. — Photologie. — Spectroscopie. — Radiométrie. — Actinométrie. — Photogénie. — Photométrie. — Photographie. — Phototypie. — Télégraphie optique. Signaux lumineux.

**Lumière intellectuelle.** — Clair. Clarté. Eclaircir. Eclaircissement. — Lucide, lucidité. Elucider, élucidation. — Illuminé, illuminisme. — Esprit éclairé, éclatant, éblouissant. — Les lumières (les connaissances).

### LUNE
(latin, *luna* ; grec, *séléné*)

**Aspects de la lune.** — ASTRE. PLANÈTE. Satellite. — Phases. Nouvelle lune ou Néoménie. Premier quartier. Pleine lune. Dernier quartier. — Eclat lunaire. Clair de lune. Lumière cendrée. Halo. — Croissant. Cornes. Echancrure. — Taches. Monts.

**Mouvements de la lune.** — Apogée. Périgée. — Conjonction (avec le soleil). Opposition. Syzygie. Appulse (passage près d'une étoile). — Révolution tropique, périodique, sidérale, synodique. — Orbite. Nœuds (passages à l'écliptique). Nœud ascendant, descendant. — Lunaison. Mois lunaire. Lune pascale. Lune rousse. — Lever. Coucher. Déclin. Décroît. — Cycle lunaire. Lune cave. Age de la lune. Epacte. — Libration en latitude, en longitude. — Métemptose (équation solaire). Proemptose (avance d'un jour tous les 312 ans).

**Relatif à la lune.** — Lunule, lunulé. — Lunaire, luniforme. — Lunatique. Luné. —

LUTER. **V.** *boue.*
LUTH, m. **V.** *guitare.*
LUTHÉRIANISME, m. **V.** *religion.*
LUTHERIE, f. **V.** *instruments de musique.*
LUTHÉRIEN. **V.** *protestant.*
LUTHIER, m. **V.** *violon.*
LUTIN, m. Lutiner. **V.** *vif, tourmenter.*
LUTRIN, m. **V.** *église, chant.*
LUTTE, f. **V.** *gymnastique, combat.*

LUTTER. Lutteur, m. **V.** *combat, bateleur.*
LUXATION, f. **V.** *blessure, os, disloquer.*
**Luxe**, m. **V.** *riche, briller.*
LUXER. **V.** *blessure.*
LUXUEUX. **V.** *luxe, beau.*
**Luxure**, f. **V.** *licence, sensualité.*
LUXURIANCE, f. Luxuriant. **V.** *abondance.*
LUXURIEUX. **V.** *luxure, passion.*

LUZERNE, f. **V.** *fourrage.*
LYCÉE, m. Lycéen, m. **V.** *école.*
LYCOPODE, m. **V.** *pyrotechnie.*
LYMPHATIQUE. Lymphe, f. **V.** *humeur, mou.*
LYNX, m. **V.** *quadrupède, voir.*
LYPÉMANIE, f. **V.** *abattement.*
LYRE, f. **V.** *guitare.*
LYRIQUE. Lyrisme, m. **V.** *poésie, enthousiasme, style.*

---

Lundi. — Lunette. — Lunels, *bl.* (croissants). — Sélénographie. Sélénostat. — Sélénique (de la lune). Séléniens (habitants). — DIANE ou PHŒBÉ.

## LUXE

**Vie brillante.** — Faire figure. Jouer un rôle. Tenir son rang. — Vie mondaine. Mondanité. Grand genre. Bel air. Élégance. — Magnificence, magnifique. Splendeur, splendide. — Grandeur, GRAND, grandiose. Solennité, solennel. — Somptuosité. Somptueux. Lois somptuaires. — Recherche. Raffinement. — Richesse. Opulence. Splendeur. — Superflu. — Train de maison. Equipage. — Parure. BIJOUX. JOYAUX. Toilette, etc. — DÉPENSE. Grands frais.

**Etalage du luxe.** — Tenir un grand état. Paraître. — Mener grand train. Mener la grande vie. Ostentation. Eblouir. Faire de l'embarras. Etaler ses richesses. — Faire le grand seigneur. Faire le nouveau riche. —

Faste, fastueux. Apparat. Représentation. Parade. Pompe, pompeux. — Luxe royal, princier.

## LUXURE

**Caractères.** — Concupiscence. Appétits sensuels. Désirs charnels. — Lascivité, lascif. Libidinosité, libidineux. Lubricité, lubrique. Bestialité, bestial. Sensualité, sensuel. — Luxure, luxurieux. Volupté, voluptueux. Licence, licencieux. — Dépravation, dépravé. Impureté, impur. — Immonde. Saleté, sale. Ordure, ordurier. — Impudeur, impudique. Indécence, indécent. — Immodestie, immodeste. Cynisme, cynique.

**Actions.** — Débauche, débauché. Excitation à la débauche. — Plaisirs des sens. Incontinence, incontinent. Forniquer, fornication. — Prostitution. Priapées. Orgies. — Outrage aux mœurs. Attentat à la pudeur. Inceste. — Pornographie, pornographique. Obscénités, obscène.

# M

MACABRE. V. *mort.*
MACADAM, m. Macadamiser.
V. *chemin, pierre.*
MACAQUE, m. V. *singe.*
MACARON, m. V. *pâtisserie.*
MACARONI, m. V. *pâte.*
MACARONIQUE. V. *bouffon.*
MACÉDOINE, f. V. *mets, mélange.*
MACÉRATION, f. Macérer. V.

*pénétrer, chanvre, pénitence.*
MÂCHE, f. V. *salade.*
MÂCHEFER, m. V. *fer, résidu.*
MÂCHER. V. *mâchoire, broyer, manger.*
MACHIAVÉLIQUE. V. *ruse, politique.*
MÂCHICOULIS, m. V. *fortification.*

MACHINAL. V. *irréflexion.*
MACHINATION, f. V. *machiner.*
**Machine**, f. V. *industrie, outil, armes.*
**Machiner.** V. *préparer, moyen, projet, intrigue, piège.*
MACHINERIE, f. V. *machine, théâtre.*
MACHINISTE, m. V. *théâtre.*

---

## MACHINE
(latin, *machina;* grec, *mêchanê*)

**Technique.** — Mécanique, mécanisme. — Machinerie, machinisme. — Balistique. — Electricité, électrique. — Forces motrices. Forces résistantes. — Pression. Compression. — Potentiel. Calories. — Cheval-vapeur. Kilogrammètre. — Manomètre.
Ingénieur. Constructeur. Mécanicien. Machiniste. Electricien.
Industrie. — Génie. — Construire, construction. — Monter, montage. Démonter, démontage. — Fonctionner.
**Machines simples.** — LEVIER. — VIS. — COIN. — Treuil. — POULIE. — Tour. — CABESTAN. — Plan incliné.
**Machines composées.** — Machine à vapeur, à pétrole, à gaz, à air comprimé. — Machine motrice. Machine fixe. — Locomotive. Locomobile. — Moteur à explosion. Automobile. — Machine HYDRAULIQUE. — Machine pneumatique. — AUTOMATE.
*Machines électriques.* Machine électromotrice. Moteur électrique. Machine dynamo-électrique. Machine électro-statique. Machine électro-magnétique. Machine d'induction.
*Machines élévatoires.* POMPE. Injecteur. — Roue. Turbine. Chapelet hydraulique. — Elévateur. Monte-charge. — Pont roulant. Grue. Chèvre. — Ascenseur. Escalier roulant. — Machine de théâtre. — Palan. Moufle. Ecoperche. — Cric. Vérin. Truc.
*Machines industrielles.* Machine-outil. Tour. Laminoir. Planeuse. Raboteuse. Perceuse. Foreuse. Riveuse. Limeuse. Poinçonneuse. Mortaiseuse, etc. — Machine typographique. Rotative. Linotype. — Métiers à tisser. — Marteau-pilon. PRESSE. — Machine à mater. — Machine soufflante. — Machine à engrenage. — Machine à jet de sable.
*Machines agricoles.* Charrue. Semoir. — Faucheuse. Moissonneuse. Gerbeuse. — Tarare. MOULIN. — Machine à broyer. Coupe-racines. — Manège. Machine à battre. — Pressoir.
*Machines domestiques.* Machine à coudre. — Machine à laver. — Machine à brosser. Aspirateur. — Horloge. Montre. — Bascule. Balance. — Sonnettes. — Ventilateur. — Machine à écrire. Machine à calculer. — Machine parlante.

*Machines de guerre.* Catapulte. — Baliste. — Onagre. — Bélier. — Hélépole. — Tour. — Mantelet. — Mangonneau.
Canon — Torpille. — Char d'assaut. Tank. — Avion.

**Pièces de machines.** — Accumulateur. Arbre. — Axe. — Balancier. — BARRE. — Barreau. — Bâti. — Bielle. — Bobine. — Boulon. — Bras. — Cames. — Chaîne. — Chaise. — Chapiteau. — Châssis. — Chaudière. — Clapet. — Cliquet. — Collet. — Compteur. — Condensateur. — CORDE. Cordage. — Coussinets. — Crapaudine. — Crémaillère. — Culbuteur. — Cylindres. — Déclic. — DENTS. — Détente. — Douille. — Echarpe. — Ecrou. — Electro-aimant. — Embrayage. — Empattement. — Engrenage. — Essieu. — Etoquiau. — Etrier. — Excentrique. — Fil. — Flèche. — Foyer. — Frein. — Fuseau. — Fusible. — Galet. — Générateur. — Glissière. — Glissoire. — Interrupteur. — Languette. — Magnéto. — Manette. — Manivelle. — Noix. — Organe. — Paillet. — Palier. — Patin. — Pignon. — Pile. — Piston. — Pivot. — Presse-étoupe. — Propulseur. — Régulateur. — RESSORT. — Rivet. — Robinet. — Rouage. — Roue. — Rouleau. — SOUPAPE. — Tambour. — Tige. — Tiroir. — Touret. — Tourillon. — Traverse. — Volant.

## MACHINER

**Préparer en pensée.** — Mûrir, couver un dessein. — Arranger dans sa tête. Rouler dans sa tête, dans son cœur. — Ruminer. Méditer. Préméditer. — Chercher. Elaborer, élaboration. — Calculer, calcul. — Imaginer. Forger. Inventer. — Dresser un plan. Combiner, combinaison. Projeter, PROJET. Spéculer.

**Mettre en action.** — Organiser, organisation, organisateur. Préparer, préparation. — Machiner, machination. Bâtir. — Monter une cabale. Conspirer, conspiration. Comploter, COMPLOT. Concerter. — Monter un coup. Monter un bateau, f. Brasser. Lancer une affaire. — Exécuter. Bâcler.

**Intriguer.** — INTRIGUE. Manigance, manigancer. — Agir sournoisement. Manœuvres sourdes. — Tisser une trame. Tramer. — Action secrète. Travaux d'approche. — Ourdir une trahison.

**Mâchoire**, f. V. *bouche, dent, étau.*
MÂCHONNER. V. *mâchoire, prononcer.*
MÂCHURER. V. *imprimerie.*
**Maçon**, m. V. *bâtir, mur, architecture.*
MAÇONNER. V. *maçon, pierre.*
MAÇONNERIE, f. V. *mur.*
MAÇONNIQUE. V. *franc-maçon.*
MACRE, f. V. *châtaigne.*

MACREUSE, f. V. *canard.*
MACROPTÈRE. V. *aile.*
MACROURE. V. *queue.*
MACULATURE, f. V. *papier.*
MACULER. V. *tache, sale.*
MADAME, f. V. *femme.*
MADAPOLAM, m. V. *étoffe.*
MADÉFACTION, f. V. *humide.*
MADELEINE, f. V. *nom, pâtisserie.*
MADEMOISELLE, f. V. *fille.*

MADONE, f. V. *vierge.*
MADRAGUE, f. V. *filet.*
MADRÉ. V. *tache, ruse.*
MADRÉPORE, m. V. *corail.*
MADRIER, m. V. *charpente.*
MADRIGAL, m. V. *poésie, spirituel.*
MADRURE, f. V. *raie.*
MAFFLU. V. *visage.*
**Magasin**, m. V. *commerce, boutique, fusil.*

---

### MÂCHOIRE
(latin, *maxilla*; grec, *gnathos*)

**Constitution.** — Mâchoire supérieure. Maxillaire supérieur. Zygomatiques. Palatins. Vomer. — Mâchoire inférieure. Maxillaire inférieur. Coroné. — Articulation. Condyle. — Arcade dentaire. DENTS.

Muscle maxillaire. Biventer. Masséter. Buccinateur. — Glande maxillaire. — Nerf maxillaire. — Sinus maxillaire. — Intermaxillaire. Sous-maxillaire.

**Types de mâchoires.** — Prognathe, prognathisme. Orthognathe. Macrognathe. Hypognathe. Agnathe.

Mandibule (d'insecte). — Barres (de cheval). — Carnassière (du chat). — Ganache (du cheval).

**Mastication.** — Mâcher. Mastiquer. Mâchonner. — Remâcher. Ruminer, rumination. — Triturer. BROYER. — MANGER. MORDRE. — Saliver, salivation. Chiquer, chique. — Jouer des mâchoires.

**Maladies.** — Brédissure. — Capistre. — Sarrète. — Trisme. — Craquètement. — Désarticulation. — Nécrose.

### MAÇON

**Personnel.** — Architecte. Entrepreneur. Constructeur. Maître-maçon. Tâcheron. — Compagnon. Limousin. — Poseur. Contreposeur. Appareilleur. — Briqueteur. Cimentier. Rocailleur. Bagueur. Piseur. Badigeonneur. — Aide-maçon. Manœuvre. Goujat. Porte-auge. Bardeur. — Tailleur de pierre. Terrassier.

**Outils.** — Civière. Bard. Bourriquet. Oiseau. — Marteau. Batte. Boucharde. Décintroir. Grelet. Laie. Maillet. Souille. — Truelle. Plâtroir. Taloche. Crochet. Berthelée. Riflard. Ripe. Fiche. Rondelle. — Compas. Equerre. NIVEAU. Fil à plomb. Sauterelles.

Echasses. — Gâche. Bouloir. Rabot. — Gouge. Calibre. Sabot. Archelet. — Hache. Hachette. Scies. Pince. — Echelle. — Cordages. — Brayer. Chable. Chablot.

**Matériaux.** — Bassin de sable. — Bauche. — Bauge. — Béton. — Blocaille. — Bousillage. — BRIQUE. — Cailloutis. — CHAUX. — Ciment. — Corroi. — Coulis. — Echaudage. — Gravats. — Lait de chaux. — LATTES. — Liaison. — Moellon. — Mortier. — Pierre, dure, tendre, sèche, de

taille, etc. — Pisé. — Plâtras. — Plâtre. — Poterie. — Recoupe. — Rocaille. — Sable. — Stuc. — Torchis. — Tuile.

**Pierres d'œuvre.** — Arases. — Pierre angulaire. — Appareil, haut, bas, polygonal, réticulé, cyclopéen, etc. — Pierres d'attente. — Bossage. — Carreau. — Clausoir. — Claveau. — Crochet. — Délit. — Ecoinçon. — Harpe. — Imposte. — Jambage. — Lancis. — Libage. — Parpaing. — Pierre de refend. Parement.

**Appareillage.** — Appareiller. — Echafauder, échafaudage, ÉCHAFAUD. Baliveaux. Boulins. — Etai, étayer. Etançon, étançonner. Chevalement. Etrésillon. — Cintre. Encaissement. Palançons. Moule. — Sapine. Grue. Treuil. — Bétonnière. — Crible. Claie. — Etrier. Sellette.

**Maçonnage.** — Assiette (pose). — Bain de mortier. — Bousiller. — Bretteler. — Mettre en boutisse. — Biais. — Butter un mur. — Carreler. — Chaîne. — Chemise. — Clapée (jet de plâtre). — Cintrer. — Ciselure. — Corroyer. — Couler le plâtre. — Crépir. — Délarder une pierre. — Encroûter. Enduire. — Enlier. — Enrochement. Exhausser un mur. — Fouetter du plâtre. — Gâcher. — Gobeter. — Hacher. — Hourder. — Jointoyer. — Lambrisser. — Latter. — Liaisonner. — Maçonner. — Murer. — Piquer une pierre. — Plafonner. — Plaquer. — Plâtrage. — Pose, poser. — Raccorder. — Ragréer une pierre. — Ravaler, ravalement. — Rustiquer, rusticage. — Sceller, scellement. — Taille des pierres.

**Ouvrages.** — Assises. Assises en besace. — Arrachements. — Badigeonnage. — Bâtisse. — Blocage. — Briquetage. — Cailloutage. — Carrelage. — Corniche. — Corvée. — Crèche. — Crépi. — Crossette. — Culée. — Douelle. — Encorbellement. — Fondations. — Galandage. — Garni. — Hourdis. — Jambage. — Joint. — Lambris. — Légers. — Maçonnerie. — Massif. — Moulure. — MUR. Muraille. — Gros œuvre. — Orbe. — Panneau. — Parement. — Pied-droit. — Pignon. — Plafonnement. — Plate-forme. — Platée. — Raccord. — Radier. — Recoupement. — Réparations. — Replâtrage. — Revêtement. — Rudération. — Sous-œuvre. — Surélévation. — Voussoir. — Voûte.

### MAGASIN

**Lieu d'exposition.** — Magasin. BOUTIQUE. Bazar. — Fonds. Officine. — Comptoir.

MAGASINAGE, m. Magasinier, m. V. *magasin*.
MAGE, m. V. *magie, Perse*.
MAGICIEN, m. V. *magie*.
**Magie**, f. V. *devin, mystère*.
MAGIQUE. V. *magie*.
MAGISTER, m. V. *école*.
MAGISTÈRE, m. V. *Malte, pharmacie*.
MAGISTRAL. V. *beau, grave*.
**Magistrat**, m. V. *juges, chef, loi, fonction*.

MAGISTRATURE, f. V. *magistrat*.
MAGMA, m. V. *bouillie*.
MAGNAN, m. Magnanerie, f. V. *chenille, soie*.
MAGNANARELLE, f. V. *soie*.
MAGNANIME. Magnanimité, f. V. *grand, noble, généreux*.
MAGNAT, m. V. *noble*.
MAGNÉSIE, f. V. *purger*.
MAGNÉTIQUE. Magnétiser. V. *magnétisme*.

**Magnétisme**, m. V. *aimant, sommeil*.
MAGNÉTO, f. V. *automobile*.
MAGNIFICAT, m. V. *psaume*.
MAGNIFICENCE, f. V. *briller, luxe*.
MAGNIFIER. V. *louange*.
MAGNIFIQUE. V. *noble, beau*.
MAGOT, m. V. *singe, laid, trésor*.
MAGYAR, m. V. *Hongrie*.
**Mahomet**, m. V. *Arabes*.

---

Débit. Echoppe. — Etal. Etalage. Vitrine. Etablissement. Succursale. — Agence. Factorerie. — Halle. Marché.

**Lieu de dépôt.** — Dépôt, déposer, dépositaire. — Magasin, magasinage, magasinier. Entrepôt, entreposer, entrepositaire. Dock. — Arsenal. Parc. — Chantier. Chais. — Fondouk. Etape. — Port. Bassin. — Fourrière. — Musée. Muséum. Conservatoire.

**Lieu de resserre.** — Grange. Grenier. Fenil. — Cellier. Cave. Caveau. — Resserre. Réserve. Soute. Silo, ensilage. — Réservoir. Réceptacle. — Cambuse. Dépense. Crédence. — Approvisionnement. Provisions. Stock.

## MAGIE

**Magie.** — Magie blanche. Magie noire. — Grand art. Science occulte. Cabale. — ALCHIMIE. Astrologie. — Spiritisme. Nécromancie. Psychagogie. — Sorcellerie. Diablerie. Théurgie.

**Opérations.** — Charme. Contre-charme. Enchantement. — Conjuration. Invocation. Incantation. — Pratiques secrètes. Ensorcellement. Envoûtement. Commerce avec le diable. — Evocation. Apparition. Métamorphose. Fantasmagorie. — Fascination. Jettatura. Mauvais œil. — Sortilèges. Sorts. Prestiges. Maléfice. Vénéfice. Magnétisme. Horoscope.

**Magiciens.** — Circé. Canidie. Médée. — Pythie. Pythonisse. Sibylle. — Mambrès. — Simon le magicien. Apollonius de Thiane. — Armide. — Merlin. Nostradamus. — Cagliostro. Comte de Saint-Germain.

Alchimistes. — Astrologues. — Nécromanciens. — Cabalistes. — Enchanteurs. — DEVINS. Devineresses. — Sorciers. Sorcières. — Mages. Rose-croix. — Thaumaturges. — Spirites. — Bohémiens. — Gitanes.

**Êtres de pouvoir magique.** — DIABLE. Démons. — Génie. Fée. Péri. — Esprits. Esprits frappeurs. — Farfadet. Gnome. Lutin. Elme. Elfe. Korrigan. — LOUP-GAROU. Vampire. Brucolaque. Revenants. Gobelins. Fantômes. Ombres.

**Choses de la magie.** — Baguette. Anneau magique. Cercle magique. Carré magique. — Formules. Grimoire. Caractères. Talamasques. Runes. — AMULETTE. Ipsillices. Talisman. Gris-gris. — Philtre. Poudre sympathique. Mandragore. — Sabbat. — Tables tournantes. — Manie* (figure d'envoûtement). — Diablerie. — Manche à balai (des sorcières).

Chose magique, maléfique, cabalistique, démoniaque, diabolique, féerique, mystérieuse, fantasmagorique, EXTRAORDINAIRE.

## MAGISTRAT

**France actuelle.** — Magistrat assis, debout. — Président. Conseiller. Assesseur. Suppléant. — JUGE. Juge d'instruction. Juge de paix. — Procureur général. Parquet. — Ministère public. Avocat général. Procureur de la République. Substitut. — Jury. Juré. — Juge consul. Prud'homme. — Conseiller d'Etat. Conseiller des comptes. — Inamovibilité.

*Par extension :* Président de la République. Maire. Adjoint. Conseiller municipal. — Préfet. Sous-préfet. Commissaire de police. Conseiller de préfecture. — Officier ministériel. Notaire.

**France ancienne.** — Intendant. Surintendant. — Echevin. Capitoul. Jurat. — Lieutenant civil. Lieutenant criminel. Prévôt. — Bailli. Sénéchal. Viguier. Verdier.

**Etranger.** — *Angleterre.* Lord-maire. Attorney. Alderman. Shérif. Coroner. Constable. — *Allemagne.* Bourgmestre. Landgrave. Graff. — *Italie.* Doge. Podestat. Provéditeur. Gonfalonier. Sages de Venise. — *Suisse.* Amman. Avoyer. — *Espagne.* Corrégidor. Alcade. — *Arabes.* Caïd. Cadi. — *Roumanie.* Voïvode.

**Antiquité.** — *Athènes.* Archonte. Prytane. Aréopagite. Thesmothète. Héliaste. — *Rome.* Consul. Censeur. Préteur. Edile. Questeur. Proconsul. Propréteur. Tribun. Triumvir. Centumvir. — *Sparte.* Ephore. Harmoste.

Amphictyon (Grèce). — Lucumon (Etrurie). — Suffète (Carthage). — Nomarque (Egypte). — Vergobret (Gaule).

## MAGNÉTISME

**Etats.** — Crise. Extase. Transposition des sens. Hypnose. — Etat lucide, lucidité. Seconde vue. — Fluide magnétique. Mesmérisme. — Hypnotisme. Automagnétisme. Sidérisme. — Somnambulisme. SOMMEIL magnétique, hypnotique.

**Actions.** — Magnétiser. Fasciner, fascination. — Hypnotiser. Suggérer, suggestion, autosuggestion. — Attouchements. Passes. Baquet de Mesmer.

MAHOMÉTAN, m. Mahométisme, m. V. *religion*.
MAHONNE, f. V. *galère*.
MAI, m. V. *mois, arbre*.
MAIE, f. V. *coffre, boulanger*.
**Maigre.** V. *mince, viande, pénitence*.
MAIGRELET. V. *maigre*.
MAIGREUR, f. Maigrir. V. *maigre, faible*.
MAIL, m. V. *jardin*.

MAILLE, f. V. *nœud, chaîne, filet, tricot, bourgeon, tache*.
MAILLECHORT, m. V. *cuivre*.
MAILLER. V. *dentelle*.
MAILLET, m. V. *menuisier*.
MAILLOCHE, f. V. *marteau*.
MAILLON, m. V. *anneau*.
MAILLOT, m. V. *habillement, bain, enfant*.
MAILLURE, f. V. *plume*.

**Main,** f. V. *membre, art, jeu, papier, pelle, écrire, toucher*.
MAIN-D'ŒUVRE, f. V. *travail, ouvrier*.
MAIN-FORTE, f. V. *force*.
MAINLEVÉE, f. V. *libre, abandon*.
MAINMISE, f. V. *saisie*.
MAINMORTE, f. V. *propriété, commun, féodal*.
MAINT. V. *beaucoup*.

---

**Personnes.** — Magnétiseur. Fascinateur. Hypnotiseur. Spirite. — Sujet. Médium. Somnambule. Crisiaque.

Magnétisme physique. V. AIMANT.

## MAHOMET

**Le prophète.** — Mahomet. — Abbas et Abou-Taleb (oncles). Abou-Bekr (beau-père). Ali (gendre). — Khadidja (première femme). Fatima (fille). — Omar (général). — Borak (jument). Croissant. Etendard vert. — Hégire (622).

**Religion.** — Islam, islamisme. Mahométan, mahométisme. Musulman, musulmanisme. — Allah. — Le Coran. Sourates (chapitres). Signes (versets). Sonna (commentaires). — Fêtes. Ramadan. Baïram. Mouloud. Courban. — Rites. Grande prière. Ablutions. Circoncision. Le vendredi. Turban. — Fetfa (décision du mufti). Sacah (aumône prescrite). Ezan (proclamation de la prière). — Fatalisme. Mektoub (c'était écrit). — Giaour (infidèle).

**Temples.** — La Mecque. La Kaaba. La pierre noire. — Mosquée. Minaret. Mihrab (sanctuaire). Minbar (chaire). — Muezzin. Caïm (gardien). — Djemaa (assemblée). — Medersa (collège). — Marabout (chapelle). — Koubba (tombeau). — Zaouia (confrérie).

**Personnages religieux.** — Mufti. Cheik ul islam. Moullah. Iman. — Docteur de la loi. Uléma. Taleb. — Mokaddem (prieur de congrégation). Hadji (pèlerin de La Mecque). Marabout (personnage sacré). Hafiz (qui sait le Coran par cœur). Khouan (dévot). — Moines. Baba. Santon. Derviche. Fakir. Calender. Aïssaoua.

**Dignitaires.** — Sultan. Commandeur des croyants. Calife. — Emir. Bey. Cheik. — Mahdi (messie). — Effendi (honorable).

## MAIGRE

**La maigreur.** — Maigreur. Chartre. Minceur. — Faiblesse. Exilité. — N'avoir que la peau sur les os. N'avoir que la carcasse. On lui compterait les côtes. — Un grand sec. SEC comme un fagot. — Maigre comme un clou. Squelette ambulant. Visage de parchemin.

**Etats de maigreur.** — Décharné. Défait. — Efflanqué. Maigre échine. — Visage tiré. Joues caves. Hâve. Dépenaillé. — Famélique. Etique. Mal nourri. — Maigrelet. Criquet.

Chafouin. Chétif. Gringalet. — Grêle. MINCE. Débile. — Echalas. Héronnier. — Haridelle. Rosse. Rossinante.

**Amaigrissement.** — Dépérir, dépérissement. Fondre. Maigrir. — Devenir à rien. Tomber en chartre. — Amaigrir, amaigri. Emaciation, émacié. — Régime.

Atrophie, atrophier. Exténuation, exténuer. Etriquer. Dessécher, dessèchement. — Consomption. LANGUEUR. Etisie. Tabès. Marasme. Symptose.

**Le maigre religieux.** — CARÊME. Quatretemps. Vigile. — Abstinence. Macération. Jeûne. PÉNITENCE.

Aliments maigres. Poisson. Œufs. Fruits. Légumes. Laitage.

## MAIN

**Les mains.** — Main droite. Dextre. — Main gauche. Senestre. — Avant-main. Arrière-main. — Dos de la main. Région dorsale. Dessus. Revers. — Creux de la main. — Plat de la main. Paume. Face palmaire. Thénar. Hypothénar. — Poing. Poignet. — DOIGTS. Pouce. Index. Médius. Annulaire. Auriculaire. Petit doigt. — Menotte. Patte. — Ongles.

Bimane. Quadrumane. — Main fine, forte, épaisse, calleuse. — Main bot. Main pote (enflée).

**Anatomie.** — Os. Trapèze. Scaphoïde. Semi-lunaire. Pyramidal. Pisiforme. Os crochu. Grand os. Trapézoïde. Métacarpien. Phalanges. Phalangènes. Phalangettes.

*Muscles.* Fléchisseur superficiel. Court abducteur. Court fléchisseur. Adducteur du petit doigt. Lombricaux. Interosseux.

*Artères* et *veines.* Artère radiale. Artérioles de la main. Veine radiale. Arcades palmaires.

**Mots composés.** — Mainmise. Mainmorte. Mainlevée. Main-d'œuvre. Main de fer. Main de papier. — Main d'écriture, etc. — Coup de main. Jeu de main.

**Gestes de la main.** — Ouvrir, fermer, étendre la main. — Tendre la main. Serrer la main. Frapper dans la main. — Joindre les mains. Lever les mains. Imposer les mains. Battre des mains. — Toucher. Tapoter. Peloter. — Caresser. Flatter de la main. — Frapper. Gifle, gifler. Claque, claquer. Tape, taper. Chiquenaude. Coup de poing. — Offrir la main. — Baiser la main. Baisemain.

MAINTENANT. V. *présent.*

MAINTENIR. V. *conserver, continuer, tenir, confirmer.*

MAINTIEN, m. V. *tenir, allure, posture.*

MAIRAIN, m. V. *chêne.*

MAIRE, m. V. *magistrat, municipal.*

MAIRIE, f. V. *ville.*

Maïs, m. V. *blé.*

Maison, f. V. *architecture, logement, famille, moine.*

MAISONNÉE, f. V. *maison.*

MAISONNETTE, f. V. *maison, pavillon.*

MAISTRANCE, f. V. *port, matelot.*

MAÎTRE, m. V. *pouvoir, possession, chef, instruction, supérieur, art.*

MAÎTRE-CHANTEUR, m. V. *pamphlet.*

MAÎTRE D'HÔTEL, m. V. *auberge, manger.*

MAÎTRESSE, f. V. *amour, passion, adultère.*

MAÎTRISE, f. V. *pouvoir, art, église.*

MAÎTRISER. V. *tenir, contrainte.*

MAJESTÉ, f. V. *roi, titre, grand, grave.*

MAJESTUEUX. V. *noble.*

MAJEUR. V. *enfant, grand, libre.*

MAJOLIQUE, f. V. *porcelaine.*

MAJOR, m. V. *officier.*

MAJORAT, m. V. *chef, propriété.*

MAJORDOME, m. V. *chef.*

MAJORER. V. *prix, augmenter.*

MAJORITÉ, f. V. *âge, nombre, suffrage.*

MAJUSCULE, f. V. *lettre, écrire.*

---

**Travail des mains.** — Droitier. Gaucher. Ambidextre. — Travail manuel. Jeu (d'un artiste). Doigté. Chirurgie. Pugilat. — Manier, maniement, maniable, manieur. Remanier. — Manipuler, manipulation. Manutention, manutentionner. — Manufacturer, manufacture. Manœuvrer, manœuvre, un manœuvre. — Maintenir. Empoigner. Empaumer. — Palper. Tâter. Pétrir. — Prendre. Pincer. Serrer.

**Qui concerne la main.** — Appui-main. Essuie-main. Garde-main. — GANT. Mitaine. Moufle. — Menottes. Cabriolet. — Bague. Bracelet. — Manucure. Manuluve. — Manivelle. Manche. Manipule. — Empan (étendue du pouce au petit doigt).

Engelure. Crevasse. Onglée. Main gourde. — Chiragre. Panaris. Mal blanc. — Durillon. Envie.

**Chiromancie.** — Lignes de la main. Linéaments. — Ligne de vie, du cœur, de l'âge. — Ligne hépatique, saturnale, mensale, thorale. — Ligne de Mars, de Vénus. — Ligne naturelle, moyenne, du cerveau. — Ligne de prospérité. — Rascette.

Monts. Mont de mars, de Jupiter, de Saturne, du Soleil, de Vénus, de Mercure, de la Lune.

## MAÏS

**Grain.** — Maïs jaune, blanc, rouge, noir, violet, panaché, etc. Grand maïs. Petit maïs. Millette. — Maïs à bec, à grain pointu, quarantain. — Doura. Millet d'Inde. — Panouil (épi).

**Emploi.** — Grains de maïs. Farine de maïs. Cambarles (tiges en fourrage). — Bouillie de maïs. Atole. Cruchade. Escauton. Miliasse. Gaude. — Tartiliosse (gâteau). Maïs grillé. — Chica (bière). Posole (boisson).

## MAISON

(latin, *domus* ; grec, *oicos*)

**Dénominations.** — *Actuelles.* Propriété. Immeuble. Maison. — Bâtiment. Édifice. Bâtisse. — Maison de rapport. Hôtel particulier. Maison de plaisance. — Domicile. Résidence. Demeure. Logis. Pied-à-terre. — Gîte. Réduit. Abri. Refuge. — Villa. Chalet. Cottage.

Pavillon. Bungalow. — Maisonnette. Videbouteille. Chaumière. Cabane. — Hutte. Tente. Baraquement. — Ferme. Métairie. — PALAIS. Château. Manoir. Gentilhommière. — Lycée. Collège. ECOLE. Hôpital. Hospice. Caserne. Quartier. Séminaire. Couvent. — Hôtel. Hôtellerie. Palace. AUBERGE. Pension. — Ilot de maisons. Pâté de maisons.

*Anciennes.* Bastide. Borde. Borderie. Buron. Cassine. Chartreuse. Folie. Gloriette. Ménil. Muette. Plessis.

*Exotiques.* Ajoupa. Cagna. Carbet. Gourbi. Wigwam. — Harem. Sérail. — Izba.

*Familières.* Case. Taule. Turne. Taudis. Cahute. Masure. Baraque. Bicoque. Trou.

**Parties et dépendances.** — Appartement. LOGEMENT. BOUTIQUE. Atelier. — Corps de logis. Aile. TOUR. Donjon. COUR. Avantcour. Devant. Derrière. — Rez-de-chaussée. Sous-sol. Entresol. Etages. Mansardes. Combles. — ESCALIER. Cage d'escalier. Palier. Ascenseur. — Chambres. Pièces. Salles. Cabinets. CUISINE, etc. — Communs. Remise. Ecurie. Garage. Basse-cour. — Ouverture. Jour. FENÊTRE. — Porte. Portail. Grille. Loge. — Façade. Balcon. Terrasse. Perron. — Vestibule. GALERIE. Couloir. Corridor. — CAVE. Grenier. Cellier. — TOIT. Chéneau. Gouttière. — Gros œuvre. MUR. Pignon. — Plafond. Lambris. Parquet. PLANCHER. Etres ou Aîtres.

*Termes anciens.* Atrium. Tablinum. Impluvium. Triclinium. Portique. Gynécée. — Lares. Pénates.

**Habitation.** — Maître de maison. Patron. Bourgeois. Châtelain. — Ménage. FAMILLE. Maisonnée. — Intérieur. Chez soi. Home. — Service. Domesticité. Gens de maison. Concierge. PORTIER.

Meubler. MEUBLES. Ameublement. — Emménager, emménagement. S'installer, installation. — Déménager, déménagement. Déloger. — Garder la maison. Sédentaire. Casanier. — Voisin. Voisinage.

**Administration.** — Gérer, gérance, gérant. — Propriétaire. Locataire. Sous-locataire. — Location. Réparations locatives. — Charges. Impôt foncier. Cote mobilière. Loyer. Terme. — Etat de lieux. Taxes. Assurances. — Edilité. Alignement. Numéro.

**Mal,** m. et adv. V. *méchant, erreur, peine, malheur, souffrir.*
MALACHITE, f. V. *pierre, cuivre.*

MALACIE, f. V. *faim.*
MALACODERME. V. *mou.*
MALACOLOGIE, f. V. *mollusque.*
MALADE. V. *maladie.*

**Maladie,** f. V. *souffrir, médecine.*
MALADIF. V. *maladie.*
MALADRERIE, f. V. *lèpre, hôpital.*

---

## MAL
(latin, *malum ;* grec, *cacon*)

**Mal physique.** — Mal. Maladie. Malaise.
— Malade. Maladif. Mal en point. Patraque.
— Souffrance. Douleur. Crise. — DIFFORME,
difformité. Infirme, infirmité. Cacochyme. —
Malsain. Peccant, humeur peccante. Indi-
geste. Contagieux. — Avorter, avortement.
Dégénérer, dégénérescence. — Végéter. Vi-
voter.

**Mal moral.** — Corruption, corrompre, corrupteur. Dépravation, dépraver, dépravateur.
Perdre, perdition. Pervertir, perversion. Gâter. — MÉCHANT, méchanceté. Pervers, perversité. Diable, diablerie, diabolique. —
Malveillant, malveillance. Malintentionné.
Malévole. — CRIME, criminel. Forfait, forfaiture. Péché, pécheur. — Infamie, infâme.
Indignité, indigne. Injustice, injuste. —
— VICE. TACHE. Souillure. — Défaut. Travers. Tare. — Malheur, malheureux. — Pessimisme, pessimiste.

**Mauvaise action.** — Faire le mal. Mal-
faire, malfaisance, malfaisant, malfaiteur.
Méfait. — Maltraiter. Maléfice. — Médire,
médisant, médisance. — Faire tort. Nuire,
nuisible. Léser. — Fouiller. Maudire, malédiction. — Mésestimer. Mésuser. — Abus,
abuser, abusif. Excès, excessif. — Faute, fautif. Négligence, négliger. Manquement, manquer. — Mauvais exemple. SCANDALE, scandaleux.

**Mauvaise condition.** — Mal conditionné.
Défaut, défectueux. Désavantage, désavanta-
geux. — Mauvais état. Mal en point. Désor-
dre, désordonné. — Imperfection, imparfait.
Insuffisance, insuffisant. Médiocrité, MÉDIOCRE.
— Avarie, avarié. Détérioration, détérioré.
Vice, vicieux. — Détraquement, détraqué.
Dislocation, disloqué. — Adultération, adul-
téré. Impureté, impur. Frelaté. Falsifié. —
Entaché. — Décliner. Baisser. Aller de mal
en pis. Empirer.

**Mauvaise exécution.** — Malfaçon. Mal
fait. Manqué. Raté. — Aller mal. Ne pas
aller. — Aller de guingois, de travers. Clocher. Boiter. — Boiteux. Borgne. Louche.
— Faux goût. Fausse éloquence. Faux pli,
etc. — Cacographie. Cacophonie. Cacologie.
— Impropre, impropriété. Discordant. —
INCONVENANT, inconvenance. Messéant, messeoir. — Malsonnant, malsonner. GROSSIER.
— Pénible. Laisser à désirer.
Faire à la diable. Parler à tort et à travers. Chanter faux. Bâcler. — Altérer. Saboter. Fausser. — Maladroit, MALADRESSE.
Gauche. Emprunté. Malhabile.

**Contraire.** — Contre-j·ur. Contresens. —
Envers. Revers. — Absurdité, absurde. Déraison, déraisonnable. Erreur, erroné. — Mésintelligence. Malentendu. Malhonnêteté. —

Mécompte. Mévente. — Indu. Inégal. Inexact.
Illégitime. Incorrect. Inadmissible. Inaccep-
table. Irrecevable, etc.

**Démérite.** — Bon à rien. Propre à rien.
REBUT. Peste. — Blâmable. Damnable. Pen-
dable. — Humiliant. Déshonorant. Dégradant.
— Triste. Piteux. Pitoyable. — Misérable.
Déplorable. — Odieux. Horrible. — Exécra-
ble. Détestable. Abominable. Haïssable. —
Fâcheux. Regrettable. — Répréhensible. Re-
prochable. — Intolérable. Insupportable. —
Impardonnable. Inexcusable. Inqualifiable.

## MALADIE
(latin, *morbus*)

**Nature des maladies.** — Maladie. Epi-
démie. Affection. Etat morbide. — Foyer.
Siège. — Malaise. Troubles. Souffrances.
Transports. — Diathèse. Prédisposition. Idio-
syncrasie. Cachexie.
Maladie caractérisée. Organique. Locale. —
Chronique. Intermittente. Intercurrente. Ty-
pique. Atypique. Périodique. — Endémique.
Epidémique. Contagieuse. — Bénigne. Lé-
gère. Imaginaire. — Maligne. Mortelle. —
Incurable. Inguérissable. Opiniâtre. — Grave.
Violente. Aiguë. — Symptomatique. Consé-
cutive. — Congénitale. Invétérée. — Inflam-
matoire. Traumatique. Eruptive. Protéiforme.
Continue. — Sporadique. Curable.

**Phases.** — Atteinte. Attaque. Accès. Invasion. — Infection. Inoculation. Incubation.
— Marche. Processus. Evolution. — Aggravation. Complication. Accélération. Progression, progrès. — Exaspération. Exacerbation.
Paroxysme. Crise. Période critique. — Prodrome. Symptôme. Métastase. Orgasme. Virulence. Acuité. Danger de mort. — Périodes,
périodicité. Types. Intermittence. Stade.
Cours. — Déclin. Décours. Rémission. Rémittence. Résolution. — Rechute. Récidive.
Recrudescence. — Guérison. Convalescence.
Mieux. Analepsie. Accalmie.

**Soins.** — Médecine. Pathologie. Thérapeutique. Traitement. Cure. Régime. — Consultation. Visite. Intervention. Examen. Diagnostic. — Ordonnance. Prescription, prescrire.
Médication. Remède. — Chirurgie. Opération.
— Prophylaxie. Vaccination. Asepsie. Antisepsie.
HÔPITAL. Maison de santé. Clinique. Ambulance. Infirmerie. — Lazaret. Quarantaine.
Cordon sanitaire. — Médecin. Chirurgien.
Radiologue. Aide. Infirmier, infirmière. Garde-
malade.

**Les malades.** — Malade. Patient. Valétudinaire. Grabataire.
Albuminurique. — Alcoolique. — Aliéné.
— Anémique. — Apoplectique. — Arthritique. — Asthmatique. — Ataxique. — Bilieux. — Cancéreux. — Cardiaque. — Ca-

**Maladresse,** f. V. *mal, novice, sot.*
MALADROIT. V. *maladresse.*
MALAISE, m. V. *souffrir, embarras.*
MALAISÉ. V. *difficile.*
MALANDRE, f. V. *cheval.*

MALANDRIN, m. V. *bandit.*
MALAPPRIS, m. V. *grossier.*
MALARD, m. V. *canard.*
MALARIA, f. V. *fièvre.*
MALAVISÉ. V. *maladresse, indiscret.*
MALAXER. V. *presser, beurre.*

MALBÂTI. V. *difforme.*
MALBOUCHE. V. *puant.*
MALCHANCE, f. V. *malheur, hasard.*
MALCONTENT. V. *sédition, chagrin.*
MALDONNE, f. V. *cartes.*

---

tarrheux. — Chlorotique. — Cholérique. — Constipé. — Coxalgique. — Crétin. — Dartreux. — Diabétique. — Diphtérique. — Enrhumé. — Enroué. — Epileptique. — Fiévreux. — Gastralgique. — Gâteux. — Goutteux. — Grippé. — Hydropique. — Hystérique. — Infirme. — Ictérique. — Lépreux. — Névroseux. Névrosé. — Œdémateux. — Paralytique. — Pestiféré. — Phtisique. — Pléthorique. — Poitrinaire. — Rachitique. Rhumatisant. — Scrofuleux. — Tuberculeux. — Typhique. — Ulcéreux. — Variqueux. — Varioleux.

**Etat des malades.** — Tomber malade. Etre pris, repris de. Contracter. Gagner. Faire une maladie. — Garder le lit, la chambre. — S'affaiblir. Décliner. Dépérir. Baisser. Etre bas. Traîner. — Empirer. Etre à l'extrémité. Se mourir. — Avoir de la ressource. Se relever. Réchapper.

Mauvaise mine. Maigreur. — Fièvre. Délire — Douleurs. Spasmes. — Oppression. Pesanteur. Lourdeur. LANGUEUR. Insomnie. — Irritation. Nervosité. — Frisson. Tremblement. Horripilation.

Cacochyme. Usé. Cassé. — Affaibli. FAIBLE. Epuisé. Exténué. Abattu. Languissant. — Défait. Livide. Malingre. Etique. — Mal hypothéqué. Condamné. Désespéré. — Indisposé. Dérangé. Alité. — Impotent. Paralysé. — Oppressé. Congestionné. Moribond. Mourant. Comateux.

**Principales maladies.** — Infectieuses. Nerveuses. Du sang. Générales. Chirurgicales. Aiguës. Chroniques. Traumatiques. Toxiques. Parasitaires. Dyscrasiques. Mentales.

*Générales.* Diabète. Arthritisme. Goutte. Rachitisme. Rhumatisme. Torticolis. Cancer. Syphilis.

*Locales.* Stomatite. Aphte. Muguet. Angine diphtérique, herpétique. Angine de Vincent. Leucoplasie. Coryza. Rhume des foins. Epistaxis. Ozène. Sinusite. Végétations. Laryngite aiguë, diphtérique, striduleuse. Croup. Faux croup. Otite.

Conjonctivite. Kératite. Cataracte. Glaucome. Rétinite. Myopie. Hypermétropie. Presbytie. Astigmatisme. Strabisme.

Toux. Crachat. Hémoptysie. Asthme. Bronchite aiguë, chronique. Emphysème. Pneumonie. Congestion pulmonaire. Bronchopneumonie. Gangrène pulmonaire. Œdème. Tuberculose. Pleurésie sèche, purulente. Pneumothorax. Adénopathie. Aérophagie. Vomissement. Hématémèse.

Indigestion. Embarras gastrique. Dyspepsie. Ulcère de l'estomac. Ulcère du duodénum. Cancer de l'estomac. Jaunisse. Colique hépatique. Abcès du foie. Cancer du foie.

Cirrhose du foie. Constipation. Diarrhée. Hémorragie intestinale. Entérite. Appendicite. Tuberculose intestinale. Cancer de l'intestin. Occlusion intestinale. Hémorroïdes. Hernie. Péritonite. Tachycardie. Bradycardie. Arythmie. Palpitations. Syncope. Péricardite. Endocardite. Myocardite. Asystolie. Hypertension. Hypotension. Aortite. Angine de poitrine. Anévrisme. Varice. Phlébite.

Hématurie. Pyurie. Anurie. Albuminurie. Néphrite aiguë, chronique. Mal de Bright. Urémie. Tuberculose rénale. Pyélonéphrite. Colique néphrétique. Calcul de la vessie. Tumeur de la vessie. Cystite. Prostatite. Hypertrophie de la prostate.

Acné. Eczéma. Engelure. Gale. Herpès. Impetigo. Gourme. Lichen. Lupus. Urticaire. Zona. Alopécie.

*Infectieuses.* Rougeole. Scarlatine. Varicelle. Varice. Coqueluche. Diphtérie. Diphtérie typhoïde. Paratyphoïde. Influenza. Grippe. Choléra. Dysenterie. Mélitococcie. Peste. Encéphalite léthargique. Poliomyélite ou Paralysie infantile. Rage. Tétanos. Charbon. Chancre mou. Blennorragie. Syphilis.

*Nerveuses.* Céphalée. Migraine. Névralgie. Apoplexie. Hémiplégie. Paraplégie. Méningite aiguë, cérébro-spinale. Coma. Convulsions. Epilepsie. Paralysie générale.

*Maladies du sang.* Anémie. Chlorose. Hémophilie. Scorbut.

*Parasitaires.* Paludisme. Malaria. Maladie du sommeil. Trichinose. Ver solitaire. Ladrerie. Echinococcose. Poux. Gale.

*Chirurgicales.* Abcès. Phlegmon. Erysipèle. Adénite aiguë, chronique. Hygroma. Furoncle. Anthrax. Tuberculose des os. Coxalgie. Mal de Pott. Entorse. Luxation. Fracture. Hernie. Traumatisme.

---

## MALADRESSE

**Maladresse manuelle.** — Maladroit. Inhabile, inhabileté. Gauche, gaucherie. Inapte, inaptitude. — Apprenti. Mazette. Manchot. — Lourdaud. Balourd. Empoté. — S'y prendre MAL. Manquer son coup. Coup de raccroc. — Malfaçon. Saveter. Sabrer. Massacrer. Charcuter. — Main malheureuse, tremblante, peu sûre. Brise-tout.

**Maladresse intellectuelle.** — Impéritie. Inexpérience. Incompétence. — Inintelligence. Ineptie, inepte. Stupidité, stupide. Sottise, sot. — Imprudence. Faute. Inadvertance. Imprévoyance. — ERREUR. Anerie. — Etourderie, étourdi.

Ne pas s'y connaître. N'être pas au courant. N'y entendre goutte. — Ne savoir comment s'y prendre. Prendre à rebours. — Malavisé. Impolitique. Inconsidéré. Imbécile. — NAÏF.

**Mâle.** V. *sexe, fermeté.*

MALÉDICTION, f. V. *maudire, nuire.*

MALÉFICE, m. Maléfique. V. *influence, astrologie, nuire.*

MALENCONTREUX. V. *nuire, malheur.*

MALENTENDU, m. V. *erreur, discordant.*

MALFAÇON, f. V. *mal, gâter, imparfait.*

MALFAISANT. V. *mal, nuire, méchant.*

MALFAITEUR, m. V. *crime, bandit.*

MALFAMÉ. V. *réputation.*

MALHABILE. V. *maladresse.*

**Malheur,** m. V. *mal, peine, ruine, échouer.*

MALHEUREUX. V. *malheur.*

MALHONNÊTE. Malhonnêteté, f. V. *injuste, inconvenant, injure.*

MALICE, f. Malicieux. V. *méchant, spirituel.*

MALIGNITÉ, f. V. *méchant, blâme, nuire.*

MALIN. V. *spirituel, diable.*

MALINGRE. V. *faible, maladie.*

MALINTENTIONNÉ. V. *nuire.*

MALLE, f. V. *coffre, bagage.*

MALLÉABLE. V. *mou.*

MALLÉOLE, f. V. *pied.*

MALLETTE, f. V. *bagage, coffre.*

MALMENER. V. *colère, traiter, battre.*

MALOTRU. V. *grossier.*

MALPROPRE. Malpropreté, f. V. *ordure, sale.*

MALSAIN. V. *santé, mal, nuire.*

MALSÉANT. V. *inconvenant.*

MALSONNANT. V. *mal, déplaire.*

MALT, m. Maltage, m. V. *orge, bière.*

**Malte,** f.

MALTÔTE, f. V. *impôt.*

MALTRAITER. V. *mal, blâme, battre.*

---

NOVICE. — Godiche. Jocrisse. — Rouillé. Encroûté. Croûte. Perruque. — Aveugle. Dupe. Poire.

**Maladresse dans la conduite.** — Se tromper. Faire une école. Se blouser. — Etre embarrassé. S'embrouiller. Barboter. — Se découvrir. Se laisser tirer les vers du nez. Montrer son jeu. — Donner dans le piège. S'enferrer. Se casser le nez. S'embourber. Se noyer. — Prêter le flanc. Donner prise. Faire un pas de clerc. — Manquer l'occasion. Laisser échapper.

FAUTE. Bourde. Boulette. Brioche. Faux pas. Gaffe. Impair.

### MÂLE

**Etat de mâle.** — Mâle. Masculin, masculinité, masculiniser. — Homme. Mari. Garçon. — Virilité. Viril. — Virago.

Procréer. Engendrer. Reproduire. — Reproduction. Etalon. Taureau. Bélier. Verrat, etc. — Emasculer. Châtrer. — Castrat. Hongre. Chapon, etc. V. SEXE.

### MALHEUR

**Sortes de malheur.** — Adversité. Fortune contraire. — Fatalité. Mauvais sort. — Infortune. Affliction. — Désolation. Misère. Détresse. — Calamité. Malheur. Coup du sort. Méchef. — Chagrin. Peine. Souci. Tracas. Ennui. — Contrariété. Vexation. Préjudice. — Décadence. Déclin. Déconfiture. Dégringolade. — Trouble. Désarroi. EMBARRAS. — Déconvenue. Désappointement. Déboire. Mécompte. Déception. — Désenchantement. Désillusion. Désespoir. — Malchance. Guignon. Déveine. — Désavantage. Coup de massue. Coup de grâce.

**Evénements malheureux.** — Catastrophe. Sinistre. Accident. — Cataclysme. Orage. TEMPÊTE. TOURMENTE. — Fléau. Plaie. Calamité publique. Incendie. Famine. Guerre. Epidémie. Inondation, etc. — Désastre. NAUFRAGE. Déroute. Débâcle. — RUINE. Ravage. Perte. — Dommage. Avarie.

Echec. Insuccès. Revers. — Epreuves. Vicissitudes. Traverses. Encombre. Malencontre. — Mésaventure. Avanie. Tribulations. — Chute. Disgrâce. Abandon. Eclipse. —

Difficultés. Contre-temps. Mauvais moment. Inconvénients. EMBARRAS. — Injures du sort. Esclandre. Péripétie. Poire d'angoisse. Dégringolade.

**Caractères du malheur.** — Funeste. Fatal. Néfaste. Pernicieux. Maléfique. — Désastreux. Ruineux. Accablant. Irréparable. — Cruel. Terrible. Affreux. Tragique. — Amer. Pénible. Défavorable. Triste. — Désolant. Affligeant. Désespérant. Décourageant. — Déplorable. Lamentable. Pitoyable. — Malencontreux. Fâcheux.

**Causes du malheur.** — Tomber sur. Frapper. Déconfire. Affliger. — Culbuter. Renverser. Précipiter. Abattre. Acculer. Réduire à l'extrémité. — Ruiner. Consommer la ruine. — Porter malheur. Désavantager. — Eprouver. NUIRE. — Bouleverser. Traverser. Troubler. — Désappointer. Défriser. Désillusionner. Désenchanter. — Désoler. Désespérer. Désemparer. — Jeter à l'abîme. Casser bras et jambes. Faire échec et mat. — Rabat-joie. Trouble-fête.

**Eprouver du malheur.** — Etre aux abois, à bout, à cul, à *quia.* — Mal en point. Perdu. Flambé. — Etre dans une mauvaise passe, dans de beaux draps, à la dérive, dans le pétrin. — Déchoir, déchéance. Péricliter. Décliner. Déchanter. — Echouer. Jouer de malheur. — Faire de mauvaises affaires. Etre échaudé. Boire un bouillon. — S'écrouler. TOMBER. Faire la culbute. — Couler à fond. Sombrer. — Périr. Succomber. Se perdre. — Etre malheureux comme Job. Etre à plaindre. Etre misérable. Porter sa croix. Manger de la vache enragée. — Tomber de Charybde en Scylla.

### MALTE

**L'ordre.** — Chevaliers de Saint-Jean de Jérusalem, de Rhodes, de Malte. Hospitaliers. — Religion (ordre). — Langues (nations). — Auberges (résidences des chevaliers). — Castellanie (prieuré). — Commanderie. — Chapitres généraux. — Conseil ordinaire. — Chambre du trésor (conseil financier). — Magistère (dignité de grand-maître). — Obédience. — Profession. Vœux. — Réception. — Responsion (redevance).

MALVACÉE, f. V. *mauve.*
MALVEILLANCE, f. Malveillant. V. *méchant, nuire, volonté.*
MALVERSATION, f. V. *voleur, infidèle, crime.*
MAMAN, f. V. *mère.*
**Mamelle,** f. V. *poitrine, nourrice.*
MAMELON, m. V. *mamelle, montagne.*
MAMELUK, m. V. *cavalerie.*
MAMMAIRE. Mammifère. V. *mamelle.*
MAMMOUTH, m. V. *éléphant.*
MANANT, m. V. *peuple.*
**Manche,** m. V. *prendre, bâton, couteau, violon.*
**Manche,** f. V. *habillement, bras, cartes, tuyau.*

MANCHERON, m. V. *charrue.*
MANCHETTE, f. V. *manche, chemise, journal.*
MANCHON, m. V. *fourrure.*
MANCHOT, m. V. *mutiler, bras.*
MANDANT, m. V. *suffrage.*
MANDARIN, m. V. *Chine.*
MANDARINE, f. V. *orange.*
MANDAT, m. V. *billet, poste, parlement, mission.*
MANDATAIRE, m. V. *agent, marché.*
MANDATER. V. *payer.*
MANDCHOU, m. V. *Chine.*
MANDEMENT, m. V. *ordre, évêque.*
MANDER. V. *lettre, mission.*
MANDIBULE, f. V. *bouche, mâchoire.*

MANDOLINE, f. V. *instruments.*
MANDRIN, m. V. *maréchal, tourneur.*
MANE (suff.). V. *aimer.*
MANÉCANTERIE, f. V. *chant.*
MANÈGE, m. V. *équitation, machine, moyen, intrigue.*
MÂNES, m. p. V. *esprit, enfer.*
MANETTE, f. V. *machine, manche.*
MANGEAILLE. V. *manger.*
MANGEOIRE, f. V. *auge, étable.*
**Manger.** V. *mâchoire, rassasier, table, dépense.*
MANGEUR, m. V. *manger.*
MANGEURE, f. V. *ver.*
MANGONNEAU, m. V. *artillerie.*

---

**Dignitaires.** — Grand maître. Grand maréchal. Grand amiral. Grand commandeur. Commandeur. Grand-croix. Cavalerisse (grand écuyer). Turcopolier (chef de la cavalerie). Prieur. Pilier. Bailli. Sénéchal. Chapelains. Percepteurs.

**Chevaliers.** — Chevaliers de justice, d'âge, d'obédience. — Frère servant. Donat. Pages. Profès.

Insignes. Croix de Malte. Plastron de Malte.

## MAMELLE

**De la femme.** — Mamelles pectorales. — Sein. Poitrine. — Tétons. Tétasses. — Appâts. Attraits. Charmes.

Globe. Mamelon. Tétin. Glandes mammaires. Aréole. Sinus laiteux.

**Des animaux.** — Mamelles inguinales. — Pis. Tétine. Trayon (bout du pis). — Tette (de chèvre). — Allaite (de louve).

**Allaitement.** — Allaiter. Nourrir. Nourrice. — Allaitement artificiel. Biberon. — Femme mamelue, tétonnière. — Téter. — Presser les mamelles. Traire.

**Relatif aux mamelles.** — Mammifère. — Mammaire. — Mamillaire. — Mamelonné. — Mammite (inflammation).

## MANCHE

**Manche.** — Manche d'outil. — Bois. Fût. Hampe. Ante (de pinceau). — Barre (de gouvernail). — Garde (d'épée). — Châsse (de rasoir). — Bras. Brimbale. Bielle. — Mancherons et Rets (de charrue). — Manselles (de hie). — Manivelle. — Manicle.

**Poignée.** — Poignée de sabre, de porte. — Anse. Ansette. — Portants. Oreille. Assurance. — Happes (de chaudron). Chappe (de moule). Crosse (d'aiguière). — Main. Manette. — Menille (d'aviron).

**Qui a trait au manche.** — Anser. Emmancher, démancher. — Monter, monture. — Armes d'hast. — Douille. Soie. Toyère.

## MANCHE (de vêtement)

**Parties.** — Emmanchure. Entournure. — Bras, Coude. — Poignet. Botte. Manchette. Fourchette. — Revers. Pattes. — Fausse manche.

**Formes.** — Manche étroite, longue, collante, large, pendante, ouverte, fermée, etc. — Manche pagode, à gigot, à ballon, à la juive, raglan, etc.

**Ornements.** — Crevés. Ruches. Pommettes. — Sabot. Parement. Retroussis. — Plis. Fraisette. — Tour de manche. Brassard. — Galon. Chevron. Brisque. Sardine.

## MANGER

**Alimentation.** — FAIM. Appétit. Malacie (désir de choses étranges). — Nutrition. Athrepsie. Hétérotrophie. — Consommation. Absorption. Ingestion. — Ingurgitation. Déglutition. — Digestion. Assimilation. — Chyle. Chyme. Bol alimentaire.

Régime. — Végétarisme. Végétalisme. — Frugalité. Sobriété. — Abstinence. Jeûne. Diète. — Intempérance. Indigestion.

**Aliments.** — Nourriture. Vivres. Victuailles. Mangeaille. Boustifaille, *f.* — Comestibles. VIANDE. Denrées. — Conserves. Crudités. Friandises. — Ravitaillement. PROVISIONS. — Subsistance. Pension. Viatique. — Ration. Portion. Pitance. — Pâtée. Pâture. — Proie. Curée. Appât.

Aliment appétissant. Mangeable. — Solide. Liquide. — Gras. Maigre. — Substantiel. Nourrissant. Nutritif. Antidéperditeur. — Léger. Lourd. — Délicat. Grossier. — Echauffant. Rafraîchissant. — Répugnant. Immangeable.

**Façons de manger.** — S'alimenter. Se nourrir. Se sustenter. — Etre de petite vie, de grande vie. — Manger. Mangeotter. — Mâcher. Croquer. Mordre à belles dents. Gober. Dévorer. — Déguster. Goûter. Tâter de. — Grignoter. Pignocher. — Avaler. Ingurgiter. — Absorber. Consommer.

MANGOUSTE, f. V. *fouine*.

MANGUE, f. V. *fruit*.

MANIABLE. V. *commode, facile*.

MANIAQUE. V. *bizarre, habitude, passion*.

MANICHÉEN, m. V. *philosophie*.

MANIE, f. V. *habitude, folie, passion*.

MANIEMENT, m. Manier. V. *main, prendre, toucher, équitation*.

*Manière*, f. V. *moyen, état, art, geste, cérémonie*.

MANIÉRÉ. Maniérisme, m. V. *affectation, précieux, style*.

MANIFESTATION, f. V. *marque, public, sédition*.

MANIFESTE. V. *certitude*.

MANIFESTE, m. V. *d'scours*.

MANIFESTER. V. *preuve, public, trouble*.

MANIGANCE, f. Manigancer. V. *machiner, intrigue, projet*.

*Manioc*, m. V. *plante*.

MANIPULATEUR, m. V. *télégraphe*.

MANIPULATION, f. Manipuler.

V. *main, préparer, chimie*.

MANIPULE, m. V. *bande, prêtre*.

MANIQUE, f. V. *gant*.

MANITOU, m. V. *dieu*.

MANIVELLE, f. V. *main, manche, tourner, machine*.

MANNE, f. V. *suc, frêne, panier, emballer*.

MANNEQUIN, m. V. *coudre, peinture*.

MANNETTE, f. V. *panier*.

MANŒUVRE, m. V. *ouvrier*.

MANŒUVRE, f. V. *travail, diriger, intrigue*.

---

Se rassasier. Se repaître. Manger tout son saoûl. — Passer son envie. — Prendre quelque chose. Manger un morceau. Casser la croûte.

Faire bonne chère. Faire bombance. Faire un extra. Faire la noce. — Festoyer. Se régaler. — S'en donner à bouche que veux-tu. S'empiffrer. Se bourrer. Se gorger. S'emplir le ventre, la panse. — Etre vorace. Bâfrer. Bouffer. Brifer. Engloutir.

Happer. Broyer. Ronger. — PAÎTRE. Pâturer. Viander. Brouter. Ruminer. — Becqueter. Picorer.

**Etres qui mangent.** — Mangeur. Consommateur. — Commensal. Pensionnaire. — Convive. Invité. Dîneur. — PARASITE. Pique-assiette. Ecornifleur. — Noceur. Viveur. Fricoteur. — Gastronome. Gourmand. Gourmet. Opsomane. — Goinfre. Goulu. Mâche-dru. Bâfreur. — Petite bouche.

Anthropophage. Cannibale. — Carnassier. Carnivore. Herbivore. Granivore. Frugivore. Insectivore. Omnivore. — Hippophage. Ichtyophage. Omophage. Carpophage. — Végétarien.

**Donner à manger.** — Nourrir. Allaiter. Elever. — Prendre en pension. Hospitaliser. Ravitailler Avitailler. RASSASIER. Repaître. — Sustenter. Restaurer. Régaler.

Abéquer. Embéquer. Emboquer. Empiffrer. Bourrer. Gaver. Engaver. — Engraisser. Empâter.

Tenir table ouverte. Donner à dîner. Pendre la crémaillère. — Inviter. Réunir (des amis). — Recevoir. Traiter.

NOURRICE. Eleveur. Nourrisseur. — Maître de maison. Amphitryon. Hôte. — Hôtelier. Aubergiste. Traiteur. Restaurateur.

**Repas.** — Déjeuner. Lunch. Dîner. Souper. — Collation. Dînette. Thé. Goûter. Ambigu. Cadeau. — Orgie. Frairie. Gogaille. Franche lippée. Bombance. Ripaille. Repue. Ribote. — Agapes. Banquet. Festin. Gala. — Repas de corps. Repas de noce. Gueuleton. Réunion. — Ordinaire. Fricot. Popote. Pique-nique. — Réveillon. Médianoche.

**Service de table.** — Salle à manger. — Cabinet particulier. — Réfectoire. — Restaurant. Brasserie. Crèmerie. Gargote. — Wagon-restaurant. — Terrasse.

Table. Buffet. Crédence. Desserte. Servante. — Mettre la table. Dresser la table. — Couvert. Nappe. Napperon. Chemin de table. Serviettes. — Vaisselle. Verres. Argenterie. Surtout.

Service. METS. Plats. Entremets. Dessert. — Menu. Carte.

Maître d'hôtel. Serveur. Valet. Femme de chambre. — Ecuyer tranchant. — DÉCOUPER. Servir.

Se mettre à table. S'attabler. — Tablée. Vis-à-vis.

## MANIÈRE

(latin, *modus*)

**Façon d'être.** — Air. Maintien. Tenue. — Genre. Cachet. — Chic. Fion. — ALLURE. Démarche. Dégaine. — POSTURE. — Arrangement. Disposition. Ordre. — Apparence. Train. Pied. — HABITUDE. — ESPÈCE. Sorte. — ETAT. — Goût. Guise. — Modalité. Mode. — Modification. — Caractère. Qualité. — Qualification. Titre. — NATURE. DEGRÉ. — Etat.

**Façon de faire.** — Manière. Façon. Méthode. SYSTÈME. Plan. — MOYEN. Procédé. Recette. Secret. — Marche à suivre. Voie. Programme. — Tour de main. Touche. Jeu. — Faire. Savoir faire. — Style. Ecole. — CONDUITE. Régime. — Cérémonie. Cérémonial. Protocole. Rite. Règle. Ordre. — Couleur locale.

**Façon de parler ou d'écrire.** — Forme. Style. Expression. — Ton. Tour. Tournure de phrase. — Sens. Version. Leçon. — Maniérisme. AFFECTATION. Préciosité. — Formule. Formalité.

**Locutions de manière.** — Ainsi. Comme. De même que. — Comment? De quelle manière? — Moyennant. Par. — A la manière de. A la façon de. Dans le goût de. — De manière que. De façon que.

Adverbes en *ment* : Bonnement. Prudemment, etc.

## MANIOC

**Emploi.** — Râper. Boucaner. Distiller. — Fécule. Arrow-root. Tapioca. Cassave. Couac. Moussache. — Préparations : Coussecaille. Langou. Matété. Pivori (boisson).

MANŒUVRER. V. *main, action,*
*manœuvres.*

**Manœuvres,** f. p. V. *armée,*
*soldat.*

MANOIR, m. V. *maison.*

MANOMÈTRE, m. V. *vapeur,*
*machine.*

MANOQUE, f. V. *tabac, corde.*

**Manque,** m. V. *absence, im-*
*parfait.*

MANQUEMENT, m. V. *manque,*
*oubli, mal, infidèle.*

MANQUER. V. *manque, besoin,*
*injuste.*

MANSARDE, f. V. *chambre,*
*toit.*

MANSUÉTUDE, f. V. *doux.*

MANTE, f. V. *habillement.*

MANTEAU, m. V. *habille-*
*ment, coquille, oiseau, che-*
*minée.*

MANTELET, m. V. *habille-*
*ment, armes.*

MANTILLE, f. V. *habillement.*

MANUCURE, f. V. *main, ongle.*

MANUEL, m. V. *résumer, re-*
*cueil, histoire.*

MANUEL. V. *main.*

MANUFACTURE, f. Manufacturier, m. V. *main, industrie.*

MANULUVE, m. V. *bain.*

MANUSCRIT, m. V. *écrire, par-*
*chemin, littérature.*

MANUTENTION, f. V. *boulan-*
*ger, préparer, transport.*

MAPPEMONDE, f. V. *géogra-*
*phie, astronomie.*

MAQUE, f. Maquer. V. *broyer,*
*chanvre.*

MAQUEREAU, m. V. *poisson.*

MAQUETTE, f. V. *imparfait,*
*sculpture.*

MAQUIGNON, m. V. *com-*
*merce, cheval.*

MAQUIGNONNAGE, m. V. *in-*
*trigue.*

MAQUILLAGE, m. Maquiller.
V. *toilette, théâtre, faux.*

MAQUIS, m. V. *inculte, chi-*
*cane.*

MARABOUT, m. V. *Mahomet,*
*oiseau, plume.*

MARAÎCHER, m. V. *marais, lé-*
*gume.*

**Marais,** m. V. *boue, jardin.*

MARASME, m. V. *langueur,*
*oisif.*

MARASQUIN, m. V. *cerise, li-*
*queur.*

MARÂTRE, f. V. *mère, cruel.*

MARAUD, m. V. *vil.*

MARAUDE, f. Marauder. V.
*errant, prendre, pillage.*

---

## MANŒUVRES (de troupes)

**Lieux de manœuvre.** — Champ, terrain
de manœuvre. Champ de Mars. — Champ de
tir. Polygone. — Camp d'instruction. —
Place d'armes. — Caserne. — Rase campagne.

**Maniement d'armes.** — Théorie. Ins-
truction, instructeur. — Faire l'exercice.
Mouvements d'ensemble. — Commandements.
Portez arme, etc. — Fixe. Au temps ! Repos.
— Former les faisceaux. — Escrime à la
baïonnette. — Tir, tirer. Cible. Butte. But.
— Mettre en joue. Faire feu. — Décharge.
Feu croisé. Feu de peloton.

**Marches.** — Marche. Marche forcée. Contre-marche. — Pas. Pas accéléré. Pas gymnastique. — Défilé. Revue. Parade. — Marche par le flanc. Conversion. — Alignement.
Flottement.

*Formation.* Ordre profond, mince, dispersé.
— Ailes. Centre. Echelons. — Lignes. Rangs.
Files.. — Colonne. Carré. — Former, Serrer
les rangs. Garder, Rompre les rangs.

**Opérations.** — Stratégie. Tactique. Manœuvres. — GUERRE. Petite guerre. Grandes
manœuvres. — Evolutions, évoluer. Manœuvrer. — Eclairer. Couvrir. Reconnaissance.
Patrouille. — Se déployer. Avancer. — Organiser un front. Ordre de bataille. — Ralliement. — Occuper une position. Tenir une
position. Se retrancher. — Attaque. Combat.
Charge. — Siège. Sortie. — Se replier.
Retraite. Battre en retraite.

---

## MANQUE

**Manque.** — Etre loin de compte. Insuffi-
sance. — Défaut. Desideratum. — Carence.
Déficit. Découvert. — Etre à bout. Faillite.
BANQUEROUTE. — DIMINUER, diminution.
Baisser, baisse. Perte. — Soustraction. Ra-
bais. — Différence. Appoint. Solde. Reste.
— Défectueux. Incomplet. IMPARFAIT. — Il
s'en faut. En moins.

Déchet. Discale et Faiblage (déchet de
poids). — Monnaie courte, légère (qui n'a

pas le poids). Monnaie écharse (qui n'a pas
le titre).

**Manquement.** — Faire défaut. Défection.
Déficient. — Faire faux bond. Manquer de
parole. — Faillir. Défaillir, défaillance. Faute.
— Trahir, trahison. INFIDÈLE, infidélité. —
Cesser. Chômer. — ABSENCE. S'absenter. Man-
quer. — Etre exempté, EXEMPT, exemption.
— Oublier. Mémoire labile.

**Privation.** — N'avoir plus. Etre dépourvu.
Avoir besoin. Etre à court. — Se passer de.
S'ABSTENIR. Etre à la diète. — Pauvreté.
Indigence. Pénurie. Dénuement. Détriment.
— Dénanti. Dénué. Nu. — Détresse. BESOIN.
Pâtir. — Disette. Famine. Jeûne, jeûner. —
Rareté, rare.

Orbité (privation d'enfants). Orphelinage,
orphelin. Viduité, veuf, veuve.

Déposséder. Dépouiller. Priver de. OTER.
— Dégarnir. Démunir. Désemparer. — Epuiser. Tarir. — Supprimer. Sevrer.

**Omission.** — Oublier. Omettre. Négliger.
— Laisser de côté. Laisser en souffrance.
Inexécution. — Passer sous silence. Passer
une chose. Brûler l'étape. Sauter. — Taire.
CACHER, Escamoter. — Laisser en blanc. IN-
TERRUPTION. Lacune. Bourdon (faute d'impri-
merie). — Rester court. Perdre la mémoire.
— Paralipomènes (répertoire des oublis d'un
livre).

**Suppression dans le langage.** — Elider,
élision. — Contraction. Crase. — Ellipse,
elliptique. Zeugma. Construction prégnante.
— Prétérition. Réticence. Sous-entendu. —
Lipogramme (vers avec certaines lettres ex-
clues).

---

## MARAIS
(latin, *palus*)

**Sortes de marais.** — Eaux stagnantes.
Etang. Mare. — Marais. Marécage. Marigot.
— Maremme. Polder. Marais Pontins. —
Marais salant. — Terrain éveux. Fondrière.
— Fagne. Tourbière. Varaigne. Noue. — Prés
salés. Laisses de mer. — Jonchaie. — Bas-
fond. — Chott. Toundras.

MARAVÉDIS, m. V. *monnaie.*
**Marbre,** m. V. *pierre, sculpture, imprimerie.*
MARBRER. Marbrier, m. V. *marbre.*
MARBRIÈRE, f. V. *carrière.*
MARBRURE, f. V. *raie.*
MARC, m. V. *résidu, presse.*
MARCASSIN, m. V. *sanglier.*
MARCASSITE, f. V. *bijou.*

MARCHAND, m. V. *acheter, vendre.*
MARCHANDER. V. *économie.*
**Marchandises,** f. V. *commerce, boutique.*
MARCHE, f. V. *marcher, promenade, manœuvres, escalier, province.*
**Marché,** m. V. *commerce, convention, prix.*

MARCHEPIED, m. V. *échelle, banc, voiture.*
**Marcher.** V. *pied, allure, progrès.*
MARCHETTE, f. V. *piège.*
MARCHEUR, m. V. *marcher.*
MARCOTTE, f. V. *vigne, planter.*
MARDI, m. V. *mars.*
MARE, f. V. *eau.*

---

**Travail au marais.** — Assainir, assainissement. Drainer, drainage, drain. — Colmater, colmatage, colmates (terres apportées). — Dessécher, desséchement. Limer (un marais salant).

Récolte du sel. Paludier. — Paludiculture. Cultiver un marais. Culture maraîchère. Maraîcher. — Extraction de la tourbe.

**Qui a trait au marais.** — Paludéen. Palustre. — Marécageux. Fangeux. Bourbeux. — INCULTE. Infect.

Paludisme. Fièvres. Hélode. — Exhalaisons. Puanteur. Miasmes. Gaz délétères. — Fange. BOUE. Humidité. Bourbe. TOURBE.

### MARBRE
(latin, *marmor*)

**Sortes de marbre.** — Veiné. Jaspé. Grené. Diapré. Ruiniforme. — Blanc. Noir antique. Vert. Vert de mer. Vert de Corse. Vert d'Egypte. Vert Campan. Bleu. Bleu antique. Bleu turquin. Fleur de pêcher. Rouge antique. Œil de paon. Jaune antique.

Marbre de Babalcaire, d'Auvergne, de Sainte-Baume, de Boulogne, du Bourbonnais, du Languedoc, de Nouette, de Paros, du Pentélique, de Carrare, etc.

Brèche violette, rose, jaune, arlequin, portor, grisée, tigrée, de Damas, de Memphis, d'Alep, de Dourlais, etc. — Lamachelle d'Astrakan, opaline, champenoise. — Granitelle. — Onyx. — Porphyre rouge, vert. — Jaspe. — Ophite. — Rosato. — Griotte. — Cipolin. — Campan. — Brocatelle d'Espagne, de Trapani. — Turquin. — Sauveterre. — Tarso. Sarrancolin.

Albâtre. Gypse. Calcaire. Liais.

**Travail du marbre.** — Marbrière (carrière). — Marbrerie. Marbrier. Marmoraire. — Marbre brut, ébauché, taillé. — Mosaïque. Incrustation. Marqueterie. Statuaire. Dessus de meuble. — Taille, tailler. Rabattre. Polir. Egriser. — Rabot. Sciotte. Graillons. — Marbrer, marbré. Marmoréen. — Stuc, stucateur. Simili-marbre.

VEINE. Bloc. Plaque. Grain. — Défauts. Fil, filardeux. Terrasse, terrasseux. Clou. — Marbre fier (qui ne s'égrène pas), pouf (qui se pulvérise).

### MARCHANDISES

**Marchandises.** — Fonds de COMMERCE. Marchandises. — Denrées. Produits. — Articles. Collections. Assortiment. Stock. — Nouveautés. — Fournitures. — Camelote. Pacotille. — Friperie. Bric-à-brac. Brocante. —

Occasions. Soldes. — Rossignol. Laissé pour compte.

**Commerce.** — Manutention. Magasinage, emmagasiner. Entrepôt. Entreposer. — Tenir. Exporter, exposition. Etaler, étalage, étalagiste. — MAGASIN. Comptoir. Rayon. — Mettre en vente. Etiquette. Prix courant. Catalogue. Prospectus. — Vendre, vendeur. Débiter. Détailler. Placer. — Emballer, emballage. Livrer, livraison. Fournir, fournisseur. — Client, clientèle. Achats. Emplettes. Facture.

**Transport.** — Provenance. Importation. Exportation. — Expédier, expédition, expéditeur. Lettre de voiture. Connaissement. — Charger, décharger. Embarquer, débarquer. — Cargaison. Fret. Chargement. Vrac. — Messageries. Colis. Colis postal. Paquet. Balle. — Transporter. Transit. — Entreposer. Entrepôt. Dock.

### MARCHÉ et FOIRE

**Marchés.** — Halle. Marché. Bazar. Souk. — Champ de foire. Carreau. Carré. Apport. — Place. Baraque. — Forum. Agora. Etal. — Hallage. Droit de place. Marché franc. — Criée. Mercuriale.

**Foire.** — Foire. Lettres de foire. Marché. Ducasse. Kermesse. Férie. Lendit.

**Gens de marchés.** — Marchand. Marchand forain. — Colporteur. Camelot. — Hallier. Etalier. Facteur. Fort. — Mandataire. Crieur. — Dame de la halle. Poissarde.

**Contrat.** — Devis et Marchés. — Marché à forfait. Marché ferme. Marché à terme, à livrer. Agents de change. Agiotage. Spéculation. — Marché administratif. Marché de fournitures et transport. — Adjudication. Soumission cachetée. Marché de gré à gré. Cahier des charges. Marché type. Marché d'urgence ou par défaut. — Cautionnement. — Travaux publics.

### MARCHER
(latin, *ambulare* et *gradi*)

**Gens qui marchent.** — Marcheur. Ambulant. Coureur. — Promeneur. Flâneur. Rôdeur. Allant et venant. — Piéton. Fantassin. — Voyageur. Excursionniste. Touriste. Boy-scout. — Nomade. Trimardeur. Chemineau. — Trottin. Saute-ruisseau. — Noctambule. Somnambule.

**Allure.** — Pas. Enjambées. Foulées. — Pas ordinaire. Pas accéléré. Pas gymnastique. Pas de course. Pas de PROCESSION. — A

MARÉCAGE, m. Marécageux. V. *marais, boue.*

**Maréchal,** m. V. *forge, cheval, officier.*

MARÉCHALERIE, f. V. *maréchal.*

MARÉCHAUSSÉE, f. V. *garde, police.*

MARÉE, f. V. *flux, poisson.*

MARELLE, f. V. *jeu.*

MAREMME, f. V. *marais.*

MAREYEUR, m. V. *poisson.*

MARGARINE, f. V. *graisse.*

MARGE, f. V. *page, bord, étendue.*

MARGELLE, f. V. *puits.*

MARGEUR, m. V. *imprimerie.*

MARGINAL. V. *bord.*

MARGINER. V. *bord.*

MARGOTIN, m. V. *bois.*

MARGRAVE, m. V. *Allemagne.*

MARGUERITE, f. V. *fleur.*

MARGUILLIER, m. V. *église.*

MARI, m. V. *mariage.*

**Mariage,** m. V. *joindre, accord, sacrement, cartes.*

MARIÉ. Marier. V. *mariage.*

MARIN. V. *mer, matelot, marine.*

MARINADE, f. V. *épice.*

---

grands pas. A petits pas. Pas à pas. A pas de loup. A pas de géant. A pas de tortue. — Marche. Bon pas. Marche forcée. — Emboîter le pas. Presser le pas. Doubler le pas. — Aller clopin-clopant. Se traîner. — Trotter menu. Trottiner. — Boiter. Boitiller. Sautiller. A cloche-pied.

Démarche. Dégaine. — Erre. Aller grand erre. — Ingambe. — Digitigrade. Plantigrade. Tardigrade. — Podomètre.

**Genre de marche.** — Marcher. Cheminer. Faire du chemin. — Aller et venir. Arpenter. Se déplacer. Circuler. — Se promener. Errer. Flâner. Rôder. — Se hâter. COURIR. Détaler. Filer. — Avancer. Foncer. — Passer. Traverser. Franchir. — Evoluer. Défiler. — Monter. Descendre. — Piétiner. Clopiner. — Patauger.

**Lieux de marche.** — Rue. Route. CHEMIN. Sentier. — Promenade. Cours. Parc. Promenoir. — Allée. Passage. Trottoir. — Campagne. Champs. Bois.

**Direction.** — S'en aller. Se mettre en route. Partir. — Se porter en avant. Faire route. Porter ses pas. S'élancer. — Prendre tel chemin. S'acheminer. — Couvrir une DISTANCE. — Aller à. Se diriger vers. Gagner un point. — Pousser jusqu'à. Se rendre à. Cingler vers. — Passer par. Traverser. Parcourir. — Voyager. Aller par monts et par vaux. — Arriver. Parvenir. Atteindre. Venir. — Dépasser. Frayer le chemin. — S'en retourner. Reculer. Rétrograder.

Battre la campagne, l'estrade, la plaine, le pavé, etc.

**Objet de la marche.** — Route. Chemin. — Course. Trotte. Etape. — VOYAGE. Journée. — Tour. Excursion. Déplacement. Promenade. — Traite. Trajet. Itinéraire. Parcours. — Départ. Arrivée. — Aller. Retour. — But. Distance. — Progression. Circulation. Locomotion. — Sport. Flânerie.

## MARÉCHAL

**Outillage.** — Forge. Tricoises (tenailles). Etampe. Mandrin. — Brochoir (marteau). Poinçon. Ferretier. — Rogne-pied. Cure-pied. Repoussoir. Rénette. Bute. Boutoir. Paroir. — Brûle-queue. — Travail (machine). — Ferrière (sac).

**Fers.** — Fer à cheval. Rives (du fer). Mamelles. Quartiers. Branches. Rivet. Crampon. Eponge. Mouche. Pince. Pinçon. Ajusture. Etampure.

Fer à demi. Fer barré. Fer à l'anglaise. Fer à lunette. Fer à pantoufle. Fer à planche. Fer à patin. — Fer étampé maigre, étampé gras. — Ferrure à la française, à la hongroise, à la polonaise. — Ferrure à glace. — Locher (branler).

**Travail.** — Maréchalerie. Maréchal ferrant. — Forger. Genéter. Etamper. — Ferrer, ferrement, ferrage. — Déferrer. Referrer. — Parer (la corne). Blanchir. Rénetter. — Dessoler. Désergoter. Désenclouer. — Brocher (clouer). River. Rasseoir un fer (reclouer). — Piquer (blesser). Enclouer, enclouure.

## MARIAGE

(latin, *matrimonium;* grec, *gamos*)

**Le mariage.** — Mariage. Intermariage. Union. Alliance. Lévirat (union avec bellesœur). — Hymen. Hyménée. Epousailles. Noces. *Conjungo.* — Mariage d'amour, d'argent, de raison, d'intérêt, de convenance. — Mariage *in extremis.* — Mariage morganatique. — Beau mariage.

Se marier. Contracter un mariage. S'unir à. Epouser. Convoler. — Chercher femme. Prendre femme. — Faire une fin. — Se remarier. Secondes noces. — Se mésallier. Mésalliance.

**Les fiancés.** — Célibataire. Célibat. — Garçon. FILLE. — Fiancé, fiancée. Prétendant. Prétendu, prétendue. Accordée. Futur, future. — Un bon parti.

Faire sa cour. Le bon motif. — Demande en mariage. Promesse de mariage. — Fiançailles. Accordailles. — Bague de fiançailles. — Sommations respectueuses.

Nubile, nubilité. VIERGE, virginité. — Mariable. — Rester garçon ou fille. Coiffer Sainte-Catherine.

**Les mariés.** — Marié. Mari. Epoux. Homme. — Mariée. Femme. Epouse. Moitié. Compagne. Dame. Bourgeoise. Ménagère. — Conjoints. Couple. Consorts. Un jeune, un vieux ménage. — Noces d'argent. Noces d'or. Noces de diamant.

Monogame, monogamie. Bigame, bigamie. Polygame, polygamie. Les Mormons. Polyandrie. — Veuf, veuve, veuvage. Orbité. — Lien conjugal. Devoir conjugal. Foi conjugale.

Entrer en ménage. Chambre nuptiale. Lune de miel. — Etre bien ou mal assortis. Faire bon ou mauvais ménage. — Porter la culotte. — Cohabitation. Faux ménage. Concubinage. Union libre.

**Les parents.** — Père. Mère. Beau-père. Belle-mère. — Gendre. Beau-fils. Bru. Belle-fille. — Beaux-parents. Beau-frère. Belle-sœur.

**Marine,** f. V. *navire, port, peinture.*

MARINER. V. *cuisine, conserver.*

MARINGOUIN, m. V. *mouche.*

MARINIER, m. V. *bateau.*

MARIONNETTE, f. V. *automate.*

MARITAL. V. *mariage.*

MARITIME. V. *mer, marine.*

MARITORNE, f. V. *grossier.*

MARIVAUDAGE, m. Marivauder. V. *délicat, galant, affectation.*

MARJOLAINE, f. V. *plante.*

MARMAILLE, f. V. *enfant.*

MARMELADE, f. V. *fruit, cuire.*

MARMITE, f. V. *pot, cuire.*

MARMITEUX. V. *pauvre.*

MARMITON, m. V. *cuisine.*

MARMONNER. V. *murmure.*

MARMOT, m. V. *enfant.*

MARMOTTE, f. V. *quadrupède, sommeil, coiffure.*

MARMOTTER. V. *murmure.*

MARNE, f. V. *argile, craie.*

MARNER. V. *labour, flux.*

MARNEUX. V. *argile.*

MARONITE, m. V. *Christ.*

MARONNER. V. *murmure.*

MAROQUIN, m. Maroquinerie, f. V. *cuir, chèvre.*

MAROTTE, f. V. *chèvre, volonté, caprice, pensée.*

MAROUFLE, m. V. *vil.*

MAROUFLE, f. Maroufler. V. *colle, peinture.*

MARQUANT. V. *important.*

**Marque,** f. V. *note, avertir, apparaître.*

MARQUER. V. *marque, forêt, lettre, heure, gloire.*

MARQUETER. V. *marqueterie.*

---

Accorder la main. Donner son consentement. Agréer la demande. — Conclure un mariage. — Doter une fille. Dotation. — Etablir un jeune homme, une jeune fille. — Faire opposition.

**Coutumes.** — Mariage civil. La mairie. — Mariage religieux. Sacrement de mariage. Bénédiction nuptiale. Conduire à l'autel. — Publication de bans. Dispense. Faire-part. — Célébrer un mariage. Noce. Cérémonie nuptiale. — Cortège nuptial. Garçon d'honneur. Demoiselle d'honneur. — Bouquet. Voile. Couronne. — Chant nuptial. Epithalame. — Trousseau. Corbeille. Alliance. Bijoux. Cadeaux de noces.

**Statut légal.** — Union légitime. Légitimité. — Registre civil. Livret de mariage. Acte de mariage. — Contrat de mariage. Conventions matrimoniales. — Constitution de dot. Apport matrimonial. Biens paraphernaux. — Communauté de biens. Régime dotal. Acquêts. — Puissance maritale. — Donation mutuelle. — Douaire. — Gains de survie. Reprise. Usufruit.

Conditions du mariage. — Sexe. — Age. Capacité matrimoniale. — Dispense. — Limite d'âge. — Mariage *in extremis.*

Consentement. — Rapt de séduction. — Erreur sur la personne.

Ascendants. — Actes respectueux. — Sommation. — Signification. — Notification. — Puissance paternelle. — Tuteur. — Empêchement prohibitif, dirimant.

Etat civil. — Publicité. — Publication. — Acte d'état civil. — Célébration.

Nullité absolue, relative. — Inexistence. Mariage putatif. — Cohabitation. — Impuberté. — Bigamie. — Inceste. — Filiation. — Assistance. — Pension alimentaire. — Obéissance.

**Rupture.** — Rompre une union. Séparer, séparation. Séparation de biens, de corps. — Se séparer. Divorcer, divorce. Répudier, répudiation. — Dissolution du mariage, de la communauté.

Tromper. Trahir. Déshonorer. — Infidélité. Cocuage. Adultère. Flagrant délit. Incompatibilité d'humeur.

## MARINE

**Etablissements.** — Port de guerre. Port de commerce. — Rade. Bassins. Quais. —

Chantiers maritimes. Constructions navales. — Base navale. Arsenal maritime. Parcs. Magasins. Ateliers. — Armement. Désarmement. Réserve.

**Organisation.** — Marine de guerre. Marine marchande. — Préfecture maritime. — Inscription maritime. Equipages de la flotte. Marins. Navigateurs. — Ecole navale. — Génie maritime. Ecoles d'hydrographie. — Hôpitaux maritimes. — Contrôle. Commissariat.

**Forces navales.** — Escadre. Escadrille. Flotte. Flottille. — Aviation navale. — Défense des côtes. Défense sous-marine. — Tactique navale. Evolutions. Expéditions. — Manœuvres. Appareillage. Croisière. — CORSAIRE. Armer en course.

**Personnel.** — Amiral. Vice-amiral. Contre-amiral. — Capitaine de vaisseau, de frégate, de corvette. — Lieutenant de vaisseau. Enseigne. Aspirant. — Premier maître. Second maître. Quartier-maître. — Officiers mécaniciens, médecins, commissaires. — Marins brevetés. Timonier. Canonnier. Mécanicien. Torpilleur. Fusilier.

Capitaine au long cours. Second. Lieutenant. Midship. Maître d'équipage. V. NAVIRE.

## MARQUE

**Empreinte.** — Empreindre. Graver, gravure. Imprimer, impression. — Estamper, estampage, estampille. — Frapper une monnaie. Frappe. — Sceller, SCEAU, scellé. Timbrer, timbre, timbrage. Plomber, plombs. Cacheter, cachet. — Contrôle (des métaux). Poinçon, poinçonner, poinçonnage. — Coin. Marqué au bon coin. Etalonner un poids. Marquer des animaux, marque. Flâtrer un chien. Ferrer un bœuf, ferrade. — Fer chaud. Estranguille. — Marteler un arbre. Rotoquer (un arbre). Rouanner (un tonneau). — Flétrir un forçat. Stigmate, stigmatiser.

Marque indélébile, ineffaçable. Cicatrice. Tatouage, tatouer. — TRACE. Piste. Vestige. Sillage. Brisées. Foulées. — Pointer, pointage. Faire une croix.

**Indication.** — Poteau indicateur. Borne. Flèche. Main. — Enseigne, emblématique. INSIGNES. Drapeau. Couleurs. Livrée. — Indice. Astérisque. Lettrine. Renvoi. Sigle. — Enseigne. Etiquette. Légende. — Marque distinctive. Caractéristique. Numéro, numéroter,

*Marqueterie*, f. V. *tabletterie, varié.*
MARQUETTE, f. V. *cire.*
MARQUIS, m. V. *noble, chapeau.*
MARQUISE, f. V. *noble, abri.*
MARRAINE, f. V. *baptême.*
MARRI. V. *chagrin, regret.*
MARRON, m. V. *châtaigne, couleur, pyrotechnie, contrebande.*
MARRONNIER, m. V. *châtaigne.*
*Mars*, m. V. *dieu, planète, mois.*

MARSEILLAISE, f. V. *république.*
MARSOUIN, m. V. *cétacé.*
MARSUPIAUX, m. p. V. *animal.*
*Marteau*, m. V. *forge, porte.*
MARTEAU-PILON, m. V. *fonderie.*
MARTELER. V. *marteau.*
MARTIAL. V. *Mars, brave.*
MARTIEN, m. V. *Mars.*
MARTINET, m. V. *hirondelle, fouet, fonderie.*
MARTINGALE, f. V. *jeu, harnais.*

MARTIN-PÊCHEUR, m. V. *oiseau.*
MARTRE, f. V. *fouine.*
*Martyr*, m. V. *souffrir, saint.*
MARTYRE, m. V. *supplice.*
MARTYROLOGE, m. V. *histoire.*
MARXISME, m. V. *commun.*
MASCARADE, f. V. *masque, bouffon, carnaval.*
MASCARET, m. V. *flux, rivière.*
MASCARON, m. V. *architecture.*
MASCULIN. V. *mâle, grammaire.*

---

numérotage. Cote. — Jalon, jalonner. — Jeton. Fiche. TACHE. — Note, notation, noter. Coche. ENTAILLE. — Remarque. Repère. Ruiler. — Signe. Signet. Page cornée. — Trait. Souligner. Ponctuation, ponctuer. — Attribut. Symbole, symbolique, symboliser. Figurer, figuratif.

**Symptôme.** — Indication médicale. Contre-indication. Coïndication. Donner indice. Accuser. — Symptôme, symptomatique. Symptômes fugaces. — Epigénèse (symptôme accidentel). — Manifestation. Epiphénomène. Prodrome. — Diagnostiquer, diagnostic. Présumer, présomption.

**Signalisation.** — Signaler, signal, signalétique. Indiquer. Mettre sur la voie. — Faire voir. MONTRER. — Désigner, désignation. Mettre en évidence. — Signifier, signification, significatif.

Sémaphore, sémaphorique. Télégraphe, télégraphique. Timonerie. — Borne. Poteau indicateur. Flèche. Ligne de démarcation. — GESTES. Cris. — Amers. Balise, balisage, baliser. Bouée. Bonneau (d'ancre). — Feux. Fumée. Fusée. — Sirène. Trompe. Sonnerie. Batterie. — Mot d'ordre, de passe, de ralliement.

**Annonce.** — Annoncer. Apprendre. Avertir, avertissement. — Donner à entendre. Révéler. Dénoncer. Déceler. Délateur — Exprimer, expressif — Pronostiquer, pronostic. Présager, présage. Augurer, augure. Auspices. — Exhaler, exhalaisons. Effluves. — Menacer ruine. Sentir la misère.

### MARQUETERIE

**Sortes.** — Application. Appliques. Placage. — Incrustation. Damasquinerie. — Marqueterie. Marqueterie de Boule. — Pièces de rapport. Tabletterie. Damier. — Mosaïque. Rocaille.

**Travail.** — Appliquer. Plaquer. Contreplaquer. — Incruster. Damasquiner. — Rapporter. Enchâsser. Emboîter. Coller.

Marqueteur. Tabletier. Ebéniste. — Mosaïste. — Compartiments. Feuilles. Placage. Zones. Parquet. Pavage.

### MARS

**Qui concerne Mars.** — Dieu de la guerre. — Mars (à Rome). *Mars gravidus.* Prêtres

saliens. — Arès (en Grèce). Aréopage, aréopagite. — Martial. — Mardi. — Mois de mars. Champ de Mars.

La planète Mars. Martien.

### MARTEAU

**Sortes.** — Marteau. — Martoire (à 2 pannes). Esse (à tête ronde). Marteau à deux têtes. — Massue. Masse. Machelote. — Mailloche. Maillet. Maillotin. — Merlin. Bloc. — Batte. Battoir. Tapette. — Pilon. Hie. — Casse-tête. Casse-motte. Casse-pierre. — Pic. Pioche. Poinçon. — Heurtoir. Battant. Jaquemart.

Bigorne (tanneur). — Billard, Chassoir et Utinet (tonnelier). — Brochoir et Ferretier (maréchal). — Couperet et Epinçoir (paveur). — Laie et Smille (maçon). — Assette (couvreur). — Flattoir (monnayeur). — Besaiguë (vitrier). — Décognoir (imprimeur). — Longuet (luthier). — Marteline (sculpteur). — Pannoir (épinglier). — Patarasse (calfat). — Piffre (batteur d'or). — Rabattoir (chaudronnier). — Renard (sabotier). — Taillet (forgeron).

**Parties.** — Manche. Tête. Panne. Brée. Mortaise. Œil. — Taillant. Pince. Biseau. Pointe.

**Usage.** — Battre. Marteler, marteleur. Ecrouir. — Forger. — Cogner. Frapper. Assommer. — Billarder. Layer. Mailler. Maillocher. Pilonner. Piocher. Poinçonner. River. Smiller. — Rabattre. Retreindre, retreinte. Planer. Lanter. Travaillé au marteau. Ductile. Malléable.

### MARTYR

**Le martyre.** — Un martyr. Une martyre. — Témoin de la foi. Confesseur de la foi. Défenseur de la foi. — SAINT. — Protomartyr (saint Etienne).

Endurer, souffrir le martyre. — Répandre son sang. Donner sa vie. — Baptême du sang. — Palme, couronne, auréole du martyre. — Ere des martyrs. Martyrologe. Catacombes. Martyrium (église).

**Persécution.** — Persécuter, persécuteur. — Martyriser. Torturer, tortures. — Supplices. Décollation. Lapidation. Crucifier. Exposer aux bêtes. Brûler vif.

**Masque**, m. V. *visage, carnaval, escrime, faux.*

MASQUER. V. *couvrir, cacher.*

MASSACRE, m. Massacrer. V. *tuer, combat, cerf.*

MASSAGE, m. V. *frotter.*

MASSE, f. V. *amas, poids, nombre, peuple, marteau, armes.*

MASSEPAIN, m. V. *amande.*

MASSER. V. *amas, joindre, frotter.*

MASSÉTER, m. V. *mâchoire.*

MASSICOT, m. V. *plomb, relieur.*

MASSIER, m. V. *université.*

MASSIF. V. *solide, grossier, arbre, fleur.*

MASSUE, f. V. *bâton, armes, marteau.*

MASTIC, m. V. *ciment.*

MASTIQUER. V. *mâchoire, bouche.*

MASTOC. V. *gros.*

MASTODONTE, m. V. *fossile.*

MASTOÏDE. V. *os, tête.*

MASTROQUET, m. V. *auberge.*

MASURE, f. V. *maison.*

MAT. V. *teint, terne, pâle.*

MAT, m. V. *échecs.*

**Mât**, m. V. *bateau, voile, aéronautique.*

MÂTAGE, m. V. *mât.*

MATAMORE, m. V. *affectation.*

MATCH, m. V. *combat, spectacle, rival.*

MATÉ, m. V. *boisson.*

MATELAS, m. V. *lit.*

MATELASSER. V. *bourre, garnir.*

**Matelot**, m. V. *marine.*

MATELOTE, f. V. *anguille.*

MATER. V. *vainqueur, humilité.*

MÂTER. Mâtereau, m. V. *mât.*

MATÉRIALISME, m. V. *philosophie.*

MATÉRIALITÉ, f. V. *matière.*

MATÉRIAU, m. Matériaux, m. p. V. *bâtir, architecture.*

MATÉRIEL. V. *matière, grossier.*

MATÉRIEL, m. V. *outil.*

MATERNEL. V. *mère, bon.*

MATERNITÉ, f. V. *génération, enfant, hôpital.*

MATHÉMATICIEN, m. Mathématique. V. *mathématiques.*

**Mathématiques**, f. p.

**Matière**, f. V. *nature, constituer, corps, principe, question, industrie.*

---

## MASQUE

**Masques.** — Masque. Loup. Cagoule. Touret de nez. — Faux nez. Nez de carton. — Masque d'escrime, de théâtre, de laboratoire. — Muselière.

**Mascarade.** — Carnaval, carnavalesque. — Bal masqué, costumé, travesti. — Travestissement. Domino. Déguisement. — Se déguiser. S'habiller en. — Se masquer. Intriguer.

Travesti. Masque. Carême-prenant. Chien-lit. — Arlequin. Polichinelle. Pierrot. Titi. Chicard. Sauvage. Peau-rouge. Apache. Folie. Costumes divers, etc.

## MÂT

**Sortes de mâts.** — Mâture. Grand mât. Mât de misaine. Mât d'artimon. Beaupré. Bout-dehors. — Mâtereau. Mât à brisures. Mât à pible. Mât de fortune. Mât de rechange. — Bas mât. Mât de hune. Mât de perroquet, de cacatois, de perruche. — Tourmentin. Trinquet. Tape-cul. Arbre de mestre. Corne d'artimon. Mât de pavillon. Bâton de foc, de clin-foc. — Antenne. Vergue.

**Pièces de mâture.** — Agrès. Gréement. VOILE. Pavillon. Flamme. — Pied de mât. Carlingue (du grand mât). Emplanture. Coussin de beaupré. Pomme. — Flèche. — Assemblage. Capelage. Chouquet. Couche. Longis. Mèche. Jottereaux. Jumelles. Espars. — Etais. Haubans. — Galhaubans. — Hune. Gabie. — Clef. Croisette. Collier.

**Qui concerne les mâts.** — Machine à mâter. Mâter, mâtage. — Arborer un mât. Démâter. — Capeler. Enliouber. Palmage. — Guinder un mât. Réclamper. — Gabier.

## MATELOT

**Matelots.** — Marin de l'Etat. Marin du commerce. Gens de mer. — Marin. Novice. Pilotin. Mousse. Aide. — Marinier. Batelier. — Loup de mer. Mathurin. — Lascar. Laptot. — Pilote. Lamaneur. Patron de chaloupe.

Chiourme (sur les galères). Rameur. Bonnevoglie. Rémolar.

**Vie à bord.** — Gabier. Timonier. Mécanicien. Arrimeur. Charpentier. Voilier. Calfat. Cambusier. Coq.

Bordée. Bâbordais. Tribordais. Vigie. — Quart. Faire le quart. Rendre le quart.

**Vêtements.** — Sac. Quintelage (bagage). Vareuse. Béret. Caban. Suroît. Cirage. Bottes de mer.

**Armement.** — Equipage. — Capitaine. Second. — Maître d'équipage. Subrécargue. Maistrance.

Monter un bâtiment. Emmariner. Rôle d'équipage. — Maréage (salaire). Avances. — Amateloter. Matelotage.

## MATHÉMATIQUES

**Sciences mathématiques.** — Mathématiques pures, élémentaires, spéciales, mixtes, appliquées.

*Mathématiques pures.* Arithmétique. ALGÈBRE. — GÉOMÉTRIE. Géométrie analytique. Calcul infinitésimal. — Mécanique. — Logarithmes.

Différentielle. Intégrale. Dérivée. — Quadrature. — Fonction. Variation. Maxima. Minima.

*Mathématiques appliquées.* Arithmétique commerciale. — Opérations financières. — Calcul des probabilités. — Géométrie descriptive. — Arpentage. — Géodésie. — Perspective. — Trigonométrie. Stéréotomie. — Fortification. — ASTRONOMIE. Mécanique céleste. — Physique mathématique. — Résistance des matériaux. — Balistique. — Gnomonique.

## MATIÈRE

(latin, *materia*; grec, *hylê*)

**Etude de la matière.** — PHYSIQUE. Chimie. Mécanique. — Physiologie. Histologie. Micrographie. — Hylologie. Atomisme. — Matérialisme. Naturalisme. Positivisme. Sensualisme. Transformisme.

**Matin,** m. V. *jour, temps.*
**Mâtin,** m. V. *chien.*
**Matinal.** V. *matin.*
**Matinée,** f. V. *jour.*
**Matines,** f. p. V. *liturgie.*
**Matineux.** V. *réveil.*
**Matois.** V. *ruse.*
**Matou,** m. V. *chat.*
**Matraque,** f. V. *bâton.*
**Matras,** m. V. *chimie, bouteille.*
**Matrice,** f. V. *génération, moule, médaille, registre.*
**Matricule,** m. V. *état, compte.*
**Matrimonial.** V. *mariage.*

**Matrone,** f. V. *femme, accouchement.*
**Maturation,** f. V. *mûr, préparer.*
**Mâture,** f. V. *mât.*
**Maturité,** f. V. *mûr, âge.*
**Matutinal.** V. *matin.*
**Maudire.** V. *mal, blâme, excommunier.*
**Maugréer.** V. *plainte, répugnance.*
**Maure,** m. Mauresque, f. V. *Arabes.*
**Mausolée,** m. V. *funérailles.*
**Maussade.** V. *chagrin, hargneux.*

**Mauvais.** V. *mal, méchant, médiocre, goût.*
**Mauve.** V. *couleur.*
**Mauviette,** f. V. *alouette.*
**Maxillaire.** V. *mâchoire, os.*
**Maxime,** f. V. *dire, mœurs, diriger.*
**Maximum,** m. V. *limite, degré, prix.*
**Mazagran,** m. V. *café.*
**Mazette,** f. V. *maladresse.*
**Mazurka,** f. V. *danse.*
**Méandre,** m. V. *rivière.*
**Méat,** m. V. *canal.*
**Mécanicien,** m. V. *machine.*
**Mécanique,** f. V. *force.*

---

**Etats de la matière.** — Etats matériels. Etat solide, liquide, gazeux. — Solides. Fluides. Vapeurs. Gaz. — Matière pondérable, impondérable, subtile, inanimée, organique. — Atome. Molécule. Cellule. Noyau. Electron. Ion.

Nature. Univers. Créatures. Espèces. — Eléments. Principes. — Substance. Substratum. Accidents. — Corps. Corpuscule. Combinaison. Agrégation. Désagrégation. — Règne animal, végétal, minéral. — Matières premières.

**Propriétés.** — Affinité. — Cohésion. — Corporéité. — Divisibilité. — Elasticité. — Etendue. — Gravitation universelle. — Inertie. — Pesanteur. — Résistance. — Solidité. — Volume. — Tomber sous les sens. Matérialité.

**Matière à traiter.** — Affaire. — Argument. — Article. — Base. — But. — Canevas. Champ. — Chapitre. — Chef. — Chose. — Corps du délit. — Fond. — Fondement. — Le hic. — Le point. — Matériel. — Matériaux. — Objet. — Objectif. — Programme. — Quintessence. — Question. — Thème. — Terrain. — Texte. — Table des matières ou Index. Rouler sur. Concerner. Avoir trait à. Porter sur. Se rapporter à. Regarder. — Prêter à. Donner lieu à. Donner matière à. — S'agir de.

Sur ce sujet. A cet égard. Là-dessus. A l'endroit de. Pour ce qui est de. A propos de. Quant à. — En substance. Il y a de quoi.

**Mise en œuvre.** — Agiter une question. S'occuper de. Mettre sur le tapis. — Entrer en matière. Revenir sur. Epuiser un sujet. Approfondir. — Traiter. Discuter. Parler de. — Toucher un sujet. Effleurer. Faire allusion.

## MATIN

**Le matin.** — Aube. Aurore. Grand matin. — Petit jour. Point du jour. Pointe du jour. — Matinée.

De bon matin. De bonne heure. Au soleil levant. Au chant du coq, de l'alouette. Dès potron-minet.

**Choses du matin.** — Aubade. La diane. Matines. — Rosée du matin. Etoile du matin. Lucifer. — Réveille-matin. — Lever.

Saut du lit. Grasse matinée. — Déjeuner. Toilette du matin.

S'éveiller. Se réveiller. — Se lever. — Etre matinal. Etre matineux. — Déjucher (oiseaux).

## MAUDIRE
(latin, *maledicere*)

**Malédictions.** — Maudire. Proférer des malédictions. Maudit. — Appeler la colère de Dieu. Vouer aux furies. — Excommunier, excommunication. Frapper d'anathème. Damner, damnation. — Exécrer, exécration. Imprécation, imprécatoire. Déprécation. — Vouer à tous les maux. Incantation. Sorts. Envoûtement. — Chasser de la maison paternelle. Déshériter.

**Paroles hostiles.** — Blasphème. Blasphémer. Blasphémateur. Blasphématoire. — Envoyer à tous les diables. Haïr. Détester. — Huer. Siffler. Honnir. Crier haro sur. — Clameurs. Huées. — Maugréer. Pester. Jurer. — Injurier, injure.

Maudit, sacré, honni soit. — Peste soit de. Que la peste t'étouffe. Malepeste. — Malheur à. A la malheure. — Mort à. A bas.

## MAXIME

**Pensée populaire.** — Adage. Proverbe, proverbial. Parémie (expression proverbiale), parémiaque. — Lieu commun. Sagesse des nations. Voix du peuple. — Sentence, sentencieux. — Dicton. Un dit. Un dire. — Expression consacrée.

**Pensée concise.** — Ana. Aphorisme, aphoristique. — Apophtegme. — Article de foi. — Axiome. — Devise. — Dogme, dogmatique. — Epigraphe, épigraphique. — Formule. — Généralité. — Gnome, gnomique. — Inscription. — Légende. — Moralité. — Bon mot. — Oracle. — Paradoxe, paradoxal. — Pensée mémorable. — Précepte. — Principe. — Thèse. — Trait d'esprit.

## MÉCANIQUE

**Forces.** — Force d'inertie, d'agrégation, de torsion. — Force accélératrice, axifuge, axipète, centrifuge, centripète, motrice, re-

MÉCANISME, m. V. *machine, habitude.*

MÉCANOTHÉRAPIE, f. V. *blessure.*

MÉCÈNE, m. V. *protéger, art.*

MÉCHANCETÉ, f. V. *méchant.*

**Méchant.** V. *mal, nuire, péché, médiocre.*

MÈCHE, f. V. *lampe, chandelle, fouet, cheveu, percer.*

MÉCHER. V. *tonneau.*

MÉCOMPTE, m. V. *calcul, mal, erreur.*

MÉCONNAISSABLE. V. *changer.*

MÉCONNAÎTRE. V. *injuste, ignorance.*

MÉCONNU. V. *inconnu.*

MÉCONTENT. Mécontentement, m. Mécontenter. V. *déplaire, fâché.*

MÉCRÉANT, m. V. *impie.*

**Médaille,** f. V. *gravure, insignes, amulette, récompense.*

MÉDAILLEUR, m. Médaillier, m. V. *médaille.*

MÉDAILLON, m. V. *bijou, portrait, architecture.*

---

tardatrice, vive, morte, centrale, constante. — Forces composantes, conspirantes.

Décomposition des forces. Centre des forces. Parallélogramme des forces. — Point d'application d'une force. Origine. Axe. Centre de gravité.

Mesure des forces. Dynamomètre. Dynamie. Dyne. Atmosphère. Cheval. Kilogrammètre. Tonne-mètre.

**Actions mécaniques.** — Travail mécanique. — Action. Réaction. — Equilibre. Equilibre stable, instable, indifférent. — Composition de mouvement. — Résultante. — Puissance. — Rendement. — Oscillation. — Inertie. — Frottement. — Glissement. — Moment. — Trajectoire. — Excentration. — Automatisme, automate.

**Mouvements.** — MOUVEMENT uniforme, varié, irrégulier, accéléré, retardé, périodique, constant, perpétuel, progressif, communiqué. — Centre de mouvement.

Percussion directe, perpendiculaire, oblique. — Centre de percussion.

Projection perpendiculaire, horizontale, oblique.

Transmission du mouvement. — Mobile. — Moteur. Moteur à vapeur, à l'électricité, à gaz, à vent, à eau. — Vitesse absolue, accélérée, retardée, uniforme.

**Sciences.** — Mécanique. Mécanique céleste. — Mathématiques appliquées. — Cinématique. — Dynamique. Dynamométrie. — HYDRAULIQUE. Hydrostatique. Hydrodynamique. — Statique. — Trocholique.

Génie. INDUSTRIE. — Ingénieur. Mécanicien. Technicien. — Ecoles spéciales. Ecoles Polytechnique, Centrale, des Arts et Métiers, techniques.

## MÉCHANT

**En paroles.** — Méchancetés. Médisant, médisance. — Calomnieux, calomnie. — Acerbe. Aigre, aigreur. Aigre-doux. Amer, amertume. — Mauvaise langue. Vipère. Harpie. Mégère. — Fielleux. Venimeux. — Malin. Malicieux. Espiègle. Taquin. — Mordant, mordacité. Caustique, causticité. Satirique. Incisif. Pince-sans-rire. — Epigramme. Trait acéré. Coup de boutoir. Méchant tour. — Avoir bec et ongles. Faire pièce à. Déchirer. Mordre.

**En actions.** — Agressif, agression. Cruel, cruauté. Brutal, brutalité. Violent, violence. Vindicatif, vengeance. — Brigand. Bandit. Criminel. Scélérat. Malfaiteur. — Vaurien. Chenapan. Pendard. Homme de sac et de corde. — Fléau du genre humain. Terreur. Peste. — Malfaisant. Malveillant. Malévole. Malintentionné. — Méchant. Démon. Diable incarné. — Carogne. Marâtre. Furieux, FUREUR. SAUVAGE, sauvagerie. — Félon, félonie. Traître. IMPIE, impiété. — Fripon, friponnerie. Polisson. Mutin.

**De caractère.** — Méchanceté. Malice. Malignité. Malveillance. Noirceur. — Mauvais esprit. — Mauvaise graine. Mauvaise herbe. Méchante drogue. Gale. Vilaine engeance. — Caractère infernal, insociable, insupportable, intraitable. Pervers, perversité. Injuste, injustice. Corrompu, corruption. Indigne, indignité. — Dépravé, dépravation. — Mauvais garnement. Indiscipliné. Rétif. Indocile. Incorrigible. — Energumène. Emporté. Colère. Endêvé. — Sournois, sournoiserie. Roué, rouerie. Rancunier, rancune. — Abominable. Détestable. Damnable. Damné. — Avoir le diable au corps. Diabolique. Endiablé.

## MÉDAILLE

**Eléments d'une médaille.** — Avers. — Champ. — Contremarque. — Cordon. — Corps. — Devise. — Disque. — Droit. — Effigie. — Empreinte. — Exergue. — Face ou Tête — Grènetis. — Initiales. — Inscription. — Légende. — Millésime. — Module. — Monogramme. — Nimbe. — Obvers. — Patine. — Revers. — Symbole. — Tranche. — Type.

**Sortes de médailles.** — Médaille. — Monnaie. Médaillon. — Jeton. — Méreau. — Plaque. — Pièce. — Quinaire (petit module).

Médaille bajoire (à deux têtes). Bractéate (à creux et relief). Contorniate (bord à rainure). Dentelée ou Crénelée. A fleur de coin (bien conservée). Incuse (gravée en creux). Jetée (fondue en sable). Martelée (frappée d'un côté après coup). Moulée. Restituée (reproduction). Saucée (en cuivre couvert d'argent).

Médaille antique. Bilingue. Anépigraphe ou Inanimée (sans inscription). — Laurée. Dendrophore. Cistophore. — Consulaire. Congiaire.

Médaille spéciale. Militaire. Coloniale. Commémorative. De mariage. — Consécration (médaille d'apothéose). Coronation (de couronnement). Victoriat (de victoire). Quadrige (avec empereur sur char).

Médaille fausse, imitée, contrefaite, padouane. — Médaille fourrée. — Médaille fruste (usée).

MÉDECIN, m. V. *médecine*.
**Médecine,** f. V. *maladie, guérir, anatomie.*
MÉDERSA, f. V. *Arabes.*
MÉDIAN. V. *milieu.*

MÉDIASTIN, m. V. *poumon.*
MÉDIAT. V. *entre.*
MÉDIATEUR, m. Médiation, f. V. *intervenir, négocier, réconcilier.*

MÉDIATISER. V. *féodal, indirect.*
MÉDICAL. V. *médecine.*
**Médicament,** m. V. *pharmacie.*

---

**Frappe.** — La Monnaie. Médailleur. — Frapper. Couler. Graver. Empreindre. Difformer. Tirer. Flan. — Matrice. Coin. Carré. — Poinçon. Marteau. — Balancier.

Bronze. Grand bronze. Petit bronze.

**Science.** — Numismatique, numismate. Médailliste. — Collection de médailles. Médaillier. — Discerner les médailles.

Exemplaire. Ectype (copie). Epoque. Période.

### MÉDECINE

**Médecins.** — Académie de médecine. La Faculté. — Médecin. DOCTEUR. Etudiant en médecine. Interne. Externe. — Disciple d'Esculape.

Médecin consultant. Praticien. Médecin des hôpitaux. Médecin légiste. — Chirurgien. — Oculiste. Auriste. Laryngologiste. — Gynécologue. Accoucheur. Sage-femme. — Neurologue. Psychiatre. Aliéniste. — Dentiste. — Radiologue. — Vétérinaire. — Spécialistes des maladies du cœur, du foie, du poumon, des voies urinaires, de la peau, du sang, des enfants, etc.

Empirique. Médicastre. Charlatan.

**Sciences médicales.** — ANATOMIE. — Biologie. — CHIRURGIE. — Etiologie. — Gynécologie. — Hématologie. — Neurologie. — Nosologie. — Ostéologie. — Otorhinolaryngologie. — Pathologie. — Physiologie. — Pneumologie. — Radiologie. — Séméiologie. — Somatologie. — Urologie.

**Méthodes.** — Allopathie. Homéopathie. — Auscultation. Palpation. Stéthoscopie. — Analyses médicales. Urocrisie. — Radioscopie. Radiographie. — Prophylaxie. Asepsie. Antisepsie. — Hygiène. Régime. — Thérapeutique. — Hydrothérapie. Sérothérapie. Métallothérapie. — Médication. Chimiatrie. Purgation. Saignée. — Intervention chirurgicale. Pansement. — Cure thermale.

**Profession.** — Médecine générale. — Médecine opératoire. — Spécialité. — Médecine légale. — Médecine vétérinaire. — Dentisterie.

Exercer. Pratiquer. Cabinet. — Visite. Consultation, consulter. — Examen, examiner. Diagnostic, diagnostiquer. — Ordonnance. Formuler. — Clinique. Opérer, opération. — Traiter. Soigner. GUÉRIR. — Honoraires.

### MÉDICAMENT
(grec, *pharmacon*)

**Manutention.** — PHARMACIE. Pharmacien. Préparateur. Conditionneuse. — Officine. Laboratoire. — Droguerie, droguiste. — Herboristerie, herboriste.

Codex. Pharmacopée. — Préparation, préparer. Ordonnances. — Industrie chimique. Produits pharmaceutiques. Spécialités.

**Application.** — Médicamenter. Droguer. — Administrer. Faire prendre. Appliquer. Doser. — Purger. Clystériser. Oindre. Frotter. Cautériser. Ventouser. Fumiger. Injecter. Instiller.

Prendre. Avaler. — Garder. Rendre. — Réagir.

**Nature.** — Médicament. Remède. Drogue. — Alcoolat. — Antidote. — Bandage. — Baume. — Boisson. — Bol. — Boule, boulette. — Cataplasme. — Cautère. — Clystère ou Lavement. — Collutoire. — Collyre. — Contre-poison. — Cordial. — Décoction. — Dentifrice. — Dilution. — Dissolution. — Electuaire. — Elixir. — Embrocation. — Emplâtre. — Emulsion. — Excipient ou Véhicule. — Extrait. — Fomentation. — Fumigation. — Gargarisme. — Gouttes. — Feuilles. — Fleurs. — Herbes ou Simples. — Huile. — Infusion. — Liniment. — Looch. — Lotion. — Mixture. — Moxa. — Onguent. — Opiat. — Panacée. — Pastille. — Pâte — Pessaire. — Philtre. — Pilule. — Poison. — Pommade. — Poudre. — Purge ou Médecine. — Rob. — Sachet. — Séton. — Sinapisme. — Sirop. — Suppositoire. — Tablette. — Teinture. — Tisane. — Topique. — Ventouse. — Vésicatoire. — Vomitif.

**Propriétés.** — Médicamentaire. Médicamenteux. — Abstersif. — Agglutinatif. — Anodin. — Antalgique. — Antiphlogistique. — Antiscorbutique. — Antiseptique. — Apéritif. — Astringent. — Atténuant. — Balsamique. — Calmant. — Cardiaque. — Carminatif. — Caustique. — Cicatrisant. — Céphalique. — Cholagogue. — Corrosif. — Curatif. — Dépuratif. — Dérivatif. — Désopilatif. — Détersif. — Dissolutif. — Dissolvant. — Diurétique. — Dormitif. — Echauffant. — Emollient. — Emphractique. — Epispastique. — Exulcératif. — Expulsif. — Externe. — Fébrifuge. — Flegmagogue. — Fortifiant. — Fumigatoire. — Hémagogue. — Hypnotique. — Incarnatif. — Interne. — Irritant. — Maturatif. — Mélanagogue. — Narcotique. — Palliatif. — Parégorique. — Pectoral. — Peptique. — Prophylactique. — Préservatif. — Ptyalagogue. — Purgatif. — Résolutif. — Révulsif. — Sédatif. — Soporifique. — Spécifique. — Sternutatoire. — Stimulant. — Styptique. — Sudorifique. — Suppuratif. — Stomachique. — Thermantique. — Tonique. — Traumatique. — Vermifuge. — Vésicant. — Vulnéraire.

**Principaux médicaments.** — Internes. Externes. Simples. Composés. Magistraux. Officinaux. Homéopathiques. Allopathiques. Chimiques. Galéniques.

MÉDICAMENTER. Médicamenteux. V. *médicament.*

MÉDICASTRE, m. V. *médecine.*

MÉDICATION, f. V. *maladie.*

MÉDICINAL. V. *médecine.*

**Médiocre.** V. *imparfait.*

MÉDIOCRITÉ, f. V. *médiocre, modeste, pauvre.*

MÉDIRE. Médisance, f. V. *nuire, accusation.*

MÉDITATION, f. Méditer. V. *pensée, réfléchir.*

MÉDITERRANÉ. Méditerranée, f. V. *terre, géographie.*

MÉDIUM, m. V. *magnétisme.*

MÉDIUS, m. V. *doigt.*

MÉDULLAIRE. V. *moelle.*

MÉDUSE, f. V. *polype.*

MEETING, m. V. *multitude, trouble.*

MÉFAIT, m. V. *injuste, mal, faute.*

MÉFIANCE, f. Méfier (se). V. *doute, défiance, précaution.*

MÉGALITHIQUE. V. *architecture.*

MÉGALOMANIE, f. V. *grand.*

MÉGARDE, f. V. *erreur, oubli.*

MÉGÈRE, f. V. *hargneux.*

MÉGIS. V. *cuir.*

MÉGISSERIE, f. Mégissier, m. V. *cuir, peau.*

MÉHARI, m. V. *chameau.*

MEILLEUR. V. *mieux.*

MÉLANCOLIE, f. Mélancolique. V. *noir, humeur, chagrin.*

---

*Internes.* — Fleurs pectorales ou quatre-fleurs. Poudre simple, composée. Poudre de cantharide, de rhubarbe, d'alun, de réglisse, laxative. Pulpe de tamarin. Sucs aqueux, sucrés, acides, herbacés. Sucs de cresson, de coing, de citron, d'orange, de nerprun, de framboise, de cerise. Sucs huileux, gommeux, balsamiques, gommo-résineux. Gomme adragante. Gomme arabique. Baume de Tolu. Baume du Pérou. Styrax. Encens. Myrrhe. Gomme-gutte. *Assa fœtida.*

Pilule. Granule. Bol. Capsule. Perle. Cachet. Comprimé. Pastille. Tablette

Pilules d'aloès, de quinquina, de cynoglosse, d'iodure ferreux, de carbonate ferreux, mercurielles, opiacées, de jusquiame, de valériane.

Granules d'aconitine, de digitaline, de strophantine. Bol aloétique. Dragée d'ergotine. Capsule de térébenthine. Capsuline. Perle d'éther. Comprimé d'aspirine, de rhubarbe. Cachet d'antipyrine, de pyramidon, d'aspirine, de théobromine Tablette de kermès, d'ipéca, de santonine, de calomel.

Hydrolat. Eau de fleur d'oranger, de menthe, de rose. Essence d'eucalyptus, de menthe, etc. — Alcoolat de mélisse, de fioravanti.

Hydrolés. Potions. — Tisane de thé, menthe, tilleul, quinquina, réglisse, gentiane, chiendent, orge, salsepareille. — Julep. — Limonade, tartrique, lactique, purgative.

Solutés. Liqueur de Fowler. Sérum. Ampoule de cacodylate de soude, de caféine, d'huile camphrée, de chlorhydrate de morphine, de novocaïne, de sérum physiologique, glucosé, bicarbonaté, gélatiné, d'eau de mer.

Alcoolés. Teinture d'arnica, de gentiane, de musc, d'iode, de kola, de valériane, de fèves de Saint-Ignace, de jalap. Laudanum. Teinture composée. Eau-de-vie allemande. Gouttes amères de Baumé.

Alcoolature d'aconit. Elixir de pepsine, de garus.

Vin de quinquina, de gentiane, de grenache, de colchique, de coca, de kola. Vin de scille composé, de digitale composé. — Vinaigre des quatre voleurs. — Huile phosphorée, camphrée, de jusquiame.

Sirop de morphine, de codéine, de digitale, d'éther, d'aconit, de limon, de style de maïs, de fleur d'oranger, de capillaire, iodotannique, de fumeterre, de gentiane, de polygala, de saponaire, de baume de Tolu, des 5 racines.

Mellite. Miel rosat. Oxymel scillitique. —

Saccharure de kola. — Pâte de guimauve, de jujube, pectorale, candie.

Extrait de chiendent, d'opium, de bile de bœuf, de cubèbe, de bourdaine, de cascara, d'hydrastis, d'hamamélis, de grindelia, de valériane, de sauge. Résine de scammonée, de jalap, de podophylle, de thapsis.

Collyre sec, mou, aqueux. — Collutoire. — Gargarisme. — Suppositoire. Ovule.

Injection hypodermique, intraveineuse, intramusculaire, intrarachidienne, intrapéritonéale, stomacale, rectale, vésicale, urétrale, vaginale, auriculaire, nasale.

Spécialités diverses.

*Externes :* Pommade camphrée, de bourgeon, de peuplier. — Onguent styrax, balsamique. — Cérat de Galien. — Glycéré d'amidon, au tanin. — Liniment de Rozen. — Baume Opodeldoch. — Emplâtre de Vigo. Diachylon. — Caoutchouc. — Sparadrap. — Sinapisme. — Cataplasme. — Potasse caustique. Pierre infernale. — Lotion de Goulard. — Crayon, bougie d'iodoforme. — Catgut. — Ligature. — Gaze. Gaze boriquée. — Tarlatane. — Coton aseptique, médicamenteux, hydrophile.

## MÉDIOCRE

**De valeur moyenne.** — Assez bien. Assez bon. Satisfaisant. — Suffisant. Passable. — Moyen. Médiocre. Modique. Modéré. — Acceptable. Supportable. Tolérable. — ORDINAIRE. Bourgeois.

Etre dans la moyenne. Etre entre les deux. Juste milieu. — Ni bien ni mal. Dont il n'y a rien à dire.

**Sans qualité.** — Banal. Commun. — Vulgaire. Trivial. — Faible. Chétif. — Pitoyable. Misérable. — Terne. Pâle. — Piètre. Piteux. — Menu. Mesquin. MINCE. — Fade. Insipide. — Insuffisant. Douteux. Manqué. — Nul. VAIN. — Grossier. Fait à la diable, à la douzaine, en série.

Qui ne vaut rien, pas tripette, pas un clou, pas grand-chose. De basse qualité. Méchant (mauvais).

Camelote. Drogue. Pacotille. — Rebut. Croûte. — Pleutre. Racaille

**Sans succès.** — Commun des mortels. Menu fretin. Homme de la rue. — Pauvre diable. Pauvre hère. — Cancre. Demi-savant. — Inférieur. Sous-ordre. — Utilité. Figurant. Comparse. Doublure.

**Mélange,** m. V. *joindre, différent, désordre, littérature.*
MÉLANGÉ. V. *plusieurs.*
MÉLANGER. V. *mélange.*
MÉLASSE, f. V. *sucre.*
MÊLÉ. V. *varié.*
MÉLÉAGRINE, f. V. *huître, perle.*
MÊLÉE, f. V. *combat, mélange.*

MÊLER. V. *mélange, différent, cartes.*
MÉLÈZE, m. V. *pin.*
MÉLISSE, f. V. *plante.*
MELLIFICATION, f. Melliflu. V. *miel.*
MÉLODIE, f. Mélodieux. Mélodique. V. *chant, musique.*
MÉLODRAMATIQUE. V. *emphase.*
MÉLODRAME, m. V. *théâtre.*

MÉLOMANE, m. V. *musique.*
MELON, m. V. *courge.*
MÉLOPÉE, f. V. *chant.*
MELPOMÈNE, f. V. *muse.*
**Membrane,** f. V. *fibre, enveloppe.*
MEMBRANEUX. V. *membrane.*
**Membre,** m. V. *corps, part, société.*
MEMBRÉ. Membru. V. *membre, force.*

---

Obscur. Inconnu. — Humble. Insignifiant. Indifférent.
Mener une vie terre à terre. Végéter. Vivoter. — Aller couci-couci, comme ci comme ça, cahin-caha. Aller son petit bonhomme de chemin. Réussir vaille que vaille. — Réduit à la portion congrue.

### MÉLANGE
(latin, *misceo, mixtum*)

**Mélange culinaire.** — Ragoût. Arlequin. Capilotade. Galimafrée. — Bouillabaisse. Matelote. — Farce. Hachis. Miroton. — Salmis. Salmigondis. — Pot-pourri. Olla podrida. Petite marmite. — Macédoine de légumes, de fruits, etc. Ratatouille. — Piquenique. Ambigu. — Légumes panachés. Glace panachée. — Sauce liée, liaison.

**Mélange de liquides.** — Mouiller le vin. Couper du vin. Baptiser son vin. — Brasser. Agiter. Malaxer. Imprégner. — Détremper. Délayer. Etendre. — Frelater. Falsifier. Sophistiquer. — Mixture. Mixtion. — Coiffer une liqueur (la mêler avec une autre). Ripopée. Cocktail.

**Mélange de couleurs.** — Adoucir une couleur. Fondre les couleurs. Rompre les couleurs. — Bigarrer, bigarrure. — Semer, semis. — Assortir. Nuancer, nuances. — Teintes dégradées. Se fondre.

**Mélange de métaux.** — Alliage. Fonte, fondre. Amalgame, amalgamer. Métail. — Titre. Aloi, aloyer. — Or fin. Argent fin. Inquart (3/4 d'argent, 1/4 d'or). — Adultération des monnaies. Monnaie fourrée. — Galvanoplastie. Galvaniser. Etamer. Dorer. Incrustation. Damasquinage. Marqueterie. Mosaïque.

**Mélanges littéraires.** — Morceaux choisis. Miscellanea. — Rapsodie. Centon. Ouvrage fait de pièces et de morceaux. — Pastiche. — RECUEIL. Variétés.

**Confusion.** — Mêler. Confondre, confondu, confus. — Embrouiller. Entremêler. Emmêler. ENTRELACER. Entortiller. Enchevêtrer. — Brouillamini. Enchevêtrement. Encombrement. — Tohu-bohu. Micmac. Imbroglio. — Fatras. Fouillis. Ramassis. Ramas. Bric-à-brac. — Gâchis. Chaos. — Mêlée. Pêle-mêle. Promiscuité. — Enclave. Confluent. Labyrinthe. — Tripoter. Pétrir. — Indistinct. INDÉCIS. Indéterminable. Inextricable.

**Combinaison.** — Combiner, combinable. — Mêler. Mélanger, mélange. — Composer,

composition. Complexité, complexe. Compliquer, complication. — Joindre. Unir, union. Fusionner, fusion. — Croiser des races, croisement. Métis. Bâtard. — Incorporer, incorporation. Insérer, insertion. Introduire, introduction. — Immixtion. Participation. — Impliquer, implicite. — Mixte. Hétérogène. VARIÉ.

### MEMBRANE

**Sortes de membranes.** — Membrane muqueuse, musculeuse, celluleuse, fibreuse, séreuse, séro-fibreuse. — Membrane papyracée, albugineuse, caduque, etc.
ENVELOPPE. Gaine. Capsule. Tunique. Tunicelle. — PEAU. Epiderme. — Pelure. ECORCE. Tégument. Pellicule. — FIBRE. Ligament. — Cartilage. — Kyste. — Parenchyme.
Tissu cellulaire, réticulaire, spongieux, cartilagineux, vasculaire, adipeux, etc.

**Membranes particulières.** — Membranes du fœtus. Chorion. Epichorion. Amnion. Allantoïde. — Membranes du cerveau. Duremère. Pie-mère. Arachnoïde. Méninges. — Endocarde. Péricarde. — Diaphragme. Péritoine. Mésentère. Epiploon. — Crépine. Fraise. Gras-double. — Périoste. Péricrâne. — Hymen. Scrotum. — Plèvres. Médiastin. — Epithélium. — Pituitaire. Conjonctive. — Palme (des doigts).
Baudruche. Canepin. PARCHEMIN.

**Phénomènes membraneux.** — Aponévrose. — Cloison. — Coiffe. — Dentelures. — Duplicature. — Endosmose. — Exosmose. — Faux. — Feuillet. — Follicules. Frein. — Lacis. — Lacune. — Mucosité, mucus, mucilage. — Papilles. — Poche. — Repli. — Réseau. — Sinus. — Synévrose.

**Etude et maladies.** — Desmographie. Syndesmographie. Hyménographie.
Croup. — Diaphragmite. — Entorse. — Epiploïte. — Péritonite. — Méningite. — Entérite. — Périostite, etc.

### MEMBRE
(grec, *mélos*)

**Dénominations.** — Membres. Parties du corps. Organes. — Membres supérieurs. Membres inférieurs. Extrémités. — BRAS. Avant-bras. MAIN. Cuisse. JAMBE. PIED.
Ars (des chevaux). Patte. QUEUE. AILE. Trompe. Abattis. — Tentacules. Membres thoraciques. Membres abdominaux. Ambulacres. Nageoires.

MEMBRURE, f. V. *membre, navire.*

MÊME. V. *égal, semblable.*

MÉMENTO, m. V. *note, écrire.*

MÉMOIRE, m. V. *compte, état, histoire.*

Mémoire, f. V. *pensée, reconnaître.*

MÉMORABLE. V. *mémoire.*

MÉMORANDUM, m. V. *diplomatie.*

MÉMORIAL, m. V. *mémoire, histoire.*

Menace, f. V. *avertir, réprimande, danger, peur.*

MENACER. V. *menace.*

MÉNADE, f. V. *Bacchus.*

MÉNAGE, m. V. *famille, maison, meuble, accord.*

MÉNAGEMENT, m. Ménager. V. *précaution, faveur, soin, conserver, complaisant, économie.*

MÉNAGÈRE, f. V. *femme.*

MÉNAGERIE, f. V. *animal, bateleur.*

MENDIANT, m. V. *aumône, parasite, fruit.*

MENDICITÉ, f. Mendier. V. *demande, aumône, pauvre.*

MENÉES, f. p. V. *moyen, intrigue.*

MENER. V. *diriger, conduire, chien.*

MÉNESTREL, m. V. *bateleur, chant.*

MÉNÉTRIER, m. V. *violon.*

MENEUR, m. V. *important, diriger, sédition.*

---

**Etat des membres.** — Conformation. Bien ou mal conformé. — Membrure. Membré. Membru. — Racine d'un membre. Articulation.

**Déformations.** — Macromélie (développement excessif). Ectromélie (manque d'un membre). Mélomélie (insertion de membres anormaux). Polymélie (membres en surnombre).

Tumeurs. Inflammations. — Mutilation, mutiler. Démembrement, démembrer. Dislocation, disloquer. — Démettre, démis. Luxer, luxation. Entorse. — Amputer, amputation. Moignon. Prothèse.

## MÊME

**Similitude.** — SEMBLABLE. Ressembler, ressemblant. — Pareil, parité. EGAL, égalité. Bonnet blanc et blanc bonnet.

Semblablement. Ainsi. Aussi. De même. Mêmement. Tout de même. Queussi-queumi. — Ainsi que. De même que. Comme.

**Identité.** — Le même. — Identique. Identifier, identification. — Un, unité. — Seul et même.

Répéter, RÉPÉTITION. Reproduire, reproduction. — Rimer, RIME. — Tautologie. Tautogramme.

Idem. Dito. Susdit.

**Permanence.** — Continu, continuité. Continuer, continuation. — Constant, constance. — Immuable, immutabilité. Inaltérable. — Eternel, éternité. — Monotone, monotonie. Uniforme, uniformité. — Psalmodie. Teinte plate.

**Etat commun.** — Coexister, coexistence. Consubstantiel. — Se confondre, confusion. — Commun. — Communauté. — Coïncider, coïncidence. Concentrique. — Homogène, homogénéité. — Homophone. Homographe. — Homonyme, homonymie. Synonyme, synonymie.

**Action commune.** — Ensemble. Simultané, simultanéité. — Se rencontrer. Compagnie. — COMPAGNON. — Concourir, concurrence. Rival, rivalité. — Unanime, unanimité. — RÉCIPROQUE, réciprocité. Mutuel. — Abonder dans le sens. Faire chorus.

## MÉMOIRE

(latin, *memoria;* grec, *mnêsis*)

**Faculté du souvenir.** — Mémoire. Souvenir. Souvenance. Remembrance. Association d'idées. — Mémoire fraîche, sûre, imperturbable. — Mémoire locale, auditive, visuelle. — Mémorisation. Mémoratif. — Hypermnésie.

Se rappeler une chose. Se souvenir de. Réminiscence. — Penser à. Avoir idée de. — Se remettre de. Se remémorer, remémoratif. Se ressouvenir. — Reconnaître, RECONNAISSANCE. Recognition, recognitif. — Savoir par cœur, sur le bout du doigt. Réciter, récitation.

Mnémotechnie. Mnémonique. Mnémosyne (déesse de la mémoire). Les filles de Mémoire (les muses).

**Acquisition du souvenir.** — Apprendre par cœur. Cultiver la mémoire. Etudier, étude. Effort de mémoire. — Confier à la mémoire. Graver, imprimer, enregistrer dans la mémoire. — Meubler, orner, charger la mémoire. — Conserver dans la mémoire. Retenir. — Chose mémorable.

**Garde du souvenir.** — Perpétuer le souvenir. Immortaliser, immortalité. — Raviver la mémoire. Seriner. Souffler. — Rappeler un souvenir, rappel. Commémorer, commémoration. Evoquer, évocation. — Repasser sa leçon. — Mémoire fidèle, tenace. — RELIQUES.

Aide-mémoire. Agenda. Album. Calepin. Carnet. Mémento. Keepsake. — Mémorandum. — Mémorial. — Mémoires (souvenirs écrits), mémorialiste.

**Perte du souvenir.** — Amnésie. — Oubli, oublier. oublieux. Manquer de mémoire. — Mémoire courte, labile, fragile, déficiente, infidèle, de lièvre. — Se rouiller. — Troubler la mémoire. — Sortir de la mémoire. Tomber dans l'oubli. Le Léthé.

## MENACE

**Avertir.** — Admonester, admonestation. Admonition. Réprimander, RÉPRIMANDE. — Annoncer une peine, une correction. — Mise en demeure. Ultimatum. — Garde à vous. Prenez garde. Gare !

**Faire craindre.** — Menacer, menaçant. User de menaces. Avoir la menace à la bouche. — Intimider, intimidation. Commination, comminatoire. — Donner à craindre. Faire peur. Effrayer. — Mettre le couteau sous la gorge. — Instant. Pressant. Imminent.

MENHIR, m. V. *druide, pierre.*
MÉNINGE. f. Méningite, f. V. *membrane, cerveau.*
MÉNISQUE, m. V. *optique.*
MÉNOLOGE, m. V. *mois.*
MENOTTE, f. V. *main.*
MENOTTES, f. p. V. *chaîne.*
MENSE, f. V. *bénéfice.*
**Mensonge,** m. V. *faux, erreur, hypocrite.*
MENSONGER. V. *mensonge.*
MENSTRUES, f. p. V. *sexe.*
MENSUALITÉ, f. Mensuel.

Mensuellement. V. *mois.*
MENSURATION, f. V. *mesure.*
MENT (suff.). V. *manière.*
MENTAL. V. *esprit, raison.*
MENTALITÉ, f. V. *soi, pensée.*
MENTEUR, m. V. *mensonge.*
MENTHE, f. V. *plante.*
MENTION, f. V. *dire, récompense.*
MENTIR. V. *mensonge.*
MENTON, m. V. *tête.*
MENTONNIÈRE, f. V. *bandage, visage.*

MENTOR, m. V. *sage, conseil.*
MENU, m. V. *manger, mets, auberge.*
MENU. V. *mince.*
MENUET, m. V. *danse, musique.*
MENUISERIE, f. V. *menuisier.*
**Menuisier,** m. V. *planche, meuble.*
MÉPHITIQUE. V. *puant.*
MÉPHITISME, m. V. *vapeur.*
MÉPLAT, m. V. *peinture.*
MÉPRENDRE (se). V. *erreur.*

---

**Faire violence.** — INJURE, injurier. Offense. Outrage. — Colère. Fureur. — Paroles violentes. — Faire le méchant. Montrer les dents, le poing. — Gesticuler, gestes de menace.

### MENSONGE

**Charlatanisme.** — Amplifier, amplification. Broder. Enjoliver. — Hâbler, hâblerie, hâbleur. — Exagérer, exagération. Charger, charge. Hyperbole. Renchérir. — Blague, blagueur. Gasconnade, gascon. FANFARON, fanfaronnade. — Gausser. Mystifier, mystificateur. — Charlatan, charlatanesque. Arracheur de dents. Attrapeur, attrape. Batteur. — Conter des bourdes. Bourde. Sornettes. Faribole. Chansons. — Amuser, amuseur. Farce, farceur. — Promettre monts et merveilles. Enjôler, enjôleur. Se moquer de. Monter le coup.

**Contrevérité.** — Altérer, déguiser, farder la vérité. Entorse à la vérité. — Mentir, menteur, menterie. Mensonge, mensonger. — Changer les choses. Composer. Arranger. Inventer. — Prendre sous son bonnet. Forger. En conter. Contes à dormir debout. — Falsifier. Gourer. Fiction. Fictif. — Faux rapport. Faux bruit. Canard. — Conte. Fable. Roman. — Cancan. Histoire. Colle. Craque. — Mal fondé. Inexact. Faux. — Contradiction, contradictoire. Démenti.

**Mauvaise foi.** — Abuser. Tromper. Induire en ERREUR. — Mensonge captieux. Présenter sous de fausses couleurs. Colorer les choses. Flatter. — En imposer. Imposteur. — Duplicité. Défaite. Echappatoire. DÉTOUR. Faux-fuyant. Parjure. — Direction d'intention. Restriction mentale. — Désavouer, désaveu. — Sujet à caution.

**Fourberie.** — Jouer la comédie. Dissimuler, dissimulation. — Simuler, simulateur. Feindre, feinte. — Hypocrite, hypocrisie. Basile. Escobar, escobarderie. Tartufe, tartuferie. — Fausseté. Faussaire. Faux témoin. — Effronté, effronterie. Impudent, impudence. — Tromperie, trompeur. Rusé. Fourbe.

### MENUISIER

**Métier.** — Menuisier, menuiserie. — Ebéniste, ébénisterie. — Marqueteur, MARQUETERIE. — Bahutier. Coffretier. — Layetier. Emballeur. — Menuisier d'assemblage, de placage. — Gâte-bois.

Menuiserie dormante, mobile. — Menuiserie en bâtiment, en meubles, en voiture, en marqueterie, en treillage.

**Ouvrages.** — Aisselier. — Alèses. — Armoire. — Bahut. — Bâti. — Battant. — Biseau. — Boiserie. — Cadre. — Carcasse. — Chambranle. — Châssis. — Cloison. — Clôture. — Console. — Contrevent. — Corniche. — Coulisse. — Coulisseau. — Croisée. — Croisillon. — Emboîtures. — Epaulement. — Feuille de parquet. — Feuillure. — Flipot. — Gousset. — Lambris. — Languette. — Liteau. — MEUBLES. — Montant. — MORTAISE. — MOULURE. — Noix. — Noyure. — Onglet. — Pan. — Panneau. — Parclose. — Parement. — Parquet. — Persienne. — Piedcornier. — Pied-de-biche. — Pilastre. — Pilier. — Placard. — PLANCHER. — Platebande. — Plinthe. — PORTE. — Poteau. — Rayon. — Revêtement. — Tablette. — Tambour. — Tampon. — Taquet. — Tasseau, contre-tasseau. — Tenon. — Tiroir. — Traverse. — Tringle. — Tympan. — Vantail. — Volet.

**Travail.** — Abouement. — Affourcher, affourchement. — Amaigrir une pièce. — Tailler en queue d'aronde. — Assembler, assemblage à onglet, à tenon et mortaise, à languette, à rainure, à queue. — Blanchir une pièce. — Boiser. — Chanfreiner. Chantourner. — Chapoter. — Cheviller. — Cloisonner. — Clouer. — Coller. — Corroyer le bois. — Débiter une pièce. — Débrutir une planche. — Dédosser. — Dégauchir. — Dresser. — Ebaucher. — Emboîter. — Emmortaiser. — Elégir. — Etager. — Lambrisser. — Parqueter. — Plaquer. — Pousser (une moulure). — Profiler. — Raboter. — Ragréer. — Rainer. — Recaler. — Refeuiller. — Repérer. — Replanir. — Scier. — Tringler. — Varloper.

Menuiser. Bois. PLANCHE. Volige. Latte. Feuilles. — Copeaux. Planures.

Malfaçon. Fausse coupe. Dévers. Gauchissement. Fistule. Picot. Brettelure. Entaille. Echarde. Esquille.

**Matériel.** — *Outils.* — Bec-d'âne. — Boudin. — Bouvement. — Bouvet. — CISEAU. — Coulisseur. — Doucine. — Doloire. — Empenoir. — Entailloir. — Equilboquet. — Herminette. — Feuilleret. — Fer ou Lame de rabot. — Galère. — Gorget. — Gouge. — Grattoir. — Guide. — Guilboquet. — Guil-

*Mépris*, m. V. *orgueil, honte.*
MÉPRISABLE. V. *mépris.*
MÉPRISE, f. V. *erreur.*
MÉPRISER. V. *mépris, orgueil.*
**Mer**, f. V. *géographie, eau.*
MERCANTILE. Mercantilisme,

m. V. *gain, commerce, avare.*
MERCENAIRE. V. *payer, salaire.*
MERCERIE, f. V. *coudre, ruban.*

MERCI, m. V. *politesse, reconnaissance.*
MERCI, f. V. *pardon.*
MERCIER, m. V. *commerce.*
MERCREDI, m. V. *Mercure, jour.*

---

laume. — Guimbarde. — Laceret. — Maillet. — MARTEAU. — Mouchette. — Perçoir. — Plane. — Polissoir. — Pousse-fiche. — Racloir. — Rainette. — Riflard. — Sabot. — SCIE. — Tarabiscot. — Tarière. — Tenailles. — Tournevis. — Trusquin. — Varlope, demi-varlope. — Vilebrequin.

*Instruments.* Ane. — Boîte. — Châssis. — Compas. — Crochet d'établi. — Equerre, fausse équerre. — Etabli. — Goberges. — Happe. — Mâchoires. — Mordache. — NIVEAU. — Pélican. — Presse d'établi. — RÈGLE. — Sergent. — Serre-joint.

**Accessoires.** — Affiloires. — Badigeon. — Chevilles. — CLOUS. — Pointes. — COLLE. — Encaustique. Vernis.

## MÉPRIS

**Eprouver du mépris.** — Mépriser, méprisant, mépriseur. Affecter, afficher du mépris. — Dédaigner, dédain, dédaigneux. Contempteur. — Mésestimer, mésestime. Manquer d'estime. — Ne pas considérer. Faire fi de. Fouler aux pieds. — S'indigner, indignation. Etre dégoûté de. DÉGOÛT.

**Etre méprisé.** — Encourir le mépris. Démériter, démérite. — Perdre l'estime. Perdre l'honneur. Faire pitié. — Déshonneur. Infamie. — Méprisable. Vil. — Infâme. Malfamé. — Paria. Crétin.

Etre sans prix, sans valeur. Ne valoir rien. Ne valoir pas grand-chose, pas tripette, pas un fétu.

**Manifester du mépris.** — Regarder de haut. Traiter de haut en bas. Toiser. — Crosser. Bafouer. Ricaner. Hausser les épaules. — Conspuer. Cracher sur. — Narguer. Faire la nique. Nasarde. Pied de nez. — Montrer au doigt. Faire HONTE. HUER, huée. — Réprouver, réprobation. Regarder de côté.

Injurier, INJURE. Insulter, insulte. — Manquer de respect. Irrespectueux. Irrévérence, irrévérencieux. — Persiflage. Dérision. Moquerie. Risée. Brocards. Charivari.

**Ne pas tenir compte.** — Faire peu de cas de. Se moquer de. Se ficher de. S'en soucier comme de Colin Tampon. — Ne pas craindre. Braver. Affronter. — Faire la figue à. Envoyer promener. Tirer la langue. — Passer outre. Envoyer au diable. — Profaner, profanation. — Bah! Baste! Zut!

**Déconsidérer.** — Dénigrer, dénigrement. Décrier, décri. Déprécier, dépréciation. — Dépriser. Discréditer, discrédit. — Rabaisser. Ravaler. — Déshonorer. Flétrir, flétrissure. — Diffamer, diffamation. Infamation, infamant.

## MER
(latin, *mare*)

**La mer.** — Haute mer. Le large. — Océans. Mers intérieures. Mers chaudes. Mers glaciales. — Profondeurs de la mer. Gouffres. Abîmes. — Plaine liquide. Onde amère. Empire des ondes.

Marin. Sous-marin. Maritime. — Hydrographie, hydrographe. Bathomètre. Marégraphe. Tableau des marées. — Carte marine. Portulan.

**Les côtes.** — Rivage. Plage. Grève. Atterrage. — Côte. Côte acore, à pic, basse, saine, malsaine, au vent, sous le vent. — Falaise. Promontoire. Cap. Dunes. — Golfe. Baie. Rade. — Anse. Crique. Havre. Fiord. Calanque. — Rochers. Brisants. Ecueils. — Détroit. Bras de mer. — Passe. Manche. Chenal. — Estuaire. Bouches. Embouchure. Goulet. — Alluvions. Atterrissement. Bas-fond. Hautfond. Polder. Lais et Laisses. — Lac. Lagon. Lagune. — Ile. Ilot. Archipel.

**Mouvements de la mer.** — Marée, contre-marée. — Mer montante, descendante. Flot. Flux. Reflux. Jusant. — Mer basse. Mer haute. Mer étale. — Vif de l'eau. Mort d'eau. Morte-eau. — Monter. Rapporter. Baisser. Se retirer. Marner.

Flot. Vague. Lame. Lame de fond. Paquet de mer. — Houle. Raz de marée. — Barre. Mascaret. — Courant. Lit de mer. — Remous. Ressac. Remole. Tourbillons. — Houpée. Crête. Moutons. Embruns.

Monter. Se briser. Déferler. Moutonner. — Clapoter, clapotis. Ondoyer. Ecumer. Bouillonner.

**Etat de la mer.** — Beau temps. Embellie. Bonace. Calme. Calme plat. — Gros temps. Grosse mer. Coup de mer. — Mer démontée, agitée. Mer en furie. Colère des flots. — Mer écumante. Mer phosphorescente. Brasillement, brasiller.

**Navigation.** — Rade foraine. Mouillage. Port. — Bassin. Dock. Quai. Cale. — Jetée. Môle. Digue. Brise-lames. — Sémaphore. Phare. Amers. Signaux. — Voyage au long cours. Traversée. Naufrage. — Fond. Sonder, sonde.

**Produits de la mer.** — Algues. Fucus. Varech. Goémon. Herpes. — Sable. Vase. Marne. Galets. — Madrépores. Corail. — Sel. Brome. Iode, etc. — Pêche. Poissons. Mollusques. Crustacés. Coquillages. Plancton. — Epaves.

**Mythologie.** — Neptune. Amphitrite. Téthys. Nérée. Protée. — Tritons. Néréides. Océanides. Sirènes.

**Mercure,** m. V. *dieu, planète, métal.*

MERCURIALE, f. V. *discours, réprimande, commerce.*

MERCURIEL. V. *mercure.*

MERDE, f. V. *excrément, ordure.*

**Mère,** f. V. *femme, génération, moine, vinaigre.*

MÉRIDIEN, m. V. *géographie, astronomie.*

MÉRIDIENNE, f. V. *midi, sommeil.*

MÉRIDIONAL. V. *midi, géographie.*

MERINGUE, f. V. *pâtisserie.*

MÉRINOS, m. V. *laine.*

MERISE, f. V. *cerise.*

MÉRITANT. V. *mérite.*

**Mérite,** m. V. *bien, mœurs, estime, gloire.*

MÉRITER. Méritoire. V. *mérite, obtenir.*

MERLAN, m. V. *poisson, cheveu.*

MERLE, m. V. *oiseau.*

MERLIN, m. V. *marteau.*

MERLUCHE, f. V. *poisson.*

MERRAIN, m. V. *bois, tonneau.*

MERVEILLE, f. Merveilleux. V. *parfait, rare, extraordinaire, étonnement.*

MÉSALLIANCE, f. V. *mariage, discordant, classe.*

MÉSANGE, f. V. *oiseau.*

MÉSAVENTURE, f. V. *événement.*

MÉSENTÈRE, m. V. *intestins.*

MÉSESTIMER. V. *mépris, prix.*

MÉSINTELLIGENCE, f. V. *discordant.*

MÉSOTHÉNAR, m. V. *main.*

MESQUIN. Mesquinerie, f. V. *médiocre, avare.*

MESSAGE, m. Messager, m. V. *lettre, mission.*

MESSAGERIES, f. p. V. *envoi, transport, poste, chemin de fer.*

**Messe,** f. V. *église, liturgie, cérémonie.*

MESSÉANT. V. *mal.*

MESSIDOR, m. V. *moisson.*

MESSIE, m. V. *Christ.*

MESSIER, m. V. *garde, moisson.*

---

## MERCURE

**Le dieu.** — Mercure. Hermès. — Messager des dieux. Psychopompe. Trismégiste. — Maïa (mère de Mercure). Cyllène (montagne où il naquit).

**Relatif au dieu.** — Ailes. Caducée. Talonnières. Pétase (chapeau). Harpé (cimeterre). — Hermès (statue). — Hermaphrodite. — Mercure (planète), mercurien. — Mercredi. — Mercuriale (cours commercial). — Mercuriales (fêtes).

**Le métal.** — Mercure. Vif-argent. Hydrargyre, hydrargyrique. — Mercure vierge ou natif. — Mercure sublimé. Mercure éteint. — Germe (en alchimie). Serpent de Mars. Serpent vert.

**Relatif au métal.** — Amalgame, amalgamer. — Arbre de Diane. — Cinabre. Vermillon. Hermamite. — Coloradoïte (minerai). Fulminate de mercure. Turbith. Ethiops. — Sublimé corrosif. Calomel ou Mercure doux. — Hydrargyrie. Hydrargyrose. — Mercuriel. Mercurique. Mercurifère. — Traitement mercuriel. Mercuriaux. Sels mercuriques. Poudre mercurielle. Tremblement mercuriel.

## MÈRE

(latin, *mater ;* grec, *mêtèr*)

**Etat de mère.** — Mère. Maman. — Belle-mère. Marâtre. — Grand-mère. — Madame mère. Sultane validé.

Maternité. Maternel. Materniser.

**Fonctions de mère.** — Concevoir, conception. — Gestation. Femme enceinte. Femme grosse. Grossesse. — Envies. Malaises. — Enfanter, enfantement. Accoucher, accouchement, accouchée. — Femme féconde. Fécondité. — Nourrir. Allaiter.

Enfants. Frère germain. Frère utérin. Orphelin de mère.

**Relatif à mère.** — Matricide. Parricide. Infanticide. — Ville mère. Métropole. Métropolitain. — Eglise mère. Métropolite.

## MÉRITE

**Méritant.** — Mérite, mériter, méritoire. — Démérite. — VERTU. Bonté. Actions méritoires. Faire le bien. Bonnes œuvres.

Habileté. Difficulté vaincue. — Talent. Gloire. — Gagner, remporter un prix. OBTENIR une récompense, obtention.

Valeur. Qualité. Utilité. Avantage. — Appréciable. Estimable.

**Responsable.** — Moralité. Responsabilité. Répondre de ses actes. — Encourir une peine, un blâme. Attirer sur soi. Etre passible de. Punissable. — Réparation condigne. — Mérité. Immérité. — JUSTE. Injuste. — Il n'a pas volé. C'est pain bénit.

**Digne.** — Dignité. Dignement. — DROIT. Avoir droit à. A bon droit. — Titre. Avoir des titres à. A juste titre. — Légitime. Equitable. — Avoir son dû. On vous le doit. — Convenable. Séant. — Trouver son fait. Bien gagné. Bien payé.

## MESSE

**Les messes.** — Messe. Service. Obit. Office. Saint sacrifice. Saint mystère. — Messe basse. Grand-messe. — Anniversaire. Bout de l'an. Messe annuelle. Messe de minuit. Messe de midi. Messe des morts. Messe du Saint-Esprit. — Messe paroissiale. Messe solennelle. — Messe chantée. Messe en musique. — Neuvaine.

Aller à la messe. Entendre, ouïr, suivre la messe. — Fonder une messe. Fondation. — Sonner la messe.

**Objets sacrés.** — Autel. Tabernacle. — Calice. Ciboire. — Bourse. Corporaux. — Pale. Patène. Paix. — Voile ou Légile. Purificatoire. — Hostie. Pain à chanter. Pain bénit. — Crédence. Burettes. — Missel. Evangéliaire. Bréviaire.

**Officiants.** — Prêtre. Célébrant. — Diacre. Sous-diacre. Epistolier. — Célébrer, dire la messe. Officier. Biner. Messe sèche. — Répondre la messe, répondant. Servir la messe, servant. Enfant de chœur. Induts ou Assistants (du diacre).

Aube. Amict. Chasuble. Manipule. Etole. — Missel.

MESSIRE, m. V. *titre.*
MESURAGE, m. V. *arpentage.*
**Mesure**, f. V. *quantité, étendue, poids, mouvement, modération.*
MESURER. V. *mesure, contenir.*
MESUREUR, m. V. *mesure.*
MÉTACARPE, m. V. *main.*

MÉTACHRONISME, m. V. *chronologie.*
MÉTAIRIE, f. V. *louage, ferme.*
**Métal**, m. V. *chimie, blason.*
MÉTALLIFÈRE. V. *minéral.*
MÉTALLIQUE. Métalliser. V. *métal.*
MÉTALLOÏDE, m. V. *chimie.*
MÉTALLURGIE, f. Métallur-

giste, m. V. *métal, minéral.*
MÉTAMORPHOSE, f. V. *rhétorique, comparaison, changer, insecte.*
MÉTAPHORE, f. V. *rhétorique, comparaison.*
MÉTAPHYSICIEN, m. V. *métaphysique.*

---

**Moments de l'office.** — Préparation. Instruction. Offertoire ou Oblation. Préface. Canon. Communion. Post-communion. Action de grâces. — Epître. Evangile. Consécration. Elévation. — Intinction. Ablution. — PROCESSION. Prône.

**Prières de l'office.** — Oraisons. — Collecte. — Secrète. — Prose. — Hymne. — Graduel. — *Introït.* — *Confiteor.* — *Kyrie.* — *Credo.* — *Gloria.* — *Sanctus.* — *Lavabo.* — *Agnus dei.* — *O salutaris.* — *Orate fratres.* — *Pater noster.* — *Ite missa est.* — *Memento.*

## MESURE

**Action de mesurer.** — Mesurer, mesurage, mesureur. — Arpentage, arpenter, arpenteur. Cadastre, cadastrer. — Chaînage, chaîner. Jalonnage, jalonner. — Cubage, cuber. Jaugeage, jauger. Vergeage, verger. Veltage, velter. — Métrage, métrer. Aunage, auner. Toisage, toiser. — Compasser. Mesurer au compas. Compasseur. — Mensurer, mensuration. — Médionner (prendre la moyenne). — Etalonner. Marquer. — Peser. Doser. — Racler. Rader.

Métrologie. Planimétrie. Altimétrie. Longimétrie. — Géodésie. Géométrie. — Système métrique. Unité de mesure. — Mensurable. Commensurable, incommensurable. Immense. Démesuré.

**Types de grandeurs.** — Calibre. — Capacité. — Carré. — Circonférence. — Circuit. — Contenance. — Contenu. — Contour. — Cube. — DEGRÉ. — Dimension. — DISTANCE. — Dose. — Epaisseur. — Espace. — ETENDUE. — Etiage. — Force. — Format. — Grandeur. — Grosseur. — Hauteur. — Intensité. — Jauge. — Largeur. — Longueur. — Poids. — Profondeur. — Quantité. — Ration. — Superficie. — Taille. — Valeur. — Volume.

**Instruments de mesure.** — Poids et mesures. — Instruments de précision. Balance. COMPAS. RÈGLE. Réglette. Goniomètre. Pantomètre. Ampèremètre. Voltmètre. Manomètre. — Jauge. Pithomètre. — Compteur. Echelle. — Toise. Potence. Membrure. — Chaîne. Cingleau. — Etalon. Matrice.

**Mesures actuelles.** — *Unités géométriques.* Kilomètre. Hectomètre. Décamètre. Mètre. Décimètre. Centimètre. Millimètre. Micron. — Hectolitre. Décalitre. Litre. Décilitre. Centilitre. — Stère. Décistère. — Hectare. Are. Centiare. — Kilogramme. Hectogramme. Décagramme. Gramme. Décigramme. Centigramme. Milligramme.

*Unités mécaniques.* — Kilosthène. Décasthène. Sthène. Décisthène. — Dyne. — Mégajoule. Kilojoule. Joule. Erg. — Watt. Kilowatt. Kilowattheure. — Pièze. Barye.

*Unités électriques.* — Mégohm. Ohm. — Kiloampère. Ampère. — Volt. Millivolt. Kilovolt. — Coulomb. — Calorie.

Degré. — Bar. — Thermie. Bougie. Lumen. — Phot. Lux. — Dioptrie.

**Mesures anciennes.** — *Longueur.* Ligne. Pouce. Empan. Pied. Aune. Toise. Perche. Lieue. — *Surface.* Ligne carrée. Pied carré. Pouce carré. Toise carrée. Perche carrée. Arpent. Journal. — *Volume.* Pied cube. Toise cube. Litron. Boisseau. Setier. Voie. Corde. Brasse. — *Liquides.* Pinte. Chopine. Setier. Velte. Muid. Demi-muid. Feuillette. Queue. Quartaut. Cruchon. Pichet. Boujaron. Cuillerée. Goutte. — *Poids.* Carat. Grain. Gros. Once. Marc. Livre. Tonneau.

**Mesures marines.** — Lieue marine (5.556 m.). — Mille marin (1.852 m.). — Encablure (200 m.). — Brasse (1m,624). — Nœud (le mille à l'heure). — Tonneau de jauge (2 m³, 83).

**Mesures anglaises.** — Inch (pouce). Foot (pied). Yard (0m,91). Fathom (1m,829). Furlong (204m,167). Mile (1609 m.). — Perche. Acre. — Gallon, 4 quarts, 8 pints, 32 gilts (4l,345). Quarter, 8 bushels, 32 gallons (2hl,91). — Grain. Dram. Ounce. Pound. Ton. — Denaryweight. Pennyweight.

## MÉTAL

**Caractère des métaux.** — Métal. Métalloïde. Demi-métal. — Métalléité. Ductilité. Malléabilité. Radio-activité. Eclat métallique. — Métallifère. Métallique. Métallin. Métallescent.

**Principaux métaux.** — Lithium. Sodium. Potassium. Rubidium. Cérium. — Calcium. Strontium. Baryum. — Zinc. Cadmium. Glucinium. — Aluminium. Gallium. Indium. — Chrome. Manganèse. Fer. Cobalt. Nickel. — Plomb. Thorium. — Cuivre. Mercure. Argent. — Palladium. Platine. Iridium. Osmium. Or. — Métaux radioactifs.

**Formes naturelles.** — Minéral. Minerai. — Minerai riche, pauvre. — Filon. Gangue. — Métal natif. Métal cru. — OXYDE métallique. Sulfure métallique. Pyrite. Blende. Rouille. — Pépite. Paillette.

**Formes industrielles.** — Barre. — Feuille. — Fil. — Fonte. — Grenaille. — LAME. — Limaille. — Lingot. — Massiaux. — Saumon. — Scorie. — Tôle.

*Métaphysique*, f. V. *philo-sophie*.
MÉTAPLASME, m. V. *changer*.
MÉTATARSE, m. V. *pied*.
MÉTATHÈSE, f. V. *lettre*, *ren-verser*.
MÉTAYER, m. V. *ferme*, *part*.
MÉTEIL, m. V. *blé*.
MÉTEMPSYCOSE, f. V. *chan-ger*, *ranimer*, *esprit*.
*Météore*, m. V. *air*, *ciel*, *apparaître*, *court*.
MÉTÉORISME, m. V. *ventre*.
MÉTÉOROLOGIE, f. Météorolo-giste, m. V. *météore*, *baro-*

*mètre*, *astronomie*, *aéro-nautique*.
MÉTÈQUE, m. V. *étranger*.
MÉTHODE, f. Méthodique. V. *système*, *règle*, *science*, *or-dre*, *précaution*.
MÉTHODISTE, m. V. *protes-tant*.
MÉTICULEUX. V. *minutie*.
MÉTIER, m. V. *profession*, *art*, *travail*, *machine*, *tissu*, *dentelle*, *broder*.
*Métis*, m. V. *espèce*, *mé-lange*, *colonie*.
MÉTISSAGE, m. V. *génération*.

MÉTONYMIE, f. V. *rhétorique*.
MÉTOPE, f. V. *architecture*.
MÈTRE, m. V. *mesure*, *poésie*.
MÉTRER. V. *étoffe*, *arpentage*.
MÉTRIQUE. V. *mesure*, *poésie*.
MÉTROLOGIE, f. V. *mesure*, *poids*.
MÉTROMANIE, f. V. *poésie*.
MÉTRONOME, m. V. *mouve-ment*.
MÉTROPOLE, f. Métropolitain. V. *ville*, *mère*, *colonie*.
MÉTROPOLITAIN, m. V. *che-min de fer*.
*Mets*, m. V. *manger*, *cuisine*.

---

**Traitement des métaux.** — Métalliser, métallisation. — Minéralogie. Métallochimie. Métallographie. — Exploitation. Extraction. Mine.
Métallurgie, métallurgiste. — Voie sèche. Fusion. Réduction. Grillage. Calcination. Réaction. Précipitation. — Voie humide. — Voie électrolytique. Electrolyse.
FONDERIE. Fours. Haut fourneau. FORGE. — Epuration. ESSAI. Décarburation. Pudd-lage. — Coupellation. Affinage. Cémentation. — TRÉFILERIE. Laminage. — Décapage. Ecrouissage. Soudure. — Transmutation des métaux.

**Combinaisons métalliques.** — Acier. — Airain ou Bronze. — Alfénide. — Caracoli. — Chrysocale. — Inquart. — Laiton. — Maillechort. — Métail. — Polosse. — Potin. — Pyrope. — Tombac. — Vermeil.
*Composition.* — Métal blanc. — Ruolz. — Clinquant. — Similor. — Plaqué. — Doublé. — Fourré.

## MÉTAPHYSIQUE

**Objet.** — DIEU. Etre suprême. — Absolu. Causes premières. Premiers principes. — Esprit. Ame. Entéléchie. — Essence. Entité. Substance. — Caractère transcendantal. Sur-naturel. Sublimité. — Etre en général. — Idées générales.

**Méthodes.** — Philosophie. Système. Doc-trine. — Raisonnement métaphysique. Intui-tion. Déduction. Abstraction. Généralisation. Réduction à l'unité.

**Doctrines.** — Ecole métaphysicienne. — Théodicée. Ontologie. Théologie. Mysticisme. — Idéologie. Noologie. — Idéalisme. Spiri-tualisme. Platonisme. Néo-platonisme. Nomi-nalisme. Réalisme. Monisme.

## MÉTÉORE

**Phénomènes.** — Aérolithe. — Arc-en-ciel. — Aurore. — Aurore boréale. — Bolide. — BROUILLARD. — Bruine. — Comète. — Cou-ronne. — Crépuscule. — Cyclone. — Eclair. — Etoile filante. — Feu de Saint-Elme. — Feu follet. — Foudre. — Frimas. — Furol-les. — GELÉE. — Giboulée. — Globe de feu. — Grêle. — Halo. — Météorite. — Mirage. — NEIGE. — Nuages. — Orage. — Ouragan.

— Parhélie. — PLUIE. — Rosée. — Siphon. — Tonnerre. — Tourbillon. — Tremblement de terre ou Séisme. — Trombe. — Typhon. — VAPEUR. — VENT.

**Météorologie.** — Météorologiste. Bureau, poste météorologique. — BAROMÈTRE. Ther-momètre. Pluviomètre. Planche à neige. Sis-mographe. — Cartes météorologiques. Lignes isothermes. Lignes isobares. — Pression atmo-sphérique. Bar. Millibar. Degrés. — Mât-girouette. Girouette. Règle mobile. — Gra-dation barométrique. Gradient. — Météo-roscopie. Observations. Prévisions.

**Température.** — Climat. Temps. — Temps chaud, doux, froid, humide, frais, plu-vieux, lourd, sec, sombre, maussade. — Beau temps. Beau fixe. Variable. — Vilain temps. Gros temps. — Ciel couvert, trois quarts cou-vert, nuageux, serein. — Eclaircie. Embellie. Accalmie.
Se rasséréner. Se rembrunir. Se mettre au beau, à la pluie. — CHALEUR. Froid. Fraî-cheur. Humidité. — Il fait beau, chaud, froid, frais, lourd. — Il pleut. Il vente. Il neige. Il grêle.

## MÉTIS

**Chez les hommes.** — Bâtard, bâtardise. — Sang-mêlé. Homme de couleur. Métis, métisse. Mulâtre, mulâtresse. Quarteron, quar-teronne. Octavon, octavonne. — Zambo (de nègre et de mulâtresse).

**Chez les animaux.** — Métissage, métis-ser. Croiser, croisement. Hybride, hybrida-tion, hybridité. — Cheval demi-sang. — Mulet, mule. — Bardeau (cheval et ânesse). — Crocotte (loup et chienne). — Corneau (mâtin et courante). — Léporide. — Jumart (âne et vache). — Musmon (bélier et chèvre). — Mulard (canard métis).

## METS

**Aliments.** — Gastronomie. — Alimenta-tion, alimentaire. Comestibles. Mangeaille. Nourriture. — Chère. Bonne chère. Bons mor-ceaux. — Plats. Mets.
VIANDES. POISSONS. VOLAILLE. GIBIER. CHARCUTERIE. ŒUFS. LÉGUMES. FRUITS. FRO-MAGES. SALADES. EPICES. RIZ. PAIN. PÂTES. PÂTISSERIE.

METTEUR, m. V. *mettre, imprimerie.*
**Mettre.** V. *lieu.*
METTRE (se). V. *entreprendre.*

**Meuble,** m. V. *possession, menuisier, blason.*
MEUBLER. V. *meuble, logement.*

MEUGLEMENT, m. Meugler. V. *bœuf.*
MEULAGE, m. V. *meule.*
**Meule,** f. V. *broyer, moulin,*

---

Potages. Hors-d'œuvre. Entrées. Rôti. Entremets. Dessert.

**Cuisine.** — Art culinaire. — Préparer. Apprêter, apprêt. Appareil. — Accommoder. Assaisonner, assaisonnement. Ingrédients. — Parer. Découper. — Larder. Garnir. Truffer. Farcir. Mariner. — Cuire, cuisson. Cuisiner. — Mettre à la broche. Rôtir. Bouillir. Griller. — Faire revenir. Sauter. Fricasser. Frire. — Gratiner. Paner. — Cuisine au beurre, à l'huile, à la graisse.

**Sauces.** — Aillade. — Ailloli. — Coulis. — Court-bouillon. — Demi-glace. — Jus. — Marinade. — Oignonade. — Pimentade. — Rémoulade. — Roux. — Saupiquet. — Vinaigrette.

Sauce Béchamel. A la Barigoule. Au beurre. A l'huile. A la Marengo. A la moutarde. Piquante. Poivrade. A la poulette. Ravigote. A la Soubise. Robert. Au bleu. A la mode de Caen. Tomate. A la maître d'hôtel. Blanche. Verte. Forte. Au beurre noir. Aux anchois, etc.

**Préparations diverses.** — Rôti. Rosbif. Grillade. — Potage. Bouilli. Pot-au-feu. Garbure. — Ballottine. Escalope. Paupiette. Emincé. Grenadin. — Civet. Gibelotte. Fricassée. Capilotade. — Daube. Ragoût. Haricot. Salmis. Rata. — Croustade. Etouffade. Etuvée. — Persillade. — Hochepot. — Miroton. — Hachis. Boulettes. Quenelles. Coquilles. — Pâtés. Godiveau. Brochettes. Farce. — Galantine. Gelée. Chaud-froid. Suprême de volaille, de foie gras. — Fricandeau. Carbonnade. Crapaudine. — Bouillabaisse. Matelote. Bisque. Brandade. — Omelette. Ramequin. Fondue. — Couscous. Pilaf. Pot pourri. Navarin. — Tranches. Darnes. — Friture. Fritot. Croquettes. — Chartreuse. Jardinière. Julienne. Macédoine. — Purée. Choucroute.

**Friandises.** — Gâteaux. — Petits fours. — Crèmes. — Marmelades. — Compotes. — Confitures. — Entremets. — Gelées. — Glaces. — Soufflés. — Charlottes. — Blancmanger. — Biscuits. — Bonbons. — Sucreries.

**La table.** — Dresser la table. — Servir, service. Présenter. — Desservir, desserte. — Couvert. — Menu. Restes.

## METTRE

(latin, *ponere*)

**Poser.** — Mettre, mise, mettable. Remettre, remise. — Poser, poseur, position. Déposer, dépôt, dépositaire, déposition, déposant. Exposer, exposition. Apposer. Contre-poser. Juxtaposer. Superposer. — Ficher. Planter. Implanter.

**Placer.** — Place. Placement. — Disposer, disposition. Caser. Ranger. SERRER. — Etablir, établissement. Fixer, fixation. Installer,

installation. — Loger. Nicher. Fourrer. — Ajuster, ajustage. Appliquer. — Poster. Aposter. — Camper. — Asseoir, assiette. — Orienter, orientation. — Reléguer. Confiner. Colloquer.

**Introduire.** — Insérer, insertion. Fourrer. Interpoler, interpolation. — Mêler. Verser. — Glisser. Couler. — Porter (sur un registre). Coucher par écrit.

### MEUBLE

**Ameublement.** — Effets mobiliers. Mobilier. — Ameublement de salon, de chambre, de salle à manger, de bureau, de cuisine. — Ménage. Emménager, emménagement. Etre, mettre dans ses meubles. — Meubler. Garnir. — Monter, démonter un meuble. — Déménager. Démeubler. Garde-meuble.

Un meublé. Un garni. Hôtel meublé. Chambre garnie.

Ebéniste. Tapissier. Décorateur. — Antiquaire. Bric-à-brac. — Style.

**Meubles.** — ARMOIRE. — Buffet. Argentier. Vitrine. — Bureau. Secrétaire. Pupitre. — Commode. Chiffonnier. — Bahut. COFFRE. — Toilette. Coiffeuse. Lavabo. — Console. Guéridon. Etagère. Dressoir. Servante. Jardinière. — TABLE. Table de nuit, de jeu, à thé, etc. — SIÈGES. Fauteuil. Chaise. Bergère. Tabouret. — BANC. Banquette. — LIT. Literie. Divan. — Rideaux. Tentures. TAPIS. COUSSINS. Housses. — Glaces. Miroir. Psyché. — Pendule. Horloge. Cartel. — Lustre. Flambeau. Torchère. — Boîte. Etui. Nécessaire. Vide-poches. — Vaisselle. Vases. — Porteparapluie. — Paravent. — Baignoire. Bidet. Bain de siège. Tub.

**Parties de meubles.** — Abattant. — Battant. — Bras. — Cannage. — Capitonnage. — Case. — Casier. — Coffre. — Corniche. — Dessus. — Dossier. — Glissière. — Marqueterie. — Montant. — Panneau. — Placage. — Planches. — Planchettes. — Pied. — Poignée. — Porte. — Rayons. — Roulettes. — Sabot. — Sculpture. — Serrure. — Siège. — Tablettes. — Tapisserie. — TIROIR. — Vernis.

**Matériaux.** — Bois. Bois fruitier. Bois coloniaux. — Chêne. Palissandre. Acajou. Ebène. Thuya. Noyer. Hêtre. Orme. Châtaignier. Poirier. Citronnier.

Bois courbé. Rotin. Vannerie. — Cuir. Crin. Etoffe. — Ecaille. Laque. Vernis. Peinture. Dorure. — Métaux. Cuivre. Fer. Nickel. Aluminium.

### MEULE

**Meules.** — Meules de moulin. — Paire de meules. Meule dormante ou gisante. Meule courante. — Meulard. Meulardeau. Meuleau. — Meules à broyer, à écraser, à moudre. —

*amas, fourrage, moisson.*
MEULIÈRE, f. V. *pierre.*
MEUNIER, m. V. *moulin, farine.*
MEURTRE, m. Meurtrier, m. V. *crime, bandit.*
MEURTRIER. V. *tuer, cruel.*
MEURTRIÈRE, f. V. *fortification.*
MEURTRIR. Meurtrissure, f. V. *choc, blessure, plaie.*
MEUTE, f. V. *chien, chasse, troupe.*
MÉVENTE, f. V. *vendre, prix.*
MEZZANINE. V. *architecture.*

MEZZO-SOPRANO, m. V. *voix, chant.*
MI (préf.). V. *moitié.*
MIASME, m. V. *gaz, puant.*
MIAULEMENT, m. Miauler. V. *chat.*
MICA, m. V. *minéral, transparent.*
MI-CARÊME, f. V. *carême.*
MICHE, f. V. *pain.*
**Microbe,** m. V. *animal, petit, épidémie.*
MICROBIEN. V. *microbe.*
MICROBIOLOGIE, f. V. *microbe.*
MICROGRAPHIE, f. V. *infusoire.*

MICROPHONE, m. V. *son, entendre, téléphone.*
MICROSCOPE, m. V. *optique, voir.*
MICROSCOPIQUE. V. *petit, infusoire.*
**Midi,** m. V. *temps, jour, heure.*
MIE, f. V. *pain.*
**Miel,** m.
MIELLÉE, f. Mielleux. V. *miel.*
MIETTE, f. V. *pain, petit, ressource.*
**Mieux.** V. *plus, guérir.*

---

Meules à user, à affûter, à polir. Mallard (de rémouleur). Polissoire. — Meules tendres. Meules dures. — Meule à main, à pédale. Meule mécanique.

**Parties.** — Anille. Archures. Boitard. Entrepied. Epée. Eveillures. Axe. Œillard. Papillon. Pipe.

Entourage. Cerce. Ripe.

Roue de grès, de fer, d'acier, de bois, de cuir, de plomb, d'émeri.

**Qui concerne les meules.** — Meulier. Meulerie. — Pierre meulière. — Tourner la meule. Meulage. Paître la meule. — Piquer, repiquer, retailler la meule.

### MICROBE

**Science.** — Biologie. Microbiologie. Bactériologie. Histologie. Micrographie. — Cultures microbiennes. — Institut Pasteur.

Maladies microbiennes. Toxines microbiennes. — Antisepsie. Asepsie. Stérilisation. — Vaccination. Sérum.

**Microbes.** — Microbe. Bactérie. Bacille. Vibrion. Virgule. Champignon. Ferment. Aérobie. Anaérobie. — Protoplasma. Pigment. Division.

**Classification.** — *Coccacées.* — Microcoques. Gonocoque. Pneumocoque. Staphylocoque. Streptocoque, etc. — Arsine. — Ascocoque. — Leuconostoc.

*Bactériacées.* — Bacille. — Spirille. — Leptothrix. — Cladothrix.

### MIDI

**Heure.** — Midi. Douze heures. Midi vrai. Midi moyen. — Culmination. Méridien. Méridienne (ligne).

**Région.** — Midi. Sud. Sud-Est. Sud-Ouest. — Méridional. — Zone torride. Pays chauds. — Pôle antarctique. Région australe.

Vent du midi. Africus. Notus. Auster. Autan. Simoun. Siroco.

### MIEL

**Abeilles.** — Hyménoptère. Mouche à miel. Abeille. — Aiguillon. Dard. Pattes. Cuilleron. Brosse. Trompe. Glandes cirières. — Œufs. Couvain. Larve. Nymphe. — Mâle ou

Faux bourdon. Reine ou Mère. Ouvrière ou Neutre.

Butiner. Pollen. Nectar. — Bourdonner. — Essaim, essaimer, essaimage.

**Ruches.** — Ruche. Rayon. Cadre. — Ruche à rayons fixes, en liège, en osier, en paille. — Ruche à cadres mobiles. Ruche démontable. — Chapeau. Cloche. Hausse. — Cellule. Alvéole. Propolis. — Rucher. Ruchée.

**Miel.** — Mellification. Distiller. — Miel. CIRE. — Gâteau, rayon de miel. Gaufre. — Miel blanc, roux, des Alpes, de Narbonne, du Gâtinais, etc. — Châtrer une ruche. Démieller la cire. Extraire le miel. — Hydromel. Pain d'épice. Nougat. — Opiat.

**Relatif au miel.** — Apiculture, apiculteur. Mélissographie. — Plantes mellifères. Miellat ou Miellée (suc). Mélisse. — Emmieller Miellé. — Melliflu. Mielleux. — Mellivore. — Mellona (déesse du miel). — Hymette, Hybla (monts célèbres par le miel).

### MIEUX

**Améliorer.** — Amélioration. Amender, amendement, amendable. Abonnir. Bonifier, bonification. — Embellir, embellissement. Orner, ornement. Enjoliver, enjolivure. Soigner, soins. — Réformer, réforme. Réorganiser, réorganisation. Corriger, correction. Rectifier, rectification.

Refaire, réfection. Régénérer, régénération, régénérateur. Réparer, réparation, réparateur. — Renouveler, rénovation. — Refondre, refonte. Remanier, remaniement.

Reviser, revision. — Retoucher, retouche. Raccommoder, raccommodage. Retaper, retapage. Rajuster, rajustement. Replâtrer, replâtrage.

Perfectionner, perfectionnement. Civiliser, civilisation. Eduquer, éducation. — Changer, changement. — Relever, relèvement. — Epurer, épuration. Expurger.

**S'améliorer.** — Se faire. Se refaire. Se relever. Se corriger. Se raffermir. — Profiter. Progresser, progrès, progression. — Monter. Mouvement ascendant. — Valoir mieux. Gagner. Plus-value. — Guérir, guérison. Convalescence. Régénérescence. — Amendable. Perfectible. Corrigible. Réformable.

MIÈVRE. Mièvrerie, f. V. *vif, affectation.*

MIGNARD. Mignardise, f. V. *doux, délicat, cajoler.*

MIGNON. V. *beau, délicat, aimer.*

MIGNOTER. V. *caresse.*

MIGRAINE, f. V. *tête.*

MIGRATION, f. V. *passer, barbare.*

MIJAURÉE, f. V. *affectation.*

MIJOTER. V. *cuire, bouillir.*

MIKADO, m. V. *Japon.*

MILAN, m. V. *oiseau.*

MILDIOU, m. V. *vigne, champignon.*

MILIASSE, f. V. *maïs, bouillie.*

MILICE, f. V. *soldat, troupe, guerre, garde.*

MILIEU, m. V. *intérieur, lieu, classe.*

MILITAIRE. V. *soldat, guerre.*

MILITANT, m. Militer. V. *combat, partisan, politique.*

Mille, m. V. *mesure, distance.*

MILLE-FEUILLE, m. V. *pâtisserie.*

MILLÉNAIRE, m. V. *mille, chronologie.*

MILLÉSIME, m. V. *mille, chronologie, monnaie.*

Millet, m. V. *maïs, blé.*

MILLIAIRE. V. *distance.*

MILLIBAR, m. V. *météore.*

MILLIÈME. V. *mille.*

MILLIER, m. V. *mille.*

MILLIGRAMME, m. V. *poids.*

MILLIMÈTRE, m. V. *mesure.*

MILLION, m. V. *mille.*

MILLIONNAIRE, m. V. *riche.*

MIME, m. Mimer. V. *geste, théâtre.*

MIMÉTISME, m. V. *imiter.*

MIMIQUE, f. V. *geste, imiter.*

MIMOSA, m. V. *plante.*

MINABLE. V. *pauvre.*

MINARET, m. V. *Arabes, temple.*

MINAUDER. Minauderie, f. V. *grimace, affectation.*

Mince. V. *étroit, maigre, médiocre.*

MINCEUR, f. V. *mince.*

Mine, f. V. *métal, souterrain, poudre, apparaître, visage, beaucoup.*

MINER. V. *mine, détruire.*

---

**Ce qui est mieux.** — Mieux. PLUS. Davantage. — Meilleur. Supérieur. Préférable. — Plutôt. De préférence. — Tant mieux. V. PRÉFÉRER.

**Ce qui est le mieux.** — Le plus et le mieux. *Nec plus ultra.* — Fleur. Bouquet. Crème. Jus. Dessus du panier. — Parangon. Perle. Phénix. — Elite. Aristocratie. — Perfection. Quintessence. Qualité supérieure. — Souverain. Suprême.

### MILIEU

**Le milieu.** — Milieu. Mitan. Centre. — Foyer. Noyau. AXE. — Ame. Cœur. — INTÉRIEUR. FOND. Dedans. Epaisseur. — Le fort. Le vif. — Centre de gravité. Métacentre. Point de réunion.

**Ce qui est au milieu.** — Diamètre. RAYON. — Médium. — Médius (doigt). — Enclave. — Entrailles. — Méditerranée. — Médianoche. — Mezzanine (entresol). — Intermède. — Moelle.

Central. Concentrique. Homocentrique. — Intermédiaire. Médiaire. Médian. Médiat. — Intérieur. Focal. Au beau milieu. — Moyen. Modéré. — Parmi. Entre. Dans.

**La moitié.** — MOITIÉ. Demi. — Moyenne. — Mi. Mi-parti. Mi-carême. — Midi. Minuit. — Mitoyen. Mixte. — Moyen terme. Juste milieu.

### MILLE

**Numération.** — Mille. Mil (ère chrétienne). Millier. — Million. Billion ou Milliard. Trillion. Quatrillion. Quintillion, etc. — Milliasse (grand nombre de mille). Myriade.

**En rapport avec mille.** — Millième. Millimètre. Milligramme. Millime. Millibar, etc. — Mille-pertuis. Mille-pattes. Mille-fleurs. Mille-feuille. — Millésime, millésimer. Millénaire. — Kilogramme. Kilo. Kilolitre. etc. — Myriamètre. Myriagramme, etc. — Tonne. Tonneau.

### MILLET

**La plante.** — Mil. Millet. Gros millet ou Maïs. Millet d'Inde ou Doura. Millet à épi ou Millet des oiseaux. Millet paniculé. Millet tendre. Sorgho. Moha.

**Relatif au millet.** — Millière (champ de millet). — Miliacé. — Miliasse (bouillie). — Glande miliaire. — Bosan (bière).

### MINCE
(latin, *tenuis*)

**Sans épaisseur.** — Mince, minceur. Amincir. — ETROIT, étroitesse. — Fin, finesse. Affiner, affinage. — Effilé. AIGU. Aiguisé. — Emincé. Evidé. — Svelte. Elancé. — Taille dégagée. Taille de guêpe. — Ténu, ténuité. Capillaire. — Efflanqué. Allumette. — Estrac (cheval efflanqué).

FIL. — Filament. — Pellicule. — Membrane. — FEUILLE. — Feuillet. — LAME. — Planche. Planchette.

**Petit.** — Menu. Délié. — Impalpable. Insaisissable. Invisible.

Brimborion. Babiole. — Bûchette. Brochette. Tablette. Languette. Miette. — Morceau. Lèche. Fragment. Rognure. Copeau. — Echarde. — Fretin. — Mitraille. — Grenaille. — Menuaille.

**Faible.** — Grêle, gracilité. Frêle. — DÉLICAT, délicatesse. — Fluet. Gringalet. Freluquet. — Maigre, maigreur. Exile, exilité. Malingre. Etique. — Atrophié. Etiolé. — Flexible, flexibilité. Pliant.

### MINE

**La technique.** — Géologie. Minéralogie. — Ecole des Mines. Recherches géologiques. — Fouilles. — Industrie minière. Ingénieur des mines. Contrôleur. Prospecteur. — Maître mineur. Porion. Hercheur. Borins. Taupins.

**Nature des mines.** — Minière. CARRIÈRE. Houillère. — Tréfonds. Concession. — Mine riche. Mine pauvre. — Banc. Lit. Couche.

MINERAI, m. V. *minéral, terre, fonderie.*
Minéral, m. V. *géologie, pierre, métal.*
MINÉRALISATION, f. V. *minéral, chimie.*
MINÉRALOGIE, f. V. *géologie, cristal, métal.*
Minerve, f. V. *dieu, raison.*
MINET, m. V. *chat.*
MINETTE, f. V. *fer.*

MINEUR, m. V. *mine, enfant, moins.*
MINEURE, f. V. *argument.*
MINIATURE, f. V. *portrait.*
MINIATURISTE, m. V. *peinture.*
MINIÈRE, f. V. *mine.*
MINIME. V. *petit.*
MINIMUM, m. V. *degré, limite, prix.*
MINISTÈRE, m. Ministériel.

V. *ministre, fonction.*
Ministre, m. V. *politique, magistrat, religion, protestant, agent.*
MINIUM, m. V. *plomb, rouge.*
MINOIS, m. V. *visage.*
MINORITÉ, f. V. *âge, tuteur, nombre, suffrage.*
MINOTAURE, m. V. *monstre.*
MINOTERIE, f. Minotier, m. V. *moulin, farine.*

---

Gîte. Gisement. Veine. — Nid. Placer. Mort-terrain. Dépôt.

Filon. Toit. Mur. Semelle. Tête. Affleurement. Puissance. Faille. — Gangue. Rognons. — Gradins montants, descendants. Direction. Inclinaison

Exhalaisons malsaines. Grisou. Gaz. Mofette. Pousse.

**Exploitation.** — Exploitation. Chantier. Travaux. Bâtiments. Machinerie. — Recherche. Sondage. Fouilles. — Forage. Puits. Puisard. Tranchées. Cuvelage. — Galeries. Voies. Ciel ouvert. Fond. Niveaux. Boisage. — Taille. Abattage. — Aérage. Ventilation. — Transport. Herchage.

Minières. — Carrières. — Exploitation. — Concession. — Transfert. — Découverte. — Recherche. — Affichage. — Police des mines. — Ecole supérieure nationale des mines. — Conseil général des mines. — Redevance fixe, proportionnelle. — Mutation. — Amodiation. — Travail dans les mines. — Propriétaire. — Usufruitier.

**Matériel.** — Lampe de mineur. — Tarière. Trépan. Barres. Pinces. Escoupe (pelle). — Perforatrice. Marteau-piqueur. — Poteau. Pilier. Dosse. — Rails. Wagons. Bennes. Berlines. — Recette. Carreau. — Cages de descente, d'ascension. Câbles. Treuils. — Pompes d'épuisement. Tuyaux d'aération. Buse.

**Mines explosives.** — Mine. Contre-mine. Sape. Galerie. — Chambre de mine. Fourneau. Logement. — Bourrage, bourrer, bourroir. Mèche. Charge. Cartouche. — Explosifs. POUDRE. Dynamite. Cheddite. Lithotrite. Panclastite, etc. — Cordeau Bickford. Détonateur. — Explosion. Entonnoir.

Miner. Saper. — Faire jouer. Faire sauter. — Eventer.

Mines marines. Mouiller des mines. Mouilleur de mines.

## MINÉRAL

**Etude des minéraux.** — Minéralogie, minéralogiste. Géologie, géologue. Chimie. Cristallographie. Micrographie. — Collections. Musée minéralogique.

Minéralisation, minéraliser. Cristallisation. — Etat natif. Etat chimique. — Caractères. Couleur. Eclat. Clivage. Transparence. Dureté, etc. — Terrain métallifère. Gisement. — Corps brut. Gangue. Druse. Grappes. Sables. Rognons.

**Traitement des minéraux.** — Métallurgie, métallurgiste. Minéralurgie. — Débourber le minerai. Bénéficier. Egrapper. Laver. — Fondre, FONDERIE. — Traitement par voie humide, par voie sèche. Electrolyse. — Docimasie. Essai.

**Principaux minéraux.** — Silicates. — Silice. — Quartz. Feldspaths. Micas. — Granites. — Gneiss. — Pegmatites. — Syénites. — Pyroxènes. — Amphiboles. — Péridot. — Zéolithes. — Argile. — Corindons. — Cymophane. — Nitre. — Borax. — Strontianite. — Calcite. — Dolomie. — Natron. — Barytine. — Gypse. — Tantaline. — Sel gemme. — Fluorine. — Soufre. — Arsenic. — Antimoine. — Orpiment. — Stibine. — Molybdénite. — Vanadine. — Chromite. — Wolfram. — Acerdèse. — Pyrites. — Cobaltine. — Millérite. — Blende. — Stannine. — Galène. — Bismuthine. — Cuprite. — Cinabre. — Argyrite. — Or natif. Sylvanite. — Platine natif impur. — Diamant. — Houille. — Pétrole. — Ambre.

### MINERVE

**La déesse.** — Minerve. Athéné. Pallas. — Casque. Egide. Lance. Chouette.

**Relatif à Minerve.** — Parthénon. Statue chryséléphantine. Palladium. — Panathénées (fêtes à Athènes). Quinquatries (fêtes à Rome). — Olivier (arbre consacré).

### MINISTRE

**Dignité.** — Ministre. Excellence. — Président du conseil. Premier ministre. Sous-secrétaire d'Etat.

Portefeuille. Signature. — Cabinet ministériel. Chef de cabinet. Former un cabinet. — Ministrable.

**Fonctions.** — Ministère, ministériel. Département. — Gouvernement. Administrations publiques. Services administratifs. Bureaux. — Conseil des ministres. Banc des ministres. — POLITIQUE.

Ministre de l'Intérieur, des Affaires étrangères, des Finances, de l'Education nationale, de la Justice, des Colonies, etc. — Garde des sceaux.

**Titres étrangers ou anciens.** — Chancelier. Surintendant. Intendant. Lieutenant général. Connétable. Grand maître. Grand sénéchal. Trésorier. Maire du palais. Vizir. Taïcoun, etc.

MINUIT, m. V. *heure, nuit.*
MINUSCULE. V. *lettre, petit.*
MINUTE, f. V. *heure, court, degré, copie.*
MINUTER. V. *écrire.*
MINUTERIE, f. V. *horlogerie.*
**Minutie,** f. V. *délicat, soin, exact.*
MINUTIEUX. V. *minutie.*
MIOCHE, m. V. *enfant.*
MI-PARTI. V. *partage, milieu.*
MIRABELLE, f. V. *prune.*
MIRACLE, m. Miraculeux. V. *extraordinaire, étonnement.*
MIRAGE, m. V. *météore, imagination, erreur, éblouir.*
MIRE, f. V. *but, niveau.*
MIRER. V. *œil, diriger, niveau, miroir.*
MIRIFIQUE. V. *beau.*
MIRLITON, m. V. *flûte.*
MIRMILLON, m. V. *gladiateur.*
**Miroir,** m. V. *optique, réfléchir, toilette, piège.*
MIROITER. V. *briller, éblouir.*
MIROITIER, m. V. *miroir.*

MIROTON, m. V. *mets, oignon.*
MISAINE, f. V. *mât, voile.*
MISANTHROPE, m. Misanthropie, f. V. *haine, seul.*
MISE, f. V. *mettre, toilette, jeu.*
MISÉRABLE. V. *pauvre, mal, vil.*
MISÈRE, f. V. *besoin, peine, malheur.*
MISÉRÉRÉ, m. V. *psaume.*
MISÉREUX. V. *aumône.*
MISÉRICORDE, f. Miséricordieux. V. *pitié, charité, pardon.*
MISOGYNE, m. V. *mariage, haine.*
MISSEL, m. V. *messe, liturgie.*
**Mission,** f. V. *envoi, confiance, diplomatie, prêcher.*
MISSIONNAIRE, m. V. *mission, agent, prêtre.*
MISSIVE, f. V. *lettre.*
MISTELLE, f. V. *vin.*

MISTIGRI, m. V. *chat, cartes.*
MISTRAL, m. V. *vent.*
MITAINE, f. V. *main.*
MITE, f. V. *papillon.*
MITÉ. V. *gâter.*
MITHRA, m. V. *soleil.*
MITIGER. V. *doux, diminuer.*
MITONNER. V. *cuire, bouillir, émail.*
MITOYEN. Mitoyenneté, f. V. *commun, milieu, deux.*
MITRAILLE, f. V. *artillerie.*
MITRAILLEUSE, f. V. *armes.*
MITRE, f. V. *coiffure, évêque.*
MITRON, m. V. *boulanger.*
MIXTE. V. *mélange.*
MIXTION, f. Mixture, f. V. *mélange, pénétrer.*
MNÉMOSYNE, f. V. *muse.*
MOBILE. V. *mouvement, léger.*
**MOBILE,** m. V. *mécanique, cause.*
MOBILIER, m. V. *meuble, propriété.*

---

## MINUTIE

**Dans le langage.** — Purisme, puriste. Eplucheur de mots. — SUBTIL, subtilité, subtiliser. Analyser, analyse. Fendre un cheveu en quatre. — Mettre les points sur les *i.* Ergoter, ergoteur. Epiloguer. — Disputer, disputeur. Chicane, chicaner, chicaneur. Argutie.

**Dans les actions.** — Minutieux, minutie. Méticuleux. Scrupuleux, SCRUPULE. Soigneux, soin. — Formaliste, formalisme. Vétilleux, vétille. Pointilleux, pointu. — Tâtillon, tâtillonner. Tracassier, tracasser. — Exigeant. Difficile à satisfaire. — Raffiné, raffinement. — Epinocher. Eplucher. Barguigner. — Cérémonieux. Cérémonie. Protocole. Compassé. Par compas et mesure. — DÉLICAT, délicatesse. Susceptible, susceptibilité. Se formaliser.

**Dans la dépense.** — Parcimonieux, parcimonie. Regardant, regarder. Mesquin, mesquinerie. — Lésiner, lésinerie. Etre à ses pièces. Liarder, liardeur. — Chipoter, chipotier. Haricoter, haricotier. — Regratter. Grappiller.

## MIROIR

**Miroirs.** — Miroir. Glace. — Glace nue, encadrée, biseautée. Miroir métallique. — Miroir concave, grossissant. Foyer. — Miroir convexe, rapetissant. — Miroir à main. Miroir de poche. Miroir à trois glaces. — Armoire à glace. Psyché. — Trumeau. Applique. Médaillon. — Réflecteur. Rétroviseur. Spéculum.
RÉFLÉCHIR. Renvoyer l'image. Miroiter. — Consulter son miroir. Se mirer.

**Fabrication.** — Miroiterie, miroitier. Glacerie, glacier. — Verre. Cristal. — Plaque. Panneau. — Paraisonner (souffler). Mouler. Couler. Souffler. Dégrossir. Adoucir. Doucir. Roder. Polir. Recouper. Moleter. — Etamer, étamage. Tain. Amalgame. Aviver le tain. Dressoir (outil). — Parquet de glace. Valet (support). — Glaces de Baccarat, de Bohême, de Venise, etc.

## MISSION

**Mission officielle.** — Mission diplomatique. Lettre de créance. — Ambassade, ambassadeur. Légation, légat. Plénipotentiaire. Ministre. Chargé d'affaires. — Fonction, fonctionnaire. Charge. — Commission, commissionner. Commissaire. — Délégation, délégué. Députation, député. Emissaire. — Négociation, négociateur. Instructions. — Donner une mission. Charger de. Appeler à.

**Mission d'affaires.** — Agent, agence. Homme de CONFIANCE. Mandataire, mandat. Représentant, représenter. — Fondé de pouvoir. Pouvoir. Procuration. Pleins pouvoirs. — Blanc-seing. Carte blanche. Fidéicommis. — Commission, commissionnaire. Commande, command. ORDRE. — Courrier. Course. Exprès. — Dépêche. Message. Missive.
Confier. Commettre. — Mander. Contremander. Décommander. — Dépêcher. Expédier. Envoyer.

**Mission religieuse.** — Messie. — Apôtre. Apostolat. Mission apostolique. — Missionnaire. Missionnariat. — Missions catholiques. Propagande. Propagation de la foi. — Missions protestantes, évangéliques. — Missions étrangères.

**Mission militaire.** — Commandement. — Service des renseignements. — Mission d'instruction. — Reconnaissance. Patrouille. Liaison. Estafette. — Parlementaire.

MOBILISATION, f. V. *appel, armée.*

MOBILISER. V. *mouvement.*

MOBILITÉ, f. V. *mouvement, changer.*

MOCASSIN, m. V. *soulier.*

MODALITÉ, f. V. *manière, qualifier.*

MODE, f. V. *habitude, toilette, élégance.*

MODE, m. V. *verbe.*

MODELAGE, m. V. *argile, sculpture.*

**Modèle**, m. V. *comparaison, imiter, bon, peinture.*

MODELER. V. *modèle, forme.*

MODÉRANTISME, m. V. *modération.*

MODÉRATEUR, m. V. *modération.*

**Modération**, f. V. *sage, modeste, calme, abstenir (s').*

MODÉRÉ, m. V. *politique.*

MODÉRER. V. *diminuer.*

MODERNE. V. *temps, nouveau.*

MODERNISER. V. *réparer.*

**Modeste.** V. *simple, humilité, modération, chaste.*

MODESTIE, f. V. *modeste.*

MODICITÉ, f. V. *médiocre.*

MODIFICATION, f. Modifier. V. *changer, restriction.*

MODIQUE. V. *médiocre, prix.*

MODISTE, f. V. *habillement, chapeau.*

MODULATION, f. V. *chant, musique.*

MODULE, m. V. *médaille, colonne.*

**Moelle**, f. V. *cerveau, os, tige.*

MOELLEUX. V. *mou, doux.*

MOELLON, m. V. *pierre, maçon.*

**Mœurs**, f. p. V. *caractère, conduite, rhétorique.*

MOFETTE, f. V. *vapeur.*

MOGOL, m. V. *Inde.*

## MODÈLE

**Modèle matériel.** — Modèle. Type. Prototype. Echantillon. Spécimen. — Gabarit. Patron. Forme. Panneau. — MOULE. Matrice. Empreinte. Calibre. Cherche. — Carton. Dessin. Esquisse. Poncis. Epure. — Essai. Ebauche. Exemplaire. — Etalon.

Modeler, modelage. — Modeler. Modelliste. — Reproduire.

**Modèle moral.** — Exemple. Prêcher d'exemple. Donner l'exemple. Contagion de l'exemple. — Commencer le premier. Montrer le chemin. Entraîner, entraînement. — Donner le ton. Faire école. Mener le branle. — Edifier, édifiant. Parangon. — SCANDALE, scandaleux, scandaliser. — Précédent.

Se gagner. Se propager. — Imiter, imitation. Snobisme.

**Modèle écrit.** — Canon. Formulaire. Protocole. — Minute. Original. Brouillon. — Exemple. Paradigme. — Formule. Recette.

## MODÉRATION

**Dans la conduite.** — Se modérer, modéré. Se borner. Borner ses désirs. — Se contenir. Se posséder. Etre maître de soi. — Se contraindre. Se dompter. — S'observer. Se retenir. Retenue. Savoir-vivre. Convenance. — Renoncer, renoncement. Abnégation. Désintéressement, désintéressé. — MODESTE, modestie. SIMPLE, simplicité. — Patient, PATIENCE. CALME. Accommodant. — Mesure, mesuré. Ménagement.

**Dans la vie.** — Abstinence. Se priver. Diète. — Tempérance, tempérant. Frugalité, frugal. Sobriété, sobre. — Vivre de peu. Etre content de peu. Faire maigre chère. — Eviter les excès. Régime alimentaire. — Continence. Chasteté, CHASTE. — Economie, économe. Epargne.

**Dans le jugement.** — Raisonnable, RAISON. Pondéré, pondération. SAGE, sagesse. Equilibré, équilibre. Posé. — Circonspect, circonspection. Réservé, réserve. — Tolérant, TOLÉRANCE. IMPARTIAL, impartialité. — Modéré, modérantisme. Juste milieu. — Craintif. Timoré. Timide. — Céder. Transiger. Prendre un moyen terme. — Se résigner, RÉSIGNATION.

**Dans le langage.** — Ménager, mesurer ses expressions. — Euphémisme. Correctif. Palliatif. — Voiler. Pallier. Couvrir. — Honnêteté. Politesse. — Discret, discrétion. Réticent. — Ne pas insister. Avoir de l'à-propos.

## MODESTE

**Mesure.** — Mesuré. Modéré, modération. — Médiocre, médiocrité. Moyen. Modique, modicité. — SIMPLE, simplicité. Sans prétention. — Sans éclat. Obscur. Caché. — Humble, humilité. Violette.

**Décence.** — Décent. — Bienséance. Décorum. Convenance, convenable. — Respect humain. Réserve. Retenue. — Douceur. Timidité. — Honnêteté. — Se tenir à sa place. S'effacer.

**Pudeur.** — Vertu, vertueux. Innocence, innocent. Pur, pureté. — Pudique, pudicité. Pudibond, pudibonderie. — CHASTE, chasteté. VIERGE, virginité. — Prude, pruderie. Baisser les yeux. — Rougir. Le rouge de la pudeur. Honte. Vergogne.

## MOELLE
(latin, *medulla*)

**Moelle animale.** — Moelle épinière. Moelle allongée. Moelle des os. — Médullaire. Médulleux. Myélique. — Rayons médullaires. — Tunique vaginale. Diploé. Etui. Cavité. — Myélite (maladie).

**Moelle végétale.** — Moelle. Cœur. Pulpe. — Moelle du palmier ou Palmite. Moelle du jonc, du roseau, de la canne. — Emoeller. — Sagou (fécule).

## MŒURS et MORALE

**Règle de conduite.** — La morale. Loi morale. Morale théorique. Morale pratique. Morale sociale.

Moralité. Responsabilité morale. — Moralisme, moraliste. Moraliser, moralisation, moralisateur. Former les mœurs. — Civilisation. Education. Instruction. — Œuvres gnomiques. MAXIMES. Sentences. Préceptes. — Religion. Sermon. Parénèse. Parabole.

Sens moral. CARACTÈRE. — La CONSCIENCE. Cri de la conscience. Cas de conscience

Moi. V. *personne, soi.*
Moignon, m. V. *mutiler.*
Moindre. V. *moins, inférieur.*
**Moine**, m. V. *religion, vœu, acier.*

**Moineau**, m. V. *oiseau.*
Moinerie, f. Moinillon, m. V. *moine.*
**Moins.** V. *diminuer, inférieur.*

Moins-perçu, m. V. *moins.*
Moins-value, f. V. *moins.*
Moire, f. Moiré. V. *étoffe, tôle, briller.*
Moirure, f. V. *raie.*

---

**Doctrines morales.** — Ethique. Ethologie. Déontologie. — Stoïcisme. Epicurisme. Utilitarisme. Evolutionnisme. Formalisme. — Casuistique.

**Bonne conduite.** — Qualités morales. Honnêteté. VERTU. MÉRITE. Honneur. Pureté. Intégrité. — Bonnes mœurs. Mœurs pures. Se bien conduire. — Bons principes. Bons sentiments. Avoir de la conscience. Etre consciencieux. — Edifier, édifiant, édification. Dompter ses passions, ses instincts.

Rigueur, rigoureux, rigoriste. Rigide, rigidité de principes.

**Mauvaise conduite.** — Mauvaises mœurs. Mœurs faciles. Mœurs dissolues. — Mauvais PENCHANTS. Mauvais instincts. Mauvaises HABITUDES. PASSIONS.

Immoralité, immoral. Démoralisation. Démoralisé. Faire le mal. — Corruption, corrompu. Dépravation, dépravé. Dérèglement, déréglé. VICE, vicieux. — Relâchement de mœurs. Morale relâchée. — Démérite. — DÉBAUCHE. LICENCE.

## MOINE
(latin, *monachus*)

**Résidence.** — Monastère. Couvent, conventuel. Cloître, claustral. Moutier. Prieuré. Communauté. — Abbaye, abbatial. Archimonastère. Maison mère. — Paraclet. Béguinage. — Hospice. Domerie. — Ermitage. — Capucinière.

Salle capitulaire. Discrétoire. Chapelle. Bibliothèque. — Cloître. Préau. Cellules. Grilles. Tour. — Parloir. Miséricorde. Réfectoire. Dortoir. — *In pace.*

Conventualité. Chartre. Bénéfice. Mainmorte. Mense. — Dot. Pécule.

**Règle.** — Monachisme. — Vie monastique, monacale, claustrale, conventuelle. — Vie cénobitique, érémitique. — Vie contemplative, active, mixte. — Règle de saint Basile, de saint Augustin, de saint Benoît, de saint François. — Ordre, tiers ordre. Congrégation. Confrérie. Institut. Province. — Moinerie. Moinaille. Frocards.

Prononcer des vœux. Entrer en religion. Prendre l'habit. Prendre le voile. — Vœux. Vœu d'obéissance, de chasteté, de pauvreté, de silence. — Observance. Probation. Noviciat. Vêture. Jubilé. — Ascétisme.

Clôture. Cloîtrer. Obédience. — Chapitre. Discipline. Réforme.

Décloîtrer. Séculariser. — Relever d'un vœu. Commuer les vœux. — Se défroquer. Jeter le froc aux orties.

**Vêtements.** — Vêtement angélique. Robe. Froc. Coule. — Scapulaire. Capuchon. Capuce. Cagoule. Chaperon. Cucule. — Cilice.

Cordon. Besace. — Mante. Voile. Psautier. Béguin. Cornette. Guimpe. Barbette.

**Titres et fonctions.** — Abbé. Abbé mitré. Provincial. Moine, moinillon. Congréganiste. Religieux. Régulier. — Moines mendiants, prêcheurs, hospitaliers. — Anachorète. Ermite.

Procureur. Supérieur. Prieur. — Custode. Doyen. — Père. Profès. Révérend. Capitulant. Oblat. Novice. Postulant. — Aumônier. Trésorier. Tabulaire. Hebdomadier. Gardien. Cellérier. Portier. — Frère lai. Frère convers. — Jubilaire.

Abbesse. Supérieure. Mère. Sœur. Religieuse. — Professe. Novice. Postulante. — Converse. Tourière. — Nonne. Nonnain. — Epouse du Christ.

**Principaux ordres de religieux.** — Assomptionnistes. — Augustins. — Barnabites. — Bénédictins. — Bernardins. — Camaldules. — Capucins. — Carmes. — Chartreux. — Cisterciens. — Dominicains. — Eudistes. — Franciscains. — Frères de la doctrine chrétienne. — Jésuites. — Lazaristes. — Maristes. — Minimes. — Oratoriens. — Pères blancs. — Prémontrés. — Récollets. — Servites. — Sulpiciens. — Théatins. — Trappistes.

**Principaux ordres de religieuses.** — Augustines. — Bernardines. — Calvairiennes. — Capucines. — Carmélites. — Clarisses. — Dames de l'Assomption. — Dames de Saint-Joseph de Cluny. — Dames de Saint-Thomas. — Dominicaines. — Franciscaines. — Madelonnettes. — Petites sœurs des pauvres. — Sœurs de Saint-Vincent-de-Paul. — Trinitaires. — Visitandines.

**Moines étrangers.** — Bonze (Chine et Japon). — Caloyer (grec). — Calender (persan). — Derviche (turc). — Fakir (indien). — Nazaréen (juif). — Santon (indien). — Talapoin (indien). — Gyrovague (indien). — Thérapeute (juif). — Jammabos (Japon).

## MOINEAU

**L'oiseau.** — Passereau. — Moineau commun. Moineau franc. Moineau friquet. — Gros-bec. Pierrot. Pierret.

**Relatif au moineau.** — Chucheter. Pépier. Guilleri (cnant). — Pot à moineau. — Un vilain moineau.

## MOINS

**Rendre moindre.** — Amoindrir, amoindrissement. Affaiblir, affaiblissement. DIMINUER, diminution. — Désavantager, désavantage, désavantageux. — Rapetisser. Soustraire. — Atténuer, atténuation. Litote. Mésestimer, mésestime. Rabaisser, rabais. Mévendre.

*Mois*, m. V. *chronologie, calendrier, salaire.*
MOISIR. Moisissure, f. V. *gâter, acide, champignon.*
*Moisson*, f. V. *blé, grange.*
MOISSONNER. Moissonneur, m. V. *moisson, couper.*
MOISSONNEUSE, f. V. *machine.*
MOITE. Moiteur, f. V. *humide, sueur.*
*Moitié*, f. V. *milieu, deux, mariage.*
MOKA, m. V. *café, pâtisserie.*
MOLAIRE, f. V. *dent.*

MÔLE, m. V. *hydraulique, port.*
MOLÉCULAIRE. Molécule, f. V. *petit, chimie.*
MOLESQUINE, f. V. *tissu.*
MOLESTER. V. *traiter, tourmenter.*
MOLETER. V. *miroir.*
MOLETTE, f. V. *éperon.*
MOLINISME, m. V. *grâce.*
MOLLESSE, f. V. *mou, paresse, faible.*
MOLLET. V. *mou, œuf.*
MOLLET, m. V. *jambe.*

MOLLETIÈRE, f. V. *bande.*
MOLLETON, m. V. *étoffe.*
MOLLIR. V. *mou, céder.*
*Mollusque*, m. V. *mou, coquillage.*
MOLOSSE, m. V. *chien.*
MOMENT, m. Momentané. V. *temps, court.*
MÔMERIE, f. V. *hypocrite.*
MOMIE, f. Momifier. V. *cadavre, Egypte.*
MONACAL. V. *moine.*
MONADE, f. V. *unité.*
MONANDRIE, f. V. *fleur.*

---

**Etre moindre.** — Avoir le dessous. INFÉRIEUR, infériorité. — Mineur, minorité. — Moins-value. Moins-perçu. — Tare. — Manquer, MANQUE. Déficit, déficitaire. — Minuscule. Minime. Minimum. — PIRE.

**Locutions.** — Le moins. Au moins. Du moins. De moins en moins. A tout le moins. En moins de rien. — Rien moins que (pas du tout). Rien de moins que (tout à fait). — A moins que.

## MOIS

**Les mois.** — Mois solaire. Mois lunaire. Mois intercalaire. Embolisme.

*Calendrier actuel.* Janvier. Février. Mars. Avril. Mai. Juin. Juillet. Août. Septembre. Octobre. Novembre. Décembre.

*Calendrier républicain* (1793-1805). Vendémiaire. Brumaire. Frimaire. Nivôse. Pluviôse. Ventôse. Germinal. Floréal. Prairial. Messidor. Thermidor. Fructidor.

*Calendrier grec.* Hécatombéon. Métageitnion. Boédromion. Pyanepsion. Mémactérion. Posidéon. Gamélion. Anthestérion. Elaphébolion. Munychion. Thargélion. Scirophorion.

*Calendrier arabe.* Mouharram. Safar. Réby. Djoumadi. Redjeb. Schaaban. Ramadan. Schewal. Dsoulkaadah. Dsoulhedjah.

**Qui concerne le mois.** — Calendrier. Ménologe (calendrier de l'Eglise grecque). — Quantième. Semaine. Quinzaine. Trimestre, trimestriel. Semestre, semestriel. — Mensuel, mensuellement, mensualité. Bimensuel. — Mois courant. Fin courant. — Jours. Jours complémentaires. Jours sans-culottides. — Calendes. Nones. Ides.

## MOISSON
(latin, *messis*)

**Récolte des blés.** — Moisson. Moissonner. Moissonneur. Moissonneuse. Moissonneuse-lieuse (machine). — Couper les blés. Scier, scieur. Faucille. — Faucher. Fauchaison. Fauchage. Faucheur. Faux. — Aoûter, aoûtement. Aoûteron. — Gerber. Gerbe. Gerbière. Lier les gerbes. — Emmeuler. Meule. Moyette. — Javeler. Javelle. Javelage. Javeleur. — Engranger. GRANGE. Grenier. — Battre. Batteur. Batteuse (machine). — Glaner. Glane. Glaneur.

**Autres récoltes.** — Recueillir. Récolter. Ramasser. Arracher. — Cueillir. Cueillaison.

Cueillette. Cueilleur. — Vendanger. VENDANGE. Vendangeur. — Faner. Fenaison. Faneur. Bottes. Regain.

**Relatif aux moissons.** — Ambarvales (procession). Rogations. — Messidor (mois des moissons). — Mestivage (temps de la moisson). — Messier (garde-moisson). — Gagnages (fruits pendants par racines).

## MOITIÉ

**Division en deux.** — Moitié. Deuxième partie. PART égale. — Bissection, bissectrice. Dichotomie, dichotomique. Couper en deux. PARTAGE, partager. — MÉTIS. — Mitoyen. — Mixte. — Moison (bail à moitié). — Moyen. Moyen terme.

**Mots composés.** — Particule *mi :* Micarême. Mi-parti. A mi-chemin. A mi-côte. A mi-jambe.

Préfixe *demi :* Demi-cercle. Demi-lune. Demi-litre, etc.

Préfixe *hémi :* Hémisphère. Hémiplégie. Hémistiche. Hémicycle, etc.

Préfixe *semi :* Semi-preuve. Semi-voyelle. Semi-ton. Semi-brève. Semi-cubique, etc.

Préfixe *sesqui :* Sesquialtère (1 1/2). Sesquidouble (2 1/2). Sesquipédal (1 pied 1/2). Sesquioxyde, etc.

## MOLLUSQUE

**Constitution.** — Radula. Branchies. Cils. Tentacules. Cirrhes tentaculaires. Crochets. Pédoncule. Epiderme. Coquille. Manteau. Opercule. Cœur. Appareil nerveux. Nacre. Perle.

Malacologie. — Ostréiculture. — Mytiliculture. — Héliciculture.

**Classification.** — *Céphalopodes.* Poulpe. Calmar. Argonaute. Seiche. Encornet. Nautile.

*Ptéropodes.* — Hyales. Cléodores. Clios. Carolines.

*Gastéropodes.* — Escargot. Doris. Limace. Loche. Harpe. Patelle. Térèbre. Haliotide. Tunicelle. Ovule. Buccin. Cône. Murex. Strombe. Olive. Delphinule. Conque. Turbo. Ampullaire. Porcelaine. Chiton. Cymbium. Mitre. Fuscan.

*Scaphopodes.* — Dentale.

*Lamellibranches.* — Huître. Moule. Clo-

MONARCHIE, f. Monarque, m. V. *roi, politique*, seul.

MONASTÈRE, m. Monastique. V. *moine, commun*.

MONCEAU, m. V. *amas*.

MONDAIN. V. *monde, société, élégance, plaisir, galant*.

MONDANITÉ, f. V. *luxe*.

**Monde**, m. V. *nature, astre, lieu, public, classe, société*.

MONDÉ. V. *pur, net*.

MONDIAL. V. *monde*.

MONÉTAIRE. Monétiser. V. *monnaie*.

MONGOL, m. V. *Chine*.

MONISME, m. V. *unité*.

MONITEUR, m. V. *avertir, école*.

MONITION, f. Monitoire, m. V. *avertir, blâme*.

**Monnaie**, f. V. *finance, médaille*.

MONNAYER. V. *monnaie*.

MONO (préf.). V. *seul*.

MONOCHROME. V. *couleur*.

MONOCLE, m. V. *œil*.

MONOGAMIE, f. V. *mariage, seul*.

MONOGRAMME, m. V. *abrégé*.

MONOGRAPHIE, f. V. *description*.

MONOLITHE, m. V. *pierre, colonne*.

MONOLOGUE, m. V. *parler, seul*.

MONOMANIE, f. V. *folie*.

**MONÔME**, m. V. *mathématiques*.

MONOPLAN, m. V. *aéronautique*.

MONOPOLE, m. Monopoliser. V. *commerce, tout*.

MONORIME. V. *poésie*.

MONOSYLLABE. V. *syllabe*.

MONOTHÉISME, m. V. *Dieu, religion*.

MONOTONE. Monotonie, f. V. *même, ton, ennui*.

MONSEIGNEUR, m. V. *titre*.

MONSIEUR, m. V. *titre*.

**Monstre**, m. V. *animal, extraordinaire, difforme*.

MONSTRUEUX. Monstruosité, f. V. *monstre, bizarre*.

---

visse. Peigne. Marteau. Couteau. Tridacne. Taret. Spondyle. Cardium. Coque. Mulette. Palourde. Pholade. Jambonneau, etc.

## MONDE

**Le monde céleste.** — Univers. Monde. NATURE. Grand TOUT. Immensité. Macrocosme. — Cosmogonie. Création. — Atomisme. Monisme. — Cosmographie, cosmographique. Cosmique. — Astronomie. Astres. Système planétaire. Globes célestes. Gravitation universelle. Cosmorama.

Le ciel. L'autre monde. Le monde meilleur. Là-haut.

**La terre.** — Le monde terrestre. Les cinq parties du monde. Le nouveau monde. — Mondial. Œcuménique. Cosmopolite. — Venir au monde. Quitter le monde. — Le monde (société). Mondain. Mondanité.

## MONNAIE

**L'argent.** — Espèces. Fonds. — Capital. Masse. Somme. — Richesse. Fortune. Avoir. Ressources. — Trésor. Bourse. Magot. Pécule. — Numéraire. Argent. Appoint. Argent comptant. Valeurs. — Recette. Paiement. Encaisse. — Trésor public. Deniers publics.

Avoir des écus, le gousset bien garni, des picaillons, du quibus, de la galette, de la braise, du pèze.

**Espèces de monnaies.** — Monnaie d'or, d'argent, de bronze, de nickel. — Pièces de monnaie. Piécette. — Système monétaire. Bimétallisme. Monométallisme. Etalon. — Circulation monétaire. Circuler. Passer. Avoir cours. — Cours. Cours forcé. Cours légal. Change. Réserves monétaires. — Papier-monnaie. Billet de banque. Bank-note. Assignat. Bonne, mauvaise, fausse monnaie. — Monnaie fiduciaire. Monnaie de convention. Monnaie réelle, de libération, d'appoint. — Monnaie courante. Monnaie de compte. — Valoriser, dévaloriser. Monétiser, démonétiser. Inflation. Banque de France. Exportation.

**Fabrication.** — Hôtel de la Monnaie. Battre monnaie. Monnayer, monnayage, monnayeur. — Matières. Alliage. Aloi. Fonte. — Frappe, frapper. Balancier. Som-

mier. Volant. Barre. Poinçon. Presse. Coin. — Flan. Flatir. Découper. Carreau. — Ajustoir, ajuster. Trébuchet, trébuchant. — Droit. Revers. Ecusson. Croix. Face. Pile. — Champ. Exergue. Effigie. Légende. Carnèle. Millésime. — Tranche. Cordon. Grènetis. — Essai, essayer, essayeur. Pied-fort (pièce d'essai). — Décaper. Rogner. Rengréner. Viroler.

Falsifier, falsificateur. Altérer. Adultération. Faux monnayeur. Faussaire. — Pièce chargée. Pièce fourrée. Forçage. — Tolérance. Remède d'aloi. Faiblage. — Frai, frayer. Monnaie fruste.

**Monnaies actuelles.** — Franc. — Piastre. — Mark. — Peso. — Schilling (autrichien). — Franc (belge). — Milreis. — Tael. — Lire. — Livre sterling. — Roupie. — Dollar. — Peseta. — Drachme. — Yen. — Couronne. — Gulden. — Zloty. — Escudo. — Leu. — Franc (suisse). — Tchervon. — Livre turque. — Dinar. Hrivna.

**Monnaies anciennes.** — Obole. Drachme. As. Sesterce. — Besant. — Blanc. — Carolus. — Thaler. — Denier. — Doublon. — Ducat. — Ecu. — Florin. — Guinée. — Jaunet. — Kreutzer. — Liard. — Livre. — Louis. — Maille. — Noble d'or. — Parisis. — Pistole. — Quadruple. — Réal. — Risdale. — Rouble. Kopeck. — Sequin. — Sou. — Teston. — Tournois, etc.

## MONSTRE

**Dans la nature.** — Tératologie, tératologique. — Monstre. Monstrueux, monstruosité. DIFFORME, difformité. — Phénomène. Jeu, caprice, erreur de la nature. — Polymélie. Mélomélie. — Anormal. EXTRAORDINAIRE. — Excessif. Enorme. Phénoménal.

GÉANT. — Nain. — Androgyne. — Hermaphrodite. — Acéphale. — Polycéphale. — Albinos. — Avorton. — Pygmée. — Bijumeau. — Frères siamois.

**Dans la légende.** — Barbe-Bleue. Croquemitaine. Ogre. Ogresse. — Briarée. Polyphème. Géryon. — Minotaure. Léviathan. Licorne. Catoblépas. Méduse. — Chimère. Dragon. Griffon. Lamie. — Hydre de Lerne. Python. Serpent de mer. — Centaure. Bu-

MONT, m. V. *haut, montagne, main.*

MONTAGE, m. V. *machine.*

MONTAGNARD. Montagneux. V. *montagne.*

**Montagne,** f. V. *géographie, haut.*

MONTANT, m. V. *charpente, architecture, compte, nombre.*

MONT-DE-PIÉTÉ, m. V. *prêter.*

MONTE, f. V. *cheval.*

MONTE-CHARGE, m. V. *machine.*

MONTÉE, f. V. *montagne, haut.*

MONTER. V. *augmenter, haut, équitation, flux, voix, arranger.*

MONTEUR, m. V. *arranger, bijou.*

MONTGOLFIÈRE, f. V. *aéronautique.*

MONTOIR, m. V. *banc.*

MONTRE, f. V. *apparaître, boutique, horloger, affectation.*

**Montrer.** V. *public, vrai.*

MONTUEUX. V. *montagne.*

MONTURE, f. V. *cheval, emboîter.*

MONUMENT, m. Monumental. V. *architecture, avertir, beau.*

**Moquer.** V. *bouffon, rire.*

MOQUERIE, f. V. *moquer.*

MOQUETTE, f. V. *tapis, velours.*

MOQUEUR. V. *moquer.*

MORAILLES, f. p. V. *maréchal.*

MORAINE, f. V. *gelée.*

MORAL. V. *mœurs, juste, bon.*

MORALE, f. V. *philosophie, esprit, conscience.*

MORALISER. V. *instruction, corriger.*

MORALISTE, m. V. *littérature.*

MORALITÉ, f. V. *conduite, mérite, vertu, maxime.*

MORASSE, f. V. *journal.*

MORATOIRE, m. V. *délai.*

MORAVE, m. V. *secte.*

MORBIDE. V. *maladie.*

MORBIDESSE, f. V. *langueur.*

MORCEAU, m. V. *part, trancher, petit, choix, art.*

MORCELER. Morcellement, m.

---

centaure. Hippogriffe. Sphinx. — Janus. Protée. Empuse. — Charybde. Scylla. Cerbère. Tarasque. — Titans. Cyclopes. — Grées. Harpies. Sirènes. Gorgones. Gryphes. — Vampire. Strige. Lémure. Goule. — Pan. Ægipan. Satyre. Faune. Sylvain. — Fantôme. Spectre. Furies.

### MONTAGNE

**Formes de montagne.** — Système de montagnes. — Chaîne de montagnes. Sierra. Chaînon. Rameau. — Hauteur. Eminence. Colline. — Falaise. Dune. — Mont. Pic. Puy. Piton. Ballon. Morne. VOLCAN. — Monticule. Mamelon. Tertre. Thalweg. — Butte. Motte. Taupinière. — Cirque. Oule. Cluse. Cañon.

Dominer. Couronner. Se dresser. S'élever. Se ramifier.

**Détails de la montagne.** — Accident, mouvement de terrain. — Aiguille. — Arête. — Axe. — Base. — Brèche. — Cime. — Col. — Combe. — Contrefort. — Côte. — Crête. — Croupe. — Culées. — Défilé. — Dent. — Descente. — Dôme. — Dos. — Eperon. — Escarpement. — Faîte. — Flanc. — Glacier. — Gorge. — Haut. — Montée. — Nœud. — Ossature. — Passage. — Penchant. — Pente. — Pied. — Plateau. — Point culminant. — Pointe. — Rampe. — Revers. — Roc. — Sommet. — Val. — Vallée. — Vallon. — Versant.

**Relatif à la montagne.** — Orographie. Hypsométrie. — Oréades (nymphes). — Montueux. Montagneux. Montagnard. Monticole. — Avalanche. Alpage. Fagne. — Alpinisme, Alpiniste. Ascension, ascensionniste. Escalade. Grimpeur. — Sports d'hiver. — Crémaillère. Funiculaire. Téléférique.

### MONTRER

**Faire voir.** — Mettre en évidence. Offrir à la vue. — Mettre au jour. Mettre sous les yeux. — Exposer, exposition, exposant. Exhiber, exhibition. — Etaler, étalage. Déployer. — Montrer, montre, montrable. Présenter, présentation. Spécimen. Echantillon. — Don-

ner en SPECTACLE. Représenter, représentation. — Visible. Ostensible.

Exposition. Musée. Salon. — Vitrine. Montre. — Etal, éventaire.

Mots démonstratifs. Voici. Voilà. Voyez. — Ce. Cette. Celui. Celle. Celui-ci. Celui-là. Ceci. Cela.

**Mettre à découvert.** — Indiquer, indication. Marcher au doigt. Désigner, désignation. — Déceler. Démasquer. Dévoiler. Trahir. — Découvrir. Dénuder. Déshabiller. — Développer. Dérouler. Détenir. Exhumer. — Accuser son jeu.

**Manifester.** — Afficher. Affecter, affectation. Ostentation. — Manifester, manifestation, manifestant. Arborer. Faire parade. — Professer une opinion. Confesser sa foi. — Faire preuve de. Témoigner de. Apporter (du soin, du zèle).

**Enseigner.** — Instruire, instruction. Enseigner, enseignement. Montrer un métier. — Démontrer, démonstration, démonstratif. Diagramme. Prouver, preuve. — Vulgariser, vulgarisation. Divulguer, divulgation. — Révéler, révélation. Publier, publication, publicité. Eventer un secret. — Décrire, description. Indiquer, indicateur. — Montrer le chemin. Edifier, édifiant. — Produire au jour. Faire paraître. Signaler. Dénoncer.

### MOQUER
(latin, *deridere*)

**Raillerie.** — Railler, railleur. Se moquer, moquerie, moqueur. Sarcasme, sarcastique. — Bafouer. Dauber. Larder. — Se jouer de. Se gaudir de. Se gausser de. — Ridiculiser. Tourner en ridicule. Risée. Dérision. — Entreprendre quelqu'un. Bien arranger. Chansonner. Caricaturer, caricature. — Montrer au doigt. Donner une nasarde. Rire au nez. — Ricaner, ricanement. Gouailler, gouaillerie. — Chanter goguettes. Faire des gorges chaudes. Se payer la tête de. — Vexer. Tourmenter. Mécaniser. Tympaniser.

**Ironie.** — Ironiser, ironique. Humour, humoriste, humoristique. Antiphrase. — Causticité, caustique. Epigramme, épigram-

V. *séparer, casser, partage, propriété.*

MORDACHE, f. V. *étau.*

MORDACITÉ, f. V. *ronger, caustique.*

MORDANCER. V. *teindre.*

MORDANT, m. V. *mordre, dissoudre, acide, méchant.*

MORDICANT. V. *caustique.*

MORDILLER. V. *mordre.*

MORDORÉ. V. *couleur.*

**Mordre.** V. *mâchoire, dent, appât, méchant, pénétrer.*

MORE, m. V. *noir.*

MORELLE, f. V. *plante.*

MORFIL, m. V. *aiguiser.*

MORFONDRE (se). V. *attendre.*

MORFONDU. V. *froid.*

MORGANATIQUE. V. *mariage.*

MORGUE, f. V. *orgueil, affectation, cadavre.*

MORIBOND, m. V. *mort, maladie.*

MORICAUD, m. V. *nègre.*

MORIGÉNER. V. *corriger, réprimande, instruction.*

MORILLE, f. V. *champignon.*

MORION, m. V. *casque.*

MORMON, m. V. *Amérique.*

MORNE. V. *chagrin.*

MORNE, f. V. *anneau, émousser.*

MORNIFLE, f. V. *battre.*

MOROSE. V. *chagrin, hargneux.*

MORPHÉE, m. V. *sommeil.*

MORPHINE, f. V. *opium.*

MORPHINOMANE. V. *opium.*

MORPHOLOGIE, f. V. *langage, grammaire.*

MORPION, m. V. *pou.*

MORS, m. V. *bouche, cheval.*

MORSE, m. V. *phoque, télégraphe.*

MORSURE, f. V. *mordre.*

**Mort,** f. V. *perdre, tuer, funérailles.*

MORT, m. V. *cadavre, jeu.*

---

matique. Satire, satirique. Brocard, brocarder. — Persifler, persiflage, persifleur. Parodier, parodie, parodique. Goguenarder, goguenard. Narquois. — Badinage, badiner, badin. Trait d'esprit. SPIRITUEL. Sel attique. — Plaisanterie, plaisanter. Mots piquants, acérés, mordants. Railler. — Faire marcher. Promener.

**Farce.** — Farceur. Mauvais plaisant. Loustic. — Berner. Ballotter. Monter un bateau. — Jouer un bon tour. Faire une niche. Attraper, attrape. Poisson d'avril. — Mystifier, mystification, mystificateur. Faire pièce. — Turlupiner, turlupinade. Pasquinade. Bouffonnerie, BOUFFON. — Contrefaire. Faire des GRIMACES. Tirer la langue. — Charge, charger. Charivari, charivarique. Rire aux dépens de.

**Insouciance.** — Se moquer de. Se rire de. Se ficher de, f. Se foutre de, f. — Ne pas faire cas de. Ne pas se soucier de. Se battre l'œil de. Etre indifférent à. — Mépriser. Braver. Narguer. — Envoyer promener. Faire la figue à.

**Objet de moquerie.** — Prêter à rire. Donner la comédie à ses dépens. Servir de jouet. — Etre la fable de. Défrayer les conversations. — Etre en butte à. Etre le point de mire. — Gauche, gaucherie. Maladroit. Godiche. Grotesque. Falot. — SOT, sottise. Niais, niaiserie. — Ridicule. Risible. Moquable. — Souffre-douleur. Plastron. VICTIME.

### MORDRE

**Saisir avec les dents.** — Mordre, morsure. Mordre à belles dents. Mordiller, mordillage. — Arracher avec les dents. Déchirer. Déchiqueter. Lacérer. — Emporter la pièce. — Découdre. Dentée. Coup de dent. Coup de croc. — Broyer. Croquer. Mâcher. — Grignoter. Gruger. Ronger.

**Attaquer.** — Mordacité. Mordant. Corrosif. — Mordicant. Mordication. — Incisif. Pénétrant. — Caustique. Satirique.

### MORT

**Mort.** — Mortalité. Mortel. — Blessure, maladie mortelle. Mortellement blessé. — Mort. Décès. Trépas. Fin. Extinction. — Mort

naturelle. Mort accidentelle. Mort violente. — Malemort. Euthanasie. Belle mort. — Mort subite. Coup de foudre. Apoplexie. — Instant suprême. Dernier jour. Derniers moments. Dernière heure. Dernier sommeil. — Dernier SUPPLICE. Suicide.

**Mourir.** — Etre inanimé. Etre à l'article de la mort. Se mourir. — Etre condamné, flambé, fichu, foutu, fricassé.

Cesser de vivre. Rendre l'âme. S'ÉTEINDRE. Finir. Terminer ses jours. Décéder. Passer. Succomber. Perdre la vie. Etre emporté. — Périr. Crever. Tomber raide mort. S'en aller. DISPARAÎTRE. — Déménager. — Faire son paquet. Plier bagage. Faire le grand voyage. Partir pour l'autre monde. — Fermer les yeux. Tourner de l'œil. — Rester sur le carreau. Mordre la poussière. — Laisser ses os, ses grègues. — Retourner en poussière.

**Phases de la mort.** — Tirer à sa fin. Moribond. Mourant. Etre sur son lit de mort. Etre en danger de mort. — Agonie, agoniser. Affres. Angoisses. Transes. — Râle, râler. Hoquet, hoqueter. Suffocation, suffoquer. — Expirer. Rendre son dernier soupir. Exhaler son dernier souffle.

Derniers sacrements. Administrer. Extrême-onction.

**Après la mort.** — Cadavre. Corps. Un mort. Rigidité cadavérique. — Dépouille mortelle. Restes mortels. Décomposition. Cendres.

Médecin des morts. Acte de décès. — Cercueil. Linceul. Embaumement. Veillée. Chapelle ardente. — Obsèques. FUNÉRAILLES. — Derniers devoirs. Enterrement. Pompes funèbres. Honneurs funèbres. Cortège. Convoi. Drap mortuaire. — Service funèbre. Obit. Glas. — Ensevelir. Enterrer. Crémation. Nécropole. Cimetière. Tombeau. Gésir, gisant. Ci-gît. — Nécrologie. Honneurs posthumes. — Feu. Défunt. Trépassé.

Ombres. Mânes. Revenants. — Repos éternel. Eternité. Immortalité. — Résurrection. Métempsycose. — Deuil. Crêpe. — Veuf, veuve. Orphelin.

**Qui a trait à la mort.** — Mortel. Mortifère. Léthifère. — Mortuaire. — Mortifier, mortification. — Macabre. — Mort-né. — Nécrose. — Nécrophage. — Nécromancie, né-

MORTADELLE, f. V. charcuterie.
Mortaise, f. V. entaille, menuisier.
MORTALITÉ, f. V. mort.
MORTE-EAU, f. V. flux.
MORTEL. V. mort, péché, homme.
MORTE-SAISON, f. V. travail, oisif.
MORTIER, m. V. broyer, maçon, pharmacie, artillerie, coiffure.
MORTIFICATION, f. Mortifier. V. nuire, bas, pénitence, chagrin, chair.
MORT-NÉ. V. naître.

MORTUAIRE. V. funérailles.
Morue, f. V. poisson.
MORUTIER, m. V. morue, pêche.
MORVE, f. Morveux. V. nez, cheval, ordure.
MOSAÏQUE, f. V. varié, marqueterie, pavé, Arabes.
MOSQUÉE, f. V. Mahomet, temple.
Mot, m. V. langage, lire, nom.
MOTET, m. V. chant, psaume.
MOTEUR, m. V. mécanique, automobile, diriger.
MOTIF, m. V. cause, chant, peinture.

MOTION, f. V. proposer, conseil.
MOTIVER. V. cause.
MOTOCYCLISTE, m. V. soldat.
MOTOGODILLE, f. V. bateau.
MOTOSCAPHE, m. V. bateau.
MOTRICE, f. V. mécanique, industrie.
MOTTE, f. V. terre, beurre.
MOTUS, m. V. silence.
Mou. V. fondre, langueur, lâche.
MOU, m. V. poumon.
MOUCHARD, m. V. espion, accusation.
Mouche, f. V. animal, appât, barbe, balle.

---

cromant. — Les ENFERS. Le Tartare. Le Styx. Royaume de Pluton. — Symboles de la mort. Colonne tronquée. Torche renversée. Tête de mort. — Joncher de morts. — Faire mourir. Faire périr. Tuer. Assassiner.

### MORTAISE

**Travail.** — Mortaiser. Emmortaiser. Enlacer, enlaçure. — Entailler, entaille. Queue d'aronde. — Bossages. Epaulement. Rossignol. Clefs. Tenons.

**Outils.** — Equilboquet. Guimbarde. Tirebouchon. Trusquin.

### MORUE

**Le poisson.** — Morue. Morue fraîche. Cabillaud. Merluche. Aiglefin. Haddock. — Morue verte. Morue salée. Morue séchée.

Entre-deux. Crête. Flanchet. Travers. Noues. Rogue.

**La pêche.** — Banc de Terre-Neuve. Terreneuvier. Islande. Islandais. — Morutier. — Goélette. Doris. Chalutier. — Ligne. Hameçon. Echampeau. Cale (plomb). — Appât. Boitte. Capelan. Encornet.

**Préparation.** — Habiller, habilleur. Etal, étaleur. Décoller, décolleur. Elangueur. Trancher, trancheur.

Salaison. Saler, salage. Dessaler. Séchage. Sécherie. Bordelaise. Chafaud. — Huile de foie de morue. Bajot. Charnier.

### MOT

**Sortes de mots.** — Mot. Terme. Vocable. Expression. Locution verbale. — Partie du discours. Parole. Onomatopée. — NOM. Appellation. Dénomination. Terme technique. Mot consacré. — Archaïsme. Néologisme. Barbarisme.

**Etude des mots.** — Alphabet. Lettres. SYLLABES. — Epeler. Epellation. Lire, lecture. — Ecrire, écriture. Orthographe, orthographique. Orthographier. — GRAMMAIRE, grammatical. Mots variables. Mots invariables. — Phonétique. Morphologie. Sémantique. — Lexicographie, lexicographe. Lexique. DICTIONNAIRE. Glossaire. Vocabulaire. — Terminologie. Nomenclature.

**Formation.** — Etymologie, étymologique. Famille de mots. — Composition. Mots composés. Préfixes. — Dérivation. Mots dérivés. Suffixes. — Monosyllabes. Dissylabes. Polysyllabes. — Corps du mot. Radical. Racine. Terminaison. Désinence. — Déclinaison. Conjugaison. Flexions. — Prosthèse. Epenthèse. Aphérèse. Apocope. Elision. Crase. Métaplasme.

**Sens.** — Signification. Acception. Vie des mots. — Sens propre, figuré, étendu, connexe. Sens littéral. — Doublets. — Synonyme, synonymie. Homonyme, homonymie. Paronyme. — Homographe. Homophone. — Figures de mots. — Sens diminutif, péjoratif, augmentatif. — Jeu de mots. Calembour. Anagramme.

### MOU

**Sans consistance.** — Mou. Mollir. Mollesse. — Mollet. Mollasse. Tendre, tendreté. Blet, blétissure. — Amollir, amollissement. Attendrir, attendrissement. Macérer, macération. Mortifier, mortification. — Inconsistant, inconsistance. Flasque, flaccidité. Flou. — Fondant. Pâteux. Cotonneux. Baveux. Spongieux. — Marmelade. BOUILLIE. Compote. — BOUE. Fongosité. — Se ramollir. S'avachir. Se relâcher.

**Maniable.** — Malléable. Ductile. Plastique. — Elastique, élasticité. Souple, souplesse. Flexible, flexibilité. Lâche. Relâché. — Malaxer. Assouplir. Relâcher. Détendre. — Liquéfier. Fondre. Fusible. — Doux au toucher. Mou. Moelleux. Molleton. — Malacoderme. Mollusque.

**Sans caractère.** — Indolent, indolence. Mou, mollesse. Inerte, inertie. Veule, veulerie. — Atonie. Relâchement. Ramollissement. — Inaction, inactif. Langueur, languissant. Endormi. ENGOURDI. — Poule mouillée, laitée. Chiffe. Cire molle. — Lymphatique. Enervé. — Bonasse. Débonnaire. Doux. Inoffensif. — FAIBLE, faiblesse. Faiblir. CÉDER. — LÂCHE, lâcheté. Blèche. — S'abandonner. Etre abattu. ABATTEMENT.

### MOUCHE

**La mouche.** — Myiologie. Insecte hyménoptère, diptère. — Tête. Corselet. Etrangle-

MOUCHER. V. *nez, rhume, chandelle.*
MOUCHERON, m. V. *mouche.*
MOUCHETER. V. *tache, épée.*
MOUCHETTES, f. p. V. *chandelle.*
MOUCHOIR, m. V. *nez, nettoyer.*
MOUDRE. V. *moulin, broyer.*
MOUE, f. V. *lèvre, grimace.*
MOUETTE, f. V. *oiseau.*
MOUFLE, f. V. *poulie.*
MOUFLON, m. V. *mouton.*
MOUILLAGE, m. V. *abri, mer.*
MOUILLE, f. V. *lait.*
MOUILLER. V. *humide, arroser, cuisine, vin, ancre.*
MOUILLETTE, f. V. *œuf.*
MOUILLURE, f. V. *humide.*
MOULAGE, m. V. *moule, sculpture.*
Moule, m. V. *forme, fonderie, cuisine, chandelle.*
MOULE, f. V. *mollusque, coquillage.*
MOULÉE, f. V. *aiguiser.*
MOULER. Mouleur. V. *moule, sculpture.*
Moulin, m. V. *broyer, roue, farine.*
MOULINAGE, m. Mouliner. V. *tordre, soie.*
MOULINET, m. V. *tourner, pêche.*
MOULT. V. *beaucoup.*
Moulure, f. V. *architecture.*
MOUQUÈRE, f. V. *Arabes.*
MOURANT. V. *langueur, mort.*
MOURIR. V. *mort, disparaître, finir.*
MOURIR (se). V. *maladie.*
MOURRE, f. V. *jeu.*
MOUSMÉ, f. V. *Japon.*
MOUSQUET, m. V. *armes, fusil.*
MOUSQUETAIRE, m. V. *cavalerie.*
MOUSQUETON, m. V. *fusil.*
MOUSSACHE, f. V. *manioc.*

---

ment. Abdomen. — Ailes. Ailerons. — Balanciers. — Pattes. Crochets. Pelotes. Brosses. — Aiguillon. Dard. — Tarière. Couvain. — Chiure. Chiasse.

Voleter. Bourdonner. Piquer. Se poser. Lisser ses pattes.

**Défense contre les mouches.** — Chasse-mouche. Volette. Pène. — Emoucher, émouchette. Emouchoir. — Moustiquaire. Cousinière. — Papier imprégné. Papier englué. Piège. — Insecticide. Huile de schiste. Sulfate de fer.

**Principales mouches.** — Abeille. Anthomyie. Anthrax. Bourdon. Brachycère. Calliphore. Cantharide. Chironome. Chryside. Cousin. Cynips. Echinomyie. Ephémère. Frelon. Guêpe. Hémérobe. Hippobosque. Ichneumon. Leptis. Lucilie. Moucheron. Moustique. Œstre. Ortalide. Osmie. Phore. Raphidie. Sarcophage. Scarabée. Scatophage. Sépédon. Sphex. Stomox. Stratiome. Taon. Tachine. Téichomyse. Tenthrède. Téphrite. Tipule. Tsé-tsé. Xylophage.

## MOULE

**Moulage.** — Mouler, mouleur. Jeter en moule. Surmouler. — Moulage au plâtre, au sable, à cire perdue. — FONDERIE. Fondeur. Fondre. Couler. — Rompre le moule. Déchausser les moules. Déchapper. Démouler. Dépouiller. — Tirer. Reproduire. — Balètre. Bavure.

**Moules.** — Moule. Contre-moule. — Calibre. — Embauchoir. — FORME. — Gaufrier. — Lingotière. — Mandrin. — Matrice. — MODÈLE. — Sabot. — Surtout.

Moule en plein. Moule en creux. — Moule à glace, à pâtisserie, à beurre, à balles, à pâté, à bouteilles, etc.

**Parties de moules.** — Ame. — Armature. — Bandage. — Châssis. — Chape ou Manteau. — Chemise. — Coquilles. — Côtières. — Events. — Jouets. — Noyau. — Braisine ou Potée.

## MOULIN

**Mouture.** — Meunerie, meunier. Minoterie, minotier. Moulin. Moudre. — Moulin à blanc. Moulin à bis. — Nettoyer, nettoyeur. Trieur. Epierreur. — Engrener (verser le grain). Trémie. Auget. Cliquet. Babillard. Baille-blé. — Broyer, broyage. Meules. Archures. — Bluter, blutage. Bluteau. Blutoir. Sas. Dodinage. Etamine. — Farine. Son. Recoupe. — Anche (conduit). — Huche. Ensacher, ensachement.

**Moulins mécaniques.** — Usine. — Moteur. — Broyeur à cylindres. — Convertisseurs à cylindres. — Bluterie. Plansichter. Brosse à blé. Tarare. — Sasseur à semoule. Sasseur à gruau. — Epointeuse.

**Moulins à vent.** — Attache. Beffroi. Pilier. Cage. Chaise. Chapiteau. Colliers. Epi. — Ailes. Bras. Lattes. Voiles. Volant. Volée. — Arbre. Lanterne. Rouet. — Gouvernail. Queue. Rouleaux. — Tic tac.

**Moulins à eau.** — Bief. Abée. Chenal. Buse. — Chaussée. ECLUSE. Bajoyers. — Empalement. Haussoir. Engorgement. — Déversoir. Saut de moulin. Lancière. — Roue. Moulant d'eau. Aubes. Palettes. Bouldure (fosse à roue).

**Moulins divers.** — Moulin à bras, à manège, hydraulique, électrique, à vapeur. — Moulin industriel, agricole. — Moulin à café, à huile, à papier, à sucre, à tabac, à tan, à pommes, etc.

## MOULURE

**Sortes de moulures.** — Moulures creuses, plates, rondes, lisses, ornées, simples, composées.

Baguette. — Listel. — Plate-bande. — Congé. — Cavet droit, renversé. — Quart de rond droit, renversé. — Gorge. — Tore. — Toron. — Doucine droite, renversée. — Piédouche. — Scotie. — Ove. — Bande. — Filet. — Astragale. — Talon droit, renversé. — Boudin. — Cannelure. — Côtes. — Cordon. — Cimaise. — Larmier. — Modillon. — Module. — Nervure. — Plinthe. — Ressaut. — Tringle. — Volute. — Rainure. — Ténie. — Feston. — Armilles. — Chapelet. — Cordelière.

**Travail.** — Profiler. Ragréer. Elégir. Fileter. Pousser.

MOUSSE. V. *émousser, corne.*

MOUSSE, m. V. *matelot.*

MOUSSE, f. V. *écume, bière, savon, cryptogame.*

MOUSSELINE, f. V. *tissu.*

MOUSSER. V. *écume.*

MOUSSERON, m. V. *champignon.*

MOUSSOIR, m. V. *chocolat.*

MOUSSON, f. V. *vent.*

MOUSTACHE, f. V. *barbe, poil.*

MOUSTIQUAIRE, f. V. *rideau, mouche.*

MOÛT, m. V. *vin, bière.*

MOUTARD, m. V. *enfant.*

**Moutarde**, f. V. *mets.*

MOUTARDIER, m. V. *moutarde.*

MOUTIER, m. V. *moine.*

**Mouton**, m. V. *bestiaux, laine, pieu, mer, prison.*

MOUTONNER. V. *écume.*

MOUTONNIER. V. *mouton.*

MOUTURE, f. V. *moulin.*

MOUVANCE, f. V. *féodal.*

MOUVANT. V. *mouvement, fragile.*

**Mouvement**, m. V. *mécanique, action, changer, passion, style.*

MOUVER. V. *jardin.*

MOUVOIR. V. *mouvement, diriger, allure.*

MOXA, m. V. *caustique.*

---

*Outils.* Gouge. Rondelle. Tarabiscot. Gabarit. Gorget. Bouvet. Doucine (rabot). Grain d'orge.

## MOUTARDE

**Espèces.** — Moutarde blanche. Moutarde grise. Sénevé ou Moutarde noire. Moutardon (sauvage). — Moutarde de Dijon, bordelaise, à la bonne femme, anglaise.

**Relatif à la moutarde.** — Moutardier. — Rémoulade. — Farine de moutarde. Sinapisme, sinapiser. — Monter au nez.

## MOUTON

**Elevage.** — Bélier. Mouton. Brebis. Moutonne. — Agneau. Agnelet. Agnelette. Belin. — Bêtes de quatre dents, de six dents. — Ouailles. — Bêtes à laine.

Berger, bergère. Bergerie. Bercail. Parc, parcage, parquer. Cantonner. Stabulation. Pâturage. — Troupeau. Moutonnaille. — Sonnaille. Clarine. — Transhumer, transhumance.

Brouter. Bêler, bêlement. Agneler. — Se doguer. Cosser (se battre). — Lutter. Hurtebiller (s'accoupler). — Fumure.

**Races.** — Race ovine. — Mérinos. — Southdown. Suffolk. Dishley. Leicester. — Caussenards. Prés-salés.

Race limousine, champenoise, flamande, gasconne, berrichonne, nomade, chamoise, artésienne, solognote, etc.

**Produits.** — Laine. Toison. Tondre, tonte. Suint. — Peau. Agnelins. Basane. Melote. Canepin. Parchemin. — Lait. Fromage. Roquefort.

**Viande.** — Gigot. Baron. Eclanche. Carré. Selle. Côtelettes. Epaule. Haut de côtelettes. Collet. Tête. Pieds. — Boudinade. Fraise. Fressure. Crépine. — Haricot de mouton. Navarin.

**Maladies.** — Clavelée, clavelisation. — Douve. — Avertin ou Tournis. — Muguet. — Charbon. — Fièvre aphteuse. — Barbouquet ou Noir museau. — Piétin. — Pourriture. — Tac. — Genestade. — Encaussement. — Givrogne.

**Relatif au mouton.** — Moutonner. Moutonnement. Moutonneux. — Moutonnier. Moutons de Panurge. — Moutons de la mer. — Le Bélier (constellation). — Bidental. Criobole (sacrifice). — Divinité criocéphale (à tête de bélier).

## MOUVEMENT
(latin, *mobilitas*; grec, *cinésis*)

**Mouvement de déplacement.** — Se mouvoir. Se déplacer. Locomotion. Mouvement lent, rapide. — Remuer. Bouger. — Changer de place. — Marcher, marche. Faire un pas. Courir, course. — Errer. Circuler. Voyager. Se promener. — Avancer. Progresser, progressif. Evoluer. — Manœuvrer. — S'élancer. Elan. Essor. Démarrer, démarrage. — Monter. Descendre. — Sauter. Faire un SAUT. Bondir. — Reculer, reculade. Fuir, fuite. Chasser. — GLISSER. Ramper, reptation. Couler. — ENTRER. SORTIR. PASSER. — Partir. Départ. — Voler, vol. — Tomber. Chute. Gravitation.

**Mouvement alternatif.** — Allées et venues. Faire la navette. Va-et-vient. — Ballotter. Balancer, balancement. Mouvement de bascule. — Osciller, oscillation. Branle, branler. Battre, battement. Dodinage. — Flux. Reflux.

**Mouvement de choses sur place.** — Bouillonner, bouillonnement. Ondoyer, ondoiement. — Onduler, ondulation, onduleux. — Houle. Roulis. Tangage. — TOURNER. Tournoyer. Torsion. Remous. Tourbillon. — Flottement. Fluctuation. — Libration. Vibrer, vibration. Palpiter, palpitation. — Avoir du jeu. Locher. — Trembloter. Papilloter. Vaciller.

**Mouvement d'êtres sur place.** — Danser. Se trémousser, trémoussement. Gambader, gambade. Frétiller. Gigoter. — Fourmiller. Grouiller, grouillement. — Chanceler. Flageoler. Tituber. — Se tortiller. Se tordre. Contorsion. — Trembler, tremblement. Trépidation. Commotion. — Frissonner, frisson. Frémir, frémissement. — Sursauter, sursaut. Soubresaut. — Trépigner, trépignement. Piaffer, piaffement. — Dandinement. — Hochement. — Pulsation. Cillement. — Tic. Grimace.

**Mouvement mécanique.** — Mouvement rectiligne, curviligne, circulaire, hélicoïdal, de rotation, de translation. — Mouvement centrifuge, centripète, giratoire. — Mouvement périodique, isochrone, régulier, oscillatoire, vibratoire. — Mouvement uniforme, varié, accéléré, retardé. — Fonctionnement. Roulement.

Automatisme, automatique, AUTOMATE. — Mobile, mobilité. Automobile. Locomobile. — Moteur. Automoteur. Automotrice. — Mou-

MOYEN. V. *entre, milieu, médiocre.*

**Moyen,** m. V. *pouvoir, faire, proportion, manière, riche.*

MOYENNANT. V. *cause.*

MOYENNE, f. V. *milieu.*

MOYER. V. *pierre.*

MOYEU, m. V. *roue.*

MUCILAGE, m. V. Mucilagineux. V. *humeur.*

MUCOSITÉ, f. V. *nez, glu, humeur.*

MUE, f. Muer. V. *changer, poil, peau, plume, voix, cage.*

MUET. V. *silence.*

MUETTE, f. V. *chasse.*

MUEZZIN, m. V. *Mahomet.*

MUFLE, m. V. *museau, laid.*

MUFTI, m. V. *Mahomet.*

MUGIR. Mugissement, m. V. *cri, bœuf.*

MUGUET, m. V. *fleur, bouche.*

MUID, m. V. *tonneau, mesure.*

MULASSIER. V. *mulet.*

MULÂTRE, m. Mulâtresse, f. V. *métis, nègre, colonie.*

MULE, f. V. *mulet, chaussure, pape.*

**Mulet,** m. V. *bestiaux, métis.*

MULETA, f. V. *cirque.*

MULETIER, m. V. *mulet.*

MULETTE, f. V. *estomac, faucon.*

MULON, m. V. *amas.*

MULOT, m. V. *rat.*

MULTI (préf.). V. *beaucoup.*

MULTICOLORE. V. *varié, couleur.*

MULTIFORME. V. *varié, forme.*

**Multiple.** V. *calcul, beaucoup.*

MULTIPLICATION, f. Multiplicité, f. Multiplier. V. *calcul, multiple, augmenter, beaucoup.*

MULTITUBULAIRE. V. *chaudière.*

---

vement perpétuel. — Trajectoire. — Vitesse. — Cinématique. Cinématographe.

**Mouvement musical.** — RYTHME. Cadence. Mesure. Nombre. — Métronome.

Mouvement d'exécution. Largo. Larghetto. Lento. Adagio. Andante. Andantino. Moderato. Allegretto. Allegro. Vivace. Presto. Prestissimo.

Mouvement d'harmonie, direct, oblique, contraire.

**Agitation.** — Agité, s'agiter. Ne pas tenir en place. Se démener. Inquiet, inquiétude. — Pétulant, pétulance. Turbulent, turbulence. VIF, vivacité. Impétueux, impétuosité. — Impulsif, impulsion. Affolé, affolement. Trépidant. Saccadé, saccade. Convulsif, CONVULSION. — Se débattre. Remuant. Remue-ménage. — Etre déchaîné. Gesticuler. — Actif, activité. Entrain. Brio. — Agile, agilité. Souple, souplesse. Preste, prestesse. — Sémillant. Désinvolte. — Prendre ses ébats. Faire des exercices, du sport.

**Mouvement donné.** — Transmettre, communiquer, imprimer le mouvement. — Transmission. Arbre. Volant. Courroie. Manivelle. — Actionner, ACTION. Mettre en branle. Mouvoir. — Agiter, agitateur. Secouer, secousse. Mouver. Remuer. — Ebranler, ébranlement. Choc. Coup. — Déplacer. Lancer. Propulsion, Propulseur. — Pousser, poussée. — Brasser. — Brandir. Projeter. — Mobiliser. — Transporter. Déranger.

## MOYEN

**Moyens d'action.** — Instrument. OUTIL. Engin. Organe. — MANIÈRE de s'y prendre. Mise en œuvre. Procédé. Pratique. Manœuvre. — Méthode. Système. Marche à suivre. Recette. Secret. — Mesures à prendre. Errements. Voie. — Mécanisme. Rouage. Ressort. Clef. — Tactique. Stratégie. Précaution. — Invention. Ressource. — Matériaux. Ingrédients.

**Ruse.** — Artifice. Expédient. Stratagème. — Biais. DÉTOUR. Echappatoire. — Habileté. Machination. Ficelles. Bon tour. — Manège. Menées. Mine. — Contre-batterie. Contremine. Contre-ruse. — Raccroc. Porte de derrière.

**Entremise.** — Agent. Aide. — Echelon. Degré. Marchepied. — Porte ouverte. Acheminement. Issue. — Point d'appui. Levier. Branche de salut.

Recourir à. Se servir de. Tirer parti de. Faire flèche de tout bois. — Savoir se retourner. Se raccrocher aux branches.

A force de. A la faveur de. Grâce à. Par. Au moyen de. Moyennant. — Par l'entremise de, l'intermédiaire de. Par le ministère de. Par le CANAL de.

Aider. Faciliter. Secourir. — Servir à. Permettre. — Mettre à même. Mettre le pied à l'étrier.

## MULET

**L'animal.** — Mulet. Mule. Bardeau. Bête de somme. Cheval mulassier. — Espèce mulassière. — Braire, braiment. Hennir, hennissement. — Chauvir (des oreilles).

**Equipement.** — Bât. Harnais. Bossette (sur les yeux). Simousses (ornements de bride). — Planche (fer). Muletier. Chasse-mulet.

## MULTIPLE

**Multiplication.** — Multiplier. Facteur. Multiplicande. Multiplicateur. Produit. — Multiple. Sous-multiple. — Equimultiple. Multimultiple. — Coefficient. Puissance. — Preuve. — Table de Pythagore.

**Nombre multiplié.** — Carré. Carrer. — Cube, cubique. Cuber. — Double, doubler. Duplication. — Triple, tripler. Triplicité. — Quadruple, quadrupler. — Quintuple, quintupler. — Sextuple, sextupler. — Septuple, septupler. — Octuple, octupler. — Nonuple, nonupler. — Décuple, décupler. — Centuple, centupler. — Sesquidouble. Sesquitriple. — Nombre plan.

Répéter plusieurs fois.

**Multiplicité.** — Grand nombre. MULTITUDE. Plusieurs. Beaucoup. Innombrable. — Multiplier. Répéter. Multipliant. Multiplicatif. — Polyèdre. Polygone.

Multangulaire. Multiplan. Multicolore. Multiflore. Multiforme. Multivalve. Multitubulaire. Multipartite, etc.

**Multitude,** f. V. *beaucoup, troupe, peuple.*
**Municipal.** V. *ville.*
MUNICIPALITÉ, f. V. *municipal.*
MUNIFICENCE, f. V. *don, bienfait.*
MUNIR. V. *garnir.*
MUNITION, f. V. *armée, fusil,* artillerie, pain, provision.
**Mur,** m. V. *maçon, clôture, fortification, abri.*
**Mûr.** V. *parfait, vieux.*
MURAILLE, f. V. *mur, abri.*
MURAL. V. *mur.*
**Mûre,** f. V. *fruit.*
MURER. V. *mur, fermer, obstacle.*

MUREX, m. V. *coquillage.*
MÛRIER, m. V. *mûre, soie.*
MÛRIR. V. *mûr, fruit, chaleur, réfléchir.*
**Murmure,** m. V. *bruit plainte, parler.*
MURMURER. V. *murmure.*
MUSARAIGNE, f. V. *rat.*
MUSARDER. V. *oisif.*

---

## MULTITUDE

**Foule.** — Monde. Concours de monde. Affluence. Grand nombre. — Public. Foule. Cohue. Masse. — TROUPE. Troupeau. Meute. — Kyrielle. Tas. — Légion. Cohorte. Rangs pressés. Gros de l'armée. — Assemblée. Réunion. Attroupement. Rassemblement. Meeting. — SOCIÉTÉ. — AMAS. Tourbe. Populace. — Essaim. Volée. Fourmilière. Mer. Torrent. Nuée. — Foison. Encombrement. Pullulement.

**Mouvements de foule.** — Accourir. Se rassembler. Affluer. — Flots. Flux. Reflux. Refluer. Onduler. — Encombrer. S'entasser. Fourmiller. Grouiller. — Pulluler. Foisonner. — Regorger. Inonder. — Se pousser. Se presser. Se serrer. Se mêler. Bousculer. — S'écouler. Se disperser.

Poussée. Presse. Mêlée. Bousculade. Ondulation. Vagues. Grouillement.

## MUNICIPAL

**Municipalité.** — Maire. Adjoint. Echarpe. — Conseil municipal. Conseiller. Edilité, édiles. — Session. Délibération. — Mairie. Hôtel de ville. Administration. Secrétariat. Etat civil. — Arrêtés. Taxes municipales. Centimes additionnels. — Commune. Biens communaux. — Cité. Administrés. Concitoyens. — Services municipaux. Voirie. Travaux d'édilité.

**Magistratures anciennes ou étrangères.** — Alderman. — Avoyer. — Ajuntamento. — Bourgmestre. — Capitoul, capitole. — Constable. — Consul. — Echevin. — Guilde. — Jurade. — Jurat. — Lordmaire. — Prévôt des marchands. — Shérif. — Syndic.

## MUR

**Sortes de murs.** — Mur. Avant-mur. Contre-mur. — Mur mitoyen. Mur de face. Mur latéral. — Gros murs. Gros œuvre. — Mur de refend. Mur de soutènement. Mur d'appui. Mur orbe.

Allège. Epaulement. Pan de mur. Espalier. — Fondations. Soubassement. Echiffre (d'escalier). — Clôture. Parapet. Garde-fou. — Cloison. Paroi. Trumeau. Pignon. — Muraille. Enceinte. Rempart. — Ruines.

**Détails des murs.** — Aplomb. — Chaîne. — Chaperon. — Contre-boutant. — Contrefort. — Cordon. — Couronnement. — Créneau. — Crête. — Empattement. — Filet. — Frise. — Fruit. — Harpes. — Héberge.

— Hérisson. — Jambage. — Jambe. — Lézarde. — Meurtrière. — Parement. — Recoupement. — Retraite. — Tablette. — Trous de boulins.

Matériau. Pierre. Moellon. Parpaing. Brique. Ciment armé, etc.

**Travail des murs.** — Maçonnerie. Maçonner. Maçon. — Murer. Contre-murer. Clore. — Etayer. Etançonner. Butter. Renformir. — Cloisonner. Lambrisser. — Chaperonner. Terrasser. — Déchausser. Etonner (ébranler).

Crépir, crépi. Enduire, enduit. Badigeonner, badigeon. Echauder, échaudage.

**Relatif au mur.** — Mural. Couronne murale. — Se lézarder. Se bomber. Boucler. S'affaisser. — Farder. — Artichauts (de protection). — Salpêtre. — Pariétaire.

## MÛR
*(latin, maturus)*

**Mûrir.** — Mûr. Maturité. — Venir à maturité. Etre à point, bon à cueillir, bon à manger. — Primeur. Précoce. Prématuré. Hâtif. — Confit. Blet. Blossi. — Passé. Se passer. Sorbé. — Pourri. Gâté.

**Faire mûrir.** — Maturation, maturatif. — Coction. Concoction. — Effeuillaison. Caprification. — Coction des humeurs. Pépasme, pépastique. Peptique.

## MÛRE
*(latin, morum)*

**Plante.** — Mûrier. Mûrier blanc. Mûrier noir. Mûrier américain. Mûrier pleureur. — Mûrier sauvage ou Ronce. — Framboisier.

**Fruits.** — Mûre. Fruit moriforme. Framboise. Mûre sauvage ou Fromenteau. — Sirop de mûres. Confiture de mûres.

## MURMURE

**Bruit sourd.** — Murmurer, murmure, murmurant. — Chuchoter, chuchotement, chuchoteur. — Bourdonner, bourdonnement. — Bruire, bruissement. — Marmotter, marmottage. Mâchonner. — Chantonner. Fredonner, fredon. — Susurrer, susurrement. Mussitation. — Soupirer, soupir. — Parler à voix basse, à demi-voix, sotto-voce.

**Mécontentement.** — Geindre, geignard. Gémir, gémissement, gémisseur. Se plaindre, plainte, plaintif. — Pleurnicher, pleurnichement, pleurnicheur. Pleurard. Ton pleureur. — Gronder, gronderie, grondeur. Grogner, grognard, grognon. — Hargneux. — Bou-

**Musc,** m. V. *odeur.*
**MUSCADE,** f. V. *épice.*
**MUSCADET,** m. V. *vin.*
**MUSCADIN,** m. V. *affectation.*
**MUSCAT,** m. V. *raisin, vin.*
**MUSCINÉE,** f. V. *plante.*
**Muscle,** m. V. *corps, chair, fibre.*
**MUSCLÉ.** V. *force.*

MUSCULAIRE. Musculature, f. V. *muscle.*
**Muse,** f. V. *poésie, littérature.*
**Museau,** m. V. *tête, bouche.*
**Musée,** m. V. *montrer, art.*
MUSELER. Muselière, f. V. *museau, chien.*
MUSER. V. *lent.*

MUSETTE, f. V. *berger.*
MUSÉUM, m. V. *animal.*
MUSICAL. Musicien, m. V. *musique*
**Musique,** f. V. *art, chant, instruments de musique.*
MUSQUÉ. V. *musc, affectation.*
MUSSITATION, f. V. *prononcer.*

---

gonner, bougon. Rognonner. Marmonner. Maronner. — Grommeler. Raisonner, raisonneur. Ragoter.

## MUSC

**Animal.** — Musc. Chevrotain. Civette. Rat musqué. Castor.

Glande. Follicule. Rognon de musc.

**Parfum.** — Musc. Musc artificiel. Musc végétal. Castoréum. — Musquer. Musqué. — Muscade, muscadier. — Muscat. Muscadet. — Muscadelle (poire).

## MUSCLE

**Généralités.** — Muscle, musclé. Musculature, musculeux. — Tissu musculaire. Ligament. Tendon, tendineux. Membrane, membraneux.

Gaine. Attache. Aponévrose. Corps, ventre du muscle. Dentelures. Fibres. Insertion.

Muscles simples, composés, congénères. — Faisceau. — Dilatation. Extension. — Luxation. Entorse. Effort. Distension. — Contraction. Spasme.

Myologie. Myotomie. Myographie. — Myodynie. Myotilité. — Myosclérose. Myosite.

**Muscles particuliers.** — *Tête.* Temporal. Frontal. Occipito-frontal. Orbiculaire des paupières. Sourcilier. Transverse du nez. Grand zygomatique. Petit zygomatique. Masséter. Orbiculaire des lèvres. Risorius. Triangulaire des lèvres.

*Cou.* Sterno-cléido-mastoïdien. Peaucier du cou. Trapèze. Élévateur de l'épaule.

*Tronc.* Sous-clavier. Sous-scapulaire. Petit pectoral. Grand pectoral. Sus-épineux. Sous-épineux. Petit rond. Grand rond. Rhomboïde. Grand dentelé. Grand droit. Grand oblique. Petit oblique. Psoas. Pectiné.

*Membres supérieurs.* Deltoïde. Biceps. Coraco-brachial. Triceps. Brachial antérieur. Brachial interne. Fléchisseur des doigts. Extenseur des doigts. Long supinateur. Rond pronateur. Radial externe. Grand palmaire. Petit palmaire. Anconé. Cubital antérieur. Cubital postérieur. Extenseur commun des doigts. Thénar. Hypothénar.

*Membres inférieurs.* Petit fessier. Grand fessier. Moyen fessier. Sacro-lombaire. Obturateur interne. Fascia lata. Premier adducteur. Grand adducteur. Biceps crural. Demitendineux. Demi-membraneux. Droit interne. Couturier. Vaste externe. Droit antérieur. Vaste interne. Ligament rotulien. Plantaire grêle. Jumeau externe. Jumeau interne. Poplité. Jambier antérieur. Jambier postérieur.

Long fléchisseur des orteils. Soléaire. Extenseur commun des orteils. Fléchisseur du gros orteil. Péroniers latéraux. Tendon d'Achille. Ligament annulaire du tarse. Pédieux.

*Intérieur.* Sphincter. Glossiens. Pharyngiens. Palatins. Staphylins. Thyroïdiens. Hyodiens. Mastoïdiens. Pelviens. Lombaires. Intercostaux. Diaphragme.

## MUSE

**Les Muses.** — Muses. Aonides. Castalides. Méonides. Mnémonides. Piérides. — Les filles de Mémoire. Les neuf sœurs.

Les neuf muses : Clio (histoire). — Erato (poésie d'amour). — Euterpe (musique). — Polymnie (poésie lyrique). — Calliope (épopée, éloquence). — Terpsichore (danse). — Uranie (astronomie). — Melpomène (tragédie). — Thalie (comédie).

**Culte des Muses.** — Chœur des Muses. Apollon Musagète. — Mnémosyne (mère). Euphémé (nourrice). — Hélicon. Parnasse. Pinde. Piérius. — Hippocrène. Castalie. Le Permesse. — MUSÉE. — Nourrissons des Muses (poètes). — Laurier (arbre consacré).

## MUSEAU

**Museaux.** — Museau. Mufle. — Groin. Boutoir. — Trompe. Proboscide. — Naseaux. Nez. Narines.

**Qui a trait au museau.** — Museler, musellement. Muselière. — Emmuseler. Démuseler. — Anneler un porc. — Muserolle (de cheval).

Personées (plantes). — Ornithorhynque (animal). — Macrorhynque (poisson). — Muselet (à bouteilles).

## MUSÉE

**Etablissements.** — Musée. Pinacothèque. Glyptothèque. — Galerie. Salon. Collection. Cabinet. — Conservatoire. — Muséum. Jardin botanique.

**Organisation.** — Directeur. Conservateur. Attaché. Gardien. — Salles. Vitrines. — Classement, classer. Catalogue. — Exposer, exposition.

## MUSIQUE

**Formes musicales.** — Air. Ariette. Arrangement. Ballade. Ballet. Barcarolle. Berceuse. Bourrée. Branle. Canon. Cantate. Canzone. Caprice. Cavatine. Chacone. Chanson. Chant. Chœur. Comédie lyrique. Concerto. Courante. Elégie. Entrée. Fandango. Fanfare.

MUSULMAN, m. V. *Mahomet, Arabes.*
MUTABILITÉ, f. V. *changer.*
MUTATION, f. V. *propriété, fonction.*
MUTER. V. *vin.*
MUTILATION, f. V. *mutiler, membre.*
MUTILÉ, m. V. *mutiler, infirme.*
**Mutiler.** V. *couper, dimi-*

*nuer, blessure, punition.*
MUTIN, m. *Mutinerie,* f. V. *résister, méchant, sédition.*
MUTISME, m. V. *silence.*
MUTUALITÉ, f. V. *association, assurances.*
MUTUEL. V. *réciproque.*
MYCÉLIUM, m. V. *champignon.*
MYCOLOGIE, f. V. *champignon.*

MYÉLITE, f. V. *moelle, nerf.*
MYGALE, f. V. *araignée.*
MYIOLOGIE, f. V. *mouche.*
MYOPE. *Myopie,* f. V. *œil, voir, près.*
MYOSOTIS, m. V. *fleur, oreille.*
MYRIADE, f. V. *mille.*
MYRIAMÈTRE, m. V. *mesure.*
MYRIAPODE, m. V. *pied, insecte.*
MYRRHE, f. V. *odeur.*

---

Fantaisie. Festival. Finale. Fugue. Gaillarde. Galop. Gavotte. Gigue. Hymne. Impromptu. Interlude. Lied. Madrigal. Marche. Mazurka. Mélodie. Mélopée. Messe. Morceau. Motet. Opéra. Opéra-comique. Opérette. Oratorio. Ouverture. Partition. Passacaille. Pastourelle. Pavane. Polonaise. Polka. Prélude. Quatuor. Quintette. Récitatif. Refrain. Rhapsodie. Rigaudon. Ritournelle. Romance. Ronde. Rondeau. Sarabande. Sérénade. Sonate. Sonatine. Suite. Symphonie. Tango. Trio. Valse. Variations, etc.

Musique de théâtre, d'église, de chambre, de danse. Musique vocale, instrumentale, militaire.

**Solfège.** — Lire, lecture. — Armure. Clef. Signe. Barre. Portée. Interligne. — Mesure. Temps. Battre, battement. Arsis (levé). Thésis (frappé). — Echelle. — Notes. Do. Ré. Mi. Fa. Sol. La. Si. — Valeur. Blanche. Noire. Croche. Double-croche, etc. — Groupe. Liaison. Accolade. Ligature. — Ton. Demi-ton. Comma. Majeur. Mineur. — Pause. Silence. Soupir. — Agrément. Trille. Arpège.

**Harmonie et contrepoint.** — Ecrire. Composer.

Accident. Accord. Altération. Anacrouse. Appogiature. Augmentation. Barre. Bécarre. Bémol. Brisure. Broderie. Cadence. Canon. Chiffrage. Chromatisme. Consonance. Contrepoint. Contre-sujet. Contretemps. Croisement. Degrés. Développement. Dialogue. Diaphonie. Diatonique. Dièse. Dissonance. Dominante. Enchaînement. En harmonie. Episode. Exposition. Faux-bourdon. Fondamental. Fugue. Gamme. Groupe. Harmonie. Imitation. Intervalle. Leit-motiv. Médiante. Mélisure. Mode. Modulation. Monodie. Mordant. Motif. Mouvement direct, oblique, contraire. Notation. Nuance. Ornement. Passage. Pédale. Période. Plain-chant. Polyphonie. Préparation. Prolongation. Quarte. Quinte. Réalisation. Redoublement. Réexposition. Relatif. Rentrée. Renversement. Reprise. Résolution. Retard. Seconde. Sensible. Septième. Sixte. Sous-dominante. Strette. Substitution. Sujet. Syncope. Tablature. Thème. Transcription. Transposition. Triolet. Unisson.

**Artistes.** — Conservatoire. Académie de musique. — Artiste. Musicien. Virtuose. — Soliste. Exécutant. Accompagnateur. — Chanteur. Chanteuse. Cantatrice. Divette. — Composition. Maëstro. — Chef d'orchestre. Chef de musique. Maître de chapelle. Coryphée. — Dilettante. Amateur. Mélomane. — Luthier. Facteur d'orgues, de pianos. Accordeur. Organier.

*Voix :* Ténor. Baryton. Basse. — Soprano. Mezzo. Contralto. — Choriste.

*Instrumentistes :* Organiste. Pianiste. — Violoniste. Violoncelliste. Altiste. Contrebassiste. Flûtiste. Clarinettiste. Hautboïste. Harpiste. Corniste. Bassoniste. Timbalier. Guitariste. Mandoliniste. Accordéoniste, etc.

**Exécution.** — S'accorder. Donner le « la ». Diapason. — Déchiffrer. Etudier, étude. Répéter, répétition. — Exécuter. Jouer. Doigté. — Lier. Détacher. Accent. Intonation. Brio. — Roulade. Vocalise. Voix. Arpège. Pizzicato. — Solo. Unisson. Tutti. — Reprise. Da capo. Coda.

*Mouvements :* Grave. Largo. Larghetto. Lento. Adagio. Andante. Andantino. Moderato. Allegretto. Allegro. Vivace. Presto. Prestissimo. Minuetto. Scherzo. Fugato.

*Altérations :* Rallentando. Ritardando. Ritenuto. Accelerando. Crescendo. Stringendo. A piacere. Ad libitum. Poco a poco. Meno presto. Piu mosso. Tempo primo. A tempo.

*Nuances :* Gracioso. Amoroso. Languido. — Dolce. Piano. Pianissimo. — Maestoso. Forte. Fortissimo. — Con fuoco. Con moto. Agitato. — Staccato. Louré. Perlé. Legato. — Flebile. Lamentabile.

**Ensembles musicaux.** — Orchestre. Philharmonie. — Trio. Quatuor. Quintette. — Chœur. Chorale. Orphéon. Maîtrise. — Musique. Fanfare. Jazz.

**Auditions musicales.** — Théâtre. Représentation. — Concert. Audition. Récital. Séance musicale. — Office religieux. Messe. Culte. — Aubade. Sérénade. — Matinée. Soirée. — Fête. Parade. Défilé. Bal.

### MUTILER

**Mutilation.** — Amputer, amputation. — Raccourcir. Ecourter. Ecouer. — Essoriller. Couper le nez, la langue, le poing. — Tronquer. Tronçonner. Mutiler. — Châtrer. Castration. — Estropier. Blesser. — Briser. Casser.

Moignon. Tronçon. Difformité. Blessure.

**Mutilés.** — Amputé. — Estropié. — Infirme. — Blessé. — Manchot. — Manicrot. — Jambe de bois. — Cul-de-jatte. — Essorillé. — Edenté. — Castrat. — Ectromèle (monstre).

**Soins.** — Chirurgie, chirurgien. — Opérer, opération. — Prothèse. Appareils prothétiques. — Rhinoplastie. Autoplastie. — Prothèse dentaire.

MYRTE, m. V. *plante.*

MYSTAGOGUE, m. V. *mystère.*

MYSTE, m. V. *mystère.*

**Mystère,** m. V. *secret, religion, cérémonie, Cérès.*

MYSTÉRIEUX. V. *mystère, obscur, extraordinaire.*

MYSTICISME, m. V. *religion, philosophie, enthousiasme.*

MYSTIFICATION, f. Mystifier. V. *tromper, moquer, tourmenter.*

MYSTIQUE. V. *religion.*

MYTHE, m. V. *mystère.*

MYTHOLOGIE, f. V. *religion, conte.*

MYTHOLOGIQUE. V. *dieu.*

MYTILICULTURE, f. V. *mollusque.*

MYXOMYCÈTE, m. V. *champignon.*

---

## MYSTÈRE

**Cérémonies secrètes.** — Initiation, initier. Mystères. Mystagogie, mystagogue. Hiérophante. — Cérémonies. Cérémonial. Rites. Purification. Mythes. — Adepte. Initié. Myste. Affilié.

Degrés d'initiation. Epreuves. — Profane. — Mysticité, mystique. — Enthousiasme. Ravissement. Extase.

**Chose secrète.** — Mystère, mystérieux. Arcane. SECRET. — Faire mystère de. Tenir secret. — Chose cachée, impénétrable, inabordable, inaccessible, inconnue. — Obscurités. OBSCUR. — Voiles, voiler. Couvrir de voiles.

Réserve. Discrétion. Réticence.

**Chose surnaturelle.** — Chose incompréhensible, inconcevable.

MAGIE. Oracle. Avatar. — Révélation, révéler.

Mystères chrétiens. Incarnation. Rédemption. TRINITÉ.

# N

NABAB, m. V. *prince, riche.*

NABOT, m. V. *petit.*

NACARAT, m. V. *rouge.*

NACELLE, f. V. *bateau, aéronautique.*

NACRE, f. V. *coquille, huître.*

NADIR, m. V. *astronomie.*

NAGE, f. V. *nager.*

NAGEOIRE, f. V. *poisson.*

**Nager.** V. *eau, rame, bain.*

NAGEUR, m. V. *nager.*

NAGUÈRE. V. *près.*

NAÏADE, f. V. *nymphe, eau.*

**Naïf.** V. *ignorance, sot, croire.*

NAIN, m. V. *petit, court.*

NAISSAIN, m. V. *poisson, huître.*

NAISSANCE, f. V. *naître.*

NAISSANT. V. *nouveau.*

**Naître.** V. *accouchement, exister, commencer.*

NAÏVETÉ, f. V. *naïf, franc.*

NANDOU, m. V. *autruche.*

NANKIN, m. V. *étoffe.*

NANTIR. Nantissement, m. V. *possession, garant, prêter.*

NAOS, m. V. *temple.*

NAPACÉ. V. *navet.*

NAPHTE, m. V. *bitume.*

NAPPE, f. V. *linge, eau, cerf.*

NARCISSE, m. V. *fleur.*

NARCOTIQUE. V. *sommeil, médicament.*

NARCOTISME, m. V. *opium.*

NARGUER. V. *moquer, rire, mépris.*

NARGUILÉ, m. V. *pipe.*

NARINE, f. V. *nez.*

NARQUOIS. V. *moquer.*

NARRATEUR, m. V. *raconter.*

NARRATIF. V. *style.*

NARRATION, f. Narrer. V. *raconter, lire, conte.*

NARTHEX, m. V. *architecture.*

NARVAL, m. V. *cétacé.*

NASAL. Nasalisation, f. V. *nez.*

NASARDE, f. V. *nez, rire, battre.*

NASEAU, m. V. *nez.*

NASILLER. V. *prononcer, nez.*

NASSE, f. V. *panier, filet.*

NATAL. Natalité, f. V. *naître.*

NATATION, f. V. *nager.*

NATATOIRE. V. *poisson.*

NATIF. V. *naître, pur.*

NATION, f. V. *national, peuple, pays.*

NATIONALISTE, m. V. *politique.*

NATIONALITÉ, f. V. *pays.*

NATRON, m. V. *salpêtre.*

**Natte,** f. V. *entrelacer, cheveu, tapis.*

NATTER. V. *natte.*

---

## NAGER

**Nageoires.** — Nageoire abdominale, ventrale, dorsale, pectorale, anale, caudale. — Aile. Aileron. Bras. Vessie natatoire. — Poissons cycloptères, diptérygiens, acanthoptérygiens, etc. — Pinniforme.

**Natation.** — Nager, nage, nageur, nagée. — Bain. Baigneur. Se baigner. Prendre un bain. — Piscine. Plage. Baignade. Ecole de natation. — Se jeter à l'eau. Piquer une tête. PLONGER, plongeur, plongeon. — Avoir pied. Perdre pied. — Fendre l'eau. Pleine eau. — Faire la planche. Nager sur le dos. Nager entre deux eaux. — Brasse. Marinière. Coupe. Over arm stroke. Crawl. Trudgen. — Passer à la nage. Crampe. — Couler. Enfoncer. Boire un coup. — Se noyer.

**Flottabilité.** — Flotter, flottable, flottage. — Flottaison. Fluctuation. — Flotteur. Flotte. Liège. — Ceinture de sauvetage. Vessie. Ceinture pneumatique. — Etre à flot. Emerger, émersion. Revenir sur l'eau. — Remettre à flot. Renflouer. — Bois flotté. TRAIN de bois. Bateau. — Naviguer. Voguer. — Bateau insubmersible. Feuille natante. Pierre nectique.

## NAÏF

**Etat de nature.** — Naïf, naïveté. Naturel. Primitif. — Spontané. — Sans détour. Sans façon. Sans artifice. Sans affectation. — Sincère, sincérité. FRANC, franchise. Parler tout uniment. — Brave homme. Bonhomme, bonhomie. Bonasse.

**Innocence.** — Ingénu, ingénue, ingénuité. SIMPLE, simplicité. — Crédule, crédulité. Candide, candeur. — Ignorant, IGNORANCE.

NOVICE. Inexpérimenté, inexpérience. — Niais, niaiserie. Gauche, gaucherie. — JEUNE, jeunesse. ENFANT, enfantillage, enfantin. — PUR, pureté. Vierge, virginal. Agnès.

## NAÎTRE

**Naissance.** — Nativité. Naître. Venir au jour. Venir au monde. — Recevoir l'existence, la vie, le jour. Voir la lumière. — Nouveau-né. Né viable. Mort-né. — Natalité. — Jour natal. Anniversaire. — Inné. Congénital. Originel. — Eclore, éclosion, éclos.

Incarnation, s'incarner. Parthénogénèse. — Renaître. Palingénésie. — Généthlies (fêtes de la naissance). Noël.

**Filiation.** — Etre né de. Descendre, descendance. Progéniture. — ENFANT. Enfanté. Engendré. — Aîné, aînesse. Puîné. — Issu de. Bien né. Mal né. — FAMILLE. Lieu. Sang. Ligne. Lignée. Lignage. Extraction. — Provenir. Sortir de. Appartenir à.

Généalogie. Arbre généalogique. — Etat civil. Acte de naissance. Extrait de naissance. — Théogonie (descendance des dieux). Dynastie, dynastique. Branche.

**Origine.** — Originaire. Natif de. Enfant de. — Pays natal. Patrie. Nation, nationalité. Race. — Autochtone. Aborigène. — Indigène, indigénat. — Naturels. Insulaires.

## NATTE

**Objets nattés.** — Natte. Tissu de PAILLE, de jonc, d'osier, de roseau. — Vannerie. Sparterie. Couffin. — Paillasson. Paillet. Abatvent. — CLAIE. Clisse. — Natte de litière. Natte de planches. Estère (natte de lit). — TRESSE. Ganse. Lanière tressée. — Natte de cheveux.

NATURALISATION, f. Naturaliser. V. *pays, étranger.*
NATURALISME, m. V. *nature, philosophie.*
NATURALISTE, m. V. *animal, botanique.*
**Nature,** f. V. *monde, principe, caractère, manière, nu.*
NATUREL. V. *nature, pur, simple, franc.*
NATUREL, m. V. *tempérament, habiter.*
NATURISME, m. V. *nature.*

**Naufrage,** m. V. *mer, perdre, échouer.*
NAUFRAGÉ, m. Naufrageur, m. V. *naufrage.*
NAUMACHIE, f. V. *cirque.*
NAUSÉABOND. V. *odeur, dégoût.*
NAUSÉE, f. Nauséeux. V. *estomac, vomir.*
NAUTIQUE. V. *bateau.*
NAVAJA, f. V. *couteau.*
NAVAL. V. *navire.*
NAVARIN, m. V. *mets.*
**Navet,** m. V. *légume.*

NAVETIER, m. V. *navette.*
**Navette,** f. V. *bobine, mouvement, filet, tissu.*
NAVIGABLE. V. *rivière.*
NAVIGATEUR, m. V. *marine, aéronautique.*
NAVIGATION, f. Naviguer. V. *voyage, bateau.*
**Navire,** m.
NAVRER. V. *abattement.*
NÉANT, m. V. *négation, détruire.*
NÉBRIDE, f. V. *Bacchus.*
NÉBULEUSE, f. V. *astre.*

---

Travail. — Nattier. Vannier. — Assembler. Brocher. ENTRELACER. — Tresser. Natter. — Rouleau de natte.

## NATURE

**Théorie de la nature.** — Sciences naturelles. Histoire naturelle. Naturaliste. — Règne animal, végétal, minéral. — Physique. Chimie. Physiologie. Biologie. Cosmographie. — Explication de l'univers. Création. Matérialisme. Panthéisme. Transformisme. Evolution. Sélection naturelle. — Physiocratie. Physiographie. — Naturalisme. Naturisme.

**Nature en général.** — La nature. Lois de la nature. Phénomènes naturels. — Univers. MONDE. Le grand Tout. — MATIÈRE, matériel. Forces physiques. — Réalité. Fond des choses. — Force des choses. Nécessité. Fatalité. — Etat de nature. Natif. BRUT. Inculte.

Forcer la nature. Payer tribut à la nature. — Peindre d'après nature. — Farder la nature.

Contre nature. Antiphysique. — Métaphysique. Surnaturel.

**Nature particulière.** — Nature divine. Nature humaine. Nature animale. — Espèce. Genre. Sorte. — TEMPÉRAMENT. DISPOSITIONS naturelles. Naturel. Instinct. — ETAT. Manière d'être. Essence. Structure. Trempe. — Esprit, génie particulier. Tournure d'esprit. — CARACTÈRE inné, infus, congénital. — Une belle nature. Une nature perverse. — Inclination naturelle. Elan du cœur. Venir du cœur. — Physionomie. Le physique. — Sincère. Vrai. Réel.

Une nature morte. — Payer en nature.

## NAUFRAGE

**Naufrage.** — Faire naufrage. Naufragé. — Sombrer. Couler bas, couler à pic. S'engloutir. S'enfoncer. Etre submergé, submersion. — Faire côte. Se jeter sur un récif. S'échouer. Se briser. — Echouer. Talonner. Toucher. S'engraver. S'ensabler. — Chavirer. Capoter. Cabaner, f. — S'entr'ouvrir. Etre défoncé. Faire eau. — Etre en détresse, en perdition. Signaux de détresse. S. O. S. — Se perdre. Etre perdu corps et biens. Perte.

**Accidents de mer.** — TEMPÊTE. Coup de vent. Coup de mer. — Echouage. Incendie. Voie d'eau. — Malheur. Sinistre. Désastre. — Avarie. Dégâts. Bris. Débris. Dégréement. Démâtage. — Etre désemparé, désemparement. Etre en pantenne. Aller à la dérive. Epave. — Tomber à la mer. Périr en mer. Se noyer, noyade.

**Sauvetage.** — Sauveter, sauveteur. Repêcher. — Canot de sauvetage. Bouée et RADEAU de sauvetage. Canon porte-amarres. Va-et-vient. — Relever. Remettre à flot. Renflouer. Déséchouer. — Sauvé. Réchappé du naufrage. Rescapé, f.

Naufrageur. Pilleur d'épaves. Droit de varech.

## NAVET

**Le genre navet.** — Plante crucifère, napacée, rapacée. — Légume-racine. — Navet. Naveteau. Navette (navet sauvage). — Navet de Milan, de Norfolk, long des vertus, blanc dur, etc. — Panais. Rutabaga. Turneps. Rabette. CHOU-navet. — Rave. Chou-rave. — Raifort. Radis.

## NAVETTE

**Détails de la navette.** — Annelet. Armures. — Boîte. Cannette ou Espolin. — Fosse ou Poche ou Espole. — Broche. Fuserolle. Pointicelle. — Tacot ou Chasse-navette.

**Navettes.** — Navette à main. Sabot. — Navette cintrée, à roulettes, sans roulettes. — Navette volante (mécanique). Navette de machine à coudre. — Navette à défiler. Navette à dérouler. Navette double. Navette à tension rétrograde. — Navette à filet. Flûte (de tapisserie).

**Relatif à la navette.** — Navetier. — Pousser la navette. Lancer la navette. Le lancé. Duite. — Course. Courir. Passer. Repasser. Passée. — Larder (s'accrocher).

Faire la navette (aller et venir).

## NAVIRE

**Termes généraux.** — Navire. Bateau. Vaisseau. Nef. Bâtiment. — Marine. Maritime. Naval. — Armer, armement, armateur, désarmer. — Fret. Affréter, affréteur. Noliser, nolisement. — Amariner. Equipage. Passagers. Chargement. Cargaison. — Papiers

NÉBULEUX. V. *nuage, obscur.*
**Nécessaire.** V. *besoin.*
NÉCESSAIRE, m. V. *coudre, toilette.*
NÉCESSITÉ, f. V. *nécessaire,*
*contrainte, pauvre, besoin.*
NÉCESSITEUX. V. *aumône.*
NÉCROGRAPHIE, f. V. *cadavre.*
NÉCROLOGIE, f. V. *mort.*
NÉCROMANCIEN, m. V. *Nécro-*
mant, m. V. *magie, devin, cadavre.*
NÉCROPOLE, f. V. *funérailles.*
NÉCROSE, f. V. *gâter, os.*
NECTAR, m. V. *boisson.*

---

de bord. Patente. Connaissement. Baraterie (fraude). — Marche. Vitesse. Lest. Lège. — Libre pratique. Quarantaine. Lazaret. — Lignes de navigation. — Bateau de commerce, de guerre, de plaisance.

**Coque.** — Chantier. Mettre en cale. Lancer. — Quille. Etrave. Etambot. — Carène. Carcasse. CHARPENTE. — Membres. Membrure. Varangues. Epontilles. Bau. Barrot. Couple. Maître-couple. Lisses. — Œuvres vives. Œuvres mortes. — Proue. Avant. Cap. Bout. — Poupe. Arrière. — Travers. Joues. Fesses. Flanc. — Plat-bord. Rambarde. Bastingage. — Bord. Bordage. — Tôles. Doublage. Blindage. — Cale. Sentine. — Eperon. — Tirant d'eau. Ligne de flottaison. — Déplacement. Tonnage. Jauge. Portée en lourd. — Bâbord. Tribord. — Radoub, radouber.

**Voilure.** — Agrès. Gréement. Apparaux. — MÂT. Mâture. Hune. Gabie. Vergue. — Misaine. Grand mât. Artimon. Beaupré. — VOILES. — Palan. Moufle. POULIE. — Câble. Amures. Cordes. Drisse. Haubans. Etais. Grelins.

**Machinerie.** — MACHINE. Chambre des machines. — Chambre de chauffe. Chaufferie. — Chaudière. Turbine. — Arbre. Hélice. Aubes. — Dynamos. Groupes électrogènes. — Cabestan. Treuil. Guindeau. — Mât de chargement. Monte-charge. — Charbon. Mazout. — Cheminées.

**Aménagements.** — Poste de commandement. Poste d'équipage. — Dunette. Banc de quart. Passerelle. — Gaillard. Château. Rouf. — Pont. Tillac. Entrepont. Pont promenade. — Coursive. Galerie. — Carré. Cabines. — Salons. Bar. — Cales. Soutes. Cambuse. — Couchette. Hamac. — Hublot. Sabord. Ecubier. Coupée. — Ecoutille. Cloison étanche. — Bossoir ou Portemanteau. Canot de sauvetage. Embarcation. — Artillerie. Tourelles. Tube lance-torpille.

**Timonerie.** — Hydrographie. Cartes. — Météorologie. Faire le point. — Timonier. Vigie. Homme de barre. — T. S. F. Antennes. Radiotélégraphiste. — Gouvernail. Barre. Roue. — Boussole. Habitacle. — Loch. Nœuds. — Orientation. Rumb (de vent). Relever une terre. — Route. Loxodromie. — Signaux. Signaux. Répéter. Répondre. — Sémaphore. Phare. — Signaux optiques, à bras. Pavillons. Flammes. Boules. Cylindres. Cônes. — Arborer un pavillon. Pavoiser, pavois. Faire parade. Saluer. Héler. — Partance. Arrivée. Pilotage, pilote. Lamanage, lamaneur.

**Manœuvres.** — Aborder, abordage. Accoster. Atterrir. — Mouiller. Ancrer. — Appareiller. Prendre la mer. Mettre à la voile. A-dieu-va. — Entrer au port, au bassin. Bâcler, bâclage. — Embarquer. Débarquer.

Quai. Embarcadère. — Charger. Décharger. Arriver. Charger en vrac. S'embosser. Mettre en panne. — Amarrer. Démarrer. — Prendre le quart. Bordée. Branle-bas. — Rallier au vent. Lofer, lof. Prendre une risée. Larguer les voiles. — Gouverner. Mettre le cap sur. — Virer de bord. Eviter, évitée. — Remorquer. Prendre la remorque. — Arraisonner. Semonce.

**Navigation.** — Naviguer. — Voyager au long cours, au cabotage, au bornage. Caboter, caboteur. Long-courrier. — Traversée. Circumnavigation. Tour du monde. Périple. Campagne. — Croiser. Croisière. — Faire route. Faire escale. Faire relâche. — Tenir la mer. Erre. Allure. Evolutions. Sillage. — Filer (x nœuds). Cingler. — Serrer le vent. Louvoyer. Embardée. Ranger la terre. — Aller de conserve. Convoyer, convoi. — Prendre le large. Courir, course. — Aller vent debout. Bourlinguer. Capéer. — Rouler, roulis. Tanguer, tangage. — Porter. Dériver. Drosser. Chasser sur ses ancres. — Donner de la bande. Accoter. Bouliner. — Faire côte. Faire eau. — Etre dans les parages, par le travers. — Dérader. Débouquer. Débanquer. — Echouer, échouage. Talonner. Toucher. — Sombrer. Naufrage. — Remettre à flot. Flotter.

**Navires à voile.** — Voilier. Trois-mâts. Quatre-mâts. Brick. Goélette. Schooner. Sloop. Côtre ou Cutter. — Caravelle. Galion. Galiote. Brigantin. Lougre. Tartane. Chébec. — Vaisseau à trois ponts. Frégate. Corvette. Flûte. — Yacht. — V. BATEAU.

**Navires à vapeur.** — Bateau à vapeur. Vapeur. Bateau à moteur. — Navire à hélice. Navire à aubes. — Paquebot. Steamer. Steamboat. Ferry-boat. — Remorqueur. Chalutier. Brise-glaces. — Transport. Cargo. — Drague. Mouche. Vedette. — Charbonnier. Pétrolier.

**Navires de guerre.** — Navire de ligne. Cuirassé. Croiseur. Aviso. Contre-torpilleur. Torpilleur. Chasseur. — Garde-côte. Stationnaire. Canonnière. — Porte-avions. — Sous-marin. Submersible.

**Navires à rames.** — Galère. Birème. Pentécontore. Trière. Trirème. Quadrirème. Galéasse.

**Equipage.** — Commandant. Capitaine. Lieutenant. Midship. Médecin. Commissaire. — Maître. Quartier-maître. Subrécargue. — Marin. Navigateur. Patron. Mousse. — MATELOT. Gabier. Timonier. Rameur. Mécanicien. Chauffeur. Soutier. Electricien. — Maître d'hôtel. Coq. Steward. Personnel navigant.

## NÉCESSAIRE

**Dont on a besoin.** — Nécessaire, nécessité, nécessiter. Indispensable. — Essentiel. Vital. — Important, importance. Expédient.

NEF, f. V. *navire, église.*
NÉFASTE. V. *malheur.*
NÈFLE, f. V. *fruit.*
NÉGATIF. V. *négation, électricité.*
NÉGATIF, m. V. *photographie.*
Négation, f. V. *annuler, manque, opposé.*
NÉGLIGÉ. V. *habillement.*
NÉGLIGENCE, f. Négligent. V. *inattention, paresse, oubli.*

NÉGLIGER. V. *abandon, abstenir (s').*
NÉGOCE, m. V. *commerce.*
NÉGOCIANT, m. V. *acheter, vendre.*
NÉGOCIATEUR, m. Négociation, f. V. *négocier.*
Négocier. V. *intervenir, convention, diplomatie.*
Nègre, m. V. *noir, esclave.*
NÉGRIER, m. V. *corsaire.*
NÉGRILLON, m. V. *nègre.*
NÉGROPHILE, m. V. *nègre.*

Neige, f. V. *blanc, gelée.*
NEIGEUX. V. *neige.*
NÉMÉSIS, f. V. *venger.*
NÉNUFAR, m. V. *fleur.*
NÉOLOGISME, m. V. *nouveau, langage.*
NÉOPHYTE, m. V. *baptême, religion, novice.*
NÉOPLASME, m. V. *tumeur.*
NÉPHRÉTIQUE. Néphrite, f. V. *rein.*
NÉPOTISME, m. V. *parent, faveur.*

---

— Ne pouvoir se passer de. Exiger coûte que coûte, à tout prix. — Demander, demande. Exigence. Desideratum. — Presser, pressé. Besoin pressant. Urgent, urgence. — UTILE, utilité. Suffisant, suffisance.

**Obligatoire.** — On doit. Il faut. Falloir. Devoir. Dû. — Fatal, fatalité. Inéluctable. Inévitable. — Force majeure. Etre forcé. Faire bon gré, mal gré. — Ordre. OBLIGATION. Consigne. — Rigoureux. Impérieux. Absolu. Irrévocable. — Commandé par les circonstances. — Exigible, exigibilité. — Vital.

### NÉGATION

**Négative.** — Négation, négatif, négatoire. Nier, niable. Négateur. — Dénier, déni. Indéniable. Dénégation, dénégateur. — Dire non, non tout court. Disconvenir. Fin de non-recevoir. — Désavouer, désaveu. — Refuser, refus. Récuser, récusation. Irrécusable. — Exclure, exclusion. Rejeter, rejet. Ecarter. — Se défendre de. Rester neutre. Neutralité. — Etranger à. Ignorant de.

Non-être. Non-moi. Non-sens. Non-valeur. Non-avenir, etc.

**Contraire.** — Contredire. Contradiction, contradicteur, contradictoire. — Démentir, démenti. S'inscrire en faux. Aller à l'encontre. — Renier, reniement. Renégat. Rétracter, rétractation. — Contester, contestation, contestable. Protester, protestation, protestataire. — Dédire, dédit. Contremander. Contre-lettre. — Refuser, refus.

**Néant.** — Faire chou blanc. Revenir bredouille. Trouver visage de bois. Dîner par cœur. — Se passer de. S'abstenir. Abstention. Abstinence. — Absence. MANQUE. Vacance. Vacuité. VIDE. Lacune. — Nullité. Nul. Inexistant. Zéro. — DISPARAÎTRE, disparition. S'évanouir. — Manquer. Faire défaut. — Nihilisme, nihiliste. Nirvâna.

Rayer. Effacer. Supprimer. Faire table rase. — Exonérer. Exempter. ANNULER.

**Mots négatifs.** — Non. Non pas. Ne... pas. Ne... point. Pas du tout. Pas le moins du monde. Aucunement. Nullement. Nenni. Ni. Ne... goutte. Ne... mie. Ne... guère. Ne... jamais. Ne... plus. Sans. Personne... ne. Rien... ne. Aucun. Nul... ne.

Préfixes négatifs : A. Dé (dés, des). Ex. In (il, ill, im, in, ir). Mé. Anti.

### NÉGOCIER

**Entre Etats.** — DIPLOMATIE, diplomatique. — Diplomate. Ambassadeur, ambassade. Chargé d'affaires. Représentant. Ministre plénipotentiaire. — Négociateur, négocier, négociation. Parlementaire, parlementer. — Congrès. Conférence. Pourparlers. Commissions. ENTREVUE.

Actes diplomatiques. Pacte. Traité. Protocole. Conventions. Stipulations. — Préliminaires. Règlement. Ratification.

**Entre particuliers.** — Traiter, conduire une affaire. AGENT d'affaires. Cabinet d'affaires. — Intermédiaire. Médiateur, médiation. INTERVENIR, intervention. S'entremettre, entremise.

S'aboucher. Prendre langue. — Discuter, discussion. Débattre, débat. — Jeter les bases de. Proposer, proposition. — Arranger, arrangement. Régler, règlement. Convenir, CONVENTION. S'accorder, accord. — Rapprocher les parties. Transiger, transaction. Accommodement. Concordat.

### NÈGRE

**Race noire.** — Noir. Négrito. Négroïde. — Nègre. Négresse. Négrillon. — Ethiopien. Soudanais. Pahouin. Hottentot. Australien, etc. — Homme de couleur. Moricaud. Mulâtre, mulâtresse. MÉTIS.

Case. Pagne. — Palabre. Tam-tam. — Fétiche. Gris-gris.

**Traite des noirs.** — Faire la traite. Négrier. Négrerie. — Esclavage. Esclave. Bois d'ébène. — Négrophile. Abolitionniste. Négrophobe.

### NEIGE

**La neige.** — Neige. Neigeux. Nivéen. Nivéal. Niviforme. — Chute de neige. Flocons. Cristaux. — Neiges éternelles. Névé. Neiges d'antan. — Fonte. Avalanche. Lavanche.

**Qui a trait à la neige.** — Route enneigée. Chasse-neige. — Traîneau. Ski. Toboggan. Bobsleigh. Luge. — Raquettes. Snowboot. — Nivôse (mois des neiges). — Boule-de-neige (fleur). Perce-neige.

**Grêle.** — Grêler. Grêlon. Grésil. — Grésiller, grésillement. Hacher. — Giboulée. — Guilée. — Paragrêle.

**Neptune,** m. V. *mer, dieu.*
NEPTUNIEN. V. *Neptune.*
NÉRÉIDES, f. p. V. *nymphe.*
**Nerf,** m. V. *corps, cerveau.*
NÉROLI, m. V. *orange.*
NERVEUX. Nervosité, f. V. *nerf.*
NERVURE, f. V. *saillie, fleur, reliure, architecture.*
NESTORIEN, m. V. *secte.*
NET. V. *pur, prix.*

NETTETÉ, f. V. *net.*
**Nettoyer.** V. *ôter, balai, laver.*
NEUF. V. *nouveau.*
**Neuf,** m.
NEURASTHÉNIE, f. V. *nerf, folie.*
NEUROLOGUE, m. V. *médecine.*
NEURONE, m. V. *nerf.*
NEUTRALISER. V. *compenser, annuler.*

NEUTRALITÉ, f. V. *impartial, guerre.*
NEUTRE. V. *indifférent, stérile.*
NEUVAINE, f. V. *neuf, prier.*
NEUVIÈME. V. *neuf.*
NÉVÉ, m. V. *neige.*
NEVEU, m. V. *parent.*
NÉVRALGIE, f. Névralgique. V. *nerf, convulsion.*
NÉVRITE, f. V. *nerf.*

---

## NEPTUNE

**Le dieu de la mer.** — Neptune. Poséidon (en grec). — Amphitrite (épouse). — Trident (sceptre).

Char de Neptune. Chevaux marins. Divinités marines. Tritons. Néréides.

L'empire des eaux. — Neptunien. Neptunisme.

## NERF
(latin, *nervus;* grec, *neuron*)

**Système nerveux.** — Nerfs. Ganglions nerveux. — Cellule nerveuse ou Neurone. Fibres nerveuses ou Tubes nerveux. Névroglie (tissu conjonctif). Prolongements. Cylindre. Axe. Névrilème (tunique). Fibrine. Myéline. — Cordons nerveux. Filet. Papilles. Ligament. Racines. — Rameaux. Ramification, se ramifier. Branches. — Tronc de nerfs. Emergence. Cavité neurale. Innervation. — Conjugaison de nerfs. Faisceau de nerfs. Lacis. Plexus. Paire de nerfs.

Sensibilité nerveuse. Action réflexe. Névrilité. Nervimotilité. — Influx nerveux. — Inhibition.

**Etats morbides.** — Irritation. Excitation. Névropathie, névropathe. Nervosité. Nervosisme. Névrosthénie. — Névralgie. Névrite. Névrose. Neurasthénie. — Hyperesthésie. Eréthisme. Hystérie. — Asthénie. Atonie. Vapeurs. — Contraction. Crispation. Spasmes. Crampes. — Tremblement. Tressaillement. Tiraillement. Tic. — Paralysie. Myélite. Névrome. Ganglite.

Neuropathologie. Neurologie, neurologue. Médicament névrotique ou nervin.

**Principaux nerfs.** — Système cérébrospinal ou central. Système sympathique. — Centres nerveux. Cerveau. Cervelet. Bulbe. Moelle épinière. — Nerfs sensitifs ou centripètes. Nerfs moteurs ou centrifuges. — Chaîne ganglionnaire. Nerfs des viscères. — Nerfs de l'encéphale (12 paires). Nerfs de la moelle (31 paires).

*Nerfs de l'encéphale.* Olfactif. Optique. Moteur oculaire commun. Pathétique. Trijumeau. Moteur oculaire externe. Facial. Auditif. Glossopharyngien. Pneumogastrique. Spinal. Grand hypoglosse.

*Nerfs locaux.* Crural. Tibial. Péronier. Brachial. Cubital. Radial. Intercostal. Médian. Thoracique. Axillaire. Lombaire. Sciatique. Cutané. Récurrent. Sacré, etc.

## NETTOYER

**Nettoyage du corps.** — LAVER, lavage. Ablutions. Débarbouiller, débarbouilloir. Savonner, savonnette. — Faire la toilette. Tenir propre. Soins de propreté. — Changer un enfant. Torcher, torchette. — Eponger. Essuyer. Frotter. — Eponge. Essuie-main. Serviette. Torchon.

Hydrothérapie. Hygiène. Bains. Douches. Bains de pieds.

Etre soigneux de sa personne. — Se peigner, PEIGNE. — Se frotter les dents, dentifrice. Se faire les ongles, onglier. — Se raser, rasoir. — S'épiler, pince. — Se frictionner, friction. Masser, massage. — Se moucher, mouchoir. — Cure-dent. Cure-oreille. Cure-langue.

Lavement. Purge. Purgation.

**Nettoyage des vêtements.** — Brosser, brosse, brosseur. Décrotter, décrotteur, décrottoire (brosse). — Battre les habits. Housser, houssine. Epousseter. — Dégraisser, dégraissage, dégraisseur. Teinturier. Foulon. — Détacher, un détachant. Nettoyer, nettoyeur. — Blanchir, blanchissage, blanchisserie, blanchisseur. — Savonnage, eau de SAVON. Lessive, lessiver, lessiveuse. Lavage, laveuse, laver. — Astiquer. Frotter. Faire briller les chaussures. — Térébenthine. Benzine. Essence. — Chlore. Eau de Javel. Potasse. Soude.

**Nettoyages particuliers.** — Balayer, BALAI, balayage. — Bouchonner, bouchon. — Carder, carde. — Clarifier, clair. Limpide. — Cribler, criblage. — Curer, curage. — Débourber, débourbage. — Décanter, décantation. — Décaper, décapage. — Déféquer, défécation. — Dérocher, dérochage. — Dérouiller, dérouillement. — Draguer, drague, dragage. — Ecumer, écumoire. — Ecurer. Récurer, récurage. — Eplucher, épluchage, épluchure. — Filtrer, filtre. — Fourbir, fourbissage. — Gratter, grattoir. — Monder, orge mondé. — POLIR, poli. Brillant. — Purifier, purification. — Racler, racloir, raclure. — Ratisser, ratissage. — Rincer, rinçoir, rinçage, rinçure. — Sarcler, sarcloir, sarclage. — Tamiser, TAMIS. — Torchonner. Torcher. — Vidanger, vidange. — Faire le vide. Aspirateur.

## NEUF
(latin, *novem;* grec, *ennéa*)

**Neuf et dérivés.** — Neuf. Preuve par neuf. Abattre le neuf. — Neuvaine. — Neuvain. — Neuvième, neuvièmement.

NÉVROLOGIE, f. V. *anatomie.*
NÉVROPATHE, m. V. *maladie.*
NÉVROPTÈRE, m. V. *insecte.*
NÉVROSE, f. V. *nerf.*
*Nez,* m. V. *odeur.*
NIABLE. V. *négation.*
NIAIS. V. *simple, sot, nid.*
NIAISER. V. *paresse.*
NIAISERIE, f. V. *vain.*
NICHE, f. V. *abri, chien.*
NICHÉE, f. V. *oiseau.*
NICHER. V. *nid.*
NICHOIR, m. V. *cage.*
NICOTINE, f. V. *tabac.*
NICKEL, m. V. *métal.*
NICTATION, f. V. Nicter. V. *œil.*

*Nid,* m. V. *oiseau.*
NIDOREUX. V. *puant.*
NIÈCE, f. V. *parent.*
NIELLE, f. V. *blé, émail.*
NIELLER. Niellure, f. V. *bi-jou, orfèvre.*
NIER. V. *négation.*
NIGAUD, m. V. *sot.*
NIHILISME, m. Nihiliste, m. V. *néant, philosophie.*
NIL, m. V. *Egypte.*
NIMBE, m. Nimbus, m. V. *nuage.*
NIPPES, f. p. V. *bagage.*
NIQUE, f. V. *grimace.*
NITOUCHE, f. V. *hypocrite.*

NITRATE, m. Nitre, m. V. *salpêtre.*
NITRIÈRE, f. V. *salpêtre.*
NITRIFICATION, f. V. *fumier.*
NITRIQUE. V. *salpêtre.*
NITROGLYCÉRINE, f. V. *poudre.*
*Niveau,* m. V. *arpentage, égal, maçon.*
NIVELER. Nivellement, m. V. *niveau, plat, uni.*
NIVÔSE, m. V. *neige.*
NOBILIAIRE. V. *noble.*
*Noble.* V. *blason, féodal, grand, honneur.*
NOBLESSE, f. V. *noble, classe, style.*

---

Dérivés de *novem, nonus.* — Novembre. — Novénaire. — Novendial (sacrifice). Nundines (marché romain).

Nonagénaire. — Nonagésime. — Nonante, nonantième. — None. Nones. — Nonuple. — Nonandrie. — Nonagone.

Dérivés d'*ennéa.* — Ennaèdre. — Ennéagone. — Ennéade. — Ennéagyne. Ennéandrie. — Ennéacorde. — Ennéaptérygien, etc.

### NEZ
(latin, *nasus*; grec, *rhis, rhinos*)

**Constitution.** — Nez. Bout du nez. — Racine. Narines. Ailes. Ailerons. — Fosses nasales. Méats. Sinus. Choanes. Nasopharynx. — Cloisons. Vomer. Cornets. Cartilages. — Muqueuse nasale. Membrane pituitaire. Vibrisses (poils).

Museau. Naseaux. Mufle. Groin. Trompe.

**Aspects du nez.** — Droit. Epaté. Busqué. Tombant. Camard. Camus. Aquilin. Bourbonien. Retroussé. Rond. Pointu. — Proéminent.

En bec de corbin. En trompette. En pied de marmite. Fendu. Bourgeonné. Couperosé. — Nez de perroquet.

**Actions du nez.** — Sentir. Flairer. Odorat. Olfaction, olfactif. — Se moucher. Emonction. Emonctoires. — Eternuer, éternuement. Sternutatoire. — Priser, prise, priseur. — Renifler, reniflement. — Renâcler, renâclement. — Ronfler, ronflement. — S'ébrouer, ébrouement. — Couler. Morve, morveux. Mucosité. Roupie. — Parler du nez. Nasiller, nasillement, nasillard. Nasaliser, nasalisation. Rhinophonie. — Saigner du nez. — Se boucher le nez.

**Maladies du nez.** — Rhume de cerveau. Coryza. Rhume des foins. — Enchifrènement, enchifrené. — Saignement de nez. Epistaxis. Hémorragie nasale. — Polypes. Cancer. — Furoncle. Acné. Lupus. — Ozène. Punaisie, punais. Rhinite. Rhinorrhée.

**Relatif au nez.** — Rhinologie. Rhinoscopie. Rhinoplastie. — Sondes nasales. Injections nasales. — Nasarde, nasarder. Pied de nez. — Faux nez. Touret de nez. — Rhinocéros. Nasicorne. — Avoir du nez, du flair.

### NID

**Les nids.** — Aire. Nid. — Nid d'oiseau, d'insecte, de certains poissons. — Faire son nid. Nicher, nichoir. Nidifier, nidification. — Nid aérien, souterrain.

**Relatif au nid.** — Nichée. Nitée. — Niais (pris au nid). — Dénicher, dénicheur. — Pondre. Couver, couvaison, couvée. Incubation. — Graine nidulée (enfermée dans une capsule).

### NIVEAU

**Etre de niveau.** — Affleurer, affleurement. Etre à fleur de. Bord à bord. — A fleur de terre. Au niveau du sol. Au ras de terre. Rez-de-chaussée. — De plain-pied. Horizontal, horizontalité. — Ras. UNI. EGAL, égalisation.

**Mettre de niveau.** — Aplanir, aplanissement. — Affleurer. Raser. Araser, arasement. ~ Niveler, nivellement. Dresser. Redresser, redressement. — Régaler, régalement. — Parangonner (en imprimerie). — Tirer au cordeau. Aligner, alignement. — Racler, racloire. Rader, radoire.

**Arpentage.** — Niveau d'eau. Mire. Fioles. Voyant. Fil à plomb. — Niveau perpendiculaire. Niveau à bulle d'air. Niveau à lunettes. Niveau à collimation. — Nivellement direct. Nivellement composé. — Horizon. Plan. Courbes de niveau. — Bornoyer. Viser. Mirer. Ligne de collimation. Rayon visuel. — Jalonner, jalon, jalonnement. — Station, stationner. Prendre une cote. Coup de niveau.

### NOBLE

**Noblesse d'origine.** — Généalogie, généalogique. Quartiers de noblesse. Degrés de noblesse. Lettres de noblesse. — Noblesse d'épée, de robe. Caste nobiliaire. Noblesse utérine. Noblesse verrière. — Haute noblesse. Grande maison. Bon lieu. Haute extraction. Haut rang. Haute volée. — Noble de race. Bien né. D'illustre naissance. De grande famille. — Personne de condition, de qualité. — Ancienne et nouvelle noblesse. — Branche aînée et cadette. — Livre d'or. Nobiliaire (catalogue).

Noce, f. V. *mariage, manger.*
Noceur, m. V. *débauche.*
Nocher, m. V. *bateau.*
Noctambule, m. V. *nuit, marcher, veiller.*
Nocturne. V. *nuit, noir.*
Nocturne, m. V. *musique.*

Nocuité, f. V. *nuire.*
Nodosité, f. Nodus, m. V. *nœud, os, articulation.*
Nodule, m. V. *nœud.*
Noël, m. V. *Christ, liturgie.*
**Nœud**, m. V. *entrelacer, tumeur, tordre, mesure.*
**Noir**. V. *couleur, nègre.*

Noirâtre. Noiraud. V. *noir.*
Noirceur, f. V. *méchant.*
Noircir. V. *noir, accusation.*
Noire, f. V. *musique.*
Noise, f. V. *dispute.*
Noisette, f. V. *noix.*
**Noix**, f. V. *fruit, articulation.*

---

Particules nobiliaires : *de, van, von, mac, o', don*, etc. — Blason. Armes. Armoiries. Parchemins. Titres.

Petite noblesse. Noblaillon. Hobereau. Gentillâtre. — Déroger, dérogeance. Forligner. Se mésallier, mésalliance. Dégradation, dégrader. — Anoblir, anoblissement. Savonnette à vilain. Réhabiliter, réhabilitation.

**Aristocratie.** — Grand seigneur. Aristocrate. Les grands. — Grand nom. Grandeur. Grandesse. — Féodalité. Châtelain. Gentilhomme. Chevalerie. La cour. Le grand monde. Talons rouges.

Oligarchie. Grande bourgeoisie. Classe dominante. Dignitaires. — Notabilités. Gros bonnets. La haute.

Patricien. Eupatride. — Paladin. Preux. Chevalier. — Grand d'Espagne. Hidalgo. — Pair. — Lord. Gentleman. — Boyard. Magnat. Burgrave. Hospodar.

**Noblesse de cœur.** — Grandeur d'âme. Force d'âme. Beauté d'âme. — Avoir du cœur. Cœur bien placé. — Générosité, généreux. Magnanimité, magnanime. — Noble. Auguste. Chevaleresque. — Héroïsme, héroïque. Honneur, honorable. Mérite, méritant. — Dignité, digne. Fierté, fier. Orgueil. Amour-propre. — Elévation de pensée. Esprit supérieur. Caractère élevé. — Indépendance d'esprit, indépendant. — Respectable, respectabilité. Estimable, estime. — Libéral, libéralité. Magnificence, magnifique.

**Noblesse d'attitude.** — Majesté, majestueux. Prestance. Prestige. — Représenter bien. Imposer, imposant. — Distinction, distingué. Belle mine. Air superbe, grandiose. — Gravité, grave. Solennité, solennel. Démarche compassée. — Pompe, pompeux. Splendeur, splendide. — Morgue. Hauteur. Raideur.

## NŒUD
(latin, *nodus*)

**Nœuds.** — Boucle, bouclette. Anneau. Rose. Rosette. — Attache. Enture. Lien. Ligature. — Entrelacs. Lacs. Collet. Passe. Tortillon. — Nœud de rubans. Catogan. Cocarde. Bouffette. Coque. — Lacet. Lasso. Nœud coulant. Nœud gordien. — Nœud de tisserand. Maille. Maillon. — Nœud de cravate. Droit. Papillon. Régate. Lavallière. — Nœud d'épée, d'écharpe, de cordelière, de coiffure, d'épaule, de soulier.

Attacher. Boucler. Nouer. Tordre. Arrêter. Faire un nœud. Lacer. Entrelacer.

Dénouer. Détacher. Délacer.

**Nœuds de marine.** — Bosses. Embossure. Epissure. Nœud de bouline. Nœud d'écoute. Nœud d'ajust. Nœud d'anguille. Nœud de chaise. Nœud d'agui. Laguis. Demi-nœud. Demi-clef. Tour mort. Nœud de griffe. Gueule de raie. Gueule de loup. Nœud de cravate. Nœud de capelage. Nœud d'étrésillon. Nœud de drisse. Cul-de-porc. Tête de more. Tête d'alouette. Nœud de hauban. Nœud de ride. Nœud d'étalingure. Nœud d'orin. Nœud d'empennage. Croisé d'attache. Croisé de câblière. Nœud de pêcheur. Clef. Nœud libre, serré, sur crin. Nœud d'empile. Nœud sur bauffe.

Nœud de filet. Sur le petit doigt. Sur le pouce.

**Nœuds organiques.** — Articulation. Jointure. Condyle. — Nodosité. Nodus. Nodule. Nouure. Tophus. Nombril. — Nœud de la gorge. Plexus. Ganglion. Nœud vital. — Nœuds de plantes. Broussin. Malandre. Œil. — Nodifère. Noueux. Nodulaire. Racheux. — Cal, callosité, calleux.

## NOIR
(latin, *niger ;* grec, *melas*)

**Couleur noire.** — Noir. Noirâtre. Nigrescent. Noirci. — Noir fuyant et Noir ployant (du fer en fusion). — Brun. Bistre. Bis. Fuligineux. Foncé. Charbonneux. — Brûlé. Bronzé. Hâlé. Enfumé. — Sombre. Obscur. Nocturne. — Sable (en blason).

**Choses noires.** — Charbon. Noir animal. Noir végétal. — Cirage. Kohl. Encre. — Crêpe. Jais. — Noir de fumée. Noir d'ivoire. Suie. — Ebène. — Morillon (raisin). — Noire (note de musique). — Noircissure. — Noir antique (marbre). — Bile noire. Atrabile.

**Noir moral.** — Idées noires. Humeur noire. Mélancolie, mélancolique. Atrabilaire. — Deuil. Grand, petit, demi-deuil. — Lugubre. Triste. Morose. — Broyer du noir. Voir tout en noir. — Noirceur.

**Etres noirs.** — Noir. Nègre. Négrillon. — More. Moricaud. Noiraud. — Cheval more, moreau, zain. — Corbeau. Merle. Pigeon maurin. Poule d'eau.

## NOIX

**Le fruit.** — Noix. Noyer. Noiseraie. — Noyer à coque tendre, tardif, à gros fruits, à bijoux, à grappe, noir, blanc. — Cerneau. Brou. Ecale. — Coque. Coquille. Cuisse.

NOLISEMENT, m. Noliser. V. *louage, convention.*
NOLITION, f. V. *résister.*

**Nom,** m. V. *mot, famille, gloire.*
NOMADE. V. *errant.*

NOMARQUE, m. V. *chef.*
NOMBLES, m. p. V. *cerf.*
NOMBRABLE. V. *nombre.*

---

Zeste. — Noisette, noisetier. — Aveline, avelinier. — Coudrier, coudraie.

Noix de galle. Noix de kola. Noix de coco. Noix muscade. Noix vomique.

**Traitement.** — Gauler. Ecaler. Emonder. — Casse-noix. — Huile de noix. — Noix confite. — Liqueur de brou de noix. — Racinage (teinture).

## NOM
(latin, *nomen ;* grec, *onoma*)

**Noms des personnes.** — Nom de famille. Nom patronymique. — Prénom. Petit nom. — Nom de guerre. Nom de religion. — Surnom. Sobriquet. — Faux nom. Pseudonyme. — Titre. — Prête-nom. — Raison sociale. — Anonyme.

Carte. Chiffre. Monogramme. Parafe. Griffe. Signature.

**Action de nommer.** — Nommer. Surnommer. Dénommer, dénominatif. — Innommé. Innommable. — Baptiser, baptême. Parrain. Marraine. — Appeler, appellation, appellatif. — Désigner, désignation. — Mot. Terme. Vocable. — Qualifié, qualification, qualificatif. Traiter de.

Présenter, présentation. — Intituler, intitulé. — Raison sociale. — Nomenclature. — Etat nominatif. — Appel nominal.

**Nom en grammaire.** — Nom, nominal. Substantif. Pronom, pronominal. — Nom propre. Nom commun. Nom collectif. — Nom composé. — Nom de nombre. — Homonyme. Synonyme. Paronyme. — Onomatopée. Métonymie. Métaphore. — Déclinaison. Cas. Genre. Nombre.

**Prénoms masculins.** — Abel. Abraham. Achille. Achmet. Adalbert. Adam. Adéodat. Adhémar. Adolphe. Adrien. Agénor. Aignan. Aimé. Alain. Albéric. Albert. Albin. Alcibiade. Alcide. Alde. Alexandre. Alexis. Alfred. Alix. Aloys. Alphonse. Amable. Amadis. Amaury. Ambroise. Amédée. Anacharsis. Anastase. Anatole. André. Ange. Anicet. Annibal. Anselme. Anténor. Anthelme. Anthime. Antoine. Antonin. Antony. Archibald. Aristide. Armand. Arnaud. Arnold. Arnolphe. Arsène. Arthur. Astolphe. Athanase. Athénodore. Aubert. Aubin. Aubry. Auguste. Aurélien. Aymeri.

Balthazar. Baptiste. Barnabé. Barthélemy. Bartholomé. Basile. Bastien. Baudoin. Baudry. Bénédict. Bénigne. Benjamin. Benoît. Bérenger Bernard. Bernardin. Berthold. Bertrand. Bienvenu. Blaise. Bonaventure. Boniface. Boson. Brieuc. Bruno.

Calixte. Camille. Candide. Carl. Casimir. Caton. Célestin. Césaire. César. Charles, Chérubin. Chrétien. Christian. Christophe. Chrysostome. Claude. Claudien. Cléandre. Clément. Clotaire. Clovis. Colas. Colin. Colomb. Côme. Conrad. Conradin. Constant. Constantin. Cornélius. Cyprien. Cyrille.

Dagobert. Damase. Damien. Daniel. David. Démétrius. Denis. Déodat. Déodore. Désiré. Didier. Dieudonné. Dominique.

Edgar. Edme. Edmond. Edouard. Eleuthère. Eliacin. Elias. Elie. Elme. Eloi. Emery. Emile. Emilien. Emmanuel. Enguerrand. Ephraïm. Eric. Ernest. Esaü. Esprit. Estéban. Estève. Etienne. Eude. Eudoxe. Eugène. Eusèbe. Eustache. Evariste. Evrard. Exupère.

Fabien. Fabrice. Faustin. Fédor. Félicien. Félix. Ferdinand. Fernand. Fidèle. Firmin. Flavien. Fleury. Florent. Florentin. Florestan. Florian. Florimond. Fortunat. Fortuné. Francis. Francisque. François. Frank. Frantz. Frédéric. Fridolin. Fulbert. Fulgence.

Gabriel. Gaétan. Garnier. Gaspard. Gaston. Gautier. Gédéon. Geoffroy. Georges. Gérald. Gérard. Germain. Gervais. Gilbert. Gilles. Girard. Godefroy. Gontran. Gonzague. Gratien. Grégoire. Guérin. Guillaume. Guillot. Gustave. Guy.

Hans. Hardouin. Harold. Harry. Hector. Hégésippe. Henri. Herbert. Hercule. Hermann. Hervé. Hilaire. Hilarion. Hippolyte. Honoré. Horace. Hubert. Hugo. Hugues. Humbert. Hyacinthe.

Ignace. Ildefonse. Innocent. Irénée. Isaac. Isaïe. Isambert. Isidore. Ismaël. Israël. Ivan.

Jacob. Jacques. James. Janvier. Jayme. Jean. Jean-Baptiste. Jeannot. Jérémie. Jérôme. Joachim. Job. Jocelyn. Joël. John. Jonathan. Joseph. Juan. Jules. Julien. Juste. Justin. Justinien. Juvénal.

Ladislas. Lambert. Lancelot. Laurent. Lawrence. Lazare. Léandre. Lélio. Léo. Léon. Léonard. Léonce. Léonidas. Léopold. Lindor. Lionel. Louis. Lubin. Luc. Lucas. Lucien. Ludovic. Lyonel.

Magloire. Magnus. Malo. Manfred. Manoël. Manuel. Marc. Marcel. Marcelin. Marin. Mario. Marius. Martial. Martin. Mathias. Mathieu. Mathurin. Maurice. Max. Maxence. Maxime. Maximilien. Médéric. Melchior. Méric. Michel. Michel-Ange. Modeste. Moïse. Mortimer.

Napoléon. Narcisse. Natalis. Nathaniel. Nectaire. Néhémie. Némorin. Népomucène. Nérestan. Nestor. Nicaise. Nicandre. Nicéphore. Nicodème. Nicolas. Nicomède. Noé. Noël. Norbert. Numa. Numérien.

Octave. Octavien. Odet. Odilon. Oger. Olivier. Omer. Onésime. Optat. Oscar. Osmond. Oswald. Othon. Ottfried. Ouen. Ovide. Owen.

Pacôme. Palamède. Pamphile. Pancrace. Pantaléon. Paolo. Parfait. Pâris. Pascal. Patient. Patrice. Paul. Paulin. Pépin. Pharamond. Philadelphe. Philarète. Philéas. Philémon. Philibert. Philippe. Pie. Pierre. Pierrot. Placide. Pol. Polydore. Pons. Prétextat. Privat. Probus. Prosper. Prudent.

Quentin. Quintilien.

**Nombre,** m. V. *calcul, grammaire, quantité, Bible, plu-* | *sieurs, beaucoup, rythme.* NOMBRER. V. *nombre.* | NOMBREUX. V. *beaucoup, nombre.*

Ralph. Raoul. Raphaël. Raymond. Réginald. Régis. Remi. Renaud. René. Reynold. Richard. Rigobert. Robert. Roderic. Rodolphe. Rodrigue. Roger. Roland. Rudolphe. Rufin. Rustique. Ruy.

Sabin. Salomon. Salvator. Salvien. Samson. Samuel. Sanche. Sébastien. Séraphin. Serge. Servais. Servan. Sévère. Sidoine. Sigebert. Sigismond. Silvain. Silvio. Siméon. Simon. Simplice. Sixte. Sosthène. Stanislas. Stéphane. Stéphen. Sulpice. Sylvestre.

Tacite. Tancrède. Télémaque. Thémistocle. Théobald. Théodore. Théodule. Théophile. Thibaud. Thierry. Thomas. Tiburce. Timoléon. Timothée. Tiphaine. Tite. Tobie. Tony. Toussaint. Tristan. Trivulce. Tranquille. Trophime.

Ulric. Ulysse. Urbain. Uriel. — Valdemar. Valentin. Valérien. Valéry. Victor. Victorien. Victorin. Vigile. Vincent. Virgile. Vital. Vivien. Vladimir. — Walter. Wenceslas. Wilfrid. William. Wulfran. — Xavier. — Yves. Yvon. — Zacharie. Zébédée. Zénon. Zéphirin.

**Prénoms féminins.** — Adélaïde. Adèle. Adeline. Adelphine. Adolphine. Adrienne. Agar. Agathe. Aglaé. Agnès. Agrippine. Aimée. Alice. Aline. Amanda. Ambroisine. Amélie. Anaïde. Anaïs. Anastasie. Andrée. Angèle. Angeline. Angélique. Anna. Anne. Annette. Antoinette. Antonia. Antonine. Apolline. Arabelle. Ariane. Armande. Armide. Artémise. Aspasie. Atala. Athalie. Augusta. Augustine. Aure. Aurélie. Aurore. Azélie.

Balbine. Baptistine. Barbe. Bathilde. Béatrice. Benoîte. Bérengère. Bérénice. Bernardine. Berthe. Bertrade. Bettina. Bianca. Blanche. Blandine. Bonne. Brigitte.

Camille. Candide. Caroline. Catherine. Cécile. Cécilia. Céleste. Célestine. Célie. Céline. Césarine. Charise. Charlotte. Chimène. Chloé. Chloris. Christine. Claire. Clara. Clarisse. Claudie. Claudine. Clélie. Clémence. Clémentine. Clorinde. Clotilde. Colette. Colinette. Colombine. Conception. Constance. Cora. Coralie. Corinne. Coryandre. Cornélie. Cunégonde. Cyprienne.

Danaé. Daphné. Délie. Delphine. Denise. Désirée. Diane. Dina. Dorothée.

Edith. Edmée. Edmonde. Edwige. Eglé. Eléonore. Elianthe. Elisa. Elise. Elodie. Elvire. Emilie. Emilienne. Emma. Emmeline. Ermengarde. Ernestine. Estelle. Esther. Etiennette. Eudoxie. Eugénie. Eulalie. Euphrasie. Euphrosine. Eurydice. Eva. Eve. Eveline.

Fabienne. Fanchon. Fanny. Fatime. Fausta. Faustine. Fédora. Félicie. Félicité. Fernande. Fidèle. Fidès. Flavie. Flavienne. Fleur. Flore. Florence. Florestine. Florine. Fortunée. France. Francesca. Francine. Françoise. Frédérique. Frosine. Fulvie.

Gabrielle. Gaétane. Galatée. Gasparine. Geneviève. Georgette. Georgina. Gérardine.

Germaine. Germinie. Gertrude. Gervaise. Gilberte. Gillette. Gisèle. Gracieuse. Gratienne. Graziella. Gudule. Guillelmine. — Hébé. Hélène. Héloïse. Henriette. Hermine. Herminie. Honora. Honorée. Honorine. Hortense. Huberte. Hyacinthe.

Ida. Indiana. Inès. Innocence. Iphigénie. Irène. Iris. Irma. Isabelle. Isaure. Isidora. Isménie. — Jacinthe. Jacqueline. Javotte. Jeanne. Jeannette. Jenny. Jocelyne. Joconde. Joséphine. Judith. Julia. Julie. Julienne. Juliette. Justine.

Lætitia. Laïs. Laurence. Lélia. Léocadie. Léonarde. Léonide. Léonie. Léonore. Léontine. Léopoldine. Lia. Lisbeth. Lise. Lisette. Louisa. Louise. Luce. Lucie. Lucienne. Lucile. Lucinde. Lucrèce. Lydie.

Madeleine. Madelon. Mahaut. Malvina. Manon. Marceline. Marcelle. Margot. Marguerite. Maria. Marianne. Marie. Mariette. Marine. Marion. Marthe. Martine. Mary. Mathilde. Mathurine. Mauricette. Maximilienne. Mélanie. Micheline. Michelle. Minna. Modeste. Monime. Monique.

Nancy. Nanette. Nathalie. Nelly. Nicette. Nicole. Nina. Ninon. Noémi. — Octavie. Octavienne. Odette. Odile. Olga. Olive. Olympia. Olympie. Ophélie. Opportune.

Palmyre. Paméla. Pascale. Pascaline. Paule. Paulette. Pauline. Pélagie. Perpétue. Perrine. Pétronille. Phébé. Philiberte. Philomèle. Philippine. Pierrette. Prospère. Prudence. Pulchérie.

Quintilienne.

Rachel. Radégonde. Raymonde. Rebecca. Régina. Reine. Renée. Rolande. Rosa. Rosalie. Rosalinde. Rose. Rosemonde. Rosine. Rosita. Roxane. Roxelane. Ruth.

Sabine. Salomé. Sarah. Scolastique. Sébastienne. Séphora. Séraphine. Sereine. Sibylle. Sidonie. Sigismonde. Silvanie. Simone. Simplicie. Solange. Sophie. Stéphanie. Suzanne. Suzette. Suzon. Sylvie.

Thaïs. Thalie. Thécla. Théodora. Théodorine. Thérèse. Tullia. — Ulrique. Uranie. Ursule. — Valentine. Valérie. Véronique. Victoire. Victoria. Victorine. Vincente. Virginie. — Wilfride. — Yolande. Yseult. Yvette. Yvonne. — Zaïre. Zélie. Zénaïde. Zénobie. Zéphirine. Zerbine. Zulma.

## NOMBRE
(latin, *numerus*)

**Arithmétique.** — Nombre abstrait. Concret. Entier. Fractionnaire. Décimal. Complexe. Premier. Carré. Cubique. Pair. Impair. Figuré. Parfait. Cardinal. Ordinal. Multiple. Plan. Défectif. Divisible. Indivisible. Pyramidal. Semblable. Solide.

Numération. Numéral. Numérique. — Propriétés des nombres. — CALCUL. Coefficient. Gnomons. Progression arithmétique. — Unités. Tranches. Zéro. — Chiffres arabes, romains.

**Nombril,** m. V. *ventre.*
NOMENCLATURE, f. V. *nom, arranger.*
NOMINAL. V. *nom, vain.*
NOMINATIF. V. *nom, grammaire, finance.*
**Nomination,** f. V. *fonction, qualifier.*
NOMMER. V. *nom, nomination.*
NON-ACTIVITÉ, f. V. *oisif.*
NONAGÉNAIRE, m. V. *neuf.*
NONANTE. V. *neuf, quatre.*
NONCE, m. V. *pape, diplomatie.*

NONCHALANCE, f. Nonchalant. V. *inattention, paresse.*
NONCIATURE, f. V. *diplomatie.*
NON-CONFORMISTE. V. *protestant.*
NONE, f. V. *heure.*
NONES, f. p. V. *jour.*
NONNAIN, f. V. *moine.*
NONNE, f. V. *moine.*
NONPAREIL. V. *extraordinaire.*
NON-SENS, m. V. *vain.*
NONUPLE. V. *neuf.*
**Nord,** m.
NORDIQUE. V. *nord.*
NORIA, f. V. *hydraulique.*

NORMAL. V. *régulier, ordinaire.*
NORMALE. V. *école, droit.*
NOSTALGIE, f. Nostalgique. V. *pays, retour, chagrin.*
NOTA, m. V. *note.*
NOTABILITÉ, f. Notable. V. *important.*
**Notaire,** m. V. *convention, adjudication.*
NOTARIAL. Notariat, m. Notarié. V. *notaire.*
NOTATION, f. V. *note, chimie.*
**Note,** f. V. *marque, diplomatie, auberge.*

---

**Compte.** — Compter, comptable, comptabilité. — Supputer, supputation. Chiffrer, chiffreur. — Enumérer, énumération. Dénombrer, dénombrement. Recenser, recensement. Statistique. — Effectif. Contingent. Personnel. — Nombre rond. Surnombre. Surnuméraire. — Quotité. Quantité. Quantième. — Montant, monter à. Total, totaliser. Somme. Produit. S'élever à. — Cote. Prix. Taux. Taxe, taxation.

Numéro, numéroter, numérotage. Folio, folioter. Paginer, pagination. — Catalogue. Liste. Index. Nomenclature.

**Pluralité.** — Nombre, nombreux, nombrer. — Nombre de. Beaucoup. Plusieurs. Quelques-uns. — Faire nombre. Innombrable. Incalculable. — Foule. Multitude. Masse. Kyrielle. — Multiplicité. Infinité. — Majorité. Minorité. Unanimité. Quorum.

Nombre grammatical. Singulier. Pluriel. Duel.

### NOMBRIL
(latin, *ombilicus;* grec, *omphalos*)

**Qui a trait au nombril.** — Nombril. Ombilic. — Cordon ombilical. Région ombilicale. Hernie ombilicale. — Omphalorragie. Omphalotomie.

Hile. Nœud, œil. Ombilic (dans les graines).

### NOMINATION

**Appeler à.** — Nommer. Créer. Faire. — Désigner. Choisir. Elire. — Elever à. Investir de. Conférer une dignité. Promouvoir. — Commissionner. Charger de. — Admettre. Recevoir. — Placer. Caser. — Présenter. Introniser. Préconiser.

Destituer. Révoquer. Déplacer. Dégommer, f.

**Etre nommé.** — Etre élu. Etre appelé à. — Passer. Etre reçu, admis. — Avancer, avancement. Etre promu, promotion. Monter en grade. — Obtenir. Parvenir à. — Entrer en charge. Récipiendaire.

**Façons de nommer.** — Nommer au choix, à l'ancienneté. Nommer d'office. — Voter pour, vote. — Nommer par acclamation. Saluer du titre de. — Signer une nomination. Titulariser. Publier à l'*Officiel.* — Diplômer. Grader. Faire une fournée.

Commission. Brevet. Diplôme. Arrêté. — Collation. Installation. Investiture. — Proclamation. Réception.

### NORD

**Qui concerne le nord.** — Nord. Nordouest. Nord-est. Septentrion, septentrional. — Pôle nord. Région arctique, hyperboréenne, boréale, glaciale. — Vent du nord. Borée. Anordie. Bise. Tramontane. Bora. — Grande Ourse. Petite Ourse. Etoile polaire. — Nord magnétique. Boussole. Perdre le nord. — Nordique. Normand.

### NOTAIRE

**Fonction.** — Notaire. Officier ministériel. Tabellion. Maître. — Charge notariale. Office. — Ministère.

Notaire apostolique. Chancelier ecclésiastique. Dataire.

**Organisation.** — Etude de notaire. Chambre des notaires. Panonceau. Cabinet. — Stage. Clerc. Maître clerc. Premier clerc. Clerc aux actes courants. Liquidateur. Expéditionnaire. — Certificat de capacité. — Notarier. Ecriture notaresque. — Suspension. Destitution. Démission.

**Actes.** — Acte notarié. Acte authentique. Acte de notoriété. — Brevet. Expédition. CONVENTION. Titre. Intitulé. — Minute. Grosse. Duplicata Novation. Répertoire.

Dresser un acte. Instrumenter. Passer un contrat, passation. Recevoir un testament. — Expédier, expédition. Authentiquer. Instrumenter. — Honoraires. Vacations.

### NOTE

**Document.** — Noter. Prendre note. Prendre bonne note. Prendre en note. Prendre des notes. Consigner par écrit. Publier une note. Notifier.

Agenda. Album. Calepin. Cahier. Carnet. Bloc. Feuille volante. Tablettes. — Bulletin. Bordereau. ETAT. Liste. Livret. Mémorandum. Mémento. — Billet. Pense-bête.

Note. Facture. Mémoire. — Payer, acquitter une note.

NOTER. V. *note, écrire.*
NOTICE, f. V. *note, résumer.*
NOTIFICATION, f. Notifier. V. *note, dire, transmettre.*
NOTION, f. V. *connaître, pensée.*
NOTOIRE. V. *certitude, public.*
NOTORIÉTÉ, f. V. *notaire, réputation.*
NOTUS, m. V. *vent.*
NOUBA, f. V. *Arabes.*
NOUE, f. V. *toit.*

NOUER. V. *nœud, joindre.*
NOUEUX. V. *nœud.*
NOUGAT, m. V. *confiserie, amande.*
NOUILLES, f. p. V. *pâte.*
**Nourrice**, f. V. *enfant, domestique, lait.*
NOURRICIER. V. *nourrice.*
NOURRIR. V. *nourrice, rassasier.*
NOURRISSAGE, m. Nourrisseur, m. V. *bestiaux.*
NOURRISSON, m. V. *nourrice.*

NOURRITURE, f. V. *manger.*
NOUURE, f. V. *nœud.*
**Nouveau.** V. *inconnu.*
NOUVEAUTÉ, f. V. *nouveau, étoffe, théâtre.*
**Nouvelle**, f. V. *conte, journal, dire.*
NOUVELLISTE, m. V. *nouvelle.*
NOVATEUR, m. V. *nouveau.*
NOVATION, f. V. *convention.*
NOVEMBRE, m. V. *mois.*
**Novice**, m. V. *commencer, moine, maladresse.*

---

**Remarque.** — Note. Note marginale. Observation. Manchette. — Annoter, annotation, annotateur. — Faire des remarques. Commenter, commentaire, commentateur. — Apostiller, apostille. Note interlinéaire. — Notice. Exégèse. Scolie. — Appareil d'érudition. Note critique.

**Indication.** — MARQUE, marquer. Indice, indiquer. Etiquette, étiqueter. — Noter, notation. Notes de musique. Sigle. — Signe, signifier. — Renvoi. *Nota. Nota bene.* — PONCTUATION. Guillemets. Parenthèse.

## NOURRICE

**Allaitement.** — Allaiter. Nourrir de son lait. Donner le sein. Donner à téter. — Elever au sein. Elever au biberon, à la cuiller. — Nourriture. Tétée. Allaitement artificiel. Lait stérilisé. — Sevrer, sevrage. Ablactation.

**Soins nourriciers.** — Nourrice. Nounou. Mère nourrice. Nourrice sur lieu. — Nourrice sèche. Nurse. Bonne d'enfant. — Père nourricier. — MAMELLE. Téton. Tétasse. — Lait. Lactation. Agalactie. — Nourrisserie. Nursery. — Puériculture. Pédotrophie.

**L'enfant en nourrice.** — Nourrisson. Bébé. Poupon. — Frère de lait. Sœur de lait. — Téter. Sucer le lait. Prendre le sein. — Enfant sevré, exubère.

## NOUVEAU

**Etat premier.** — Neuf. Nouveau. Battant neuf. Tout chaud, tout bouillant. — Etat naissant. Naissance. Pousse. Commencement. — Entier. Intact. La primeur d'une chose. — Qui n'a pas servi. Vierge, virginal. Une vierge. — Novale (terre). Nova (étoile). — Apparition. Soleil levant. Néoménie. — Verdeur, vert, verdir. — Fraîcheur, frais. — Jeunesse, JEUNE.

Faire peau neuve. Muer. Renouveau. — Remettre à neuf. Renouveler, renouvellement. Rénover, rénovation, rénovateur. Novation.

**Etat récent.** — Nouveau, nouvellement. DERNIER, dernièrement. Récent, récemment. De fraîche date. — Naguère. Depuis peu. — Nouveau-né. Nouveau venu. Nouveau marié. Nouveau riche. — Vient de paraître. Dernière mode. Néologisme. — Frais émoulu. Néophyte. Novice. Recrue. — Présent. Actuel. Contemporain. Moderne.

Préfixe *néo* dans : Néo-christianisme. Néoplatonisme, etc.

**Qu'on n'a pas vu.** — Nouveau. Nouveauté. — Nouvel an. Nouveau style. Nouvelle mode. Nouveautés. — Innover, innovation, innovateur. Novateur. — Inventer, invention, inventeur, inventif. — Découvrir, découverte. Trouver, trouvaille. — Originalité, original. Sans pareil. Sans précédent. — Inaccoutumé. Inattendu. Vu pour la première fois. — Inconnu. Inédit. Inouï. Extraordinaire. — Autre. DIFFÉRENT. — Les nouvelles. Du nouveau.

## NOUVELLE

**Bruit qui court.** — Nouvelles, Propos. Bavardage. Commérage. Cancan. Potins. — Bruit public. Rumeur. On-dit. Ouï-dire. — Médisances. Calomnies.

Cancaner, cancanier. Bavarder, bavard. — Colporter des nouvelles. Faire courir le bruit. Débiter des nouvelles. — Prendre langue. Tenir de. Apprendre que. Il m'est revenu.

S'accréditer. Se répandre. Courir. Transpirer. Circuler. S'ébruiter. — La Renommée aux cent bouches.

**Renseignements.** — Nouvelles. Evénements. Faits. — Nouvelle officielle. Fausse nouvelle. Canard, f. — Information, informer. Informateur. Nouvelliste. Reporter. — Journal, journaliste. Gazette, gazetier. — Rédaction, rédacteur. Publication, publier, publiciste. — Donner avis. Aviser. Annoncer, annonce. — Rapporter, rapport. Chronique, chroniqueur. Courriériste.

Message. Dépêche. Télégramme. — Agence. Bureau d'information. Service de renseignements. Communiqué. — Renseigner. Communiquer. Faire connaître. Répandre.

**Petite histoire.** — Anecdote, anecdotier, anecdotique. Ana. Conte, conter. Récit. Historiette. Nouvelle, nouvellier. — Nouvelle à la main. Echo. Fait divers.

## NOVICE

**Personnes.** — Novice, noviciat. Apprenti, apprentissage. Aspirant. — Commençant. Débutant. — Stage, stagiaire. Surnuméraire. — Conscrit. Recrue. — Catéchumène. Néophyte. — Nouveau débarqué. Provincial. — Echappé

NOVICIAT, m. V. *novice, moine.*
NOYADE, f. V. *noyer.*
**Noyau,** m. V. *fruit, plante.*
NOYÉ, m. V. *noyer.*
**Noyer.** V. *mort, eau, fond.*
NOYER, m. V. *noix.*
NOYURE, f. V. *clou.*
**Nu.** V. *habillement, peinture, brut.*

**Nuage,** m. V. *brouillard, pluie.*
NUAGEUX. V. *nuage, obscur.*
NUAISON, f. V. *vent.*
NUANCE, f. Nuancer. V. *couleur, différent, mélange, degré.*
NUBILE. V. *fille, âge, mariage.*

NUCLÉAL. Nucléifère. V. *noyau.*
NUCULAIRE. V. *noyau.*
NUDISME, m. Nudiste. V. *nu.*
NUDITÉ, f. V. *nu.*
NUE, f. Nuée, f. V. *nuage, brouillard.*
**Nuire.** V. *mal, malheur.*
NUISIBLE. V. *nuire.*

---

du collège. Blanc-bec. Béjaune. — Gamin. Galopin.

**Caractère.** — Embarrassé, embarras. Maladroit, maladresse. Inhabile, inhabileté. Malhabile. — Ignorant, ignorance. Inexpérimenté, inexpérience. Inexercé. Inhabitué. — Jeune. Naïf. Candide. Timide. — SOT. Présomptueux.

**Actions.** — Débuter, début. Entrer dans la carrière. Faire ses premiers pas. — Apprendre son métier. S'essayer, essai. Etre à l'épreuve. — Manquer de pratique. N'y rien connaître. Ne pas s'y connaître. — Faire une école. Faire un pas de clerc. — Présumer de ses forces. Perdre la tête. — Montrer son béjaune.

### NOYAU
(latin, *nucleus*)

**Qui concerne le noyau.** — Noyau. Nucule. Pyrène. — Amande. Pépin. Graine. Pignon. — Fruit à noyau. Drupe. Nuculaine. — Nucléifère. Nucléal. Nucléé. Nuculaire. Nuculeux. — Enucléer, énucléation. — Crème de noyaux.

### NOYER

**Noyer.** — Jeter à l'eau. Noyé, noyade, noyeur. — Faire couler. Tenir sous l'eau. — Immerger, immersion. Submerger, submersion. — Couvrir d'eau. Inonder.

**Se noyer.** — Noyé. — Faire le plongeon. Tomber à l'eau. Boire un coup. — Couler. S'enfoncer. Rester sous l'eau. — Périr dans l'eau. Asphyxie. Congestion. — Morgue.

**Sauvetage.** — Sauver, sauveter, sauveteur. — Canot de sauvetage. Bouée. — Repêcher. Retirer de l'eau. — Secours aux noyés. Respiration artificielle. Rappeler à la vie.

### NU
(latin, *nudus* ; grec, *gymnos*)

**Nudité.** — Nu. Nu comme un ver. Dans le costume d'Adam. A cru. A poil. *In naturalibus.* — La nudité. Le nu. — Nudisme, nudiste. Adamisme, adamite. — Mettre à nu. Dénuder, dénudation. — Dévêtir. Dévêtu. Non vêtu.

Corps. Formes. Chair. Carnation. — Une nudité. Un nu. Académie. Modèle nu. — Gymnase. Gymnique. Tableaux vivants. Gymnopédie. — Gymnosophiste.

Cynisme, cynique. Indécence, indécent. Inconvenance, inconvenant. Impudeur, impudique.

**Déshabillé.** — Déshabillé. Dévoiler. Découvrir. Dégarnir. — Se décolleter. Montrer

ses bras, ses épaules. — Etre court-vêtu. Se retrousser. Montrer ses jambes. — Etre déboutonné, débraillé, décoiffé. — Nu-tête. Nu-pieds. Nu-jambes, etc.

Costume de bain. Maillot. Caleçon. Peignoir. Kimono. Pyjama, etc.

### NUAGE

**Nuages.** — Nue. Nuée. Nuage. — Brouillard. Vapeurs. Grain. Queues de chat. — Cirrus. Cumulus. Stratus. Nimbus. Cirro-cumulus. Cumulo-nimbus, etc. — S'amasser. Se disperser. Se dissiper. Crever. — Néphoscope. Herse néphoscopique. — Nuage de fumée. Nuage de poussière. Nuage artificiel. — Gloire. Nimbe.

**Temps nuageux.** — Ciel voilé. Ciel gris. Ciel nébuleux. Ciel pommelé. Ciel moutonné. Ciel pesant. — S'obnubiler. S'obscurcir. Se voiler. — Cacher le soleil, la lune. — Temps bas. — Temps brun. Se rembrunir. — Temps couvert. Se couvrir. — Temps gris. — Temps sombre. S'assombrir. — Eclaircie. Pied de vent.

### NUIRE

**Nuire à la personne.** — Nuire, nuisible, nuisance. Nocuité. — S'acharner contre. Harceler. Tourmenter. Vexer, vexation. Inquiéter. — Vouloir du mal. Poursuivre. PERSÉCUTER, persécution, persécuteur. — En vouloir à. Hostile, hostilité. Ennemi, inimitié. — Offenser, offense, offensif. Léser. Lèse-majesté. — Mauvais desseins. Malfaisant, malfaisance. Méchant, méchanceté. — Porter malheur. Jeter un sort. Maléfice, maléfique. Mauvais œil. — Offusquer. Gêner. Incommoder. — Paralyser. Arrêter.

Faire un mauvais parti. Frapper. Porter un coup. Tuer. Empoisonner. — Attaquer. Attenter à, attentat. Tendre des embûches. — Causer la perte. Sacrifier. Se venger de. Tirer vengeance. — Blesser, blessure. Atteindre, atteinte. — Malmener. Maltraiter. Mauvais traitement.

Faire du mal. Périlleux. Dangereux. Pernicieux. Funeste. Fatal. — Insalubre. Malsain.

**Nuire à la réputation.** — Calomnier, calomnie. Médire, médisance. — Habiller de toutes pièces. Coup de patte. Coup de dent. Malignité, malin. — Blesser, blessant. Faire du tort à. Diffamer, diffamation, diffamateur. MAUDIRE, malédiction, maudit. — Noircir. Salir. Ternir. Abîmer. Ereinter. — Déshonorer. Compromettre. Avilir. — Jeter la défaveur sur. Déconsidérer. Décréditer. Discré-

**Nuit**, f. V. *temps, obscur, veiller.*
NUITÉE, f. V. *nuit.*
NUL. Nullité, f. V. *néant, annuler.*
NUMÉRAIRE, m. V. *monnaie.*
NUMÉRAL. V. *nombre.*
NUMÉRATION, f. V. *calcul.*
NUMÉRIQUE. V. *nombre.*

NUMÉRO, m. V. *nombre, marque, journal.*
NUMÉROTAGE, m. Numéroter. V. *ordre, renvoi.*
NUMISMATE, m. V. *médaille.*
NUNCUPATION, f. V. *testament.*
NUPTIAL. V. *mariage.*
NUQUE, f. V. *cou, arrière.*

NURSE, f. V. *domestique.*
NUTATION, f. V. *étoile, balancer.*
NUTRITIF. V. *manger.*
NUTRITION, f. V. *intestin.*
NYCTALOPE. V. *voir, nuit.*
**Nymphe,** f. V. *dieu, chenille.*
NYMPHÉE, f. V. *bain.*

---

diter, discrédit. — Décrier. Déprécier. Dépriser.

**Nuire aux intérêts.** — Trahir les intérêts de. Desservir. Mettre dans l'EMBARRAS. Embarrasser. — Contrecarrer. Contrarier. Faire OBSTACLE. Tenir en échec. — Aller sur les brisées de. Couper l'herbe sous le pied. Evincer. — Ruiner, ruine, ruineux. Désastre, désastreux. — Ravager, ravage. Dévaster, dévastation. — Malveillant, malveillance. Désobliger, désobligeance. — Porter préjudice, préjudiciable. Désavantager, désavantage. — Agir aux dépens de, au détriment de. — Endommager. Dommage. Dam. — Détériorer. Dégât. — Etre à charge. Etre onéreux. — Avoir des inconvénients.

### NUIT

**Etats de la nuit.** — Demi-jour. Crépuscule. Chute du jour. Entre chien et loup. Tombée de la nuit. — Heures nocturnes. Nuit close. Pleine nuit. Minuit. — Obscurité. Ténèbres. Nuit noire, profonde. Voiles, ombres de la nuit. — MATIN. Aube. — Clair de lune. Nuit étoilée.

Nuit polaire. Nuit équinoxiale.

**Choses de la nuit.** — De nuit. Nocturne. Nuitamment. — Nuitée. Passer la nuit, une bonne nuit, une nuit blanche. — Chemise de nuit. Table de nuit. Bonnet de nuit, etc. — Dormir. Sommeil, sommeiller. Coucher à la belle étoile. — Veiller, veillée, veille. — Réveillon. Médianoche. Fête de nuit. — Vie nocturne. — Couvre-feu. Bivouac.

**Etres de nuit.** — Noctambule. — Veilleur de nuit. Services de nuit. — Somnambule. Nyctalope. — Oiseaux nocturnes. Chauve-souris. — Papillons de nuit. Noctuelle.

### NYMPHE

**Noms généraux.** — Divinités secondaires. — Camènes. Crénées. Cyclades. Dorides. Dryades. Hamadryades. Hespérides. Hyades. Limniades. Limoniades. Méliades. Naïades. Napées. Néréides. Nysiades. Océanides. Oréades. Pléiades. Potamides. Sirènes.

**Noms particuliers.** — Alcyone. Aréthuse. Biblis. Callirhoé. Callisto. Calypso. Chloris. Clymène. Cydippe. Cyrène. Dioné. Doris. Echo. Egérie. Eurydice. Galatée. Glauca. Hébé. Ino. Io. Leucothoé. Néère. Orithyie, etc.

# O

Oasis, f. V. *désert, jardin.*
Obédience, f. V. *dépendance, pape, Malte.*
**Obéir.** V. *céder, inférieur.*
Obéissance, f. V. *obéir.*
Obélisque, m. V. *Egypte.*
Obérer. V. *dette.*
Obèse. Obésité, f. V. *gros, ventre, graisse.*
Obit, m. Obituaire. V. *funérailles.*
Objecter. V. *objection.*

Objectif, m. V. *but, optique.*
**Objection,** f. V. *opposé, doute, argument, chicane.*
Objet, m. V. *exister, but, grammaire.*
Objurgation, f. V. *blâme, réprimande.*
Oblat, m. V. *moine.*
Oblation, f. V. *offre, sacrifice.*
Obligataire, m. V. *participer.*
**Obligation,** f. V. *nécessaire,* convention, billet, finance.
Obligatoire. V. *obligation.*
Obligeance, f. Obligeant. V. *complaisance, bienfait, secours.*
Obliger. V. *contrainte, généreux.*
Obliger (s'). V. *promesse.*
**Oblique.** V. *géométrie, détour.*
Obliquer. Obliquité, f. V. *oblique.*

---

## OBÉIR
(latin, *obedire*)

**Exécuter les ordres.** — Obéir, obéissance, obéissant. — Obtempérer. Obéir au doigt et à l'œil. — Obéissance absolue, aveugle. Obéissance passive. — Observer, observance. Suivre les ordres. — Discipline, discipliné, disciplinable. Obédience, obédient. — Faire par ordre. Remplir les volontés. Exécuter, exécution. — Etre sous le joug. Subir la loi.

**Etre subordonné.** — Etre en sous-ordre. Subordination. Les subordonnés. Dépendre de, dépendance, dépendant. — Inférieurs. Domestiques. Gens. — Etre à la dévotion de. Dévoué. Agent. Emissaire. — Etre à la discrétion, à la disposition, à la merci de. — Sujet. Assujetti. Inféodé. — Etre sous la férule, la domination, l'autorité de. — Esclave, esclavage, servitude.

**Se soumettre.** — Soumis, soumission. Humble, humilité. — S'incliner. Céder. Faiblir. Mollir. Plier. — Ecouter. Entendre raison. — Prêter l'oreille à. Se prêter à. — Mettre les pouces. Filer doux. Baisser pavillon. — Docile, docilité. Souple, souplesse. Malléable. Maniable. — Se conformer à. Sacrifier à. Respect humain.

## OBJECTION

**Proposition contraire.** — Objecter, objection. Mettre en avant, proposer, soumettre une objection. Objection fondée. — Contester, contestation. Exciper, de, exception. — Protester, protestation. — Soulever une difficulté. Proposer un doute. Soulever un incident. — Représenter, représentation. Faire observer, observation. Faire remarquer, remarque. — Chicaner, chicane. Argutie.

Les *si.* Les *mais.* Cependant. Toutefois. Tout de même.

Récuser. Repousser. Rejeter. Infirmer. — Fin de non-recevoir. Pierre d'achoppement.

**Arguments contraires.** — Argumenter, argumentation, arguments. Raisons opposées. — Contredire, contradiction, contradictoire. — Contrecarrer. Combattre. — Attaquer, attaque. Polémique, polémiquer, polémiste. — Discuter, discussion. — Prévenir une objection. Prolepse. Réfuter, réfutation. — Répliquer, réplique. Répondre, réponse. Rétorquer.

## OBLIGATION

Lien. Débiteur. Créancier. Droit réel. — Contrat. Quasi-contrat. Délit. Quasi-délit. Obligation légale.

Obligation conditionnelle, à terme, alternative, solidaire, divisible, indivisible, avec clause pénale.

Paiement. — Novation. — Remise volontaire. — Compensation. — Compression. — Perte. — Nullité. — Rescision. — Prescription. — Résiliation. — Subrogation.

Titre. V. Société.

## OBLIQUE

**Obliquité.** — Angle, angulaire. Ligne oblique. Ligne brisée. Fausse équerre. — Oblique. Dévers. De biais. En diagonale. En biseau. — De guingois. De travers. Déversé. Déjeté. Gauche. — De coin. De côté. De flanc. Latéral. — Pas d'aplomb. En surplomb. En porte à faux. — Déclive. En pente. — En écharpe.

**Mouvement oblique.** — Obliquer. Biaiser, biaisement. Dévier, déviation. Diverger, divergence. — Tirer des bordées. Louvoyer. Dériver, à la dérive. — S'infléchir, inflexion. Défléchir, déflexion. S'incliner, inclinaison. — Pencher, penchement. Glisser, glissement. Se renverser. Pronation. — Mouvement indirect. Marche d'écrevisse. Faux-marcher (de cerf). Loxodromie. — Guigner. Lancer une œillade. Loucher.

**Terrain oblique.** — Déclivité. Pente. Contre-pente. Plan incliné. — Côte. Montée. Raidillon. Rampe. Chemin montant. — Versant. Thalweg. Coteau. — Talus. Berge. Descente. — Escarpement. Glacis. — Billon (de labour). Ados. Dos d'âne. Calade (de manège).

**Travail en oblique.** — Biseauter. Chanfreiner. Chantourner. — Délarder. Evider. Echancrer. Ebraser. — Gauchir, gauchissement. Donner du pied à un meuble. Carrosser une roue. — Assembler à onglet. Couper d'onglet. — Billonner. Déverser. — Faire pencher. Courber. — Détourner. Dévoyer.

OBLITÉRATION, f. Oblitérer. V. *annuler, poste, oubli.*
OBLONG. V. *long.*
OBNUBILER (s'). V. *nuage.*
OBOLE, f. V. *monnaie, bienfait.*
OBSCÈNE. Obscénité, f. V. *inconvenant, licence.*
**Obscur.** V. *noir, mystère, doute, humilité.*
OBSCURATION, f. V. *éclipse.*
OBSCURCIR. V. *obscur, cacher.*
OBSCURITÉ, f. V. *obscur, ombre.*

OBSÉCRATION, f. V. *prier.*
OBSÉDER. V. *poursuivre, demande, répétition, tourmenter.*
OBSÈQUES, f. p. V. *funérailles.*
OBSÉQUIEUX. Obséquiosité, f. V. *politesse, humilité, cajoler.*
OBSERVANCE, f. V. *pratique, obéir.*
OBSERVATEUR, m. V. *examen, aéronautique.*
OBSERVATION, f. V. *attention, objection.*

OBSERVATOIRE, m. V. *astronomie.*
OBSERVER. V. *curieux, réfléchir, veiller, pratique.*
OBSERVER (s'). V. *grave.*
OBSESSION, f. V. *poursuivre, ennui, fixe.*
**Obstacle,** m. V. *embarras, abri.*
OBSTÉTRIQUE, f. V. *accoucher.*
OBSTINATION, f. Obstiné. V. *entêté, résister.*
OBSTRUCTION, f. Obstruer. V. *obstacle, parlement.*

---

## OBSCUR

**Vue obscure.** — Obscurité. NUIT. Ténèbres, ténébreux. — Opacité, opaque. — Ne pas voir clair. N'y voir goutte. Voir trouble. — Clarté vague. Crépuscule. Clairobscur. Demi-jour. Jour douteux. — Contrejour. Faux jour. — Brun. Foncé. Sombre. NOIR. — BROUILLARD. Brume, brumeux. NUAGE, nuageux. Nébuleux. — OMBRE. Pénombre. — Obscurcir, obscurcissement. Assombrir, assombrissement. Ternir, terne. — Eclipse. Obscuration (d'un astre). — Aller à tâtons, à l'aveuglette.

**Langage obscur.** — Bredouiller, bredouillement. Langage inarticulé, indistinct. Jargonner, jargon. Bafouiller, bafouillage, *f.* — Manquer de clarté. Ambages. Détours. Bouteille à l'encre. — Langage entortillé, embrouillé, confus, indécis, douteux. — Etre DIFFUS, prolixe. Se perdre.

MYSTÈRE, mystérieux. Oracle sibyllin. Grimoire. — Parler à mots couverts. Style apocalyptique, oraculaire. — Enigme, énigmatique. Charade. — Quiproquo. Coq-à-l'âne. Galimatias. — Langage SECRET. Chiffre. — Hiéroglyphe. Logographe. Rébus.

**Sens obscur.** — DIFFICILE à comprendre. Abstrus. Abstrait. — Equivoque, équivoquer. Amphibologie, amphibologique. Ambigu, ambiguïté. — Alambiqué. Amphigouri, amphigourique. Charabia. — S'y perdre. Y perdre son latin. N'y voir que du feu. — Nonsens. Idée inconcevable.

Sens impénétrable, inaccessible, incompréhensible, inintelligible, insaisissable.

**Situation obscure.** — Chaos. Désordre. Confusion. — Trouble. EMBARRAS. — Complication. Imbroglio. — Situation inextricable. Embrouillement. Brouillamini. Entortillement. — Tâtonner. Ne pas s'y reconnaître. — Labyrinthe. Dédale. Tour de Babel.

**Vie obscure.** — Vivre dans l'obscurité, à l'écart, dans l'ombre. — Mener une vie retirée, sans éclat. — Ne pas briller. Rester inconnu, ignoré. — Naissance obscure. Homme du commun. Fin obscure.

## OBSTACLE

**Arrêter.** — ARRÊT, arrêter. Arrêter court. Couper court à. — Frein, freiner. Entrave, entraver. Lien, lier. Chaîne, enchaîner. —

Retenir, rétention. Contenir. Comprimer, compression. — Interrompre, interruption. Enrayer une roue. Enclouer un canon. — Accrocher, accroc. Cliquet. Cran d'arrêt. Menottes. — Brider, bride. Gourmette. Bâillon. Caveçon. Licou. — Borner, borne. Limiter, limite. — Mettre le holà. — Mettre opposition.

**Empêcher.** — Barrer le passage. Barre, Barreau. Barrière. Barricade. — Boucher le passage. Couper le chemin. FERMER l'accès. Murer, mur. — Boucher la vue. CACHER. Offusquer. Rideau. Vitrage. — Endiguer. Digue. Jetée.

Arrêter le passage. Encombrer, encombrement. Obstruer. Engorger, engorgement. — Obstacles naturels. ECUEIL. Rocher. Banc de sable. Montagne. Colline. Fossé. Trou. — Obstacle inévitable, insurmontable, infranchissable.

Empêcher, empêchement. Inhibition. — PROHIBER, prohibition. Mettre l'embargo. — S'opposer à. — Mettre un veto. — Lier les mains. Museler. Rogner les ongles, les ailes. — Modérer, modérateur. Restreindre, restriction.

**Embarrasser.** — Mettre dans l'EMBARRAS. Embarrasser. — Mettre des bâtons dans les roues. Donner de la tablature. — Susciter des obstacles. Soulever des difficultés. Tailler des croupières. — Se mettre en travers. Contrecarrer. Traverser, traverses. — Déjouer. Déconcerter. Contrarier. — Désappointer. Démonter. — Troubler. Gêner. Déranger. Trouble-fête. Rabat-joie.

Anicroche. Difficulté. Contretemps. Pierre d'achoppement. — Gêne. Dérangement. Epine au pied. Pierres dans le jardin.

**Réprimer.** — Répression, répressif. Coercition, coercitif. Cohibition. — Faire la guerre à. Combattre. — Contenir. Maîtriser. Etouffer une conspiration. — Faire échouer. Tenir en échec. — Refréner. Interdire. — Paralyser les efforts. Mettre bon ordre.

**Préserver.** — Préservation, préservatif. Protéger, protection. — Détourner les maux. Couper la fièvre. — Ecarter. Cordon sanitaire. — Prévenir, prévention, préventif. Prophylaxie, prophylactique. — Couvrir, couverture. Abriter, ABRI. — Garder de. Garantir. Epargner à. — Obvier à. Neutraliser. Enrayer. — Parapet. Parapluie. Ecran, etc.

OBTEMPÉRER. V. *obéir, céder.*
**Obtenir.** V. *possession, mé-*
*rite.*
OBTENTION, f. V. *obtenir.*
OBTURATEUR, m. V. *fermer,*
*photographie.*
OBTURATION, f. Obturer. V.
*fermer, dent.*
OBTUS. V. *angle, sot.*
OBUS, m. V. *bombe.*
OBUSIER, m. V. *artillerie.*
OBVERS, m. V. *médaille.*
OBVIER. V. *opposé, obstacle.*
OCCASION, f. V. *hasard, évé-*
*nement, commerce.*
OCCASIONNEL. V. *circonstance.*
OCCASIONNER. V. *cause.*
**Occident,** m. V. *géographie,*
*soleil.*
OCCIDENTAL. V. *occident.*

OCCIPITAL. V. *tête.*
OCCIPUT, m. V. *tête, arrière.*
OCCIRE. V. *tuer.*
OCCLUSION, f. V. *fermer.*
OCCULTATION, f. V. *cacher,*
*éclipse.*
OCCULTE. V. *cacher, secret,*
*magie.*
OCCUPANT, m. V. *possession.*
**Occupation,** f. V. *posses-*
*sion, armée, action.*
OCCUPER. V. *occupation.*
OCCURRENCE, f. V. *rencontre,*
*circonstance.*
OCÉAN, m. Océanique. V. *mer.*
OCÉANIDES, f. p. V. *nymphe.*
OCELLÉ. V. *rond.*
OCELLES, m. p. V. *paon.*
OCRE, f. V. *jaune.*
OCTANT, m. V. *astronomie.*

OCTANTE. V. *huit, quatre.*
OCTAVE, f. V. *huit, semaine,*
*musique.*
OCTO (préf.). V. *huit.*
OCTOBRE, m. V. *mois.*
OCTOGÉNAIRE, V. *âge.*
OCTROI, m. V. *douane, don.*
OCTROYER. V. *don.*
OCULAIRE. V. *œil.*
OCULAIRE, m. V. *optique, œil.*
OCULARISTE, m. V. *œil.*
OCULATION, f. Oculer. V.
*bourgeon, greffe.*
OCULISTE, m. V. *médecine.*
ODALISQUE, f. V. *Turc.*
ODE, f. V. *hymne, chant.*
ODÉON, m. V. *théâtre.*
**Odeur,** f. V. *nez, chimie.*
ODIEUX. V. *haine, mal.*
ODIN, m. V. *Scandinave.*

---

**Rencontrer un obstacle.** — Broncher.
S'achopper. Buter. Chopper. — S'aheurter.
Se heurter à. Donner dans. Se jeter sur. —
Echouer. S'ensabler. S'embourber. — S'embar-
rasser. S'enchevêtrer.

Lever, aplanir, surmonter, vaincre un obstacle. Venir à bout d'un obstacle.

### OBTENIR

**Obtenir à juste titre.** — Obtenir, obtention. Etre exaucé, exaucement. Impétrer, impétrant. — Se procurer. Acquérir, acquisition.
Acquêt. Conquêt. Acheter, achat. — Cueillir.
Récolter. Moissonner. — Recueillir. Ramasser. Glaner. — Gagner. Gain. Profit. Bénéfice.
— Entrer en possession. Posséder, possesseur. Avoir.

Arriver à. Parvenir à. Toucher au but.
Atteindre le but. — Mériter une récompense.
Remporter un prix. — Venir à ses fins, à
bout. Réussir, réussite. Succès.

**Par force ou ruse.** — Conquérir, conquérant, conquête. S'emparer de. Emporter
d'assaut. — PRENDRE. Se saisir de. Mettre la
main sur. — Obtenir par surprise. Surprendre. — Arracher. Extorquer. Se faire remettre. — Attraper. Capter, captation, captateur. Captiver la bienveillance.

### OCCIDENT

**Point cardinal.** — Occident, occidental.
Couchant. Ponant. — Ouest. Nord-ouest. Sud-
ouest. — Soleil couchant. — L'Occident (région).

### OCCUPATION

**Occuper.** — Occuper, occupation. Absorber le temps, l'attention. — Accaparer. Captiver. Assujettir, assujettissement. — Donner
de la peine. Ecraser. Accabler, accablement.
Surcharger, surcharge. — Presser, presse,
pressant. Urgent, urgence. — Empêcher.
Retenir. Tenir à l'attache. — Préoccuper,
préoccupation. Tracasser, tracas. Tourmenter, tourment.

**S'occuper.** — S'employer. S'occuper. Pas-
ser son temps. — Montrer de l'activité. Etre
actif, laborieux. — Se donner tout entier.
Donner tout son temps. Avoir son temps pris.
— S'escrimer. S'évertuer. Se donner du mal.
Prendre de la PEINE. — Affairé. Ardélion.
Mouche du coche. — S'adonner à. Se livrer
à une étude. Cultiver les arts.

Etre occupé, absorbé, accaparé, accablé,
surchargé, pressé, préoccupé.

**Affaires.** — TRAVAIL. Emploi. Fonction.
PROFESSION. Etat. Métier. — Affaires. Obligation. Devoirs. — Ouvrage. Tâche. Besogne.
— ENTREPRENDRE, entreprise. Se mettre à
l'œuvre. Mettre la main à. Se mettre à. —
Travailler. FAIRE. Remplir sa tâche. — S'appliquer. Donner ses soins à. Vaquer à. —
Traiter, négocier, suivre une affaire. — S'entremettre. Intervenir. — S'immiscer. S'ingérer. Entregent.

### ODEUR
(latin, *odor ;* grec, *osmê*)

**Odorat.** — Nez. Narine. Naseau. — Olfaction. Flair. Nerf olfactif. Anosmie. — Avoir
du nez. Avoir bon nez. N'avoir pas de nez. —
Sentir. Odorer. Subodorer. Flairer. — Humer.
Renifler. Aspirer.

**Odeurs.** — Arôme. Bouquet. Effluence.
Effluve. Emanation. Esprit. Exhalaison. Fragrance. Fumet. Goût. Haleine. Parfum. Senteur. Vent.

Puanteur. Remugle. Relent. Infection.
Event. Pestilence. Miasme. Mofette. Empyreume.

Sentir. Embaumer. Fleurer. Respirer. Parfumer. — Exhaler. Dégager. Répandre. Imprégner. Emaner. — Monter au nez. Prendre
à la gorge. — Infecter. Empester. Empuantir.
Haléner.

Odoration. Odorant. Odoriférant. Odorifère.
Odorifique. Effluent. — Inodore.

**Caractères des odeurs.** — Alliacée. Aromatique. — Forte. Douce. — Agréable. Désagréable. — Bonne. Mauvaise. — Fine. Ex-

ODONTALGIE, f. V. *dent.*
ODONTOLOGIE, f. V. *dent.*
ODORAT, m. V. *odeur, nez.*
ODORATION, f. V. *odeur.*
ODORIFÉRANT. V. *odeur.*
ODYSSÉE, f. V. *Homère.*
ŒCUMÉNIQUE. V. *concile.*
ŒDÈME, m. V. *tumeur.*

**Œil**, m. V. *voir, bourgeon, imprimerie, nœud.*
ŒIL-DE-BŒUF, m. V. *lucarne.*
ŒILLADE, f. V. *regard, appât.*
ŒILLÈRE, f. V. *œil.*
ŒILLET, m. V. *fleur, anneau, habillement.*

ŒILLETON, m. Œilletonner. V. *bourgeon.*
ŒILLETTE, f. V. *pavot.*
ŒNOLOGIE, f. V. *vin.*
ŒNOPHILE. V. *vin.*
ŒSOPHAGE, m. V. *gorge, oiseau.*
ŒSTRE, m. V. *mouche.*

---

quise. Suave. — Légère. Tenace. Pénétrante. — Fade. Piquante. — PUANTE. Fétide. Nauséabonde. Infecte. — Pestilentielle. Méphitique. Suffocante. Vireuse. — Empyreumatique. Rance.

De brûlé. De graillon. De fumée. De moisi. De pourri. De roussi. De faisandé. De renfermé.

**Parfumerie.** — Osmologie. — Parfumeur, parfumer. Distillerie, distiller. Enfleurage. — Parfums secs, gras. Parfums liquides, volatils. — Substances odorantes, fragrantes. Plantes odoriférantes. — Produits aromatiques. Produits chimiques.

Eaux de senteur. Vinaigres de toilette. Huiles essentielles. Alcools parfumés. — Aromates. Essences. Extraits. Odeurs. BAUMES. — Poudre. Pommade. SAVON. Savonnette. Onguent. Fard. Crème. Pâte. Cosmétique. Sachet. Pastille. — Onction. Lotion. Friction. — Pulvérisateur. Vaporisateur.

**Noms de parfums.** — Amande. — Ambre. — Anis. — Benjoin. — Bergamote. — Cachou. — Camphre. — Cardamome. — Cinnamome. — Civette. — Encens. — Eau de Cologne. — Frangipane. — Fleur d'oranger. — Foin coupé. — Héliotrope. — Iris. — Jasmin. — Lavande. — Marjolaine. — Mélisse. — Menthe. — Musc. — Myrrhe. — Néroli. — Œillet. — Opoponax. — Origan. — Peau d'Espagne. — Patchouli. — Romarin. — Rose. — Sauge. — Thym. — Vanille. — Vétiver. — Violette. — Ylang-Ylang.

## ŒIL
(latin, *oculus;* grec, *ophthalmos*)

**Constitution.** — Œil, oculaire. — Orbite. Fosse orbitaire. — Globe de l'œil. Sclérotique ou Cornée opaque. Choroïde. Cornée transparente. Blanc de l'œil. Pupille. Prunelle. Iris. Cristallin. Humeur vitrée. Rétine. Nerf optique.

Paupières. Conjonctive. Palpébral. Blépharique. — Cils. Arcade sourcilière. Sourcils. — Taroupe. Entre-sourcils. — Glandes lacrymales. Caroncule lacrymale. Capsule de Tenon. LARMES.

Muscles de l'œil. Droit supérieur. Droit interne. Droit inférieur. Droit externe. Petit oblique. Grand oblique. Muscle ciliaire. Procès ciliaire.

Yeux noirs, bleus, gris, verts, pers, vairons. — Yeux ronds, gros, saillants, petits, fendus, en amande. — Yeux de cochon. Yeux à fleur de tête. — Œil composé ou Ocelles (insectes).

**Mouvements de l'œil.** — Ouvrir les yeux. Fermer les yeux. — S'endormir. Taper de l'œil, *f.* — Lever les yeux. Détourner les yeux. Baisser les yeux. — Jeter l'œil sur. Coup d'œil. Couver de l'œil. — Rouler des yeux. Ecarquiller les yeux. Papilloter. — Cligner, clignement. Clin d'œil. Clignoter, clignotement. Nicter, nictation. — Froncer les sourcils. Sourciller. Ciller. — Faire de l'œil. Faire les yeux doux. Faire les yeux en coulisse. Lancer une œillade. — Guigner. Lorgner. Fasciner du regard. — Viser. Mirer. Bornoyer. Collimation.

**Vue.** — VOIR. Vision. Portée de la vue. — Œil emmétrope. Hypermétrope, hypermétropie. Presbyte, presbytie. Myope, myopie. Astigmate, astigmatisme. — Cécité. Aveugle. Borgne. — Strabisme. Loucher, louche. Bigler, bigle. — Daltonisme. — Nyctalopie, nyctalope.

Diplopie. Vue double. — Amblyopie. Vue trouble. — Bonne vue. Vue perçante. — Vue moyenne. Emmétrope. Mauvaise vue. Vue basse, faible, courte. — Aveugler. Eborgner. EBLOUIR.

**Optique.** — Rayon visuel. Arc visuel. Angle optique ou de vision. Cône optique. — Nerfs optiques. Couches optiques. — Convergence, divergence des rayons. — Dioptrique. Dioptrie (unité optique).

Opticien. Lunetier. Redresser la vue. — Monocle. Binocle. Face-à-main. Lunettes. Besicles. Conserves. — Longue-vue. Jumelle. Lorgnette. Télescope. — Loupe. Microscope. — Verres concaves et convexes. — Oculaires. Objectif. Prismes. Verres fumés.

**Maladies.** — Ophtalmologie. Ophtalmoscopie. Oculistique. Oculiste. Clinique ophtalmologique. — Ophtalmoplastie. Oculariste. — Œillère. Bandeau. Collyre. — Enucléation.

Albugo. — Amaurose. — Blépharite. — Bourgeons. — Cataracte. — Cératite. Cératocèle. — Chassie, chassieux. — Compèreloriot. — Conjonctivite. — Epanchement de sang. — Fistule lacrymale. — Fluxion. — Glaucome. — Granulations. — Larmoiement. — Leucome. — Myiodopsie. — Nubécule. — Ophtalmie. — Orgelet. — Perle. — Ptilose. — Pyose. — Rétinite. — Staphylome. — Suffusion. — Taches. — Taie. — Végétations.

Yeux battus, pochés, collés, éraillés, éteints, rouges, injectés de sang. — Cerne, cerné. Gonflement, gonflé. Patte d'oie.

**Arboriculture.** — Œil. Œilleton, œilletonner. Œil à bois. Yeux de la vigne. — Bouton. Marcotte. Tailler à deux, à trois yeux.

**Œuf,** m.
ŒUVÉ. V. *œuf.*
ŒUVRE, m. V. *alchimie, musique, maçon.*
ŒUVRE, f. V. *faire, conduite, travail, charité.*
OFFENSE, f. V. Offenser. V. *injure, fâché, déplaire.*
OFFENSIVE, f. V. *combat, attaque.*
OFFERTOIRE, m. V. *messe.*
OFFICE, m. V. *liturgie, fonction, domestique.*

OFFICE, f. V. *cuisine.*
OFFICIALITÉ, f. V. *juges.*
OFFICIANT, m. V. *prêtre.*
OFFICIEL. V. *public, certitude.*
OFFICIER. V. *messe.*
**Officier,** m. V. *chef, magistrat.*
OFFICIEUX. V. *politesse, bienfait, domestique.*
OFFICINE, f. V. *boutique, pharmacie.*
OFFRANDE, f. V. *proposer, don.*

**Offre,** f. V. *proposer.*
OFFRIR. V. *offre.*
OFFUSQUER. V. *obstacle, déplaire.*
OGIVE, f. V. *architecture.*
OGRE, m. Ogresse, f. V. *monstre, cruel.*
OH ! (int.). V. *étonnement.*
OHM, m. V. *mesure.*
OÏDAL (suff.). Oïde (suff.). V. *apparaître.*
OÏDIUM, m. V. *vigne.*
Oie, f. V. *oiseau.*

---

## ŒUF
(latin, *ovum ;* grec, *ôon*)

**L'œuf.** — Coque. Coquille. Membrane. Chambre à air. Gros bout. Chorion. — Chalazes. Jaune. Vitellus. Germe. Cicatricule. — Blanc. Ovalbumine. Glaire.

Ovaire. Ovulation. Ovule. Ovisac. Oviducte. — Animaux ovipares, ovovivipares. — Œufs d'oiseaux, de poissons, d'amphibiens, d'insectes. — Œuf. Lente (de pou). Graine. Couvain. Caviar.

**Production.** — Nicher, nid. Pondre, ponte. — Couver, couvaison. Incubation. Couveuse artificielle. — Eclore, éclosion. Couvée.

Œuf couvi, nidoreux. — Œuf clair (non fécondé). Œuf hardé (sans coque). Œuf de coq (avorté).

**Cuisine.** — Œuf frais. Œuf de conserve. Poudre d'œuf. — Mirer. Casser. Battre des œufs, des blancs.

Œuf mollet, à la coque. Œuf dur. — Œufs pochés, à la tripe, sur le plat, frits, brouillés, farcis, etc. — Omelette. Quiche. Fondue. Ramequin. — Œufs à la neige. Crème aux œufs. Lait de poule. — Pâte aux œufs. — Dorer à l'œuf. Coller à l'œuf (le vin).

Coquetier. Œufrier.

**Relatif à l'œuf.** — Oologie. Ovogénèse. — Ovifère. Ovigère. — Oolithe. Terrain oolithique. — Ovotoxine. — Ovarien. Ovarite. Ovariotomie.

Oviforme. Ové. Ovoïde. — Ove. Ovicule. Ovule. — Ovale. Ovaliser, ovalisation.

## OFFICIER

**Catégories.** — Commandement. Chefs de corps. Officiers généraux. — Officiers supérieurs, subalternes. — Officiers de complément. — Cadres. Gradés.

Officier d'état-major. Officier de troupe. — Officier d'infanterie, de cavalerie, d'artillerie, du génie, du train, d'aviation. — Officier d'intendance, d'administration. Officier médecin. — Officier de marine. Commissaire de marine. Officier mécanicien.

**Grades.** — *Armée.* Maréchal. Général de division. Général de brigade. Colonel. Lieutenant-colonel. Commandant. Chef de bataillon. Chef d'escadron. Capitaine. Lieutenant. Sous-lieutenant. Chef de section.

*Marine.* Amiral. Vice-amiral. Contre-amiral. Capitaine de vaisseau. Capitaine de frégate. Capitaine de corvette. Lieutenant de vaisseau. Enseigne. Aspirant.

**Situation.** — Activité de service. — Hiérarchie. — Non-activité. Disponibilité. — Réforme. Retraite. Demi-solde. Honorariat. — Etats de service.

Commission. Brevet. — Avancement au choix, à l'ancienneté. — Etoiles. Plumes blanches. Plumes noires. — Galons. Epée. Epaulettes. — Solde. — Ordonnance.

## OFFRE

**Prix offert.** — Offre. L'offre et la demande. Obligation. Offre verbale. Offres réelles. Consignation. Promesse. — Faire offre. Dire un prix. Donner tant d'une chose. — Soumissionner, soumission, soumissionnaire. — Enchérir, enchère, enchérisseur. Surenchère, surenchérir. — Mettre en vente. Afficher un prix. Prix marqués. Au plus offrant. — Offrir. Mésoffrir.

**Hommage.** — Offrande, offrir. DON, donner. Cadeau. Keepsake. — Faire hommage de. Dédicace, dédicacer, dédicatoire. — Adresse. Envoi. — Offrir un SACRIFICE. — Oblation. Vœu, votif. Ex-voto. — Consacrer à. Dédier. Vouer. Mettre au service de.

**Proposition.** — Faire des propositions. Jeter à la tête. Mettre en avant. — Proposer. Produire. Soumettre. — Faire des avances. Faire des ouvertures. Tendre la main. — Présenter, présentation.

Exposer à la vue. Exhibition. Etalage. Montre. — Soumettre (une marchandise). Faire la place, placier. Offre de service. Voyageur de commerce. Représentant. Démarcheur.

## OIE
(latin, *anser ;* grec, *chên*)

**L'oiseau.** — Ansérides. Oie. Jars. Oison. Oue. — Oie commune. Oie cendrée. Oie de Toulouse. Oie sauvage. Bernacle. — Oie bridée. Oie d'éteule (plumée). Oie verte (jeune). Oie grasse.

Troupeau d'oies. — Cacarder. Jargonner.

**Produits.** — Chair d'oie. Confit d'oie. Foie gras. Petite oie (abattis). Graisse d'oie. Panouille. — Duvet d'oie. Plume d'oie.

**Oignon,** m. V. *légume.*
OIGNONADE, f. V. *oignon.*
**Oindre.** V. *frotter, huile, baume, sacrement.*

OING, m. V. *graisse.*
OINT, m. V. *Christ.*
**Oiseau,** m. V. *animal, maçon.*

OISELER. V. *oiseau.*
OISELEUR, m. V. Oisellerie, f. V. *oiseau, cage.*
OISEUX. V. *vain.*

---

**Relatif à l'oie.** — Chénisque (figure de proue). La reine Pédauque (aux pieds d'oie). — Les oies du Capitole. — Couleur merde d'oie. — Jeu d'oie. — Chénopodiacées (plantes). Ansérine (plante).

### OIGNON

**La plante.** — Oignon. Oignonière (semis). — Bulbe. Pellicule. Tuniques. Pelure d'oignon. — Gousse. Tête.
Oignon piriforme, géant, jaune, blanc plat, rouge. — Ail. Echalote. Ciboule. Ciboulette. Cive. — Oignons de tulipe, de jacinthe, de lis, etc.

**Cuisine.** — Botte d'oignons. Petits oignons. — Appétits. Chapon. Oignons confits. — Eplucher des oignons. Faire revenir, fricasser des oignons. — Soupe à l'oignon. Miroton. Oignonade.

### OINDRE
(latin, *ungere;* grec, *chriô*)

**Lubrifier.** — Lubrifiant. HUILE. Graisse. Axonge. Gras. Saindoux. Oing.
Oindre, onction. — Graisser, graissage. Huiler. — Rendre glissant. — Onctueux, onctuosité.

**Enduire.** — BAUME. Baume tranquille. — Liniment. Embrocation. Fomentation. — Pommade. Cérat. Cosmétique. Fard. — EMPLÂTRE. Enduit. — Friction. Frotter. Masser. — Onguent. Onguent mercuriel. Populéum. Basilicum. Blanc-raisin. — Cirage. Cire. Cirer.

**Consacrer.** — Consécration. Sacre, sacrer. Onction. Extrême-onction. — Sainte Ampoule. Saintes huiles. Chrême. Chrismal (vase). — Sacrement. Confirmation. — L'Oint du Seigneur. Le Christ.

### OISEAU
(latin, *avis;* grec, *ornis*)

**Corps des oiseaux.** — Ornithologie, ornithologique. Ornithologue.
*Squelette.* Crâne. Colonne vertébrale. Humérus. Radius. Cubitus. FOURCHETTE. Sternum. Bréchet. Fémur. Tibia. Métatarse. Doigts des pieds.
*Appareil digestif.* Œsophage. Jabot. Gésier. Ventricule succenturié. Tube intestinal. Foie. Cloaque. Rectum. Croupion. Fiente. Emeut.
*Tête.* Œil. Membrane clignotante. BEC. Crête. Caroncule.
*Plumage.* Plumes. Aile. Aileron. Pennes. Aigrette. Huppe. Queue. Rémiges. Tectrices. Envergure. Manteau.
*Pattes.* Pieds. Doigts (4). Griffes. Serres. Ergot. Avillon.

**Vie des oiseaux.** — S'apparier. Nicher, nid. — Pondre, ponte. Œufs. Couver, couvée. — Eclore. Nichée. Etre dru. S'emplumer. — Déployer ses ailes. Voler, vol. Voltiger. Prendre l'essor. Voler à tire d'aile. — Pépier, pépiement. Babiller. Gazouiller. Gazouillis, gazouillement. Jaser. — Chanter, chant. Roucouler, roucoulement. Siffler, siffleur. Ramage. — Percher. Brancher. Jucher. Déjucher, déjuc. — Picorer. Becqueter. — Planer. Lier. Lacérer. — Muer, mue.

**Oisellerie.** — Oiselier. Oiseleur. Oiseler. Aviculture, aviculteur. — Augure. Auspice. — Ornithologue.
Abecquer. Becquée. Elever à la brochette. — CAGE. Juchoir. Perchoir. Nichoir. Volière. — Mangeoire. Auget. Trémie. — Graines. Pâtée. Plantain. Mouron. Séneçon. Os de seiche. — Pépie. — Seriner, serinette.
Dénicher, dénicheur. — Giboyer. Filets. Piège. Trébuchet. Trappe. Réginglette. Tirasse. — GLU, gluau, gluer. Pipeau, piper, pipée. — Appeau. Appelant. Chanterelle. — Miroir.
Protection des oiseaux. Nids artificiels. Nichoirs. — Empailler, empailleur. Taxidermie. Naturaliste.

**Nature des oiseaux.** — Oiseau. Oisillon. Oiselet. Mulet. Volatile. Volaille.
Oiseaux domestiques, de basse-cour. Oiseaux de proie. Oiseaux utiles. Oiseaux de mer, de rivage, de passage.
Aquatiques. Palmés. Plongeurs. Coureurs. Grimpants. Grands voiliers. Migrateurs. Voyageurs. Diurnes. Nocturnes. Nicheurs. Arpenteurs. Parleurs. Chanteurs. Fringillaires. Rapaces. Onguiculés.
Carnivores. Granivores. Phytophages. Frugivores. Insectivores. Omnivores.
Cunéirostres. Dentirostres. Conirostres. Lamellirostres. Lévirostres. Latirostres. Planirostres. Serrirostres. Pressirostres. Ténuirostres. Térétirostres. Brévirostres. Subulirostres. Longirostres.
Brévipennes. Longipennes. Macroptères. Brachyptères. Macroures. Mégapodes. Nudicolles. Pattus. Court-jointés. Uropodes.
*En blason.* Empiétant. Essorant. Merlette. Alérion.
*Fossiles.* Archéoptéryx. Ichtyornis. Gastornis. Odontopteryx. Dinornis. Æpyornis. Dronte.

**Principaux oiseaux.** — *Palmipèdes.* OIE. CANARD. CYGNE. Pingouin. Pélican. Cormoran. Mouette. Goéland. Albatros. Pétrel. Frégate. Fou. Tadorne. Eider. Sarcelle. Bernacle. Macreuse. Flamant. Grèbe. Manchot. Plongeon. Macareux.
*Echassiers.* Flamant. Ibis. Echasse. Héron. Courlis. Courlan. Grue. BÉCASSE. Marabout. Outarde. Cannepetière. Pluvian. Pluvier. Van-

**Oisif.** V. *paresse, repos.*
OISILLON, m. V. *oiseau.*
OISIVETÉ, f. V. *oisif.*
OISON, m. V. *oie.*
OLÉAGINEUX. V. *huile.*
OLFACTIF. V. *nez, odeur.*
OLIGARCHIE, f. V. *politique.*
OLIVAIE, f. V. *olive.*
OLIVÂTRE. V. *teint, vert.*
**Olive,** f. V. *fruit, couleur, bouton, architecture.*

OLIVIER, m. V. *olive.*
OLOGRAPHE. V. *testament.*
OLYMPE, m. V. *dieu, ciel.*
OLYMPIADE, f. V. *chronologie.*
OLYMPIEN. V. *Jupiter.*
OLYMPIQUE. V. *jeu.*
OMBELLE, f. V. *fleur.*
OMBILIC, m. Ombilical. V. *nombril, ventre, graine.*
OMBRAGE, m. Ombragé. V. *ombre.*

OMBRAGEUX. V. *fâché, cheval.*
**Ombre,** f. V. *obscur, apparaître, enfer.*
OMBRELLE, f. V. *parapluie.*
OMBRER. V. *dessin.*
OMBREUX. V. *ombre.*
OMELETTE, f. V. *œuf, mets.*
OMETTRE. V. *inattention, cacher, perdre.*
OMISSION, f. V. *oubli, erreur, manque.*

---

neau. Bécassine. Chevalier. CIGOGNE. Tantale. Aigrette. Demoiselle de Numidie. Butor. Marabout. Jabiru. Spatule. Râle. Poule d'eau. Foulque.

*Coureurs.* AUTRUCHE. Casoar. Nandou. Aptéryx. Emeu

*Gallinacés.* POULE. Coq. DINDE, dindon. Pintade. FAISAN. PERDRIX. Gélinotte. CAILLE. Lagopède. Tétras. Francolin. PAON. Argus. Lophophore.

*Colombins.* PIGEON. Tourterelle. Ramier. Palombe. Biset. Goura.

*Grimpeurs.* Pic. Coucou. Pivert. PERROQUET. Ara. Cacatoès. Toucan. Perruche.

*Passereaux.* MOINEAU. ALOUETTE. Merle. Martin-pêcheur. Calao. Guêpier. Huppe. Colibri. Grimpereau. Engoulevent. HIRONDELLE. Martinet. Paradisier. CORBEAU. Etourneau. Mésange. FAUVETTE. GRIVE. Pie-grièche. Gobe-mouches. Rossignol. Rouge-gorge. Rougequeue. Fourmilier. Ménure. Bergeronnette. Roitelet. Corneille. Chouca. PIE. Geai. Loriot. Bouvreuil. Pinson. Chardonneret. Linotte. Serin. Bruant.

*Rapaces.* AIGLE. Vautour. Condor. Buse. Busard. FAUCON. Gypaète. Grand duc. Effraie. HIBOU. Balbuzard. Epervier. Pygargue. Harpie. Serpentaire. Milan. Gerfaut. Emerillon. Autour. Chevêche. Chouette. Hulotte.

**Oiseaux utiles.** — Crécerelle. Faucon kobez. Effraie. Hulotte. Chat-huant. Scops. Chevêchette. Pic-épeiche. Pivert. Torcol. Rollier. Guêpier. Sittelle. Grimpereau. Tichodrome. Huppe. Etourneau. Moineau. Friquet. Soulcie. Bouvreuil. Bec-croisé. Verdier. Pinson. Chardonneret. Tarin. Venturon. Cini. Linotte. Sizerin. Bruant. Pipit. Bergeronnette. Lavandière. Loriot. Rouge-gorge. Rossignol. Rouge-queue. Merle de roche. Traquet. Fauvette. Mésange. Hirondelle. Gobe-mouches. Engoulevent. Roitelet. Rousserolle. Troglodyte. Mouette. Sterne.

## OISIF

**Repos.** — Se reposer. Respirer un moment. Reprendre haleine. Souffler. — Répit. Détente. Loisir. — Se délasser, délassement. Se récréer, récréation. S'amuser, amusement. — Disposer de son temps. Temps disponible. Passe-temps. — Vacances. Congé. Jour de congé. Heures de liberté. Etre libre. — Jour de fête. Jour férié. Dimanche. Sabbat. Semaine anglaise.

**Désœuvrement.** — Flâner, flânerie, flâneur. Curieux, curiosité. — Badauder, ba-

daud, badauderie. Muser, musard, musardise, musarder. — Oisif, oisiveté. Inoccupé. Ne faire œuvre de ses dix doigts. — N'avoir rien à faire. Vivre de ses rentes. Sinécure. — Perdre son temps. Bayer aux corneilles. Ne rien faire. — Farniente. Moments perdus. Tuer le temps. — Fainéant, fainéantise, fainéanter. Paresseux, paresse, paresser. — Faire la grasse matinée. Faire le lézard. — Bohème. Vagabond. Clochard.

**Suspension de travail.** — INTERRUPTION de travail. Relâche, faire relâche. Clôture. Fermeture. — Stagnation des affaires. Mortesaison. Crise. — Emploi vacant. Renvoi. Etre mis à pied.

Cessation de travail. Chômer, chômage, chômeur. — Etre sur le pavé, sans ouvrage. Se croiser les bras. Faire l'école buissonnière. — Débaucher des ouvriers. Grève, gréviste. Se mettre en grève.

Etre en demi-solde, en disponibilité, en non-activité. — Retraite, retraité. Honorariat, honoraire. Professeur émérite (retraité). Jubilaire (50 ans de profession).

**Inaction.** — Inactif, inactivité. Inerte, inertie. Indolent, indolence. — Ne pas se remuer. Immobile. Etre en panne. — Se morfondre. Marasme. Passivité, passif. Attente, attentif. — S'abstenir. Ne pas prendre part à. — Ne pas intervenir. Rester spectateur. Neutre, neutralité. — Figurant. Comparse. Prête-nom. — Faire le mort (au jeu). Cinquième roue à un carrosse.

## OLIVE

**La plante.** — Olive. Olivier. Olivaie. Olivette. — Olivier sauvage. Olivier bâtard. Garoupe (nain). — Olivaire. Oliviforme. Olivâtre (couleur).

**La récolte.** — Olivaison. Oliver. Oliverie. Oliveur. — Cueillette, cueillir. — Détriter, broyer les olives. Moulin à olives. Paître la meule (l'alimenter). Marc. — Huile d'olive. Huile vierge. Conserve d'olives. Grignon (tourteau).

## OMBRE

**Ombre.** — Ombre portée. Ombre diffuse. Pénombre. Ombre verse. Cône d'ombre. — Demi-jour. Clair-obscur. Crépuscule. — Opacité, opaque. Obscurité, OBSCUR, obscurcir. — Ombres de la nuit. Ténèbres. — Ombres

OMNIBUS, m. V. *voiture, chemin de fer.*
OMNIPOTENCE, f. Omnipotent. V. *tout, pouvoir.*
OMNISCIENCE, f. Omniscient. V. *connaître, affectation.*
OMNIVORE. V. *animal, manger.*
OMOPHAGE. V. *chair.*
OMOPLATE, f. V. *épaule, os.*
ONAGRE, m. V. *âne, artillerie.*
ONCE, f. V. *poids.*
ONCIALE, f. V. *écriture.*
ONCLE, m. V. *parent.*
ONCTION, f. V. *oindre, bénir.*
ONCTUEUX. V. *oindre, doux.*
ONDE, f. V. *eau, optique, télégraphe.*
ONDÉ. V. *raie.*
ONDÉE, f. V. *pluie.*
ON-DIT, m. V. *dire, public.*
ONDOIEMENT, m. Ondoyer. V. *mouvement, eau, baptême.*
ONDULATION, f. Onduler. V. *mouvement, boucle, pli.*
ONDULEUX. V. *balancer.*

**Ongle,** m. V. *doigt.*
ONGLÉE, f. V. *main, froid.*
ONGLET, m. V. *relieur, imprimerie, fleur, broder.*
ONGLIER, m. V. *ongle, toilette.*
ONGLONS, m. p. V. *bœuf.*
ONGUENT, m. V. *oindre, pharmacie.*
ONGUICULÉ. V. *ongle.*
ONGULÉ. V. *ongle.*
ONIROMANCIE, f. V. *sommeil, devin.*
ONOCÉPHALE. V. *âne.*
ONOMATOPÉE, f. V. *mot.*
ONTOLOGIE, f. V. *métaphysique.*
ONYCHOPHAGIE, f. V. *ongle.*
ONYX, m. V. *marbre.*
**Onze.**
ONZIÈME. V. *onze.*
OOLITHE, f. V. *œuf, pierre.*
OOLOGIE, f. V. *œuf.*
OOMYCÈTES, m. p. V. *champignon.*
OPACITÉ, f. V. *épais.*

OPALE, f. Opalin. V. *pierre.*
OPAQUE. V. *ombre.*
OPÉRA, m. V. *théâtre, chant.*
OPÉRA-COMIQUE, m. V. *théâtre.*
OPÉRATEUR, m. V. *travail, chirurgie.*
OPÉRATION, f. Opérer. V. *faire, armée, chirurgie.*
OPÉRETTE, f. V. *théâtre.*
OPHICLÉIDE, m. V. *serpent.*
OPHIDIEN, m. V. *serpent.*
OPHIOLOGIE, f. V. *serpent.*
OPHTALMIE, f. V. *œil.*
OPHTALMOLOGIE, f. V. *œil.*
OPIACÉ. V. *opium.*
OPIAT, m. V. *opium.*
OPINER. V. *dire, conseil.*
OPINIÂTRE. Opiniâtreté, f. V. *volonté, entêté, continuer.*
**Opinion,** f. V. *parler, juger, politique, réputation.*
OPIOMANE. V. *opium.*
**Opium,** m. V. *pavot.*
OPPORTUN. Opportunité, f. V. *bien, circonstance.*

chinoises. Silhouette. — Ombrer un dessin. — Ombrageux (qui a peur de son ombre). Offusquer.

**Ombrage.** — Ombrager. Ombreux. — Donner de l'ombrage. Faire ombre. Feuillage. Feuillée. — Couvrir, abriter de son ombre. Ombrelle. — Rafraîchir de son ombre. Fraîcheur. — Etre à l'ombre. Etre à couvert. Allée couverte.

## ONGLE
(latin, *unguis*; grec, *onyx*)

**Ongles de l'homme.** — Ongle. Racine. Matrice. Lit de l'ongle. Stries. Lunule. — Egratigner, égratignure. Griffer, griffade. — Onychophagie.

Envie. Panaris. Grypose. Sélénose. Onglée. Ongle incarné.

**Toilette des ongles.** — Manucure ou Manicure. Pédicure. — Onglier. Ciseaux à ongles. Brosse à ongles. Lime. Polissoir. Pince. — Tailler les ongles, polir les ongles. Faire les ongles. Se faire les ongles. Se teindre les ongles.

**Ongles des animaux.** — Griffes. Pied ongulé, onguiculé. — Ongles rétractiles, semi-rétractiles. Gaines.

Clefs et Liaison (des faucons). — CORNE et Sabot (des chevaux). — Eperon et Ergot (du coq). — Gardes (du sanglier). — Harpe (du chien). — Os (du cerf). — Serres (d'oiseau de proie).

## ONZE
(latin, *undecim*; grec, *hendéca*)

**Relatif à onze.** — Onze, onzième, onzièmement. — Undécimal. Undécimo. — Hendécagone. Hendécagyne. Hendécandre. Hendécasyllabe.

## OPINION

**Avis.** — Emettre, exprimer une opinion. Proposer un avis. Etre d'avis. — Se prononcer pour. Se déclarer. Opiner. Opinant. Préopinant. — Opinion. PENSÉE. Idée. — Manière de voir. Sens. Sentiment. — Estimer. Etre fixé. Etre imbu, pénétré d'une opinion. — Conseiller, CONSEIL. Consultation. Consultant. Voix consultative. — Inculquer une opinion. Propagande, propagandiste. — Changer d'avis. Se raviser. Se rallier, se ranger à un avis. — Embrasser, adopter, choisir, admettre une opinion. — Partager un avis. Donner son sentiment. Opiner du bonnet.

**Doctrine.** — Endoctriner. Propagande. Ecole. SYSTÈME. Thèse. — Opinion politique. Programme. Parti. Etre du parti de. Enrôler dans un parti. — Opinion religieuse. Croyance. SECTE, sectaire. Coreligionnaire. — Professer une opinion. Arborer un drapeau. Couleur d'un journal. — Esprit de corps, de parti. Esprit national, racial, etc. — Se coiffer de. S'enticher de.

**Jugement.** — Juger, jugement. Paradoxe, paradoxal. Préjugé. Prévention. — Opinion publique. Cri public. Opinion à la mode. — Braver l'opinion. Le qu'en-dira-t-on. Respect humain. — Vue de l'esprit. Opinion orthodoxe, orthodoxie. Opinion probable. Opinion hétérodoxe. — Estime. Appréciation. Procès de tendance.

## OPIUM

**L'opium.** — Opium. Suc de PAVOT. Larmes d'opium. — Opiacé. Opiatique.

*Extraits.* Méconine. Méconiasine. — *Alcaloïdes.* Morphine. Codéine. Narcéine. Narcotine. Papavérine. Thébaïne. — *Préparations opiacées.* Laudanum. Diacode. Elixir parégo-

**Opposé.** V. *obstacle, symétrie.*

OPPOSER. V. *opposé.*

OPPOSER (s'). V. *résister, réclamer, prohiber.*

OPPOSITION, f. V. *discordant, chicane, politique, juges, planète.*

OPPRESSÉ. V. *maladie.*

OPPRESSEUR, m. V. *tyran.*

OPPRESSIF. V. *pouvoir.*

OPPRESSION, f. V. *pouvoir, presser, respiration.*

OPPRIMER. V. *tyran, esclave.*

OPPROBRE, m. V. *honte.*

OPSOMANE, m. V. *mets.*

OPTATIF. V. *verbe.*

OPTER. V. *choix.*

OPTICIEN, m. V. *œil, optique.*

OPTIMISME, m. Optimiste. V. *bonheur.*

OPTION, f. V. *choix.*

**Optique,** f. V. *œil, lumière.*

OPULENCE, f. Opulent. V. *riche, luxe.*

OPUSCULE, m. V. *livre.*

---

rique. Goutte anglaises. Sirop d'opium. Pilules de cynoglosse. Teinture d'opium. Opiat, etc.

**Usage.** — Somnifère. Narcotique. Calmant. — Fumer de l'opium. Fumerie. Pipe. Boulette. Opiomane. Opiophage, opiophagie. — Morphinomane, morphinomanie. — Narcotisme. — POISON.

## OPPOSÉ

**Opposé de place.** — Affronter. Face à face. Vis-à-vis. Nez à nez. De front. En face. De face. — Adosser. Dos à dos. — Etre aux deux pôles. Antipode. Antarctique. — Aller en sens contraire, à la rencontre. Rebrousser, rebroussement. A rebours. A rebrousse-poil. — Opposer, opposable. A l'opposite. Diamétralement opposé. — Envers. Devers. Obvers. Verso. Derrière. Doublure. — Faire la bascule. Sens dessus dessous. — Renverser, renversement. Inversion, inverse. Tête-bêche. *Vice versa.* — Tourner le dos. Faire volteface. Faire marche arrière.

Faire pendant. SYMÉTRIE, symétrique. — Alterner, alternance. Alterne. Parallèle.

**De nature.** — Autre. DIFFÉRENT. Contraire. — Anormal. Exceptionnel. Incohérent. — Contraster, contraste. S'opposer. Trancher sur. — Contre-pied. Contre-indication. Contraires. Extrêmes. — Répugnance, répugner. Antipathie, antipathique. — Choquer les sentiments. Soulever le cœur. — Etre incompatible. Incompatibilité.

Bien et mal. — Blanc et noir. — Chèvre et chou. — Dia et hue — Feu et eau. — Chaud et froid. — Haut et bas. — Jour et nuit. — Oui et non. — Recto et verso. — Pour et contre. — Humide et sec.

**D'action.** — Contrarier. Contrebalancer. Contrecarrer. — Contrevenir. Déroger à. Violer. Enfreindre. — Combattre. Refouler. Repousser. Exclure. — S'opposer à. Empêcher. Faire obstacle. Obvier à. — Guérir. Remédier à. Prévenir. — Réagir, réaction, réactif. Se refuser à, REFUS. — Rivaliser, RIVAL. Emulation, émule. Prendre sa revanche. — ANNULER. Neutraliser. Anéantir. — Riposter, riposte. Reconvention, reconventionnel. — Contre-mine. Contre-ruse. Contrepoids. Contrerévolution. Contrepoison. — Tirer la bride. Scier de la rame. Renverser la vapeur. Virer de bord.

**D'idées.** — Choc d'intérêts. Antagonisme, antagoniste. Adversaire. Partie adverse. — Conflit. Lutte. Dispute. Désaccord. Discorde. — Opposition. Antinomie, antinomique. An-

tithèse, antithétique. Thèse contraire. — Discussion. Controverse. Litige. Chicane. — Contre-partie. Contre-indication. Contre-vérité. — S'élever contre. Aller à l'encontre. Rétorquer un argument. — Rompre en visière. Heurter de front. Heurter les préjugés. — Combattre une opinion. Révoquer en doute. Réfuter, réfutation. — Protester contre, protestation. Contester, contestation. RÉCRIMINER, récrimination. — Dissidence. Hérésie. Schisme.

**De langage.** — Antilogie. Apagogie. Antiphrase. Antonymie. Chiasme. — Contredire, contradiction, contradicteur, contradictoire. — Démentir, démenti. Désavouer, désaveu. — Revenir sur sa parole. Dédire, dédit. Rétracter, rétractation. Retirer sa promesse. — Palinodie. — Se contredire. Se couper. Revirement. — Contremander. Contre-ordre. Contre-lettre. — Se récrier. Tollé. Objecter, OBJECTION. — Nier, NÉGATION. RESTRICTION. — Contresens. — Dilemme. — Ironie, ironique. Sarcasme, sarcastique.

**Mots d'opposition.** — Toutefois. Pourtant. Cependant. Tout de même. — Néanmoins. Nonobstant. Avec tout cela. — Au contraire. Mais. — Avoir beau. LOIN DE. Loin que. — Quand. Quand même. Quand bien même. — Malgré. En dépit de. Au mépris de. Encore. — Quoique. Bien que. Encore que. — Quoi... que. Qui... que. Quel... que.

## OPTIQUE

**Science et métiers.** — Physique. Optique. Catoptrique. Dioptrique. Catadioptrique. — Optométrie. Photométrie. — Astronomie. — Micrographie. — Photologie. Photogénie. — Photographie. Cinématographie. — Radiographie. Radioscopie.

Opticien. Lunetier, lunetterie. — Photographe. Radiologue. — Astronome. — Micrographe.

**Phénomènes d'optique.** — Jeux de lumière. Pinceau de lumière. — Décomposition de la lumière. Spectre solaire. Raies. — Ondes lumineuses. Vitesse de la lumière. — Rayons lumineux. Rayons ultra-violets, infrarouges. Rayons X. Faisceau de rayons. Franges colorées.

Ombre. Pénombre. Cône d'ombre. — Image. Mirage. Perspective.

Aberration. Astigmatisme. Convergence. Décussation. Déviation. Diffraction. Diffusion. Divergence. Dispersion. Emersion. Immersion. Incidence. Inflexion. Interférence. Irisation. Irradiation. Polarisation. Propagation. Rayon-

**Or,** m. V. *métal, monnaie, bijou.*

ORACLE, m. V. *devin, révéler, destin.*

ORAGE, m. Orageux. V. *météore, tempête, colère.*

ORAISON, f. V. *prier, discours.*

ORAL. V. *bouche, parler.*

ORAL, m. V. *voile.*

ORANG-OUTAN, m. V. *singe.*

**Orange,** f. V. *fruit, couleur.*

ORANGEADE, f. V. *boisson.*

ORANGER, m. Orangerie, f. V. *orange.*

ORATEUR, m. V. *discours, éloquence.*

ORATOIRE. V. *rhétorique.*

ORATOIRE, m. V. *prier.*

ORATORIEN, m. V. *moine.*

ORATORIO, m. V. *chant.*

ORBATTEUR, m. V. *or.*

ORBE, m. Orbiculaire. V. *cer-*

*cle, anneau, rond, sphère.*

ORBITE, f. V. *œil, astronomie.*

ORBITÉ, f. V. *enfant.*

ORCHESTRATION, f. V. *musique.*

ORCHESTRE, m. V. *instruments de musique, théâtre.*

ORCHIDÉE, f. V. *fleur.*

ORD. V. *sale.*

**Ordinaire.** V. *commun.*

---

nement. Réflexion. Réfraction. Réfringence. Transmission. Transparence. — Intensité. Radioactivité.

**Instruments d'optique.** — Monocle. Binocle. Lunettes. Bésicles. Conserves. Lorgnon. Pince-nez. Face-à-main. — Lorgnette. Jumelles. Périscope. Longue-vue. — Lunettes d'approche, terrestre, astronomique. — Télescope. Chercheur. Télescope aérien, astronomique, à réflexion, à miroirs, etc. — Microscope simple, composé. Loupe. — Prisme. Kaléidoscope. Stéréoscope. — Lanterne magique. Cinématographe. — Appareil photographique. Caméra. — Héliomètre. Hélioscope. Héliostat. — Micromètre.

**Détails d'appareils.** — Angle optique. — Axe optique. — Caisse catoptrique. — Chambre claire. — Chambre noire. — Champ. — Châsse. — Coussinets. — Curseur. — Diaphragme. — Foyer, focal. — Limbe. — Miroirs parallèles, inclinés. — Objectif. — Oculaire. — Œilleton. — Projection optique. — Puissance. — Repère. — Réticule. — Tubes optiques.

**Verres.** — Verre. Lentille. Verre lenticulaire. Miroir. Prisme. — Dioptrie. Numéro d'un verre.

Concave, concavité. Convexe, convexité. Biconcave. Biconvexe. — Plan- convexe. Planconcave. — Ménisque divergent. Ménisque convergent. — Amplificateur. Grossissant. A facettes. Multipliant. — Chromatique, chromatisme. Achromatique, achromatisme. — Anastigmat, anastigmatisme. — Anamorphotique (déformant), anamorphose. — Périscopique. — Prismatique.

## OR
(latin, *aurum* ; grec, *chrysos*)

**Or.** — Or fin. Or massif. Or vierge. Pépite. Paillette. Grains d'or. — Or mat. Or jaune. Or rouge. Or pâle. Electrum. — Or en feuilles. Or vert. Or moulu. — Or en barre. Lingot d'or. Monnaie d'or. — Alliage d'or. Aloi. Titre. Remède. Carat (vingt-quatrième d'or fin dans alliage). — Or colloïdal. Sels d'or. Aurates. — Vermeil. Doublé. Plaqué. Similor. Chrysocale.

Contrôle. Marque. Poinçon. — Trébuchet (balance). — ESSAI, essayeur. Coupelle. Languette. — Frai (usure).

**Production.** — Minerai. Gisement. Placers. Filons. Terrains, sables aurifères.

Chercheur d'or. Orpailleur. Battée. Lavage à la battée. — Extraction mécanique. Abat-

tage. Bocard ou Pilon. Laveurs et Sluices (canaux de bois). — Dissolution. Amalgamation. Distillation. — Dissolution et Précipitation. Chloruration. Cyanuration. Electrolyse. — Affinage. Coupellation. Procédé chimique. Procédé électrolytique.

**Or battu.** — Battage d'or. Batteur. Orbatteur. — LAME. Feuille. Bractéole. — Marbre (table à battre). Coussin (planche à couper). — Feuillets de vélin, de baudruche. Moule. Caucher. Livret. Flanc. — Enfourner. Défourrer. — Piffre (marteau). Couchoir. Compas brisé.

**Or filé.** — Fileur. Tireur d'or. — Dégrossage. Banc à dégrosser. Argue. — Ecacher, écacheur. Filière. — Rouet. Bobine. Or trait.

Fils d'or. Cerceau. Milanaise. Frisure. Cannetille. — Frange d'or. Galon d'or. Chamarrure. Oripeau. — Drap d'or. Brocart. Brocatelle. Orfroi. Lamis. Lamé. — Parfiler, parfilage, parfileur.

**Dorure.** — Déauration. Dorer, doreur. Dorure sur bois, sur cuir, sur métaux, etc. Aurifier. — Dorer à la feuille, au trempé, au mercure. Galvanoplastie. Surdorer. — Charger une pièce. Rifler. Réchampir. Donner le mat. Brunir, brunissage, brunissoir. — Blanc d'apprêt. Couche. Epargne. Mordant. Vernis doré. — Mandrin. Gril. Rifloir. Matoir. Couchoir. Catissoir. Blaireau.

**Relatif à l'or.** — Eldorado. Pactole. Toison d'or. Veau d'or. Le roi Midas. — Pont d'or. Pluie d'or. — Orfèvre, orfèvrerie. Bijouterie. Damasquinage. — Grand œuvre. Transmutation des métaux. — Eau régale. — Chrysanthème (fleur). Chrys~'~phantine (statue). Chrysoptère (à ailes d'or). — Chrysostome (saint Jean).

## ORANGE

**Le fruit.** — Orange. Zeste. Tranches. — Oranger. Fleur d'oranger. Orangerie. — Oranges d'Algérie, de Provence, de Valence, de Jaffa, etc. — Bigarade ou Orange amère. Pamplemousse. Mandarine.

**Dérivés.** — Chinois. Ecorce d'orange. Confiture, gelée, sirop d'oranges. — Curaçao. Orangeade. Eau de fleur d'orange. — Néroli. Essence de Portugal.

## ORDINAIRE

**Commun.** — Universel. Général, généralité. Abondant, abondance. Pluralité. — Banal, banalité. Cela traîne partout, se voit

ORDINAL. V. *ordre, nombre.*
ORDINAND, m. V. *prêtre.*
ORDINANT, m. V. *évêque.*
ORDINATION, f. V. *titre, prêtre.*
ORDO, m. V. *liturgie.*
ORDONNANCE, f. V. *ordre, soldat, pharmacie, architecture.*

ORDONNANCEMENT, m. Ordonnancer. V. *payer.*
ORDONNATEUR, m. V. *fête, diriger.*
ORDONNÉ. V. *économie.*
ORDONNÉE, f. V. *courbe.*
ORDONNER. V. *ordre, arranger.*
Ordre, m. V. *arranger, ache-*

ter, classe, moine, chevalerie, sacrement, architecture.
**Ordure,** f. V. *sale, rebut, injure.*
ORDURIER. V. *ordure.*
ORÉADES, f. p. V. *nymphe.*
ORÉE, f. V. *bord, forêt.*
OREILLARD, m. V. *chauve-souris.*

---

partout. — Connu de tout le monde. Bien connu. Populaire. — Vulgaire, vulgarité. Trivial, trivialité.

Faire comme tout le monde. Suivre le train, la mode. Se traîner dans l'ornière. — Lieu commun. Chemin battu. Grand chemin. Grande route.

**Moyen.** — Juste milieu. Entre les deux. Intermédiaire. — Assez bien. Assez bon. Satisfaisant. Passable. — Médiocrité, MÉDIOCRE. Commun des mortels. Obscurité, obscur. — Niveau moyen. Vie bourgeoise. Pot au feu. Simplicité.

**Habituel.** — Habitude. Accoutumance, accoutumé. Coutume, coutumier. — RÉPÉTITION, répéter. Routine, routinier. Tradition, traditionnel. — Fréquent, fréquence. Usuel, usage, usité. — Dans l'ordre. Ordinaire. Normal. Régulier. — Rebattu. Poncif. Proverbial.

### ORDRE

**Rang.** — Ordre. En bon ordre. Mettre, tenir en ordre. Garder l'ordre, le rang. — Ordre alphabétique. Ordre de bataille. Ordre de succession.

Ranger, rangement. Placer, place. Poser, position. LIEU. — Aligner, alignement. Ligne. File. Rangée. Rang d'oignons. — SUITE. Chaîne. Chapelet. Enfilade. — Numéro d'ordre. Numéroter, numérotage. Quantième. Nombre ordinal. Cote, coter. — Superposer, superposition. Assise. Échelon. — Alternance, alterner. Tour. A tour de rôle. Roulement. Succéder, succession. Faire queue. — Au fur et à mesure. L'un après l'autre. — Eurythmie, eurythmique. Symétrie, symétrique. — En quinconce. En échiquier. — Commencement. Milieu. Fin.

Premier. Deuxième. Troisième, etc. Avant-dernier. Pénultième. Dernier. — Gradation. — Graduer, graduation. — Permuter, permutation.

**Organisation.** — Ordonner, ordonnance, ordonnateur. — Arranger, arrangement. Agencer, agencement. — Disposer, disposition, dispositif. — Organiser, organisation, organisateur. Méthode, méthodique. SYSTÈME, systématique. — Régler, règle, règlement. Réglementer. Discipliner, discipline. — Coordonner, coordination. Proportion, proportionner. Distribuer, distribution. — Construire, construction. Structure. Contexture. — Débrouiller. Démêler. — Aménager. Emménager. — Classer, classement. Classification. — CLASSE. Ordre. ESPÈCE. Genre. Famille. Groupe.

Hiérarchie. — Economie. — Mécanisme. — Syntaxe. — Tactique.

**Commandement.** — Ordre. Ordre absolu. — Prescription. Défense. Rescrit. Ukase. Loi. — Règlement. Statut. Ordonnance. Consigne. Décalogue. — Injonction. Arrêt. Arrêté. Décret. Décision. Firman. Edit. — Instructions. Mandat. Mandement. Monitoire. Bref. Mission. Commission. — Tyrannie. Arbitraire. — Ton autoritaire, impérieux. Ordre impératif, rigoureux, strict. — Ordre de bourse. Rescription. Procuration. — Requête. Commandement. Sommation. Ultimatum. — VOLONTÉS. Caprices. Bon plaisir. Adjuration. Invitation. Prière. Demande.

Donner des ordres. Commander. Enjoindre. — Exiger. Contraindre. Forcer. — Intimer un ordre. Notifier un ordre. Signifier un ordre. Contre-ordre. — Sommer. Requérir. — Défendre. Prohiber. — Inviter. Prier. Demander.

**Ordres honorifiques.** — Ordre civil. Ordre militaire. Ordre religieux. — Légion d'honneur. Médaille militaire. Médaille coloniale. Croix de guerre. Palmes académiques. Mérite agricole, etc.

Alcantara. Annonciade. Bain. Calatrava. Saint-Esprit. Saint-Louis. Saint-Michel. Jarretière. Malte. Saint-Jean de Jérusalem. Temple. Saint-Lazare. Toison d'or. Eléphant. Aigle blanc, etc.

Chancellerie. Chapitre. Conseil de l'ordre. — Grand cordon. Grand-croix. Grand maître. Commandeur. Officier. Dignitaire. Chevalier. — Décoré. Médaillé.

*Insignes.* Décoration. Ruban. Crachat. Plaque. Rosette. Croix. Médaille. Bijou. Collier. Cordon.

Conférer. Décorer. Brevet. — Dégrader.

### ORDURE

**Impuretés organiques.** — EXCRÉMENTS. Matières fécales. — Pissat. Urine. — Crachats. Expectoration. Bave. Saburre. — PUS. Purulence. HUMEUR. Sanie. Gourme. — Morve. Mucosités nasales. Roupie. Crapaud. — Chassie. Cire. Glame (des yeux). — Peignures. Furfure ou Pellicules. — Sueur. — Cérumen. — Tartre (des dents).

**Autres ordures.** — Ordures ménagères. Bourriers. Balayures. Gadoues. FUMIER. Immondices. Détritus. — BOUE. Fange. Crotte. Curures. Gâchis. Margouillis. — Lie. Fèces. Défécation. Fondrilles. Résidus. Scories. Criblures. — Lavure de vaisselle. Eaux ména-

**Oreille,** f. V. *entendre, fleur, charrue.*
OREILLER, m. V. *lit.*
OREILLETTE, f. V. *cœur, bandage.*
OREILLONS, m. p. V. *oreille.*
**Orfèvre,** m. V. *or, argent, bijou, art.*
ORFÈVRERIE, f. V. *orfèvre.*
ORFRAIE, f. V. *aigle.*

ORFROI, m. V. *or, broder.*
ORGANDI, m. V. *étoffe.*
ORGANE, m. V. *corps, membre, machine.*
ORGANEAU, m. V. *ancre.*
ORGANIER, m. V. *orgue.*
ORGANIQUE. V. *corps.*
ORGANISATION, f. Organiser. V. *préparer, ordre, règle, machiner.*

ORGANISME, m. **V.** *vie, animal, constituer.*
ORGANISTE, m. V. *orgue.*
ORGANSIN, m. V. *soie.*
ORGANSINER. V. *tordre.*
ORGASME, m. V. *raide.*
**Orge,** f. V. *blé.*
ORGEAT, m. V. *boisson.*
ORGELET, m. V. *œil, orge.*
ORGIASME, m. V. *Bacchus.*

---

gères. Rinçure. Ecume. — POUSSIÈRE. Suie. Raclure. Râpure. — Ramas. Ramassis. Décombres. Gravats. Débris. — Saleté. Malpropreté. Crasse. TACHES.

**Enlèvement des ordures.** — Nettoyer, nettoyage. Détacher. Laver, lavage. Brosser, brossage. — Balayer, balayage. Epousseter. Récurer. Ramoner. — Curer, curage. Drague. — Service de voirie. Poubelle. Balayeurs. Balayeuse mécanique. Camion à ordures. Boueurs. Décharge publique. Usine de transformation. — Egout. Egoutier. Egout collecteur. Sentine. — Tout à l'égout. Fosse. Vidange, vidangeur. Epandage.

**Etat de saleté.** — Sale. Malpropre. Ord. Crasseux. Graisseux. Souillon. — Boueux. Crotté. Fangeux. — Merdeux. Pisseux. Morveux. Chassieux. Roupieux. Cireux. Baveux. Suant. Purulent. — Répugnant. Dégoûtant.

## OREILLE
(latin, *auris;* grec, *ous, ôtos*)

**L'organe.** — *Oreille externe.* Pavillon. Hélix ou Ourlet. Anthélix. Tragus. Antitragus. Lobe ou Lobule. Conque. Conduit auditif externe.

*Oreille moyenne.* Tympan. Fenêtres. Trompe d'Eustache. Osselets (Marteau. Os lenticulaire. Enclume. Etrier).

*Oreille interne.* Rocher. Labyrinthe. Limaçon. Nerf auditif. Lymphe.

Glandes parotides. Cérumen. Cire.

**Audition.** — Ouïe. Ouïr. Percevoir les sons. — ENTENDRE. Ecouter. Ausculter, auscultation. — Prêter l'oreille. Dresser l'oreille. Chauvir des oreilles (chevaux, mulets). — Avoir l'oreille fine, l'oreille dure. — Fermer l'oreille. — L'acoustique. Acoumètre. Cornet acoustique. Tympan acoustique. — Parler à l'oreille. Ecorcher les oreilles. Corner aux oreilles.

**Accidents.** — Etre SOURD. Surdité. Sourd et muet. Surdimutité. — Bourdonnement, bourdonner. Tinter, tintement. Corner, cornement. — Oreillons. Parotite. Otite. Otalgie. Ecoulement d'oreilles ou Otorrhée. Perforation du tympan. Salpingite. — Otologie.

Bretauder. Ecourter. Courtauder. — Essoriller. Couper les oreilles. — Tirer les oreilles. Coiffer le sanglier.

**Relatif à l'oreille.** — Pendant d'oreille. Boucle d'oreille. — Oreiller. — Oreillère (de casque). — Orillon (de charrue). — Cure-oreille. — Perce-oreille (insecte). — Oreil-

lard (à oreilles pendantes). Monaut (à une seule oreille). — Oreillard (chauve-souris). — Myosotis. — Oreille de mer.

## ORFÈVRE

**Art.** — Orfèvre, orfèvrerie. Argentier, argenterie. Bijoutier, bijouterie. Joaillier, joaillerie. — Fonderie. Sculpture. Ciselure. Gravure. Galvanoplastie. — Styles divers. Art moderne. — Or. Argent. Vermeil. Doublé. Plaqué. Filigrane.

Fondeur. Ciseleur. Graveur. Argenteur. Brunisseur. Estampeur. Metteur en œuvre. Plaqueur. Damasquineur. Nielleur.

**Pièces orfévrées.** — *Argenterie.* Vaisselle. Vaisselle plate. Plats. Plateaux. Couverts. Fourchettes. Cuillers. — Coffret. Boîte. Drageoir. Bonbonnière. Tabatière. — Vase. Coupe. Gobelet. Timbale. Tasse. Bol. — Soupière. Cafetière. Chocolatière. Théière. Aiguière. Sucrier. — Lampadaire. Candélabre. Flambeau. Torchère. Chandelier. Lustre. — Accessoires de mobilier. Statuettes. — Accessoires de toilette. Bijoux.

*Objets religieux.* Ostensoir. Calice. Ciboire. Crosse. Patène. Châsse. Reliquaire.

**Ornements.** — Emaux. Pierreries. Incrustations. Nielle. Damasquinage. — Personnages. Animaux. Fleurs. Feuilles. — Ogives. Flèches. Colonnettes. Rosaces. Cintres. — Bosse. Demi-bosse. Filet. Marli (filet). Godron (œuf allongé). Guillochis. Applique. Nœud. Ove. Rocaille. Feston. Fleuron. Guirlande.

**Travail.** — Monter une pièce, monture. Enformer. — Donner une chaude. Recuire, recuite. Dérocher. Ebarber. Emboutir, emboutissage. — Ecrouir. Marteler. Gironner. Enformer. — Planer. Dresser. Relever. Lanter. — Restreindre. Plaquer. Matir. Brunir. — Godronner. Guillocher. Bosseler. Repousser. Estamper.

Argenter, argenture. Dorer, dorure. Emailler. Damasquiner. Nieller, niellure. — Graver. Ciseler.

**Outillage.** — Balancier. Bigorne. Bouloir. Bouterolle. Brunissoir. Burin. Coussin. Dé. Ebarboir. Emboutissoir. Estampe. Frappeplaque. Laminoir. Mandrin. Marteau. Matoir. Onglet. Planoir. Saie. Triboulet. — Bain galvanoplastique. — Passoire à cendres.

## ORGE
(latin, *hordeum*)

**Le grain.** — Orge à deux rangs. Orge à six rangs. — Orge commune. Orge carrée.

ORGIE, f. V. *Bacchus, débauche, luxure.*

Orgue, m. V. *instruments de musique, église.*

Orgueil, m. V. *affectation, noble.*

ORGUEILLEUX. V. *orgueil.*

Orient, m. V. *soleil, géographie, perle.*

ORIENTAL. V. *orient.*

ORIENTATION, f. Orienter. V. *lieu, diriger, reconnaissance.*

ORIFICE, m. V. *ouvert.*

ORIFLAMME, f. V. *drapeau.*

ORIGINAIRE. V. *origine.*

ORIGINAL. Originalité, f. V. *bizarre, rare, premier, nou-*

*veau, personne, propre.*

Origine, f. V. *famille, commencer, cause, base.*

ORIGINEL. V. *origine, péché.*

ORIN, m. V. *corde.*

ORIPEAU, m. V. *or, cuivre.*

ORLE, m. V. *bouclier, architecture.*

ORMAIE, f. V. *orme.*

---

Escourgeon. Orge noire. Orge plate ou Paumelle.

**Qui a trait à l'orge.** — Orge mondé, monder. Orge perlé. — Sucre d'orge. Orgeat. Atole (bouillie). Whisky. Malt, malter. — Drêche (marc). Hordéine (son). — Hordéacé. Hordéiforme. Hordéique. — Orgelet (tumeur aux paupières).

## ORGUE

**L'instrument.** — Un orgue. Les grandes orgues. Orgue hydraulique. — Harmonium. Harmoniflûte. Célesta. — Facteur d'orgues. Organier. — Toucher de l'orgue. Organiste. — Recherche. Expression. Point d'orgue.

Orgue de Barbarie. Serinette. — Moudre de l'orgue. Tourner la manivelle. Seriner.

**Extérieur.** — Buffet. Fût. Positif. Cabinet d'orgue. Montre d'orgue. Tuyau de montre. Plate-face. — Tourelles. Volet. Clairvoir. Boîte ou Caisse (d'orgue de Barbarie).

**Mécanisme.** — Clavier. Registre. Touche. — Sommier. Laye. Chape. Gravure. — Pédale. Jeu de pédales. Tirasse. — Soupape. Abrégé. Pilot. — Tuyau. Lèvre. Biseau. — Noyau. Anche. Echalote. Lumière. Tremblant. — Soufflerie. Châssis. Soufflets. Eclisse. Têtière. — Loge. Gosier. Porte-vent.

Cylindre. Rouleau. Manivelle (orgue de Barbarie).

**Jeux.** — Jeu d'orgue. — Jeu de fond. Jeux ouverts. Jeux de bourdon. Jeux de mutation. Plein jeu. Jeux à anche. Jeux à anches libres. Jeux à anches battantes.

Les cent jeux possibles. Basson. Bombarde. Clairon. Clarinette. Cor anglais. Cornemuse. Cornet. Cymbale. Doublette. Flageolet. Flûte. Hautbois. Larigot. Nasard. Prestant. 8 pieds. 32 pieds. Tierce. Timbale. Trompette. Violoncelle. Voix céleste. Voix humaine, etc.

## ORGUEIL

**Attitudes.** — Grands airs. Airs avantageux. Air conquérant. Air méprisant, dominateur. Air affecté. — Ton cassant, tranchant, cavalier. — Ton doctoral, magistral, pédant. — Porter haut le front. Relever la tête. Prestance. — Bouffi d'orgueil. Se gonfler. Se rengorger. — Faire des embarras. Se prélasser. Se carrer. — Faire la roue. Se pavaner. Se panader. Parader. Piaffer. — Poser, poseur. Epateur. Esbroufeur. — Faire le coq. Faraud. Fier comme Artaban.

Morgue. Froideur. Raideur. — Raide.

Rogue. — Empesé. Guindé. Gourmé. — Regarder de haut. Etre inabordable, inaccessible. — Monter sur ses ergots. Monter sur ses grands chevaux.

**Sentiments.** — Altier. Hautain, hauteur. — Méprisant, mépris. Dédaigneux, dédain. Arrogant, arrogance. — Orgueil, orgueilleux. Superbe. — Plein de soi-même. Epris de soi-même. — Fumées de l'orgueil. Vaine GLOIRE. Gloriole. Glorieux. — Gonflé, enflé, pétri, ivre d'orgueil.

Prétentieux, prétention. Présomptueux, présomption. Outrecuidant, outrecuidance. — Fat, fatuité. Infatué, infatuation. Vain, vanité, vaniteux. Suffisant, suffisance. — Immodeste, immodestie. Insolent, insolence. Impertinent, impertinence. Impudent, impudence. — Egoïsme. Amour-propre. — Confiance en soi. — Contentement de soi-même. Prétention.

Ambition, ambitieux. — Faste, fastueux. Magnificence, magnifique. — Dignité. Noblesse. Fierté. Fermeté.

**Actions.** — Faire l'important. Faire le grand seigneur, la grande dame. Trancher du personnage. — Pontifier. Trôner. — Se faire valoir. Se targuer. Se vanter, vantardise. Se faire gloire de. Se glorifier. Fanfaronnade. — Faire montre de. Ostentation. Eblouir. Etaler, étalage. Jeter de la poudre aux yeux. — S'afficher. Agir en parvenu. — Elever des prétentions. S'ériger en. S'arroger des droits. — Le prendre de haut. Avoir le verbe haut. Faire le rodomont.

Se croire supérieur aux autres. S'enorgueillir. S'admirer. Se regarder avec complaisance. S'écouter. S'applaudir. Ne douter de rien. — Dominer. Mépriser. Dédaigner.

## ORIENT

**Région.** — Orient. Levant. Est. Nord-est. Sud-est.

Indes orientales. — Asie, asiatique. — Proche Orient. Extrême Orient. Moyen Orient. — Echelles du Levant.

**Qui concerne l'Orient.** — Oriental, orientalisme, orientaliste. — Les orientaux. Les Levantins. — S'orienter, orienter, orientation. Désorientation. Orienteur (appareil). — L'orient d'une perle. — Le Grand Orient.

## ORIGINE

**Extraction.** — Origine. Naissance. Descendre de. Né de. Issu de. — Généalogie. Arbre généalogique. Filiation. FAMILLE. Des-

**Orme,** m. V. *arbre.*
ORMEAU, m. V. *orme.*
ORMUZD, m. V. *Perse.*
ORNE, m. V. *frêne.*
ORNEMANISTE, m. V. *peinture, orner.*
ORNEMENT, m. Ornemental. V. *beau, orner.*
**Orner.** V. *garnir.*
ORNIÈRE, f. V. *chemin, creux, boue.*
ORNITHOLOGIE, f. V. *oiseau.*

OROGRAPHIE, f. V. *géologie, montagne.*
ORONGE, f. V. *champignon.*
ORPAILLEUR, m. V. *or.*
ORPHELIN, m. V. *enfant.*
ORPHELINAT, m. V. *hôpital.*
ORPHÉON, m. Orphéoniste, m. V. *chant.*
ORPHIQUE. V. *mystère.*
ORTEIL, m. V. *pied, doigt.*
ORTHODOXE. Orthodoxie, f. V. *vrai, opinion, religion.*

ORTHOGRAPHE, f. Orthographier. V. *écrire, grammaire.*
ORTHOPÉDIE, f. V. *droit, bandage.*
ORTHOPTÈRE, m. V. *insecte.*
ORTIE, f. V. *épine.*
ORTOLAN, m. V. *oiseau.*
ORVET, m. V. *serpent.*
ORVIÉTAN, m. V. *médicament.*
ORYCTOLOGIE, f. V. *fossile.*
**Os,** m. V. *corps, cadavre.*

---

cendance. — Originaire. Autochtone. Aborigène. — Génération. Engendrer. Produire. Générateur. Génératif.

**Provenance.** — Tirer son origine de. Provenir de. Venir de. Sortir de. — Procéder de. Dériver de. Emaner de. — Cause originelle. SOURCE. Germe. — Etymologie, étymologique. RACINE. Radical. Famille de mots.

**Point de départ.** — BASE. Fondement. Fond. — PRINCIPE. CAUSE. Motif. — MODÈLE. Type. Prototype. Minute (d'un acte). — Commencement, COMMENCER. Initial. — PREMIER. Primitif. Primordial. — Originalité, original. Primesautier.

### ORME

**Qui concerne l'orme.** — Orme. Ormeau. Ormaie. — Orme champêtre. Orme subéreux. Ypréau. Tortillard. — Loupe. Samare (fruit). — Ulmacé.

### ORNER

**Façons d'orner.** — Art décoratif. Art ornemental. — Architecte. Décorateur. Ornemaniste. — Couturier. Bijoutier. Coiffeur. Modiste, etc.

Adorner. — Apprêter. — ARRANGER. — Atourner. — Attifer. — Border. — Brocher. — Broder. — Canneler. — Chamarrer. — Chiner. — Ciseler. — Coiffer. — Couronner. — Damasquiner. — Damasser. — Décorer. — Denteler. — Diaprer. — Dorer. — Emailler. — Embellir. — Enguirlander. — Enjoliver. — Enluminer. — Façonner. — Fleurir. — Galonner. — Garnir. — Godronner. — Guillocher. — Habiller. — Historier. — Incruster. — Lustrer. — Maquiller. — Mettre en valeur. — Nieller. — Ouvrager. — Parer. — Pavoiser. — Peindre. — Pomponner. — Rehausser. — Requinquer. — Revêtir. — Sculpter. — Vernir.

**Ornements artistiques.** — Colonne. Colonnette. Pilastre. — Chapiteau. Frise. Corniche. Fronton. — Arc. Arceau. Ogive. Rosace. — Flèche. Clocheton. — MOULURE. Astragale. Listel. Cannelure. Nervure. BANDE. Bandeau. Modillon. — Atlante. Cariatide. — Massacre. Bucrâne. Mascaron. — Compartiment. Médaillon. Caisson. Tympan. — Mosaïque. Marqueterie. Fresque. Tapisserie. — Attributs. Insignes. Armoiries. Emblèmes. Trophée. Cartouche. Cartel. — Broderie. Frange. Galon. Gland. Pomme. — Draperies.

Chute. Lambrequin. Tenture. — Encadrement. Découpure. Bordure. Filet. — Illustration. Enluminure. Miniature. — Frontispice. Cul-de-lampe. Vignette. Fleuron. Lettrine. Lettre moulée. — DRAPEAU. Flamme. Banderole.

**Ornements féminins.** — Ajustement. Atours. Fanfreluches. Colifichets. — PLUMES. Panache. Aigrette. — Houppe. Bouffette. Pompon. — NŒUD. Cocarde. Rose. Rosette. — Broderie. Dentelle. Guipure. Mignardise. — RUBAN. Galon. Ganse. Torsade. CORDON. Cordelière. — Bouillons. Volants. Bouffants. — PLIS. Fronces. — Frivolités. Clinquant. Prétintaille. — Fleurs. Bouquets. TOUFFES. — Fourrure. Garniture.

BIJOUX. Collier. Pendentif. Bracelet. CHAÎNE. Broche. Agrafe. Bague. Boucles d'oreilles. Pendeloque. Peignes.

Coiffure. Frisure. Boucles. Ondulations. — Fard. Poudre. Rouge. Mouche. EMAIL.

**Styles.** — Epoque. Style. — Egyptien. Assyrien. Perse. Grec. Etrusque. Romain. Byzantin. Roman. Gothique. Flamboyant. Arabe. Renaissance. Henri II. Louis XIII. Louis XIV. Régence. Louis XV. Rococo. Pompadour. Louis XVI. Pompéien. Directoire. Empire. Restauration. — Romantique. Second Empire. Style moderne. Art nouveau.

**Motifs décoratifs.** — Acanthe. — Arabesques. — Bandes. — Bâtons rompus. — Besants. — Billettes. — Boucles. — Boutons. — Câble. — Canaux. — Chapelet. — Chevrons. — Coquilles. — Culots. — Damier. — Dards. — Denticules. — Dents de scie. — Ecailles. — Enroulements. — Entrelacs. — Etoiles. — FESTONS. — Feuillages. — Feuilles d'eau. — Flots. — Fuseaux. — Godrons. — Gouttes. — Grecque. — GUIRLANDE. — Imbrications. — Losanges. — Méandres. — Natte. — Nébulés. — Nielles. — Olivier. — Ondes. — Oves. — Palmettes. — Perles. — Piécettes. — Pointes de diamant. — Postes. — Quintefeuille. — Rais de cœur. — Rayures. — Rinceaux. — Rosaces. — Ruban. — Semis. — Spires. — Stalactites. — Têtes de clous. — Têtes plates. — Tore de laurier. — Torsade. — Trèfles. — Tresse. — Vermiculures. — Volutes.

### OS
(latin, *os ;* grec, *ostéon*)

**Constitution des os.** — Corps de l'os. Osséine. Tissu éburné. Ivoire. Tissu spongieux.

OSCILLATION, f. Osciller. V. *balancer, pendule, mouvement.*

OSCITATION, f. V. *convulsion.*

OSCULATION, f. V. *caresse, toucher.*

OSÉ. V. *hardi.*

OSEILLE, f. V. *acide.*

OSER. V. *entreprendre.*

OSERAIE, f. V. *osier.*

**Osier,** m. V. *panier, claie.*

OSSATURE, f. V. *os.*

OSSELET, m. V. *os, doigt, jeu.*

OSSEMENT, m. V. *cadavre.*

OSSEUX. V. *os.*

OSSIFICATION, f. Ossifier. V. *os, concrétion.*

OSSUAIRE, m. V. *os, cadavre.*

OSTÉITE, f. V. *os.*

OSTENSIBLE. Ostension, f. V. *apparaître, reliques.*

OSTENSOIR, m. V. *eucharistie.*

OSTENTATION, f. V. *montrer, orgueil, apparaître.*

OSTÉODERME, m. V. *coquillage.*

OSTÉOLOGIE, f. Ostéotomie, f. V. *anatomie, os.*

OSTRACISME, m. V. *bannir.*

OSTRACODERME, m. V. *coquillage.*

OSTRÉICULTURE, f. V. *huître, mollusque.*

OTAGE, m. V. *garant, prison.*

OTALGIE, f. V. *oreille.*

OTARIE, f. V. *phoque.*

**Oter.** V. *tirer, arracher, chasser.*

OTITE, f. V. *tête, oreille.*

OTOLOGIE, f. V. *oreille.*

OTO-RHINO-LARYNGOLOGIE, f. V. *sourd.*

---

Téguments. Périoste. — Pores, poreux. Sinus. — Moelle, médullaire. — Ligaments. Tendons, tendineux. — Cartilage, cartilagineux. — Synovie.

Gélatine. Chaux. Phosphore. Magnésie. Phosphates. Carbonates.

**Charpente osseuse.** — Os longs. Os courts. Os plats. Gros os. Petits os. Osselets. — Squelette. Ossature. — Diaphyse (corps d'os long). — Epiphyses (extrémités). — Os pisiformes, lenticulaires, orbiculaires, lenti‹ formes, etc.

Apophyse. Arcade. Col. Condyle. Crête. Eminence. Epine. Nodosité. Tête. Tubérosité. Courbure. Saillies. — ARTICULATION. Jointure. Emboîtement. Gomphose. — Cavité. Cotyle. Glène. Gouttière.

**Squelette.** — *Os de la tête.* Frontal. Temporal. Pariétal. Arcade sourcilière. Os nasal. Ethmoïde. Vomer. Malaire. Conduit auditif externe. Apophyse mastoïde. Maxillaire supérieur. Maxillaire inférieur. Occipital. Rocher.

*Os du tronc.* — Vertèbres. Clavicule. Acromion. Sternum. Côtes. Omoplates. Colonne vertébrale. Appendice scyphoïde. Côtes flottantes. Os iliaque. Epine iliaque. Pubis. Sacrum. Coccyx. Ischion.

*Os du bras.* — Humérus. Cubitus. Radius. Carpe. Métacarpe. Phalanges.

*Os des jambes.* Fémur. Trochanter. Rotule. Tibia. Péroné. Astragale. Calcanéum. Malléole. Tarse. Métatarse. Phalanges.

**Maladies.** — Ostéite. Ostéomyélite. Nécrose, nécrosique. Lésions tuberculeuses. Rachitisme. Ostéomalacie. Atrophie. Anthracose. Carie. Exfoliation. Exostose. Chondrocèle. Symphyse. Carnification. Périostite. Gangrène. Abcès.

Fracture. Fêlure. Luxation. Entorse. Dislocation. Déboîtement. Tophus. Esquilles. Calus.

Chirurgien. Rebouteur. — Opération. Résection. Réduction. Ablation.

**Qui concerne les os.** — Ostéologie. Ostéotomie. Chondrologie. Ostéogénie. — Ossification. Ossifié. Osseux. Ossu. — Ossements. Ossuaire. Reliques. — Désosser, désossement. Réjouissance. — Noir animal. Poudre d'os. — Osseret (couperet).

Mots en *oss*, comme Ossifère. Ossivore, etc. — Mots en *ostéo*, comme Ostéoderme.

## OSIER

**Plante.** — Osier. Oseraie. — Jets. Verge. Brins d'osier. Molle d'osier. — Saule. Saule pleureur. Saulaie. Saussaie. — Vime (osier), viminal.

**Emploi.** — Ecafer l'osier. Vannerie. — CLAIE. Clayonnage. Clisse. NATTE. — Nasse. PANIER. Corbeille. Hotte. Eventaire. — Hart. Rouette. Torchette.

## ÔTER

**Enlever.** — Débarrasser. DÉGAGER. Déblayer. — Déplacer. Emporter. Délester. — NETTOYER. Balayer. Epousseter. — Détacher. Dégrafer. Délacer. Déclouer. Desceller. Dévisser. — Dénuder. Dévêtir. Déshabiller. Mettre habit bas. Déchausser. Déganter. Plumer. — Dégarnir. Découvrir. Démeubler. Dépailler. Démanteler. — Déferrer. Débrider. Déchaîner. — Décortiquer. Peler. Eplucher. Ecorcer. Ecaler. — Démuseler. Démoucheter. Décacheter. Déboucher. — Décrotter. Dégraisser. — Dépaver. Décarreler. Démâter. — Cueillir. Moissonner. Ramasser. Glaner.

**Retrancher.** — Décompter. Déduire. Escompter. Défalquer. Retenir. — Déduction. Retenue. Différence. Reste. — DIMINUER. Rogner. Ecourter. Raccourcir. Distraire de. Soustraire. Prélever. — Retirer. Retraire. Rabattre. — Mettre à part. Excepter. — Epurer. Expurger. — Elaguer. Emonder. Etêter. Ebrancher. Ebourgeonner. — Echeniller. Epucer. Epouiller. — Ebrécher. Echancrer. Entamer. Ecorner. — Epointer. Ebarber. Effeuiller. Egrener. — Désosser. Ecrémer. — Déboiser. Epierrer. — Séparer. COUPER. Coupure. Aphérèse. Apocope. Syncope.

**Extraire.** — Extirper. ARRACHER. Déraciner. Déplanter. — Tirer de. Déballer. Décharger. Débarquer. — Déterrer. Exhumer. — Exprimer. EPUISER. Vider. — Décaisser. Dépocher. — Dénicher. Démouler. Dégainer. — Extorquer. Extrader.

**Priver.** — Priver. Dessaisir. Frustrer. Déposséder. — Spolier. Dépouiller. Détrousser. Dévaliser. Voler. — Démunir. Dépourvoir. Dénantir. Destituer. — Exproprier. Evincer. Exhéréder. Déshériter. — Excommunier. Interdire. Exclure. — Exiler. Expatrier. Dépeupler. — Mutiler. Tronquer. Essoriller. Eborgner. Edenter. — Emasculer. Châtrer. Chaponner. — Détrôner. Découronner. Déca-

OTORRHÉE, f. V. *oreille*.

OTOSCOPIE, f. V. *sourd*.

OTTOMAN. V. *Turc*.

OTTOMANE, f. V. *siège*.

OUAILLE, f. V. *mouton, religion*.

OUATE, f. Ouater. V. *bourre, coton*.

**Oubli**, m. V. *manque, mémoire, pardon*.

OUBLIER. V. *oubli*.

OUBLIETTES, f. p. V. *fosse*.

OUBLIEUX. V. *indifférent*.

OUEST, m. V. *occident*.

OUÏ-DIRE, m. V. *dire, entendre*.

OUÏE, f. V. *sensation, entendre*.

OUÏES, f. p. V. *respiration*.

OUISTITI, m. V. *singe*.

OURAGAN, m. V. *tempête*.

OURDIR. V. *tissu, machiner*.

OURLET, m. V. *coudre, bord*.

**Ours**. V. *animal, hargneux*.

OURSIN, m. V. *polype*.

OURSON, m. V. *ours*.

OUTARDE, f. V. *oiseau*.

**Outil**, m.

OUTILLAGE, m. Outiller. V. *outil*.

OUTRAGE, m. Outrager. V. *injure, violence*.

OUTRE (préf.). V. *excès*.

OUTRE, f. V. *chèvre*.

OUTRÉ. V. *colère*.

OUTRECUIDANCE, f. Outrecuidant. V. *hardi, orgueil, affectation*.

OUTREMER, m. V. *teindre, mer*.

OUTREPASSER. V. *plus, hors*.

**Ouvert**. V. *entrer, fente*.

---

piter. — Désarmer. Couper la retraite. Couper les vivres. — Ravir. Rapt. Rafle. Razzia. — Sevrer. S'ABSTENIR.

**Supprimer.** — Suppression. Ablation. — Rayer. Radier. Eliminer. — Elider, élision. Ellipse. — Faire disparaître. DÉTRUIRE. Raser. Effacer. *Deleatur*. — Abolir. Abroger. Casser. Annuler. — Exonérer. Exempter. Remettre. Faire remise. — Résilier. Donner mainlevée. — Raboter. Limer. Aplanir. — Guérir. Libérer. Lever un obstacle. — Passer sous silence. Taire. — Epiler. Sarcler.

### OUBLI

**Manque de mémoire.** — Mémoire courte, débile, labile, infidèle. — Défaut de mémoire. Amnésie. Souvenir confus. — Oublier, oubli, oublieux. Avoir des absences. Profond oubli. — Perdre la mémoire. Perdre la tête. Se brouiller. Ne plus savoir. — Se rouiller. Rester court. — Echapper, sortir de la mémoire. — Sommeil de la mémoire. Léthé. Lotus.

**Manque d'attention.** — Etourderie, étourdi. Inattention, inattentif. Inadvertance. — Détourner l'attention. Distraire. Distraction. Distrait. — Omettre. Ne plus penser à. — Laisser échapper. Prétérition. — Faire par mégarde. — Léger, légèreté. Négligent, négligence. Ne pas y être. — Omission. Lacune. Manque. Manquement. Bourdon (en typographie).

**Ne pas tenir compte.** — Abnégation. Renoncement, renoncer à. — PARDON, pardonner. Absoudre. Amnistie, amnistier. — Se consoler. S'étourdir. Noyer ses chagrins. — Laisser de côté. Laisser tomber. — Mépriser. Dédaigner. — Inobservance. Inobservation. Manquement. FAUTE. — Perdre de vue. Ne pas tenir sa parole. Ne pas exécuter sa promesse. — Ne pas reconnaître. Ingratitude. Eteindre, étouffer le souvenir de. — Se désaccoutumer. Se déshabituer.

DISPARAÎTRE, disparition. — Tomber dans l'oubli. — Se perdre dans la nuit des temps. — S'oblitérer, oblitération. — Désuétude.

### OURS

**Qui concerne l'ours.** — Ours. Ourse. Ourson. — Ours blanc. Ours brun. Ours noir. Ours grizzly. Ours des cocotiers. Ours aux grandes lèvres, etc. — Plantigrade.

Montreur d'ours. — La grande, la petite Ourse. — Ourson (bonnet de fourrure). — Peau d'ours (tapis).

### OUTIL

**Ensemble d'outils.** — Outillage, outiller. Matériel. Attirail. — Equipage. Engins. Appareil. — Trousse. Instruments. — Œuvres blanches (outils tranchants). Grosserie (taillanderie). — Ustensiles. — Machines-outils.

**Parties d'outils.** — MANCHE. Poignée. Douille. — Fer. LAME. Taillant. Tranchant. Brettelure. Fil. Pointe. Biseau. — Talon. Tête. Tige.

Taillandier, taillanderie. Outilleur. Monter, montage, monteur. Affûter, affûtage. AIGUISER.

**Les outils.** — BARRE. CISEAU. CISEAUX. COMPAS. COUTEAU. CROC. ENCLUME. ETAU. HACHE. LEVIER. LIME. MACHINE. MARTEAU. PELLE. PINCE. Outils à PERCER. SCIE, etc.

Pour les outils particuliers, voir les professions diverses.

### OUVERT

**Ouverture.** — Arche. Arcade. Baie. — Fenêtre. Croisée. Jour. Lucarne. Vue. — Guichet. Judas. Regard. Soupirail. Vasistas. Lunette. — Hublot. Sabord. Ecoutille. Ecubier. — Barbacane. Créneau. Mâchicoulis. Meurtrière. — Fente. Hiatus. Cassure. ECART. Echancrure. — Bouche. Gueule. Event. ANUS. Orifice.

Œil. Œillet. Boutonnière. — Encoche. ENTAILLE. Evasement. — Eventration. Cicatrice. — Claire-voie. Chatière. Musse. — Bâillement. Bouche bée. Ecarquillement — Bonde. Chantepleure.

**Passage.** — Communication. — Entrée. Sortie. Issue. Vomitoire. — Couloir. Corridor. Galerie. Dégagement. — PORTE. Trappe. Pertuis. Renard. — Défilé. Col. Tunnel. Trouée. Percée. — Embouchure. Embrasure. Brèche. Voie d'eau. — Séparation. Interstice. Intervalle. Déhiscence. — Filtre. Passoire. Ecumoire. Pomme d'arrosoir. — Exutoire. Emonctoire. PORES. Stomates. — Soupape. Valve. Tubulure.

**Trou.** — ANTRE. Grotte. Caverne. — Cratère. Crevasse. Excavation. Entonnoir. — CREUX. Fosse. Fossé. Fossette. — Silo. Dé-

ÖÜVERTURE, f. V. *ouvert, angle, chasse, proposer, commencer.*
OUVRABLE. V. *travail, jour.*
OUVRAGE, m. V. *travail, fortification, art, livre.*
OUVRAGER. V. *orner.*
OUVREAUX, m. p. V. *verre.*
OUVRER. V. *travail.*
OUVREUSE, f. V. *théâtre.*
**Ouvrier,** m. V. *travail, salaire, classe.*

OUVRIR. V. *ouvert, serrure, couper, commencer.*
OUVROIR, m. V. *linge, coudre.*
OVAIRE, m. V. *œuf, fleur.*
OVALE. V. *œuf, courbe.*
OVATION, f. V. *triomphe, honneur.*
OVE, m. V. *architecture.*
OVIFORME. V. *œuf.*
OVIN. V. *mouton.*
OVIPARE. V. *œuf, parturition.*
OVOÏDE. V. *œuf.*

OVOVIVIPARE. V. *animal.*
OVULATION, f. Ovule, m. V. *œuf.*
OXALATE, m. Oxalique. V. *acide.*
OXYDABLE. Oxydation, f. V. *oxyde.*
**Oxyde,** m. V. *chimie.*
OXYDER. V. *brûler.*
OXYGÈNE, m. V. *gaz.*
OZÈNE, m. V. *nez.*
OZONE, m. V. *gaz.*

---

charge. — GOUFFRE. Abîme. Précipice. — Réservoir. Citerne. Puits. Puisard. — MINE. CARRIÈRE. — Fondis. Ornière. Fondrière. — Perte d'eau. Bétoire. — Tanière. Clapier. Boulin (de colombier). — Trou de souris. Mangeure de vers. MORTAISE.

**Façons d'ouvrir.** — Ajourer. — Aérer. — Créneler. — Creuser. — Crocheter. — Dilater. — Disjoindre. — Ebraser. — Ebrécher. — Ecarquiller. —. Echancrer. — Elargir. — Enfoncer. — Entailler. — Entrebâiller. — Entrouvrir. — Fendre. — Forcer. — Libérer. — Ouvrir. — Percer. — Perforer. — Piquer. — Pousser. — SÉPARER. — Tourner la clef. — Trouer.

Débâcler. Déballer. Débarrer. Débonder. Déboucher. Décacheter. Décadenasser. Déboutonner. Délacer. Dégrafer. Déchirer. Découdre. Décloîtrer. Découvrir. Défoncer. DÉGAGER. Démurer. Dépaqueter. Désemballer. Désobstruer. Désopiler. Détacher. Dénouer. Déplier. Desserrer. Déclore. Déverrouiller.

S'ouvrir. S'entrouvrir. Bâiller. Béer. Se disjoindre. — Eclater. Eclore. S'épanouir. S'évaser. — Se fendre. Se crevasser.

## OUVRIER

**Travailleurs.** — Main-d'œuvre. Personnel. — Contremaître. Technicien. — Artisan. Ouvrier. Compagnon. Apprenti. — Manœuvre. Homme de peine. Tâcheron. Journalier. Ouvrier agricole. — Salarié. DOMESTIQUE. Garçon. Aide. — Ouvrière. Grisette. Midinette.

**Organisation du travail.** — Manufacture. Usine. Atelier. Chantier. — Patron. Entrepreneur. Directeur. — Corps de métiers. Corporation. Spécialité.

Emploi. Embaucher. — Débaucher. Mettre à pied. — Equipe. SALAIRE. Paye. — Tâche. Besogne. Rendement. — Travail à façon, aux pièces, à la journée, à l'heure. — Jour ouvrier. Journée de huit heures. Semaine anglaise. — Livret d'ouvrier. Conseil des prud'hommes.

**Vie ouvrière.** — Prolétariat, prolétaire. Classe ouvrière. Parti ouvrier. — Assurances sociales. Mutualité. — Syndicat, syndiqué. *Trade-union.* — Habitations ouvrières. — Avoir de l'ouvrage. Gagne-pain. Morte-saison. — Chômer, chômage. — Grève.

## OXYDE

**Oxydation.** — Oxyder, oxydable. Désoxyder, désoxydation. — Rouillure, se rouiller. Rubigineux. — Efflorescence, efflorescent. Ferruginosité, ferrugineux. — Oxygène, oxygéner. — Oxydase. Oxhydrique.

**Oxydes.** — Oxyde. Peroxyde. Protoxyde. Sesquioxyde. Bioxyde.

Vert-de-gris. Colcotar. Litharge. Massicot. Minium. Orpiment. Patine. Rouille. Tuthie. Verdet.

Oxydes anhydrides, basiques, neutres, indifférents, salins, singuliers.

# P

PACAGE, m. V. *berger, paître*.
PACHA, m. V. *Arabes*.
PACHYDERME, m. V. *animal, épais*.
PACIFICATEUR, m. Pacifier. V. *paix, calme*.
PACIFISME, m. Pacifiste, m. V. *paix*.
PACOTILLE, f. V. *amas, marchandises, bagage*.
PACTE, m. V. *convention, politique, paix*.
PACTISER. V. *céder*.
PACTOLE, m. V. *or*.
PADDOCK, m. V. *cheval*.
PADDY, m, V. *riz*.
PAGAIE, f. V. *rame, bateau*.

PAGANISME, m. V. *religion, impie*.
PAGE, m. V. *domestique*.
**Page,** f. V. *livre, imprimerie*.
PAGINATION, f. Paginer. V. *page*.
PAGNE, m. V. *habillement*.
PAGODE, f. V. *temple, Chine*.
PAIEMENT, m. V. *payer*.
PAÏEN, m. V. *religion*.
PAILLARD. Paillardise, f. V. *débauche*.
PAILLASSE, m. V. *bateleur*.
PAILLASSE, f. V. *paille, lit*.
PAILLASSON, m. V. *paille, tapis, natte*.

**Paille,** f. V. *tige, fourrage, acier*.
PAILLER, m. V. *paille, cour*.
PAILLETTE, f. V. *métal, or, fleur*.
PAILLON, m. V. *paille, chaîne, souder*.
**Pain,** m. V. *manger, boulanger, beurre, savon, fromage*.
PAIR. V. *égal*.
PAIRE, f. V. *deux, joindre, gant, meule*.
PAIRIE, f. V. *titre*.
PAISIBLE. V. *paix, calme*.
PAISSEAU, m. V. *vigne*.
**Paître.** V. *bestiaux, herbe*.

## PAGE
(latin, *pagina*)

**Feuille écrite ou imprimée.** — Page. Feuillet. Folio. — Feuille volante. Rôle. — Garde. Onglet (2 pages). Carton (4 pages). Passe-partout.

Page de livre. Page de cahier. Page d'écriture. Pages choisies.

Marge. Lignes. Colonne. — En-tête. Dos. — Recto. Verso. — Larron (coin en blanc). Feuilleter. Tourner les pages. — Signet. Corne.

**Travail de la page.** — Commencer en belle page. — Mettre en pages. Mise en pages. Metteur en pages. — Imposer, imposition. Encarter. Interfolier. — Paginer, pagination. Folioter. Numéroter. — Table. Index.

V. IMPRIMERIE. RELIEUR.

## PAILLE

**Sortes de paille.** — Paille de froment, de seigle, de maïs, d'avoine, etc. — Foin. — Paille de riz. Paille d'Italie.

Brin de paille. Bûchette. Fétu. — Tige. Tuyau de paille. Chalumeau. Chaume. Eteule. Fouarre. — Feurre (à chaise). Glui (à toiture). — Glume. Balle. Paillette.

**Récolte.** — Faucher. Scier. Etraper. — Chaumer (enterrer le chaume). Epailler (tirer la paille).

Botte de paille. Botteau. Botte fourrée. — Botteler, botteleur. — Gerbée. Meule. Meulon. — Tas de paille. Pailler (cour à paille). — Un cent, un mille de paille.

**Emploi.** — Bouchon de paille. Brandon. Paillon. — Couvrir en paille. Chaumière. Chaumine. — Fourrage. Hache-paille. — Paillasse. Litière. — Hart. Torquette. — TRESSE, tresser. NATTE, natter. Paillasson. Chapeau de paille. Clisse. Fiasque. — Empailler, empaillage, empailleur. — Pailler. Rempailler, rempailleur. — Bauge. Bousillage. Torchis. — Jouer à la courte paille.

## PAIN
(latin, *panis*)

**Fabrication.** — Panifier, panification. Farine panifiable. — Boulangerie. Manutention. Fournil. — Boulanger. Mitron. Gindre. — Pétrir, pétrissage. Pétrin. — PÂTE. Paneton. — Levain. Levure. Lever. — Four. Fournée. Enfourner. Défourner. — Cuire. Cuisson. Gras-cuit. Brûlé. Croustillant. — Croûte. Mie. Talon (croûte de côté). Baisure ou Biseau. Coquille (boursouflure). Œils.

Porteuse de pain. — Taxe du pain.

**Espèces de pains.** — Pain blanc. Pain bis. Pain complet. — Pain de froment. Pain de gruau. Pain de seigle. — Pain de ménage. Pain de fantaisie. Pain de munition. Pain biscuité. — Pain anglais. Pain viennois. — Pain chaud. Pain frais. Pain tendre. Pain mollet. Pain rassis. — Pain de première qualité, de deuxième qualité. — Galette. Fouace. Biscuit de mer.

**Formes de pains.** — Miche. Boule. Pain boulot. — Couronne. Tourte. Pain rond. — Pain long. Pain fendu. Pain polka. — Pain natté. Pain oblong. — Flûte. Gressin. — Petit pain. Croissant.

**Usage du pain.** — Alimentation panaire. Manger du pain. — Pain quotidien. — Avoir du pain sur la planche. — Mettre au pain sec. — Planche à pain. Corbeille à pain. Panetière. — Grand panetier.

Couper. Rompre. Tailler. — Ecroûter. Emietter. — Griller. Rissoler. — Beurrer. — Tremper. — Chapeler. Paner.

Préparations au pain. Soupe. Panade. — Morceau de pain. Tranche. Chanteau. Quignon. Grignon. Brioche. — Tartine. Beurrée. — Rôtie. Toast. Croûtons. — Biscotte. Croustade. — Canapé. Chapon. — Entame. Croûton. Mouillette. — Chapelure. Miettes.

## PAÎTRE

**Action de paître.** — Paître. Manger de l'herbe, du foin. Herbivore. — Paissance.

**Paix,** f. V. *réconcilier, accord, pardon, calme, juges.*

PAL, m. V. *pieu, supplice.*

PALABRE, f. V. *entrevue.*

PALACE, m. V. *auberge.*

PALADIN, m. V. *chevalerie.*

**Palais,** m. V. *architecture, bouche, juges, fleur.*

PALAN, m. V. *corde, poulie.*

PALANQUIN, m. V. *porter.*

PALATAL. V. *bouche.*

PALATINE, f. V. *fourrure.*

PALE, f. V. *rame.*

**Pâle.** V. *blanc, terne.*

PALÉE, f. V. *clôture.*

PALEFRENIER, m. V. *domestique.*

PALEFROI, m. V. *cheval.*

PALÉOGRAPHIE, f. V. *inscription.*

PALÉONTOLOGIE, f. V. *géologie, fossile.*

PALÈS, f. V. *berger.*

PALESTRE, f. V. *gymnastique.*

PALET, m. V. *jeu.*

PALETOT, m. V. *habillement.*

PALETTE, f. V. *moulin, peinture.*

PÂLEUR, f. V. *pâle.*

PALIER, m. V. *escalier, chemin.*

PALIMPSESTE, m. V. *parchemin, effacer.*

PALINGÉNÉSIE, f. V. *naître, répétition.*

PALINODIE, f. V. *changer, opposé.*

PÂLIR. V. *pâle, peau, couleur.*

PALISSADE, f. V. *pieu, clôture, fortification.*

PALISSANDRE, m. V. *meuble.*

PALLADIUM, m. V. *Minerve, amulette.*

PALLAS, f. V. *Minerve.*

PALLIATIF, m. Pallier. V. *couvrir, diminuer, modération, excuse.*

PALLIUM, m. V. *habillement.*

PALMAIRE. V. *main.*

PALMARÈS, m. V. *récompense.*

PALME, f. V. *palmier, feuille, gloire, vainqueur, huile.*

Paisson (en forêt). — Pâturer. Pâture. — Viander (se dit des cerfs). Viandis. — Tondre l'herbe. Se repaître. Pât.

**Lieux de pâture.** — Pâturage. Herbage. Pâtis. Alpage. — Pré. PRAIRIE. Champ. — Parc. Pacage. Cantonnement. — Lande. Savart. Terrain vague. — Embouche. Engrais (herbage). — Terrains communaux. — Terrains de transhumance.

**Droits de pâture.** — Droit d'usage. Droit de pacage. Parcours ou Vaine pâture. Servitude. — Blairie et Padouantage (droits de pâture). — Agistement (dans les bois). — Panage, arrière-panage (porcs en forêt). — Fautrage (dans les prés). — Marchage (entre deux communes). — Charnage (droit sur bestiaux).

**Faire paître.** — BERGER. Bergère. Pâtre. Pastourelle. — Pasteur. Vie pastorale. Vie nomade. — Herbager. Herbageur. — Alpager (propriétaire dans les Alpes). Marcaire (dans les Vosges). — Mener aux champs. Mettre au vert. — Cantonner. Parquer. Pacager. — Transhumer. — Garder les bêtes. Gardien de bestiaux.

## PAIX
(latin, *pax, pacis*)

**Paix entre Etats.** — Suspension d'hostilités. Arrêter, cesser les hostilités. Armistice. Trêve. — Capituler, capitulation. Déposer les armes. — Préliminaires de paix. Faire, conclure la paix. — Traité de paix. Conventions. Articles. Signer la paix. Ratifier, ratification — Désarmer. Démobiliser. Licencier. Mettre sur pied de paix. — Paix fourrée. Paix armée.

**Organisation de la paix.** — Congrès de la paix. Conférences. Pacte. Protocole. Covenant. — Asseoir la paix. Cimenter la paix. Faire régner la paix. — Pacifier. Pacificateur. Neutraliser. Neutralité. — Pacifisme. Pacifiste. Paix perpétuelle. — Société des nations. Arbitrage. Désarmement partiel, général. — Arbre de la paix (olivier).

**Paix entre particuliers.** — Accord. Arrangement. Accommodement. — Faire sa

paix. Se réconcilier, réconciliation. Apaiser les querelles, apaisement. — Concorde. Amitié. — Bons rapports. Rapports amicaux. Bon voisinage. — Calme. Tranquillité. — Se tendre les mains. S'embrasser. — Paroles de paix. Fumer le calumet de la paix.

## PALAIS

**Sortes de palais.** — Palais. Palais royal. Palais princier. Résidence royale. — Château. Manoir. Hôtel. — Hôtel de ville. Evêché. — Palais de justice. Palais d'exposition. Musée. — Monument. Edifice.

**Parties de palais.** — Parc. Jardins. Fontaines. Bassins. — Grille. Cours. Cour d'honneur. — Bâtiment. Façade. Perron. Escaliers. — Donjon. TOUR. PAVILLONS. — Salles. Galeries. Colonnades. — Mobilier. Tapisseries, etc.

**Palais célèbres.** — *A Paris.* — Louvre. Luxembourg. Palais-Royal. Palais-Bourbon. Tuileries. Cluny. Grand et Petit Palais.

*En France.* — Avignon. — Blois. — Chambord. — Chantilly. — Compiègne. — Fontainebleau. — Malmaison. — Nancy. — Pau. — Rambouillet. — Saint-Germain. — Trianon. — Versailles. — Vincennes.

*A l'étranger.* — Palais vieux (Florence). — Vatican (Rome). Quirinal (Rome). Saint-Ange (Rome). — Kremlin (Moscou). — Escorial (Espagne). — Alhambra (Grenade). — Alcazar (Séville). — Palais ducal (Venise). — Sérail (Constantinople).

## PÂLE
(latin, *pallidus* ; grec, *chlôros*)

**Décoloré.** — Décoloration. Demi-teinte. Grisaille. — Incolore. Déteint. Délavé. — Blafard. Livide. — Gris. Blanchâtre. Jaunâtre. — Terreux. Pisseux.

**Sans éclat.** — Fané. Se faner. Flétri, se flétrir. — Terne, ternir. Eteint, s'éteindre. — Mat, matité. Pâlissant. — Etiolé, étiolement, s'étioler. — Plat, platitude.

**Pâleur maladive.** — Pâle, pâlir, pâleur. Pâles couleurs. Pâlot. — Blêmir, blême. Perdre ses couleurs. Changer de couleur. —

PALMÉ. V. *feuille, pied.*
PALMERAIE, f. V. *palmier.*
PALMETTE, f. V. *orner.*
**Palmier,** m. V. *plante.*
PALMIPÈDE. V. *animal, pied.*
PALMISTE, m. V. *palmier.*
PALOMBE, f. V. *pigeon.*
PALONNIER, m. V. *voiture.*
PALOURDE, f. V. *coquillage.*
PALPABLE. V. *toucher, certitude.*
PALPATION, f. Palper. V. *toucher, main, médecine.*
PALPITANT. V. *intérêt.*
PALPITATION, f. Palpiter. V. *cœur, mouvement, balancer.*
PALUDÉEN. V. *marais.*
PALUDIER, m. V. *sel.*
PÂMER. Pâmoison, f. V. *insensible, plaisir.*
PAMPA, f. V. *Amérique, désert.*
**Pamphlet,** m. V. *écrit, blâme, méchant.*

PAMPHLÉTAIRE, m. V. *pamphlet.*
PAMPILLES, f. p. V. *passementerie.*
PAMPLEMOUSSE, f. V. *orange.*
PAMPRE, m. V. *vigne, branche.*
**Pan,** m. V. *dieu, berger.*
PANACÉE, f. V. *médicament, guérir.*
PANACHE, m. V. *plume, orner, coiffure, casque.*
PANACHÉ. V. *varié, mélange.*
PANADE, f. V. *potage, pain.*
PANAIRE. V. *pain.*
PANAIS, m. V. *navet.*
PANAMA, m. V. *chapeau.*
PANARD. V. *cheval.*
PANARIS, m. V. *doigt.*
PANATHÉNÉES, f. p. V. *Minerve.*
PANCARTE, f. V. *inscription, aumône.*
PANDÉMONIUM, m. V. *diable.*
PANDIT, m. V. *Inde.*

PANDOUR, m. V. *Hongrie.*
PANÉGYRIQUE, m. Panégyriste, m. V. *louange, discours, saint.*
PANER. V. *pain.*
PANETIÈRE, f. V. *pain, berger.*
PANETON, m. V. *panier.*
PANICULE, f. V. *épi, fleur.*
**Panier,** m. V. *claie, hotte, emballer.*
PANIFIABLE. V. *pain.*
PANIFICATION, f. V. *boulanger.*
PANIQUE, f. V. *Pan, peur, fuite.*
PANNE, f. V. *immobile, arrêt, voile, voiture, charcuterie.*
PANNEAU, m. V. *côté, tableau, meuble, piège, menuisier.*
PANNEAUTER. V. *filet, piège.*
PANNETON, m. V. *clef.*
PANONCEAU, m. V. *plaque.*
PANOPLIE, f. V. *trophée, armes.*

---

Visage décomposé, défait, défiguré. — Visage exsangue, hâve, livide. — Figure de papier mâché. Mine de déterré.

Anémie, anémique. — Chlorose, chlorotique. — Langueur, languissant.

## PALMIER

**L'arbre.** — Palmier mâle. Palmier femelle. — Tige. Stipe. — Bouquet de feuilles. Palmes. — Bois. Fibres. Sève. Moelle. — Fruits. Baies. Drupes. Régime. — Fleurs. Spadice. Spathe. Bourgeons.

Palmeraie. — Palmifère. — Palmette (ornement).

**Principales espèces.** — Arenga. — Aréquier. — Chamérops. — Caryote. — Céroxyle. — Cocotier. — Dattier. — Doum. — Eléis. — Euterpe. — Latanier. — Œnocarpe. — Oréodoxe. — Palmiste. — Phénix. — Raphia. — Rondier. — Rotang. — Sagoutier. — Tallipot.

**Produits.** — Huile de palme. Vin de palme. Eau-de-vie de palme. — Beurre de palmier. Lait de coco. Cire. — Chou-palmiste. Cervelle de palmier (moelle). — Sagou. Farine. Fécule. — Textiles. Bourre. Corozo. — Dattes. Noix de coco. Noix d'arec.

## PAMPHLET

**Le genre.** — Pamphlet. Blason. Diatribe. — Article de journal. Echo. — Libelle. Brochure. Factum. Placard. Feuille. — ECRIT séditieux, incendiaire. — Tract.

**Ecrivains.** — Pamphlétaire. Folliculaire. Libelliste. — Journaliste. Echotier. — Maître chanteur. — Polémiste. Ecrivain satirique.

**La manière.** — Satire, satirique. Polémique, polémiquer. — Critique, critiquer. Blâme, blâmer. — Invective, invectiver. Vio-

lence. — Calomnie, calomnier. Médisance, médire. Méchanceté. — Diffamation, diffamer. Chantage.

## PAN

**Culte de Pan.** — Pan. Lupercus (surnom). — Le grand Pan. La Nature. — Ægipans. Chèvre-pieds. Faunes. Satyres. Sylvains. — Lupercales (fêtes). Lupercal (lieu consacré). — Collège des Luperques.

Flûte de Pan. — Terreur panique.

## PANIER

**Paniers.** — Panier. Panière. Paneton. — Bourriche. Cabas. Couffe. Couffin. Cloyère (à huîtres). — Corbeille. Corbillon. Ciste. — Manne. Mannette. Mannequin. Banne. Banneton. Maniveau. — Cage d'osier. Cageot. Glène. HOTTE. Rasse. — CLAIE. Clayon. Eventaire. Plateau. — Séchoirs. Faisselle. — Eclisse. Pantenne. VAN. — Nasse. Gabion. — Panier à pain, à bois, à argenterie, à provisions, à vendange, etc. — Panier de robe. Tonnelet.

**Vannerie.** — Vannier. Vannerie. Ouvrage à claire-voie. Closerie. Croiserie. Mandrerie. Faisserie. Lasserie. — Cannage. — Sparterie. — Natte.

Agrafe. Attache. Assurance. Côtes. Faisse. Carcasse. Cerceaux. Tassiot. Montants.

Anse. Couvercle. Fond. Parois. Poignée. Dossier.

Enverger. Border. Clore. Coudre. Croiser. Natter. Ourdir. Torcher. Tortiller. Canner.

**Matériel.** — Osier. Botte d'osier. Jets d'osier. Brins d'osier. — Eclisse (osier fendu). Epart. Jonc. Spart. Ficelle.

Batte. Bécasse. Closoir. Epissoir. Epluchoir. Equarissoir. Fendoir. Moule. Pé. Planette. Sellette. Trétoire.

PANORAMA, m. Panoramique. V. *voir, peinture.*
PANOUIL, m. V. *maïs.*
PANOUILLE, f. V. *oie.*
PANSAGE, m. V. *panser.*
PANSE, f. V. *ventre, ruminant, vase, cloche.*
PANSEMENT, m. V. *pharmacie, soin.*
**Panser.** V. *chirurgie, bandage, cheval.*
PANSU. V. *ventre.*
PANTALON, m. V. *habillement, jambe.*
PANTELANT. V. *respiration.*
PANTHÉISME, m. Panthéiste,

m. V. *Dieu, tout, philosophie.*
PANTHÉON, m. V. *dieu, temple.*
PANTHÈRE, f. V. *quadrupède.*
PANTIN, m. V. *jouet, bouffon.*
PANTOGRAPHE, m. V. *dessin.*
PANTOIS. V. *étonnement.*
PANTOMÈTRE, m. V. *arpentage.*
PANTOMIME. V. *geste, silence, théâtre.*
PANTOUFLE, f. V. *chaussure.*
**Paon,** m. V. *oiseau, papillon.*

PAPA, m. V. *père.*
PAPABLE. V. *pape.*
PAPAL. Papalin, m. V. *pape.*
PAPAUTÉ, f. V. *pape, Rome.*
PAPAVÉRACÉE, f. V. *pavot.*
**Pape,** m. V. *chef, religion.*
PAPEGAI, m. V. *perroquet.*
PAPELARD. V. *hypocrite.*
PAPERASSE, f. Paperasserie, f. V. *papier, écrire, procédure.*
PAPETERIE, f. Papetier, m. V. *papier.*
**Papier,** m. V. *écrire, imprimerie, emballer.*
PAPILIONACÉ. V. *fleur.*

## PANSER

**Action de panser.** — Panser un blessé, pansement. — Débrider une plaie. Déterger. Nettoyer. — Appliquer. Fomenter. — Poser, Lever l'appareil. Bander, bandage. — Soigner. Calmer.

Panser, pansage. Brosser. Etriller.

**Pansements.** — Paquet, trousse de pansement. — Appareil. Bande. BANDAGE. — Application. Fomentation. Embrocation. Topiques. — Plumasseau. — Taffetas. Tarlatane. Gaze. — Crêpe. Toile aseptisée. Coton hydrophile.

Stériliser. Aseptiser, asepsie. — Antisepsie, antiseptique. Acide borique. Iodoforme. Phénol. Sublimé, etc.

## PAON
(latin, *pavo*)

**Qui a trait au paon.** — Paon. Paonne. Paonneau. — Paon commun. Paon blanc. Paon noir. — Aigrette. Queue ocellée. Ocelles. — Faire la roue. Paonner. — Se mirer. Se pavaner. — Pavane (danse).

## PAPE

**Le pape.** — Pape. Vicaire de Jésus-Christ. — Patriarche œcuménique. Evêque universel. Souverain Pontife. Pasteur suprême. Successeur de saint Pierre. — Saint Père. Sa Sainteté.

Autorité papale. Infaillibilité. — Anneau du pécheur. Tiare. Triple couronne. Soutane blanche. Mule. Oral (voile). Mante. — Trône. Chaise gestatoire. — Gendarmes pontificaux. Garde suisse. Bossolant.

**Constitution papale.** — Papauté. Pontificat. Saint-siège. — Conclave, conclaviste. — Election par scrutin, par accès, par inspiration. — Consécration du pape. Couronnement. Adoration. — Chaire, clefs de saint Pierre.

Concile. Consistoire, consistorial. — Congrégations des rites, de l'index, de la propagande, etc. — Consulta. — Rote. Chambre apostolique.

Eglise romaine. Apostolicité. Obédience. — Pouvoir temporel. Etats de l'Eglise. Etat du Vatican. — Denier de saint Pierre.

**Dignitaires pontificaux.** — Cour romaine. Cardinaux. Princes de l'Eglise. Eminences. La pourpre. — Cardinal secrétaire d'Etat. Cardinal camerlingue. Cardinal doyen. Cardinal dataire. Cardinal premier diacre. — Nonce. Légat. Vice-légat. — Camérier. Protonotaire apostolique. Registrateur.

**Actes pontificaux.** — Bénédiction papale. Bénédiction *urbi et orbi.* — Bref. — Bulle. — Canonisation. — Concordat. — Décision *ex cathedra.* — Décrétale. — Encyclique. — Excommunication. — Index. — Indulgences. — Indult. — Mandat. — *Motu proprio.* — Préconisation d'évêque. — Promotion de cardinaux. — Rescrit. — Rose d'or.

**Relatif au pape.** — Papable. — Papalin (soldat). — Papisme, papiste. Papicole. Papolâtre. Papimane. — Antipape. Papesse. — Le Vatican. Château Saint-Ange. Saint-Pierre de Rome. — Ultramontanisme. Gallicanisme. Schisme.

## PAPIER

**Fabrication.** — Papeterie. Usine. Fabrique.

*Matières.* Chiffons. Bois. Fibres. Paille. Alfa. Jonc. Orties. Roseaux. Genêt, etc.

*Pâtes.* Pâte de chiffons. Triage. Délissage. Lessiveur sphérique. Pile laveuse. Pile raffineuse.

Pâte de fibres. Machine à écorcer. Défibreur. Hache-paille. Fosse de macération. Piles broyeuses et raffineuses. Ramasse-pâte. Epurateur de pâte.

*Papier à la cuve.* Cuve. Forme. Mettre en forme. Egoutter. Feutres. Piles. Presser. Sécher. Ebarber. Verger. Vergeures. Pontuseau.

*Papier mécanique.* Machine à papier. Sabliers. Epurateur tournant. Epurateur en dessous. Courroies guides. Toile métallique. Caisse aspirante. Presse humide. Presses coucheuses. Presse montante. Sécherie. Calandre. Bobineuse. Coupeuse.

Défauts. Bourdonné. Chantonné. Fronce. Noyé d'eau. Bros.

**Sortes de papiers.** — Papier bulle. Papier gris. Papier d'emballage. Maculature. — Papier vélin. Papier parchemin. Papier toile. — Papier couché. Papier glacé. Papier

PAPILLES, f. p. V. *langue, goût.*

**Papillon,** m. V. *animal, chenille.*

PAPILLONNER. V. *changer, léger.*

PAPILLOTE, f. V. *papier, cheveu.*

PAPILLOTER. V. *éblouir, balancer.*

PAPISME, m. V. *pape.*

PAPULE, f. V. *peau.*

PAPYRUS, m. V. *papier.*

PÂQUE, f. V. *Juif, Pâques.*

PAQUEBOT, m. V. *navire.*

**Pâques,** f. p. V. *liturgie.*

PAQUET, m. V. *amas, bagage, faisceau, poste, marchandises.*

PAQUETAGE, m. V. *emballer, cavalerie, faisceau.*

PARABOLE, f. V. *courbe, comparaison, conte, Bible.*

PARABOLIQUE. V. *courbe.*

PARACHEVER. V. *parfait.*

PARACHRONISME, m. V. *chronologie.*

PARACHUTE, m. V. *aéronautique.*

PARADE, f. V. *briller, affectation, bateleur, manœuvres, tournoi, garde, escrime.*

PARADER. V. *orgueil.*

PARADIGME, m. V. *modèle.*

PARADIS, m. V. *Dieu, ciel, oiseau, théâtre.*

PARADOXAL. Paradoxe, m. V. *opinion, argument, apparaître.*

PARAFE, m. Parafer. V. *signature.*

PARAFFINE, f. V. *bougie, cierge.*

PARAGE, m. V. *lieu, féodal.*

PARAGRAPHE, m. V. *division, livre.*

PARAÎTRE. V. *apparaître, briller, luxe, imprimerie.*

PARALLAXE, f. V. *astronomie.*

PARALLÈLE. V. *ligne, côté, comparaison, géographie, fortification.*

PARALLÉLISME, m. V. *accord.*

PARALLÉLOGRAMME, m. V. *angle.*

PARALOGISME, m. V. *argument.*

PARALYSER. V. *paralysie.*

**Paralysie,** f. V. *engourdi, immobile, insensible.*

PARALYTIQUE, m. V. *infirme.*

PARAMONT, m. V. *cerf.*

---

satiné. — Papier vergé. Papier filigrané. — Papier réglé. Papier quadrillé. — Papier à dessin. Papier procédé. Papier ganson. — Papier pelure. Papier transparent. Papier végétal. Papier calque. Papier serpente. — Papier brouillard. Papier buvard. Papier Joseph. — Papier de soie. Papier à cigarettes. Papier hygiénique. — Papier de verre. — Papier émeri. — Papier cuir. — Papier peint. — Papier mâché. Papier pierre. Papier marbre. — Carton. Papier bitumé. Papier goudronné. — Papier de musique. Papier à lettre. — Papier de Hollande, de Chine, du Japon, Bristol, Whatman, Lafuma, etc.

**Formats.** — Grand monde. Grand aigle. Grand soleil. Grand colombier. Grand Jésus. Jésus ordinaire. Grand raisin. Cavalier. Double cloche. Carré. Coquille. Ecu. Couronne. Tellière ou Ministre. Florette. Pot ou Ecolier. Cloche de Paris. Petite cloche normande. Petit à la main.

**Usage.** — Ecriture. Correspondance. — Livres. Imprimés. Affiches. — Cartes. Billets. — Emballages. Sacs. Cornets. — Cartonnages. Papillotes. Caisses. — Enveloppes. Chemises. — Filtres. — Tenture. Tapisserie. — Timbre. Papier timbré. — Monnaie. Papiermonnaie. Billet de banque. Coupure. Ballot de papier. Rouleau. — Rame. Ramette. Main. Cahier. Feuillet. Feuille. — Liasse.

**Relatif au papier.** — Papeterie (commerce). Papetier. — Cartonnier. Serre-papiers. Classeur. — Vieux papiers. Paperasse, paperassier. — Papier court. Papier long. Papier à vue. — Papiers de famille. Avoir ses papiers (passeport, etc.). Papiers publics. — Petits papiers (écrits secrets). — Papyrus.

## PAPILLON

**L'insecte.** — Papillon. Lépidoptère. — Tête. Trompe. Antennes. Thorax. Pattes. Ailes. Ecailles. Couleurs. — Métamorphoses.

Chenille. Larve. Cocon. Chrysalide. Papillon. Etat parfait.

**Relatif au papillon.** — Papillonniste. Entomologiste. — Papillon (personne volage). — Papillonner, papillonnage, papillonnant. — Papillons noirs (soucis). — Papillon (feuille volante).

Corolles papilionacées. Carènes. Ailes. Etendard.

**Principaux papillons.** — *Rhopalocères.* Thaïs. Apollon. Echancré. Piéride. Aurore. Point de Hongrie. Miroir. Echiquier. Thècle. Argus. Néméobie.

*Hétérocères.* Géomètre. Phalène. Céladon. Perle. Virginale. Croissant. Panthère. Paon. Bombyx. Teigne. Mite. Cochylis. Sphinx. Daphnis. Pachytelle. Psyché. Ino. Ptérophore. Pyrale. Gallérie.

## PÂQUES et PÂQUE

**Pâques.** — Dimanche de Pâques. Fête de la résurrection. — Semaine sainte. — Quinzaine de Pâques. Pâques fleuries ou Dimanche des Rameaux. Pâques closes ou Dimanche de la Quasimodo. — Pâques aux roses ou Pentecôte. — Temps pascal. Cierge pascal. Œufs de Pâques. — Faire ses Pâques. — Alleluia.

**Pâque.** — Pâque juive. Fête du passage. — Manger la Pâque. Agneau pascal. — Saint-Graal (vase où Jésus mangea la Pâque).

## PARALYSIE

**Paralysies.** — Paralysie externe. Paralysie interne. — Paralysie musculaire. Paralysie nerveuse. — Catalepsie. Hémiplégie. Paraplégie. Béribéri. — Paralysies des différents organes. — Paralysie générale. — Paralysie infantile. — Paralysie agitante ou de Parkinson. — Paralysies périphériques. — Paralysie labio-glosso-laryngée. — Paralysie musculaire hypertrophique. — Paralysie radiculaire.

PARANGON, m. V. perle, parfait.

PARANGONNAGE, m. V. imprimerie.

PARAPET, m. V. clôture, port, fortification.

PARAPHERNAL. V. mariage.

PARAPHRASE, f. V. expliquer, diffus, discours.

PARAPLÉGIE, f. V. paralysie.

Parapluie, m. V. abri, pluie.

Parasite, m. V. manger, aumône, animal.

PARASOL, m. V. parapluie.

PARATONNERRE, m. V. abri, foudre.

PARAVENT, m. V. abri, vent, meuble.

PARC, m. V. clôture, bestiaux, huître, jardin, promenade.

PARCELLE, f. V. partage, fragment.

Parchemin, m. V. peau, écrire, brevet.

PARCHEMINÉ. V. parchemin.

PARCIMONIE, f. Parcimonieux. V. avare, minutie.

PARCOURIR. V. marcher, examen.

PARCOURS, m. V. voyage, paître, cheval.

PARDESSUS, m. V. habillement.

Pardon, m. V. oubli, faveur, fête.

PARDONNER. V. pardon, généreux, réconcilier.

PARE-BRISE, m. V. automobile.

PARÉGORIQUE. V. calme, médicaments.

PAREIL. V. égal, même, semblable.

PAREMENT, m. V. habillement, pavé, cerf.

PARENCHYME, m. V. plante, fruit, chair.

Parent, m. V. famille.

---

Etats analogues. — Anesthésie. Asthénie. Atonie. Atrophie. Engourdissement. Insensibilité. Sidération. Prostration. Parésie. Résolution musculaire. Contraction. Catalepsie.

Paralytique. — Paralysé. Paralytique. — Hémiplégique. Paraplégique. — Parétique. Sidéré. — Insensible. Engourdi. — Infirme. Impotent. Perclus.

## PARAPLUIE et OMBRELLE

Pièces. — Monture. Arc-boutant. Paragon. Branche. Baleine. Bout. Coulant. Douille. Fourchette. Garni. Noix.

Manche. Poignée. Virole. Fourreau.

Couverture. Soie. Coton. Papier.

Sortes et usage. — Parapluie. Parapluie-canne. Riflard. Tom-pouce. — Ombrelle. Marquise. Parasol. En-cas

Parapluie d'homme. Parapluie de femme. — Ouvrir, tendre, fermer un parapluie. — Se préserver de la pluie. — Mettre au vestiaire.

## PARASITE

Parasitisme. — Parasite. Pique-assiette. Ecornifleur. Lèche-plat. Gnathon. — Mendiant. — Vivre aux dépens d'autrui. Ecornifler. — Attraper un dîner. Se faire inviter. Franches lippées.

Animaux parasites. — Endoparasites. Ectoparasites. — Bopyre. Calige. Chique. Clepte. Douve. Dragonneau. Entozoaires. Helminthe. Hippobosque. Ligule. Louvette. Œstre. Tique. VERS. — POU. PUCE. PUNAISE. Acariens. Moustiques. — Phylloxéra. Doryphora, etc.

Plantes parasites. — Botrytis. CHAMPIGNON. Cuscute. Gui ou Gillon. Mildiou. Mousse. Oïdium. Rhizoctone. Urédo.

Symbiose. Saprophytisme.

## PARCHEMIN

Fabrication. — Parcheminerie. Parcheminier. — Peaux de mouton, de chèvre, de veau, d'âne. — Echarner. Edosser. — Etendre les peaux. Herse (châssis). — Raturer (racler). — Poncer. Selle à poncer. — Craie. Saupoudrer.

Parchemins. — Parchemin blanc, jaune, pourpre. — Parchemin végétal. — Vélin. Francin. Cartelle. Canepin. Baudruche.

Feuille de parchemin. — Manuscrit. Palimpseste. — Titre. Diplôme. — Peau de tambour, de timbale.

## PARDON
(latin, venia)

Rémission d'une peine. — Absoudre, absolution. Acquitter, acquittement. — Affranchir. Décharger. Délier. — Amnistie, amnistier. Rappeler d'exil. Accorder l'aman. — Faire quartier. Gracier. Lettres de grâce. Faire quartier. — Exempter d'une peine, exemption. — Laisser impuni, impunité. — Remettre la peine, remise. — Commuer la peine, commutation. Adoucir la peine, adoucissement. — Extinction de la peine. Libération, libérer. Tenir quitte. — Réhabiliter, réhabilitation.

Se pourvoir en grâce, pourvoi. Recourir en grâce, recours. — Demander grâce, quartier, l'aman. — Expier, expiation. Réparer, réparation.

Rémission d'une offense. — OUBLI des injures, oublier. Pardonner une offense, pardon. — Se laisser fléchir. Se laisser toucher. Accorder merci. — Miséricorde, miséricordieux. Epargner. — Faire sa paix. Se réconcilier, réconciliation. Ne pas garder rancune. — Indulgence partielle, plénière. — Rédemption, rédempteur. — Rentrée en grâce. Crier merci. Implorer son pardon. — Propitiation. Sacrifice propitiatoire. — Faute vénielle, pardonnable, rémissible.

Indulgence. — Etre indulgent. Clémence, clément. Avoir pitié. — Innocenter. Excuser, excuse, excusation. — Fermer les yeux. Passer quelque chose. Passer sur. Tolérer, tolérance. — Favoriser, FAVEUR. — Gâter un enfant. — S'attendrir. Etre faible. Etre débonnaire.

## PARENT

Parenté. — Parents. Parentage. Parentèle. — Aïeux. Ancêtres. Nos pères. Nos auteurs. — Ascendants. Descendants. Enfants. Lignage. Lignée. Postérité. — Race. FAMILLE. Générations. — Proches parents. Les proches.

PARENTÉ, f. V. *parent, rapport.*

PARENTHÈSE, f. V. *entre, ponctuation.*

PARER. V. *orner, préparer, cuisine, éviter, escrime.*

**Paresse,** f. V. *lent, oisif, mou.*

PARESSEUX. V. *paresse.*

PARFAIRE. V. *finir, complet.*

**Parfait.** V. *bien, supérieur, choix, passé.*

PARFUM, m. V. *odeur, toilette.*

PARFUMER. Parfumeur, m. V. *odeur.*

PARHÉLIE, m. V. *soleil.*

**Pari,** m. V. *hasard.*

PARIA, m. V. *Inde, mépris.*

PARIER. V. *pari, affirmer.*

PARIÉTAIRE, f. V. *plante.*

PARIÉTAL. V. *cerveau.*

PARISYLLABIQUE. V. *syllabe.*

PARJURE. V. *infidèle.*

PARJURE, m. V. *jurer, trahir, mensonge.*

PARJURER (se). V. *abandon.*

---

Alliés. — Les miens. Les tiens. Les siens. Les nôtres, etc. — Parenté étroite. Parenté éloignée. — Parenté naturelle. Filiation. — Parenté légale. Adoption. Mariage.

**Famille.** — Trisaïeul. Bisaïeul. Aïeul. Grand-père. Grands-parents. — Aïeule. Grand-mère. — Grand-oncle. Grand-tante. — Père. MÈRE. Fils. Fille. Petit-enfant. — Beau-père. Belle-mère. Gendre ou Beau-fils. Bru ou Belle-fille. Beau-frère. Belle-sœur. — Oncle. Tante. Neveu. Nièce. — Cousin. Cousine. Petits-neveux. Petits-cousins. Arrière-neveux. Arrière-cousins. — Oncle et neveu à la mode de Bretagne.

Paternel. Maternel. Filial. Fraternel. Avunculaire.

**Lignes et degrés.** — Ligne directe. Ligne collatérale. — Ligne ascendante. Ligne descendante. — Filiation. Sang. — Degrés de parenté. Quartiers de noblesse. — Agnat. Cognat. Consanguin. — Côté paternel. Côté maternel.

**Rapports de famille.** — Chef de famille. Mari. Femme. — Aîné. Cadet. Puîné. — Enfant du même lit. Frère germain. Sœur germaine. — Cousin. Cousine. Cousins germains. — Frère utérin.

S'allier à. S'unir à. S'apparenter à. — Cousiner Cousinage. Népotisme. — Patrimoine. Bien patrimonial. Droit d'aînesse. — Héritage. Hériter. Héritier. Cohéritier. — Tenir de. Chasser de race. Atavisme. Hérédité. — Intermariage. Inceste, incestueux.

### PARESSE

**Défaut de travail.** — Paresse, paresseux, paresser. Fainéantise, fainéant, fainéanter. Cagnardise, cagnard, cagnarder. — Craindre sa peine. Ne faire aucun effort. Se croiser les bras. — Inactif, inaction. Inerte, inertie. — Marchander, plaindre sa peine. — Inexécution. Inexactitude, inexact. — Se laisser aller. Perdre son temps. — Se relâcher, relâchement. Lanterner. Lambiner, lambin. — Cancre. Mazette. Clampin.

**Défaut de mouvement.** — Dormir debout. Endormi. ENGOURDI, engourdissement. Torpeur. — Immobile, immobilité. Languissant, LANGUEUR. — LOURD, lourdeur, s'alourdir. Pesant, pesanteur. — Rester au lit. Faire la grasse matinée. Aimer le repos. — Vie sédentaire. Croupir dans son coin. S'acagnarder. Casanier.

Loir. Lézard. Lendore. Cul de plomb.

Paresse d'un organe. Atonie. Faiblesse. Mauvais fonctionnement.

**Défaut d'énergie.** — Manquer de cœur, de courage, de nerf. — Sans cœur. Sans énergie. LÂCHE, lâcheté. Emplâtre. — Apathie, apathique. Indolence, indolent. Nonchalance, nonchalant. — Négligence, négligent. Mollesse, MOU. — **Tiédeur,** tiède.

**Oisiveté.** — Oisif. Oiseux. Désœuvré, désœuvrement. Inoccupé. — Se promener, promenade. Muser, museur. Musarder, musarderie, musard. — Flâner, flâneuse. Baguenauder. Badaud, badauderie. — Vagabonder, vagabondage. Rôder, rôdeur. Faire l'école buissonnière. — Vivre à ne rien faire. Farniente. — Etre en vacances. — Vivre comme un coq en pâte. Faire du lard. — Faire des riens. Tuer le temps. Niaiser.

### PARFAIT
(latin, *perfectus*)

**Etat parfait.** — Absolu. Infini. Idéal. — Eminent. Suréminent. Divin. Suprême. — Merveilleux. Prodigieux. Unique. — *Nec plus ultra.* Incomparable. Inimitable. Transcendant. — Indicible. Ineffable. Inexprimable. — Inestimable. Inappréciable. — Impeccable. Infaillible.

Le beau. Le bien. L'idéal. La perfection.

MODÈLE. Exemplaire. Parangon. — Perle. Prodige. Merveille.

**Travail achevé.** — Parfait. Accompli. Achevé. Parachevé. — Ne laisser rien à désirer. Irréprochable. — PRÊT. Fin prêt. — COMPLET. Rien n'y manque.

Chef-d'œuvre. Art consommé. Travail mûri. — Œuvre classique, artistique, magistrale. — Style châtié.

Parfaire, perfection. Perfectionner, perfectionnement. — Finir, le fini. Limer. Polir, polissage. — Mettre la dernière main à. Couronner l'œuvre. — Affiner. Raffiner, raffinement. Perler. Lécher. Polir *ad unguem.* — Mettre le comble, le sceau à la perfection. Parachever.

**Qualité supérieure.** — Excellent. Insigne. Remarquable. Admirable. — Choisi. Rare. Précieux. De grande valeur. — Exquis. Délicieux. DÉLICAT — Fin Extra-fin. Superfin. — Souverain. Supérieur. — Le meilleur. Le mieux.

Elite. Fleur. Crème. — Choix. Morceau de roi.

### PARI

**Les paris.** — Pari. Gageure. — Défi. — Enjeu. Mise. Discrétion. Gage.

**Parlement,** m. V. *suffrage, politique, juges.*
PARLEMENTAIRE, m. V. *parlement, mission.*
PARLEMENTARISME, m. V. *parlement.*

PARLEMENTER. V. *négocier.*
**Parler.** V. *langue, dire, discours.*
PARLEUR, m. V. *parler.*
PARLOIR, m. V. *école, moine.*
PARLOTE, f. V. *parler.*

PARNASSE, m. V. *Apollon, muse.*
PARODIE, f. Parodier. V. *imiter, moquer.*
PAROI, f. V. *mur, superficie.*
PAROIR, m. V. *couteau, cuir.*

---

Pari aux courses. Pari mutuel. Pari à la cote. Pari au livre.

Contrat aléatoire. Jeu. Exception de jeu. Nullité. Délit. Jeux de hasard.

**Parier.** — Engager un pari. Parier, parieur. Tenir le pari. — Les paris sont ouverts. — Aller de telle somme. Parier dix contre un. — Gager, gageur. — Hasarder. Risquer. Jouer. — Donneur. Bookmaker. Preneur. — Gain, gagnant. Toucher un pari. Perte, perdant.

## PARLEMENT

**Parlement français.** — Représentation nationale. Corps législatif. Parlement. — Chambre des députés. Palais-Bourbon. — Sénat. Luxembourg. — Assemblée nationale. Versailles. — Haute cour.

Représentant du peuple. Parlementaire. Député. Sénateur. — Élection législative. Suffrage universel. — Élection sénatoriale. Suffrage restreint. — Élection. Eligible, éligibilité. Mandat électif. Députation.

Pouvoir législatif. Légiférer. Législateur. — Législature. Lois. Budget. Contrôle. — Insignes. Médaille. Echarpe.

**Parlements étrangers.** — Chambre. Sénat. Diète. Junte. — Chambre des lords. Chambre des communes (Angleterre). — Reichstag. Landtag (Allemagne). — Cortès (Espagne). — Chambre des représentants. Sénat (Belgique). — Skouptchina (Yougoslavie). — Sobranié (Bulgarie). — Storthing (Norvège). — Riksdag (Suède). — Rigsdag (Danemark). — Assemblée fédérale (Suisse). Congrès (Etats-Unis).

**Organisation parlementaire.** — Parlementarisme. — Bureau. Bureau provisoire, définitif. — Président. Vice-président. Questeurs. Secrétaires. — Membres. — Bureaux. Commissions. — Groupes. — Partis. Extrême gauche. Gauche. Centre. Droite. — Salle des séances. Tribune. Bancs. Pupitres. — Tribunes publiques. Huissiers. — Sténographes. Compte rendu. Procès-verbal. — Journal officiel.

**Vie parlementaire.** — Convocation des chambres. Prorogation. Dissolution. — Session. Séance. Ordre du jour. — Projet de loi. Motion. Rapport. Texte. Amendement. — Ouvrir la séance. Entrer en séance. — Suspension. Clôture. — Délibération. Débats. Discussion. — Interpellation. Interruption. Questions. — Tribune. Orateurs. Discours. Réplique. Demander la parole. — Rappel à l'ordre. Censure. — Opposition. Majorité. Minorité. — Mettre aux voix. Aller aux voix. — Scrutin public. Scrutin secret. Urne. — Vote nominal, à mains levées, par assis et levé. — Obstruction. Mouvements divers.

Solliciteurs. Démarches. Recommandations. Apostiller. Piston, *f.*

## PARLER

(latin, *loqui;* grec, *lalein*)

**La parole.** — Parler. N'être pas muet. Don de la parole. Proférer des paroles. — Ouvrir la bouche. Desserrer les dents. Rompre le silence. Prendre la parole. — Dire de vive voix. Vocal. Oral. Verbal.

Parler haut. Parler à voix haute. Hausser, élever la voix. Verbe haut. — Parler bas. Baisser la voix. Parler à voix basse. — Chuchoter. Murmurer.

Dire, diseur. Elocution. Diction. Débit. — Manier la parole. Parler couramment. Parler d'abondance. — Avoir bon bec. Avoir la langue bien pendue. Moulin à paroles. — Loquacité. Verbosité. — Parler à. Adresser la parole. Apostropher. — S'exprimer. Opiner. Communiquer sa pensée.

Perdre la parole. Rester court. Ne pas desserrer les dents. Aphasie (perte de la parole), aphasique. Paralalie (ne plus trouver ses mots). — Couper la parole. Couper le sifflet. Interrompre, interruption.

**Prononciation.** — PRONONCER. Prononciation correcte, vicieuse. — Articuler, articulation. Accentuer, accentuation. — Détacher les mots, les syllabes. — Parler entre les dents. Grommeler. Marmonner. Marmotter. — Annoner. Balbutier. Bredouiller. Bafouiller. — Parler du nez. Nasiller. — Parler de la gorge. Grasseyer. — Psalmodier. Mélopée. — Zézayer. Bégayer. Bléser. Chevroter. — Lier. Liaison. Velours. Cuir.

Lambdacisme (abus de l'*L*). Rhotacisme (abus de l'*R*). — Ventriloque.

**Discours.** — Art oratoire, orateur. Rhétorique, rhéteur. Eloquence, éloquent. — Prononcer un discours. Discourir, discoureur. Pérorer, péroreur. Palabrer, palabre. — Discours. Allocution. Harangue. — Fil du discours. Tirade. Tartine. — Improviser, improvisation. Développer, développement. Discuter, discussion. S'étendre. — Déclamer, déclamation. Débiter, débit. Elocution.

Porter la parole. Propagande, propagandiste. — PRÊCHER, prédication, prédicateur. — Convaincre. Persuader. Emouvoir. Entraîner. — Rabâcher, rabâcheur. Radoter, radoteur.

Action oratoire. Mouvement oratoire. — Apostropher, apostrophe. Interpeller, interpellation. — S'emporter. Tonner. Tonitruer. — Tempêter. Vociférer. Crier. Brailler. — Hurler. S'égosiller. — Dégoiser. Patauger. Barboter, *f.*

Paroisse, f. Paroissien, m. V. *église, curé.*

Parole, f. V. *parler, voix, promesse, mot.*

Paroli, m. V. *jeu.*

Paronyme, m. V. *semblable.*

Parotide, f. V. *oreille.*

Paroxysme, m. V. *degré, extrême, fureur, maladie, passion.*

Parpaillot, m. V. *protestant.*

Parpaing, m. V. *maçon.*

Parque, f. V. *enfer.*

Parquer. V. *fermer, berger.*

Parquet, m. V. *plancher, finance, magistrat.*

Parqueter. V. *menuisier.*

Parrain, m. Parrainage, m. V. *baptême.*

Parricide, m. V. *crime.*

Parsemer. V. *répandre, semence, étendre.*

Parsi, m. V. *Perse.*

Part, m. V. *accouchement.* **Part,** f. V. *fragment, division, participer.*

**Partage,** m. V. *couper, propriété, association, commun.*

Partager. V. *partage, croire.*

Partance, f. V. *partir.*

Partenaire, m. V. *compagnon, jeu.*

Parterre, m. V. *jardin, théâtre.*

Parthénogenèse, f. V. *naître.*

Parthénon, m. V. *temple, Minerve.*

Parti, m. V. *opinion, projet, association, politique.*

---

**Conversation.** — Engager, entamer, nouer, lier une conversation. — Converser. Causer, causerie, causeur. S'entretenir, entretien. Interlocuteur. — Conférer, conférence. Entrevue. S'aboucher. Confabulation. Parlote. — Echanger des paroles. Se mettre en frais. — Tenir des propos. Deviser.

Bavarder, bavardage, bavard. Babiller, babillage, babillard, babil. — Commérage, commère. Cancan, cancaner, cancanier. Caquet, caquetage, caqueter. Cailletage, cailleter, caillette. — Jaboter. Jacasser. Jaser. Jaspiner, *f.* Pie borgne. — Clabauder, clabauderie, clabaudeur. Déblatérer. — Chronique scandaleuse. Indiscret, indiscrétion. — S'épancher. Etre expansif. Faire des confidences.

Mettre sur le tapis. Parler affaires, politique, musique, etc.

**Modalités de la parole.** — Devis. Propos. Récit. — Dialogue. Pourparlers. Colloque. — Monologue. Soliloque. — Opinion. Pensée. — Réflexion. Commentaire. — Proverbe. Maxime. Apophtegme. — Plaisanterie. Quolibet. — Discours. Apostrophe. — Digression. Divagation.

Mots. Expression. Locution. — Circonlocution. Périphrase. — Phrase. Proposition. — Interrogation. Négation. — Affirmation. Exclamation. — Discours direct.

**Nature de la parole.** — Facilité. Abondance. Fluidité. Volubilité. — Verve. Bagout. — Force. Grandiloquence. — Faconde. Loquèle. Verbosité. Verbiage. Parlage. — Prolixité. Flux, flot, bordée, chapelet de paroles. Verbeux. Diffus. — Violence. Emportement. Etre fort en gueule. Etre mal embouché. — Blague. Ironie. Humour. — Laconisme. Concision. Brièveté. Sécheresse. — Aigreur. Apreté. Cautèle. — Franc-parler. Franchise. — Douceur. Affabilité. Aménité. — Fatras. Galimatias. Fadaises. Fariboles.

**Sortes de langages.** — Linguistique, linguiste. — Langue. Langue maternelle. Langue étrangère. — Dialecte. Parler. Patois. — Argot. Langue verte. — Narquois. — Jargon. Baragouin. Charabia.

Langage inarticulé. Cris. Gestes. — Langage conventionnel. Signaux.

Interprète, interpréter. Truchement.

**PART**

**Division.** — Faire des parts. Partager. Partage. — Lotir. Lotissement. Lot. — Diviser. Division, divisionnaire. Part, partiel. — Divisible. Diviseur. Dividende. Quotient. Reste. — Fraction, fractionnaire. Fractionner. — Numérateur. Dénominateur. — Moitié. Tiers. Quart. Cinquième. Centième, etc. — Multiple. Partie aliquote. Subdivision. Chapitre. Paragraphe. Article. — Section. Compartiment. Classe. — Mettre à part. Quelque part. Nulle part.

**Part personnelle.** — Avoir part à. Prendre part à. Participer, participation. — Action nominative. Commandite. — Métayage. Colon partiaire. — Part d'héritage. Avant-part (préciput). — Part de prise. Part bénéficiaire. Part afférente. — La part du lion. — Portion. Portion virile. Portion congrue. — Répartition, répartir. Ration, rationner.

Contribuer, contribution. Cotiser, cotisation. — Payer sa part. Quote-part. Ecot. Pique-nique. — Contingent, contingenter. Taxe, taxer. — Acompte.

**Partie.** — Partie constituante. Partie intégrante. — Elément. — Atome. Cellule. Particule — Parcelle. Lopin. — Lot. — Détail. Ingrédient. — Morceau. Fragment. Quartier. — Lambeau. Bribe. — Tranche. Tronçon. — Membre. Pièce — Bout. — Eclat, etc.

Constituer. Faire partie de. Entrer dans. Composer.

**Enfant.** — (lat. *partus*). Supposition de part. Substitution de part. Confusion de part. Suppression de part. Exposition de part.

**PARTAGE**

**Partage de biens.** — Partager, partage. Part. Partible. Impartible. — Parage et Frarage (partages féodaux). — Posséder par divis. Division. — Posséder par indivis. Indivision. — Liciter (vendre en vue de partage). Licitation. Licitatoire. Colicitants. — Ventiler (estimer chaque portion). Ventilation. — Lotir, lotissement. Parcelle, parcellaire. — Liquider, liquidation. Soulte. — Copartager. Etre avantagé. Préciput.

Partage des terres. Loi agraire. — Communisme.

**Répartition.** — Répartir, répartiteur. Egaliser les parts. Péréquation des charges. Cote mal taillée. — Impartir. Distribuer, distribution. Dispenser, dispensateur. — Partage

PARTIAL. Partialité, f. V. *faveur, injuste, préjugé.*
PARTICIPATION, f. V. *participer, accord.*
PARTICIPE, m. V. *verbe.*
**Participer.** V. *part, association, intérêt, intervenir, semblable.*
PARTICULARITÉ, f. V. *distinct, propre.*
PARTICULE, f. V. *grammaire.*

PARTICULIER. V. *propre, bizarre, seul.*
PARTICULIER, m. V. *personne.*
PARTIE, f. V. *division, part, profession, musique, jeu, plaisir, auxiliaires de justice.*
PARTIEL. V. *part, imparfait.*
**Partir.** V. *abandon, disparaître, sortir, commencer, fusil.*

**Partisan,** m. V. *politique, préférer, armée.*
PARTITIF. V. *grammaire.*
PARTITION, f. V. *musique, théâtre.*
PARTOUT. V. *tout.*
PARTURIENTE, f. V. *parturition.*
**Parturition,** f. V. *génération, accouchement.*
PARURE, f. V. *élégance, toi-*

---

des bénéfices. Dividende. — Partage proportionnel. Partage au prorata. Règle de société. — Tirer au sort.

**Fractionnement.** — Fractionner. Diviser. Séparer. — Dichotomie. Bissection. Bissectrice. — Partie. Biparti. Triparti. Mi-parti. — Classification. Division. Partition.

Débiter, débit. Détailler, détail. — Dédoubler, dédoublement. — Graduer, graduation. — Démembrer, démembrement. Ecarteler, écartèlement. — Découper, découpage. Dépecer, dépècement. Morceler, morcellement.

## PARTICIPER

**Communauté d'intérêts.** — Avoir un intérêt dans. S'intéresser à. Intéressé. Intéressé. — S'associer. ASSOCIATION. Associé. — Commandite, commanditaire. Action, actionnaire. Obligation, obligataire. — Posséder en commun. Communauté. Mainmorte. — Participer à. Participation. Participant. — Participer aux bénéfices. Part de fondateur. — Partie. Partie prenante. Etre de compte à demi. — Solidarité, solidaire.

**Communauté de sentiments.** — Entrer dans les vues. Epouser l'opinion, la querelle. — S'entendre avec. Favoriser. Fauteur. — Partager la peine, la joie. Sympathiser. Prendre part à. — Compatir. Compassion. Condoléance. — Congratuler, congratulation. Féliciter, félicitation. — Esprit de famille. Tenir de.

**Communauté d'efforts.** — Collaborer, collaboration, collaborateur. — Coopérer, coopération, coopérateur. — Assister, assistance. Aider, aide. Prêter la main à. — Contribuer à, contribution. Concourir à, concours. Travailler à.

Collusion, collusoire. Se compromettre, compromission. Etre impliqué dans. — Conspirer, conspiration. Complicité, complice. Affiliation, affilié. — Se joindre à. Etre de connivence. Compère. Compagnon.

S'immiscer dans, immixtion. S'ingérer dans, ingérence. Se mêler de.

## PARTIR

**S'en aller.** — Partir. Repartir. Départ. — S'absenter. — Disparaître. Faire une fugue. Escapade. — Voyager. Se déplacer. S'éloigner. S'étranger (se dit du gibier). — Prendre la clef des champs. S'esquiver. Prendre le large. — Détaler. Jouer des jambes. S'envoler. Filer. — Fuir, fuite. S'enfuir. — Se disperser. S'écouler.

**Se mettre en route.** — Faire sa malle, ses paquets. Plier bagage. — Faire ses adieux. Prendre la route. Se mettre en marche. Se mettre en voyage. — Prendre le train. Monter en voiture. Partance. — S'embarquer, embarquement. Appareiller, appareillage. Mettre à la voile. Lever l'ancre. — Se mettre en selle. Monter à cheval. Coup de l'étrier. — Se lever (oiseau). Prendre son essor. — Démarrer, démarrage. — Décoller (avion). — Décamper. Lever le camp. Déguerpir. Déloger.

**Quitter.** — Prendre congé. Tirer sa révérence. — Fausser compagnie. Brûler la politesse. — Planter là. Lâcher. Délaisser. Abandonner. — Déménager. Evacuer. Vider les lieux. — Se retirer. Battre en retraite. Lever le siège. — S'exiler. S'expatrier. Emigrer, émigration. Migration (des animaux). — Sortir, sortie. Exode. — Déserter, désertion. Lever le pied. — Se séparer, séparation. Tourner le dos. — S'en retourner. Partir.

## PARTISAN

**Attaché à une idée.** — Ecole. Doctrine. Opinion. Foi. Cause. — Partisan. Adepte. Disciple. Fidèle. Néophyte. Prosélyte. Sectateur. Zélateur. Propagandiste.

Adopter, épouser une opinion. Prendre parti. Parti pris. — Partialité, partial. Préjugé. — Approuver, approbation. Préférer, préférence. Pencher pour, penchant. — S'engouer, engouement. Prendre fait et cause. Se convertir à. — Se dévouer à. Répandre. Propager. Favoriser. — Etre fanatisé, fanatique.

**Attaché à une organisation.** — Parti. Association. Clan. Coterie. Clique. Secte. — Partisan. Adhérent. Militant. — Allié. Associé. Ami. Sympathisant. — Affidé. Affilié. Acolyte. Coreligionnaire. — Défenseur. Tenant. Soutien. Suppôt. Séide. Sicaire. — Les gens. Les hommes. Suite. Séquelle. Bande. — Factieux, faction. Conspirateur. Conjuré. Complot.

Embrasser un parti. Etre du bord de. — Epouser la querelle. Suivre le drapeau de. Porter les couleurs.

## PARTURITION

**De la femme.** — Grossesse. Gestation. Etre grosse, enceinte. — Mettre au monde. Donner le jour. — Accoucher, accouchement. Accoucheur. Sage-femme. — Travail.

lette, bijou, habillement.
PARUTION, f. V. public.
PARVENIR. V. venir, but, progrès, bonheur.
PARVENU, m. V. succès, riche.
PARVIS, m. V. place, église, temple.
PAS, m. V. marcher, allure, équitation, danse, lent, étroit.
PASCAL. V. Pâques.
PASQUINADE, f. V. bouffon.
PASSABLE. V. ordinaire, médiocre.
PASSADE, f. V. passer, court, caprice, équitation.

Passage, m. V. passer, ouvert, galerie, chemin, trace, bateau, division, chant.
PASSAGER. V. passer, court, navire.
PASSANT, m. V. passer.
PASSATION, f. V. compte.
PASSAVANT, m. V. douane.
PASSE, f. V. passage, mer, coiffure, tréfilerie, jeu, imprimerie, magnétisme.
Passé, m. V. arrière, temps, histoire, verbe.
PASSE-DEBOUT, m. V. douane.
PASSE-DROIT, m. V. faveur, injuste.

.PASSÉE, f. V. navette, chasse.
PASSE-LACET, m. V. aiguille.
Passementerie, f. V. cordon, lacet.
PASSEMENTIER, m. V. passementerie.
PASSE-PARTOUT, m. V. clef, gravure, scie.
PASSE-PASSE, m. V. passer.
PASSEPOIL, m. V. ruban, passementerie.
PASSEPORT, m. V. police, étranger, voyage.
Passer. V. marcher, chemin, mort, changer, fragile, détruire, temps, examen, no-

---

Douleurs de l'enfantement. — Délivrer, délivrance. Terme. A terme. Avant terme. — Mère. Parturiente. Primipare. — Avorter, avortement. Fausse couche.

Des femelles d'animaux. — Mettre bas. Mise bas. Gésine. Ponte. — Fruit. Part. Portée. Ventrée. Laitée. — Pondre, pondeuse. Œufs. Couver. — Vivipare. Ovipare. Ovovivipare.

Agneler, agnelage. — Biqueter. — Chatter. — Chienner. — Cochonner (truie). — Faonner (biche). — Levretter (hase). — Louveter (louve). — Pouliner. — Vêler.

## PASSAGE

**Passages divers.** — Passage (lieu où l'on passe). Dégagement. Communication. Servitude. — Rue. Passage (rue couverte). Arcades. GALERIE. — Tunnel. Souterrain. — Corridor. Couloir. Coursive. Accourcie. — CHEMIN. Allée. Sentier. Traverse. — Col. Défilé. Gorge. — Gué. Détroit. CANAL. Passe. — Pont. Passerelle. — Porte. Portillon. Guichet. Poterne. — Ouverture. Barrière. Chattière. Musse (trou de haie).

Droit de passage. Servitude. Enclave. Fonds voisin, enclavé. Assiette. Passage sur le terrain d'autrui. Délit de passage.

## PASSÉ

**Le temps.** — Le passé. Siècles passés. — Temps anciens. Antiquité, antique. — Temps reculés, lointains, éloignés. Nuit des temps. — Temps immémorial. De mémoire d'homme. — Antériorité, antérieur. Rétrospectif. — Temps échu, écoulé, accompli, révolu. — Veille. Avant-veille. Les jours derniers. — Il y a longtemps.

Hier. Avant-hier. — Tout à l'heure. Tantôt. — AVANT. Auparavant. Ci-devant. — Précédemment. Naguère. Récemment. — Autrefois. Jadis. Depuis longtemps.

**Les hommes.** — Les anciens. Les générations passées. Les morts. — Nos prédécesseurs. Nos devanciers. — Nos premiers parents. Nos ancêtres. Nos aïeux. Nos pères. Nos auteurs. — Vieillir, vieux, vieillesse. Avoir fait son temps. — Disparaître. Mourir. Tomber dans l'oubli.

**En grammaire.** — Passé. Prétérit. — Passé défini. Passé indéfini. — Passé simple. Passé composé. Passé antérieur. — Parfait. Imparfait. Plus-que-parfait. — Aoriste.

## PASSEMENTERIE

**Passementerie de costume.** — Passement. Brandebourgs. Aiguillettes. — Appliques. Applications. Motifs. Soutache. Garniture. — RUBAN. Rosette. Nœud. Chou. Bouillon. — Pampilles. Freluche. Chenille. — Bouffette. Houppe. Houppette. — Passepoil. Cache-points. — Feston. — Filet. Résille. Chaînette. — Cordon. Cordonnet. Ganse. Laisse. — TRESSE. Câblé. NATTE. — LACET. Entrelacs. — Frange. Bordure. Galon. — DENTELLE. Guipure. Giselle. Boutons. Macarons.

**Passementerie d'ameublement.** — Lézarde. Giroline. Galon. Crête. Ganse. Nervure. Bordure. Chenille. — Effilés. Frange. Frangette. Crépine. Mollet. Embrasse. Gland. Capiton. Cordelière. Lambrequin. — Filet. Macramé.

**Passementerie métallique.** — Epaulettes. Graine d'épinards. Galons. Etoiles. — Dragonne. Torsade. Chamarrure. — Orfroi. Filé d'or ou d'argent. Lamé. — Clinquant. Cannetille. Paillettes.

**Travail.** — Passementerie. Passementier. Galonnier. — Passementer. Jeter en soie. Passer le fil. Assortir les nuances. — Tresser. Brocher. Franger. Natter. Effiler. Guiper. — Garnir. Soutacher. Chamarrer. Border. — Parfiler.

Métier. Bas métier. Tambour. Jatte. Ratière. NAVETTE. Boisseau. Bordoir. Fuseau. Poire. Soie. Fil. Coton. — Or. Argent. Cuivre. Acier. — Perles. Jais. Verroterie.

## PASSER

**Aller d'un lieu à l'autre.** — Passer. Passant. Rue passante. — Passer et repasser. Aller et venir. — Passage (action de passer). Passage (rue). — Changer de lieu. Migration. Migrateur. — Passeport. Passedebout. Laisser-passer. — Passade.

**Faire passer.** — Transporter, transport. Transiter, transit. — Transborder. Transbor-

mination, permettre, cuisine, filtre.
PASSER (se). V. événement, abstenir (s').
PASSEREAU, m. V. moineau.
PASSERELLE, f. V. pont.
PASSE-TEMPS, m. V. jeu, plaisir, oisif.
PASSEUR, m. V. bateau, rivière.
PASSE-VOLANT, m. V. remplacer.
PASSIBLE. V. souffrir, punition, mérite.
PASSIF, m. V. compte, commerce, dette, grammaire.
PASSIF. V. supporter, céder.
**Passion**, f. V. chaleur, aimer, penchant, colère, irréflexion, style, colique, Christ.
PASSIONNÉ. V. enthousiasme.
PASSIONNEL. Passionner. V. passion.
PASSIONNETTE, f. V. amour.
PASSIVITÉ, f. V. oisif.
PASSOIRE, f. V. cuisine, tamis
**Pastel,** m. V. indigo, crayon, peinture.
PASTELLISTE, m. V. peinture.
PASTÈQUE, f. V. courge.
PASTEUR, m. V. berger, prêtre, protestant.
PASTEURISER. V. ferment.
PASTICHE, m. V. imiter.
PASTILLAGE, m. V. pâte.
PASTILLE, f. V. confiserie, médicament.
PASTORAL. V. berger.
PASTORALE, f. V. poésie.
PASTOUREAU, m. Pastourelle, f. V. berger.
PÂT, m. V. manger.
PATACHE, f. V. bateau, voiture.
PATAQUÈS, m. V. prononcer.
PATATE, f. V. légume.
PATAUD. V. lourd, grossier, chien, pied.
PATAUGER. V. boue, embarras.
**Pâte,** f. V. broyer, bouillir, boulanger, papier.

---

deur. Bac. Passeur. — Pont. Gué. — Chemin praticable, carrossable, etc. Rivière navigable. — Transmettre, transmission. — Etre bon conducteur, conductibilité. — Métempsycose. Métamorphose. — Transition. Sens transitif. FILTRE, filtrer. — Crible, cribler. TAMIS, tamiser. Passoire, passer. Passe-purée. — Gicleur. — Conduit.

**Aller au-delà.** — Passer la mer. Passage. Passager. — Traverser, traversée. — Passer une montagne. — Gravir. Monter. Escalader. — Passer une rivière. Couper une route. Franchir un fossé. — Enjamber. Sauter. — Contourner. Tourner. Doubler. — Se frayer un passage. Fendre la foule. — Forcer le passage. Pénétrer.
Passer la mesure. Dépasser. Outrepasser. — Excéder. — Passe-droit.

**Disparaître.** — Le passé. Le temps passé. — Fuite des jours. Fuir. — S'écouler. COULER. Ecoulement. — Mourir. Trépasser. — Se flétrir. Perdre son éclat. Passer de couleur. Se corrompre. S'épuiser.
Faire passer. Passe-temps. — Tour de passe-passe. — Passer sous silence. Omettre.

### PASSION

**Affections de l'âme.** — Nature. Naturel. Caractère. Instinct. Tempérament. — PENCHANT. Inclination. — VICE. Dépravation. — Joie. Tristesse. — Espérance. Crainte. — Amour. Haine. — Désir. Convoitise. — Envie. Jalousie. — Admiration. Enthousiasme. Emotion. — Ambition. Appétit. — Avarice. Cupidité. — Colère. Irritation. — Manie. Monomanie.

**Amour.** — Aimer éperdûment, à la folie. Etre épris, ensorcelé. — Raffoler de. S'engouer, engouement. — Avoir un faible, du goût pour. Sympathiser, sympathie. — Elans du cœur. Orages du cœur. Faire battre le cœur. — Cœur ardent. Passionné. Volcan. Lave. — S'enflammer, languir, mourir d'amour. — Passion. Amour. — Passionnette. Amourette. Feu de paille.
Amant. Maîtresse. Amoureux.
Appétits charnels. Aiguillons, démon de la chair. — Sensualité, sensuel. Plaisirs des sens. — Concupiscence. Lascivité. Volupté. — Luxure, luxurieux. Débauche.

**Mouvements de passion.** — Etat passionnel. — Effervescence. Embrasement. Ebullition. Bouillonnement. — Agitation. Déchaînement. Emportement. — Fermentation. Explosion. — Elan. Palpitation. Mouvement. — Transport. Exaltation. Entraînement. — Paroxysme. Tension. — Accès. Crise. Fièvre. — Délire. Ivresse. — Folie. — Feu. Rage. Soif. — Troubles. Transes. — Orages du cœur.

**Caractères de la passion.** — VIOLENCE, violent. — Brutalité, brutal. — Apreté, âpre. — Ardeur, ardent. CHALEUR, chaleureux. — Enthousiasme, enthousiaste. — Excès, excessif. — Aveuglement, aveugle. Intempérance, intempérant. — FOLIE, fou. Fureur, furieux. Frénésie, frénétique. — Véhémence, véhément. Vivacité, vif. — Egoïsme, égoïste. — Partialité, partial. Exclusif. Fanatisme, FANATIQUE. — Passion dévorante, enivrante, effrénée.

**Développement de la passion.** — Passionner. Eveiller, EXCITER les passions. — Enflammer. Embraser. Electriser. Fanatiser. — Emouvoir. Impressionner. Remuer. — Pathétique. Tragique. Dramatique.
Etre embrasé, enflammé, électrisé, enivré, grisé, exalté, pantelant de passion. — Etre sous le coup de, hors de soi. — N'être pas maître de soi. Etre esclave de. — Avoir le démon de. Etre adonné à. — Maniaque. Monomane.

### PASTEL

**Qui concerne le pastel.** — Pastel et Guède (plante). — Pastel (crayon). Cocagne (pain de pastel). Coraigne (boule). — Pastelier (moulin). — Teindre au pastel. Empasteler. Guéder. — Estomper, estompe.

### PÂTE

**Pâte en général.** — Impastation. Réduire en pâte. Pétrin. Malaxer. — Pâte de farine. Pâte de semoule. — Purée. Marme-

PÂTÉ, m. V. *charcuterie, mets, amas, pâtisserie, encre.*

PÂTÉE, f. V. *pâte, bestiaux, oiseau.*

PATELIN. V. *cajoler.*

PATÈNE, f. V. *église.*

PATENÔTRE, f. V. *prier.*

PATENÔTRIER, m. V. *tabletterie.*

PATENT. V. *apparaître, certitude, public.*

PATENTE, f. Patenté, m. V. *permettre, brevet, profession, boutique, impôt.*

PATÈRE, f. V. *vase, clou, pendre, architecture.*

PATERNE. V. *bon.*

PATERNEL. V. *père, bon.*

PATERNITÉ, f. V. *père, génération.*

PATER-NOSTER, m. V. *pêche.*

PÂTEUX. V. *pâte.*

PATHÉTIQUE. V. *toucher, passion, éloquence, style.*

PATHOLOGIE, f. V. *maladie.*

PATHOS, m. V. *emphase, rhétorique.*

PATIBULAIRE. V. *pendre.*

**Patience,** f. V. *attendre, modération, résignation, jeu.*

PATIENT. V. *doux, souffrir, maladie, punition.*

PATIENTER. V. *patience, délai.*

PATIN, m. V. *chaussure, sou-*

*lier, gelée, maréchal, base.*

PATINE, f. V. *oxyde.*

PATINER. Patineur, m. V. *glisser.*

PÂTIR. V. *souffrir, perdre, manque.*

PÂTIS, m. V. *paître, prairie.*

**Pâtisserie,** f. V. *pâte, sucre.*

PÂTISSIER, m. V. *pâtisserie.*

PATOIS, m. V. *langage.*

PÂTON, m. V. *manger.*

PATRAQUE. V. *disloquer.*

PÂTRE, m. V. *berger.*

PATRIARCHE, m. V. *chef, famille, vieux, évêque.*

PATRICIEN, m. V. *sénat, noble.*

PATRIE, f. V. *pays, peuple.*

---

lade. — Pâte pharmaceutique. Pâte de guimauve, de jujube, de lichen. — Emplâtre. Onguent. Cataplasme. — Pâte de porcelaine. Pâte de papier. — Pâte chimique. Pâte à polir. — Cirage. Colle de pâte.

**Pâte de boulanger.** — Pâte dure, ferme, molle, bâtarde. — Pétrin. Huche. Maie. — Délayer. Pétrir, pétrissage. Fraiser. — Battre. Brier. Escocher. — Levain. Levure. Faire lever. Fermentation. — Sébile. Paneton. Banneton. V. BOULANGER.

**Pâte de pâtissier.** — Tour, tourer. Rouleau, rouler. Coupe-pâte. — Donner une façon. Feuilleter. — Fond. Bande. Croûte. Abaisse. Barquette. Galette. — Pâte feuilletée. Pâte brisée. Pâte levée. Pâte croquante. Pâte à pâté. Pâte à biscuit. — Pâte de fruits. Pâte d'amandes, d'abricots, de groseilles, de coings. — Pastillage. V. PÂTISSERIE.

**Pâtes alimentaires.** — Pâtes d'Italie. Macaroni. Nouilles. Vermicelle. Lasagne. Ravioli. Spaghetti. Caneloni.

Tapioca. Semoule. Sagou. Moussache. Pâton. Pâtée. Bouillie. Boulettes.

## PATIENCE

**Endurer.** — Endurance, endurant. Stoïcisme, stoïque. Flegme, flegmatique. — Se contenir. Faire bonne contenance. Impassibilité, impassible. Flegmatique. — Constance, constant. Persévérance, persévérant. — Maîtrise de soi.

SOUFFRIR. SUPPORTER. — Passivité, passif. — Souffre-douleur. Plastron. — Martyr. Patient.

**Se prêter à tout.** — Bon. Débonnaire. Doux. — Bonne pâte. Caractère commode, facile, docile. — Indulgence, indulgent. Tolérance, tolérant. — Tolérer. Laisser faire. Permettre. — Longanimité. Mansuétude. Modération. — Etre philosophe. Prendre bien les choses. — Se résigner, RÉSIGNATION. En prendre son parti. — S'accoutumer à. S'y faire.

**Attendre.** — Attendre patiemment. Attente. — Etre patient. Patienter. Prendre

patience. S'armer de patience. — N'être pas pressé. Rester dans l'expectative. — Temporiser, temporisation. Différer. DÉLAI. — Calme. Quiétude.

Perdre patience. Etre à bout. — Impatience, impatient. — Inquiétude, inquiet.

## PÂTISSERIE

**Métier.** — Pâtisserie. Biscuiterie. Pâtissier. Chef. Garçon. Patronnet. — Pâtisser. Tourer. Rouler. Feuilleter. Chiqueter la pâte. — Dresser. Garnir. Glacer. Dorer. Décorer. — Battre (une crème). Tourner. — Piler. Broyer. Tamiser. — Cuisiner. Farcir. Truffer. Lier. Beurrer. — Passer à l'étuve. — Mettre au four. — Fond. Croûte. Barquette. Galette.

Tour. Rouleau. — Batteuse. Fouet. Spatule. — Bassines. Casseroles. — Moules. Tourtière. Tôle.

Farine. Beurre. Œufs. Sucre. — Amandes. Confitures. Raisins. Fruits.

**Pâtés.** — Petits pâtés. Friand. Pâté en croûte. — Pâté de viande. Pâté de poisson. Pâté de foie gras. — Terrine. Tourte. Tourteau. Timbale. — Godiveau. Vol-au-vent. Bouchée à la reine. — Quenelle. Farce. Hachis. Appareil.

**Gâteaux.** — Tarte. Tartelette. Tarte aux cerises, aux fraises, aux prunes, aux abricots, à la frangipane, à la crème, aux confitures. — Biscuits. Biscuits secs. Biscuits à la cuiller. Biscuit de Savoie. Biscuit de Reims. Biscuit champagne. — Gaufre. Gaufrette. Oublie. Plaisir. — Crème. Crème au beurre. Crème cuite. Crème fouettée. Crème Chantilly. Mousse. — Pain d'épice. Couque. Pavé. Nonnette. — Pièce montée. Entremets. Petits fours. — Croquet. Croquignole. Croquembouche. — Brioche. Kugelhof. Pain beurré. — Biscotte. Petit beurre. Echaudé. — Gâteau de riz. Plum-cake. Pudding. — Gâteau aux amandes. Pain de Gênes. Nougat. Macaron. Massepain. — Gâteaux feuilletés. Galette feuilletée. Millefeuilles. Allumettes. Religieuse. Chausson. — Chou. Eclair. Profiterole. Flan. — Saint-Honoré. Charlotte. Suprême. Moka. Meringue. — Baba. Savarin.

PATRIMOINE, m. Patrimonial. V. *héritage, propriété, famille, riche.*

PATRON, m. V. *chef, protéger, saint, profession, modèle, bienfait, matelot.*

PATRONAGE, m. V. *bienfait.*

PATRONAT, m. V. *chef.*

PATRONNER. V. *protéger, garant.*

PATRONNESSE, f. V. *charité.*

PATRONYMIQUE. V. *nom, famille.*

PATROUILLE, f. Patrouiller.

V. *garde, chercher, armée.*

PATTE, f. V. *pied, jambe, bande.*

PATTE-D'OIE, f. V. *chemin.*

PATTE-FICHE, f. V. *clou.*

PATTU. V. *pied.*

PÂTURAGE, m. Pâture, f. V. *prairie, herbe.*

PÂTURER. V. *paître.*

PATURIN, m. V. *herbe.*

PATURON, m. V. *cheval, pied.*

PAUCITÉ, f. V. *rare.*

**Paume**, f. V. *main, jeu.*

PAUMELLE, f. V. *orge.*

PAUPÉRISME, m. V. *pauvre.*

PAUPIÈRE, f. V. *œil.*

PAUSE, f. V. *arrêt, attendre, repos, silence, prononcer.*

**Pauvre**, m. V. *manque, aumône, ruine, classe.*

PAUVRESSE, f. V. *pauvre.*

PAUVRETÉ, f. V. *besoin.*

PAVAGE, m. V. *pavé.*

PAVANE, f. V. *danse.*

PAVANER (se). V. *orgueil, allure.*

**Pavé**, m. V. *pierre, chemin.*

PAVEMENT, m. V. *pavé.*

---

— Gâteaux secs. Madeleine. Sablé. — Gâteaux au chocolat. — Gâteau des rois. Gâteau breton, etc.

## PAUME

**Jeux de balle.** — Paume. Longue paume. Paume au tambourin. Paume au tamis. — Lawn-tennis. Cricket. Base-ball. Hockey. Crosse. Golf. — Ballon. Football. — Balle au camp, au pot, au chasseur, au pied, etc. — Balle au mur. Pelote basque. — La sphéristique (chez les anciens).

Balle. Eteuf. Pelote. — Ballon. Ballon rond. Ballon ovale. — Batte. Battoir. Triquet. — Raquette. Chistera. — Club de golf. Crosse.

**Emplacements de jeux.** — Carreau de paume. Carré. Corde. Tiré. Rapport. — Court de tennis. Filet. Lignes de fond. Lignes de côté. Lignes de service. Lignes de côté de service. Ligne de demi-court. — Terrain de jeu. Camp. Lignes. But. — Fronton. Mur. — Links de golf. Parcours. Trous.

**Jeu.** — Avant-main. Arrière-main. Jeter la balle. — Servir, service, serveur. Jouer de volée. Friser la corde. Donner beau. Chasser la balle. — Empaumer. Coup de revers. Couper le coup. Rabattre. Renvoyer. Coup de dedans. Prendre la balle au bond. Jeu. Points. Set. — Jouer de bricole. Peloter. Hasard. Faute.

## PAUVRE

**Manque d'argent.** — Etre sans le sou. N'avoir pas un sou vaillant. N'avoir rien. — Impécuniosité. Bourse plate. Gousset vide. — Etre à court, à sec, dépourvu, désargenté, à bout de ressources. — N'être pas en fonds. Etre léger d'argent. Les fonds sont bas. — Etre au-dessous de ses affaires. Ne pas joindre les deux bouts. — Perdre sa fortune. Perte d'argent. Appauvrissement. RUINE, ruiné, ruineux. — Nécessité pressante. Epuisement. Délabrement.

Pauvre, pauvresse, pauvret. Pauvreté. Paupérisme. — Petites gens. Menu peuple. — Prolétaire. Prolétariat.

**Misère.** — Mendier, mendiant, mendicité. Tendre la main. Demander l'aumône. — Mourir de faim, de besoin. N'avoir pas de pain. Crier famine. Manquer de tout. — N'avoir ni feu ni lieu. Etre sur le pavé. Etre

sur la paille. — Tirer le diable par la queue. Etre dans la débine, dans la crotte.

Indigence. Dénuement. Détresse. Misère. — Disette. Famine. Pénurie. — Gueuserie. Pouillerie. — Paupérisme.

Malheureux. Miséreux. Misérable. — Indigent. Besogneux. Nécessiteux. — Calamiteux. Marmiteux. Piteux. Pitoyable. — Famélique. Meurt-de-faim. Ventre-creux. — Pauvre diable. Croquant. Gueux. Pauvre hère. Claquedent. — Va-nu-pieds. Loqueteux. Déguenillé. Dépenaillé. En haillons. En guenilles. — Pauvre honteux.

AUMÔNE. Charité. — Bureau de bienfaisance. Asile de nuit. Soupes populaires.

**Vie étroite.** — Médiocrité. Condition médiocre. Fortune modeste. — Etre peu favorisé de la fortune. Etre sans fortune. — Humble condition. Petit bourgeois. Petites gens. Gagne-petit.

Etre à l'étroit. Ne pas en mener large. Avoir le strict nécessaire. — N'être pas à l'aise. Avoir de la peine à vivre. Vie malaisée. Embarras. Gêne. — Vivre mesquinement, chichement, chétivement. Vivre de peu. Vivoter. — Faire maigre chère. Etre à la portion congrue. Manger de la vache enragée. — Se restreindre. S'imposer des privations, des restrictions. Pâtir. Situation pénible. — Etre près de ses pièces. Pingre. Râpé. Air minable. — Vivre au jour le jour. Vie de bohème.

## PAVÉ

**Chaussée.** — Voirie. Rue. Route. Voie. — Chaussée creuse, bombée, plate. — Milieu. Accotement. Aile. Caniveaux. Bordure. Trottoir. Parements. — Dos d'âne. Cassis. Ruisseau. — Haut du pavé.

Ponts et chaussées. Agent voyer. Cantonnier.

**Revêtements.** — Pavé de pierre. Pavé de bois. Pavé de briques, de verre, de caoutchouc. — Carreau, carrelage. Dalle, dallage. — Ferrer un chemin. Pierre, empierrer, empierrement. Macadam, macadamiser. — Encaissement. Caillou. Cailloutis. Blocaille. Béton. Ciment. — Bitumer, bitume. Goudronner, goudron. Gravillonner, gravillonnage.

**Pavage.** — Pavé de grès, de granit, de porphyre. — Petit pavé. Gros pavé.

Paver. Paveur, m. **V.** *pavé.*
**Pavillon,** m. **V.** *architecture, maison, tente, oreille, drapeau.*
Pavois, m. **V.** *bouclier, drapeau.*
Pavoiser. **V.** *fête, orner.*
**Pavot,** m. **V.** *opium.*

Patable. Payant. **V.** *payer.*
Paye, f. Paiement, m. **V.** *payer.*
**Payer. V.** *acheter, dépense, salaire, quittance.*
Payeur, m. **V.** *agent, compte.*
**Pays,** m. **V.** *géographie, lieu, peuple, chasse.*

**Paysage,** m. **V.** *pays, peinture.*
**Paysagiste,** m. **V.** *peinture, jardin.*
**Paysan,** m. Paysannerie, f. **V.** *campagne, classe.*
**Péage,** m. **V.** *douane, féodal.*
**Péan,** m. **V.** *Apollon, chant.*

---

Mosaïque. — Echantillon (dimension). Range (ligne de pavés). — Piquer. Refendre. — Paver, paveur. Manier. Enfoncer. — Aire. Ferme (couche de sable). — Dépaver. — Repaver. Souffler (renouveler le sable). Repiquer (remonter le pavé). Relever à bout (remplacer).

Carrelet (marteau). Demoiselle. Hie.

## PAVILLON

**Petit édifice.** — Ajoupa. — Belvédère. — Chapelle. — Donjon. — Echauguette. — Gloriette. — Guérite. — Kiosque. — Maisonnette. — Muette. — Rotonde. — Tonnelle. — Tourelle. — Vide-bouteille.

**Tenture.** — Pavillon. Tente. — Dais. Ciel de lit. Lambrequin. Baldaquin. — Poêle. Velum. — Parasol. Ombrelle. — Drapeau. Bannière. Etendard.

## PAVOT

**Relatif au pavot.** — Pavot. Œillette. Coquelicot. — Papavéracées. Pavot rouge, blanc, épineux, bénit, sauvage. — Tête de pavot. Capsule. Graine. Suc.

Somnifère. Calmant. — Opium. Codéine. Morphine. Laudanum. Elixir parégorique, etc. — Huile d'œillette.

## PAYER
(latin, *solvere*)

**Payer une dette.** — Payer, paiement. Payeur. Mauvais payeur. Solvable, solvabilité. — S'acquitter de. Régler son compte. Eteindre une dette. Se libérer. — Débourser. Dépocher. Verser de l'argent. Faire un versement. Acquitter. — Payer argent comptant. Payer à tempérament. Payer en nature. — Se décharger. Se fendre. Dégorger. Cracher au bassinet. — Délier les cordons de sa bourse. Mettre la main à la poche. Compter de l'argent. — Compter. Liarder. — Somme à valoir. Acompte. Appoint. Solde. — Boucher un trou. — Solder. Régler. Etre en règle. Etre quitte.

**Payer un service.** — Paye. Haute paye. Morte-paye (après cessation de travail). — Appointer. Appointements. Salaire. Emoluments. Traitement. Solde. Gages. — Rétribuer. Retribution. Honoraires. Vacation. Prêt (du soldat). — Rémunérer, rémunération. — Reconnaître un service. Gratifier. Gratification. Pourboire. Etre généreux. — Stipendier. Stipendié. Mercenaire. — Obtenir moyennant finance. Avoir gratis. Service gratuit.

Corrompre à prix d'argent. Suborner. Gagner. Acheter. Soudoyer. — Vénalité, vénal. Graisser la patte. Commission. Remise. Pot-de-vin. — Subvenir à. Subvention. Subside. — Entretenir, entretien. Défrayer. Fournir aux frais. — Financer. Foncer.

**Tenir ses engagements.** — Faire face à ses engagements. Faire honneur à sa signature. — Rembourser, remboursement. Se rédimer. Rendre un prêt. — Amortir, amortissement. Racheter, rachat. Dédit. — Consigner, consignataire. Consignation. Arrhes. Avances. Denier à Dieu. — S'abonner, abonnement. Souscrire, souscription, souscripteur. — Contribuer, contribution. Cotiser, cotisation. Quote-part. — Répondre de. Mettre des fonds dans. Se saigner. — Servir une rente, des intérêts.

**Paiements.** — Somme exigible. Exigibilité. Note. Facture. Carte à payer. Addition. Ecot. — Créance, créancier. Dette, débiteur. — Dation en paiement. Solution. — Paiement différé. Subrogation. Co-obligé. — Traite. Billet à ordre. Mandat. Rescription. — Crédit. Echéance. Terme. Fin de mois. — Prix. Coût. Titre onéreux. Dépens. Dépense. — Impôt. Taxe. Droits à payer. — Revenu. Intérêts. Arrérages. — Tribut. Rançon. — Plus-payé. Surplus.

Caisse, caissier. Recette. Perception. Quittance. Acquit. — Ordonnancer. Mandater. Déléguer une somme. — Exiger. Réclamer. Présenter la note. — Recouvrer. Percevoir. Place payante. — Toucher. Emarger. — Exécuter. Rançonner.

Débiteur véreux. Banqueroute. Faillite. Protêt.

**Compenser.** — Compensation pécuniaire. Réparation. Composition (somme payée pour réparer). Désintéresser. — Dommages et intérêts. Dedommager, dédommagement. Indemnité, indemniser. — Expiation, expier. Amende. Prestation. — Liquider, liquidation, liquidateur. — Caution, cautionner, cautionnement. Prime d'assurances. — Imputer, imputation. Revaloir.

## PAYS

**Territoire.** — Topographie, topographique. — Région. Zone. Contrée. Hinterland. — Endroit. Lieu. — Environs. Voisinage. Parages. — Paysage. Site. Campagne. — Terrain. Terre. Sol. Terroir. — Climat. Ciel. — Faune. Flore.

Ethnographie, ethnographique. — Habitants. Population. Peuple. — Race. Originaire. Natif. Aborigène. Indigène. Autochtone. — Etre du pays, de chez nous. Un pays, une payse.

**Peau,** f. V. *corps, teint, cuir, fourrure.*
PEAU-ROUGE, m. V. *Amérique.*

PEAUSSERIE, f. Peaussier, m. V. *peau.*
PÉCARI, m. V. *porc.*
PECCADILLE, f. V. *péché.*

Peaussier, m.

PECCANT. V. *humeur.*
**Pêche,** f. V. *fruit.*
**Pêche,** f. V. *poisson, prendre, hameçon, filet.*

---

**Patrie.** — Patrie. Patriote, patriotisme, patriotique. — Nation, national. Nationaliser, nationalisation. Nationalité. Pays d'adoption. — Petite patrie. Lieu de naissance. Le clocher. Les foyers. Air natal. — Frontières. Côtes. Rivages. — Compatriote. Concitoyen. — Cité. Citoyen. Civisme. Civique. — Chauvin, chauvinisme. — Querelles domestiques, intestines.

**Administration.** — Etat. Gouvernement. Fédération. — République. Royaume. Empire. Principauté. Protectorat. — Division. Subdivision. District. Cercle. Circonscription. Enclave. — PROVINCE. Département. Canton. — Diocèse. Paroisse. — VILLE. Capitale. Préfecture. Chef-lieu. Bourg. VILLAGE. Hameau.

**Rapports avec l'étranger.** — International, internationalisme. Cosmopolite, cosmopolitisme. — Exiler, exil. Expatrier, expatriation. Dépayser. — Emigrer, émigration, émigrant. Immigrer, immigration. — Vivre à l'étranger. Voyager. Nomade. Nostalgie. — Colonie, colonial. Coloniser, colonisation. — Naturaliser, naturalisation. Assimiler. Acclimater, acclimatation. — Exporter, exportation. Importer, importation.

## PEAU
(latin, *cutis;* grec, *derma*)

**Peaux diverses.** — Peau. Derme. Epiderme. Surpeau. Epiphlose (des végétaux). — Fourrure. Pelage. Robe. Cuir chevelu. — Dépouille. Carbatine (peau de bête écorchée). Peau en poil. — Couenne (de porc). Galuchat (de requin). Panoufle (de mouton). Canepin (d'agneau). — Pellicule. Pelure. Baudruche. — MEMBRANE. Taie. Tégument. Epithélium. — Tunique. ENVELOPPE. Ecorce. Croûte. Zeste.

Fourrures (vêtement). Nébride et Pardalide (de Bacchante).

**Constitution de la peau.** — Histologie, histologique. Tissu épithélial. Tissu dermique. — Couches. Fibres. Cryptes. Follicules. Papilles. Pigment. Bulbe pileux. Pores. — Cutané. Intercutané. Sous-cutané. Hypoderme, hypodermique. — Glandes sébacées. Glandes sudoripares. — Pli. Repli. — Panne. Pannicule.

Gymnoderme. Malacoderme. Ostéoderme. Echinoderme. Ostracoderme. Pachyderme. Squamoderme.

**Traitement des peaux.** — Peaussier, peausserie. Pelletier, pelleterie. Fourreur, fourrer. — Tanner, tannerie. Mégisser, mégisserie. Chamoiser, chamoisage. Corroyer, corroyage. Cuir. — Chagrin. Vélin. PARCHEMIN. — Empailler, empaillage, empailleur. Taxidermie. — Ecorcher, écorcheur. Equarrir,

équarrissage, équarrisseur. Habiller (un veau). — Peler. Décortiquer. Ecaler. — Tatouer, tatouage.

**Etats de la peau.** — Carnation. Coloris. Couleur. — Peau fine, souple, blanche, noire, brune, rose, satinée, dure, rugueuse, ansérine, rêche, sèche, grasse, huileuse, lisse, etc.

TEINT frais, vermeil, coloré, de lis, de rose, rougeaud, rubicond, fleuri, basané, livide, blafard, terreux, hâve, hâlé, incarnat, jaune, blême, bruni, sanguin, allumé, fatigué, reposé, etc.

Pâlir. Rougir. Blanchir. Blêmir. Changer de couleur. — Hâler. Brunir. Bronzer. — Farder. Aviver. — Eclaircir le teint. Brouiller le teint.

**Accidents cutanés.** — Dermatologie. Dermatoses. — Traumatismes. Eruptions. — Peaucier (médecin).

Achores. — Acné. — Ampoules. — Bourgeonnement. — Boutons. — Bubon. — Callosité. — Chloasme (taches verdâtres). — Cicatrice. — Cloques. — Couperose. — Croûte. — Dartre. — Démangeaison. — Desquamation. — Désudation. — Ecaillement. — Ecchymose. — Ecorchure. — Ecrouelles. — Eczéma. — Efflorescence. — Eléphantiasis. — Engelures. — Envie. — Eraflure. — Eruption, fièvre éruptive. — Erythème (rougeurs). Erysipèle. — Escarre. — Excroissance. — Exfoliation. — Favus. — Flegmon. — Gale. — Gerçure. — Gourme. — Grain de beauté. — Impétigo. — Kératose. — LÈPRE. — Lichen. — Macule. — Masque de grossesse. — Papules. — Pelade. — Pellagre. — Peste. — Phlegmasie. — Phlyctène (pustule). — Pian. — Picote. — Pityriasis. — Psoriasis. — Pourpre. — Prurigo. — Prurit. — Pulicaire. — Pustules. — Rides. Rogne. — Rougeole. — Rougeurs. — Son. — Sueur. — Squame. — Taches de rousseur. — Tache de vin. — Teigne. — TUMEUR. — Ulcération. — VARIOLE. — Verrue. — Vésicule.

## PÊCHE (fruit)

**Qui concerne la pêche.** — Pêche à peau duvetée. Pêche à peau lisse. — Pêche en plein vent. Pêche en espalier. Pêche de Montreuil. Pêche de vigne. — Pavie. Brugnon. Nectarine.

Pêcher. Fleur de pêcher. — Aubère (couleur fleur de pêcher). — Noyau de pêche. Persicot (liqueur). — Pêche au sirop, au vin, etc.

## PÊCHE

**Art de la pêche.** — Pêche. Halieutique. — Grande pêche. Petite pêche. Pêche maritime. Pêche fluviale. Pêche en eau douce.

Pêche à la ligne. Au chalut. A l'épervier. Au carrelet. Aux filets. Au harpon. A la

**Péché**, m. V. *mal, faute, injuste, impie, pénitence.*
PÊCHER. Pêcheur, m. V. *pêche.*
PÉCHER. Pécheur, m. Pécheresse, f. V. *péché, vice.*
PÊCHERIE, f. V. *étang.*
PÉCORE, f. V. *animal.*
PECQUE, f. V. *affectation.*
PECTINIFORME. V. *peigne.*
PECTORAL. V. *poitrine, médicament, croix.*
PÉCULAT, m. V. *voleur.*
PÉCULE, m. V. *esclave, économie, prison, monnaie.*
PÉCUNIAIRE. V. *monnaie.*
PÉDAGOGIE, f. Pédagogue, m. V. *enfant, instruction, école.*
PÉDALE, f. V. *orgue, automobile.*
PÉDALER. V. *pied.*
PÉDANT, m. V. *école, science.*
PÉDANTISME, m. V. *affectation, emphase.*
PÉDAUQUE, f. V. *oie.*
PÉDESTRE. V. *pied, marcher.*
PÉDIAL. V. *plume.*
PÉDICELLE, f. V. *queue.*
PÉDICULAIRE. V. *poux.*
PÉDICULE, m. V. *pied, queue.*
PÉDICURE, m. V. *pied, ongle.*
PÉDIEUX. V. *pied.*
PEDIGREE, m. V. *cheval.*
PÉDILUVE, m. V. *laver, pied.*
PÉDONCULE, m. V. *fleur.*
PÉDOTROPHIE, f. V. *enfant.*
PÉGASE, m. V. *cheval.*
PEIGNAGE, m. V. *peigne, laine.*
**Peigne**, m. V. *carde, dent, chanvre, tissu, huître, cheveu.*
PEIGNÉ, m. V. *drap.*

---

fouine. A la main. Au collet. Au fusil. Au torchon. Au trimmer. A la vermée. A la foule. Au feu. A la bouille. A la bouteille.

Pêcherie. Pisciculture. Vivier. Parc. Réserve. Réservoir. Bouchot. Bac. Boutique.

Ouverture, fermeture de la pêche. — Garde-pêche.

**Pêche en mer.** — Grande pêche. Pêche côtière. Pêche hauturière. — Agrès de pêche. Filets. Lignes. Rogue.

Bateau de pêche. Chalutier. Bateaux bœufs. — Baleinier. Thonier. Morutier. Sardinier. Harenguier. Langoustier.

Equipage de pêche. Marin pêcheur. Maréant. — Inscrit maritime. — Terreneuvier. Islandais.

**Pêche à la ligne.** — Pêcheur. Pêcheuse. Société de pêche. Garde-pêche. Braconnier.

Pêche à la ligne flottante. Au lancer. A fouetter. Au coup. A la ligne volante. Pêche au vif. Pêche à soutenir. Pêche au fond. Pêche au devon. Pêche à la mouche.

Equipement. Lignes. Engins. Epuisette. Sonde. — Panier. Glène. — Barque. Bachot. Coup.

Appât. Amorce. Esche. Vers. Asticots. Blé. Mouches, etc.

Amorcer. Apprêter. Escher. — Lancer. Soutenir. Ferrer. — Poser. Tendre. Lever des lignes. — Touche. Mordre. — Attraper. Prendre.

**Lignes.** — Canne. Gaule. Pied. Branlette. Scion. — Moulinet. Traillet. — Fil. Soie. Empile. Pile. Racine. Avancée. Crin. Bas de ligne. — Flotteur. Flotte. Bouchon. — Hameçon. Emerillon.

Ligne à la main. Ligne dormante. Ligne de fond. Traînée. — Lignes à plusieurs hameçons. Libouret. Pater-noster. Palangre. Bauffe. Appelet. Turlutte.

**Filets.** — *Filets de mer.* Chalut. Folle. Gangui. Senne. Truble. Tartane. Havenet.

*Filets d'eau douce.* Araignée. Verveux. Balances. Folles. Louves. Tramail. Tambour. Nasse. — Epervier. Gille. Carrelet ou Echiquier.

**Engins.** — Harpon. Grappin. Trident. Crochet. Breveux. Fourchette. Grapette. — Drague. Madrague. Pantanne. Gord. — Cuiller. Leurre. — Casier à homards.

## PÉCHÉ
(latin, *peccatum*)

**Nature du péché.** — Péché véniel. Péché mortel. — Péché originel. Péché actuel. — Péché habituel. Péché d'omission. — Gros péché. Péché irrémissible. — Les sept péchés capitaux. Orgueil. Avarice. Luxure. Envie. Gourmandise. Colère. Paresse. — Le formel du péché. Le matériel du péché.

Péché mignon. Péché de jeunesse. Peccadille. — FAUTE. Manquement. Forfaiture. — SCANDALE. VICE.

**Etat de péché.** — Pécheur. Pécheresse. Pécheur endurci. — Commettre un péché. TOMBER dans le péché. Perdre la grâce. — Souillure, fange, boue, honte du péché. — Faillir, faillible. — Succomber à la tentation. Fragilité humaine. Brebis égarée. — Manquer à ses devoirs. Transgresser, violer la loi. — Offenser Dieu. Désobéir à Dieu. Se révolter contre Dieu. — Vivre dans l'iniquité. Avoir la CONSCIENCE chargée. Avoir sur la conscience. — Rechute. Récidive. Relaps. — IMPIE. Sacrilège. Impur. Infidèle. Damné. — Faire le mal. Méchant. Criminel.

**Pénitence.** — Tribunal de la PÉNITENCE. CONFESSION, confesser, confesseur. Pénitent. Pénitente. — Examen de conscience. Cas de conscience. — Directeur de conscience. Casuiste, casuistique. — Contrition. Repentir. — Avouer ses péchés. Dire sa coulpe. Dire son *peccavi.* — Se réconcilier avec Dieu. Venir à résipiscence. — Expier ses fautes. Réparer ses torts.

Convertir, conversion. Ramener à Dieu. — Remettre les péchés. Rémission. Pardonner, pardon. Absoudre, absolution. — Retenir les péchés (refuser l'absolution). Damner. Excommunier.

## PEIGNE
(latin, *pecten*; grec, *cteis*)

**Peigne de toilette.** — Peigne de coiffure. — Peigne à décrasser. Démêloir. Peigne fin. — Peigne de poche. Peigne à barbe.

Dos. Champ. Dents. Oreilles. — Peigne d'argent, d'écaille, de buis, de corne, de celluloïd, etc. — Peigne édenté.

**Usage.** — Peigner. Donner un coup de peigne. — Coiffer. Démêler. Faire une raie. — Relever les CHEVEUX. Retenir les cheveux.

PEIGNÉE, f. V. *peigne, battre.*
PEIGNER. V. *carde, cheveu, peigne.*
PEIGNER (se). V. *toilette.*
PEIGNOIR, m. V. *habillement, bain.*
PEIGNON, m. V. *corde.*
PEIGNURES, f. p. V. *cheveu.*
PEINDRE. V. *peinture, repré-* senter, description, couvrir.
**Peine,** f. V. *souffrir, malheur, travail, chagrin, supplice, punition.*
PEINER. V. *peine, fatigue, déplaire.*
PEINTRE, m. V. *peinture.*
**Peinture,** f. V. *art, couleur, image, description.*
PEINTURLURER. V. *peinture.*
PÉJORATIF. V. *pire.*
PELADE, f. V. *tête, cheveu, peler.*
PELAGE, m. V. *poil, peau.*
PELARD. V. *bois, peler.*
PÊLE, m. V. *serrure.*
PELÉ. V. *chauve.*
PÊLE-MÊLE. V. *désordre.*

---

— Se peigner. Etre bien peigné, mal peigné. — Peignoir. Peignures.

**Peigne d'industrie.** — Peignage. Peignerie. Peigneuse. — Peigne à laine. Carde. Laine peignée. — Ros (de tisserand). — Ebauchoir (à chanvre). — Grège et Séran (à lin). — Peignée. Peignon.

**Relatif au peigne.** — Peigne (coquillage). Pectinie (polypier). Pectinibranches. — Pectiné (semblable à un peigne). Pectiniforme. — Cténite (fossile). Cténodontes (reptiles).

## PEINE

**Fatigue.** — Peine. Pénible. Peiner. Peinard. — Faire à grand-peine. Mourir à la peine. Perdre sa peine. — Ahan. Suer d'ahan. Ahaner. — Se fatiguer. S'épuiser. S'éreinter. Suer sang et eau. — Travailler dur. TRAVAIL forcé. Travailler comme un forçat, un galérien. — Corvée, corvéable. — Excès de travail. Se forcer. Se surmener. — Avoir du mal à. Avoir du fil à retordre. — Poids. Charge. Fardeau. Homme de peine.

**Activité.** — Se donner de la peine. Ne pas plaindre sa peine. Se donner du mal. — Prendre la peine de. Valoir la peine. — Prendre à tâche. Faire du ZÈLE. Donner tous ses soins. — S'actionner. S'évertuer. S'escrimer. — Faire son possible. Faire l'impossible. S'efforcer de. Donner un coup de collier. — S'exercer. Faire des efforts. S'appliquer à. — Se débattre. Lutter. Emporter de haute lutte.
Se remuer. Remuer ciel et terre. Faire des pieds et des mains. — Se mettre en campagne. — Allées et venues. Démarches.

**Souffrance.** — Souffrir. Eprouver de la peine. Peine CRUELLE. Peine de cœur. — Peiner. Faire de la peine. — CHAGRIN, chagriner. Tourment, tourmenter. — Tracas, tracasser. Se mettre martel en tête. Inquiétude, inquiéter. Tintouin. — Embarras, embarrassé. Difficulté. — Ennui, ennuyeux, ennuyer. — Misère, misérable. Incommodité. — Crise. Moment critique. — RÉPUGNANCE. REGRET. Remords.

**Expiation.** — Infliger une peine. Châtiment. Sanction. PUNITION. Correction. Pénitence. — Sévir. Pénalité. Pénal. — Peine capitale. Peine afflictive. Peine corporelle. — Peine infamante. Peine légère. — Peines éternelles.

## PEINTURE

**Art.** — Peinture. Pictural. Pittoresque. — Peinture murale. Peinture de chevalet. Peinture décorative. — Exposition de peinture. Musée. Galerie. Pinacothèque.

*Ecoles.* Antique. Byzantine. De la Renaissance. Vénitienne. Milanaise. Hollandaise. Flamande. Française. Espagnole. Allemande. Anglaise. Classique. Romantique. Préraphaélite. Impressionniste. Réaliste. Pointilliste. Tachiste. Cubiste, etc.

Style. Manière. Métier. Touche. Patte. — Peindre. Représenter. Reproduire. Rendre. — Composer. Copier. Travailler d'après nature. — Restaurer. Retoucher.

**Peintres.** — Artiste peintre. Rapin. — Maître. Elève. Prix de Rome. Hors concours. — Coloriste. Miniaturiste. Paysagiste. Portraitiste. Ornemaniste. Aquarelliste. Pastelliste. — Peintre militaire, religieux. — Peintre d'histoire, de marine, de genre, de fleurs, de nature morte. — Peintre verrier.

**Travail.** — Atelier. Chevalet. — Eclairage. Jour. — Séance. Pose. — Modèle. Mannequin. — Châssis. Toile. — Cadre. Encadrement. — Appui-main. Palette. Brosse. Pinceau. Blaireau. Couteau. — Godet. Pincelier. — Boîte de couleurs. Couleurs fines. Tubes.

**Tableaux.** — Tableau. Tableautin. Toile. Morceau. Panneau. Trumeau. Plafond. Pendant. — Original. Copie. Etude. Pochade. Pastiche. Croûte. — Carton. Dessin. Croquis. Esquisse. — Sujet. Motif. — Ciel. Fond. Plans. Perspective. Méplat. Lignes. Traits. Contours. Raccourci. — Diptyque. Triptyque. — Diorama. Panorama. — Illustration.

Académie. Nu. — PORTRAIT. Groupe. Figure. — Caricature. Charge. — Histoire. Batailles. — Intérieur. Scène de genre. — Paysage. Vue. Fabrique. Marine. — Animaux. Fleurs. Nature morte. — Enseigne. Trompe-l'œil. — Sujet religieux. Passion. Nativité. Annonciation, etc.

**Sortes de peinture.** — Huile. Aquarelle. Lavis. Gouache. Détrempe. Pastel. — Fresque. Grisaille. Miniature. Enluminure. — Camaïeu. Laque. Sépia. — Vitrail. Peinture sur toile, sur bois, sur porcelaine, sur verre, sur papier. — Dessin au crayon, au fusain, à la plume, à la sanguine.

**Coloris.** — COULEURS. — Tons francs, clairs, blafards, dégradés, estompés, etc. — Tonalité. Nuances. Rappel de ton. — Teinte plate. Teinte fondue. Teinte vive. — Rehaut. Relief. Modèle. — Arabesque. Réveillon. Repoussoir. — Clair-obscur. Valeurs. — OMBRE. Ombre portée. — Pâte. Empâtement. — Glacis. Frottis. — Retouche. Repeint. — Morbidesse. Vaguesse.

**Peler.** V. *ôter, peau, poil, fruit, légume.*

**Pèlerin,** m. V. *vœu, voyage.*

PÈLERINAGE, m. V. *pèlerin.*

PÈLERINE, f. V. *pèlerin, habillement.*

PÉLICAN, m. V. *oiseau.*

PELISSE, f. V. *fourrure.*

PELLAGRE, f. V. *peau.*

**Pelle,** f. V. *jardin, four, cheminée.*

PELLETÉE, f. Pelleter. V. *pelle.*

PELLETERIE, f. Pelletier, m. V. *peau, fourrure.*

PELLICULE, f. V. *peau, cheveu, photographie.*

PELOTE, f. V. *boule, coussin,* *bandage, paume, fil, aiguille.*

PELOTER. V. *dévider, caresser.*

PELOTON, m. V. *boule, fil, armée.*

PELOTONNER. V. *dévider.*

PELOUSE, f. V. *herbe, jardin, cheval.*

PELUCHE, f. V. *drap, tissu.*

PELUCHEUX. V. *poil.*

PELURE, f. V. *peau, membrane.*

PEMMICAN, m. V. *viande.*

PÉNAL. Pénalité, f. V. *peine, punition.*

PÉNATES, m. p. V. *lares, famille.*

PENAUD. V. *embarras, honte.*

**Penchant,** m. V. *volonté, disposition, amour, montagne.*

PENCHÉ. V. *posture.*

PENCHER. V. *bas, oblique.*

PENDAISON, f. V. *pendre, supplice.*

PENDANT. V. *pendre, lâche.*

PENDANT, m. V. *bijou, symétrie.*

PENDELOQUE, f. V. *bijou, amulette.*

PENDENTIF, m. V. *architecture, cou, poitrine.*

PENDERIE, f. V. *pendre.*

PENDILLER. V. *pendre, balancer.*

---

**Procédés.** — Peindre large, flou. — Dessiner. Modeler. — Brosser. Étaler. Strapasser (peindre vite). — Draper. Masser. — Enjoliver. Historier. Lécher. Fouiller. — Border les figures. Accuser les traits. Réchampir (détacher du fond). — Glacer. Parfondre. — Pointiller. Empâter. Peindre au couteau. — Maroufler, marouflage (appliquer sur toile). — Vernissage.

**Peinture commerciale.** — Ouvrier peintre. Peintre en bâtiment. Barbouilleur. Badigeonneur. — Peinture à l'huile, à la colle, à l'encaustique. — Badigeon, badigeonnage. Enduit, enduire. Lait de chaux. — Peindre. Repeindre. Peinturer. Peinturlurer. — Colorier. Mettre en couleur. Barbouiller. — Teinter. Dégrader. — Bronzer. Dorer. Bistrer. — Jasper. Marbrer. Fouetter. — Vernis. Laquer. — Ravaler, ravalement.

Apprêt, apprêter. Broyer des couleurs. Délayer. — Impression. Couches de peinture. — Revêtement. Frise. Raccord. Coup de pinceau. — Colique de plomb. Saturnisme.

Peinture cellulosique. Pistolet.

### PELER

**Oter la peau.** — Peler, pelage, pelure. — Ecorcer, écorcement. Bois pelard. Décortiquer, décortication. — Dépouiller. Dénuder. Dégarnir. — Ecorcher, écorcheur, écorchure. — Racler, raclure. — Rober. Dérober.

**Perdre sa peau, son poil.** — Faire peau neuve. Muer, mue. — Se peler. Peler. Pelade. Un pelé. — S'excorier, excoriation. — S'écailler, écaillement. — S'exfolier, exfoliation. — Se desquamer, desquamation.

### PÈLERIN

**Pèlerins.** — Pèlerin. Pèlerine. — Costume ancien. Bourdon. Bâton. Ecailles. Gourde. — Pèlerinage. Pardon. Stations. — Train de pèlerins. Caravane. — Croisade. Les croisés.

**Pèlerinages célèbres.** — Delphes. — Tombeaux des Apôtres. Les lieux saints. Terre sainte. Maison de Lorette. Saint-Janvier de Naples. Saint-Jacques de Compostelle. Notre-Dame del Pilar (Saragosse). Notre-Dame de Chartres. Mont Saint-Michel. Notre-Dame de La Salette. Notre-Dame de Lourdes. Sainte-Thérèse de Lisieux. Sainte-Anne d'Auray. — La Mecque. — Bénarès.

### PELLE

**Les pelles.** — Pelle de maçon. Pelle de terrassier. Pelle d'écurie. — Pelle à main. Pelle à grille. — Pelle à charbon. Pelle à chaux. — Pelle à beurre. Pelle à feu. — Bêche. Ecope ou Sasse (de bateau). Main. Spatule. Palette. Palon. Râble (à braise). Raille (de saline). Houlette. Pelleversoir. Drague.

**Relatif à la pelle.** — Pelle de fer. Pelle de bois. — Manche. Châsse et Pellâtre (partie creuse). Douille. — Pelletée. Pellerée. Pellée. — Pelleteur.

Pelleter. Peller. Manier. Remuer. — Bêcher. Terrasser. Pelleverser.

### PENCHANT

**Affection.** — Aimer. Amour. Amativité. — Affectionner. Préférer, préférence. Prédilection. — SENTIMENT. Inclination. Idiopathie. Mouvement de l'âme. — Sympathie. Sympathiser. Attrait. Attirance. — Désirer, DÉSIR. Avoir du goût pour. — Avoir un faible pour. Faiblesse. — PASSION. Passionné pour. CAPRICE.

**Disposition naturelle.** — Enclin à. Porté à. Disposé pour. Prédisposé. — DISPOSITION. Tendance. Prédisposition. Propension. — Caractère inné. NATURE. TEMPÉRAMENT. — Mouvement intérieur. Instinct. Appétit. — Penchant. Pente naturelle. Facilité. — Faculté. Tournure d'esprit. Vocation. — Ascendant (influence astrale).

Pencher vers. Incliner à. Etre porté à.

**Etude des penchants.** — Psychologie, psychologue. Morale, moraliste. — Phrénologie, phrénologue. Cranioscopie. — Bosses du crâne, frontales, pariétales, occipitales. — Physiognomonie, physiognomoniste. — Psychanalyse, psychanalyste. Psychiatre.

**Pendre.** V. *bas, balancer, bourreau.*
PENDU, m. V. *pendre.*
PENDULAIRE. V. *pendule.*
**Pendule,** m. V. *pendre, balancer.*
PENDULE, f. V. *horloger, temps.*
PÊNE, m. V. *serrure.*
PÉNÉTRANT. V. *subtil, regard.*
PÉNÉTRATION, f. V. *pénétrer.*
**Pénétrer.** V. *traverser, inté-*

*rieur, entrer, réfléchir, intelligence.*
PÉNIBLE. V. *peine.*
PÉNICHE, f. V. *bateau.*
PÉNINSULE, f. Péninsulaire. V. *presque.*
**Pénitence,** f. V. *regret, pur, péché, sacrement, punition.*
PÉNITENCERIE, f. V. *confession.*
PÉNITENCIER, m. V. *prison, punition.*

PÉNITENT, m. V. *confession, pénitence.*
PÉNITENTIAIRE. V. *prison.*
PÉNITENTIAUX, m. p. V. *psaume.*
PÉNITENTIEL. V. *pénitence.*
PENNAGE. m. Penne, f. V. *plume.*
PENNIFÈRE. V. *plume.*
PENNON, m. V. *drapeau.*
PÉNOMBRE, f. V. *ombre, lumière, obscur.*

---

## PENDRE

**Suspension.** — Pendre. Penderie. Pendoir. — Apprendre. Suspendre. Suspenseur. — Accrocher. Croc. Crochet. Crémaillère. Crémaillon. Cran. — Soutenir en l'air. Retenir. — Portemanteau. Patère. Champignon. — Râtelier. Potence. Tringle. — Etendre, étendage.

Pendre (être suspendu). Tenir à. Pendiller. — Pendule. Pendillon. — Pendeloque. Pendentif. Pendant d'oreille. — Ornements pendants. Frange. Gland. Grappe. Guirlande. Feston. Astragale. Chute. — Basque d'habit. Pan de jaquette. Barbe de coiffure. Volant de robe, etc.

**Pendaison.** — Pendre. Pendu. Pendable. Patibulaire. Patient. — Supplicier, supplice. — Potence. Gibet. Fourches patibulaires. — Corde. Cordon. Cravate de chanvre. — Mettre la corde au cou, la hart au col. Brancher. — Pendre à la lanterne. Pendre en effigie. — Suspendre, suspension. Etrangler. Suffoquer.

Mériter la corde. Homme de sac et de corde. Gibier de potence.

## PENDULE

**Les pendules.** — Pendule simple. — Pendule compensateur. — Pendule cycloïde. — Pendule à mercure. — Pendule électrique. — Pendule balistique. — Pendule à équation. — Point de suspension. Tige. Verge. Lentille.

**Fonctionnement.** — Osciller. Oscillation pendulaire. Mouvement oscillatoire. — Balancer, balancement. Battre, battement. Dodiner. — Libration. Vibration. Réciprocation. — Descente. Montée. Point fiduciel. — Prochronisme. Synchronisme.

## PÉNÉTRER

**Entrer profondément.** — Pénétrer. Plaie pénétrante. Entrer dans. Plonger au fond. — Imbiber, imbibition. Imbu. Emboire, embu. — Imprégner, imprégnation. Saturer, saturation. Humecter, humectation. Mordiller. Tacher.

Absorber, absorption. S'assimiler, assimilation. — Se mêler. MÉLANGE. Mixtion. Mixture. — Infuser, infusion. Confire. Macérer, macération. — Se combiner, combinaison.

Faire pénétrer. Enfoncer. Sonder. — Incorporer. Implanter. Incruster.

**Traverser.** — Pénétrer à travers, d'outre en outre, de part en part. — Percer, percée. Se faire jour. S'ouvrir un passage. — Glisser. Se glisser. Se faufiler. — Pénétrabilité. Perméable. Imperméable. — Endosmose. Transpirer, transpiration. Pore, poreux, porosité. — Transparaître. TRANSPARENT, transparence. Filtrer, FILTRE. S'infiltrer, infiltration.

Transpercer. Embrocher. Larder. Piquer. Perforer.

**Pénétrer par l'esprit.** — Pénétrer, pénétration. Compénétration. Esprit pénétrant. — Se pénétrer de. Aller au fond des choses. — Comprendre. Découvrir. Deviner. — Intelligence. Subtilité, SUBTIL. Examen. Analyse. Autopsie. Expertise.

Inculquer, inculcation. — Insinuer, insinuation. — Suggérer, suggestion. — Sonder les cœurs.

## PÉNITENCE

**Etat d'âme.** — Pénitence, impénitence. Esprit de pénitence. — Se convertir, conversion. Venir à résipiscence. Revenir à Dieu. — Rentrer en soi-même. Reconnaître ses fautes. Pleurer ses péchés. — S'humilier, humiliation. Se frapper la poitrine. — Regret de ses fautes. Remords. Repentir. Se repentir. — Se mortifier, mortification. Dompter ses sens.

**Sacrement.** — Confession, confesser, confesseur. Aller à confesse. Se confesser. — Contrition, contrit. Attrition. *Peccavi.* — Satisfaire à Dieu et à son prochain. Satisfaction. — Absolution, absoudre. — Donner une pénitence. Pénitence publique, solennelle. — INDULGENCES.

Pénitencerie. Pénitencier (prêtre). — Rituel pénitentiel. Œuvres pénitentielles. — Psaumes pénitentiaux.

**Pratiques.** — Dire son *confiteor,* son *mea culpa,* son *miserere.* Battre sa coulpe. — Faire maigre. Faire carême. — Faire abstinence. Jeûner. Se mettre au pain sec. — Mortifier sa chair. Porter la haire, le cilice. — Se donner la discipline. Se flageller. — Se couvrir de cendres. — Expier, réparer ses fautes.

**Fidèles.** — Pénitent. Pénitente. — Pénitents blancs, bleus, noirs, etc. Cagoule (chape). — Consistants. Ecoutants. Jeûneurs. Flagellants. — ERMITE. Anachorète. Pèlerin. — Congrégations religieuses.

**Pensée,** f. V. *esprit, intelligence, raison, opinion, projet, maxime, fleur.*

PENSER. V. *pensée, réfléchir, croire, attention.*

PENSEUR, m. V. *penser, philosophie.*

PENSIF. V. *pensée, inquiet.*

PENSION, f. V. *logement, auberge, rente, fonction.*

PENSIONNAIRE, m. V. *manger, auberge.*

PENSIONNAT, m. V. *école.*

PENSIONNER. V. *rente.*

PENSUM, m. V. *punition.*

PENTAGONE, m. V. *cinq, angle.*

PENTAMÈTRE, m. V. *cinq, poésie.*

PENTATEUQUE, m. V. *Bible.*

PENTATHLE, m. V. *gymnastique.*

PENTE, f. V. *montagne, lit, oblique, penchant.*

PENTECÔTE, f. V. *cinquante, liturgie.*

PENTIÈRE, f. V. *filet.*

PENTURE, f. V. *porte, fenêtre*

PÉNULTIÈME. V. *dernier.*

PÉNURIE, f. V. *manque, pauvre.*

PÉPIE, f. V. *oiseau, langue, soif.*

PÉPIER. V. *bruit, oiseau.*

PÉPIN, m. V. *fruit.*

PÉPINIÈRE, f. Pépiniériste, m. V. *arbre, planter, jardin.*

PÉPITE, f. V. *or.*

PÉPLUM, m. V. *habillement.*

PEPSINE, f. V. *estomac, digestion.*

PÉRAGRATION, f. V. *astronomie.*

PERCALE, f. V. *étoffe, coton.*

PERÇANT. V. *percer, aigu, cri, voir.*

PERCE, f. V. *tonneau.*

PERCÉE, f. V. *forêt, ouvert, traverser.*

PERCEMENT, m. V. *percer.*

PERCE-NEIGE, f. V. *fleur.*

PERCE-OREILLE, m. V. *insecte.*

PERCEPTEUR, m. V. *finance, impôt.*

PERCEPTIBLE. Perceptif. V. *sensation, recevoir.*

PERCEPTION, f. V. *connaître, pensée, apparaître, impôt, recevoir.*

**Percer.** V. *pénétrer, épée, aiguille, creux, commencer, succès.*

PERCEVOIR. V. *sensation, recevoir.*

**Perche,** f. V. *pieu, grand, bateau, poisson.*

---

## PENSÉE

**Sources de la pensée.** — Facultés de l'âme. — ESPRIT. Intelligence. Pensée. Sens intime. — La RAISON. Le jugement. La logique. — Association des idées. IMAGINATION. MÉMOIRE. — Mentalité. Caractère. Instincts. — Conscience. Subconscient.

**Action de penser.** — Penser, penseur. Pensif. Penser *in petto*. S'absorber dans ses pensées. — Concevoir, conception. Méditer, méditation. Réfléchir, réflexion. — Occuper son esprit. Travailler de la tête, du cerveau. Opérations mentales.

Se figurer. S'imaginer. Conjecturer, conjecture. Se représenter, représentation. — Raisonner, raisonnable. Logique. Spéculer, spéculation. — Connaître, connaissance. Comprendre. Percevoir, perception. — Se rappeler. Se souvenir. Souvenirs. — Abstraire, abstraction. Induction. Déduction. Analyse. Synthèse. — Rêver, rêverie. Songer, songeur. — Repasser dans son esprit. Etre préoccupé. Se soucier. Préméditer.

**Idées.** — Pensée. Pensée secrète. Arrière-pensée. — Idée. Idéal, idéalisme. Idéologie. — Idées pures, morales, abstraites, concrètes, générales. — Idée innée, factice, adventice. — Idée fixe. Marotte. — Compréhension et extension d'une idée.

Entité. Noumène. — Notion. Prénotion. Concept. — Impression. SENTIMENT. SENSATION. — Illumination. Image. Fantaisie. — Intention. PROJET. VOLONTÉ. Velléité. Mouvement instinctif. — Rêve. Songe. — Ce qui vient à l'esprit. Tentation. Soupçon.

**Opinion.** — Pensées. Pensers. MAXIMES. Sentences. — Opiner. Donner son avis. — Considérer, considération. Juger, un jugement. Remarquer, remarque. — CROIRE, croyance, croyant. Libre pensée, libre penseur. — Vue de l'esprit. Point de vue. — THÉORIE. Système. Utopie.

## PERCER

**Faire des trous.** — Percer, perçage. — Forer, forage. Perforer, perforation. Creuser, creusement. — Trouer. Amorcer un trou. Equarrir un trou. — Cribler de trous. Ecumoire. Pommelle (d'arrosoir). — Ebiseler. Chanfreindre. Chanfreiner (creuser en biais). — Aléser, alésage. Tarauder, taraudage. Térébrer. — Etamper, étampage. — Explorer le sous-sol. Sonder, sondage.

Faire son trou. Se distinguer. Se montrer. Percer.

**Traverser.** — Percer, percement, percée. Mettre en perce. — Transpercer. Percer d'outre en outre, de part en part. — PIQUER, piqûre. Plonger dans. Ponctionner, ponction. — Saigner, saignée. — Trépaner, trépanation. — Ouvrir. Ouverture. — Passage. Pertuis. — Défoncer. Eventrer. — Passer au travers. PÉNÉTRER. Transsuder. — Enferrer. Enfiler. Empaler. Embrocher. — Daguer. Larder. Darder. — Travail à jour, à claire-voie, ajouré, fenestré.

**Instruments perçants.** — Aiguille. — Alène. — Amorçoir. — Archet. — Broche. — Brochette. — Chignole. — Creusoir. — Cuiller. — Emporte-pièce. — Etampe. — Foret. — Fraise. — Lardoire. — Machine à percer. — Mèche. — Pal. — Perce. — Perceuse. — Perçoir. — Pieu. — Poinçon. — Pointe. — Sonde. — Taraud. — Tarière. — Trépan. — Vilebrequin. — Violon. — Vis. — Vrille.

## PERCHE

**Perches variées.** — Perche (de saut). Balancier (d'acrobate). — Vergue. Antenne. — Boulin. Echasse. Baliveau (d'échafaudage). — BARRE. Bâton. Bouille (à remuer l'eau). Gaffe. — Tendoir. Etendoir. — Mât. Mâtereau. Espars. — Ecoperche (perche à poulie). Faîtière (de tente).

**Percher.** V. *oiseau, haut.*
PERCHOIR, m. V. *percher, cage.*
PERCLUS. V. *boiter, paralysie.*
PERCOLATEUR, m. V. *café.*
PERCUSSION, f. V. *choc, pousser, mécanique, poumon.*
PERCUTER. V. *poitrine.*
PERCUTEUR, m. V. *fusil.*
PERDANT, m. V. *perdre, jeu, vaincu.*
PERDITION, f. V. *mal, naufrage, débauche.*
**Perdre.** V. *égarer, séduire, gâter, malheur, ruine.*
PERDREAU, m. V. *perdrix.*
PERDRIGON, m. V. *prune.*
**Perdrix,** f. V. *oiseau, chasse.*
PERDU. V. *perdre, danger.*
**Père,** m. V. *parent, moine.*
PÉRÉGRINATION, f. V. *voyage.*
PÉREMPTION, f. V. *répondre, positif.*
PÉRENNITÉ, f. V. *continuer, temps.*
PÉRÉQUATION, f. V. *égal.*
PERFECTIBILITÉ, f. Perfecti-

ble. V. *corriger, progrès.*
PERFECTION, f. V. *parfait, beau, complet.*
PERFECTIONNER. V. *mieux, corriger, progrès.*
PERFIDE. Perfidie, f. V. *tromper, trahir, infidèle.*
PERFORATION, f. V. *percer.*
PERFORATRICE, f. V. *mine.*
PERFORER. V. *traverser.*
PÉRIANTHE, m. V. *fleur.*
PÉRICARDE, m. V. *cœur.*
PÉRICARPE, m. V. *fruit.*
PÉRICLITER. V. *danger, fragile.*
PÉRICRÂNE, m. V. *crâne.*
PÉRIGÉE, m. V. *astronomie.*
PÉRIHÉLIE, m. V. *soleil.*
PÉRIL, m. Périlleux. V. *danger, difficile.*
PÉRIMER. V. *annuler, tard.*
PÉRIMÈTRE, m. V. *entourer.*
PÉRINÉE, m. V. *anus.*
PÉRIODE, m. V. *degré.*
PÉRIODE, f. V. *chronologie, temps, style, discours, retour.*

PÉRIODIQUE. V. *temps, journal.*
PÉRIOSTE, m. Périostite, f. V. *os, membrane.*
PÉRIPATÉTICIEN, m. V. *philosophie, promenade.*
PÉRIPÉTIE, f. V. *événement, subit.*
PÉRIPHÉRIE, f. V. *hors, entourer.*
PÉRIPHRASE, f. V. *parler, détour, diffus, grammaire.*
PÉRIPLE, m. V. *voyage.*
PÉRIPTÈRE. V. *colonne, entourer.*
PÉRIR. V. *mort, malheur, fragile, détruire.*
PÉRISCOPE, m. V. *optique.*
PÉRISSABLE. V. *fragile.*
PÉRISTYLE, m. V. *colonne, temple.*
PÉRITOINE, m. V. *ventre, membrane.*
PÉRITONITE, f. V. *intestin.*
**Perle,** f. V. *coquille, nacre, bijou.*
PERLIER. V. *perle.*
PERLURE, f. V. *corne.*

---

## PERCHER

**Repos des oiseaux.** — Oiseau percheur. Percher. Se percher. — Se coucher. Jucher, Brancher. — Se poser. S'abattre. Se reposer. — Perchoir. Juchoir. Bâtons de perroquet. Branches d'arbre.

## PERDRE

**Dépossession.** — Perdre. Subir, éprouver une perte. Perte sèche. — Aliéner. Se dessaisir. Se démunir. — Cesser d'avoir. Etre démuni, dénanti. — Faire le sacrifice de. Renoncer à. — Etre dépossédé, dépouillé, privé de, déshérité. — Egarer. Adirer. — Péremption, périmé. Prescription, prescrit. — Déficit. Brèche à la fortune. Dilapidation. Gaspillage.

**Désavantage.** — Etre en perte. Vendre à perte. Faire des pertes. — Perdre au jeu. Perdant. — Perdre un procès. Etre débouté. — Etre forclos. Forclusion. Etre évincé. Eviction. — Perdre une bataille. Défaite. — Déperdition. Déchet. Manque. Diminution. Tare. — Etre déchu de. Déchéance. — Situation désavantageuse. Echec. Insuccès. Avoir le dessous. — Perdre l'occasion. Omission. Négligence.

**Dommage.** — Pertes. Préjudice. Détriment. Dam. — Avarie, avarié. Détérioration, détérioré. — Pâtir. Apprendre à ses dépens. — Boire un bouillon. Laisser ses plumes. — Non-valeur. Profits et pertes. — Perte de jeu. Prendre une culotte. Etre étrillé. — Peine perdue. Temps perdu. — Léser. Ruiner. Coûter gros. — Perte irréparable, irrémissible, irrémédiable.

**Disparition.** — Disparaître, disparu. — Se perdre. S'égarer. S'évanouir. — Fondre.

Se fondre. Fondu. — Faire NAUFRAGE. Etre perdu corps et biens. — Deuil. Veuvage. Orphelinage. Orbité. — RUINE, se ruiner, ruineux. Dissiper, engloutir sa fortune.

## PERDRIX

**Relatif aux perdrix.** — Perdrix. Coq. Perdreau. — Perdrix grise. Perdrix rouge. Perdrix blanche. Bartavelle. Gélinote. Francolin. — Fer à cheval. Maillures. Marquer (avoir la crête rouge). — Cacaber (cri). Rappeler. — Bourrir (bruit d'ailes). — Se motter. Se remiser. — Perdrix adouées (accouplées). Pariade. — Compagnie de perdrix.

## PÈRE

**Titres paternels.** — Père. Papa. — Beau-père. Parâtre. — Grand-père. Bon papa. — Père putatif. Père adoptif. — Père nourricier.

Auteur des jours. Chef de famille. Générateur. Procréateur. Premier ascendant.

**Actes paternels.** — Paternité. Désaveu de paternité. Reconnaître un enfant. — Procréer. Engendrer. — Adopter, adoption. — Puissance paternelle. Autorité paternelle. Patrimoine. — Elever une famille. Etablir ses enfants.

## PERLE

**Qui concerne la perle.** — Perle fine. Parangon ou Perle vierge. Poire. Perle baroque. Semence de perles. — Perle de culture. Perle japonaise. — Collier de perles. Fil de perles. Tortil. — Orient. Eau. Œil. — Fausse perle. Verroterie. Essence d'Orient. — Huître perlière. Méléagrine. Moule. Mulette. — Perlé. Perlaire. Perlure.

PERMANENT. V. *fixe, continuer.*

PERMÉABLE. V. *traverser, transparent, humide.*

**Permettre.** V. *libre, supporter, approuver.*

PERMIS, m. V. *permettre.*

PERMISSION, f. V. *permettre, pouvoir, libre.*

PERMISSIONNAIRE, m. V. *soldat.*

PERMUTATION, f. Permuter. V *changer, réciproque.*

PERNICIEUX. V. *nuire.*

PÉRONÉ, m. V. *os.*

PÉRONNELLE, f. V. *femme.*

PÉRORAISON, f. V. *discours, finir, rhétorique.*

PÉRORER. Péroreur, m. V. *parler, éloquence, discours.*

PERPENDICULAIRE. V. *géométrie, droit, niveau.*

PERPÉTRATION, f. Perpétrer. V. *faire.*

PERPÉTUEL. Perpétuité, f. V. *continuer, souvent.*

PERPIGNAN, m. V. *fouet.*

PERPLEXE. Perplexité, f. V. *doute, embarras, inquiet, indécis.*

PERQUISITION, f. V. *chercher, police.*

PERRIER, m. V. *carrière.*

PERRON, m. V. *escalier.*

**Perroquet,** m. V. *oiseau, voile.*

PERRUCHE, f. V. *perroquet.*

PERRUQUE, f. V. *chauve, cheveu.*

PERRUQUIER, m. V. *cheveu, barbe.*

PERS. V. *bleu, couleur.*

PERSAN, m. V. *Perse.*

**Perse,** f.

PERSÉCUTER. Persécution, f. V. *poursuivre, nuire, tourmenter, tyran.*

PERSÉCUTEUR, m. V. *fanatique.*

PERSÉVÉRANCE, f. Persévérer. V. *volonté, continuer, patience.*

PERSIENNE, f. V. *clôture, fenêtre, menuisier.*

PERSIFLAGE, m. Persifler. V. *moquer, pire, mépris, tourmenter.*

PERSIL, m. V. *légume.*

PERSISTER. V. *continuer, fixe, entêté.*

PERSONNAGE, m. V. *personne, théâtre, important.*

PERSONNALITÉ, f. V. *personne, soi, propre.*

**Personne,** f. V. *individu, grammaire.*

---

## PERMETTRE

**Accorder.** — Permettre, permission. — Admettre, admission, admissible. Trouver bon. — Consentir, consentement, acquiescement. — Donner le moyen de. Dispenser (des faveurs). Concéder, concession. — Autoriser, autorisation. Souscrire à. Approuver. — Laisser faire. Laisser dire. Laisser passer. — Laisser libre. Donner la liberté de, licence de. — Donner mainlevée. Donner carte blanche.

Permis. Licite. Loisible. Juste. Légitime. Autorisé. Légal.

Breveter. Commissionner. Patenter.

**Tolérer.** — Permettre. Supporter. Souffrir. — Endurer. Passer bien des choses. — Fermer les yeux. Etre indulgent, indulgence. — Tolérance, tolérant. Complaisance, complaisant. Caractère commode, facile. — Condescendre, condescendance. Gâter (un enfant). Avoir des faiblesses.

**Titres de permission.** — Autorisation. Pouvoir. Blanc-seing. — Bref. Brevet. Commission. Privilège. — Patente. Lettres patentes. — Lettre de passe. Passavant. Passedebout. — Port d'armes. Permis de chasse. Permis de conduire. Permis de séjour. — Congé. Exeat. — Diplôme. Exequatur. — Permission militaire. Lettres de noblesse, de créance, etc.

---

### PERROQUET
(latin, *psittacus*)

**Le genre perroquet.** — Perroquets. Ara. Cacatoès. Jacquot ou Perroquet gris. Nestor. Amazone. Lori. Perruches. Conure. Paléornis. Euphème. Mélopsitte. Psittacule. Inséparable.

Papegai, Papegaut. — Perchoir. Bâton de perroquet. — Parler comme un perroquet. Psittacisme. — Psittacose (maladie).

---

## PERSE

**Perse moderne.** — Perse, persan. Iran, iranien. — Schah de Perse. — Ispahan (capitale). — Golfe Persique. — Tadjiks (Persans). Schiites (musulmans). Kurdes. Turcomans. — Faïences persanes. Tapis persans. Pétroles de Perse. — Les Mille et une nuits. — Firdouzi. Saâdi (poètes).

**Perse ancienne.** — Culte du feu. Sabéisme. Mages. — Mazdéisme. Zoroastre. Parsis. Guèbres. — Ormuzd (le bien). Ahriman (le mal). Dévas (démons). — Zend (langue). Zend-Avesta et Sadder (livres sacrés).

Arsacides (dynastie). Sassanides. — Satrapes. — Monuments de Pasargades, de Persépolis, d'Ecbatane, de Suze. — Chapiteaux à têtes de taureau. Frise des Immortels.

---

## PERSONNE

**Personne.** — Une personne. Un INDIVIDU. Un particulier. — Personne adulte. Grande personne. — Le prochain. Autrui. Nos semblables. — Les gens. Le monde. Les créatures. — Un monsieur. Une dame. Une demoiselle. — Le sieur un tel. Un quidam. — Personnage. Héros. Héroïne. — Rôle. Protagoniste. Interlocuteur. — Personnes grammaticales.

**Personnalité.** — Caractère personnel. Marque personnelle. — Individualité, individuel, individualisme. — Identité. Signalement. Fiche signalétique. — Originalité, original. Particularité, particulier. — Sentiment personnel. Egoïsme. Amour de soi. Infatuation. — Personnifier, personnification. Prosopopée. — La personne morale. Le moi. — Etre anime, pensant, raisonnable, humain.

Personnalité civile, morale. Fiction. Réalité. Capacité. Mort civile. Association. Société. Etablissement public, etc.

PERSONNEL. V. *personne, propre.*

PERSONNEL, m. V. *fonction, ouvrier, domestique.*

PERSONNIFICATION, f. Personnifier. V. *personne.*

PERSPECTIVE, f. V. *optique, dessin, géométrie, futur.*

PERSPICACE. Perspicacité, f. V. *voir, intelligence, habile.*

**Persuader.** V. *parler, preuve, éloquence, influence.*

PERSUASIF. Persuasion, f. V. *persuader.*

PERTE, f. V. *perdre, manque, ruine, naufrage.*

PERTINENT. V. *bien, rapport, propre.*

PERTUIS, m. V. *ouvert, percer.*

PERTUISANE, f. V. *lance.*

PERTURBATEUR, m. Perturbation, f. V. *trouble, désordre, sédition, astronomie.*

PERVENCHE, f. V. *fleur.*

PERVERS. Perversité, f. V. *mal, méchant, gâter, vice.*

PERVERSION, f. Pervertir. V. *changer, séduire, pire.*

PESAGE, m. V. *poids, cheval.*

PESANT. V. *épais, lourd.*

PESANTEUR, f. V. *poids, matière.*

PESÉE, f. V. *pousser, levier.*

PÈSE-LAIT, m. V. *lait.*

PESER. V. *poids, balance, mesure, presser, réfléchir.*

PESON, m. V. *balance.*

PESSAIRE, m. V. *bandage.*

PESSIMISME, m. V. *pire, chagrin, inquiet.*

PESTE, f. V. *épidémie, injure.*

PESTER. V. *colère, maudire.*

PESTIFÉRÉ, m. V. *épidémie.*

PESTILENTIEL. V. *puant.*

PET, m. V. *bruit, flatuosité.*

PÉTALE, m. V. *fleur.*

PÉTARADE, f. V. *détonation, cheval.*

PÉTARD, m. V. *pyrotechnie, poudre.*

PÉTASE, m. V. *chapeau.*

PÉTAUDIÈRE, f. V. *désordre.*

PÉTER. V. *flatuosité, casser.*

PÉTILLER. V. *briller, bruit.*

PÉTIOLE, m. V. *feuille.*

**Petit.** V. *abrégé, étroit, enfant, humilité, médiocre.*

PETITESSE, f. V. *petit, avare.*

PETIT-FOUR, m. V. *confiserie.*

PÉTITION, f. Pétitionner. V. *demande, prier, récriminer, argument.*

PETIT-MAÎTRE, m. V. *affectation.*

PETIT-SALÉ, m. V. *charcuterie.*

PETON, m. V. *pied.*

PÉTONCLE, m. V. *coquillage.*

PÉTREL, m. V. *oiseau.*

---

## PERSUADER

**Amener à croire.** — Persuader, persuasion, persuasif. Convaincre, convaincant, conviction. — Inculquer. Faire entrer dans la tête. Graver, imprimer dans l'esprit. Faire impression, impressionner. Influence, influencer. Ascendant. — Etre éloquent. Inspirer. Retourner quelqu'un. — Prouver. Démontrer. — Flatter de. Faire espérer. — Faire accroire. AFFIRMER. Accréditer. Assurer. — TROMPER. Aveugler. Induire en erreur. Nourrir d'illusions. — Subjuguer les esprits. Surprendre.

**Amener à faire.** — Circonvenir. Capter. Endoctriner. Enjôler. Ensorceler. — Séduire. Fasciner. Eblouir. Tenter. — Décider. Déterminer. Suggérer. — EXCITER. Pousser. Entraîner. Monter la tête. — Engager. Gagner. Attirer. — Emouvoir. Toucher. — Enrôler. Embaucher.

## PETIT

**Petit de taille.** — Nain. Naine. Nabot. Gnome. — Bambin. Bébé. Moutard. Garçonnet. Fillette. — Homuncule. Bout d'homme. Poupée. — Petit Poucet. Tom-Pouce. Pygmée. Lilliputien. — Avorton. Courtaud. Criquet. Basset. Ragot. Crapoussin. Roquet. — Fluet. Chafouin. Gringalet. Mauviette. Moucheron.

**Petit de dimension.** — Petit, petitesse. Minuscule. — Menu. Chétif, chétivité. — Exigu, exiguïté. Etroit, étroitesse. Exile, exilité. — Frêle. Mince. Ténu. Mignon. — Bref. Court. Succinct. — Resserré. Concis. Condensé. Rapetissé. Etriqué. Rétréci. — Réduit. Raccourci. — Rabougri. Ratatiné. Tassé. — Faible. MAIGRE. Maigrelet. — Gros comme une mouche.

ABRÉGÉ. Résumé. Sommaire. Extrait. — Parcelle. Paillette. Semence (petits clous). — Miniature. Joujou, etc.

**Petit de quantité.** — Morceau. FRAGMENT. Partie. Miette. — Un doigt de. Une GOUTTE. Une pincée. Un grain. Un atome. Un rien. — Tant soit peu. Un tantinet. Un soupçon de. — Pas beaucoup. Guère. A peine. Moins que rien. Très peu. — Petit nombre. Minimum. — Minime. Moindre. — Portion congrue. Filet de voix. Bourse plate. — Demi. Tiers. Quart. Dixième. Centième, etc.

Borné. Limité. Insuffisant. Inabondant. Rare. Clairsemé. — Détailler. DIMINUER. Amoindrir. — Lésiner. Barguigner. Ménager. Mesquinerie. Parcimonie. — Verser petit à petit, goutte à goutte, à petites doses. — Avancer pas à pas, au fur et à mesure. — Minorité. Mineur.

**Petit d'importance.** — Bagatelle. Brimborion. Broutille. — Menu fretin. Petites gens. Les inférieurs. — Modeste. Humble. Insignifiant. Modique. Négligeable. Sans intérêt. — Une misère. Vétille. Fétu. — Passager. Précaire. Temporaire. — Foutriquet. Freluquet. Au petit pied. — Tâtillon. Méticuleux. Pointilleux.

**Petit de développement.** — Embryon, embryonnaire. Germe. Etat naissant. — Elément, élémentaire. Atome, atomique. Electron. Ion. Molécule, moléculaire. — Cellule. Corpuscule. Globule. — Microbe. Vibrion. — Bestiole. Microzoaire. Infusoire. — Infiniment petit. Microscopique. Infinitésimal. — Impondérable. Invisible. Imperceptible. Impalpable.

**Diminutifs.** — En *cule.* Fascicule. En *eau.* Lionceau. — En *elle.* Prunelle. — En *et.* Pauvret. — En *ette.* Brochette. — En *ine.* Lettrine. — En *ot.* Ilot. — En *ule.* Plantule. — En *elette.* Gouttelette. — En *illon.* Négrillon. — En *eron.* Moucheron. — En *ereau.* Lapereau. — En *ille.* Charmille, etc.

*Pétrification*, f. V. *pierre,* *concrétion, fossile.*
PÉTRIFIER. V. *pierre.*
PÉTRIN, m. V. *boulanger.*
PÉTRIR. V. *presser, main,* *pâte.*
PÉTROLE, m. V. *bitume.*
PÉTULANCE, f. V. *mouvement, action.*
PÉTULANT. V. *prompt, vif.*

PETUN, m. V. *tabac.*
PEUPLADE, f. V. *peuple, sauvage.*
*Peuple*, m. V. *pays, public,* *classe.*
PEUPLEMENT, m. Peupler. V. *peuple, habiter, forêt, poison.*
*Peuplier*, m. V. *arbre.*
*Peur*, f. V. *danger, lâche,*

*trembler, précaution.*
PEUREUX. V. *peur, faible.*
PHAÉTON, m. V. *voiture.*
PHAGÉDÉNISME, m. V. *ulcère.*
PHALANGE, f. V. *doigt, armée.*
PHALANGETTE, f. Phalangine, f. V. *doigt.*
PHALANSTÈRE, m. V. *commun.*
PHALÈNE, f. V. *papillon.*
PHANÉROGAME. V. *plante.*

## PÉTRIFICATION

**Transformation en pierre.** — Pétrifier, pétrification. Lapidifier, lapidification. — Empreintes dans les pierres. Fossiles. — Stalactite. Stalagmite. — Source pétrifiante. Fontaine de Saint-Allyre.

**Animaux et plantes fossiles.** — Zoolithe (animal). — Oolithe (coquille). — Ostéolithe (huître) — Carpolithe (fruit). — Dendrite (feuilles et branches). — Entomolithe (insecte). — Ichtyolithe (poisson). — Lithoxyle (bois). — Phytolithe (plante). — Rhizolithe (racine). — Spondylolithe (vertèbre). — Ammonites (coquillages), etc.

## PEUPLE
(latin, *populus;* grec, *dêmos*)

**Population.** — Ethnographie, ethnographique. Ethnologie. Démographie. Caractères ethniques. — Peuple. Nation. Peuplade. Tribu. Horde. — Population sédentaire. Gens. Habitants. Nationaux. Nomades. — PAYS. Patrie. Nationalité, national. — Naturaliser, naturalisation. — Peupler, peuplement. Dépeupler, dépeuplement. — Peuplé. Surpeuplé. Populeux. — Droit des gens.

**Classes.** — Classes dirigeantes. Classe moyenne. Classes laborieuses. Classe marchande. Classe ouvrière. Classe paysanne. — L'élite. Les intellectuels. Les fonctionnaires. Les travailleurs. — Aristocratie. Noblesse. Clergé. Tiers état. Bourgeoisie. — Noble. Bourgeois. Roturier. Vilain. — Sujet. Serf. — Le grand monde. Le gros PUBLIC. L'homme de la rue. — Les riches. Les PAUVRES. — Se mésallier, mésalliance. Déroger.

**Bas peuple.** — La foule. La multitude. La masse. Le commun. Jacques Bonhomme. — Basse classe. Prolétariat, prolétaire. — Les petits. Le menu peuple. Le vulgaire. — Populace. Plèbe. Faubourien. — Manant. Croquant. — Lie du peuple. Canaille. Racaille. Tourbe.

**Gouvernement du peuple.** — Appel au peuple. Voix du peuple. Plébiscite. Représentant du peuple. — Démocratie, démocratique, démocratiser. — République, républicain. — Démagogie, démagogique, démagogue. — Populaire. Popularité. Impopularité. — Elections. Sédition. Factions.

## PEUPLIER

**Qui concerne le peuplier.** — Peuplier blanc. Peuplier argenté. Peuplier noir. Peu-

plier pyramidal. Peuplier tremble. Ypréau. — Peupleraie (plant de peupliers). — Héliades (changées en peupliers). — Bois blanc. — Charbon médicinal. Populeum (onguent).

## PEUR
(latin, *pavor;* grec, *phobos*)

**Peur éprouvée.** — Peur, avoir peur. Crainte, craindre. Frousse. Venette. — Appréhension, appréhender. Trouble, troublé. Emoi. Emotion. — Respect humain. Fausse honte. Timide, intimidé. — Scrupule. Confusion. — Angoisse, angoissé. Anxiété, anxieux. — Affolement. Trac. — Effroi. Frayeur, effrayé. Epouvante, épouvanté. — Horreur, horrifié. Phobie. — Panique. Terreur, terrifié. — Alarme, s'alarmer. Alerte. — Affres. Transes.

Hydrophobie. Agoraphobie, etc.

**Inspirer de la peur.** — Faire peur. Frapper de crainte. — Troubler. Interdire. Intimider. Décontenancer. — Méduser. Pétrifier. Sidérer. Stupéfier. — Terrifier, terrible. Terroriser, terrorisme. Effaroucher. Effarer. — Alarmer. Donner l'alarme. Alerter. — Menacer, menaces. Faire chanter. — Porter ombrage. Inquiéter. — Imposer de la crainte. Tenir en respect.

Epouvanter, épouvantable. — Effrayer. Glacer d'effroi. Effroyable. — Epouvantail. Epée de Damoclès. Croquemitaine. Ogre. Loup-garou. — Coup de foudre. Danger. — Redoutable. Formidable. Dangereux. Horrible.

**Manifestations de la peur.** — Mourir de peur. Peur bleue. — Avoir chaud. Avoir la fièvre. Suer, suée. — Frémir, frémissement. Frissonner, frisson. TREMBLER. Tremblement. Trembloter. Etre transi. — Pâlir, pâleur. Blêmir. Etre plus mort que vif. — Avoir le sang glacé, le sang figé, les cheveux hérissés, la chair de poule. — Perdre contenance. Etre saisi, saisissement. Etre stupéfait, stupeur. — Air égaré. Visage défait. Yeux hagards. — Sauter. Sursauter. Tressaillir. — Prendre la fuite. Avoir le feu au derrière. — Avoir la colique, la cacade. Faire dans ses culottes. — Etre aux écoutes, sur le qui-vive. — Hésiter. Ne pas oser

**Caractère peureux.** — Peureux. Apeuré. Craintif. Ombrageux. — Timide. Timoré. Trembleur. INQUIET. Transi. — Effaré. Affolé. Superstitieux. — LÂCHE. Poltron. Couard. Pleutre. — Pusillanime. Poule mouillée. — Alarmiste. Pessimiste.

PHANTASME, m. V. *fantôme.*

PHARAON, m. V. *Egypte.*

PHARE, m. V. *tour, lampe, automobile.*

PHARISIEN, m. V. *Juif, hypocrite.*

PHARMACEUTIQUE. V. *pharmacie.*

**Pharmacie,** f. V. *médicament, chimie.*

PHARMACIEN, m. V. *pharmacie.*

PHARMACOCHIMIE, f. V. *chimie.*

PHARMACOPÉE, f. V. *médicament.*

PHARYNX, m. V. *gorge, bouche.*

PHASE, f. V. *apparaître, astre, lune, maladie, changer.*

PHÉBUS, m. V. *Apollon, emphase.*

PHÉNIX, m. V. *oiseau, ranimer, extraordinaire.*

PHÉNOL, m. V. *acide.*

PHÉNOMÈNE, m. V. *apparaître, monstre, rare.*

PHILANTHROPE, m. *Philanthropie,* f. V. *homme, bon, charité.*

PHILE (suff.). V. *aimer.*

PHILHARMONIQUE. V. *musique.*

PHILIPPIQUE, f. V. *blâme.*

PHILOLOGIE, f. V. *grammaire, langage.*

PHILOSOPHE, m. V. *philosophie, sage.*

PHILOSOPHER. V. *philosophie.*

**Philosophie,** f. V. *argument, raison, métaphysique, résignation.*

PHILOTECHNIE, f. V. *art.*

PHILTRE, m. V. *magie.*

PHLÉBITE, f. V. *veine.*

PHLEGMON, m. V. *tumeur, pus.*

PHLOGISTIQUE, f. V. *chaleur, feu.*

PHOBE (suff.). V. *étranger.*

PHOBIE, f. V. *peur.*

PHŒNIX, m. V. *palmier.*

PHONATION, f. V. *son.*

PHONÉTHÈQUE, f. V. *phonographe.*

PHONÉTIQUE, f. V. *son, langage, grammaire, écrire.*

---

## PHARMACIE

**Science.** — Pharmacie. Pharmacien. — Pharmacologie. Pharmaceutique. Pharmacopée. — Pharmaco-chimie. Dosimétrie, dosimétrique. — Formules pharmaceutiques. Formulaire. Codex. — Ordonnance.

**Métier.** — Boutique. Pharmacie, pharmacien, pharmacopole. Droguerie, droguiste. Herboristerie, herboriste. Apothicairerie, apothicaire. — Dispensaire. Infirmerie. — Officine. Laboratoire. — Confection des médicaments. Analyses. — Préparateur. Conditionneuse.

**Préparations.** — Doser, dosage. — Manipuler, manipulation. — Broyer, broyage. Pulvériser, pulvérisation. Léviger, lévigation. — Malaxer, malaxage. Mélanger, mixtion. Emulsionner, émulsion. — Cribler, cribration. Pulper, pulpation. — Dissoudre, solution. Diluer, dilution. — Synthèse, synthétique. — Corriger, correction. Edulcorer, édulcoration.

Magistère (préparation secrète). Préparation extemporanée ou magistrale. — Excipient. Véhicule. — Récipient. Ballon. Matras. Eprouvette. — Bocaux. Fioles. — Mortier. Pilon. — Fourneau. Poêlon. Spatule. — SERINGUE. — Pilulier.

**Produits.** — Produits pharmaceutiques. Drogues. Spécialités. — Elixirs. Extraits. Teintures. — Mixtures. Colatures. Infusions. Décoctions. Sirops. — Pilules. Onguents. Pommades. — Poudres. — Révulsifs. — Analgésiques. — Purgatifs. Vomitifs. Constipants. — Lavements. — Vaccins. — Antiseptiques. — Antifébriles. — Somnifères. Soporifiques. — Pansements. Bandages. — Succédanés.

V. CHIMIE. MÉDICAMENT.

## PHILOSOPHIE

**Etudes philosophiques.** — Philosophie, philosophe. Pensée, penseur. Spéculation, spéculatif. — Système, systématique. Théorie, théorique. Doctrine, doctrinal. — Maître. Elève. — Doctrinaire. — Philosopher. Argumenter, argumentation. Raisonner, raisonnement. Prouver, preuve. — Sophistique, sophisme. Philosophisme. — Ecole. Enseignement, ésotérique, exotérique. Méthode. Cours. Leçons. THÈSES.

Psychologie, psychologue. — Logique, logicien. — Morale, moraliste. Ethique. — Métaphysique, métaphysicien. — Esthétique, esthéticien. — Dialectique, dialecticien. — THÉOLOGIE, théologien. Théodicée. Théosophie, théosophe. — Méthodologie. — Sociologie, sociologue. — Physiocratie, physiocrate. — Economie politique.

**Doctrines générales.** — Spiritualisme, spiritualiste. — Matérialisme, matérialiste. — Rationalisme, rationaliste. — Panthéisme, panthéiste. — Mysticisme, mystique. — Scepticisme, sceptique. — Intellectualisme, intellectualiste. — Dogmatisme, dogmatique. — Naturalisme, naturaliste. — Empirisme, empiriste. — Sensualisme, sensualiste. — Déterminisme, déterministe. — Fatalisme, fataliste. — Atomisme, atomiste. — Phénoménisme, phénoméniste. — Dynamisme, dynamiste. — Probabilisme, probabiliste. — Relativisme, relativiste. — Idéalisme, idéaliste. — Réalisme, réaliste. — Utilitarisme, utilitariste. — Individualisme, individualiste. — Déisme, déiste. — Athéisme, athée. — Gnosticisme, gnostique. Agnosticisme, agnostique. — Nihilisme, nihiliste. — Dualisme, dualiste. — Optimisme, optimiste. — Pessimisme, pessimiste.

**Doctrines particulières.** — Ecoles ionienne, éléatique, cyrénaïque, mégarique, socratique. — Académie. Platonisme, platonicien. Néo-platonisme. — Lycée. Aristotélisme. Péripatétisme. — Zénonisme. Le Portique. Stoïcisme, stoïcien. — Epicurisme, épicurien. — Pyrrhonisme, pyrrhonien. Pythagorisme, pythagoricien. — Alexandrinisme. — Manichéens. — Scholastique. Nominalisme. Réalisme. Conceptualisme. — Cartésianisme, cartésien. — Spinosisme. — Monadisme. Kantisme. Criticisme. Kantien. — Eclectisme, éclectique. — Biranisme. — Hégélianisme. — Positivisme, positiviste. — Evolutionnisme, évolutionniste. — Darwinisme. — Pragmatisme. — Intuitionnisme. Bergsonisme, etc.

**Phonographe,** m. V. *son, entendre, instruments de musique, télégraphe.*
PHONOMÉTRIE, f. V. *son.*
**Phoque,** m.
PHORE (suff.). V. *porter.*
PHOSPHATE, m. V. *phosphore.*
**Phosphore,** m. V. *briller, lumière.*
PHOSPHORESCENCE, f. V. *phosphore.*
PHOSPHOREUX. Phosphorique. V. *phosphore.*
PHOSPHURE, m. V. *phosphore.*
PHOTOCHROMIE, f. V. *photographie.*
PHOTOGÉNIQUE. V. *photographie.*
PHOTOGRAMMÉTRIE, f. V. *arpentage.*

PHOTOGRAPHE, m. V. *photographie.*
**Photographie,** f. V. *optique, lumière, image, portrait.*
PHOTOGRAPHIER. V. *photographie, représenter.*
PHOTOGRAVURE, f. V. *gravure.*
PHOTOMÉTRIE, f. V. *optique.*
PHOTOPHORE, m. V. *lampe.*
PHOTOSPHÈRE, f. V. *soleil.*
PHOTOTYPIE, f. V. *photographie.*
PHRASE, f. V. *langage, grammaire, style, parler.*
PHRASÉOLOGIE, f. V. *style.*
PHRASER. Phraseur, m. V. *diffus, rhétorique.*
PHRÉNOLOGIE, f. V. *crâne, penchant.*

PHTISIE, f. V. *poumon, respiration.*
PHYLACTÈRE, m. V. *Juif.*
PHYLLOXÉRA, m. V. *vigne.*
PHYSICIEN, m. V. *physique.*
PHYSIOLOGIE, f. Physiologiste, m. V. *vie, corps, matière.*
PHYSIONOMIE, f. V. *visage.*
PHYSIQUE, m. V. *visage.*
**Physique,** f. V. *nature, matière, philosophie.*
PHYTOGÉNIE, f. Phytographie, f. V. *botanique.*
PI, m. V. *cercle.*
PIACULAIRE. V. *réparer.*
PIAFFEMENT, m. Piaffer. V. *pied, mouvement, cheval.*
PIANISTE. V. *piano, musique.*
PIANO. V. *doux.*
**Piano,** m. V. *instruments.*

---

## PHONOGRAPHE

**Reproduction des sons.** — Phonographe. Machine parlante. Phonocinématographe. — Bibliothèque de disques. Discothèque.

Appareil. Récepteur. Enregistreur. Reproducteur. — Aiguille. Rubis. Diaphragme. Disque. Cylindre. Pavillon. Caisse de résonance. Amplificateur.

## PHOQUE

**Les phoques.** — Phocidé. Amphibie. Mammifère. — Fourrure. Dents. Pieds. Nageoires. — Phoque. Morse. Veau marin. Eléphant de mer. Otarie. Lion de mer. Vache marine. Lamentin ou Sirène.

## PHOSPHORE

**Le phosphore.** — Phosphore amorphe. Phosphore blanc. — Phosphore rouge. — Phosphate, phosphaté. Phosphite (phosphate naturel). Superphosphate. Phosphure, phosphuré. — Phosphoré. Phosphoreux. — Acides phosphorique, orthophosphorique, métaphosphorique, pyrophosphorique. — Phosphoriser, phosphorisation. Déphosphorer, déphosphoration. — Phosphorisme (intoxication). Nécrose phosphorique. Phosphaturie.

**Phosphorescence.** — Phosphorescent. Phosphorogénique. — Matières phosphorescentes. Poudre de coquilles. Papier. Sucre. Sulfures de calcium et de zinc. — Animaux phosphorescents. Biphores. Noctiluques. Ver luisant. Lampyre. Luciole. Fulgore.

## PHOTOGRAPHIE

**Technique.** — Photographie, photographique. Photographe. Photographier. — Daguerréotypie. — Photogravure. Phototypie. Héliogravure. Phototypographie. Photomécanique. — Photochromie. Photochromographie. Photochromotypographie. — Photocollographie. Photocalque. — Photographie des couleurs. Photographie de la parole. — Cinématographie, cinématographe. — Radiographie. Radioscopie. — Photométrie. — Télévision. — Photogénique.

**Appareils.** — Appareil photographique. Détective. Folding (pliant). Jumelle photographique. Vérascope. Fusil photographique. Photorama (pour panoramas). Camera. — Chambre noire. Verre dépoli. Chariot. — Niveau d'eau. Pied. Soufflet. Viseur. — Objectif achromatique, rectilinéaire, aplanétique, simple, anastigmat, téléphotographique. — Diaphragme. — Obturateur à rideau, à secteurs, de plaque. — Châssis. Rouleau. — Stéréoscope. Projecteur. Ecran.

**Epreuves.** — Phototype. Cliché. Positif. Négatif. — Photogramme. Epreuve. Image. — Daguerréotype. — Epreuve nette, floue, striée, voilée, dégradée. — Instantané. — Radiogramme.

Plaque. Pellicule. Papier sensibilisé. Gélatino-bromure.

**Bains et tirage.** — Châssis. Presse. Cuvette. Cuve à rainure. Cuve à laver. Egouttoir. Révéler, révélateur. Développer, développement. — Bains. Hyposulfite de soude. Lavage. — Virer, virage. Fixer, fixage, fixateur. — Retoucher, retouche. Renforcer. — Impression. Tirer, tirage. Papier sensible.

Pupitre à retouche. Agrandisseur. Lanterne d'agrandissement. Presse à collage.

## PHYSIQUE

**Sciences physiques.** — Acoustique. — PESANTEUR. — OPTIQUE. — ELECTRICITÉ. — MAGNÉTISME. — Radioélectricité. — CHALEUR. — Météorologie. — Physique moléculaire. — Capillarité. — Osmose. — Elasticité. — Tonométrie. — Cryoscopie. — Spectroscopie. — Thermodynamique.

Laboratoire. Cabinet de physique. — Physicien. Electricien. Météorologiste.

## PIANO

**Instruments.** — Piano. Piano-forte. Piano droit. Piano oblique. Piano à queue. Crapaud. — Piano transpositeur. — Epinette. Virginal. Clavecin. — Piano mécanique. Pianista. Pianola.

PIAULEMENT, m. Piauler. V. *poule, cri.*

PIC, m. V. *pointe, montagne, marteau, cartes.*

PICADOR, m. V. *bœuf.*

PICHENETTE, f. V. *battre.*

PICHET, m. V. *bouteille.*

PICORÉE, f. V. *pillage, prendre.*

PICORER. V. *manger, poule.*

PICOT, m. V. *dentelle.*

PICOTER. V. *piquer.*

PICOTIN, m. V. *cheval, avoine.*

PICROCHOLE. V. *bile.*

PICTURAL. V. *peinture.*

PIE. V. *religion, cheval.*

**Pie**, f. V. *oiseau.*

PIÈCE, f. V. *part, division, logement, artillerie, hydraulique, théâtre, poésie, argent, soulier, blason.*

PIÉCETTE, f. V. *théâtre, argent.*

**Pied**, m. V. *membre, base,*

*arbre, meuble, mesure, poésie.*

PIED-À-TERRE, m. V. *arrêt.*

PIED-DROIT, m. V. *maçon.*

PIÉDESTAL, m. V. *base, colonne.*

PIÉDOUCHE, m. V. *balustre, base.*

**Piège**, m. V. *chasse, ruse, danger.*

PIÉGER. V. *piège.*

PIE-MÈRE, f. V. *cerveau.*

---

**Construction.** — Facteur de pianos. — Caisse. Sommier. Chevilles. Cordes. Table d'harmonie. Mécanique de piano. Marteaux. Etouffoirs. Touches blanches. Touches noires. Clavier. Octaves. Pédale forte. Petite pédale. — Pupitre. Tabouret.

Accorder. Accordeur. Accordoir. Clef.

Pièces de clavecin. Sautereau. Languette. Plumasseau.

**Exécution.** — Pianiste. Exécutant. Virtuose. Maître. Claveciniste. Accompagnateur. — Jeu. Jouer du piano. Jouer à deux, à quatre mains. Accompagner. — Toucher du piano. Doigter, doigté. — Déchiffrer. Transposer. — Tenir le piano.

## PIE

**Qui a trait à la pie.** — Pie. Agace. Piaux. — Caquet bon bec. Margot. — Pie grièche. — Nid de pie. — Jacasser. Jaser. — Couleur pie. Cheval pie. Piolé.

## PIED
(latin, *pes;* grec, *pous*)

**Pied de l'homme.** — Pied. Peton. Extrémités inférieures. — Cou de pied. Cheville. Malléole. Talon. Plante. Doigts. Orteil. — Tarse. Os tarsien. Calcaneum. Arcade plantaire. Astragale. Scaphoïde. Cuboïde. Cunéiforme. Métatarse. Phalanges. — Tendons extenseurs. Tendons fléchisseurs. Tendon d'Achille. — Muscles pédieux. Thénar. Antithénar. Hypothénar. Parathénar. Ligaments du pied.

**Pieds des animaux.** — Patte. Pied. Main. — Paturon. Sabot. Corne. Sole. Pince. Fourchette. — Pied cagneux. — Pied pinçard. — Pied panard. — Pied ongulé. Pied fourchu. — Ongles. Griffes. Serres. — Palme. — Ambulacre. — Pied de mollusque.

Bipède. Quadrupède. Solipède. Palmipède. Fissipède. — Plantigrade. Digitigrade. — Polypode. Myriapode. Macropode. Nécropode. Apode. — Pataud. Pattu. — Chèvre-pied. — Pédimane.

**Mouvements des pieds.** — Locomotion. Marcher, marche. — Courir, course. Trotter, trot. Galoper, galop. — Aller à pied. Marcheur. Piéton. Fantassin. Pédestrian. Voyage pédestre. — Sauter, saut. Sauter à pieds joints. Danser, danse. Nager, nage. Pédaler. — Piétiner, piétinement. Trépigner, trépignement. Battre du pied. Piéter. Fouler aux

pieds. — Piaffer, piaffement. Ruer, ruade. — Pas. Vestige. Trace.

Marcher sur la pointe des pieds. Avancer pied à pied, pas à pas. Aller à cloche-pied. — Donner des coups de pied. — Mettre le pied sur. Empiéter.

**Maux de pied.** — Cor. Durillon. Œil-de-perdrix. Oignon. — Pied en dedans. Pied en dehors. — Pied bot. Valgus (difformité). Pied plat. — Podagre (goutte). — Ongle incarné. — Pied gelé. — Bromidrose. — Mal perforant. — Chique.

Plaies du pied de cheval. Clou de rue. Bleime. Seime. Javart.

**Relatif au pied.** — Podologie. Pédicure. — Chausser. Chaussure. Talonnières. — Chauffe-pied. Chaufferette. Chancelière. — Bain de pied. Pédiluve. Lavement des pieds (le Jeudi saint). — Pédauque (qui a des pieds d'oie). — Portrait en pied.

Trépied. Marchepied. Sous-pied. — Pied de table. Pied d'arbre. Pied-droit, etc. — Pédicule. Pédicelle.

Se jeter aux pieds de. Baiser les pieds. — Mettre pied à terre. Prendre pied. — Perdre pied. Lâcher pied. — Etre au pied du mur, à pied d'œuvre. — Empêtrer. Dépêtrer.

## PIÈGE

**Contre les hommes.** —Embûches. Embuscade. Traquenard. Guet-apens. — Machine infernale. Mine. Engin. — Manœuvre insidieuse. Ruse. Machination.

S'embusquer. Dresser un piège. Machiner. — Surprendre, surprise. — Guetter. Faire le guet. Etre aux aguets.

Donner dans le piège. S'empêtrer. Tomber dans un guêpier.

**Contre les animaux.** — *Pièges à fauves.* Fosse. Trappe. Chausse-trape. Chambre. — Piège à loup, à renard, à loutre. — Bascule. Traquet. Traquenard. Assommoir. Trébuchet. Guillotine. — Ratière. Quatre de chiffre. Souricière. Taupière. — Filets. Rets. Lacs. Lacet. Collet. Nœud coulant. Hausse-pied.

*Pièges à oiseaux.* Cage. Trébuchet. Panier. — Filets. Panneau. Réseau. Reginglette. Tendelle. Tirasse. Tonnelle. — Glu. Gluau. Pipée. Pipeau. — Miroir. — Appelant (oiseau d'appel). Chanterelle. Moquette.

*Pièges à insectes.* Pièges lumineux. Ceintures-pièges. Papier englué. Ecran englué. Carafe à mouches.

PIERRAILLE, f. V. *pierre.*
**Pierre**, f. V. *carrière, maçon, vessie, bijou.*
PIERRERIES, f. p. V. V. *orfèvre.*
PIERREUX. V. *pierre, fruit.*
PIERRIER, m. V. *artillerie.*
PIERROT, m. V. *bouffon, moineau.*
PIERRURES, f. p. V. *cerf.*
PIÉTÉ, f. V. *religion, prier.*
PIÉTER. V. *pied.*
PIÉTINEMENT, m. Piétiner. V.

*pied, marcher, allure, presser.*
PIÉTON, m. V. *pied, marcher.*
PIÈTRE. V. *médiocre.*
**Pieu**, m. V. *bâton, pointe.*
PIEUX. V. *religion.*
PIÈZE, f. V. *mesure.*
**Pigeon**, m. V. *oiseau, sot.*
PIGEONNEAU, m. V. *pigeon.*
PIGEONNIER, m. V. *pigeon.*
PIGMENT, m. V. *peau.*
PIGNON, m. V. *maison, ma-*

*chine, dent, pin, roue.*
PIGNORATIF. V. *garant, acheter.*
PILAF, m. V. *riz.*
PILASTRE, m. V. *architecture, colonne.*
PILE, f. V. *amas, électricité, pont, monnaie, côté.*
PILER. V. *broyer, casser.*
PILET, m. V. *canard.*
PILEUX. V. *poil, cheveu.*
PILIER, m. V. *porter, soute-*

---

*Pièges à poissons.* Nasses. Tramail. Madrague. Filets dormants. Senne. Lignes de fond, etc.

**Piégeage.** — Piéger. Prendre au piège. Attraper. — Braconner. — Tendre. Tenderie. Tendue. — Trapper, trappeur. Colleter, colleteur. — Enlacer. Panneauter. Tonneler. — Piper.

Engin. Ressort. Marchette. Détente. Dents. Guillotine. Battant. — Détraquer (faire partir la détente).

## PIERRE
(latin, *lapis;* grec, *lithos*)

**Aspects des pierres.** — Pierre dure, tendre, gélive. — Roches. ROCHER. Roc. Bloc. — CARRIÈRE. Veine. Lit. — Pierre de taille. Dalle. PAVÉ. MEULE. Moellon. — Concrétion pierreuse. PÉTRIFICATION. — Galet. — Stalactite. Stalagmite. — Aérolithe. Pierre ponce. — Monolithe. Mégalithe. — Pierre levée. Dolmen. Menhir. — Menues pierres. Caillou. Cailloutis. Pierraille. Rocaille. — Ballast. Macadam. Gravillon. — Gravier. Sablon. Jalle. Jars. Poudingue. — Pierre (dans l'organisme). Calcul.

**Pierres siliceuses.** — Granit, granitique. Basalte, basaltique. Schiste, schisteux. Grès, gréseux. Porphyre. Lave. Quartz, quartzeux. Silex. Meulière. Feldspath, feldspathique. Talc. Mica. Caillasse.

**Pierres calcaires.** — Marbre. Brèche. Albâtre. Travertin. Tuf. Péperin. Gypse. Liais. Cliquart. Banc-franc. Lambourde. Vergelé. Oolithe. Sablons. — Fluatation (durcissement des calcaires).

**Pierres précieuses.** — Gemmes. Pierres fines. Diamant, adamantin. Emeraude, smaragdin. Saphir. Rubis. Turquoise. Perle. Opale, opalin. Topaze. Améthyste. Chrysolithe. Péridot. Jargon. Aigue-marine. Tourmaline. Hyacinthe. Grenat. Sardoine. Jade. Œil-de-chat.

Béryl. Corindon. Emeri. Obsidienne. Agate. Cornaline. Jaspe. Malachite. Marcassite. Onyx. Cristal de roche. Quartz rose. Lapislazuli.

**Travail des pierres.** — Carrier. Perrier. Extraire, extraction. — Tailleur de pierre. TAILLER. Taille. Coupe. — Empierrer, empierrement. Ferrer. Enrocher. Paver. Gravillonner. — Maçonner. Ebousiner. Moyer. Champ. Délit. V. MAÇON.

Lapidaire. Bijoutier. Joaillier. — Cliver, clivage. Tailler. Polir. — Glyptique. Pierre gravée. Camée. — Pierre taillée. Cabochon. — Sertir, sertissage, sertisseur. — Sculpter, sculpture, sculpteur.

**Relatif aux pierres.** — Pierre artificielle. Pierres fausses. — Pierre à fusil, à aiguiser, à détacher. — Pétrifier, pétrifiant. — Pierreux. Rocheux. Rupestre. Arabie pétrée. — Casse-pierre. Chasse-pierre. Pierrier. — Jeter la pierre à. Lapider, lapidation. Grêle de pierres. — Lithographie, lithographe. — Passe-pierre. Saxifrage.

## PIEU

**Pieux de fondations.** — Pieu. Pilotis. Pilot. Pilotage. — Frette et Sabot (garnitures de fer). — Battre. Enfoncer. Piloter. Hier. Recéper (scier la tête). — Mouton. Chèvre. Sonnette. Hie. Refus (terme de l'enfoncement). — Coiffer les pieux. Plate-forme. Grillage. Racinaux. Patins. Lierne. Longuerine. — Libage et Blocage (maçonnerie).

**Pieux divers.** — Avant-duc (de rivière). Balise. Balisage. — Epi. Estacade. Courçon. Palplanche. — Pieux d'enceinte. Fraise. File de pieux. — Palissade. Palis. Palée. Pieux jointifs. — Epieux. Vouge. Bâton pointu. — Pilori. Poteau.

**Piquets.** — Echalas, échalasser. Carasson. Paisseau, paisseler, paisselage. — Piquet, piqueter. Jalon, jalonner. — Rame (à pois), ramer. Tuteur. — Perche. Pilotin. Brandon. Fiche. — Pal.

## PIGEON

**Sortes de pigeons.** — Pigeon, pigeonne, pigeonneau. — Pigeon voyageur. — Ramier, ramereau. Palombe. Tourterelle. Tourtre. Tourtereau. — Colombe. Oiseau de Vénus. Boulant. Paon. Trembleur. Pattu. Voyageur. Capucin. Polonais. Cravaté chinois. Carrier. Carme. Nègre. Tambour. Culbutant. Trembleur. Colombin. Bizet. Mondain. Romain. Frisé. Maillé. Carneau. Huppé. Hirondelle. Nonnain. Maurin. Roussard, etc.

**Vie du pigeon.** — Colombophilie, colombophile. — Colombier. Pigeonnier. Volière. — Fuie. Boulins. Nids. — Trémie. Mangeoire. Graines. Ers. Vesce. — Bouler. Roucouler. Caracouler. Becqueter. — Colombine ou Poulnée (fiente). — Lâcher de pigeons. — Couleur gorge-de-pigeon. — Palomière (pour la chasse aux ramiers).

*nir, charpente, colonne, horloger.*
PILIFÈRE. Pilivore. V. *poil.*
**Pillage**, m. V. *voleur, détruire.*
PILLARD, m. V. *bandit, prendre.*
PILLER. V. *pillage, chien.*
PILON, m. V. *broyer, marteau, volaille.*
PILONNER. V. *battre, presser.*
PILORI, m. V. *supplice, punition.*
PILOSITÉ, f. V. *poil.*
PILOT, m. V. *sel.*
PILOTAGE, m. V. *conduite.*
PILOTE, m. V. *navire, aéronautique.*
PILOTER. V. *diriger.*
PILOTIS, m. V. *pieu.*
PILULE, f. V. *boule, médicament, avaler.*
PILULIER, m. V. *pharmacie.*

PIMBÊCHE, f. V. *affectation.*
PIMENT, m. V. *épice.*
PIMPANT. V. *élégance.*
**Pin**, m. V. *arbre.*
PINACLE, m. V. *haut, toit.*
PINACOTHÈQUE, f. V. *musée, peinture.*
PINARD, m. V. *vin.*
PINASSE, f. V. *navire.*
**Pince**, f. V. *presser, prendre, barre, forge, coudre, cheval, crustacé.*
PINCÉ. V. *affectation.*
**Pinceau**, m. V. *brosse, peinture.*
PINCÉE, f. V. *doigt.*
PINCEMENT, m. V. *presser, souffrir.*
PINCE-NEZ, m. V. *optique.*
PINCER. V. *pince, doigt.*
PINCETTE, f. V. *pince, cheminée.*
PINÇON, m. V. *pince.*

PINDARISER. V. *sublime.*
PINDE, m. V. *muse.*
PINÉAL. V. *cerveau.*
PINGOUIN, m. V. *oiseau.*
PINGRE, m. V. *avare, pauvre.*
PINNULE, f. V. *arpentage.*
PINSON, m. V. *oiseau.*
PINTADE, f. V. *poule.*
PINTADINE, f. V. *huître.*
PINTE, f. V. *mesure.*
PINTER. V. *boire.*
PIOCHE, f. Piocher. V. *terrassier, travail.*
PIOLÉ. V. *pie.*
PION, m. V. *jeu, damier, école.*
PIONNIER, m. V. *soldat, terrassier, fortification.*
**Pipe**, f. V. *tabac, tonneau.*
PIPEAU, m. V. *flûte, sifflet, glu.*
PIPÉE, f. V. *chasse, glu, piège.*
PIPELET, m. V. *portier.*

## PILLAGE

**Pillage à la guerre.** — Livrer au pillage. Piller. Pillard. — Sac d'une ville. Mettre à sac. Saccager. — Razzia, razzier. — Fourrager, fourrageur. — Butin, butiner. — Ravager, ravage. Dévaster, dévastation, dévastateur.

DÉTRUIRE, destruction. Ruiner. Couvrir de RUINES. Mettre à feu et à sang. — Envahir. Invasion. Infester un pays.

**Brigandage.** — Pillerie, pilleur. Marauder, maraudage, maraudeur. — Déprédation. Dépouiller, dépouilles. Picorer, picorée. — Abîmer. Bouleverser. Endommager. Dommages. Dégâts. — Faire violence. Prendre de force. VOLEUR. Brigand.

## PIN et SAPIN

**Arbres.** — Conifères. — Pin laricio. Pin pignon. Pin parasol. Pin maritime. Pin sylvestre. Epicéa. Mélèze. Pinastre (pin sauvage).

Sapin blanc, argenté, pectiné ou des Vosges, baumier, Nordmann, de Norvège.

Forêt de pins. Pignade. Pinède. Sapinière.

**Détails.** — Tronc. Feuillage. Aiguilles. Fruit. Cône. Strobile. Pigne. Pomme de pin. Ecailles. Pignon (amande).

**Produits.** — Bois de construction, de charpente, de mâture. Bois blanc. Pitchpin. — Sapine. Planche. Volige. — Sève de pin. Gemmage (récolte), gemmer, gemmeur. — Résine, résineux. Galipot. Térébenthine. — Bourgeon de sapin.

## PINCE

**Pinces** — Pinces de chirurgien. Pince à dissection. Pince à ressort. Pince à forcipressure. Pince à tumeur. Pince hémostatique. Forceps. Tenettes. Tire-langue.

Pince à charbon. Pincettes. — Pince à linge, à coupelle, à matras. — Pince à creu-

set. Frappe. Attrape. — Pince à sucre. — Pince à champagne. — Tenailles. Loup. — Casse-noix. — Pince monseigneur. — Epiloir.

Davier (de dentiste). — Brucelles (d'horloger). — Bercelle (d'émailleur). — Croches (de forgeron). — Trétoire (de vannier). — Tricoises (de maréchal). — Frisoir (de coiffeur). — Pince de carrier. — Pince de mégissier.

Branches. Mâchoires. Queue. Coulant.

**Usage.** — Pincer. Pincement. Pincée. Pinçure. Pinçon. — Serrer, serrement. Presser. — Tenailler. Pinceter. — Arracher. Prendre. Mordre. Saisir.

## PINCEAU

**Pinceaux.** — Pinceau à huile, à aquarelle, à miniature, à décor, à lavis, à filets. — Pinceau rond. Blaireau. Brosse ou pinceau plat. Pinceau à gorge. — Pinceau à modeler, à chiqueter. — Pinceau de peintre en voiture, de peintre en bâtiment. — Pied-de-biche (de porcelainier). — Pinceau de pâtissier. — Blaireau à barbe. — Goupillon. — Objet pénicillé.

**Détail d'un pinceau.** — Hampe. Bois. Manche. Ente. — Virole. — Soie. Poil. — Poil de porc, de sanglier, de blaireau, de martre, etc.

Pincelier. Torche-pinceau.

## PIPE

**Sortes de pipes.** — Pipe en terre, en écume, en bois, en racine, en porcelaine.

Bouffarde. Brûle-gueule. Calumet. Chibouque. Narguilé.

**Usage.** — Tête. Fourneau. Tuyau. Bout d'ambre. — Etui. Fourreau. — Bourrer, allumer une pipe. — Culotter une pipe. — Fumer, fumeur. — Tabac. Opium. — Fumoir. Tabagie. Fumerie.

PIPER. V. *tromper, piège.*

PIQUANT. V. *piquer, bizarre, intérêt, plaire.*

PIQUE, m. V. *cartes.*

PIQUE, f. V. *lance, fâché.*

PIQUE-ASSIETTE, m. V. *parasite.*

PIQUE-NIQUE, m. V. *manger.*

**Piquer.** V. *pointe, aiguille, éperon, ferment, insecte, acide, jardin, cuisine, coudre, tracer.*

PIQUET, m. V. *pieu, tente, arpentage, école, cartes.*

PIQUETTE, f. V. *boisson, vin, cidre.*

PIQUEUR, m. V. *domestique, chien, cheval.*

PIQUIER, m. V. *lance.*

PIQÛRE, f. V. *piquer, souffrir.*

PIRATE, m. Piraterie, f. V. *corsaire, bandit, crime.*

**Pire.** V. *gâter, tomber.*

PIRIFORME. V. *poire.*

PIROGUE, f. V. *bateau.*

PIROUETTE, f. V. *danse, tourner.*

PIS, m. V. *mamelle, vache.*

PIS-ALLER, m. V. *ressource.*

PISCICULTURE, f. V. *poisson.*

PISCINE, f. V. *eau, bain, étang, nager.*

PISÉ, m. V. *argile.*

PISSENLIT, m. V. *salade.*

PISSER. V. *urine, couler.*

PISSEUX. V. *pâle.*

PISSOTIÈRE, f. V. *urine.*

PISTACHE, f. V. *amande.*

PISTE, f. V. *cheval, courir, cirque, chasse.*

PISTIL, m. V. *fleur, sexe.*

PISTOLE, f. V. *monnaie.*

**Pistolet,** m. V. *armes, boucherie.*

PISTOLIER, m. V. *pistolet.*

PISTON, m. V. *machine, vapeur, pompe, instruments*

*de musique, protéger.*

PISTONNER. V. *recommander.*

PITANCE, f. V. *manger.*

PITCHPIN, m. V. *pin.*

PITEUX. V. *pitié, mal, humilité.*

**Pitié,** f. V. *sentiment, charité, bienfait.*

PITON, m. V. *clou, montagne.*

PITOYABLE. V. *pitié.*

PITRE, m. V. *bateleur, bouffon.*

PITTORESQUE. V. *peinture, description, beau.*

PITUITE, f. V. *humeur.*

PIVOINE, f. V. *fleur.*

PIVOT, m. V. *axe, racine.*

PIVOTER. V. *tourner, racine.*

PIZZICATO, m. V. *musique.*

PLACAGE, m. V. *couvrir, marqueterie.*

PLACARD, m. V. *armoire, tableau, imprimerie, public.*

---

## PIQUER

**Piqûre.** — Acuponcture. Piqûre. Aiguillade. Point. — Aiguille. Aiguillon. Piquoir. — EPINE. Echarde. Piquant. — Piquer. Se piquer. — PERCER, perçant. — Pointiller, pointillage. — Poindre, poignant. — Ponctionner, ponction. — Tatouer, tatouage. — Mordre, morsure. — Aiguillonner. Fourgonner. — Eperonner. — Coudre. Piquer un vêtement.

**Démangeaison.** — Démanger. Picoter, picotement. — Fourmiller, fourmillement. Formication. — Chatouiller, chatouillement, chatouilleux. — Prurit. Prurigo, prurigineux. Titiller, titillation. — Cuire, cuisson, cuisant. Urtication. — Avoir la gale. Se gratter.

## PIRE

**Etat de pire.** — Pire. Moindre. Inférieur. — Le pire. Le plus mauvais. — Plus mal. Pis. Tant pis. De moins en moins. — Etre au pire. — Pis-aller. REBUT. Fond de panier. — Voir le pire. Pessimisme, pessimiste. — Terme péjoratif.

**Devenir pire.** — Empirer. Aller de MAL en pis. Prendre mauvaise tournure. — Décliner, déclin. DIMINUER, diminution. — Dépérir, dépérissement. Se gâter. S'abîmer. — Péricliter. Perdre, perte. Décroître, décroissance. — Dégénérer. Forligner. Déroger. — Tomber au-dessous. Déchoir, déchéance. — Reculer. Rétrograder. Ne pas gagner. — Baisser. TOMBER. Descendre. Chute. Décadence.

Tomber de Charybde en Scylla.

**Rendre pire.** — Perdre, perdition. Corrompre, corruption. Dépraver, dépravation. — GÂTER. Pervertir, perversion. Vicier. — Avilir, avilissement. Abâtardir. — Jeter de l'huile sur le feu. Aggraver, aggravation. —

Altérer, altération. Enlaidir, enlaidissement. — Dégrader, dégradation. Détériorer, détérioration. Abîmer. Endommager. — Envenimer. Empoisonner.

## PISTOLET

**L'arme.** — Crosse. Culasse. Canon. Bouche. Chien. Batterie. Cylindre. Carcasse. Chargeur. Glissière. Détente. — Charger, chargement. Armer. Désarmer. Cran d'arrêt. Ejection.

Fontes. Gaine. Etui. Fourreau.

**Types divers.** — Pistolet d'arçon. Pistolet de combat. Pistolet de précision. Pistolet à bascule. Pistolet Flobert. — Revolver. Coup-de-poing. Pistolet automatique. Browning.

**Relatif au pistolet.** — Pistolier. — Pistoletade. Brûler la cervelle. — Pistoie (ville d'origine). — Pistolet à dessin. Pistolet de Volta. Pistolet de peintre.

## PITIÉ

**Faire pitié.** — Exciter la pitié. Etre objet de pitié. Apitoyer. — Attendrir. Fendre l'âme. Tirer des larmes. — Emouvoir. Toucher.

Crier merci. Demander grâce. — Implorer. Mendier. — Plainte. Lamentation. Jérémiade. — Pitoyable. Piteux. Maupiteux.

**Avoir pitié.** — Etre accessible à la pitié. S'apitoyer. Avoir de la commisération. — Avoir bon cœur. Compatir, compassion. S'attendrir, attendrissement. — Se laisser toucher. Etre sensible, sentimental. — Prendre part au malheur d'autrui. Entrer dans les peines. Plaindre.

Secourir. Charité, charitable. Humain. — Etre exorable. Faire grâce. Gracier. Clémence. Miséricorde.

*Place*, **f.** V. *lieu, ville, fonction, commerce, domestique, mettre.*

PLACEMENT, m. V. *fonction, finance.*

PLACENTA, m. V. *fœtus.*

PLACER. V. *mettre, arranger, prêter.*

PLACER, m. V. *or.*

PLACET, m. V. *demande.*

PLACIDITÉ, f. V. *calme.*

PLACIER, m. V. *commerce.*

PLAFOND, m. V. *maison, plancher.*

PLAGE, f. V. *rivage, plat, nager.*

PLAGIAIRE, m. V. *plagiat.*

*Plagiat*, m. V. *imiter, copie.*

PLAGIER. V. *littérature.*

PLAID, m. V. *discours, couverture, Ecosse.*

PLAIDER. V. *auxiliaires de justice, procédure, défendre.*

PLAIDOIRIE, f. Plaidoyer, m. V. *discours, éloquence, rhétorique.*

*Plaie*, f. V. *blessure, ulcère, battre, panser.*

PLAIGNANT, m. V. *plainte.*

PLAIN. V. *plat, cuir.*

PLAIN-CHANT, m. V. *liturgie*

PLAINDRE. V. *pitié.*

PLAINDRE (se). V. *chagrin réclamer.*

PLAINE, f. V. *géographie, uni, campagne.*

*Plainte*, f. V. *bruit, cri, réclamer, accusation.*

PLAINTIF. V. *plainte.*

*Plaire*. V. *satisfaire, séduire, attirer, aimer.*

PLAISANT. V. *plaire, beau.*

## PLACE

**Places de villes.** — Agora. Forum. — Grande place. Place du Marché, du Martroy, de Grève, d'Armes. — Champ de Mars. Champ de mai, de foire. — Cours. Promenade. Square. — Esplanade. Parvis. Carrousel. — Rond-point. Carrefour. Demi-lune.

## PLAGIAT

**Emprunt littéraire.** — Plagier. Plagiaire. Plagiat. — S'approprier l'œuvre d'autrui. Donner comme sien. — Piller. Voler. Prendre. — Puiser. Butiner. Marauder. — Forban littéraire.

**Imitation ou Extraits.** — Imiter, imitation. Copier, copie. Contrefaçon. Fraude. Délit.

Pasticher, pastiche.

Centon. Composer avec des ciseaux. — Compiler, compilation, compilateur. — Extraire, extrait. Tirer de. — Colliger. Ramasser. Collectionner.

## PLAIE

**Sortes de plaies.** — Plaie profonde. Plaie superficielle. — Traumatisme. — Blessure grave, légère, mortelle. — Coup de couteau, de sabre, d'épée. Coup de feu. Trou de balle. — Balafre. ENTAILLE. Estafilade. Taillade. Boutonnière. — Coupure. Ecorchure. Egratignure. — Plaie contuse. Contusion. Ecchymose. Coup. Bleu. Meurtrissure. — Crevasse. Déchirure. Eventration. — Fissuration. — Gerçure. Froissure. — Excoriation. Ulcération. ULCÈRE. — Piqûre. — Morsure. — Brûlure. — Bobo.

**Etat des plaies.** — Etat traumatique. Lèvres d'une plaie. Chairs à vif. Chairs baveuses. — Perte de SANG. Hémorragie. Saignement. Sanguinolent. Ensanglanté. — Abcès. Suppuration. Purulence. Pus. Gangrène. Humeur maligne. Virus. — Fongosité. Carie. Nécrose. — Escarre. Sinus. — Rougeur. Chaleur. — Infection. Microbes. — Extravasion. Epanchement de sang.

Saigner. S'envenimer. S'enflammer. Suppurer. — Se fermer. Se cicatriser.

**Traitement.** — Débrider une plaie. Dénuder l'os. Raviver, rouvrir une plaie. — Laver, lavage. Bassiner. Déterger, détersif. — Traiter. Panser. Aseptiser. Pansement aseptique. — Brûler. Thermocautère. — Cicatriser, cicatrisation. Fermer. — Antiseptiques. Solutions. Pommades. Onguents. Vulnéraire. — Sucer, succion. — Recoudre. Suture.

## PLAINTE

**Expression de la douleur.** — Se plaindre. Exhaler des plaintes. Ton plaintif. — Pleurer. Pleurnicher. Pleurs. — Se douloir. Dolent. Doléances. — Geindre, geignement, geignard. Gémir, gémissant, gémissement. — Appeler à la pitié, la compassion. Apitoyer. — Pitoyable. Piteux. Maupiteux. Marmiteux. — Se lamenter. Lamentation. Jérémiade. — Crier. Pousser des cris. Cris de douleur. — Soupirer, soupirs. — Plaindre. Déplorer. — Poésie élégiaque. Complainte.

**Expression du mécontentement.** — Maugréer. Murmurer, MURMURES. Rechigner. — Pester contre. S'emporter contre. Se récrier. — Grogner, grognon, grognard. Grognonner. Grommeler. — Faire de mauvaise grâce. S'insurger. Rouspéter, *f.* — Gronder, gronderie, grondeur. RÉPRIMANDER, réprimande. — Remontrer, remontrance. Reprocher, reproche. — Cr{i}ailler, criaillerie. Déblatérer. Clabauder.

Humeur CHAGRINE. Misanthropie, misanthrope. Pessimisme, pessimiste.

**Appel à la Justice.** — Se plaindre en justice. Porter plainte. Plaignant. — Motifs de la plainte. Griefs. — Accuser, ACCUSATION, accusateur. Dénoncer, dénonciation, dénonciateur. — RÉCLAMER, réclamation. Protester, protestation, protestataire. RÉCRIMINER, récrimination.

## PLAIRE

**Etre agréable.** — Plaire, plaisant. — Faire PLAISIR. Donner de la joie. Réjouir la vue, le goût. — Délecter, délectation, délectable. Ravir, ravissant. — Amuser, amusement, amusant. Agrément, agréable. — GRÂCE, gracieux. Gentillesse, gentil. Charme, charmant. — Douceur, DOUX. — Faire les délices de, délicieux. Suave, suavité. — Sourire. Souriant. Riant. Accueillant, bon accueil. Affable, affabilité. Amène, aménité. Aimable, amabilité.

**Etre aimé** — Inspirer de l'amour. Se faire aimer. — Conquérir les cœurs. Traîner

PLAISANTER. Plaisanterie, f. V. *jeu, spirituel, rire.*

**Plaisir,** m. V. *joie, bonheur, sensation, luxure.*

PLAMER. V. *cuir.*

PLAN. V. *plat, uni.*

PLAN, m. V. *projet, superficie,* *architecture, abrégé, littérature.*

**Planche,** f. V. *bois, tableau, dessin, jardin.*

PLANCHÉIER. V. *plancher.*

**Plancher,** m. V. *planche, menuisier.*

PLANCHETTE, f. V. *planche.*

PLANÇON, m. V. *planter.*

PLANE, f. V. *couteau, menuisier.*

PLANER. V. *voler, haut, polir, plat.*

PLANÉTAIRE. V. *planète.*

les cœurs après soi. Faire des conquêtes. — Enflammer les cœurs. Tourner toutes les têtes. Donner dans l'œil. — Etre la coqueluche. Etre sympathique. Etre recherché, couru. — Favori. Amant. GALANT. Maîtresse. — Se concilier les gens. Bienvenu. Agréé. Populaire. *Persona grata.*

**Attirer.** — Attirance, attirant. Attrait, attrayant. — Attacher, attachement, attachant. Ravir, ravissement, ravissant. — Intéresser, intérêt, intéressant. — Piquer, piquant. Agacer, agacerie. — Fasciner, fascination. Entraîner, entraînement. Engager, engageant. — Affrioler, affriolant. Allécher, alléchant. Appétissant. — Affriander. Appas. — Gagner les bonnes grâces.

**Séduire.** — Séduisant, séduction, séducteur. — Charmer, charmeur. Ensorceler, ensorceleur. — Enthousiasmer, enthousiasme. Enivrer, enivrement. — Enchanter, enchantement, enchanteur, enchanteresse. — Captiver l'esprit. Influer sur. Persuader. — Flatter, flatterie, flatteur. Flagorner, flagorneur, flagornerie. — Coquet. Coquette. Sirène. — Coquetterie. Galanterie. Flirt.

**Satisfaire.** — Etre satisfaisant. Donner satisfaction. Contenter, contentement. — Plaire à. Complaire, complaisance. — Etre au goût de. Avoir la VOGUE. Etre à la mode. — Faire l'affaire. Convenir. Arranger. — Cela me va. Cela me revient. C'est mon fait. — Etre en faveur. Etre au gré de. — Chausser. Botter. Coiffer. — Ragoûter, ragoûtant. Régaler, régal.

**PLAISIR**

**Amusement.** — S'amuser, amusement, amusette. — S'égayer. Se réjouir. Se divertir. Se distraire. Se désennuyer. — S'ébattre. Prendre ses ébats. S'ébaudir. Folâtrer. — Batifoler, batifolage. Badiner, badinage. — Prendre du bon temps. Tuer le temps. — Joie. Gaieté. Entrain. Agrément. — Bouten-train. Joyeux compagnon. — Plaisirs du monde. Mondanité. Mondain.

Délasser, délassement. Divertir, divertissement. Distraire, distraction. Désennuyer. — Détendre l'esprit. Désopiler. Dérider. — Réjouir, réjouissance. Délecter, délectation. — Menus plaisirs. Récréation. Passe-temps. Sports. Jeux.

**Fête.** — Faire la FÊTE. Festoyer. Etre en liesse. Faire carousse. — Bien vivre. Vie facile. Vie courte et bonne. Bon vivant. Viveur. — Faire la noce, noceur. Bombance. Frairie. Chère lie. — S'en donner à cœur joie. S'en donner à gogo. — Faire des folies. Faire ses farces. S'étourdir. — Faire des

excès. — Faire un extra. Dissiper son bien, dissipation, dissipateur. Jouisseur.

Plaisirs de la table. Bonne chère. Festin. Régal. — Se goberger. Se régaler. S'en fourrer. — Partie fine. Partie carrée. Partie de plaisir.

**Volupté.** — Plaisirs charnels. Concupiscence. Aiguillons de la chair. — Plaisirs sensuels. Sensualité. — Lascivité, lascif. Egrillardise, égrillard. — Volupté, voluptueux. Raffinement, raffiné. Sybaritisme, sybarite. — DÉBAUCHE, débauché. Luxure, luxurieux. Licence, licencieux. — Fredaines. Dévergondage, dévergondé. Libertinage, libertin. — Homme de plaisir. Coureur. Libidineux.

**Satisfaction.** — Etre heureux. Bonheur. Joie, joyeux. Réjouir. — Etre enchanté, dans l'enchantement. Etre ravi, dans le ravissement. — S'extasier. Se pâmer. Tomber en pâmoison. — Ivre de plaisir, ivresses. Transporté de joie, transports. — Prendre plaisir à. Se plaire à. — Délices, délicieux. Douceurs. — Savourer, goûter, éprouver, ressentir un plaisir. — Se contenter de, contentement, content. Se satisfaire. Etre satisfait.

**PLANCHE**

**Sortes de planches.** — Planche. Ais. Sapine. Dosse (planche brute). — Alèze. Volige. Doublette. — Aissante (de toiture). Esseau. Echandoles. Bardeau. — Madrier. Limande (de charpente). — Eclisses. Feuillet. Cartelle. — Planchette. Tablette. — Douvain (pour cuves). Merrain. Gobillard. — Montant. Palplanche. V. BOIS.

**Travail.** — Chantier. Tas de planches. Trésillon (pour les séparer). — Parquet. Plancher. Planchéier. — Menuiserie, menuisier. Ebénisterie, ébéniste. — Charpente. Couverture. — Lambris, lambrisser, lambrissage. — Cuveler, cuvelage. — Etagère. Rayonnage. — Emballage. Layette. — Panneau. Tableau.

**PLANCHER**

**Plancher.** — Planchéier, planchéiage, planchéieur. — Charpente ou Travure. Travée. Solive. — Lambourde. Enchevêtrure. Chevêtre. Gîte. — Remplissage. Hourdis. Fausse aire. — Aire. Planches. Carreau. Carrelage.

Plancher creux. Plancher enfoncé. Faux plancher. — Plancher en bois, en bois et maçonnerie, en fer et maçonnerie, en fer et poterie, en ciment armé.

**Parquet.** — Parqueter, parquetage, parqueteur. — Lames. Feuilles. Rainures. Languettes. Chevrons.

**Planète,** f. V. *astre, ciel.*
**Planimétrie,** f. V. *plat.*
**Planisphère,** m. V. *astro-*
*nomie, sphère, géographie.*
**Plansichter,** m. V. *moulin.*
**Plant,** m. V. *plante, fleur.*
**Plantation,** f. V. *planter,*
*forêt, sucre.*
**Plante,** f. V. *botanique, pied.*

---

Parquet à l'anglaise. Parquet d'onglet. Parquet à points de Hongrie. Parquet à bâtons rompus. Parquet à assemblage. — Mosaïque. Carrelage.

**Plafond.** — Plafonner, plafonnage, plafonneur. — Entrevous, entrevoûter. Hourdis, hourdage, hourder. — Lattis, LATTE, latter. — Gobetage. Crépi. Revêtement. — Rosace. Corniche.

Plafond. Soffite. Faux plafond. — Plafond à corniche, en coupole, à caissons, à poutres apparentes, à compartiments, à stalactites.

## PLANÈTE

**Astres.** — Planètes. Corps planétaires. Système planétaire. — Planétaire (lunette). Planétolabe.

Grandes planètes. JUPITER. Saturne. Neptune. Uranus. Terre. Vénus. Mars. Mercure. Petites planètes. Vesta. Junon. Cérès. Pallas, etc.

Planètes secondaires. Satellites. LUNE.

Autres noms de Vénus : Etoile du matin. Etoile du berger. Lucifer. Etoile du soir. Vesper.

**Mouvements.** — Aspect. Phase. Situation. Configuration. Situation relative. — Conjonction. Opposition. Syzygie. — Orbe. Orbite. — Passage au méridien. — Période. Révolution.

## PLANTE

**Eléments des plantes.** — Tronc. Pied. Souche. — Bois. Aubier. Fibre. Cœur. Ecorce. — Branche. TIGE. Hampe. Chaume. — Aiguillon. Epine. — Rhizome. Stolon. — Tubercule. Bulbe. Oignon. — Pousse. Bourgeon. — Nœud. Nodule. — FEUILLE. Stipule. Ligule. Limbe. Lobe. Parenchyme. Chlorophylle. — FLEUR. Corolle. Calice. Sépale. Pétale. Bractée. Involucre. Pistil. Etamine. — Sève. Latex. Lymphe. Moelle. Mucilage. — Pédoncule. Pédicule. — Pédicelle. Pétiole. — Carde. Carène. Filet. Ecaille. — Cils. Poils. Barbe. Duvet. Cirre. Crampon. Vrille. — Membrane. Tunique. Gaine. — FRUIT. Chair. Noyau. Amande. Pépin. Drupe. Gousse. Silique. Capsule, etc. — RACINE. Pivot. Tubérosité. Radicelle. Fibrille.

**Caractères des plantes.** — Acaule. — Acuminé. — Affolé. — Agminé. — Aigretté. — Aquatique. — Arborescent. — Aristé. — Arvien. — Bâtard. — Bicipité. — Bifide. — Bifurqué. — Bourru. — Bulbeux. — Bulbiforme. — Bulbipare. — Carnivore. — Cilié. — Cirreux. — Composé. — Conjugué. — Convoluté. — Culmifère. — Cultivé. — Dextro-volubile. — Dichotome. — Dichrone. — Diffus. — Diptère. — Distique. — Divariqué. — Divergent. — Duveteux. — Ecailleux. — Echiné. — Eperonné. — Exotique.

— Fastigié. — Fenestré. — Frutescent. — Fugace. — Géminé. — Glabre. — Gladié. — Grimpant. — Hirsuté. — Hispide. — Lactescent. — Lancéolé. — Lanugineux. — Ligulé. — Lobé. — Mucilagineux. — Mucroné. — Multivalve. — Muriqué. — Nain. — Noduleux. — Operculé. — Paléacé. —→ Parasite. — Pénicillé. — Persistant. — Poilu. — Précoce. — Pubescent. — Rampant. — Sarmenteux. — Sauvage. — Serruté. — Sessile. — Sinistro-volubile. — Soyeux. — Spinescent. — Spontané. — Stipulacé. — Tardif. — Tenace. — Tomenteux. — Toruleux. — Tuberculeux. — Tubéreux. — Tubulé. — Unciné. — Urcéolé. — Valvé. — Valvulaire. — Vasculaire. — Vivace. — Vivipare. — Volvacé. — Vrillifère. — Zoocarpé.

**Vie des plantes.** — Plante annuelle. Bisannuelle. Précoce. Diurne. — Fécondation. Germination, germer. — Pousse. Croissance. — Bourgeonnement, bourgeonner. Floraison, fleurir. — Fructification, fructifier. Maturation. Maturité, mûrir. — Se multiplier, multiplication. Reproduction, se reproduire. Semence. Caïeu. Drageon. Bouture. Greffe. — Semis. Plant. Elève. Hybride. — Culture. Peuplement. Habitat.

Vie végétative. Endosmose. Expiration. Extravasion de la sève. — Végétation. Venir. Pousser. Croître. Repousser. — Végéter. S'étioler. Avorter. Carier. — Geler. Brouir. Brûler. Sécher.

**Principales plantes.** — Arbre, arbuste. Herbe. Liane. Végétaux.

*Potagères.* Aubergines. Tomates. Choux. Choux-fleurs. Pissenlit. Asperges. Artichauts. Betteraves. Navets. Salsifis. Carottes. Pommes de terre. Poireaux. Céleri. Cardon. Pois. Epinards. Laitues. Oignons. Haricots. Fèves. Panais. Endives.

*Céréales.* Froment. Epeautre. Blé. Engrain. Seigle. Maïs. Riz. Sorgho. Millet. Avoine. Orge. Canne à sucre. Alpiste. Sarrasin.

*Frugifères.* Poirier. Pommier. Cognassier. Sorbier. Abricotier. Pêcher. Cerisier. Prunier. Néflier. Vigne. Groseillier. Framboisier. Fraisier. Ronce. Epine-vinette. Mûrier. Noyer. Noisetier. Amandier. Châtaignier. Hêtre. Grenadier. Oranger. Citronnier. Mandarinier. Cocotier. Bananier. Goyavier. Litchi. Caroubier. Dattier. Figuier. Pamplemousse. Manguier. Prunellier.

*Oléagineuses.* Lin. Œillette. Colza. Navette. Cameline. Arachide. Ricin. Sésame. Cotonnier. Cocotier. Olivier. Noyer. Noisetier. Amandier.

*Aromatiques.* Menthe. Lavande. Marjolaine. Romarin. Thym. Origan. Hysope. Sauge. Sarriette. Mélisse. Basilic. Anis. Cumin. Carvi. Fenouil. Coriandre. Persil. Cerfeuil. Céleri. Angélique. Armoise. Matricaire. Camomille. Cassier.

**Planter.** V. *arbre, plant, jardin, mettre.*

PLANTEUR, m. V. *planter, colonie.*

PLANTIGRADE, m. V. *pied, animal, ours.*

PLANTOIR, m. V. *jardin.*

PLANTON, m. V. *soldat.*

PLANTUREUX. V. *abondance.*

**Plaque.** f. V. *plat, métal, photographie, cheminée, chemin de fer.*

PLAQUÉ, m. V. *optique, bijou, cuir.*

PLAQUER. V. *couche, garnir, marqueterie, plaque.*

PLAQUETTE, f. V. *relieur.*

PLASTICITÉ, f. V. *mou, argile.*

PLASTIQUE. V. *beau, forme, sculpture.*

PLASTRON, m. V. *armure, escrime, chemise, moquer.*

**Plat.** V. *uni, bas, simple, fade, vil.*

PLAT, m. V. *vaisselle, main, épée, mets, relieur.*

PLATANE, m. V. *arbre.*

PLAT-BORD, m. V. *navire.*

PLATEAU, m. V. *plaque, vaisselle, balance, montagne, théâtre.*

PLATE-BANDE, f. V. *jardin.*

PLATE-FORME, f. V. *maçon, base, terrasse, artillerie, chemin de fer.*

PLATERESQUE. V. *architecture.*

PLATINE, m. V. *métal.*

PLATINE, f. V. *plaque.*

PLATITUDE, f. V. *plat, style.*

PLATONIQUE. V. *amour.*

PLATONISME, m. V. *philosophie.*

---

*Textiles.* Lin. Chanvre. Coton. Jute. Ramie. Aloès. Phormium.

*Tinctoriales.* Garance. Orcanette. Quercitron. Henné. Sumac. Reboul. Carthame. Safran. Nerprun. Noyer. Rocouyer. Campêche. Cachou. Pastel. Indigotier. Tournesol. Orseille. Gaude. Bois de Pernambouc. Mûrier des teinturiers.

*Médicinales.* Nerprun. Ricin. Mercuriale. Fougère mâle. Rue. Sabine. Valériane. Cresson. Amandier. Bourrache. Bouleau. Camomille. Chiendent. Tilleul. Bardane. Gentiane. Violette. Guimauve. Eucalyptus. Mauve. Verveine. Sureau. Houx.

*Forestières.* Epicéa. Pin. Bouleau. Pitchpin. Sapin. Chêne. Hêtre. Frêne. Erable. Orme. Charme. Cèdre. Palmiers. Lianes.

*Ornementales.* Bégonia. Chrysanthème. Dahlia. Fuchsia. Géranium. Héliotrope. Œillet. Pétunia. Sauge. Verveine. Camélia. Tulipes. Tubéreuses. Muguet. Iris. Glaïeul. Cyclamen. Anémone. Yucca. Pivoine. Agave. Aloès. Catalpa. Magnolia. Sophora. Tamaris. Mimosa.

*Fourragères.* Vesce. Gesce. Féverole. Trèfle. Colza. Spergule. Moutarde. Ray-grass. Moha. Millet. Paturin. Fléole. Vulpin.

**Classification.** — Botanique.

*Phanérogames.* Angiospermes. Gymnospermes. — Chrysanthème. Morelle. Persil. Rosier. Renoncule. Lis. Blé. Pin. Asperge. Cyprès. If. Cycas. Sapin. Araucaria. Maïs. Riz. Bambou. Roseau. Palmier. Orchidées. Ortie. Chardon. Verveine. Menthe. Jasmin. Liseron. Tomate. Primevère. Roses. Haricots. Erable. Giroflée. Mercuriale. Tilleul. Nénuphar. Orme. Clématite, etc.

*Cryptogames vasculaires.* Lycopode. Prêle. Fougère aspide. Ptéride. Osmondes. Todées. Capillaire. Psilote. Phylloglosse, etc.

*Muscinées.* Mousses. Hépatiques. Sphaigne. Polytric. Fontinale. Funaire, etc.

*Thallophytes.* Algues. Champignons. Diatome. Sphacélaire. Lémanée. Némalion. Coralline. Varech. Fucus, etc.

## PLANTER

**Les plants.** — Plants en motte, en pots, en arrachis. — Hautes tiges. Demi-tiges. Basses tiges. Scions. — Bouture. Marcotte. Provin. Plançon.

**Façons de planter.** — Jardiner, jardinage, JARDIN. Creuser des trous. Ecrêter.

Plantoir. — Habiller un plant. — Planter, plantation. Dresser un plant. — Planter en mottes, par touffes, en buttes, en jauge, en chevelu, sans préparation. — Bouturer. Marcotter, marcottage. Provigner, provignement. Coucher en terre, couchage.

Lever un arbre. Transplanter. — Replanter. Repiquer.

**Plantation forestière.** — Plantations. Pépinière. — Planter. Complanter. Planter à fonds perdus. Implanter. — Boiser, boisement. Reboiser, reboisement. — Peupler une forêt, peuplement. — Déplanter. Déboiser.

## PLAQUE

**Plaques.** — Plaque. Lame. Planche métallique. Feuille de métal. — Plaque de fonte. Plaque de blindage. Plaque de tôle. — Placage. Plaqué. Contre-plaqué. — Applique. Application. — Incrustation. Plaquis. Mosaïque. Marqueterie. — Couche. Couverture. Ouvrage de rapport.

**Choses en forme de plaque.** — Plaque osseuse. — Plaque photographique. — Plaque tournante. — Plateau. — PLAT. Eventaire. Tourtière. — Ecriteau. TABLEAU. Tablette. — Ecu. Ecusson. Panonceau. — Crachat (décoration). Médaille. — TUILE. Ardoise. — Platine (de fusil). — Contre-cœur (de cheminée).

**Action de plaquer.** — Plaquer, placage, plaqueur. — Argenter, argenture. Dorer, dorure. Galvanoplastie. — Coller. Couvrir. Enrober. Revêtir. — Rapporter. Appliquer. — Incruster. Marqueter.

## PLAT
(latin, *planus*)

**Etat de plat.** — Plat. A plat. Platitude. — Planiforme. Plain. Plan. — Aplati. Fascié. Discoïde. Omaloïde. — Planipède. Planirostre. — Rasé. Aplani. Nivelé. Raboté. — Ras. Uni. Poli. — Aminci. Déprimé. — Ecrasé. Epaté. Ecaché (écrasé). — Superficiel.

**Rendre plat.** — Planer, planeur. Unir. POLIR, polissage. Egaliser. — Aplanir, aplanissement. Aplatir, aplatissement. Plaquer. — Déprimer, dépression. Ecacher, écachement. Ecraser, écrasement. — Raser. Raboter. — Niveler, nivellement. Régaler un terrain.

**Plâtre,** m. V. *chaux, maçon.*
PLÂTRER. Plâtrier, m. V. *plâtre, couvrir.*
PLÂTRIÈRE, f. V. *carrière.*
PLAUSIBLE. V. *probable, approuver, apparaître, bien.*
PLÈBE, f. Plébéien. V. *peuple, classe.*
PLÉBISCITE, m. V. *peuple, politique.*
PLECTRE, m. V. *instruments.*
PLÉIADE, f. V. *poésie, étoile.*
PLEIGE, m. V. *garant.*
**Plein.** V. *remplissage, rassasier, complet, écrire, lune.*
PLÉNIÈRE. V. *indulgence.*

PLÉNIPOTENTIAIRE, m. V. *pouvoir, diplomatie.*
PLÉNITUDE, f. V. *plein, abondance.*
PLÉONASME, m. V. *grammaire.*
PLÉTHORE, f. V. *plein, excès.*
PLEUR, m. V. *larme.*
PLEURARD, m. V. *larme.*
PLEURER. V. *larme, couler, chagrin.*
PLEURÉSIE, f. V. *poumon, côte.*
PLEURNICHER. V. *larme, plainte, murmure.*
PLEURS, m. p. V. *regret.*

PLEUTRE, m. V. *peur.*
PLEUVOIR. V. *pluie, tomber.*
PLÈVRE, f. V. *membrane, côte, poumon.*
PLEXUS, m. V. *nœud, nerf.*
**Pli,** m. V. *creux, courbure, raie, lettre, cartes, cheveu*
PLIE, f. V. *poisson.*
PLIER. V. *pli, étoffe, relieur, céder.*
PLINTHE, f. V. *architecture, menuisier.*
PLISSEMENT, m. V. *pli, géologie.*
PLISSER. V. *pli, habillement.*
PLISSER (se). V. *contraction.*

---

**Surfaces plates.** — Aire. Surface. Superficie. — Plan. NIVEAU. — Plate-forme. Plate-bande. — Lit de pierre. Nappe d'eau. Plage. — Esplanade. Terrasse. — Frise. Bande. Pan de mur. — Etendue. Rase campagne.

Planimétrie, planimètre.

**Objets plats.** — Feuille. Feuillet. — Dalle. Carreau. Brique. — Planche. Planchette. Tablette. — Panneau. Tympan. PLAQUE. Pan. — TABLE. TABLEAU. Planisphère. — Plateau. Plat. — Disque. Jeton. Palet. Punaise. — LAME. LATTE. Pale. — Galette. Tartine. — Nez camard, camus, épaté, etc.

### PLÂTRE

**La matière.** — Plâtre, plâtreux. Gypse, gypseux. — Plâtre cru. Plâtre cuit. Plâtre gris. Plâtre fin. Plâtre râblé. Plâtre au panier. — Plâtre à mouler. Plâtre-ciment. Stuc. — Plâtrière. Pierre à plâtre. Four à plâtre. — Plâtras.

**L'usage.** — Plâtrier. MAÇON. Mouleur. Stucateur. — Délayer. Couler. Gâcher. Noyer. — Plâtrer. Replâtrer. Enduire. — Couder. Epigeonner. Gobeter. Hourder. Ourdir. Plaquer. Sceller. Stuquer.

Truelle. Taloche. Gâche. Auge. Plâtroir.

**Travaux de plâtre.** — Plâtrerie. Plâtrage. Replâtrage. — Bandages. Entrevous. Filet. Hourdis. Lambris. Légers. Moulage. Moulure. Pente de plâtre. Plafond. Plaquis. Scellement. Solement. Solin.

### PLEIN
(latin, *plenus;* grec, *pleos*)

**Rempli.** — Plein. A pleins bords. Bondé. Bourré. — Gros de. Plein de. Replet. Enflé. Gonflé. Prégnant. — Sans vide. Massif. Compact. Dense.

Emplir. Bonder. — Bourrer. Farcir. Fourrer. GARNIR. — Remplir de. Charger de. Gorger de. — Tasser. Entasser. SERRER. — Ne pas désemplir. Affluence.

**Complet.** — Plein comme un œuf. Au grand complet. — Battre son plein. Pleine lune. Plein jour. — Plénitude. Cour plénière. Indulgence plénière. — Remplir, REMPLISSAGE. Réplétion. Comble, combler. — Faire

le plein de. Ras, rasade. Complet, compléter. — Saturer, saturation. Satiété. Rassasié. Soûl, soûler. Ventre plein. — Occuper en entier. Peupler. Meubler. — Pleins pouvoirs. Plénipotentiaire.

**Débordant.** — Déborder, débordement. Passer par-dessus bords. Trop-plein. Inonder, inondation. — Engorger, engorgement. Encombrer, encombrement. Embarrasser, embarras. — Regorger. Pléthore, pléthorique. Surabondance. — Jeter à pleines mains. — Plein de soi-même. Pétri d'orgueil. — Pléonasme. Redondance. Mot explétif.

### PLI

**Plier.** — Pli. Pliement. Pliage. — Plieur. Plieuse. Plioir. — Pliant. Plicatile. Plicatif. — Mettre en double. Doubler. Doublement. — Faux pli. Coque. Corne. — Retrousser. Retroussis. Revers. Parement. — Relever. Rebrasser. Trousser. Ferler. Carguer (une voile).

**Plisser.** — Pli. Rabattre un pli. Repli, replier. Rempli, remplier. — Plissement. Etranglure (du drap). Corrugation. — Plisser, plissage. Goder, godage. — Fronce, froncis. Froncer, froncement. Godron, godronner. — Fraise (collet). Falbala. Ruche. Volants. Bouillons. Tuyau, tuyauté. Pince. — Sillon, sillonner.

**Froisser.** — Froissé. Froissement. — Friper, fripé. Chiffonner, chiffon. Bouchonner, bouchon. — Ride, rider. Gerçure, gercer. Patte d'oie. — Rugosité, rugueux. Ratatiné. Rabougri. — Grimace, grimacer. Renfrognement, renfrogner.

**Friser.** — Frisure, frisage, frisé. Frisotter. — Crêper, crêpe, crêpé, crêpu. Gaufrer, gaufrage. — Onduler, ondulation. Mettre en plis. Calamistrer. — Boucle. Boucler. Moutonner. — Onde. Onduleux. Ondé.

**Fléchir.** — Fléchissement. Flexion. Muscle fléchisseur. — Ployer, ployable. Flexible, flexibilité. — Plier le genou, les jarrets. Génuflexion. — Infléchir. S'infléchir. Inflexion. — ARTICULATION. Jointure. — Crispation, crisper. CONTRACTION, contracter. — Coude, couder. Sinuosité, sinueux. COURBURE. Flexueux.

PLOC, m. V. *bourre, poil.*
**Plomb,** m. V. *métal, sceau.*
PLOMBAGINE, f. V. *crayon.*
PLOMBER. V. *marque, dent.*
PLOMBIER, m. V. *plomb.*
PLOMBS, m. p. V. *Venise.*
PLONGÉE, f. V. *plonger.*
PLONGEON, m. V. *plonger, saut, nager.*

**Plonger.** V. *eau, fond, bain.*
PLONGEUR, m. V. *plonger, cuisine.*
PLOQUE, f. V. *carde, laine, chanvre.*
PLOUTOCRATE, m. *Plouto-cratie,* f. V. *riche.*
PLOYER. V. *bas, pli, céder.*
**Pluie,** f. V. *météore, eau.*

PLUMAGE, m. V. *plume.*
PLUMASSIER, m. V. *plume.*
**Plume,** f. V. *voler, écrire.*
PLUMEAU, m. V. *balai, poussière.*
PLUMER. V. *plume, ôter, volaille.*
PLUMET, m. V. *plume, coiffure.*

## PLOMB

**Le métal.** — Minerais de plomb. Plomb argentifère. — Grillage. Coups de feu. Ressuage. Affinage. — Plomb fondu. Saumon. Gueuse. Feuille. Table. Lame. Fil. Rouleau. Tuyau. BALLE. Chevrotine. Cendrée. — Alliages. Basse étoffe. Potin.

**Dérivés du plomb.** — Plombate. Cérusite. Céruse. Galène. Litharge. Massicot. Minium. Jaune de chrome. Stannate de plomb. Anglésite. — Plombagine. Graphite. Mine de plomb. — Extrait de Saturne. Eau blanche. Pommades résolutives.

Coliques de plomb. Saturnisme.

**Plomberie.** — Plombier. Zingueur. — Plomber, plombage. Couler du plomb. Façonner. Souder.

Ouvrages de plomb. Couverture. Revêtement. — Campane. Moulure. Repoussé. — Enfaîtement. Faîtage. — Gouttière. Descente. Tuyauterie. — Chéneau. Noquet. Noue. — Robinetterie. Scellement. — Plombs. Cuvette. — Châssis de vitrail. — Fil à plomb. Plomb de sonde.

## PLONGER
(latin, *mergere*)

**Aller au fond de l'eau.** — Plonger. Faire un plongeon. Piquer une tête. — Plongeur. Plongée. Cloche de plongeur. Bateau plongeur. Scaphandre, scaphandrier. — Se jeter à l'eau. Bain. Baignade. Tremplin.

Couler. Couler bas. Se noyer. Sombrer.

**Enfoncer dans l'eau.** — Plonger dans. Immerger, immersion, immersif. — Submerger, submersion. Recouvrir. Noyer. — Sous-marin. Entre deux eaux. — Un sous-marin. Un submersible. — Bain-marie. Faire macérer, macération. Infuser, infusion.

## PLUIE
(latin, *pluvia*)

**Pluies.** — Pluie. Eau du ciel. Eau pluviale. — Pluie fine. Petite pluie. Gouttes de pluie. Crachin. Lavasse. — Averse. Grain. Ondée. Giboulée. Guilée. — Grosse pluie. Pluie battante, diluvienne, torrentielle. — Pluie d'orage. Trombe. Déluge. Inondation. — Brouillard. Bruine. Embruns.

**Pleuvoir.** — Il pleut. Il pleut à verse. Il tombe de l'eau. — La pluie tombe. Un nuage crève. Le ciel ouvre ses cataractes. — Tomber dru. Arroser. Inonder. Tremper. — Se fondre en eau. Se résoudre en pluie. — Bruiner. Brouillasser. Pleuvasser. Pleuviner.

— Temps pluvieux. Temps gris, humide. Pavé gras.

**Pour et contre la pluie.** — Toit. Toiture. Chéneau. Larmier. Gargouille. Gouttière. Dégueuleux. — Bassin. RÉSERVOIR. Citerne. Impluvium. — PARAPLUIE. Imperméable. Capote (manteau). Pluvial. Limousine. Gabardine. — Bâche. Capote (de voiture). Tente.

Etre sous la pluie. Etre mouillé, traversé, saucé, trempé.

**Relatif à la pluie.** — Météorologie. Hygrométrie, hygromètre. Pluviométrie, pluviomètre. Pluvioscope. — Période pluviale. Pluviosité. Eaux pluviales. — Pluviôse (mois). — Pluvier (oiseau). — Eaux pluviales. Servitude d'écoulement.

## PLUME

**La plume.** — Plume. Penne. — Plumule. Plume filiforme. — Rachis. Tuyau. Hampe. Ame. Canon. — Barbes. Barbule. — Tache. Maille. Maillure.

**Plumage.** — Plumage. Pennage. Vannes (d'oiseaux de proie). Robe. Manteau. — Aigrette, aigretté. Huppe, huppé. — AILE. Bouts d'aile. Tectrices. Cerceaux. — Vol (plumes d'aile). Oiseau à vol blanc, à vol noir, etc. — Queue. Couvertes. Rectrices. Rémiges. Calyptères. — Plumes des pattes. Pédiales. — Duvet, duveté, duveteux. Poil follet.

Pennifère. Angustipenne. Brévipenne. Longipenne. Plumicolle. Plumipède.

Voler. Lisser ses plumes. Se hérisser. Muer, mue.

Plumé. Déplumé. Désempenné. Halbrené.

**Emploi des plumes.** — Bouquet de plumes. Aigrette. Panache. Plumet. — Plumeau. Plumasseau. Plumail. — Lit de plume. Couette. Edredon. Oreiller. Coussin. — Empennage. Pennon. Empenner. Empanacher.

Plumasserie, plumassier, plumassière. Formage des plumes. — Plume lisse, frisée. Plume vive, morte.

Plumes d'ornement. Aigrette. Marabout. Autruche. Lophophore. Paradis. Grèbe.

**Plumes à écrire.** — Plume d'oie. Tailler une plume. Fendre. Tranche-plume. — Bec. Carnes (côtés). Fente. — Calmar (étui).

Plume métallique. Plume à dessin. Plume de ronde. Plume de stylo. — Porte-plume. Porte-plume réservoir. Stylographe. — Plumier. — Plumée d'encre. — Ecrire gros, fin. S'épointer. Cracher.

PLUMETIS, m. V. *broder.*
PLUMIER, m. V. *plume.*
PLUMITIF, m. V. *écrire.*
PLUMULE, f. V. *plume.*
PLUPART, f. V. *plusieurs, beaucoup.*
PLURALITÉ, f. V. *plusieurs, nombre.*
PLURIEL, m. V. *nombre.*
PLURIVALENT. V. *plusieurs.*
**Plus.** V. *augmenter, mieux.*
PLUSER. V. *laine.*

*Plusieurs.* V. *beaucoup, varié.*
PLUS - QUE - PARFAIT, m. V. *verbe.*
PLUS-VALUE, f. V. *mieux.*
PLUTON, m. V. *enfer.*
PLUTONISME, m. V. *géologie.*
PLUTUS, m. V. *riche.*
PLUVIAL. Pluvieux. V. *pluie.*
PLUVIOMÈTRE, m. V. *météore.*
PLUVIOSE, m. V. *pluie, mois.*
PLUVIOSITÉ, f. V. *pluie.*

*Pneumatique.* V. *air, caoutchouc.*
PNEUMOCOQUE, m. V. *microbe.*
PNEUMOLOGIE, f. V. *poumon.*
PNEUMONIE, f. V. *poumon, poitrine.*
POCHADE, f. V. *peinture.*
POCHARD, m. V. *ivre.*
POCHE, f. V. *sac, habillement, bourse, filet.*
POCHÉ. V. *œuf, œil.*

---

Fabrication. Découpage. Perçage. Marquage. Fendage. Aiguisage. Vernissage.

## PLUS

**Ce qui s'ajoute.** — Ajouter. JOINDRE. Adjoindre, adjonction. — Additionner, addition, additif. — Balance. Soulte. Appoint. Reste. Différence. — Venir en plus. Boni. Regain. *Et caetera.* — Mettre en plus, par-dessus le marché. Surajouter. Surfaire. Majorer, majoration. Hausse. — Couvrir une enchère. Enchérir, enchérisseur. Surenchère, surenchérir, surenchérisseur. — Complément, compléter. Supplément, supplémentaire. — Acquérir, acquisition, acquêt. — Gain, gagner. Profit, profiter. Plus-value. Usure. — Annexer, annexion.

**Ce qui dépasse.** — Excès, excessif. Excéder, excédent. — Extraordinaire. Hors du commun. Anormal. — Aller de plus en plus fort. Franchir, passer les bornes. Outrepasser. — Forcer la note, la nature. — Surabonder, surabondance. Déborder, débordement. — Combler la mesure. Faire bonne mesure, bon poids. Rendre avec usure. — Renchérir sur. Exagérer. — Avantager. Flatter. — Surcroissance. Surcroît. Surgeon. — Surcharger, surcharge. Surtaxer, surtaxe. Surmener, surmenage. — Suraigu. Suranné. Surchauffé, etc.

Préfixe *outre* dans : Outrepasser, etc.

Préfixe *ultra* dans : Ultra-violet. Ultramontain, etc.

Préfixe *hyper* dans : Hyperesthésie. Hypertension. Hyperbole, etc.

**Ce qui agrandit.** — AUGMENTER, augmentation. Accroître, accroissement. — Amplifier, amplification. Grossir, grossissement. Gonfler, gonflement. — Agrandir, agrandissement. — Allonger, allongement. Etendre, extension. Prolonger, prolongation. — Exhausser, exhaussement. Surélever, surélévation. — Elargir, élargissement. — Doubler, doublement. — Renforcer, renforcement, renfort. — Suralimenter. — Multiplier, multiplication. Redoubler, redoublement. — Croître, croissance, crue. Recrudescence. — Progresser, progression, progrès. — Empiéter sur. USURPER, usurpation. — Affixe. Suffixe. Préfixe.

**Ce qui est au-dessus.** — Supériorité, SUPÉRIEUR. Surchoix. Degré EXTRÊME. — Superlatif. Le meilleur. Le mieux. Maximum. *Nec plus ultra.* — Prédominer, prédominance. Prééminer, prééminence, prééminent. — Sur-

passer. Dépasser. Surclasser. — Majeure partie. Pluralité des suffrages. Majorité absolue, relative

Surhumain. Surhomme. Surnaturel. — Dominer, domination. Régner sur. Gouverner, gouvernant. Classes dirigeantes. — Privilège, privilégié. Faveur, favorisé. Avantage. — Illustre. Notable. Insigne.

**Ce qui est de surcroît.** — Surplus. Superflu. Superfétation, superfétatoire. — Surérogation, surérogatoire. Surestarie. Surprime. — Supplétif. Accessoire. De rechange. — Surnuméraire. — Appendice. — Répétition. Pléonasme. Mot explétif.

En outre. De plus. En plus. Item. En sus. — En outre. Ensuite. Et après. Puis. — Voire. Et même. — Avec cela. Davantage.

## PLUSIEURS

**Pluralité.** — Plus d'un. Plusieurs. La plupart. — Beaucoup. Maint. Nombreux. — Certains. Quelques-uns. Quelques. Des.

Nombre. Grand nombre. Multitude. Foule. Gens. Masse. — Multiplicité, MULTIPLE, multiplier. Pluriel, plural, pluraliser. — Faire ou dire plusieurs fois. Répéter, répétition. — Faire d'une pierre plusieurs coups.

Préfixe *poly* dans : Polyèdre. Polygone. Polygame. Polychrome, etc.

Préfixe *pluri* dans : Plurivalent. Plurilobé. Plurivalve, etc.

**Communauté.** — Groupe, grouper. Association, associer. Société. Consortium. Compagnie. Congrégation. — Nation. Patrie. Famille. Ménage. — Usage COMMUN. Communauté. Mitoyenneté. — Concours. Accord. Solidarité, solidaire. — Complexité, complexe. Complication, compliqué. — Cumul, cumuler, cumulard. Manger à plusieurs râteliers. — Copreneur. Copartageant. Copropriétaire. Cohéritier, etc.

**Diversité.** — D'autres. Divers. Différents. — VARIÉ, variété. Diversifié. — Mixte. Mêlé. Mélangé. Hybride. MÉTIS.

## PNEUMATIQUE

**Qui concerne l'air.** — Aérographie. Aéromètre. — Densité. Dasymètre, dasymétrie. — Elasticité. Elatéromètre. — Pureté de l'AIR. Eudiomètre. — Pression atmosphérique. Baromètre. — Raréfaction. Manomètre.

Machine pneumatique. Plateau. POMPE. Soupapes. Cloche. Faire le vide.

POCHETTE, f. V. *sac, violon.*
PODAGRE. V. *goutte.*
PODESTAT, m. V. *magistrat.*
PODIUM, m. V. *cirque.*
PODOLOGIE, f. V. *pied.*
**Poêle**, m. V. *fourneau, chaleur, couvrir, funérailles.*

POÊLE, f. V. *cuisine, friture, étang.*
POÊLIER, m. V. *poêle.*
POÊLON, m. V. *chaudron.*
POÈME, m. V. *poésie.*
**Poésie**, f. V. *chant, art, littérature.*

POÈTE, m. Poétesse, f. V. *poésie.*
POÉTIQUE. V. *poésie, littérature, enthousiasme.*
POÉTISER. V. *poésie.*
**Poids**, m. V. *lourd, mesure, balance.*

---

Bandage pneumatique. Valve. Gonfler, gonflement. — Appareils pneumatiques. — Air comprimé.

## POÊLE

**Appareils.** — Poêle de fonte, de TÔLE, de faïence, de briques. — Poêle à feu continu. CHEMINÉE à la prussienne. Poêle mobile. — Four. Hypocauste. — Fourneau. Cuisinière. Calorifère. Bouches de chaleur. — Chauffage central. Chaudière. Radiateurs.

**Fabrication.** — Poêlier, poêlerie. Fumiste, fumisterie. — Bouche. Caliduc. Buse. Garniture. Grille. Cendrier. Colonne. Clef. Coude. TUYAU.

## POÉSIE

**Poésie.** — Don poétique. Imagination. Inspiration. — Courtiser les Muses. Accorder sa lyre. Prendre son luth. Parler le langage des dieux. — Chanter. Célébrer. Rimer. Pindariser.

Lyrisme. Accents. Souffle. Enthousiasme. Feu sacré. Fureur poétique. — Chants. Accords. Concerts. Harmonie. — Verve. Veine. Chaleur. — Mesure. Nombre. Cadence. Rythme. — La poétique. Tour poétique. Licence poétique. — Prosodie. Métrique. — Tourner le vers. Versifier. Versification. Facture. — Poétiser. Tirade.

Apollon. Muses. — Hélicon. Parnasse. Pinde. — Hippocrène. Permesse. — Pégase. — Laurier.

**Poètes.** — Poète. Poétesse. Poétereau. — Faiseur de vers. Rimeur. Rimailleur. — Métromane. Versificateur. — Rapsode. Jongleur. Troubadour. Trouvère. — Barde. Félibre. Chantre. Chansonnier. — Poète tragique, comique. Vaudevilliste. Librettiste. — Fabuliste. Bucoliaste. — Amant, nourrisson des Muses. Mâche-laurier.

Poètes anciens, modernes, contemporains. — Poètes du moyen âge, de la Pléiade, classiques, romantiques, parnassiens, symbolistes, etc. Ecoles poétiques.

Concours. Cours d'amour. Jeux floraux.

**Poèmes.** — Art poétique. — Anthologie. — Ballade. — Bergerie. — Blason. — Bouquets à Chloris. — Bouts rimés. — Bucoliques. — Cantate. — Cantilène. — Cantique. — Centon. — Chanson. — Chansonnette. — Chant. — Chant royal. — Complainte. — Dithyrambe. — Eglogue. — Elégie. — Epigramme. — Epithalame. Comédie en vers. — Epopée. — Epître. — Fable. — Fabliau. — Hymne. — Iambes. — Idylle. — Impromptu. — Kyrielle. — Lai. — Madrigal.

— Ode. — Odelette. — Opéra (livret). — Pantoum. — Pastorale. — Pastourelle. — Poésies fugitives. — Priapée. — Rapsodie. — Romance. — Rondeau. — Satire. — Sirvente. — Sonnet. — Tautogramme. — Tenson. — Tragédie. — Triolet. — Vaudeville. — Villanelle. — Virelai.

Distique. Tiercet. Quatrain. Sixain. Huitain. Dizain. Douzain.

Poèmes : Epique. Lyrique. Dramatique. Tragique. Comique. Elégiaque. Anacréontique. Pindarique. Orphique. Cyclique. Bucolique. Pastoral. Héroïque. Héroï-comique. Didactique. Gnomique. Dithyrambique. Descriptif. Burlesque. Satirique. Epigrammatique. Macaronique.

**Métrique moderne.** — Vers alexandrins. Vers de 8, 10 pieds, etc. Vers blancs. Vers libres. Vers monosyllabiques. — Acrostiche. Lipogramme. Anagramme.

Mètre. Pied. — Hémistiche. Coupe. Césure. — Enjambement. Rejet. — Cadence. Chute. — Elision. Hiatus. — Cheville.

Rime masculine, féminine. — Rimes plates, croisées. — Rime riche, pauvre. — Vers monorime.

Division. Strophe. Stance. Couplet. Verset. Refrain. Envoi.

**Métrique ancienne.** — *Vers.* Hexamètre. Pentamètre. Trimètre. Tétramètre. Sénaire. Septénaire. Octonaire. Dactylique. Spondaïque. Iambique. Trochaïque. Alcaïque. Asclépiade. Glyconien. Hypermètre. Dimètre. Léonin. Phérécratien. Scazon. Saturnien. Palindrome. Catalectique. Acatalectique. Décasyllabes. Hendécasyllabes. — Dipodie. Tripodie, etc.

*Mesure.* Arsis. Théisis. Temps fort. Temps faible. Anacrouse. — Quantité. Longue. Brève. Commune. — Scander.

*Pieds.* Spondée. Dactyle. Anapeste. Iambe. Trochée. Tribraque. Molosse. Procéleusmatique. Crétique. Logaédique. Pyrrhique. Bacchique. Amphibraque. Amphimacre. Choliambe. Choriambe. Dochmaïque.

Strophe. Antistrophe. Epode. — Strophe alcaïque, asclépiade, saphique.

## POIDS
(latin, *pondus;* grec, *baros*)

**Pesanteur.** — Poids. Peser. Pesant. Pondéreux. Equipondérant. — Gravité. Centre de gravité. Graviter. Gravitation. — Poids spécifique. Pondérable. Impondérable. — Densité, dense. — Lourd, lourdeur, alourdir. — Ecraser. Faire plier. Accabler. — Fardeau. Faix. Masse.

POIGNANT. V. *chagrin.*
**Poignard**, m. V. *armes.*
POIGNARDER. V. *tuer.*
POIGNÉE, f. V. *manche, porte, faisceau, quantité.*
POIGNET, m. V. *main, bras, manche.*
**Poil**, m. V. *barbe, cheveu.*
POILU. V. *poil.*
POINÇON, m. Poinçonner. V. *pointe, sceau, marque, médaille, broder.*

POINDRE. V. *piquer, apparaître, commencer, jour.*
POING, m. V. *main.*
POINT, m. V. *ponctuation, géométrie, cartes, navire, coudre, dentelle, jeu, imprimerie.*
POINTAGE, m. V. *marque, diriger.*
POINT COUPÉ, m. V. *dentelle.*
**Pointe**, f. V. *aigu, aiguiser, clou, couteau, angle, montagne, spirituel, blâme, danse, équitation.*
POINTEAU, m. V. *pointe.*
POINTER. V. *diriger, but, artillerie, sabre, marque.*
POINTEUR, m. V. *artillerie, boule.*
POINTILLER. V. *pointe, dessin.*
POINTILLEUX. V. *chicane, minutie, subtil.*
POINTU. V. *pointe, subtil.*

---

Equilibre, équilibrer. Lest, lester. Régule (d'horloge). Valet (de porte). Haltère.

Métrologie. Aéromètre. Baromètre. Manomètre. Oléomètre. Pèse-liqueur. Pèse-lait. Pèse-alcool.

**Poids.** — *Actuels.* Tonne métrique. Quintal métrique. Kilogramme, kilo. Hectogramme. Décagramme. Gramme. Décigramme. Centigramme. Milligramme.

*Anciens.* Livre. Marc. Once. Gros. Grain. Prime. — Tonneau. Le cent. — Carat. Denier. Calcul. Scrupule.

Poids et mesures. Vérificateur. — Etalon. Matrice. — Poids quadrangulaires, hexagonaux, cylindriques. Poids à godets. Poids à lamelles. — Faux poids. Poids annexes.

**Pesée.** — Peser, pesage, peseur. Peser ort (avec l'emballage). — Poids brut. Poids net. — Poids fort. Bon poids. — Poids faible. Poids léger. — Discale. Faiblage. Tolérance. Réjouissance. — Contrepoids. Surpoids. Tare, tarer. — Soupeser, contrepeser. — BALANCE. Bascule. Peson. Trébuchet, etc. — Charger. Surcharger.

### POIGNARD

**Arme.** — Poignée. Manche. Garde. — Fer. Lame. — Gaine. Fourreau. — Coup de poignard. Poignarder. Daguer. Frapper.

**Espèces.** — Poignard. Couteau poignard. Baïonnette poignard. Coutelas. Coutille. Navaja. Kriss. Dirk. Dague. Kandjar. Yatagan. Miséricorde. Stylet. Surin.

### POIL
(latin, *pilus*)

**Nature du poil.** — Pilosité. Système pileux. Pilaire. Pilifère. Piliforme. — Villosité. Villifère. — Poil. Poil follet. Duvet, duveteux. Coton, cotonneux. Crin. LAINE, laineux. Bourre, bourru. Soies, sétacé. — Brosses (d'insectes). Stimule (piquant). Piquants. — Brin de poil. Bulbe. Follicule. Pigment. Implantation. — Couleur du poil. Robe. Manteau. Livrée.

Poil soyeux, souple ; raide, dur ; crépu, frisé ; touffu, épais ; rare, clairsemé. — Poils glanduleux, vésicants, urticants. Poils absorbants.

**Assemblage de poils.** — Barbe. Moustache. — CHEVEUX. Chevelure. — Cils. Sourcils. Taroupe (entre sourcils). — TOUFFE. Houppe. Flocon. — Toison. Pelage. Fourrure. — Crinière. Pubis. — Pinceaux de poils. Vibrisses (des narines). — Ægagropile (dans l'estomac des ruminants).

**Qui a du poil.** — Poilu. Velu. Velu comme un ours. — Esaü. — Chevelu. Barbu. Moustachu. Cilié. — Hirsute. Hispide. — Pubescent. Tomenteux. Villeux. Chétocéphale. Endotriché. Epitrique.

Dasyanthe (à fleur velue). Erianthe (à fleur laineuse). Dasyure (à queue velue). — Lasiocarpe (à fruit velu). Lasioptère (à aile velue), etc.

**Modifications du poil.** — Trichopathie. — CHAUVE, calvitie. — Alopécie. Ophiase. Pelade. Xérasie. — Poil ras. Raser, rasoir. TONDRE, tonte, tondeur, tondeuse. — Tonsurer, tonsure. — Déplier, dépilatif. Epiler, épilation, épilatoire. Pilivore. — Arracher, arrachement. — Peler. Muer, mue. — Glabréité, glabre. — Hérisser, hérissement. Horripilation. — Rebrousser, rebroussement. Contre-poil. Rebrousse-poil. — Friser. Onduler. Calamistrer.

**Emploi du poil.** — Brosserie. Brosses. Pinceaux. — Tissu. Thibaude. Etamine. — Haire. Cilice. Tamis. — Bourre. Bourrellerie. Ploc. — Feutre. Chapellerie. — Matelas. Coussins.

### POINTE

**Espèces de pointes.** — Pointe. Pointeau. Bec. Piquant. Cuspide. Barbe. Dent. Mucrone. Picot. — Aspérité. Cime. Sommet. Faîte. Pointe de rocher. — Pointe de diamant.

Pointe aiguë, aiguisée, effilée, subulée, piquante ; mousse, ÉMOUSSÉE, mouchetée.

**Qui concerne les pointes.** — Aiguiser. — Appointer. Appointir. Empointer, épointer. — Tailler en pointe. Denteler. — Emousser.

Travailler à la pointe. Piquer. Aiguillonner. Percer. Ficher. — Pointer. Pointiller. Poinçonner. — Buriner. Echopper. Etamper. Graver. Ciseler.

**Objets pointus.** — CLOU. Fiche. — Aiguille. Epingle. — Aiguillon. Alène. Poinçon. Traçoir. — DARD. Trait. FLÈCHE. — EPINE. Arête. — Arme blanche. EPÉE. Stylet. Poignard. Fer de lance. Baïonnette. — Lancette. Scalpel. — Burin. Etampe. Echoppe. — Croc. Griffe. Hameçon. Harpon. — Pyramide. Obélisque. CÔNE. — Cornet.

POINTURE, f. V. *chaussure, gant.*
**Poire,** f. V. *fruit.*
POIRÉ, m. V. *cidre.*
POIRIER, m. V. *poire.*
**Pois,** m. V. *légume.*
**Poison,** m. V. *mort.*

POISSARDE, f. V. *marché, poisson, grossier.*
POISSER. Poisseux. V. *poix, sale.*
**Poisson,** m. V. *animal, pêche.*
POISSONNAILLE, f. V. *poisson.*

POISSONNERIE, f. V. *poisson.*
POISSONNEUX. V. *poisson.*
POISSONNIER, m. V. *poisson.*
POISSONNIÈRE, f. V. *poisson.*
POITRAIL, m. V. *poitrine.*
POITRINAIRE. V. *poitrine, respiration.*

---

Pivot. Gond. — Broche. Pal. Paratonnerre. — Promontoire. Pic. Cap. — Pic. Pioche. Pince. Barre.

**Objets garnis de pointes.** — FOURCHE. Fourchette. Trident. — Grappin. Herse. Râteau. — Hérisson. Etrille. Carde. — Scie. Eperon. — Artichaut. Houx. Bogue (de châtaigne). — Chausse-trape. Fil barbelé, etc.

### POIRE
(latin, *pirum*)

**La poire.** — Poire. Queue. Pépins. Chair. Œil. — Poire fondante, cassante. Poire blette. Poire pierreuse. Poire tapée.

Poirier. Pirifère. — Poiré (cidre). —Piriforme.

**Espèces de poires.** — Duchesse. Doyenné, du comice, d'Alençon, de juillet, etc. Beurré, gris, d'Amanlis, Bachelier, Bretonneau, d'Angleterre, etc. Epargne. Cuisse-madame. Louise-bonne. La France. Le Lectier. Bési. Soldat laboureur. Jeanne-d'Arc. Passe-colmar. William's. Passe-crassane. Belle-angevine. Triomphe de Tournaye. Curé. Catillac. Bon-chrétien. Martin-sec. Blanquette. Saint-Jean. Oignonet. Brandiwine. Joyau de septembre. Bergamote. Mouille-bouche, etc.

### POIS
(latin, *pisum*)

**Espèces de pois.** — Pois potager. — Pois à écosser. Pois mange-tout. Pois à rame. Pois nain. — Petit pois. Clamart. Pois sabre. Téléphone. — Haricot. Lentille. Pois chiche. Lupin. — Pois fourrager. Vesce. Erre. Gesse. Pisaille.

**Qui concerne les pois.** — Pois cassés. Décortiquer, décortication. — Cosse. Gousse. Ecaler. Ecosser. — Ramer des pois. — Purée de pois. Provende.

Pesière (champ de pois). — Pesat (tiges sèches). — Pisaire. Pisifère. Pisiforme. Phaséolé.

### POISON
(latin, *venenum ;* grec, *toxicon*)

**Les poisons.** — Toxicologie. — Poison. Poison lent, violent, foudroyant. — Toxicité. Toxique. Toxine. — Venin. Vénéneux. Venimeux. Distiller le venin. — Virus. Virulence. Virulent. — Narcotisme. Narcotique. Stupéfiant. — Méphitisme, méphitique. — Infection, infectieux. — Délétère. Léthifère. Mortel. — Boulette. Pilule. Gobbe.

Vénéfice. Poudre de succession. Mauvais café. Bouillon d'onze heures, *f.*

**Effet des poisons.** — Empoisonner, empoisonnement. — Intoxiquer, intoxication. Toxicohémie (empoisonnement du sang). — Infecter. Envenimer. — Faire VOMIR. Vomissement. — Engourdir. Endormir.

Contre-poison. Antidote. Mithridate.

**Produits toxiques.** — Arsenic. VITRIOL. Curare. MERCURE. Opium. Laudanum. Strychnine. Morphine. Codéine. Cocaïne. Litharge. Vert-de-gris. Mort aux rats, etc.

**Plantes vénéneuses.** — Aconit. Ciguë. Belladone. Datura. Euphorbe. Mandragore. Mancenillier. PAVOT. Upas. Morelle. Colchique. Noix vomique. CHAMPIGNON vénéneux. Ammanite. Seigle ergoté, etc.

**Animaux venimeux.** — Serpent. Vipère. Aspic. Naja. Crotale. Trigonocéphale. Scorpion. Tarentule, etc.

### POISSON
(latin, *piscis ;* grec, *ichtys*)

**Le poisson.** — Tête. Bouche. Museau. Hure. Crête. — Corps. Queue. Nageoires, dorsale, ventrale, caudale, etc. Pinnule. — Arête. Cartilages. — Branchies, branchial. Ouïes. Opercule. Events. — Brouailles (entrailles). Vessie natatoire. Vésicule. — Barbes. Barbillons. — ECAILLES. Taches. Bandes. Truité.

Poisson de mer, d'eau douce, de rivière, d'ÉTANG, d'aquarium. — Poisson domicilié. Poisson migrateur. Poisson de passage. Poisson de fond. — Poissonnaille. Blanchaille. Menuaille. — Alevin. Naissain. Nourrain. Fretin.

**Reproduction.** — Frai, frayer. Pose, poser. Frayère (lieu de frai). Fraie (temps de frai). — Œufs, œuvé. Laitance. Laite, laité. — Herbiers. Crône (herbes). Entraison (remontée en eau douce).

Pisciculture, pisciculteur. Laboratoire. — Aleviner, alevinage. — Empoissonner, empoissonnage, empoissonnement. — Peupler un étang, peuplement. — Elever, élevage.

**Pêche et garde.** — Pêche, pêcher, pêcheur. Pêcherie. — Lignes. Filets. Appâts. Rogue. — Prise. Pièce. — Poissonneux. Bac (pour le poisson vivant). Banneton. Benne. Basacle. Bétuse. Boutique. Bachotte. Baquet. — Réservoir. Réserve. Vivier. Piscine. Aquarium. — Tonneau. Caque. — Panier. Cloyère. Manne. Bourriche.

**Commerce et industrie.** — Marée. Mareyeur. Chasse-marée. — Marchand de marée, de poisson. Poissonnier, poissonnerie. — Marché aux poissons. Harengère. Poissarde.

Conserves de poisson. Escabécher (les sar-

**Poitrine,** f. V. *corps, poumon.*
POIVRADE, f. V. *mets.*
POIVRE, m. V. *épice.*
POIX, f. V. *goudron, calfat.*
POLAIRE. V. *géographie, étoile.*
POLARISATION, f. Polariser. V. *optique.*

POLARITÉ, f. V. *aimant, boussole.*
POLDER, m. V. *Hollande.*
PÔLE, m. V. *axe, extrême, ciel, terre, électricité.*
POLÉMIQUE, f. Polémiste, m. V. *attaque, dispute, pamphlet, journal, politique.*
POLENTA, f. V. *bouillie.*

POLI. V. *polir, politesse, délicat.*
**Police,** f. V. *règle, veiller, garde, convention, assurances.*
POLICER. V. *corriger, instruction.*
POLICIER, m. V. *police, chercher.*

---

dines). — Mettre en baril. Liter. Pacquer.
— Saler, salaison. Poisson salé. Stockfisch.
— Saurir, saurissage, saurisserie. Poisson fumé. Hareng saur. Haddock. — Congeler, congélation. Frigorifique.

**Cuisine.** — Faire dégorger. Débourber.
— Etriper. Ecailler. — Filets. Flanchet. Aile. — Tranche. Darne. Tronçon. Rouelle. — Fricassée, fricasser. — FRITURE, frire. Etuvée. Court-bouillon. Matelote. — Soupe de poisson. Bouillabaisse. Chaudrée. — Poissonnière. Turbotière.

**Relatif au poisson.** — Colle de poisson. Huile de poisson. Degras. — Piscivore. Ichtyophage. Faire maigre. — Pisciforme. En queue de poisson. — Ichtyologie. Ichtyosaure. Ichtyodonte. Ichtyolithe.

**Principaux poissons.** — *De mer.* Bar. THON. Morue. Sardine. HARENG. Maquereau. Trigle. Merlan. Raie. Barbue. Plie. Limande. Sole. Torpille. Dorade. Baudroie. Mulet. Rascasse. Loup. Eglefin. Equille. Congre. Squale.

*D'eau douce.* Anguille. Perche. SAUMON. Truite. Lamproie. Goujon. Barbeau. Carpe. Tanche. Brème. Gardon. Barbillon. Chabot. Lotte. Chevesne. Alose. Omble chevalier. BROCHET. ESTURGEON.

*D'aquarium.* Cyprin. Chétodon. Télescope. Bettas. Scalaire. Pantodon.

**Classification.** *Cyclostomes.* Lamproie. Chatrouille.

*Sélaciens.* Requin. Squale. Roussette. Chien de mer. Scie. Torpille. Raie. Ange.

*Ganoïdes.* Lépidosteus. Esturgeon.

*Téléostéens abdominaux.* Epinoche. Mulet. Crètre. Saumon. Truite. Omble chevalier. Eperlan. Silure. Hareng. Sardine. Alose. Anchois. Cyprin. Vairon. Brème. Gardon. Chevenne. Brochet. Orphie, etc.

*Téléostéens subbrachiens.* Sole. Turbot. Barbue. Plie. Barbier. Rouget. Maquereau. Thon. Lotte. Rascasse. Baudroie. Morue. Cabillaud. Merlan. Colin. Merluche. Loche. Grondin. Poisson volant. Bar. Perche. Vieille.

*Téléostéens apodes.* Poisson-lune. Môle. Syngnathe. Hippocampe. Lançon. Equille. Anguille. Congre. Murène.

## POITRINE
(latin, *pectus;* grec, *thorax*)

**Dénominations.** — Poitrine. Pectoral. — Thorax, thoracique. — Creux de l'ESTOMAC. Coffre. — Giron. Sein. — Gorge. — Jabot. Bréchet. — Poitrail. Hampe (de cerf). — Pis.

**Constitution.** — Sternum. Côtes. Clavicule. Appendice. Xiphoïde. Diaphragme. POUMON. Plèvre.

Trachée-artère. Bronches. Pectoraux. MAMELLES. Thymus (glande). Ris.

Poitrine large, forte, faible, délicate.

**Maladies.** — Bronchite. Rhume. Grippe. Toux, tousser. — Expectorer, expectoration. Cracher, crachat. — Fluxion de poitrine. Congestion pulmonaire. Pneumonie. — Phtisie. Hémoptisie. — Pleurésie. Point pleurétique. — Emphysème. — Phrénite. — Poitrinaire.

Ausculter, auscultation. Stéthoscope. Percuter, percussion. — Expectorant. Pâte pectorale.

**Dans le costume.** — Gilet. Devant. Jabot. Plastron. Corsage. Corset. Soutien-gorge. — Décolleté. Décolletage. — Vêtement ouvert, fermé, montant. — Pectoral. Pendentif. — Cuirasse. Gorgerin. — Fichu. Pointe. — Débraillé.

## POLICE

**Services.** — Police. — Force publique. Gendarmerie. Garde mobile. Brigade de police. Maréchaussée. — Police administrative ou Sûreté nationale. Police judiciaire. Police secrète. Haute police. Police des mœurs. Police municipale. Police des jeux. Commissariat. District. — Censure.

**Personnel.** — Préfet de police. Commissaire de police. Officier de paix. — Brigadier. Gardien de la paix. Sergent de ville. Agent de police. — Inspecteur de police. Policier. Détective. Limier. — Gendarme. Garde municipal. Garde mobile. — Vigile. Veilleur de nuit. — Garde champêtre.

Chevalier du guet. Archer. Exempt. — Constable. Policeman. — Alguazil. — Sbire. La rousse. Flic. Argousin. Mouchard. Mouche.

**Opérations.** — Service d'ordre. Surveillance. Circulation. Voirie. — Contravention. Procès-verbal. Constatation. — Perquisition. Visite domiciliaire. Descente de police. — Flagrant délit. — Inspection. Filature. — Souricière. — Arrestation. Prise de corps. Appréhender. Mettre la main au collet. — Prêter main-forte. Mettre au violon. Passer à tabac.

Enquêtes. Rapports. — Pièces d'identité. Papiers personnels. Passeports. — Casier judiciaire. Fiche signalétique. — Législation. Visa.

**Polir.** V. *frotter, briller, politesse.*
POLISSAGE, m. V. *polir.*
POLISSOIR, m. V. *toilette, ongle.*
POLISSOIRE, f. V. *brosse.*

POLISSON, m. Polissonnerie, f. V. *vif, vil, débauche.*
**Politesse,** f. V. *respect, saluer.*
POLITICIEN, m. V. *politique.*
**Politique,** f. V. *parlement,*

*diplomatie, conduite, ruse.*
POLKA, f. V. *danse.*
POLLEN, m. V. *fleur, 'poussière.*
POLLUER. Pollution, f. V. *sale, profane.*

---

## POLIR

**Oter les aspérités.** — Aplanir, aplanissement. Planer, planoir. — Débrutir. Dégrossir. Unir. Corroyer. — Egaliser. Dresser. Rabattre. Raboter. Varloper. Meuler. Limer. User. Poncer.

**Faire briller.** — Polir, polissage. Brunir, brunissage, brunissoir. Fourbir, fourbissage. — Frotter, frottis. Astiquer, astic. Lisser, lissoir. — Doucir (une glace). Moleter. Adoucir. — Faire luire. Cirer, cirage. Lustrer, lustrage. — Glacer, glaçage. Vernir, vernissage. — Calendrer. Satiner. Velouter. — Passer à la peau. — Ecrier (le fil de fer). — Egriser (le diamant).

**Produits à polir.** — Poudre, pâte, liquide à polir. —Emeri. Papier de verre. Potée d'émeri. Egrisée. — Cirage. Cire. VERNIS. — Grès. Ponce. Sablon. Sanguine. Tripoli. Flin. — Produits d'entretien.

## POLITESSE

**Dispositions morales.** — Politesse. Civilité. Honnêteté. Savoir-vivre. Education. — Amabilité. Aménité. Affabilité. — Bonne grâce. Gracieuseté. Gentillesse. — Courtoisie. Galanterie. — Distinction. Tact. — Complaisance. Obligeance. — Sociabilité. Urbanité. — Bienséance. Décence. Décorum. — Déférence. Respect. — Obséquiosité.

**Gens.** — Homme du monde. Galant homme. Gentleman. — Bien appris. Bien élevé. Bien éduqué. — Comme il faut. De bon ton. De bonne compagnie. — Galant. Complimenteur. — Complaisant.

Personne polie. Civile. Courtoise. Gracieuse. Accorte. Officieuse. Sociable. Respectueuse. Obséquieuse. Affable. Distinguée. Cérémonieuse. Maniérée. Réservée. Discrète.

**Formes.** — Bonnes façons. Bonnes manières. Usages. — Civilités. Egards. RESPECTS. Hommages. — Bienséances. Convenances. — Amitiés. Avances. Empressement. — Bons procédés. Bon accueil. Réception cordiale. — Félicitations. Compliments. Congratulations. — Condoléances. — Souvenirs. Remerciements. — Flatteries. Paroles flatteuses. — Galanterie. Conter fleurette. — Protestations d'amitié, de dévouement. Eau bénite de cour.

**Gestes.** — SALUER, salut, salutation. — Lever son chapeau. S'incliner. Faire la révérence, des salamalecs. — Se découvrir. Rester tête nue. — Serrer la main. Baiser la main. Baise-main. — Présenter la main. Offrir le bras. — Faire les honneurs. Cérémonial. Etiquette. — Se lever. Aller au de-

vant. Reconduire à la porte. — Rendre VISITE. Déposer sa carte.

**Formules.** — Bonjour. Bonsoir. Bonne nuit. — S'il vous plaît. Je vous prie. — Tout à vous. Tout dévoué. — J'ai l'honneur de. — Au revoir. Adieu. Dieu vous bénisse.

Dire bien des choses, mille choses aimables. — Présenter ses hommages, ses civilités empressées, sa considération distinguée, ses sentiments respectueux et dévoués. — Rendre ses devoirs. — Dire merci. — Se rappeler au souvenir. — Souhaiter la bienvenue. — Demander pardon. Se confondre en excuses.

## POLITIQUE

**Institutions.** — PEUPLE. Nation. Etat. Patrie. Chose publique. — Pouvoir suprême. Pouvoir central. Pouvoir législatif. Pouvoir exécutif. — Représentation nationale. Parlement. Appel au peuple. Plébiscite. — Constitution. Charte. Statuts organiques. — Législation. Lois. Actes officiels. — Gouvernement, gouvernemental. Ministère, ministériel. Conseil des ministres. — Administration, administratif. Conseil d'Etat. — Citoyen. Civisme. Droits politiques. Droits de l'homme.

**Régimes.** — Démocratie, démocratique. République, républicain. Démagogie, démagogique. — Régime constitutionnel. Régime représentatif. — Aristocratie, aristocratique. Oligarchie, oligarchique. Féodalité, féodal. — Pouvoir absolu, absolutisme. Monarchie, monarchique. Royauté, royal. Autocratie, autocratique. — Dictature, dictatorial. Tyrannie, tyrannique. — Fédéralisme, fédéral. Polysynodie. — Ploutocratie. — Théocratie. — Gérontocratie. Gynécocratie. — Etatisme. — Révolution. Coup d'Etat. Pronunciamiento. Triumvirat, triumvir. Consulat, consul.

**Opinions.** — Républicanisme, républicain. Radicalisme, radical. Opportunisme, opportuniste. Progressisme, progressiste. — Libéralisme, libéral. Modérantisme, modéré. — Extrémisme, extrémiste. Communisme, communiste. Socialisme, socialiste. — Nationalisme, nationaliste. Internationalisme, internationaliste. — Royalisme, royaliste. Impérialisme impérialiste. Bonapartisme, bonapartiste. Légitimisme, légitimiste. Orléanisme, orléaniste. — Cléricalisme, clérical. Réaction, réactionnaire. — Fédéralisme, fédéraliste. Autonomisme, autonomiste. Séparatisme, séparatiste.

Opinion publique. — Opinion politique. Doctrine. Idées. Convictions. Utopies. — Couleur politique. Drapeau. Parti. — Gauche.

POLO, m. V. *équitation.*
**Pologne,** f.
POLONAIS. V. *Pologne.*
POLTRON, m. V. *peur, lâche.*
POLY (préf.). V. *beaucoup.*
POLYANDRIE, f. V. *mariage.*
POLYCHROME. V. *couleur.*
POLYÈDRE, m. V. *géométrie.*
POLYGAMIE, f. V. *mariage.*
POLYGLOTTE. V. *langage.*
POLYGONE, m. V. *géométrie, angle, superficie, artillerie.*
POLYMNIE, f. V. *muse.*
POLYMORPHE. V. *chimie.*
POLYNÔME, m. V. *mathématiques.*
**Polype,** m. V. *animal, tumeur.*

POLYPIER, m. V. *polype.*
POLYSYLLABE. V. *syllabe.*
POLYTECHNIQUE. V. *science, école.*
POLYTHÉISME, m. V. *religion.*
POMMADE, f. Pommader. V. *oindre, cheveu.*
**Pomme,** f. V. *fruit, légume, boule.*
POMMEAU, m. V. *épée.*
POMMELÉ. V. *nuage, cheval.*
POMMER. V. *chou, salade.*
POMMETTE, f. V. *tête.*
POMMIER, m. V. *pomme.*
POMOLOGIE, f. V. *pomme.*
**Pompe,** f. V. *machine, hydraulique, attirer, arroser, feu, cérémonie, bril-*

*ler, luxe, éloquence, coudre*
POMPER. V. *eau, vide.*
POMPEUX. V. *beau, emphase.*
POMPIER, m. V. *feu.*
POMPONNER. V. *élégance.*
PONANT, m. V. *géographie.*
PONCE, f. V. *pierre.*
PONCEAU, m. V. *pont, rouge.*
PONCER. V. *frotter, polir.*
PONCIF. V. *ordinaire.*
PONCIS, m. V. *découper.*
PONCTION, f. V. *piquer, percer, hydropisie.*
PONCTUALITÉ, f. V. *exact.*
**Ponctuation,** f. V. *grammaire.*
PONCTUEL. V. *exact.*
PONCTUER. V. *ponctuation.*

---

Droite. Centre. Extrême gauche. — Majorité. Opposition. — Politiquer. Politicaille. — Polémiquer, polémique. Journalisme.

Adopter, embrasser une opinion. — Se jeter dans la mêlée. Faire de la politique.

**Hommes et choses.** — Homme politique. Personnage public. Gouvernant. — Politicien. Parlementaire. Démagogue. — Partisan. Militant. Séide. — Opposant. Factieux. — Doctrinaire. Sectaire. — Orateur politique. Journaliste. Publiciste. — Citoyen. Électeur. Elu.

Suffrage universel, restreint. Election. Vote. Voix. — Congrès. Assemblées. Conférences. Réunions publiques. — Affiches. Articles. — Discours. Motions. — Campagne électorale. Comité. Club. Bureaux. Permanence.

**Politique extérieure.** — Affaires étrangères. Relations extérieures. — Diplomatie, diplomate. Notes diplomatiques. Livre jaune, bleu, blanc, etc. — Ambassades. Missions. Négociations. Conférences. Congrès. — Droit des gens. Traités. Traités de commerce. — Société des nations. — Pacte. Covenant. Protocole.

### POLOGNE

**Vie polonaise.** — Les Jagellons. — Sobieski. — Kosciuszko. Les faucheurs. — La Vistule. Varsovie. Couloir polonais. — République polonaise. Diète. Sénat. — Chapska (coiffure). Polka (danse). Souliers à la poulaine. — Pospolite (ancienne noblesse). Magnat. Staroste. Palatin.

### POLYPE

**Caractères.** — Cœlentérés. — Polypier (colonie de polypes). Alvéole. — Sac. Bourse. Tentacules ou Bras. Cornes. Ambulacres. — Fissipare, fissiparité.

**Cœlentérés.** — Hydre. Millepore. Physalie. Corail. Anémone de mer. Madrépore. Ceste de Vénus. Actinie.

### POMME

**Les pommes.** — Api. Rambour. Rainette grise, blanche, du Canada, du Mans, etc.

Calville blanche, rouge. Fenouillet. Moyeuvre. Belle-fleur. Pourprée. Gendreville. Cramoisie. Court-pendu. Pigeon-rouge. Sans-pareille. Belle-de-Tours. Belle-Joséphine. Châtaignier. Barré. Muscadet, etc.

**Relatif aux pommes.** — Pommeraie. Pommier. Doucin (plant). Greffe. — Cœur de pomme. Pépins. Queue. Œil. — Quartier. Trognon. — Pomme douce, acide, sûre, amère. — Pomifère. Pomiforme — Pomologie, pomologique.

Cidre. Eau-de-vie de pommes. Calvados. — Tarte aux pommes. Pommé. Chausson aux pommes. — Marmelade de pommes. Compote de pommes. Beignets de pomme. — Pomme tapée. — Vide-pomme.

### POMPE

**Sortes de pompes.** — Pompe à bras, à vapeur, électrique. — Pompe d'incendie. Pompe d'épuisement. — Pompe aspirante, refoulante, à double effet, à simple effet. Pompe élévatoire. — Pompe à main, fixe, automobile. — Pompe à jet continu, rotative. — Pompe pneumatique. — Clysopompe. Irrigateur. SERINGUE.

**Détail d'une pompe.** — Bras. Levier. Brimbale. Balancier. — Corps de pompe. Cylindre. Piston. Soupape. Clapet. Calotte d'aspiration. Etrier. — Course. Jet. Débit. — Conduite. TUYAU.

**Manœuvre.** — Manœuvrer. Amorcer. Affranchir. Charger. Pomper. Alimenter.

Manœuvre d'incendie. Pompier. Compagnie de pompiers. Capitaine de pompiers. — Mise en batterie. Manche. Dévidoir. Lance. — Bouche d'eau. Prise d'eau. — Chaîne de seaux. Faire la chaîne. — Echelle à feu.

### PONCTUATION

**Signes de ponctuation.** — Ponctuer. Point. Point et virgule. Deux points. — Point d'interrogation. Point d'exclamation. Points de suspension. — Point en haut (en grec). — Virgule. — Guillemets. — Parenthèse. Crochets. — Tiret. — Trait d'union.

PONDÉRABLE. V. *poids.*
PONDÉRÉ. V. *modération.*
PONDRE. V. *oiseau, œuf, génération.*
PONEY, m. V. *cheval.*
PONGÉ, m. V. *étoffe.*
**Pont,** m. V. *hydraulique, architecture, navire.*
PONTE, m. V. *jeu.*
PONTE, f. V. *œuf, parturition.*
PONTER. V. *pont, navire.*
PONTET, m. V. *épée, fusil.*
PONTIFE, m. V. *pape, prêtre.*
PONTIFICAT, m. V. *pape.*
PONTIFIER. V. *orgueil, emphase.*
PONT-LEVIS, m. V. *pont, fortification.*

PONT-NEUF, m. V. *chant.*
PONTON, m. V. *pont, navire.*
PONTONNIER, m. V. *pont, soldat.*
PONTS ET CHAUSSÉES. V. *chemin, pavé.*
POPE, m. V. *prêtre, Russie.*
POPELINE, f. V. *étoffe.*
POPULACE, f. V. *multitude, vil.*
POPULAIRE. V. *peuple, public, plaire.*
POPULARITÉ, f. V. *réputation, vogue.*
POPULATION, f. V. *pays, habiter.*
POPULÉUM, m. V. *peuplier.*
POPULEUX. V. *peuple, habiter.*

**Porc,** m. V. *bestiaux, charcuterie, cuisine.*
**Porcelaine,** f.
PORCELAINIER, m. V. *porcelaine.*
PORCELET, m. V. *bestiaux.*
PORC-ÉPIC, m. V. *porc.*
PORCHAISON, f. V. *sanglier.*
PORCHE, m. V. *porte, abri.*
PORCHER, m. Porcherie, f. V. *porc, berger.*
PORCIN. V. *porc.*
PORE, m. V. *peau, sueur.*
PORION, m. V. *mine.*
PORNOGRAPHIE, f. V. *prostitution, luxure.*
POROSITÉ, f. V. *pénétrer.*
PORPHYRE, m. V. *marbre.*

---

**Signes graphiques.** — Notation, noter. — Accent aigu, grave, circonflexe. Accentuer, accentuation. — Apostrophe. — Tréma. — Cédille. — Tilde (de l'*n* mouillé). — Esprit doux. Esprit rude (en grec). — Points-voyelles (en hébreu). — Renvoi. Astérisque. Lettrine. Chiffre. Étoile. — Lemniscate. Coronis. Obèle. Diple. — Souligner un mot.

## PONT

**Sortes de ponts.** — Pont de pierre, de bois, de bateaux. — Pont suspendu. Pont tubulaire. Pont de biais. — Pont tournant. Pont roulant. Pont flottant ou Ponton. Pont dormant. — Viaduc. Aqueduc. Pont canal. — Ponceau. Passerelle. Pont-levis. Pont volant. — Jetée. Wharf.

**Construction.** — Aire. Tablier. Montée. — Ailes. Bajoyer. — Arcade. Arche. Maîtresse arche. — Pile. Arrière-bec. Avant-bec. Contre-garde. Œil. — Butée. Culée. Radier. — Travée. Bandeau. Trottoir. — Garde-fou. Lisse. Parapet. — Tympan. Couchis. Chape. — Tête de pont. — Poussée de la voûte. Cintres. — Encaissement. Enrochement. Pilotis.

**Détails spéciaux.** — *Pont suspendu.* Câbles. Pieds-droits. Suspensoires. Couches. Planches.

*Pont de bois.* Chevalets. Estaches. Solives. Pieux. Souillard.

*Pont-levis.* Bascule. Chaînes. Flèche. Volée. Sommier. Quart de cercle. Seuil.

*Pont tournant.* Bouteroue. Chariot.

**Relatif au pont.** — Bâtir, jeter un pont. — Lancer, monter un pont. — Pontonnier. Equipages de pont. — Ponter (un bateau). — Ponts et chaussées. — Pontife. — Péage. Pontonage.

## PORC

**L'animal.** — Porc. Verrat. Truie. Pourceau. — Cochon. Coche. Cochonnet. — Gore. Goret. — Cochon de lait.

Espèce porcine. Pachyderme. — SANGLIER. Laie. Marcassin. — Phacochère. Pécari. Babiroussa. — Porc-épic. — Cobaye ou Cochon d'Inde.

**Vie du porc.** — Porcherie. Porcher. — Branée. Glandée. Panage. — Toit à porcs. Haran. Coral. Soue. Auge. — Langueyer, langueyage. — Fouiller le sol, boutoir. — Cochonner. Cochonnee. — Se vautrer. Grogner, grognement. — Malpropreté. Cochonnerie.

Maladies des porcs. Ladrerie. Peste porcine. Soyon. Bosse. Rouget. Trichinose. Ratelle.

**Produits.** — Axonge. Saindoux. Oing. Panne. — Lard. Lardon. Barde. — Porc frais. Porc salé. Petit salé. Languier. Bacon. — Quartier de porc. Rôti de porc. Echinée. Hâtille. — Carbonade. Pâté. Rillettes. — Jambon. Jambonneau. — Andouille. Andouillette. Saucisson. Boudin. — Groin. Hure. Pieds. — Soies. Peau de porc. Couenne. V. CHARCUTERIE et CUISINE.

## PORCELAINE et FAÏENCE

**Sortes.** — Céramique. — Porcelaine. Pâte dure. Pâte tendre. Biscuit. Porcelaine transparente, translucide. — Porcelaine blanche, teintée, truitée, craquelée.

Faïence. Terre de pipe. Cailloutage. Porcelaine opaque. Terre de fer. Majolique. Brique émaillée.

**Matériaux.** — Kaolin. Argile plastique. Marne argileuse. Sable. — Email. Couverte. Engobe.

**Fabrication.** — Porcelainier. Faïencier. — Lavage. Dessiccation. Tournage. Moulage. Coulage. — Four. Four à flamme droite, à flamme renversée. — Premier feu. Grand feu. Cuisson. — Décoration. Emaillage. Vitrification.

**Marques célèbres.** — Porcelaine de Chine, de Japon, de Sèvres, de Saxe, de Chelsea, d'Italie, de Vienne, de Limoges, de Frankenthal, de Paris, de Chantilly, etc.

Faïence de Rhodes, persane, hispano-arabe, italienne, de Bernard Palissy, de Rouen, de Delft, de Moustiers, de Nevers, de Marseille, de Strasbourg, etc.

**Port,** m. V. *marine, abri, bateau, transport, poste, allure, posture.*
PORTABLE. V. *commode.*
PORTAGE, m. V. *porter.*
PORTAIL, m. V. *porte, temple.*
PORTANT, m. V. *porter.*
PORTATIF. V. *léger, commode.*
**Porte,** f. V. *maison, entrer, menuisier, Turc.*

PORTE-BONHEUR, m. V. *amulette.*
**Portée,** f. V. *capable, distance, artillerie, parturition, cartes.*
PORTE-ÉTRIERS, m. p. V. *harnais.*
PORTEFAIX, m. V. *bagage.*
PORTEFEUILLE, m. V. *bourse, serrer, assurances, ministre.*

PORTEMANTEAU, m. V. *pendre.*
PORTE-MONNAIE, m. V. *bourse.*
PORTE-PLUME, m. V. *écrire.*
**Porter.** V. *soutenir, transport, effet, fusil.*
PORTE-RESPECT, m. V. *défendre.*
PORTEUR, m. V. *porter, cheval, bagage.*
PORTE-VOIX, m. V. *entendre, loin, sourd.*

---

## PORT

**Ports.** — Port militaire. Port marchand. Port de commerce. Port franc. — Port d'attache. Port de débarquement. — Port de marée. Port en eau profonde. — Relâche. Escale. Echelle du Levant. — Rade. Rade foraine. — Havre. Hogue. — Abri. Atterrissage.

**Plan d'un port.** — Avant-port. Goulet. Entrée. Passe. Chenal. — Amas. Balises. — Môle. Jetée. Estacade. Digue. — Ecluse. Bateau-poste. Ecluse de chasse. — Quai. Débarcadère. Cale. Gat. — Bassin. Bassin à flot, de construction, de carénage. Darse. — Gare maritime. — Forme de radoub. — Portulan (carte marine).

**Organisation.** — Capitaine de port. Maistrance. Batellerie. — Sémaphore. Signaux. — Service de santé. Libre pratique. Quarantaine. Lazaret. — Docks. Entrepôts. — Grues. Elévateurs. — Aconage. Pontons. Chalands. Barcasses. Gabares — Main-d'œuvre. Déchargeur. Docker. Portefaix. Gabarier. — Douane, douanier. Douaner, dédouaner. Embargo. — Droits de port. Surestarie. Avarie (droit d'entretien). Quillage.

**Mouvements.** — Entrer, entrée. Sortir, sortie. — Jeter l'ancre. Se mettre à quai. Accoster. S'amarrer. — Aborder. Atterrir. Toucher. Rader. — Garer. Bâcler. Débâcler. — Charger. Chargement. Décharger. — Embarquer. Embarquement. Débarquer. — Arrimer, arrimage. Emmagasiner.

## PORTE

**Variété de portes.** — Porte. Huis. — Porte d'entrée, de sortie, de dégagement. — Portail. Porte cochère. Porte charretière. Porte de grille. — Porte à deux battants. Double porte. Fausse porte. Contre-porte. — Porte-croisée. Porte-fenêtre. — Porte de ville. Porte d'église. Porche. Porte d'écluse. — Porte à claire-voie. Clôture. Fermeture. Barrière. — Porte basse. Poterne. Guichet. Portillon. — Porte en plein cintre. Porte surbaissée. Porte bâtarde. Porte à coulisse. — Porte d'armoire. Portière (de voiture).

**Détail.** — Jambage. Jouée. Pied-droit. — Ouverture. Embrasure. — Imposte. Lancis. — Seuil. Pas. — Baie. Voussure. Huisserie. Poteau d'huisserie. — Chambranle. Dormant. Membrure. Linteau. Montant. — Vantail. Battant. — Panneau. Mou-

lure. Plate-bande. — Battement. Feuillure. Emboîture. Tambour. — Ferrure. Gond. Penture. Tourillon. Marteau. Heurtoir. Sonnette. — Serrure. Loquet. Loqueteau. — Cordon. Bobinette. — Traverse. Fleau. — Poignée. Bouton. Bec-de-cane. Béquille. Perron. Marquise. Auvent. Fronton.

**Mouvements.** — PORTIER, portière. Concierge. Suisse. Huissier. Guichetier. Porte-clefs. Tourière. Ouvrir. Fermer. Entrebâiller. Entrouvrir. — Frapper à. Heurter. Sonner à. Tirer le cordon. — S'ouvrir. Se fermer. Battre. Condamner. Murer. — Percer. Crocheter. Cambrioler. Enfoncer.

## PORTÉE

**Etendue d'action.** — Portée. Atteinte. Distance. — Champ. Terrain. Domaine. — Capacité. Compétence. Spécialité. — Sphère. Elément. — Degré. Hauteur. Niveau. Diapason. — Limites. Cadre. Registre (de la voix). — Etre en mesure. Etre de la partie. Avoir qualité pour. — Rayon. Proximité.

**Etendue de pouvoir.** — Département. Arrondissement. Circonscription. District. Cercle. Canton. — Centre. Territoire. Zone. — Juridiction. Ressort. — Attributions. Pouvoirs.

## PORTER
(latin, *ferre;* grec, *ferô*)

**Porter.** — Port. Portatif. Portable. — Porter. Emporter. Enlever. Reporter. — Apporter, apport. Rapporter. Amener. — Brouetter. Barder. Coltiner. — Colporter, colportage. — Charge. Voyage. Voie. — Faix. Fardeau. Poids.

**Porteurs.** — Porteur. Commissionnaire. Facteur. — Fort. Portefaix. Crocheteur. — Porte-balle. Colporteur. — Docker. Déchargeur. Coltineur. Coolie. Porte-drapeau. Porte-étendard. — Porte-crosse. Porte-croix. — Porte-clefs.

**Instruments de portage.** — Brouette. — Civière. Brancard. Bard. Bourriquet. — Bretelle. Bricole. Sangle. Courroie. — Crochet. Oiseau. Fléaux. — Hotte. Panier. Corbeille. Banne. — Gorge (de porteur d'eau). Palanche. — Comète. — Chaise à porteurs. Palanquin. Filanzane.

**Portier,** m. V. *porte, domestique, auberge.*

PORTIÈRE, f. V. *porte, rideau, voiture.*

PORTILLON, m. V. *porte.*

PORTION, f. V. *part, fragment.*

PORTIQUE, m. V. *galerie, colonne.*

PORTRAIRE. V. *représenter.*

**Portrait,** m. V. *image, peinture, photographie,* *description, représenter.*

PORTRAITISTE, m. V. *peinture.*

PORTULAN, m. V. *géographie, port.*

POSE, f. V. *mettre, peinture, affectation.*

POSÉ. V. *calme, prudence.*

POSER. V. *mettre, posture, orgueil, attendre.*

POSEUR, m. V. *maçon, affectation.*

**Positif.** V. *exact, vrai, électricité.*

POSITIF, m. V. *photographie.*

POSITION, f. V. *lieu, posture, profession, finance, guerre.*

POSITIVISME, m. V. *philosophie.*

POSSÉDÉ, m. V. *fureur.*

POSSÉDER. V. *possession, connaître.*

**Possession,** f. V. *propriété, usurper, colonie.*

---

**Transporter.** — Exporter, exportation. Importer, importation. — Transporter, transport. Expédier, expédition. — Transférer, transfert. Transborder, transbordement. — Charrier. Charroyer. Trimbaler. — Véhiculer. Camionner. Voiturer. — Messagerie. Factage. Grande, petite vitesse.

Chemin de fer. Bateau. Avion. — Véhicule. Voiture. Automobile. Camion. — Fardier. Charrette. Chariot. — Bête de somme. Sommier.

**Soutenir.** — Supporter. Porter. — Soulever. Elever. — Maintenir. Contenir.

Pile. Pilier. Poteau. Colonne. — Piédestal. Base. Support. Potence. — Pilotis. — Poutre. Solive. Tréteau. — Appui-main. Soutien-gorge. — Porte-monnaie. Porte-cigare. Portefeuille. Porte-plume.

Suffixe *fère* dans : Mammifère. Conifère. Aurifère, etc.

Suffixe *phore* dans : Photophore. Lophophore. Phosphore, etc.

### PORTIER

**Gens.** — Portier, portière. Concierge. Suisse. Gardien. Tourière. — Portier consigne. Casernier. — Huissier. Guichetier. — Geôlier. Porte-clefs. — Pipelet. Cerbère. Chien de garde.

**Métiers.** — Conciergerie. Porterie. — Loge. Cordon. Tirer le cordon. — Denier à Dieu. Graisser le marteau.

### PORTRAIT

**Sortes de portraits.** — Tableau. Caricature. — Photographie. Crayon. Pastel. Gravure. — Médaillon. Camée. Miniature. — Statue. Buste. Figurine. — Représentation. Effigie. Figure. Tête. Silhouette. — Signalement.

**Art du portrait.** — Galerie. Iconographie. — Représenter. Dessiner. Portraire, portraitiste. — Peintre de portraits. Modèle. Séance. — Photographier, photographe. Tirer le portrait. — Portrait de grandeur naturelle. Portrait en pied. Portrait de face, de profil, de trois quarts, de côté. — Attraper la ressemblance. Flatter. — Portrait vivant. — Traits. Lignes.

### POSITIF

**Affirmation.** — Affirmatif, affirmativement. Catégorique, catégoriquement. Péremptoire, péremptoirement. — Exprès, expressément. Formel, formellement. — Dogmatique. *Ex professo.* — Explicite, explicitement. Exact, exactement. — Hardi, hardiment. Franc, franchement. — Ouvertement. Carrément. Crûment. — Sans hésitation. Sans restriction.

**Détermination.** — Déterminé. Arrêté. Décidé. Tranché. Caractérisé. Caractéristique. Marqué. Distinct. — Déclaré. Défini. En définitive. — Précis. Strict. — En propres termes. Trancher le mot. Nommément. Notamment. — Certain, certitude. Vrai, vérité. Officiel. Scientifique. — Marquant. Saillant. Faire ressortir.

**Efficacité.** — Efficace. Effectif. — De fait. Par le fait. *Ipso facto.* — Positif. Matériel. Réel. — Absolu. Irrémissible. Inconditionnel.

### POSSESSION

**Possession** — Avoir. Posséder, possessoire. — Garder, garde. Détenir, détention. Avoir en mains. — Occuper. Jouir de, jouissance. Etre à la tête de. — Tenir, tenure. Retenir. — Etre riche en. Regorger de. — Se procurer. Obtenir.

Seigneur. Maître. Propriétaire. Possédant. — Détenteur. Tenant. Tenancier. — Usufruitier. Occupant. Porteur. — Pourvu de. Nanti. Fourni. Doué de.

**Possession Juridique.** — Possession civile, naturelle. Envoi en possession. Entrer en possession. Prendre possession. — Possession précaire. Recréance. Maintenir en possession. Maintenue. — Ensaisiner, ensaisinement. Saisine. Installer, installation. Investir, investiture. Titre de propriété. — Nue propriété. Usufruit.

Réintégrer. Rentrer en possession. Recouvrer, recouvrement. — Action possessive, pétitoire. — Usucapion. Prescription. — Possession d'état. — *Corpus. Animus domini.*

**Appartenance.** — Appartenir à. Etre à. Etre le fait de. — Propriété. Possession. Le mien. Le tien. Indivision. — Bien propre. Avoir. Acquêt. — Biens meubles, immeubles. — Domaine. Fonds. Tréfonds. — Foncier. Mobilier. Immobilier. Domanial. — Echoir à. Venir à. — Retourner. Revenir.

**Dépossession.** — Aliéner, aliénation. aliénable. Céder, cession. — Vendre, vente. Liciter, licitation. — Partager, partage. Mutation Changer de mains. — Déposséder. Dé-

POSSIBILITÉ, f. V. *possible*.

**Possible.** V. *pouvoir, probable, facile, futur*.

POSTAL. V. *poste*.

POSTDATER. V. *après, faux*.

POSTE, m. V. *lieu, fonction, garde*.

**Poste,** f. V. *lettre, télégraphe, voyage*.

POSTER. V. *mettre*.

POSTÉRIEUR. V. *après, temps, arrière*.

POSTÉRITÉ, f. V. *enfant, famille, suite, futur*.

POSTHUME. V. *après, mort*.

POSTICHE, m. V. *faux, remplacer, cheveu*.

POSTIER, m. V. *poste, cheval*.

POSTILLON, m. V. *voiture*.

POSTPOSITION, f. V. *après*.

POSTSCOLAIRE. V. *école*.

POST-SCRIPTUM, m. V. *lettre*.

POSTULAT, m. V. *supposer, géométrie, argument*.

POSTULER. V. *demande*.

**Posture,** f. V. *geste, allure*.

**Pot,** m. V. *argile, porcelaine*.

---

sapproprier. Exproprier, expropriation. Evincer, éviction. — Usurper, usurpation.

## POSSIBLE

**Qui peut arriver.** — Possible, possibilité. Eventuel, éventualité. Contingent, contingence. — Admissible. Compréhensible. Intelligible. Non absurde. — Incertain. Douteux. Hasardeux. — Cela se peut. Peut-être. — Etre exposé à. Risquer de, risque.

**Qui peut se faire.** — Facile. Faisable. Exécutable. Réalisable. — Libre. Praticable. — Il y a moyen. Il est au pouvoir de.

## POSTE

**Administration.** — Service postal. Bureau de poste. Bureau central. Bureau auxiliaire. — Directeur. Inspecteur. Receveur. Employé. Commis. Auxiliaire. — Facteur. Courrier convoyeur. Ambulant. Facteur rural. Vaguemestre.

Expédition, expéditeur. Destination, destinataire. — Boîte aux lettres. Levée. Distribution. — Guichets. Cabinet noir. — Messageries. Paquet postal. Sac postal. Colis postal. — Wagon postal. Avion postal. Paquebot. Voiture postale. Compte postal. Caisse d'épargne postale. Chèque postal.

**Correspondance.** — Courrier. Lettre. Dépêche. Missive. Pli. — Lettre chargée, recommandée. — Carte-lettre. Carte-télégramme. Carte pneumatique. — Télégramme. Dépêche télégraphique. — Mandat. Mandat-carte. Mandat télégraphique. — Imprimés. — Poste restante.

Adresse. Bande. — Port de lettre. Affranchir. — Franc de port. Franchise. — Timbre. Taxe. Surtaxe. — Timbrer, timbrage. Oblitérer. — Acheminer.

**Poste ancienne.** — Maître de poste. Courrier. Postillon. Guides. — Malle poste. Ordinaire. Chaise de poste. Chevaux de poste. Relais. Courir la poste.

## POSTURE et MAINTIEN

**Posture.** — Position. Fausse position. Situation. Pose. Station.

Assis. Assiette. Sur son séant. — Accroupi, accroupissement. A croupetons. — Allongé, allongement. Etendu. Couché. De son long. — Prosterné, prosternement. Aux pieds de. Aux genoux de. — Debout. Levé. Droit. Sur ses jambes. — Ageuouillé, agenouillement. A genoux. — Accoudé, accoudement. Adossé, adossement. — Incliné, inclinaison. Penché. Ramassé. Tapi. — Affaissé, affaissement. A

plat. Courbé. — A la renverse. A quatre pattes. A califourchon. — Jambes croisées. Bras croisés. — Juché. En l'air.

**Mouvements du corps.** — S'asseoir. — S'accroupir. S'agenouiller. — Se coucher. S'allonger. S'étendre. — Se baisser. Se pencher. S'incliner. Se courber. — Gesticuler. Etendre les bras, les jambes. Faire des gestes. — S'appuyer. S'accouder. — Se prosterner. Se jeter à terre. Se renverser. S'affaisser. — Se rouler. Se vautrer. Se traîner. Ramper. — Marcher. Courir. — S'arranger. Se blottir. Se tapir. Se ramasser. — Se lever. Se relever. Se planter. Se dresser. — Monter. Se jucher. Se hisser. Enfourcher. — Croiser les bras, les jambes. Effacer l'épaule. Ecarter les bras, les jambes. — Montrer le poing. — Se déhancher.

Mouvements naturels, libres, souples, aisés, gracieux. — Mouvements tourmentés, forcés, contraints, gênés, etc.

**Maintien.** — Air. Mine. Prestance. — Allure. Démarche. Dégaine. — Aspect. Dehors. Apparence. — Attitude. Port. Tenue. Contenance. — Carrure. Encolure. Tournure. — Façons. Manières. Genre. Fion, f. — Laisser aller. Gaucherie. — Air désinvolte, dégagé. Maintien assuré, grave.

Se carrer. Se redresser. Bomber la poitrine. Porter la tête haute. — Trôner. Se pavaner. Se rengorger. — S'effacer. S'humilier. Manquer d'assurance. — Se tenir bien ou mal. Représenter bien ou mal. — Rester bouche bée. Ecarquiller les yeux. Regarder en l'air.

## POT

**Poterie.** — Poterie fine. Vaisselle de terre. Poterie commune. — Pot à eau. Buie. Cruche. Cruchon. Canette. Chevrette. — Pot-au-feu. Poêlon. Marmite. Diable. — Coquemar. — Terrine. Ecuelle. — Tirelire. — Pot à fleur. — Tuyaux de poterie.

Gresserie (vases de grès). Beste. Buire. Cuine. Tourie. — Hydrocérame (poterie poreuse). Alcarazas. Bardaque. Balasse. Gargoulette. — Majolique. Barbotine. Terre cuite. Faïence.

Forme. Hanche. Fond. Panse. — Garniture. Anse. Oreille. Goulot. Bec. — Décoration. Revêtement.

**Matériaux.** — Argile plastique. Argile figuline. Céramite. Belièvre. Boucaro. Grès. Pâte. Pâton. Rouleau. Ballon.

Email. Couverte. Engobe. Vernis. Calcine. Galène.

POTABLE. V. *boire, eau.*
**Potage,** m. V. *pot, mets.*
POTAGER, m. V. *jardin, journeau.*
POTAGÈRE. V. *plante.*
**Potasse,** f.
POTASSIQUE. Potassium, m. V. *potasse.*
POT-AU-FEU, m. V. *potage.*
POTEAU, m. V. *pieu, charpente.*
POTÉE, f. V. *pot, fonderie.*
POTELÉ. V. *gros.*
POTENCE, f. V. *charpente, pendre, supplice, bourreau.*
POTENTAT, m. V. *chef.*
POTENTIEL. V. *pouvoir, supposer, verbe.*
POTERIE, f. V. *pot, tuyau, étain.*
POTERNE, f. V. *porte, fortification.*
POTICHE, f. V. *vase.*
POTIER, m. V. *pot.*
POTIN, m. V. *plomb, cuivre.*
POTION, f. V. *boire, médicament.*
POTIRON, m. V. *courge.*
POT-POURRI, m. V. *mélange.*
POTRON-MINET, m. V. *matin.*
**Pou,** m. V. *insecte, parasite.*
POUBELLE, f. V. *boîte, ordure.*
POUCE, m. V. *doigt, mesure.*
POUCETTE, f. V. *jeu.*
POUDINGUE, m. V. *pierre.*
**Poudre,** f. V. *pyrotechnie, poussière, toilette.*
POUDRER. V. *poudre, amidon.*
POUDRERIE, f. V. *poudre.*
POUDRETTE, f. V. *excrément.*
POUDREUX. V. *poussière.*

---

**Travail.** — Voguer (pétrir). — Tourner. Tournasser. Refrayer (unir au doigt). Habiller. — Garnir. — Embourrer (boucher les trous). — Retouper (refaire). — Séchage. Retraite. — Vernir. Plomber. Décorer.

**Outillage.** Tour. Arbre. Girelle. Tournette. Tournoir (levier). Payen (pédale). — Palette. Attelle. Scie. Fuseau. Crochet. Gâchoir. Calibre. Molette. Perçoir. Razette. Tournassin. — Four. Fausse-tire (cloison). Echappade (séparation). Encaster (disposer dans le four). Tettin (bouche du four). Cuiseur.

**Relatif aux pots.** — Potier. Faïencier. Menuisier (potier de menu). — Céramique. Plastique. — Tesson. Têt. — Empoter. Dépoter. Potée. — Potage. Pot-au-feu (soupe).

## POTAGE

**Appellations.** — Bisque. — Bouillabaisse. — Bouillie. — Bouillon. — Brouet. — Chaudeau. — Chaudrée. — Consommé. — Coulis. — Couscous. — Croûte au pot. — Garbure. — Jardinière. — Julienne. — Olla podrida. — Panade. — Petite marmite. — Pilaf. — Polenta. — Pot-au-feu. — Pulment. — Purée. Soupe.

**Service.** — Soupière. Assiette à soupe. Assiette creuse. — Cuiller à pot. Louche. Cuiller à soupe. — Dresser la soupe. Tailler la soupe. Tremper la soupe. — Assiettée de soupe.

**Préparations.** — Potage gras. Potage maigre. — Bouillon de bœuf, de poulet, de légumes. — Potage au riz, au tapioca, au vermicelle, à la semoule, au pain, aux croûtons. — Soupe aux herbes, à la purée, à l'oignon, au lait, aux choux, à la tortue, à la citrouille.

## POTASSE

**Relatif à la potasse.** — Potassium. Potassides. Potassié. Potassique. — Potasse, potassé. Potasse caustique. Perlasse. Potasse factice. Védasse. — Sulfate de potasse ou Sel de *duobus.* Chlorate de potasse. Nitrate de potasse. — Soude. Salin. Terre à foulon. Savon.

## POU

**Insectes.** — Pou. Lente. — Pou de tête. Pou de corps. Morpion. Vermine. — Calige (des poissons). Ricin (des oiseaux). Uropodes (des coléoptères). Tique (des chiens).

Siphoncule (suçoir).

**Relatif au pou.** — Grouiller. — Démanger, démangeaison. Etre mangé de poux. — Mal pédiculaire. Phtiriasis. — Pouilleux. Pouillis. — Epouiller. Peigner.

## POUDRE
(latin, *pulvis*)

**Poudres explosives.** — Poudre de guerre. Poudre de mine. Poudre de chasse. — Poudre noire. — Poudre chloratée. Cheddite. — Poudre picratée. Mélinite. — Poudre colloïdale ou sans fumée. Poudre pyroxylée. Poudre B. — Poudre d'amorce. Poudre fulminante. Fulminate. Pulvérin. — Explosifs. Pyroxyle. Fulmicoton. Coton-poudre. Nitroglycérine. Dynamite. Roburite. Cordite. Panclastite. — Poudre de lycopode. Poudre de magnésium.

**Fabrication.** — Poudrerie. Poudrier. — Charbon. Soufre. Salpêtre. Nitre. — Moulin. Mortier. Pilon. Mélangeoir. — Gâteau. Peloton. — GRAIN. Grener, grenage, grenoir. — Tamiser. Egaliser. Eprouver. Repousser. Sécher. Caquer.

**Usage.** — Munitions. Cartouche. Gargousse. — Mine. Fougasse. Traînée de poudre. — Pétard. Fusée. — Charge, charger. Poire à poudre. — Détoner, détonation, détonateur. Explosion, explosible. Faire sauter. — Poudrière. Soute aux poudres. Saintebarbe. — PYROTECHNIE. — Balistique. — Artifice.

**Autres poudres.** — Poussière. — Sable. Sablon. Purette. — CENDRE. Poussier. — Egrisée. Emeri. — FARINE. Fécule. — Limaille. Parquerine (poudre de bronze). Poudre d'or. — Poudre de riz. Poudre à la maréchale. Poudre de talc. — Sandaraque (poudre de résine). — TABAC en poudre. — Sciure de bois. — Chapelure. — Sucre en poudre. — Poudrette. — Poudres pharmaceutiques. Espèces. Poudre dentifrice. Poudre sternutatoire.

Poudre de succession. — Poudre de perlimpinpin.

**Etat des poudres** — Pulvérulence, pulvérulent. Poudreux. — Féculence, féculent. Farineux. — Granulation. Granuleux. Grené.

POUDRIÈRE, f. V. *poudre*.
POUFFER. V. *rire*.
POUILLEUX. V. *pou, sale*.
POULAILLER, m. V. *volaille*.
POULAIN, m. V. *cheval, cave*.
POULARDE, f. V. *poule*.
**Poule**, f. V. *volaille, jeu*.
POULET, m. V. Poulette, f. V. *poule*.
POULICHE, f. V. *cheval*.
**Poulie**, f. V. *machine, corde*.
POULIEUR, m. V. *poulie*.
POULINIÈRE, f. V. *cheval*.
POULPE, m. V. *mollusque*.

**Pouls**, m. V. *cœur, sang, veine*.
**Poumon**, m. V. *poitrine, respiration*.
POUPE, f. V. *bateau, arrière*.
POUPÉE, f. V. *jouet, cheveu, tabac*.
POUPON, m. V. *enfant, nourrice*.
POURBOIRE, m. V. *payer, récompense, auberge*.
POURCEAU, m. V. *porc, sale*.
POURCENTAGE, m. V. *adjudication*.

POURCHASSER. V. *chasser, poursuivre*.
POURFENDRE. V. *épée, tuer*.
POURPARLER, m. V. *négocier, entrevue*.
POURPIER, m. V. *salade*.
POURPOINT, m. V. *habillement*.
POURPRE. V. *couleur, rouge, cardinal*.
POURRIR. Pourriture, f. V. *gâter, puant, ulcère, vice*.
POURSUITE, f. Poursuivant, m. V. *poursuivre*.

---

— Grumeleux. Grumeau. Se grumeler. — Friabilité, friable. — Poudre fine, impalpable.

**Maniement.** — Poudrer. Poudrederizer. Nuage de poudre. Poudrier. Houppe. — Saupoudrer. Pincée de poudre. — Sabler. — Epousseter. Dépoudrer.

Réduire en poudre. Pulvériser. Léviger. — Moudre. BROYER. Triturer. — Râper. Racler. Ratisser.

## POULE
(latin, *gallina*)

**Poule et coq.** — Coq. Cochet. Poulet. Poussin. — Chapon. Cocâtre. Chaponneau. — Poule. Poulette. Poularde. Geline. Gelinette. Poulaille.

Crête. Huppe. Ergot. Eperon. Queue. — Cristé. Crêté. Pattu. Huppé. Ergoté. Portesoie.

**Races.** — Gallinacés. — Races de Houdan. De Bresse. De La Flèche. Du Mans. Gournay. Barbezieux. Crèvecœur. Faverolles. Caussade. Campine. Dorking. Andalouse. Padoue. Brahma. Hambourg. Bantam. Java. Leghorn. Orpington. Brahmapoutre. Cochinchinoise, etc. — Race Barbue. Frisée. Nègre. Phénix, etc.

Poule faisane. Poule d'eau. Poule d'Inde. Coq et poule de bruyère, etc.

**Vie.** — Basse-cour. Poulailler. Mue. Cage à poules. — Jucher, juc, juchoir. Déjucher, déjuc. — Chant du coq. Cocorico. Coqueriquer. — Caqueter, caquet. Glousser, gloussement. Piauler, piaulement. — Grat, gratter. Picorer. Vermiller. — Pondre, ponte, pondeuse. Œufs. — Couver, couvaison, couveuse. — Muer, mue. — Chaponner. — Côcher.

**Relatif à la poule.** — Coquetier. — Pullaire. — Pollage (redevance en poulets). — Combat de coqs. — Blanc de poulet. Fricassée de poulet. Poule au pot. — Poule mouillée (lâche). Poule laitée. Poule (femme). — Poule aux œufs d'or.

## POULIE

**La poulie.** — Pièce de poulie. Axe. Boulon. Cheville Caisse. Canal. Chape. Dé. Gorge. Rainure. Goujure. Rouet. Talon. — Cordes de poulie. Estrope. Ureteau. Garant. — Poulierie. Poulieur.

**Appareils.** — Poulie fixe. Poulie folle. Poulie mouflée. Poulie de transmission. Poulie coupée. — Bigue. Bouc. Moufle. Caliorne. Palanquin. Galoche. Moque. Navette. Palan. Tambours. Trispaste. Tétraspaste. Appareil trochléaire. Pendants d'oreilles.

Frapper une poulie. Guinder. — Grincer. Etre à bloc.

## POULS
(latin, *pulsus*; grec, *sphygmos*)

**Mouvements.** — Systole. Diastole. Acinésie. — Battre, battement. Périsystole (intervalle). — Pulsation. Pulsatif. Pulsatoire. — Rythme. Cadence. — Eurythmie. Pararythme (désaccord). — Diasphyxie. Cacosphyxie. Asphyxie. — Elévation. Fréquence. Pression artérielle.

**Etude.** — Tâter le pouls. Explorer le pouls. — Sphygmographie. Sphygmométrie. Sphygmique. — Sphygmoscope. Pulsiloge. Sphygmomanomètre. — Pouls radial, fémoral, temporal, etc.

**Etat du pouls.** — Agité. Capricant. Concentré. Critique. Cymatode. Dicrote. Fébrile. Filiforme. Formicant. Fourmillant. Fréquent. Inégal. Intercadent. Intercurrent. Intermittent. Irrégulier. Misérable. Myure. Ondulant. Récurrent. Serratile. Vermiculant.

## POUMON
(latin, *pulmo*; grec, *pneumôn*)

**L'organe.** — Poumon droit. Poumon gauche. Lobules pulmonaires. Alvéoles. — Médiastin. Diaphragme. — Trachée artère. Bronches, bronchial. Rameaux. Ramuscules. Hématose. — Plèvre. — Respiration. Respirer. Epoumoner. — Pneumologie. Auscultation, ausculter. Percussion, percuter. Stéthoscope. — Mou (de veau).

**Maladies.** — Maladies aiguës, chroniques. — Bronchite. Broncho-pneumonie. Trachéite. — Congestion pulmonaire. Fluxion de poitrine. Pneumonie. Catarrhe pulmonaire. Gangrène pulmonaire. — Pleurésie. Point pleurétique. — Tuberculose, tuberculeux. Phtisie, phtisique. Phtisie galopante. — Hémoptysie. Crachement de sang. — Asthme, asthmatique. Rhume, enrhumé. Toux, tousser. — Granulations. — Pousse (des chevaux). Poussif.

**Poursuivre.** V. *suivre, chasse, attaque, accusation, continuer, procédure.*
POURTOUR, m. V. *bord, entourer.*
POURVOI, m. V. *appel, pardon, procédure.*
POURVOIR. V. *garnir, don, bénéfice.*
POURVOIR (se). V. *précaution.*
POURVOYEUR, m. V. *provision.*
POUSSAH, m. V. *gros.*

POUSSE, f. V. *rejeton, plante, respiration, cheval.*
POUSSE-BOIS, m. V. *échecs.*
POUSSÉE, f. V. *pousser, mouvement, choc, architecture.*
**Pousser.** V. *battre, exciter, conseil, commencer, apparaître, plante, barbe.*
POUSSER (se). V. *intrigue.*
POUSSETTE, f. V. *pousser.*
POUSSIER, m. V. *poussière, charbon.*

**Poussière,** f. V. *poudre, sable, mort.*
POUSSIÉREUX. V. *poussière.*
POUSSIF. V. *respiration.*
POUSSIN, m. V. *poule.*
POUSSOIR, m. V. *pousser.*
POUTRE, f. Poutrelle, f. V. *charpente, porter.*
**Pouvoir,** m. V. *influence, action, force, permettre, capable, politique, mission.*
POUZZOLANE, f. V. *terre.*

---

## POURSUIVRE

**Suivre à la trace.** — Poursuivre, poursuite, poursuivant. — Presser vivement. Serrer de près. Talonner. — Suivre de près. Marcher sur les talons. — Etre aux trousses de. Poursuivre l'épée dans les reins. — Relancer. Etraquer. Levrauder.

**Chercher à atteindre.** — Se lancer à la poursuite. Courir après. Courir sur. Se mettre après. — Poursuivre sans répit, sans relâche, sans repos ni trêve. — Donner la chasse. Pourchasser. Chasse à courre. — Fondre sur. Tomber sur. — Se précipiter. Se ruer. Foncer. — Harasser. Forcer. Traquer. — Tailler des croupières. Lapider. — Rattraper. Rejoindre.
Envoyer à la poursuite. Lâcher après. Découpler.

**Attaquer.** — Assaillir. Charger, charge. — Presser vivement. Bousculer. Bourrer. — Entreprendre. S'acharner contre, acharnement. — Mener tambour battant.
Persécuter, persécution. Proscrire, proscription. — Poursuivre en justice, poursuites. Intenter une action. Actionner. Accuser, accusation.

**Harceler.** — Harcèlement. Suivre partout. — TOURMENTER. Fatiguer. Persécuter. — Obséder, obsession. Ennuyer. Importuner. — Pousser à bout. Acculer à. — Poursuivre de huées. HUER. Chahuter, f.

## POUSSER

**Pousser devant soi.** — Pousser. Mener. — Chasser. Expulser, expulsion. Rejeter. — Faire reculer. Repousser. Refouler. — Balayer. Bousculer. Culbuter. — Malmener. Acculer. — Jeter. Lancer. — Seringuer. Injecter.

**Faire effort sur.** — Pousser. Poussée. Poussette. — Imprimer un mouvement. Propulseur, propulsion. Impulsion, impulsif. — Actionner. — Peser sur, pesée. Presser, pression. — Appuyer. Poussoir. — Enfoncer, enfonçage. Pousser au fond. Fourrer. — Forcer. Faire entrer de force. — Toucher. Contact. Porter sur. — Donner un coup d'épaule, un coup de collier.

**Heurter.** — BATTRE, battement. Choquer, choc. Cogner. Coudoyer. — Percussion. Répercussion. Pulsation. — Faire avancer. SECOUER. — Houspiller. Sabouler.

## POUSSIÈRE

**Variétés.** — Poussière. POUDRE. Poudrette. Poussier. CENDRE. — SABLE. Sablon. Plâtre. Ciment — Sciure. Vermoulure — Pollen (de plantes). Grabeau (de drogues). Pousse (d'épices). — Effondrilles. Egrugeures. Miettes. — Raclure. Ratissure. Râpure. Limaille.

**Production.** — Réduire en poussière. Pulvériser, pulvérisation, pulvérisateur. — Broyer. Emietter. Râper. — Poussiéreux. Poudreux. Pulvérulent. Efflorescent. Friable. — Grain de poussière. Nuage de poussière. Tempête de sable.

**Nettoyage.** — Enlever, faire tomber la poussière. — Battre un tapis. Houssoir. — Essuyer. Chiffon. — Balayer, BALAI. — Epousseter. Epoussette. Plumeau. — Aspirer la poussière, aspirateur. — Arroser, arrosoir.

## POUVOIR

**Capacité d'agir.** — Action, agir sur. Dynamisme. — INFLUENCE, influer. — Compétence, compétent. Faculté. Savoir faire. Métier. — Propriété. Vertu. — Etre capable de, à même de. — Avoir le moyen de, la FORCE de. Capacité juridique. — Etre en fonds pour. — Etre dans le cas de, en état de, en mesure de, en passe de. — Fondé de pouvoir. Pouvoirs. Procuration. Mandat.

**Possibilité.** — POSSIBLE. Impossible. — Il se peut. Il y a lieu de. Il dépend de. — Facultatif. Loisible. — Etre libre de. Avoir carte blanche. Avoir un blanc-seing. — Avoir la faculté de, le loisir de, la possibilité. — Etre susceptible de. Etre sous le coup de. — Eventuel. Potentiel.
Autoriser, autorisation. Permettre, permission. — Donner le moyen de.
Suffixe *ible* dans : Lisible. Admissible, etc.
Suffixe *able* dans : Faisable. Révocable, etc.

**Puissance.** — Pouvoir. Autorité. Empire. — Prépondérance. Influence. Crédit. — Privilège. Faveur. Monopole. — Maîtrise. Haute main. — Hiérarchie. Grandeur. Les grandeurs. — Pouvoir législatif. Pouvoir exécutif. Pouvoir judiciaire. — Pouvoir discrétionnaire. Excès de pouvoir. Décision administrative. Conseil d'Etat. — Equipollence.
Exercer le pouvoir. Exercice du pouvoir. — Avoir de pleins pouvoirs. Plénipotentiaire.

PRAGMATISME, m. **V.** *philosophie.*

PRAIRIAL, m. **V.** *prairie, mois.*

**Prairie**, f. **V.** *bestiaux, berger, paître.*

PRALINE, f. **V.** *amande, confiserie.*

PRATICABLE. **V.** *commode, facile.*

PRATICIEN, m. **V.** *art, habile, sculpture, chirurgie.*

PRATIQUANT, m. **V.** *religion.*

**Pratique**, f. **V.** *art, habitude, habile, action, acheter, port.*

PRATIQUER. **V.** *pratique,*

faire, fréquenter, séduire.
PRÉ, m. **V.** *prairie, paître.*

PRÉACHAT, m. **V.** *avant, acheter.*

PRÉALABLE. **V.** *question.*

PRÉAMBULE, m. **V.** *avant, commencer.*

PRÉAU, m. **V.** *cour, galerie.*

PRÉAVIS, m. **V.** *avertir.*

PRÉBENDE, f. **V.** *chanoine, bénéfice.*

PRÉCAIRE. **V.** *faible, fragile.*

**Précaution**, f. **V.** *défiance, éviter, soin, moyen.*

PRÉCAUTIONNER. **V.** *recommander.*

PRÉCAUTIONNEUX. **V.** *prudence.*

PRÉCÉDENT. **V.** *avant, modèle, dernier.*

PRÉCÉDER. **V.** *avant, supérieur.*

PRÉCEPTE, m. **V.** *maxime.*

PRÉCEPTEUR, m. **V.** *instruction.*

PRÉCESSION, f. **V.** *avant, astronomie.*

PRÊCHE, m. **V.** *prêcher, discours, protestant.*

**Prêcher.** **V.** *apôtre, discours, réprimande.*

PRÊCHEUR, m. **V.** *prêcher.*

---

— Avoir le bras long. Disposer de. — Agir
de son chef, de sa propre autorité.
Les chefs. Les grands. Les puissants. Les
maîtres.

**Souveraineté.** — Toute-puissance, tout-
puissant. Omnipotence, omnipotent. — Absolutisme. Pouvoir absolu. Autocratie, autocrate. — Régner sur. Règne. Sceptre.
Couronne. — Pouvoir suprême, souverain.
ROI. Potentat. Souverain. Dynastie. — Domination, dominer. Hégémonie. — Tyrannie,
tyranniser, TYRAN. Oppression, opprimer. —
Suprématie. Prépotence. Prééminence.
Suffixe *cratie* dans : Démocratie. Aristocratie, etc. — Suffixe *archie* dans : Oligarchie. Monarchie, etc.

### PRAIRIE

**Terrain herbeux.** — Prairie naturelle.
Prairie artificielle. — Pré. Pré haut ou
Champeau. Bas prés. — Terrains vagues.
Communaux. Communs. Gagnage. — Her-
bage. Maigrage. Embouche. — Pâturage.
Pâtis. Pacage. Pâquis. — Terre inculte.
Lande. Savart. Sécheron. Padouant. Noue.
— Tapis vert. Pelouse. Gazon.

Prairial (mois). — Napées (nymphes des
prairies).

**Mise en valeur.** — Assécher, assèchement. Drainer, drainage, drain. Colmater,
colmatage — Gazonner, gazonnement. Biner, binage. — Engraisser, engrais. Fumer,
fumure. — Irriguer, irrigation. Rigole.
Fossé. Echaux. — Faucher, fauchaison. Faner, fenaison.

Herbager. Pradier. Faneur.

### PRATIQUE

**Facilité acquise.** — Habitude, habituel.
Expérience des années. Leçons du passé. Acquis. — Routine, routinier. Traintrain. Tri-
ture. Poncif. — Chemin battu, frayé.

Avoir de l'expérience. Connaître le monde.
Avoir vu le feu. — Apprendre à ses dépens.
Gagner ses éperons. — Rompu à. Vétéran.
Vieux routier. Vieux renard.

**Pratique.** — Expérience. Pratique. Technique. Exercice. Maniement. Métier. —
Versé dans. Habile. Expert. Praticien. Tech-

nicien. — Homme de métier. Homme de
l'art. — Etude des faits. Cours pratique.
Empirisme. Clinique. — Essayer, essai.
Eprouver, épreuve. Expérimenter, expérimentation.

Faire usage. Tâter de. Goûter de.

**Mettre en pratique.** — Pratiquer.
S'adonner à. Se livrer à. S'occuper de. —
Professer une branche. — Cultiver les arts.
— Vaquer à ses occupations. — Observer les
règles. Observance. Appliquer les principes.

Acquérir l'habitude, s'habituer. S'entraîner, entraînement. — Mettre en œuvre. Mettre en vigueur. — Exécuter. FAIRE. Venir à
bout. — Juger pratique. User de.

### PRÉCAUTION

**Contre le mal.** — Prendre des précautions. Faire attention. Se mettre en garde.
Se garder. — Se méfier, méfiance. Se défier,
DÉFIANCE. — Prévenir le mal. Prévention,
préventif. Prévoyance. Prudence. — Se prémunir contre. Se préserver, préservation. Se
garantir, garantie. — Se défendre, défense.
— Se bien tenir.

**Pour l'action.** — Examiner la situation.
Sonder, tâter le terrain. — Y regarder à
deux fois. Tâtonner. Voir venir. — Dresser
ses batteries. Jouer serré. Etre sur ses gardes.
— Prendre des mesures. Prendre des dispositions. Faire des préparatifs. — Se préparer.
Se munir. Se pourvoir. — Se couvrir. Se
mettre à couvert.

Apporter des précautions. Se précautionner. Précautionneux. — Agir par compas et
par mesure. Etre méthodique. — Y mettre
des façons. Prendre des gants. — Ménager,
ménagement. Soigner. — Prendre le bon
moyen.

### PRÊCHER

**La chaire.** — Chaire. Baldaquin. Abat-
voix. — Monter en chaire. Eloquence de la
chaire. Tonner du haut de la chaire. — Auditoire. Auditeurs. Fidèles. — La chaire de
vérité. — Prêcher, prédication. — Evangéliser. Sermonner. Exhorter. — Convertir,
conversion. — Apostolat. — Prêcher dans
le désert.

PRÉCIEUSES, f. p. V. *affectation.*

**Précieux.** V. *prix, important, utile, délicat.*

PRÉCIOSITÉ, f. V. *manière, style, affectation, élégance, spirituel.*

PRÉCIPICE, m. V. *gouffre, creux.*

PRÉCIPITATION, f. V. *prompt, chimie.*

PRÉCIPITER. V. *renverser, courir, résidu.*

PRÉCIPUT, m. V. *testament, partage, avant.*

PRÉCIS. Préciser. V. *positif, abrégé, affirmer.*

PRÉCITÉ. V. *dire, avant.*

PRÉCOCE. Précocité, f. V. *mûr, avant, prompt.*

PRÉCOMPTE, m. V. *compte.*

PRÉCONCEVOIR. V. *pensée, préjugé.*

PRÉCONISER. V. *louange, bénéfice, public.*

PRÉCURSEUR, m. V. *avant, Christ, préparer.*

PRÉDÉCÈS, m. V. *avant.*

PRÉDÉCESSEUR, m. V. *passé.*

PRÉDESTINATION. f. V. *religion, destin.*

PRÉDÉTERMINER. V. *cause.*

PRÉDICANT, m. V. *prêcher, protestant.*

PRÉDICAT, m. V. *qualifier.*

PRÉDICATEUR, m. Prédication, f. V. *prêcher, discours.*

PRÉDICTION, f. V. *devin.*

PRÉDILECTION, f. V. *faveur, penchant, préférer.*

PRÉDIRE. V. *avant, futur.*

PRÉDISPOSER. Prédisposition, f. V. *préparer, penchant, cause.*

PRÉDOMINANCE, f. V. *supérieur.*

PRÉÉMINENCE, f. V. *pouvoir, chef.*

PRÉEMPTION, f. V. *acheter, avant.*

PRÉEXISTENCE, f. Préexister. V. *avant, exister.*

PRÉFACE, f. V. *commencer, livre, expliquer.*

PRÉFECTURE, f. V. *chef.*

PRÉFÉRABLE. Préférence, f. V. *préférer.*

**Préférer.** V. *aimer, choix, faveur.*

PRÉFET, m. V. *magistrat, police.*

PRÉFINIR. V. *fixe.*

PRÉFIXE, m. V. *avant, grammaire.*

PRÉHENSEUR. Préhension, f. V. *prendre.*

PRÉHISTOIRE, f. V. *histoire.*

PRÉHISTORIQUE. V. *chronologie.*

PRÉJUDICE, m. V. *nuire, dre.*

PRÉJUDICIEL. V. *procédure.*

**Préjugé,** m. V. *opinion, entêté, irréflexion, erreur.*

PRÉJUGER. V. *juger, avant.*

PRÉLART, m. V. *couverture.*

PRÉLASSER (se). V. *allure, orgueil.*

PRÉLAT, m. Prélature, f. V. *évêque, prêtre.*

PRÉLÈVEMENT, m. Prélever. V. *avant, prendre, ôter.*

PRÉLIMINAIRE. V. *préparer, commencer.*

PRÉLUDE, m. V. *commencer, musique.*

PRÉMATURÉ. V. *prompt, imparfait.*

PRÉMÉDITATION, f. Préméditer. V. *projet, préparer, machiner.*

PRÉMICES, f. p. V. *commencer, produire.*

---

**Les discours.** — Parole divine, sainte, évangélique. Manne céleste. — Prêche. Sermon. Homélie. — Oraison funèbre. Panégyrique. — Entretiens spirituels. Conférence. Gloses. — Instruction familière. Catéchisme. — Prône.

Suite de sermons : Mission. Avant-Carême. Retraite. Station. — Points du sermon. — Recueil de sermons. Sermonnaire. Sermologe. Homiliaire.

**Ceux qui prêchent.** — Apôtre. — Prédicateur. Prêcheur. — Orateur sacré. Conférencier. — Missionnaire. Prêtre. — Frères prêcheurs. Dominicains. Oratoriens.

Ministre (protestant). Pasteur. — Prédicant. Phalange circulante (méthodistes). Itinérant. — Rabbin.

## PRÉCIEUX

**Qui a du prix.** — Précieux. Cher. Riche. — Inestimable. Inappréciable. Impayable. — Métaux précieux. Pierres précieuses. — Trésor. Bijou. Joyau. PERLE. — Avantage, avantageux. Etre UTILE. Servir. — Rare, rareté. Rarissime. — Valoir cher. Avoir de la valeur. Valoir son pesant d'or.

Tenir à. Garder comme la prunelle de ses yeux.

**Raffiné** — Préciosité. Les Précieuses. — Raffinement, raffiner. — AFFECTATION, affecté. — Finesse, fin. — Délicatesse, délicat. — Manières, maniéré. — Mode. Suivre la mode. — Snobisme, snob. — Mondanité, mondain. Marivaudage.

## PRÉFÉRER

**Choisir.** — Faire passer avant. Mettre au premier rang, au-dessus de tout. — Préférer, préférence. Distinguer. — Donner la palme. Couronner. — Tenir pour. Etre partial. Partialité. — Jeter le mouchoir.

**Aimer mieux.** — Préférer, préférence. Prédilection. — Pencher pour. Penchant. Inclination. — Avoir un faible pour. Choyer. Gâter. — Etre prévenu pour. Prévention. — Favoriser. Favoritisme. Avantager. Passedroit. — Protéger, protection, protecteur. — Acception de personnes.

**Etre préféré.** — Emporter la balance. L'emporter. — Prévaloir. Prépondérance, prépondérant. — Valoir mieux. Etre supérieur. Surpasser. — Favori. Favorite. Privilégié. Créature. — Enfant gâté. Benjamin.

## PRÉJUGÉ

**Idée arrêtée** — Préjuger. Opinion préconçue. Opinion toute faite. — Etre prévenu. Prévention. Partialité, partial. — Esprit de corps. Parti pris. — Présomption, présumer. Système, systématique. — Infatuation, infatué. — Entêtement. S'entêter. Entêté. Obstiné. — Avoir des préjugés. Ne pas réfléchir. Se buter.

**Idée arriérée.** — Etre imbu de préjugés. — Vieux errements. Vieilles idées. Vieux jeu. Vieilleries. — Opinion sucée avec le lait. Tradition, traditionnel. — Routine, routinier. Habitude. — Misonéiste. Réactionnaire. — Encroûtement. Encroûté.

*Premier.* V. *avant, commencer, supérieur.*

PREMIER-NÉ, m. V. *âge.*

PRÉMISSES, f. p. V. *argument.*

PRÉMONTRÉ, m. V. *moine.*

PRÉMUNIR. V. *conseil, précaution.*

PRENABLE. *V. prendre.*

**Prendre.** V. *saisir, tenir, manger, siège, jeu, gelée.*

PRENEUR, m. V. *pari.*

PRÉNOM, m. V. *nom, baptême.*

PRÉNOTION, f. V. *avant, connaître.*

PRÉOCCUPATION, f. Préoccuper. V. *occupation, réfléchir, inquiet, chagrin.*

PRÉOPINANT, m. Préopiner. V. *opinion, avant.*

PRÉPARATEUR, m. V. *chimie, pharmacie.*

PRÉPARATIFS, m. p. V. *préparer, voyage.*

PRÉPARATION, f. V. *préparer, instruction, chimie.*

PRÉPARATOIRE. V. *préparer.*

**Préparer.** V. *avant, arranger, chimie.*

PRÉPONDÉRANCE, f. Prépondérant. V. *pouvoir, supérieur, préférer.*

PRÉPOSÉ, m. V. *chef, bureau, douane.*

PRÉPOSER. V. *diriger.*

PRÉPOSITION, f. V. *grammaire.*

PRÉRAPHAÉLITE, m. V. *peinture.*

PRÉROGATIVE, f. V. *honneur, faveur.*

## PREMIER

**Qui précède.** — Primitif. Primordial. — En premier lieu. De prime abord. — Premier-né. Aîné. Primogéniture. — Antériorité, antérieur. Priorité. Premier occupant. Tête de liste. — Devancer. Prendre les devants. Marcher en tête. — Idée mère. Idée à priori. — Devancier. Ancêtre.

**Qui commence.** — COMMENCER, commencement. Premier. Initial. — Neuf. NOUVEAU, nouveauté. Original, originalité. — En premier. Premièrement. Primo.

Prémices. — Primeur. — Primaire. — Edition princeps. — Principe. — Printemps. — Primevère. — Primesautier. — Primipare. — Primidi. — Prototype. — Protoxyde. — Protase. — Protoplasma, etc.

**Qui commande.** — Primer. Etre à la tête. Primauté. — Chef. — Prince. — Primat. — Supérieur. — Protagoniste. — Prote. — Premier ministre. — Premier président. — Capitaine en premier.

## PRENDRE

**Saisir.** — Empoigner. Appréhender. — Mettre la main sur. Mettre le grappin sur. — Agripper. Préhension, préhenseur, préhensile. — Etreindre, étreinte. — Embrasser, embrassement. — Accrocher. Harponner. — Manier, maniement. Manœuvrer. — Serrer. Pincer. TENIR. — S'attacher à. Mordre sur. — Raccrocher. Happer. TROUVER.

Outil pour prendre. Pince. Pincettes. Tenaille. Crochet. — Anneau. Anse. — Manche. Queue.

**Prendre pour soi.** — S'approprier. S'attribuer. S'arroger. — Accaparer, accaparement, accapareur. Prélever, prélèvement. — Entrer en possession. Saisine. Occuper. — Attraper. Atteindre. Aveindre. — Emmener avec soi. Emporter. Prise. — RECEVOIR. Obtenir. Retenir. Partie prenante. — Absorber. Avaler. Boire. Gober. — Se munir de. Puiser à. Emprunter. Tirer à soi. — Se charger de. Assumer. Endosser. — S'assimiler. S'accommoder de. Adopter. — Prendre une maladie. Gagner, contracter une maladie. Contracter une obligation. — Prendre des notes. Faire des extraits. Compiler.

**Recueillir.** — Cueillir, cueillette. Moissonner, moisson. — Ramasser, ramasseur. Glaner, glaneur. — Picorer, picorée. Grappiller, grappillage. Marauder, maraudage. — Pêcher, pêche. Coup de filet. — Avoir à sa portée, sous la main.

**Prendre de force.** — ARRACHER. Extorquer, extorsion. Enlever, enlèvement. — Exproprier, expropriation. Evincer, éviction. Confisquer, confiscation. — Conquérir, conquête. Prendre d'assaut. Envahir, invasion. — Faire main basse. Piller, PILLAGE, pillard. Butin. — Faire prisonnier. Capturer. Capture. Captif. — Ravir, ravisseur. Rapine. Rapt. — Rapace. Proie. — Rafler. Rafle. Razzia. — Reprendre, reprise. Rescousse. — Recruter, recrutement. Lever, levée.

**Soustraire.** — Retrancher. Distraire. Dérober. Détourner. Détournement. — Voler, vol. Escroquer, escroquerie. Chiper. — Escamoter, escamotage. Soutirer. Capter. — Dépouiller. Gruger. Plumer. — Surprendre. — Souffler un pion.

## PRÉPARER

**Etablir d'avance.** — S'étudier à. Préméditer, préméditation. Préconcevoir. — Elaborer, élaboration. Organiser, organisation. Combiner, combinaison. — Comploter, complot. Machiner, machination. Echafauder. — Mijoter. — Préparer la voie. Déblayer. Négocier, négociation. Ménager. — Faire une enquête. Instruire un procès.

Avant-coureur. Précurseur. Pionnier.

Couver, incubation. Mûrir, maturation. Digérer, digestion. — Tendance. Aptitude. Instinct. Prédisposition. — Harmonie préétablie. Plan.

**Apprêter.** — Tenir tout prêt. Prêt à point. — Apprêter, apprêteur, apprêt. Préparer, préparation, préparatif. — Mettre en ordre. Arranger, arrangement. Disposer, disposition. Prendre ses dispositions. — Dresser, dressage. Former. Eduquer. — Parer. Habiller, habillage. — Manipuler, manipulation. Manutentionner, manutention. Travailler. — Défricher. Aménager. — Mâcher la besogne.

**Mettre en train.** — Se mettre en mesure, en devoir de. — Commencer. Ebaucher. Débrouiller. — Entamer. Engager. Amorcer. — Mettre en route. Acheminer. Déclencher. — Ouvrir la séance. — Se faire la main. — Préface. Préliminaires. Introduction. Prélude, préluder.

**Près.** V. *toucher, entourer.*
Présage, m. V. *devin.*
Présager. V. *futur.*
Presbyte, m. V. *voir, loin, œil.*
Presbytère, m. V. *curé.*
Presbytérien, m. V. *religion, protestant.*
Prescience, f. Prescient. V. *connaître, devin.*
Prescription, f. Prescrire. V. *ordre, règle, temps, perdre, possession, annuler.*
Préséance, f. V. *supérieur.*

Présence, f. V. *présent.*
**Présent.** V. *temps, don, verbe, exister, fréquenter.*
Présentation, f. Présenter. V. *montrer, offre, bénéfice, cérémonie.*
Présenter (se). V. *venir.*
Préservatif, m. V. *protéger, garant, amulette.*
Préservation, f. Préserver. V. *protéger, éviter, sauver, précaution, obstacle, exempt.*
Présidence, f. Président, m.

V. *présider, magistrat, chef, république.*
**Présider.** V. *diriger, supérieur.*
Présidial, m. V. *juger.*
Présomptif. V. *probable.*
Présomption, f. V. *supposer, doute, préjugé, orgueil.*
Présomptueux. V. *orgueil, hardi.*
**Presque.** V. *imparfait.*
Presqu'île, f. V. *île.*
Pressant. V. *presser, prompt, besoin.*

---

## PRÈS

**Dans le temps.** — Bientôt. Sous peu. A bref délai. Tout de SUITE. Tout à l'heure. A l'instant. — Il n'y a pas longtemps. Naguère. Dernièrement. — Prochainement. Tôt. Au plus tôt. Sans tarder. — Promptement. — Incessamment. Incontinent. Sur-le-champ. Immédiatement.

Etre sur le point de, à deux doigts de, à la veille de. — Imminent. Prochain. — Instantané. Immédiat. A brûle-pourpoint. — Nouveau. Récent. Moderne.

**Dans l'espace.** — Adjacent, adjacence. Contigu, contiguïté. Mitoyen, mitoyenneté. — Toucher à. Contact. Tangent. Limitrophe. — Tenir à, attenant. Adhérer, adhérence. — Proximité, proche. Voisinage, voisin. Alentours. Environs. — Rapproché. Tout contre. Tout près. Côte à côte. Bout à bout. Bord à bord. — Joindre. Joignant. Jointif. Ci-joint. — Etre au bord de. Friser de près. Toucher du doigt. — Border. Entourer. Avoisiner. — Confins. LIMITE. Contours.

Effleurer. Frôler. Coudoyer. Toucher. — Etre auprès, à deux pas, à la porte. Se toucher. — Juxtaposer. Affronter. Adosser. — Rapprochement. Approximation. Ambiance. — Etre sous la main, à la portée. — Jouxte. Lez (près de). Rez (contre).

**Dans la direction.** — Venir auprès. Accoster. Aborder. — Côtoyer. Raser. Longer. Ranger. — Accéder, accès, accessible. S'approcher de, approche. — Confluer, confluent. Converger, convergence. — Aller vers, du côté de. Gagner. Atteindre. — Regagner. Rejoindre. Rallier. — Se rapprocher, rapprochement. Se rencontrer, rencontre. — Suivre de près. Marcher sur les talons. Serrer de près. — Voir de près. Myopie, myope. Crever les yeux. — Asymptote.

---

## PRÉSENT

**État de présent.** — Présence. Faire acte de présence. Jeton de présence. Feuille de présence. — Assister. Etre là. Rester là. Se trouver sur les lieux. — Figurer. Se montrer. Faire une apparition. Se présenter. — Fréquenter, fréquentation. Etre assidu, assiduité. — Comparaître, comparution. Comparoir. Ester en justice. — Omniprésence. Ubiquité. — Etre tout yeux, tout oreilles. Etre aux écoutes. — Faire tapisserie.

En présence de. A la vue de. Sous les yeux de. A la barbe de. Au nez de. Par devant. — Vis-à-vis. En face. — Ici. Voir. Voilà.

**Personnes présentes.** — Assistants. Assistance. Comparants. — Auditoire. Auditeurs. Ecoutants. — Public. Galerie. — Curieux. Observateurs. Badauds. — Foule. Peuple. Multitude. — Salle. Spectateurs. Parterre. — Assemblée. Réunion. Société. — Invités. — Figurants.

**Temps présent.** — Notre temps. Le temps où nous vivons. Nos jours. Notre siècle. L'heure actuelle. — Les temps modernes. L'époque contemporaine.

Aujourd'hui. Ces jours-ci. Le mois courant. — Maintenant. Présentement. Actuellement. En ce moment. Ce temps-ci. — A l'heure qu'il est. A l'instant. Sur-le-champ. Illico. — Cette fois-ci. Ce coup-ci. A ce coup. — Pendant. Pendant que. Tandis que.

**Actions présentes.** — Actualités. Fait actuel. Fait divers. — Flagrant délit. Prendre sur le fait. — Procès pendant. Séance tenante. — Style moderne. Goût du jour. Mode actuelle.

---

## PRÉSIDER

**Action de présider.** — Avoir la présidence. Présidentiel. — Bureau, fauteuil du président. Sonnette. — Ouvrir la séance. Diriger les débats. — Se couvrir. Suspendre la séance. Clore la séance. — Faire une allocution. — Proclamer les résultats. — Appliquer le règlement.

**Présidents.** — Président de la République. — Président du Conseil. — Président du Sénat, de la Chambre, d'une assemblée. — Premier président. Président à mortier. — Président d'une société. — Président d'âge. Vice-président.

---

## PRESQUE

**Approximation.** — Approcher, approchant. Approximatif. — Avoir un aperçu, une idée. — S'en falloir peu. Faillir. Manquer de. — Toucher. Côtoyer. Brûler. — Effleurer. Frôler. Friser.

Pénombre. Péninsule. Presqu'île.

Presque. Pas tout à fait. En partie. — A demi. A moitié. Aux trois quarts. — A peu près. A vue de nez. En gros. — Environ.

**Presse.** f. V. *presser, broyer, multitude, imprimerie, journal, travail.*

**PRESSÉ.** V. *occupation, désir, travail.*

**PRESSENTIMENT,** m. Pressentir. V. *devin, intelligence, interroger.*

**Presser.** V. *presse, broyer, poursuivre, exciter, vendange.*

**PRESSION,** f. V. *presser, baromètre, chaudière.*

**PRESSOIR,** m. V. *presse, vin, cidre.*

**PRESSURAGE,** m. V. *presse.*

**PRESSURER.** V. *presser, impôt.*

**PRESTANCE,** f. V. *allure.*

**PRESTATION,** f. V. *impôt, féodal.*

**PRESTE.** Prestesse, f. V. *prompt, mouvement.*

**PRESTIDIGITATEUR,** m. V. *doigt, habile, bateleur.*

**PRESTIGE,** m. V. *imagination, respect, apparaître.*

**PRESTIGIEUX.** V. *beau, briller.*

**PRÉSUMER.** V. *préjugé, croire, probable, devin.*

**PRÉSUPPOSITION,** f. V. *supposer.*

**PRÉSURE,** f. V. *lait, fromage.*

**PRÊT.** V. *préparer, parfait.*

**PRÊT,** m. V. *prêter, dette, intérêt, salaire.*

**PRÉTENDANT,** m. V. *mariage, roi.*

**PRÉTENDRE.** V. *affirmer, prétexte.*

**PRÉTENDU.** V. *faux.*

**PRÉTENDU,** m. V. *mariage.*

**PRÊTE-NOM,** m. V. *remplacer.*

**PRÉTENTIEUX.** Prétention, f. V. *orgueil, emphase, affectation.*

**Prêter.** V. *dette, intérêt, attribuer.*

---

Près de. — Peu s'en faut. Il ne s'en faut guère. — Presque pas. — A fleur de. — En quelque sorte.

**Similitude.** — Une espèce de. Une sorte de. Une manière de. — Autant dire. Comme qui dirait. Quasi. Quasiment. — Etre comme. Ressembler à, ressemblant. — Tirer sur. Nuance. Blanchâtre. Rougeâtre. Jaunâtre, etc. — Faire mine de.

### PRESSE et PRESSOIR

**Les presses.** — La presse. Arbre. Bâti. Jumelles. — Presse à rogner, à dorer, à coins, à étiquet. — Presse mécanique. — Calandre. Cylindres. Rouleaux. — MOULIN à foulon. Guinde (à catir). — Laminoir. Marteau-pilon. — Happe (de menuisier). — Presse à imprimer. Presse à copier.

**Pressage.** — Presser, pression, pressée. — Imprimer, impression. — Calandrer, calandrage. Cylindrer, cylindrage. — Comprimer, compression. Serrer, serrage. — Ecraser. Broyer. Fouler. — Repasser, repassage. Catir, catissage. — Laminer, laminage.

**Pressoirs.** — Pressoir à vin, à cidre, à huile. — Bellon (cuvier). Ripe (auge circulaire). — Meule. — Fusée (arbre). Vis de pressoir. Taranche (pour tourner la vis). — Béron et Couloire (écoulement). — Marc. Mottes. Tuiles. Pilée. — Laye. Maie et Moyau (table à marc).

Pressis (jus). Mère goutte. Exprimer le jus. Pressurer, pressurage. Serre (coup de serrage). Retrousse. — Fouler. Foulage. Rémiage. Rebat. — Repasser.

### PRESSER

**Presser.** — Aplatir. Ecraser. Ecacher. — Tasser. Piler. Pilonner. — Presser, PRESSOIR. Pressurer, pressurage. Exprimer le suc. — Fouler. Piétiner. — Calandrer. Peser sur. Appuyer sur. — Imprimer.
Touffu. Serré. Dru.

**Comprimer.** — Compression, comprimé. — Concentrer, concentration. Agglomérer, agglomérat. — Condenser, condensation. — Concision. Style concis. — Pétrir. Malaxer. Masser. — Entasser, entassement. — Encaquer.

Compact. Dense. EPAIS, épaissi.

**Serrer.** — Saisir. Prendre. Empoigner. — Pincer. Froisser. — Tordre, torsion. Garrotter. — Bander. Lier. Lacer. Sangler. Brider. — Empaqueter. Emballer. — ETAU. Valet et Sergent (de menuisier). — PINCE. Cassenoix. — Clef pour serrer. Cheville à tourniquet. Garrot. — Coin. Trésillon.

**Resserrer.** — Resserrement. Coarctation. — Rétrécir, rétrécissement. Etrécir. — Etouffer. Etrangler, étranglement. Constriction, constrictif. — Contracter, contraction. Trisme (des mâchoires). Sphincter. — Etreindre, étreinte.

Astringent. Styptique. Syncrétique.

**Pression morale.** — Presser, pressant. Instances. — Peser sur. Influer. Contraindre, contrainte. — Serrer le cœur. Poignant. Déprimer, dépression. — Opprimer, oppression. Tenir sous le joug.

### PRÊTER

**Formes de prêts.** — Prêt. Prêt de consommation. *Mutuum.* Prêt à usage. Commodat. Prêt hypothécaire. Prêt à intérêt. Prêt à la grosse. Document. Charte-partie. Commandement. Prêt sur gages. Warrant. Fongibilité. Somme prêtée. — Emprunt. Engagement. — Créance. Dette. Obligation. — Placement. Commandite. Capital ou Principal. — Subvention. Subside. Secours. — Location. Louage. — Nantissement. Avances. Anticipation.

**Conditions.** — Taux. Taux légal. Taux élevé, bas. — Prêter à titre gratuit, à titre onéreux, à titre usuraire. — Prêter sur hypothèques. Prêter sur gages. Reconnaissance. Garantie. — Intérêts. Denier vingt. INTÉRÊT simple, composé.

Usure. Denier fort. Prêter à la petite semaine. Contrat mohatra (usure au rachat).

**Opérations.** — Prêter. Avancer. — Faire crédit. Donner à crédit. Créditer. — Ouvrir un crédit. — Placer des fonds. Commanditer. Louer. — Emprunter. S'endetter. S'engager. — Dégager. Rembourser. Rendre. Amortir.

**Prêteurs.** — Prêteur. Commanditaire. Créancier. — Usurier. Juif. Fesse-Mathieu. — Vautour. Vampire.

Banque. Etablissement de crédit. Crédit foncier. Mont-de-piété. Crédit municipal.

PRÉTÉRIT, m. V. *passé, verbe.*

PRÉTÉRITION, f. V. *manque, testament.*

PRÉTEUR, m. V. *magistrat.*

PRÊTEUR, m. V. *prêter.*

**Prétexte**, m. V. *excuse, cause, apparence.*

PRÉTEXTER. V. *prétexte.*

PRETINTAILLE, f. V. *orner.*

PRÉTOIRE, m. V. *juges.*

**Prêtre**, m. V. *religion, église, liturgie.*

PRÊTRISE, f. V. *prêtre.*

PRÉTURE, f. V. *magistrat.*

**Preuve**, f. V. *raison, argument, témoin, marque.*

PREUX. V. *chevalerie, brave.*

PRÉVALOIR. V. *supérieur, préférer, fanfaron.*

PRÉVARICATEUR, m. V. *fonction, violer, infidèle.*

PRÉVENANCE, f. V. *Prévenant. V. complaisant, cajoler.*

PRÉVENIR. V. *avertir, recommander, éviter.*

PRÉVENTIF. V. *obstacle, précaution.*

PRÉVENTION, f. V. *préjugé, défiance, accusation.*

PRÉVENTORIUM, m. V. *aumône.*

PRÉVISION, f. V. Prévoir. V. *voir, devin, espérer, futur.*

PRÉVÔT, m. V. *juges, magistrat, escrime.*

PRÉVÔTÉ, f. V. *soldat, chef.*

PRÉVOYANCE, f. V. *Prévoyant. V. sage, prudence, économie, précaution.*

PRIE-DIEU, m. V. *genou, prier.*

---

## PRÉTEXTE

**Raison apparente.** — Prétexter. Donner pour prétexte. — Cause prétendue. Prétendre. Mettre en avant. — Se justifier, justification. Se couvrir, couverture. Motif plausible. — Alléguer, allégation. Arguer de, argument. — Se retrancher sur. S'excuser, EXCUSE.

**Raison simulée.** — CAUSE simulée, feinte, supposée. — Défaite. Echappatoire. Fauxfuyant. — Subterfuge. Ruse. Tromperie. MENSONGE. — Masque. Porte de derrière. — Faire sous couleur de. Faire semblant. — Donner de mauvaises raisons.

## PRÊTRE
(latin, *sacerdos*)

**Prêtres catholiques.** — Ecclésiastique. Clerc. Abbé. Prêtre. Prouvaire, *vx.* — Archevêque. Evêque. Archiprêtre. CURÉ. Vicaire. — Aumônier. Chapelain. Desservant. Prêtre habitué. — Prêtre séculier. Prêtre régulier. Missionnaire. — Prélat. CHANOINE. — Archidiacre. Diacre. Sous-diacre. — DOCTEUR de l'Eglise. Oint du Seigneur. — Officiant. Semainier. Porte-chape. Porte-Dieu. — Official (juge ecclésiastique). — Sacristain.

Prestolet. Prêtraille. Calotte. Calottin. Ratichon. Corbeau.

**Autres prêtres modernes.** — Pasteur (protestant). Révérend. Ministre. — Papas (grec). — Pope. — Rabbin (juif). Hazan. Sacrificateur — Bonze. Brahmane. Lama. Talapoin. — Mage. Derviche. — Iman. Mollah. Muphti. Muezzin

**Prêtres anciens.** — *A Rome.* Pontifes. Augures. Curètes. Saliens. Féciaux. Flamines. Luperques. — Sacrificateur. Victimaire. Pullaire.

*En Grèce.* Corybante. Galle. Hiérophante. Prêtresse. Pythie. Pythonisse.

*En Gaule.* Druides.

**Prêtrise.** — Clergé. Cléricature. Clérical. — Sacerdoce, sacerdotal. Porter la soutane. — Ministère. Caractère. Vocation ou Mission. — Célébrer les mystères. Officier. Servir divin. — Bénéfices ecclésiastiques. Prestimonie. Cure. Desserte. Canonicat. — Théocratie, théocratique.

Séculariser. Constitution civile. — Suspendre un prêtre. Suspension. — Jeter le froc aux orties. Se défroquer.

**Ordres.** — Ordonner, ordination, ordinand, ordinant. — Conférer les ordres. Onction sainte. Tonsurer, tonsure. Consacrer, consécration. — Ordres majeurs. Sous-diaconat. Diaconat. Prêtrise. — Ordres mineurs. Portier. Lecteur. Exorciste. Acolyte. — Lettres de prêtrise. — Séminaire, séminariste. Porter la soutane.

**Costume.** — Soutane. Soutanelle. Douillette. — Aube. Amict. Rochet. Tunique. — Chasuble. Chape. Chaperon. Dalmatique. Pluvial. Pallium. — Etole. Manipule. Aumusse. Chapeau à cornes. Petit collet. — Ceinture. Rabat. — Ornements sacerdotaux. Orfroi.

## PREUVE

**Preuve.** — Prouver, probant, probatif. Preuve littérale, formelle, testimoniale. Commencement de preuve. Présomption. Aveu. Serment. Production des preuves. Mode de preuves. — Descente sur les lieux. Expertise. Interrogatoire. — Affirmation. Déclaration. Commune renommée. — Procès-verbal. Acte authentique, sous seing privé. Titre exécutoire. Foi. Date certaine. Contre-lettre. — Registre. Quittance. Reçu. Copie. Expédition. Grosse. Taille. — Acte recognitif, affirmatif. Fournir, apporter, administrer la preuve. Moyen probatoire. — Invoquer, citer comme preuve. — Semi-preuve. — Preuve physique, morale, métaphysique, circonstancielle. — Preuve irrécusable, irréfutable, irrésistible. — Plaider pour. Militer pour. — En appeler à. Fonder sur. BASE. — Préjugé. Présomption. — Autorité. Certitude

Affirmation sans preuve, gratuite.

**Témoignage.** — Constater, constatation. Certifier, certificat. — Témoigner. CONFIRMER, confirmation. Appuyer. — Témoignage. Indice. MARQUE. Pièce à conviction. — Pièce à l'appui. Titre. Papier. Acte. — Montrer. Manifester. Mettre en évidence. — Etablir. Avérer. — Faire foi. Garantir. Etre en faveur de.

**Démonstration.** — Arguer. Argumenter, argumentation. Raisonner, raisonnement. Démontrer, démonstration. — Inférer de. Déduire. Conclure, conclusion, concluant. — Justifier, justification. — RÉFUTER, réfutation. — Convaincre, convaincant. PERSUADER, persuasif.

ARGUMENTS. Syllogisme. Topiques. Thème. Théorème. Thèse.

**Prier.** V. *demande, religion, vœu, inviter.*

**Prieur,** m. V. *moine.*

**Prieuré,** m. V. *bénéfice.*

**Primaire.** V. *premier, école.*

**Primat,** m. V. *évêque, chef.*

**Primate,** m. V. *animal.*

**Primauté,** f. V. *premier, supérieur.*

**Prime,** f. V. *récompense, assurances, liturgie, escrime.*

**Primer.** V. *premier, supérieur.*

**Primesautier.** V. *esprit, vif, franc.*

**Primeur,** f. Primeurs, f. p. V. *premier, nouveau, fruit, légume.*

**Primevère,** f. V. *fleur.*

**Primipare.** V. *accouchement.*

**Primitif.** V. *premier, origine, brut, simple.*

**Primo.** V. *premier.*

**Primogéniture,** f. V. *âge.*

**Primordial.** V. *origine, commencer.*

**Prince,** m. V. *titre, roi, supérieur.*

**Princeps.** V. *imprimerie.*

**Princesse,** f. V. *prince.*

**Princier.** V. *prince.*

**Principal.** V. *important, école.*

**Principalat.** m. V. *chef.*

**Principauté,** f. V. *prince.*

**Principe,** m. V. *commencer,* *quintessence, théorie, maxime.*

**Printanier.** Printemps, m. V. *saison.*

**Priorité,** f. V. *premier, avant.*

**Prise,** f. V. *prendre, tabac.*

**Prisée,** f. V. *prix, adjudication.*

**Priser.** Priseur, m. V. *estime, tabac.*

**Prismatique.** Prisme, m. V. *optique, cristal.*

**Prison,** f. V. *punition, crime.*

**Prisonnier,** m. V. *prison, vaincu.*

**Privatif.** V. *négation.*

## PRIER
(latin, *orare*)

**Demander.** — Prier, prière. DEMANDE. Inviter, invitation. — Réclamer, réclamation. Recourir à, recours. — Harceler. Importuner. Obséder, obsession. — Insister, insistance. Instances. Prière instante, pressante. — Intercéder, intercession. Intervenir. — Pétition, pétitionner.

Exaucer. — Etre insensible, inflexible, inexorable. Se boucher les oreilles.

**Implorer.** — Supplier, supplication, suppliant. Adjurer, adjuration. Conjurer, conjuration. — Invoquer, invocation. Appeler à son secours. — S'humilier, humiliation. Déprécation, déprécatif. — Demander grâce. Crier merci. — Demander à genoux. Embrasser les genoux. Génuflexion.

**S'adresser à Dieu.** — Prier Dieu. Faire oraison. — Faire ses dévotions. Adorer, adoration. — Prier à mains jointes. Prier oralement, mentalement. — Exercices de piété. Oraison jaculatoire. Ejaculation. — Elever son esprit. Elévation. Elans de l'âme. Epancher son cœur. — Piété. Ferveur. Mysticisme. Zèle. — Prier du bout des lèvres. Marmotter des prières.

Oratoire. Prie-Dieu. — Livre de messe. Missel.

**Prières.** — Oraison dominicale. *Pater noster.* Patenôtre. — Salutation angélique. *Angelus. Ave maria.* — Sacramentaux. Chapelet. Rosaire. *Benedicite.* Grâces. Heures. — Chemin de croix. Neuvaine. Litanies. — *Credo. Confiteor.* — Acte de foi, d'espérance, de charité, de désir. Action de grâces.

## PRINCE

**Famille royale.** — Altesse royale, impériale. Roi. Reine. Empereur. Impératrice. — Prince héritier. Dauphin. Prince impérial. — Prince de Galles. Kronprinz. Infant d'Espagne. — Prince du sang. Monsieur (frère du roi). Madame. Mademoiselle. Enfants de France. — Prince- princesse.

**Personnages princiers.** — Vice-roi. Archiduc, archiduchesse. Grand-duc, grande-duchesse. — Grand électeur. Palatin. Land-grave. Prince médiatisé. — Nabab. Rajah. — Emir. Chérif. — Hospodar. Voïvode. Hetman. — Cacique.

**Relatif aux princes.** — Princier. — Principauté. Principat. — Apanage. — Almanach de Gotha. — Chambellan. Page.

## PRINCIPE

**Eléments des choses.** — Eléments des corps. — Corps élémentaire. Germe. Embryon. Atome. Molécule. — Nature des choses. Partie composante, constituante, constitutive, intégrante. — Matière. Etat primitif. — Substance. Substratum. Quintessence. Monade.

**Eléments des connaissances.** — Premiers principes. — Base. Fondement. Loi. Règle. — Axiome. Postulat. Postulatum. — Théorie, théorique. Système, systématique. — Rudiments. Connaissances élémentaires, primaires.

## PRISON
(latin, *carcer*)

**Prisons.** — Prison. Maison d'arrêt. Maison centrale. Conciergerie. — Pénitencier. Bagne. — Maison de correction. Colonie pénitentiaire. — Dépôt. Salle de police. Poste. Violon. — Maison de force. Lieu de sûreté. Geôle.

Cachot. Cellule. — Grilles. Barreaux. — Guichet. Parloir. Préau.

Chartre. Bastille. Châtelet. Plombs. Galères. — Basse-fosse. *In pace.* Oubliettes. — Cabanon. Cage de fer. — Pontons.

**Emprisonner.** — Descente de justice. Contrainte par corps. Prise de corps. — Mandat d'amener, d'arrêt, de dépôt. — Arrêter, arrestation. Appréhender au corps. S'assurer de. Empoigner. Pincer. — Ecrouer. Incarcérer, incarcération. Enfermer. Coffrer. Mettre à l'ombre. — Emprisonnement. Réclusion. Détention. Détention préventive. Captivité. — Interner, internement. Séquestrer. Claquemurer. Cloîtrer. — Garder à vue. Mettre aux arrêts. Mettre aux fers. — Reléguer, relégation. Déporter, déportation. — Se constituer prisonnier.

Privation, f. V. *besoin, manque, abstenir (s')*.
Privauté, f. V. *familier.*
Privé, m. V. *propre, soi.*
Priver. V. *ôter, familier.*
Priver (se). V. *économie.*
Privilège, m. Privilégié. V. *plus, faveur, pouvoir, exempt.*
Prix, m. V. *payer, commerce, récompense.*

Pro (préf.). V. *remplacer, avant.*
Probabilisme, m. V. *probable, philosophie, jésuite.*
Probabilité, f. V. *probable, devin.*
Probable. V. *apparaître, supposer, doute.*
Probant. Probatoire. V. *preuve.*
Probe. Probité, f. V. *juste.*

Problématique. V. *doute.*
Problème, m. V. *question, science.*
Procédé, m. V. *moyen, bill lard.*
Procéder. V. *faire, moyen procédure.*
Procédure, f. V. *chicane auxiliaires de justice, ju ges.*
Procédurier. V. *procédure*

---

**Prisonniers.** — Condamné. — Prisonnier. Détenu. — Prisonnier de droit commun. Prisonnier politique. — Déporté. Relégué. Galérien. — Captif. Prisonnier de guerre. — Otage.

**Traitement.** — Gardien. Geôlier. Concierge. Guichetier. Porte-clefs. Mouton. — Voiture cellulaire. Ecrou. — Régime pénitentiaire. Régime cellulaire. Travail forcé. — Mettre les menottes. Mettre au secret. Charger de fers. — Transférer, transfert. — Extrader, extradition.
Faire son temps de prison. Pourrir en prison. — Pécule.

**Libération.** — Libérer. Elargir, élargissement. Relâcher. Relaxer, relaxation. Déprisonner. — Rédemption. Rançon. — S'évader, évasion.

**PRIX**
(latin, *pretium*)

**Estimation.** — Estimer, estimatif. Priser, prisée. Ventiler, ventilation. Evaluer, évaluation. — Apprécier, appréciation. Déprécier, dépréciation. — Dire un prix. Donner un prix. — Fixer la valeur. Coter, cotation. Arbitrer. Faire l'inventaire. — Commissaire-priseur. Agent de change. Courtier.
Cours. Value. Plus-value. Moins-value. — Monter. Baisser. Equivaloir.

**Prix.** — Prix de gros. Prix de détail. — Prix brut. Prix net. Prix de revient. Prix d'achat. Prix coûtant. — Prix de fabrique. Prix de facture. Prix marchand. — Prix de vente. Prix marqué. Prix fixe. Prix convenu. — Prix maximum. Prix minimum. Prix moyen. Juste prix.
Coût. Valeur. Valeur intrinsèque, extrinsèque. — Valeur moyenne ou Avérage. — Facturer, facture. Note à payer. — Montant. Monter à. S'élever à.
Prix courant. Cours. Cote. Mercuriale. Tarif. Marque. Echelle mobile. — Taxe. Taux. *Ad valorem*. Réfaction. Offre et demande. Faire tant. — Débattre. Marchander, marchandage. Barguigner. — Ecart. Partager le différend. Couper la poire en deux. — Remise. Escompte.

**Bon marché.** — Bas prix. Prix modéré, avantageux. Prix unique. Modicité des prix. Modique. Economique.
Baisse. Réduire le prix, réduction. Diminuer, diminution. Rabattre. Rabais. — Donner à bon compte, au meilleur compte, à

bon prix. — Donner pour rien. Sacrifier Gâcher les prix, le métier. C'est donné. — Vendre meilleur marché, moins cher, à vi prix. — Occasion. Solde, solder. Liquidation liquider. — Chute, avilissement des prix Tomber à rien. Mévente. — Gratis. Gratuit gratuitement.
Libre de droits. Exonéré. En franchise Franco de port.

**Cherté.** — Prix élevé. Gros prix. Pri fort. Prix fou. Prix exorbitant. Prix exces sif. — Coûter gros. Etre dispendieux, coû teux, onéreux, ruineux. — Etre hors de prix Valoir son pesant d'or. — Payer largement grassement. Acheter coûte que coûte.
Enchérir, enchère. Surenchérir, surenchère — Hausser les prix. Hausse. Elévation de prix. Augmenter, augmentation. — Majore les prix. Doubler. Surfaire. Vendre au-dessu du cours. — Ecorcher. Etriller. Tondre Saigner à blanc. Saler. — Tenir la dragée haute. Rançonner.

**PROBABLE**

**Qui séduit la raison.** — Probable. Pro babilité. Calcul des probabilités. Probabilis me. — Admissible, admettre. Plausible Soutenable. Acceptable. — Raisonnable. Ra tionnel. Certitude morale. — Présumable, présumer, présomption. Putatif. Imputable — En apparence. Spécieux. Captieux. — Vraisemblable, vraisemblance. Presque cer tain.

**Qui a chance d'arriver.** — Possible Eventuel, éventualité. — Il y a des chances Il y a gros à parier. — Pronostic, pronosti quer. Prédiction, prédire. Annonce, annon cer. — Croyable. Il est à croire. Croyance. Cela doit être. — Conjecture, conjecturer Supposition, supposer. Hypothèse, hypothé tique. — Menacer. Etre imminent. Pendre au bout du nez.

**PROCÉDURE**

**Sortes de Procédure.** — Procédure ordi naire. Procédure sommaire. Référés. Procé dure privée ou civile. Procédure commerciale. Procédure publique ou pénale. Procédure ad ministrative. — Procédure écrite. Procédure orale. Procédure contradictoire. Procédure par défaut. Procédure incidente. — Actions réelles, personnelles, mixtes. Actions pétitoires et possessoires (complainte, réintégrande, dé nonciation de nouvel œuvre). Actions mobi lières et immobilières. — Action en revendi cation. Action confessoire. Action négatoire.

PROCÈS, m. V. *procédure, accusation.*

**Procession,** f. V. *cérémonie, marcher.*

PROCESSIONNAIRE. V. *procession.*

PROCESSUS, m. V. *maladie.*

PROCÈS-VERBAL, m. V. *description, punition.*

PROCHAIN. V. *près, homme.*

PROCHE. V. *près, parent.*

PROCLAMATION, f. Proclamer. V. *discours, public.*

PROCONSUL, m. V. *magistrat.*

PROCRASTINATION, f. V. *délai.*

PROCRÉATION, f. Procréer.

V. *génération, produire.*

PROCTITE, f. V. *anus.*

PROCURATION, f. V. *pouvoir, confiance, mission.*

PROCURER. V. *don.*

PROCUREUR, m. V. *magistrat, accusation, agent.*

PRODIGALITÉ, f. V. *dépense, excès.*

PRODIGE, m. Prodigieux. V. *étonnement, extraordinaire.*

PRODIGUE. Prodiguer. V. *dépense, généreux, abondance.*

PRODROME, m. V. *maladie.*

PRODUCTEUR, m. V. *produire.*

PRODUCTIF. V. *fertile.*

PRODUCTION, f. V. *produire, industrie.*

**Produire.** V. *génération, faire, cause.*

PRODUIT, m. V. *produire, effet, gain, calcul.*

PROÉMINENT. V. *gros, apparaître.*

PROFANATION, f. V. *profane, impie, mépris, gâter.*

**Profane.** V. *mystère, ignorance.*

PROFÉRER. V. *prononcer, dire.*

PROFÈS, m. Professe, f. V. *moine, vœu.*

---

Action en désaveu. Action en contestation de légitimité. Action en garantie. Action en nullité ou en rescision. Action hypothécaire. Action paulienne. Action oblique. Action civile. Action publique. Vérification d'écriture. Inscription de faux. Procédure d'ordre. Purge d'hypothèque. — Exception judicatum solvi. Exceptions déclinatoires. Exception péremptoire. Exception dilatoire. Exception de communication de pièces.

**Phases de la Procédure.** — Procès, processif. Poursuite. Conciliation. Instruction. Débats. Enquête. Expertise. Jugement. Exécution. Opposition. Tierce opposition. Appel. Pourvois. Recours.

**Choses et Actes de Procédure.** — Moyens. Défenses. Incidents. Délais. Exploits d'huissier. Actes d'avoué à avoué. Rôle particulier. Rôle général. Minute d'un jugement. Expédition d'un jugement. Grosse d'un jugement. Audience publique. Huis clos. Chambre de conseil. Assemblée générale. — Mise en demeure. Citation en conciliation. Requête. Procès-verbal de conciliation ou de non-conciliation. — Citation. Ajournement ou assignation. Constitution d'avoué. Conclusions. Placet. Avenir. Sommation de conclure. Plaidoirie. — Jugement avant faire droit. Jugement contradictoire. Jugement de défaut faute de conclure ou contre avoué. Jugement de défaut faute de comparaître. Jugement de défaut congé. Jugement de défaut profit joint. Signification. Acquiescement. — Sommation. Commandement. Saisie. Vente. Adjudication. Surenchère.

## PROCESSION

**Défilé religieux.** — Procession. Cortège. Pompe. — Théorie (chez les Grecs). — Croix. Bannière. Reposoir. Ordre. Marche. Station. — Fête-Dieu ou Sacre. Rogations. Chemin de croix. Saint sacrement.

**Relatif à la procession.** — Processionner. Processionneur. Processionnel. — Aller en procession. — Défilé. Colonne. File. Monôme. — Chenille processionnaire.

## PRODUIRE

**Effet.** — Etre la CAUSE de. Causer. Amener. — Faire naître. Provoquer. Susciter. —

Former. Operer. Effectuer. Emettre. — Résultat. Conséquence. — Fonder. Instituer. — Créer, création, créateur. — Faire. Exécuter. Ouvrer. Façonner.

Créateur. Auteur. Artisan. — Exécutant. Ouvrier.

**Rendement.** — Produire, production. Productif, productivité. Producteur. — Produit. Produit brut, net. — Rendre. Donner. Porter des fruits. Rapporter. — Rapport. Récolte. Primeurs. Prémices. — Terre. Terrain. Terroir Cru. — Fructifier. Multiplier. — Abondance. Fertilité. Fécondité. — Porter intérêt. Revenu. RENTE.

Suffixe *fère* dans : Somnifère. Léthifère. Argentifère.

Suffixe *gène* dans : Alcaligène. Thermogène. Lacrymogène.

**Génération.** — Mettre au monde. Donner le jour. Accoucher, accouchement. Mettre bas.

Paternité. Maternité. Engendrer. Enfanter, enfantement. — Procréer, procréation. Générateur. Reproduire, reproduction, reproducteur. — Prégnant, prégnation. Grossesse. — Genèse. Palingénésie.

## PROFANE

**Profane.** — Les profanes. Le vulgaire. La foule. — *Vulgum pecus.* — Troupeau. Ouailles. Paroissiens. Simples fidèles. — Non initié. Etranger à. Ignorant de. — Gentilité. Les Gentils. Les Païens.

**Laïque.** — Laïc, laïque. — Laïcité. Laïcisme. — Laïciser, laïcisation. — Le siècle. Séculariser, sécularisation. Bras séculier. — Le monde. Mondanité. Mondain. — Tiers ordre. Frère lai.

**Profaner.** — Profanation, profanateur. — Attenter aux choses saintes. Sacrilège. Impiété. — Exécration, exécratoire. — Simonie, simoniaque.

Souiller. Ternir. Polluer. Salir. — Déflorer. Violer Déshonorer. — Contaminer. Vicier. Pervertir. — Détériorer. Gâter. — Licencieux. Vicieux.

PROFESSER. V. *dire, montrer, pratique.*
PROFESSEUR, m. V. *instruction, science, école.*
**Profession,** f. V. *occupation, travail, action, classe.*
PROFESSIONNEL. V. *profession.*
PROFESSORAT, m. V. *instruction.*
PROFIL, m. V. *visage, côté.*
PROFILER. V. *moulure.*
PROFIT, m. Profiter. V. *gain, intérêt, bonheur.*

PROFOND. Profondeur, f. V. *fond, étendue.*
PROFUSION, f. V. *répandre, dépense, abondance.*
PROGÉNITURE, f. V. *enfant, génération.*
PROGNATHE, m. V. *mâchoire.*
PROGRAMME, m. V. *description, opinion, instruction, fête.*
**Progrès,** m. V. *marcher, mieux, succès.*
PROGRESSER. V. *avant, augmenter.*

PROGRESSION, f. V. *degré, proportion.*
**Prohiber.** V. *proscrire, commerce, injuste.*
PROHIBITIF. Prohibition, f. V. *prohiber.*
PROIE, f. V. *prendre, manger.*
PROJECTEUR, m. V. *illuminer.*
PROJECTILE, m. V. *armes.*
PROJECTION, f. V. *optique, mécanique, dessin.*
**Projet,** m. V. *proposer, volonté, architecture.*

---

## PROFESSION

**Professions.** — Profession. Profession libérale. Profession manuelle. — Arts libéraux. Arts mécaniques. — Carrière. Fonction. Charge. Etat. — Office. Poste. Qualité. Partie. — Moyen d'existence. Métier. Occupation. Gagne-pain. — Situation. Position. Condition. Genre de vie.

**Gens de profession.** — Professionnel. Technicien. Homme de métier. — Fonctionnaire. Employé — Patron. Serviteur. — Ouvrier. Travailleur. — Commerçant. Patenté. — Novice. Apprenti.
Classe. Condition. — Corporation. Syndicat. Fédération.

**Exercice de la profession.** — Apprendre un métier. Faire son apprentissage. — Avoir la vocation. Embrasser une carrière, un métier. — S'établir. Fonder une maison. Tenir boutique. — Exercer un état, un métier. Payer patente. — Professer un art. Faire telle ou telle chose. Etre dans la même partie. — Gagner sa vie à. S'occuper à. — Exécuter son travail. Accomplir sa tâche. Remplir ses devoirs. — Occuper un poste. Blanchir sous le harnais.

## PROGRÈS

**Progrès des choses.** — Aller bien. Aller de mieux en mieux. Progresser, progression, progressif. — S'améliorer, amélioration. Se perfectionner, perfectionnement. Perfectible, perfectibilité. — Se développer. Développement. Fruit, fructueux. Heureux résultat. — Avancer. Arriver à grands pas, à pas de géant. — Dépasser. Surpasser. Devenir supérieur.

**Progrès humain.** — Apprendre vite. Montrer des dispositions. Donner des espérances. — Travailler avec fruit. S'instruire. Remporter des succès. — Réussir, réussite. Faire son chemin. — Valoir mieux. S'amender. Se corriger. — Gagner du terrain. Se pousser. — Monter. S'élever. Ascension. — Aller de l'avant. Rattraper. Atteindre. Parvenir.
Sentinelle avancée. Pionnier. Novateur. Inventeur. — Invention. Découverte.
Eduquer, éducation. Civiliser, civilisation, civilisateur. Réformer, réforme, réformateur. Moraliser, moralisateur. Policer.

## PROHIBER

**Interdire.** — Défendre, défense. Prohiber, prohibition. Interdire, interdiction. Lancer l'interdit. — Condamner, condamnation. Proscrire, proscription. — Exclure, exclusion. EXCOMMUNIER, excommunication. Mettre à l'index. — Déclarer tabou. — S'opposer à. Mettre son veto. Mettre l'embargo. Boycotter, boycottage.

**Empêcher.** — Mettre le holà. Inhiber, inhibition. Empêcher, empêchement. — Arrêter. Prévenir. — Intolérance, intolérant. — Supprimer, suppression. Décri d'une monnaie. — Suspendre. suspension. Mettre à pied.

**Contraire aux lois.** — Illégitime, illégitimité. Injuste, injustice. — Illégal, illégalité. Illicite. Inconstitutionnel. — Clause incivile. Chose indue. Manœuvre clandestine. — CONTREBANDE, contrebandier. Fraudeur. Courtier marron.

## PROJET

**Intention.** — Projeter. Former des projets. Avoir des intentions. — Rouler dans sa tête. Penser à. Songer à. — Se permettre. Viser à. Visées. Vues. But. — Aspirer à, aspirations. Désirer, désir. — Méditer. Concevoir. Conception. Idée. PENSÉE.
S'imaginer, IMAGINATION. Rêver. Se monter la tête. — S'infatuer, infatuation. Illusion. Châteaux en Espagne. Chimères. Projet chimérique.

**Plan.** — Bâtir des projets. Monter un projet. Mûrir un projet. — Arranger dans son esprit, arrangement. Combiner, combinaison. Dresser son plan. Dresser ses batteries. — MACHINER, machination. Manigancer, manigance. Préméditer, préméditation. — COMPLOT, comploter. Concerter. Se concerter. Trame, tramer. — Théorie. Système. Spéculation. Utopie. — Plan. Canevas. Cadre. Ebauche. Esquisse. Minute. — Croquis. Dessin. Topo.

**Décision.** — Décider. Arrêter. Volonté arrêtée. — Se déterminer, détermination. — Se résoudre à, résolution. Prendre un parti. — Se proposer de. Compter faire. Propos délibéré. Ferme propos. — Sauter le pas. Faire le saut. Passer le Rubicon. — ENTREPRENDRE. Exécuter. Accomplir. — Se raviser.

PROJETER. V. *projet, jet.*
PROLÉGOMÈNES, m. p. V. *avant, livre.*
PROLEPSE, f. V. *réfuter.*
PROLÉTAIRE, m. Prolétariat, m. V. *ouvrier, pauvre, classe.*
PROLIFIQUE. V. *génération.*
PROLIXE. Prolixité, f. V. *parler, excès, diffus.*
PROLOGUE, m. V. *commencer.*
PROLONGATION, f. V. *continuer, délai.*
PROLONGE, f. V. *voiture.*

PROLONGEMENT, m. Prolonger. V. *continuer, augmenter.*
**Promenade,** f. V. *marcher, chemin.*
PROMENER (se). V. *promenade.*
PROMENEUR, m. Promenoir, m. V. *marcher.*
**Promesse,** f. V. *affirmer, convention, obligation.*
PROMETTRE. V. *promesse.*
PROMISCUITÉ, f. V. *commun, désordre.*

PROMISE, f. V. *mariage.*
PROMONTOIRE, m. V. *saillie.*
PROMOTEUR, m. V. *cause, action.*
PROMOTION, f. V. *fonction.*
PROMOUVOIR. V. *nomination.*
**Prompt.** V. *allure, brusque, vif, court.*
PROMULGUER. V. *public, loi.*
PRONAOS, m. V. *temple.*
PRÔNE, m. V. *prêcher.*
PRÔNER. V. *louange.*
PRONOM, m. Pronominal. V. *grammaire.*

## PROMENADE

**Action.** — Se promener, promenade, balade, promeneur. — Faire un tour. Faire de l'exercice. Prendre l'air. Sortir, sortie. — Aller à la campagne, à travers champs. Changer d'air. — Marcher, marche, marcheur. Déambuler. Aller à pied. — Errer par voies et par chemins. Aller par monts et par vaux. — Faire une excursion, un VOYAGE, une tournée. — Faire une course. Faire sa ronde. — Spaciement (des chartreux). — Péripatéticiens.

**Lieux.** — Allée. Avenue. Chemin. Route. Sentier. — Campagne. Bois. — Mail. Cours. Promenade. — Parc. Jardin public. Pelouse. — Cour. Préau. Cloître. Promenoir. TERRASSE.

## PROMESSE

**Action de promettre.** — Promettre, promesse, prometteur. Offre. — Promettre monts et merveilles. Bercer de promesses. Promesse ronflante. — Protester, protestation. Assurer. Donner l'assurance. Faire espérer. — Paroles dorées. Eau bénite de cour. Bon billet.

DIRE qu'on fera. — Formules : Soyez sûr. Vous pouvez compter. Sans faute. Je n'y manquerai pas.

**Engagement.** — S'engager à. Engager sa parole, sa foi, son honneur. — Faire serment. Jurer sur l'honneur, sur la vie. Foi jurée. — Donner sa parole. Jurer ses grands dieux. — S'obliger, OBLIGATION. Promesse sacrée. — Vouer, vœu, votif.
Se fiancer. Fiançailles. Fiancés. Promis. — Promesse de mariage. .

**Exécution.** — Acquitter, remplir, tenir sa promesse. — Tenir sa parole. Etre fidèle à sa parole.
Rétracter une promesse. Se dédire, dédit. Dépromettre. Se dégager. — Manquer à sa parole. Faire faux-bond. — Rendre à quelqu'un sa parole. — Contre-promesse. Repromission.

## PROMPT

**Prompt d'action.** — Prompt, promptitude. Preste, prestesse. Vif, vivacité. — Actif, activité, activer. Se dépêcher. Diligence, diligent. Aller vite en besogne. Empressement, s'empresser. — Mener rondement, tambour battant. Expédier, expéditif. Enlever. Bâcler. Abattre de la besogne. — Brusquer, brusquerie, brusque. Trousser. Sabrer. Foudroyer, foudroyant. En coup de foudre. — Entrain, entraîner. Fougue, fougueux. Pétulance, pétulant. Impétuosité, impétueux. — Anticiper, anticipation. Précipiter, précipitation. Aller droit au but. — S'emporter, emportement. Irascible. Véhément, véhémence. Justice sommaire. — Volubilité de parole. Langue bien pendue. Primesautier. — Habileté, HABILE. Facilité, FACILE. Tour de main.

**Prompt de mouvement.** — Allonger le pas. Marcher à grands pas. Pas redoublé. Forcer le pas. Marche forcée. — Courir, course. Courir la poste. Courir à toutes jambes. — Aller vite, bon train, à fond de train, à toute bride, quatre à quatre, à bride abattue, ventre à terre. Piquer des deux. Brûler le pavé. — Aller grande erre. Faire force de voiles. Filer tant de nœuds. — Fendre l'air. Voler à tire-d'aile. Passer comme l'éclair. Filer comme une flèche. — Accélérer, accélération, accélérateur. Marcher à toute vapeur, à pleins gaz. Gagner de vitesse. — Avancer, avance. Prendre les devants. Devancer. Dépasser. — S'élancer. Fondre sur. Se ruer. Se précipiter. — Se remuer. Se trémousser. — Jouer *presto, prestissimo.* — Agile. Léger. Leste.

Célérité. Rapidité. Vélocité. Vitesse. — Courant électrique. Train express. Avion. Cerf. Hirondelle.

**Prompt de transcription.** — Sténographie, sténographe, sténographier. — Sténotypie, sténotypiste. — Dactylographie, dactylographe, dactylographier. — Télégraphie, télégraphe, télégraphier, télégraphiste. — Télégraphie sans fil. T. S. F. Radiotélégraphie, radiotélégraphiste. — Signaux optiques. — Prendre des notes. Ecrire au courant de la plume.

**Hâtif.** — Hâter. Faire à la hâte. Presser, pressant. — Improviser, improvisation, improvisateur. Faire au pied levé. — Urgence, urgent. Presse, pressé. — De bonne heure. De meilleure heure. Matinal. Matineux. — Précoce, précocité. Prématuré. Prémice. Primeurs. Maturatif, maturation. — Avorter, avortement. Abortif. Avant terme.

**Prononcer.** V. *parler, lire, affirmer, vœu.*
PRONONCIATION, f. V. *langage.*
PRONOSTIC, m. Pronostiquer. V. *devin, calendrier, probable.*
PROPAGANDE, f. V. *opinion, religion, mission.*
PROPAGANDISTE, m. V. *partisan, zèle.*
PROPAGATION, f. Propager. V. *répandre, public, génération.*

PROPENSION, f. V. *penchant.*
PROPHÈTE, m. Prophetie, f. V. *révéler, devin, Bible.*
PROPHÉTIQUE. V. *enthousiasme.*
PROPHYLAXIE, f. V. *santé, obstacle, maladie*
PROPICE. V. *utile, faveur*
PROPITIATOIRE. V. *réparer, pardon.*
PROPOLIS, f. V. *miel, cire.*
**Proportion,** f. V. *rapport, ordre, forme, accord.*

PROPORTIONNER. V. *proportion.*
PROPOS, m. V. *parler, nouvelle, volonté, but.*
**Proposer.** V. *dire, montrer, offre, projet.*
PROPOSITION. f. V. *proposer, affirmer, grammaire.*
**Propre.** V. *individu, capable, distinct, juste, net.*
PROPRETÉ, f. V. *nettoyer.*
PROPRIÉTAIRE, m. V. *propriété.*

---

**Immédiat.** — Bientôt. Sur-le-champ. — Tout chaud tout bouillant. — En un clin d'œil. — Tout à coup — Sans délai. — Dare-dare. — Au dépourvu. — Tout de go. — *Illico.* — Immédiatement. — A l'improviste. — Incessamment. — Incontinent. — Inopinément. — A l'instant, instantané, instantanéité. — A la minute. — En moins de rien. — Sans retard. — Tout de suite. — SUBIT. Soudain, soudaineté. — Séance tenante. — Tôt. — Aussitôt. — En un tournemain.

### PRONONCER

**Eléments de la prononciation.** — Sons. Voyelles. Consonnes. — Son labial, guttural, dental, chuintant, sifflant, palatal, liquide, nasal. — Son mouillé, aigu, grave, ouvert, fermé. — Accents. — Hiatus. Liaison. Pause. — Quantité. Prosodie, prosodique.

**Manières de prononcer.** — Articuler, articulation. Détacher les syllabes. — Parler distinctement. Appuyer sur les mots. Faire sonner. Soutenir la voix. — Prononcer, prononciation. Prononcer du gosier. VOIX de gorge. — TON. Parler bas. Voix grave. Parler haut. Voix de tête. — Dire, diction. Proférer des paroles. Enoncer, énonciation. — Accentuer, accent, accentuation. — Scander. Arsis. Thésis. — Lier. Aspirer, aspiration. — Mots homonymes, homophones. — Vociférer. — Déclamer. Débiter. Psalmodier. — Murmurer. Chuchoter. — Ventriloque.

**Défauts.** — Bredouiller, bredouillement. Balbutier, balbutiement. Bafouiller, bafouillage. — Anonner, ânonnement. Baragouiner, baragouinage. — Hésiter, hésitation. Bégayer, bégaiement. Psellisme. — Grasseyer, grasseyement. Bléser. Parler gras. Graillonner. — Parler entre les dents. Mâchonner, manger ses mots. — Nasiller, nasillement. — Zézayer, zézaiement. — Voix rauque, empâtée, enrouée. Extinction de voix. — Parole traînante. Chevroter, chevrotement. — Lapsus. Fourcher. — Labdacisme. Rotacisme. Rouler les *r*. — Cuir. Velours. Pataquès.

### PROPORTION

**En mathématiques.** — Proportion. Termes. Extrême. Moyen. — Echelle de proportion. Echelle géométrique. — Proportion ordonnée (faite de plusieurs autres). Pro-

portion mixte. Proportion réciproque. — Parties proportionnelles. Moyenne proportionnelle. — Règle de trois. Règle de société. — Progression arithmétique (par différence). Gnomons. Progression géométrique (par quotient). — Raison. Raison directe. Raison inverse.

Rapport. Antécédent. Conséquent.

**Rapports réglés.** — Proportion, proportionner. Bien ou mal proportionné. — Garder, observer la proportion. Disproportion. — A proportion de. A la mesure de. Au pied de. Au prorata. — Proportionnalité. Proportionnellement. Quote-part. Représentation proportionnelle. — Relation. Relativité, relatif. — Comparaison, comparer, comparatif. — Répondre. Correspondre, correspondance.

Accord. Convenance. Harmonie. Equilibre. Symétrie. Parité.

### PROPOSER

**Soumettre à la délibération.** — Proposer, proposition. Formuler, libeller une proposition. Contre-proposition. — Projet de loi. Proposition de loi. Projet de résolution. Bill. Motion. — Initiative parlementaire. — Mettre en discussion. Exposé d'un sujet. — Présenter un avis, une objection. — Problème. Théorème.

**Soumettre à l'arrangement.** — Faire des propositions. Faire des avances. Faire des OFFRES. — Engager des pourparlers. Faire une ouverture. Négocier, négociation, négociateur. — Proposer, proposable. Offrir. Soumettre à l'agrément. — Projet de règlement. Devis. Soumission, soumissionner, soumissionnaire. Cahier des charges.

### PROPRE

**Particulier à.** — Propre, propriété. Approprier, appropriation. — Appartenir à. Etre le propre, le partage, le lot, le fait de. — Se rapporter à. Regarder. Concerner. Intéresser. Pertinent. — Qualité propre. Propriété d'un corps. Vertu. Virtuel. Spécifique. — Particulier. Spécial. Local. Particularité. Couleur locale. — Termes propres. A proprement parler. Propriété de l'expression. — Attribué à. Attributif. Consacré. Sacramentel. — Afférer. Incomber à. Etre l'affaire de. — Langue nationale. Idiome. Idiotisme. — Technique. Technologie.

**Propriété, f.** V. *possession, maison, terre, habiter, pouvoir, style.*

PROPULSEUR, m. V. *armes.*

PROPULSION, f. V. *pousser, mouvement.*

PROPYLÉES, m. p. V. *architecture.*

PRORATA, m. V. *partage.*

PROROGATION, f. Proroger. V. *délai, attendre, loin.*

PROSAÏQUE. V. *simple, style.*

PROSATEUR, m. V. *littérature.*

PROSCRIPTION, f. V. *proscrire.*

**Proscrire.** V. *bannir, chasser, prohiber.*

PROSCRIT, m. V. *bannir.*

PROSE, f. V. *langage, hymne.*

PROSECTEUR, m. V. *anatomie.*

PROSÉLYTE, m. Prosélytisme, m. V. *partisan, secte, religion, zèle.*

PROSERPINE, f. V. *Cérès, enfer.*

PROSODIE, f. V. *poésie, quantité.*

PROSOPOPÉE, f. V. *rhétorique.*

PROSPECTEUR, m. V. *mine.*

PROSPECTUS, m. V. *commerce, public.*

PROSPÈRE. Prospérer. V. *bonheur, succès, vogue.*

PROSTATE, f. V. *vessie.*

PROSTERNATION, f. V. *prosterner (se).*

**Prosterner (se).** V. *saluer, respect, humilité.*

PROSTITUER, f. V. *prostitution.*

---

**Individuel.** — Nature propre, intime. Idiosyncrasie. Le moi. — INDIVIDU, individuel, individualisme. Personne, personnel, personnalité. — CARACTÈRE. Essence. Attribut. — Caractéristique. Essentiel. DISTINCT. Distinctif. Respectif. — Original, originalité. Singulier, singularité. — Le particulier. Le privé. Vie privée. — Egoïsme, égoïste. Amour-propre. Soi-même. — Spontanéité. Spontanément. *Motu proprio.* — Désigner à part, nommément. Spécifier.

**Apte.** — Disposition naturelle. Don. Aptitude. Vocation. — Etre fait pour, né pour. Etre destiné à. — Compétence, compétent. Idoine. Capacité, capable. — Etre adéquat. S'adapter, adaptation. — Convenir, convenable. Qui SIED. Qui va bien. — Servir à. Etre propre à. — Impropre. Propre à rien.

### PROPRIÉTÉ

**La propriété.** — Propriété. Copropriété. Indivision. — Le mien. Le tien. Le sien. Chacun le sien. Propriété mobilière, immobilière, foncière, industrielle, commerciale, littéraire, artistique. — Avoir. Fortune. Richesse. — Possessions. Biens propres. Biens antiphernaux, paraphernaux. — Patrimoine. Bien de famille. Héritage. Acquêts. Acquisitions. — Cadastre. Recensement. Rôle.

Acquisition. Modes dérivés. Modes originaires. — Accession. Allusion. — Occupation. Invention. Prescription extinctive, acquisitive. — Revendication. Possession. Actions possessoires, pétitoires. Pétition d'hérédité. Publicienne. — Droit réel. Usufruit. Nue-propriété. Toute-propriété. Servitude. Superficie. Usage — Inaliénabilité. Insaisissabilité. Propriété démembrée. — Domaine direct, éminent, utile. — Fruits, produits. — Certificat de propriété.

**Propriété immobilière.** — Biens. Biens fonds. Chevance. — Biens paternels. Biens maternels. — Biens communaux. Biens de mainmorte. *Latifundia.* — Terres. Champs. Morceau, pièce de terre. Parcelle. Fonds. Tréfonds. — Immeubles. MAISON. Ferme. Métairie. — Domaine, domanial.

Apanage. Fief. Alleu. Majorat.

**Propriété mobilière.** — Biens meubles. — Valeurs mobilières. Billets. Actions. Obligations. Titres. Valeurs nominatives, au porteur. — Or. Argent. Monnaie. — Economies. Epargne. Pécule. — Capital. Magot. Sac. — Revenus. RENTES. Loyers. Fermages. Béné-

fices. — Trousseau. Bagage. Effets. Hardes. Affaires. Défroque. Saint frusquin. — Meubles. Mobilier. — Œuvres d'art. Bijoux. Pierres précieuses.

**Modifications à la propriété.** — Vendre, vente. Adjudication. Licitation. — Hypothéquer, hypothèque. Grever d'hypothèque. — Mobiliser. Immobiliser. Séquestrer, séquestre. — Partager, partage. Morceler, morcellement. — Aliéner, aliénation, aliénable. Mutation. — Réaliser, réalisation. Se défaire de. — Laisser en héritage.

**Possédants.** — Propriétaire. Propriétaire terrien. Propriétaire foncier, tréfoncier. Copropriétaire. — Possesseur. Seigneur et maître. — Acquéreur. Adjudicataire. — Apanagiste. Héritier. Légataire. Usufruitier.

Avoir à soi. Posséder. — Avoir pignon sur rue. — S'agrandir. S'étendre. — S'enrichir. Augmenter ses revenus.

### PROSCRIRE

**Proscription politique.** — Proscrire, proscripteur, proscrit. Listes de proscription. — Bannir, bannissement. Exiler, exil. Expulser, expulsion. — Mettre hors la loi. Interdire le feu et l'eau. — Vouer à la mort. Mettre la tête à prix. Traquer. — Régime de terreur. Terreur rouge. Terreur blanche. — Terroriste.

**Proscription morale.** — Blâmer, BLÂME. Condamnation, condamner. — Réprouver. — Chasser. Rejeter. — Prohiber absolument. Interdire. Défendre. — Abolir. Détruire. — Anathème, anathématiser. Excommunier, excommunication.

### PROSTERNER (SE)

**Attitudes.** — Se prosterner, prosternement, prosternation. — Se courber. S'incliner. — Fléchir les genoux. Génuflexion. Faire des révérences, des salamalecs. — S'agenouiller. Se mettre à genoux. — Se jeter, tomber aux genoux, aux pieds. — Embrasser les genoux. Baiser la terre, les pieds. — Se jeter à plat ventre, la face contre terre. Ramper aux pieds.

**Sentiments.** — Adorer, adoration. Rendre hommage. Respect. — Implorer, imploration. Supplier, supplication. Demander grâce. — S'humilier, humiliation. HUMILITÉ. Servilité. — Pénitence. Repentir.

---

**Prostitution,** f. V. *débauche.*
PROSTRATION, f. V. *abattement, paralysie.*
PROTAGONISTE, m. V. *théâtre.*
PROTASE, f. V. *rhétorique.*
PROTE, m. V. *imprimerie.*
PROTECTEUR, m. V. *protéger, bienfait, faveur, tuteur.*
PROTECTION, f. V. *protéger, obstacle, abri, recommander, commerce.*
PROTECTIONNISME, m. Protectionniste, m. V. *protéger, commerce.*
PROTECTORAT, m. V. *colonie.*
PROTÉE, m. V. *changer.*
**Protéger.** V. *couvrir, défendre, intervenir, garant.*

**Protestant,** m. V. *religion.*
PROTESTANTISME, m. V. *protestant.*
PROTESTATION, f. Protester. V. *affirmer, réclamer, objection, récriminer, promesse.*
PROTÊT, m. V. *billet.*
PROTHÈSE, f. V. *chirurgie, dent.*
PROTOCOLE, m. V. *diplomatie, cérémonie, convention.*
PROTONOTAIRE, m. V. *pape.*
PROTOTYPE, m. V. *premier, modèle.*
**Protozoaire,** m. V. *infusoire.*
PROTUBÉRANCE, f. V. *bosse, saillie.*

PROUE, f. V. *bateau, navire.*
PROUESSE, f. V. *chevalerie, brave.*
PROUVER. V. *preuve, persuader, certitude.*
PROVÉDITEUR, m. V. *Venise.*
PROVENANCE, f. V. *origine.*
PROVENDE, f. V. *fourrage.*
PROVENIR. V. *origine, effet.*
PROVERBE, m. V. *maxime, Bible.*
**Providence,** f. V. *Dieu, protéger, bonheur.*
PROVIDENTIEL. V. *providence.*
PROVIGNER. Provin. m. V. *planter, rejeton, vigne.*
**Province,** f. V. *pays, moine.*
PROVINCIAL. V. *province.*

## PROSTITUTION

**Etat.** — Débauche. Dévergondage. Impudicité. Mauvaise vie. — Se prostituer. Prostitution. Stupre. — Excitation à la débauche. Proxénétisme. Prostituer. — Galanterie. Demi-monde. — Pornographie.
Vagabondage spécial. Excitation de mineur à la débauche. Traite des blanches. Délit.

**Gens.** — Prostituée. Fille publique. Fille de joie. Fille. Fille perdue. — Putain. Catin. Drôlesse. — Courtisane. Hétaïre. Demi-mondaine. Pécheresse. — Femme galante. Cocotte. Poule.
Entremetteur, entremetteuse. Proxénète. Maquereau, maquerelle. Souteneur.

**Lieux.** — Maison de prostitution. Maison de tolérance. Lupanar. Bordel. — Mauvais lieu. Maison de rendez-vous. Maison de passe. Faire le trottoir.

## PROTÉGER

**Défendre.** — Protéger, protection, protecteur. — Protectorat. Protectionnisme, protectionniste. — DÉFENDRE, défense, défenseur. Sauvegarder. Garder, garde, gardien. Escorte. — Couvrir. Abriter, ABRI. Préserver, préservatif. — Veiller sur. Faire vigilance. Bon ange. Ange gardien. — Tuteur. Tutelle. Tutélaire. — Avocat. Patron. — Porte-respect. Chaperon. Duègne. — Sauf-conduit. Sauvegarde. — Talisman. Amulette. Gris-gris.

**Favoriser.** — Protéger, protecteur, protectrice. — S'intéresser à. Pousser. — Appuyer. Soutenir. Epauler. Donner un coup d'épaule. — Patronner. Recommander, recommandation. Se porter GARANT. — Faveur. Passe-droit. Piston. Apostille. — Bon génie. Saint patron. — Mécène. Aide. Encouragement. Subvention.

**Servir.** — Bienfaiteur. Bienfaitrice. Dame patronnesse. — S'employer pour. Intervenir, intervention. S'entremettre, entremise. Intercéder, intercession. — Secourir, secours. Aider. Rendre service. — Prendre soin de. Assister. Mettre le pied à l'étrier. — PROVIDENCE, providentiel.

## PROTESTANT

**Protestantisme.** — La Réforme. Réformation. Luther. Calvin. — Eglises protestantes. Religion protestante. La Religion. — Culte évangélique. Culte réformé. La Bible. — Saint-Barthélemy. Edit de Nantes. Révocation de l'édit de Nantes. Dragonnades.
Protestant. Huguenot. Parpaillot. Etre de la vache à Colas. — Hérétique. Hérésiarque.

**Sectes.** — Anglican. Conformiste, conformisme. — Luthérien, luthérianisme. — Calviniste, calvinisme. — Presbytérien, presbytérianisme. — Puritain, puritanisme. — Méthodiste. — Congrégationniste. — Morave. — Piétiste. — Quaker, etc.

**Organisation.** — Consistoire, consistorial. Covenant. Synode. — Culte. Prêche. Le désert. — Pasteur. Ministre. Prédicant.

## PROTOZOAIRE

**Caractères.** — Cellule. Cil. Flagellum. Fouet. Vacuole.

**Protozoaires.** — Rhizopodes. Sporozoaires. Flagellés. Ciliés. Acinétiens. — Amibe. Grégarine. Hématozoaire. Trypanozome. Opaline.

## PROVIDENCE

**Divine.** — Dieu. Le Ciel. La Providence, providentiel. — Prescience divine. Voies de la Providence. Œil de Dieu. Doigt de Dieu. Garde de Dieu. Grâce de Dieu. — Dispenser les biens et les maux.

**Humaine.** — Bienfaisance, bienfaiteur. Protéger. Préserver. Garantir. Veiller sur. Prévoyance. Intervention providentielle.

## PROVINCE

**Termes actuels.** — Département, départemental. Préfecture. — Arrondissement. Sous-préfecture. Circonscription. Canton. — Ville. Bourg. Bourgade. — Région, régional. Cercle. District. — Diocèse.

**Termes anciens.** — Province. Généralité. — Principauté. Duché. Comté. Marche. — Gouvernement. Intendance. Bailliage.

# PUA 475

PROVINCIAL, m. V. *jésuite.*
PROVISEUR, m. V. *école, chef.*
**Provision,** f. V. *abondance, garder, manger, amas.*
PROVISIONNEL. V. *procédure.*
PROVISOIRE. V. *attendre.*
PROVOCATEUR, m. V. *cause.*
PROVOCATION, f. Provoquer. V. *attaque, dispute, exciter, appel.*
PROXÉNÈTE, m. V. *prostitution.*
PROXIMITÉ, f. V. *près.*
PRUDE. V. *chaste, modeste, affectation.*
**Prudence,** f. V. *attention, sage, défiance, habile.*
PRUDENT. V. *prudence.*

PRUDERIE, f. V. *vertu, hypocrite.*
PRUD'HOMME, m. V. *sage, magistrat.*
PRUDHOMMESQUE. V. *grave.*
**Prune,** f. V. *fruit, couleur.*
PRUNEAU, m. V. *prune.*
PRUNELLE, f. V. *prune, œil.*
PRURIT, m. V. *piquer, peau.*
PSALLETTE, f. V. *chant.*
PSALMISTE, m. V. *psaume.*
PSALMODIE, f. Psalmodier. V. *psaume, parler, liturgie.*
PSALTÉRION, m. V. *instruments de musique*
**Psaume,** m. V. *hymne, Bible, liturgie.*
PSAUTIER, m. V. *liturgie.*

PSEUDONYME, m. V. *signature, faux.*
PSITTACISME, m. V. *répétition.*
PSITTACOSE, f. V. *perroquet.*
PSYCHAGOGIE, f. V. *esprit.*
PSYCHANALYSE, f. V. *penchant.*
PSYCHÉ, m. V. *miroir.*
PSYCHIATRE, m. V. *médecine, folie.*
PSYCHIQUE. V. *esprit.*
PSYCHOLOGIE, f. Psychologue, m. V. *esprit, philosophie.*
PTOSE, f. V. *tomber.*
PTYALINE, f. V. *salive.*
**Puant.** V. *odeur, dégoût.*
PUANTEUR, f. V. *puant.*

**Relatif à la province.** — La province, provincial. Esprit de province. Esprit de clocher. Mœurs provinciales. — Provincialisme. Dialecte. Accent provincial. — Privilèges. Régionalisme.
Province (religieuse). Père provincial. Provincialat.

## PROVISION

**Provisions.** — Aliments. Produits alimentaires. Denrées. Vivres. VIANDE. Comestibles. Victuailles. — Provende. Pitance.
Subsistances militaires. Convoi de vivres. — Matériel. Munitions. — Fournitures. — BAGAGES. — Fourrage.
Lettre de change. Traite. Chèque. Tirage en l'air. Complaisance. — Jugement exécutoire par provision. Créance provisionnelle. Provision allouée par jugement. — Office.

**Approvisionner.** — Amasser, amonceler des provisions. Faire des provisions. S'approvisionner. — Emmagasiner. Entreposer. Stocker. — Ravitailler, ravitaillement. — Mettre en cave. Engranger. Ensiler. — Avoir en magasin. — Approvisionnement. Réserve. Stock.

**Approvisionneurs.** — Officier de bouche. Maître d'hôtel. Econome. Intendant. Pourvoyeur. Fourrier. — Fournisseur. Vivandier. — Cambusier. Cantinier. Dépensier. Sommelier. Cellerier.
Cambuse. Cantine. Dépense. — Office. Garde-manger. Crédence. — Grenier. Cave. Soute. Frigorifique.

**Provision pécuniaire.** — Dépôt. Lettre de change. Traite. Chèque. — Provision de procédure. Créance provisionnelle. Provision allouée par jugement.

## PRUDENCE

**Prudence de caractère.** — Prudent. Avisé. Circonspect, circonspection. Réfléchi, réflexion. — SAGE, sagesse. Prud'homme, prud'homie. Prévoyant, prévoyance. Prévision. — Vigilant, vigilance. Attentif, attention. — Posé. CALME. Mesuré, mesure. — Méticuleux. Minutieux, minutie. Compassé. Agir par règle et compas. — Défiant, DÉFIANCE. Hésitant, Timide. Timoré.

Prendre garde. Se tenir sur ses gardes. Prendre ses PRÉCAUTIONS, ses sûretés. Précautionneux. — Temporiser, temporisation. Prendre son temps. Calculer ses démarches. — Tâtonner. Aller lentement. — Essayer. Eprouver.

**Prudence en paroles.** — Prudent. Politique. — Patelin. Cauteleux. — Calculer, peser ses paroles. Veiller sur ses paroles. Mesurer la portée de ses paroles. — Tourner sa langue dans sa bouche avant de parler. — Ménager ses expressions. Répondre en Normand. — Discret, discrétion. Réservé, réserve. Réticent.

## PRUNE

**Qui concerne la prune.** — Prunier. Prunellier. Prunelaie. Prunacé. — Peau. Noyau. Prunine (gomme). Pruine (enduit coloré).
Confiture. Prunelée. Marmelade. — Pruneau. Moyeu (prune confite). — Eau-de-vie de prunes. — Diaprun (médicament).

**Espèces de prunes.** — Prune. Prunelle. Mirabelle. Quetsche. Perdrigon. Reine-Claude. Prune-pêche. Prune d'Agen. — Bleue de Belgique. Précoce. Gloire d'Epinay. Sainte-Catherine. Goutte-d'or. Decaisne, etc.

## PSAUME
(grec, *psalmos*)

**Principaux psaumes.** — Les 7 psaumes de la Pénitence ou Pénitentiaux. Les Graduels. Les 150 psaumes de la Bible. Psaumes anépigraphes (sans titre). — *Alleluia. Miserere. De profundis. Magnificat.* — Macarisme (psaumes commençant par *beatus*).

**Chant des psaumes.** — Chant psalmodique. Psaume. Cantique. Motet. — Verset. Versiculet. Médiante. Doxologie ou *Gloria patri.* — Psalmodier, psalmodie. Annoncer. Versiller. — Le Psalmiste (David). Psaltérion (harpe). — Psautier (recueil).

## PUANT
(latin, *fetidus*)

**Puer.** — Sentir mauvais. Sentir fort. Sentir le gousset. — Empester. Empoisonner. Empuantir. Infecter. — Prendre au nez, à la gorge. Suffoquer.

PUBÈRE. Puberté, f. V. *âge, jeune, sexe.*

PUBESCENT. V. *poil.*

**Public.** V. *commun, peuple, société.*

PUBLICAIN, m. V. *impôt.*

PUBLICATION, f. V. *livre, apparaître, avertir.*

PUBLICISTE, m. V. *littérature, politique.*

PUBLICITÉ, f. V. *commerce, journal.*

PUBLIER. V. *public, imprimerie, transmettre.*

**Puce,** f. V. *insecte.*

PUCEAU, m. Pucelle, f. V. *jeune, vierge.*

PUCERON, m. V. *insecte.*

PUDDLAGE, m. Puddler. V. *acier, fonderie.*

PUDEUR, f. V. *chaste, modeste, honte.*

PUDIBOND. Pudibonderie, f. V. *affectation.*

PUDICITÉ, f. Pudique. V. *modeste, pur.*

PUDDING, m. V. *pâtisserie.*

PUER. V. *puant.*

PUÉRICULTURE, f. V. *enfant, nourrice.*

PUÉRIL. Puérilité, f. V. *enfant, vain.*

PUERPÉRAL. V. *fièvre.*

PUGILAT, m. Pugiliste, m. V. *combat.*

PUÎNÉ. V. *âge, suite.*

PUISARD, m. V. *fosse, creux.*

PUISATIER, m. V. *puits, source.*

PUISER. V. *puits, tirer.*

PUISSANCE, f. V. *pouvoir, force, ange.*

PUISSANT. V. *force, chef, important.*

**Puits,** m. V. *fontaine, souterrain, houille.*

PULLULEMENT, m. Pulluler. V. *multitude, augmenter.*

PULMONAIRE. V. *poumon.*

PULPATION, f. V. *broyer.*

PULPE, f. V. *bouillie, fruit.*

PULSATION, f. V. *mouvement, pouls, cœur, fièvre.*

PULTACÉ. V. *bouillie.*

---

**Choses puantes.** — Ail. Assa fœtida. — Emanation méphitique. Exhalaison pernicieuse. Miasme. Gaz. — Mofette. Mitte. Relent. Remugle. Air vicié. — Malebouche. Mauvaise haleine. — Charogne. Cadavre. Putréfaction. Pourriture. — Sueur fétide. Bromidrose. — Boule puante. Vapeur suffocante. Ammoniaque. — Cloaque. Egout. Fumier. — Ozène. Punais. — Pet. Vesse. Flatuosité.

**Caractères de la puanteur.** — Alliacé. Ammoniacal. Cadavérique. Fétide. Fade. Fort. Infect. Pestilentiel. Nidoreux. Putride. Suffocant. Rance. Vireux.

Mauvaise odeur. Dysodie. Empyreume. Fétidité. Gravéolence. Hircosité. Infection. Méphitisme. Pestilence. Punaisie. Putridité. Suffocation.

## PUBLIC et PUBLIER

**Faire connaître.** — Annoncer, annonce. Faire savoir. Avertir, avertissement. Aviser, avis. — Déclarer, déclaration. Proclamer, proclamation. Crier sur les toits. — Exposer. MONTRER. Faire voir. DIRE. — Propager, propagation. Vulgariser, vulgarisation. Répandre. — Dénoncer, dénonciation. Dévoiler. Révéler. Découvrir. Mettre au grand jour. — Ebruiter. Faire courir un bruit. Divulguer, divulgation.

**Etre public.** — Se répandre. Transpirer. S'éventer. S'éventer. — Bruit qui court. Secret de la comédie. Secret de polichinelle. Etre la fable de. Les on-dit. — Généralement répandu. Connu comme le loup blanc. Notoire, notoriété. — Rebattu. Ressassé. Banal, banalité. — Retentissant. Célèbre, célébrité. Fameux. Renommé, renommée. Cité partout, en tous lieux. — Ostensible. Patent. Visible. Ouvert. — Public. Commun. Collectif. Populaire. — Opinion publique. — Nouvelle officielle.

**Publication.** — Publier à son de trompe. Tambouriner. Trompeter. Ban. Héraut. — Crier, criée, crieur. — Publier. Promulguer. Décréter. Mettre à l'*Officiel.* — Arrêté. Décret. Avis au public. — Faire paraître, parution. Editer, édition, éditeur. Colporter, col-

porteur. — Publications. Livres. Journaux. Publiciste. Journaliste. Radiodiffusion.

**Publicité.** — Agence, agent de publicité. Lancer une affaire, un produit. Lancement. — Préconiser. Vanter. Célébrer. — Faire une démonstration. Démonstrateur. Boniment. Camelot. — Battre la grosse caisse. Charlatan. — Affiche, afficher, affichage. Placard. Pancarte. — Exposition, exposer. Catalogue. Prospectus. — Réclame Annonces. — Obséder, obsession

**Le public.** — Tout le monde. Les gens. La foule. La MULTITUDE. Le PEUPLE. — Passant. Badaud. Homme de la rue. — Spectateurs. Auditeurs. Lecteurs. — Les témoins. La galerie. Le tapis. — Le monde. La société. — Ministère public.

**Agir en public.** — Faire en public, au grand jour, à découvert, à la face du ciel, en face de tous. — Ne pas se cacher. Vivre dans une maison de verre.

SCANDALE. Conduite scandaleuse. Esclandre. — Eclat. Fracas. Bruit. — Donner en spectacle. Cérémonie. Fête solennelle. Solennité. — Vie publique. Parler en public. Manifester, manifestation. Appel au peuple. — Mettre en vente. Mettre à l'encan. — Emettre un emprunt, émission.

## PUCE et PUNAISE

**Les insectes.** — Vermine. PARASITE. — Puce. Puce pénétrante. Chique. Puce d'eau. — Punaise. Bardane. Punaise de lit, de bois, de jardin.

**Ce qui les concerne.** — Piquer, piqûre. Mordre, morsure. — Etre mangé de puces. Eruption pulicaire. — Epucer. Chercher, tuer les puces. — Désinfecter. Fumiger. Lessiver. — Insecticide. Poudre de pyrèthre.

## PUITS

**Puits d'exploitation.** — Puits artésien. Forage, forer. Sonde. Trépan. Tubage. — Puits de pétrole. Derrick. Elargisseur. — Puits de mine. Cuvelage, cuveler. Puits d'extraction, de descente, d'aérage. — Puits de carrière. — Puisard.

PULVÉRISATEUR, m. V. *vigne.*
PULVÉRISATION, f. V. *vapeur, goutte, poussière.*
PULVÉRULENCE, f. Pulvérulent. V. *poudre, poussière.*
PUMA, m. V. *lion.*
PUNAIS. V. *puant, nez.*
PUNAISE, f. V. *puce.*
PUNCH, m. V. *liqueur.*

PUNIR. Punissable. Punisseur. V. *punition.*
**Punition,** f. V. *corriger, peine, supplice, venger.*
PUPILLE. V. *enfant, œil.*
PUPITRE, m. V. *bureau, soutenir.*
**Pur.** V. *net, distinct, innocent, chaste.*

PURÉE, f. V. *bouillie, mets.*
PURETÉ, f. V. *pur.*
PURGATIF. V. *purger, médicament.*
PURGATION, f. V. *purger, intestins, excrément.*
PURGATOIRE, m. V. *enfer, pur.*
PURGE, f. V. *médicament, hypothèque.*

---

**Puits domestique.** — Nappe d'eau. Source. — Puisatier. Creuser. Maçonner. — Réparer un puits. Nettoyer. Curer, curage, curure. — Puits à roue, à poulie, à bras. — Puiser. Tirer de l'eau. Pompe. Treuil. Corde. Chaîne. Margelle. Seau. — Donner. Se tarir. Etre à sec.

Citerne. Réservoir.

## PUNITION

**Infliger une punition.** — Punir, punition, punisseur. Réprimer, répression, répressif. Châtier, châtiment. — Discipline. Conseil de discipline. Admonester, admonition. Commination. Coercition. — Frapper d'une peine. Edicter, imposer une peine. Appliquer une peine. Peine du talion. — Faire un exemple. Mater. Dompter. Réduire. — Sévérité, sévère. Rigueur, rigoureux. Justice distributive. — Tirer vengeance. VENGER. Vindicte. — Sévir. Sanctions.

Pénalité. Code pénal. Glaive de la loi. Sanctions légales. — Faire justice. Justicier. Juge. Jury. — Requérir une peine. Réquisitoire. — Jugement. Sentence. Verdict. Procès-verbal. — Condamner, condamnation. Condamnation à perpétuité, à temps.

**Subir une peine.** — Encourir, mériter une peine. — Etre sous le coup de. Justiciable. Passible. Punissable. — Subir sa peine. Faire sa peine. Recevoir un châtiment. — Patient. Condamné. — Expier, expiation. Chose expiatoire, piaculaire. Réparer, réparation. Satisfaire à la justice. — Prix d'une faute. Payer sa faute. Payer les pots cassés. — Faire amende honorable. — Récidiviste. Repris de justice.

**Sanctions.** — Peine pécuniaire. Amende. Dommages et intérêts. Dépens. Confiscation. — Peine disciplinaire. Arrêts. Salle de police. Consigne. Retenue. Piquet. Pensum. Suspendre d'une fonction. Suspension. Mettre à pied, mise à pied. — BLÂME public. Censure, censurer. Flétrissure, flétrir. Dégradation, dégrader. — Stigmatiser. Peine infamante, ignominieuse. — Frapper d'interdit. Interdiction. — Anathème. Excommunication. Mise à l'index. — Admonester. Morigéner.

**Peines corporelles.** — Corriger, correction. Gifler, gifle. Fesser, fessée. Souffleter, soufflet. Tirer les oreilles. Donner sur les doigts.

BATTRE. Fouetter, FOUET. Flageller, flagellation. Bâtonner, bâtonnade. Passer par les baguettes. Schlague. Cravacher, cravache. — Coup de fouet, de corde, de plat de sabre, de courbache, de garcette, de trique, etc.

Mutiler. Enerver. Essoriller. Couper le nez. Crever les yeux. — Enchaîner. Mettre aux fers. Boulet. — Torturer, TORTURE. Mettre à la question. Tenailler. — Pilori. Carcan. Cangue. — Berner. Passer à tabac.

**Peines afflictives.** — Peine de mort. Peine capitale. Supplice. — Décapiter, décapitation. Guillotiner, guillotine. — Echafaud. Bois de justice. Bourreau. — Fusiller. Piquet d'exécution. — Pendre, pendaison. Potence. gibet. — Strangulation. Garrotter. Garrot. Lacet. Ecarteler. Rouer. Traîner sur la claie. Estrapade. — Décimer, décimation. — Faire boire la ciguë.

Travaux forcés. Bagne. Galères. Déportation. Relégation. — Pénitencier. Régime pénitentiaire. Forçat. Marquer au fer rouge. — Incarcérer, incarcération. Emprisonner, emprisonnement. Interner, internement. — PRISON. Détention. Réclusion. Cachot. Mort civile. — Mettre hors la loi. Exil. Bannissement. Ostracisme. Proscription.

**Modification des peines.** — Amnistie. Remise de peine. — Lever une peine. Revision de jugement. Réhabiliter, réhabilitation. — Casser un jugement. Lever une peine. — Libérer, libération. Elargir. — Commuer une peine, commutation. Adoucir une peine. — Donner le minimum. — Déclarer irresponsable, irresponsabilité. — Echapper à une peine. Impunité.

## PUR

**Pureté physique.** — Sans mélange. Naturel. Natif. Nu. NET. — Sans tache. Immaculé. — Immarcescible. Essence, essentiel. Ether, éthéré. — Clair. TRANSPARENT. Limpide. Cristallin. De belle eau. — Fin. Pur. Epuré. Raffiné. Sans mélange.

**Pureté intellectuelle.** — Idéal. Surhumain. Surnaturel. — Pur esprit. Immatériel. — Bon esprit. Juste, justesse. — FRANC, franchise. Droit droiture. Sincère, sincérité. — Serein, sérénité. Calme. Tranquille. — Simple, simplicité. Ingénu, ingénuité. — Ame blanche. Candide, candeur. Naïf, naïveté. Innocent, innocence. — Raffiné, raffinement. Puriste, purisme.

**Pureté morale.** — Ange, angélique. Chérubin. Agneau sans tache. — Innocent, innocence. Irréprochable. Impeccable. — Intègre,

**Purger.** V. *pur, dégager.*
PURGEUR, m. V. *pus, purger.*
PURIFICATION, f. Purifier. V. *pur, nettoyer.*
PURIN, m. V. *fumier.*
PURISME, m. Puriste, m. V. *langage, grammaire, exact, affectation.*
PURITAIN, m. V. *protestant, affectation.*
PURITANISME, m. V. *secte.*
PURPURIN. V. *rouge.*
PURPURINE, f. V. *corail.*
PURULENCE, f. Purulent. V. *pus, ulcère.*

**Pus**, m. V. *humeur, ordure.*
PUSILLANIME. Pusillanimité, f. V. *lâche, faible.*
PUSTULE, f. V. *pus, bouton.*
PUTAIN, f. V. *prostitution.*
PUTATIF. V. *supposer, probable, père.*
PUTOIS, m. V. *fouine.*
PUTRÉFACTION, f. V. *puant, gâter.*
PUTRÉFAIT. Putréfier. Putride. V. *gâter.*
PUY, m. V. *montagne.*
PYGARGUE, m. V. *aigle.*
PYGMÉE, m. V. *petit.*

PYLÔNE, m. V. *architecture, pyramide.*
PYLORE, m. V. *estomac.*
PYORRHÉE, f. V. *pus, dent.*
PYRALE, f. V. *vigne.*
PYRAMIDAL. V. *pyramide.*
**Pyramide,** f. V. *géométrie, pointe, Egypte.*
PYREXIE, f. V. *fièvre.*
PYRITE, f. V. *métal.*
PYROGRAVURE, f. V. *gravure.*
PYROMÈTRE, m. V. *thermomètre.*
PYROSCAPHE, m. V. *vapeur.*
PYROSIS, m. V. *convulsion.*

---

intégrité. Incorruptible. — Modeste, modestie. Pudique. Pudibond. Pudeur. — Vertueux, vertu. CHASTE, chasteté. Vierge, virginal, virginité. Fleur d'oranger. — Puritain, puritanisme. Austère, austérité.

**Epuration.** — Epurer, épuratif, épuratoire, épurateur. — Filtrer, filtre, filtration. Décanter, décantation. Déféquer, défécation. — Clarifier, clarification. Coller du vin, collage.

Clairçage du sucre. Purger, purgeur, purgerie. — Passer au crible, au tamis. Ecumer, écumoire.

Affiner, affinage, affineur. Décaper, décapage. Coupeller, coupelle. Passer au creuset. Départ (de métaux). — Raffiner, raffinage, raffineur. — Rectifier des alcools.

Apurer un compte, apurement. — Expurger.

**Purification.** — Laver, lavage. Ablution. Lessiver, lessive. — Purifier. Déterger. Monder. Nettoyer, nettoyage. — Dépurer, dépuration. Dépuratif. Détersif. Purgatif. — Assainir, assainissement. — Fumiger, fumigation, fumigatoire. — Désinfecter, désinfection, désinfectant.

Antiseptiques : Phénol. Chlore. Lysol. Formol. Eucalyptol, etc.

Purification religieuse. Lustration, eau lustrale. Probation (temps d'épreuve). Pénitence. Purgatoire. Vie purgative.

### PURGER

**Action purgative.** — Purger, purgation. Faire aller à la selle. Curer (un faucon). — Débarrasser. Débonder. Décharger. Dégager. Désobstruer. Désopiler. Déterger. — Evacuer, évacuation. Expulser, expulsion. — Relâcher, relâchement. Laxatif. Solutif. — Dépuratif. Détersif. Diurétique.

Prendre médecine. Garder, rendre une médecine. — Purge. Médicament purgatif. Médecine de cheval. Lavement. Suppositoire. Pilule purgative. Eau purgative. Limonade purgative. Cure de raisins. — Monsieur Purgon.

**Purgatifs.** — *Evacuants simples.* Purgatifs salins. Sulfate de soude, de magnésie. Phosphate de soude. Sel de Seignette. Magnésie. Eaux minérales purgatives.

Purgatifs cathartiques. Séné. Rhubarbe. Huile de ricin. Cascara sagrada.

Purgatifs mécaniques. Graine de lin. Graine de moutarde. Huiles végétales.

Purgatifs sucrés. Manne. Tamarin. Casse. Miel.

*Dérivatifs* ou *Drastiques.* — Cholagogues. Aloës. Boldo. Podophyllin. — Hydragogues. Calomel. Jalap. Scammonée. Gomme-gutte. Coloquinte. Bryone. Huile de croton.

**Dégager.** — Purger (nettoyer). Purge (canal). Purgeur (robinet). — Purge légale. Purger une hypothèque. Purger une coutumace.

### PUS
(latin, *pus;* grec, *pyon*)

**Formation de pus.** — Pus phlegmoneux, caséeux, grumeleux, pneumococcique.

Ecoulement. Pyorrhée. Epanchement. Eruption. — Purulence. Sanie, sanieux. Suppuration. Exsudation. — Humeur. Bourbillon. Boues. Matières. — Sérum. Brides. Filaments. Hématies.

Microbes. Leucocytes. Lymphocites. Cellules conjonctives.

**Foyers purulents.** — Sécrétion de pus. Dépôt. Empyème. — Abcès. TUMEUR. Bourgeons. Clou. Furoncle. Phlegmon. Anthrax. Pustules. Ulcère.

Otorrhée. Pyocélie. Pyophtalmie. Pyélite. Pyothorax. Pyurie.

**Mouvements du pus.** — Mouvements pyiques. Pyogénie. Agent pyogène. — Mûrir, maturation. Crever. Aboutir. Se percer. Jeter. — Suppurer, suppuration. Pourrir, pourriture. Putréfaction.

**Soins.** — Faire aboutir. — Cautère. Vésicatoire. Cataplasme. — Séton. Tire-pus. Thermocautère. Bistouri. — Enucléation. Antisepsie. — Médicament hydrotique.

### PYRAMIDE

**En géométrie.** — Pyramide. Pyramidal. Pyramidoïde. — Pyramide tronquée.

**En Egypte.** — Pyramides de Giseh. — Obélisques. Monolithes. Pylônes.

**Pyrotechnie,** f. Pyrotechnique. V. *feu, poudre, illuminer.*

PYROXYLE, m. V. *coton, poudre.*

PYRRHIQUE, f. V. *danse.*

PYRRHONISME, m. V. *philosophie.*

PYTHAGORICIEN, m. Pythagorisme, m. V. *philosophie.*

PYTHIE, f. V. *Apollon.*

PYTHIQUE. V. *Apollon.*

PYTHON, m. V. *serpent.*

PYTHONISSE, f. V. *devin.*

PYURIE, f. V. *pus.*

## PYROTECHNIE

**Fabrication.** — Pyrotechnie, pyrotechnique. Artifice, artificier. — Ame de fusée. Amorce et Bonnetage. Baguette. Mèche. Etoupille. Cartouche et Garnissage. Chasse (charge). Verge. — Composition fusante. Pâtes lumineuses. Lycopode. — Carcasse. Chevalet ou Brin. Grille.

Colorants métalliques. Strontium (rouge). Magnésium (blanc). Baryum (vert), etc.

**Pièces.** — Ailes de moulin. — Artichaut. — Ballon. — Boîte à feu. — Bombe lumineuse. — Bouquet. — Cascade. — Chandelle romaine. — Chenille. — Comète. — Dard. — Cordes ou Lances. — Etoile. — Feu d'artifice. — Feu de Bengale. — Fusée. — Gerbe. — Girandole. — Gloire. — Jumelles. — Marron. — Nappe de feu. — Pétard. — Pot à feu. — Plongeon. — Pluie de feu. — Roue. — Saxon. — Serpenteau. — Soleil fixe ou tournant. Soleil d'eau. — Saucisson.

Fuser. Tourner. Vriller. Monter. Eclater. — Trajectoire.

# Q

QUADR. (radical). V. *quatre.*
QUADRAGÉNAIRE. V. *âge, quarante.*
QUADRAGÉSIME, f. V. *carême.*
QUADRANGULAIRE. V. *angle.*
QUADRANT, m. V. *cercle.*
QUADRATRICE, f. V. *courbe.*
QUADRATURE, f. V. *cercle, carré, géométrie.*
QUADRIENNAL. V. *quatre.*
QUADRIGE, m. V. *voiture.*
QUADRILATÈRE, m. V. *côté, angle.*
QUADRILLAGE, m. V. *carré, raie, papier.*
QUADRILLE, m. V. *danse.*
QUADRILLÉ. V. *raie.*

QUADRIRÈME, f. V. *quatre.*
QUADRUMANE. V. *singe.*
**Quadrupède,** m. V. *animal.*
QUADRUPLE. V. *quatre, multiple.*
QUADRUPLER. V. *augmenter.*
QUAI, m. V. *port, chemin de fer.*
QUAKER, m. V. *Amérique.*
QUALIFICATIF. Qualification, f. V. *qualifier.*
**Qualifier.** V. *attribuer, nom, grammaire.*
QUALITATIF. V. *qualifier.*
QUALITÉ, f. V. *qualifier, manière, mérite, droit, titre, noble.*

QUANTIÈME, m. V. *date, jour.*
QUANTITATIF. V. *quantité.*
**Quantité,** f. V. *nombre, mesure, poésie.*
QUARANTAINE, f. V. *quarante, attendre, port, épidémie.*
**Quarante.** V. *quatre.*
QUARANTIÈME. V. *quarante.*
QUARRE, f. V. *angle.*
QUART, m. V. *quatre, matelot, garde.*
QUARTATION, f. V. *argent.*
QUARTAUT, m. V. *tonneau.*
QUARTE, f. V. *quatre, escrime, cartes, musique.*
QUARTERON, m. V. *quatre, métis.*

## QUADRUPÈDE

**Principales espèces.** — Domestiques. BESTIAUX. Fauves. Herbivores. Carnassiers. Pachydermes. RUMINANTS. Rongeurs. Fouisseurs. Quadrumanes. Plantigrades. TARDIGRADES. Ongulés. Edentés. Bêtes puantes.

**Principaux types.** — Taureau. BŒUF. VACHE. VEAU. — Bison. Buffle. Aurochs. Zébu. — Yach. Lama. Alpaca.

CHEVAL. Jument. Poulain. — MULET. Mule. — Ane. Anesse. Zèbre. Hémione.

Bélier. MOUTON. Brebis. Agneau. — Bouc. CHÈVRE. Mouflon. Chamois.

Lion. Tigre. Jaguar. Panthère. Léopard. Guépard. Puma. Once. — Hyène. Crocotte. Loup. Lynx. Glouton. Chacal.

Chien. CHAT.

CERF. Biche. Faon. — Antilope. Gazelle. Daim. CHEVREUIL. Caribou. Renne. Orignal. Axis.

CHAMEAU. Dromadaire. Girafe.

Eléphant. Rhinocéros. Hippopotame. Ours. Porc. Truie. SANGLIER. Pécari. — Porcépic. HÉRISSON. Fourmilier. Tapir. Tatou.

RENARD. Martre. FOUINE. Putois. Blaireau. Belette. Furet. Fennec. Civette. Hermine.

Castor. RAT. Souris. Musaraigne. Chinchilla. — Ecureuil. Petit-gris. Marmotte.

Lièvre. LAPIN. Cobaye. Mulot. TAUPE.

SINGE. Orang-outan. Chimpanzé. Lemure.

## QUALIFIER et QUALITÉ

**Qualifier.** — Qualification, qualificatif. — Qualifié. Qualifiable. Inqualifiable.

Adjectif. Epithète. Apposition. Attribut, attribution, attributif. Prédicat.

Appeler, appellation. Nommer, nom. Dénommer, dénomination. — Terme PROPRE. Propriété de l'expression. — Terme figuré. Figure. — Terme concret. Terme abstrait. — Caractériser. Spécifier. Déterminer. — Traiter de. Tenir pour. Regarder comme. — Titre. Qualité. — Disqualifier.

**Qualité.** — Etre. Se comporter. Etat. Manière d'être. — Mode, modal. Modalité. — Qualité première. Qualité seconde. Qualitatif. — CARACTÈRE. Qualité bonne ou mauvaise. — DISPOSITION naturelle. NATURE. Tempérament. — Constitution. Façon. FORME. — Faculté. Don. — Spécialité. Particularité. Action. Vertu. Virtualité. — Modifier. CHANGER.

Quel. Lequel. Tel. Tel quel. Quelconque. — Comme. Comment.

## QUANTITÉ

**Qu'on peut augmenter ou diminuer.** — Quantité, quantitatif. — Quantité spécifique. Quantité abstraite. Quantité concrète. — Volume. Etendue. Masse. Force. Intensité. — Mesure en nombres. Chiffres. Commensurable. Incommensurable.

Durée des notes musicales. — Prosodie. Quantité des syllabes. Brèves. Longues.

Combien. Que. PLUS. MOINS.

**Nombre.** — Quotité. *Quantum.* — Somme, total. Différence. Multiplicande. Multiplicateur. Quotient. — Taux. Tant pour cent. — Cote. Tant. Quote-part. A raison de. Au prorata. — Contingent. Effectif. — Quantième.

Un certain nombre. Un grand nombre. Nombreux. Innombrable. — Quantité de. Beaucoup. Force. Moult. — Quelque. Peu. Un peu. — Toutes et Quantes fois.

**Mesure.** — Cuillerée. Poignée. Gorgée. Fournée. Potée. Assiettée. — Dimensions. Hauteur. Largeur. Longueur. Profondeur. — Superficie. Surface. Contenance. — Dose. Ration. PART. — Partie. Fraction. — Poids. DEGRÉ. Cheval-vapeur. Volt. Ampère, etc.

## QUARANTE

**Relatif à quarante.** — Quarante. Quarantième. Quarantaine. Quarantenaire. — Quadragésime. Quadragésimal. Quadragénaire. — Quarantin (drap). — Quarantie (tribunal vénitien).

QUARTIER, m. V. *quatre, trancher, fragment, ville, lune, armée, noble, rente.*
QUARTIER-MAÎTRE, m. V. *marine.*
QUARTO. V. *quatre.*
QUARTZ, m. V. *pierre.*
QUASI. V. *presque.*
QUASI, m. V. *veau, viande.*
QUASIMODO, f. V. *Pâques.*
QUATER. Quaterne. V. *quatre.*
QUATORZE. V. *quatre.*
QUATRAIN, m. V. *poésie.*
**Quatre.**
QUATRE-TEMPS, m. V. *maigre.*
QUATRE-VINGTS. V. *quatre.*
QUATRIÈME. V. *quatre.*
QUATUOR, m. V. *musique.*
QUEL. V. *qualifier.*
QUELQUE. V. *indécis, quantité.*

QUÉMANDER. V. *demande, aumône.*
QUÉMANDEUR, m. V. *indiscret.*
QUENELLE, f. V. *mets.*
QUENOUILLE, f. V. *rouet, fil, arbre.*
QUERCITRON, m. V. *chêne.*
QUERELLE, f. V. *dispute, attaque, colère, injure.*
QUERELLER. Querelleur, m. V. *colère, dispute.*
QUÉRIR. V. *chercher.*
QUESTEUR, m. V. *magistrat.*
**Question,** f. V. *interroger, chercher, torture.*
QUESTIONNAIRE, m. V. *interroger.*
QUESTIONNER. Questionneur, m. V. *question, renseignement, indiscret.*
QUÊTE, f. Quêter. V. *charité, chasse, demande, chercher.*

QUÊTEUSE, f. V. *recevoir.*
QUETSCH, f. V. *prune.*
**Queue,** f. V. *extrême, arrière, chemise, chien, poisson, billard, théâtre, tonneau.*
QUEUTER. V. *billard.*
QUEUX, m. V. *cuisine.*
QUIDAM, m. V. *individu.*
QUIÉTUDE, f. V. *repos, calme, patience.*
QUIGNON, m. V. *pain.*
**Quille,** f. V. *boule, bateau.*
QUILLER. V. *quille.*
QUINAIRE. V. *cinq.*
QUINAUD. V. *honte.*
QUINCAILLERIE, f. Quincaillier, m. V. *serrure, fer, cuivre.*
QUINCONCE, m. V. *arbre, jardin.*
QUINE, m. V. *loterie.*
QUININE, f. V. *quinquina.*

## QUATRE
(latin, *quatuor;* grec, *tettares*)

**Idée de quatre.** — Quatre. Quatrième. — Quatre-temps. Quatre-mâts. — Quatrain. Quaterne. Quaternaire. Quatuor. Quartidi. — Carré. Partie carrée. Ecarteler. — Olympiade (4 ans). — La quarte. — Fièvre quarte. — Quartanier (sanglier de 4 ans).

Quadrangulaire. Quadriennal. Quadrige. Quadrijumeau. Quadrilatère. Quadrilatéral. Quadricycle. Quadrirème. Quadrisyllabe. Quadrinôme.

Quadrille. Quadrupède. Quadrumane. Quadrifide. Quadrilobé. Quadripétale.

Tétracorde. Tétradactyle. Tétraèdre. Tétragone. Tétragramme. Tétragyne. Tétrandrie. Tétralogie. Tétramètre. Tétrapole. Tétrarque. Tétrarchie. Tétrastyle. Tétrodon.

**Idée de quart.** — Quatrième partie. Le quart. Quarteron. Quarto. In-quarto. Quartation (alliage). Quadrant. Quadrat. Quadriparti. Quartier.

**Idée de 4 fois.** — Quarante, quarantième, quarantaine. — Quatre-vingts, quatre-vingtième. — Octante. Octogénaire. — Quatre-vingt-dix, quatre-vingt-dixième. — Nonante. Nonagénaire. — Quater. — Quadruple, quadrupler. Quadruplex (télégraphique).

## QUESTION

**Question posée.** — Poser une question. Question captieuse, embarrassante. — Questionner. Questionnaire. — S'enquérir. Enquête, enquêter, enquêteur. — Demander, DEMANDE. Adresser une demande. — Interroger, interrogation, interrogateur. — Sphinx. — Interview, interviewer. — S'informer, information. — Curieux, curiosité. Indiscret, indiscrétion.

Enigme, énigmatique. Devinette. Charade. Logographe. Rébus.

**Question à traiter.** — Soumettre, proposer, soulever une question. — Question

préalable. Chose en question. — Difficulté. Point en litige. — Problème. Enoncé. Donnée. — THÈSE. Sujet. Matière. Question d'examen. — Résoudre une question. Résolution. Soluble. Insoluble.

## QUEUE
(latin, *cauda;* grec, *oura*)

**Sortes de queues.** — *Queue d'animal.* Coccyx. Vertèbres. Nœuds. Flocon. Ecaille. Aiguillon. Arête (chair).

*Queue d'oiseau.* Croupion. Pennes. Rectrices. Couvertes.

*Queue de poisson.* Bat. Nageoire caudale.

*Queue de fleur.* Pédicelle. Pédicule. Pédoncule.

*Queue de vêtement.* Robe à queue. Habit à queue. — Caudataire.

**Animaux à queue.** — Caudé. Coué. — Brévicaude. Laticaude. — Dasyure et Lasiure (à queue velue). — Lepture (à queue mince). — Halmature (à queue d'appui pour sauter). — Plature (à queue plate). — Oxyure (à queue en pointe). — Anoure (sans queue). — Macroure (à longue queue). — Pinnicaude et Uroptère (à queue en nageoire). — A queue préhensile. Caudimane.

*En blason.* Couard (à queue entre jambes). Diffamé (sans queue). Mariné (à queue de poisson).

**Relatif à la queue.** — Queue à tous crins, en balai, de rat, en catogan. — Queue basse. Queue en trompette. Queue en l'air. Fouet ou Balai (queue de chien).

Remuer la queue. Quoailler. Fouetter. — Couper la queue. Ecouer. Ecourter. Courtauder. Tailler la queue. Coupe-queue. — Trousse-queue.

## QUILLE

**Le jeu.** — Les neuf quilles. Boule. Quillier. — Mettre pied à boule. Quiller. Abattre. — Rampeau. Coup de rabat. — Faire chou blanc.

QUINQUAGÉNAIRE, m. **V.** *cinquante.*
QUINQUAGÉSIME, f. **V.** *carême.*
QUINQUENNAL. **V.** *cinq.*
QUINQUET, m. **V.** *lampe.*
**Quinquina**, m. **V.** *fièvre.*
QUINTAINE, f. **V.** *lance.*
QUINTAL, m. **V.** *cent, poids.*
QUINTE, f. **V.** *rhume, respiration, colère, caprice, musique, escrime.*
**Quintessence**, f. **V.** *constituer, alchimie.*

QUINTESSENCIÉ. **V.** *subtil, affectation.*
QUINTETTE, m. **V.** *cinq, musique.*
QUINTEUX. **V.** *caprice.*
QUINTUPLE. **V.** *cinq.*
QUINZAINE, f. **V.** *quinze.*
**Quinze.**
QUINZE-VINGTS. **V.** *aveugle.*
QUINZIÈME. **V.** *quinze.*
QUIPROQUO, m. **V.** *erreur.*
QUIRINAL, m. **V.** *Rome.*
**Quittance**, f. **V.** *payer.*

QUITTE. **V.** *quittance, exempt.*
QUITTER. **V.** *abandon, partir.*
QUITUS, m. **V.** *quittance.*
QUI-VIVE, m. **V.** *garde.*
QUOAILLER. **V.** *queue.*
QUOLIBET, m. **V.** *bouffon*
QUORUM, m. **V.** *nombre.*
QUOTE-PART, f. **V.** *proportion, dépense.*
QUOTIDIEN. **V.** *jour.*
QUOTIENT, m. **V.** *calcul.*
QUOTITÉ, f. **V.** *nombre, quantité.*

## QUINQUINA

**Ecorce.** — Quinquina rouge. Quinquina jaune. — Poudre de quinquina. Poudre de la comtesse. — Tonique. Fébrifuge. Couper la fièvre. — Quinine. — Vin de quinquina.

## QUINTESSENCE

**Principe.** — Ame. Base. Substance. Elément. — Principe constitutif. Essence. Fond des choses. — Entité. Esprit.

Le principal. Le plus fin. Le meilleur.

**Produit distillé.** — Elixir. Essence. Huile essentielle. Ether. — Extrait. Jus. Suc. — Produit volatil, pur.

**Subtilité.** — Quintessence, quintessencié.

— Raffinement. Préciosité. Affectation. — Subtil. Alambiqué.

## QUINZE

**Qui concerne 15.** — Quinze, quinzième, quinzaine. — Quinzenier. — Quinze-vingts. — Quindécimal. Quindécemvir. Quindécagone.

## QUITTANCE

**Dégager d'obligation.** — Quittance. Quitus. Reçu. Donner quittance. — Acquit, acquitter. Pour acquit. — Acquit à caution. Acquit de franchise. — Tenir quitte. Quitter. Jouer quitte ou double. — Libérer, libération. Décharger, décharge. Emarger, émargement. — Récépissé. Accusé de réception.

# R

RABÂCHAGE, m. Rabâcher. V. *parler, répétition, ennui.*
RABAIS, m. V. *diminuer, prix, adjudication.*
RABAISSER. V. *bas, moins, mépris.*
RABAT, m. V. *insigne, auxiliaires de justice, prêtre.*
RABAT-JOIE, m. V. *chagrin.*
RABATTRE. V. *ôter, coudre, marteau, paume, chasse.*
RABBIN, m. V. *prêtre, juif.*
RABBINISME, m. V. *Bible.*
RABDOMANCIE, f. V. *verge, source.*
RABIQUE. V. *rage.*
RÂBLE, m. V. *dos, barre, four, chaux.*
RABOT, m. V. *menuisier.*
RABOTER. V. *ôter, plat, polir.*
RABOTEUX. V. *brut, inégal.*
RABOUGRI. V. *petit, difforme.*
RABROUER. V. *résister, traiter, brusque.*
RACAHOUT, m. V. *Arabes.*
RACAILLE, f. V. *vil.*
RACCOMMODAGE, m. V. *réparer.*
RACCOMMODEMENT, m. V. *réconcilier.*
RACCOMMODER. V. *arranger, tailleur, linge, corriger.*
RACCORD, m. V. *maçon, tuyau, peinture.*

RACCORDEMENT, m. Raccorder. V. *accord, arranger, réparer.*
RACCOURCI, m. V. *abrégé.*
RACCOURCIR. V. *court, couper, contraction.*
RACCROC, m. V. *hasard, gain, trouver.*
RACCROCHER. V. *croc, téléphone, ressource.*
RACE, f. V. *pays, famille.*
RACÉMEUX. V. *raisin.*
RACHAT, m. V. *payer, dégager, sauver.*
RACHER. V. *compas.*
RACHETER. V. *acheter, réhabiliter, effacer.*
RACHIDIEN. Rachis, m. V. *dos.*
RACHITIQUE. Rachitisme, m. V. *maladie, os, bosse.*
RACINAGE, m. V. *racine.*
**Racine,** f. V. *base, commencer, plante, dent, mot, pêche.*
RACLÉE, f. V. *battre.*
RACLER. V. *râteau, nettoyer, frotter, violon, niveau.*
RACLURE, f. V. *poussière.*
RACOLAGE, m. V. Racoler. V. *attirer, armée.*
RACONTAR, m. V. *raconter.*
**Raconter.** V. *dire, conte, expliquer.*

RACORNI. V. *sec, contraction.*
RACORNISSEMENT, m. V. *contraction.*
RADE, f. V. *mer, abri, port.*
RADEAU, m. V. *train.*
RADIATEUR, m. V. *automobile.*
RADIATION, f. V. *rayon, effacer.*
RADICAL. V. *racine, base, mot, politique.*
RADICALISME, m. V. *république.*
RADICELLE, f. V. *racine.*
RADIEUX, m. V. *rayon, beau, joie.*
RADIO. V. *renseignement.*
RADIOACTIF. V. *rayon.*
RADIOGRAPHIE, f. V. *médecine, photographie.*
RADIOLOGIE, f. Radiologue, m. V. *rayon, médecine.*
RADIOMÈTRE, m. V. *rayon.*
RADIOPHONIE, f. V. *son.*
RADIOSCOPIE, f. V. *photographie, blessure.*
RADIOTÉLÉGRAPHIE, f. V. *télégraphe.*
RADIOTÉLÉPHONIE, f. V. *téléphone.*
RADIS, m. V. *navet.*
RADIUS, m. V. *os, bras.*
RADJAH, m. V. *Inde.*
RADOTAGE, m. V. Radoter. V. *diffus, répétition.*

---

## RACINE
(latin, *radix*; grec, *rhiza*)

**Structure des racines.** — Racine. Radicule. Radicelle. Souche. Stolon.

Racine pivotante, traçante, dentée, à crampons, fasciculée, fibreuse, adventive, aérienne, fusiforme, tuberculeuse, tubéreuse. — Racine fourragère.

Collet. Base. Sommet. Crosse. Filaments. Fibre. Fibrille. Barbes. Crampons. Pédoncules radicaux. Spongiole.

Bulbe. Caïeu. OIGNON. Pivot. Rhizome. Tubercule. Griffe. Tubérosité.

**Racines utilitaires.** — Betterave. Carotte. Cerfeuil bulbeux. Garance. Gingembre. Igname. Jalap. MANIOC. Nard. NAVET. Patate. Pomme de terre. Radis. Raifort. Raiponce. Rave. Salsepareille. Salsifis.

**Qui concerne les racines.** — Rhizographie. — Radical (qui tient à la racine). Raciner. Jeter des racines. Pivoter. Tracer. — Prendre racine. S'enraciner, enracinement. — Déraciner, déracinement. Eradication, éradicatif. Extirper, extirpation. — Motte. Emmotté. Egravillonner (ôter la terre). — Racinage (dessin de racines). — Coupe-racines. — Radicivore.

## RACONTER
(latin, *narrare*)

**Narration orale.** — Conte, conter, conteur. Raconter, racontar, raconteur. Narrer, narrateur. — Tradition orale. Transmettre. — Rapporter, rapport. Dire. Réciter. — Commérage. Bavardage. Nouvelles. — Bruit public. On-dit. Cancans. Histoires.

**Formes narratives.** — Narration. Récit. Anecdote. — Roman. Conte. Nouvelle. Historiette. Fable. — HISTOIRE. Trait d'histoire. Chronique. Légende. — Biographie. Confession. Mémoires. — Poème épique. Epopée. — Relation. Aventures. Journal. Itinéraire. — Compte rendu. Procès-verbal. — Description. Scène. Tableau. — Faits. Evénements. — Episode. Epilogue. — Version (manière de rapporter).

**Style narratif.** — Relater. Rapporter. — Raconter à grands traits, par le menu. Détailler. — Exposer. Rendre compte. — Aller au fait. Courir au dénouement. — Décrire. Dépeindre. — Eveiller, soutenir l'intérêt. Tenir en haleine. Enchaîner, enchaînement. Suite. — Avoir du mouvement, de la vie. Faire voir. Faire sentir. — Bien présenter, bien tourner les choses.

RADOUB, m. Radouber. V. *réparer, calfat, navire.*

RADOUCIR. V. *doux.*

RAFALE, f. V. *vent, subit.*

RAFFERMIR. V. *ranimer, confirmer.*

RAFFINÉ. Raffinement, m. V. *goût, délicat, élégance, minutie, précieux.*

RAFFINER. V. *pur, affectation, sucre.*

RAFFOLER. V. *aimer, passion.*

RAFLER. V. *prendre, gain.*

RAFRAÎCHIR. Rafraîchissement, m. V. *calme, boisson, humide, tailler.*

RAGAILLARDIR. V. *santé.*

**Rage,** f. V. *maladie, colère.*

RAGEUR, m. V. *colère.*

RAGOT, m. V. *sanglier, vain.*

RAGOÛT, m. V. *mets, mélange.*

RAGOÛTER. V. *plaire.*

RAGRÉER. V. *maçon.*

RAID, m. V. *guerre.*

**Raide.** V. *contraction, engourdi, grave, orgueil.*

RAIDEUR, f. V. *raide.*

RAIDIR. V. *tirer.*

**Raie,** f. V. *ligne, entaille, bande, cheveu, labour, optique, poisson.*

RAIFORT, m. V. *navet.*

RAIL, m. V. *chemin de fer.*

RAILLER. Raillerie, f. V. *moquer, rire, blâme.*

RAINER. V. *raie.*

RAINETTE, f. V. *grenouille, pomme, menuisier.*

RAINURE, f. V. *creux, charpente.*

RAIPONCE, f. V. *salade.*

RAIS, m. V. *roue, rayon.*

**Raisin,** m. V. *vendange, papier.*

RAISINÉ, m. V. *confiserie.*

**Raison,** f. V. *intelligence, pensée, cause, proportion, juste, commerce.*

RAISONNABLE. V. *raison, modération.*

---

## RAGE
### (latin, *rabies*)

**Maladie.** — Rage. Mal rabiforme. Virus rabique. Hydrophobie, hydrophobe. — Enrager, enragé. Animal fou. — Ecume à la bouche. Convulsions. Paralysie. — Mordre, morsure.

**Soins.** — Débrider la plaie. Cautériser. Flâtrer (brûler au front). — Vaccin antirabique. Vaccination. Inoculation. — Institut Pasteur.

## RAIDE
### (latin, *rigidus*)

**Dur.** — Raide. Roide. Raideur. Résistant, résistance. Consistant, consistance. — Ferme, fermeté. Fort, force. — Empeser, empesage. Empois. — Ankylose, s'ankyloser.

**Tendu.** — Tendre, tension, tensif. Raidir, raidisseur, raidissement. Corde raide. — TIRER. Bander. Rider un cordage. — Contraction, se contracter. Crispation, se crisper. — Orgasme. Eréthisme. Erection, érectile. — Hérisser, hérissé. Horripilation. — Plein. Gonflé. SEC. Desséché.

**Sans souplesse.** — Rigide, rigidité. Raide, raideur. — FIXE, fixité. — Impliable. — IMMOBILE. — Engoncé, engoncement. Guindé. — Inflexible, inflexibilité. Qui ne fléchit pas. Qui ne plie pas. Rigoureux, rigueur. — Etre tout d'une pièce. — Orgueilleux, ORGUEIL.

## RAIE

**Ligne tracée.** — LIGNE. Trait. Tiret. — Raie, rayer, rayure. TRACE, tracer. — Bande. Fascies, fascié. Zébrure, zébré. Vergeure, vergé. Vergeté. — Liséré. Liteaux (dans l'étoffe). Nervure. — Pontuseaux (dans le papier). Quadrillage, quadrillé, quadriller. Régler. — Hachure. Fouetté. — Rature, raturer. Biffer.

**Ligne ondée.** — Guillochis, guilloché, guillocher. — Moire, moirure, moiré. — Marbrure, marbré. — Onde, onder, ondé. — Ondulation, ondulé, onduleux. — Veine, veiné, veineux. Madrure (veine du bois), madré. — Tabis (taffetas ondé).

**Ligne creuse.** — Sillon. Rayon. Enrayure (premier sillon). Enrayer. Dérayure. — CANAL. Canalicule. Gouttière. Rigole. — Ornière. Ravine. Ravin. Sillage. — Cannelure, cannelé. Côte, côtelé. Strie, strié. — Empreinte. Ride. Fossette. — Fente. Fissure. Crevasse. Scarification, scarifié. — Coupure. Cicatrice. Couture, couturé.

**Rainure.** — Rainer, rainure. — Coulisse, coulisseau, coulissé. — ENTAILLE. Cran. Noix. — Dentelure, dents, dentelé. — Champlever, champlevé. — Rayure (d'un fusil). Jable (d'une douve). Frayé (d'une lame).

## RAISIN

**Le raisin.** — Grain. Baie. — Pellicule. Pulpe. Pépins. — GRAPPE. Grappillon. Rafle (grappe égrappillée). Maille (nœud de la grappe). — Raisin blanc, jaune, vert, rose, rouge, violet, noir. — Racémeux. Racémifère. Uvifère. — Raisin frais. Raisin de conserve. — Raisin sec. Passule. Jubis. — Raisin sorbé (trop mûr). Verjus.

**Principales espèces.** — *Raisins de cuve.* Aramon. Cabernet franc. Cabernet sauvignon. Cot. Gamay rond. Grenache noir. Merlot. Muscat noir. Pinot noir. Ribier. Robin noir. Sirah.

Clairette. Marsanne blanche. Muscadelle. Muscat blanc de Frontignan. Pis de chèvre. Pinot blanc. Roussanne. Sauvignon. Savagnin. Sémillon. Viognier. Picpoul.

*Raisins de table.* Chasselas. Madeleine. Clairette. Muscat blanc ou rouge. Clinsaut. Plant de juillet. Malvoisie. Portugais bleu. Frankenthal.

**Récolte.** — VIGNE. Vignoble. Treille. — Vigneron. — Vendange, vendanger, vendangeur. — Egrapper, égrappage. Egrener. Grappiller. — Fouler, foulage. Presser, pressoir. — VIN. Moût. Raisiné. Marc. — Cure uvale. Jus de raisin.

## RAISON
### (latin, *ratio;* grec, *logos*)

**Faculté de raison.** — Faculté discursive. Raison. Entendement. Esprit. — Facultés mentales. Pensée. Cerveau. — INTELLIGENCE.

RAISONNEMENT, m. Raisonner. V. *argument, raison*.

RAISONNEUR, m. V. *résister*.

RAJEUNIR. V. *âge, jeune*.

RAJUSTER. V. *corriger, réparer*.

RÂLE, m. V. *respiration*.

RALENTIR. V. *lent, diminuer*.

RÂLER. V. *mort*.

RALINGUE, f. V. *voile, filet, corde*.

RALLIEMENT, m. V. *manœuvres*.

RALLIER (se). V. *approuver*.

RALLONGE, f. V. *compas, table*.

RALLONGER. V. *augmenter*.

RALLUMER. V. *feu, ranimer*.

RAMADAN, m. V. *Mahomet*.

RAMAGE, m. V. *branche, oiseau*.

RAMAS, m. V. *amas*.

RAMASSÉ. V. *court*.

RAMASSER. V. *prendre, ôter, amas, moisson*.

RAMASSIS, m. V. *troupe*.

RAMBARDE, f. V. *navire*.

**Rame**, f. V. *bateau, papier, chemin de fer, pieu*.

RAMEAU, m. V. *branche, division*.

RAMEAUX, m. p. V. *Pâques*.

RAMÉE, f. V. *branche, feuille*.

RAMENDER. V. *corriger*.

RAMENER. V. *diriger*.

RAMEQUIN, m. V. *fromage*.

RAMER. V. *bateau, pois*.

RAMEUR, m. V. *rame*.

RAMIER, m. V. *pigeon*.

RAMIFICATION, f. V. *étendre, branche*.

RAMILLE, f. V. *branche*.

RAMOLLIR. Ramollissement, m. V. *mou*.

RAMONER. Ramoneur, m. V. *balai, suie, cheminée*.

RAMPANT. V. *reptile, vil*.

RAMPE, f. V. *escalier, chemin, théâtre*.

RAMPER. V. *allure, posture*.

RAMURE, f. V. *brancher, cerf*.

RANCE. V. *gâter, puant*.

RANCH, m. V. *Amérique*.

RANCIDITÉ, f. Rancir. V. *beurre, huile*.

RANÇON, f. V. *acheter, sauver, prison, esclave*.

RANÇONNER. V. *prix*.

RANCUNE, f. V. *haine, venger*.

RANDONNÉE, f. V. *lièvre, détour*.

RANG, m. V. *ordre, degré, titre, honneur*.

RANGÉE, f. V. *ligne*.

RANGER. V. *mettre, serrer, arranger*.

**Ranimer**. V. *vie, réveil, consoler*.

RAPACE. V. *animal, prendre*.

---

Jugement. Compréhension. — Maturité d'esprit. Discernement. CONSCIENCE. — Sens commun. Bon sens. La judiciaire. — Lumières de la raison. Lueurs de raison.

**Action de raisonner**. — Philosophie. Dialectique. Logique. Eristique. — Raisonner, raisonnement, raisonneur. — Ratiociner. Discuter, discussion. Epiloguer. — S'appuyer sur. Partir d'un principe. — Postulat. Analogie, analogique. — Argumenter, argumentation, argument. — Démontrer, démonstration. — Débattre, débat. Prouver, preuve. — Exciper de. Tirer de. Inférer. Induire, induction. Déduire, déduction. — Distinguer. Discerner. Juger. — Objecter, objection. Rétorquer. Réfuter, réfutation. — Conclure, conclusion.

**Caractère de raison**. — Saine raison. Sagesse. Rectitude d'esprit. Fermeté de jugement. — Droiture, droit. Justesse, juste. Exactitude, exact. Vérité, VRAI. Lucidité, lucide. Infaillibilité, infaillible.

Esprit sain, raisonnable, judicieux, sensé, lumineux, SAGE, mûr, mûri, conséquent.

Argument catégorique, logique, péremptoire, raisonné, recevable, soutenable, admissible, probatif, probant, serré, rationnel.

**Défaut de raison**. — Déraison, déraisonner, déraisonnable. Perdre la tête, la tramontane. — N'avoir ni rime ni raison. Pécher par la base. — Paradoxe, paradoxal. Sophisme, sophistique. — Pétition de principe. Cercle vicieux. — Irrationnel. Illogique, illogisme. Absurde, absurdité. — Faux. Spécieux. — Instinctif. Passionné. — Inconscient.

## RAME

**La rame**. — Rame. Aviron. Godille. Pagaie. — Jeu d'avirons. — Pale. Pelle. Palme. Manche. Bras. Poignée. Fusée. — Tolet, toletière. Estrope. Dame. Système. Portant. — — Avironnier. Rémolar.

**Manœuvre**. — Armer les avirons. Déborder les avirons. — Armer en pointe. Armer en couple. Coup d'aviron. Attaque. — Nager. Gabarer. Godiller. Scier. — Nager debout, plat, sec, de force, sur le fer, au vent, etc. — Faire force de rames. Voguer. Vogue. Passe-vogue. — Banc de nage. Pédagne (calepied).

**Rameurs**. — Rameur. Canotier. Godilleur. — Equipe. Rameur de couple. Rameur de pointe. — Rowing-club. Rowingman. — Chiourme. Galérien. Bonne-voglie.

## RANIMER

**Rappeler à la vie**. — Ressusciter, résurrection. — Pâques. Palingénésie, palingénésique. — Seconde vie. Métempsycose. Transmigration des âmes. — Evoquer les morts, les ombres. Evocation. — Renaître de ses cendres. Phénix.

Ranimer, ranimation. Ramener, rappeler à la vie. Faire revenir à soi. Faire renaître. — Secours aux noyés, aux électrocutés. Respiration artificielle. Traction rythmique. Frictions. — GUÉRIR, guérison.

Revenir à la vie. Renaître, renaissance. — Revivre. Reverdir. Reviviscence. — Reprendre ses sens, ses esprits. Rouvrir les yeux. Donner signe de vie.

**Rappeler à la vigueur**. — Revivifier. Raviver. Recréer. Rétablir, rétablissement. Sauver la vie. — Régénérer, régénération. Rajeunir, rajeunissement. — Renouveler, renouvellement. Rénovation. Restaurer, restauration. — Réparer les forces. Rendre les forces. Fortifier, fortifiant. — Remettre. Ravigoter. — Réveiller. Dégourdir. EXCITER, excitant, excitation.

Se remettre. Se refaire. Recouvrer ses forces.

**Rappeler au courage**. — Raffermir. Rassurer. Remettre d'aplomb. — Relever le courage. Retremper le courage. Réconforter, réconfort. — Donner du ton. Redonner du nerf. — Encourager, encouragement. Elec-

RAPACITÉ, f. V. *avare.*
RAPATRIER. V. *étranger.*
RÂPE, f. V. *lime.*
RÂPÉ. V. *usé, pauvre.*
RÂPER. V. *frotter, poudre.*
RAPETASSER. V. *réparer.*
RAPETISSER. V. *diminuer.*
RAPIDE. V. *prompt, rivière, chemin de fer.*
RAPIÉCER. V. *réparer, coudre, tailleur.*
RAPIÈRE, f. V. *épée.*
RAPIN, m. V. *peinture.*
RAPINE, f. V. *voleur, gain.*
RAPPEL, m. Rappeler. V. *appel, avertir, théâtre, perdrix.*

RAPPELER (se). V. *mémoire.*
**Rapport,** m. V. *poindre, accord, dépendance, produit, intérêt, flux, proportion, description.*
RAPPORTER. V. *rapport, porter, joindre, raconter.*
RAPPORTEUR, m. V. *arpentage, accusation.*
RAPPROCHEMENT, m. Rapprocher. V. *près, comparaison, rapport, réconcilier.*
RAPSODE, m. Rapsodie, f. V. *poésie, mélange.*
RAPT, m. V. *violence.*
**Raquette,** f. V. *paume, neige.*

**Rare.** V. *dispersion, extraordinaire, précieux.*
RARÉFACTION, f. Raréfier. V. *rare, clair, pneumatique.*
RARESCENT. V. *rare.*
RARETÉ, f. V. *manque.*
RAS. V. *niveau, poil.*
RASADE, f. V. *boire.*
RASCETTE, f. V. *main.*
RASER. V. *couper, ôter, barbe, poil, navire, niveau.*
RASOIR, m. V. *barbe, toilette.*
**Rassasier.** V. *satisfaire, manger, dégoût.*
RASSEMBLEMENT, m. Rassembler. V. *joindre, amas, troupe.*

---

triser. Réchauffer l'ardeur. — Remonter le moral. Ranimer, raviver l'espérance. — Tirer du désespoir. Consoler.

## RAPPORT

**Rapports entre les choses.** — Aspect. Point de vue. Nœud de la question. — Analogie, analogique, analogue. — Similitude. Similaire. SEMBLABLE. — Relation, relatif. Relativité. Corrélation, corrélatif. — Correspondance, correspondre Répondre à. — Connexion, connexité, connexe. DÉPENDANCE, dépendre — Tenir à. Appartenir à, appartenance. Etre afférent, afférence à. — S'appliquer à, applicable. Concerner, concernant. — Avoir trait à. Toucher à. — Se rattacher à. Etre du ressort de.

Convenir, convenance. Etre pertinent, pertinence. — Comparer, comparaison. Se référer à, référence. — Se rapporter à, rapport. Partie. Respectif, respectivement. — S'enchaîner, enchaînement. Filiation des idées. De fil en aiguille.

A cet égard. A tous égards. A l'endroit de. Par rapport à. Envers. POUR. Quant à. Du côté de.

**Rapports entre personnes.** — Avoir affaire à. Etre en affaires avec. — Entretenir des rapports. Communiquer avec. Garder le contact. Nouer des intelligences. — Pratiquer les gens. FRÉQUENTER, fréquentation. Se frotter à, frottement. — Etre en relations. Entregent. — Se lier, liaison, liens. Commerce d'amitié. Affinités. — Mettre en rapport. Rapprocher, rapprochement. — Etre en bons, en mauvais termes. — S'intéresser à. S'affilier à, affiliation.

Association. Société. Voisinage. — Parenté. Filiation. Alliance. Union. Communauté. — Parent. Ami. Camarade. Condisciple. — Confrère. Collègue. Coreligionnaire. — Supérieur. Inférieur. Subalterne.

**Rapports mathématiques.** — PROPORTION, proportionnel. Inversement proportionnel. — Raison. Raison d'une progression. Raison directe. Raison inverse. — Rapport de nombres, de grandeurs. Exposant. — Rapport. Antécédent. Conséquent. — Commensurable. Incommensurable. Irrationnel.

**Rapport juridique.** — Rapport à succession. Rapport des dons et legs. Rapport en nature, en moins prenant. Rapport réel, fictif. — Action en rapport. — Dispense de rapport. — Quotité disponible. — Rapport de dettes. Contribution aux dettes. — V. PARTAGE.

## RAQUETTE

**Raquettes.** — Raquette. Batte. Battoir. Triquet. Timbales (de volant). — Fût. Manche. Montants. Nœuds. Collet. Etançon. — Serreur. Chevrette. Cabillet.

## RARE

**Peu fréquent.** — Rare. Rarissime. Raréfié. Rareté. *Rara avis.* — Qui ne se rencontre pas souvent. Peu commun. Introuvable. — Inaccoutumé. Insolite. Inusité. — Curieux, curiosité. BIZARRE, bizarrerie. — Remarquable. Signalé. PRÉCIEUX. — Original, originalité. Singulier, singularité. Particulier, particularité. — Petit nombre. Paucité. Peu nombreux. — A l'écart. Lointain.

**Peu serré.** — Rare. Clairsemé. CLAIR. Eclairci. — Dispersé, dispersion. Disséminé, dissémination. Epars. Eparpiller, éparpillement. Parsemé. — Rariflore. Pauciflore. Rarifeuillé. Paucifolié. Raripile. — Raréfier, raréfaction, raréfiable. Corps raréfiés. GAZ. VAPEUR. — Rarescent, rarescence. Rarescible. — Dilater, dilatation, dilatable. — Intervalle. Vide. Creux.

**Exceptionnel.** — Anomal, anomalie. Anormal. — Monstre, monstrueux, monstruosité. — Exception. Merveille. Trouvaille. — Phénix. Merle blanc. Phénomène. — Unique. Inouï. Nonpareil. — EXTRAORDINAIRE. Etonnant. Merveilleux.

## RASSASIER

**Apaiser la faim.** — Rassasier. Calmer la faim. Assouvir, assouvissement. — Donner son content. Contenter. Satisfaire. — Donner, fournir, procurer à manger. Nourrir, nourriture. Repaître. — Remplir, réplétion. Saouler. Gorger. Gaver. Saturer, saturation. — Donner à discrétion.

RASSÉRÉNER. **V.** *calme, mé-téore.*

RASSIS. **V.** *calme, pain.*

RASSORTIR. **V.** *semblable.*

RASSURER. **V.** *sûr, ranimer, consoler.*

Rat, m. **V.** *quadrupède.*

RATATINÉ. **V.** *contraction.*

Rate, f. **V.** *intestins, rat.*

Râteau, m. **V.** *dent, jardin, jeu.*

RÂTELER. Râtelage, m. Râte-lée, f. **V.** *râteau.*

RÂTELIER, m. **V.** *étable, fourrage, dent, fusil.*

RATIER. **V.** *rat.*

RATIÈRE, f. **V.** *piège.*

RATIFIER. **V.** *approuver, confirmer, convention.*

RATINE, f. **V.** *drap.*

RATIOCINER. **V.** *raison, argument.*

RATION, f. **V.** *part, quantité, manger.*

RATIONALISME, m. **V.** *philosophie.*

RATIONNEL. **V.** *raison, juste.*

RÂTISSAGE, m. Râtisser. **V.** *râteau, jardin.*

RATON, m. **V.** *rat.*

RATTACHER. **V.** *fixe, rapport.*

RATTRAPER. **V.** *recouvrer, poursuivre.*

RATURE, f. Raturer. **V.** *raie, corriger, effacer.*

RAUQUE. **V.** *voix.*

RAVAGE, m. Ravager. **V.** *pillage, détruire.*

RAVALEMENT, m. **V.** *maçon, peinture.*

RAVALER. **V.** *maçon, blâme, diminuer.*

RAVAUDER. **V.** *réparer, chausses, filet.*

RAVAUDEUSE, f. **V.** *coudre.*

RAVE, f. **V.** *navet.*

RAVIGOTER. **V.** *ranimer.*

RAVIN, m. **V.** *vallée.*

RAVIR. **V.** *prendre, ôter, plaire.*

RAVISSEMENT, m. **V.** *joie, bonheur.*

RAVITAILLER. **V.** *provision.*

RAVIVER. **V.** *ranimer.*

RAVOIR. **V.** *recouvrer.*

RAYER. **V.** *raie, annuler.*

Rayon, m. **V.** *cercle, optique, lumière, labour, miel, boutique.*

RAYONNANT. **V.** *beau.*

RAYONNÉ, m. **V.** *animal.*

RAYONNEMENT, m. **V.** *rayon, chaleur, optique.*

RAYONNER. **V.** *portée, disperser, lumière.*

RAYURE, f. **V.** *bande, armes.*

RAZZIA, f. **V.** *attaque, pillage.*

RÉACTIF, m. **V.** *alcali.*

RÉACTION, f. **V.** *effet, mécanique, chimie, opposé, réfléchir.*

RÉACTIONNAIRE. **V.** *politique, préjugé.*

RÉAGIR. **V.** *action, arrière.*

RÉALISATION, f. Réaliser. **V.** *faire, possible, propriété, vendre.*

RÉALISME, m. **V.** *philosophie.*

RÉALITÉ, f. **V.** *nature, exister, vrai.*

RÉBARBATIF. **V.** *dur, brusque.*

REBÂTIR. **V.** *réparer.*

REBATTU. **V.** *public.*

REBEC, m. **V.** *violon.*

REBELLE. Rébellion, f. **V.** *résister, sédition.*

REBIFFER (se). **V.** *résister.*

REBOISEMENT, m. **V.** *planter, forêt.*

PEBONDI. **V.** *rond.*

REBONDIR. **V.** *saut, arrière.*

REBORD, m. **V.** *bord.*

REBOURS, m. **V.** *opposé.*

REBOUTEUR. **V.** *os, blessure.*

REBROUSSER. **V.** *opposé.*

REBUFFADE, f. **V.** *chasser, hargneux.*

RÉBUS, m. **V.** *devin.*

---

Donner à boire. Etancher la soif. Désaltérer. Abreuver.

**Satiété.** — Rassasié. Assouvi. Soûl. Soûlé. Gorgé. Gavé. Plein. — Manger à sa faim. N'avoir plus faim. En avoir assez.

Insatiable, insatiabilité. — Inassouvi. Irrassasié.

## RAT

**Sortes de rats.** — Rat. Rate. Raton. — Rat d'égout, de cave, des champs, d'eau, des bois. — Souris, souriceau. Mulot. Surmulot. Campagnol. Musaraigne. — Ondatra. Rat musqué. Mangouste ou Rat de pharaon. Ragondin. Gerboise.

**Qui concerne les rats.** — Ratière. Souricière. Piège. Quatre de chiffre. — Chien ratier. Ratodrome. — Mort aux rats. — Ratage (pullulement de rats). Trou de rat. Ratoire. Trou de souris. — Rongeur. Rongemaille. — Gent trotte-menu. Guiorer (cri de la souris). — Rateux (qui a trait au rat). — Batrachomyomachie.

## RATE

**Qui concerne la rate.** — Rate. Dérater. Erater. Désopiler la rate.

Splénologie. Splénotomie. — Maladies de la rate. Liénite. Splénalgie. Splénite. Splénoncie (engorgement). Splénocèle (hernie). — Splénétique. Rateleux. — Hypocondrie, hypocondriaque. Spleen.

## RÂTEAU

**Instruments.** — Râteau de fer. Râteau de bois. Dents. — Râteau mécanique. Herse. Etrille. Racle. Ratissoire. — Tonilière (à coquillages). Drague de pêche.

**Usage.** — Râteler, râtelage, râteleur, râtelée. — Ratisser, ratissage. Ecocheler, écochelage. — Racler. Touiller.

## RAYON
(latin, *radius*)

**Rayon de cercle.** — Demi-diamètre. Rayon médullaire. Rayon ou Rais de roue. — Rayon (alentours). Rayonner. — Foyer des rayons. Etoile, étoilé.

Radiaire. Radié. Fleur radiée. Couronne radiée. Couronne radiale (surmontée de rayons). — Les rayonnés. Actinie. Actiniforme. — Rayonnant. Gothique rayonnant. Ombelle rayonnante. — Rayonnage.

**Rayons lumineux.** — Rayons du soleil, de la lune. Rais. Jet de lumière. — BRILLER. Jeter, darder, émettre, lancer des rayons. — Irradier, irradiation. Radiation. — Rayonner, rayonnement. Radieux. — Incidence des rayons. Divergence. — Actinomètre. Radiomètre.

**Emissions rayonnantes.** — Rayonnement de la LUMIÈRE, de la chaleur, des astres. — Rayons cathodiques. Rayons X ou de Rœntgen. Rayons Becquerel. Rayons ultra-violets. — Rayons infra-rouges. — Radiologie, radiologue. — Radioactivité, radioactif.

**Rebut**, m. V. *résidu, ressource.*
**REBUTER.** V. *abandon, chasser, déplaire, dégoût.*
**RÉCALCITRANT.** V. *résister.*
**RÉCAPITULER.** V. *résumer.*
**RECÉLER.** V. *cacher.*
**RECÉLEUR,** m. V. *voleur.*
**RECENSEMENT,** m. Recenser. V. *état, nombre, habiter.*
**RECENSION,** f. V. *comparaison.*
**RÉCENT.** V. *dernier, nouveau.*
**RECÉPER.** V. *tailler.*
**RÉCÉPISSÉ,** m. V. *recevoir, quittance.*
**RÉCEPTACLE,** m. V. *réservoir.*
**RÉCEPTEUR.** V. *recevoir, télégraphe.*
**RÉCEPTION,** f. V. *recevoir, traiter, visite, société.*

**RÉCEPTIONNER.** V. *recevoir.*
**RÉCEPTIVITÉ,** f. V. *recevoir, sensation.*
**RECETTE,** f. V. *recevoir, bureau, cuisine, secret.*
**RECEVABLE.** V. *recevoir.*
**RECEVEUR,** m. V. *recevoir, impôt.*
**Recevoir.** V. *obtenir, hospitalité, cérémonie.*
**RÉCHAMPIR.** V. *peinture.*
**RECHANGE,** m. V. *remplacer.*
**RÉCHAPPER.** V. *sortir, guérir.*
**RÉCHAUD,** m. V. *feu.*
**RÉCHAUFFER.** V. *chaleur, ranimer.*
**RECHERCHE,** f. V. *curieux, affectation.*
**RECHERCHER.** V. *chercher, examen, aimer.*
**RECHIGNÉ.** V. *grimace.*

**RECHIGNER.** V. *répugnance, résister.*
**RECHUTE,** f. V. *tomber, péché, maladie, répétition.*
**RÉCIDIVE,** f. V. *faute, répétition.*
**RÉCIDIVISTE,** m. V. *punition, crime.*
**RÉCIF,** m. V. *écueil.*
**RÉCIPIENDAIRE,** m. V. *nomination, recevoir, société.*
**RÉCIPIENT,** m. V. *recevoir.*
**RÉCIPROCATION,** f. V. *pendule.*
**RÉCIPROCITÉ,** f. V. *réciproque.*
**Réciproque.** V. *renverser, égal, grammaire.*
**RÉCIPROQUER.** V. *réciproque.*
**RÉCIT,** m. V. *raconter.*
**RÉCITATIF,** m. V. *chant.*

---

## REBUT

**Action de rebuter.** — Rebuter. Mettre au rebut. — Mettre de côté. Mettre à l'écart. — Dédaigner. Rejeter. — Juger vil, sans valeur. Solder. — Se débarrasser de. Jeter à la voirie.

**Choses de rebut.** — Balayures. — Bourre. — Criblure. — Culot. — Débris. — Déchet. — Décombres. — Défets. — Dépôt. — Détritus. — Epluchures. — Excréments. — Ferraille. — Fond. — Glane. — Herpes. — Lagan. — Lie. — Limaille. — Marc. — Menuailles. — Miettes. — ORDURES. — Plâtras. — Ramas. — Ramassis. — Rejet. — Résidu. — Restant. — RESTES. — Rinçure. — Rogatons. — Rognures. — Rossignol. — Sciure. — Scories. — Soldes.

## RECEVOIR

**Prendre ce qui est donné.** — Recevoir, réception. Accepter, acceptation, acceptable. — Accusé de réception. Récépissé. — Hériter, héritage. HÉRITIER. Adition d'hérédité. — Attraper. OBTENIR. Gagner.

Partie prenante. Cessionnaire. Collataire. Légataire. Délégataire. Dépositaire. Destinataire. Donataire. Concessionnaire. Consignataire.

**Toucher de l'argent.** — Embourser. Empocher. Encaisser. Palper de l'argent. — Percevoir, perception, percepteur. Recouvrer, recouvrement. — Collecte, collecteur. Quête, quêter, quêteu, quêteuse. — Recevoir. Recette. Revenu. Salaire. — QUITTANCE. Reçu. Bordereau. — Receveur. Receveur de rentes. Trésorier. Caissier. Garçon de recette. Rentrée de fonds. — Faire rentrer. Opérer des rentrées. Rentrer dans ses débours. — Lever des impôts. Prélever, prélèvement. Fiscalité.

**Admettre.** — Admission. Admis. Reçu. — Réception d'un candidat. Passer. Etre reçu. — Admissible, admissibilité. — Accepter. Agréer, agrément. Admettre à correction. — Recevable, recevabilité. — Adopter,

adoption. Initier, initiation. Coopter, cooptation. — Installation. Réception. Récipiendaire. — Réception de travaux. Réceptionner. Réceptionnaire.

**Accueillir.** — Donner audience. Recevoir en VISITE. — Accorder l'entrée. — HOSPITALITÉ. Hôte. Bienvenue. — Recevoir, réception. Jour de réception. — Recevoir à bras ouverts. Faire bon accueil.

**Recueillir.** — Recevoir. Récipient. Réceptacle. — Appareil récepteur. Machine réceptrice. — Eprouver. Supporter. Subir. Réceptivité, réceptif. Passivité, passif. — Récolte. Moisson.

## RÉCIPROQUE
### (latin, *mutuus*)

**Mutuel.** — Réciproque, réciprocité, réciproquement. — Mutuel. Mutualité. Enseignement mutuel. Donation mutuelle. — Contrat bilatéral. Contrat synallagmatique. Reconvention. — Entraide. Solidaire, solidarité. — Partager, partage. — De part et d'autre. Des deux parts. — Se relayer, relais. — Permuter, permutation.

Pronom réciproque. L'un l'autre. Les uns les autres. — Verbes réciproques. S'aimer. S'entr'aimer. S'aider. S'entraider, etc.

**Echange.** — Echange. Echanger, échangeable. — Donnant donnant. *Vice versa.* — Coup pour coup. Prêté rendu. Peine du talion. Œil pour œil. Dent pour dent. — Revaloir. Prendre sa revanche. A charge de revanche. — Réciproquer. Payer de retour. Choc en retour. — Rendre la pareille. Rendre la monnaie de sa pièce. Renvoyer la balle. A bon chat bon rat. — Se venger, vengeance. Représailles.

**Alterné.** — Alterner, alternance, alternatif. — Se succéder. Succession. Balancement. Oscillation. Vibration. Réciprocation du pendule. — Tour à tour. A tour de rôle. Renverser les rôles. — Flux. Reflux. — Correspondance, correspondre. Corrélation, corrélatif. Respectif. — Réagir. Retorquer. Retourner. Récriminer. — Renvoyer. Rétrocéder.

RÉCITATION, f. Réciter. V. *dire, mémoire.*

RÉCLAMATION, f. V. *réclamer, plainte.*

RÉCLAME, f. V. *attirer, public, commerce.*

**Réclamer.** V. *récriminer, résister, prier.*

RECLUS. Réclusion. V. *prison, punition, moine.*

RÉCOGNITION, f. V. *reconnaissance.*

RECOIN, m. V. *coin.*

RÉCOLEMENT, m. Récoler. V. *arpentage, témoin, vérifier.*

RECOLLER. V. *colle.*

RÉCOLLET, m. V. *moine.*

RÉCOLTE, f. Récolter. V. *moisson, gain.*

RECOMMANDATION, f. V. *recommander.*

**Recommander.** V. *avertir, conseil, protéger, estime.*

RECOMMENCER. V. *répétition.*

**Récompense,** f. V. *payer, exciter.*

RECOMPOSER. V. *constituer.*

RÉCONCILIATION, f. V. *réconcilier.*

**Réconcilier.** V. *paix, pardon, accord.*

RECONDUCTION, f. V. *louage.*

RECONDUIRE. V. *compagnon.*

RÉCONFORT, m. Réconforter. V. *consoler, force, ranimer.*

RECONNAISSABLE. V. *reconnaître, distinct.*

**Reconnaissance,** f. V. *mémoire, bienfait, examen, mission, chercher, prêter.*

RECONNAÎTRE. V. *reconnaissance, juger, avouer, certitude, approuver.*

RECONNU. V. *public.*

RECONSTITUER. V. *constituer.*

RECONSTRUCTION, f. V. *bâtir.*

RECONVENTION, f. V. *demande, réciproque.*

RECORD, m. V. *combat, affirmer.*

RECORS, m. V. *huissier.*

RECOUDRE. V. *réparer, pluie.*

RECOUPE, f. V. *moulin.*

---

### RÉCLAMER

**Réclamer une chose.** — Demander avec insistance. Insister. Demande. Requête. — Exiger. Réclamer. Forcer la main. — Doléances. Se plaindre. Implorer. — Intercéder, intercession.

**Réclamer son droit.** — Faire valoir ses droits. Revendiquer, revendication. — Exercer un recours contre. Mettre en demeure. — Appeler d'un jugement. Appel. Faire opposition. S'opposer à. — S'élever contre. Se récrier contre. Protester, protestation. — Contester, contestation. Réclamer, réclamation. Porter plainte. — Reprises.

### RECOMMANDER

**Faire penser à.** — Recommander, recommandation. Conseiller, conseil. Prier, prière. — Avertir de, avertissement. Mettre en garde. Prévenir de. — Prémunir. Précautionner. — Exciter à. Engager à. Exhorter à, exhortation.

**Donner son appui.** — Recommander, recommandation. Lettre de recommandation. Apostille, apostiller. — Patronner, patronage, patron. Pistonner, piston, f. Favoriser, faveur. — Appuyer. Aider. Soutenir. Protéger, protection. — S'intéresser à. Parler pour.

### RÉCOMPENSE

**Prix d'un concours.** — Distribution des prix. Distribuer des récompenses. Décerner un prix. — Palmarès. Prix. Accessit. Mention. — Récompenses scolaires. Tableau d'honneur. Exemptions. Médaille. Croix. — Récompenses sportives. Prix. Titres. Coupes. — Lauréat. Vainqueur. Champion. — Concourir. Mériter, remporter le prix. — Honneurs. COURONNE. Décoration. Diplôme. — Fonder des prix. Fondation.

**Prix d'un service.** — Rémunération, rémunérer. Rétribution, rétribuer. — Indemnité, indemniser. — Compensation, compenser. — Reconnaître un service. Gratification. Honnête récompense. Prime. Pourboire. — Payer un service. Payement. Paye. Salaire. Loyer. — Don en retour. Guerdon.

### RÉCONCILIER

**Réconcilier.** — Réconciliation, réconciliateur. Médiation, médiateur. Remettre d'accord. Rétablir la concorde. — Raccommoder, raccommodement. Rapprocher, rapprochement. Réunir, réunion. — Arranger les choses. Replâtrer une situation. Accommoder, accommodement. — Défâcher. Désaigrir. Désenvenimer. — Apaiser le courroux. Fléchir la colère.

**Se réconcilier.** — Réconciliable. Réconcilié. — Se défâcher. Etre sans rancune. — Oublier les torts, les griefs. OUBLI. PARDON. pardonner. — Sceller la réconciliation. Se donner la main. S'embrasser. — Faire la PAIX. Baiser de paix. Revenir à de meilleurs sentiments. — S'expliquer. Se raccommoder. — Renouer amitié. Redevenir amis. — Se laisser fléchir. Rentrée en grâce.

### RECONNAISSANCE

**Discernement.** — Discerner. Reconnaître. Se reconnaître. — Distinguer. Vue distincte. Y être. — S'orienter, orientation. Flairer, flair. Dépister. — Reconnaître les lieux. Aller en reconnaissance. — Deviner. Juger bon. — Caractère distinctif. Critérium. — Mot d'ordre, de ralliement, de passe.

**Retour de mémoire.** — Se remémorer. Se remettre. — Se rappeler les traits. Reconnaître une personne, un lieu. — Trouver semblable. Se retrouver. — Reconnaissable. Reconnu. — Méconnaître, méconnaissance, méconnaissable.

**Gratitude.** — Reconnaissance, reconnaissant. Pénétré de reconnaissance. Dette de reconnaissance. — Mémoire du cœur. Etre obligé. Avoir de l'obligation. Payer de retour. — Etre redevable. Répondre. Revaloir. — Savoir gré. Remercier, remerciement. Dire merci. — Bénir le ciel. Glorifier le Seigneur. Action de grâces. Te deum. — Ingrat, ingratitude.

*Formules.* Je vous dois une belle chandelle. Vous êtes trop bon. Vous me comblez. Je suis

RECOUPEMENT, m. V. *maçon*.
RECOURBER. V. *courbure*.
RECOURIR. V. *moyen, ressource*.
RECOURS, m. V. *réclamer, garant, juges, assurances*.
RECOUVRAGE, m. V. *couvrir*.
RECOUVREMENT, m. V. *recouvrer*.
**Recouvrer**. V. *recevoir, possession, payer*.
RECOUVRIR. V. *couvrir, enveloppe*.
RÉCRÉATION, f. V. *repos, plaisir, école*.
RECRÉPIR. V. *réparer*.
RÉCRIMINATION, f. V. *récriminer*.
**Récriminer**. V. *réclamer, dispute, réciproque*.
RÉCRIRE. V. *répondre*.
RECROQUEVILLER. V. *contraction*.
RECRU. V. *fatigue*.
RECRUDESCENCE, f. V. *augmenter, maladie*.
RECRUE, f. V. *soldat*.
RECRUTEMENT, m. Recruter. V. *armée, attirer*.
RECTANGLE, m. Rectangulaire. V. *angle, carré, géométrie*.

RECTEUR, m. V. *université, curé*.
RECTIFICATION, f. Rectifier. V. *corriger, droit, vrai, distiller*.
RECTILIGNE. V. *droit, ligne*.
RECTITUDE, f. V. *juger*.
RECTO, m. V. *côté, page*.
RECTORAT, m. V. *chef*.
RECTRICES, f. p. V. *plume*.
RECTUM, m. V. *anus*.
REÇU. V. *recevoir, quittance*.
**Recueil**, m. V. *livre, mélange*.
RECUEILLEMENT, m. V. *religion, réfléchir*.
RECUEILLIR. V. *amas, recueil, obtenir*.
RECUIRE. Recuite, f. V. *cuire, acier, verre, sucre*.
RECUL, m. V. *arrière, mouvement*.
RECULADE, f. V. *lâche*.
RECULÉ. V. *loin*.
RECULER. V. *arrière, céder, fuite, abandon, délai*.
RÉCUPÉRATION, f. V. *éclipse*.
RÉCUPÉRER. V. *recouvrer*.
RÉCURER. V. *vaisselle, nettoyer*.
RÉCURRENT. V. *arrière*.
RÉCUSER. V. *juridiction*.

RÉCUSER (se). V. *résister, abstenir (s')*.
RÉDACTEUR, m. Rédaction, f. V. *rédiger, bureau, journal*.
REDARGUER. V. *répondre, argument*.
REDDITION, f. V. *rendre, siège*.
RÉDEMPTEUR, m. V. *dégager, Christ*.
RÉDEMPTION, f. V. *libre, pardon, réhabiliter*.
REDEVABLE. V. *reconnaissance*.
REDEVANCE, f. V. *dette, louage, rente*.
RÉDHIBITOIRE. V. *annuler*.
**Rédiger**. V. *écrire, style*.
RÉDIMER. V. *acheter*.
REDINGOTE, f. V. *habillement*.
REDIRE. Redite, f. V. *répétition*.
REDONDANCE, f. Redondant. V. *rhétorique, excès, diffus*.
REDONNER. V. *rendre*.
REDOUBLEMENT, m. V. *répétition*.
REDOUBLER. V. *deux, augmenter*.
REDOUTE, f. V. *fortification, danse*.
REDOUTER. V. *peur*.

confus. Je vous rends grâce. Dieu merci. Grâce à Dieu. Louange à Dieu.

**Consentement.** — Reconnaître. Admettre. Donner acte. Reconnaître ses torts. Faire amende honorable. Contrition. — Reconnaître une dette. Billet. Récognition. Acte récognitif. — Reconnaître un enfant. Adopter, adoption. — Convenir de. Consentir à. — Reconnaître, tenir pour vrai. Rendre hommage à la vérité. — Accepter, acceptation. Accuser réception. — Etre reconnu, accrédité.

### RECOUVRER

**Rentrer en possession.** — Recouvrer, recouvrement, recouvrable. Récupérer, récupération, récupérateur. — Reconquérir. Reprendre, reprise. Aller à la rescousse. Remettre la main sur. Ressaisir. Rattraper. — Dégager. Retirer son gage. — Réméré (faculté de rachat). Rémérer.

Faire rendre gorge. Ravoir. Réoccuper. — Retrouver. Repêcher. Regagner. — Réparer ses pertes. Se refaire. — Faire rentrer, rentrée. Percevoir, perception. Rempocher.

### RÉCRIMINER

**Attaquer en retour.** — Récriminer, récrimination, récriminatoire. — Accuser, se plaindre, reproche , injurier en retour. — Renvoyer la balle. Rendre la pareille. Rejeter sur. — Riposter. Rétorquer. Redarguer. — Réclamer, réclamation. Protester, protestation. Faire une pétition. — Reconvenir, reconvention, reconventionnel. — Rancune, rancunier. Révolte.

### RECUEIL

**Recueils littéraires.** — Revue. Magazine. Cahiers. — Analectes. Anthologie. Florilège. Spicilège. — Chrestomathie. Morceaux choisis. — Ana. Miscellanea. Mélanges. — Chansonnier. Sottisier. — Encyclopédie, encyclopédique. Dictionnaire. — CHOIX. Compilation. Rapsodie. Centon.

**Autres recueils.** — Code. Pandectes. — Codex. Formulaire. — Manuel. Aide-mémoire. — Catalogue. Liste. Répertoire. — Collection. Herbier.
Rassembler. Réunir. Recueillir.

### RÉDIGER

**Œuvres de rédaction.** — Rédaction. Ecrit. — Composition littéraire. Article. Narration. — Amplification. Tartine. — Résumé. Sommaire. — Projet. Plan. — Contrat. Acte. — Traduction. — Phrases. Prose.

**Travail.** — Concevoir, conception. Elaborer, élaboration. Composer, composition. — Rendre sa pensée. S'exprimer, expression. — Rédiger, rédacteur. Tenir la plume. ECRIRE. — Construire des phrases, des périodes. — Elocution. STYLE. La manière de. Tourner bien ou mal. — Libeller. Formuler. Instrumenter. Dresser un acte.

**Etats de rédaction.** — Forme. Tournure de phrase. Contexture de style. Langue. — Texte, textuel. Contexte. — La lettre. A la lettre. Littéral. — Leçon. Version. Teneur. Libellé. — Brouillon. Esquisse. Minute. — Copie. Grosse. Exemplaire.

REDRESSEMENT, m. Redresser. V. *droit, corriger, gouvernail.*

REDRESSER, m. V. *bandage.*

RÉDUCTEUR, m. V. *sculpture.*

RÉDUCTIBLE. V. *réduire.*

RÉDUCTION, f. V. *réduire, prix, chimie, chirurgie.*

**Réduire.** V. *diminuer, changer, résumer, punition.*

RÉDUIT, m. V. *retraite, logement.*

RÉÉDIFIER. V. *réparer.*

RÉEL. V. *vrai, positif.*

REFAIRE. V. *faire, mieux, ranimer.*

RÉFECTION, f. V. *réparer.*

RÉFECTOIRE, m. V. *manger, école.*

REFEND, m. V. *mur, maçon.*

REFENDRE. V. *fendre.*

RÉFÉRÉ, m. V. *juges.*

RÉFÉRENCE, f. V. *renvoi, renseignement.*

RÉFÉRENDUM, m. V. *république.*

RÉFÉRER. V. *rapport, conseil.*

RÉFLÉCHI. V. *sage, grave, verbe.*

**Réfléchir.** V. *miroir, retour, pensée, chercher.*

RÉFLECTEUR, m. V. *réfléchir.*

REFLET, m. Refléter. V. *réfléchir, lumière.*

RÉFLEXE, m. V. *subit, irréflexion.*

RÉFLEXION, f. V. *intelligence, parler, réfléchir.*

REFLUER. V. *flux, retour.*

REFLUX, m. V. *flux, réciproque, balancer.*

REFONDRE. Refonte, f. V. *changer, corriger.*

RÉFORME, f. V. *progrès, officier, protestant.*

RÉFORMER. V. *changer, mieux, annuler, destituer.*

REFOULEMENT, m. Refouler. V. *pousser, arrière, bannir.*

RÉFRACTAIRE. V. *résister, feu, soldat.*

RÉFRACTER. V. *réfraction.*

**Réfraction,** f. V. *casser, optique, lumière, cristal.*

REFRAIN, m. V. *chant, répétition.*

RÉFRANGIBLE. V. *réfraction.*

REFRÉNER. V. *obstacle, arrêt.*

RÉFRIGÉRANT. V. *froid.*

RÉFRINGENT. V. *réfraction.*

REFROIDIR. Refroidissement, m. V. *froid, rhume, fâché.*

REFUGE, m. V. *abri, retraite, ressource.*

RÉFUGIÉ, m. V. *bannir.*

REFUS, m. Refuser. V. *résister, opposé, négation.*

RÉFUTATION, f. V. *réfuter.*

**Réfuter.** V. *répondre, argument, opposé, preuve, défendre.*

REGAGNER. V. *recouvrer, retour.*

REGAIN, m. V. *fourrage, plus.*

RÉGAL, m. V. *manger, plaisir.*

RÉGALADE, f. V. *boire.*

RÉGALE, f. V. *bénéfice.*

RÉGALER. V. *plaisir, manger, niveau.*

RÉGALIEN. V. *roi.*

---

## RÉDUIRE
(latin, *reducere*)

**Ramener à un état moindre.** — Réduire, réduction, réductible, irréductible. — Résoudre, résolution. DISSOUDRE. — Concentrer. Réduire en poudre. Réduire à rien. — Transformer, transformation. Convertir, conversion, convertible. CHANGER, change. — Diminuer. Refaire en petit. — Ramener à. Subjuguer. Contraindre.

## RÉFLÉCHIR
(latin, *reflectere*)

**Renvoyer en sens opposé.** — *Mouvement.* Réfléchir, réflexion, réfléchi, réflexible. — Réagir, réaction. Réflexe. — Rebondir, rebondissement. Ricocher, ricochet. Ressaut. Rejaillir, rejaillissement. — Retourner, retour. Revenir. Elasticité, élastique. — Angle d'incidence. Angle de réflexion.

*Son.* Répercuter, répercussion, répercussif. Répéter le son. Echo. — Repérage au son. Catacoustique.

*Lumière.* Réfléchir, réflexion. Réflecteur. MIROIR. Réverbérer, réverbération, réverbère. — Refléter, reflet. Chatoyer, chatoiement. Miroiter, miroitement. Papilloter, papillotage.

**Remuer des idées.** — Rouler, repasser dans sa tête. Travailler de la tête. Se creuser la tête. — Réfléchir. Considérer. Examiner. Ruminer. — Appliquer sa pensée à. Etudier, étude. Creuser un sujet. Approfondir. Pénétrer, pénétration. — Calculer, calcul. Peser. Supputer. — Délibérer. Agir à bon escient. — Combiner, concerter un plan. Combinaison. Mûrir un projet. Machiner. Préméditer. S'ingénier.

Observer, observation. Etre attentif, attention. Remarquer. Se préoccuper, préoccupation. — S'occuper de. Aviser. Envisager. — Repenser. Ressasser. — Penser, PENSÉE. Raisonner, RAISON, raisonnement. Abstraire, abstraction. Analyse. Synthèse. Spéculer, spéculation, spéculatif.

**S'absorber en soi-même.** — Se recueillir, recueillement. Descendre en soi-même. Rentrer en soi-même. Faire retour sur soi-même. — Méditer, méditation, méditatif. Se plonger dans la méditation. S'enfoncer, s'ensevelir dans ses méditations. — Se replier sur soi. Faire des réflexions. — Examen de conscience. Retraite spirituelle. Introspection. — S'abîmer dans la contemplation. Rêver, rêve, rêverie, rêveur, rêvasser.

## RÉFRACTION

**Déviation de rayons lumineux.** — Réfracter, réfraction, réfractif. — Courbe réfractoire. Angle de réfraction. Indice de réfraction. — Réfringent. Réfrangible. — Immergence, immergent, immersion. — Emergence, émergent. Point d'émersion. — Diffracter, diffraction, diffractif. Diffringent. — Dioptrique. Réfractomètre.

## RÉFUTER

**Combattre un argument.** — Réfuter, réfutation, réfutable. Confutation. Irréfutable. — Miner l'argumentation. Prouver le mal fondé. Confondre son adversaire. — Contredire. Répliquer. RÉPONDRE. — Battre en brèche. Rétorquer. Repousser. — SE DÉFENDRE. Attaquer. Battre. Vaincre.

**Combattre une objection.** — Antéoccupation. Apodioxis. — Prévenir une objection. Prolepse, proleptique. — Renvoyer, retourner l'objection.

**Regard,** m. V. *œil, ouvert, examen.*

REGARDANT. V. *économie.*

REGARDER. V. *voir, attention, rapport.*

RÉGATES, f. p. V. *bateau, courir.*

RÉGENCE, f. V. *roi.*

RÉGÉNÉRER. V. *ranimer, corriger.*

RÉGENT, m. V. *remplacer, chef, école.*

RÉGENTER. V. *diriger, réprimande.*

RÉGICIDE, m. V. *roi, tuer.*

RÉGIE, f. V. *diriger, impôt, tabac.*

REGIMBER. V. *résister.*

RÉGIME, m. V. *règle, politique, conduite, maladie, palmier.*

RÉGIMENT, m. V. *armée.*

REGINGLETTE, f. V. *oiseau.*

RÉGION, f. V. Régional. V. *pays, lieu, province.*

RÉGIR. V. *diriger, grammaire.*

RÉGISSEUR, m. V. *agent, théâtre.*

**Registre,** m. V. *livre, orgue, chant, fourneau.*

**Règle,** f. V. *tracer, loi, théorie, conduite, moine, calcul, grammaire.*

RÈGLEMENT, m. V. *règle, ordre, accord, arranger, société.*

RÉGLEMENTAIRE. V. *loi, bien.*

RÉGLEMENTER. V. *règle.*

RÉGLER. V. *règle, raie, dépense, droit.*

RÉGLETTE, f. V. *règle, imprimerie.*

**Réglisse,** f.

RÉGLURE, f. V. *règle, ligne.*

RÈGNE, m. V. *roi, pouvoir, espèce.*

RÉGNER. V. *roi, continuer.*

REGORGER. V. *plein, abondance, possession.*

REGRAT, m. V. *commerce.*

REGRATTER. V. *économie.*

REGRATTIER, m. V. *avare, vendre.*

RÉGRESSION, f. V. *renverser.*

**Regret,** m. V. *conscience, chagrin, excuse.*

REGRETTER. V. *regret.*

---

## REGARD
(latin, *aspectus*)

**Nature du regard.** — Vivacité, flamme, feu du regard. Eclairs des yeux. — Briller, brillant. Flamboyer, flamboyant. Etinceler, étincelant. Pénétrer, pénétrant.

Regard éteint, vague, louche, flottant. Regard torve, farouche, menaçant, dédaigneux. — Regard contemplatif, profond, expressif, fixe, étonné. Mauvais œil.

**Façons de regarder.** — Ouvrir les yeux, de grands yeux. Fixer les yeux. Suivre des yeux. — Repaître ses yeux. Dévorer des yeux. Couver des yeux. — Regarder en face, entre deux yeux. Toiser. Dévisager. — Plonger ses regards. Envisager. — Arrêter les regards sur. Braquer les yeux sur. Fasciner, fascination. — Lever les yeux. Jeter un coup d'œil. Darder un regard. — Reluquer. Lancer une œillade. Regarder en coulisse. Lorgner. Guigner. Faire les yeux doux. — Regarder en l'air. Bayer aux corneilles.

Considérer. Contempler. Admirer. — Examiner. Inspecter. — Guetter. Epier. Espionner. Surveiller. — Observer. Remarquer. — Viser. Mirer. Coucher en joue. Bornoyer. — Rouler des yeux. Cligner des yeux, clin d'œil. Loucher.

**Relatif au regard.** — Télescope. Microscope. Lorgnette. OPTIQUE. — Spectacle, spectaculaire, spectateur. — Vue. Aspect des choses. Mirage. Vision. — Rétrospectif.

## REGISTRE

**Registres.** — Registre. Registre à souche. — Registre du commerce. Registre d'état civil. Registre d'écrou. — Livres de commerce. Brouillard. Grand livre. Sommier. Répertoire. — Rôle. Contrôle. Matrice. Matricule. — Archives. Fastes. — Cahier. Calepin. Carnet. Agenda. — Registre mortuaire. Nécrologe. Registre obituaire.

**Usage.** — Inscrire, inscription. Coucher sur. — Enregistrer, enregistrement. Enrôler, enrôlement. Immatriculer. — Tenir les livres. Répertorier. — Ecrouer.

## RÈGLE

**Instrument.** — Règle. Réglet. Réglette. Bâtonnet. — Régler. Régloir. Réglure. — Alidade. — Cerce. — Règle en T. Equerre. Guilboquet. — Jauge. Verge. Perche. — Règle à calcul. — Registre d'orgue.

**Principes.** — Règle générale. Règle particulière. Règle à suivre. — MAXIMES de conduite. Préceptes. Gouverne. — Art. Mode. Canon. MODÈLE. — Code, codifier. Formule, formulaire, formuler. — Marche à suivre. Instructions. Prescriptions. — Cérémonial. Protocole. Etiquette. Formalisme. Formalité. — Méthodologie. Méthode, méthodique. SYSTÈME, systématique. — MANIÈRE de faire. Recette. Procédé. — Régime. Diète, diététique. — Rite. Rituel. Liturgie. — Voie. MOYEN. — Codex. Dose, dosage.

**Organisation.** — Organiser. Police, policer. — Règle, régler. Règlement, réglementer, réglementaire. — Régularité, régulier. Norme, normal. — Institutions. LOIS. Statuts. — Discipline, discipliner. Gouvernement, gouverner. Ordre, ordonner. — Périodicité, périodique.

**Contraire à la règle.** — Anomal, anomalie. Anormal. Irrégulier, irrégularité. — Désordonné, désordre. Indiscipliné, indiscipline. — Déréglé, dérèglement. Démesuré. — Autonome, autonomie. — Exceptionnel, EXCEPTION.

## RÉGLISSE

**Qui concerne la réglisse.** — Réglisse (plante). Réglisse (suc). — Jus de réglisse. Jus noir. — Bâton de réglisse. Sucre de réglisse ou Glycyrrhizine. — Sirop de Calabre. Coco.

## REGRET

**Douleur d'une perte.** — Etre en deuil. Etre inconsolable. Pleurer, pleurs. Regrets éternels. — Avoir le cœur brisé. Etre désespéré, au désespoir. — Regret, regretter, regrettable. Regrets amers, amertume. — Chagrin. Déplorer. Se plaindre. — Etre marri.

RÉGULARITÉ, f. V. *régulier.*

RÉGULATEUR, m. V. *machine.*

**Régulier.** V. *règle, exact, moine.*

RÉHABILITATION, f. V. *réhabiliter.*

**Réhabiliter.** V. *pardon, réparer, honneur, innocent.*

REHAUSSER. V. *augmenter, orner, peinture.*

REHAUT, m. V. *saillie, gravure.*

**Rein,** m. V. *intestins, vessie.*

REINE, f. V. *roi, miel.*

REINE-CLAUDE, f. V. *prune.*

REINETTE ou Rainette, f. V. *pomme.*

REINS, m. p. V. *corps.*

REINTÉ. V. *chien.*

RÉINTÉGRATION, f. V. *possession, entrer.*

RÉITÉRER. V. *répétition.*

REÎTRE, m. V. *cavalerie.*

REJAILLIR. V. *couler, jet, effet.*

REJET, m. V. *jet, rejeton.*

REJETER. V. *jet, chasser,* *proscrire, négation, attribuer.*

**Rejeton,** m. V. *bourgeon, génération.*

RÉJOUI. V. *joie.*

RÉJOUIR. V. *plaire, joie.*

RÉJOUISSANCE, f. V. *joie, fête, boucherie.*

RELÂCHE, m. V. *cesser, théâtre, repos.*

RELÂCHE, f. V. *navire.*

RELÂCHEMENT, m. V. *abattement, licence, indifférent, paresse.*

RELÂCHER. V. *libre, lâche, arrêt.*

RELAIS, m. V. *arrêt, changer, remplacer.*

RELANCE, f. V. *cartes.*

RELANCER. V. *poursuivre, chasse.*

RELAPS, m. V. *péché.*

RELATER. V. *dire, raconter.*

RELATIF. V. *rapport.*

RELATION, f. V. *raconter, fréquenter, proportion, rapport.*

RELATIONS, f. p. V. *visite.*

RELATIVISME, m. V. *philosophie.*

RELATIVITÉ, f. V. *rapport, proportion.*

RELAXER. V. *libre.*

RELAYER. V. *arrêt, remplacer.*

RELÉGATION, f. V. *punition.*

RELÉGUER. V. *bannir, écart.*

RELENT, m. V. *odeur, puant.*

RELEVAILLES, f. p. V. *accouchement.*

RELÈVE, f. V. *remplacer.*

RELEVÉ, m. V. *dessin, arpentage.*

RELEVÉE, f. V. *soir.*

RELEVER. V. *haut, posture, réparer, ranimer, réprimande, remplacer, dépendance, chasse, goût.*

RELIEF, m. V. *saillie, apparaître, solide.*

RELIEFS, m. p. V. *reste.*

RELIER. V. *joindre, relieur.*

**Relieur,** m. V. *livre.*

RELIGIEUX. V. *religion, moine, association.*

---

Déplaisir. Etre fâché de. — Chose fâcheuse, douloureuse, accablante. — Dépit, se dépiter. Arrière-pensée. — Dommage cuisant. Il en cuit. — Inquiétude. Insomnie. — Quelle perte ! Tant pis !

**Douleur d'une faute.** — Contrition, contrit. Acte de contrition. Attrition. Détention du péché. — Componction (regret intime). Repentir, se repentir, repentance, repentant. — Etre pénétré de regret. Venir à résipiscence. Se mordre les doigts. — Etre bourrelé, rongé de remords. Se reprocher. Reproches de la CONSCIENCE. — Conscience ulcérée. Ver rongeur. Retour sur soi-même. — Demander PARDON, merci. Se frapper la poitrine. Se jeter à genoux. — Pénitence, pénitent. Dire son *peccavi.* Faire pénitence.

### RÉGULIER

**Qui a de la régularité.** — Régulier. Réglé. Méthodique. Ordonné. — Légal. Rituel. Statutaire. — PARFAIT. BIEN. Normal. — Cadencé. Rythmé. Périodique. — Proportionné. Symétrique. Homogène. EXACT. Compassé. Avec compas et mesure. — Constant. Continu. EGAL. — Vents alizés.

### RÉHABILITER

**Etablir l'innocence.** — Revision, cassation d'un jugement. Réhabiliter, réhabilitation, réhabilitatoire. — Réintégrer dans ses droits. Réhabilitation commerciale, pénale, disciplinaire, administrative, légale. — Casier judiciaire. — Rétablir dans ses prérogatives. Redresser une situation. — Rendre l'honneur. Faire recouvrer l'estime. — Réparation d'honneur.

Lever une accusation. Laver d'une accusation. Innocenter. Justifier. — Couvrir. Décharger. Disculper. Blanchir. — Racheter. Rédemption, rédempteur.

### REIN
(latin, *lumbus ;* grec, *nephros*)

**Le rein.** — Rein. Rognon. — Papille. Bassinet. Capsule surrénale. Pyramides. Artère rénale. Veine rénale. Uretère. Calice. Tubes urinifères. Glomérules. Couche corticale. — Sécrétion urinaire.

**Relatif au rein.** — Néphrologie. Néphrotomie. — Néphrétique. Antinéphrétique. — Rénal. Réniforme. Rénifolié. — Lombes. Lombaire. Prélombaire. — Taille. Ceinture. Ceindre ses reins.

**Maux de reins.** — Effort de reins. Tour de reins. — Calculs ou Néphrolithes. Concrétions. Néphrolithiase. Gravelle. — Néphrite. Coliques néphrétiques. — Abcès du rein ou Pyélonéphrite. — Rein flottant. — Néphropathie. Néphrorragie. — Ereinter, éreintement.

### REJETON

**Les rejetons.** — Accrue. — Bille. — Bouture. — Cépée. — Cosson. Coulant. Dragon. — Jet. — Mailleton. — Peuple. — Pousse. — Provin. — Rejet. — Rejeton. — Revenue. — Scion. — Stolon. — Surgeon. — Talle. — Trochée.

**La pousse.** — Bourgeonner. Drageonner. Rejetonner. Taller. — Pulluler. Pousser.

Frutescent. Frutiqueux. Surculeux. Vivipare. — Fulcré. — Scionneux. — Stolonifère. — Provigné.

### RELIEUR

**Genres de reliure.** — Reliure, relier. Reliure pleine. Demi-reliure. Reliure amateur.

*Religion*, f. V. *Dieu, croire, prêtre.*
RELIGIOSITÉ, f. V. *religion.*
RELIQUAIRE, m. V. *reliques.*
RELIQUAT, m. V. *reste, compte.*
*Reliques*, f. p. V. *cadavre, reste.*
RELIURE, f. V. *relieur, enveloppe.*
RELUIRE. V. *briller.*
RELUQUER. V. *regard.*
REMANIEMENT, m. Remanier. V. *changer, corriger, arranger, réparer.*
REMARQUABLE. V. *rare.*

REMARQUE, f. V. *marque, note, objection.*
REMARQUER. V. *attention, regard, pensée.*
REMBARRER. V. *répondre, brusque.*
REMBLAI, m. V. *terrassier.*
REMBLAYER. V. *fermer.*
REMBOURRER. V. *bourre, garnir.*
REMBOURSEMENT. V. *rendre, payer, compenser.*
REMBRUNIR (se). V. *nuage, chagrin.*
REMÈDE, m. V. *guérir, médicament, ressource.*

REMÉDIER. V. *réparer, guérir.*
REMÉMORER. V. *mémoire.*
REMERCIEMENT, m. Remercier. V. *reconnaissance, politesse, chasser.*
RÉMÉRÉ, m. V. *recouvrer, vendre.*
REMETTRE. V. *mettre, attendre, délai, pardon, rendre, ranimer.*
RÉMIGES, f. p. V. *plume.*
RÉMINISCENCE, f. V. *mémoire.*
REMISE, f. V. *abri, délai, commerce, chasse, punition, cartes.*

---

Reliure à dos brisé. Reliure bradel. Cartonnage à l'anglaise. Emboîtage. — Brochure, brocher, brochage. Plaquette.

**Parties de reliure.** — Feuilles. Carton. Cahier. Battée. Défets. — Dos. Tranchefile (reliefs du dos). Grecque (entaille à ficelle). Nervures. Nerfs. Plats. Gardes. Charnières. Tranche. Gouttière (de la tranche). — Couverture. CUIR. Basane. Maroquin. Percaline. — Fers. Coins. Filets. Fleurons. Bouquets. Travers. — Onglet. Signet.

**Outillage.** — Scie à grecquer. — Machine à coudre. — Massicot à rogner. — Presse à tranchefiler. Presse à percussion. Presse à estamper. — Etau à endosser. — Fer à dorer. Fer à polir. Grille à jasper. Roulette à filet. Couchoir (à or).

**Travail.** — Collationner. Plier. — Battre. — Coudre. Coudre sur nerfs. Grecquer. Tranchefiler. — Passer en carton. Cartonner. Encarter. Interfolier. — Endosser. Encoller. Ebarber. Rogner. — Dorer. Marbrer. Jasper. Antiquer. — Couvrir. Gaufrer.

## RELIGION

**Etat d'âme.** — Foi. Ferveur. Dévotion. Piété, pieux. — Extase. Illumination. Mysticisme. Exaltation. — Aspirations de l'âme. Béatitude. Inspiration. Adoration. — Renoncement au monde. Recueillement. Ascétisme. Béguinage. — Sainteté. Spiritualité. Religiosité. — Vertus théologales. Fidélité. — Crainte du Seigneur. — Onction. Componction. — Charité.

Fanatisme, prosélytisme. Intolérance. — Superstition. Hypocrisie. Cafardise. — Bégueulerie. Bigoterie. Cagoterie. — Tiédeur. Irréligion. — Tolérance.

**Pratiques.** — Adorer. Dresser des autels. — Culte. Cérémonies. Liturgie. Rites. — Pratiques religieuses. Offices.

**Sacrements.** — Mystères. Sacrifices. — Sacerdoce, sacerdotal. Service divin. Offices. Discipline. — Exercices de piété. Exercices spirituels. Prière. Œuvres pies. Bonnes œuvres. — Aller à l'église. Aller au temple. — Pratiquer, pratiquant. — Pénitence, pénitentiel. — Edification, édifiant.

**Dogmes.** — Credo. Foi. Croyance. — Article de foi. Catéchisme. Catéchèse. — Dogme, dogmatisme, dogmatique. Gnose. Anagogie. — Loi divine. L'ancienne et la nouvelle loi. — Bible. Evangile. CONCILE. — Principes religieux. EGLISE. Orthodoxie, orthodoxe. Hérésie, hérétique. — Chemin du salut. Voie du Seigneur. — Propagande. Propagation de la foi. Evangéliser. Convertir. — THÉOLOGIE. Mystère. Révélation. Prédestination. — Religion naturelle. Religion révélée. — Profession de foi. Symbole des apôtres.

Excommunication. — Abjuration. Apostasie. Schisme.

**Personnes.** — Clergé. PAPE. PRÊTRE. Pasteur. Ministre. Congréganiste. — Fidèle. Adorateur. Sectateur. Pratiquant. Croyant. — Apôtre. Ascète. Martyr. SAINT. Adepte. Disciple. Catéchumène. Prosélyte. Néophyte. Ouailles. Initié. Converti. — Evangéliste. Catéchiste. — Mystagogue. Visionnaire. — Coreligionnaire. Confrère. Frère en religion. Béguine. — Religieux. Mystique. Dévot. FANATIQUE. — Bigot. Cagot. Cafard.

**Religions.** — Idolâtrie, idolâtre. Fétichisme, fétichiste. — Zoolâtrie. Totémisme, totémiste.

Déisme, déiste. Monothéisme, monothéiste. Polythéisme, polythéiste. — Paganisme, païen. Mythologie. — Magisme (Perse), mage. Mazdéisme. Sabéisme. — Brahmanisme, brahmane. Bouddhisme, bouddhiste. Shintoïsme (Japon). — Judaïsme, juif, judaïsant. Mosaïsme. — Mahométisme, mahométan. Christianisme, chrétien. — Catholicisme, catholique. Papisme. — Religion orthodoxe. — Protestantisme, protestant. Calvinisme, calviniste. Luthérianisme, luthérien. Anglicanisme, anglican. Méthodisme, méthodiste. Presbytérianisme, presbytérien.

Doctrines religieuses. Mysticisme. Gnosticisme. Théosophie. Panthéisme, etc.

## RELIQUES

**Qui concerne les reliques.** — Reliques. Ossements. Cendres. Pâte de reliques. — Châsse. Coffret. Reliquaire. Pierre d'autel. — Luseau. Phylactère. Fierte (anciens noms des châsses). — Invention (découverte des reliques). Illation (translation). Ostension (exposition publique). — Authentiques (actes de garantie).

REMISER. V. *serrer, voiture.*
REMISIER, m. V. *agent.*
RÉMISSION, f. V. *cesser, interruption, maladie, péché.*
RÉMITTENCE, f. V. *calme, fièvre.*
REMMAILLER. V. *tricot.*
REMOLAR, m. V. *galère.*
REMONTAGE, m. V. *réparer, machine, horloger.*
REMONTE, f. V. *cheval.*
REMONTER. V. *machine, rivière, augmenter, ranimer, consoler.*
REMONTRANCE, f. Remontrer. V. *avertir, blâme, réprimande.*
REMORDS, m. V. *conscience, regret, pénitence.*
REMORQUE, f. V. *train, bateau.*
REMORQUER. V. *tirer, traîner.*
REMORQUEUR, m. V. *bateau.*
RÉMOULADE, f. V. *moutarde.*
RÉMOULEUR, m. V. *aiguiser.*
REMOUS, m. V. *rivière, mouvement, arrière.*

REMPAILLER. V. *paille, siège.*
REMPART, m. V. *fortification, défendre, abri.*
REMPLAÇANT, m. V. *agent.*
REMPLACEMENT, m. V. *remplacer.*
**Remplacer.** V. *changer, compenser, absence.*
REMPLI, m. V. *pli.*
REMPLIR. V. *plein, fonction, garnir.*
**Remplissage,** m. V. *plein, bourre, broder.*
REMPOCHER. V. *recouvrer.*
REMPORTER. V. *obtenir, porter.*
REMUANT. V. *action, vif.*
REMUER. V. *mouvement, action, geste, toucher.*
REMUGLE, m. V. *puant.*
RÉMUNÉRATION, f. Rémunérer. V. *salaire, récompense, payer.*
RENÂCLER. V. *répugnance, abandon.*
RENAISSANCE, f. V. *ranimer, chronologie.*

RENAÎTRE. V. *naître, retour.*
RÉNAL. V. *rein.*
**Renard,** m. V. *animal, ruse.*
RENARDER. V. *renard.*
RENCHÉRI. V. *affectation.*
RENCHÉRIR. V. *augmenter, mensonge.*
RENCOGNER. V. *coin.*
**Rencontre,** f. V. *hasard, trouver, circonstance, choc, entrevue, rival.*
RENCONTRER. V. *rencontre.*
RENDEMENT, m. V. *gain.*
RENDEZ-VOUS, m. V. *visite.*
**Rendre.** V. *payer, compenser, réciproque, céder, représenter, rédiger, vomir.*
RENÉGAT, m. V. *renier, impie, trahir.*
RÊNES, f. p. V. *courroie, harnais.*
RENFERMER. V. *serrer, contenir, fermer.*
RENFLEMENT, m. Renfler. V. *rond, inégal.*
RENFLOUER. V. *sauver, naufrage.*

## REMPLACER

**Tenir la place de.** — Remplacer. Faire fonction de. Jouer le rôle de. SERVIR de. — Agir au nom de. Représenter. — Suppléer. Doubler.

Adjoint. Aide. Lieutenant. Second. — Suppléant. Supplétif. Remplaçant. Bouche-trou. — Substitut. Fondé de pouvoirs. Représentant. Ayant droit. — Coadjuteur. Vicaire. — Régent, régence. Interroi. — Intérimaire, intérim. Internance. — Personne interposée. Homme de paille. — Prête-nom. Passe-volant. — Délégataire. Doublure.

Préfixe *vice* dans : Vice-roi. Vice-recteur. Vice-consul. Vice-président, etc.

Préfixe *pro* dans : Proconsul. Procurateur. Propréteur. Protecteur, etc.

**Mettre à la place de.** — Substituer, substitution. Supposer, supposition. Subroger, subrogation. Déléguer, délégation. — Remplacer, remplacement. Relever de faction, relève. Relayer, relais. — Déplacer. Dégommer. Déloger. Détrôner. — Compenser. Dédommager. — Remonter, remonte. Recruter, recrutement. — Mettre une chose pour une autre. Boucher un trou. — Bloquer (remplacer une lettre en typographie), blocage. — Faux col. Fausses manches. Fausses dents. Cheveux, cils postiches. Perruque.

**Venir à la place de.** — Prendre la place de. Supplanter. — Alterner, alternance. Permuter. CHANGER. Rouler, roulement. — Succéder, succession, successeur. Hériter. Succédané. — Pièces de rechange. Novation (renouvellement de titre). — Quiproquo.

## REMPLISSAGE

**Qui sert à remplir.** — Remplissage. Remplage. Blocage. Blocaille. Bouche-trou. —

Bourre, bourrer. Fourrure. Garniture, garnir. — Farce, farcir. — Son. Laine. Paille. Cofferdam. Kapok. — Pléonasme. Mot explétif. Cheville (en poésie).

## RENARD

**Qui concerne le renard.** — Renard, renarde, renardeau. Goupil. — Renard roux. Charbonnier. Renard blanc. Renard argenté. Renard bleu ou Isatis. Renard croisé. — Fennec. — Renardière. Terrier. Tanière. Fusée. Casemate. — Japper, jappement. Glapir, glapissement. Gannir.

Ruser. Renarder, renarderie.

## RENCONTRE

**Le fait de se rejoindre.** — Rencontre, se rencontrer. Se trouver nez à nez. Trouver. — Aborder, abord, s'aborder. Accoster. — S'affronter. Heurt. Choc. Hiatus. — Contact. Jonction. — Couper. Traverser. Se couper. Se croiser, croisement. — Point d'intersection. Point d'osculation. Point de contact. — ENTREVUE. Rendez-vous. Confrontation.

Concours de CIRCONSTANCES. Occurrence. Conjoncture.

## RENDRE
(latin, *reddere*)

**Redonner.** — Rendre, reddition. Remettre, remise. Revaloir. — Rembourser, remboursement. Restituer, restitution. Rendre gorge. — Payer une dette. S'acquitter d'une dette. — Donner en retour. Payer de retour. — Rétrocéder, rétrocession. Recéder. — Compenser. Réparer. — Réhabiliter, réhabilitation. Réintégrer, réintégration.

RENFONCEMENT, m. V. *fond.*
RENFORCER. V. *augmenter.*
RENFROGNÉ. Renfrogner. V. *grimace, fâché, chagrin.*
RENGAGER. V. *soldat.*
RENGAINE, f. V. *répétition.*
RENGAINER. V. *fourreau.*
RENGORGER (se). V. *gorge, orgueil.*
RENIEMENT, m. V. *renier.*
**Renier.** V. *impie, négation, abandon.*
RENIFLER. V. *nez, odeur.*
RENNE, m. V. *quadrupède.*
RENOM, m. Renommée, f. V. *gloire, réputation, vogue.*
RENONCEMENT, m. V. *résignation, modération.*
RENONCER. V. *céder, abstenir (s'), perdre.*
RENONCIATION, f. V. *abandon.*
RENONCULE, f. V. *plante.*
RENOUER. V. *nœud, réconcilier.*
RENOUVEAU, m. V. *saison.*
RENOUVELER. V. *nouveau, répétition.*
RÉNOVATION, f. V. *nouveau.*
**Renseignement,** m. V. *nouvelle, dire, connaître.*
RENSEIGNER. V. *renseignement.*
**Rente,** f. V. *finance, intérêt, produire.*
RENTIER, m. V. *rente, riche.*
RENTRAIRE. V. *coudre.*
RENTRAYEUR, m. V. *tapis.*
RENTRÉE, f. V. *retour, recevoir.*
RENTRER. V. *entrer, retour.*
RENVERSE, f. V. *tomber.*
RENVERSEMENT, m. V. *renverser.*
**Renverser.** V. *tomber, coucher, détruire, changer.*

## RENIER

**Ne plus reconnaître.** — Renier, reniement. Renoncer, renonciation. Rétracter, rétractation. — Abandonner, abandon. Répudier, répudiation. Désavouer, désaveu. Faire amende honorable.

Abjurer, abjuration. Jeter le froc aux orties. Changer de religion. Apostasie. — Apostat. Renégat. Laps et Relaps. Impie. Infidèle.

## RENSEIGNEMENT

**Donner un renseignement.** — Renseigner. Informer, information, informateur. Documenter, documentation. — Faire connaître. Instruire. Eclairer. — Certifier. Faire autorité. — Avertir. Aviser.

**Recueillir un renseignement.** — Se renseigner. S'informer. Se documenter. — Aller aux renseignements. Puiser un renseignement. — S'enquérir. Consulter. Interroger. Questionner. — Apprendre. S'instruire. S'éclairer. — Interviewer. Prendre langue.

**Sources de renseignements.** — Témoignage. Indication. Indice. — Enquête. Recherches. Interview. — Référence. Attestation. Certificat. — Reportage. Rapport. Dépêche. Radio. — Bruit public. Propos. Ondit. Ouï-dire. Récits.

Agence. Bureau de renseignements. — Dossier. Livret. Fiches. — Publications. Journaux. — Bibliothèque. Archives. — Dictionnaire. Annuaire. — Catalogue. Index. — Antécédents. Signalement. Casier judiciaire. Fiche anthropométrique.

## RENTE

**Formes de rentes.** — Rente. Rente annuelle. Rente viagère. Rente perpétuelle. Rente amortissable. Rente foncière. Rente personnelle, constituée. Bail à rente. Constitution de rente. Crédirentier. Débirentier. Rente sur l'Etat. Rente au porteur. Rente nominative. Rente mixte.

Annuité. Pension. Retraite. Pension alimentaire. — Fruits civils. Loyer. Fermage. Accense (bail à vente). — Dotation. Douaire. — Redevance. Cens. Tribut. Prestation. — Revenus. Mense. Temporel. — Tontine. — Commende. Bénéfice.

**Etablissement des rentes.** — Capital. — Arrérages. Intérêts. Coupon. — Retenue. Tant pour cent. — Taux. Taux légal. Taux usuraire. Denier (rapport à 100). — Fonds perdu.

Courir de. Terme courant. Jouissance. Quartier. Trimestre. Semestre. Echéance.

Constituer une rente. Servir une pension. Renter. Arrenter. — Rentier. Rentière. — Renté. Pensionné. Retraité. — Douairière. Tontinier. Commendataire.

**Opérations sur rentes.** — Emettre, émission. Achat et Vente. Racheter, rachat. — Convertir, conversion. Rembourser, remboursement. Amortir, amortissement. Eteindre. — Immobiliser, immobilisation. Transférer, transfert. — Cours de la rente.

## RENVERSER

**Mettre à l'envers.** — Mettre sens dessus dessous. Jeter cul par-dessus tête. — Renverser, renversement. Culbuter, culbute. Subversif, subversion. — Sens contraire. Arrière. Faire marche arrière. Virer de bord. — Revers. Envers. — Eversion. Introversion. Rétroversion. Extroversion. Antéversion. — Retourner, retournement. Retour des choses. Régression, régressif. En arrière.

**Changer bout pour bout.** — Sens devant derrière. Intervertir l'ordre, interversion. Mettre la charrue avant les bœufs. — Contrepied. Tête-bêche. — Remplacer, remplacement. Transposer, transposition. — Inverse, inversement. Vice versa. Réciprocité, réciproque. — Alterner, alternatif. Faire la bascule. — Révolution. Monde renversé.

**Faire tomber.** — Jeter bas. Pousser. Précipiter. — Renverser. Abattre. Terrasser. — Mettre sur le flanc. Coucher sur le dos. Désarçonner. — Bouleverser, bouleversement. Verser. RÉPANDRE.

Tomber à la renverse. Chavirer. Cabaner. Capoter. — Perdre l'équilibre. Basculer. — Echouer. Verser.

**Renversement dans le langage.** — Inversion. Hyperbate. Hypallage. — Anastrophe. Métathèse. — Figure. Trope. — Chiasme. — Contresens.

Vers palindrome ou récurrent. — Ecriture boustrophédone.

**Renvoi**, m. V. *envoi, vomir, marque.*

RENVOYER. V. *réciproque, paume, chasser, destituer, délai.*

RÉORGANISER. V. *réparer, arranger.*

REPAIRE, m. V. *retraite.*

REPAÎTRE. V. *manger, rassasier.*

**Répandre.** V. *verser, arroser, dispenser, abondance, public, nouvelle.*

REPARAÎTRE. V. *apparaître, retour.*

RÉPARATION, f. V. *réparer, punition.*

**Réparer.** V. *mieux, architecture, compenser, pénitence.*

REPARTIE, f. V. *répondre, spirituel.*

REPARTIR. V. *partir, répondre.*

RÉPARTIR. Répartition, f. V. *partage.*

REPAS, m. V. *manger.*

REPASSAGE, m. Repasser. V. *aiguiser, linge, mémoire, horloger.*

REPASSEUSE, f. V. *blanchir.*

REPÊCHER. V. *sauver, noyer.*

REPEINT, m. V. *peinture.*

REPENTIR, m. V. *regret, pénitence, honte, peinture.*

RÉPERCUSSION, f. Répercuter. V. *arrière, réfléchir.*

REPÈRE, m. Repérer. V. *marque.*

REPÉRAGE, m. V. *artillerie.*

RÉPERTOIRE, m. Répertorier. V. *registre, compte, recueil, théâtre.*

RÉPÉTER. V. *répétition.*

RÉPÉTITEUR, m. V. *école.*

**Répétition,** f. V. *souvent, deux, plusieurs, dire, instruction, théâtre.*

REPIQUER. V. *jardin, riz, pavé.*

RÉPIT, m. V. *interruption, repos, délai, cesser.*

REPLÂTRER. V. *réparer, réconcilier.*

---

## RENVOI

**Qui sert à renvoyer.** — Renvoi. MARQUE. Note. Référence. — Signes de renvoi. Astérisque. Chiffre. Numéro, numérotage. Guidon de renvoi. Lettrine. — *Da capo.* — Renvoyer. Reporter à. Référer. — Table des matières. Index.

## RÉPANDRE

**Laisser tomber.** — Verser, versement. Déverser. — Répandre. Renverser. — ARROSER. Asperger, aspersion. Pleuvoir. — Faire COULER. Jeter, jet. — S'extravaser, extravasion. Transfuser, transfusion. Instiller, instillation. — Epancher, épanchement. Effusion. — Douche. Libation. — Inonder, inondation. Déborder, débordement.

**Etendre.** — Répandre. Distribuer. Diffusion. Profusion. — COUVRIR de. Joncher, jonchée. Parsemer. Saupoudrer. Paver. — Propager, propagation. Publier, publication. Semer des bruits. — Porter au loin. Exhaler. PÉNÉTRER.

## RÉPARER

**Réparer des objets.** — Entretenir, entretien. Raccommoder, raccommodage. Réparer, réparation. — ARRANGER, arrangement. Rhabiller, rhabillage. Rafraîchir. Rajeunir. Moderniser. — Retaper, retapage. Rafistoler. Raccoutrer, raccoutrement. Ravauder, ravaudage, ravaudeur. Rapetasser. — Coudre une pièce. Appiécer. Rapiécer. — Recoudre. Rentraire, rentrayeur. — Repriser. Faire des reprises. Stopper, stoppage. — Remmailler des bas. — Ressemeler, ressemelage.

**Réparer des dégâts.** — Rebâtir. Réédifier, réédification. — Remaçonner. Reprendre en sous-œuvre. — Restituer, restitution. Rétablir, rétablissement. Reconstituer, reconstitution. — Refaire, réfection. Remettre à neuf. — Relever des ruines. Restaurer, restauration. — Radouber, radoub. Boucher les trous. — Rappareiller, rappareillage. Raccorder, raccordement, raccord. Remonter, remontage. — Récrépir, récrépissage. Replâtrer, replâtrage. — Repeindre. Raviver des couleurs. — Réparer. Réparations locatives.

Prothèse. Rhinoplastie. Réduction de fracture. Opération chirurgicale.

**Réparer des torts.** — Réparations civiles. Dommages-intérêts. — Dédommager, dédommagement. Compenser, compensation. Accorder une réparation. — Expier, expiation, expiatoire. Piaculaire. Propitiatoire. — Racheter sa faute. Rédemption. Effacer, laver une faute. — Donner satisfaction. Faire amende honorable. — S'excuser. Faire des EXCUSES. — Réhabiliter. Réintégrer.

**Réparer des erreurs.** — Améliorer, amélioration. Amender, amendement. — Perfectionner, perfectionnement. Mettre au point. — Corriger, correction. Rectifier, rectification. Revoir, revision. — Remanier, remaniement. Refondre, refonte. Renouveler, rénovation. — Réformer, réforme. Redresser, redressement. Rajuster, rajustement. — Réorganiser, réorganisation. Remettre en ordre, sur le métier. — Atténuer, atténuation. Pallier, palliatif. — Remédier, remédiable. Retoucher, retouche. Repentir (retouche).

## RÉPÉTITION

**Redire.** — Répéter, répétition. Redire, redite. — Dire à tout bout de champ. Rabâcher, rabâchage, rabâcheur. Radoter, radotage, radoteur. — Rappeler. Récapituler. — Seriner, serinette. Réitérer. Itératif.

Répétitions littéraires. Tautologie. Redondance. Epanalepse. Anaphore. Antanaclase. Datisme. — Ritournelle. Refrain. Réclame (d'un répons). Rengaine, f. — RIME, rimer. Allitération. — Bégayer. Bègue. Paréchèse. — Perroquet. Psittacisme. — Echo. Le même. Dit. Dito. Idem.

**Recommencer.** — Reproduire, reproduction. Imiter. Copier, COPIE. — Renouveler. Nouvelle édition. Reprendre, reprise. — Se remettre à. Partir sur nouveaux frais. — Convoler en secondes noces. Se remarier. — Retomber. Rechute. Récidive, récidiver. Relaps. — Multiplier. Doubler, double. Tripler, triple, etc. — Redoubler, redoublement. Réduplication. Duplicata. — Biner, binage. Bis,

REPLET. V. *plein, graisse.*
RÉPLÉTION, f. V. *abondance.*
REPLI, m. V. *pli, contraction, manœuvres.*
RÉPLIQUE, f. Répliquer. V. *répondre, argument, objection, auxiliaires de justice.*
RÉPONDANT, m. V. *garant.*
**Répondre.** V. *dialogue, réfuter, garant, résister, messe.*
RÉPONS, m. V. *chant.*
RÉPONSE, f. V. *répondre.*
REPORT, m. V. *compte.*
REPORTAGE, m. V. *journal, renseignement.*

REPORTER. V. *porter, délai, compte.*
**Repos,** m. V. *arrêt, oisif, immobile.*
REPOSER. V. *repos, calme, confiance, sommeil, mort.*
REPOSOIR, m. V. *procession, autel.*
REPOUSSANT. V. *laid, dégoût.*
REPOUSSER. V. *pousser, chasser, réfuter, brusque, répugnance, orfèvre.*
RÉPRÉHENDER. V. *blâme.*
RÉPRÉHENSIBLE. V. *mal.*
REPRENDRE. V. *recouvrer, ré-*

*pétition, réprimande, santé, arrière.*
REPRÉSAILLES, f. p. V. *réciproque, venger.*
REPRÉSENTANT, m. V. *agent, mission, commerce.*
**Représenter.** V. *montrer, apparaître, avertir, posture, spectacle, remplacer.*
REPRÉSENTER (se). V. *pensée.*
RÉPRESSIF. Répression, f. V. *obstacle, punition.*
**Réprimande,** f. V. *avertir, blâme, menace.*
RÉPRIMANDER. V. *réprimande.*

bisser. Trisser. — Période, périodique, périodicité. Phase. — Palingénésie. — Palintocie. — Manie, maniaque. Routine, routinier.

Composés en *ré* ou *re* du sens de *refaire* : Redorer. Rélargir. Relaver. Remeubler. Remoudre. Rempoter. Repaver. Refermer. Rouvrir, etc.

Coup sur coup. Derechef. De nouveau.

**Insister.** — Appuyer sur. Insistance. Revenir sur. Revenir à la charge. — Remettre sur le tapis. Reparler de. Ressasser. — Rebattre les oreilles. Obsédé, obsession. — Répéter sur tous les tons, à satiété. — Instances. Prières instantes. — Faire de plus belle. — Fréquence, fréquent. Continuité, continuel.

Encore une fois. Encore un coup. Maintes fois. A foison. A n'en plus finir.

**Locutions.** — Chanter la même antienne. — Ne savoir qu'une chanson. — C'est son cheval de bataille, son dada, sa marotte. — C'est la toile de Pénélope, le tonneau des Danaïdes. — Tourner dans un cercle.

### RÉPONDRE

**Répondre par écrit.** — Répondre, réponse. Rendre réponse. Faire réponse. — Correspondre, correspondance, correspondant. Répondre par retour du courrier. — Récrire. Accuser réception. — Rescrit.

**Répondre en paroles.** — Demandes et réponses. Réponse péremptoire, catégorique. Répondre en Normand. — Faire la contrepartie. Interlocuteur. Compère. — Reprendre la parole. Avoir réponse à tout. — S'entre-parler. Dialogue, dialoguer. — Rendre des oracles. — Echo.

**Riposter.** — Contredire, contredit (réponse). Contradiction, contradicteur, contradictoire. — Riposter, riposte. Repartir, repartie. Répliquer, réplique. Dupliquer. — Se DÉFENDRE, défense. Etre prompt à la parade. Faire raison. — Rétorquer. Rembarrer. Renvoyer la balle. — Objecter, objection. Redarguer. Réfuter, réfutation. — Avoir le dernier mot. Mettre à *quia.* River le clou. Donner son paquet.

### REPOS
(latin, *quies;* grec, *pausis*)

**Repos.** — S'arrêter, ARRÊT. Cesser le travail. Faire relâche. — Souffler. Respirer un

peu. Reprendre haleine. — Etape. Halte. Relais. — Se défatiguer. Se délasser. Se reposer, reposée. Détendre ses muscles. — Se refaire. Se remettre. Se restaurer. Réparer ses forces. — Prendre du repos. Lit de repos. Sommeil. Sieste. — S'asseoir. — Rester calme, tranquille. Quiétude. — Trêve. Répit. — Césure. Pause. Soupir.

**Loisirs.** — Vacances. Congé. Jour de sortie. — DIMANCHE. Jour férié. Repos hebdomadaire. — Prendre sa RETRAITE. Etre en disponibilité. — Ne rien faire. Se reposer sur ses lauriers. — Oisiveté, OISIF. Inaction, inactif. Farniente. — Paresser, PARESSE, paresseux. Inerte, inertie. — Chômer, chômage, chômeur. Vaquer.

**Distractions.** — Se récréer, récréation, récréatif. S'amuser, amusement. — Se distraire. Prendre de la distraction. — Repos d'esprit. Se détendre. Se relâcher. — Station de repos. Le repos à la campagne, à la mer, à la montagne.

### REPRÉSENTER

**Donner l'idée de.** — Représenter. Se représenter. Décrire, description. Dépeindre. Faire voir. — Rappeler à l'esprit. Emblème, emblématique. Symbole, symbolique, symboliser. — Idée. Type, typique. Simulacre. — Figurer. Croquis. DESSIN. Plan. Schéma. — Mythe, mythique. Mythologie.

**Reproduire.** — Dessiner, dessin. Peindre, peinture. Photographier, photographie. — Représenter, représentation. Jouer à la scène. Spectacle. — Reproduction. Retracer. Rendre bien ou mal. — IMAGE. Figure. Effigie. Portrait. — Panorama. Diorama. Cosmorama.

Représentation en justice. Mandat. Pouvoir.

### RÉPRIMANDE

**Reprocher.** — Réprimander, réprimande. Reprendre, répréhensible. Semoncer, semonce. — Blâmer, BLÂME. Tancer. Morigéner. Remontrer, remontrance. Mercuriale. — Gourmander. Gronder, gronderie, grondeur. Faire des observations. Objurgation. — Laver la tête. Donner une leçon, un galop, une douche. Donner son paquet. — Rappeler à l'ordre, au devoir. Régenter. Raisonner. — Admonester, admonestation. Relancer. Sévérité.

RÉPRIMER. V. *punition, calme.*
REPRISE, f. V. *prendre, théâtre, mariage, coudre.*
REPRISER. V. *réparer, linge, habillement.*
RÉPROBATION, f. V. *blâme.*
REPROCHE, m. *Reprocher.* V. *plainte, blâme, accusation.*
REPRODUCTEUR, m. V. *mâle, bestiaux.*
REPRODUCTION, f. *Reproduire.* V. *produire, génération, répétition, copie, image.*
RÉPROUVÉ, m. V. *maudire.*

RÉPROUVER. V. *blâme, mépris.*
REPS, m. V. *étoffe.*
REPTATION, f. V. *mouvement.*
Reptile, m. V. *animal, serpent, cuir.*
REPU. V. *manger.*
RÉPUBLICAIN, m. V. *république.*
République, f. V. *politique, peuple, libre.*
RÉPUDIATION, f. *Répudier.* V. *mariage, abandon, renier.*
Répugnance, f. V. *dégoût,*

*déplaire, peine, résister.*
RÉPUGNER. V. *répugnance.*
RÉPULSION, f. V. *répugnance, horreur.*
Réputation, f. V. *public, gloire, vogue.*
RÉPUTER. V. *supposer, croire.*
REQUÉRIR. *Requête,* f. V. *demande, contrainte, procédure.*
REQUIN, m. V. *cétacé.*
RÉQUISITION, f. V. *demande.*
RÉQUISITOIRE, m. V. *accusation, juges.*

Langage sévère. Faire la morale. Chapitrer. Sermonner, sermonneur. Prêcher. — Faire honte. Mortifier. — Faire la guerre à. Mettre le holà. Corriger.

S'emporter contre. — Accommoder. Arranger. Accoutrer. Chanter pouilles. — Apostropher. Quereller. Faire une scène. Chamailler. — Faire une sortie. Tomber sur. Crier après. — Tonner contre. Jeter feu et flamme. Fulminer. Tempêter. — Montrer les dents. Menacer. — Malmener. Maltraiter. Rudoyer. Brutaliser. Bourrer. — Houspiller. Savonner. Sabouler. — Rembarrer. Rabrouer. — Grogner, grognon. Hargneux.

### REPTILES et BATRACIENS

Reptiles. — *Chéloniens.* Tortue de mer. Tortue imbriquée. Tortue luth. Chélone. Tortue éléphantine. Tortue mauritanique. Hydroméduse. Emyde. Serpentine. Trionyx.

*Hydrosauriens.* Crocodile. Alligator. Caïman. Gavial.

*Ophidiens.* Boa. Python. Eunecte ou Anaconda. Crotale. Cobra. Naja. Aspic. Vipères. Céraste. Couleuvre. Plature. Elaps. Nasique. Elaphis. Echis. Herpétodryas. Pélamide. Acrochordo. Amphisbène. Orvet.

*Sauriens.* Iguanes. Lézard gris. Lézard vert. Gecko. Caméléon. Dragon. Basilic. Varan. Héloderme. Zonure. Chlamydosaure.

*Rhynchocéphaliens.* Hattérie ponctuée.

Batraciens. — Grenouille. Crapaud. Cécilie. Amphiume. Salamandre. Triton. Sirène. Protée. Bombinateur. Rainette. Uroplate. Rhacophore. Cératophrys.

### RÉPUBLIQUE

Gouvernement du peuple. — Républic que, républicain, républicanisme. — Démocratie, démocratique, démocrate. — Démagogie, démagogique, démagogue. — Libéralisme, libéral. Radicalisme, radical. Socialisme, socialiste. Communisme, communiste. — Fédéralisme, fédéral.

Etat égalitaire. Liberté. Egalité. Fraternité. — Droits de l'homme et du citoyen. Citoyen. Civisme. Civique. — Représentation populaire. Constitution. Chambres. Présidence. — Elections, électeur. — Suffrage universel. Suffrage restreint. Plébiscite. Référendum.

La première République. — La Révolution. Assemblée nationale. Assemblée constituante. Assemblée législative. Convention. — Directoire. Consulat. — Conseil des anciens. Conseil des cinq cents. — Conventionnels. Girondins. Montagnards. Thermidoriens. — Les bleus. Les rouges. — Comités. Clubs. Cordeliers. Jacobins. Feuillants. — Sansculottes. Septembriseurs. Tricoteuses. — Comité de Salut public. La Terreur.

Arbre de la liberté. Bonnet phrygien. Faisceaux. *Marseillaise.*

### RÉPUGNANCE

Dégoût. — Répugnance, répugner. Répugnance invincible, insurmontable. — Mouvement répulsif. Répulsion. Aversion. Horreur. Antipathie. — Faire le difficile, le dégoûté. Faire la grimace. Manger du bout des dents. — Trouver odieux, exécrable, infect, choquant. — Rejeter. Repousser. Ne pas agréer. — Dégoûter, dégoûtant. Ecœurer, écœurement. Déplaire, déplaisir.

Résistance. — Répugner à. Renâcler. Rechigner. — Hésiter à. Se faire prier. Se faire tirer l'oreille. — Faire des difficultés. Faire de mauvaise grâce. Maugréer. — Avoir de la peine à. Trouver pénible. Etre contraint et forcé. Il en coûte. — Agir à contre cœur, à REGRET, à son corps défendant, contre son gré. — Pis aller. Moitié figue, moitié raisin.

### RÉPUTATION
(latin, *fama*)

Réputation. — Etre réputé, connu, fameux, renommé. — Nom. Renom. Notoriété, notoire. — Honneur. Célébrité. Gloire. Considération. — Etre noté, coté. Etre en odeur de. Passer pour. '— Avoir une réputation immaculée. Jouir d'une bonne réputation.

Renommée. — La déesse aux cent bouches. — Voix, trompette de la renommée. — Voix publique. Estime publique. Opinion. — Bruit public. Cancans. Bavardages. — Le qu'en-dira-t-on. — Popularité. Vogue. Crédit. Faveur.

Attaquer la réputation. — Diffamer, diffamant, diffamation, diffamateur, diffamatoire. — Infamation, infamant, diffamatoire. Taxer d'infamie. — Entamer la réputation. Perdre la réputation de. Nuire à. — Déshonorer, déshon-

RESCINDER. Rescision, f. V. *annuler.*

RESCOUSSE, f. V. *secours, recouvrer.*

RESCRIT, m. V. *répondre, demande.*

RÉSEAU, m. V. *filet, chemin de fer.*

RÉSECTION, f. V. *chirurgie, couper.*

RÉSÉDA, m. V. *fleur.*

RÉSERVE, f. V. *serrer, économie, restriction, modération, prudence, armée, forêt, secret.*

RÉSERVÉ. V. *modeste, grave.*

RÉSERVER. V. *garder, attribuer.*

*Réservoir,* m. V. *hydraulique, garder.*

RÉSIDANT, m. V. *habiter.*

RÉSIDENCE, f. V. *habiter, lieu, logement.*

RÉSIDENT, m. V. *colonie, diplomatie.*

*Résidu,* m. V. *reste, chimie, boue.*

*Résignation,* f. V. *approuver, patience, céder, volonté, indifférent.*

RÉSIGNER. V. *transmettre.*

RÉSILIATION, f. Résilier. V. *annuler, louage.*

RÉSILLE, f. V. *coiffure.*

RÉSINE, f. Résineux. V. *pin, gomme, baume.*

RÉSIPISCENCE, f. V. *pénitence.*

RÉSISTANCE, f. V. *résister.*

RÉSISTANT. V. *dur, force.*

*Résister.* V. *fermeté, soutenir, continuer.*

RÉSOLU. V. *hardi, brave.*

RÉSOLUTIF. V. *dissoudre.*

RÉSOLUTION, f. V. *volonté, projet, dissoudre.*

RÉSOLUTOIRE. V. *annuler.*

RÉSOLVANT. V. *fondre.*

RÉSONANCE, f. Résonner. V. *son, bruit.*

RÉSORPTION, f. V. *avaler.*

RÉSOUDRE. V. *dissoudre, réduire, devin, question, finir.*

---

neur. Discréditer, discrédit. Traîner dans la boue. — Déconsidérer. Déprécier. Bêcher. — Flétrir. Ternir. Salir. Entacher.

Etre taré, malfamé, perdu de réputation.

### RÉSERVOIR

**Réservoir à liquide.** — Réservoir rectangulaire, cylindrique, à fond sphérique. — Puits. Puisard. Citerne. Citerneau. — Bassin. Miroir d'eau. Impluvium. — Cuve. Tonneau. Jarre. — Etang. Conserve (d'aqueduc). Conche (de marais salant). FOSSE.

**Autres réservoirs.** — Réserve. Cellier. Grenier. — Magasin. Dock. Entrepôt. — Réceptacle. — Silo. — Gazomètre. — Accumulateur.

### RÉSIDU

**Termes généraux.** — Résidu. Matières résiduelles. Eaux résiduaires. Eaux mères. — Débris. Décombres. Fragments. — Sédiment. Effondrilles. Fèces. Dépôt. — Impuretés. Ordure. Saletés. Ecume. — Déchets. Miettes. Poussier. Restes. REBUT.

**Résidus minéraux.** — Scorie. Arcot (de cuivre). Mâchefer. — Cendre. Crasse. Boue. Vase. — Masselotte. Culot. Schlot (dépôt de sels). — Limaille. — Tartre. Rouille. — Magma. Précipité.

**Résidus organiques.** — Baissière ou Lie. — Boulée (du suif). — *Caput mortuum* (de distillation). — Cretons. — Criblure. — Drèche. — Excréments. — Fécule. — Féculence. — Gratin. — Marc. — Matières. — Mélasse. — Menus. — Nougat (de l'huile de noix). — Rabiot. — Rache (du goudron). — Tourteau. — Trouille (de l'huile).

### RÉSIGNATION

**Accepter son sort.** — Se résigner, résignation. Se soumettre à la destinée. Fatalisme, fataliste. — Faire de nécessité vertu. — Offrir ses peines à Dieu. Vouloir ce que Dieu veut. — S'abandonner. Se sacrifier. S'immoler. — S'accommoder de. Accepter,

acceptation. Prendre du bon côté. — Se contenter. — Etre prêt à tout. Se faire une raison. Renoncer, renoncement. — Etre philosophe. Ne pas se plaindre. Se consoler. Rester INDIFFÉRENT.

**Se soumettre à autrui.** — Etre soumis. Soumission. Ne pas résister. Céder. — Faire contre fortune bon cœur. Tendre la gorge. Supporter sans rancune. — Consentir, consentement. S'incliner. Plier. Subir l'autorité, l'ascendant. — Endurer. SUPPORTER. Patient, PATIENCE. — Docile, docilité. Doux, douceur. Humble, HUMILITÉ. — Bonne volonté. Caractère facile. Facilité. — Faire de guerre lasse. — Entendre raillerie. Ne pas se fâcher. — Digérer un affront. Boire un affront. Avaler le calice.

### RÉSISTER

**Résistance aux volontés.** — Résister. Ne pas céder. Ne pas accepter. Ne pas admettre. — Se cabrer. Récalcitrer. Regimber. — Chicaner, CHICANE. Contester, contestation. Faire des objections. Objecter. — Protester, protestation. RÉCLAMER contre. — Désobéir, désobéissance. Enfreindre, infraction. Manquer à, manquement. Réfractaire. — Heurter de front. Aller à l'encontre. S'opposer, opposition.

Faire des cérémonies, des façons. Faire des difficultés. — Rechigner. Bouder. Faire à contre-cœur, à son corps défendant. Répugnance. — Murmurer. Répondre. Hargner.

**Résistance à la force.** — Résister. Soutenir le choc. Tenir tête. Tenir ferme. — Attendre de pied ferme. Braver. Ramasser le gant. — Batailler. Lutter. Combattre. Se faire hacher. — Se débattre. Se raidir. — Se rebiffer. Se gendarmer. Etre sur ses ergots. Riposter.

Etre impatient du joug. Levée de boucliers. Se révolter, révolte. Rébellion, rebelle. Se soulever, soulèvement. S'insurger, insurrection. Se mutiner, mutinerie.

**Résistance aux demandes.** — Refuser, refus. Dire non. Nolition. Répondre négativement. — Rejeter une demande. Ecarter une demande. Se montrer inexorable. — Faire la

**Respect,** m. V. *estime, politesse, honte.*
RESPECTABILITÉ, f. V. *estime.*
RESPECTER. V. *respect.*
RESPECTIF. V. *rapport.*
RESPECTUEUX. V. *respect.*
RESPIRABLE. V. *respiration.*
**Respiration,** f. V. *air, souffle, poumon, attirer.*
RESPIRER. V. *respiration.*
RESPLENDIR. V. *briller.*
RESPONSABILITÉ, f. V. *garant, obligation, soi, sûr.*
RESSAC, m. V. *mer, choc.*

RESSASSER. V. *tamis, répétition.*
RESSAUT, m. V. *réfléchir.*
RESSEMBLANCE, f. Ressembler. V. *semblable, même, portrait.*
RESSEMELAGE, m. Ressemeler. V. *réparer, chaussure.*
RESSENTIMENT, m. V. *fâché, haine, venger.*
RESSENTIR. V. *sentiment, souffrir.*
RESSERRE, f. V. *magasin.*
RESSERRÉ. V. *étroit.*

RESSERRER. V. *serrer, presser, contraction.*
**Ressort,** m. V. *tendu, saut, portée, machine, fonction, juridiction, cause.*
RESSORTIR. V. *saillie, briller, juridiction.*
**Ressource,** f. V. *moyen, abri, excuse, économie, habile.*
RESSUAGE, m. V. *sueur.*
RESSUSCITER. V. *vie, ranimer, guérir.*
RESTANTS, m. p. V. *ressource.*

---

sourde oreille. Se faire tirer l'oreille. Se faire prier. Ne pas entendre. — Econduire. Rabrouer. Rembarrer. Envoyer promener. Envoyer paître. — Se récuser. — Rebuter. Rebuffade. Fermer la porte au nez. — Négation. Dénégation. Secouer la tête. — Décliner (une invitation). Dédaigner. — Déni de justice. Dénier.

**Résistance dans le caractère.** — Volontaire. Indépendant, indépendance. Inflexible. A l'épreuve. — Indiscipliné, indiscipline. Insoumis, insoumission. Insubordonné, insubordination. — Rétif. Indocile. Récalcitrant. — Raide. Revêche. Raisonneur. — Obstiné, obstination. ENTÊTÉ, entêtement. — Indomptable. Intraitable. Incoercible. Indécrottable.

## RESPECT

**Respect que l'on inspire.** — Imposer, commander le respect. Respectable, respectabilité. — Majesté, majestueux. Noblesse, noble. Prestige. — Auguste. Sacré. Saint. Sacro-saint. — Honorable, honorabilité. Vénérable. Estimable. — Digne, dignité. Révérend, révérendissime. — Porte-respect. — Personne inviolable. Inviolabilité.

**Respect que l'on témoigne.** — Montrer des égards. Déférence, déférent. Politesse. — Estimer, estime. Considérer, considération. Respecter, respectueux. Actes respectueux (de mariage). Respect filial. — Honorer. Révérer, révérence, révérencieux. Vénérer, vénération. — Rendre hommage.

**Marques de respect.** — Saluer, salutations. Se découvrir. Rester nu-tête. — S'incliner devant. Se prosterner. — Baiser les mains, les pieds. Embrasser les genoux. — Rendre les honneurs. Rendre un culte.

## RESPIRATION

**Formes de la respiration.** — Respirer. Aspirer, aspiration. Expirer, expiration. — Souffle de la respiration. Haleine. Vent. Perdre, reprendre haleine. — Exhaler. Souffler. Tirer de sa poitrine. Bouffée. — Soupirer, soupir. Sangloter, sanglot. — Bâiller, bâillement. Renifler, reniflement. Ronfler, ronflement. — Haleter, halètement. Palpiter. Panteler. Pantois. — S'ébrouer, ébrouement. Siffler, sifflement.

**Mécanisme de la respiration.** — Respiration pulmonaire. Voies respiratoires. Cavité nasale. Cavité buccale. Pharynx. Trachée. Bronches. Poumons. — Echanges gazeux. Quotient respiratoire.

Respiration trachéenne. Trachée. Stigmates. — Respiration branchiale. Branchies. Ouïes. — Respiration cutanée. — Respiration des végétaux. Endosmose. Stomates.

Auscultation. Stéthoscope. — Respiration artificielle. Respirateur.

**Maladies de la respiration.** — Rhume, enrhumé. Eternuement, éternuer. Toux, tousser. Quinte. — Bronchite. Broncho-pneumonie. Pneumonie. Grippe, grippal. — Maladie de POITRINE, poitrinaire. — Fluxion de poitrine. Catarrhe, catarrheux. — Phtisie, phtisique. Tuberculose, tuberculeux. — Dyspnée (difficulté de respirer). Oppression. Asthme, asthmatique. Pousse, poussif. — Prendre à la gorge. Etrangler, étranglement. Angoisse. — Suffocation, suffoquer. Etouffement, étouffer. Asphyxie, asphyxier. — Respiration sifflante, siffler. Essoufflement. — Cornage, corner. Râle, râler. Hoquet. — Mauvaise haleine. Malebouche. Halener.

## RESSORT

**Ressorts.** — Ressort en hélice. Ressort en spirale. Ressort à boudin. Ressort à cames. Ressort à foliot. Ressort à pompe. Ressort à chien. — Ressort de traction. Ressort de détente. Déclic. — Caoutchouc. Elastique. — Ressort bandé, tendu, remonté. — Lame de ressort.

**Action.** — Débander. Détendre. Décliquer. Lâcher. — Partir. Réagir. Rebondir. — Détente. Réaction.

## RESSOURCE

**Moyens de salut.** — Ressource. Recours. MOYEN extrême. Pis aller. — Branche de salut. Planche de salut. Ancre de salut. — Porte ouverte. Voie. CHEMIN. Route. — Ruses. Expédient. Défaite. — Refuge. Abri. — Echappatoire. Porte de derrière. Issue. — Dernier espoir. Derniers retranchements. — Remède.

**Chercher son salut.** — Recourir à. Avoir recours. Tenir en réserve. — Brûler ses vaisseaux. Jouer son reste. Faire flèche de tout bois. — Avoir plusieurs cordes à son arc.

Restaurant, m. V. *auberge.*

Restaurateur, m. V. *cuisine.*

Restaurer. V. *réparer, peinture, architecture, manger.*

**Reste,** m. V. *rebut, ressource, finir, calcul.*

Rester. V. *reste, arrêt, attendre, habiter.*

Restes, m. p. V. *mets, cadavre.*

Restituer. Restitution, f. V. *rendre, réparer.*

Restreindre. Restrictif. V. *restriction.*

**Restriction,** f. V. *diminuer, économie, obstacle, étroit, exception.*

Résultante, f. V. *effet, mécanique.*

Résultat, m. V. *effet, produire, progrès.*

Résulter. V. *suite.*

Résumé, m. V. *résumer.*

**Résumer.** V. *abrégé, rédiger.*

Résurrection, f. V. *retour, mort.*

Retable, m. V. *autel.*

Rétablir. Rétablissement, m. V. *arranger, guérir.*

Retaille, f. V. *tailler.*

Retaper. V. *réparer, chapeau.*

Retard, m. Retarder. V. *tard, lent, arrêt, délai, attendre, horloger.*

Retenir. V. *tenir, fixe, arrêt, mémoire, obstacle, calcul, garder.*

Rétention, f. V. *retenir, urine.*

Retentir. V. *son, bruit.*

Retentissement, m. V. *bruit, public.*

Retenue, f. V. *retenir, modération, modeste, punition, fonction.*

Rétiaire, m. V. *gladiateur.*

Réticence, f. V. *silence.*

Réticent. V. *modération.*

Réticule, m. V. *sac.*

Rétif. V. *résister, cheval, méchant.*

Rétine, f. V. *œil.*

Retirer. V. *tirer, ôter.*

Retirer (se). V. *contraction, retraite, abandon.*

Retombée, f. V. *voûte.*

Retomber. V. *tomber, répétition.*

Retordre. V. *tordre, fil.*

Rétorquer. V. *répondre, argument.*

Retors. V. *fil, ruse.*

Retorsoir, m. V. *tordre.*

Retouche, f. Retoucher. V. *corriger, mieux, tailleur, photographie.*

**Retour,** m. V. *tourner, réciproque, voyage, arrière.*

---

Se retourner. Se débrouiller, débrouillard. Se tirer d'embarras. — Se réfugier. S'abriter sous. S'accrocher à. — Se raccrocher. Se rattraper. Se retrancher sur. — Se SERVIR de. Employer. — Avoir de la marge. Etre au bout de son rouleau.

### RESTE

**Restes que l'on garde.** — Reliquat de compte. Reste. Différence. Excédent. Dépassement. Surplus. Revenant bon. Boni. Solde. Soulte.

Desserte. Restes. Reliefs. Restants. — Morceaux. Miettes. Bribes. — Rogatons. Arlequins.

Restes humains. Reliques. — RUINES.

**Restes que l'on rejette.** — Débris. Décombres. Gravats. Détritus. — Fragments. Rognures. Epluchures.

Résidu. Marc. Lie. Baissière. — Fond. Précipité. Culot. TRACE. — REBUT.

Glane (d'épis). Défets (de livre). Coupon d'étoffe. Coquille d'huître. — Déchets. Os. Balayures. — Chiffons. Rossignols.

### RESTRICTION

**Action de restreindre.** — Restriction, restrictif. Limiter, limitation, limitatif. Diminuer, diminution. — Corriger, correction. Adoucir, adoucissement. — Modifier, modification. Changer, changement. — S'abstenir, abstention. Se réserver. Faire ses réserves. — Excepter, exception. Réserver. — Supposition. Arrière-pensée.

**Conditions restrictives.** — Condition formelle, explicite, essentielle, tacite. — Restriction mentale. Réserve. — Exigence. OBSTACLE. Obligation imposée. — Modalité. Condition, conditionnel.

**Formules de restriction.** — Bien que. Quoique. Encore que. A moins que. Pourvu que. A condition que. — Si. Sinon. Dans le cas où. Quand. Quand même. — Pour peu

que. Pour grand que. Quel... que. Quelque... que. Qui... que. Quoi... que. — Cependant. Toutefois. Mais. Pourtant. — Nonobstant. Malgré. Sauf. Selon.

### RÉSUMER

**Réduction d'ouvrages.** — Résumé. ABRÉGÉ. Compendium. Epitome. — Livre succinct, court, condensé, bref. Bréviaire. Vademecum. — Manuel. Précis. — Récapitulation. Sommaire. — Analyse. Aperçu. Argument. Exposé. — Notes. Notice. — Extraits. Morceaux choisis.

**Travail.** — Résumer. Réduire. Abréger. — Condenser. Resserrer. Ramasser. Rassembler. Récapituler. Reprendre sommairement. Revenir sur. — Analyser. Exposer. Rendre en peu de mots.

### RETENIR

**Ne pas laisser aller.** — Retenir, rétention. Se retenir. Retenir sa langue. — Arrêter. Modérer. — Réprimer. Contraindre. Contenir. — Empêcher. S'opposer. — Maintenir. Fixer.

**Tenir en sa possession.** — Retenir, retenu. Détenir, détenteur. — Réserver. Garder. Conserver. — S'assurer. Retenir sa place. Souscrire. — S'attacher. Engager. — Se souvenir. Se rappeler.

### RETOUR

**Retour.** — Revenir. Retourner. S'en retourner. Etre de retour. — Rebrousser chemin. Refluer, reflux. Remonter vers sa source. — Se replier. Rétrograder. Battre en retraite. — Contre-marche. Aller et venir. Va-et-vient. Faire la navette. Passer et repasser. — Rentrer chez soi, rentrée. Nostalgie.

Se réfléchir. Réflexion de la lumière. Ricochet. — Réversibilité, réversible. Réversion. — Retour en ARRIÈRE. Rétroactivité. Rétrospectif. Droit de retour. Retour conven-

RETOURNE, f. V. *cartes*.
RETOURNER. V. *retour, tourner, renverser, habile*.
RETRACER. V. *description*.
RÉTRACTATION, f. Rétracter. V. *renier, changer, annuler, promesse*.
RÉTRACTILE. Rétraction, f. V. *contraction, tirer, arrière*.
**Retraite,** f. V. *abri, repos, fonction, seul, prêcher, année*.
RETRAITÉ, m. V. *destituer, oisif*.
RETRANCHEMENT, m. V. *abri, fortification*.
RETRANCHER. V. *ôter, camp*.
RÉTRÉCIR. Rétrécissement, m. V. *étroit, contraction*.
RETREINDRE. V. *marteau*.
RÉTRIBUER. Rétribution, f. V. *salaire, récompense*.
RÉTROACTIVITÉ, f. Rétroagir. V. *action, retour, arrière*.
RÉTROCÉDER. V. *rendre, vendre*.
RÉTROFLEXION, f. V. *arrière*.
RÉTROGRADE. V. *passé*.
RÉTROGRADER. V. *marcher, retour, arrière*.
RÉTROGRESSION, f. V. *arrière*.
RÉTROSPECTIF. V. *arrière, passé*.
RETROUSSER. V. *pli, haut*.

RETROUSSIS, m. V. *botte*.
RETROUVER. V. *recouvrer, reconnaître*.
RÉTROVERSION, f. V. *arrière, renverser*.
RÉTROVISEUR, m. V. *automobile*.
RETS, m. V. *filet, piège*.
RÉUNION, f. Réunir. V. *joindre, amas, société, séance, inviter*.
RÉUSSIR. Réussite, f. V. *succès, effet, bonheur, obtenir*.
REVALOIR. V. *réciproque, venger, rendre*.
REVANCHE, f. V. *venger, compenser, réciproque, jeu*.
RÊVASSER. V. *vain*.
RÊVE, m. V. *sommeil*.
REVÊCHE. V. *hargneux, résister*.
**Réveil,** m. V. *ranimer, exciter, sommeil*.
RÉVEILLE-MATIN, m. V. *horloger*.
RÉVEILLER. V. *réveil*.
RÉVEILLON, m. V. *manger*.
RÉVÉLATEUR, m. V. *photographie*.
RÉVÉLATION, f. V. *révéler, religion*.
**Révéler.** V. *dire, mystère, accusation, marque, montrer, public, devin*.
REVENANT, m. V. *fantôme*.

REVENDEUR, m. V. *commerce*.
REVENDICATION, f. Revendiquer. V. *réclamer*.
REVENIR. V. *retour, mémoire, digestion, cuisine*.
REVENU, m. V. *rente, gain, produire*.
RÊVER. V. *sommeil, pensée, vain*.
RÉVERBÉRATION, f. V. *chaleur, lumière*.
RÉVERBÈRE, m. V. *lampe*.
RÉVERBÉRER. V. *réfléchir*.
RÉVÉRENCE, f. V. *politesse, saluer, prosterner (se)*.
RÉVÉREND, m. V. *prêtre*.
RÉVÉRER. V. *respect, honneur*.
RÊVERIE, f. V. *imagination*.
REVERS, m. V. *arrière, côté, opposé, habillement, renverser, vaincu*.
RÉVERSIBLE. V. *retour*.
REVÊTEMENT, m. Revêtir. V. *couvrir, garnir, enveloppe, ciment*.
REVIREMENT, m. V. *tourner, changer*.
REVISEUR, m. V. *revoir, imprimerie*.
REVISION, f. V. *revoir, réhabiliter, soldat*.
REVIVIFIER. V. *ranimer*.
REVIVISCENCE, f. V. *vie, ranimer*.

---

tionnel. Retour légal, successoral. Droit de réversion. Succession anormale. Clause de retour.

**Réapparition.** — Réapparaître. Reparaître. Renaître. Repousser. — Ressusciter. Résurrection. Revenir à la vie. Revenant. — Retour des choses. Vicissitude. Répétition. — Révolution des astres. Cercle des saisons. — Période, périodique. Alterner, alternance, alternatif. Rotation (dans le labour).

### RETRAITE

**Des hommes.** — Maison. Logement. Logis. Réduit. — Séjour. Demeure. Ermitage. — Asile. Maison de retraite. — Lieu sûr. Abri. Refuge. Cachette. Réceptacle.

Demeurer. Rester. — Faire retraite. Se retirer. Se confiner. — Se réfugier. Se mettre en sûreté. Rentrer dans sa coquille.

**Des animaux.** — Bauge (du sanglier). — Chambre et Fort (du cerf). — Forme et Gîte (du lièvre). — Tanière (des fauves). — Liteau et Louvière (du loup). — Terrier et Rabouillère (du lapin). Clapier. — Taissonnière (du blaireau). — Taupinière. — Terrier et Renardière (du renard). — Remise (de perdrix). — Nid et Juc (des oiseaux). — Niche (du chien).

Taillis. Couvert. Trou. Ressui.

Se blottir. Se tapir. Se clapir. Se gîter. Se motter. Se terrer. Se rembucher. Jucher.

**Droit.** — Droit à la retraite. Fonction-naire. Retraite pour la vieillesse. Caisse des retraites. Pension. Retraites ouvrières et paysannes. Assurances sociales. — Liquidation. — Allocation. — Rechange.

### RÉVEIL

**Tirer du sommeil.** — Réveil, réveiller, réveillement, réveilleur. — Réveille-matin. Faire lever. Réveiller en sursaut. — Sonner la CLOCHE. Battre la diane. Agiter la crécelle. Sonner matines.

**Cesser de dormir.** — S'éveiller. Se réveiller. Ouvrir les yeux. — S'arracher au sommeil. Se frotter les yeux. — Se lever. Sauter du lit. Eveil, éveillé. — Veille, veiller, veilleur. — Matinal. Matineux.

### RÉVÉLER
(latin, *revelo*; grec, *apocalyptô*)

**Faire connaître.** — Révéler un secret. Révélation. Divulguer, divulgation. — Dévoiler. Ecarter, lever le voile. — Montrer. Renseigner. Instruire. — Pressentir. Deviner. Découvrir. — Seconde vue. Voyant.

**Révélation divine.** — Révélation primitive, mosaïque, chrétienne. — Religion révélée. Apocalypse. Révélantisme. La BIBLE. — Communication avec Dieu. Inspiration d'en haut. Intervention du Saint-Esprit. Lumière céleste. — Illumination. Illuminisme. Vision, visionnaire. — Oracle. Souffle divin. Prophète, prophétie, prophétiser.

REVOIR. V. *examen, chasse.*

RÉVOLTE, f. V. *résister, sédition, infidèle.*

RÉVOLTER. V. *colère, dégoût.*

RÉVOLU. V. *passé.*

RÉVOLUTION, f. V. *renverser, changer, sédition, cercle, astronomie.*

REVOLVER, m. V. *pistolet.*

RÉVOQUER. V. *destituer, doute.*

REVUE, f. V. *voir, théâtre, manœuvres, recueil.*

RÉVULSIF. Révulsion. f. V. *changer, arrière, humeur, médicament.*

REZ-DE-CHAUSSÉE, m. V. *maison, niveau.*

RHABILLAGE, m. V. *réparer.*

RHÉTEUR, m. V. *rhétorique.*

**Rhétorique,** f. V. *parler, éloquence, emphase, école, style, littérature.*

RHINGRAVE, m. V. *Allemagne.*

RHINOCÉROS, m. V. *quadrupède.*

RHINOLOGIE, f. V. *nez.*

RHINOPLASTIE, f. V. *mutiler.*

RHIZOME, m. *racine.*

RHODODENDRON, m. V. *rose.*

RHOPALOCÈRE. V. *papillon.*

RHOTACISME, m. V. *parler.*

RHUM, m. V. *liqueur.*

RHUMATISANT, m. Rhumatisme, m. V. *maladie, articulation, goutte.*

**Rhume,** m. V. *froid, nez, poumon, respiration.*

RHYTON, m. V. *vase.*

RIBAUD, m. V. *débauche.*

RIBOTE, f. V. *ivre.*

RICANEMENT, m. Ricaner. V. *rire, mépris.*

RICHARD, m. V. *riche.*

**Riche.** V. *finance, luxe, classe, abondance, fertile.*

RICHESSE, f. V. *riche.*

RICHISSIME. V. *riche.*

---

## RHÉTORIQUE

**L'art.** — Rhétorique, rhéteur, rhétoricien. — Orateur, oratoire. Eloquence, éloquent. Disert. Tribun. — Avocat. — Sophiste, sophistique. — Parleur. Phraseur.

Genre délibératif. Genre démonstratif. Genre judiciaire. — Invention. — Elocution. Emphase. Redondance. — Rythme. Cadence. — Pathétique. Passions oratoires. Mœurs. Ithos. Pathos. — Artifices de langage. Ornements. Fleurs de rhétorique.

**Le discours.** — Composition. Rédaction. Argumentation. Réfutation. — Exorde. Exposition. Protase. Division. Narration. Confirmation. Péroraison.

Lieux communs. Circonstances. Comparaison. Définition. Dénombrement. Description. Enumération. Similitude. Dissimilitude.

Amplification. Preuves. Tableaux. Parallèles. Portraits. — Discourir. Plaider. Haranguer. Convaincre. Persuader. — Diction. Débit. Déclamation. Mélopée. — Action. Gestes. Mouvements oratoires. — Précautions oratoires.

**Les figures.** — *Tropes.* — Métaphore. Métonymie. Synecdoque. Catachrèse. Hypallage. Antiphrase. Antonomase. Euphémisme. Métalepse. Allégorie. Allusion. Ironie. Sarcasme, etc.

*Figures de diction.* — Prothèse. Epenthèse. Paragoge. Aphérèse. Syncope. Apocope. Métathèse. Diérèse. Syncrèse. Crase. Allitération, etc.

*Figures de construction.* — Ellipse. Zeugma. Syllepse. Hyperbate ou Inversion. Conjonction. Disjonction. Pléonasme. Imitation. Attraction. Opposition. Répétition, etc.

*Figures de pensée.* — Antithèse. Apostrophe. Exclamation. Epiphonème. Interrogation. Subjection. Communication. Enumération. Conversion. Gradation. Suspension. Réticence. Interruption. Obsécration. Imprécation. Périphrase. Hyperbole. Litote. Exténuation. Prétérition. Prosopopée. Hypotypose. Invocation. Concession. Correction, etc.

## RHUME

**Le mal.** — Rhume, s'enrhumer. Gros rhume. Rhume négligé. Rhume de cerveau. Coryza. Rhume des foins. — Fluxion de poitrine. Refroidissement. Bronchite. — Cacochymie. — Laryngite. Pharyngite. Trachéite. Catarrhe nasal. — Grippe. Influenza. Coqueluche.

Remède béchique. Pâte pectorale. Faire mûrir un rhume.

**Ses manifestations.** — Tousser, toux, tousserie. — Accès de toux. Quinte de toux. Toux sèche, grasse, etc. — Enrouement, enroué. Avoir un chat dans la gorge. Voix de rogomme. Graillement. — Nez enchifrené. Moucher. Mucosités. — Extinction de voix. Aphonie, aphone. — Eternuer, éternuement. Sternutatoire. — Cracher, crachat. Graillonner. — Etouffer, étouffement.

## RICHE
(grec, *ploutos*)

**Formes de la richesse.** — Patrimoine. Propriété. Chevance. Biens. — Valeurs. Titres. Placements. — Capital. Rentes. Revenus. — Billets de banque. Or. Argent. Monnaie. Galette, f. — Trésor. Magot. Bourse. — Fortune. Avoir. Actif. — Moyens. Ressources. Saint-frusquin, f. — ABONDANCE. Prospérité. Aisance. Bien-être. — LUXE. Opulence. Magnificence. Faste. Superflu. — Epargne. Economies. Médiocrité. — Richesse fabuleuse. Mine d'or. Pérou. Eldorado. Pactole. — Finance. Economie politique. — Plutus (dieu de la richesse).

**Personnes riches.** — Grand seigneur. Les grands. Le grand monde. — Gens riches. Richards. Beau monde. Jeunesse dorée. Favoris de la fortune. — Gros bonnet. Gros bourgeois. Notable. Les ventrus. — Aristocrate. Ploutocrate. Les puissants. — Propriétaire. Capitaliste. Rentier. Financier. — Millionnaire. Nabab. Oncle d'Amérique. Un Crésus. Le coq du village. — Parvenu. Bourgeois gentilhomme. Marquis de Carabas. — Mauvais riche. AVARE. Usurier.

**Acquérir de la richesse.** — S'enrichir, enrichissement. Arrondir sa fortune. S'arrondir. — Gagner de l'argent. Faire ses affaires. Faire fortune. Remplir son escarcelle. — Faire fructifier son bien. Faire sa pelote. — Prospérer. S'engraisser. — Economiser. Epargner. Thésauriser. Entasser. Accumuler. —

RICIN, m. V. *huile.*
RICOCHER. Ricochet, m. V. *saut, indirect, réfléchir, retour.*
RICTUS, m. V. *bouche, rire.*
RIDE, f. V. *creux, raie, peau, contraction.*
**Rideau,** m. V. *lit, fenêtre, arbre, théâtre, cacher.*
RIDELLE, f. V. *clôture, échelle.*
RIDER. V. *pli.*
RIDICULE. V. *rire, sot, bizarre, difforme.*
RIDICULISER. V. *rire, moquer.*
RIEN. V. *négation, ignorance.*
RIEUR, m. V. *rire.*
RIFLARD, m. V. *lime.*
RIFLE, m. V. *fusil.*

RIGIDE. Rigidité, f. V. *raide, grave, mœurs.*
RIGOLADE, f. V. *rire, joie.*
RIGOLE, f. V. *canal, arroser.*
RIGORISME, m. V. *mœurs.*
RIGOUREUX. V. *raide, exact.*
RIGUEUR, f. V. *fermeté, juste, punition.*
RILLETTES, f. p. V. *charcuterie.*
RIMAILLEUR, m. V. *rime.*
**Rime,** f. V. *poésie, son.*
RIMER. Rimeur, m. V. *rime.*
RINCEAU, m. V. *orner, feuille.*
RINCER. V. *laver, nettoyer.*
RIO, m. V. *Amérique.*
RIPAILLE, f. V. *manger, gourmand.*
RIPOPÉE, f. V. *mélange.*

RIPOSTE, f. Riposter. V. *répondre, défendre, opposé, escrime.*
**Rire.** V. *bouffon, joie, bouche, moquer.*
RIS, m. V. *veau, voile.*
RISÉE, f. V. *rire, vent.*
RISETTE, f. V. *rire.*
RISIBLE. V. *sot, moquer, bouffon.*
RISOTTO, m. V. *riz.*
RISQUE, m. Risquer. V. *hardi, entreprendre, danger, assurances.*
RISSOLER. V. *cuire, rôtir.*
RISTOURNE, f. V. *compte.*
RITE, m. V. *règle, manière.*
RITOURNELLE, f. V. *musique.*
RITUEL. V. *liturgie.*

---

Capitaliser. Placer son argent. Faire valoir. — Réaliser. — Se remonter. Se relever. Se remplumer.

**Jouir de sa richesse.** — Riche. Richissime. Puissamment riche. — Fortuné. Aisé. Cossu. Huppé. Cousu d'or. — Renté. Heureux. Solvable. — Calé. Rupin, *f.* Argenteux. Pécunieux.

Avoir de la fortune. Avoir quelque chose. Avoir des écus. Etre à l'aise. — Avoir la bourse pleine, le gousset bien garni, la ceinture dorée. — Avoir les mains pleines. Avoir du pain sur la planche. Etre à l'abri du besoin. — Nager dans l'opulence. Regorger de bien. — Rouler sur l'or. Rouler carrosse. — Dépenser largement. Mener grand train.

### RIDEAU

**Sortes de rideaux.** — Rideau de lit. Cantonnière. Courtine. Baldaquin. Pente. Tour de lit. Lambrequins. Bonne-grâce. — Rideau de fenêtre. Double rideau. Store. Vitrage. — Tenture. Portière. Velum. — Rideau de théâtre. — Custode (d'autel). — Moustiquaire.

**Qui a trait au rideau.** — Barre. Flèche. Embrasse. Patère. Tirage. Anneaux ou Boucles. Frange. Volant.

Lever. Baisser. Ouvrir. Fermer. Tirer. Ecarter.

### RIME

**Rimes.** — Rime. Assonance. Consonnance. — Consonne d'appui. Dominante (voyelle). — Rime masculine. Rime féminine. — Rime riche, suffisante, insuffisante, pauvre. — Rimes plates, suivies, redoublées, mêlées. — Rimes brisées, croisées, couronnées. — Rimes annexées ou enchaînées. — Rimes à l'unisson. — Rime emperière (trois fois). — Rime équivoque.

**Rimer.** — Rimer, rimeur. Rimailler, rimailleur. — Versifier, versification. Faire des vers. — Vers léonins. Vers féminin. Vers masculin. Vers libres. — Pièce monorime.

### RIRE

**Façon de rire.** — Rire, rieur. Fou rire. Sourire, souriant. Risus. — Hilarité. Gaieté. — Rire de bon cœur. Pouffer de rire. Eclater de rire. Se mettre à rire. Avoir envie de rire. — Rire à ventre déboutonné. Rire comme un dératé. Rire à gorge déployée. Rire aux éclats. Rire aux larmes. Rire comme un fou. — Etouffer de rire. Se pâmer de rire. — Se tenir les côtes. Se tordre de rire. — Mourir de rire. Crever de rire. — Rire dans sa barbe.

Rire sous cape. Ricaner, ricanement. Rire du bout des dents. Rire jaune. — Faire risette. — Rire aux anges. — Rire au nez de. Faire des gorges chaudes. — S'en donner. Rigoler, rigolade. Rioter.

**Faire rire.** — Amuser. Divertir. Egayer. Désopiler, épanouir la rate. Apprêter à rire. Dérider. — Badiner. Folâtrer. Folichonner. Batifoler. Plaisanter. — Tourner en ridicule. Tourner en dérision. Ridiculiser. — Railler. Se moquer de. Persifler. — Brimer. Berner. Mystifier. — Goguenarder. Gouailler. Faire la nique. Narguer. — Caricaturer. Charger. Chansonner. — Chatouiller.

Prêter à rire. Défrayer.

**Ce qui fait rire.** — Mot pour rire. Trait d'esprit. Saillie. Plaisanterie. Badinage. — Bouffonnerie. Facétie. Turlupinade. Farce. — Comédie. Divertissement. — Raillerie. Moquerie. Brocard. Rosserie. Sarcasme. Persiflage. Ironie. — Nasarde. Bon tour. Mystification. — Charge. Caricature. — Folies. Gaudriole. Goguette.

Chose bouffonne, comique, divertissante, désopilante, drôle, plaisante, ébouriffante, cocasse, impayable. — Chose risible, ridicule, grotesque, burlesque.

**Nature du rire.** — Eclatant. Homérique. Inextinguible. — Gai. Bruyant. Bon enfant. — Gracieux. Léger. Spirituel. — Goguenard. Moqueur. Ironique. Narquois. Sarcastique. — Canaille. Gros. Gras. Grivois. — Sardonique. Satanique. Méchant. — Forcé. Contraint. — Bête. Niais.

**Rivage,** m. V. *bord, mer.*
**Rival,** m. V. *combat, jalousie, zèle, opposé.*
RIVALITÉ, f. V. *rival, dispute.*
RIVE, f. V. *rivage, rivière.*
RIVER. V. *clou, chaîne.*
RIVERAIN, m. V. *rivage, bord.*
RIVET, m. V. *clou, maréchal.*
**Rivière,** f. V. *eau, couler, canal, bijou.*
RIXE, f. V. *dispute, combat.*

**Riz,** m. V. *blé.*
RIZIÈRE, f. V. *riz.*
ROBE, f. V. *habillement, cheval.*
ROBIN, m. V. *auxiliaires de justice, juges.*
**Robinet,** m. V. *fermer, eau, tonneau, couler, bain.*
ROBUSTE. V. *force.*
ROC, m. V. *rocher.*
ROCAILLE, f. V. *antre.*

ROCAILLEUX. V. *rocher.*
ROCHE, f. V. *rocher.*
**Rocher,** m. V. *pierre, montagne, oreille.*
ROCHEUX. V. *rocher.*
ROCOCO, m. V. *art, architecture.*
RODER. V. *frotter.*
RÔDER. V. *errant.*
RÔDEUR, m. V. *paresse.*
RODOMONTADE, f. V. *fanfaron.*

---

## RIVAGE

**De la mer.** — Littoral. Côte. Côte basse, escarpée, malsaine. — Falaise. Dune. Rochers. — Plage. Sables. Galets. Grève. Lais de mer. — Baie. Crique. Anse. — Lagune. Marais salants. Vases. Envasement.

Navigation côtière. Sémaphore. — Accoster. Echouer. Jeter à la côte.

**D'une rivière.** — Bords. Rive. Berge. — Quai. Appontement. Cale. — Chemin de halage. — Marécages. Alluvions. Atterrissement. Colmatage. — Estuaire. Laisses. Franc-bord. — Riverain.

## RIVAL

**Rivaux.** — Adversaire. Antagoniste. — Rival. Concurrent. Emule. Compétiteur. — Candidat. Prétendant. — Jouteur. Lutteur. — JALOUX. Zélotype.

**Rivalité.** — Compétition. Concours. Rencontre. Match. — Combat. Conflit. Lutte. — Antagonisme. Concurrence. Emulation. — Débat. DISPUTE. — Jalousie. Inimitié. HAINE. Envie.

**Rivaliser.** — Entrer dans la carrière, dans l'arène, dans la lice, sur la piste. — Disputer le prix. — Entrer en loge. Monter sur le ring, etc. — Se mettre sur les rangs. Se mesurer avec. Se présenter contre. Le disputer à. — Entrer en rivalité. Défier. Jeter le gant. — Se piquer d'honneur. Relever le gant. — Concourir. Concurrencer. Se rencontrer. Lutter. Jouter. — Chercher à supplanter, à surpasser. Aller sur les brisées. — Faire assaut de. Faire à l'envi. Faire à qui mieux mieux. — Essayer ses forces. Se piquer de.

## RIVIÈRE

**Cours.** — Cours d'eau. Fleuve. Rivière. Affluent. Canal. — TORRENT. Gave. RUISSEAU. Ru. Ravine. — Bras. Marigot. Javelle. — SOURCE. Cours. Fil de l'eau. Amont. Aval. — Cours supérieur. Cours inférieur. Haut cours. Bas cours. — Lit. Fond. Chenal. Etiage. — Berge. Bord. Rive. Franc-bord. — Estuaire. Embouchure. Bouches. Delta. — Confluent. Bec. — Bas-fond. Fosse. Gué. — Chute d'eau. CASCADE. Cataracte. Rapide. — Iles. Bancs de sable. — Marécage. Trouble (place trouble).

**Mouvement des eaux.** — Courant. Eau vive. Contre-courant. — COULER. Descendre. Se jeter dans. Se décharger. Refluer. — Tournoyer, tournoiement. Tourbillons. Remous. —

Grossir. Baisser. Etre à sec. — Crue, croître. Débordement, déborder. INONDATION, inonder. Sortir de son lit. — Barre. Mascaret.

**Action des eaux.** — Affouiller, affouillement. Arroser. Battre, laver les murs d'une ville. — Entraîner. Porter. Charrier. — Ensabler, ensablement. Lais et Relais. Alluvions. Terres alluviales. Crément. — Se congeler. Prendre. Débâcler, débâcle.

**Navigation.** — Bateau. Barque. Péniche. Chaland. — Navigation fluviale. Navigabilité, navigable. Naviguer. Remonter. Descendre. — Flotter. Aller à vau-l'eau. Avaler. Aller à contre-courant. — Flottage. Train de bois. — Digue. Levée. Cale. Quai. Parapet. — Canaliser. Bassin. Gare. Barrage. Ecluse. Chemin de halage. Echelle de hauteur. — Passer l'eau, passeur. Passerelle. PONT. — Curer, curage. Draguer, dragage. Faucarder. — Baliser, balise, balisage.

## RIZ

**Plante.** — Riz. Paddy ou Rizon (non décortiqué). Rizot (basse qualité). — Riz de marécage. Riz de montagne. — Riziculture, riziculteur. Rizière. Terre rizaire. Repiquage. — Rizerie. Décortication.

**Usage.** — Fécule de riz. Eau de riz. Poudre de riz. Paille de riz. — Arack (liqueur). Sacki (bière). — Faire crever le riz. Riz au gras. Riz au lait. Crème, gâteau, croquette de riz. — Pilaf. Risotto.

## ROBINET

**Espèces.** — Robinet à boisseau, à col de cygne, à poussoir, à pointeau, à soupape. — Robinet vanne. — Cannette. Canule. Chantepleure.

**Parties.** — Tête. Poignée. Béquille. Noix. Boisseau. Clef. Cannelle.

## ROCHER
(latin, *rupes, saxum*)

**Aspects divers.** — Rocher. Roche. Roc. Rocaille. — Brisant. Ecueil. — Falaise. Chaîne. Pic. Dent. Eperon. Crête. — Roches cristallines. Roches sédimentaires.

Anfractuosités. Antre. Caverne. Grotte. — Aspérité. Escarpement.

**Qui concerne les roches.** — Rocheux. Rocailleux. Sourcilleux. Escarpé. — Rupestre. Rupicole. Saxatile. Saxifrage. — Carrière. Mine. Puits d'extraction. — Roche Tarpéienne. Rocher de Sisyphe.

ROGATIONS, f. p. V. *procession*.

ROGATOIRE. V. *procédure*.

ROGATONS, m. p. V. *reste*.

ROGNE, f. V. *peau*.

ROGNER. V. *diminuer, couper, relieur*.

ROGNON, m. V. *rein, minéral, viande*.

ROGNONNER. V. *murmure*.

ROGUE. V. *orgueil, hargneux*.

ROGUE, f. V. *appât, pêche*.

**Roi**, m. V. *politique, prince, cartes*.

ROITELET, m. V. *roi, oiseau*.

RÔLE, m. V. *registre, impôt, théâtre, procédure, matelot, fonction*.

ROMAIN. V. *Rome, église*.

ROMAINE, f. V. *balance, salade*.

ROMAN. V. *architecture*.

ROMAN, m. V. *conte, littérature*.

ROMANCE, f. V. *chant*.

ROMANCIER, m. V. *littérature*.

ROMANESQUE. V. *imagination*.

ROMANTIQUE. Romantisme, m. V. *littérature*.

ROMARIN, m. V. *plante*.

**Rome**, f. V. *Italie, pape*.

ROMPRE. V. *casser, annuler, céder, escrime, infidèle*.

RONCES, f. p. V. *épine*.

**Rond**. V. *cercle, courbure, boule, tourner, brusque*.

RONDACHE, f. V. *bouclier*.

RONDE, f. V. *tourner, garde, examen, chant*.

RONDEAU, m. V. *poésie*.

RONDELET. V. *gros*.

RONDELLE, f. V. *cercle, trancher*.

RONDEUR, f. V. *franc, simple*.

RONDIN, m. V. *bois, fagot*.

ROND-POINT, m. V. *chemin, forêt*.

RONFLANT. V. *emphase*.

RONFLEMENT, m. Ronfler. V. *bruit, nez, sommeil, cheminée*.

**Ronger**. V. *dent, mordre, diminuer, chagrin, ver*.

RONGEUR. V. *ronger, animal*.

---

## ROI

**Personnes royales.** — Roi. Reine. Roitelet. Monarque. Souverain. Empereur. Autocrate. Tzar. Despote. Dynaste. Potentat. Dictateur. Majesté. Sire. Altesse. — Prince héritier. Dauphin. Infant. — Grand roi (Perse). Roi très chrétien (France). Roi catholique (Espagne).

Pharaon. Khédive. Sultan. Calife. Radjah. Schah. Cacique. Négus.

**Cour.** — PRINCE. Princesse. — Seigneur. Noble. Courtisan. Entrée à la cour. — Chambellan. Dame d'honneur. Demoiselle d'honneur. Page. — Maison du roi. Garde royale. Gardes du corps. Les Suisses. — Officiers de la couronne. Conseiller aulique. — Favori, favorite. — Résidence royale. Château. — Etiquette. Protocole. — Tenir cercle. Cour plénière.

**Constitution monarchique.** — Royauté. Empire. — Monarchie absolue. Monarchie constitutionnelle. Charte. — Légitimité. Droit divin. Loi salique. — Pouvoir royal. Prérogatives royales. Droit régalien. — Royaume. Règne, régner. Tenir le sceptre. — Accession, élévation au trône. Monter sur le trône. Avènement. Sacre, sacrer. Ceindre la couronne. Couronnement, couronner. — Trône. Couronne. Diadème. Bandeau. Sceptre. Manteau. — Domaine de la couronne. Liste civile. Régale. Cassette.

Absolutisme. Monarchisme. Royalisme. Légitimisme. Constitutionalisme.

**Vacance de la royauté.** — Vice-roi, vice-reine. — Régent, régente, régence. — Interrègne. Minorité. — Abdication, abdiquer. Déposer la couronne. Descendre du trône. — Détrôner. Découronner. Prononcer la déchéance. — Régicide. — Roi fainéant. Soliveau. Roi Pétaud.

## ROME

**Dans l'antiquité.** — Rome. Maîtresse du monde. — Ville aux sept collines (Aventin, Capitole, Janicule, Viminal, Quirinal, Palatin, Esquilin). — Rois. République. Empire. — Sénat. Consuls. César. Empereur. — Le Capitole. Jupiter Capitolin. — Forum. Quirites. Rostres. — Champ de Mars. — Voie sacrée. Colisée. Voie Appienne. Arcs de triomphe. Colonnes.

Religion romaine. — Armée romaine. — Jeux du cirque. — Langue latine. Latinité. Latin classique. Basse latinité. — Romain. Gallo-romain.

**De nos jours.** — Capitale de l'Italie. Royauté italienne. Le Quirinal. — Gouvernement italien. Risorgimento. Fascisme.

Ville sainte. La papauté. Le souverain pontife. Le Vatican (palais). Cité du Vatican. — Sacré collège. — Eglise romaine.

## ROND
(latin, *rotundus*)

**Formes rondes.** — CERCLE, circulaire. Annulaire. Hémicycle, hémicirculaire. — SPHÈRE, sphérique, sphéricité. Hémisphère, hémisphérique. — Cylindre, cylindrique. — Cône, conique. — Rond, rondeur, arrondir. — Arc, arquer. Voûte, voûter. Cintre, cintrer. — Courbe, courber, courbure. — Orbe, orbiculaire. — Lentille, lenticulaire.

Ovale. Ové. Ovoïde. Discoïde. Ocellé. Rotacé.

**Formes arrondies.** — Bombé, bombement. Concave, concavité. Convexe, convexité. — Gonflé, gonflement. Enflé, enflure. Renflé, renflement. — Rotondité. Arrondissement. — Rebondi. Rondelet. Bedonnant. — Bomber. Gonfler. Enfler. Gondoler. Ballonner.

**Objets ronds.** — Tête. BALLE. BOULE. BOULET. — Ballon. Pelote. Peloton. — Bulle. BOUTON. Pois. — Œuf. Ove. — Pomme. Pommelle. Pommeau. — ANNEAU. Cerceau. Bague. — Disque. Pastille. Rondelle. Rouelle. — Rosace. Rose. — Rond-point. — Arche. Arcade. Dôme. Rotonde. Tour. — Tonneau. Tambour. — Rondin. Tuyau. Rouleau.

## RONGER
(latin, *rodere*)

**Action chimique.** — Acidité, acide. Causticité, caustique. Acreté, âcre. — Corroder, corrosion, corrosif. Erosion, érodé. — Mordant. Mordacité. Edacité du temps.

RONRON, m. V. *bruit, chat.*
ROQUEFORT, m. V. *fromage.*
ROQUET, m. V. *chien.*
ROS, m. V. *tissu.*
ROSACE, f. V. *architecture, rose, rond.*
ROSAIRE, m. V. *vierge.*
ROSAT. V. *rose.*
ROSBIF, m. V. *viande, rôtir.*
**Rose.** V. *fleur, couleur, diamant, vent.*
ROSÉ. V. *rose.*
**Roseau,** m. V. *herbe.*
ROSE-CROIX, m. V. *magie, franc-maçon.*
**Rosée,** f. V. *météore, vapeur, goutte.*
ROSELIÈRE, f. V. *roseau.*
ROSÉOLE, f. V. *peau.*
ROSERAIE, f. V. *rose.*
ROSETTE, f. V. *rose, nœud.*
ROSIER, m. V. *plante, rose.*
ROSIÈRE, f. V. *vierge.*

ROSOYER. V. *rosée.*
ROSSE, f. V. *cheval.*
ROSSÉE, f. Rosser. V. *battre.*
ROSSIGNOL, m. V. *oiseau, clef.*
ROSTRAL. V. *colonne.*
ROSTRES, m. p. V. *architecture.*
ROT, m. V. *flatuosité.*
ROTACÉ. V. *rond, roue.*
ROTATION, f. V. *tourner, roue, terre.*
ROTATIVE, f. V. *imprimerie.*
ROTATOIRE. V. *tourner.*
ROTE, f. V. *pape.*
ROTER. V. *bouche, digestion.*
RÔTI, m. V. *viande, rôtir.*
RÔTIE, f. V. *pain.*
**Rôtir.** V. *cuire, chaleur, brûler.*
RÔTISSERIE, f. Rôtisseur, m. V. *auberge.*
RÔTISSOIRE, f. V. *cuisine.*

ROTONDE, f. V. *rond, architecture.*
ROTONDITÉ, f. V. *rond.*
ROTULE, f. V. *os, articulation, genou.*
ROTURE, f. Roturier. V. *classe, féodal.*
ROUAGE, m. V. *roue, moyeu.*
ROUAN. V. *couleur, cheval.*
ROUANNER. V. *compas, tonneau.*
ROUBLE, m. V. *Russie.*
ROUCOULEMENT, m. Roucouler. V. *bruit, pigeon, amour.*
**Roue,** f. V. *machine, tourner, cercle, voiture, moulin, supplice, paon.*
ROUÉ, m. V. *vice, habile.*
ROUELLE, f. V. *rond, veau.*
ROUENNERIE, f. V. *étoffe.*
ROUER. V. *battre, bourreau.*
ROUERIE, f. V. *intrigue.*

---

**Action organique.** — Cancer, cancéreux. — Chancre, chancreux. — Tuberculose, tuberculeux. — Gangrène, gangréner. — Carie, se carier. Consomption, consumer. — Ronger, rongeur. Grignoter. — Se vermouler, vermoulure. Ver rongeur.

**Action morale.** — Acrimonie. Aigreur. Amertume. — Jalousie. Envie. — Crainte. Remords.

### ROSE
(latin, *rosa;* grec, *rhodon*)

**La fleur.** — Rose, rosier. — Bouton de rose. — Eglantine, églantier. — Reine des fleurs. Epines. Boutons. — Rose mousseuse, multiflore, buissonnante, à cent feuilles. — Rose blanche, rouge, thé, jaune, rose, etc. — Rose de Bengale. Rose de Provins. — Rose trémière ou Passe-rose. Rose de Jéricho. — Roseraie. Rosarium.

**Qui concerne la rose.** — Eau de rose. — Bois de rose. — Rose de sable (calcaire). — Rose des vents. — Rosace. — Rosaire. — Rosette. — Rosière. — Roséole. — Pommade rosat. — Rosâtre. Rosé. — *Roman de la Rose.* — Rosalies (roses sur une tombe). — Rhodologie. — Rhododendron. — Essence de roses. Huile de roses.

### ROSEAU

**Qui a trait au roseau.** — Roseau. Roselière. — Tige. Moelle. Nœud. Verticille. Panicule. — Bambou. Canne. Papyrus. Rotang. — Férule. Chalumeau. Jet.

Objets en roseau. Canne à pêche. Pipeaux. Syrinx. Mirliton. Flûte. Chalumeau.

### ROSÉE

**La rosée.** — Rosée. Gouttes d'eau. Gouttelettes. Aiguail. — Gelée blanche. Serein. Vapeurs du matin ou du soir. — Rosoyer. Givration. Rorifère.

### RÔTIR

**Rôtis.** — Rôti. Rôt. Menu rôt. — Brochée. Brochette. Hâtelette. — Rosbif. — Salmis. — Rôtie. Rissolette. Ramequin. Biscotte. Toast.

**Rôtir.** — Rôtisserie. Rôtisseur. Hâteur de rôt. — Rôtissoire. Coquille. Broche. Lèchefrite. Casse. Tournebroche. Hâtier. — Four. Cuisinière. Gril. — Habiller. Embrocher. Rôtir. Rissoler. Griller. Arroser.

Griller le pain. Brûler le café. Torréfier, torréfaction.

### ROUE
(latin, *rota*)

**Roues en général.** — Roue de bois. Roue de fer. — Roue à jante. Roue à aubes. Roue à palettes. Roue à rochet. Roue dentée. Engrenage. Pivot. Axe. Tourillon. Galet. Roulement à bille. — Rouages. Transmission. Pignon. Touret. Cliquet. — Roulette. POULIE. Moufle. — Tambour. Volant. Embrayage. Dents. Alluchon (pointe). — Turbine. Hélice. — Couronne (circonférence).

Commander. Engrener. Embrayer. — Tourner. Gripper. Se voiler. —

**Roues de voitures.** — Jante. Rais. Bandage. Moyeu. Frette. — Essieu. Fusée. — Voie (écartement).

Roue caoutchoutée. Roue à rayons. Roue pleine. Jante creuse. Bandage pneumatique. Chambre à air. Enveloppe. Boyau.

Roue de wagon. Boudin. Boîte à graisse. Bogie.

**Roues hydrauliques.** — Tournant (roue de moulin). Ailes. — Roue pendante. Roue à cuve. Roue en dessus, en dessous. Roue à cuiller. Roue à aubes plates. Roue à aubes courtes. Roue de côté. Roue à augets, à godets.

**Charronnage.** — Charron, charronner. Carrossier, carrosserie. Royer. — Enrayer,

**Rouet,** m. V. *dévider, fil.*

ROUETTE, f. V. *branche.*

**Rouge.** V. *couleur, toilette, honte.*

ROUGEÂTRE. Rougeaud. V. *rouge.*

ROUGEOLE, f. V. *peau.*

ROUGET, m. V. *poisson, porc.*

ROUGEUR, f. Rougir. V. *rouge, peau, honte, modeste.*

ROUILLE, f. V. *fer, blé.*

ROUILLER. V. *oxyde, gâter, oubli, maladresse.*

ROUIR. Rouissage, m. V. *chanvre.*

ROULADE, f. V. *chant.*

ROULAGE, m. V. *transport, labour.*

**Rouleau,** m. V. *rond, pâte, papier, imprimerie.*

ROULEMENT, m. V. *tambour, remplacer.*

ROULER. V. *rouleau, tourner, balancer, bandage, tonneau, voiture, blé.*

ROULETTE, f. V. *roue, jeu.*

ROULIER, m. V. *transport.*

ROULIS, m. V. *navire, secouer.*

ROULON, m. V. *échelle.*

ROULOTTE, f. V. *voiture, errant.*

ROUPIE, f. V. *nez.*

ROUPILLER. V. *sommeil.*

ROUSSEAU. V. *rouge, cheveu.*

ROUSSETTE, f. V. *chauve-souris, fauvette.*

ROUSSEUR, f. V. *rouge, peau.*

ROUSSIN, m. V. *cheval.*

ROUSSIR. V. *couleur, brûler.*

ROUTE, f. V. *chemin, marcher.*

ROUTINE, f. V. *habitude, pratique, préjugé, irréflexion.*

ROUTINIER. V. *répétition.*

ROUTOIR, m. V. *chanvre, étang.*

ROUVRE, m. V. *chêne.*

ROUX. V. *couleur, rouge, mets.*

ROYAL. V. *roi, luxe, parfait.*

ROYALISTE, m. V. *politique.*

ROYAUME, m. V. *roi, pays.*

ROYAUTÉ, f. V. *roi, supérieur.*

RU, m. V. *ruisseau.*

RUADE, f. V. *pied, saut, arrière.*

**Ruban,** m. V. *orner, passement, ceinture, bande, nœud.*

---

enrayage, enrayure. Embrassure (assemblage des rais). — Fretter. Embattre, embattage. Embattoir. Levier. Diable. — Centrer (monter sur l'axe).

**Relatif à la roue.** — Rotation. Rotatif. Rotacé (en forme de roue). — Voiture à deux roues, à quatre roues. Sabot. — Bicycle. Tricycle. — Ornière. — ROUET. — Rotule. — Supplice de la roue. Rouer.

## ROUET

**L'instrument.** — Rouet. Roue. Pédale. Manivelle. Broche. Ailette. Noix.

Quenouille. Chambrière. Fuseau. Bobine. Touret.

**Travail.** — Filer. Fileuse. Filandière. — Poupée. Ploque. Fusée. Quenouillée. — Charger, coiffer la quenouille. — Boudiner, boudinage. Mouliner, moulinage. TORDRE, torsion.

## ROUGE

**Teintes.** — Carmin. — Cerise. — Clair. — Corail, corallin. — Cramoisi. — Ecarlate. — Fauve. — Feu. — Foncé. — Incarnadin. — Incarnat. — Magenta. — Mordoré. — Nacarat. — Ponceau. — Pourpre, purpurin. — Rose. — Rougeâtre. — Roux. — Sang de bœuf. — Vermeil, vermillon. — Vineux. — Zinzolin.

Gueules (en blason).

**Rougeur de la peau.** — Rougir, rougissant. Devenir rouge. Avoir le rouge au visage. — Etre rouge comme une écrevisse, un homard, une pivoine, un coq, un coquelicot. — Face rougeaude. Teint allumé, enluminé. Haut en couleur. Rubicond. Sanguin. — Rougeurs. Erythème. Rougeole. Inflammation. — Visage injecté de sang. Rubéfaction, rubéfier. Rubescent. Couperose.

**Produits rouges.** — *Rouges minéraux.* Rouges de fer. Ocre. Hématite. Sanguine. Rouge indien. Colcotar. — Rouges de mercure. Scarlet. Cinabre. Vermillon. — Rouges

de plomb. Minium. Rouge de chrome. — Pourpre de Cassius. Vermillon d'antimoine. Réalgar. Pink-colour.

*Rouges organiques.* Produits animaux. Cochenille. Kermès. Laque. Pourpre. — Produits végétaux. Garance. Bois de Brésil, de Pernambouc. Santal rouge. Campêche. Orcanette. Orseille. Phénicine. Tournesol rouge. Chica. Rocou.

*Rouges synthétiques.* Rosaniline. Alizarine. Orséine. Fuchsine. Phtaléine. Safranine. Azoïque.

## ROULEAU

**Rouleaux mécaniques.** — Rouleau compresseur. — Brise-mottes, émotter. — Crosskill. — Calandre, calandrer. — Cylindre, cylindrer, cylindrage. — Equipage (jeu de cylindres). — Train de laminoir.

**Rouleaux à main.** — Rouleau à gazon. — Roule (de carrier). — Rouleau de pâtisserie. — Rouleau à encre (imprimerie). — Tourniquet (de cordage). — Gorge (à carte). — Rouleau de papier. — Rond. — Rouloir, rouler.

## RUBAN

**Rubans.** — Ruban de soie, de fil, de laine, etc. — Ruban de taffetas. Ruban de velours. — Ruban uni, croisé, dentelé, à franges, façonné, imprimé, velouté, de gaze. — Pékin. Gros de Naples. Faveur. Comète. Fleuret. Nonpareille. — Bande. Bandelette. — LACET. Liséré. Passe-poil. Sangle.

Mercier, mercerie. — Rubanier, rubaner, rubanerie.

**Galons.** — Bordure. Chevillières. TRESSE. Galon. Padou. Laisse. Bourdalou. Cordonnet. Dragonnes. Embrasses. Passement. Chevron. Tirant.

Passementier, passementerie. Galonnier, galonner.

**Motifs.** — Bouffette. Brides. Catogan. Cocarde. Fontange. Nœud. Rose. Rosette. Bouil-

RUBANIER, m. V. *ruban.*
RUBÉFACTION, f. Rubescent. V. *rouge.*
RUBICAN. V. *cheval.*
RUBICOND. V. *rouge, visage.*
RUBIGINEUX. V. *oxyde.*
**Rubis,** m. V. *pierre.*
RUBRIQUE, f. V. *titre, journal.*
RUCHE, f. Rucher, m. V. *miel, cire.*
RUDE. V. *dur, brut, inégal, grossier.*
RUDESSE, f. V. *brusque.*
RUDIMENT, m. V. *livre, principe.*
RUDIMENTAIRE. V. *brut, imparfait.*
RUDIR. V. *cri.*
RUDOYER. V. *brusque, traiter.*

RUE, f. V. *chemin, ville, plante.*
RUÉE, f. V. *courir.*
RUELLE, f. V. *chambre, lit.*
RUER. V. *cheval, pied, arrière.*
RUER (se). V. *prompt, courir.*
RUFFIAN, m. V. *débauche.*
RUGINE, f. V. *chirurgie, lime.*
RUGIR. Rugissement, m. V. *lion, fureur.*
RUGOSITÉ, f. Rugueux. V. *dur, inégal.*
RUILER. V. *marque.*
**Ruine,** f. V. *tomber, malheur, perdre, banqueroute, pauvre, reste.*
RUINER. V. *malheur, dépense, nuire.*
RUINEUX. V. *ruine, perdre.*
RUINIFORME. V. *ruine.*

RUINURE, f. V. *charpente.*
**Ruisseau,** m. V. *eau, couler.*
RUISSELER. V. *ruisseau, liquide, humide.*
RUISSELET, m. V. *ruisseau.*
RUMB, m. V. *boussole, vent.*
RUMEUR, f. V. *bruit, dire, nouvelle.*
**Ruminant,** m. V. *animal.*
RUMINER. V. *ruminant, digestion, réfléchir, machiner.*
RUNES, f. p. V. *Scandinave.*
RUOLZ, m. V. *métal.*
RUPESTRE. V. *rocher.*
RUPTURE, f. V. *casser, séparer, fâché.*
RURAL. V. *campagne.*
**Ruse,** f. V. *habile, tromper, piège.*
RUSER. V. *ruse, faux.*

---

lons. Ceinture. Jarretière. Jarretelle. Entrelacs. Coques.
Enrubanner. Orner. Garnir.

## RUBIS

**Gemme rougeâtre.** — Rubis balais. Escarboucle. Rubacelle. Spinelle. Vermeille orientale. Rubis oriental. Rubis du Brésil. Rubis de Bohème.

## RUINE

**Ecroulement.** — S'écrouler, écroulement. Tomber en ruine. Ruines, ruiniforme. — Se délabrer, délabrement. Se dégrader, dégradation. — S'effriter. Se lézarder, lézarde. Tomber en ruine. — Crouler. S'affaisser, affaissement. S'effondrer, effondrement. — S'ébouler, éboulement. Eboulis. — Eversion, éversif. Démolir. Démanteler. Disloquer. Débris. Décombres. Démolitions. Masure. Abattis. Carcasse.

**Destruction.** — Consommer la ruine. Désastre. Catastrophe. Sinistre. Cataclysme. NAUFRAGE. Incendie. — Détruire, destruction. Anéantir, anéantissement. — Désoler, désolation. Ravager, ravage. Dévaster, dévastation. Piller, pillage. Vandalisme, vandale. — Abattre. RENVERSER. Culbuter. — Démolir, démolition. Raser. — Perdition. Décadence. Déchéance.

**Pertes d'argent.** — Courir à la ruine. Se ruiner, ruiné. Dépenses excessives. Dettes. — Ruiner, ruineux. — BANQUEROUTE. Faillite. Déconfiture. Débâcle. Faire la culbute. — Subir de grosses pertes. Faire de mauvaises affaires. — N'avoir plus le sou. Ruine. Pauvreté. Misère. — Etre dépouillé, grugé, dévalisé, décavé, désargenté.

## RUISSEAU

**Ecoulement d'eau.** — Ruisseau. Ruisselet. Ru. Rigole. — Plâtrière. Cassis. — Accotement. Caniveau. Bordure du trottoir. — Ruisseler, ruissellement. S'écouler. Se déverser. — Murmure de l'eau.

## RUMINANT

**Les ruminants.** — Herbivores. Bovidés. Ovidés. Cervidés. Camélidés, etc.
Appareil digestif. Panse. Bonnet. Feuillet. Caillette. — Ruminer, rumination. Remâcher. Faire le ronge.

## RUSE
(latin, *dolus*)

**Habileté.** — Art. Adresse. Diplomatie. Subtilité. Finesse, finasserie. Industrie. Invention. Calcul. — Stratégie. Tactique. — Expédient. Stratagème. Malice. Ruse. — Tourner, éluder la difficulté. Se retourner. Jouer au plus fin.
Homme de ressource. Diplomate. Politique. Tacticien. Calculateur. Fine mouche. Fin. Finaud. Malicieux. Industrieux. Subtil. Futé. Madré. Malin.

**Astuce.** — Artifice, artificieux. Dol, dolosif. Machination, machiner. Machiavélisme, machiavélique. — Insidieux. Fallacieux. Astucieux. Cauteleux, cautèle. — En tapinois. En catimini. Subrepticement. Furtivement. — Feindre, feintise. Dissimuler, dissimulation. — Frauder, fraudeur. Tricher, tricheur. Tromper, trompeur. Escamoter, escamotage. — Escroquer, escroquerie, escroc. Subtiliser. Filouter, filou. — Carotter, carottier. Tirer une carotte. — Capter, captation, captateur. Surprendre, surprise. — Faux bonhomme. Aigrefin. Grec. Normand. Vieux renard. Fouine. Matois. Roué. Retors. — User de ruse. Fourberie, fourbe. Collusion. — Cavillation. Malignité. Fausseté. — Faire chanter. Maître chanteur.

**Moyens malhonnêtes.** — Ruses. Pièges. Manœuvres. Subterfuges. — Tromperie. Tricherie. Supercherie. — Fraude. Moyen frauduleux. Tour de passe-passe. — Mauvais tour. Coup de Jarnac. Croc-en-jambe. — Artifices. Manigances. Gabegie. Malices cousues de fil blanc. — Faux-fuyant. Equivoque. Fuite. Défaite. Echappatoire. — Attrape. Attrapenigaud.

*Russie*, f.
RUSTAUD, m. **V**. *grossier*.
RUSTIQUE. **V**. *campagne, brut, simple*.

RUSTIQUER. **V**. *maçon*.
RUSTRE, m. **V**. *grossier*.
RUT, m. **V**. *sexe*.
RUTABAGA, m. **V**. *navet*.

RUTILER. **V**. *briller*.
*Rythme*, m. **V**. *mouvement, musique, danse, poésie*.
RYTHMIQUE. **V**. *rythme*.

## RUSSIE

**Russie ancienne.** — Tzar, tzarine, tzarévitch. — Tchin (rangs). — Barine. Boyard. Dvorianine (noble). — Ataman. Hetman. — Pope. Icone. — Starost (maire). Moujik. Mir (village). — Cosaques. Sotnia. — Tchernoziom (terre noire). Toundra (marais). Steppe. — Isba. — Vodka. — Touloupe. — Caviar. — Rouble. — Knout. — Troïka. Droschki. Télègue. Kibitka. Tarantass. — Samovar. — Sagène. Verste. — Rouble. Kopeck. — Kremlin. — Sibérie. — Zemstvo (assemblée provinciale). — Panslavisme.

**Russie actuelle.** — U. R. S. S. — Faucille et marteau. — Commissaires du peuple. — Soviets. — Kolkoses. — Tchervonetz. — Tcheka. — Bolchevik.

*Termes géographiques.* Gorod (ville). Ostrog (fort). Ostrov (île). Sélo (village). Zemlia (terre).

## RYTHME

**Mouvement régulier.** — Rythme, rythmique. Mesure. Cadence, cadencer. Nombre, nombreux. — Eurythmie. Harmonie.

Rythmer. Cadencer. Battre la mesure.

# S

SABBAT, m. **V.** *jour, bruit, diable.*

SABÉISME, m. **V.** *astre.*

SABIR, m. **V.** *langage.*

**Sable,** m. **V.** *terre, poussière, rivage, désert, maçon, moule.*

SABLER. **V.** *sable, boire.*

SABLIER, m. **V.** *temps.*

SABLIÈRE, f. Sablonneux. Sablonnière, f. **V.** *sable.*

SABORD, m. Saborder. **V.** *navire, artillerie.*

**Sabot,** m. **V.** *chaussure, pied, ongle, menuisier, jeu, navette.*

SABOTER. **V.** *gâter.*

SABOTIER, m. **V.** *sabot.*

SABOULER. **V.** *battre, réprimande.*

**Sabre,** m. **V.** *armes, épée, cavalerie.*

SABRER. **V.** *sabre, battre.*

SABRETACHE, f. **V.** *sabre.*

SABREUR, m. **V.** *sabre, tuer.*

SABURRE, f. **V.** *salive.*

**Sac,** m. **V.** *bagage, bourse, soldat, pillage.*

SACCADE, f. **V.** *brusque, équitation, secouer.*

SACCADÉ. **V.** *brusque.*

SACCAGER. Saccageur, m. **V.** *détruire, siège.*

SACCHARIFIER. **V.** *sucre.*

SACCHARIMÈTRE, m. Saccharose, f. **V.** *sucre.*

SACCHARINE, f. **V.** *sucre.*

SACERDOCE, m. Sacerdotal. **V.** *religion, prêtre.*

SACHÉE, f. **V.** *sac.*

SACHET, m. **V.** *sac, odeur, amulette.*

SACOCHE, f. **V.** *sac.*

SACRAMENTAUX, m. p. **V.** *prier, sacrement.*

SACRAMENTEL. **V.** *sacrement.*

SACRE, m. **V.** *cérémonie, oindre, bénir, roi, évêque.*

SACRÉ. **V.** *saint, béni.*

**Sacrement,** m. **V.** *religion.*

SACRER. **V.** *oindre, jurer.*

SACRIFICATEUR, m. **V.** *prêtre, sacrifice.*

---

## SABLE

**Nature.** — Sable marin. Sable de mine. Sable de rivière. — Jard. Gravier. Sablon. — Grains de sable. POUDRE. POUSSIÈRE. — Sable vasant, ferrugineux, argileux.

Terrain graveleux, sableux, sablonneux. Croulière. — Sables mouvants. Lise. Sirtes. — Arène. Grève. Dune. — Sablière. Sablonnière. — Tas de sable. Moie. — Banc de sable. Javeau. Ensablement. Somme. — Sable rénal. Gravelle.

**Qui a trait au sable.** — Sablonnier. Sablier. — Draguer. Cribler. Tamiser. — Sabler. Revêtement des allées, des routes. Ballast. — Sable de fonderie. Sableur. Moulage. — Sable de maçonnerie. Mortier.

S'engraver. S'ensabler. S'enliser. ECHOUER.

## SABOT

**Chaussure de bois.** — Sabot de bois. Galoche. Socque. — Bride. Semelle. — Ensaboter. — Saboter (taper des sabots). — Sabotière (danse en sabots).

**Fabrication.** — Sabotier. — Encoche (établi). Paroir. Grattoir. Tarière. — Equarrir. Creuser. Brider.

## SABRE

**Parties.** — Fourreau. Bélière. Dard. — Poignée. Garde. Pommeau. Pontet. Dragonne. — Lame. Plat. Dos. Tranchant. Quillon. — Trempe. Fil. — Niellure. — Sabretache.

**Sortes de sabres.** — Sabre. Bancal. Latte. — Cimeterre. Glaive. Briquet. Claymore. Yatagan. — Espadon. Braquemart. Estramaçon. — Sabre d'abattis. Sabre poignard. Sabre d'abordage.

**Maniement.** — Sabrer, sabrade, sabreur. — Pointer. Coup de pointe. Estoc. Estocade. Contrepointe. — Tailler. Taille. Echarpe. Coup de manchette.

## SAC

**Enveloppement.** — Sac. Poche. — Gueule. Fond. Cul. Oreille. Tirant. Cordon. — Sac de toile, de cuir, d'étoffe, de filet, de papier.

Ouvrir. Fermer. — Emplir. Ensacher. Empocher. Sachée. — Fouiller. Vider. Désensacher.

**Variétés de sacs.** — Sac. Bissac. Besace. — Carnassière. Gibecière. — Havresac. Panetière. — Sacoche. Couffin. — Sac de nuit. Sac de voyage. — Sac à ouvrage.

Sachet. Pochette. BOURSE. Nouet. Réticule. Blague à tabac.

## SACREMENT
(latin, *sacramentum*)

**Rite religieux.** — Sacrement, sacramentel. — Signe sensible. Source de grâce. Symbole sacré. — Les sept sacrements. BAPTÊME. EUCHARISTIE. Confirmation. Pénitence. Extrême-onction. Ordre. MARIAGE.

Matière (signe sensible). Forme (paroles du prêtre). Effet (grâce). — Le saint sacrement. — Les derniers sacrements. — Sacramentaux (chapelet, angélus, bénédicité, etc.). — Sacramentaire (livre de prières). Sacramentaires (secte).

**Conférer les sacrements.** — Administrer un sacrement. Caractère. — Baptiser. Fonds baptismaux. — Confirmer. Chrême. Onction. — Ordonner. Ordination. — Marier. — Confesser, CONFESSION. — Administrer un malade. Saintes huiles. Viatique. — Sacrer, sacre. Consacrer, consécration. — Sanctifier, sanctification. — Imposition des mains. — Bénédiction nuptiale.

**Recevoir les sacrements.** — Etat de grâce. — Approcher des sacrements. Fréquenter les sacrements. Recevoir les sacrements. — Aller à confesse. — Communier, communiant.

**Sacrifice**, m. V. *autel, prêtre, offrir, abandon, généreux.*

SACRIFIER. V. *victime, tuer, perdre.*

SACRILÈGE, m. V. *impie, profane, péché.*

SACRIPANT, m. V. *bandit.*

SACRISTAIN, m. Sacristie, f. V. *église.*

SACRO-SAINT. V. *saint.*

SACRUM, m. V. *os.*

SADE. V. *doux.*

SADUCÉEN, m. V. *Juif.*

SAFRAN, m. V. *plante.*

SAFRANER. V. *teindre.*

SAGACE. V. *sage, habile.*

SAGAIE, f. V. *lance.*

SAGAS, V. V. *Scandinave.*

**Sage.** V. *raison, modération, calme, habile, chaste.*

SAGE-FEMME, f. V. *accouchement.*

SAGESSE, f. V. *vertu, philosophie.*

SAGITTAIRE, m. V. *flèche.*

SAGOU, m. V. *palmier.*

SAIE, f. V. *habillement.*

SAIGNÉE, f. V. *sang, veine, bras, canal.*

SAIGNEMENT, m. V. *sang.*

SAIGNER. V. *sang, dépense.*

SAILLANT. V. *apparaître, distinct, saillie.*

**Saillie,** f. V. *inégal, hors, cheval, brusque, rire, spirituel.*

SAILLIR. V. *saillie.*

SAIN. V. *santé, raison.*

SAINDOUX, m. V. *graisse, porc.*

SAINFOIN, m. V. *fourrage.*

**Saint.** V. *religion, liturgie, martyr.*

SAINTETÉ, f. V. *saint, vertu.*

SAINT-PÈRE, m. V. *pape.*

SAINT-SACREMENT, m. V. *eucharistie.*

---

## SACRIFICE

**Offrande aux dieux.** — Sacrifice. Sacrifice expiatoire. Sacrifice propitiatoire. — Hécatombe. Taurobole. Criobole. Hippobole. Suovétaurilies. Bouc émissaire. — Immoler, immolation. — Holocauste. — Libations. Prémices. Eau lustrale. — Sacrificateur, sacrificature. Victimaire. — Victime. Sacrifiable.

Saint sacrifice. MESSE. Oblation.

**Sacrifice de sa personne.** — Se sacrifier. Faire le sacrifice de sa vie. — Donner son sang. S'immoler. — Se dévouer, dévouement. Abnégation. Désintéressement. Oubli de soi-même.

## SAGE
(latin, *sapiens;* grec, *sophos*)

**Expérience.** — Les sept sages de la Grèce : Thalès de Milet. Pittacus de Mitylène. Bias de Priène. Cléobule de Lindos. Périandre de Corinthe. Chilon de Lacédémone. Solon d'Athènes. — Le scythe Anacharsis. — Salomon. — Confucius. — Mentor. — Nestor.

Homme expérimenté, pratique, HABILE, de bon conseil. — Esprit mûr. Maturité d'esprit. — Prud'homme. Prud'homie. — Sagesse des nations. Proverbe, proverbial.

**Raison intelligente.** — Sagesse, sage. Sapience. — Intelligence. Discernement. RAISON, raisonnable. Bon sens, sensé. — Réflexion, réfléchi. Sagacité, sagace. — Prévoyance, prévoyant. Prudence, prudent. — Philosophie, philosophe. — PROVIDENCE, providentiel.

**Bonne conduite.** — Sage. Sage comme une image. — Assagi. — Calme. Tranquille. — Docile, docilité. — Retenu, retenue. Modéré, MODÉRATION. — Austère, austérité. Tempérant, tempérance. Continent, continence. Rosière.

## SAILLIE

**Faire saillie.** — Saillir. Sortir en avant. Avancer. Ressauter. Ressortir. — Se détacher. Etre apparent. Etre éminent. — Avoir du relief. — Percer. Poindre. Proéminer. — Dépasser. Déborder. Forjeter. Porter à faux.

**Saillie architecturale.** — Saillant. Ressaut. Projecture. — ANGLE saillant. Arête. — Pierre d'attente. Forjet. Jarret de voûte. — Balcon. — Console. — Corbeau. Encorbellement.

**Saillie à la surface.** — Apophyse. — Bas-relief. — Bossage. — BOSSE. — Bourrelet. — Came. — Condyle. — Cordon. — Côte. — Crête. — Dent. — Grosseur. — Méplat. — Nervure. — Nœud. — Oreille. — Oreillette. — Picot. — Protubérance. — Rebord. — Rehauts. — Relief. — Rondeur. — Angle saillant.

*Saillie de terrain.* — Cap. Promontoire. Eperon. — Pointe. Crête. Dent. — Mamelon. Monticule. Eminence. — Relief. Dos d'âne.

## SAINT
(latin, *sanctus;* grec, *hagios*)

**Caractère de sainteté.** — Un saint. Une sainte. Les saints. La sainte Vierge. — Les élus. Les bénis. Les justes. Les bienheureux. Les enfants de lumière. — Père de l'Eglise. Docteur de l'Eglise. Pontife. Confesseur. Martyr. Apôtre. Patriarche. — Intercesseur, intercession. — Patron, patronne. — L'Eglise triomphante (les saints au ciel).

Saint, sainteté. — Auguste. Vénérable. Angélique. Hiératique. — Posséder la grâce. Etre en état de grâce. — Ascétisme, ascète, ascétique. — Faire son salut. — Prédestination, prédestiné. Vase d'élection. — Béatitude. Vie bienheureuse. — Mourir en odeur de sainteté. — Corps glorieux. — Auréole. Gloire. Nimbe.

**Gloire des saints.** — Dresser des autels. Commémoration. Glorification, glorifier. Culte de dulie. Honneurs divins. — Invocation. Litanies des saints. — Martyrologe. Panégyrique. — Fête patronale. La Toussaint.

Canon des saints. Hagiographie, hagiographe. La légende dorée. Les Bollandistes.

**Sanctification.** — Béatifier, béatification. Canoniser, canonisation. — Consacrer, consécration. Sanctuaire. — Sanctifier, sanctification. — Saint. Sacré. Sacro-saint. Béni. Sacrer. Sacre. Oint du Seigneur.

SAINT-SIÈGE, m. **V.** *pape.*
**Saisie**, f. **V.** *huissier, garant.*
SAISINE, f. **V.** *héritage.*
SAISIR. **V.** *saisie, prendre, sentiment, étonnement.*
SAISISSEMENT, m. **V.** *subit, trouble, horreur.*
**Saison**, f. **V.** *temps, calendrier, âge.*
SAISONNIER. **V.** *saison.*
**Salade**, f. **V.** *herbe, épice, casque.*

SALADIER, m. **V.** *vaisselle.*
SALAGE. **V.** *sel, conserver.*
**Salaire**, m. **V.** *payer, gain, ouvrier.*
SALAISON, f. **V.** *sel, conserver.*
SALAMALEC, m. **V.** *saluer, prosterner (se).*
SALAMANDRE, f. **V.** *reptile, cheminée.*
SALANGANE, f. **V.** *hirondelle.*
SALARIÉ, m. **V.** *salaire.*

SALAUD, m. **V.** *sale.*
**Sale.** **V.** *tache, ordure.*
SALER. **V.** *sel, charcuterie.*
SALETÉ, f. **V.** *sale, ordure.*
SALIÈRE, f. **V.** *sel, creux.*
SALIFIER. **V.** *sel.*
SALINE, f. **V.** *sel, soude.*
SALIR. **V.** *sale, boue, honte.*
SALISSANT. Salissure, f. **V.** *sale.*
SALITRE, m. **V.** *salpêtre.*
SALIVATION, f. **V.** *salive.*

## SAISIE

**Types de saisie.** — Saisie mobilière. Saisie immobilière. — Saisie conservatoire. Saisie-gagerie. Saisie foraine. Saisie-revendication. — Saisie-exécution. Saisie-brandon (de récolte). Saisie des rentes. Saisie des immeubles. — Saisie réelle. Saisie mixte. — Saisie-arrêt ou Opposition.

**Opérations.** — Actes conservatoires, d'exécution. — Scellés. — Saisissant, signifiant. — Titre saisi. Gardien. — Titre exécutoire. Insaisissabilité. Huissier. Signification. Commandement, procès-verbal de saisie. — Dénonciation, contre-dénonciation. — Jugement de validité. Décréter, décret. — Exécuter, exécution, mainlevée. — Sequestre. Confiscation. — Transcription de saisie. Expropriation. Expropriation forcée. Délai. — Vente en justice, aux enchères. Mise à prix. Enchère. Surenchère. Cahier des charges. — Vente volontaire. Conversion de saisie. Adjudication. Adjudication forcée. Jugement d'adjudication. — Privilège. Distribution par contribution. Ordre. V. FAILLITE. — Procès-verbal de carence.

## SAISON

**Généralités.** — Saison, saisonnier. Trimestre, trimestriel. — Solstice. Equinoxe. Quatre-temps. — Saison sèche, pluvieuse. Saison des pluies. Intempéries. — Saison des semailles, des récoltes, des fruits, de la chasse, etc.

**Printemps.** — Renouveau. Saison nouvelle. Saison fleurie. — Printanier. Vernal. — Hirondelle. Primevère.

**Eté.** — Belle saison. Beaux jours. — Chaleur. Canicule, caniculaire. — Estival. — Estiver. Estivation. Estivant.

**Automne.** — Arrière-saison. Eté de la Saint-Martin. — Automnal. — Chute des feuilles. Vendanges.

**Hiver.** — Mauvaise saison. — Hivernal. Brumal. — Rigueurs de l'hiver. Froid, froidure. Frimas. — Hiverner, hivernant. — Hivernage. Quartiers d'hiver. — Hibernation (engourdissement d'animaux). Hibernant.

## SALADE

**Plantes.** — Laitue. Romaine. Scarole. Chicorée. Chicorée frisée. Chicon. Barbe-de-capucin. Pissenlit. Mâche. Endive. Céleri. Cresson. Pourpier. Bourcette. Raiponce. Betterave.

**Culture.** — Piquer. Butter. Enchausser. Faire blanchir. — Pousser. Pommer. Monter en graine. — Pied. Cœur.

**Cuisine.** — Eplucher. Panier à salade. Laver. Secouer. — Saladier. Huilier. Couvert à salade. — Faire la salade. Assaisonner, assaisonnement. Epices. Chapon. Fourniture. — Remuer. Retourner. Fatiguer.

Salade cuite. Salade de légumes. Salade russe.

## SALAIRE

**Paiement d'un travail.** — Salaire. Sursalaire. Paye. Haute paye. Gages. — Traitement. Appointements. Fixe. Emoluments. Solde. — Rémunération. Rétribution. Honoraires. Feux. Vacation. — Commission. Courtage. — RÉCOMPENSE. Gratification. Pourboire. — Liste civile. — Prêt du soldat. — Loyer. Guerdon.

Année. Mois. Semaine. Journée. — Pension. Demi-solde. Morte-paye.

**Octroi du salaire.** — Salarier. Payer. Gager. Appointer. Stipendier. — Rémunérer. Rétribuer. Récompenser. — Augmenter. Diminuer. Désappointer.

Salarié. Ouvrier. Gagne-petit. — Appointé. Fonctionnaire. Employé. — Mercenaire. Gagiste.

Gagner. Toucher. Etre aux pièces. Etre au pair. Travailler gratuitement.

## SALE

**Saleté.** — Barbouillage. — Bave. — BOUE. — Bourbe. — Cambouis. — Cochonnerie. — Crasse. — Crotte. — Eau croupissante. — Eclaboussure. — EXCRÉMENTS. — Fange. — Fèces. — FUMIER. — Gâchis. — Graisse. — Immondices. — Impuretés. — Lavure. — Lie. — Maculature. — Malpropreté. — Margouillis. — Négligé. — Noircissure. — Ordure. — POUSSIÈRE. — RÉSIDUS. — Rinçure. — Rouille. — Salissure. — Saloperie. — Sordidité. — Souillure. — SUIE. — TACHES. — Vase.

**Salir.** — Graisser, graisseux. Tacher. Maculer, maculation. — Encrasser, encrassement. Barbouiller, barbouillage. Bousiller, bousillage. Cochonner. — Gâcher. Gâter. Abîmer. — Crotter. Eclabousser. — Charbonner. Noircir. — Contaminer, contamination. Infecter, infection. Polluer. Souiller. — Profaner. Baver sur.

**Salive,** f. V. *bouche, humeur.*
SALIVER. V. *salive.*
SALLE, f. V. *chambre, théâtre, auberge, musée.*
SALMIGONDIS, m. V. *mélange.*
SALMIS, m. V. *gibier.*
SALMONIDÉ. V. *saumon.*
SALON, m. V. *chambre, visite, art.*
**Salpêtre,** m. V. *sel, poudre.*
SALPÊTRIÈRE, f. V. *salpêtre.*
SALSIFIS, m. V. *légume.*
SALTIMBANQUE, m. V. *bateleur.*
SALUBRE. Salubrité, f. V. *santé.*

SALUER. V. *politesse, respect, prosterner (se).*
SALUT, m. V. *saluer, liturgie, guérir, sauver, ressource.*
SALUTAIRE. V. *santé, sauver, utile.*
SALUTATION, f. V. *saluer, geste, cérémonie.*
SALVAGE, m. V. *sauver.*
SALVE, f. V. *saluer, fusil, artillerie.*
SAMARE, f. V. *orme.*
SAMEDI, m. V. *Saturne.*
SAMPAN, m. V. *bateau.*
SANATORIUM, m. V. *santé, aumône.*

SAN-BENITO, m. V. *inquisition.*
SANCTIFIER. V. *saint, fêter.*
SANCTION, f. V. *loi, punition, force.*
SANCTIONNER. V. *confirmer, approuver.*
SANCTUAIRE, m. V. *temple, autel.*
SANDALE, f. V. *chaussure.*
SANDARAQUE, f. V. *poudre.*
SANDWICH, m. V. *tranche.*
**Sang,** m. V. *corps, veine, parent.*
SANG-FROID, m. V. *calme, fermeté.*
SANGLANT. V. *sang.*

---

**Se salir.** — Barboter, barbotage. Patauger. Patrouiller. — Se traîner dans la boue. Se vautrer.

Se rouiller. S'encrasser. — Se gâter. Croupir. Pourrir. — Poisser, poisseux. Baver, baveux. — Se négliger.

**Lieux sales.** — Bouge. Galetas. Taudis. Pouillis. Cloaque. Egout. Sentine. Gargouille. Plomb. — Bourbier. Crapaudière. — Etable. Chenil. Souille. — Endroit infect, immonde, insalubre.

**Personnes sales.** — Crasseux. Malpropre. Sordide. Sale. Ord. — Négligé. Mal tenu. Mal mis. Mal peigné. — Sale comme un peigne. Fait comme un torchon. — Pouilleux. Baveux. Morveux. — Crotté. Indécrottable. Boueux. — Cochon. Salaud. Sagouin. Saligaud. Pourceau. Pouacre. Voyou. — Gaupe. Guenipe. Salope. Maritorne. Souillon. Vache, *f.*

### SALIVE et CRACHAT
(latin, *sputum;* grec, *ptysis*)

**Salive.** — Salive parotidienne, sous-maxillaire, sublinguale, buccolabiale, mixte. — Fistules salivaires. Glandes salivaires.—Ptyaline. Bave. Ecume. Mousse. — Flegme. Récrément. Saburre. — Flux de bouche. Saliveux.

**Saliver.** — Salivation. Insalivation. Sialisme. Sialorrhée. — Ravaler sa salive. — Baver. Ecumer.

**Crachats.** — Crachat. Crachat purulent, sanguinolent. Hémoptysie. Pyoptysie. — Pituite, pituiteux. Catharre, catharreux.

**Cracher.** — Cracher, crachement. Crachoter, crachotement. — Expectoration, expectorer. Expuition. Sputation, sputateur. — Graillonner, graillonneur. Lancer des postillons.

VOMIR, vomissement. — Conspuer.

### SALPÊTRE

**Nitrate de potasse.** — Salpêtre. Nitre. — Salpêtre naturel. Terre des caves. Blanc. Efflorescence. — Salpêtrer. Salpêtreux. Salpêtrière. Salpêtrier. — Lavage des terres. — Première cuite. Deuxième cuite. Raffinage.

**Nitrate de soude.** — Nitrate naturel. Nitrate du Chili. Salite. Natron. — Nitrière. Nitrifier, nitrification. — Acide nitrique. Eau-forte. — Dérivés nitrés. Nitroglycérine. Acide picrique, etc. — Nitrate synthétique.

### SALUER

**Action de saluer.** — Saluer. Salutation. — S'entre-saluer. Echanger des saluts. Répondre à un salut. — Se montrer poli. Politesse. — Offrir ses civilités. Présenter ses RESPECTS, ses hommages, ses compliments. — Faire des cérémonies. Cérémonieux. Cérémonial. — Prendre congé. Faire ses adieux. Tirer sa révérence.

**Façons de saluer.** — Salut. Saluade. Salvé. — Lever son chapeau. Oter son bonnet. Se découvrir. Rester découvert. — Chapeau bas. Coup de chapeau. Saluer bien bas. — Baisser la tête. Incliner la tête. — S'incliner. Courbette. Révérence. Salamalec. — Salutation profonde. Saluer jusqu'à terre. — Se prosterner, prosternation. Génuflexion. Adorer, adoration. — Saluer de la main. Serrer les mains. Poignée de main. Présenter la main. — Salut militaire. Piquet d'honneur. Porter les armes. Salve.

**Formules de salut.** — Bonjour. Bonsoir. Bonne nuit. — Bonne année. Bon séjour. Bon voyage. Bonne santé. — Adieu. A bientôt. Au revoir. Au plaisir de vous revoir. Dieu vous garde.

### SANG
(latin, *sanguis;* grec, *haima*)

**Constitution du sang.** — Plasma sanguin. — Globules rouges. Globules blancs. Leucocytes. — Fibrine. Hémoglobine. Caillot. — Sérum. Sérosité. Liquide séreux. — Albumine. — Oxygène fixé par hématose. — Température. Sang chaud. Sang froid. — Sang riche. Sang pauvre.

**Circulation du sang.** — Appareil circulatoire. CŒUR. Aorte. ARTÈRES. VEINES. — Artérioles. Veinules. Vaisseaux capillaires. — Sang artériel. Sang veineux. — Pouls. Pulsations. — Rythme cardiaque. Systole (contraction du cœur). Mouvement systaltique. Diastole (dilatation).

SANGLE, f. V. *bande, courroie, harnais.*
SANGLER. V. *selle, battre.*
**Sanglier,** m. V. *porc.*
SANGLOT, m. Sangloter. V. *respiration, cri, chagrin.*
SANG-MÊLÉ, m. V. *colonie.*
**Sangsue,** f. V. *ver, sang, sucer.*
SANGUIN. V. *teint.*
SANGUINAIRE. V. *cruel.*
SANGUINE, f. V. *rouge, crayon.*
SANGUINOLENT. V. *sang.*
SANHÉDRIN, m. V. *Juif.*
SANIE, f. Sanieux. V. *pus.*
SANITAIRE. V. *santé.*
SANSCRIT, m. V. *Inde.*

SANS-CULOTTE, m. V. *république.*
SANS-FIL. V. *téléphone.*
SANTAL, m. V. *bois.*
**Santé,** f. V. *bien, force, tempérament, guérir.*
SANTON, m. V. *Mahomet.*
SAOUL. Saouler. V. *rassasier.*
SAPAJOU, m. V. *singe.*
SAPE, f. V. *mine, fortification.*
SAPER. V. *détruire.*
SAPEUR, m. V. *soldat, barbe.*
SAPHÈNE, f. V. *veine.*
SAPHIR, m. V. *pierre.*
SAPIDITÉ, f. V. *goût.*
SAPIENCE, f. V. *sage.*
SAPIN, m. V. *pin.*

SAPINE, f. V. *échafaud, grue.*
SAPINIÈRE, f. V. *pin.*
SAPONAIRE, f. V. *plante.*
SAPONIFIER. V. *savon.*
SARABANDE, f. V. *danse.*
SARBACANE, f. V. *tuyau.*
SARBOTIÈRE, f. V. *confiseur.*
SARCASME, m. Sarcastique. V. *moquer, blâme.*
SARCELLE, f. V. *canard.*
SARCLAGE, m. V. *sarcler.*
**Sarcler.** V. *ôter, nettoyer, jardin, blé.*
SARCLOIR, m. V. *sarcler.*
SARCOME, m. V. *chair, tumeur.*
SARCOPHAGE, m. V. *funérailles.*

---

Circuler. S'extravaser. Se figer. S'engrumeler. Exsuder.

**Accidents sanguins.** — Anémie. — Apoplexie. — Arrêt du sang ou Hémostase. — Congestion. Poussée congestive. — Coup de sang. — Déglobulisation. — Embolie. — Epanchement sanguin. — Leucocythémie. — Ménorragie. Règles. — Hématocèle (tumeur sanguine). — Hématurie. — Hémoptysie ou Crachement de sang. — Hémorragie. — Hémorrhinie ou Saignement de nez. — Hémorroïdes. Flux hémorroïdal. — Pléthore. — Septicémie. — Vomissement de sang ou Hématémèse.

**Effusion de sang.** — Verser, répandre le sang. S'abreuver de sang. Nager dans le sang. — Sanguinaire. Cruel, cruauté. — Ensanglanter. — Sanglant. Sanguinolent. Couvert de sang. Injecté de sang. — Baigner dans le sang. Saigner.

Tirer du sang. Saigner. Saignée. Pratiquer la saignée. Piquer la veine. — Scarifier, scarification. — Lancette. Sangsue. Palette.

Saignement. Goutte de sang. Flux de sang. Flots de sang. Mare de sang. — Se répandre. Bouillons. Etancher le sang. — Perte de sang. Transfusion de sang. — Ecchymose. Suffusion de sang.

### SANGLIER

**Porc sauvage.** — Sanglier. Laie. Marcassin. — Solitaire. Harde. — Compagnie. — Ragot. Quartanier. Tiers an. Porchaison (état de bon à manger). — Boutoir. Défenses. Limes. Broches. — Hure. Bourbelier (poitrine). — Ergots. Soies.

**Relatif au sanglier.** — Bauge. Fort. Souille. — Fouillures. Mangeure. Houzure (ordure). — Se vautrer. Vermiller. Herbeiller. Fouger (arracher avec le boutoir). Travail (endroit fouillé).

Chasse à courre, à tir, à battue. — Vautraits (équipage de chasse). Vautrier. Coiffer le sanglier. Epieu. — Décousure.

### SANGSUE

**Annélide sanguisuge.** — Sangsue. Germement (jeunes sangsues). Ventouse. Poser, Appliquer des sangsues. Hirudination. Faire dégorger. — Hirudiniculture.

### SANTÉ
(latin, *sanitas ;* grec, *hygieia*)

**Santé.** — Bonne ou mauvaise santé. — Etat. Complexion. — Diathèse. TEMPÉRAMENT. Constitution. — Aller bien ou mal. Etre bien ou mal portant. Maladie. Affection. Indisposition. — Bulletin de santé.

Se bien porter. Se porter comme un charme, à ravir. — Eucrasie. Euexie. Embonpoint. Belle mine. Teint frais. Verdeur. — Santé florissante. Santé de fer. — Jouir d'une bonne santé. Respirer la santé. Regorger de santé. — Avoir bon pied, bon œil. — Venir bien. Belle venue.

Etre dispos. Dru. Gaillard. Fort. Solide. Ingambe. Bien portant. Valide. Vert. Vigoureux. Plein de sève. Brillant de santé.

**Rétablissement.** — Se rétablir. Reprendre. Reprendre des forces, de la vigueur. — Ragaillardir. Se trouver mieux. Renaître à la santé. — Convalescence, convalescent. Aller doucement, doucettement. — Se raffermir, raffermissement. Se fortifier. Grossir. — Guérir, guérison. Se sauver. Salut.

**Hygiène.** — Hygiéniste. Mesures hygiéniques. — Assainir, assainissement. Désinfecter, désinfection, désinfectant. Appareils sanitaires.

Antisepsie, antiseptique. — Sanatorium. Cure. — Salubrité. Vie salubre. — Culture physique.

Mesures prophylactiques. Prophylaxie. Patente de santé. Quarantaine. Cordon sanitaire. Lazaret.

### SARCLER

**Action de sarcler.** — Sarclage, sarclure. — Enlever les plantes adventives. Arracher les mauvaises herbes. Nettoyer une platebande. — Etréper, extirper les herbes. Désherber. — Echardonner, échardonnage.

**Outils.** — Sarcloir. Binette. Etrèpe. Extirpateur. Echardonnoir.

SARCOPTE, m. V. *insecte.*
SARDINE, f. V. *poisson.*
SARDOINE, f. V. *pierre.*
SARDONIQUE. V. *rire.*
SARIGUE, m., f. V. *quadrupède.*
SARMENT, m. V. *vigne, branche.*
SARRASIN, m. V. *blé.*
SARRAU, m. V. *habillement.*
SAS, m. V. *tamis, écluse.*
SASSER. V. *tamis.*
SATAN, m. V. *diable, enfer.*
SATELLITE, m. V. *garde, astre.*
SATIÉTÉ, f. V. *rassasier, dégoût, plein.*
SATIN, m. V. *étoffe, doux.*
SATINER. V. *briller.*
SATIRE, f. Satirique. V. *blâme, moquer, poésie, pamphlet, spirituel.*
SATISFACTION, f. V. *satisfaire.*
**Satisfaire.** V. *assez, plaire, don.*
SATISFAISANT. V. *médiocre, ordinaire.*
SATISFAIT. V. *plaisir.*
SATRAPE, m. V. *Perse.*

SATURATION, f. Saturer. V. *satisfaire, pénétrer, abondance, chimie.*
SATURNALES, f. p. V. *Saturne, débauche.*
**Saturne,** m. V. *dieu, planète, plomb.*
SATURNISME, m. V. *plomb, peinture.*
SATYRE, m. V. *Bacchus.*
SAUCE, f. V. *mets, cuisine.*
SAUCER. V. *humide, médaille.*
SAUCIÈRE, f. V. *vaisselle.*
SAUCISSE, f. Saucisson, m. V. *charcuterie.*
SAUF. V. *sauver, exempt.*
SAUF-CONDUIT, m. V. *sûr, garant, diplomatie.*
SAUGE, f. V. *plante.*
SAUGRENU. V. *bizarre, sot.*
SAULAIE, f. V. *osier.*
SAULE, m. V. *osier.*
SAUMÂTRE. V. *sel, goût.*
**Saumon,** m. V. *poisson, métal.*
SAUMONEAU, m. V. *saumon.*
SAUMURE, f. V. *sel.*

SAUNERIE, f. Saunier, m. V. *sel.*
SAUPOUDRER. V. *sel, poudre.*
SAUR. Saurer. V. *hareng, fumée.*
SAURIEN, m. V. *reptile.*
SAURIR. V. *fumée, poisson.*
SAUSSAIE, f. V. *osier.*
**Saut,** m. V. *mouvement, gymnase, équitation, danse, cascade.*
SAUTE, f. V. *vent.*
SAUTER. V. *allure, jambe, balancer, vent, casser, détonation, cuire.*
SAUTERELLE, f. V. *insecte.*
SAUTERNES, m. V. *vin.*
SAUTE-RUISSEAU, m. V. *bureau.*
SAUTEUR, m. V. *saut, bateleur.*
SAUTILLEMENT, m. V. *saut, vif.*
SAUTILLER. V. *marcher, allure.*
SAUTOIR, m. V. *chaîne, bijou.*
**Sauvage.** V. *barbare, animal, brut, cruel, seul.*
SAUVAGEON, m. V. *greffe, arbre.*

---

## SATISFAIRE

**Satisfaire.** — Donner satisfaction. Travail satisfaisant. — Accomplir les souhaits. Combler, couronner les vœux. Exaucer les prières. Répondre à. — Prévenir les désirs, prévenance. Complaire à, complaisance. — RASSASIER. Apaiser la faim. Désaltérer. Etancher la soif. — Assouvir. Contenter. — S'acquitter de. Fournir. — Expier, expiation.

**Se satisfaire.** — Satisfaire un besoin. Passer une envie. — Satisfaction. Satisfait. — Contentement. Content. Se contenter de. Avoir son content. — S'accommoder de. Se résigner, RÉSIGNATION. — Se louer de. Se féliciter de. Optimisme, optimiste. Euphorie. — Avoir assez. Satiété. Saturation. — Egoïsme, égoïste.

## SATURNE

**Dieu.** — Saturne. Saturnales. — Cronos. Cronies. — CYBÈLE (épouse).

Samedi (jour de Saturne). — Le PLOMB (Saturne en alchimie). Colique saturnine. Saturnisme.

**Astre.** — Planète Saturne. Anneaux. Satellites. Période saturnienne.

## SAUMON

**Le poisson.** — Saumon. Beccard (femelle). — Petits saumons. Saumoneau. Tacon. Castillon. — Saumonelle (fretin). — Truite saumonée. — Salmonidés.

## SAUT

(latin, *saltus*)

**Saut de gymnastique.** — Sauter. Franchir. — Sauteur. Gymnaste. Saltimbanque. Clown. — Tremplin.

Saut en longueur. Saut en hauteur. — Saut à la perche. Saut à la corde. — Saut latéral. Saut de face. Saut projeté. — Saut de pied ferme. Saut à pieds joints. Saut périlleux. — Saut du cheval d'arçon. Saute-mouton. — Voltige au trapèze.

**Autres sauts.** — Bond, bondir. Avancer par sauts et par bonds. — Culbute, culbuter. Cabriole. Saut de carpe. — Danse, danser. Gambade, gambader. Entrechat. — Saut à cloche-pied. Sautillement, sautiller. Enjambée, enjamber. — Soubresaut. Sursaut, sursauter. Tressaut, tressauter. — Plongeon, plonger. — Trémoussement, se trémousser. Frétillement, frétiller.

Sauter de joie. Exulter. Tressaillir.

Sauter en l'air. Jaillir, jaillissement. Exploser, explosion. — Rebondir, rebondissement. Ricocher, ricochet. Faire ressort. — Cahoter, cahot.

**Sauts de chevaux.** — Saut d'obstacles. Saut de haies. Steeple-chase. Course au clocher. — Haut le corps. Ruade. Croupade. Courbette. Cabrade. — Sauteur en liberté.

## SAUVAGE

**Etat sauvage.** — Etat de nature. Naturels. — Sauvagerie. Sauvage. Sauvagesse. — Barbarie. Barbares. — Horde. Peuplade. Tribu. — Incivilisé. Inculte. Primitif. — Nomade. ERRANT. — Peau-Rouge. NÈGRE. Indien. — Hutte. Case. — Totem. Tabou. Tatouage.

Féroce, férocité. Cannibale, cannibalisme. Anthropophage, anthropophagie.

**Caractère farouche.** — Sauvage. Inapprivoisé. — Effarouché. Méfiant. Défiant. — Solitaire. Insociable.

SAUVAGERIE, f. V. *sauvage, méchant.*

SAUVAGESSE, f. V. *sauvage.*

SAUVAGINE, f. V. *gibier.*

SAUVEGARDE, f. V. *protéger, défendre, sûr.*

**Sauver.** V. *secours, conserver, guérir.*

SAUVER (se). V. *fuite, libre.*

SAUVETAGE, m. Sauveteur, m. V. *sauver, naufrage.*

SAUVEUR, m. V. *sauver, Christ.*

SAVANE, f. V. *désert, Amérique.*

SAVANT. V. *science, connaître.*

SAVATE, f. V. *soulier.*

SAVETER. V. *maladresse.*

SAVETIER, m. V. *soulier.*

SAVEUR, f. V. *goût.*

SAVOIR. V. *connaître, capable.*

SAVOIR, m. V. *science.*

SAVOIR-FAIRE, m. V. *habile.*

SAVOIR-VIVRE, m. V. *politesse.*

**Savon,** m. V. *potasse.*

SAVONNER. V. *blanchir, réprimande.*

SAVONNERIE, f. V. *tapis.*

SAVONNETTE, f. V. *savon, horloger.*

SAVOURER. V. *goût, gourmand.*

SAVOUREUX. V. *délicat.*

SAXIFRAGE, f. V. *pierre.*

SAXOPHONE, m. V. *instruments de musique.*

SAYNETTE, f. V. *théâtre.*

SAYON, m. V. *habillement.*

SCABIEUSE, f. V. *plante.*

SCABREUX. V. *dur, licence.*

SCALPEL, m. V. *couteau, anatomie, chirurgie.*

SCALPER. V. *tête.*

SCAMMONÉE, f. V. *purger.*

**Scandale,** m. V. *mal, public, impie, honte.*

SCANDALEUX. V. *scandale.*

SCANDALISER. V. *licence.*

SCANDER. V. *poésie.*

**Scandinave,** m.

SCAPHANDRIER, m. V. *plonger.*

SCAPULAIRE, m. V. *épaule, bandage.*

SCARABÉE, m. V. *insecte.*

SCARIFIER. V. *sang, caustique.*

SCARLATINE, f. V. *fièvre.*

SCAROLE, f. V. *salade.*

SCATOLOGIE, f. V. *excrément.*

**Sceau,** m. V. *marque, signature, fermer.*

SCÉLÉRAT, m. V. *crime, bandit.*

SCELLEMENT, m. Sceller. V. *sceau, plomb, fixe, maçon, saisie.*

SCÉNARIO, m. V. *théâtre.*

SCÈNE, f. V. *théâtre, événement, dispute.*

SCÉNIQUE. V. *théâtre.*

SCEPTICISME, m. Sceptique. V. *philosophie, doute.*

SCEPTRE, m. V. *roi, insignes, bâton.*

SCHAMPOOING, m. V. *cheveu.*

SCHELEM, m. V. *cartes.*

SCHÉMA, m. V. *dessin, description.*

---

## SAUVER

**Sauver.** — Soustraire au péril. Sauver. Sauveur. — Retirer d'un mauvais pas. Tirer d'affaire. — Affranchir, affranchissement. Libérer, libération, libérateur. — Racheter. Rachat. Rançon. — Rédimer. Rédemption. Rédempteur. Messie. — Préserver, préservation. Conserver. Sauvegarder, sauvegarde. — Relever, relèvement. — Apporter le salut. Etre salutaire. GUÉRIR.

**Se sauver.** — Etre sauf. Etre hors de danger, d'affaire, de péril. — Sortir intact. En réchapper. Se tirer d'affaire. S'en tirer. — Se dérober au péril. — S'échapper. S'évader, évasion. — Rompre ses fers. Briser ses chaînes. Secouer le joug.

**Sauver du naufrage.** — Sauvetage. Sauveter. Sauveteur. — Bateau de sauvetage. Bouée de sauvetage. Gilet de sauvetage. — Canon porte-amarre. — Renflouer. Remettre à flot. — Repêcher. Retirer de l'eau. — Salvage. Sauveté.

## SAVON

**Les savons.** — Savon soluble. Savon de Marseille. — Savon blanc. Savon noir. Savon marbré. Savon vert. — Savon de toilette. Savon à barbe. — Savon minéral. Savon ponce. — Savon médicinal. — Saponule (savon de soude dissous).

**Fabrication.** — Savonnerie. Savonnier. Saponifier, saponification. — Corps gras. Glycérine. Alcalis. Soude. Potasse. — Brassin. Empâtage. Relargage. Epinage. Epuration. Malaxage. Débitage. Séchage. Marquage. — Pain de savon. Barre de savon. Savonnette.

**Relatif au savon.** — Eau de savon. Saponure (mixture de savon). — Savonner,
savonnage, savonneux. Blanchir, blanchissage, blanchisseuse. — Dégraisser. Détacher. — Mousse, mousser. Saponine. — Bulle de savon. — Saponaire (plante). — Saponacé.

## SCANDALE

**Qui concerne le scandale.** — Scandale. Scandaleux. Scandaliser. — Chronique scandaleuse. — Mauvais exemple. Contagion de l'exemple. — Mauvaise conduite. Débauche. — Eclat. Esclandre. — Impiété. Occasion de péché.

Se scandaliser. S'indigner. Se révolter.

## SCANDINAVE

**Peuples nordiques.** — Etats scandinaves. Suède. Norvège. Danemark.

Traditions scandinaves. — Odin. Freya. Valkyries. Jotes (Génies). — Edda (livre sacré). Sagas (légendes). Erse (langue). Scalde (barde). Runes (écriture). Caractères runiques.

Langues scandinaves. Suédois. Norvégien. Danois. Islandais.

## SCEAU

**Sceau administratif.** — Chancellerie. Chancelier. Garde des sceaux. — Sceau de l'Etat. Scel. Contre-scel. — Chiffre. Lemnisque (attache). Bulle. Cire. — Double sceau. Sigillographie.

Sceller. Apposer le sceau. — Scellé. Bris de scellé. Apposer, lever les scellés.

**Sceaux particuliers.** — Cachet. Empreinte. — Cacheter. Fermer une lettre. Décacheter. — Timbre, timbrer. — Estampille, estampiller. — Poinçon, poinçonner. — Plomb, plomber.

SCHISMATIQUE. Schisme, m. V. *séparer, religion, secte.*

SCHISTE, m. Schisteux. V. *ardoise.*

SCHLAGUE, f. V. *punition.*

SCHLITTAGE, m. V. *bois.*

SCIAGE, m. V. *scie, faucille.*

SCIATIQUE, f. V. *jambe.*

*Scie*, f. V. *outil, dent.*

*Science*, f. V. *instruction, pensée, connaître.*

SCIENTIFIQUE. V. *science, positif.*

SCIER. V. *scie, couper, bois, blé.*

SCIERIE, f. Scieur, m. V. *bois.*

SCINDER. V. *séparer, couper.*

SCINTILLER. V. *briller, feu, lumière, étoile.*

SCION, m. V. *rejeton, pêche.*

SCISSION, f. V. *interruption, discordant.*

SCIURE, f. V. *scie, poudre.*

SCLÉROSE, f. V. *foie.*

SCLÉROTIQUE, f. V. *œil.*

SCOLAIRE. Scolarité, f. V. *école, instruction.*

SCOLASTIQUE, f. V. *philosophie, théologie.*

SCOLIASTE, m. Scolie, f. V. *expliquer, note.*

SCOLIOSE, f. V. *dos, bosse.*

SCOLOPENDRE, f. V. *insecte.*

SCOMBRE, m. V. *poisson.*

SCORBUT, m. V. *bouche.*

SCORIE, f. V. *résidu, fonderie.*

SCORPION, m. V. *insecte, artillerie.*

SCOTTISH, f. V. *danse.*

SCRIBE, m. V. *écrire.*

*Scrofule*, f. V. *humeur.*

SCROFULEUX. V. *scrofule.*

*Scrupule*, m. V. *conscience, juste, fidèle, indécis, inquiet.*

SCRUPULEUX. V. *scrupule, exact, délicat.*

SCRUTATEUR, m. V. *examen, suffrage.*

SCRUTER. V. *chercher.*

SCRUTIN, m. V. *suffrage, parlement.*

SCULPTER. Sculpteur, m. V. *sculpture.*

SCULPTURAL. V. *sculpture, beau.*

*Sculpture*, f. V. *art, image.*

SCUTIFORME. V. *bouclier.*

SCYTALE, f. V. *écrire.*

---

## SCIE

**L'outil.** — Scie ordinaire. Montants. Corde de tension. Clavette d'arrêt. Sommier. Lame. Dents. Voie (écartement des dents).

Passe-partout. — Scie à main. — Égoïne. — Scie articulée. — Scie à chantourner. — Scie de boucher. — Scie de chirurgien. — Scie à pierres. — Scie à métaux.

Scie de long. — Scie mécanique. Scie circulaire. Scie à ruban. Chariot. Châssis.

**Travail à la scie.** — Scier. Sciage. Scieur. Scieur de long. — Scierie. Baudet. Chèvre ou X. — Débiter. Refendre. Dédosser. Moyer (une pierre). — Trait de scie (coupe). Scier à deux, à trois traits. — Affûter une scie.

## SCIENCE

**Apparat scientifique.** — Doctrine, doctrinal. Théorie, théorique. Science, scientifique. Spéculation, spéculatif. Erudition, érudit. — Principes. Eléments. Lois. Méthodes. — Recherches scientifiques. Etudes. Découvertes. — Analyse. Synthèse. Théorème. Problème. — Expériences. Hypothèses. Notions. — Documentation. Connaissances. Lumières. — Bibliothèque. Livres. — Laboratoire. Conservatoire. — INSTRUCTION. Initiation. Enseignement. — Facultés. Ecoles. Cours. Leçons. — Instituts. Laboratoires.

**Connaissances générales.** — Sciences abstraites. Sciences concrètes. — Sciences mathématiques, physiques, naturelles, médicales, juridiques, sociales, historiques, géographiques. — Lettres. Humanités. LITTÉRATURE. Philologie. Linguistique. — Sciences spéculatives. Sciences expérimentales. — Connaissances théoriques, pratiques. — Omniscience. Encyclopédie. Science universelle. — Science infuse. Gnose. — Sciences occultes. Sciences surnaturelles.

**Connaissances personnelles.** — Culture. Savoir. Teinture. — Acquis. Bagage. Fonds. — Compétence. Capacité. Force. — Prescience. — Pédantisme.

Cultiver les sciences. Posséder une science.

Etre savant. — Etre versé, ferré sur, fort en. — Etre au courant. Ne pas ignorer. S'y connaître. — Etudier. Avoir un bon fonds. — Avoir l'esprit formé, dégrossi, cultivé, orné.

**Gens de science.** — Savant. Savantissime. Docteur. Clerc. Lettré. Professeur. Ingénieur. — Puits de science. Docte. Erudit. — Esprit fort. Bel esprit. Esprit distingué, génial. Vaste esprit. — Esprit encyclopédique. Homme universel. — Homme de mérite, de talent. — Théoricien. Technicien. — Pédant. Savantasse. Savant en *us*.

## SCROFULE

**Mal glandulaire.** — Scrofules, scrofuleux. Ecrouelles, écrouelleux. Humeurs froides. TUMEUR froide. — Scrofulose. Scrofulisme. Strumosité, strumeux. — Glandes scrofuleuses. Ganglions lymphatiques.

Toucher les écrouelles. — Scrofulaire (plante).

## SCRUPULE

**Inquiétude morale.** — Scrupule, scrupuleux. Se faire scrupule de. — CONSCIENCE, consciencieux. Conscience délicate. Cas de conscience. — Religion du serment. Observer religieusement.

Délicatesse, délicat. Inquiétude d'esprit. Esprit INQUIET. — Exactitude, EXACT. Minutieux. Méticuleux. Vétilleux. Pointilleux. — Conscience timorée. Etre arrêté par. Hésitation, hésitant.

## SCULPTURE

**Art.** — Sculpture. Art sculptural. Statuaire. — Modelage. Plastique. Céroplastique. — Toreutique. Glyptique. GRAVURE. Ciselure. Repoussé. Iconographie.

**Artistes.** — Sculpteur. Statuaire. Praticien. — Modeleur. Céroplaste. — Ciseleur. Graveur. — Mouleur. Fondeur. Bronzier. — Ornemaniste. Décorateur. — Animalier. — Maître de pierre.

**Séance**, f. V. *parlement, juges, société, portrait.*
SÉANT. V. *seoir, posture, bien.*
SEAU, m. V. *vaisseau.*
SÉBACÉ. V. *suif.*
SÉBILE, f. V. *vase, aumône.*
**Sec**. V. *dur, raide, maigre, stérile.*
SÉCANTE, f. V. *couper, géométrie.*
SÉCATEUR, m. V. *ciseau, jardin.*

SÉCESSION, f. V. *séparer.*
SÉCHAGE, m. V. *sec.*
SÉCHER. V. *sec, langueur.*
SÉCHERESSE, f. V. *sec, style.*
SÉCHERIE, f. V. *sec, morue.*
SÉCHERON, m. V. *prairie.*
SÉCHOIR, m. V. *sec, blanchir.*
SECOND. V. *deux, après, remplacer, marine, secours, compagnon.*
SECONDAIRE. V. *école, inférieur.*

SECONDE, f. V. *degré, temps, escrime.*
SECONDER. V. *secours.*
**Secouer**. V. *balancer, battre, trembler.*
SECOURABLE. V. *bienfait, utile.*
SECOURIR. V. *secours.*
**Secours**, m. V. *soutenir, défendre, charité, sauver.*
SECOUSSE, f. V. *secouer, choc, souffrir.*

---

**Genres de sculpture.** — Statue. Statue équestre. Groupe. Statuette. Buste. — Bas-relief. Haut-relief. Bosse. Ronde bosse. Basse taille. — Figure. Figurine. — Médaille. Camée. — Maquette. Moulage. — Sculpture monumentale. Sculpture décorative.
Un bronze. Un marbre. Une terre-cuite. Un plâtre. Un ivoire. — Statue chryséléphantine.

**Motifs.** — Personnage. Tête. Effigie. Torse. — Divinité. Simulacre. Idole. — Atlante. Télamon. Cariatide. — Hermès. Terme. — Christ. Madone. Icone. Saint. — Allégorie. — Masque. Mascaron. Massacre. — Sarcophage. Mausolée. Urne. Trophée. — Colosse. Animaux. Magot. — Socle. Piédestal. Chapiteau. — Attributs. Ornements. Arabesques. Festons. Draperie.

**Travail.** — Esquisse. Ebauche. Œuvre. — Original. Copie. Répétition. Reproduction. — Sculpter. Tailler. Dégrossir. Meurtrir le marbre. Mettre au point. — Pétrir la glaise. Modeler. Mouler. — Agrandir. Réduire. — Galbe. Drapé. — Ciseler. Repousser. Graver. — Fouiller. Gruger. Dégager.

**Matériel.** — Argile. Plâtre. Marbre. Pierre. Cire. Métaux. Ivoire. Carton-pierre. Stuc. — Armature. Tenon.
Atelier. Selle. CISEAU. Ciselet. Hoguette. Fermoir. Ebauchoir. Gradine. Grattoir. Ripe. Masse. Maillet. Marteline. — Réducteur. Compas. — Perloir (de graveur). Pointe. Repoussoir. — Mannequin.

## SÉANCE

**Fait de siéger.** — Séance. Assises. Audience. Session. — Ouvrir, clore, lever, suspendre, interrompre la séance. — Siéger. Tenir séance. Séance tenante. — Prendre place. Entrer en séance. — Réunion. Délibération.

## SEC
(latin, *siccus;* grec, *xéros*)

**Sans humidité.** — Sec. Sécheresse. Siccité. — Sécher. Se dessécher. — Aride, aridité. — Tomber en poussière. Cassant. — DUR. Raide, raideur. — Brûlé par le soleil. Hâle, hâlé. — Se racornir, racorni. Gercer, gercé, gerçure. — Anhydre.

**Enlever l'humidité.** — Sécher. Séchoir. Sécheur. Sécherie. Séchage. — Dessécher. Dessiccation. Aréfaction. Dessiccatif. Siccatif. — Passer à l'étuve. Havir. — Essorer le linge.

Etendre, étendage. Etenderie. Penderie. Tendoir. Etendoir. Fichoir. Tambour. — Etanche, étanchéité. Hydrofuge.

**Epuiser l'eau.** — Mettre à sec. Assécher, assèchement, assec. Dessécher, desséchement. — Drainer, drain, drainage. — Limer un marais. Colmatage. — Pomper l'eau. Tarir, tarissable. — Etancher. — Eponger. Essuyer. Essuie-main.

## SECOUER

**De haut en bas.** — Ballotter, ballottement, ballottage. — Berner, bernement. — Cahoter, cahot, cahoteux. — Hocher la tête, hochement. — Saccader, saccade. — Sauter. Faire sauter. — Secouer, secousse. — Tirailler (une ligne de pêche).

**En tout sens.** — Agitation, agiter. — Branler, branlement. — Choc, choquer. — Collision. — Commotion. — Coup. Contrecoup. — Ebranlement, ébranler. — Faire trembler. — Gauler, gaulade. — Locher. — Mouvement de lacet. — Roulis, rouler. — Tangage, tanguer. Toucher le fond, échouer. — Tremblement de terre. — Vanner, van. — Vibrer, vibration.

## SECOURS

**Action d'aider.** — Venir en aide. Secourir, secours. Porter secours. — Aide, aider. Entraide. Assistance, assister. — Donner la main. Prêter main-forte. — Bienfaisance. Soulager, soulagement. Soutenir, soutien. Subvenir à. — S'associer à, association. Prêter son concours. Concourir à. Contribuer à, contribution. Seconder. — Coopérer, coopération. Collaborer, collaboration. Participer, participation. — Se prêter à. Pousser à la roue. Faciliter.
Protéger, protection. S'employer pour. Favoriser, faveur. — Servir, service. Obliger, obligeance. — Prendre soin de. Consoler, consolation. — Délivrer, délivrance. SAUVER. Aller à la rescousse. — Tirer d'affaire. Remettre à flot. Renflouer.

**Moyens d'aider.** — Aide. Aide et confort. Appui. Adminicule. — Bienfait. Aumône. Charité. — Assistance publique. Secours mutuels.
Société de secours. — Assistance morale. Intervention. Médiation. Coup d'épaule. Piston, f. Services. Bons offices. Facilités. Soins. — Secours pécuniaire. Subvention. Subsides. — Refuge. Asile. Abri.

**Secret,** m. V. *cacher, mystère, prison, moyen.*

SECRÉTAIRE, m. V. *écrire, lettre, armoire.*

SECRÉTARIAT, m. V. *bureau.*

SÉCRÉTER. Sécrétion, f. V. *liquide, humeur.*

SECTAIRE, m. V. *système, politique.*

SECTATEUR, m. V. *religion, partisan.*

**Secte,** f. V. *séparer, partisan.*

SECTEUR, m. V. *cercle, sphère.*

SECTION, f. V. *division, part, séparer, géométrie, suffrage, armée.*

SECTIONNER. V. *couper.*

SÉCULAIRE. V. *cent, année.*

SÉCULARISER. V. *profane, bénéfice.*

SÉCULIER. V. *prêtre, profane.*

SÉCURITÉ, f. V. *sûr, confiance.*

SÉDATIF. V. *calme, médicament.*

SÉDENTAIRE. V. *fixe, immobile, paresse.*

SÉDIMENT, m. V. *résidu, épais, géologie.*

SÉDITIEUX. V. *sédition.*

**Sédition,** f. V. *exciter, désordre, complot, résister.*

---

**Personnes qui aident.** — Auxiliaire. Aide. Adjoint. — Second. Lieutenant. Adjudant. — Bras droit. Collaborateur. Coopérateur. Coadjuteur. — Serviable. Officieux. Prête-nom. Obligeant. — Bienfaiteur. Protecteur. — Libérateur. Consolateur. — Bienfaisant. Charitable. Secourable.

### SECRET

**Chose secrète.** — Secret. Secret professionnel. MYSTÈRE. Arcane. Cachotterie. — Enigme. Charade. Sous-entendu. Le fin mot. — Le fin du fin. Finesse. Finasserie. — Dessous des cartes. Anguille sous roche. Pot aux roses. Bouteille à l'encre. — Ressort secret. Menées sourdes. Voies souterraines. Surprise. — Arrière-pensée. Restriction mentale. Contre-lettre. Retentum (dans un jugement). — Cryptographie. Chiffre. Lettre chiffrée. — Doctrine ésotérique.

Chose clandestine, cachée, énigmatique, mystérieuse, OBSCURE, occulte, latente.

**Action secrète.** — Agir dans l'ombre, en cachette, furtivement, à la dérobée, en sourdine, en tapinois, à part, en particulier, à l'insu de. — Parler en aparté, tout bas, *in petto.* Chuchoter. Parler à mots couverts. Tenir secret. Jeter un VOILE sur. Motus! — Rire sous cape, dans sa barbe, tout bas, sans bruit. — Cacher son jeu. Ne faire semblant de rien. Jeu clandestin. Acte furtif. — Garder l'incognito. Lettre anonyme. — Juger à huis clos. Décider en comité secret, sous le sceau du secret. Convention tacite. — Etouffer une affaire. Laver son linge sale en famille.

**Caractère secret.** — Secret. Concentré. Dissimulé. Dissimulateur. — Discret, discrétion. Rester muet. Sphinx. Ne rien dire. Garder un secret. — Cachottier. Sournois. Courtier marron. — Réservé, réserve. Taciturne, taciturnité. Silencieux. Ténébreux. — Intime. Intimité. Fond du cœur. — Confident, confidence, confidentiel. — Anonyme.

**Divulgation d'un secret.** — Divulguer, dévoiler, trahir le secret. — Confier un secret. Faire une confidence. — Tirer les vers du nez. Sonder les replis de l'âme. — Pénétrer un dessein. Eventer la mèche. — Secret de comédie. Secret de polichinelle. Fuite. Transpirer. — Investigation. Clef. Grille.

### SECTE

**Religions particulières.** — Secte. Nouvelle église. Petite église. Communion. Confession. Trope. Rameau. Ramification. — Hérésie. Schisme. Hétérodoxie. Non-conformisme. Protestantisme. — Scission. Dissidence. Séparation. — Apostasie. Abjuration.

**Affiliés aux sectes.** — Hérétique. Schismatique. Dissident. Non-conformiste. Protestant. — Sectaire. Sectateur. — Fanatique. Adepte. Prosélyte. — Apostat. Laps. Relaps.

**Principales sectes.** — *Hérétiques.* — Adamites. Agyniens. Albigeois. Antitrinitaires. Ariens. Bogomiles. Caïnites. Calixtins. Cliniques. Congruistes. Docètes. Donatistes. Ebionites. Euchètes. Eutychiens. Gnostiques. Hermogéniens. Iconoclastes. Jacobites. Manichéens. Macédoniens. Millénaires. Moraves ou Hernutes. Nestoriens. Nicolaïtes. Patarins. Pauliciens. Pélagiens. Sabelliens. Sociniens. Valentiniens. Vaudois, etc.

*Protestants.* — Anglicans. Anabaptistes. Arminiens. Baptistes. Calvinistes. Camisards. Confessionnistes. Covenantaires. Gonaristes. Luthériens. Méthodistes. Mormons. Presbytériens. Piétistes. Puritains. Quakers. Ubiquitaires. Zwingliens, etc.

*Orthodoxes.* — Raskolniks.

*Juifs.* — Caraïtes. Dosithéens. Esséniens. Hérodiens. Nazaréens. Pharisiens. Récabites. Saducéens. Thérapeutes, etc.

*Musulmans.* — Aschariens. Baténis. Bonnites. Caramites. Chottabites. Druses. Esrakites. Fatimites. Jantes. Kadaris. Morgites. Motazales. Munasychites. Schiites. Saphasites. Sunnites. Wahabites, etc.

### SÉDITION

**Mouvement populaire.** — Agitation. S'agiter. Remuer. Bouger. — Effervescence. Fermentation, fermenter. Embrasement. — Indiscipline. Insoumission. Insubordination. — Mécontentement. Indignation. Manifestation. Rassemblement. Meeting. — Désordre. Tempête. Turbulence. — Tumulte, tumultueux. Clameurs. Cris. Tapage. Bruit. Vacarme.

**Rébellion.** — Sédition, séditieux. Se révolter, révolte, révolté. Se soulever, soulèvement. Insurrection, s'insurger. Mutinerie, mutin. Se rebeller, rebelle. — Guerre civile. Prendre les armes. Levée de boucliers. Lever l'étendard contre. — Révolution, révolutionnaire. Bouleversement, bouleverser. *Pronunciamiento.* — Emeute, émeutier. Troubles. Barricade, barricader. Résistance, résister. — Grève, gréviste. Coup monté. — Etat de siège. Loi martiale.

SÉDUCTEUR, m. V. *séduire, galant.*

SÉDUCTION, f. V. *amour, influence, plaire.*

Séduire. V. *appât, tenter, cajoler, persuader, éblouir, débauche.*

SÉDUISANT. V. *beau, délicat.*

SEGMENT, m. V. *cercle, sphère, fragment.*

SÉGRÉGATION, f. V. *chimie.*

SÉGUEDILLE, f. V. *danse.*

SEICHE, f. V. *coquillage.*

SEIGLE, m. V. *blé.*

SEIGNEUR, m. Seigneurie, f.

V. *féodal, chef, Dieu.*

SEILLE, f. V. *vaisseau.*

SEIN, m. V. *mamelle, ventre, nourrice, intérieur.*

SEING, m. V. *signature.*

SÉISME, m. V. *météore, trembler.*

SÉJOUR, m. Séjourner. V. *habiter, arrêt, repos.*

Sel, m. V. *épice, chimie, spirituel.*

SÉLACIEN, m. V. *poisson.*

SÉLECTION, f. Sélectionner. V. *choix, génération, semence, télégraphe.*

SÉLÉNIUM, m. V. *métal.*

Selle, f. V. *harnais, banc, siège, sculpture, excrément.*

SELLERIE, f. Sellier, m. V. *selle, harnais.*

SELLETTE, f. V. *banc.*

SEMAILLES, f. p. V. *labour, semence.*

Semaine, f. V. *sept, jour, calendrier.*

SEMAINIER, m. V. *semaine.*

SEMAISON, f. V. *semence.*

SÉMANTIQUE, f. V. *mot.*

SÉMAPHORE, m. V. *rivage, avertir, télégraphe.*

---

Jacquerie. Fronde. Chouannerie. Commune, etc.

**Menées séditieuses.** — Agiter l'Etat. Agitateur. Tribun. Démagogue. Club. Syndicat. — Révolutionner un pays. Soulever la population. Ameuter la populace. Provoquer une sédition. — Coalition, se coaliser. Société secrète. Ligue, ligueur. — Fomenter des troubles. Allumer la guerre civile. Fauteur de troubles. Perturbateur. — Discordes civiles. Faction, factieux. Meneurs. — Manœuvres subversives. Propos, cris séditieux. — Conjuration, conjuré. COMPLOT, comploter. Coup d'Etat.

### SÉDUIRE

**Entraîner.** — Séduire, séduction, séducteur, séductrice. — Galanterie, galant. Conter fleurette. Flirter, flirt. — Débaucher, débaucheur. Corrompre, corrupteur. Pervertir, pervertisseur. Démoraliser, démoraliseur. — Perdre. Conduire à sa perte. Abuser de. — TENTER, tentation, tentateur. Enjôler, enjôleur. Fasciner, fascinateur. — Don Juan. Sirène. Ravisseur.

**Suborner.** — Suborneur. Capter, captation, captateur. Circonvenir. — Acheter. Gagner. Corrompre à prix d'or, corruptible. Graisser la patte. — Embaucher, embauchage. Engager, engagement. Faire un pont d'or. — Pratiquer des intelligences.

**Attirer.** — Affriander. Affrioler. Allécher. Amadouer. — Attirer dans ses filets. Engluer. Attraper. Captiver. — Charmer, charme, charmeur. Eblouir. Enchanter, enchantement, enchanteur. Ensorceler, ensorceleur. — Endoctriner. Suggérer. — Flatter. Amuser. Engueuser. — Appâts. Propos spécieux, captieux, trompeurs.

### SEL
(latin, *sal;* grec, *hals*)

**Le sel.** — Sel blanc. Sel gris. Sel de cuisine. Gros sel. — Chlorure de sodium. Sel marin. Sel gemme. Cristaux de sel. — Muriate. Acide muriatique.

**Production.** — Marais salant. Vasière. Jas (réservoir). Conche. Ecluse. Vanne. — Canaux de marais. Varaigne. Gobier. Rigole. Cunette. Mort. — Bassins successifs. Aires.

Evaporation. Eaux-mères. Cristallisation. — Graduation (passage sur fagots). Eaux graduées. — Tas de sel. Mulon. Pilot. Vache. Salorge.

Mine de sel. Saline. Extraction. Abattage. — Sources salées. Salins. — Efflorescence. Terrain salifère. Sebka. Chott.

**Traitement du sel.** — Halurgie. — Paludier. Ecailler (enlever la croûte). Raille (râteau). Haveau. Fesour (bêche). — Saunier, saunage, saunerie. Faux saunier. — Salinage. Salifier, salification. Soccage (évaporation). Schlotage (ébullition). Concentration. Machine exhalatoire. Œillet ou Cristallisoir. — Raffiner, raffinage. Egruger (écraser). Grener. Sel grenu. Pain de sel. — Grenier à sel. Gabelle. — Trémie (mesure).

**Emploi.** — Saler, salage, saleur, saloir, salaison. — Salure. Saumure. — Salaisons. Viande salée. Poisson salé. MORUE. Stockfish. — Assaisonner, assaisonnement. Manger à la croque au sel, au gros sel. Demi-sel. — Saupiquet (sauce). Salade. Saucisse. — Salière. Saleron. Saupoudrer. — Sursaler. Dessaler.

**Sels chimiques.** — Halographie. Halochimie. Halomètre. — Dépôt salin. Base salifiable. Sel anhydre. Sel alcalin. Sel neutre. — Acétates. Carbonates. Chlorates. Chlorhydrates. Sulfates, etc.

Salpêtre. Nitre. Natron. Tartre. — Sel d'Epsom (sulfate de magnésie). Sel ammoniac (chlorate d'ammoniaque). Sel de Saturne (acétate de plomb). Sel de Vichy (bicarbonate de soude). Sel d'oseille (bioxalate de potassium). Sel de Glauber (sulfate de sodium), etc.

### SELLE

**Selles.** — Selle d'homme, selle de femme. Selle anglaise. Selle arabe, etc. — Bât. Bardelle. — Arçons. Bandes d'arçon. Pontet. Garrot. Chambre. Fontes. Panneaux. Siège. Quartiers. Troussequin. Palette. Bourre. — Sangle. Etrivières. Etrier.

**Relatif à la selle.** — Seller. Enseller. Desseller. — Bâter. Débâter. — Sangler. — Sellier. Sellerie. Bourrelier. Harnacheur. — Se mettre en selle. Boute-selle. — Monter à cru, à nu, à poil. — Cheval ensellé (au dos creux). Objet sellaire (en forme de selle).

**Semblable.** V. *même, égal, homme.*

SEMBLANT. V. *apparaître, semblable.*

SEMBLER. V. *apparaître.*

SÉMÉIOGRAPHIE, f. V. *abrégé.*

SEMELLE, f. V. *soulier, base.*

**Semence,** f. V. *graine, génération, clou, diamant.*

SEMER. V. *semence, jet, répandre.*

SEMESTRE, m. Semestriel. V. *mois, année.*

SEMEUR, m. V. *semence.*

SEMI (préf.). V. *moitié.*

SÉMILLANT. V. *vif.*

SÉMINAIRE, m. V. *association, théologie.*

SÉMINARISTE, m. V. *prêtre.*

SÉMINAL. V. *semence.*

SEMIS, m. V. *semence, plante, mélange.*

SEMOIR, m. V. *machine.*

SEMONCE, f. Semoncer. V. *avertir, réprimande.*

SEMOULE, f. V. *farine.*

SEMPITERNEL. V. *continuer.*

SENAIRE, m. V. *six, poésie.*

**Sénat,** m. V. *vieux, Rome, parlement.*

SÉNATEUR, m. Sénatorial. V. *sénat.*

SÉNÉ, m. V. *purger.*

SÉNÉCHAL, m. Sénéchaussée, f. V. *magistrat.*

SÉNESTRE. V. *gauche.*

SÉNEVÉ, m. V. *moutarde.*

SÉNILE. Sénilité, f. V. *vieux.*

SENNE, f. V. *filet.*

SENS, m. V. *sensation, signifier, intelligence.*

**Sensation,** f. V. *nerf, connaître.*

SENSÉ. V. *raison, sage.*

SENSIBILITÉ, f. Sensible. V. *sentiment, aimer, apparaître, délicat.*

SENSIBLERIE, f. V. *sentiment, affectation.*

SENSITIVE, f. V. *délicat, plante.*

SENSORIUM, m. V. *cerveau.*

SENSUALISME, m. V. *philosophie.*

---

## SEMAINE
(latin, *hebdomas*)

**Division du mois.** — Semaine. Huitaine. Huit jours. Octave. — Quinzaine. — Décade.

**Relatif à la semaine.** — Jours de la semaine. Jours fériés. — Hebdomadaire. Bihebdomadaire. — Etre de semaine. Semainier. — Semaine sainte. — Semaine anglaise. — Prêter à la petite semaine.

## SEMBLABLE
(latin, *similis*; grec, *homoios*)

**Ressemblance.** — Ressembler, ressemblant. Se ressembler. Se ressembler comme deux gouttes d'eau, trait pour trait. — Rappeler les traits de. Etre le portrait de. PORTRAIT tout craché. Sosie. — Tenir de. Air de famille. Chasser de race. — JUMEAUX. Ménechmes. — Parenté. PARENT. Frère. Cousin. — Atavisme. Hérédité.

**Nature semblable.** — Identité, identique. Similitude, similaire. — Analogie, analogue. Homogénéité, homogène. Homologue. — Rapport, se rapporter. Relation. Corrélation. Correspondre, correspondance. Faire le pendant. — Conformité, conforme. Congénère. Les deux font la paire. — Affinité. ACCORD. Sympathie, sympathiser, sympathique. Se rencontrer. Se donner la main. — Monotone, monotonie. Uniforme, uniformité. Assonance. — Homonyme, homonymie. Synonyme, synonymie. Paronyme. Homophone. — Isomorphe. Isotherme. Isobare. — Homéopathie. *Similia similibus curantur.* — SYMÉTRIE, symétrique. Parallèle.

**Reproduction.** — Reproduire. Représenter, représentation. Rendre, rendu. — Imiter, imitation. Singer. Contrefaire, contrefaçon. Pasticher, pastiche. — Copier, COPIE. Plagier, plagiat. Démarquer, démarquage. — Double. Duplicata. Ampliation. — Image. Simulacre. Fac-similé. — Reproduction littérale, fidèle, textuelle. — Répéter, RÉPÉTITION. Doubler, doublure. — Faire semblant de. Faire mine de.

Vraisemblance, vraisemblable. — Attraper la ressemblance. Vérité · d'un portrait. Portrait parlant.

**Assimilation.** — Assimiler, assimilable. — Appareiller. Rapparier. Rassortir, rassortiment. — Comparer, comparaison. Parabole. Allégorie.

Pareil. Le même. Semblable. Bonnet blanc et blanc bonnet. — Approchant, approcher. Approximatif. Trompe-l'œil.

Comme. De même que. Ainsi que. — Tout comme. Autant. Aussi. — A l'avenant. A l'instar.

## SEMENCE

**Semence.** — GRAINE. Germe. Blastème. Embryon. — Enveloppe séminale. Tunique. Feuille séminale. Lobes séminaux. Cotylédons. — Tigelle. Plumule. Collet. Radicule. Plantule. — Germer, germination. Pousser. Faculté germinative. — Sélection. Graines sélectionnées. — Chaulage. Sulfatage.

**Façons de semer.** — Semer, semeur, semoir. Semailles. Semer en lignes, à la volée, à claire-voie. — Ensemencer, ensemencement. Semis. Emblaver. Emblavure. — Confier à la terre. Epandre. Planter. — Disséminer. Parsemer. — Semaison (dispersion naturelle des graines).

## SÉNAT

**A Rome.** — Sénateur. Patricien. Père conscrit. — Dignité sénatoriale. Laticlave. — Sénatus-consulte.

**Chez les modernes.** — Sénat. Suffrage restreint. Palais du Luxembourg. — Chambre haute. Chambre des pairs. — Chambre des lords.

## SENSATION

**Mécanisme.** — Les cinq sens. Vue. Odorat. Goût. Ouïe. Toucher. — Frapper les sens. Sensation. Localiser une sensation. — Organes. Nerfs. Système nerveux. Nerfs sensoriaux. Cerveau. — Perdre l'usage des sens. — Hyperesthésie. Anesthésie.

**Sensations.** — Données des sens. Sensations. Phénomènes sensoriels. — Sensation

**Sensualité,** f. V. *plaisir, chair, luxure.*
SENSUEL. V. *sensualité.*
SENTE, f. V. *chemin.*
SENTENCE, f. V. *juger, arbitre, maxime.*
SENTENCIEUX. V. *grave, emphase.*
SENTEUR, f. V. *odeur.*
SENTIER, m. V. *chemin.*

**Sentiment,** m. V. *toucher, connaître, aimer, apparaître, cœur, esprit, opinion, délicat, littérature.*
SENTIMENTAL. Sentimentalité, f. V. *sentiment.*
SENTINE, f. V. *navire.*
SENTINELLE, f. V. *guet, soldat.*
SENTIR. V. *sensation, senti-*

*ment, odeur, intelligence.*
**Seoir.** V. *bien.*
SÉPALE, m. V. *fleur, plante.*
SÉPARATION, f. V. *séparer, clôture, abandon, partir, mariage.*
SÉPARATISME, m. Séparatiste, m. V. *séparer, politique.*
**Séparer.** V. *limite, part, distinct, casser, chasser.*

---

affective. Sensation représentative. — Monde sensible. — Connaissance. Perception. Impression. Percevoir, perceptible. — Eprouver, avoir une sensation. — Sensation nette, confuse.

Sensualisme (doctrine), sensualiste.

**Sensibilité.** — Sentir. Etre sensible. Facultés sensitives. — Sensibilité aiguë, obtuse. Réceptivité. — Avoir conscience. Plaisir. Douleur. — Choses suprasensibles.

### SENSUALITÉ

**Plaisirs des sens.** — Sensualité, sensuel. Volupté, voluptueux. — Passions. Appétits. Désirs. — LUXURE, luxurieux. Débauche, débauché. — Bestialité. Animalité. Joies charnelles.

Etre attaché aux plaisirs des sens. S'adonner aux plaisirs. Etre enfoncé dans la matière. — Epicurien. Pourceau d'Epicure. — Sybarite, sybaritisme. — GOURMAND, gourmandise. Gourmet. DÉLICAT.

### SENTIMENT

**Faculté sensible.** — Sensibilité. Caractère sensible. Corde, fibre sensible. — Sentir. Ressentir. Etre sensible, sentimental, facile à émouvoir, impressionnable. — Sentimentalité. Sentimentalisme. Sensiblerie. — Etat affectif. Emotivité, émotif. Sensitive. — Sens moral. Bon naturel. — Avoir du cœur. Etre affectueux, aimant.

**États de sensibilité.** — Sentiments élevés. Sentiments bas. — Humanité. PITIÉ. Compassion. — Passion. Enthousiasme. Ardeur. — Emotion. TROUBLE. Emoi. — Tendresse. Délicatesse. — Amour. Affection. Elans, effusions du cœur. — Charité. Altruisme.

Haine. Jalousie. Envie. — Colère. Animosité. Hostilité. — Cupidité. Egoïsme. — Sécheresse de cœur. Dédain, etc.

**Émouvoir la sensibilité.** — Affecter. Impressionner. Emouvoir. Remuer. — Toucher. Frapper. Pénétrer. — Aller au cœur. Attendrir. Troubler. Faire vibrer. — Saisir. Empoigner. Captiver. Attacher. Intéresser. — Agir sur. Entraîner. Fasciner. — Exciter. Enflammer.

### SEOIR

**Aller bien.** — Convenir, convenable, convenance. Etre le fait de. Faire l'affaire de. — Arranger. Accommoder. Avantager, avan-

tageux. — Faire bien. Habiller bien. Chausser bien. Coiffer bien. — Coller, collant. Ne pas faire un pli. Prendre la taille. Etre juste. Ganter.

Air séant. Bienséant, bienséance. Faire bonne figure. Etre comme il faut.

### SÉPARER

**Diviser.** — Division. Divisible, divisibilité. Subdiviser, subdivision. Fraction, fractionner, fractionnement, fractionnaire. — Classer, classement. Classifier, classification. Taxologie. — Détailler. Débiter. Fragmenter, FRAGMENT. Morceler, morcellement. — Fendre, FENTE. Couper en deux. Section. Bissection. Bissectrice. — Partager, partage. Distribuer, distribution. Dichotomie. Bipartition. Tripartition. — Diverger, divergence. Bifurquer, bifurcation.

Diastase. Diérèse. Tmèse.

**Détacher.** — Séparer. Séparation. Démarcation. LIMITE. Borne. — Cloison. Diaphragme. Septum. — Clôture. Compartiment. Case. — Isoler, isolement, isolation. Mettre à PART, au secret. — Séquestrer, séquestration. Cloîtrer, cloître. — Sectionner. Trancher. — Ecarter de. Distraire. Sevrer, sevrage. — Exiler. Expatrier. Disperser, dispersion.

Analyser, analyse. Distinguer, distinction. Abstraire, abstraction, abstrait. Décomposer, décomposition.

**Dissocier.** — Disjoindre. Décoller. Dessouder. Découdre. — Désassembler. Dédoubler. Découpler. Désaccoupler. Désapparier. Dételer. — Désassocier. Désunir. — Désagréger. Démembrer. Disloquer. — Décentraliser. Scinder, scission. — Dissoudre, dissolution. — Trier. Faire le départ. — INTERRUPTION. Solution de continuité.

Se séparer. Se débander. — Schisme, schismatique. SECTE. — Dissidence, dissident. — Sécession, sécessionniste. — Séparatisme, séparatiste.

**Dissocier un mariage.** — Se séparer, séparation. Séparation de corps. Séparation de biens. Régimes matrimoniaux. Séparation conventionnelle, judiciaire. — Répudier, répudiation. — Divorcer, divorce. — Rompre l'union. Rupture. — Mésentente. Incompatibilité d'humeur. — Veuvage, veuf, veuve. — ABANDON, abandonner. — Démarier.

Séparation de dette. Séparation de patrimoine (dans une succession).

SÉPIA, f. V. *dessin, peinture.*

**Sept.**

SEPTANTE. V. *sept, Bible.*

SEPTEMBRE, m. V. *sept.*

SEPTENNAL. V. *année, sept.*

SEPTENTRION, m. Septentrional. V. *Nord.*

SEPTICÉMIE, f. V. *sang.*

SEPTUAGÉNAIRE, m. V. *âge.*

SEPTUPLE. V. *sept, multiple.*

SÉPULCRE, m. Sépulture, f. V. *funérailles.*

SÉQUELLE, f. V. *suite, partisan.*

SÉQUENCE, f. V. *hymne, cartes.*

SÉQUESTRE, m. Séquestrer. V. *saisie, garder, écart, fermer, propriété.*

SEQUIN, m. V. *monnaie.*

SÉRAIL, m. V. *palais, femme.*

SÉRAPHIN, m. Séraphique. V. *ange.*

SEREIN, m. V. *soir, rosée.*

SEREIN. V. *calme.*

SÉRÉNADE, f. V. *chant.*

SÉRÉNITÉ, f. V. *calme, pur.*

SÉREUX. V. *sang.*

SERF, m. V. *esclave, féodal.*

SERFOUETTE, f. V. *jardin.*

SERGE, f. V. *drap.*

SERGENT, m. V. *huissier, officier, menuisier.*

SÉRICICULTURE, f. V. *soie.*

SÉRIE, f. V. *suite, beaucoup, billard.*

SÉRIEUX. V. *grave, vrai.*

SERIN, m. V. *oiseau, sot.*

SERINER. V. *répétition.*

SERINETTE, f. V. *oiseau.*

**Seringue,** f. V. *pompe, anus.*

SERINGUER. V. *seringue.*

SERMENT, m. V. *jurer, promesse, fidèle.*

SERMON, m. Sermonner. V. *prêcher, réprimande.*

SÉROSITÉ, f. V. *humeur.*

SERPE, f. V. *jardin, faucille.*

**Serpent,** m. V. *reptile, poison, ruse.*

SERPENTAIRE, m. V. *oiseau.*

SERPENTAIRE, f. V. *plante.*

SERPENTEAU, m. V. *serpent, pyrotechnie.*

SERPENTER. V. *courbure, détour.*

SERPENTIN, m. V. *distiller.*

SERPETTE, f. V. *taille.*

SERPILLIÈRE, f. V. *étoffe.*

SERPOLET, m. V. *plante.*

SERRE, f. V. *jardin, ongle.*

SERRÉ. V. *dur, économie.*

SERREMENT. V. *presser, main.*

**Serrer.** V. *cacher, coffre, presser, prendre.*

SERRE-TÊTE, m. V. *coiffure.*

**Serrure,** f. V. *clef, coffre, meuble, porte.*

SERRURIER, m. V. *serrure.*

---

## SEPT
(latin, *septem;* grec, *hepta*)

**Composés de** *sept.* — Dix-sept. — Septante. — Septembre. — Septénaire. — Septennal. — Septidi. — Septuor. — Septième. — Septimo. — Septuple. — Semaine.

**Composés de** *hepta.* — Heptacorde. — Heptaèdre. — Heptagone. — Heptagyne. — Heptaméron. — Heptamètre. — Heptandre. — Heptangulaire. — Heptapétale. — Heptapole. — Heptasyllabe. — Heptateuque, etc. — Hebdomadaire.

## SERINGUE

**Qui a trait à la seringue.** — Seringue intestinale, vaginale, à oreilles, etc. — Clysoir. Irrigateur. Injecteur. — Piston. Canule. Tuyau. Jet. — Seringuer. — Lavement. Bouillon pointu. Injection.

## SERPENT

**Le serpent.** — Reptile. Ophidien. Serpent. Serpenteau. — Anneaux, annelé. Crête, cristé. Gueule. Bave, baver. Crochets. Dard, darder. Ecailles, squameux. — Faire peau neuve. Muer, mue. Dépouille. Replis. Sinuosités. Ramper, rampant. Se lover. — Siffler, sifflement. — Venin, venimeux. — Morsure. mordre. Piqûre, piquer. — Enlacer. Serrer. Etouffer. — Fasciner, fascination.

**Relatif au serpent.** — Ophiologie. Ophiolâtre. — Charmeur de serpents. Psylle. — Ophicléide. — Ophite ou Serpentine (pierre). — Serpentaire (plante). — Serpenter, serpentement. Anguiforme. Serpentiforme. — Guivre, *bl.* (serpent). Vivre, *bl.* (vipère). — Laocoon, Cléopâtre (victimes de serpents). — Animaux ophiophages. Mangouste. Serpentaire.

**Principales espèces.** — Acrochordus. — Amphisbène. — Aspic. — Boa. — Cécilie. — Céraste. — Chaîne. — Cobra. — Corallin. — Vipère à cornes. — Couleuvre. — Crotale. — Devin. — Dragon. — Echis. — Elaphis. — Elaps. — Erix. — Eunecte ou Anaconda. — Fer-de-lance. — Hydre. — Lamie. — Naja. — Nasique. — Pélamis. — Platonie. — Plature. — Python. — Serpent à sonnettes. — Trigonocéphale. — Uræus. — Vipère. — Vipère heurtante.

## SERRER

**Mettre en lieu sûr.** — Serrer. Enserrer. Resserrer. — CACHER. Enfermer. — Renfermer. Coffrer. Encoffrer. Encaisser. Emballer. — Rentrer. Engranger. Emmagasiner. — Mettre en place. Ranger. — Ramasser. Amasser. Entasser. — Mettre de côté. Réserver. Garder. Remiser.

**Lieux où l'on serre.** — Cachette. — Armoire. Secrétaire. Garde-robe. — Caisse. Coffre. Coffre-fort. — Tiroir. Case. Casier. Carton. Place. — MAGASIN. Décharge. Resserre. Réserve. — Bureau. Portefeuille. Serviette, etc.

## SERRURE

**Détail de la serrure.** — Palastre. Boîte. Fond. Têtière. Entrée. Canon. Foncet. Mentonnet. Râteau. Cloisons.

Pêne ou Pêle. Talon. Barbes. Encoche. — Pêne double, à demi-tour, à ressort, dormant, etc. — CLEF. Anneau. Panneton. Museau. Dent. Balustre. — Passe-partout. Clef forée. Fausse clef. Crochet. Rossignol.

Gâche. Arrêt de pêne. Ressort. Ergot. Gardes. Cache-entrée. Rouet. Secret. — Bouton de coulisse. Clenche. Bec-de-cane. Gâchette.

**Serrures.** — Serrure de sûreté. Bénarde (s'ouvrant des deux côtés). — Serrure à bosse, à ressort, à clenche, à houssette. Serrure dormante. — Verrou. Platine. Targette. Verterelle. Crampons. — Loquet. Loqueteau.

SERTIR. Sertisseur, m. V. *emboîter, pierre, bijou.*

SÉRUM, m. V. *humeur, sang, microbe.*

SERVAGE, m. V. *esclave.*

SERVANT, m. V. *artillerie, chevalerie.*

SERVANTE, f. V. *domestique, vaisselle.*

SERVEUR, m. V. *auberge.*

SERVIABLE. V. *complaisant, bienfait.*

SERVICE, m. V. *secours, bienfait, domestique, auberge, travail, fonction, soldat, cérémonie, cadavre, messe.*

SERVIETTE, f. V. *linge, auxiliaires de justice.*

SERVILE. Servilité, f. V. *esclave, vil, humilité.*

Servir. V. *utile, bienfait, domestique, messe.*

SERVITE, m. V. *moine.*

SERVITEUR, m. V. *domestique.*

SERVITUDE, f. V. *esclave, dépendance.*

SESQUI (préf.). V. *moitié.*

SESSILE. V. *plante.*

SESSION, f. V. *séance, parlement, juges.*

SESTERCE, m. V. *monnaie.*

SET, m. V. *paume.*

SETIER, m. V. *mesure, vin.*

SÉTON, m. V. *corde, pus.*

SEUIL, m. V. *porte, entrer.*

Seul. V. *unité, retraite.*

SÈVE, f. V. *suc, plante, tige.*

SÉVÈRE. Sévérité, f. V. *dur, grave, punition.*

SÉVICES, m. p. V. *battre, violence.*

SÉVIR. V. *punition.*

SEVRAGE, m. Sevrer. V. *nourrice, ôter.*

SEVRER (se). V. *abstenir (s').*

SEXAGÉNAIRE. V. *soixante.*

Sexe, m. V. *homme, animal.*

SEXENNAL. V. *six.*

SEXTANT, m. V. *astronomie, cercle.*

SEXTUPLE. V. *six, multiple.*

SEXUEL. V. *sexe.*

SHAKO, m. V. *coiffure.*

SHINTOÏSME, m. V. *Japon.*

---

Poucier. — Fermeture. Fermoir. Houssette. — Cadenas. Cadenas à secret. Cadenas à combinaisons.

**Fonctionnement.** — Engager la clef. Tour de clef. — Ouvrir. Fermer. Fermer à double tour. — Brouiller une serrure. Fausser. Mêler. — Forcer une serrure. Faire sauter.

Cadenasser. Décadenasser. — Tirer, pousser le verrou. Verrouiller. Déverrouiller. — Déclencher. — Crocheter, crochetage.

**Serrurerie.** — Serrurier. Serrurerie d'art, de bâtiment, de voiture. Grosse serrurerie. Quincailler, quincaillerie. — Ferronnier, ferronnerie. Taillandier, taillanderie. Lormier, lormerie.

*Pièces de serrurerie.* Serrures. Clefs. Charnière. Penture. Paumelle. Gond. Crapaudine. Ferrure. Ancre. Bride. Entretoise. Etrier. Sonnettes. Grilles. Balcons. Rampes. Charpentes de fer.

Forger. River. Boulonner. Façonner. — Poser. Mettre en place. Ajuster.

**Outillage.** — Enclume. Etau. Marteau. — Foret. Archet. Chignole. — Scie à métaux. Rabot. Tour. — Lime. Tranchet. Ciseau. — Etampe. Mandrin. Pinces. — Equerre. Esse. — Ecrou. Vis. Rivet. Boulon. Goupille. Piton. Crochet. Virole. — Ferrière (sac à outils).

## SERVIR

**Servir.** — Etre UTILE, commode. Rendre service. Profiter à. — Servir. Aider. Favoriser. — Etre en service. Serviteur. Servant. Service. — Servilité. Servilisme. Servile. — Servitude. Esclavage.

Exercer un emploi. Employé. — Fonction, fonctionnaire. — Fonctionner. Etre de service. — Servir de. Faire fonction de. Faire l'office de. Tenir lieu de.

Servir à table. — Servir une balle. — Servir un compliment.

**Se servir de.** — User de, usage. Abuser de, abus. Faire usage. — Disposer de. Utiliser. Employer. S'accommoder de. — Mettre à contribution. Exploiter, exploitation. Profiter de. Mettre à profit. — Mettre en œuvre. Exercer. Manier. — Essayer. Recourir à. Tâter de. — Dépenser. Consommer.

Jouir de. Jouissance. Usufruit. Usucapion (acquisition par jouissance).

## SEUL
(latin, *solus;* grec, *monos*)

**Isolé.** — Vivre caché, retiré, à part. Se retirer. Se cacher. — Rester à l'écart. Solitaire. Solitude. — Etre isolé, seul, esseulé, délaissé. — S'isoler. S'écarter. Isolement. — Vivre comme un loup, comme un ours, loin du monde. Misanthrope, misanthropie. Insociable. — Vie érémitique. Ermite. Anachorète. Reclus. Chartreuse. Ermitage. — Vivre sans amis. Sauvage. Farouche. — Vivre seul. Célibat. Célibataire. — Isoler. Confiner. Séquestrer.

**Unique.** — Un seul. Seul à seul. Singulier. — Un. Unique. Unité. Unitaire. — Particulier. Particularisme. — Individu, individuel. — Exclusif. Monopole. Monopoliser. Parler seul. Aparté. Monologue. Soliloque. — Jouer seul. Soliste. Solo. — Monarchie, monarque. — Monogame, monogamie. — Monographie. — Monolithe. — Monôme. — Solipède.

## SEXE

**Chez l'homme.** — Sexe, sexuel. — Beau sexe. Sexe fort. Sexe faible. — Sexe masculin. Homme. Garçon. Sexe féminin. Femme. Fille. — Sexualité. Rapports sexuels. Organes sexuels. — Procréation. Puberté. Pubère. Impubère. — Union. Mariage. — Emasculer. Stériliser. Castrat. Eunuque.

**Chez les animaux.** — Mâle. Femelle. Hétérogyne. Neutre. — Rut. Chaleur. — Reproduction. Reproducteur. Etalon. — Croisement. Métis. Mulet. — Châtrer, castration. Hongre. Chapon. — Accoupler, accouplement. Apparier. Pariade. Paire. Couple.

**Chez les plantes.** — Unisexué. Bissexué. — Etamines. Pistil. — Monoïque. Dioïque. — Hermaphrodite. Digame. — Cryptogame. — Agame.

SHRAPNELL, m. V. *artillerie*.
SIBYLLE, f. Sibyllin. V. *devin, obscur*.
SICAIRE, m. V. *tuer*.
SICCATIF. Siccité, f. V. *sec*.
SIDÉRAL. V. *astre, étoile*.
SIDÉRATION, f. V. *astre, paralysie*.
SIDÉRÉ. V. *insensible*.
SIDÉRITE, f. V. *aimant*.
SIDÉRURGIE, f. V. *fer*.
SIDI, m. V. *Arabes*.
SIÈCLE, m. V. *cent, année, chronologie, profane*.
**Siège,** m. V. *porter, banc, voiture, lieu, posture, guerre*.
SIÉGER. V. *séance, juges*.

SIERRA, f. V. *montagne*.
SIESTE, f. V. *sommeil*.
SIFFLEMENT, m. V. *sifflet*.
SIFFLER. V. *sifflet, bruit, huer, chien, serpent*.
**Sifflet,** m. V. *flûte, appel, blâme, aigu*.
SIFFLEUR, m. V. *sifflet, oiseau*.
SIGILLOGRAPHIE, f. V. *sceau*.
SIGISBÉE, m. V. *compagnon, complaisant*.
SIGLE, m. V. *lettre, abrégé*.
SIGNAL, m. V. *avertir, signifier*.
SIGNALÉ. V. *important*.
SIGNALEMENT, m. V. *description, visage, personne*.

SIGNALER. V. *avertir, montrer, marque*.
SIGNALÉTIQUE. V. *police, description*.
SIGNALISATION. V. *diriger, télégraphe, aéronautique*.
SIGNATAIRE, m. V. *signature*.
**Signature,** f. V. *nom, sceau, imprimerie*.
SIGNE, m. V. *marque, tache, geste, zodiaque*.
SIGNER. V. *signature, convention*.
SIGNET, m. V. *relieur*.
SIGNIFICATIF. Signification, f. V. *signifier*.
**Signifier.** V. *expliquer, marque, mot, procédure*.

## SIÈGE

**Attaque d'une place.** — Siège. Travaux de siège. Assiéger, assiégé, assiégeant. Lever le siège. — Investissement, investir. Blocus, bloquer. — Approches. Tranchées. Galeries. Cheminement. Brèche.

Assaillir, assaillant. Donner l'assaut. Emporter d'assaut. — Escalade, escalader. — Prendre une ville. — Mettre à sac. Saccager. Piller. — Couronne obsidionale (récompense à Rome).

Etat de siège. — Faire une sortie. Débloquer. Ravitailler. Repousser.

Parlementer, parlementaire. Capituler, capitulation. Se rendre, reddition. Honneurs de la guerre.

**Meubles pour s'asseoir.** — Siège d'appartement. Siège de voiture. — Banc. Banquette. Escabeau. Escabelle. — Fauteuil. Bergère. Couseuse. Pouf. — Canapé. Divan. Marquise. Sofa. Chaise-longue. Ottomane. — Chaise. Chauffeuse. Chaise percée. Bidet. — Tabouret. Pliant. — Transatlantique. Balancine. Rocking-chair. — Stalle (de chœur). Miséricorde. Strapontin (de théâtre). Sellette. Trépied. — Chaise à porteurs. Palanquin. Filanzane.

**Façon des sièges.** — Ebéniste. Tourneur. Chaisier. — Accoudoir. Accotoir. Manchette. Balustre. Barreau. Bâton. Bras. Dossier. Dos. Chevillon. Fond. Pieds. Roulettes. Coussin.

Assembler. — Embourrer. Rembourrer. Matelasser. — Crin. Bourre. Kapok. Laine. — Canner, cannage. Rempailler, rempailleur. Paille. Rotin. Jonc. — Couvrir un siège. Garnir, garniture. — Sangler le fond, sangles. — Housser, housse.

## SIFFLET

**Instrument.** — Sifflet. Sifflet à roulette. Sifflet de manœuvre. — Sifflet à vapeur. Sirène. — Appeau. Huchet. Serinette. — Clef forée. — Pipeau. Sifflet de chevrier.

**Action de siffler.** — Siffler, sifflement. Sibilation, sibilant. — Sifflets. Coup de sifflet. Bordée de sifflets. — Siffler en paume.

Frouer (pour les oiseaux). Hucher (appeler à la chasse). Piper.

Son aigu, perçant, strident. Strideur. — Respiration sifflante. Cornage (des chevaux). — Grincement, grincer. — Susurrer.

## SIGNATURE

**Signature.** — Apposer sa signature. Signer, signataire. Emarger, émargement. — Seing. Sceau. Cachet. Chiffre. Monogramme. Croix. Griffe. — Chirographe, chirographaire. Sous seing privé. — Parafe, parafer. — Signature authentique. Faux. Faussaire. — Pseudonyme. Nom de guerre. — Je soussigné... — Lettre anonyme.

**Valeur d'une signature.** — Approuver l'écriture ci-dessus. — Garantir, garantie. Avaliser, aval. Endosser, endos. Contre-signer, contre-seing. — Raison sociale. Donner blancseing. Souscrire à. — Créance chirographaire. — Légaliser, légalisation. Viser, visa.

Faux en écriture. — Extorsion de signature.

## SIGNIFIER

**Vouloir dire.** — Signifier, signification. Sens. — Sens propre, figuré, étendu, restreint. — Sens littéral, dérivé. — Sens commun, rare. — Sens implicite. Anagogie, anagogique. — Propriété des termes. Impropriété. Acception. Figure. Extension. Compréhension. — Synonyme, synonymie. — Expression, exprimer, expressif. — Faux-sens. Contresens. Non-sens.

Porter à la connaissance de. Notification. Signification d'un acte, d'un jugement. Exploit. Huissier. Parlant à.

**Interprétation.** — Comprendre. Entendre. Intelligence du texte. — Interpréter. Débrouiller. Traduire, traduction. — Expliquer, explication. Définir, définition. Paraphraser, paraphrase. — Torturer le sens. Détourner le sens.

Valeur du mot. Force d'un terme. — Sens précis, formel, typique, clair, net, fort. — Sens obscur, équivoque, ambigu.

**Etre le signe de.** — Signifier. Etre significatif. Vouloir dire. — Dire quelque chose.

**Silence,** m. V. *secret, musique.*

SILENCIEUX. V. *silence.*

SILÈNE, m. V. *Bacchus.*

SILEX, m. V. *pierre.*

SILHOUETTE, f. V. *ombre, portrait, découper.*

SILICATE, m. Silice, f. V. *minéral.*

SILIQUE, f. V. *fruit.*

SILLAGE, m. V. *trace, bateau.*

SILLER. V. *faucon.*

SILLON, m. V. *creux, raie, labour.*

SILLONNER. V. *trace.*

SILO, m. V. *fosse, réservoir.*

SIMAGRÉE, f. V. *cérémonie, grimace, faux.*

SIMARRE, f. V. *habillement.*

SIMBLEAU, m. V. *corde, cercle.*

SIMIESQUE. V. *singe.*

SIMILAIRE. Similitude, f. V.

*semblable, même, rapport, accord.*

SIMILOR, m. V. *zinc.*

SIMONIE, f. V. *acheter, bénéfice, profane.*

SIMOUN, m. V. *vent.*

**Simple.** V. *commode, facile, brut, naïf, modeste, sot.*

SIMPLICITÉ, f. V. *simple, pur, modération, franc, ordinaire.*

SIMULACRE, m. V. *apparaître, hypocrite.*

SIMULATEUR, m. Simuler. V. *apparaître, mensonge, tromper.*

SIMULTANÉ. Simultanéité, f. V. *temps, même, subit.*

SINAPISME, m. V. *moutarde, médicament.*

SINCÈRE. Sincérité, f. V. *franc, simple, avouer, vrai.*

SINCIPUT, m. V. *tête.*

SINÉCURE, f. V. *fonction, oisif, bénéfice.*

**Singe,** m. V. *animal, laid.*

SINGER. V. *imiter, semblable.*

SINGERIE, f. V. *grimace.*

SINGULARITÉ, f. V. *exception, caprice, bizarre, distinct.*

SINGULIER. V. *seul, rare, grammaire.*

SINISTRE. V. *malheur, méchant.*

SINOLOGUE, m. V. *Chine.*

SINOPLE, m. V. *vert.*

SINUEUX. Sinuosité, f. V. *courbure, spirale, détour, indirect.*

SINUS, m. V. *cercle, angle, creux.*

SINUSITE, f. V. *tête.*

SIONISTE, m. V. *Juif.*

SIPHON, m. V. *tuyau, hydraulique.*

SIRE, m. V. *roi, individu.*

---

Avoir une portée. — Désigner. Représenter. — Dénoter. Témoigner. Marquer. Symbole. Allégorie. — Emblème. Enseigne. — Signe. Signal.

## SILENCE

**Se taire.** — Garder le silence. Etre silencieux. — Ne pas desserrer les dents. Ne rien dire. Ne souffler mot. — Déparler. Rester court. S'arrêter. Pause. — Perdre la parole. Etre aphone, aphonie. — Muet. Muette. Mutité. Mutisme. — Sourd-muet. Surdi-mutité. — Mimer. Mimique. Pantomime. Gestes. Chirologie. — Avaler sa langue. Parler *in petto.* Rengainer son compliment. — Taciturne, taciturnité. Sobre de paroles.

**Faire taire.** — Imposer le silence. Faire faire silence. Réduire au silence. — Silenciaire. — Oter la parole. Couper la parole. Couper court. Arrêter le discours. — Clore la bouche. Fermer la bouche. Rabattre le caquet. — Interrompre, interruption. — Bâillonner. Mettre un bâillon.

Taisez-vous. Chut. Motus. — Tout beau. Tout doux.

**Taire.** — Celer. Tenir secret. Cacher. — Garder pour soi. Retenir sa langue. — Discret. Circonspect. Peu communicatif. — Dissimuler. Etouffer une affaire. — Omettre, omission. Passer sous silence. Sauter. — Réticence. Obreption. Chose tacite.

**Éviter le bruit.** — Silence. Calme. Paix. Absence de bruit. — Ne pas faire de bruit. Respecter le silence. Se tenir coi. Faire sans bruit. — Marcher à pas de loup. Agir silencieusement, en tapinois.

Amortir le bruit. Etouffer le bruit. Silencieux de machine.

## SIMPLE

**Simple d'éléments.** — Corps simple. Atome. Molécule. Monade. — Principe simple. Elément. — Primitif. Primordial. Primaire. — Homogène, homogénéité. Non composé. Non compliqué. Incomplexe. — Indivisible. Indécomposable. — Fraction irréductible. Nombre premier. — Simplifier, simplification. Prendre le plus court moyen. Raisonnement simpliste.

**Simple de caractère.** — Bonhomme, bonhomie. Bon garçon. Bonasse. — Sans détours. Carré. Rond, rondeur. — FRANC, franchise. Sincère, sincérité. Naturel, nature. — FAMILIER, familiarité. Affable, affabilité. Abandon. — Simple, simplicité, simplesse. — Candide, candeur. Innocent, innocence. Ingénu, ingénuité. Une Agnès. — Cœur sur la main. Cordial, cordialité. — Modeste, modestie. Humble, humilité. — Niais, niaiserie. Sot, sottise.

**Simple de vie.** — Vivre simplement. Vie bourgeoise. Vie de famille. Vie patriarcale. Vie ordinaire. — Recevoir tout bonnement, à la fortune du pot, à la bonne franquette. — Sans cérémonie. Sans apprêt. Sans façon. Sans prétention. — Terre à terre. Plat. Prosaïque. Vulgaire. Inélégant. — Agreste. Rustique. Champêtre. — Frugalité, frugal. Austérité, austère. Pauvreté, pauvre. — Négligence, négligé. Grossièreté, grossier.

## SINGE
(latin, *simius;* grec, *pithêcos*)

**Qui a trait au singe.** — Singe. Guenon. Guenuche. — Homme des bois. Anthropopithèque. — Bajoues. Mains. Quadrumane. — Quinaud (vieux singe). Fagotin (singe habillé).

Singer. Singerie. — Simien. Simiesque.

**Espèces.** — *Simiidés.* Orang-outan. Chimpanzé. Gorille.

*Cercopithécidés.* Cynocéphale. Hamadryas. Papion. Guenon. Semnopithèque. Cercopithèque. Colobe. Macaque. Babouin. Mandrill.

*Hylobatidés.* Gibbon.

Sirène, f. V. *monstre, cétacé, entendre.*

Siroco, m. V. *vent, chaleur.*

Sirop, m. V. *boisson, confiserie.*

Siroter. V. *boire.*

Sirupeux. V. *sirop, épais.*

Sis. V. *lieu.*

Sismographe, m. V. *météore.*

Sister, m V. *instruments de musique.*

Site, m. V. *lieu, voir.*

Situation, f. V. *lieu, profession, état, circonstance.*

Situer. V. *lieu.*

Six. V. *nombre.*

Sixain, m. V. *six, boîte.*

Sixième. V. *six.*

Sloop, m. V. *navire.*

Smala, f. V. *Arabes.*

Smille, f. V. *maçon.*

Snob, m. Snobisme, m. V. *imiter, affectation, élégance.*

Sobre. Sobriété, f. V. *modération, économie, abstenir (s').*

Sobriquet, m. V. *nom.*

Soc, m. V. *charrue.*

Sociable. V. *société, facile, bon.*

Social. V. *société, association.*

Socialisme, m. Socialiste, m. V. *commun, république.*

Sociétaire, m. V. *société.*

Société, f. V. *plusieurs association, classe, ami finance, jeu.*

Sociologie, f. V. *philosophie*

Socle, m. V. *base, colonne balustre.*

Socque, m. V. *sabot.*

---

Cébidés. Ouistiti. Tamarin. Saki. Sajou. Sapajou. Sagouin. Atèle. Hurleur. Alouate. Saïmiri. Nyctipithèque.

## SIROP

**Qui concerne le sirop.** — Sirop, sirupeux. — Sirop simple. Sirop composé. Sirop de fruits. Sirop de gomme. Sirop aromatisé. — Sirop pharmaceutique. Julep. Looch. Rob. Orgeat.

Cuisson. Bassine. Hepsomètre. — Filtrage. Chausse. Blanchet (chausse). — Clarifier, clarification. — Congeler, congélation. — Edulcorer. — Siroter.

## SIX
### (latin, *sex;* grec, *hex*)

**Dérivés de** *six.* — Sixain. — Sixième. Sixte. — Sizette (jouer à la). — Soixante. — Senaire. — Séné (disposé par six).

**Composés en** *sex.* — Sexangulaire. — Sexennal. — Sextidi. — Sextant. — Fièvre sextane. — Sexto. — Sextuple, sextupler. — Sextuor. — Aspect sextil.

**Composés en** *hexa.* — Hexacorde. — Hexaèdre. — Hexagone. — Hexagyme. — Hexandrie. — Hexapode. — Hexapole. — Hexaptère. — Hexastyle. — Hexaples (bible en six langues), etc.

## SOCIÉTÉ

**Vie sociale.** — Vie en société. Civilisation. Sociabilité. Rapports sociaux. Fréquentation. Confraternité. Camaraderie.

Etat social. Nation. Classes. Castes. — L'Etat. La cité. La famille. — Groupe. Groupement. Association. Ligue. — Société. Compagnie. Coterie. — Assemblée. Réunion. Pétaudière. Pandémonium.

Société sportive. Société de chasse, de pêche, de gymnastique, etc. Société de bienfaisance. Société d'assistance mutuelle.

Parent. Concitoyen. Collègue. Confrère. Compère. Compagnon. Camarade.

**Vie mondaine.** — Le monde. Les mondains. Mondanité. Aller dans le monde. Fréquenter les salons. Faire sa cour. — Inviter, invitation. Présenter, présentation. Introduire, introduction. — Recevoir, réception. Soirée. Matinée. Bal. — Réunir des amis, se réunir. Réunion dansante, chantante, musi-

cale, etc. — Donner un thé, un dîner, une fête. — Visites. Rendez-vous.

Théâtre. Spectacle. Concert. — Casino. Cercle. Club. Salle de jeu. — Réunion de courses, de chasse, de sport, etc.

**Vie savante.** — Corps savant. Académie, académique, académicien. — L'Académie française. Les immortels. Les quarante. — L'Institut. Académie française. Académie des sciences. Académie des inscriptions et belles-lettres. Académie des sciences morales et politiques. Académie des beaux-arts. — Académie de médecine. — Election. Discours de réception. Récipiendaire. — Université. Facultés. Cours. Conférences. — Concours. Jeux floraux. Prix. Lauréat.

**Vie politique.** — Parlement. Assemblée législative. Chambre. Sénat. — Conseil des ministres. — Conseil d'Etat. Conseil de préfecture. — Assemblée départementale. Conseil général. — Conseil municipal. — Session. Séance. Siéger.

Etats généraux. Convention nationale. Diète. Assemblée provinciale.

Réunion publique. Réunion électorale. Comices. Congrès. Meeting. — Parti. Comité. Loge. Club.

**Vie religieuse.** — Eglise. Collège, collégial. Sacré Collège. — Concile. — Consistoire, consistorial. — Chapitre, capitulaire. — Synode, synodique. — Fabrique, fabriciens. Marguilliers. — Congrégation, congréganiste — Confrérie.

**Vie commerciale.** — Contrat. Association. Société civile, commerciale, de fait, légale. — Communauté. Indivision. — *Affectio societatis.* — Personnalité morale. — Fonds social. Raison sociale. — Société mobilière, immobilière.

Société universelle, particulière, de tous biens présents, de gains, d'apport.

Propriété. Jouissance. Industrie. — Tradition. — Société léonine. — Part. Part d'intérêt. — Perte. Bénéfice. — Gérant. Pouvoir. — Délégation. — Intérêt commun. — Cessionnaire. Croupier. — Part civile.

Société personnelle, réelle. — Société en nom collectif, en commandite simple, par actions. — Société anonyme. — Société à responsabilité limitée. — Société en participation, à capital variable. — Association. — Filiale. — Groupe. Coopérative.

SODA, m. V. *boisson*.
SODIQUE. V. *soude*.
SODIUM, m. V. *métal*.
SŒUR, f. V. *frère, moine, charité*.

SOFA (ou sopha), m. V. *siège*.
**Soi.** V. *individu, propre*.
**Soie,** f. V. *fil, étoffe, laine, porc*.
SOIERIE, f. V. *étoffe*.

**Soif,** f. V. *besoin, boire, désir*.
SOIGNÉ. V. *délicat*.
SOIGNER. V. *soin, guérir*.
SOIGNEUX. V. *nettoyer*.

---

Publicité. Publication. Dépôt. Greffe. — Insertion. — Actes de gestion, d'administration, d'aliénation. — Créanciers sociaux.

Action en espèce, d'apport. — Part de fondateur. — Action privilégiée, à vote plural. — Action de capital, de jouissance. — Part bénéficiaire. — Dividende. Intérêt. — Apport en nature, en industrie. — Action de prime, action gratuite. — Obligation simple, à prime, à lot, hypothécaire. — Emission. Souscription. Négociation. — Amortissement.

Titre nominatif, au porteur, mixte. — Transfert de forme, d'ordre, de garantie. — Nantissement.

Versement de capital. — Remboursement. Réduction de capital.

Statut. — Assemblée générale, ordinaire, extraordinaire. — Quorum. — Délibération. — Décision.

Conseil d'administration. — Président. Administrateur. Administrateur-délégué. — Commission de surveillance, aux comptes. — Secrétaire.

Fonds de réserve. — Dividendes fictifs. — Bilan. Nullité. Responsabilité. Impôt, etc.

Chambre de commerce. — Syndicat. — Bourse. — Lloyd. — Société financière. — Compagnie des avoués, des notaires, des agents de change. — Corps de métiers. Corporation. — Association, associés. — Trust.

**Fonctionnement d'une assemblée.** — Bureau. Président. Secrétaire. Trésorier. Archiviste. — Convocation. Séance. — Présider. Occuper le fauteuil. — Commissions. Rapport. Rapporteur. — Délibération. Tour de parole. Prendre la parole. Voter. — Procès-verbal. Bulletin.

Règlement. Statuts. — Sociétaire. Membre actif, honoraire, correspondant.

### SOI

**Sentiment personnel.** — Personnalité, personne. Le moi. Le quant à soi. — Amour-propre. Volonté. Instinct. Mentalité. Idées innées.

Etre épris de soi-même. Egotisme. Narcissisme. — Orgueil, orgueilleux. Fierté, fier. Vanité, vaniteux. — Egoïsme, égoïste. Aimer sa petite personne. Rapporter tout à soi. — Subjectivisme, subjectif. — Sécheresse de cœur. Cœur sec. Ingratitude, ingrat. Froideur, froid.

**Intérêt personnel.** — Intérêt propre, particulier, privé. — Intéressé. Positif. — Ne penser qu'à soi. Chacun pour soi. Charité bien ordonnée commence par soi-même. — Individualisme, individuel. Avoir soin de son individu. Tirer la couverture à soi. — Se tenir sur son quant-à-soi.

**Action personnelle.** — Prendre sur soi. Initiative. Responsabilité, responsable. — Payer de sa personne. Voler de ses propres ailes. *Motu proprio.* — Agir de son chef. Spontanéité, spontané. Originalité, original. Etre soi. Tirer de son cru. — Faire en particulier. Monologue. Soliloque. Aparté. — Se tuer. Suicide, suicidé. — Digérer. S'assimiler, assimilation.

Mots en *auto* : Automate. Autonome. Autographe. Autobiographie. Autocrate, etc.

### SOIE
(latin, *seta* ; grec, *sêr*)

**Vers à soie.** — Industrie séricicole. Sériciculture. — Ver à soie. Bombyx. Magnan. Passis (ver faible). Capelan (qui ne file pas). — Sérictère (organe sécréteur). Clairette, pébrine, etc. (maladies).

Magnanerie, magnanier, magnanarelle. Nourricerie. Cabane. Pantenne (claie). — Graine. Couveuse. S'émouvoir. Répondre. — Mûrier. — Mue. Dépouille. Frèze (faim après la mue). — Coconner. Cocon.

**Travail des cocons.** — Cocon. Brins de soie. Araignée. Bave ou Bourre. Chique. Cœur percé. Cocon double. — Déramer. Décoconner. Ebouillanter. — Tirer la soie. Filière. Guide. Bouts. — Dévider, dévidage. Procédé à la tavelette, à la Chambon. Guindre (métier à doubler).

**Travail de la soie.** — Décreuser ou Décruer. Dégommer. Bobiner, bobinage. Dédoubler. Tordre. Mouliner. Retordre.

Soie grège. Tors ou Apprêts. Premier, deuxième tors. Trame. Organsin. — Soie écrue. Soie crue. Soie cuite. Soie montée. Soie torse. Soie moulinée. — Bourre. Filoselle. Chappe.

Filature. Teinture. Ourdissage. Tissage. Soierie. Tissu soyeux. Canut (ouvrier lyonnais). V. ETOFFE.

**Soie artificielle.** — Chardonnet (inventeur). — Nitro-cellulose. Viscose. Rayonne. — Dissolvant. Autoclave. Filière. Rouleaux. Séchage. Bain dénitrant.

### SOIF
(latin, *sitis* ; grec, *dipsa*)

**Avoir soif.** — Soif. Besoin, envie de boire. Dipsomanie. — Mourir de soif. Avoir le gosier sec. — Supplice de Tantale. — Etre altéré. Avoir la pépie. Etre assoiffé. — Soiffard.

**Boire.** — Apaiser, calmer, assouvir, étancher la soif. — Désaltérer, désaltérant. — Se rafraîchir. Rafraîchissement. — Boisson. Buveur. — Ivrogne, ivrognerie. Pochard. Soulard. Poivrot, f.

**Soin**, m. V. *attention, précaution, veiller, panser.*
**Soir**, m. V. *temps, nuit.*
SOIRÉE, f. V. *soir.*
SOIRISTE, m. V. *théâtre.*
SOIXANTAINE, f. V. *soixante.*
**Soixante.**

SOL, m. V. *terre, pays, musique.*
SOLAIRE. V. *soleil.*
SOLARIUM, m. V. *soleil.*
**Soldat**, m. V. *armée.*
SOLDATESQUE, f. V. *soldat.*
SOLDE, f. V. *salaire, prix.*

SOLDE, m. V. *payer, compte, commerce, reste.*
SOLDER. V. *vendre, rebut.*
SOLE, f. V. *pied, base, armes, poisson.*
SOLÉCISME, m. V. *faute, grammaire.*

## SOIN

**Donner des soins.** — Soigner. Prodiguer des soins. Entourer de soins. — Thérapeutique. Traiter, traitement. Panser, pansement. — Elever avec soin, dans du coton. — Bien traiter. Ménager. — Entretenir. Tenir bien. Bien tenu. — Avoir des attentions. Choyer.

**Travailler avec soin.** — Travail soigné. Personne soigneuse. — Application, s'appliquer. Attention, attentif. Diligence, diligent. — Lécher. Limer. Polir. Ciseler. Fignoler. — Minutie, minutieux. Recherche. — Ordre, ordonné. Méthode, méthodique. — Conscience, consciencieux. Scrupule, scrupuleux. — S'étudier à. Studieux. Châtier son style.

**Prendre soin.** — Prendre des précautions. Se précautionner, précautionneux. — Veiller à. Prendre garde. Vigilance, vigilant. — Se soucier de, soucieux. Avoir cure de. Sollicitude. — Préoccupation, préoccupé. S'inquiéter de, inquiétude. — Conserver précieusement. — Providence, providentiel.

## SOIR

**Moments du soir.** — Après-midi. Relevée. Après-dîner. — A la brume. Entre chien et loup. — Soleil couchant. Coucher du soleil. — Déclin du jour. Chute du jour. Fin du jour. — Crépuscule. Tombée de la nuit. — Heure vespérale, crépusculaire. — Heure tardive, nocturne. — Obscurité. Ténèbres.

**Choses du soir.** — Vêpres et Complies. — Couvre-feu. Retraite. — Souper. — Sérénade. — Réunions du soir. Soirée. Veillée. — Serein. Brume. — Vesper (étoile du soir).

## SOIXANTE

**Soixante.** — Soixantaine. Soixantième. — Sexagésime. Sexagésimal. — Sexagesimo. — Sexagénaire.

**Soixante-dix.** — Soixante-dixième. — Septante. — Septuagésime. — Septuagesimo. — Septuagénaire.

## SOLDAT
(latin, *miles*)

**Recrutement.** — Contingent. Classe. Conscrit. Recrue. — Conscription. Tirage au sort. Conseil de revision. Taille. Bon pour le service. — Incorporer, incorporation. Réformer, réforme. Ajourner, ajournement. — Appeler, appel. Devancer l'appel. Répondre à l'appel. — S'engager. Engagé volontaire. Se rengager. Un rengagé. Vétéran. — Faire son temps. Faire son service. Etre sous les drapeaux. — Service militaire. Livret militaire.

Contrôle de l'armée. — Levée. Enrôler. Enrégimenter. Dépôt. — Dispenser, dispense. Exempter, exemption. Exempt de service. — Mobiliser, mobilisation. Rejoindre. — Libérer, libération. Congé. Licencier, licenciement. — Insoumis. Réfractaire. Déserteur.

**Etat militaire.** — Armée. Armée active. Armée territoriale. — Réserve. Réserviste. — Milice, milicien. Troupe, troupier. — Troupes métropolitaines. Troupes coloniales. Forces supplétives. Corps auxiliaires. — Soldatesque. Mercenaire. Soudard.

Infanterie, fantassin. Cavalerie, cavalier. Artillerie, artilleur. Aviation, aviateur. Génie, sapeur, pionnier, pontonnier. Aérostation, aérostier. Intendance. Train des équipages, soldat du train. Service de santé, infirmier, brancardier. Prévôté. Section d'ouvriers. — Tirailleur. Turco. Spahi. Zouave.

Simple soldat. Soldat du rang. Caporal. Sous-officier. Fourrier. — TAMBOUR. Clairon. Trompette. — Planton. Ordonnance. Brosseur. — Mitrailleur. Grenadier. Automobiliste. Motocycliste. Vélocipédiste.

**Vie militaire.** — Garnison. Régiment. Bataillon. Escadron. Compagnie. Batterie. — Caserne. Casernement. Quartier. Chambrée. Poste de garde. Cantine. — Campagne, campement. Cantonnement. Bivouac. — Manœuvres. Marches. Etape. Billet de logement. — Discipline. Consigne. Mot d'ordre. — Faction, factionnaire. Sentinelle. Prendre, monter la garde. — Service de place. Garde. Ronde. Patrouille. Piquet. Escorte. — Exercice. Théorie. Ecole. Peloton. Tir. Corvée. — Revue. Défilé. — Solde. Masse. — Permission, permissionnaire.

**Equipement.** — Uniforme. Tenue. — Equipement. Fourniment. Fourbi. — Sac. Havresac. Musette. Barda. — Capote. Tunique. Vareuse. Veste. — Souliers. Bottes. Jambières. Molletières. — Buffleterie. Ceinturon. Baudrier. Cartouchières. Giberne. — CASQUE. Shako. Képi. Béret. Bonnet de police. — Epaulettes. Galons. Chevrons. Aiguillettes. — Fusil. Carabine. Mousqueton. Sabre. Baïonnette. — Gamelle. Quart. Gourde.

**Soldats d'autrefois.** — Arbalétrier. — Archer. — Coutillier. — Estradiot. — Reître. — Lansquenet. — Homme d'armes. — Gendarme. — Hallebardier. — Piquier. — Mousquetaire. — Cravate. — Cuirassier. — Dragon. — Housard. — Fusilier. — Grenadier. — Garde-suisse. — Garde-française. Janissaire. — Traban. — Strelitz. — Condottiere. — Mameluck. — Miquelet. — Palikare. — Pandour. — Zaïm. — Timariot. Hoplite. Peltaste. Légionnaire. Vélite.

**Soleil**, m. V. *astre, lumière, pyrotechnie.*
**Solennel**. V. *cérémonie, briller, grave.*
SOLENNITÉ, f. V. *solennel, fête.*
SOLERET, m. V. *armure.*
SOLFATARE, f. V. *soufre.*
SOLFÈGE, m. V. *chant, musique.*
SOLIDAIRE. Solidarité, f. V. *association, garant, participer, dépendance.*
**Solide**. V. *dur, épais, sûr, géométrie, chimie.*
SOLIDIFIER. V. *chimie.*
SOLIDITÉ, f. V. *solide, bien, fixe.*
SOLILOQUE, m. V. *seul.*
SOLIPÈDE, m. V. *animal.*
SOLISTE, m. V. *seul, musique.*
SOLITAIRE. V. *seul, sanglier, diamant.*

SOLITUDE, f. V. *seul, désert.*
SOLIVE, f. Soliveau, m. V. *charpente, plancher.*
SOLLICITER. V. *demande, visite.*
SOLLICITUDE, f. V. *soin, intérêt.*
SOLO, m. V. *musique.*
SOLSTICE, m. V. *arrêt, soleil, saison.*
SOLUBILITÉ, f. Soluble. V. *dissoudre, chimie, liquide.*
SOLUTION, f. V. *liquide, pharmacie, finir, juger, séparer.*
SOLVABILITÉ, f. Solvable. V. *payer, riche.*
SOMATOLOGIE, f. V. *corps.*
SOMBRE. V. *obscur, noir, chagrin, terne.*
SOMBRER. V. *naufrage, malheur.*
SOMBRERO, m. V. *chapeau.*
SOMMAIRE. V. *court, abrégé.*

SOMMAIRE, m. V. *livre, résumer.*
SOMMATION, f. V. *ordre, procédure, mariage.*
SOMME, m. V. *sommeil.*
SOMME, f. V. *nombre, calcul, tout, abrégé.*
**Sommeil**, m. V. *repos, engourdi, magnétisme.*
SOMMEILLER. V. *sommeil, calme.*
SOMMELIER, m. V. *auberge, bouteille.*
SOMMER. V. *ordre, contrainte.*
SOMMET, m. V. *pointe, montagne, angle, extrême.*
SOMMIER, m. V. *lit, charpente, compte, cloche, porter.*
SOMMITÉ, f. V. *supérieur, haut.*
SOMNAMBULE. Somnambulisme, m. V. *nuit, sommeil, magnétisme.*

## SOLEIL
(latin, *sol*; grec, *hélios*)

**Système solaire.** — Globe du soleil. — Enveloppes. Couronne. Chromosphère. Couche renversante. Photosphère. — Facules. Taches solaires. Protubérances solaires. Halo. — Spectre solaire. — Solstice, solsticial. — Ecliptique. Planètes. Terre. Aphélie. Périhélie. Midi.

**Actions du soleil.** — Astre du jour. — Soleil levant. Lever du soleil. Orient. — Soleil couchant. Coucher du soleil. Occident. — Darder ses rayons. Rayonner. — Lumière. Luire. — Chaleur. Chauffer. Rôtir. Mûrir. Brouir. — Coup de soleil. Insolation. Hâle, hâler.

**Mythologie.** — Cultes solaires. — Apollon. Phébus. Char du soleil. Phaéton. — Ammon. Râ. Osiris. Horus. — Ormuz. — Mithra. — Epervier (symbole égyptien).

**Qui a trait au soleil.** — Cure de soleil. Solarium. Solarien. — Héliomètre et Héliostat (instruments). — Héliotrope. Tournesol. — Héliopolis. Héliogravure, etc.

## SOLENNEL

**Solennisation.** — Célébrer annuellement. Solenniser. Solennité. — Célébrer en grande pompe. Pompe, pompeux. — Magnificence, magnifique. Eclat, éclatant. Faste, fastueux. — Grande cérémonie. Apparat. Fête, fêter. — Montre. Parade. — Majesté, majestueux. Emphase, emphatique

## SOLIDE

**Résistant.** — Résistance, résister. Stable, stabilité. Durable, durée. — Solide, solidité. Fort, FORCE. Ferme, fermeté. — DUR. Dur comme granit. Tenace, ténacité. — Bien assis. Assiette. Bâti sur le roc, à chaux et à sable. — Affermir, affermissement. Consolider. Fixer. Sceller. Cimenter. — Etre à

l'épreuve. Eprouvé. Inaltérable. Inébranlable. Inusable. Indestructible. Impérissable, etc.

**Consistant.** — Consistant. Avoir du corps. Substantiel. Avoir de la substance. — Solidifier, solidification. Concréfier. Concrétion. Concrescible. — Cristalliser, cristallisation. — Dense, densité. Epais, épaisseur. Massif, masse.

**Corps solides.** — Cube. Polyèdre. Parallélépipède. Prisme. Cône. Cylindre. Sphère. Pyramide.

Volume. Stéréométrie. Mesures cubiques. — Relief. Stéréoscope. Stéréographie. Stéréotypie.

## SOMMEIL
(latin, *somnus*; grec, *hypnos*)

**Genres de sommeil.** — Envie de dormir. Sommeil. Assoupissement. Somnolence. — Somme. REPOS. Sieste. Méridienne. — Sommeil profond, de plomb, calme, léger. — Engourdissement. Narcotisme. Carus et Sopor (sommeils profonds). — Hibernation (des animaux). — Dormition (de la Vierge). — Sommeil hypnotique. Hypnose. Endormissement. — Catalepsie. Léthargie. Coma. Etat comateux.

**Dormir.** — Avoir sommeil. Tomber de sommeil. Dormir debout. — Bâiller, bâillement. Fermer les yeux, les paupières. Se coucher. — S'endormir. Succomber au sommeil. Se plonger dans le sommeil. S'assoupir. Perdre le sentiment.

Dormir, dormeur, dormeuse. Sommeiller. Faire un somme. Reposer. Faire dodo. Roupiller. Pioncer. — Dormir à poings fermés. Faire la grasse matinée. Etre dans les bras de Morphée. Faire du lard. — S'engourdir. Etre engourdi. Marmotte. Lendore. — Ronfler, ronflement, ronfleur. Sterteur, stertoreux. — Cuver son vin.

**Endormir.** — Endormeur. Hypnotiseur, hypnotiser. Magnétiseur, magnétiser. — Le

SOMNIFÈRE, m. V. *opium.*
SOMNOLENCE, f. V. *sommeil, abattement.*
SOMPTUAIRE. V. *dépense.*
SOMPTUEUX. Somptuosité, f. V. *luxe, briller.*
**Son,** m. V. *entendre, prononcer, musique, farine.*
SONATE, f. V. *musique.*
SONDAGE, m. V. *sonde.*
**Sonde,** f. V. *chercher, examen, chirurgie, mer.*
SONDER. V. *sonde, percer.*
SONGE, m. V. *sommeil.*
SONGER. V. *sommeil, penser.*
SONNAILLE, f. V. *cloche, bestiaux.*
SONNER. V. *son, bruit, appel, heure, cloche.*

SONNERIE, f. V. *cloche, horloger, trompette.*
SONNET, m. V. *poésie.*
SONNETTE, f. V. *cloche.*
SONNEUR, m. V. *cloche.*
SONORE. V. *entendre.*
SONORISATION, f. V. *son.*
SONORITÉ, f. V. *son, entendre.*
SOPHISME, m. V. *argument, faux.*
SOPHISTE, m. Sophistique, f. V. *subtil, rhétorique.*
SOPHISTIQUER. V. *gâter.*
SOPORIFIQUE. V. *sommeil, pharmacie.*
SOPRANO, m. V. *voix, haut.*
SORBET, m. Sorbetière, f. V. *confiserie.*
SORBIER, m. V. *arbre.*

SORBONNE, f. V. *école, thèse, théologie.*
SORCELLERIE, f. V. *magie.*
SORCIER, m. V. *devin, habile.*
SORDIDE. V. *sale, avare.*
SORGHO, m. V. *blé.*
SORITE, m. V. *argument.*
SORNETTE, f. V. *vain.*
SORORIAL. V. *frère.*
SORT, m. V. *hasard, destin, magie.*
SORTABLE. V. *commode.*
SORTE, f. V. *espèce, manière.*
SORTIE, f. V. *ouvert, partir, promenade, colère.*
SORTILÈGE, m. V. *magie.*
**Sortir.** V. *hors, apparaître, partir.*
SOSIE, m. V. *semblable.*

---

marchand de sable. — Faire dormir. Engourdir. Appesantir les paupières. Bercer. — Narcotique. Soporifique. Somnifère. Dormitif. — PAVOT. Opium. Laudanum. Morphine. Véronal, etc. — Maladie du sommeil. Trypanosome.

**Rêve.** — Rêver. Rêverie. Rêvasser. Rêvasserie. — Songe, songer. Faire un songe. Voir en songe. Songe-creux. — Cauchemar. Onirodynie. — Somnambulisme. Somnambule. Hypnobate. — Onirocritie. Oniromancie. Clef des songes.

**Eveil.** — Eveiller. S'éveiller. — Réveiller, RÉVEIL. Se réveiller. Réveiller en sursaut. — Rouvrir les yeux. — Passer la nuit. VEILLER, veillée, veilleur. — Insomnie. Nuit blanche. Dormir d'un œil. — Noctambule, noctambulisme.

## SON
(latin, *sonus;* grec, *phônê*)

**Sonorités.** — Sons. Accords. Harmonie. Mélodie. — Assonance. Consonance. — Résonance. Echo. — Dissonance. Cacophonie. BRUIT. — Musique. Chant. Voix. Rythme. Unisson. Ton. — Tintement. Carillon. Sonnerie. — Ronflement. Bourdonnement. Bruissement.

Résonner. Retentir. Déchirer les oreilles. — Sonner. Tinter. Carillonner. — Ronfler. Vibrer. Sonore.

**Nature des sons.** — Juste. Faux. — Haut. Bas. — Clair. Sourd. — Aigu. Grave. — Plein. Creux. — Fort. Faible. — Intense. Rémisse. — Doux. Aigu. — Moelleux. Criard. — Joyeux. Lugubre. — Harmonieux. Discordant. — Mat. Bruyant. — Sec. Nourri. — Argentin. Nasillard. — Eclatant. Guttural. — Retentissant. Ronflant, etc.

Ouïe, etc. V. ENTENDRE.

**Théorie des sons.** — Acoustique. Ondes sonores. — Intensité. Hauteur. Timbre. Volume. — Propagation du son. Vitesse (337 m. à la seconde). — Réverbération. Répercussion. — Vibrations. — Transmission des sons. Porte-voix. Téléphone. Microphone. — Sonorisation. Phonographe. Radiophonie. Télé-

phonie sans fil. — Phonation. Cordes vocales. — Phonométrie. Sonomètre. Diapason. Résonateur.

**Sons dans le langage.** — Phonétique. Phonème. — Son voyelle. Son consonne. Diphtongue. — Son fermé. Son ouvert. — Son bref. Son long. — Son mouillé. Son nasal, palatal, sifflant, labial, dental, guttural, chuintant, vélaire, etc. — Homonyme. Homophone. RIME.

## SONDE

**Sondage.** — Sonde. Sonder. Sondeur. — Sondable. Insondable. — Explorer. Scruter. Pénétrer. — Sonde marine. Plomb de sonde. Fil. Câble. — Machine à sonder. Sondographe. Bathomètre.

Sonde à forer. Tiges. Tubes. Cuiller. — Forage.

Sonde médicale. Pavillon. Corps. Bec. — Sonde exploratrice. Sonde évacuatrice. — Cathéter, cathétériser, cathétérisme. Sonde flexible.

## SORTIR
(latin, *exire*)

**S'en aller d'un lieu.** — Sortir, sortie. Exode. Exeat. — PARTIR. Départ. Quitter. Venir de. Déboucher, débouché. — Déguerpir. Déloger. Déménager. — Fuir, fuite. S'enfuir. S'évader, évasion. — S'échapper de, échappade. Prendre la clef des champs. Excursion. Voyage. — Emigrer, émigrant, émigration. S'expatrier, expatriation. — Evacuer. Débarquer. Descendre de voiture. — Issir, issue.

**Se répandre au dehors.** — Déborder, débordement. S'extravaser, extravasion. Regorger. — Sortir de terre. Jaillir, jaillissement. Sourdre. Pousser. — Saillir. Poindre. — Surgir. Emerger, émergence, émersion. — Eruption, éruptif. — Emaner, émanation. Exhaler, exhalaison. Effluve. Effluent. — Evacuation, évacuatif. Excrément, excrémentiel. — Exsuder, exsudation, Perspiration. Exosmose. — Exploser, explosion.

**Sot.** V. *irréflexion, ignorance, maladresse, inconvenant.*

SOTTISE, f. V. *sot, injure.*

SOU, m. V. *monnaie.*

SOUBASSEMENT, m. V. *base, mur, lit.*

SOUBRESAUT, m. V. *saut.*

SOUBRETTE, f. V. *domestique.*

SOUCHE, f. V. *arbre, racine, famille, compte.*

SOUCHET, m. V. *carrière.*

SOUCHETER. V. *arbre.*

SOUCHEVER. V. *carrière.*

SOUCI, m. V. *inquiet, désir, chagrin.*

SOUCIEUX. V. *inquiet, soin.*

SOUCOUPE, f. V. *tasse.*

SOUDAIN. V. *prompt, subit.*

SOUDARD, m. V. *soldat.*

**Soude,** f. V. *potasse.*

**Souder.** V. *joindre, emboîter, chaleur.*

SOUDOYER. V. *payer.*

SOUDURE, f. V. *métal.*

SOUFFLAGE, m. V. *verre.*

**Souffle,** m. V. *air, vent, respiration, esprit.*

SOUFFLÉ. V. *enflé, mets.*

SOUFFLER. V. *souffle, repos, mémoire, jeu, boucherie, alchimie.*

SOUFFLERIE, f. V. *soufflet, forge, fonderie, orgue.*

**Soufflet,** m. V. *air, jeu, cheminée, photographie, battre.*

SOUFFLETER. V. *soufflet, injure.*

SOUFFLEUR, m. V. *théâtre, cétacé, alchimie.*

SOUFFLURE, f. V. *acier.*

SOUFFRANCE, f. V. *souffrir, mal, peine, chagrin.*

SOUFFRE-DOULEUR, m. V. *victime.*

SOUFFRETEUX. V. *souffrir, faible, langueur.*

---

## SOT

**Sans Jugement.** — Esprit lourd, pesant, épais, étroit. Pauvre d'esprit. — Sot, sottise. Stupide, stupidité. Bête, bêtise. — Balourd, balourdise. Brute. Butor. Abruti, abrutissement. — Inintelligent, inintelligence. Borné. Bouché. Crétin, crétinisme. Cerveau creux, vide, débile. N'avoir pas inventé la poudre.

Insensé, insanité. Déraisonnable, déraisonner. Absurde, absurdité. Courte vue. Raisonner comme un coffre. — Nul, nullité. Ane, ânerie. Inepte, ineptie. Imbécile, imbécillité. — Etroitesse d'esprit. Inconséquent, inconséquence. Badaud, badauderie. — Maladroit, maladresse. Pas de clerc. Bévue.

N'avoir pas le sens commun. Outrager le bon sens. N'avoir ni rime ni raison.

**Qui prête à rire.** — Ridicule. Risible. Saugrenu. — Idiot, idiotie. Hébété, hébétude. — Simple, simplesse. NAÏF, naïveté. Niais, niaiserie. Nigaud, nigauderie. Jobard, jobardise. — Gauche, gaucherie. Béjaune. Dadais. — Bonasse. Crédule, crédulité. Se laisser attraper. Nice, nicette. — Fat, fatuité. Infatué, infatuation. Aveuglé, aveuglement. — Radotage, radoter. Rabâchage, rabâcher. Pédantisme, pédant. — Distrait, distraction. Extravagant, extravagance.

**Rendre sot.** — Abêtir. Abrutir. Assoter. — Abasourdir. Hébéter. Oblitérer l'esprit. — Aveugler. Infatuer. Brouiller l'esprit. Alourdir. — Faire tourner en bourrique. Embêter. — Estomaquer. Démonter. — Attraper. Berner.

**Types de sots.** — Auguste. — Bobèche. — Boniface. — Brid'oison. — Calino. — Cassandre. — Fagotin. — Gille. — Gillotin. — Gribouille. — Gros-Jean. — Jeannot. — Nicodème. — Monsieur Prudhomme.

**Appellations de sots.** — Andouille. — Ane. — Animal. — Autruche. — Bécasse. Bécassine. — Bélître. — Benêt. — Bêta. — Grosse bête. — Bourrique. Bourriquet. — Bûche. — Buse. — Citrouille. — Cornichon. — Couenne. — Croûte. Croûton. — Cruche. — Dinde. Dindon. — Emplâtre. — Ganache. — Gobe-mouches. — Godiche. — Gogo. —

Grue. — Huître. — Mazette. — Melon. — Niquedouille. — Navet. — Oie. Oison bridé. — Paltoquet. — Pantoufle. — Pécore. — Péronnelle. — Perruque. — Potiron. — Savate. — Serin. — Soliveau. — Souche, etc.

## SOUDE

**Dérivés du sodium.** — Cendres de soude. — Soude du commerce. Carbonate de sodium. — Soude caustique. Hydrate de sodium. — Soude boratée. Borax. — Soude muriatée. Sel gemme. — Sel de Vichy. Bicarbonate de soude. — Chlorure de sodium. Sel marin. — Sulfate de soude.

Sel alcali. — Kali (plante à soude). — Soda, eau gazeuse. — Industrie soudière. Procédé Solway.

## SOUDER

**La soudure.** — Souder. Soudeur. Soudable. — Lampe à souder. Chalumeau. Fer à souder. Soudure. Borax ou Chrysocolle.

Alliage (plomb et étain). Soudure maigre (plomb). Soudure grasse (étain). Soudure autogène (sans alliage). Soudure électrique. — Grains de soudure. Paillon.

Amorcer. Rocher. Braser, brasure. Réparer (nettoyer).

## SOUFFLE

**Souffler sur ou dans.** — Haleine, anhéler. Vent, venter. Souffle, souffler. Bouffée d'air. — RESPIRATION, respirer. Inspiration, inspirer. Exhalaison, exhaler. Siffler, sifflement.

· Souffler. Soufflage. Soufflement. — Souffleur. Soufflerie. Soufflure. — Insuffler, insufflation. Gonfler, gonflement. — Boursoufler, boursouflure. — FLATUOSITÉ, flatueux, flatulent.

Essoufflement. Essoufflé.

## SOUFFLET

**Soufflets.** — Soufflet de cuisine. Ais. Ame. Quartier. Flasques. Bec.

Soufflet de forge. Branloire. Lamette. Tuyère. — Machine soufflante. Soufflerie. Diaphragme. Buse. — Soufflet de boucher. — Soufflet à poudre.

**Souffrir.** V. *supporter, patience, mal, peine, torture.*
SOUFRAGE, m. V. *vigne.*
**Soufre,** m. V. *chimie.*
SOUFRIÈRE, f. V. *soufre.*
SOUHAIT, m. V. Souhaiter. V. *vœu, désir.*
SOUILLER. V. *sale, gâter, profane.*
SOUILLON, f. V. *domestique.*
SOUILLURE, f. V. *sale, mal.*

SOUK, m. V. *Arabes, marché.*
SOÛL. V. *boire, rassasier.*
SOULAGEMENT, m. Soulager.
V. *secours, guérir, consoler.*
SOÛLER. V. *ivre.*
SOULÈVEMENT, m. Soulever.
V. *porter, exciter, sédition, dégoût.*
**Soulier,** m. V. *chaussure.*
SOULIGNER. V. *marque, attention, écrire.*

SOULTE, f. V. *partage, reste.*
SOUMETTRE. V. *proposer, vainqueur.*
SOUMISSION, f. V. *céder, inférieur, résignation, adjudication.*
SOUMIS. V. *obéir, bon.*
SOUMISSIONNAIRE, m. V. *entreprendre.*
SOUMISSIONNER. V. *offre, convention.*

## SOUFFRIR
(latin, *pati*)

**Formes de la douleur.** — Douleur physique. Douleur locale. — Accès. — Agonie. — Besoin pressant. — Bobo. — Coliques. — Crispation. — Cuisson. — Déchirement. — Douleurs. — Elancement. — Etouffement. — Fièvre. — Goutte. — Mal. Mal de tête. Mal de dents, etc. — Malaise. — Mal être. — Migraine. — Morsure. — Myodynie. — Névralgie. — Pincement. — Piqûre. — Point de côté. — Prurit. — Rage de dents. — Rhumatisme. — Secousse. — Spasme. — Tiraillement.

Douleur morale. Chagrin. Peine. Souffrance. Angoisse. Transes. Détresse. — Expiation. Deuil. Remords.

**Degrés de la douleur.** — Aiguë. Atroce. Cruelle. Cuisante. Exacerbante. Déchirante. Drue. Fulgurante. Intolérable. Lancinante. Pénible. Poignante. Violente. Vive.

Anodine. Légère. Passagère. Sourde. Supportable. Vague.

Crise. Moment critique. Souffrances. TORTURE. Martyre. Paroxysme. Acrodynie.

**Causer de la douleur.** — Arracher le cœur. Briser. Déchirer. Mettre sur le gril. Irriter. Martyriser. Torturer. Tourmenter. — Blesser au vif. Trancher dans le vif.

Faire mal. Cuire. Elancer. Lanciner. Mordre. Percer. Pénétrer. Poindre. Secouer. Tenailler. Tirailler. Tortiller. Travailler. Faire mourir.

**Eprouver de la douleur.** — Souffrir. Subir. Pâtir. SUPPORTER. — Souffrir comme un damné. Souffrir le martyre, mille morts. Ahaner. — Etre au supplice. N'en pouvoir plus. — Crier. Grincer des dents. Faire des grimaces. — Porter sa croix. Faire son purgatoire. — Eprouver. Ressentir. — Passif, passivité.

Malade. Patient. Etre souffrant, souffreteux, endolori, défait, dolent, accablé.

S'endurcir. Endurer. Dur au mal. Impassible, impassibilité.

## SOUFRE
(latin, *sulphur*)

**Production.** — Soufre natif. Solfatare. Soufrière. — Distillation. Réduction. Calcarone. Fusion à la vapeur. Epuration. Raffinage. — Vapeurs de soufre. Fleur de soufre. Canon de soufre. — Soufre lavé. Lait de soufre. Eau sulfureuse. — Soufre végétal (lycopode).

**Composés.** — *Sulfures.* Cinabre. Pyrite. Blende. Galène. Foie de soufre, etc.

*Sulfates.* Gypse. Clémentine. Plâtre. Sulfate de soude, d'ammoniaque, de magnésie. Sulfate de fer ou Couperose verte. Sulfate de zinc ou Couperose blanche. Sulfate de cuivre ou Couperose bleue.

*Sulfites.* Bisulfite. Hyposulfite.

Acide sulfurique, sulfhydrique, sulfureux. Anhydride sulfureux. Vitriol.

**Emploi.** — Soufrer un tonneau. Mécher. — Soufrer une vigne. Soufrage. — Sulfater, sulfatage. — Sulfiter, sulfitage, sulfitation. — Sulfurer, sulfurage. — Sulfuriser, sulfurisation. — Ensoufrer, ensoufroir. — Vulcaniser, vulcanisation.

## SOULIER

**Sortes de souliers.** — Soulier d'homme. Soulier de femme. — Soulier montant. Soulier découvert. Soulier Molière. Soulier napolitain. Soulier Charles IX. — Soulier vernis. Soulier de bal. Escarpins. — Soulier à élastiques. Soulier à lacets.

Bottine. Demi-botte. Cothurne. — Brodequin. Godillot. Mocassin. — Pantoufle. Mule. Chausson. Savate. — Sandale. Espadrille. Alpargate. — Galoches. Snow-boot. Caoutchoucs.

**Détail.** — Tige. Semelle. Talon. — Empeigne. Avant-pied. Contrefort. Ailette. Coude-pied. Cambrure. Quartier. Bordure. Tranchefile. Trépointe. — Oreilles. Tirants. — Œillets. Barrette. — Doublure. Bout. Claque. — Cordons. Lacets. Elastiques. Ligature (rubans croisés). Boucles. Crochets.

**Fabrication.** — Cordonnerie. Cordonnier. Bottier. Chausseur. Marchand de crépins. Piqueuse de bottines. — Chausser. Tailler le cuir. Battre. Piquer. Coudre. — Forme. Embauchoir.

*Outils.* Alène. Besaiguë. Boulon. Compas. Gouge. Lissoir. Marteau. Tranchet.

*Matières.* Cuir. Vache. Box-calf. Chevreau. Reptile. — Cuir verni. Satin. Velours. Caoutchouc. — Clous. Broquettes. Caboches. Cabochons. — Ligneul. Chégros. Poix.

**Entretien.** — Savetier. Echoppe. Raccommodage, raccommoder, raccommodeur. Ressemeler, ressemelage. — Pièce. Patin. Béquet. Tacon. — Remonter un soulier. — Soulier éculé. Soulier percé.

Décrotter, décrotteur. Cirer, cireur. Cirage. Crème. Vernis. — Faire reluire. Astiquer, astiquage. Brosses. — Chausse-pied. Corne. Tire-bouton.

**Soupape,** f. V. *fermer, vapeur, machine, automobile.*

Soupçon, m. Soupçonner. V. *défiance, jalousie, croire.*

Soupçonneux. V. *inquiet, doute.*

Soupe, f. V. *potage, cuire.*

Soupente, f. V. *lit.*

Souper. V. *manger, soir.*

Soupeser. V. *poids.*

Soupière, f. V. *potage, vaisselle.*

Soupir, m. V. *respiration, plainte.*

Soupirail, m. V. *fenêtre, cave.*

Soupirer. V. *respiration, désir, amour, plainte.*

Souple. Souplesse, f. V. *mouvement, céder, intrigue.*

Souquenille, f. V. *habillement.*

Sourate, m. V. *Mahomet.*

**Source,** f. V. *fontaine, couler, origine, cause.*

Sourcier, m. V. *source.*

Sourcil, m. V. *œil, poil.*

Sourciller. V. *œil, colère.*

Sourcilleux. V. *chagrin, haut.*

**Sourd.** V. *oreille, entendre, résister.*

Sourdine, f. V. *violon, trompette, instruments, calme.*

Sourd-muet, m. V. *silence, sourd.*

Sourdre. V. *source, sortir.*

Souriceau, m. V. *rat.*

Souricière, f. V. *rat, police.*

Sourire. V. *rire, bouche, plaire.*

Souris, f. V. *rat.*

Sournois. Sournoiserie, f. V. *secret, détour, tromper.*

Sous-bois, m. V. *forêt.*

Souscripteur, m. Souscription, f. V. *souscrire.*

**Souscrire.** V. *convention, approuver, payer.*

Sous-diacre, m. V. *prêtre.*

Sous-entendre. V. *dire, cacher.*

Sous-marin, m. V. *plonger.*

Sous-ordre, m. V. *inférieur.*

Soussigné. V. *signature.*

Sous-sol, m. V. *souterrain.*

Soustraction, f. V. *calcul, manque.*

Soustraire. V. *prendre, ôter.*

Sous-traitant, m. V. *adjudication.*

Sous-ventrière, f. V. *harnais.*

Sous-verge, m. V. *cheval.*

Soutache, f. V. *tresse, passementerie.*

Soutane, f. V. *prêtre.*

Soute, f. V. *navire, poudre.*

Soutenance, f. V. *université.*

Soutènement, m. V. *mur.*

Souteneur, m. V. *prostitution.*

**Soutenir.** V. *base, supporter, défendre, applaudir, affirmer.*

---

## SOUPAPE

**La soupape.** — Soupape. Clapet. Valve.
— *Pièces.* Chapeau plat. Chapeau conique.
Axe. Tige. Languette. Obturateur. Ressort.
Ailette. Boulet. Levier.

**Sortes de soupapes.** — Soupape de sûreté. — Soupape de moteur. — Soupape à ailette. — Soupape à boulet. — Soupape à bascule. — Soupape électrique. — Crapaudine (de baignoire). — Clef (de flûte).

## SOURCE

**Eau jaillissante.** — Source. Veine. Filet d'eau. — Puits. Fontaine. — Geyser. Puits artésien. Jet d'eau.

Affleurement d'eau. Cuvette. Eau vive. — Source intarissable. Source incrustante.

Sourdre. Sourciller. Jaillir. — Bouillonner. Couler. — Filtrer. Suinter.

**Recherche des sources.** — Sourcier. Baguettisant. Baguette. Rabdomancie. — Puisatier. Puisard. — Sonder, sondage. — Forer, forage. — Hydroscopie. Hydromètre.

## SOURD
(latin, *surdus ;* grec, *côphos*)

**La surdité.** — Sourd. Sourdaud. Sourd comme un pot. Sourd-muet.

Surdité. Cophose. Surdité de naissance, accidentelle, sénile. — Surdi-mutité. — Subsurdité. Dureté d'oreille. Avoir l'oreille dure, paresseuse, insensible. — Perdre l'ouïe. Avoir les oreilles bouchées. — Faire la sourde oreille. Se boucher les oreilles. Ne vouloir rien entendre.

**Contre la surdité.** — Oto-rhino-laryngologie. Otoscopie, otoscope. — Corner aux oreilles. Cornet acoustique. Trompe. Porte-voix. — Alphabet des sourds-muets. Chirologie (langage des mains).

**Sonorité sourde.** — Son sourd, mat, sans éclat. — Voix sourde. Parler sourdement. — Consonnes sourdes. — Assourdir, étouffer, amortir les sons. Sourdine.

## SOUSCRIRE

**S'engager par écrit.** — Souscrire à. Consentir. Signer, signature. — Je soussigné. Lu et approuvé.

Souscription, souscrire, souscripteur. — Cotiser, cotisation. — S'abonner, abonnement. — Droit de souscription.

Soumission, soumissionner. Concession, concessionnaire.

## SOUTENIR

**Action de soutenir.** — Soutenir, soutien. Soutènement. — Appuyer, appui. Epauler, épaulement. Etayer, étayement. Etançonner, étançonnement. Accorer (étayer), accorage. — Asseoir, assiette. — Sustenter, sustentation. — Consolider, consolidation. Renfoncer, renfoncement. — Flanquer. — Adosser. — Accoter. — Buter un mur. — Ramer des pois.

Porter. Supporter. Résister. — Assurer. Assujettir. Maintenir.

**Choses qui soutiennent.** — Point d'appui. Base. Pied. Support. — Arc-boutant. Jambe de force. Contrefort. — Encorbellement. Console. Corbeau. Modillon. — Mur de soutènement. Butée de mur. Accotement. — Charpente. Etai. Etançon. Etrésillon. — Colonne. Pilier. Poteau. Cariatide. — Montants. Jumelles. — Selle. Siège. Banc. Trépied. — Support. Taquet. Tasseau. — Tuteur. Tige. Rame. Echalas. Eclisse. — Chevalet. Tréteau. Pupitre. — Bâton. Canne. Béquille. — Appui-main. Balancier.

**Souterrain,** m. **V.** *creux, antre, mine, bas.*

SOUTIEN, m. **V.** *soutenir, secours.*

SOUTIRER. **V.** *tirer, tonneau, verser, attirer.*

SOUVENANCE, f. Souvenir, m. **V.** *mémoire, pensée.*

SOUVENIR (se). **V.** *mémoire.*

**Souvent. V.** *beaucoup, répétition.*

SOUVERAIN. Souveraineté, f. **V.** *supérieur, parfait, pouvoir.*

SOUVERAIN, m. **V.** *chef, roi.*

SOVIETS, m. p. **V.** *Russie.*

SOYEUX. **V.** *soie, doux.*

SPADASSIN, m. **V.** *combat.*

SPADICE, m. **V.** *fleur.*

SPAHI, m. **V.** *cavalerie.*

SPALMER. **V.** *calfat.*

SPARADRAP, m. **V.** *bandage, caustique.*

SPART, m. Sparterie, f. **V.** *jonc, panier, natte.*

SPASME, m. Spasmodique. **V.** *nerf, convulsion, souffrir.*

SPATHE, f. **V.** *fleur.*

SPATULE, f. **V.** *pharmacie, oiseau.*

SPÉCIAL. **V.** *distinct.*

SPÉCIALISTE, m. **V.** *habile, médecine.*

SPÉCIALITÉ, f. **V.** *connaître, médicament.*

SPÉCIEUX. **V.** *apparaître, probable, raison.*

SPÉCIFIER. Spécifique. **V.** *propre, distinct, qualifier.*

SPÉCIMEN, m. **V.** *montrer, modèle.*

**Spectacle,** m. **V.** *représenter, public, regard.*

SPECTATEUR, m. **V.** *voir.*

SPECTRE, m. **V.** *fantôme, optique.*

SPÉCULATION, f. Spéculer. **V.** *finance, commerce, entreprendre, science, philosophie.*

SPÉCULUM, m. **V.** *chirurgie.*

SPEECH, m. **V.** *discours.*

SPERME, m. **V.** *semence.*

SPHÉNOÏDE. **V.** *cerveau.*

**Sphère,** f. **V.** *boule, astronomie, géographie.*

SPHÉRICITÉ, f. Sphérique. **V.** *rond.*

SPHÉROÏDE, m. **V.** *sphère, courbe.*

SPHEX, m. **V.** *mouche.*

SPHINCTER, m. **V.** *anus.*

SPHINX, m. **V.** *secret, papillon, Egypte.*

SPHYGMOGRAPHIE, f. **V.** *pouls.*

SPHYGMOMANOMÈTRE, m. **V.** *pouls, cœur.*

SPICA, m. **V.** *bandage.*

SPINAL. **V.** *dos.*

SPINESCENT. **V.** *épine.*

**Spirale,** f. **V.** *géométrie, courbe, tourner.*

SPIRE, f. **V.** *spirale.*

SPIRITE, m. Spiritisme, m. **V.** *esprit.*

---

### SOUTERRAIN

**Qui est sous terre.** — Centre de la terre. Entrailles de la terre. — Sous-sol. Tréfonds. — Caverne. Grotte. Creux. Aven. — Gisement. Couches de terrain. Stratification. — Cours d'eau souterrain.

**Constructions souterraines.** — CAVE. Caveau. Silo. — Tunnel. Souterrain. Galerie souterraine. — MINE. CARRIÈRE. Catacombes. — Hypogée. Sépulcre. Tombe. — Substruction. Crypte. Sape. Tranchée. — Puits. Puisard. Citerne.

### SOUVENT

**Grand nombre de fois.** — Souvent. Souventefois. Le plus souvent. — Quelquefois. Plus d'une fois. Plusieurs fois. — Bien des fois. Maintes fois. Mille fois. — A chaque instant. A tout bout de champ. A toute heure. — Quotidiennement. Tous les jours. Journellement. — Communément. Habituellement. Périodiquement. — Continuellement. Sans cesse. A tous coups. Coup sur coup. — Fréquemment. A foison. Ordinairement.

**Qui se produit souvent.** — Commun. Qui n'est pas rare. ORDINAIRE. — Coutumier. Habituel. — Fréquent. Répété. Multiple. — Continuel. Incessant. Perpétuel. — Quotidien. Journalier. Périodique. — Itératif. Fréquentatif.

### SPECTACLE

**Lieux de spectacle.** — Amphithéâtre. Arène. Lice. — Hippodrome. Vélodrome. Stade. — Cirque. Baraque foraine. — Théâtre. Salle de spectacle. Café-concert. Music-hall. Cinéma. — Place publique.

**Spectacles.** — Pièces de théâtre. — Représentations. — Exhibitions. — Exercices de gymnastique. — Tours d'adresse. — Joutes. — Jeux sportifs. — Matches. — Courses de chevaux. — Courses de taureaux. — Courses de vélos. — Jeux du cirque. — Scènes comiques. — Animaux savants. — Curiosités. — Tour de chant. — Danses. — Défilé. Procession. Cortège. — Cavalcade. — Diorama. — Panorama. — Films.

### SPHÈRE

**Sphère géométrique.** — Sphère. Cercles. Petits et grands cercles. Zones. — Calotte sphérique. Segment sphérique. Secteur sphérique. Anneau sphérique. Triangle sphérique. Polygone sphérique. — Hémisphère, hémisphérique. — Sphéricité. Sphéroïde, sphéroïdal. — Sphéromètre.

**Sphères diverses.** — Sphère céleste. — Sphère armillaire (faite de cercles). — Sphère terrestre. Planisphère. — Atmosphère. Stratosphère. — Globe. Orbe. — Ballon. Boule. Balle. Globule. Sphérule.

### SPIRALE

**Spirale.** — Spirale géométrique. Centres. Ligne spirale. — Spire, spirique. Spirille. Spiriforme. — Spirale d'escalier. Ressort spiral. — Spiroïde, spiroïdal. — Volute, voluté. Compas à volute.

**Hélice.** — Hélice géométrique. Spires. Pas. — Hélice d'avion. Hélice de bateau. Pales. — Héliciforme. Hélicoïde, hélicoïdal. — Hélicon. Hélicoptère. — Turbine, turbiné. — Vis térébrale. Vrille (outil), vriller. Ecrou. Boudin de ressort.

Hélix. Escargot. Héliciculteur, héliciculture. Limaçon de l'oreille.

**Enroulement.** — ANNEAUX. Annélides. — Boucle de cheveux. Bouclé. — Circinal. Cirrhé. Cirriforme. — Vrille. Cirrhe. Circonvolution. — Volubilis. Dextrovolubile.

SPIRITUALISME, m. V. *philosophie.*

**Spirituel.** V. *esprit, délicat, léger, rire.*

SPIRITUEUX, m. V. *boisson, distiller.*

SPLANCHNOLOGIE, f. V. *anatomie.*

SPLEEN, m. V. *abattement, ennui.*

SPLENDEUR, f. Splendide. V. *briller, beau, luxe.*

SPLÉNÉTIQUE, f. V. *rate.*

SPLÉNITE, f. V. *rate.*

SPOLIATION, f. Spolier. V. *ôter, voleur.*

SPONDÉE, m. V. *poésie.*

SPONDYLE, m. V. *dos.*

SPONGIAIRE. V. *animal.*

SPONGIEUX. V. *éponge.*

SPONTANÉ. Spontanéité, f. V. *soi, naïf, propre, libre.*

SPORADIQUE. V. *disperser, épidémie.*

SPORE, m. V. *champignon.*

SPORT, m. V. *plaisir, jeu, gymnastique.*

SPORTULE, f. V. *aumône.*

SPUMEUX. Spumosité, f. V. *écume.*

SPUTATION, f. V. *salive.*

SQUALE, m. V. *poisson.*

SQUAME, f. Squameux. V. *écaille.*

SQUARE, m. V. *jardin, ville.*

SQUELETTE, m. V. *os, anatomie, fantôme.*

SQUIRRE, m. V. *tumeur.*

STABILITÉ, f. Stable. V. *fixe, continuer, solide.*

STABULATION, f. V. *étable.*

STADE, m. V. *spectacle, gymnastique, degré, distance.*

STAGE, m. Stagiaire, m. V. *novice, auxiliaires de justice.*

STAGNANT. V. *étang.*

STAGNATION, f. V. *arrêt, immobile.*

STALACTITE, f. Stalagmite, f. V. *antre, cristal, pétrification.*

STALLE, f. V. *siège, église, étable.*

STANCE, f. V. *poésie, chant.*

STAND, m. V. *fusil.*

STANNIFÈRE. V. *étain.*

STAPHYLOCOQUE, m. V. *microbe.*

STARIE, f. V. *délai.*

STAROSTE, m. V. *Pologne.*

STASE, f. V. *arrêt.*

STATHOUDER, m. V. *Hollande.*

STATION, f. V. *voyage, arpentage, astronomie, posture, arrêt.*

STATIONNAIRE. V. *fixe.*

STATIONNER. V. *immobile, attendre, voiture.*

STATIQUE, f. V. *mécanique.*

STATISTIQUE, f. V. *état, nombre.*

STATUAIRE. V. *sculpture, art.*

STATUE, f. V. *image, portrait.*

STATUER. V. *juger.*

STATU QUO, m. V. *état.*

STATURE, f. V. *corps.*

STATUT, m. V. *règle, loi, société.*

STATUTAIRE. V. *régulier.*

STEAMER, m. V. *navire.*

STÉARINE, f. Stéarique. V. *suif, cierge, bougie.*

STÉATOSE, f. V. *suif.*

STEEPLE-CHASE, m. V. *cheval, saut.*

STÈLE, f. V. *colonne.*

STELLAIRE. V. *étoile.*

STÉNOGRAPHE, m. Sténographie, f. V. *écrire, prompt, parlement.*

STÉNOTYPIE, f. V. *prompt.*

STEPPE, f. V. *désert, Russie.*

STERCORAIRE. V. *excrément.*

STÈRE, m. V. *mesure, bois.*

STÉRÉOSCOPE, m. V. *image.*

STÉRÉOTOMIE, f. V. *tailler.*

STÉRÉOTYPIE, f. V. *imprimerie.*

**Stérile.** V. *inculte, vain.*

STÉRILISER. V. *sexe, panser.*

STÉRILITÉ, f. V. *châtrer, désert, échouer.*

STERLING, m. V. *monnaie.*

STERNUM, m. V. *os, poitrine.*

STERNUTATOIRE. V. *nez, rhume.*

STÉTHOSCOPE, m. V. *cœur.*

STHÈNE, m. V. *mesure.*

STIGMATE, m. V. *marque, fleur.*

STIGMATISER. V. *blâme, honte.*

STILLATION, f. V. *filtre.*

STIMULER. V. *exciter.*

STIPE, m. V. *tige, palmier.*

STIPENDIER. V. *payer, salaire.*

STIPULATION, f. Stipuler. V. *convention, dire.*

STOCK, m. V. *magasin, provision.*

STOÏCIEN, m. V. *philosophie.*

STOÏCISME, m. V. *philosophie, fermeté.*

STOÏQUE. V. *dur.*

STOMACAL. Stomachique. V. *estomac.*

STOMATE, m. V. *feuille, respiration.*

STOMATITE, f. V. *bouche.*

---

Sinistrovolubile. — Replis. Sinuosité. Sinueux. Sinué. — Coquille. Conchoïde. Conchoïdal. — Contourné. Tordu. Tors. Tortillé. Tortueux.

S'enrouler. Serpenter. Lover.

### SPIRITUEL

**Caractère spirituel.** — Délicatesse. Finesse. Atticisme. — Subtilité. Préciosité. — Humour. Sel. Trait. — Malice. Malignité. — Brillant. Verve. — Présence d'esprit. Vivacité. — Pénétration. Ingéniosité. — Agrément. Gaieté. Entrain.

Esprit aiguisé, plaisant, comique, délicat, délié, vif, déluré, souple, facile, facétieux, mordant, fin, ingénieux, malicieux, malin, piquant, subtil.

**Traits d'esprit.** — Bon mot. — Boutade. — Calembour. — Concetti. — Epigramme. — Facétie. — Feu roulant. — Jeu de mots. — Madrigal. — Marivaudage. — Mot spirituel. — Plaisanterie. — Pointe. — Rencontre. — Repartie. — Réplique. — Rosserie. — Saillie. — Satire.

**Montrer de l'esprit.** — Avoir de l'esprit. Etre pétri d'esprit. Etre spirituel. — Pétiller d'esprit. Briller. — Faire de l'esprit. Faire rire. — Aiguiser un trait. — Homme d'esprit. Bel esprit. Humoriste. — Finot. Futé. Malin.

### STÉRILE

**Qui ne produit pas.** — Terre INCULTE. Landes. Jachère, etc. — Sol ingrat. Terrain maigre. Sol pierreux, sablonneux, pauvre. — Improductif, improduction. Stérile, stérilité. Infertile, infertilité. Infécond, infécondité. — Aride, aridité. Sec, sécheresse. — DÉSERT. Jungle. Bled.

Effort stérile, inutile, vain, ingrat, sans résultat.

**Qui ne se reproduit pas.** — Femme stérile, inféconde. Bréhaigne. — Stérilité. Atocie. Union infructueuse. — Impropre à la génération. Improlifique. — Impuissant, impuissance. Nouer l'aiguillette. Frigidité. — Eunuque. Castrat, castration. — MÉTIS. Hybride. Neutre.

STOMATOLOGIE, f. V. *bouche.*
STOPPER. V. *réparer, tailleur, arrêt.*
STORE, m. V. *rideau, fenêtre.*
STRABISME, m. V. *œil.*
STRANGULATION, f. V. *gorge.*
STRAPONTIN, m. V. *siège.*
STRASS, m. V. *cristal, diamant.*
STRATAGÈME, m. V. *ruse.*
STRATE, f. V. *couche.*
STRATÉGIE, f. Stratégique. Stratège, m. V. *armée, combat, conduite.*
STRATIFICATION, f. V. *couche, géologie.*
STRATOSPHÈRE, f. V. *sphère, ciel, air.*
STRATUS, m. V. *nuage.*
STRICT. V. *exact, positif, vrai.*
STRIDENT. Strideur, f. V. *bruit, aigu.*

STRIÉ. Stries, f. p. V. *raie.*
STROBILE, m. V. *cône, fruit.*
STRONTIUM, m. V. *métal.*
STROPHE, f. V. *poésie, chant.*
STRUCTURE, f. V. *forme, ordre, bâtir.*
STRUMOSITÉ, f. V. *scrofule.*
STRYCHNINE, f. V. *poison.*
STUC, m. V. *plâtre, marbre.*
STUDIEUX. V. *instruction.*
STUPÉFACTION, f. Stupéfait. V. *abattement, étonnement, trouble.*
STUPÉFIANT, m. V. *insensible.*
STUPÉFIER. V. *abattement, horreur.*
STUPEUR, f. V. *engourdi, peur, horreur.*
STUPIDE. Stupidité, f. V. *engourdi, sot.*
STUPRE, m. V. *débauche.*
**Style,** m. V. *littérature, art, manière, cadran, fleur.*

STYLER. V. *instruction.*
STYLET, m. V. *poignard.*
STYLITE, m. V. *colonne.*
STYLOBATE, m. V. *architecture.*
STYLOGRAPHE, m. V. *écrire.*
STYX, m. V. *enfer.*
SUAIRE, m. V. *funérailles.*
SUAVE. Suavité, f. V. *doux, délicat, plaire.*
SUBALTERNE. V. *inférieur.*
SUBBRACHIEN, m. V. *poisson.*
SUBDIVISER. Subdivision, f. V. *division.*
SUBÉREUX. V. *liège.*
SUBIR. V. *souffrir, examen, inférieur.*
**Subit.** V. *prompt, brusque.*
SUBJECTIF. V. *soi.*
SUBJONCTIF, m. V. *verbe.*
SUBJUGUER. V. *vainqueur, réduire, persuader.*
SUBLIMATION, f. V. *chimie.*

---

## STYLE

**Eléments.** — Langue. Vocabulaire. Elocution. — Phrase. Période. Rédaction. — Tours. Tournures. — Ton. Eloquence. Lyrisme. — Mouvement. Passion. Enthousiasme. Chaleur. Vie.

Pensée. Goût. Maturité d'esprit. — Harmonie. Cadence. Rythme. — Ordre. Composition. — Couleur. Verve. — Fleurs de rhétorique. Figures. Images.

**Formes de style.** — Académique. — Didactique. — Dramatique. — Comique. — Oratoire. — Poétique. — Epistolaire. — Narratif. — Descriptif. — Classique. Romantique. — Moderne. Archaïque.

**Qualités du style.** — Original, originalité. Personnel, personnalité. — Sublime. Soutenu. Noble, noblesse. Elevé. — Energique, énergie. Vigoureux, vigueur. Mâle. Nerveux. — Naturel. Coulant. Facile, facilité. Simple, simplicité. — Tempéré. Attique, atticisme. — Clair, clarté. Pur, pureté. Limpide. Concret. — Châtié. Correct, correction. — Elégant, élégance. Brillant. Spirituel. Fin, finesse. Badin, badinage. — Eloquent, éloquence. Chaleureux. Pathétique. — Imagé. Pittoresque. Fleuri. — Incisif. Mordant. — Concis, concision. Lapidaire. Laconique, laconisme. Rapide. — Harmonieux. Cadencé. Nombreux.

**Défauts du style.** — Ampoulé. Emphatique, emphase. Redondant, redondance. Enflé, enflure. — Prétentieux, prétention. Recherché, recherche. Affecté, affectation. Guindé. Doucereux. — Diffus. Verbeux, verbosité. Prolixe, prolixité. — Vulgaire, vulgarité. Banal, banalité. Bas, bassesse. Trivial, trivialité. — Sec, sécheresse. Nu, nudité. Maigre, maigreur. — Lâche. Languissant. Mou. Pâteux. — Plat, platitude. Rampant. Prosaïque, prosaïsme. — Familier, familiarité. Négligé, négligence. — Obscur, obscurité. Décousu. Haché. Heurté. — Barbare. Dur, dureté. Rocailleux.

Hors-d'œuvre. Longueurs. Digressions. — Phraséologie. Verbiage. Rabâchage. — Préciosité. Maniérisme. Mauvais goût. — Impropriété. — Boursouflure.

Galimatias. Amphigouri. Pathos.

## SUBIT

**Qui surprend.** — Subit. Soudain. - Brusque. Précipité. Hâtif. — Imprévu. Inopiné. — Instantané. Extemporaire. — Immédiat. Simultané. — Tout chaud, tout bouillant. — Surprenant. Saisissant.

**Choses subites.** — Averse. Bourrasque. Rafale. — Eclair. Coup de foudre. Décharge électrique. Commotion électrique. — Catastrophe. Avalanche. Tuile. — Coup de massue. Coup d'assommoir. Mort subite. — Réflexe. Soubresaut. Sursaut. — Coup de main. Coup sec. Explosion. — Surprise. Saisissement. — Accès. Eclat. — Saillie. Boutade. — Coup de théâtre. Péripétie. — Improvisation. Impromptu.

**Actions subites.** — Parler d'abondance. Improviser. — Assaillir. Se jeter sur. Fondre sur. Prendre d'assaut. — Tomber du ciel. Tomber comme une bombe. — Tomber raide. S'arrêter court. — Sauter. Ecarter. Détoner. — Jaillir. Surgir. — Foudroyer. Assommer.

**Circonstances subites.** — Aussitôt. A l'instant. A la hâte. Au pied levé. Au dépourvu. A la minute. — Du premier coup. De but en blanc. De prime saut. De prime abord. D'un seul trait. D'emblée. — Soudain. Subitement. Instantanément. Inopinément. Immédiatement. — Brusquement. Crac. Sans crier gare. Tout à coup. Par surprise. — Incessamment. Sur-le-champ. Tout de go. *Ex abrupto.*

**Sublime.** V. *grand, éloquence, style.*
SUBLIMÉ, m. V. *mercure.*
SUBLIMER. V. *distiller.*
SUBLIMITÉ, f. V. *sublime.*
SUBMERGER. V. *noyer, inondation.*
SUBMERSIBLE, m. V. *plonger.*
SUBMERSION, f. V. *plonger.*
SUBODORER. V. *odeur.*
SUBORDINATION, f. V. *obéir, grammaire.*
SUBORDONNÉ, m. Subordonner. V. *inférieur, degré, dépendance.*
SUBORNER. Suborneur, m. V. *séduire, payer, tromper.*
SUBRÉCARGUE, m. V. *navire.*
SUBREPTICE. V. *cacher.*
SUBROGER. V. *remplacer.*
SUBSÉQUENT. V. *suite.*
SUBSIDE, m. V. *payer, don, secours.*
S U B S I D I A I R E. V. *confirmer, dépendance.*

SUBSISTANCE, f. V. *manger.*
SUBSISTER. V. *continuer.*
S U B S T A N C E, f. V. *exister, constituer, matière, principe.*
SUBSTANTIEL. V. *fond, important.*
S U B S T A N T I F, m. V. *grammaire.*
SUBSTITUER. V. *remplacer.*
SUBSTITUT, m. V. *magistrat, remplacer.*
SUBSTRUCTION, f. V. *souterrain.*
SUBTERFUGE, m. V. *ruse, détour, prétexte.*
**Subtil.** V. *habile, délicat, léger, quintessence, vapeur.*
SUBTILISER. V. *chimie, voleur.*
SUBTILITÉ, f. V. *pénétrer, chicane, minutie.*
SUBVENIR. Subvention, f. V. *prêter, secours, don.*
SUBVERSIF. V. *renverser.*

**Suc,** m. V. *baume, digestion, humeur.*
SUCCÉDANÉ, m. V. *remplacer.*
SUCCÉDER. V. *succès, suite, remplacer.*
**Succès,** m. V. *finir, effet, progrès, bonheur, obtenir.*
SUCCESSEUR, m. V. *suite, héritage.*
SUCCESSIF. V. *suite.*
SUCCESSION, f. V. *après, ordre, héritage.*
SUCCIN, m. V. *ambre.*
SUCCINCT. V. *court, petit.*
SUCCION, f. V. *sucer.*
SUCCOMBER. V. *céder, mort, malheur.*
SUCCUBE, m. V. *coucher.*
SUCCULENCE, f. Succulent. V. *suc, mets, goût.*
S U C C U R S A L E, f. V. *dépendance, magasin.*
SUCEMENT, m. V. *sucer.*
**Sucer.** V. *lèvre, attirer, avaler.*

## SUBLIME

**Sublime littéraire.** — Style sublime. Genre sublime. — ELOQUENCE, pensée, poésie sublimes. — Lyrisme. Epopée. Pindariser. — Le sublime. Magie du style.

Epique. Biblique. Pindarique. Homérique. Cornélien. Dantesque.

**Caractère sublime.** — GRAND, grandeur. Haut, hauteur. Elevé, élévation. — Surhumain. Céleste. Transcendant. — Noble, noblesse. Pompe, pompeux. — Beau, beauté. Magnifique, magnificence. — Indicible. Ineffable. Divin. — ENTHOUSIASME. Feu sacré.

## SUBTIL

**Subtilité de l'esprit.** — Subtil, subtilité. Fin, finesse, finasser. Pénétrant, pénétration. — DÉLICAT, délicatesse. Raffiné, raffinement, raffiner. Recherche, rechercher. — Minutieux, MINUTIE. Pointilleux. Pointu. — Argutie, argutieux. Chicane, chicanier. — Raisonneur subtil. Sophiste, sophistique, sophistiquer. — Equivoque, équivoquer. Jouer sur les mots. — Alambiqué. Quintessencié. Chinoiserie. — Couper les cheveux en quatre. Discuter sur des pointes d'aiguille.

**Subtilité des corps.** — VAPEUR. GAZ. Effluve. Emanation. — Essence. Quintessence.

Impalpable. Intangible. Intactile. Impondérable. — Volatil, volatilité. LÉGER, légèreté. Vaporeux. Gazeux. — Vaporiser. Volatiliser. Distiller. Raffiner. — PUR, pureté. Purifier.

## SUC

**Variétés de sucs.** — *Sucs pharmaceutiques.* Assa. Défructum. Rob. Opol. Opostol. Opium, etc.

*Sucs organiques.* Chyle. Chyme. Suc gastrique. Suc pancréatique. Humeurs. Saburre.

Excrétions. Exsudation. Suc de viande. Créatine.

*Sucs végétaux.* Chicotin. Lait de plantes. Sève. Larmes de vigne. Vesou. Miellat. Mastic. Manne.

**Production.** — Exprimer, expression. Presser. Extraire, extrait. — Jus, juter, juteux. — Gélatine, gélatineux. Lait, laiteux. Gelée. — Exsuder, exsudation. — Succulent, succulence. — Sucer.

## SUCCÈS

**Succès des personnes.** — Réussir, réussite. Atteindre le but. Venir à bout de. — Arriver, arriviste. Parvenir, parvenu. — Avoir le pied dans l'étrier. Avoir le vent en poupe. Etre lancé. — Faire son chemin. Bien mener sa barque. Aller loin. Avancer, avancement. — Avoir de la chance. Avoir la main heureuse. Mettre dans le mille. — Percer. BRILLER. Soleil levant. — Gagner. Avoir gain de cause. — Tirer son épingle du jeu. Se tirer d'affaire. — Faire de bonnes affaires. Etre à flot. — Triompher, triomphe. Vaincre, victoire.

**Succès des choses.** — Bien tourner. Prendre bonne tournure. — Bien commencer. Prendre couleur. Mordre. — Aller bien. Aller comme sur des roulettes. Marcher bien. — Aller aux nues. Etre à l'apogée. — Fleurir. Etre florissant. — Prospérer. Prospère. Fructueux. — Avoir du succès. Avoir la VOGUE. Etre à la mode. — Progresser. Progrès. Développement. — Réussir. Avoir une heureuse issue. Succéder.

## SUCER

**Action de sucer.** — Succion. Exsuccion. — Sucement, suceur, suçoir. Suçon. — Suçoter. Sucette. — Téter. Tétine. — Lécher,

SUÇOIR, m. Suçoter. V. *sucer.*
**Sucre,** m. V. *confiserie.*
SUCRER. V. *sucre, café.*
SUCRERIES, f. p. V. *confiserie.*
SUCRIER, m. V. *vaisselle.*
SUD, m. V. *midi.*
SUDATION, f. Sudatoire. V. *sueur.*
SUDORIFIQUE. V. *sueur, médicament.*

SUÉDOIS. V. *Scandinave.*
SUÉE, f. V. *travail, peur.*
SUER. V. *sueur, couler, fatigue.*
**Sueur,** f. V. *humide, peau, chaleur, fièvre, peine.*
SUFFIRE. V. *assez.*
SUFFISANCE, f. Suffisant. V. *assez, capable, bien, orgueil.*

SUFFIXE, m. V. *grammaire.*
SUFFOCATION, f. Suffoquer. V. *respiration, gorge.*
**Suffrage,** m. V. *choix, politique.*
SUFFUSION, f. V. *sang.*
SUGGÉRER. Suggestion, f. V. *conseil, persuader, diriger, magnétisme.*
SUICIDE, m. V. *tuer, soi.*

lécheur. Aspirer. Attirer aux lèvres. Extraire. — Ventouse. Tentacule. Trompe. — Sanguisuge. SANGSUE. Vampire. — Erucir (se dit du cerf).

## SUCRE
(latin, *saccharum*)

**Traitement de la canne.** — Plantation. — Canne à sucre. Canne commune. Canne violette. Canamelle. — Broyage. Moulin. Cylindres. — Jus sucré. Vesou. — Clarification. Défécation. Hébichet (tamis). — Concentration. Purgerie. Cristallisation. Turbinage. Bagasses (résidus).

**Traitement de la betterave.** — Râpage. Découpage, coupe-racines. Cossettes. — Diffusion. Diffuseurs. Batterie. Jus de diffusion. — Epuration. Carbonatation. — Bac malaxeur. — Filtres-presses. — Evaporation. Appareil multiple-effet. — Sulfitation. — Concentration au sucre. Masse cuite. — Cristallisation. — Lavage. Turbinage. — Eaux d'égout. Pulpes.

**Raffinage.** — Raffiner, raffinerie, raffineur. — Filtrage sur noir. Décoloration. — Recuite. — Terrer, terrage. Mettre en formes. Formes. Tablettes. Pains. — Séchage. Egouttage. — Cassage. Sciage mécanique. — Mise en boîtes.

**Sortes de sucre.** — Cassonade. Mélasse. — Sucre cristallisé. Sucre raffiné. — Sucre en pains. Sucre cassé. Sucre en poudre. Cassons. Morceaux de sucre. — Moscouade (sucre brut). Sucre candi. — Caramel, caraméliser. — Sucre d'orge. Sucre de pomme. — Sucre d'amidon (glucose). Sucre de lait (lactose). Sucre d'érable. — Sucre cuit au filet, au soufflé, au boulé.

**Produits du sucre.** — Rhum. Tafia. Guildive. — Sirops. Liqueurs. — Confiserie. Bonbons. Dragées. Pralines. Berlingots. Fondants. — Pâtisserie. Gâteaux. Petits fours. Entremets. — Médicaments édulcorés. Pastilles. — Confitures. Fruits confits. — Glaces. Sorbets. — Vin de sucre.

**Qui concerne le sucre.** — Sucrerie. Sucrier (fabricant). — Rhumerie. — Saccharifier. Saccharification. — Saccharifère. Sacchareux. Saccharine. — Saccharose. Acide saccharique. — Saccharologie. Saccharomètre.

Edulcorer. Sucrer. — Sucrier (vase). Pince à sucre. — Sucrin (melon).

## SUEUR
(latin, *sudor ;* grec, *hydrôs*)

**Sueur.** — Sueur. Action sudorifique. Transpiration. Diaphorèse, diaphorétique. —

Sudorification. Perspiration. Exosmose. — Sudation, sudatoire. Transsudation. Exsudation. — Suée. Hydrorrhée. Gouttes de sueur. — Sueur froide. Moiteur, moite. — Chromidrose (coloration). Osmidrose (odeur). — Suintement. — Ressuage.

**Suer.** — Etre en sueur. Suer à grosses gouttes. Etre couvert, dégouttant de sueur. — Etre tout en eau. Suer sang et eau. Suer d'ahan. — Fondre en sueur. Etre en nage. Ruisseler de sueur. Etre trempé de sueur. — Transpirer. Transsuder. Ressuer. — Moitir. Exsuder. Suinter. — Faire suer.

**Qui a trait à la sueur.** — Pores de la peau. Glandes sudoripares. Canaux sudorifères. Glande sudorique. — Acide sudorique. Suint. — Hydragogue (qui active la sueur). Empasme (astringent). — Etuve. Bain de vapeur. — S'éponger. Changer de linge. Se changer.

## SUFFRAGE

**Qui a trait aux votes.** — Période électorale. Campagne électorale. — Electeur. Electorat. Corps électoral. — Vote. Droit de vote. Votant. Suffragette. — Eligible, éligibilité. Candidat. Se porter. Se présenter. — Désigner. Porter. Présenter. — Suffrage universel. Citoyen. Inscrit. — Suffrage restreint. Censitaire. Suffrage à deux degrés. — Assemblée. Comices. Réunion publique. Consultation populaire. — Conseil d'administration. Commettant. Mandant. — Inscription. Revision des listes. — Plate-forme. Programme. Propagande. Comité.

**Façons de voter.** — Délibération. Voix consultative. Voix délibérative. — Scrutin. Scrutin individuel. Scrutin de liste. — Ouvrir, fermer le scrutin. Premier tour. Deuxième tour. — Voix. Mettre aux voix. Voix prépondérante. Départager les voix. — Mode de votation. Aux urnes. A main levée. Par assis et debout. Par acclamation. — Recueillir les suffrages. Renouveler l'épreuve. — Voter pour. Voter contre. Abstention, abstentionniste. — Section. Bureau. Carte d'électeur. Urne. Isoloir. Bulletin. — Boules blanches. Boules noires.

**Suite des votes.** — Résultats. Majorité. Minorité. Unanimité. — Majorité absolue. Majorité relative. — Dépouiller le scrutin. Dépouillement. Proclamer le résultat. Procèsverbal. — Adopter. Rejeter.

Elire, élection. Ballotter, ballottage. — Battre. Dégommer. Blackbouler. — Valider. Vérifier les pouvoirs. Vérification. Invalida-

**Suie**, f. V. *noir, cheminée.*

**Suif**, m. V. *graisse, chandelle.*

SUIFFER. V. *suif.*

SUINT, m. V. *mouton, laine.*

SUINTEMENT, m. Suinter. V. *humide, couler.*

SUISSE, m. V. *portier, église.*

**Suisse**, f.

**Suite**, f. V. *continuer, ordre, effet, compagnon, long.*

SUIVANTE, f. V. *domestique.*

SUIVI. V. *continuer.*

SUIVRE. V. *suite, arrière, dernier.*

SUJET, m. V. *dépendance, obéir, inférieur, peuple, grammaire, magnétisme, question, anatomie.*

SUJÉTION, f. V. *dépendance, embarras.*

SULFATAGE, m. Sulfater. V. *vigne.*

SULFATE, m. V. *soufre.*

SULFITE, m. Sulfure, m. V. *soufre.*

SULFUREUX. Sulfurique. V. *soufre, acide.*

SULKY, m. V. *cheval.*

SULTAN, m. V. *Mahomet.*

SUPER (préf.). V. *beaucoup.*

SUPERBE. V. *beau, orgueil.*

SUPERCHERIE, f. V. *tromper.*

SUPÈRE. V. *haut.*

SUPERFÉTATION, f. V. *plus.*

**Superficie**, f. V. *plat, mesure, étendue.*

SUPERFICIEL. V. *superficie, vain.*

SUPERFLU, m. V. *plus, luxe.*

SUPERFLUITÉ, f. V. *excès.*

**Supérieur.** V. *grand, parfait, haut, important, chef, école, moine.*

SUPÉRIORITÉ, f. V. *supérieur.*

---

tion. Election valable. — Invalider, invalidation. Election nulle. Annuler un vote. — Mandat. Mandat électif. Mandat impératif.

### SUIE

**Qui a trait à la suie.** — Suie. Huile. Acide pyroligneux. Charbon. — Noir de fumée. Bidanet (en teinture). Bistre. — Fuligineux, fuliginosité. — Ramoner, ramoneur, ramonage. Hérisson. Raclette.

### SUIF
(latin, *sebum* ; grec, *stear*)

**Travail des suifs.** — Suifferie, suiffier. Stéarinerie, stéarinier. — Suif. Suif d'os. Petit suif. Graisse. Flambard. — Stéarine. Oléine. Oléomargarine. — Fondre, fondoir. Couler. Purifier. — Cretons. Suif en rame. — Chandelle. Bougie stéarique.

**Relatif au suif.** — Arbre à suif. — Suiffer. Florer. — Suiffard. Suiffeux.

Sébum. Matière sébacée. Glande sébacée. — Acide stéarique. Stéarate. — Stéatose. Stéatopygie. Stéatite. Stéatocèle.

### SUISSE

**Relatif à la Suisse.** — Suisse. Helvétie, helvétique. Confédération helvétique. République fédérale. — Suisse. Suissesse. — Conseil fédéral. Les cantons. — Guillaume Tell. — Ours de Berne. — Ranz des vaches. — Croix de Genève.

### SUITE

**Action de suivre.** — Suivre, suivant, suiveur. Suivre comme une ombre. Marcher sur les talons. — Poursuivre, poursuite. S'attacher aux pas de. Courir après. Etre aux trousses. Serrer de près. Talonner. — Emboîter le pas. Etre à la remorque. — Suivre à la piste. Etraquer. — Escorter. Accompagner. — Marcher à la queue leu leu, en file indienne, à la file, l'un après l'autre.

Faire suite. Se suivre. Venir après, ensuite. — Succéder à. Continuer, continuation. Survivre, survivance. — Remplacer. Compléter.

Droit de suite. Droit de préférence. V. HYPOTHÈQUE.

**Qui forme suite.** — Alignement. — Chaîne. — Chaînon. — Chapelet. — Colonne. — Continuité. — Cordon. — Cortège. — Dynastie. — Enchaînement. — Enfilade. — Escorte. — File. — Filiation. — Haie. — Kyrielle. — Ligne. — Litanie. — Nomenclature. — PROCESSION. — Ribambelle. — Séquelle. — Séquence. — Série. — Succession. — Suite. — Tirade. — Train. — Traînée.

**Qui vient à la suite.** — Reliquat. Solde. Complément. Reste. — Conséquence. Résultat. EFFET. — Héritage. Descendance. Postérité. — Suffixe. Terminaison. Désinence. — Appendice. Supplément. Corollaire.

Puîné. Posthume. — Ultérieur. Postérieur. — Immédiat. Successif. — Suivant. Consécutif. Subséquent. — Implicite. Complémentaire.

### SUPERFICIE

**Surface.** — Superficie. Surface. Aire. — Etendue. Dimension. — Aréage. Mesures de surface. — Face. Endroit. Envers. Recto. Verso. — Côté. Paroi. Parement. — Plan. Surface plane. — Polygone. Triangle. Rectangle. Losange. Trapèze. Cercle, etc.

**Dehors.** — Façade. Extérieur. Dessus. — Superficiel. Tout en surface. Apparent. Sans profondeur.

### SUPÉRIEUR

**Situation supérieure.** — Point culminant. Eminence. Sommet. Sommité. Etage. — Ciel. Astres. Zénith.

Etre haut, hauteur. Etre élevé, élévation. — Dominer. Planer. Survoler. — Faire l'ascension. Monter. — Dépasser, dépassement. Déborder, débordement.

**Avantage.** — Etre supérieur, supériorité. Etre le plus fort. — Etre le premier. Avoir le premier rang. Tenir la tête. — Primer. Avoir le pas sur. Passer devant. — Précéder. Dépasser. Devancer. Distancer. Laisser derrière soi. — Eclipser. Effacer. — L'emporter sur. Surpasser. Prendre le dessus. Avoir l'avantage. — Supplanter. Evincer. Gagner de vitesse. — Remporter la palme. Décrocher la timbale. Tenir la corde. — Triompher. Surmonter. Ecraser. — Damer le pion. River

SUPERLATIF. V. *supérieur, extraordinaire, grammaire.*
SUPERPOSER. V. *mettre, sur.*
SUPERSTITIEUX. V. *superstition.*
**Superstition**, f. V. *religion, croire, peur.*
SUPERSTRUCTURE, f. V. *bâtir, sur.*
SUPIN, m. V. *verbe.*
SUPINATION, f. V. *coucher.*
SUPPLANTER. V. *remplacer, rival.*
SUPPLÉANCE, f. Suppléer. V. *remplacer, fonction.*
SUPPLÉMENT, m. V. *plus.*
SUPPLÉMENTAIRE. V. *plus, angle.*

SUPPLÉTIF. V. *plus.*
SUPPLIANT, m. V. *prier, demander.*
SUPPLICATION, f. V. *prosterner (se).*
**Supplice,** m. V. *souffrir, punition, bourreau.*
SUPPLICIER. V. *tuer, tourmenter.*
SUPPLIER. V. *prier, demander.*
SUPPLIQUE, f. V. *demander.*
SUPPORT, m. V. *soutenir, banc.*
SUPPORTABLE. V. *supporter.*
**Supporter.** V. *porter, soutenir, permettre, résignation.*

**Supposer.** V. *attribuer, croire, remplacer.*
SUPPOSITION, f. V. *probable, doute.*
SUPPOSITOIRE, m. V. *médicament, anus.*
SUPPÔT, m. V. *agent, partisan.*
SUPPRESSION, f. Supprimer. V. *ôter, détruire, effacer, prohiber, tuer.*
SUPPURATION, f. Suppurer. V. *pus, plaie, couler, humeur.*
SUPPUTER. V. *nombre, réfléchir.*
SUPRASENSIBLE. V. *sensation.*
SUPRÉMATIE, f. V. *supérieur, pouvoir.*

---

le clou. — Prévaloir. — Exceller. Briller. Ressortir.

**Autorité.** — Souveraineté. Empire. Hégémonie. — Pouvoir suprême. Domination. Commandement. — Primauté. Suprématie. Prépondérance. — Prééminence. Précellence. Ascendant. Préséance.

Commander. Exercer l'empire. Dominer. Tenir le sceptre. — Présider. Diriger. — Tenir un haut rang.

Souverain. Dominateur. Primat. — Maître. Supérieur. — Meneur.

**Degré supérieur.** — Elite. Tête. Sommité. — Phénix. Aigle. Perle. Parangon. Prodige. As. — Roi de. Reine de. Sans rival. — Passé maître. Hors ligne. Incomparable. — Insigne. Fameux. Illustre. — Nonpareil. *Nec plus ultra.* Privilégié. — Transcendant. Eminent. — Excellent. Parfait. — Superfin. Extra. — A l'apogée. Au maximum. Au superlatif.

### SUPERSTITION

**Déviation de la croyance.** — Superstition, superstitieux. — Fétichisme, fétichiste. — Fanatisme, FANATIQUE. Illuminisme, illuministe. — Bigoterie, bigot. Cagoterie, cagot. — Crédulité, crédule. Croyance aux esprits, aux revenants, aux maléfices. aux sorts. — Conjurer le sort, conjuration. — Totem. Tabou. AMULETTE. Talisman. Gris-gris. Porte-bonheur.

### SUPPLICE

**Mettre au supplice.** — Mettre à la question. Torturer, torture. Tourmenter. Tourments. Géhenne. Martyriser, martyre. — Justicier. Tortionnaire. BOURREAU. — Vindicte publique. Glaive de la loi. Bras séculier. — Condamnation. Proscription. — Peine. Châtiment. Punition. — Exécuter, exécution. Supplicier, supplice. Dresser l'échafaud.

Patient. Victime. Martyr. Supplicié.

**Peine capitale.** — Peine de mort. Dernier supplice. Exécution capitale. — Décapiter, décapitation. Trancher la tête. Hache. Billot. Couper le cou. Décollation. — Guillo-

tiner, guillotine. — Pendre, pendaison. Gibet. Potence. — Etrangler. Garrot. Lacet. Cordon. — Rouer. Rompre les membres. Roue. — Fusiller. Passer par les armes. — Crucifier, crucifiement. — Electrocuter, électrocution. — Empaler, empalement. Pal. — BRÛLER vif. Bûcher. Autodafé. — Ecarteler, écartèlement. — Ecorcher vif. — Lapider, lapidation. — Noyer, noyade. — Jeter aux bêtes. — Décimer, décimation.

Place de Grève. Place du Martroy. Gémonies. Calvaire.

**Autres supplices.** — Mettre aux fers. Charger de chaînes. — Traîner sur la claie. — Exposer. Cangue. Pilori. Carcan. — Fouetter. Schlague. Fouet. Knout. — Bâtonner. Bâtonnade. — Passer à tabac. — Réclusion. Travaux forcés. — Bâillon. Poire d'angoisse. Chevalet. — Jeter à la voirie.

Supplices infernaux. — Le Tartare. Supplice de Tantale, des Danaïdes, de Sisyphe, de Prométhée, etc.

### SUPPORTER

**Epreuve.** — Eprouver. Ressentir. — Souffrir. Endurer. Essuyer. — Supporter. SOUTENIR. Résister à. — Etre sujet à, exposé à.

**Résignation.** — Etre passif. Passivité. — VICTIME. Souffre-douleur. — Avoir sur les bras. — Avoir bon dos. — Avaler le calice. — En passer par là. — Faire des concessions. — Digérer un affront. — Se laisser manger la laine sur le dos.

**Tolérance.** — Accepter. Admettre. — Tolérer, tolérant, tolérable. — Prendre en douceur. FACILE. Accommodant. — Fermer les yeux. Indulgent, indulgence. — Permettre. Se prêter à. Excuser. — Laisser faire. Laisser dire. Laisser passer.

### SUPPOSER

**Faire une hypothèse.** — Supposer, supposition. Supposition gratuite. — Hypothèse, hypothétique. Conjecture, conjecturer, conjectural. — Poser en fait. Postulat. Données d'un problème. — Présupposer. Admettre, admissible.

SUPRÊME. V. *supérieur, parfait.*
SUR (préf.). V. *beaucoup.*
**Sur.** V. *couvrir, haut.*
SUR. Surir. V. *acide.*
**Sûr.** V. *certitude, confiance, solide.*
SURABONDANCE, f. V. *abondance, excès.*
SURACHAT, m. V. *acheter.*
SURAIGU. V. *aigu.*
SURANNÉ. V. *année, vieux.*
SURBAISSER. V. *bas, voûte.*
SURBANDE, f. V. *bandage.*
SURCHARGE, f. Surcharger. V. *poids, lourd, travail, corriger.*
SURCHAUFFER. V. *chaleur.*
SURCOMPOSER. V. *mélange.*
SURCROÎT, m. V. *plus, augmenter.*
SURDENT, f. V. *dent, cheval.*
SURDI-MUTITÉ, f. V. *sourd.*
SURDITÉ, f. V. *oreille.*
SURDOS, m. V. *harnais.*
SUREAU, m. V. *plante.*
SURENCHÈRE, f. Surenchérir. V. *augmenter, offre, adjudication.*
SURÉROGATOIRE. V. *excès.*
SURESTARIE, f. V. *port.*
SURET. V. *goût.*
SÛRETÉ, f. V. *sûr, police.*
SUREXCITATION, f. V. *colère.*
SUREXCITER. V. *exciter.*
SURFACE, f. V. *superficie, plat, apparaître, géométrie.*
SURFAIRE. V. *plus, prix.*

SURFAIX, m. V. *harnais, lourd.*
SURGEON, m. V. *rejeton.*
SURGIR. V. *venir, sortir, subit.*
SURHUMAIN. V. *sublime, extraordinaire.*
SURINTENDANT, m. V. *ministre.*
SURJET, m. V. *coudre.*
SURMENAGE, m. Surmener. V. *fatigue.*
SURMONTER. V. *supérieur, vainqueur.*
SURNATUREL. V. *mystère, magie, nature.*
SURNOM, m. Surnommer. V. *nom, appel.*
SURNUMÉRAIRE. V. *bureau, novice, plus.*
SUROÎT, m. V. *matelot.*
SURPASSER. V. *avant, plus, supérieur.*
SURPLIS, m. V. *habillement, prêtre.*
SURPLOMBER. V. *haut.*
SURPLUS, m. V. *plus, excès.*
SURPRENANT. V. *subit.*
SURPRENDRE. Surprise, f. V. *étonnement, prendre, obtenir, subit, trouble, secret, piège.*
SURSAUT, m. V. *saut, subit, convulsion.*
SURSEOIR. Sursis, m. V. *délai, attendre.*
SURTAXE, f. V. *prix, augmenter.*
SURVEILLANCE, f. Surveiller. V. *veiller, chef, garder.*

SURVENIR. V. *venir, événement.*
SURVIE, f. V. *vie.*
SURVIVANCE, f. V. *suite, bénéfice.*
SURVIVRE. V. *vie, après.*
SURVOLER. V. *aéronautique.*
SUSCEPTIBILITÉ, f. V. *fâché.*
SUSCEPTIBLE. V. *colère, délicat, pouvoir.*
SUSCITER. V. *exciter, produire.*
SUSCRIPTION, f. V. *inscription, lettre.*
SUSDIT. V. *avant.*
SUSPECT. V. *défiance, doute.*
SUSPENDRE. V. *pendre, délai, cesser, destituer.*
SUSPENS, m. V. *attendre.*
SUSPENSION, f. V. *pendre, interruption, punition.*
SUSPENSOIR, m. V. *bandage.*
SUSPICION, f. V. *défiance.*
SUSTENTER. V. *soutenir, manger.*
SUSURRER. V. *murmure.*
SUTURE, f. V. *chirurgie.*
SUZERAIN, m. V. *féodal.*
SVELTE. Sveltesse, f. V. *élégance, grâce.*
SYBARITE, m. V. *sensualité.*
SYCOPHANTE, m. V. *accusation.*
SYLLABAIRE, m. V. *syllabe.*
**Syllabe,** f. V. *lire, grammaire.*
SYLLEPSE, f. V. *grammaire.*
SYLLOGISME, m. V. *argument.*

---

Si. Soit. Supposé. En admettant que. Dans le cas où.

**Se représenter.** — Imaginer. S'imaginer. IMAGINATION. — Présumer. Présomption. Présumable. — Regarder comme. Réputer. Putatif. — ATTRIBUER, attribution. Inventer. — Croire. Croyance. Probabilité. Supputer, supputation. Inférer. — Opinion personnelle. — Possibilité. Possible. Potentiel. — Admissible. Vraisemblable.

### SUR

**Être sur.** — Etage supérieur. Dessus. Epiderme. Surface. Surjet. Surdos. Surfaix. Epitaphe, etc. — Supère. Supérieur. Surrénal, etc.

Peser sur. Reposer sur. Surnager. — COUVRIR, couverture. Coïncider, coïncidence. Incidence. — Chevaucher.

**Poser sur.** — Imposer, imposition. Superposer, superposition. Superstructure. — Surajouter. Surcharger. Surélever. Surhausser. — Surfiler. Surjeter. Surmouler. — Surenchérir. Surpayer. Survendre. — Couvrir. Recouvrir.

### SÛR

**Sécurité.** — Etre à couvert, hors de danger, hors d'atteinte. Ne courir aucun risque. — Assurances. Garantie. Caution. — Franchise. Passeport. Sauf-conduit. — Protection. Sauvegarde. Talisman. — Asile. ANCRE de salut. — Sûreté, sûr. Rassurer, rassurant. Tranquillité. — Inviolable. Imprenable. Invulnérable.

**Confiance.** — Compter sur. Acheter de confiance. Jouer à coup sûr. — Donner confiance. Assurer, assurance. — Etre sûr de. Certitude. Certain. — Fidèle. Eprouvé. A l'épreuve. — Imperturbable. Indéfectible. Infaillible. — Solide. De tout repos. — Responsable, responsabilité.

### SYLLABE

**Qui concerne les syllabes.** — Syllabe. Syllabaire. — Diphtongue. Triphtongue. — Syllabe pénultième, antépénultième. — Syllabe initiale, finale. — Syllabe brève, longue, commune. Quantité. — Syllabe muette, sourde, sonore, tonique.

STYLPHIDE, f. V. *léger.*
STYLVICULTURE, f. V. *forêt.*
SYMBIOSE, f. V. *parasite, vie.*
SYMBOLE, m. V. *représenter, signifier, chimie.*
SYMBOLIQUE. V. *marque.*
**Symétrie**, f. V. *égal, accord, ordre, opposé.*
SYMÉTRIQUE. V. *symétrie.*
SYMPATHIE, f. V. *aimer, penchant, accord.*
SYMPATHIQUE. V. *plaire, nerf.*
SYMPATHISER. V. *participer, partisan.*
SYMPHONIE, f. V. *musique.*
SYMPTOMATIQUE. Symptôme, m. V. *marque, maladie.*

SYNAGOGUE, f. V. *Juif.*
SYNALLAGMATIQUE. V. *réciproque.*
SYNCHRONISME, m. V. *temps, égal, pendule.*
SYNCOPE, f. V. *insensible, musique.*
SYNDIC, m. V. *municipal, banqueroute.*
SYNDICAL. V. *association.*
SYNDICALISME. V. *ouvrier.*
SYNDICAT, m. V. *association, travail.*
SYNECDOQUE, f. V. *grammaire.*
SYNODE, m. V. *société, concile.*
SYNONYME, m. V. *mot, signifier, semblable.*

SYNOPTIQUE. V. *voir, joindre.*
SYNOVIE, f. V. *articulation, humeur.*
SYNTAXE, f. V. *langage, joindre, grammaire.*
SYNTHÈSE, f. Synthétique. V. *joindre, constituer, argument, chimie.*
SYNTHÉTIQUE. V. *chimie.*
SYNTONISATION, f. V. *télégraphe.*
SYSTÉMATIQUE. V. *système.*
**Système**, m. V. *théorie, philosophie, géologie, principe, entêté.*
SYSTOLE, f. V. *contraction, cœur, pouls.*
SYZYGIE, f. V. *astronomie.*

---

Monosyllabe. Dissyllabe. Trissyllabe. Tétrasyllabe, etc. — Syllabique. Parisyllabique. Imparisyllabique. — Vers décasyllabe, hendécasyllabe.

## SYMÉTRIE

**Disposition semblable.** — Symétrie, symétrique. — Opposition chacun à chacun. Pendant. Faire pendant. — Egalité en sens inverse. — Correspondance, correspondant. — Concordance, concordant. — Homologue. Semblable. Similaire. — Harmonie. Ordre. — Répétition.

Rapport. Symétrie par rapport à une droite, par rapport à un plan. — Asymétrie.

## SYSTÈME

**Formes doctrinales.** — Corps de doctrine. Ensemble de principes. THÉORIE, théorique. — Conception. Combinaison. Plan directeur. — Hypothèse, hypothétique. Thèse. Utopie, utopique. — Vues de l'esprit. Ordonnance d'idées. — Classification. Méthode, méthodique.

**Esprit de système.** — Systématique. Systématiser, systématisation.

Ecole. Enseignement. Préceptes. Principes. Doctrinaire. — Dogme. Dogmatisme, dogmatique, dogmatiser. — Secte, sectaire. Parti pris. Préjugé.

# T

*Tabac*, m. V. *fumée, pipe.*
TABAGIE, f. V. *tabac.*
TABATIÈRE, f. V. *tabac, boîte, fenêtre.*
TABELLION, m. V. *notaire.*
TABERNACLE, m. V. *tente, autel, eucharistie.*
TABÈS, m. V. *langueur.*
TABLATURE, f. V. *musique, chagrin.*

*Table*, f. V. *meuble, manger, instruments de musique, livre, état.*
*Tableau*, m. V. *inscription, peinture, chasse, jeu.*
TABLEAUTIN, m. V. *peinture.*
TABLÉE, f. V. *manger.*
TABLER. V. *confiance.*
TABLETTE, f. V. *planche, banc, menuisier, écrire.*

*Tabletterie*, f. V. *boîte, tourneur, marqueterie.*
TABLIER, m. V. *habillement, pont, avant.*
TABOU, m. V. *sauvage.*
TABOURET, m. V. *siège, banc.*
*Tache*, f. V. *marque, sale, soleil, faute.*
TÂCHE, f. V. *travail, occupation, ouvrier.*

---

## TABAC

**Le tabac.** — Tabac. Petun. Herbe à la reine. Herbe sainte. Herbe à l'ambassadeur. Nicotiane. — Plant. Feuilles. Côtes. — Nicotine, nicotinisme. — Tabacs français. Tabac à chiquer, à priser, à fumer. — Tabac anglais, turc, vizir, levant, maryland, havane, etc. — Jus de tabac.

Tabacologie. Tabacomanie, tabacomane.

**Manipulation.** — Manufacture des tabacs. — Séchage. Manoque (faisceau de feuilles). Triage. — Mouiller, hacher, saucer, faire fermenter le tabac à chiquer. — Mouiller, hacher, dessécher, friser le tabac à fumer. — Mise en bondons. — Fabrication des cigarettes. Cigaretteuse. — Fabrication des cigares. Poupées. Capage. Cigarière. — Empaquetage.

Entrepôt, entreposeur. Régie. Débit de tabac. Buraliste.

**Chiquer.** — Rôle. Carotte. Corde. Ficelle. Chique. — Chiquer. Mâcher. Cracher.

**Priser.** — Tabac en poudre. Tabac râpé. — Râpe. Tabatière. Queue-de-rat. — Priser. Prise. Priseur. — Prendre, offrir une prise.

**Fumer.** — Fumeur. Fumoir. Tabagie. Compartiment de fumeurs. — Bourrer une pipe. Rouler une cigarette. Culotter une pipe. — Aspirer, renvoyer la fumée. — Dénicotiniser le tabac.

Paquet de tabac. Tabac gros, fin, de cantine. — Caporal. Scaferlati. Etranger. — Paquet de cigarettes. Cigarettes à la main, à la rouleuse, à la machine. Cigarettes de luxe.

*Cigare.* Tripe. Sous-cape. Cape. — Havane; Londrès. Manille. Demi-londrès. Sénateur. Bouts coupés. Trabucos. Panatellas. Regalias. Ninas. Segnoritas, etc.

Bout de cigare. Mégot. Culot de pipe.

**Accessoires de fumeur.** — Porte-cigares. Fume-cigare. Porte-cigarettes. Fume-cigarette. — Blague à tabac. Papier à cigarette. Moule à cigarette. — Pipe. Bouffarde. Brûle-gueule. Chibouque. Narguilé. Calumet, etc. — Allumettes. Briquet. Coupe-cigare. Pot à tabac.

## TABLE

**Qui concerne la table.** — Dessus. Pied. Entrejambe. Volet. Châssis. Battant. Abattant. Marbre. TIROIR. Allonge ou Rallonge.

— Tréteau. — Assembler une table. Ebéniste. Menuisier.

Linge de table. Service de table. Nappe. Toile cirée. Tapis de table. — Se mettre à table. S'attabler. Tablée.

**Espèces.** — Table à manger, de cuisine, de toilette, de nuit, à jeu, à thé, de jardin, d'écolier. Table gigogne. — Table d'opération.

Crédence. Console. Dressoir. Guéridon. Servante. — Bureau. Comptoir. Pupitre. — Etabli. Etal. Tour. — Tablette. Plateau.

## TABLEAU

**Peinture.** — Tableau. Tableautin. Croûte. — Cadre. Toile. — Vue. Paysage. Portrait. trompe-l'œil.

Encadrer. Maroufler. Vernir.

**Panneau.** — Carte. Pancarte. Affiche. Enseigne. Ecriteau. Tableau noir. Placard. PLANCHE. Transparent. Ecran.

**Liste ordonnée.** — Tableau synoptique. — Tableau des avocats, d'avancement, etc. — Table des matières. Index. — Table de multiplication. — Table de mortalité.

## TABLETTERIE

**Travail.** — Tabletterie. Tabletier. TOURNEUR. Marqueteur. Patenôtrier. — Découpage. Tournage. Marqueterie. Cartonnage. Estampage. Placage.

*Outils.* Tour. Alumelle. Arrondisseur. Carrelet. Estadou (scie).

*Matières.* Bois. Palissandre. EBÈNE. IVOIRE. NACRE. ECAILLE. OS. CORNE. Métaux. Celluloïd. Galalithe, etc.

**Ouvrages.** — Articles de Paris. — Pipes. Porte-cigares. Porte-cigarettes. — Tabatières. BOÎTES. Coffrets. — Colliers. Chapelets. Bracelets. PEIGNES. ECHECS, échiquier. DAMIER, pions. — Dominos. Jetons. TRICTRAC. DÉS.

## TACHE
(latin, *macula*)

**Tache salissante.** — Tache de graisse, de boue, d'huile, de rouille, etc. — Tacher. Maculer, maculation. Maculé. Immaculé. — Rouiller. Piquer. — Eclabousser, éclabous-

TACHER. V. *tache, gâter.*
TÂCHER. V. *entreprendre.*
TÂCHERON, m. V. *ouvrier.*
TACHETER. V. *tache.*
TACITE. V. *indirect.*
TACITURNE. V. *secret, silence.*
TACT, m. V. *toucher, habile, politesse.*
TACTILE. V. *toucher.*
TACTIQUE, f. V. *manœuvres, combat, conduite.*
TAFFETAS, m. V. *étoffe, panser.*
TAFIA, m. V. *liqueur.*
TAIE, f. V. *lit, peau.*
TAILLABLE. V. *impôt.*
TAILLADE, f. Taillader. V. *couper, plaie.*

TAILLANDERIE, f. Taillandier, m. V. *outil, charrue.*
TAILLANT, m. V. *couteau, trancher.*
TAILLE, f. V. *tailler, corps, rein, impôt.*
**Tailler.** V. *couper, branche, barbe, sabre, ciseau, habillement, jeu.*
**Tailleur,** m. V. *habillement, coudre.*
TAILLE-VENT, m. V. *voile.*
TAILLIS, m. V. *forêt.*
TAILLOIR, m. V. *découper.*
TAIN, m. V. *étain, miroir.*
TAIRE. V. *silence, cacher.*
TALAPOIN, m. V. *prêtre.*
TALC, m. V. *craie.*

TALENT, m. V. *art, esprit, capable.*
TALION, m. V. *punition, réciproque, égal.*
TALISMAN, m. V. *amulette, protéger, superstition.*
TALLE, f. V. *rejeton, tige.*
TALMUD, m. V. *Bible.*
TALOCHE, f. V. *battre.*
TALON, m. V. *pied, chaussure, base, cartes, compte.*
TALONNER. V. *poursuivre, écueil.*
TALONNIÈRE, f. V. *aile.*
TALUS, m. V. *oblique, fortification.*
TAMARIS, m. V. *arbre.*
**Tambour,** m. V. *instruments*

sure. Crotter. — Pâté d'encre. — Salir, sale, saleté. Souiller, souillure. — Graisser.

Détacher. Nettoyer. — Savon. Benzine.

**Tache organique.** — Aiglure. — Balzane. — Bigarrure. — Un bleu, un noir. — Cerne. — Ecchymose. — Envie. — Grain de beauté. — Jaspure. — Madrure. — Maille. — MARQUE. — Meurtrissure. — Morsure. — Mouche. — Moucheture. — Nævus. — Ocelle. — RAIE. — Rougeur. — Signe. — Tache. — Tache de vin. — Tatouage. — Tavelure. — Veine. — Vergeture. — Zébrure.

Etre zébré. Vergeté. Truité. Tigré. Tavelé. Rayé. Marqué. Pommelé. Ocellé. Œillé. Moucheté. Maillé. Madré. Grivelé. Granité. Cerné. Bigarré. Tacheté. Marbré. Veiné. Jaspé. Chiné. Piqueté. Panaché.

## TAILLER

**Taille des arbres.** — Taille d'hiver. Taille en vert (de mai). — Dégarnir (un arbre). Décharger. Châtrer. Eclaircir. Egayer. — Elaguer, élagage. Emonder, émondage, émondeur, émondes. — Etêter, étêtement. Ecimer. Etronçonner. — Evider. Pincer (couper à l'ongle). — Couper un taillis. Rapprochage (d'une haie). Rabattre les branches. — Recéper une vigne. Epamprer. Salgotter. Tailler à deux, trois yeux. — Abattre, abattage. Bûcher, bûcheron.

Serpe. Serpette. Sécateur. Serpillon. Egohine. Hache. Cognée.

**Façons de taille.** — *Arbres fruitiers.* Cordon. Candélabre. Palmette. Eventail. Brindille. Gourmand. Vase. Taille en V.

*Arbres d'ornement.* Rideau. Rideau surbaissé. Dôme. Pyramide. Cône. Colonne.

*Vigne basse.* Gobelet. Eventail. Tête de saule. Broche. Chaintre. — *Vigne moyenne.* Souche. Cordon. Taille à aste et côt. — *Vigne haute.* Treille. Hautains. Crosse.

*Sarment.* Taille courte. Taille longue. Courson. Corne. Cot. Long-bois. Archet. Ployon. Baguette. Arçon. Queue. Courgée, etc.

**Autres tailles.** — Taille chirurgicale. Cystotomie. — Taille de la pierre. Stéréotomie. Pierre de taille. Retailles. Dégrossir un bloc. Piquer un moellon. — Délarder (le

bois). Equarrir, équarrissage. — Taille du diamant. Taillerie. Débrutir une gemme. — Tondre, tonte, tonture. Tondage du velours. Taillerole. — Taille de cheveux, de barbe. Rafraîchir. — Tailler un vêtement. Coupe. — Graver en taille-douce.

Ustensiles pour tailler. Taille-légumes. Taille-raisins. Taille-mèche. Taille-ongles. Taille-pain. Taille-crayons, etc.

## TAILLEUR

**Ouvriers.** — Tailleur. Tailleuse. Tailleur d'habits. Tailleur pour dames. — Couturier. Couturière. — Confectionner, confectionneuse. — Coupeur. Coupeuse. — Costumier. — Culottier, culottière. Giletier, giletière. Pompier. Ravaudeur.

**Travail.** — Prendre mesure. — Tailler. Couper. — Faufiler. Bâtir. — Essayer, essayage. Epingler. Retoucher. — Piquer, piqûre. Border, bordure. Doubler, doublure. — Rapiécer, pièces. Stopper, stoppage. Raccommoder, raccommodage. — Coudre, couture. Rabattre une couture. Repasser. — Confectionner. Façonner.

**Matériel.** — Etabli. — Mesure. Patron. — Machine à coudre. Ciseaux. Aiguilles. — Carreau. Fer. Passe-carreau. — Drap. Etoffe — Fourniture. Boutons. Fil. Doublure. Toi lette (emballage).

## TAMBOUR

**Le tambour.** — Caisse. Peau de batterie. Peau de timbre. Fût. Cerceaux. Sarche. Tirant. Timbre. Vergettes. Clef de timbre. — Baudrier. Baguettes. Cuissière.

**Les tambours.** — Tambour. Caisse claire. Caisse sourde. Caisse roulante. — Tarole. Timbale. Tambourin. — Tambour de basque. Derbouka. Dembe. Tam-tam. — Grosse caisse. Tympanon.

**Jouer du tambour.** — Tambour. Tambour-major. Tapin. Tambourineur. Timbalier.

Bander le tambour. Battre du tambour. Tambour battant. Faire des ra et des fla. Rouler, roulement.

*de musique, bruit, colonne, dentelle.*

TAMBOURIN, m. Tambouriner. V. *tambour, instruments de musique.*

**Tamis,** m. V. *trier, filtre, pur.*

TAMISER. V. *tamis.*

TAMPON, m. V. *fermer.*

TAN, m. V. *écorce, cuir.*

TANCER. V. *réprimande.*

TANCHE, f. V. *poisson.*

TANGAGE, m. V. *navire, mouvement.*

TANGENCE, f. Tangent. V. *toucher, côté, près.*

TANGENTE, f. V. *ligne, cercle.*

TANGIBLE. V. *toucher.*

TANGO, m. V. *danse.*

TANIÈRE, f. V. *retraite, antre.*

TANIN, m. V. *cuir.*

TANK, m. V. *artillerie.*

TANNER. Tannerie, f. V. *cuir.*

TANTE, f. V. *parent.*

TAON, m. V. *mouche.*

TAPAGE, m. V. *bruit, désordre.*

TAPE, f. Taper. V. *battre, caresse.*

TAPI. V. *posture.*

TAPIN, m. V. *tambour.*

TAPIOCA, m. V. *manioc, amidon.*

TAPIR (se). V. *coucher.*

**Tapis,** m. V. *tissu, natte, couvrir, jeu.*

TAPISSER. V. *garnir.*

TAPISSERIE, f. V. *couvrir, art, tapis.*

TAPISSIÈRE, f. V. *voiture.*

TAPOTER. V. *main, caresse.*

TAQUET, m. V. *navire, menuisier.*

TAQUIN. Taquiner. V. *tourmenter, chicane.*

TARABISCOT, m. V. *moulure.*

TARABUSTER. V. *tourmenter.*

TARARE, m. V. *moulin.*

TARASQUE, f. V. *monstre.*

TARAUDER. V. *percer.*

**Tard.** V. *soir, délai, lent.*

TARDER. Tardif. V. *tard, lent, après.*

TARDIGRADE. V. *animal, marcher.*

TARE, f. V. *poids, moins, gâter.*

TARÉ. V. *réputation, vil.*

TARENTELLE, f. V. *danse.*

TARENTULE, f. V. *araignée.*

TARER. V. *balance, gâter.*

TARGE, f. V. *bouclier.*

TARGETTE, f. V. *serrure.*

TARGUER (se). V. *fanfaron.*

TARIÈRE, f. V. *percer, insecte.*

TARIF, m. Tarifer. V. *prix, commerce, chemin de fer.*

TARIR. V. *épuiser, sec, cesser.*

---

**Batteries de tambour.** — La breloque. Aux champs. La charge. La dragonne. La fricassée. Les marionnettes. La générale. Le rappel. La retraite. Le réveil. La diane. La chamade.

### TAMIS

**Tamis.** — Boissellerie, boisselier. — Sarche (cercle). Cerce. Etamine. Rapatelle (crin). Batterie (dessous). — Tamis, tamiser, tamisier. Sas, sasser, ressasser. Blutoir, bluter, bluterie. — Emondeur à blé. — Grenoir à poudre. — Tambour (grand sas).

**Cribles.** — Crible, cribler, criblage, criblure. — Cribration. Passer au crible. — Passe-partout. Passoire. Passe-purée. Ecumoire. — Filtrer, FILTRE, filtration. — Trier, triage. — Vanner, van.

### TAPIS

**Tapis.** — Tapis d'ameublement. Carpette. Chemin. Galerie. — Tapis de prière. Descente de lit. Foyer. Passage. — Tapis brosse. Paillasson. NATTE. — Thibaude. Feutre. Linoléum.

Fond. Chaîne. Trame. — Dessin. Couleurs. Uni. Chiné. Velouté. — Encadrement. Bordure. Franges.

Poser. Clouer. — Battre. Brosser. Secouer.

**Fabrication.** — Tapis ras. Basse lice. — Moquette. Métier à la tire. — Tapis à chenille. Chaîne mobile. — Tapis velouté. Haute lice. — Tapis écossais. Métier Jacquard. — Tapis jaspé. — Tapis à point noué. Tapis à point bouclé. Tapis à mèche. Tapis à haute laine.

*Tapis.* Savonnerie. Aubusson. Orient. Smyrne. Avignon. Turc. Persan. Algérien. Berbère. Kairouan. Chinois, etc.

*Matières.* Laine. Soie. Coton. Fourrure. Jute. Aloès. Sparterie.

**Tapisserie décorative.** — Tenture. Panneau. RIDEAU. Lambrequin. Portière. Encadrements. Sièges.

Tapisserie de haute lice, de basse lice. — Tapisserie de verdure, à personnages, à décor. — Tapisserie des Gobelins, de Beauvais, des Flandres. Arazzi, etc.

Tapissier. Tapisser. Tendre. Recouvrir. Rentraire (reprendre les vides).

**Tapisserie à l'aiguille.** — Tapisserie à la main. Tapisserie au métier. — Canevas à fil simple. Canevas Pénélope.

*Points.* Point de croix. Point de marque. Demi-point de croix. Point de diable. Petit point. Point des Gobelins. Point de Hongrie. Point de pavé. Point de fougère. Point de pyramide.

### TARD

**Moment tardif.** — Après coup. Il n'est plus temps. Trop tard. En retard. Tard.

Heure avancée. SOIR. Avant dans la nuit. Heure indue. — Douzième heure. Dernière heure. — *In extremis.* Posthume. — Arrière-saison. — En ARRIÈRE.

**Action tardive.** — S'attarder. Rester longtemps. — Traîner. Traînard. Traînailler. — Etre le dernier. — Prendre son temps. Ne pas se presser. N'en pas finir. — Traîner en longueur. Temporiser, temporiseur, temporisateur. — Manquer. Passer l'heure. Tard venu. — Lambin. Tardigrade.

Tarder, tardif, tardiveté. — Retarder, retard, retardataire. — Périmer, péremption. Prescrire, prescription. — Suranner. Mode surannée. — Moutarde après dîner.

**Retarder.** — Remise, remettre. Ajournement, ajourner. — Retardement, retarder. Atermoyer, atermoiement. — Proroger, prorogation. Délai, dilatoire. — Renvoyer, renvoi. Surseoir, sursis. — Reculer, recul. — Suspension, suspendre.

TARLATANE, f. V. *panser, bandage.*

TAROTS, m. p. V. *cartes.*

TARSE, m. V. *pied.*

TARTARE, m. V. *enfer, Tartarie.*

**Tartarie,** f.

TARTE, f. Tartelette, f. V. *pâtisserie.*

TARTINE, f. V. *pain, beurre, trancher.*

TARTRE, m. V. *dent, résidu.*

TARTRIQUE. V. *acide.*

TARTUFE, m. Tartuferie, f. V. *hypocrite, cacher, affectation.*

TAS, m. V. *amas, enclume.*

**Tasse,** f. V. *vaisselle, café.*

TASSEAU, m. V. *charpente, menuisier.*

TASSER. V. *plein, presser.*

TÂTER. V. *toucher, pouls, essai.*

TÂTILLON. V. *minutie.*

TÂTONNEMENT, m. Tâtonner.

V. *chercher, précaution, indécis.*

TATOUAGE, m. V. *peau, marque.*

TAUDIS, m. V. *maison, sale.*

**Taupe,** f. V. *animal.*

TAUPIER, m. V. *taupe.*

TAUPINIÈRE, f. V. *taupe.*

TAURE, f. V. *vache.*

TAUREAU, m. V. *bœuf.*

TAUROMACHIE, f. V. *bœuf.*

TAUTOLOGIE, f. V. *répétition.*

TAUX, m. V. *intérêt, rente.*

TAVELURE, f. V. *tache.*

TAVERNE, f. Tavernier, m. V. *auberge.*

TAXE, f. Taxer. V. *impôt, attribuer, prix.*

TAXI, m. V. *voiture.*

TAXIDERMIE, f. V. *oiseau, animal.*

TAXIMÈTRE, m. V. *distance.*

TAXOLOGIE, f. V. *arranger.*

TAXONOMIE, f. V. *botanique.*

TECHNICIEN, m. V. *profes-*

*sion, connaître, travail.*

TECHNIQUE, f. V. *art, école.*

TECHNOLOGIE, f. V. *art.*

TECTRICE, f. V. *plume.*

TÉGUMENT. m. V. *membrane, peau.*

TEIGNE, f. V. *cheveu, tête, peau.*

TEILLAGE, m. Teiller. V. *broyer, chanvre, écorce.*

**Teindre.** V. *étoffe, couleur.*

**Teint,** m. V. *teindre, visage.*

TEINTE, f. Teinter. V. *couleur, peinture.*

TEINTURE, f. V. *teindre, médicament.*

TEINTURIER, m. V. *teindre, nettoyer.*

TEK, m. V. *bois.*

TÉLÉFÉRAGE, m. V. *bois.*

TÉLÉFÉRIQUE, m. V. *chemin de fer.*

TÉLÉGRAMME, m. V. *lettre, télégraphe.*

**Télégraphe,** m. V. *loin.*

---

## TARTARIE

**Qui concerne la Tartarie.** — Tartare. Tatar. Tatars Bachkirs, Kirghis, Koundors, Nogaïs, Usbecks, de Crimée, de Kazan, etc. Kan. Gengis kan. — Horde. — Chamanisme (religion).

## TASSE

**Relatif à la tasse.** — Tasse. Bol. Gobelet. Godet. Quart. — Calice. Coupe. Patère. Hanap. Cyathe, etc.

Fond. Cul. Bords. Soucoupe. — Cabaret. Service. Déjeuner.

Tasse de café. Tasse de thé. Prendre une tasse. Une demi-tasse. Bain de pied.

## TAUPE

**Relatif à la taupe.** — Taupe commune, cendrée, fauve, pie, blanche, aveugle. Talpat. — Yeux. Moustaches. — Fouir. Souffler. Taupinière. — Taupier. Taupière (piège). Détranger. Etaupiner.

## TEINDRE

(latin, *tingere, tinctum*)

**Teinture.** — Teindre. Teinter. Teinte. — Teint. Grand teint. Bon teint. Mauvais teint. — Reteindre. Reteint. — Colorer. Colorant. Couleur. Produits tinctoriaux. — Imbiber. Imprégner. Tremper.

**Teinturerie.** — Teinturier, teinturière. — Dégraisser, dégraissage. Echaudoir. — Décruer. Décruser. — Apprêter, apprêt. — Cuve. Bain. Mordants. Alun. Tartre. Sel d'étain, etc. — Mordancer, mordançage. Barque. Machine à dégorger. Liter. Eventer. Débouillir. — Biser, bisage. Foncer. Adoucir. — Flambure (tache). Passer de couleur.

**Colorants.** — *Chimiques.* Alizarine. Fuchsine. Aniline. Bleu de Prusse. Murescide.

Oxydes de fer, de chrome, de manganèse. Chromate de plomb. Flavaniline. Safranine. Brésiline. Canarine. Roccelline, etc.

*Naturels.* Bois de Brésil, de Campêche. Brou. Carthame. Cochenille. Garance. Gaude. Guède. Henné. Indigo. Nerprun. Orcanète. Orseille. Outremer. Quercitron. Roucou. SAFRAN. Santal. Sapan. Sarrette. Tournesol.

## TEINT

**Coloris du visage.** — Teint. Couleurs. Carnation. — Teint fleuri. Hâle. — Peau. Fraîcheur. Matité. Lividité. — Changer de couleur. Brunir. Rougir. Pâlir.

**Etat du teint.** — Basané. Hâlé. — Blafard. Blême. — Brouillé. Terne. Mat. — Bronzé. Cuivré. — Frais. Coloré. Rosé. Vermeil. Teint de lis et de roses. — Jaune, jaunâtre. Brun, brunâtre. — Rouge. Rougeaud. Sanguin. — Bistre. Verdâtre. Olivâtre.

## TÉLÉGRAPHE

**Généralités.** — Télégraphe, télégraphie, télégraphiste. — Télégraphe aérien, sous-marin, électrique, optique, pneumatique. — Télégraphier. Câbler. — Transmettre, transmission. Communication. — Ligne télégraphique. Bureau télégraphique. Station. — Télégramme. Dépêche télégraphique. Mandat télégraphique. — Téléphotographier. Belinogramme. — Carte pneumatique. Petit bleu. — Code télégraphique.

**Télégraphie à signaux.** — Télégraphie à bras. Appareil de Chappe. Guetteur. Tour. Fléau. Bras. — Télégraphie optique. Signalisation. Signaleur. Signaux lumineux. Panneaux. Fusées. Fanions, etc. — Sémaphore, sémaphorique. Mât. Flammes. Pavillons. Boules.

**Télégraphie électrique.** — Installation. Source. Piles. Accumulateurs. — Transmet-

TÉLÉGRAPHIE, f. Télégraphier. V. *télégraphe*.

TÉLÉMÈTRE, m. V. *distance, artillerie*.

TÉLÉOSTÉENS, m. p. V. *poisson*.

**Téléphone**, m. V. *entendre, son*.

TÉLÉPHOTOGRAPHIE, f. V. *télégraphe*.

TÉLESCOPE, m. V. *optique, astronomie*.

TELLURIQUE. V. *terre*.

TÉMÉRAIRE. Témérité, f. V. *hardi, brave, danger, folie*.

TÉMOIGNAGE, m. Témoigner. V. *témoin, renseignement, preuve*.

**Témoin**, m. V. *affirmer, accusation, présent, combat*.

TEMPE, f. V. *tête*.

**Tempérament**, m. V. *nature, santé, disposition, vendre*.

TEMPÉRANCE, f. V. *modération, sage*.

TEMPÉRATURE, f. V. *chaleur, fièvre, thermomètre*.

TEMPÉRER. V. *diminuer, calme*.

**Tempête**, f. V. *vent, mer, colère*.

TEMPÊTER. V. *bruit, réprimande*.

TEMPÊTUEUX. V. *bruit*.

**Temple**, m. V. *religion, architecture, chevalerie*.

TEMPLIER, m. V. *chevalerie*.

TEMPORAIRE. V. *temps, fragile*.

TEMPORAL. V. *os*.

TEMPOREL. V. *temps, bénéfice*.

---

teur. Postes. Lignes aériennes. Poteau. Fil. Isolateur. Connecteur. — Lignes souterraines. Lignes sous-marines. Câble. — Récepteur. Manipulateur. Télégraphe à cadran. — Appareils Morse, Baudot, Hughes, etc. Alphabet Morse. — Télétypes. Systèmes duplex, multiplex. Relais.

**Télégraphie sans fil.** — Radiotélégraphie. Poste à galène. Valve de Fleming. Poste émetteur. Générateur. Ondes entretenues. Lampe à grille. Antenne. Antenne dirigée. Détecteur. Cohéreur. Self d'antenne. Tube de Branly. Triode. Syntonisation. Ondulateur. Poste récepteur. Sélection des ondes. Lecture au son. Phonographe. Audion. Amplificateur. Cadre de réception.

Télégraphie pneumatique. Télégraphie par le sol, tellurique. Télévision.

*Ondes*. Amorties. Entretenues. Grandes. Courtes. Ultra-courtes.

### TÉLÉPHONE

**Appareil.** — Téléphone électrique, à ficelle. Transmetteur. Récepteur. Ligne. Microphone. Ecouteur. Sonnerie d'appel. Téléphone Graham Bell, Ader. Poste fixe, mobile, mural. Téléphone automatique. Standard. Central.

Puppinisation.

*Téléphone automatique :* Système pas à pas, à impulsions inverses. Strowger. Rotary. Powel. Ericsson. Présélecteur. Sélecteur. — Connecteur. Disque d'appel.

*Usage*. Abonnement, abonné. Appel, appeler. Allô. Causer. — Libre. — Pas libre. — Coupé. — Décrocher. Raccrocher. Réclamation. — Renseignement. — Régional. Interurbain.

**Téléphone sans fil.** — Radiotéléphonie. Microphone. Radiodiffusion. T. S. F. Sansfiliste. Appareils. V. TÉLÉGRAPHE (*télégraphie sans fil*).

### TÉMOIN

**Les témoins.** — Assistant. Témoin oculaire, direct, auriculaire. — Témoin à charge, à décharge. — Faux témoin. — Témoin muet (objet, preuve). — Témoin instrumentaire, judiciaire, certificateur, honoraire. — Recors (d'huissier). — Second (témoin d'un duel). — Déposant.

**Action de témoigner.** — Témoignage. Porter, rendre témoignage. Attester, attesta-

tion. — Déposer, déposition. Témoigner *de auditu, de visu*. Dire des témoins. — Jurer. Serment. Fausser son serment. Parjure. Se parjurer. — Affirmer, affirmation. Confirmer. Preuve testimoniale. — Témoignage accablant, probant. Témoignage autorisé. — Secret professionnel. — Faux témoignage. — Excuses.

**Appel des témoins.** — En appeler à. Se référer. S'en rapporter à. — Instruire un procès. Instruction. Enquête. Information. Plus ample informé. — Ouïr des témoins. Audition. — Citer des témoins. Citation. — Mandat d'amener. — Confronter, confrontation. — Produire des témoins. — Récoler des témoins. Récolement. — Récuser des témoins. Récusation. Reprocher, reproche (motif de récusation). — Suborner, acheter des témoins.

### TEMPÉRAMENT

**Etat naturel.** — Tempérament. Constitution. Complexion. Etat congénital. Diathèse. Disposition. Idiosyncrasie. NATURE. Naturel. Organisation. Prédisposition. Trempe. CARACTÈRE. SANTÉ.

**Modalités.** — Bilieux. Chaud. Froid. FAIBLE. Délicat. Vigoureux. Fort. Flegmatique. Lymphatique. Nerveux. Lymphatico-nerveux. Sanguin. Arthritique.

### TEMPÊTE

**Violence du vent.** — Eléments déchaînés. Tempête. — Fureur, rage des vents. Coup de vent. Venter. — Cyclone. Ouragan. Rafale. Tourmente. Typhon. Tornade. Tourbillon. Mistral. Siroco. — Grain. Trombe. Orage.

**Ses effets.** — Mer démontée. Grosse mer. Mer agitée, courroucée, furieuse. — Houle, houleux. — Tempête sur mer. Battu par la tempête. — Raz de marée. — Inclémence du ciel. Intempéries. — Gros temps. Mauvais temps. — Tempête de sable.

### TEMPLE

**Monuments modernes.** — Temple. Eglise. Sanctuaire. Chapelle. Basilique. — Pagode. Mosquée. Synagogue.

Nef. Transept. Chœur. Portail. Parvis. Dôme. Colonnes. Narthex. Porche. Clocher. Minaret.

TEMPORISATION, f. Temporiser. V. *temps, délai, prudence, patience.*

**Temps,** m. V. *heure, date, âge, manœuvre, musique, météore, verbe.*

TENACE. V. *volonté, continuer, solide, entêté.*

TENAILLER. V. *pince, torture, arracher.*

TENAILLES, f. p. V. *pince, forge.*

TENANCIER, m. V. *fermier.*

TENANT, m. V. *possession, partisan, défendre.*

TENDANCE, f. V. *disposition.*

TENDELET, m. V. *galère.*

TENDER, m. V. *chemin de fer.*

TENDEUR, m. V. *tendre.*

TENDON, m. V. *muscle, os.*

TENDRE. V. *mou, doux, aimer.*

**Tendre.** V. *tirer, étendre, couvrir, but, raide, piège.*

TENDRESSE, f. V. *aimer, sentiment.*

TENDRON, m. V. *femme.*

TENDUE, f. V. *chasse.*

TÉNÈBRES, f. p. Ténébreux. V. *obscur, ombre, nuit.*

TENEUR, f. V. *contenir, rédiger.*

TÉNIA. m. V. *ver.*

**Tenir.** V. *joindre, contenir, retenir, résister, possession, croire, estime, promesse.*

TENNIS, m. V. *paume.*

TENON, m. V. *menuisier, charpente.*

TÉNOR, m. V. *voix, chant.*

TENSION, f. V. *tendre, vapeur, cœur.*

TENTACULE, m. V. *sucer.*

TENTATEUR, m. Tentation, f. V. *tenter, désir, séduire.*

TENTATIVE, f. V. *essai.*

**Tente,** f. V. *pavillon, camp, abri.*

---

**Monuments anciens.** — Temples gréco-romains. Parthénon. Capitole. Panthéon. Maison Carrée.

Naos. Pronaos. Péristyle. Cella. Opisthodome. — Temple monoptère, périptère, etc. Temples égyptiens. Pylône. Cours. Salle hypostyle. Sanctuaire. Spéos (temple souterrain). — Temple de Salomon. Saint des saints.

## TEMPS
(latin, *tempus;* grec, *chronos*)

**Formes du temps.** — Année. Mois. Semaine. Jour. HEURE. Minute. Seconde. — Période. Epoque. Ere. Cycle. Siècle. Saison. — Cours du temps. Eternité. Les âges. — Succession des temps. Antiquité. Moyen âge. Temps modernes. — PRÉSENT. PASSÉ. Avenir. FUTUR.

Espace de temps. Laps de temps. Instant. Moment. Intervalle. — Matin, matinée. — Soir, soirée. — Midi. Après-midi. — Nuit, nuitée.

**Mesure du temps.** — Temps vrai, moyen, civil, astronomique. — Durée. Etendue. Continuité. Pérennité. Simultanéité. Instantanéité. — Chronoscopie, chronoscopique. Chronométrie, chronométrique. Chronomètre. Horloge. Pendule. Montre. Sablier. — AGE. DATE. — Synchronisme, synchronique. Isochronisme, isochronique. Tautochronisme, tautochronique. Anachronisme, anachronique. Métachronisme, métachronique.

**Qui concerne le temps.** — Chronique, chronicité. Temporel, temporalité. — Contemporain, contemporanéité. Ancien, ancienneté. Nouveau, nouveauté. — S'écouler. Passer. Fuite du temps. Marche du temps. Fil de la vie. — Entre-temps. Entrefaites. Circonstances.

Dépenser, perdre, tuer le temps. — Agir à temps, en temps voulu, à contretemps. Intempestif. — Emploi du temps. Tableau de service. Séance. Session. Loisirs. — Echoir, échéance. Terme. DÉLAI. Prescription. Péremption. — Avoir le temps de. Avoir de la marge. Temporiser. Eterniser.

Etat durable, périodique, successif, continu, éternel, momentané, instantané, simultané, antérieur, postérieur, actuel, temporaire, séculaire.

**Locutions de temps.** — Temps grammaticaux. Emploi des temps. Concordance des temps.

Conjonctions de temps. Alors que. Lorsque. Avant que. Après que. Pendant que. Aussitôt que. Comme. Depuis que, etc.

Adverbes de temps. Aujourd'hui. Demain. Hier. Cependant. En même temps. Une fois. Quelquefois. Déjà. Bientôt. Jadis. JAMAIS. Longtemps. Tôt. TARD. Tout de suite, etc.

## TENDRE

**Allonger avec effort.** — Tendre, tension. Tendre le bras, la main. ETENDRE, extension. — Tendeur. Bille. Garrot. Tortoir. — Raidir, RAIDE. — Bander un arc. — Tendre, rider un cordage. — Retendre.

**Gonfler.** — Distendre, distendu, distension. Ventre tendu. — Dilater l'estomac, dilatation. — Tension artérielle. Hypertension. Hypotension. — Eréthisme. Orgasme. Erection, érectile, érectilité.

## TENIR

**Maintenir.** — Tenir, tenu, tenable. Tenue. Tenace. — Joindre, joint, jonction. — Maintenir, maintenu, maintien. — Retenir, retenu. Garder, garde. — Saisir. Prendre, prise. — Maîtriser. Serrer, serrement.

**Etre maintenu.** — Tenir à. Adhérer, adhérence, adhérent. Adhésif. Adhésion. — Coller. Faire corps. Cohérent, cohérence. Cohésion. — S'accrocher. S'attacher. Se prendre à. Se cramponner. — Inhérence, inhérent. Inséparable. — Enraciné. Invétéré.

## TENTE

**La tente.** — Mât. Faîtière. Toile. Piquets. Pieux. Pavillon. Lit de camp.

Dresser, monter, planter une tente. — Camper, campement, camping. — Camp. Bivouac. Douar.

**Sortes de tentes.** — ABRI. Tente abri. — Baraque. Baraquement. Gourbi. Cagna. Hutte. Wigwam. — Tendelet. Dais. Velum. Poêle. — Tabernacle.

*Tenter.* V. *séduire, entreprendre, essai.*

TENTURE, f. V. *rideau, tapis, papier.*

TÉNU. V. *mince, petit.*

TENUE, f. V. *toilette, posture, fermeté.*

TENURE, f. V. *possession.*

TÉRATOLOGIE, f. V. *monstre.*

TERCET, m. V. *trois, poésie.*

TÉRÉBENTHINE, f. V. *baume.*

TÉRÉBRER. V. *percer, insecte.*

TERGIVERSER. V. *indécis, attendre, changer.*

TERME, m. V. *finir, extrême, limite, temps, accouchement, proportion, louage, délai, vendre, mot.*

TERMINAISON, f. V. *finir, dernier, mot, grammaire.*

TERMINER. V. *finir, cesser.*

TERMINOLOGIE, f. V. *langage.*

TERMINUS, m. V. *chemin de fer.*

TERMITE, m. V. *fourmi.*

TERNAIRE. V. *trois.*

*Terne.* V. *pâle, médiocre, trois, loterie, dé.*

TERNIR. V. *couleur, éteindre, accusation.*

TERPSICHORE, f. V. *muse, danse.*

TERRAIN, m. V. *terre, lieu, géologie, combat, base.*

*Terrasse,* f. V. *architecture, toit, auberge.*

TERRASSEMENT, m. V. *terrassier.*

TERRASSER. V. *renverser, abattement, terre.*

*Terrassier,* m. V. *fosse, terre, travail.*

*Terre,* f. V. *géographie, géologie, labour, propriété.*

TERREAU, m. V. *jardin, fumier.*

TERRE-NEUVE, m. V. *chien.*

TERRE-NEUVIER, m. V. *morue.*

TERRE-PLEIN, m. V. *terrasse.*

TERRER (se). V. *retraite.*

TERRESTRE. V. *terre.*

TERREUR, f. V. *peur, horreur, cruel, proscrire.*

TERRIBLE. V. *méchant, force.*

TERRIEN, m. V. *terre.*

TERRIER, m. V. *retraite, antre, lapin.*

TERRIFIER. V. *peur, horreur.*

TERRINE, f. V. *vase, charcuterie.*

TERRITOIRE, m. V. *terre, pays, juridiction.*

TERROIR, m. V. *terre, pays.*

---

## TENTER

**Entraîner à mal faire.** — Tenter, tentateur, tentation, tentant. — Eprouver la vertu. Induire en tentation. Le démon. — SÉDUIRE, séduction, séducteur, séduisant. — Inspirer l'envie.

Suggérer le désir. Suggestion. Attirer, attirance. — Mauvais conseil. Conseiller le mal. Pousser au mal. — Exciter, excitation.

## TERNE

**Perdre sa couleur.** — Terne, ternir, terni. Se décolorer, décoloration. Déteindre, déteint. Passer. — Demi-teinte. Teinte neutre, mourante, sourde. — Pâle, pâleur, pâlir. Blafard. Blême, blêmir. Livide, lividité. — Incolore. Sombre, s'assombrir. Vitreux. Terreux. Trouble. Délavé.

**Perdre son éclat.** — Altéré, altération, s'altérer. — Taché, TACHE, se tacher. Gâté, se gâter. — Etiolé, s'étioler. — Fané, se faner. Flétri, se flétrir, flétrissure. — Ratatiné. Ridé, se rider. — Desséché, se dessécher. Vieux. Vieilli. — Délustré, délustrer. Dépoli, dépolir. Mat, matir. — Eteint, s'éteindre.

## TERRASSE

**Plan surélevé.** — Terrasse. Plate-forme. Terre-plein. — Levée de terre. Digue. Jetée. — Tertre. — Toiture plate. — Trottoir.

## TERRASSIER

**Travail.** — Fouiller, fouille. Affouiller, affouillement. Piocher. Creuser. — Terrasser, terrassement. Déblayer, déblai. Remblayer, remblai. — Combler. Rapporter des terres. Empierrer, empierrement. — Niveler, nivellement. Régaler (mettre de niveau). Pilonner. — Faire sauter. Miner, mine. — Galerie. Tranchée. Fosse. — Inhumer. Exhumer.

*Ouvriers.* Terrassier. Pionnier. Cantonnier. Puisatier. Fossoyeur. Manœuvre.

**Matériel.** — Pic. Pioche. Bêche. — Rails. Wagonnet. — Excavateur. Benne. — Tombereau. Camion. Brouette. — Explosifs.

## TERRE
(latin, *terra;* grec, *gê*)

**La planète.** — Globe. Sphère. Monde. Machine ronde. — Périgée. Apogée. Atmosphère. Stratosphère. — Gravitation. Rotation. Révolution. — Longitude. Latitude. Méridien. Equateur. Tropiques. — Axe. Pôles. — Noyau central. Terre ferme. Continent. Mer.

GÉOLOGIE, géologique. GÉOGRAPHIE, géographique. Géodésie, géodésique. GÉOMÉTRIE, géométrique. — Mappemonde. Georama.

Terrestre. Tellurien. Tellurique. — Terricole. Terrien. — Méditerrané. Mer Méditerranée. — Séjour de l'homme. Ici-bas. Vallée de larmes.

**Terre possédée.** — Possessions. Terres. Fonds de terre. Bien-fonds. Propriété. — Campagne. Exploitation agricole. Ferme. Domaine. Territoire. — Champs. Glèbe. Pâturages. Forêts. — Enclave. Enclos. — Sous-sol. Tréfonds. — Mines. Carrières. Tourbières. — Terrain vague. Friche. Landes. Brandes.

**Terre travaillée.** — Labour, labourage. Culture. Agriculture. Travaux agraires. — Défrichage. Emblavure. — Terrassement. Fouilles. Extraction. — Enterrement. — Céramique. Poterie. Terre cuite.

**Terrains.** — Terre. Sol. Humus. Terre végétale. Terroir. — Terres noires. Terres rouges. — Terreau. Herbue. Noue. — Basfond. Alluvion. Boue. Terre de bruyère. Argile. Marne. Glaise. Boulbène. Sable. Lœss. Pouzzolane. Craie. Silice.

Terre forte, grasse, lourde, franche, meuble, légère, maigre, vierge. — Terre arable, inculte.

Terrain calcaire, crayeux, crétacé, argileux, sablonneux, schisteux, marneux, siliceux, tourbeux, éveux, terraqué.

**Terres industrielles.** — Alumine. Blende. Terre réfractaire. Terre à foulon. Terre à potier ou Figuline. Kaolin. Magnésite. Ocre. Ombre. Terre à pipes. Terre savonneuse. Terre de Sienne. Strontiane. Tourbe. Tuf. Tuffeau. — Terres rares. — Minerais.

TERRORISER. Terrorisme, m. V. *peur.*

TERTIAIRE. V. *trois.*

TERTRE, m. V. *terrasse, amas, haut.*

TESSON, m. V. *fragment, pot.*

TEST, m. V. *écaille.*

TESTACÉ. V. *animal, tortue.*

**Testament,** m. V. *héritage, convention, don.*

TESTAMENTAIRE. V. *testament.*

TESTER. V. *testament.*

TESTIMONIAL. V. *témoin.*

TESTUDINÉ. V. *tortue.*

TÉTANOS, m. V. *convulsion.*

TÊTARD, m. V. *crapaud.*

**Tête,** f. V. *corps, cerveau, arbre, clou, intelligence, diriger.*

TÊTE-BÊCHE. V. *renverser.*

TÉTÉE, f. V. *nourrice.*

TÉTER. V. *mamelle, sucer.*

TÊTIÈRE, f. V. *coiffure, harnais.*

TÉTINE, f. Téton, m. V. *mamelle.*

TÉTONNIÈRE, f. V. *bandage.*

TÉTRA (radical). V. *quatre.*

TÉTRALOGIE, f. V. *théâtre.*

TÉTRAPTÈRE. V. *aile.*

TÉTRAS, m. V. *bruyère.*

TÊTU. V. *entêté.*

TEUTON. Teutonique. V. *Allemagne.*

TEXTE, m. V. *écrire, rédiger, matière.*

TEXTILE. V. *tissu.*

TEXTUEL. V. *exact, mot.*

TEXTURE, f. V. *arranger.*

THALIE, f. V. *muse.*

THALLOPHYTE, m. V. *plante.*

THAUMATURGE, m. V. *extraordinaire.*

**Thé,** m. V. *boisson, Chine.*

THÉATIN, m. V. *moine.*

**Théâtre,** m. V. *spectacle, art, lieu.*

THÉBAÏDE, f. V. *ermite.*

---

## TESTAMENT

**Formes de testament.** — Testament. Dispositions testamentaires. Dernières volontés. — Donation. Don mutuel. — Testament olographe. Testament par acte public. Testament authentique, solennel. Testament mystique. Testament *ab irato.* Testament par suggestion. — Mourir intestat.

**Dispositions.** — Tester. Testateur. Testatrice. Donner, donateur. Faire son testament. Disposer de ses biens. — Instituer héritier. Déshériter. Exhéréder. — Laisser. Léguer, legs, prélegs. Legs pieux. Fondation. Legs rémunératoire. — Avantager. Désavantager.

Déposer chez le notaire. — Texte nuncupatif, codicillaire. — Clause. Codicille. Préciput. Avantage. Usufruit. Fidéicommis. — Quotité disponible.

**Bénéficiaires.** — Héritier. Cohéritier. Hoir. Héritier direct, collatéral. — Légataire. Colégataire. Donataire. — Usufruitier. — Personne interposée. Fidéicommissaire. — Captateur.

**Exécution.** — Ouverture d'un testament. — Exécuteur testamentaire. — Saisine. Envoi en possession. Dévolution. Transmission. — Entrée en possession, en jouissance.

Prétérition. — Révoquer, annuler, casser un testament. — Abandonner. Renoncer. — Tomber en déshérence. — Captation.

## TÊTE

(latin, *caput;* grec, *céphalê*)

**La tête.** — Tête. Chef. Cap. Caboche. — Face. Facies. Masque. Mascaron. — Hure. Massacre. Cime.

Arcade sourcilière. Pommettes. Menton. Crâne. Bosses. Cerveau. Tempe. Visage. Nuque. Occiput. Sinciput. Joues. Bajoues. Fossettes. Œil. Oreille. Nez. Bouche. Mâchoire. Cuir chevelu. Cheveux. Barbe. — Museau. Huppe. Crête. Bec.

**Dispositions de la tête.** — Dolichocéphale. Brachycéphale. Hydrocéphale. — Mégalocéphale. Microcéphale. — Céphalé. Acéphale. Bicéphale. Polycéphale. — Céphalopode. Onocéphale. Bucéphale. — Tête ronde, plate, carrée, grosse, en pointe, en poire.

**Maladies.** — Mal de tête. Céphalée. Céphalalgie. — Encéphalite. Congestion cérébrale. Epanchement sanguin. — Migraine. Pesanteur. — Abcès. Maux de dents. Otite. Sinusite. — Maladies des yeux, des oreilles, du nez, de la gorge. — Teigne. Pelade.

**Mouvements.** — Lever. Baisser. Incliner. — Remuer. Hocher. Branler. Secouer. Dodeliner. — Cosser. Se cogner. — Porter haut la tête. — Dire oui ou non de la tête. — Faire un signe de tête. — Froncer les sourcils.

**Relatif à la tête.** — Têtière. Têtu. Entêter. Entêté, entêtement Etêter. — Capitation. Capiteux. — Céphalique. Céphaloïde. — Céphaloscopie. Cranioscopie. — Auréole. Nimbe.

Peine capitale. Décapiter, décapitation. Guillotiner. Décoller, décollation. Trancher la tête. Détroncation. — Scalper.

V. VISAGE. ŒIL. OREILLE. NEZ. CHEVEU, etc.

## THÉ

**Qui concerne le thé.** — Thé de Chine, de Ceylan, d'Annam. — Thé impérial, Souchong. Pékao, à pointes blanches. — Thé vert. Thé noir. Fleur de thé. Poudre de thé. — Théière. Tasse à thé. Tasse de thé. — Infuser, infusion. Passoire. — Thé au rhum, au lait, à la menthe. — Service à thé. Serviette à thé. — Maison de thé.

## THÉATRE

**Salle de spectacle.** — Théâtre. Théâtre national, subventionné. — Salle de concert. Music-hall. Café-concert.

*Salle.* Fauteuils d'orchestre. Parterre. Loges. Galeries. Baignoire. Avant-scène. Balcon. Amphithéâtre. Paradis. Poulailler. — Gradins. Travée. — Bureau. Places. — Couloirs. Vestiaire.

*Scène.* Cantonade. Coulisses. Foyer. Côté cour (droite). Côté jardin (gauche). Cintre. Dessous. Décors. Portant. Trappe. Ferme. Châssis. Frises. Herse. Praticable. Truc. Machinerie. — Plateau. Rampe. Trou du souffleur. Orchestre. — Eclairage. Lustre. Projecteurs. Traînées.

THÉIÈRE, f. V. *vaisselle.*
THÈME, m. V. *matière, traduire, dire.*
THÉMIS, f. V. *juges.*
THÉNAR, m. V. *main, pied.*
THÉOCRATIE, f. V. *prêtre, politique.*
THÉODICÉE, f. V. *théologie, métaphysique.*
THÉODOLITE, m. V. *arpentage, astronomie.*
THÉOGONIE, f. V. *Dieu.*
THÉOLOGAL. V. *religion, chanoine.*

**Théologie**, f. V. *religion, philosophie.*
THÉOLOGIEN. m. V. *théologie.*
THÉOPHANIE, f. V. *Dieu.*
THÉORÈME, m. V. *science, géométrie, affirmer.*
THÉORICIEN, m. V. *théorie, art, science.*
**Théorie**, f. V. *système, principe, imagination, procession.*
THÉORIQUE. V. *théorie.*
THÉOSOPHE, m. V. *religion, alchimie.*

THÉRAPEUTIQUE, f. V. *médecine, soin, guérir.*
THÉRIAQUE, f. V. *médicament.*
THERMAL. V. *eau, bain.*
THERMES, m. p. V. *bain.*
THERMIDOR, m. V. *chaleur.*
THERMIE, f. V. *chaleur.*
THERMOCAUTÈRE, m. V. *plaie, caustique.*
THERMODYNAMIQUE, f. V. *chaleur.*
THERMOGÈNE. V. *chaleur.*
**Thermomètre**, m. V. *chaleur, météore.*

---

*Spectacles.* — Opéra. Opéra-comique. Opéra-bouffe. Opérette. Drame lyrique. Vaudeville. — Pièce à spectacle. Divertissement. Ballet. Féerie. — Tragédie. Drame. Comédie. Tragi-comédie. Farce. Bouffonnerie. — Trilogie. Tétralogie. — Mime. Mimodrame. Pantomime. — Piécette. Bluette. Saynète. Intermède. Lever de rideau. Sketch. — Pastorale. Paysannerie. — Parodie. — Pièce à tiroirs. — Mystère. — Tableaux vivants.

Répertoire. Nouveauté. — Monter une pièce. Mettre en scène. — Répéter, répétition. Représenter, représentation. — Faire four. Reprendre, reprise. Relâche. Clôture. — Bénéfice. Soirée d'adieu.

**Eléments d'une pièce.** — Sujet. Scénario. Livret. Partition. — Conduite de la pièce. Charpente. Composition. — Action. Actes. Scènes. Entracte. — Intrigue. Exposition. Nœud. Dénouement. Péripétie. Episode. Coup de théâtre. — Personnages. Dialogue. Monologue. Répliques. — Scène à faire. Clou. — Prologue. Chœur. Récitatif. — Air. Couplet. Chansons. Tableaux. Récit. — Mise en scène.

Art scénique. Auteur. Auteur comique. Auteur tragique. Auteur dramatique. Vaudevilliste. Parodiste. — Librettiste. Compositeur. — Chronique dramatique. Soiriste.

**Personnel.** — Direction, directeur. Régisseur. Secrétaire. — Impresario. Manager. — Comité de lecture. Metteur en scène. Maître de ballet. — Artistes. Acteurs. Danseurs. — Chef d'orchestre. Orchestre. Musiciens. — Choriste. Figurant. — Machiniste. Electricien. Souffleur. — Contrôleur. Ouvreuse. Habilleuse. Costumier.

**Acteurs.** — Troupe. Artiste. Acteur. Actrice. Chef d'emploi. Doublure. — Comédien, comédienne. Tragédien, tragédienne. Comique. Jeune premier. Jeune première. — Chanteur. Cantatrice. Diva. Prima donna. Etoile. Divette. — Mime. Pantomime. — Danseur. Danseuse. Sujet. Rat. — Coryphée. Choriste. — Utilités.

Conservatoire. — Sociétaire, pensionnaire de la Comédie-Française. — Cabotin. Baladin. Histrion.

**Jeu.** — Rôle. Protagoniste. Confident. Comparse. — Emploi. Duègne. Ingénue. Père noble. Manteau. Grime. Soubrette. Valet. — Expression. Mimique. Aparté. Rôle muet. —

Changement à vue. Costume. Accessoires. Maquillage.

Jouer. Exécuter. Rendre. — Déclamer, déclamation. Chanter. Danser. — Créer un rôle. Jeu de scène. Se grimer. Gestes. Attitudes. Mimes. — Monter sur les planches. Débuter, débutant. Brûler les planches. — Entrer en scène. Manquer son entrée. — Sortie. Fausse sortie.

**Spectateurs.** — Saison théâtrale. Salle. Chambrée. Abonnés. Habitués. — Billet. Entrée de faveur. Louer sa place. Coupon. Faire queue. — Aller voir. Assister à. Voir jouer. — Applaudir, applaudissements. Faire un succès. Bisser. Rappeler. Bravos. — Faire tomber. Siffler, sifflets. Chut. — Affiche. Programme. — Lorgnette. Petit banc. Contremarque.

## THÉOLOGIE

**Doctrines.** — Théologie. Théologie naturelle. Théologie surnaturelle. Théologie positive. — Théodicée. Théosophie. — Dogmatique. Mystique. Scholastique. Morale. Ascétique. Casuistique. Apologétique. — Thomisme. Probabilisme. — Prédestination. Grâce. Révélation. Providence.

**Enseignement.** — Faculté de théologie. Séminaire. Ancienne Sorbonne. — Théologien. Théologal. DOCTEUR. Dogmatiste. Thomiste. Casuiste. Canoniste. Sorboniste.

Dogme. Thèse. Expectative. Vespérie. Controverse. Lieux théologiques. — Définition. Formulaire. Cas de conscience. — Droit canon, canonique. Somme de saint Thomas. Herméneutique. Dogmatisme. MYSTÈRES.

## THÉORIE

**Opposé à** PRATIQUE. — Théorie, théorique, théoricien. Système, systématique. Corps de doctrine. — Principe. Postulat. Règle. Maxime. Formule. Théorème. — Conception. Plan. PROJET. Point de vue.

Idée, idéal, idéologue. Spéculation, spéculatif, spéculer. Utopie, utopique, utopiste. Hypothèse, hypothétique. — Imagination, imaginaire, imaginatif. Contemplation, contemplatif. Rêve, rêver, rêveur, rêverie.

## THERMOMÈTRE

**Appareil.** — Thermomètre, thermométrique. — Cuvette. Réservoir. Tablette. Tube.

THERMOSCOPE, m. Thermostat, m. V. *thermomètre*.
THERMOTHÉRAPIE, f. V. *bain*.
THÉSAURISATION, f. Thésauriser. V. *trésor, économie, amas, avare*.
THÈSE, f. V. *opinion, système, question, argument, université*.
THIBAUDE, f. V. *tapis, poil*.
THOMISME, m. V. *théologie*.
THON, m. V. *poisson*.
THORA, f. V. *Juif*.
THORAX, m. V. *poitrine, côte*.
THORIUM, m. V. *métal*.
THRÈNE, m. V. *chant*.
THURIFÉRAIRE, m. V. *encens*.
THYM, m. V. *plante*.
THYROÏDE. V. *gorge*.
THYRSE, m. V. *fleur, Bacchus*.
TIARE, f. V. *pape, coiffure*.
TIBIA, m. V. *os, jambe*.
TIC, m. V. *grimace, convulsion*.
TIC TAC, m. V. *moulin*.
TIÈDE. Tiédeur, f. V. *chaleur, indifférent*.
TIERCE, f. V. *trois, degré, cartes, musique, escrime*.
TIERCELET, m. V. *faucon*.
TIERS, m. V. *trois, classe*.
TIERS-ORDRE, m. V. *moine*.
TIERS-POINT, m. V. *lime*.

**Tige**, f. V. *plante, tronc, botte, axe*.
TIGELLE, f. V. *tige*.
TIGNASSE, f. V. *cheveu*.
TIGRE, m. V. *quadrupède, cruel*.
TILBURY, m. V. *voiture*.
TILLAC, m. V. *bateau*.
TILLEUL, m. V. *arbre*.
TIMBALE, f. V. *vase, tambour, pâtisserie*.
TIMBALIER, m. V. *tambour*.
TIMBRE, m. V. *marque, poste, voix, tambour, casque*.
TIMBRÉ. V. *papier*.
TIMBRER. V. *marque, poste*.
TIMIDE. Timidité, f. V. *doux, humilité, peur, honte*.
TIMON, m. V. *voiture*.
TIMONERIE, f. Timonier, m. V. *marine, avertir*.
TIMORÉ. V. *peur, défiance*.
TINCTORIAL. V. *teindre, plante*.
TINETTE, f. V. *cuve, latrines*.
TINTAMARRE, m. V. *bruit*.
TINTEMENT, m. V. Tinter. V. *bruit, cloche, oreille*.
TIQUE, f. V. *insecte*.
TIQUER. V. *cheval*.
TIR, m. V. *artillerie, chasse, manœuvres, ligne*.
TIRADE, f. V. *discours*.

TIRAGE, m. V. *imprimerie, journal, finance, rideau, cheminée*.
TIRAILLEMENT, m. V. *souffrir*.
TIRAILLEUR, m. V. *fusil, soldat*.
TIRANT, m. V. *corde, chaussure, bateau*.
TIRASSE, f. V. *piège, orgue*.
TIRÉ, m. V. *chasse*.
TIRE-BOUCHON, m. V. *bouteille*.
TIRE-LAINE, m. V. *voleur*.
TIRE-LIGNE, m. V. *tracer*.
TIRELIRER. V. *alouette*.
TIRE-PIED, m. V. *chaussure*.
**Tirer**. V. *ligne, attirer, ôter, but, fusil, carrière, loterie, escrime, cheminée, billet, vache*.
TIRET, m. V. *ligne, ponctuation*.
TIRETTE, f. V. *soulier, vigne*.
TIROIR, m. V. *meuble, vapeur*.
TISANE, f. V. *boisson, médicament*.
TISON, m. V. *feu, cheminée*.
TISSAGE, m. Tisser. V. *tissu*.
TISSERAND, m. V. *tissu*.
**Tissu**. V. *étoffe, entrelacer, membrane*.
TITAN, m. V. *géant*.

---

Boule. Liquide. Echelle. — Graduation. Degrés centésimaux. Au-dessus, au-dessous de zéro. — Sensibilité. Action de la chaleur. Dilatation. — Courbes de température.

**Sortes.** — Thermomètre centigrade, Réaumur, Fahrenheit. — Thermomètre à mercure, à alcool, à gaz. — Thermomètre à maxima, à minima, différentiel. — Pyromètre. Thermoscope. Thermostat. Régulateur. Thermomètre enregistreur. Thermomètre médical. Thermomètre de bain.

## TIGE

**Tiges de plantes.** — Tige. Chaume. Chalumeau. Eteule. Paille. — Hampe. Cep. Pied. Tronc. Stipe. — Rhizome. Cladode. Queue, pédicule, pédoncule de fleur ou de fruit. Pétiole de feuille. Pédicule de champignon. Tigelle. Plantule de graine.

**Parties des tiges.** — Collet. Nœud. Contre-nœud. Mérithalle (entre nœuds). — Moelle. Etui médullaire. — Epiderme. Ecorce. Liège. — Tissu ligneux. Couches. Sève. — Cœur. Bois. Rayons. Liber. — Pivot. Souche. Talle. Cépée. — Crampon. Suçoir. Rameau.

**Nature des tiges.** — Aérienne. Souterraine. — Dressée. Ascendante. Herbacée. — Rampante. Rhizomateuse. — Volubile. Ramifiée. Creuse. Gladiée. Ligneuse. Noueuse. Grimpante. Pivotante. Réclinée. Flexueuse. Fulcrée. Velue.

**Qui concerne les tiges.** — Acaule (sans tige). Caulifère. Culmifère. — Pousser. Mon-

ter. Taller. — Erusser (écorce). — Tigé, *bl*. Tige de piston, de botte, de clef, d'arbre généalogique.

## TIRER
(latin, *trahere*)

**Amener avec effort.** — Tirer. Tirage. Traction. Tirer à bras. — Attirer. Etirer, étirage. Détirer. — Amener à soi. Raidir. Abraquer. — Tendre, tension. Etendre, extension. Distendre. — Haler, halage. Remorquer, remorquage. Touer, touage. — Contracter, contraction. Retraire, rétractile.

**Extraire.** — Tirer de. — Extraction, extractif, extrait. — Retirer de. Pêcher. Repêcher. — Soutirer, soutirage. Puiser. — Exprimer. Pressurer. Traire, traite. — Extorquer. Vol à la tire. Tire-laine. — Oter. Enlever. PRENDRE.

## TISSU

**Tissage.** — Tisser, tissure, tissu. Tisserand. Tisseur. — Textiles. — Chaîne. Fils pairs, impairs. Parer la chaîne. Parement. — Trame. Duite. — Armure simple, composée. Armures fondamentales. Toile. Sergé. Croisé. Satin. — Ourdir, ourdissage, ourdisseur. — Enverger. — Brocher.

Détisser. Effiloquer. Parfiler.

**Métiers.** — *Métiers à bras*. Métiers à basses lices, à hautes lices, à mailles, à marches, à la tire, horizontal, etc.

Montants. Traverses. Ensouple. Lames. Li-

TITILLATION, f. Titiller. V. *piquer.*

**Titre,** m. V. *noble, fonction, mérite, qualifier, brevet, inscription, livre, monnaie, mélange, propriété.*

TITUBER. V. *balancer, ivre.*

TITULAIRE, m. V. *titre, fonction.*

TITULARISER. V. *nomination.*

TOAST, m. V. *boire.*

TOCADE, f. V. *caprice.*

TOCSIN, m. V. *cloche, danger.*

TOGE, f. V. *habillement, auxiliaires de justice.*

TOHU-BOHU, m. V. *bruit.*

TOILE, f. V. *étoffe, bandage, tente, peinture, araignée.*

**Toilette,** f. V. *habillement, nettoyer, meuble.*

TOISE, f. V. *mesure.*

TOISER. V. *mesure, mépris.*

TOISON, f. V. *laine, mouton.*

**Toit,** m. V. *maison, couverture, abri.*

TOITURE, f. V. *architecture.*

---

ces. Rames. Ensoupleau. Marches. Battants. Traversins. Navette. Ros ou Peigne.

*Métier mécanique.* Métier Jacquard. Carton perforé. Interlignes. Assemblage. Bâti supérieur. Diaphragme. — Mécanique Jacquard. Crochets. Griffes. Presse. Planche. Cames. Fouet.

**Tissus.** — ETOFFE. — Tissus écrus, teints, imprimés, brochés, légers, serrés. — Tissus de laine, de coton, de soie, de lin, de poil, de jute, de chanvre. — Drap. Toile. Cachemire. Coutil. Calicot. Mousseline. Crêpe. Indienne. VELOURS. Satin. Peluche. Tulle. Tricot. Galon. RUBAN. — Tissus élastiques. — Tissus imperméables. — Tissus enduits. Toile cirée. Linoléum. Molesquine.

### TITRE
(latin, *titulus*)

**Situation honorifique.** — Distinction. Honneur. — Pouvoirs publics. Dignité, dignitaire. Fonction. Charge. Grade. — Grandeur. Grand nom. Qualité. Noblesse. — Rang. Haut rang. Rang hiérarchique. — Royauté. Présidence. — Ordre de chevalerie. Commanderie. — Titres universitaires. — Honorariat. Honoraire. Emérite.

**Etablissement d'un titre.** — Conférer, collation. Elever à, élévation. Nommer, nomination. — Investir, investiture. Exalter, exaltation. Ordonner, ordination. Introniser, intronisation. — Titulariser, titularisation. Promouvoir, promotion. Avancement. — Anoblir. Monseigneuriser.

Etre titulaire, en titre, attitré, en pied. — Titré. Diplôme. Parchemin. Pièce officielle. — Insignes. — Particule nobiliaire.

Dégradation. Déchéance. Destitution. Mise à pied.

**Qualificatifs d'honneur.** — Monsieur. Madame. Mademoiselle. — Monsieur le ministre. Monsieur le président. Monsieur le professeur, etc. — Votre Honneur. Monseigneur. Messire. — Sire. Altesse. Majesté. Excellence. Maître. Docteur. Honorable. — Grand cordon. Grand-croix. Commandeur. Officier. Chevalier.

Son Eminence. Sa Grandeur. Sa Sainteté. Sa Béatitude. Sa Grâce. — Vénérable. Révérend. Dom. Discret. — Mon père. Ma mère. Monsieur le Supérieur.

Chevalier. Baron. Vicomte. Comte. Marquis. Duc. Archiduc. Prince.

**Titre juridique.** — Titre authentique, exécutoire, adiré, confirmatif, ancien, primordial, recognitif. — Titre onéreux, gratuit, universel, particulier. — Titre de propriété. — Titre de rente. — Valeurs mobilières.

**Titre de livre.** — Titre. Titre courant. Titre-planche (gravure). Faux titre. — Ecriture titulaire. Intitulé. Intituler. — En-tête. Rubrique. Subdivision. — Frontispice. Cartouche.

### TOILETTE

**Vêtements.** — Toilette. HABILLEMENT. Habit. Costume. Complet. — Vêtement d'usage, d'intérieur. — Tenue de ville. Tenue de soirée, de cérémonie. — Linge. Chaussure. Coiffure. — Mise. Ajustement. Modes. Atours. Parure.

Se mettre. S'habiller. Se vêtir. S'arranger. — S'endimancher. Faire toilette. Se parer. S'attifer. — Suivre la mode. Etre bien mis, élégant, chic. — Etre négligé, débraillé, malpropre sur soi.

**Soins du corps.** — Hygiène, hygiénique. Propreté, propre. — Se laver. Se nettoyer. Ablutions. Prendre un bain, une douche. — Serviette. Savon. Eponge. Gant de crin. — Brosse à dents. Dentifrice. — Se coiffer, coiffure. Se peigner. Peignes. Brosses. Pommade. Cosmétique. — Se friser, frisure. Ondulations. Fer à friser. Epingles. Bigoudis. — Se raser. Se faire la barbe. Rasoir. Savon à barbe. — Se frictionner. Se masser, massage.

Se mirer. MIROIR. — Se parfumer. Parfum. Vaporisateur. — Se maquiller, maquillage. Se farder. Fard. Pâtes. Onguents. Rouge. Poudre de riz. Mouche.

Se faire les ongles. Onglier. Polissoir. Ciseau. Lime. Canif.

**Mobilier de toilette.** — Cabinet de toilette. Table de toilette. Garniture de toilette. Nécessaire de toilette. — Commode. Coiffeuse. Poudreuse. — Glace. Miroir. Miroir triple. Psyché. — Lavabo. Cuvette à eau. Broc. Seau. — Baignoire. Tub. Bain de siège. Bidet. Appareil à douche. — Séchoir. — Boîtes à poudre. Flacons à parfums, etc.

### TOIT

**Charpente.** — Ferme. Arbalétriers. Poinçon. Entrait ou Tirant. Faîtage. Pannes. Chevrons. Contrefiches. Chantignoles.

**Comble.** — Comble à surfaces planes, à surfaces courbes. Comble simple. Comble brisé. Comble à bât d'âne. Comble retroussé. — Appentis. Flèche.

**Couverture.** — TUILE. Ardoise. ZINC. Ciment armé. Chaume. — LATTE. Contre-latte.

*Tôle*, f. V. *plaque, métal.*

TOLÉRABLE. V. *supporter.*

TOLÉRANCE, f. Tolérant. V. *permettre, charité, monnaie.*

TOLÉRER. V. *permettre, supporter.*

TÔLERIE, f. V. *tôle.*

TOLET, m. V. *rame.*

TOMATE, f. V. *légume.*

TOMBE, f. Tombeau, m. V. *funérailles, fosse.*

TOMBÉE, f. V. *tomber.*

*Tomber.* V. *bas, glisser, pluie, jour, attaque, blâme, chronologie, diminuer.*

TOMBEREAU, m. V. *voiture.*

TOMBOLA, f. V. *loterie.*

TOME, m. V. *division, livre.*

TOMME, f. V. *fromage.*

*Ton*, m. V. *son, couleur, manière, lire, style, musique, élégance.*

TONALITÉ, f. V. *son.*

TONDEUR, m. V. *tondre.*

*Tondre.* V. *couper, poil, laine, cheveu, drap.*

TONIFIER. Tonique. V. *force, médicament.*

TONIQUE, f. V. *musique.*

TONITRUANT. V. *foudre.*

TONNAGE, m. V. *navire.*

TONNE, f. V. *tonneau, poids.*

*Tonneau*, m. V. *vaisseau, vin, mesure.*

TONNELAGE, m. V. *tonneau.*

TONNELET, m. V. *tonneau, panier.*

TONNELIER, m. V. *tonneau, bouteille.*

TONNELLE, f. V. *jardin, arbre.*

TONNER. V. *foudre, détonation, parler.*

TONNERRE, m. V. *météore.*

TONSURE, f. Tonsurer. V. *tondre, cheveu, prêtre.*

TONTE, f. V. *tondre, laine.*

TONTINE, f. V. *association.*

TONTISSE, f. V. *tondre, bourre.*

TOPAZE, f. V. *pierre, jaune.*

TOPER. V. *accord.*

TOPHUS, m. V. *articulation, goutte.*

---

Volige. Aissante. Bardeau. — Agrafes. Crochets.

Couvrir. Couvreur. Bâtiment couvert. — Toiture. Faîte. Enfaîtement. Pinacle. Crête. — Pente. Versant. Egout. Chanlatte. — Enfaîteau. Faîtière. Bourseau. — Angles. Gèze. Brisis. Sous-doublis. Tranchis. Ruilée. Noue. Noulet. Cornière. — Imbrication, imbriquer. Renvers. Recherche (réparation).

**Accessoires.** — Avant-toit. Auvent. Sévéronde. — Gouttière. Chéneau. Gargouille. Descente. Larmier. — Lucarne. Mansarde. Tabatière. — Plate-forme. Terrasse. — Girouette. Paratonnerre.

## TÔLE

**Fer battu.** — Tôle. Tôlerie. Tôlier. — Tôle galvanisée. Tôle ondulée. Tôle étamée, zinguée, plombée. — Fer-blanc. Ferblanterie. Ferblantier. — Feuille. Lame. PLAQUE. Tuyau. Trousse (paquet de feuilles). — Moiré. Moiré métallique. Clinquant. — Battre. Laminer. Rabattre.

## TOMBER
(latin, *cadere*)

**Chute d'un être.** — Tomber. Choir, chute. S'abattre. — S'étaler. S'étendre. S'affaisser, affaissement. Glisser, glissade. — Perdre l'équilibre. Tomber à la renverse. Tomber tout de son long, les quatre fers en l'air. — Piquer une tête. Se rompre le cou. Se casser le nez. Mordre la poussière. — Faire la culbute. Vider les arçons. Retomber sur ses pieds. — Avoir le vertige. Chanceler. Tituber. Vaciller. — Trébucher. Broncher, bronchade. Buter. Chopper. Faire un faux pas. Achopper. Pierre d'achoppement.

Se rouler. Epilepsie. Mal caduc.

**Chute d'une chose.** — S'abîmer. S'affaisser. Crouler. S'écrouler, écroulement. Se détacher. S'ébouler, éboulement, éboulis. — S'effondrer. Se renverser. Ruine. — Rouler de haut en bas. Dévaler. Descendre. Dégringoler. — Chute d'eau. CASCADE. Cataracte. — Glisser, glissement. Echapper. Avalanche. — Tomber. Pleuvoir. Tombée de la nuit. — Gra-

viter, gravitation. — Caduc, caducité. Décadence. — Incidence. Coïncidence. — Ptose d'un viscère. — Pouf! Patatras!

**Faire tomber.** — Abattre, abattis. Renverser. Terrasser. Jeter à terre. — Assommer. Culbuter. Démonter. Passer un croc-en-jambe. — Tomber, tombeur. — Précipiter. Ruiner. Abaisser. — Verser. Semer. Joncher le sol.

## TON

**Degré des tons.** — Ton. Demi-ton. Quart de ton. — Note tonique. — Ton majeur. Ton mineur. — Ton aigu, haut, grave, bas. Monotone. — Elever le ton. Baisser le ton. Changer de ton. Détonner. Entonner. — Inflexion. Intonation. — Tonalité. Donner le *la*. Diapason. Tonique. Diatonique. — Gamme. Intervalles. — Timbre de la voix. SON. Sonorité. Sonore.

## TONDRE

**Couper laine ou poil.** — Tondre. Tondeur. — Tonte. Tondaison. — Coupe de cheveux. Couper. Couper ras. Tailler. Taille. — Raser. Tonsurer, tonsure. — Couper le drap. Tontisse. — Tondu. Bretau (mal tondu).

*Outils.* Ciseau. Cisaille. Tondeuse. Forces. Rasoir.

## TONNEAU

**Confection des tonneaux.** — Tonnellerie. Tonnelier. — Fond. Barre. Maîtresse pièce. Enfonçures. Traversin. — Douve. Douelle. Bonde. — Cerceau. Cercle. Sommiers. Collet. — Ventre. Bouge. — Jable. Peigne. — Douvain. Feuillard. Merrain.

Batourner (égaliser les douves). Cercler. Enjabler. Foncer. Rabattre. Relier.

*Outils.* Jabloire. Tiretoire. Traitoire. Bâtissoir. Martinet. Aisseau. Erminette. Utinet. Trochet. Paroir. Assette. Tarière. Cerclier. Davier.

**Tonneaux divers.** — Baril. Barillet. Baricaut ou Barriquaut. — Barrique. Bordelaise. Bourguignonne. Champenoise. — Feuillette. Foudre. Fût. Futaille. — Mesure. Muid. Demi-

TOPINAMBOUR, m. V. *légume.*
TOPIQUE, m. V. *panser, médicament, emplâtre.*
TOPOGRAPHIE, f. V. *dessin, lieu, géographie, arpentage.*
TOQUE, f. V. Toquet, m. V. *coiffure, chapeau.*
TORCHE, f. V. *chandelle.*
TORCHER. V. *frotter, nettoyer.*
TORCHÈRE, f. V. *chandelle.*
TORCHIS, m. V. *paille.*
TORCHON, m. V. *linge, vaisselle, balai.*
TORDAGE, m. V. *tordre.*
TORDION, m. V. *danse.*
**Tordre.** V. *tourner, presser, fil, grimace.*
TORDU. V. *difforme.*
TORE, m. V. *moulure.*
TORÉADOR, m. V. *cirque.*
TOREUTIQUE, f. V. *gravure.*
TORGNIOLE, f. V. *battre.*
TORNADE, f. V. *tourner.*
TORON, m. V. *corde.*

TORPÉDO, m. V. *automobile.*
TORPEUR, f. V. *abattement, langueur, paresse.*
TORPILLE, f. V. *armes, poisson.*
TORPILLEUR, m. V. *marine.*
TORQUER. Torquette, f. V. *tabac, paille.*
TORRÉFACTION, f. Torréfier. V. *rôtir, brûler, café.*
**Torrent,** m. V. *rivière, couler, violence.*
TORRENTIEL. Torrentueux. V. *torrent.*
TORRIDE. V. *chaleur.*
TORS. V. *tordre, difforme.*
TORSADE, f. V. *tordre, passementerie, orner.*
TORSE, m. V. *corps, tronc.*
TORSION, f. V. *convulsion.*
TORT, m. V. *injuste, nuire, erreur.*
TORTICOLIS, m. V. *cou.*
TORTILLARD, m. V. *arbre.*
TORTILLER. V. *tordre, allure, détour.*

TORTILLON, m. V. *tordre, casque.*
TORTIONNAIRE, m. V. *torture, bourreau, cruel.*
TORTIS, m. V. *tordre, perle, couronne, blason.*
TORTU. V. *courbure.*
**Tortue,** f. V. *reptile, écaille.*
TORTUEUX. V. *difforme, détour.*
**Torture,** f. V. *bourreau, tourmenter, supplice.*
TORTURER. V. *torture.*
TORVE. V. *regard.*
TOSCAN. V. *architecture.*
TOTAL. V. *calcul, nombre, complet.*
TOTALITÉ, f. V. *tout.*
TOTEM, m. Totémisme, m. V. *superstition, sauvage.*
TOTON, m. V. *jouet, axe.*
TOUAGE, m. V. *tirer, bateau.*
TOUCHE, f. V. *instruments de musique, peinture, aimant, pêche, bestiaux.*
**Toucher.** V. *main, sensa-*

---

muid. Pièce de vin. Pipe. Quart. Quartaut. Queue. Demi-queue. — Tonne. Tonneau. — Tine. Tinette. Tonnelet. Velte.

Gonne (à goudron). Hambourg (à bière). Rondelle (à bière). Boucaut (d'emballage). Caque (à harengs). Chape (d'enveloppe). — Tonneau des Danaïdes.

Baquet. Baille. Louve. Malestan. Seille. Botte. Bétuse.

**Maniement des tonneaux.** — Descendre à la cave. Avaler. Poulain. — Mettre sur cul. Engerber (superposer). — Rouler, rouleur. — Haquet, haquetier. — Marquer au feu. Rouanner, rouanne. — Jauger, jauge, jaugeage. Velter (jauger), veltage. Apparonner (jauger et marquer).

Embariller. Encaquer. Enfutailler. Tonnelage.

**Travail de cave.** — Soutirer, soutirage. Décuver, décuvaison. Dépoter, dépotement. — Entonner, entonnoir. Rembouger (faire le plein). Remplage. — Bonder. Bondonner. Débonder. — Mécher. — Mettre en perce. Fausset. Foret. Gibelet. — Buffeter (boire au tonneau).

Tirer. Siphon. Robinet. Cannelle. Chantepleure.

Couler. S'ébarouir (s'ouvrir). — Baissière. Lie. TARTRE.

### TORDRE
(latin, *torquere*)

**En général.** — Tordre. Torsion. Tors. Tordu. Tortu. Tortueux. — Tortiller. Tortillement. Entortiller. — Contourner. Contorsion. — Corder. Cordeler. Torquer (du tabac). — Rouler. Rouleau. Tortillon. Torsade. Tortile. — Retourner. Retournement. Torticolis. Entorse.

Torsoir. Tortoir. Bille. Garrot. Tord-nez.

**En filature.** — Tordre. Tordage. Tordeur. Tordeuse (machine). — Tordion. Tortil. — Croiser les fils. Croisement. — Mouliner. Moulinage. Soie moulinée. — Organsiner. Organsinage. Organsin (soie torse). — Retordre. Retordeur. Retorsoir.

### TORRENT

**Qui a trait au torrent.** — Torrent. Gave. Lavanche. Ravine. — Torrentiel. Torrentueux. — Bouillonner. Raviner. Déborder. Ravager.

### TORTUE

**L'animal.** — Test. Boucliers. Carapace. Plastron. Jambes. Pieds. Mains. Doigts. Tête. Bec. — Ecaille. Œufs. — Testacé. Testudiné. Testudinaire. — Terrir (pondre à terre). — Potage à la tortue. Pas de tortue.

**Espèces.** — Tortue terrestre. Tortue aquatique. — Tortue franche. Cahouane. Chélone. Eléphantine. Trionyx. Caret. Emyde. Serpentine. Matamata. Mauritanique. Hydroméduse. Luth. Chélonée imbriquée, etc.

### TORTURE

**Supplice d'inquisition.** — Torturer, torture. Tourmenter, tourment. Martyriser, martyre. Géhenne. — Question. Question préparatoire, ordinaire, extraordinaire. Mettre à la question.

Brodequin. Cep. Chevalet. Cippe. Frontal. Poire d'angoisse. Osselets. Tenailles. — Tenailler. Serrer. Chauffer les pieds. — BOURREAU. Tourmenteur. Tortionnaire. Questionnaire.

### TOUCHER

**Être contre.** — Toucher. Etre collé, accolé, adossé. — Contact. Osculation. Tangence, tan-

tion, près, côté, écueil, naufrage, escrime, berger, payer, intérêt, discours, persuader, sentiment.

TOUCHEUR, m. V. berger.

TOUE, f. V. bateau.

TOUER. V. cabestan.

**Touffe**, f. V. amas, faisceau, cheveu, orner.

TOUFFEUR, f. V. chaleur, vapeur.

TOUPET, m. V. touffe, cheveu, hardi.

TOUPIE, f. V. jouet, axe.

TOUR, m. V. cercle, dévider, promenade, tourner, ordre, serrure, pot, machine, pâtisserie.

**Tour**, f. V. architecture, fortification, haut.

**Tourbe**, f. V. terre, boue, charbon, peuple.

TOURBIÈRE, f. V. marais.

TOURBILLON, m. V. mouvement, rivière, météore, écueil, astronomie.

TOURBILLONNER. V. tourner.

TOURD, m. V. grive.

TOURELLE, f. V. architecture.

TOURER. V. pâtisserie.

TOURET, m. V. rouet, fil, cheveu.

TOURIE, f. V. pot.

TOURIÈRE, f. V. domestique, portier.

TOURILLON, m. V. axe.

TOURISME, m. Touriste, m. V. voyage, loin, tourner, étranger, auberge.

TOURMENT, m. V. peine, inquiet, souffrir.

TOURMENTE, f. V. vent, tempête.

**Tourmenter**. V. torture, poursuivre, attaque, chagrin, prier.

TOURMENTIN, m. V. mât.

TOURNANT, m. V. tourner, roue, chemin.

TOURNEBROCHE, m. V. rôtir.

TOURNÉE, f. V. voyage, tour.

TOURNELLE, f. V. tour.

TOURNEMAIN, m. V. prompt.

**Tourner**. V. renverser, cer-

---

gent. — TENIR à. Adhérer, adhérence. — Etre près de. Attenant. Contigu, contiguïté. — S'appuyer. Peser sur. — Se coincer, coincement. Se gripper. Frotter, frottement. — Coudoyer. Frôler, frôlement.

**Mettre la main à.** — Toucher à. Tact. Tactile, tactilité. Tangible. — Atteindre. Atteinte. Attraper. — Touche, toucher. — Porter la main. Manier, maniement, maniable. Manipuler, manipulation. — Tâter. Palper, palpation, palpable. Patiner. Tâtonner, tâtonnement. Attouchement. — Tripoter, tripotage. Pétrir, pétrissage. Malaxer, malaxage. — Caresser, caresse. Effleurer. — Chiffonner. Friper. Froisser. — Masser, massage. Frotter, frotteur. — Choquer. CHOC. Heurter. Toquer. Trinquer.

**Emouvoir.** — Toucher. Aller au cœur. Remuer les sentiments. Affecter, affectif. — Toucher la corde sensible. Apitoyer. Exciter la PITIÉ. Arracher des LARMES. Fendre le cœur. Faire pleurer. — Attendrir. Bouleverser. Troubler. — Intéresser. Attacher. — Apprivoiser. Humaniser. Dompter. Amollir. — Faire impression, impressionner. — Agiter les passions. Dramatiser.

**Persuader.** — Parler au cœur. Etre éloquent, pathétique. — Produire de l'effet. Convaincre. Décider. Frapper. Imposer. — Désarmer. Fléchir. — Pénétrer. Saisir. Gagner. — Electriser. Relever les courages.

## TOUFFE

**Touffes dans les plantes.** — Touffe d'herbe. Bouquet. Buisson. Capitule. Cyme. Corymbe. Epi. Grappe. Panicule. Sertule. Trochée. Trochet. Verticille.

**Autres touffes.** — Aigrette de plumes. Touffe de poils. Huppe. Toupet. — Bouffette. Houppe. Houppette. Flocon. Soie floche. Freluche. Tampon.

Touffer (mettre en touffe). — Touffu. Fourni. Serré. Pressé. Garni.

## TOUR
(latin, *turris*)

**Les tours.** — Tour ronde, carrée, octogonale, conique. — Tour flanquante, chape-

ronnée. — Tourelle. Tournelle. Donjon. — Beffroi. Dôme. Tour d'église. Clocher. Campanile. Minaret. — Pylône. Flèche. Phare. Lanterne. Belvédère. — Turriculé, turrigère.

Tour de Babel. Tour de Nesle. Tour de Londres. Tour penchée de Pise. Tour Eiffel.

## TOURBE

**Extraction de la tourbe.** — Tourbière. Marais tourbeux. Terrain tourbier. — Banc de tourbe. Entaille. Bousin (surface). Tireur. Tourbier. — Epuche (pelle). Puchette. Pré d'étente. Lanterne (cône de conserve).

Tourbe herbacée. Tourbe moyenne. Tourbe noire. — Briquettes.

## TOURMENTER

**Faire souffrir.** — Tourmenter, tourment, tourmenteur. Mettre à la torture. Torturer. Etre le bourreau de. Supplicier. Mettre au supplice. — Martyriser, martyre. Persécuter, persécution, persécuteur. — Vexer, vexation, vexatoire. Pousser à bout. — Molester. Mortifier.

**Tracasser.** — Tracasserie. Tracas. — Etre après quelqu'un. Assaillir. Bousculer, bousculade. — Harceler. Importuner. Harasser. Poursuivre. — Agacer, agacerie. Contrarier, contrariété. Inquiéter, inquiétudes. — Excéder. Gêner. Ennuyer. — Irriter. Exciter. Dépiter. — Obséder, obsession. Rompre la tête. Tirailler.

**Taquiner.** — Taquinerie. Taquin. — Impatienter. Exercer la patience. Faire endêver. Faire enrager. Faire tourner en bourrique. — Turlupiner. Asticoter. Houspiller. Tarabuster. Canuler. Tanner. — Faire une niche. Lutiner. Jouer un tour. — Se moquer de. Mécaniser. Mystifier, mystification. Faire voir du pays. — Persifler, persiflage. Chanter pouilles. Faire pièce. — Chicaner. Provoquer. Braver.

## TOURNER
(latin, *vertere*)

**Se mouvoir en rond.** — Tourner. Tournoyer. Tournevirer. Tourbillonner. — Con-

cle, détour, roue, axe, diriger, voiture, événement, ferment, tourneur.

TOURNESOL, m. V. acide, soleil, teindre.

**Tourneur**, m. V. tour, tabletterie, aiguiser.

TOURNEVIRE, m. V. cabestan.

TOURNEVIS, m. V. vis.

TOURNIQUET, m. V. tourner, treuil.

TOURNIS, m. V. tourner, mouton.

**Tournoi**, m. V. combat, chevalerie.

TOURNOIEMENT, m. V. vertige.

TOURNOYER. V. tourner, rivière, vertige.

TOURNURE, f. V. allure, apparaître, manière, style.

TOURTE, f. V. pâtisserie.

TOURTEAU, m. V. crustacé, résidu.

TOURTERELLE, f. V. pigeon.

TOURTIÈRE, f. V. pâtisserie, plaque.

TOUSSAINT, f. V. liturgie, saint.

TOUSSER. V. rhume, poitrine.

**Tout**. V. amas, complet, plein.

TOUTE-PUISSANCE, f. V. chef, pouvoir.

TOUT-PUISSANT. V. Dieu.

TOUX, f. V. respiration, poumon.

TOXICOLOGIE, f. Toxique, m. V. poison.

TOXINE, f. V. poison.

TRAC, m. V. peur, allure.

TRACAS, m. V. peine, ennui, occupation, inquiet.

TRACASSER. V. tourmenter.

**Trace**, f. V. marque, chasse.

---

tourner. Virer. Fléchir. Eviter. — Pirouetter. Pivoter. Volter. — Rouler. Vriller. Se courber. — Faire un circuit. Faire le tour. Circuler. Faire un DÉTOUR.

Tour. Circuit. Tournée. — Touriste. Touristique. Touring-Club.

**Mouvement en rond.** — Mouvement circulaire, giratoire, rotatoire. — Tour. Demitour. Quart de tour. — Révolution. Rotation. Orbe. Orbite. — Tournoiement. Virevolte. Volte-face. Valse. Ronde. Torsion. — Remous. Tourbillon. Moulinet. — Manège. Caracole. Volte. — Virage. Flexion. Conversion. — Tournis. Pirouette. — Roulement. Enroulement. Convolution. Involution. — Volubilité. Verticité. Revirement.

Rotatif. Pivotant. Roulant. Sinueux. Tortu. Tourbillonnant. Tournoyant. Volubile. Vertiqueux. Voluté. Versatile.

**Faire tourner.** — Tourner. Retourner. Détourner. — Tordre. Tortiller. Distordre. Friser. — Rouler. Dérouler. Enrouler. — Lover. Rouler un cordage. Virer le cabestan. — Orienter. Revirer. — Donner le vertige. — Dévider. — Conversion.

**Choses qui tournent.** — ROUE. Tour. Turbine. Volant. Dynamo. Manivelle. — Moulin. Meule. — Tourniquet. Girouette. — Toupie. Toton. Sabot. Cerceau. — Roulette. Tournette. Tournebroche. Vireton. — Hélice. Spirale. Volute. Torsade. — Tournant. Courbe. Crochet. Chemin tortueux. — Tornade. Tourbillon.

**Se modifier.** — Tourner bien ou mal. Prendre tournure. — Changer. S'altérer. Tourner (s'aigrir). — Se retourner. Versatile.

## TOURNEUR

**Travail.** — Tourneur, tourner. Percer, perçage. Fileter, filetage. Aléser, alésage. Tarauder, taraudage. Décolleter, décolletage. Fraiser. — Raboter. Dégrossir.

**Matériel.** — Tour. Bâti. Jumelles. Jambages. Semelle. Poupées. Arbre. Equipage. Pointes. Bras. Excentrique. Mandrin. Support.

Outils. Ciseau droit, biais. Gouge. Foret. Burin. Louche. Plane. Archet.

**Sortes de tours.** — Tour à métaux. Tour à bois. — Tour en l'air. Tour à pointes.

Tour à ovule. Tour à chariot. Tour à barre. — Tour à figurer. Tour à guillocher. Tour à décolleter. — Tour parallèle. Tour à revolver. Tour automatique. — Touret.

## TOURNOI

**Fête de chevalerie.** — Tournoi. Carrousel. Joute. COMBAT. Chamaillis. Chaple (par couples). — Champ clos. Lice. Couleurs. — Reines. Maître de champ. Juges du camp. Héraut d'armes. — Armes courtoises. Fer émoulu. Morne. LANCE mornée. — Parade. Montre. Chevauchée. Figures. Quadrilles. — Champion. Tenant. Jouteur. Combattant.

Combattre. Chamailler. Jouter. — Rompre une lance. Courir la bague. Courir la tête.

## TOUT

(latin, totus, omnis; grec, pas)

**Intégralité.** — Intégral. Entier. COMPLET. Intact. — Illimité. Infini. Absolu. — Exclusif. Indivis, indivision. — Monopole, monopoliser. Accaparement, accaparer. Rafler, rafle. — Masse, massif. Bloc. Ensemble. — Omnipotence. Toute-puissance. — PLEIN. Cour plénière. — Testament olographe. — A fond. Foncièrement. Tout à fait. — Vider son sac. Faire la vole.

**Nombre.** — Addition. Somme. Total, totaliser. Totalité. — Chacun. Tout homme. Tous. Les uns et les autres. — COMMUN, communauté. Unanime, unanimité. — Panacée. Panoplie Panthéon. Pandémonium. — Omnibus. Omniforme. Omnicolore. Omnivore. — Factotum.

**Universalité.** — Ubiquité, ubiquiste. Partout. En tous lieux. — Univers, universel. Général, généralité, généraliser, généralisation. — Omniscience. Encyclopédie, encyclopédique. — Le Tout. Le plérome. Le grand Pan. — Catholicisme, catholicité, catholique. — Panthéisme, panthéiste. — Cosmopolitisme, cosmopolite. Œcuménicité, œcuménique.

Qui que ce soit qui. Quiconque. Quelconque. Tous tant que nous sommes.

## TRACE

**Traces d'animaux.** — Brisée. Voie. Erre. Piste. Trace. — Abattures, allures, foulures, hardées, menées de cerf. — Revoir de bon

*Tracer.* V. *dessin, description, ligne, broder, racine.*
TRACHÉE, f. Trachéite, f. V. *gorge, poumon.*
TRACT, m. V. *pamphlet.*
TRACTEUR, m. V. *voiture.*
TRACTION, f. V. *tirer, arracher, voiture, chemin de fer.*
TRADITION, f. Traditionnel. V. *habitude, préjugé, transmettre, famille, histoire, connaître.*
TRADUCTEUR, m. Traduction, f. V. *traduire.*
*Traduire.* V. *expliquer, signifier, changer.*
TRADUISIBLE. V. *traduire.*
TRAFIC, m. V. *commerce, bénéfice.*
TRAFIQUER. V. *vendre.*
TRAGÉDIE, f. V. *théâtre.*

TRAGÉDIEN, m. V. *théâtre.*
TRAGIQUE. V. *passion, poésie, malheur.*
*Trahir.* V. *infidèle, abandon, adultère, renier, accusation, montrer.*
TRAHISON, f. V. *trahir.*
TRAILLE, f. V. *bateau.*
*Train,* m. V. *transport, radeau, allure, bagage, armée, chemin de fer, aéronautique.*
TRAÎNARD, m. V. *tard, lent, dernier.*
TRAÎNE, f. V. *filet, habillement.*
TRAÎNEAU, m. V. *voiture, neige.*
TRAÎNÉE, f. V. *suite, trace, pêche.*
*Traîner.* V. *tirer, voiture, filet, lent, maladie.*

TRAÎNER (se). V. *marcher.*
TRAINTRAIN, m. V. *pratique.*
TRAIRE. V. *tirer, lait, vache.*
TRAIT, m. V. *ligne, raie, visage, harnais, bois, dard, flèche, boire, action, trahir.*
TRAITABLE. V. *doux, familier.*
TRAITANT, m. V. *finance, impôt.*
TRAITE, f. V. *marcher, distance, payer, nègre, billet, lait.*
TRAITÉ, m. V. *convention, négocier, diplomatie, livre.*
TRAITEMENT, m. V. *traiter, gain, fonction, soin.*
*Traiter.* V. *négocier, attribuer, matière, médecine, fonderie, chimie, manger.*
TRAITEUR, m. V. *auberge.*

temps, de vieux temps (une voie de cerf). — Régalis (de chevreuil). — Houzures (de sanglier). — Passage (de lièvre). — Déchaussure (de loup). — Voies surneigées, surpluies.

Dépister. Empaumer une piste. Etraquer. Suivre à la piste.

**Autres traces.** — Pas. Vestige. — Ornière. — Indice, indication. — Signe. MARQUE. — Sillon. Sillage. Traînée. — Projection. Ombre.

## TRACER

**En dessin.** — Tracer. Trait. Dessiner, dessin. Crayonner. Calquer, calque. — Construction géométrique. Elever une perpendiculaire. Abaisser une ligne. Mener une parallèle. — Génération d'une figure. Ligne génératrice. Graphique. Rapporter des angles. — Projection, projeter. Ligne portée. — Construire. Inscrire. Circonscrire.

Régler, réglure. Quadriller, quadrillage. — Curvigraphe. Tire-ligne. Crayon.

**Sur le terrain.** — Tracer. Tracé. Tracement. — Géodésie. Arpentage, arpenter, arpenteur. — Piquer, piqueur. Tracer une route. Layer (tracer une laie). — Corde. Cordeau. Simbleau. — Racher (tracer sur bois). Traçoir. — Tringler (à la corde crayeuse). — Frayer la voie.

## TRADUIRE

**Traduire un texte.** — Traduire, traduction, traducteur, traduisible. Thème. Version. — Traduire à livre ouvert, à coups de dictionnaire. — Déchiffrer. Comprendre. — Mot à mot. Contresens. Faux sens. — Rendre. Suivre le texte. S'écarter du texte. — EXPLIQUER, explication. Interpréter, interprétation. Herméneutique (des textes sacrés).

Traduction libre, fidèle, serrée, littérale, servile, exacte, lâche. — Mot à mot. — Belle infidèle.

**Traduire des paroles.** — Interprète, interpréter. Drogman. Truchement. Traducteur juré. Polyglotte.

## TRAHIR

**Manquement au devoir.** — Trahir. Trahison. Haute trahison. Traître. Traîtresse. — Forfaire à l'honneur. Forfaiture. Félonie. Félon. — Déserter, désertion. Déserteur. Transfuge. — ABANDON. Défection. Défectionnaire. — Vendre. Livrer.

**Déloyauté.** — Déloyal. Sans foi. Perfide, perfidie. — Mauvaise foi. Ne pas tenir ses engagements. VIOLER sa parole. — Faux ami. Faux frères. Sournois. — Parjure. Renégat. Apostat. — Frapper par derrière. Embûche. Guet-apens. Coup de Jarnac. — Traîtrise. Traîtreusement. — TROMPER. Faire des traits. Baiser de Judas. — RUSE. Ruser. Espionner, espion.

## TRAIN

**Sur l'eau.** — Train de bois. Bois flotté. Flottage. Flotteur. — Radeau. Bûches perdues. — Brelles (assemblage). Mise. Accolure. Collière. Rouette. Couplage. — Perches. Chantier (perche). Darivette. — Eclusée. Garage. — Débarder, débardage, débardeur.

**Sur terre.** — Train sur rails. Train sur route. — Locomotive. Tracteur. — Voiture. Wagon. Plate-forme. Chariot. Attelage. Remorque.

## TRAÎNER

**Déplacer en tirant.** — Traîner, traînage. Traction. Entraîner, entraînement. — Haler, halage. Remorquer, remorquage, remorqueur. — Faire glisser. Drosser. — Emporter. Emmener.

## TRAITER

**Traiter bien.** — Faire bon accueil. Accueillir avec empressement. Faire bon visage, bonne mine. — Abord cordial. Affabilité, affable. Aménité. Manières charmantes. — Complaisance, complaisant. FAMILIER. Aimable, amabilité. Galant, galanterie. Cajoler. Choyer. Caresser.

TRAÎTRE, m. Traîtrise, f. V. *trahir, crime.*

TRAJECTOIRE, f. V. *courbe, mouvement, pyrotechnie.*

TRAMAIL, m. V. *filet.*

TRAME, f. V. *tissu, vie.*

TRAMER. V. *machiner, projet.*

TRAMONTANE, f. V. *vent, nord.*

TRAMWAY, m. V. *chemin de fer.*

TRANCHANT. V. *orgueil, affirmer.*

TRANCHANT, m. V. *trancher, couteau, armes, ciseau, aiguiser.*

TRANCHE, f. V. *entaille, division, viande, livre.*

TRANCHÉ. V. *positif.*

TRANCHÉE, f. V. *creux, canal, fortification, abri, colique.*

TRANCHEFILE, f. V. *relieur.*

**Trancher.** V. *couper, hache, distinct, affirmer, usurper.*

TRANCHET, m. V. *chaussure.*

TRANCHOIR, m. V. *boucherie.*

TRANQUILLE. V. *sage, calme.*

TRANQUILLISER. V. *consoler, confiance.*

TRANQUILLITÉ, f. V. *calme, paix.*

TRANSACTION, f. V. *négocier, accord.*

TRANSBORDEMENT, m. Transborder. V. *bateau, transport, passer.*

TRANSCENDANT. V. *sublime.*

TRANSCENDANTAL. V. *métaphysique.*

TRANSCRIPTION, f. Transcrire. V. *écrire, copie.*

TRANSE, f. V. *peur, inquiet.*

TRANSEPT, m. V. *architecture, église.*

TRANSFÉRER. Transfert, m. V. *transmettre, transport, rente.*

TRANSFIGURATION, f. Transfigurer. V. *changer, visage.*

TRANSFORMATION, f. Transformer. V. *forme, changer, corriger.*

TRANSFUGE, m. V. *abandon, fuite, trahir.*

TRANSFUSER. Transfusion, f. V. *répandre, transport, sang.*

TRANSGRESSER. V. *violer.*

TRANSHUMANCE, f. Transhumer. V. *paître, loin, mouton.*

TRANSI. V. *engourdi, peur.*

TRANSIGER. V. *convention, modération, céder.*

TRANSIT, m. V. *transport, marchandises, passer.*

TRANSITIF. V. *verbe.*

TRANSITION, f. V. *passer, changer, entre.*

TRANSITOIRE. V. *court.*

TRANSLATION, f. V. *mouvement, transport.*

TRANSLUCIDE. V. *transparent.*

TRANSMETTEUR, m. V. *télégraphe.*

**Transmettre.** V. *envoi, étendre, testament, dire, passer.*

TRANSMISSION, f. V. *transmettre, mécanique, télégraphe, automobile.*

TRANSMUTATION, f. V. *changer, alchimie.*

TRANSPARENCE, f. V. *transparent.*

**Transparent.** V. *lumière, apparaître, clair, tableau.*

TRANSPERCER. V. *percer, traverser.*

TRANSPIRER. V. *couler, sueur, secret, public.*

TRANSPLANTER. V. *planter, transport.*

---

Montrer des égards, de la déférence. Ménager. — Faire les honneurs. Faire fête. Faire bonne chère. — Recevoir, réception. Hospitalité. Bienvenue.

**Traiter mal.** — Accueil glacial. Battre froid. Rester froid. Froideur. — Faire grise mine. Air moitié figue, moitié raisin. — Traiter de haut en bas. Humilier. — Molester. Vexer. Rabrouer. Rudoyer. — Malmener. Maltraiter. Brutaliser. Brusquer. — Mauvais traitements. Brutalités.

**S'accorder.** — CONVENTION. — Contrat. — Traité particulier, collectif, de paix, de commerce, etc.

### TRANCHER

**Tranchant.** — Le tranchant. La taille. Taillant. Coupant. — Lame acérée. Arme blanche. Couteau. Coutelas. Ciseaux. Œuvres blanches.

Coutelier. Coutellerie. — Taillandier, taillanderie. Rémouleur. — Donner le fil. Aiguiser. Affiler. Emoudre. — Emousser.

**Tranche.** — Morceau. Quartier. — Bifteck. Escalope. Riblette. Paupiette. — Rondelle. Rouelle. Darne. — Aiguillette. BANDE. — Barde. Sandwich. — Tartine. Beurrée. Biscotte. Mouillette.

### TRANSMETTRE

**Transmettre un bien.** — Don, donner, donation. Donner de la main à la main. — Legs, léguer, légataire. Héritage, héréditaire. — Dévolution, dévolu, dévolutif, dévolutaire.

Fidéicommis. Déléguer, délégation, délégataire, délégataire. — Aliéner, aliénation, aliénable. — Céder, cession, cessible, cessionnaire. — Transférer, transfert. Translation. Transmissibilité. — Louer, location. Sous-louer. — Intermédiaire. Commerçant. — Négocier, négociable.

**Transmettre un mouvement.** — Transmission. Courroie. Chaîne. Cardan. Engrenages, etc. — Transport de force. Transporter. Câble. Fil. Canalisation. Equipement électrique. — Corps conducteur. Conductibilité. — Tuyaux d'adduction. — Microphone. Diffuseur, etc.

**Communiquer.** — Communication, communicable, communicatif. — Publier, publication. Faire courir un bruit. — Notifier, notification. — Ecrire. Télégraphier. Téléphoner. — Tradition, traditionnel.

Etendre. Expansion. — Hérédité, héréditaire. Congénital. — Contagion, contagieux. Gâter. Contaminer. Infecter. — Inoculer, inoculation.

### TRANSPARENT

**Perméable à la lumière.** — Transparent, transparence. Translucide, translucidité. Diaphane, diaphanéité. — Laisser passer le jour. — Clair, clarté. Limpide, limpidité. Net, netteté.

**Corps transparents.** — Cristal. Verre. Vitre. Vitraux. — Diamant. Pierreries. Mica. — Eau. Air. — Vernis. Corne. Gaze. Papier huilé. Email, etc.

**Transport**, m. V. *porter, envoi, marchandises, enthousiasme, amour, fureur, maladie.*

TRANSPORTATION, f. V. *bannir.*

TRANSPORTER. V. *transport, bateau, passer.*

TRANSPOSER. Transposition, f. V. *transport, changer, renverser, musique.*

TRANSUBSTANTIATION, f. V. *eucharistie.*

TRANSVASER. V. *vase, transport.*

TRANSVERSAL. V. *traverser, oblique.*

TRANSVIDER. V. *verser.*

TRAPÈZE, m. V. *géométrie, gymnastique.*

TRAPPE, f. V. *piège, cave, moine.*

TRAPPEUR, m. V. *chasse.*

TRAPPISTE, m. V. *moine.*

TRAPU. V. *court, gros.*

TRAQUENARD, m. V. *piège, tromper.*

TRAQUER. Traqueur, m. V. *poursuivre, chasse.*

TRAUMATISME, m. Traumatique. V. *plaie, blessure.*

**Travail**, m. V. *fatigue, profession, ouvrier, action, occupation, maréchal, galérien, accouchement, ferment.*

TRAVAILLER. V. *travail.*

TRAVÉE, f. V. *architecture, charpente, pont, cirque, plancher.*

TRAVERS, m. V. *oblique, large, bizarre, vice.*

TRAVERSE, f. V. *barre, charpente, passage, obstacle, chemin de fer.*

TRAVERSÉE, f. V. *voyage, mer, passer, bateau.*

**Traverser.** V. *passer, pénétrer, percer, axe.*

TRAVERSIÈRE, f. V. *flûte.*

TRAVESTIR. Travestissement, m. V. *changer, masque, bouffon.*

TRAYON, m. V. *vache.*

---

## TRANSPORT

**Déplacer.** — Déplacement. Changer de place. Déménager, déménagement. — Déplanter. Dépayser. Transplanter, transplantation. Transmigration. — Transférer, transfert, transfèrement. Transposer, transposition. — Transborder. Rompre charge. — Transfuser, transfusion. Transvaser, transvasion. — Remuer. Virer, virement. Remonter. — Reporter, report. Reverser, reversement.

Métathèse. Métastase. Métempsycose.

Transport de créance. — Cession. Délégation. Signification.

**Transporter.** — Transport. Translation. — Expédier des marchandises. Expédition. Expéditeur. Commissionnaire. — Exporter, exportation, exportateur. Importer, importation, importateur. — Manutention. Embarquer. Charger, chargement. Transporteur. Transbordeur. Élévateur. — Charrier, charroi. TRAÎNER. Véhiculer. — Faire voyager. Convoyer.

**Organisation.** — Transport par eau, par voie de terre, par chemin de fer, par avion. — Circulation. Messageries. Roulage. Transit. — Grande vitesse. Petite vitesse. Convoi. Train. Train de voyageurs, de marchandises. — Camionnage. Factage. Livraison à domicile. Colis postal. — Fret. Fréter. Affréteur. Paquebot. Cargo. Connaissement. — Port. Franchise. Franco. Franc de port. — Entrepôt. Douane. Passavant. — Bulletin d'expédition. Lettre de voiture. Recouvrement.

## TRAVAIL
(latin, *labor;* grec, *ergon*)

**Formes du travail.** — Travail intellectuel. Travail manuel. — Travail à la journée, à l'heure, aux pièces, à la chaîne. — Profession. Charge. OCCUPATION. Fonction. Métier. Emploi. Gagne-pain. — Attributions. Rôle. — Exercice. Manœuvre. — Service. Tâche. Ouvrage. Besogne. Corvée. Prestation. — Faire œuvre. Fabrication. Façon. — Labeur. FATIGUE. PEINE. — Excès de travail. Surcharge.

Travail aisé, facile, agréable, rémunérateur.

— Travail acharné, rude, pénible, épuisant, fatigant, écrasant, difficile, ingrat.

**Phases du travail.** — Entreprendre, entreprise. Préparer, préparation. Elaborer, élaboration. Elucubrer, élucubration. — Se mettre à la besogne. Mettre la main à la pâte. Se donner à. S'occuper à. — Se livrer au travail. Travailler d'arrache-pied. Abattre de la besogne. — Se battre les flancs. S'escrimer. Trimer. — Avancer. Etre en train. Exécuter. — Travailler. Besogner. Ouvrer. Œuvrer. — Etre pressé, presse. Piocher. Suer, suée. Veiller, veillée.

Application. Ardeur. Zèle. Diligence. Conscience. Assiduité.

**Travailleurs.** — Carrières libérales. Fonctionnaire. Etudiant. Professionnel. Technicien. — OUVRIER. Employé. Apprenti. — Serviteur. Domestique. Valet. — Opérateur. Collaborateur. Aide. Préparateur. — Main-d'œuvre. Manœuvre. Nègre. — Gagne-petit. Petite-main. — Travailleurs des professions diverses.

Bureau. Cabinet. Officine. Laboratoire. Salle d'étude. Manufacture. Usine. Atelier. Chantier. Magasin. Boutique.

**Relatif au travail.** — Division du travail. Organisation du travail. — Embaucher, embauchage. Chômer, chômage, chômeur. — Journée de travail. Jour ouvrable. Mortesaison. — Travaux publics. Travaux de la ville. Travaux des champs. Travaux ménagers. Travaux forcés.

Syndicat. Syndiqué. — Internationale ouvrière. Questions sociales. Socialisme. Travaillisme.

## TRAVERSER

**Passer en travers.** — Traverser. Traverse. Traversière (flûte ou barque). — Croiser. Croix. Croisement. Décussation. Encroiser, encroisement. Encroué (tombé en travers). — Barrer, barrage. Barre. — Diagonale, diagonal. Diamètre, diamétral. Sécante. — Entrelacer. Entrecouper. Brocher, brochage. — Traversée. Gué, guéable. Trajet. — Transversal. Transverse. Traversin. — Hachure. Entrecroisement. — Entretoise. — Tamiser. Cribler.

TRÉBUCHER. V. *allure, tomber, balance.*

TRÉBUCHET, m. V. *piège, balance.*

TRÉFILER. V. *tréfilerie.*

**Tréfilerie,** f. V. *fil, métal, clou.*

TRÈFLE, m. V. *fourrage, cartes, architecture.*

TRÉFONDS, m. V. *mine, souterrain, terre.*

TREILLAGE, m. Treillageur, m. V. *entrelacer, claie, clôture.*

TREILLE, f. V. *vigne, jardin.*

TREILLIS, m. Treillisser. V. *entrelacer, barre, claie, étoffe.*

TREIZE. V. *trois.*

TRÉMA, m. V. *ponctuation.*

TREMBLE, m. V. *peuplier.*

TREMBLEMENT, m. V. *trembler.*

**Trembler.** V. *mouvement, balancer, fièvre, fureur, peur, froid.*

TREMBLEUR, m. V. *peur, lâche.*

TREMBLOTER. V. *trembler.*

TRÉMIE, f. V. *auge, moulin, sel.*

TRÉMOLO, m. V. *trembler.*

TRÉMOUSSEMENT, m. V. *danse, aile.*

TREMPE, f. V. *acier.*

TREMPER. V. *humide, arroser, acier, force.*

TREMPLIN, m. V. *gymnastique, saut.*

TRENTAINE, f. V. *trente.*

**Trente.** V. *trois.*

TRENTENAIRE. Trentième. V. *trente.*

TRÉPAN, m. V. *chirurgie.*

TRÉPANER. V. *percer, crâne.*

TRÉPAS, m. Trépasser. V. *passer, mort.*

TRÉPIDATION, f. V. *mouvement, trembler.*

TRÉPIED, m. V. *pied, siège.*

TRÉPIGNEMENT, m. Trépigner. V. *mouvement, pied, colère, applaudir.*

TRÉPOINTE, f. V. *chaussure.*

**Trésor,** m. V. *finance, monnaie, riche, précieux.*

TRÉSORERIE, f. Trésorier, m. V. *finance, compte.*

TRESSAILLEMENT, m. Tressaillir. V. *saut, peur, étonnement, convulsion.*

**Tresse,** f. V. *entrelacer, passementerie, ruban.*

TRESSER. V. *tresse, natte.*

TRÉTEAU, m. V. *soutenir banc, bateleur.*

TREUIL, m. V. *machine, corde*

TRÊVE, f. V. *paix, interrup tion, cesser, délai, convention.*

TRI (préf.). V. *trois.*

TRI, m. V. *trier.*

TRIADE, f. V. *trinité.*

TRIAGE, m. V. *trier.*

**Triangle,** m. V. *géométrie, angle.*

TRIANGULAIRE. V. *triangle.*

TRIANGULATION, f. V. *arpentage.*

TRIBORD, m. V. *droit, côté.*

TRIBU, f. V. *barbare, errant.*

TRIBULATION, f. V. *chagrin.*

TRIBUN, m. V. *éloquence, sédition.*

TRIBUNAL, m. V. *juges.*

TRIBUNE, f. V. *discours, parlement, galerie.*

---

**Pénétrer.** — Traverser. Transpercer. Perforer, perforation. — Percer, percée. Pénétration. Fendre la foule. — S'infiltrer, infiltration. Perméable, perméabilité.. — Transparent. Translucide.

### TRÉFILERIE

**Tréfilerie.** — Tréfiler, tréfileur. — Métal. Ductilité. — Filières. Argue. Ras. Fer à tirer. Fer à racler. — Filière à trous ronds. Filière à trous carrés. — Passe (passage à la filière). Ebrouder. Ecôter. Etirer, étirage. Banc d'étirage. — Pince-main. Chien. Recuire, recuite. Galvaniser. — Jauge, jauger (mesurer la grosseur). — Fil de fer, de laiton, d'or, d'argent, d'archal. — Tirer l'or, tirage, tireur. Or trait.

Cylindre. Bobine. Roquette. Torque.

### TREMBLER

**Tremblement.** — Trembler, tremblement. Branler, branlant. Frémir, frémissement. — Trembloter. Papilloter. Scintiller, scintillement. — Frissonner, frisson. Grelotter. Trémulation. Claquer des dents. *Delirium tremens.* Avoir la chair de poule. — Chanceler. Tituber. Vaciller. Flageoler.

Chevroter, chevrotement. Voix chevrotante. Trémolo. Trille.

**Secousse.** — SECOUER. Saccade. Trépidation. — Tressaillir, tressaillement. Tressaut. — Onduler, ondulation, onduleux. — Vibrer, vibration.

Eruption volcanique. Tremblement de terre. Séisme. — Secousse sussultoire, ondulatoire, cyclonale. — Epicentre. — Sismographe.

### TRENTE

**Trente.** — Trentaine. — Trentième. — Trentenier. — Trente et un (jeu). Trente et quarante. — Trentenaire. — Tricénaire (série de 30). — Tricennal (de 30 ans). Trigésimal (qui se rapporte à 30). — Pic et Repic (30 au piquet).

### TRÉSOR

**Argent amassé.** — Trésor. Sac. Magot. Ecus. — Fonds. Réserve. Bourse. — Caisse. Cassette. Coffre-fort. — Epargne. Caisse d'épargne. — Mettre de côté. Mettre en réserve. Epargner. — Thésauriser, thésaurisation, thésauriseur. — Cacher, enfouir son argent. — Inventeur. Propriétaire.

### TRESSE

**Tresses.** — Tresse. Galon. Soutache. — Galon. Entrelacs. — Bourdalou. Cordelière. CORDON. — Corde. Baderne. — NATTE. Cadenette.

Tresser. Tressoir. Tresserie.

### TRIANGLE

**Le triangle.** — Base. Côté. Angles. Hypoténuse. Sommet. Hauteur. Médiane. Bissectrice.

Triangles semblables. — Triangle rectangle, équilatéral, isocèle, scalène, rectiligne, sphérique.

**Relatif au triangle.** — Triangulaire. Trilatéral. Trigone. — Trigonométrie, trigonométrique. Triangulation. Résolution des triangles. — Delta. Fronton. If (d'éclairage).

TRIBUT, m. Tributaire. V. *dette, payer, vaincu.*
TRICEPS, m. V. *muscle.*
TRICHER. Tricherie, f. V. *jeu, tromper, gain.*
TRICHEUR, m. V. *voleur.*
TRICHINE, f. V. *vétérinaire.*
TRICHINOSE, f. V. *porc.*
TRICLINIUM, m. V. *manger.*
TRICOLORE. V. *couleur, trois.*
TRICORNE, m. V. *corne, chapeau.*
*Tricot*, m. V. *tissu, aiguille, filet.*
TRICOTER. V. *tricot.*
*Trictrac*, m. V. *jeu, dé.*
TRICYCLE, m. V. *roue.*
TRIDENT, m. V. *fourche, pêche.*
TRIÈDRE, m. V. *géométrie.*
TRIENNAL. V. *année, trois.*
*Trier.* V. *séparer, distinct, choix, arranger.*
TRIÈRE, f. V. *galère.*
TRIGÉSIMAL. V. *trente.*
TRIGLYPHE, m. V. *architecture.*
TRIGONOMÉTRIE, f. V. *géométrie, angle.*
TRIJUMEAU. V. *nerf.*
TRILATÉRAL. V. *triangle.*
TRILLE, m. V. *musique.*

TRILOGIE, f. V. *théâtre.*
TRIMER. V. *travail.*
TRIMESTRE, m. Trimestriel. V. *mois, année.*
TRINGLE, f. V. *verge, barre.*
TRINGLER. V. *tracer.*
TRINITAIRE, m. V. *moine.*
*Trinité*, f. V. *trois, Dieu.*
TRINQUER. V. *boire.*
TRINQUETTE, f. V. *voile.*
TRIO, m. V. *trois, musique.*
TRIOLET, m. V. *poésie.*
TRIOMPHAL. Triomphateur, m. V. *triomphe.*
*Triomphe*, m. V. *vainqueur, gloire, honneur, briller.*
TRIOMPHER. V. *succès, joie.*
TRIPAILLES, f. p. V. *intestin.*
TRIPERIE, f. Tripier, m. V. *boucherie.*
TRIPES, f. p. V. *intestin.*
TRIPLE. Tripler. V. *trois.*
TRIPOT, m. V. *cartes.*
TRIPOTER. V. *toucher, caresse, intrigue.*
TRIPTYQUE, m. V. *peinture, voiture.*
TRIQUE, f. V. *bâton.*
TRIRÈGNE, m. V. *pape.*
TRIRÈME, f. V. *galère.*
TRISAÏEUL, m. V. *parent.*
TRISANNUEL. V. *année.*

TRISME, m. V. *contraction, mâchoire.*
TRISPASTE, m. V. *poulie.*
TRISSER. V. *hirondelle.*
TRISTE. Tristesse, f. V. *chagrin, abattement.*
TRITON, m. V. *mer, musique.*
TRITURER. V. *broyer.*
TRIUMVIR, m. V. *trois, magistrat.*
TRIVIAL. Trivialité, f. V. *commun, grossier, style.*
TROC, m. V. *changer, égal.*
TROCART, m. V. *chirurgie.*
TROCHANTER, m. V. *jambe.*
TROCHÉE, f. V. *touffe.*
TROÈNE, m. V. *arbre.*
TROGLODYTE, m. V. *antre.*
TROGNE, f. V. *visage.*
TROGNON, m. V. *chou.*
*Trois.*
TROIS-MÂTS, m. V. *navire.*
TROIS-SIX, m. V. *liqueur.*
TROMBE, f. V. *pluie, météore.*
TROMBION, m. V. *fusil.*
TROMBONE, m. V. *instruments de musique.*
TROMPE, f. V. *chasse, éléphant, insecte, oreille.*
TROMPE-L'ŒIL, m. V. *erreur, peinture.*
*Tromper.* V. *infidèle, men-*

## TRICOT

**Tricotage.** — Métier à tricoter. Métier circulaire, rectiligne. — Broche. Fût. Gâchette. Platines. Moulinet. — Tricot. Jersey. Estame.

Tricoter. Tricoteuse. Aiguilles à tricoter. — Croisé simple. Croisé double. — Mailles simples, doubles, à picot, à l'endroit, à l'envers, jetées, mouches. — Point ajouré. Point tunisien.

Crochet. Point de chaînette. Dentelle.

## TRICTRAC

**Le trictrac.** — Table. Tablier. Rebords. Flèches. Coins. Trous. — Dames. Cornet. Dés. Fiches ou Bredouilles.

## TRIER

**Séparer.** — Trier, triage, trieur. — Mettre au rebut. Mettre à part. — Sarcler. Emonder. — Eplucher. Epurer. — Tamiser. Cribler. — Démêler.

**Choisir.** — Examen. Choix. Revision. — Trié sur le volet. — Distinguer. Discerner. — Eliminer.

## TRINITÉ

**Trinités.** — Trinité chrétienne. Le Père. Le Fils ou Verbe. Le Saint-Esprit. — Un seul dieu en trois personnes. Emaner. Engendrer. Procéder. — Coégalité. Coéternité. Consubstantialité. — Trinitaire. Antitrinitaire.

Trinité hindoue. Trimourti. — Triade. Les trois hypostases. — Trinité figurée. Triangle.

## TRIOMPHE

**Célébration de victoire.** — Triomphe. Ovation. Honneurs du triomphe. Char de triomphe. Arc de triomphe. — Triompher. Triomphateur. Triomphal. — Décerner le triomphe. Porter en triomphe. Mener en grande pompe. — COURONNE. Palme. Trophée. Coupe. Record.

## TROIS

**Idée de trois.** — Trois. Troisième. Trois fois. Ter. Trois quarts. Trois-six. — Treize. Treizaine. — Tiers. Tierce. Tiercer. — Tertiaire (au 3e rang). Tertio. — Terne (3 numéros). Ternes (2 trois). — Terné (3 par 3). Ternaire. — Triple. Tripler. Triplice. — Trio. Triade. Trinité. — Tercet. — Trèfle. — Trépied.

**Composés en *tri*.** — Triangle. — Triandre. — Trigame. — Tricéphale. — Triclinium. — Tricolore. — Tricuspidé. — Trident. — Trièdre. — Triennal. — Trifide. — Trilatéral. — Trilobé. — Trilogie. — Trimestre, trimestriel. — Trinôme. — Tripartition. — Triphasé. Triptyque. — Triquètre. — Trirème. — Trisaïeul. — Trisannuel. — Trisection. — Triumvir. — Trivalve, etc.

## TROMPER

**Induire en erreur.** — Tromper, tromperie, trompeur. Abuser. Leurrer. Egarer. — Faire accroire. Faire croire. En imposer. — Aveugler. Endormir. Amuser. Illusionner, illusion, illusoire. Fourvoyer.

*songe, ruse, erreur, abandon, injuste.*
TROMPERIE, f. V. *tromper, adultère.*
TROMPETER. V. *trompette, aigle.*
**Trompette,** f. V. *instruments de musique.*
**Tronc,** m. V. *tige, corps, axe, coffre.*
TRONÇON, m. V. *couper.*
TRÔNE, m. V. *roi, ange.*
TRÔNER. V. *posture.*

TRONQUER. V. *couper, mutiler.*
TROPE, m. V. *changer.*
**Trophée,** m. V. *armement, triomphe, architecture.*
TROPICAL. Tropique, m. V. *géographie, astronomie, ciel.*
TROP-PLEIN, m. V. *plein.*
TROQUER. V. *changer.*
TROT, m. Trotter. V. *allure, cheval, pied, courir.*
TROTTIN, m. Trottiner. V.

*marcher, allure, cheval.*
TROTTOIR, m. V. *chemin, pavé.*
TROU, m. V. *creux, ouvert, antre, abri, trictrac.*
TROUBADOUR, m. V. *chant.*
**Trouble,** m. V. *désordre, embarras, maladie, chagrin, sédition.*
TROUBLE-FÊTE, m. V. *obstacle.*
TROUBLER. V. *trouble, discordant.*
TROUÉE, f. V. *ouvert.*

---

Attraper, attrape. Attrape-nigaud. Décevoir. Blouser. Mettre dedans. — Donner le change. La bailler belle. Faire aller. Promener. — Charlatan, charlatanisme. Faire prendre des vessies pour des lanternes. — Séduire, séduction. Suborner. Embéguiner. Enjôler. Cajoler. Bercer.

Faire une niche. Poisson d'avril. Jouer un tour. Mystifier, mystification. Fumisterie. Induire en erreur.

**Manque de foi.** — Tromper. Imposteur, imposture. Fourbe, fourberie. Fripon, friponnerie. — Feindre. Simuler, simulateur. Jouer la comédie. Faire semblant. — Affecter, affectation. Hypocrite, hypocrisie. Faux-semblant. — Déloyal, déloyauté. Perfide, perfidie. Infidèle, infidélité.

Mauvaise foi. Violer sa parole. Manquer à sa promesse, à son serment. Parjure, se parjurer. Avoir deux paroles. — Corriger la fortune. Tricher, tricherie. — Duplicité. Machiavélisme. User de détours. Biaiser. Jeter de la poudre aux yeux. — Abus de confiance.

**Duper.** — Duperie, dupeur. Tromperie. Dol. Supercherie. — Jouer quelqu'un. Flouer. Truffer. Carotter. Ruse. Artifice. Expédient. Manège. — Escroquer, escroquerie. Refaire. Piper, piperie. Capter, captation, captateur. Propos captieux. Fallace, fallacieux. Sournois. Dorer la pilule. — Frauder, fraude, fraudeur. Falsifier, falsification. Frustrer. Baraterie. Moyens frauduleux. — Gabegie. Collusion. Rusé compère. — Surprendre. Prendre au piège. — Embûches. Panneau. Traquenard. Filets.

**Etre trompé.** — Dupe. Gogo. Pigeon. Gobeur. Victime. — Donner dans le panneau. Mordre à l'hameçon. Avaler des couleuvres. — Etre roulé, refait. Prendre le change. — Se méprendre, méprise. — Désappointement. Déception.

## TROMPETTE

**Instrument de cuivre.** — Trompette. Clairon. Trompe. Buccin. — Trompette d'harmonie. Cor. Cornet. Bugle.

Embouchure. Circuit. Nœuds. Pavillon. Clefs. Coulisse. Pompe. Banderole.

Emboucher la trompette. Sonner de la trompette. Trompeter. Claironner. Souffler. Donner du cor. — Sonnerie. Fanfare. — Son bouché. Sourdine. — Un trompette. Un clairon. Un cor.

## TRONC

**Tronc d'arbre.** — Fût. Pied. Souche. Estoc (souche). Ecot (tronc avec branches). Grume (avec écorce). — Tige. Stipe. — Etronçonner.

**Partie centrale.** — Tronc. Torse. Tronçon. — Mutiler. Tronçonner. Tronquer.

Tronc de solide, de pyramide, de cône. Colonne tronquée. — Base. Section.

## TROPHÉE

**Trophées.** — Trophée. Faisceau d'armes. Panoplie. Rostres. Colonne rostrale. — Butin. Dépouilles. Lauriers.

## TROUBLE

**Perte de contenance.** — Troublé, trouble. Bouleversé, bouleversement. — Décontenancé, décontenancer. Démonté, démonter. Désorienté, désorienter. Effaré, effarer. — Saisi, saisissement. Surpris, surprise. Embarrassé, EMBARRAS. — Interdit. Hagard. Hébété. Hors de soi. Egaré. — Perdre la tête, la carte, la boule, etc. — Stupéfait, stupéfaction, stupeur. Abasourdi, abasourdissement. Ahuri, ahurissement. Eperdu. ETOURDI, étourdissement. — Visage défait. Traits décomposés. Changer de couleur.

**Dérangement.** — Troubler, trouble. Trouble-fête. — Mettre sens dessus dessous. Bouleverser. Jeter le désordre. — Brouiller, brouillamini. Confondre, confusion. Renverser, renversement. — Déranger. Interrompre, interruption. Importuner, importun, importunité. — Désajuster. Désagencer. Détraquer. — Déjouer (un plan). Egarer. Distraire. Offusquer. Faire OBSTACLE.

**Trouble intérieur.** — Etre troublé, affecté, frappé, impressionné, sidéré. — Egarement. Avoir la tête à l'envers. Avoir la berlue. — Emoi. Emotion. Emu. Emouvoir, émouvant. — Commotion. Secousse. Coup. Impression. — Passion. Fièvre. Ivresse. Enivrement. — Tracas. Transes. Remords. Confusion, confus. — Tressaillement, tressaillir. Convulsion, convulsif.

**Trouble public.** — Troubles. Agitation, agitateur. Perturbation, perturbateur. — Mouvements de foule. Rassemblements. Attroupements. — Manifestation. Meeting. — Révolution, révolutionnaire. Bouleversement. Effervescence. — Désordres. Soulèvement. Insurrection. Emeute. Bagarre. Grève.

TROUER. V. *ouvert, percer.*

**Troupe,** f. V. *armée, multitude, soldat, joindre, théâtre.*

TROUPEAU, m. V. *troupe, bestiaux, berger.*

TROUPIER, m. V. *armée.*

TROUSSE, f. V. *faisceau, outil, bagage, cavalerie, barbe.*

TROUSSEAU, m. V. *linge, habillement, clef.*

TROUSSE-QUEUE, m. V. *harnais.*

TROUSSEQUIN, m. V. *selle.*

TROUSSER. V. *pli, cuisine, prompt.*

TROUVAILLE, f. V. *trouver, rare, nouveau.*

**Trouver.** V. *lieu, rencontrer, juger, état, devin.*

TROUVÈRE, m. V. *chant, poésie.*

TRUAND, m. V. *aumône.*

TRUCHEMENT, m. V. *parler, traduire.*

TRUCK, m. V. *chemin de fer.*

TRUELLE, f. V. *maçon.*

TRUFFE, f. Truffer. V. *champignon, mets.*

TRUIE, f. V. *porc.*

TRUITE, f. V. *poisson.*

TRUITÉ. V. *tache.*

TRUMEAU, m. V. *mur, miroir, peinture.*

TRUST, m. V. *société, commerce.*

TRYPANOZOME, m. V. *sommeil.*

TUB, m. V. *bain.*

TUBAGE, m. V. *puits.*

TUBE, m. V. *tuyau, artillerie.*

TUBERCULE, m. V. *tumeur, racine, légume.*

TUBERCULEUX. Tuberculose, f. V. *maladie, ronger, poumon.*

TUBÉROSITÉ, f. V. *bosse, tumeur, racine.*

TUBULAIRE. V. *chaudière.*

TUBULURE, f. V. *chimie.*

**Tuer.** V. *mort, boucherie, supplice, ennui.*

TUE-TÊTE. V. *cri.*

TUEUR, m. V. *tuer.*

TUFFEAU, m. V. *craie.*

**Tuile,** f. V. *argile, toit, cidre.*

TUILERIE, f. V. *tuile.*

---

## TROUPE

**Troupe militaire.** — ARMÉE. Corps d'armée. Division. Brigade. Régiment. Bataillon. Escadron. Compagnie. Section. Peloton. — Escadre. Escadrille. — Garde. Poste. Piquet. — Effectif. Gros. Rangs. — Détachement. Parti. Escorte. — Colonne. Convoi. — Milice. Légion. Cohorte. Manipule.

**Troupe d'hommes.** — Agglomération. Peuple. Peuplade. Tribu. Horde. — Multitude. Foule. Masse. Tas. Ribambelle. — Assemblée. Société. Réunion. Rassemblement. Attroupement. — Cortège. Procession. Chœur. Défilé. Caravane. — Groupe. Groupement. Corps. Bande. Clique. Ramas. Ramassis. Ribambelle. Séquelle. — File. Rangée. Poignée. — Association. Syndicat. Parti. Coterie. Congrégation. Confrérie. Clan. — Troupe de théâtre.

**Troupe d'animaux.** — Troupeau. Touche de bœufs. — Harde. Harpaille. — Meute. — Essaim. Ruche. — Nichée. — Portée. — Fourmilière. — Volée d'oiseaux. Vol de canards. — Banc de poissons. Bouillon (de harengs). Matte (de thons).

## TROUVER

**Découvrir.** — Trouver par recherche. Trouvaille. Découverte. — Dénicher. Dépister. Déterrer. Exhumer. — Pénétrer, pénétration. Perspicacité, perspicace. — Résoudre. Solution. Déchiffrer. — Eventer un secret. Mener une instruction, une enquête. Limier. Détective. — Euréka. J'y suis. M'y voilà.

**Rencontrer.** — Trouver par hasard. Rencontre. Rencontrer juste. — Mettre la main, le doigt sur. Trouver la pie au nid. — Raccroc. Raccrocher. — Tomber sur. Se trouver devant. Surprendre. Lever le lièvre.

**Inventer.** — Invention, inventif, inventeur. Brevet d'invention. — Auteur. De son cru. De son chef. De sa façon. — Imaginer, imaginatif. IMAGINATION. Fantaisie. — Trouver. Juger. Penser. Se représenter. Deviner. — Improviser, improvisation, improvisateur. — Innover, innovation. — Controuver.

## TUER

**Action de tuer.** — Tuer. Faire mourir. Oter la vie. Arracher la vie. — Abattre. Faire mordre la poussière. Coucher sur le carreau. Descendre. Démolir. Trousser. — Massacrer. Exterminer. Supprimer. Détruire. Décimer. — Abréger les jours. Attenter aux jours. Assassiner. Se défaire de. Achever un blessé. — Mettre à mort. Donner le coup de la mort. — Dépêcher. Expédier. Envoyer *ad patres.* Occire. — Exécuter. Supplicier. Décapiter. PENDRE. Précipiter. — Sacrifier. Immoler. Saigner.

Eventrer. Crever la panse. Percer le flanc. Egorger. Tordre le cou. — Echiner. Ecorcher. Equarrir. — Assommer. Casser la tête. — Etrangler. Etouffer. Asphyxier. — Brûler la cervelle. Fusiller. Mitrailler. — Passer au fil de l'épée. Passer par les armes. — Pourfendre. Sabrer. Poignarder. Frapper. — Couper la gorge, le sifflet, la tête. — Empoisonner. — Jeter à l'eau. NOYER. — Foudroyer.

**Façons de tuer.** — Assassinat. Attentat. Meurtre. Vendetta. — Homicide. Infanticide. Parricide. Fratricide. Régicide. Déicide. Massacre. Tuerie. Carnage. Boucherie. Hécatombe. — Exécution. Supplice. Décapitation. Pendaison. Peine capitale. — Mort violente. Suicide. Noyade. — Sacrifice. Immolation. — Extermination. Destruction. Décimation. — Empoisonnement. Asphyxie. Etouffement. — Egorgement. Strangulation. — Fusillade. Mitraillade. Coup de grâce. Emission de gaz délétères. Guerre chimique.

**Tueurs.** — Assassin. Meurtrier. — Assommeur. Etrangleur. Egorgeur. Empoisonneur. — BOURREAU. Exécuteur des hautes œuvres. Peloton d'exécution. Ange exterminateur. — Massacreur. Séide. Sicaire. — Coupe-jarret. Bravo. Escarpe. — Sacrificateur. Saigneur. Boucher. Equarrisseur. — Pourfendeur. Sabreur. — Carnassier. Carnivore. Buveur de sang.

**Lieux où l'on tue.** — Coupe-gorge. Guetapens. — Abattoir. Ecorcherie. — Place de Grève. Poteau d'exécution. Guillotine. Gibet. — Champ de bataille. — Arènes. — Terrain de chasse. — Oubliettes.

TUILERIES, f. p. V. *palais.*
**Tulipe,** f. V. *fleur, Hollande.*
TULIPOMANE, m. V. *tulipe.*
TULLE, m. V. *dentelle, clair.*
TUMÉFACTION, f. Tuméfié. V. *enflé, bosse.*
**Tumeur,** f. V. *gros, hernie, ulcère.*
TUMULTE, m. Tumultueux. V. *bruit, désordre, sédition.*
TUMULUS, m. V. *funérailles.*
TUNGSTÈNE, m. V. *métal.*
TUNICIER, m. V. *animal.*
TUNIQUE, f. V. *habillement, membrane.*

TUNNEL, m. V. *passage, souterrain, chemin de fer.*
TURBAN, m. V. *Arabes.*
TURBINE, f. V. *machine, hydraulique, vapeur, spirale.*
TURBOT, m. V. *poisson.*
TURBULENCE, f. Turbulent. V. *mouvement, trouble, vif.*
**Turc,** m.
TURF, m. V. *cheval.*
TURGESCENT. V. *tumeur.*
TURLUPINADE, f. Turlupiner. V. *rire.*
TURLUTER. V. *alouette.*
TURPITUDE, f. V. *honte.*
TURQUIE, f. V. *Turc.*

TURQUIN, m. V. *marbre.*
TURQUOISE, f. V. *pierre.*
TURRICULÉ. V. *tour.*
TUTÉLAIRE. Tutelle, f. V. *protéger, conserver.*
**Tuteur,** m. V. *défendre, enfant, pieu.*
TUTOYER. V. *familier.*
TUTRICE, f. V. *tuteur.*
**Tuyau,** m. V. *canal, eau, fumée, gaz.*
TUYAUTERIE, f. V. *canal.*
TUYÈRE, f. V. *canal, forge.*
TYMPAN, m V. *oreille, architecture, tambour.*
TYMPANISER V. *moquer.*

---

## TUILE

**Les tuiles.** — Tuilerie. Tuilier. Tuile. — Briqueterie. Brique. Biscuit. — Céramique. Moulage.

Tuiles cornières, à coulisse, creuses, plates, à crochet, en S, losangiques, flamandes, etc. Faîtière. Nolet. Noue. Nouette. Nigoteau. Tricosine. Tuileau. Tuilette. — Antéfixes.

**Dispositions.** — Doublis. Sous-doublis. Tranchis. Imbrication. — Embroncher. Enchevaucher.

## TULIPE

**Qui concerne la tulipe.** — Oignon. Caïeu (rejeton). — Hampe. Calice. Vase. — Tulipomane, tulipomanie. — Champ de tulipes. Hollande.

Tulipe jaspée, orientale, flamboyante, parisienne, turque, perroquet, bourgeoise, dentelée, solitaire, etc.

## TUMEUR

**Termes généraux.** — Tumeur. Tubérosité. Tubercule. Nodosité. Excroissance. Turgescence. Intumescence. Induration. Enflure. Exostose. Flegmon. Loupe. Œdème. Polype. Bubon. Grosseur. Kyste. Fungus. Squirre. Goitre. Poulain, etc.

**Termes spéciaux.** — Néoplasme (tissu). Adénome (tumeur de glandes). Lipome (de graisse). Enchondrome (de cartilage). Fibrome (de tissu fibreux). Ostéome (de tissu osseux). Myome (de tissu musculaire). Epithéliome (de tissu épithélial). Sarcome (de tissu embryonnaire).

Tumeur mixte. Fibromyome. Ostéosarcome.

Tumeur bénigne. Tumeur maligne. Tumeur érectile. Tumeur blanche.

**Médication.** — Ablation, enlever. Opération, opérer. Extirpation, extirper. — Enucléation. Excision. Incision. Résection. — Percer. Résoudre. — Radiothérapie. Cure par le radium.

## TURC

**Turquie ancienne.** — Sultan. Sultane. Validé. — Commandeur des croyants. Porte ottomane. — Sérail. Icoglan. Muet du sérail.

— Grand vizir. Sirdar. Séraskier. — Janissaire. Timariot. — Turban. Caftan. Feredjeh. Fez. — Turbé (tombeau).

**Turquie moderne.** — Ghasi. — République turque. — Ankara (capitale).

## TUTEUR

**Fonctions.** — Tuteur. Tutrice. Tutelle testamentaire, légitime, dative. Tutelle des ascendants. Subrogé-tuteur. — Protecteur. Curateur au ventre, aux biens, au mort, etc. — Tutelle officieuse. Adoption. — Tuteur légal, naturel, honoraire, onéraire. — Protecteur. — Mineur. Minorité. Incapable. Emancipation. — Exercice, jouissance d'un droit. — Administrateur. — Administration légale. Jouissance légale. — Charge publique. — Conseil de famille. Conseil de tutelle. — Excuses légitimes. — Exemption. Exclusion. Destitution.

**Opérations.** — Tutelle. Actes tutélaires. — Scellés. Inventaire. Emploi. Remploi. — Action en justice. — Actes d'administration. Aliénation. — Compromis. Transaction. — Vente en justice. — Comptes de tutelle. Reddition de compte. — Hypothèque légale. — Curatelle. Actes de curatelle. — Majorité du mineur, du pupille. — Emanciper un mineur. Emancipation. Habiliter un mineur. — Conseil judiciaire. Interdiction, interdire. — Incapacité légale.

## TUYAU

**Tuyaux.** — Ajutoir. — Ajutage. — Boyau. — Branches. — Caliduc. — Canule. — Chalumeau. — Chéneau. — Conduit. — Conduite. — Coude. — Descente. — Fistule. — Manche. — Orgue. — Poterie. — Siphon. — Tube. — Tube capillaire.

**Détail.** — Corps. Collet. Embranchement. Manchon. Orifice. Paroi. Raccord. Raccordement. Ourlet. Tambour. Equerre. Calotte. Section. Tubulure.

**Appareils à tuyaux.** — Tuyautage. Tuyauterie. — Chaudière tubulaire. — Tuyaux de cheminée, d'aération, d'orgue, d'arrosage, d'aspiration, de refoulement, d'aération, etc. — Appareil tubulé, tubuleux, siphoïde, fistuleux.

TYMPANITE, f. V. *ventre.*
TYMPANON, m. V. *tambour.*
TYPE, m. V. *modèle, origine, imprimerie, bizarre.*
TYPHOÏDE. V. *fièvre, épidémie.*

TYPHON, m. V. *météore.*
TYPHUS, m. V. *épidémie.*
TYPIQUE. V. *modèle.*
TYPOGRAPHE, m. Typographie, f. V. *imprimerie.*

**Tyran,** m. V. *chef, usurper, cruel.*
TYRANNIE, f. Tyrannique.
Tyranniser. V. *tyran, pouvoir.*

## TYRAN

**Tyrannie.** — Pouvoir absolu. Absolutisme. Droit divin. Pouvoir arbitraire. — Despotisme, despote, despotique. — Autocratie, autocrate, autocratique. — Dictature, dictateur, dictatorial. — Empire, empereur. — USURPER, usurpation, usurpateur. — Tyrannie, tyran, tyranneau, tyrannique. — Pouvoir discrétionnaire. Régime du bon plaisir. — Satrape.

**Actes tyranniques.** — Tyranniser. Opprimer, oppression. Tenir sous le joug. — Proscription, proscrire. — Persécuter, persécution, persécuteur. Intolérance. Illibéralisme. — Recours à la force. Bras de fer. Asservir. Comprimer. — Ecraser d'impôts. — Décisions illégales.

# U

UBIQUITÉ, f. V. *présent.*
UHLAN, m. V. *cavalerie.*
UKASE, m. V. *Russie.*
ULCÉRATION, f. V. *plaie.*
**Ulcère**, m. V. *pus.*
ULCÉRER. V. *ulcère, haine.*
ULCÉREUX. V. *ulcère.*
ULÉMA, m. V. *Mahomet.*
ULMACÉ. V. *orme.*
ULTÉRIEUR. V. *après, suite.*
ULTIMATUM, m. V. *menace, diplomatie.*
ULTIME. V. *dernier.*
ULTRA (préf.). V. *plus, excès.*
UMBON, m. V. *bouclier.*
UN. V. *seul, unité.*
UNANIME. Unanimité, f. V. *accord, tout, suffrage.*

UNDÉCIMAL. Undecimo. V. *onze.*
**Uni.** V. *égal, couleur.*
UNIFIER. V. *unité.*
UNIFORME. Uniformité, f. V. *semblable, unité.*
UNIFORME, m. V. *insignes.*
UNILATÉRAL. V. *côté, convention.*
UNION, f. V. *joindre, accord, mariage.*
UNIQUE. V. *seul, parfait, rare.*
UNIR. V. *joindre, mélange.*
UNISEXUÉ. V. *fleur.*
UNISSON, m. V. *son, chant, musique.*
UNITAIRE. V. *unité.*
**Unité,** f. V. *accord, mesure.*

UNIVERS, m. V. *monde, nature, astre, tout.*
UNIVERSALITÉ, f. V. Universel. V. *tout, commun, public.*
UNIVERSITAIRE. V. *université.*
**Université,** f. V. *école.*
URANE, m. V. *métal.*
URANIE, f. V. *muse, ciel.*
URANOLOGIE, f. V. *astronomie.*
URATE, m. V. *urine.*
URBAIN. V. *ville.*
URBANITÉ, f. V. *politesse.*
URÉE, f. V. *urine.*
URETÈRE, m. V. *rein.*
URGENCE, f. V. Urgent. V. *besoin, prompt, important.*
**Urine,** f. V. *vessie.*

## ULCÈRE

**Sortes d'ulcères.** — Helcologie. — Ulcère. Ulcère variqueux. Ulcère superficiel. Ulcère gangréneux, cancéreux. — PLAIE ulcéreuse. — Phagédénisme.

Abcès. — Anthrax. Charbon. — Apostume. Panaris. Mal blanc. Malandre. — Cancer. Chancre. TUMEUR. Ozène (du nez). Fourchet (des doigts). Loup (des jambes). — Gangrène. Phyme. Squirre. — Pustules.

**Développement.** — Helcose. Foyer purulent. Trajet. Purulence. Suppuration. — Ulcérer, ulcération. Exulcérer, exulcération. — Abcéder. Aboutir. Crever. S'entamer. S'ouvrir. — Se fermer. S'envenimer. Pourrir. — Mûrir. Maturation. — Malignité.

**Traitement.** — Toucher un ulcère. Brûler. Extirper. Fermer. — Cautère. Thermocautère. Exutoire. Vésicatoire.

## UNI

**Ce qui est uni.** — Uni. Plan. Plat. De niveau. Arasé. Egal. — Lisse. Poli. Glabre. Ras. Mat. — Térète (sans angles). Enerve (sans nervures). Enodé (sans nœuds). Mutique (sans piquants).

Surface plane. Aire. Un plan. — Plateforme. — Plaine. — Nappe d'eau. — Teinte plate.

**Rendre uni.** — Unir. Aplanir, aplanissement. Araser. Aplatir. — Dresser, égaliser le sol. Niveler. — Lisser, lissoir. Polir, polissoir. Matir. — Racler. Planer. Raser.

## UNITÉ

**Individualité.** — Individu, individualisme. Personne, personnalité. Quelqu'un. Chacun. — Particularité, particulier. Singularité, singulier. Distinct. — Simplicité. Corps simple. Monade. Atome. Tout. Unité entière.

Expression personnelle. Monologue. Soliloque.

**Réduction à l'unité.** — Un, unième. Unifier, unification. Unitaire. — Unique. Un seul. — Uniforme, uniformité, uniformiser. — Unanime, unanimité. — Unicolore. Uniflore. Unisexuel. Unilatéral, etc. — Unisson. — Centraliser, centralisation.

Monisme (doctrine de l'unité). — Monothéisme. — Monocle. — Monarchie, monarque, monarchique. — Monosyllabe. Monorime.

## UNIVERSITÉ

**Enseignement supérieur.** — Université. Facultés des lettres, des sciences, de droit, de médecine. Ecole de pharmacie. Ecoles supérieures. Instituts. — Chaires. Cours. Conférences. Travaux pratiques. — Inscriptions. Examens. Concours. Diplômes. — THÈSE. Soutenance.

**Personnel.** — Grand maître. Recteur, rectorat. Doyen. Professeur. Chargé de cours. Maître de conférences. Préparateur. Lecteur. — Appariteur. Massier. — Etudiant. Candidat.

**Titres et grades.** — Bachelier, baccalauréat. Licencié, licence. DOCTEUR, doctorat. Agrégé, agrégation. Certifié, certificat. Diplôme. Brevet.

**Enseignement public.** — Instruction publique. Education nationale. — Enseignement supérieur, secondaire, primaire, technique. — Ministère. Académies. — Inspecteur général, d'académie, primaire. — Corps enseignant. — Lycées. Collèges. Ecoles primaires, primaires supérieures. Cours complémentaires. Ecoles maternelles.

V. ECOLE et INSTRUCTION.

## URINE

**Appareil urinaire.** — Voies urinaires. — Vessie. Prostate. Uretère. Urètre. Méat urinaire. Urine. Sécrétion urinaire. Urée. Urate.

URINER. Urinoir, m. V. *urine.*

URNE, f. V. *vase, funérailles, suffrage.*

UROCRISIE, f. V. *médecine.*

UROSCOPIE, f. V. *urine.*

URSULINE, f. V. *moine.*

URTICAIRE, f. V. *épine.*

USAGE, m. V. *habitude, politesse, servir.*

USAGÉ. V. *usé.*

Usé. V. *vieux, gâter.*

USER. V. *pratique, servir, conduite:*

USINE, f. V. *industrie, ouvrier.*

USITÉ. V. *habitude.*

USTENSILE, m. V. *outil, vase.*

USUEL. V. *habitude, commode, ordinaire.*

USUFRUIT, m. Usufruitier, m. V. *testament, possession.*

USURAIRE. V. *intérêt.*

USURE, f. V. *usé, frotter.*

USURE, f. Usurier. V. *prêter, gain, intérêt, avare.*

USURPATEUR, m. Usurpation, f. V. *usurper.*

**Usurper.** V. *prendre, in-*

*juste, possession, tyran.*

UTÉRIN. V. *frère.*

**Utile.** V. *bien, commode, nécessaire.*

UTILITAIRE. Utiliser. V. *utile.*

UTILITARISME, m. V. *philosophie.*

UTILITÉ, f. V. *utile, besoin.*

UTINET, m. V. *tonneau.*

UTOPIE, f. Utopiste, m. V. *imagination, erreur.*

UTRICULE, m. V. *peau.*

UVAL. V. *raisin.*

---

**Uriner.** — Lâcher de l'eau. Uriner. Pisser, pissement. Pissoter. Faire pipi. Evacuer, évacuation. Se soulager. — Urine. Flux urinaire. — Pissat. Pipi. — Fonction naturelle. — Besoin pressant. — Excrétion.

Diurèse, diurétique. — Oligurie. Anurie. Polyurie. — Pissoir. Pissotière. Vespasienne. Cabinets. Latrines. — Pot de chambre. Urinal. Bourdalou. Bassin.

**Maladies urinaires.** — Diabète. — Albuminurie. — Hématurie. — Dysurie. — Urétrite. — Prostatite. — Urodynie. — Incontinence d'urine. Se laisser aller. — Rétention d'urine. Cystite.

Dépôt. Calculs. Pierre. Gravelle. Gravier. Sédiment. — Féculence. Nuages.

Uroscopie. Analyse d'urines. — Uromètre. — Sonde. Bougie.

### USÉ

**Réduit par l'usure.** — Usé, usure. Usagé, usage. — Usé par le frottement. Usé jusqu'à la corde. Montrer la corde. — Elimé, s'élimer. Limé. Râpé, se râper. — Mûr, mûrir. — Eraillé, éraillure, s'érailler. Ragué, se raguer (se dit d'un cordage). — Frayer (user en frottant). Frai. Fruste (monnaie). Rodé. Erosion. — Vétuste. Tomber en vétusté. Vieilli, vieillerie.

**Détérioré.** — Hors de service. Abîmé. GÂTÉ. Bon à rien. — Achevé. Bon à jeter. — Déchiré, déchirure. Troué. Percé. — Haillon. Guenille. Loque. — Tomber en morceaux. Tomber en poussière. Délabré, délabrement. Pourri, pourriture. — Mangé, mangeure. Rongé. Vermoulu. — Eculé, s'éculer. Se déformer. — Dépérir, dépérissement.

### USURPER

**Prendre sans droit.** — Usurper, usurpation, usurpateur. — Mettre la main sur. PRENDRE. Se faire la part du lion. — S'emparer de. Occuper, occupation. — Envahir, envahissement. Invasion. — Voler, vol, vo-

LEUR. — Attenter à, attentat. Acte de violence. Coup d'Etat. Abuser de, abus. — Excès de pouvoir. TYRAN, tyrannie.

**Empiéter sur.** — Empiétement. Entreprendre sur. Enjamber sur. — Aller sur les brisées. Chasser sur les terres. Couper l'herbe sous le pied. — Tirer la couverture à soi. Gagner du terrain. — Aller trop loin. Dépasser la mesure. — Intrus, intrusion. — Anticiper, anticipation. — Déborder.

**S'attribuer.** — S'arroger un droit. S'ériger en maître. — Trancher de. Se donner pour. — Contrefaire, contrefaçon, contrefacteur. Plagier, plagiaire, plagiat. — Geai paré des plumes du paon.

### UTILE

**Dont on peut se servir.** — Utile, utilité. Utiliser, utilisable. — Bon pour. COMMODE, commodité. Faire l'affaire de. — Convenable, convenir, convenance. Recommandable. — Disponible. A la disposition de. Usuel. — NÉCESSAIRE. Indispensable. IMPORTANT. — Valable. Validité.

**Dont on tire profit.** — Avantageux, avantage. Profitable, profiter. Profit. Gain. — Fructueux, fruit, fructifier. — Précieux. Qui a du prix. Avoir de la valeur. — Fécond, fécondité. Fertile, fertilité. — Vache à lait. Poule aux œufs d'or. Etre de bon rapport. Faire venir l'eau au moulin.

Bénéficier de, bénéfice. Trouver son compte. — Exploiter, exploitation. Faire valoir. Tirer parti de. — Esprit positif, intéressé, utilitaire.

**Qui rend service.** — Aider, aide. Servir, service, servant. Etre de SECOURS. Secourable. — Obliger. Bien mériter de. Rendre service. — Bonnes intentions. Bien intentionné. — Propice. Favorable. Faveur. Favoriser. — Salutaire. Salut. Planche de salut. — Efficace. Efficacité. Expédient. — Intéresser. Avoir de l'intérêt. Avoir de la portée. Importer, importance.

# V

VACANCE, f. V. *arrêt, cesser, fonction.*
VACANCES, f. p. V. *repos, oisif, école.*
**Vacant.** V. *vide, abandon, absence.*
VACARME, m. V. *bruit, dispute.*
VACATION, f. V. *travail, salaire, juges.*
VACCIN, m. Vacciner. V. *vache, variole, microbe.*

**Vache,** f. V. *bœuf, lait.*
VACHER, m. Vacherie, f. V. *vache, berger.*
VACHIN, m. V. *cuir.*
VACILLER. V. *balancer, trembler, indécis.*
VACUITÉ, f. V. *vide.*
VADE-MECUM, m. V. *diriger.*
VA-ET-VIENT, m. V. *mouvement, naufrage.*
VAGABOND. Vagabonder. V. *errant, paresse, aumône.*

VAGIR. Vagissement, m. V. *cri, enfant.*
VAGUE. V. *indécis, inculte.*
VAGUE, f. V. *mer.*
VAGUEMESTRE, m. V. *poste.*
VAGUER. V. *errant.*
VAILLANCE, f. Vaillant. V. *brave.*
**Vain.** V. *échouer, annuler, stérile, sot, orgueil.*
VAINCRE. V. *vainqueur.*
**Vaincu.** V. *battre, malheur.*

---

## VACANT

**Interruption.** — Vacance, vacant, vaquer. Vacances. — Relâche. Faire relâche. — Intérim, intérimaire, intérimat. — Entre temps. — Interrègne. Interroi. — Inactivité.

Disponibilité, disponible. — ABSENCE. Congé. Suspension. — Bénéfice vacant. Evêque vacant (sans diocèse).

**Abandon.** — Inexploité. Inoccupé. Inhabité. Vide. — Etre libre. N'être à personne. — Maison fermée. — Terre en jachère. Terrain vague. — Succession jacente.

## VACHE

**L'animal.** — Vache. Génisse. Taure. Bufflonne. — Vache laitière. Vache à lait. — MAMELLE. Pis. Tétine. Tette. — Saillie. Vêlage. Vêler. Veau. — Vache amouillante. Amouille (premier lait). — Vache dagorne (à corne cassée).

**Produits.** — Lactation. Lait. Laitage. Beurre. — Cuir. Vachin. — Poils. Bourre. Thibaude.

Vaccin, vaccine. Vaccination, vacciner, vaccinateur. Revacciner. Vaccinothérapie.

**Elevage.** — Vacher, vachère. Nourrisseur. Eleveur. — Stabulation. Etable. Vacherie. — Pâturage. Alpage. — Traire. traite. Tirer le lait. Trayon. — Engraisser. Vache grasse. — Ranz des vaches.

## VAIN

**Langage vain.** — REMPLISSAGE. Cheville. Mot explétif. — Vains propos. Fadaises. Fadeurs. — Verbiage. Longueurs. Fatras. Bouillie pour les chats. — Sornettes. Calembredaines. Faux brillant. — Contes à dormir debout. Chansons. — Serment d'ivrogne. Chiffons de papier. Lettre morte. — Logomachie. Enfiler des perles. Bafouillage, f. Riens sonores. Redondance. — Bavardage. Ragot. Cancan. — Parler en manière d'acquit. Parler en l'air.

**Actions vaines.** — Aboyer à la lune. Tirer sa poudre aux moineaux. — Avoir beau faire. Se battre les flancs. Prêcher dans le désert. — Amuser le tapis. Lanterner. Peloter en attendant partie. — Badiner. Ba-

guenauder. Faire l'enfant. — Se bercer de. Rêvasser. Mâcher à vide. — Perdre, tuer le temps. Tromper son ennui. — Chicanerie. Chinoiserie. Formalités.

**Pensées vaines.** — Bêtise. — Niaiserie. Enfantillage. — Illusions. Fol espoir. Projets illusoires. Châteaux en Espagne. — Billevesée. Bourde. Visions cornues. — Vaine fumée. Feu de paille. — Chimère. Utopie. Mirage. Viande creuse. — IMAGINATIONS. Conte bleu. Hypothèse. — Non-sens.

**Caractère vain.** — Vain, vanité. Frivole. frivolité. Futile, futilité. Superficiel. — Bon à rien. Soliveau. Cinquième roue. Mouche du coche. Zéro. — Cerveau creux. Songe creux. Bête. Insipide. — Insignifiant. Faire nombre. Menu fretin. — Ardélion. Badaud. Snob. — Enfantin. Puéril, puérilité. Espiègle, espièglerie. — Oiseau.

**Choses vaines.** — Amusette. Bagatelle. Baliverne. — Brimborion. Babiole. Bibelot. Colifichet. — Bulles de savon. Clinquant. Oripeau. — Feu follet. Feu de paille. Faribole. Ombre. — Petite bière. Gnognote, f. Poudre de perlimpinpin. — Cela ne vaut pas tripette, pas un fétu.

**Etre sans effet.** — Inefficace. Infructueux. Inutile. — STÉRILE, stérilité. Improductif. — Neutre. Neutraliser.

Sans valeur. Sans résultat. Sans conséquence. — Nul. De nul effet. Ne pas porter. Sans portée. — Chose nominale, virtuelle. En pure perte. Pour la frime. — Echouer, échec. Tourner en eau de boudin. Coup d'épée dans l'eau. — N'avoir que faire. Ne mener à rien.

Le jeu ne vaut pas la chandelle. Autant en emporte le vent. — Onguent miton mitaine. Cautère sur une jambe de bois. Moutarde après dîner.

## VAINCU

**Perdre la bataille.** — Défaite. Déroute. Désastre. Perte d'une bataille. — Etre taillé en pièces. Etre battu à plate couture. — Vaincu. Culbuté. Ecrasé. Enfoncé. — Mettre bas les armes. Capituler, capitulation. Se rendre, reddition. Fourches Caudines. — Echouer, échec. Revers.

Lâcher pied. Reculer. Plier. Battre en

*Vainqueur*, m. V. *supérieur, guerre, gloire.*
VAIR, m. V. *fourrure, blason.*
VAIRON, m. V. *chien.*
*Vaisseau.* V. *vase, navire, veine.*
VAISSELIER, m. V. *armoire, vaisselle.*
*Vaisselle*, f. V. *vase, pot, manger.*
VAL, m. V. *vallée.*
VALABLE. V. *prix, bien.*
VALENCE, f. V. *chimie.*
VALENCIENNES, f. V. *dentelle.*
VALÉRIANE, f. V. *plante.*

VALET, m. V. *domestique, cartes, flatter, poids.*
VALETAILLE, f. V. *domestique.*
VALÉTUDINAIRE. V. *faible, langueur.*
VALEUR, f. V. *prix, précieux, important, mérite, brave, finance, propriété, peinture.*
VALEUREUX. V. *brave.*
VALIDATION, f. V. *confirmer, suffrage.*
VALIDE. V. *bien, force, santé.*
VALIDER. V. *confirmer, suffrage.*
VALIDITÉ, f. V. *bien.*

VALISE, f. V. *sac, bagage.*
VALKYRIES, f. p. V. *Scandinave.*
*Vallée*, f. V. *creux, géographie, montagne.*
VALOIR. V. *prix, mérite.*
VALSE, f. V. *Valser.* V. *danse.*
VALUE, f. V. *prix.*
VALVE, f. V. *coquille, soupape, artère, télégraphe.*
VALVULE, f. V. *cœur.*
VAMPIRE, m. V. *chauvesouris, cadavre.*
VAN, m. V. *panier, tamis.*
VANDALE, m. Vandalisme. V. *barbare, ruine.*

---

retraite. — Fuir, FUITE. Fuyard. Débandade. Sauve-qui-peut.

Asservissement. Captif, captivité. Prisonnier de guerre. Tribut.

**Avoir le dessous.** — Désavantage. Déconfiture. MALHEUR. Revers de fortune. — Frottée. Raclée. Pile. — Soumis. Dompté. Etrillé. Ereinté. Frotté. — Trouver son maître. Succomber. Se soumettre. Etre à bas.

Perdre au jeu, perdant. Perdre la partie. Etre battu.

### VAINQUEUR

**Battre.** — Vaincre, vainqueur. Victoire, victorieux. Remporter la victoire. — Gagner la bataille. Triompher, TRIOMPHE, triomphateur. Ovation. Trophée. Dépouilles opimes. — Venir à bout de. Détruire. Anéantir. — Culbuter l'ennemi. Forcer dans ses retranchements. — Conquérir, conquérant, conquête. — Mettre en fuite, en déroute. Disperser l'ennemi. Repousser. — Défaire. Ecraser. Tailler en pièces. — Foudre de guerre. Invincible. Invaincu.

Victoire à la Pyrrhus.

**Surpasser.** — L'emporter. Etre SUPÉRIEUR. Etre le plus fort. Avoir le dessus. — Dominer. Surmonter. Primer. — Abattre. Abaisser. Terrasser. — Tenir en échec. Confondre. Paralyser. — Brosser. Crosser. Ereinter. Etriller. — Soumettre. Subjuguer. Asservir, asservissement. Ranger sous sa loi. — Supplanter. Evincer. Chasser. — Désarçonner. Décontenancer. En imposer à.

**Dompter.** — Dompteur. Apprivoiser. Dresser. Façonner. — Brider. Mettre la bride au cou. Mettre un frein à. — Mater. Assouplir. Désarmer. — Mettre le holà. Houspiller. Imposer silence. — Mettre au pas, à la raison. Discipliner, discipline. — Commander à. Régenter. Mener à la baguette, tambour battant. — Faire plier. Maîtriser.

**Gagner.** — Gain. Gagner la partie. — Avoir l'avantage. Remporter un succès. Accomplir un exploit. Chanter victoire. — Franchir l'obstacle. Décrocher la timbale. Avoir gain de cause. — Gagnant. Lauréat. Champion. Premier. — Prix. Palmes. Lauriers. Couronne. Coupe.

### VAISSEAU

**Vases en bois.** — Auget. — Baquet. — Baratte. — Barrique. — Boisseau. — Broc. — Cuve. — Cuvier. — Ecuelle. — Hotte. — Jale. — Jatte. — Litre, décalitre, etc. — Seau. — Sébile. — Seille. — Tamis. — Tine. — Tinette. — Tonneau.

**Travail.** — Boisselier, boissellerie. — Bois de fente. Eclisse. Douve. — Cerceaux. Cercles, cercler. Bordure. — Récipient. Fond. — Etre étanche. Fuir.

Autres sens, voir NAVIRE, VEINE.

### VAISSELLE

**Sortes de vaisselle.** — Vaisselle d'or, d'argent, d'ÉTAIN, de nickel, de fer-blanc. — Vaisselle de PORCELAINE, de faïence. — Vaisselle plate. Vaisselle plaquée. Vaisselle unie, ciselée, décorée. — Argenterie. Verrerie. — Service de table, à dessert, à café, à thé, à liqueurs. — Coutellerie. Service à découper, à hors-d'œuvres, etc.

**Pièces.** — Plats. Assiettes creuses, plates, à dessert. — Soupière. Légumier. Saladier. Compotier. Saucière. — Chocolatière. Cafetière. Théière. Sucrier. — TASSES à café, à thé. Soucoupe. Bol. Pots. — Huilier. Burettes. — Ravier. Beurrier. Moutardier. Salière. — Verre à boire. Gobelet. Coupe. Petits verres. Verre à bordeaux, à champagne, etc. — Surtout. — Couvert. Couteau. Cuiller. Fourchette. Louche. Truelle, etc.

**Meubles.** — Buffet. Vaisselier. Argentier. — Dressoir. Servante. Porte-assiette. — Cave à liqueur. Coffret à argenterie. Plateau.

**Entretien.** — Laver, laveuse, lavette. — Evier. Bassine. Egouttoir. — Essuyer. Torchon. — Nettoyer. Récurer. Astiquer. Faire reluire. Produits d'entretien.

### VALLÉE

**Termes généraux.** — Vallée. Val. Vallon. Ravin. — Creux. Accident de terrain. Basfond. — Descente. Fond. Gorge. Débouché.

**Termes particuliers.** — Cirque. Cluse. Oule (cirque dans les Pyrénées). Combe (dans le Jura). Lète (dans les Landes). Glen (en Ecosse). — Thalweg.

VANILLE, f. V. *épice, chocolat.*

VANITÉ, f. Vaniteux. V. *vain, orgueil, fanfaron, affectation.*

VANNE, f. V. *hydraulique, canal, écluse.*

VANNER. V. *van, secouer, blé.*

VANNERIE, f. V. *osier, panier.*

VANNES, f. p. V. *plume.*

VANNIER, m. V. *claie, panier, natte.*

VANTAIL, m. V. *porte, fenêtre.*

VANTARD. Vantardise, f. V. *fanfaron, affectation.*

VANTER. V. *louange, fanfaron.*

**Vapeur,** f. V. *air, gaz, brouillard, chaudière, subtil.*

VAPOREUX. V. *indécis, léger.*

VAPORISER. V. *goutte, vapeur.*

VAQUER. V. *repos, occupation.*

VARECH, m. V. *mer.*

VAREUSE, f. V. *habillement.*

VARIABLE. V. *changer, météore.*

VARIANTE, f. V. *différent.*

VARIATION, f. V. *changer, chant, baromètre.*

VARICE, f. V. *veine.*

VARICELLE, f. V. *variole.*

**Varié.** V. *différent, mélange, raie.*

VARIER. V. *changer.*

VARIÉTÉ, f. V. *plusieurs, littérature.*

**Variole,** f. V. *maladie, peau.*

VARIOLEUX. V. *variole.*

VARIQUEUX. V. *maladie, veine.*

VARLOPE, f. V. *menuisier.*

VASCULAIRE. V. *veine.*

**Vase,** m. V. *cuisine, vaisselle, bouteille, verser.*

VASE, f. Vaseux. V. *boue.*

VASELINE, f. V. *graisse.*

VASISTAS, m. V. *air.*

VASQUE, f. V. *fontaine.*

VASSAL, m. Vasselage, m. V. *inférieur, féodal.*

VASTE. V. *grand.*

VATICAN, m. V. *Rome, pape.*

VATICINER. V. *devin, destin.*

VAUDEVILLE, m. V. *chant, théâtre.*

VAURIEN, m. V. *méchant, crime, bandit.*

VAUTOUR, m. V. *oiseau.*

VAUTRAIT, m. V. *chasse, chien.*

VAUTRER (se). V. *boue, porc, sale.*

## VAPEUR

**Etat de vapeur.** — Résoudre en vapeur. Evaporer, évaporation, évaporatoire. Vaporiser. — Vapeur. Vaporeux. Fluide. — Sublimer, sublimation. Distiller, distillation. Volatilité, volatil, volatiliser.

Buée. — Rosée. Serein. — Bruine. BROUILLARD. — Nue. NUAGE. Nuée. — Embruns.

**Emanations.** — Emaner. S'élever. Effluence. — Exhaler, exhalaison. Dégager. — Effluves. Bouffée. Haleine. — Vapeurs fuligineuses. Gaz. — Vapeurs méphitiques. Méphitisme. Miasmes, miasmatique. — Touffeur. Moufette. Mitte. — Malaria. — Inhaler, inhalation. Pulvériser, pulvérisation.

**Machine à vapeur.** — Vapeur d'eau. Chaudière. Marmite de Papin. — Bouillir. Ebullition. — Fluidité. Elasticité. Tension. Atmosphère. Manomètre. — Cheval-vapeur. — Surface de chauffe.

Machine à vapeur. Machine à simple, à double effet. — Machine à haute, basse, moyenne pression. — Locomobile. Locomotive. — Bateau à vapeur. Pyroscaphe.

**Pièces de machines.** — Balancier. — Bielle. — Bouilleur. — Condenseur. — Cylindres. — Excentrique. — Générateur. — Glissoire. — Manette. — Levier. — Piston. — Pompe alimentaire. — Propulseur. — Registre. — Régulateur. — Soupape de sûreté. — Tiroir. — Turbine. — Volant.

## VARIÉ

**Changeant.** — Changer, changement. — Divers, diversité, diversifier. Hétéroclite. Hétérogène. — Inégal, inégalité. Multiforme. Accidenté. — Varier, variété, variante. Reflets changeants. Chatoyer. Moiré, moirer. — Mélangé, mélange. Mêlé. Mâtiné. Panaché, panachure.

**Bigarré.** — Bigarrer, bigarrure. Bariolé, bariolage, bariolure. Diapré, diaprure. — Multicolore. Tricolore. — Grivelé. Pommelé. Tigré. Moucheté. Tacheté. Tavelé. — Rayé.

Zébré. Vergeté. Veiné. — Pie. Piolé. Arlequin. — Marbré, marbrure. Jaspé, jaspure. Madré, madrure. — Emaillé de couleurs. Nuancé. — Marqueté, marqueterie. Mosaïque.

## VARIOLE

**Maladie.** — Maladie éruptive, exanthématique. — Eruption. Exanthème. Pustule. Grain. Marque. — Variole, varioleux, variolique. — Variole confluente. Variole discrète, — Petite vérole. Picote. Vérole volante. Varicelle. — Etre couturé, grêlé, gravé, marqué, picoté.

Soins. — Inoculer, inoculation. — Vaccin. Vaccine. Vacciner, vaccination. Revacciner.

## VASE

**Vases divers.** — A liquides. BOUTEILLE. Carafe. Carafon. Cruche. Cruchon. Pichet. — Buire. Burette. Flacon. Ampoule. Fiole. — Dame-jeanne. Jatte. — Bocal. Matras. — Aiguière. Alcarazas. — Gourde. Calebasse. Outre. — Pot. Récipient. Cratère.

*De cuisine.* Bassine. CHAUDRON. Casserole. Marmite. Batterie de cuisine. — Bouilloire. Cafetière. Pots. Boîte à lait. — Terrine. Bassin.

*De ménage.* Vaisselle. Pot à eau. Cuvette. Lavabo. Seau. Potiche. Vase à fleurs. Vase à parfums. — Corbeille. Plat. — Vase de nuit. Urinal.

*A boire.* Calice. Ciboire. — Verre. Coupe. Gobelet. Godet. — Bol. Tasse. Ecuelle. Timbale. — Chope. Chopine. — Hanap. Vidrecome.

**Parties de vases.** — Anse. Oreille. Oreillette. Orillon. — Goulot. Gueule. Embouchure. Lèvres. Bords. — Col. Panse. Hanche. Ventre. — Fond ou Cul. — Patte. Pied. — Queue. — Galbe. Courbure. Contour. — Garnitures. — Bouchon.

**Relatif aux vases.** — Bosse, bossué. Egueulement. — Etoile, s'étoiler. Fêlure, se fêler. Se fendiller. Fente. — Fuir. Verser. — Evasement, évasé. — Attache. — Tesson.

**Veau,** m. V. *bestiaux, bœuf, cuir.*
VÉDAS, m. p. V. *Inde.*
VEDETTE, f. V. *garde, navire, gloire.*
VÉGÉTAL, m. V. *plante.*
VÉGÉTALINE, f. V. *beurre.*
VÉGÉTARIEN. V. *légume, manger.*
VÉGÉTATION, f. V. *plante, vie.*
VÉGÉTER. V. *mal, langueur.*
VÉHÉMENCE, f. V. *Véhément.* V. *force, brusque.*
VÉHICULE, m. V. *voiture, pharmacie.*
VÉHICULER. V. *porter.*

VEILLE, f. V. *veiller, passé.*
VEILLÉE, f. V. *soir.*
**Veiller.** V. *nuit, garde, attention, protéger, funérailles.*
VEILLEUR, m. V. *veiller.*
VEILLEUSE, f. V. *lampe.*
VEINARD, m. V. *bonheur.*
**Veine,** f. V. *corps, sang, raie, mine, source, hasard.*
VEINULE, f. V. *sang.*
VÊLER. V. *vache, veau.*
VÉLIN, m. V. *veau, parchemin, papier.*
VELLÉITAIRE. V. *indécis.*
VELLÉITÉ, f. V. *volonté.*

VÉLOCIPÈDE, m. V. *machine.*
VÉLOCITÉ, f. V. *prompt.*
VÉLODROME, m. V. *spectacle, courir.*
**Velours,** m. V. *étoffe, tissu.*
VELOUTÉ. V. *doux.*
VELU. V. *poil.*
VENAISON, f. V. *gibier, viande.*
VÉNAL. Vénalité, f. V. *payer, fonction, avare.*
**Vendange,** f. V. *raisin, moisson.*
VENDANGER. V. *vendange.*
VENDÉMIAIRE, m. V. *vendange, mois.*

---

### VEAU

**La bête.** — Veau. Veau de lait. Veau de rivière. — Bourret. Bouvard. Bouvillon. — Vêler. — Cuir. Box-calf. Vélin.

**La viande.** — Longe de veau. Noix de veau. Quasi. Ris de veau. Rouelle. — Foie de veau. Mou de veau. — Fricandeau. Grenadin. Paupiette. Escalope. Godiveau.

### VEILLER

**Ne pas dormir.** — Ne pas fermer l'œil. Rester éveillé. Avoir les yeux ouverts. — Etat de veille. Insomnie. Nuit blanche. — Lit de veille.

**Passer la nuit.** — Rester levé. Etre sur pied. — Veiller. Les veilles. — Veillée. Soirée. Nuitée. — Veilleuse. — Elucubrer (écrire de nuit), élucubration. — Bivouac, bivouaquer. — Noctambule.

**Guetter.** — Faire le guet. Epier. Etre sur le qui-vive. — Monter la garde. Sentinelle. Guetteur. Veilleur. Vigie. — Eclairer, éclaireur. Observer, observateur. — Regarder. Couver des yeux.

**Surveiller.** — Surveillance, surveillant. — Veiller à. Veiller sur. Veiller au grain. — Argus. Censeur. Piqueur. Pion. — Faire diligence. Etre vigilant, vigilance. — Inspecter, inspection, inspecteur. — Contrôler, contrôle, contrôleur. — Garder. Garder à vue. GARDE. Gardien. — Police, policier. — Chaperonner, chaperon. Duègne.

### VEINE et ARTÈRE
(latin, *vena;* grec, *phlebs*)

**Circulation du sang.** — Veine, veineux, veiné. — Artère, artériel, artérieux. — Artériole. Veinule. Satellite. Vaisseau capillaire. — Réseau. Plexus. Rameau. Ramification, se ramifier. — Veines et artères superficielles, profondes, jumelles, émulgentes, récurrentes, émissaires. — Vaisseau. Vasculaire. Vasculeux.

**Structure.** — Angiologie. Artériologie. Phlébologie. — Tissu veineux. Tissu artériel, élastique. — Tunique externe, moyenne, interne. — Parois. Tronc. Sinus. Méat. — Valve. Valvule. Système vaso-constricteur, vaso-dilatateur, vaso-moteur. Valvule tricuspide, sigmoïde, mitrale.

Systole. Diastole. Périsystole. — Battre, battement. Pouls.

**Vaisseaux.** — *Veines et artères.* Temporales. Ranulaires. Sous-clavières. Scapulaires. Radiales. Cubitales. Pulmonaires. Rénales. Hépatiques. Coliques. Spléniques. Intercostales. Spermatiques. Pyloriques. Sacrées. Fémorales. Tibiales. Poplitées. Pédieuses. Hémorroïdales.

*Artères.* Carotide. Aorte ascendante. Aorte descendante. Coronaire. Iliaque. Mésentérique. Céliaque. Thyroïdienne. Palmaire. Péronière.

*Veines.* Jugulaire externe. Jugulaire interne. Cave supérieure. Cave inférieure. Porte. Céphalique. Faciale. Basilique. Médiane. Humérale. Salvatelle. Mammaire. Cœcale. Lombaire. Saphène.

**Accidents et soins.** — Anastomose. — Anévrisme. — Angite. — Anévrisme. — Artérite infectieuse, traumatique, chronique. — Athérome. — Artério-sclérose, artériosscléreux. — Aortite. — Embolie. — Phlébite. — Varice, variqueux. Ulcère variqueux. — Caillot.

Lésion. Oblitération. Inflammation. Induration. Dilatation. Rupture.

Phlébotomie. Saignée, saigner. Ouvrir une veine. — Cirsotomie. Piqûre intraveineuse. — Lier une artère, ligature.

### VELOURS

**Sortes.** — Velours de soie, de coton, de laine. — Velours d'Utrecht. Velours ciselé. Velours épinglé. Velours frisé. Velours plain. Velours anglais. — Paume. Moquette. — Velours à trois, à quatre poils. Velours soutaché. Tripe de velours.

**Qui a trait aux velours.** — Velouter. — Coup. Course. Entacage. — Chaîne à poil. Fers. Rabot. Taillerole.

Velouté. Poilu. Velu. Tomenteux.

### VENDANGE
(latin, *vindemia*)

**A la vigne.** — Vendange, vendanger, vendangeur, vendangeuse. — Récolter, récolte.

VENDETTA, f. V. *venger.*
VENDEUR, m. Vendeuse, f. V. *vendre, boutique.*
**Vendre.** V. *commerce, adjudication, trahir.*
VENDREDI, m. V. *jour.*
VÉNÉFICE, m. V. *poison.*
VENELLE, f. V. *chemin.*

VÉNÉNEUX. V. *poison.*
VÉNÉRABLE. V. *respect, franc-maçon.*
VÉNÉRER. V. *respect.*
VÉNERIE, f. V. *chasse.*
VÉNÉRIEN. V. *Vénus.*
VENEUR, m. V. *chasse, chien.*
VENGEANCE, f. V. *venger.*

**Venger.** V. *haine, punition.*
VÉNIEL. V. *péché, léger.*
VÉNIMEUX. V. *animal.*
VENIN, m. V. *poison, serpent.*
**Venir.** V. *marcher, but, plante, effet, futur.*
**Venise,** f.

---

Cueillir, cueillette. Grappiller. — Coupeur, coupeuse. HOTTE, hotteur, hottée.

Baquets à RAISIN. Bachou. Benne. Benaut. **Au pressoir.** — Cuve. Cuvier. Cagnotte. — Encuver, encuvement. — Fouler, foulage. — Presser, pressoir, pressage. — Seille à vin. — Vinée. VIN doux. Vinification.

**Relatif aux vendanges.** — Ban de vendange. Ouverture. — Saison des vendanges. Automne. Vendémiaire. Vindémial (qui a rapport à la vendange). — Vignoble. Vigneron. — BACCHUS (dieu des vendanges).

## VENDRE
(latin, *vendere* ; grec, *pôlein*)

**Vente en général.** — Vendre. Mettre en vente. Ecouler ses marchandises. — Aliéner, aliénation. Céder, cession. Se défaire de. — Conclure une affaire, un marché. — Réaliser sa fortune. — Rétrocéder, rétrocession. — Mutation. — Revente. — Liquider, liquidation. — Trafic d'influence. Simonie.

**Vente commerciale.** — Vente au comptant, à crédit, à tempérament, à terme. — Vente à la criée. Vente au détail, détailler. Vente en gros, en demi-gros. Débiter, débit. — Vendre à prix fixe, à prix coûtant, à perte. — Donner à bas prix, à prix réduit, pour rien. Solder. — Laisser pour tant. Facturer, facture. — Commercer. Trafiquer. Faire des affaires. — Monopole, monopoliser. — Revendre, revente. — Etrenner, étrenne. — Mévendre, mévente.

**Contrat de vente.** — Contrat synallagmatique. — Achat. Vente. — Acte authentique, sous seing privé. — Transfert de propriété. Tradition. — Consentement. — Livraison. — Garantie. Vices cachés, apparents. Vices rédhibitoires. Contenance. Garantie formelle, simple. Demande en garantie. — Résolution. Lésion. Rescision pour lésion. — Eviction. — Action en paiement, en supplément de prix, en réduction de prix. — Revendication. — Possession. — Fruits. — Prescription. — Vente d'immeubles. Transcription. — Vente au nombre. Vente en bloc. Vente à l'essai. Promesse de vente et d'achat. — Vente de créances, de droits litigieux. Retrait litigieux. — Vente forcée, judiciaire, volontaire, amiable. — Licitation. — Expropriation. — Adjudication. — Vente d'objets abandonnés. — Vente réelle, fictive. — Vente au déballage. — Bourse de commerce, des valeurs. — Pacte de rachat. Vente à réméré. — Choses corruptibles, fongibles. — Impôt. Taxe. — Responsabilité contractuelle.

**Vendeurs et acheteurs.** — Commerçant. Marchand. Négociant. Trafiquant. — Bouti-

quier. Grossiste. Détaillant. Débitant. — Soldeur. — Fournisseur. Pourvoyeur. — Revendeur. Regrattier. Fripier. — Marchande à la toilette. Marchand des quatre-saisons. — Vendeur, vendeuse. Facteur, factrice. Commis. Débitrice. — Marchand forain. Camelot. Démonstrateur.

Magasin. Boutique. Baraque. Eventaire.

Acheteur, acheteuse. Client, clientèle. Pratique. Chaland. — Cessionnaire. Adjudicataire. Enchérisseur. Command.

## VENGER
(latin, *vindicare*)

**Sentiments de vengeance.** — Ressentir un outrage. Ressentiment. — Avoir sur le cœur. Avoir une dent contre. Garder un chien de sa chienne. — Haine, haineux. Animosité. — Vindicatif. Rancunier. Garder rancune. — S'en prendre à. En vouloir à. — Crier vengeance. Réagir. Réaction violente. — Némésis (déesse de la vengeance). — Etre implacable, impitoyable.

**Actes de vengeance.** — Venger, vengeur. Se venger. Tirer vengeance. Vendetta. — User de représailles. Revanche, revancher. Prendre sa revanche. — Faire payer cher. Ne pas faire grâce. Revaloir. — Rendre la pareille, la monnaie de sa pièce, le mal pour le mal. — Peine du talion. Œil pour œil. Dent pour dent. — Laver un outrage. Demander raison, satisfaction, réparation. — Vindicte publique.

## VENIR

**Arriver.** — Venir à. Venue. Arriver, arrivée, arrivant, arrivage. — Approcher, approche. S'approcher de. — Atteindre. Parvenir à. — Accéder à, accession. Avènement. — Débarquer, débarquement, débarcadère. Descendre du train, de voiture. Au débotté. — Aborder, abordage. Evénement.

**Se présenter.** — Accourir. — Comparaître, comparoir, comparution. — Se présenter, présentation. — Le premier venu. A tout venant. — Se rendre à. Rendez-vous. — Entrer, entrée. — *Veniat* (ordre de se présenter). — Se transporter.

**Venue subite.** — Tomber à l'improviste. — Survenir, survenance. — Advenir, adventice. — Apparaître, apparition. — Surgir. — Surprendre, surprise. Retour imprévu.

## VENISE

**Qui a trait à Venise.** — Sérénissime république. — Doge, dogaresse. Palais des doges. Bucentaure (galère ducale). — Saint-

**Vent**, m. V. *souffle, air, tempête, flatuosité.*

**VENTE**, f. V. *vendre, boutique, adjudication, forêt, association.*

**VENTER**. V. *vent.*

**VENTILATEUR**, m. V. *machine, air.*

**VENTILATION**, f. Ventiler. V. *air, prix, partage.*

**VENTÔSE**, m. V. *vent, mois.*

**VENTOUSE**, f. V. *air, caustique, sucer.*

**VENTOUSER**. V. *brûler.*

**VENTRAL**. V. *ventre.*

**Ventre**, m. V. *corps, intestins, colique, manger, enfant.*

**VENTRÉE**, f. V. *ventre.*

**VENTRICULE**, m. V. *creux, cœur, cerveau.*

**VENTRIÈRE**, f. V. *bandage.*

**VENTRILOQUE**, m. V. *voix, bateleur.*

**VENTRU**. V. *ventre, gourmand.*

**VENUE**, f. V. *venir, naître, santé.*

**Vénus**, f. V. *amour, planète.*

**VÉNUSTÉ**, f. V. *grâce, beau.*

**VÊPRES**, f. p. V. *soir, liturgie.*

**Ver**, m. V. *animal.*

**VÉRACITÉ**, f. V. *vrai.*

**VÉRANDA**, f. V. *galerie.*

**VÉRASCOPE**, m. V. *photographie.*

**VERBAL**. V. *parler, verbe.*

---

Marc. Grand Canal. Rialto. Lagunes. — Pont des Soupirs. Plombs. Puits. — Gondole. Sérénade. Barcarolle. — Sa Seigneurie. Les Sages. Grand conseil. Provéditeur. Quarantie (tribunal).

## VENT
(latin, *ventus;* grec, *anemos*)

**Nature du vent.** — Vent, venteux. — Souffle. Haleine. Air. — Brise. Zéphyrs. Bouffée. — Bise. Courant d'air. Vent coulis. — Pied de vent. Coup de vent. Saute de vent. Gros vent. Grain. — Ouragan. TEMPÊTE. Typhon. Trombe. Cyclone. — Bourrasque. Rafale. Tourmente.

Ventosité. FLATUOSITÉ.

Vent frais, froid, tiède, chaud, léger, fort, violent, impétueux, furieux, etc.

**Noms particuliers.** — Aquilon. Borée. Auster. Notus. Eurus. Africus. Favonius. Zéphyr. — Galerne. Tramontane. Fœhn. Mistral. — Bora. — Khamsin. — Siroco. — Etésiens. Alizés. Mousson. Autans. — Eole (dieu des vents).

**Actions du vent.** — S'élever. Fraîchir. — Venter. Souffler. — Bruire. Murmurer. Siffler. Mugir. — Sauter. Surventer. — Fouetter. Cingler. Couper le visage. — Faire rage. S'engouffrer. Renverser. Verser. — S'apaiser. Se calmer. Mollir. Tomber. Cesser. — Embellie. Accalmie. Calme plat.

**Pour et contre le vent.** — Anémomètre, anémométrie. Anémoscope. — Rose des vents. Rumb. — Ventilation, ventiler, ventilateur. Manche à vent. — Navigation à voile. Moulin à vent. — Instrument à vent. — Soufflet, soufflerie. — Girouette. — Eventail, éventer. — Ventôse (mois du vent).

Abat-vent. Abri-vent. — Paravent. Tentures. — Brise-vent. Brise-bise. — Paillasson. Bourrelets. — Persienne. Contrevent.

## VENTRE

**Organe.** — Ventre, ventral. — Abdomen, abdominal. Alvin et Cœliaque (du ventre). — Bas-ventre. Bassin. Pelvien (du bassin). — Flancs. Hypocondres. Reins. Lombes, lombaire. — Nombril. Ombilic, ombilical. — Péritoine. Diaphragme. Parois. — Epigastre. Hypogastre, hypogastrique. — Sein. Giron. — INTESTIN. Viscères. Entrailles. Tripes. — Matrice. Utérus.

**Obésité.** — Prendre du ventre. Ventrosité. Bâtir sur le devant. — Gros ventre. Panse. Bedaine. — Ventru. Pansu. Ventripotent. Obèse. Entripaillé. — Ventricole. Gastrolâtre, gastrolâtrie. Gastromane. — Ventrée.

**Maladies.** — Ballonnement. Carreau. Météorisme. Tympanite. — Péritonite. Diaphragmite. — Colique. Entérite. Dysenterie. Typhoïde. — Hernie. — Hydropisie. Gastrotomie. Laparotomie. Ponction.

**Relatif au ventre.** — Eventrer, éventration. Etriper. — Ventricule. — Ventriloque. — Ventrière. Sous-ventrière. — Ramper. Se coucher à plat ventre. Se flâtrer. Se ventrouiller. — Gastéropode. — Gastronome, gastronomie. — Ventrebleu (juron).

## VÉNUS

**Culte de Vénus.** — Vénus. Déesse de l'amour. Aphrodite (en Grèce). Astarté (en Syrie). Eros ou Cupidon (son fils). Dioné (sa mère).

*Surnoms.* Acidalie. Anadyomène. Cypris. Cythérée. Erycine. Génitrix. Mérétrix. — Vénus Uranie (amour pur).

*Statues.* Vénus d'Arles, de Cnide, de Praxitèle, de Médicis, de Milo, Callipyge, accroupie.

*Lieux consacrés.* Amathonte. Cnide. Chypre. Cythère. Paphos, etc.

Colombes (oiseaux sacrés). Myrthe (arbrisseau sacré). — Fêtes de Vénus. Aphrodisies. Anagogies. — Ceste ou Ceinture de Vénus.

**Relatif à Vénus.** — Planète Vénus. Lucifer. Etoile du berger. — Vénusté. — Vénérien. Maladie vénérienne.

## VER

**L'animal.** — Ver. Vermisseau. Larve. — Ver de terre. Ver intestinal. Helminthe. Ver solitaire. Parasite. Ver blanc. Ver rouge. Ver luisant. Ver à soie. Asticot. Mite. — Vermiforme. Vermiculaire.

Grouiller. Ramper. — Trou de ver. Chiasse de ver. — Vérotis (pour appât). Véroter ou Vermiller (chercher des vers). — Vermifuge. Santoline. Semen-contra.

**Ravages.** — Manger, mangeure, mangé aux vers. — Ronger. Mouliner (le bois). Piquer, piqûre. — Vermoulu. Véreux. — Traces de vers. Vermiculures. Vermiculé.

**Verbe,** m. V. *parler, Christ, grammaire.*

VERBEUX. V. *parler, long, diffus.*

VERBIAGE, m. V. *parler, vain.*

VERBOSITÉ, f. V. *style.*

VERDÂTRE. V. *vert.*

VERDELET. V. *acide.*

VERDEUR, f. V. *âge, nouveau, santé, acide.*

VERDICT, m. V. *crime, juges, punition.*

VERDIER, m. V. *oiseau.*

VERDIR. V. *vert.*

VERDOYER. V. *feuille, herbe.*

VERDURE, f. V. *arbre, feuille, légume.*

VÉREUX. V. *ver, gâter, dette.*

**Verge,** f. V. *bâton, barre, pyrotechnie.*

VERGÉ. V. *raie, papier.*

VERGER, m. V. *jardin, fruit.*

VERGETÉ. V. *raie.*

VERGETTE, f. V. *brosse.*

VERGLAS, m. V. *gelée.*

VERGOGNE, f. V. *honte.*

VERGUE, f. V. *mât, voile.*

VÉRICLE, m. V. *cristal.*

VÉRIDIQUE. V. *franc.*

VÉRIFICATEUR, m. V. *arbitre.*

VÉRIFICATION, f. V. *vérifier.*

**Vérifier.** V. *vrai, examen, architecture.*

VÉRIN, m. V. *cric, hydraulique.*

VÉRITABLE. V. *vrai, juste.*

VÉRITÉ, f. V. *vrai, positif, certitude, raison.*

VERJUS, m. V. *raisin, vin, acide.*

VERMEIL. V. *rouge, teint, argent, or.*

VERMICELLE, m. V. *pâte, potage.*

VERMICULURE, f. V. *architecture.*

VERMIFUGE, m. V. *médicament.*

VERMILLER. V. *poule.*

VERMILLON, m. Vermillonner. V. *rouge, mercure.*

VERMINE, f. V. *insecte, puce.*

VERMISSEAU, m. V. *ver.*

VERMOULU. Vermoulure, f. V. *ver, gâter, ronger, poussière.*

VERMOUTH, m. V. *liqueur.*

VERNIER, m. V. *géométrie, arpentage.*

VERNIR. V. *vernis, polir.*

**Vernis,** m. V. *gomme, émail, transparent, briller.*

VERNISSAGE, m. V. *peinture.*

VÉROLE, f. V. *maladie, variole.*

VÉRONIQUE, f. V. *fleur.*

VÉROTER. V. *appât.*

VERRAT, m. V. *porc, bestiaux.*

**Verre,** m. V. *cristal, vase, transparent, optique.*

VERRERIE, f. V. *art, vaisselle.*

VERRIÈRE, f. V. *vitre.*

VERROTERIE, f. V. *bijou.*

---

**Principaux vers.** — *Plathelminthes.* Lineus. Ténia. Bothriocéphale. Rhabdocèle. Dendrocèle. Douve.

*Annelés.* Annélides. Aphrodite. Arénicole. Néréide. Lombric. Naïs. Sangsue.

*Némathelminthes.* Ascaride. Strongle. Ankylostome. Oxyures. Trichocéphales. Filaires. Anguillules. Echinorhynque. Gordius. Echinodère.

*Animaux vermiformes.* Chenille. Bombyx (ver à soie). Luciole (ver luisant). Scolopendre.

## VERBE

**Nature.** — Actif. Passif. Déponent. Moyen. Défectif. Impersonnel. — Régulier. Irrégulier. Contracté. — Pronominal. Réfléchi. Réciproque. — Transitif. Intransitif. — Auxiliaire. — Déclaratif. Fréquentatif. Inchoatif. Factitif. Intensif. Désidératif. Optatif. Attributif.

**Eléments.** — Conjuguer, conjugaison. — Voix. Modes. Temps. Personnes. Nombres. — Radical. Thème. Caractéristiques. Désinences. Terminaison. — Formes verbales. Noms verbaux. Adjectifs verbaux. — Augment. Redoublement.

**Modes.** — Indicatif. Impératif. Subjonctif. Optatif. Infinitif. Participe. Supin. Gérondif. Conditionnel. Potentiel. Irréel.

**Temps.** — Présent. Présent dans le passé. Imparfait. Futur. Passé simple. Passé composé. Passé antérieur. Plus-que-parfait. Futur antérieur. — Prétérit. Aoriste. Parfait.

## VERGE

**Sortes.** — Verge. Vergette. — Batogues. Baguettes. — Tringle. Liteau. — Broche. Brochette. — Verge d'huissier. — Verge de plomb (vitrail). — Verge (organe).

**Usage.** — Frapper. Battre. Passer par les verges. — Brocheter. Embrocher. Débrocher. — Fouetter. Vergeter. — Rabdomancie.

## VÉRIFIER

**Constatation.** — S'assurer. Avérer. Constater, constat. — Légaliser, légalisation. — Viser. Visa. Vidimer. — Collationner (un texte), collation. — Récoler (un inventaire), récolement. Enquête. Visite.

**Epreuve.** — Eprouver. Expérimenter. Expérience. — Vérifier. Vérification. Pierre de touche. — Examiner. EXAMEN. Critérium. — Contrôler, contrôle, contrôleur. — Reviser, revision. Revoir. Repasser. — Contre-épreuve. Contre-appel. Contre-visite.

## VERNIS

**Enduit brillant.** — Vernis, verni. — Vernis à l'alcool. Vernis à l'essence. Vernis gras. Vernis cellulosique. — Vernis au pinceau. Vernis au tampon.

Couverte. Engobe. Email. — Cirage. Cire. Encaustique. — Gomme. Gomme-résine. Laque. Sandaraque.

**Usage.** — Vernir, vernisser, vernisseur. — Cuir verni. Bois verni. Vernis Martin. — Laque chinoise. Laque japonaise. — Cirer. Encaustiquer. Frotter. — Laquer. Glacer. Emailler. — Enduire. Couche.

## VERRE

(latin, *vitrum;* grec, *hyalos*)

**Verrerie.** — Verrerie. Gobeleterie. — Glace. Vitre. Vitrage. — Bouteille. Flacon. Bocal. Tourie. — Verre à boire. Verre à vin, à champagne, à liqueur. — Cristaux. — Verroterie. Véricle. Jais. — Verrerie de Baccarat, de Bohême, de Venise, etc.

VERROU, m. Verrouiller. V. serrure, fermer.

VERRUE, f. V. peau.

VERS, m. V. poésie.

VERSANT, m. V. côté, oblique, montagne.

VERSATILE. V. changer, léger.

VERSE. V. pluie.

VERSEMENT, m. V. payer.

**Verser.** V. renverser, répandre, coucher, bas, voiture, jet.

VERSET, m. V. psaume, poésie, Bible.

VERSEUSE, f. V. café.

VERSIFICATEUR, m. V. poésie.

VERSIFICATION, f. Versifier. V. poésie, rime.

VERSION, f. V. expliquer, traduire, raconter.

VERSO, m. V. page, côté, arrière, superficie, opposé.

VERSOIR, m. V. charrue.

VERSTE, f. V. distance.

**Vert.** V. couleur, santé, bois, cuir, fruit, jeune.

VERT-DE-GRIS, m. V. oxyde.

VERTÈBRE, f. V. os, dos.

VERTÉBRÉ, m. V. animal.

VERTICAL. V. droit.

VERTICALE, f. V. ligne.

VERTICILLE, m. V. fleur.

VERTICITÉ, f. V. boussole.

**Vertige**, m. V. attirer, tourner, folie.

VERTIGINEUX. V. vertige.

**Vertu,** f. V. bien, chaste, mœurs, capable, ange.

VERTUEUX. V. conduite, pur, bon.

VERTUGADIN, m. V. habillement.

VERVE, f. Verveux. V. enthousiasme, éloquence, spirituel, style.

VERVEINE, f. V. plante.

VERVEUX, m. V. filet.

VÉSANIE, f. V. folie.

VESCE, f. V. pois, fourrage.

VÉSICAL. V. vessie.

VÉSICANT. Vésication, f. V. caustique.

VÉSICATOIRE, m. V. médicament, caustique, ulcère, pus.

VÉSICULE, f. V. bouton, bile.

VESPASIENNE, f. V. urine.

VESPER, m. Vespéral. V. soir.

VESSER. V. flatuosité.

**Vessie,** f. V. urine, boule.

VESTALE, f. V. vierge.

VESTE, f. V. habillement.

VESTIAIRE, m. V. théâtre.

---

**Sortes de verre.** — Verres à une base. Silicatisation. — Verres potassico-calciques, sodico-calciques (Verrerie fine. Verre blanc. Crown-glass). — Verres potassico-plombeux (Cristal. Flint. Strass). — Verre à base d'alcali, chaux, alumine et fer (Verre vert. Verre de bouteille. Chambourin). — Emaux. Titanates. Boro-silicates (Verroterie. Fausses pierres. Email de poterie).

**Fabrication.** — Sable siliceux. Potasse. Soude. — Mélange. Fritte. Groisil. Masse en fusion. Maclage (brossage). Fiel de verre (impuretés). Masse vitreuse. — Refroidissement. Recuite.

Four. Ouvreaux. Pots. Canne. Paraison. Pontil. — Souffler, soufflage. Façonnage. Torciner. Mouler. Soufflage mécanique. — Ciseaux. Pinces. — Verre à vitre. Cylindres. Coupage. Etendage. Etirage à plat. — Glaces. Coulage. Tables. — Verres d'optique. Coulage au moule. Polissage.

Verre étiré. Verre poli. Verre perforé. Verre dépoli. Verre trempé. Verre filé. Verre givré. Verre émaillé. Verre de sécurité, etc.

**Relatif au verre.** — Verrerie. Verrier. Hyalurgie. — Vitreux. Hyalin. — Vitrifier, vitrification, vitrifiable. — Vitrier. Diamant à couper. — Harmonica. — Papier de verre.

### VERSER

**Verser un liquide.** — Verser, verseur, verseuse. — Répandre. Epandre. Epancher. — Affusion. Effusion. Libation. — Décanter, décantation. — Transvaser, transvasement. Transvider.

Soutirer, soutirage. Tirer (au tonneau). Dépoter. — Déverser.

Autres façons de verser. — Renverser. Verser. — Etre renversé. Verser (culbuter). Verse. Tomber sur le côté. — Payer. Verser. Versement. — Confier. Epancher.

### VERT

**Nuances.** — Vert émeraude. Vert pomme. Vert bouteille. Vert empire. Vert antique.

Vert céladon. Vert porracé. Vert amande. Vert Véronèse. Vert Schweinfurt. Vert Guignet. Vert malachite. Vert minéral. Vert d'alizarine.

Verdâtre. Glauque. Vert olivâtre. Prasin. Smaragdin. — Sinople (en blason).

**Choses vertes.** — Verduresse. Légume vert. Herbe verte. Fruit vert. — Terre verte. Vert-de-gris. Verdet. — Verdier (oiseau). — Verdurette (broderie). — Chlorophylle.

**Relatif au vert.** — Verdir, verdissement. Verdoyer, verdoiement, verdoyant. — Viridité. Viridifiant. — Verdeur. Etre vert. — Langue verte.

### VERTIGE

**Formes de vertige.** — Vertige simple, apoplectique, angiopathique, auriculaire, laryngé, stomacal, etc. — Donner le vertige. Vertigineux. — Etourdir, étourdissement. — Enivrer, ivresse. — Eblouir. éblouissement. Entêter.

Tournoyer, tournoiement. — Vertigo. Vercoquin. Tournis.

### VERTU

**Qui concerne la vertu.** — Vertu, vertueux. Morale, moral. Conscience, consciencieux. Sagesse, sage. Sainteté, saint. — Moralité. Austérité. Intégrité. — Chasteté. Pruderie. Pudeur.

Homme de bien. Femme de bien. Dragon de vertu. Lucrèce. Rosière. — Edifier, édification. Bon exemple, exemplaire. — Prix Monthyon.

Vertus cardinales. Justice. Prudence. Tempérance. Force. — Vertus théologales. Foi. Espérance. Charité.

### VESSIE
(latin, vesica; grec, cystis)

**Organe.** — Vessie. Uretères. Urètre. Col de la vessie. Prostate. — Muscle compresseur. — Vésical. Vésico-prostatique. — Voies urinaires. URINE.

VESTIBULE, m. V. *entrer.*
VESTIGE, m. V. *trace.*
VESTON, m. V. *habillement.*
VÊTEMENT, m. V. *habillement, bagages, couvrir, enveloppe.*
VÉTÉRAN, m. V. *soldat, vieux.*
**Vétérinaire,** m. V. *médecine, cheval, bestiaux.*
VÉTILLE, f. V. *petit.*
VÉTILLEUX. V. *minutie.*
VÊTIR. V. *habillement.*
VÊTURE, f. V. *moine.*
VÉTUSTE. Vétusté, f. V. *vieux, usé.*
VEUF, m. V. *mariage.*
VEULE. V. *mou, faible.*

VEUVAGE, m. V. *mariage, séparer.*
VEXATION, f. V. *fâché, chagrin.*
VEXER. V. *déplaire, tourmenter, colère.*
VIABILITÉ, f. V. *chemin.*
VIABLE. V. *vie.*
VIADUC, m. V. *pont, chemin.*
VIAGER. V. *vie, rente.*
**Viande,** f. V. *chair, boucherie, mets.*
VIANDER. V. *cerf.*
VIATIQUE, m. V. *voyage, sacrement.*
VIBRATION, f. Vibrer. V. *mouvement, balancer, secouer.*

VICAIRE, m. Vicariat, m. V. *curé, prêtre, remplacer.*
VICE (préf.). V. *remplacer.*
**Vice,** m. V. *mal, mœurs, passion, débauche, gâter.*
VICENNAL. V. *vingt.*
VICE-PRÉSIDENT, m. V. *présider.*
VICÉSIMAL. V. *vingt.*
VICE-VERSA. V. *réciproque.*
VICHNOU, m. V. *Inde.*
VICIÉ. V. *pire.*
VICIER. V. *annuler, gâter.*
VICIEUX. V. *vice, cheval.*
VICINAL. V. *chemin.*
VICISSITUDE, f. V. *changer, retour.*

---

**Maladies.** — Calcul. Pierre. Gravelle. Sable. — Cystite. Catarrhe de vessie. Lithiase. Prostatite. Incontinence d'urine. Rétention d'urine.

**Soins.** — Sonde, sonder. Cathéter, cathétérisme, cathétériser. — Lithotritie. Lithotomie. Taille.

### VÉTÉRINAIRE

**Art.** — Vétérinaire. Hippiatre. Maréchal expert. — Médecine vétérinaire. Zoopathologie. Zoothérapie, zoothérapeutique. Hippiatrie. — Ecole d'Alfort.

**Maladies des animaux.** — Epizootie. Fièvre aphteuse. Charbon. Hydrophobie ou Rage. — Cachexie. Chancre. Pléthore. Météorisme. Pourriture.

*Des chevaux.* Farcin, farcineux. Cornage. Morve, morveux. Fourbure. Mémarchure. Pousse, poussif. Soufflée. Fève. Filandres. Grappes. Etranguillon. — *Des bœufs.* Boa ou Fy. Picote. Mammite. — *Des porcs.* Soie. Rouget. Ladrerie, ladre. Trichine. — *Des moutons.* Clavelée. Affilée. Avertin ou Tournis. Vercoquin. Piétin. Tac. Falère. — *Des poules.* Choléra. Pépie.

**Traitements.** — Billot. Couteau de feu. Morailles. Plumasseau. Serre-cou. Cassot. Rossignol. Séton. Ventouse. Flamme (lancette). — Breuvage. Caballin. Charge (emplâtre). Rémolade. Emmiellure. Embrocation. Rétoire. — Eglander. Enerver. Essourisser. Herber. Vider. Saigner.

### VIANDE

**Nature.** — Viande de boucherie. Volaille. Gibier ou Venaison. — Viande blanche, rouge, noire. — Viande saignante. Gras. Maigre. — Viande tendre, coriace, filandreuse. — Viande fraîche. Viande frigorifiée, congelée. Viande salée. Salaisons. — Viande boucanée. Cornedbeef. Brondo. Pemmican. — Viande saignante, faisandée, étouffée. — Viande creuse (qui ne nourrit pas).

**Préparation.** — BOUCHERIE. Charcuterie. Triperie. Cuisine. — Tuer. Dépouiller. Débiter. Découper. Parer. Trousser. — Cuire. Accommoder. — Pot-au-feu. Bouilli. Rôti. Rosbif. Grillade. Daube. Sauté. Fricassée. Ragoût. Etouffée. — Soupe. Bouillon. Consommé. Pressis. — Bifteck. Côtelette. Tranche. Escalope. Emincé.

Mettre à la broche, à la casserole, au four, sur le gril, à la poêle, à la marmite.

**Morceaux.** — Aloyau. Entrecôte. Filet. Faux filet. Surlonge. Romsteck. Gîte. Culotte. Paleron. Flanchet. Macreuse. Plate-côte. Tranche grasse. — Jambon. Echine. Pointe. — Epaule. Longe. Quasi. Poitrine. Rouelle. Ris. — Gigot. Carré. Eclanche. Quartier d'agneau. — Aile. Cuisse. Pilon. Bateau. Croupion. — Tête. Langue. Foie. Cœur. Cervelle. Rognons. Fraise. Pieds.

**Relatif à la viande.** — CHAIR. Charnu. Charnel. — Charnage (jour de viande). Carnaval. Carême. Faire maigre. — Carnassier. Carnivore. — Réjouissance. Os. Peau. Nerfs. Tendons. Cartilages. — Omophage (mangeur de viande crue). Hippophagie, hippophagique. — Créatine (principe de la viande). Osmazôme (arôme de bouillon).

### VICE

**Vice.** — Corruption. Démoralisation. Dépravation. Perversion. Perversité. Immoralité. Impureté. — DÉBAUCHE. Crapule. Noce. Dérèglements. Inconduite. Dévergondage. Désordres. — Plaisirs défendus. LICENCE. PÉCHÉ. — Difformité morale. Mauvaises dispositions. — MAL. Crime. Rouerie. — Perdition. Turpitude. Pourriture. — Tache. Défaut. Faible. Travers. Imperfection.

Difformité physique. Vice de constitution. Vice rédhibitoire.

**Vicieux.** — Corrompu. Démoralisé. Dépravé. Perverti. — Corrupteur. Immoral. Impur. Immonde. Licencieux. Pervers. — Débauché. Dissolu. Crapuleux. Noceur. Dévergondé. Déréglé. Pécheur. — Perdu. Pourri. Gâté. Vicié. — Méchant. Criminel. Roué. Diabolique. Satanique. — Misérable. Mauvais. Entaché. Incorrigible.

**Vicier.** — Corrompre. Démoraliser. Dépraver. — Débaucher. Perdre. Pervertir. Suborner. Séduire. Entacher. — Gangrener. Gâter. Pourrir. — Scandaliser.

VICOMTE, m. **V.** *titre.*
VICTIMAIRE, m. **V.** *victime.*
**Victime,** f. **V.** *sacrifice, autel, martyr, nuire.*
VICTOIRE, f. **V.** *succès, combat, vainqueur.*
VICTORIA, f. **V.** *voiture.*
VICTORIEUX. **V.** *vainqueur.*
VICTUAILLES, f. p. **V.** *provision.*
VIDANGE, f. Vidanger. **V.** *vide, ordure.*

VIDANGEUR, m. **V.** *latrines.*
**Vide. V.** *épuiser, pneumatique, vacant, manque.*
VIDE-BOUTEILLE, m. **V.** *pavillon.*
VIDE-POCHE, m. **V.** *meubles.*
VIDER. **V.** *vide, avaler, ôter, bouteille, volaille, dispute.*
VIDIMER. **V.** *comparaison, vérifier.*
VIDUITÉ, f. **V.** *mariage, manque.*

**Vie,** f. **V.** *exister, respiration, vif, luxe.*
VIEILLARD, m. **V.** *âge, homme.*
VIEILLERIE, f. **V.** *vieux, préjugé.*
VIEILLESSE, f. **V.** *âge, finir.*
VIEILLIR. **V.** *vieux, passé.*
VIELLE, f. **V.** *instruments.*
**Vierge. V.** *pur, chaste, brut, nouveau, fille.*
**Vieux. V.** *continuer, passé, usé.*

---

## VICTIME

**Offert en sacrifice.** — SACRIFICE. Sacrifier. Sacrificateur. Victimaire. — Victime. Bandelettes. — Agneau pascal. Victime expiatoire. Bouc émissaire. — Hostie. Hostie animale, piaculaire. — Holocauste. — Victimes humaines. Isaac. Iphigénie. — Immoler, immolation.

**Atteint par le malheur.** — Etre victime de. Etre en butte à. Etre en proie à. Etre exposé aux coups. — Point de mire. Dupe. Pigeon. Poire, *f.* — Souffre-douleur. Taillable et corvéable. — Assujetti. Contribuable. — Opprimé. Serf, servage. — Contraint et forcé — Payer les pots cassés.

## VIDE

**Action de vider.** — Vider. Faire le vide. Transvider. Survider. — Epuiser, épuisement. Tarir. Désemplir. Evacuer, évacuation. — Désobstruer. Dégarnir. Dépeupler. Expulser. — Nettoyer. Faire place nette. — Vidanger, vidange, vidangeur. — Pompe, pomper. Machine pneumatique.

**Etat de vide.** — Le vide. Vacuité. Vacuisme. Vacance. — Cavité. Creux. Chambre. — Etre à vide. Sonner creux. Etre lège. — Séparation. Intervalle. Lacune. Blanc. Solution de continuité. — Vide. Désert. Solitaire. Abandonné. — Libre. VACANT. Inhabité. Inoccupé. — Nu. Net.

## VIE
(latin, *vita;* grec, *bios*)

**Etat de vivant.** — Vie. Souffle de vie. Trame des jours. — Vivre. Vivant. Vif. — Vitalité, vital. Viabilité, viable. — Existence. Etre. Esprits vitaux. — Etre de ce monde. Exister. Etre. Respirer. Palpiter. — Subsistance, subsister. Croître, croissance. — Renaître. Ressusciter. Revivre. Reviviscence. — Rappeler à la vie. Ranimer. Vivifier. Revivifier. — Du vivant de.

**Durée.** — Années. Printemps. Hivers. — Passer sa vie. Cours de la vie. Couler d'heureux jours. Fil des jours. — Carrière. Fournir sa carrière. — Longévité. Survie, survivance, survivant. Macrobien. — Eternité, éternel. Immortel, immortalité. L'autre vie. — Vivace. Avoir la vie dure. Avoir l'âme chevillée au corps. — Destin. Destinée. Sort.

**Biologie.** — Vie. Symbiose. Anabiose. — Organisme. Organes. Milieu. Elément. —

Modes et conditions de la vie. Croissance. Reproduction. Régénération. — Fonction vitale. Animalité. Végétation. — Biologie, biologique. Physiologie, physiologique. — Voir le jour. Germer, germination. Battements du cœur. Respiration. Pousse. — Accoucher. Couver. Elever, élève, élevage. — Vivipare. Ovipare. Scissiparité. — Amphibie. — Vivisection.

Théories de la vie. Animisme. Force vitale. Vitalisme. Organicisme. Evolutionnisme. Micromérisme.

**Actes de la vie.** — Passer sa vie à. Fournir sa carrière. — *Curriculum vitae.* Biographie, biographique. Confessions. Mémoires. — Avoir la vie dure. Survivre à. — Mener joyeuse vie. Couler d'heureux jours. — Végéter. Vivoter.

**Actes légaux.** — Etat civil. — Certificat de vie. — Viager. Rente viagère. Placer sur la tête de. Placer à fonds perdu. — Usufruit, usufruitier. — Assurances sur la vie. — Bail à vie.

## VIERGE
(latin, *virgo*)

**La sainte Vierge.** — Vierge Marie. — Mère de Dieu. — Notre-Dame. — Madone. — Panagia. — Reine des anges, des cieux. — Mère des sept douleurs.

Culte de la Vierge. — Nativité. Présentation au temple. Chandeleur ou Purification. Annonciation. Immaculée conception. Assomption. Dormition.

Angélus. Salutation angélique. *Ave Maria.* — *Magnificat.* Stabat. — Litanies. Etoile de la mer. Tour de David. Tour d'ivoire. Miroir de justice, etc.

Chapelet. Rosaire. Psautier. Couronne. — Scapulaire. Vouer au blanc et au bleu. — Servites (religieux). Visitandines (religieuses).

**Fille.** — Vierge. Pucelle. Rosière. Jeune fille. — Virginité, virginal. Pucelage. Continence. Célibat. Vœu de chasteté. — Vertu, vertueux. Chasteté, chaste. Pudeur, pudique. Pureté, pur. — Fleur d'oranger. — Religieuse. Sœur. Nonne. — Vestale. — Vierges sages. Vierges folles.

## VIEUX

**Etat de vieux.** — Vieillir. Envieillir. Prendre de l'âge. Etre âgé. Etre sur le

**Vif.** V. *vie, prompt, brusque, colère, violence.*
VIF-ARGENT, m. V. *mercure.*
VIGIE, f. V. *matelot, guet, veiller.*
VIGILANCE, f. Vigilant. V. *veiller, protéger, soin, zèle.*

VIGILE, m. V. *police.*
VIGILE, f. V. *maigre.*
**Vigne,** f. V. *raisin, vendange, tailler.*
VIGNERON, m. V. *vigne.*
VIGNETTE, f. V. *gravure, dessin.*

VIGNOBLE, m. V. *raisin, vendange.*
VIGOGNE, f. V. *laine.*
VIGOUREUX. Vigueur, f. V. *force, vif, santé, fermeté.*
VIGUIER, m. V. *juges.*
**Vil.** V. *bas, honte, grossier.*

---

retour. Etre hors d'âge. Blanchir sous le harnais. — AGE. Grand âge. Age avancé. Vieux jours. Arrière-saison. Soir de la vie. — Longévité. Etre encore vert.

**Vieilles gens.** — Nonagénaire. Octogénaire. Septuagénaire. Sexagénaire. — Vieux, vieille. Vieillard. — Bonhomme. Bonne femme. Vieux de la vieille. — Patriarche, patriarcal. Mathusalem. Nestor. — Doyen, doyenne. Duègne. Vétéran. Ancien. Ancêtre. — Vieux barbon. Grison. — Vieux beau. Roquentin.

**Aspect.** — Grisonner. Barbe grise. Cheveux blancs. Tête chenue. — Marcher à pas comptés. Démarche pénible. — Rides, ridé. Fané. — Décrépit, décrépitude. Edenté. — Cassé, se casser. Voûter, se voûter. Courbé, se courber. — Presbyte, presbytie. Sourd, surdité.

**Qui concerne la vieillesse.** — Sénilité, sénile. S'affaiblir. Se rouiller. Tomber en enfance. — Glaces de l'âge. Injures, outrages, ravages de la vieillesse.

Gérontocratie. Conseil des Anciens. Sénat. Sénateurs. Pères conscrits.

**Vieillesse des choses.** — Vieillot. Vieux. Vieilli, vieillissement. — Ancien, ancienneté. Antique, antiquité. Antédiluvien. — Vétuste, vétusté. Suranné. Rococo. — Vieillerie. Antiquaille. Bric-à-brac. Friperie. — Caduc, caducité. Ruine. — Chronique, chronicité. Invétéré, s'invétérer. — Dater. Se perdre dans la nuit des temps.

Primitif. Primordial. Rétrospectif. — Préhistoire, préhistorique. Archéologie, archéologue. Paléographie, paléographe. Archives, archiviste. — Archaïsme, archaïque. — Temps révolus. Jadis. Autrefois.

## VIF

**Vif de mouvements.** — Vif, vivacité. Vif-argent. — Vivace. Vigoureux. — Agile, agilité. Leste. Souple. Léger. Ingambe. — Prompt, promptitude. Alerte. Allant.

Désinvolte. Déluré. Dégagé. Allègre. — Remuant. Frétillant. Fringant. Pétillant. — Cheval échappé.

**Vif de caractère.** — Bouillant, bouillonnant, bouillonner. Fougueux, fougue. Emporté, emportement. — Animé, animation. Pétulant, pétulance. Diable, endiablé. Turbulent, turbulence. — Entrain. Boute-en-train. — Vif comme la poudre.

**Vif d'esprit.** — Spirituel. Pétillant. Primesautier. Humoriste. Pince-sans-rire. Dégourdi. Eveillé. — Fripon. Polisson. — Egrillard. Emoustillé. Folâtre. Folichon.

Esprit. Brio. Saillie. Boutade. Trait.

## VIGNE

(latin, *vitis*)

**La plante.** — Vignoble. Cru. Vigne. Treille. — Vigne vierge. Lambruche. — Souche. Plant. Cep. Rameaux. Sarment. Scion. Pampre. Thyrse. Feuilles. Vrille. Cirre. — Fruits. Grappe. Grappillon. Grains.

Œil. Bourgeon. Bourre. Coton. — Jeter. Bourgeonner. Fleurir. — Mailler, maille, maillon.

**Culture.** — Viticulture. Viticulteur. Vigneron. Viticole. Ampélographie. — Façon, façonner. Mouvaison. Biner, binage. — tersage. Reterser. — Cavaillon. Echant. Pouée. — Planter. Complanter. Planter en bouture, en crossette, en chevelu. — Déchausser, déchaussement.

Bouture. Chapon. Crossette. — Marcotte, marcottage. — Provin, provigner, provignage. — Greffe, greffer, greffon. — Echalas, échalasser. Paisseau, paisselage. Hautains. — Accoler. Nouer. Pleyon (osier).

Taille. Cépage. Courson. — Pincer, pincement. Ebourgeonner, ébourgeonnage. — Receper. Epamprer. Effeuiller. Rogner. — Traiter la vigne. Sulfurage. Injection. Pal (à injecter). — Soufrage. Sulfatage. Bouillie bordelaise. Eau céleste. Pulvérisateur.

Récolte. Eclaircir. Ciseler. Vendange, vendanger. Egrapper.

**Maladies.** — Oïdium. Mildiou. Coulure. Pourridié. Black-rot. Folletage. Ortiage. Quillé. Brunissure. Chlorose. Echamplure. Mélanose, etc.

*Insectes nuisibles.* Phylloxéra. Pyrale. Altise. Cochylis. Teigne. Adoxus. Phytoptus. Sphinx, etc.

**Vignes à raisin rouge.** — Alicante. Aramon. Cabernet. Carignane. Carmenère. Chenin. Cinsant. Cot. Frankenthal. Furmint. Gamay. Grenache. Mausenc. Merlot. Meunier. Mondeuse. Morastet. Mourvèdre. Muscat. Picardan. Picpoul. Pineau. Ribier. Robin. Sirah. Spiran. Teinturier, etc.

**Vignes à raisin blanc.** — Aligoté. Chasselas. Chenin blanc. Clairette. Folle blanche. Gamay blanc. Gouet. Jurançon. Madeleine. Malvoisie. Marsanne. Muscadelle. Muscat blanc. Olivette. Panse. Picardan. Pineau blanc. Pis de chèvre. Roussanne. Sauvignon. Savagnin. Sémillon. Silvaner. Viognier, etc.

## VIL

**Avili.** — Vil. Vilenie. Vileté. — Avilissant. Vilain. Grossier. Trivial. Populacier. — Crasseux. Galeux. Pouilleux. Pelé. Sor-

VILAIN. V. *laid, méchant.*
VILEBREQUIN, m. V. *percer, axe, automobile.*
VILENIE, f. V. *avare, injure.*
VILIPENDER. V. *injure, accusation, blâme.*

VILLA, f. V. *maison.*
**Village,** m. V. *pays.*
VILLAGEOIS. V. *village.*
VILLANELLE, f. V. *berger.*
**Ville,** f. V. *pays, municipal, politesse.*

VILLÉGIATURE, f. V. *voyage, campagne.*
VILLOSITÉ, f. V. *poil.*
VIMINAL. V. *osier.*
**Vin,** m. V. *Bacchus, vendange, presser, boire.*

---

dide. — Taré, tare. Dégradé, dégradation. Abject, abjection. Avilissement. — Homme de rien. Dernier des hommes. Esclave. Paria. Rebut. — Méprisable. Ignoble. Piètre. Infime.

Populace. Bas peuple. Bas-fonds. Pègre.

**Infâme.** — Canaille. Coquin, coquine. Drôle, drôlesse. Gredin. Fripon. Misérable. Crapule, crapuleux. — Galopin. Ehonté. Polisson. Maroufle. — Racaille. Vermine. Ramassis. Lie. Boue.

**Plat.** — Bas, bassesse. Humble, humilité, humiliation. — Pied plat. Platitude. Faquin. Goujat. Triste sire. Paltoquet. Roquet. Crétin. Bélître. — Servile, servilité. Valet, valetaille. — Souple, souplesse. Rampant. Lâche. Reptile. — Pauvre. Gueux. Crotté. Va-nu-pieds. Croquant. Pouilleux.

## VILLAGE

**Habitat de campagne.** — Village. Bourg. Bourgade. Hameau. — Localité. Agglomération. Commune, communal. — Paroisse. Clocher. — Douar. Ksour. Village nègre.

Villageois, villageoise. Paysan, paysanne. Etre de son village. — Fellah.

## VILLE
(latin, *urbs;* grec, *polis*)

**Villes diverses.** — Ville. Grande ville. Petite ville. — Cité. Endroit. Lieu. Trou. — Capitale. Chef-lieu. Préfecture. Sous-préfecture. — Métropole. Centre. — Municipe. Ville libre. — Ville forte. Ville ouverte. — Ville Lumière (Paris). Ville Eternelle (Rome). Ville Sainte (Jérusalem).

**Disposition.** — Rue. Boulevard. Avenue. Impasse. Cul-de-sac. — Place. Jardin public. Esplanade. Square. Promenade. — Ilot, pâté de maisons. — Murs. Enceinte. Portes. Barrières. Trottoir. Ruisseau. Refuge. — Quartier. Ville haute. Acropole. Kasbah. Ville basse. Port. Quais. — Monuments. Fontaines. — Banlieue. — Urbain. Métropolitain. Suburbain. Communal.

**Administration.** — Hôtel de ville. Mairie, maire. Conseil municipal, municipalité. Edile, édilité. — Gouverneur. Force armée. Garnison. — Services municipaux. Police. Voirie. Hygiène. Assistance publique. Crédit municipal. Octroi. Transports en commun. Eau, gaz, électricité. Egouts.

**Habitants.** — Population. Ames. Feux. — Citoyen. Concitoyen. — Citadin. Faubourien. Banlieusard. — Gens d'affaires. Commerçants. Industriels. Fonctionnaires. Ouvriers. — Mondains. Oisifs. Badauds.

## VIN

**Sortes de vin.** — Vin rouge, blanc, rosé, gris. — Vin bourru. Vin nouveau. Vin vieux. — Grand vin. Petit vin. Vin de pays. — Vin sec. Vin doux. Tisane. Vin sucré. — Vin de table. Vin de dessert. Vin mousseux. Vin de liqueur. — Gros vin. Petit bleu. Piccolo. Verjus. — Nectar. Piot. Pinard, *f.* — Abondance. Piquette. — Vin de grappe. Jus de raisin. Vin de fruits. — Baissière. Vin de paille. — Vin capiteux, généreux, velouté, clair, dépouillé, piqué, aigre.

**Travail du vin.** — Cru. Année. Récolte. Vinée. — Foulage. Pressurage. Moût. Surmoût. Mistelle. Marc. — Œnologie. Œnomètre. Pèse-vin.

Industrie vinicole, vinaigre. Tonnelier. Caveau. Cave, caviste. Entrepôt. Chais. — Foudre. Feuillette. Muid. Tonneau. Barrique. — Cuver, cuvage, cuvée. Soutirer, soutirage — Muter. Coller Plâtrer. Ouiller. — Couper, coupage. Mélanger, mélange. — Vinifier, vinification. Vinosité. Râpé (raisin ajouté au vinaigre). Enviné. — Falsifier, falsification. Frelater. Mouiller. Baptiser. — Mettre en fût. Mettre en bouteilles. Etamper. — Vin nu. Vin logé. Vin en cercle. Pièce de vin. — Fleur. Ferment.

**Consommation du vin.** — Bouteille. Litre. Broc. — Verre. Canon. Setier. Rougebord. — Sommelier. Echanson. Bouteiller. — Gourmet. Connaisseur. Dégustateur. Essai. — Bouquet. Fumet. Goût. Odeur. — Boire. Buffeter. Ivre, ivresse. Aviné. Saoul. Etre dans les vignes du seigneur. Bec-salé, *f.*

**Crus renommés.** — *Bordeaux.* Médoc. Château-Lafite. Château-Margaux. Château-Latour. Haut-Brion. Léoville. Margaux. Saint-Julien. Saint-Emilion. Saint-Estèphe. Pomerol. Sauternes. Château-Yquem. Barsac. Graves. Entre-deux-mers, etc.

*Bourgogne.* Nuits. Beaune. Chambertin. Musigny. Vougeot. Romanée. Corton. Pommard. Volnay. Meursault. Montrachet. Mercurey. Moulin à vent. Chablis. Pouilly. Mâcon. Beaujolais.

*Champagne.* Verzenay. Ay. Bouzy. Sillery. Montagne de Reims, etc.

*Loire.* Touraine. Saumur. Vouvray. Chinon. Layon. Bourgueil. Muscadet.

*Rhône.* Ermitage. Tavel. Châteauneuf-du-Pape. Côte-Rôtie.

*Alsace.* Vin du Rhin.

*Algérie.* Sahel. Mascara. Oranie.

*Midi.* Blanquette. Picpoul. Jurançon. Frontignan. Lunel. Banyuls.

*Etranger.* Alicante. Chianti. Asti. Barbera. Malaga. Xérès. Porto. Lacryma-Christi. Madère. Tokay. Chypre. Marsala, etc.

**Vinaigre,** m. V. *acide.*
VINAIGRETTE, f. V. *mets.*
VINDICATIF. V. *venger.*
VINDICTE, f. V. *venger, punition.*
VINÉE, f. V. *vin, vendange.*
VINEUX. V. *vin, couleur.*
**Vingt.**
VINICOLE. V. *vin.*
VINIFICATION, f. V. Vinosité, f. V. *vin.*
VIOL, m. V. *violence, crime.*
VIOLACÉ. Violâtre. V. *couleur, violette.*
VIOLE, f. V. *instruments de musique.*
**Violence,** f. V. *force, contrainte, battre.*
VIOLENT. V. *brusque, méchant, passion.*

VIOLENTER. V. *violer, contrainte, violence.*
**Violer.** V. *force, infidèle, faute.*
VIOLET. V. *violette, couleur.*
**Violette,** f. V. *fleur, bois.*
**Violon,** m. V. *instruments de musique, prison.*
VIOLONCELLE, m. V. *instruments de musique.*
VIOLONISTE, m. V. *violon.*
VIPÈRE, f. V. *serpent.*
VIRAGE, m. V. *tourner.*
VIRAGO, f. V. *femme, hardi.*
VIRELAI, m. V. *poésie.*
VIREMENT, m. V. *finance.*
VIRER. V. *tourner, changer, compte, cabestan, photographie.*
VIRETON, m. V. *dard.*

VIREUX. V. *puant.*
VIRGINAL. Virginité, f. V. *vierge, pur.*
VIRGULE, f. V. *ponctuation.*
VIRIL. Virilité, f. V. *homme, force, fermeté, âge.*
VIROLE, f. V. *anneau, couteau.*
VIRTUALITÉ, f. Virtuel. V. *capable, propre.*
VIRTUOSE, m. V. *art, instruments de musique, chant.*
VIRULENCE, f. Virulent. V. *poison, épidémie, blâme.*
VIRUS, m. V. *poison, maladie, ferment.*
**Vis,** f. V. *spirale, presser, clou, axe.*
VISA, m. V. *signature, vérifier.*

---

## VINAIGRE

**Qui concerne le vinaigre.** — Vinaigrerie. Vinaigrier. — Vinaigre de vin. Vinaigre d'alcool. — Vinaigre d'Orléans. Vinaigre à l'estragon. Vinaigre rosat. Surard. — Acétification. Fermentation acétique. Mère. — Vinaigrer. Vinaigrette. Mariner, marinade.

Acide acétique. Acétate. — Vinaigre de bois. Vinaigre des quatre-voleurs. Vinaigre de toilette.

## VINGT

(latin, *viginti;* grec, *eicosi*)

**Le nombre vingt.** — Vingt. Quatre-vingts. Quinze-vingts (300). Six-vingts (120). — Vingtaine. Vingtième. Vicésimal. Vicesimo. — Vicennal (de 20 ans). — Icosaèdre. Icosandrie.

## VIOLENCE

**Humeur violente.** — Brusque, brusquerie. Prompt. — Brutal, brutalité. Rude, rudesse. — Véhément, véhémence. Emporté, emportement, s'emporter. Virulent, virulence. — Fougueux, fougue. Impétueux, impétuosité. — Coléreux, colère. Furieux, fureur, furie. Déchaîné, déchaînement. — Injuste, injustice.

**Actes violents.** — Faire violence. Contraindre, contrainte. — Forcer. Employer la force. — Arracher de force, de vive force. Extorquer. — Ravir, ravisseur. Rapt. — Sévices. Sévir. Voies de fait. Brutaliser. Violenter. — Outrages, outrager. Viol, violer. — Enlever de haute lutte. Emporter d'assaut. — Recourir aux armes. Faire la guerre. — Cas de nullité (en justice).

## VIOLER

**Enfreindre.** — Violer, violation, violateur. — Violable, inviolable. — Contrevenir, contravention. Transgresser, transgression. Infraction. — Faillir au devoir. Manquer à, manquement. Forfaire à. — Désobéir, désobéissance. Déroger, dérogation.

Se parjurer, parjure. Oublier son serment. — Prévariquer, prévarication, prévaricateur. — Infidèle, infidélité. Coup de canif dans le contrat.

**Faire violence.** — Viol, violer. Violenter. Prendre de force. Forcer. — Abuser de. Attenter à la pudeur. Attentat, attentatoire. Derniers outrages. — Attaquer, attaque. Asservir. Soumettre. — Lèse-majesté.

## VIOLETTE

**Qui a trait à la violette.** — Violette simple. Violette double. Violette odorante. Violette de Parme. Violette blanche. — Couleur violette. Violet. Violacé. Violâtre. Violine. Zinzolin. — Violariées. — Miel violat. — Modeste comme la violette.

## VIOLON

**L'instrument.** — Violon. Pochette. Crincrin. — Crosse ou Volute. Chevilles. Sillet. Touche. Chevalet. Queue. Bouton. Tables. Ouïes. Eclisses. Manche. Ame. — Cordes de *mi,* de *ré,* de *la,* de *sol.* Chanterelle. — Archet. Poignée. Tige. Hausse. Crins.

Viole. Viole d'amour.

Lutherie, luthier. Amati. Stradivarius. Guarneri. Vieux Paris.

**Jeu.** — Accorder. Jouer. Démancher. Arpéger. Extension. Pincer les cordes. Pizzicato. Double corde. Sourdine. Donner le *la.* — Racler. Sabot. Couac. — Violoniste. Ménétrier.

## VIS

**Qui concerne la vis.** — Vis. Filet. Tête. Pas de vis. — Vis à métaux. Vis à bois. — Vis sans fin. Vis multiple. Vis de rappel. Vis de pression. Vis de réglage. Vis micrométrique. — Vis d'Archimède (élévateur d'eau). Vis hollandaise. — Hélice. Tire-bouchon.

Visserie. Tour à fileter. Filière. Taraudeuse. — Visser. Dévisser. Tournevis. Clef de vis. — Serrer la vis.

**Visage,** m. V. *tête, masque.*
VIS-À-VIS. V. *opposé, danse.*
VISCÈRE, m. V. *ventre, intestins.*
VISCOSE, f. V. *soie.*
VISCOSITÉ, f. V. *glu.*
VISÉE, f. V. *but, projet.*
VISER. V. *regard, fusil, arpentage, but, confirmer.*
VISEUR, m. V. *photographie.*
VISIBILITÉ, f. Visible. V. *voir, apparaître, présent.*
VISIÈRE, f. V. *casque, visage.*
VISION, f. V. *œil, voir, imagination, religion, révéler.*
VISIONNAIRE, m. V. *imagination, enthousiasme.*
VISITATION, f. V. *vierge.*
**Visite,** f. V. *examen, douane, médecine, politesse, fréquenter.*
VISITER. Visiteur, m. V. *visite.*
VISON, m. V. *fouine.*
VISQUEUX. V. *glu, colle.*
VISSER. V. *vis, fixe.*
VISSERIE, f. V. *vis.*

VISUEL. V. *œil, voir.*
VITAL. Vitalité, f. V. *vie.*
VITE. V. *prompt.*
VITESSE, f. V. *mouvement, prompt, mécanique.*
VITICOLE. V. *vigne.*
VITICULTURE, f. V. *vigne.*
VITRAGE, m. V. *vitre, clôture, rideau.*
VITRAIL, m. V. *architecture, église.*
**Vitre,** f. V. *verre, fenêtre.*
VITREUX. V. *terne.*
VITRIER, m. V. *vitre, peinture.*
VITRIFICATION, f. Vitrifier. V. *verre, porcelaine.*
VITRINE, f. V. *armoire, magasin, montrer.*
**Vitriol,** m. V. *soufre, acide.*
VITRIOLER. V. *vitriol.*
VIVACE. V. *vie, continuer.*
VIVACITÉ, f. V. *vif, irréflexion.*
VIVANDIER, m. V. *auberge.*
VIVAT, m. V. *applaudir, joie.*
VIVE. V. *applaudir.*

VIVEUR, m. V. *gourmand, plaisir, débauche.*
VIVIER, m. V. *étang, pêche.*
VIVIFIER. V. *vie, force, exciter.*
VIVIPARE. V. *animal, parturition.*
VIVISECTION, f. Viviséquer. V. *vie, anatomie.*
VIVOTER. V. *vie, pauvre, médiocre.*
VIVRE. V. *vie, conduite, exister.*
VIVRES, m. p. V. *provision.*
VIZIR, m. V. *Turc.*
VOCABLE, m. V. *mot, église.*
VOCABULAIRE, m. V. *mot, langage, dictionnaire.*
VOCAL. V. *voix, chant.*
VOCALISES, f. p. Vocaliser. V. *chant.*
VOCATIF, m. V. *appel.*
VOCATION, f. V. *appel, disposition, volonté, art.*
VOCIFÉRER. V. *cri, huer, parler.*
VODKA, m. V. *Russie.*

## VISAGE

**Le visage.** — Visage. Figure. Tête. Physionomie. Physique. Face. — Frimousse. Minois. Trogne. Balle, f. Binette, f. — Angle facial. Facies. Profil. — Traits. — Lignes. Linéaments. Coupe du visage. — Front. Nez. Bouche. Yeux. Joues. Menton. Bajoues. Pommettes. Arcade sourcilière. Peau.

**Aspect.** — Plat. Rond. Ovale. — Coloré. Injecté de sang. Rougeaud. Rubicond. Enluminé. — Ridé. Fané. Tiré. Chiffonné. Renfrogné. — Frais. Rose. Epanoui. — Mafflu. Lippu. Bouffi. — Visage de parchemin, de papier mâché. — Pâle, pâli. Blanc. Livide.

Pleine lune. — Bonne mine. Mauvaise mine. — Teint fleuri. — Nez bourgeonné. — Menton en galoche. — Rougeurs. Eruptions. Couperose.

**Soins.** — Se laver. Se débarbouiller. Se baigner les yeux. Se brosser les dents. — Se raser. S'épiler. — Fard, se farder. Poudre, se poudrer. Se mettre du rouge, des mouches, de faux cils. — Masque de toilette. Mentonnière. — Autoplastie. Rhinoplastie, etc.

**Relatif au visage.** — Envisager. Dévisager. — Physiognomonie, physiognomoniste. Signalement. Fiche signalétique. — Transfigurer, transfiguration. Défigurer. — Changer de visage. Se grimer. Grimacer, grimace. — Portrait. Buste. Moulage. — Visière. Masque. Touret. Litham. — A visage découvert. — Gifle. Soufflet.

## VISITE

**Visiter.** — Visite. Visiteur. — Visite de politesse. Visite de cérémonie. Visite de digestion. Visite de condoléance. Visite de jour de l'an. Visite d'adieu. P. P. C. — Aller voir. Rendre visite. Rendre ses devoirs. Avoir des relations. Voisiner. — Carte de visite. Déposer sa carte. — Etre introduit, présenté, reçu. — Trouver visage de bois. — Visite domiciliaire.

**Recevoir.** — Recevoir, réception. Recevoir dans l'intimité. Voir du monde. Se voir. — Jour de visite. Avoir son jour. — Faire salon. Thé. Jeu. Matinée. — Ouvrir sa maison. Etre visible. Bien accueillir. — Faire bon visage. Faire grise mine.

**Audience.** — Solliciter, solliciteur. Demander, obtenir audience. S'aboucher. Etre mis en rapport. Avoir accès près de. — Rendez-vous. Entrevue. Interview. — Avoir ses grandes et ses petites entrées. Faire antichambre. — Trouver bon accueil, un accueil favorable. — Visites académiques.

## VITRE

**Vitre.** — VERRE de vitre. Feuille de verre. Carreau. — Vitrerie. Vitrier. Poser un carreau. — Diamant. Mastic. Nilles (pitons). — Panneau vitré. Vitrage.

**Vitrail.** — Verrière. Vitraux. — Rose. Panneau. Motif. Bordure. Filotière. — Carton. Calque. Calibres. Verres. Assemblage. Peinture. Signage. Cuisson. — Plombs. Attache. Verge. Chambre.

## VITRIOL

**Qui concerne le vitriol.** — Vitriol. Couperose. — Vitriol blanc (sulfate de zinc). — Vitriol bleu (sulfate de cuivre). — Vitriol vert (sulfate de fer). Huile de vitriol (acide sulfurique). — Vitrioliser, vitriolisation. Vitriolique. — Vitrioler, vitrioleur.

**Vœu,** m. V. *jurer, promesse, obligation.*

**Vogue,** f. V. *réputation, succès, rame.*

**VOGUER.** V. *navire, marcher, rame.*

**VOIE,** f. V. *chemin, chemin de fer, voiture, manière, trace, cerf.*

**VOILÀ.** V. *montrer.*

**Voile,** m. V. *étoffe, cacher, bouche, coiffure, moine.*

**Voile,** f. V. *navire.*

**VOILER.** V. *couvrir, cacher, voix, acier.*

**VOILETTE,** f. V. *abri.*

**VOILIER,** m. V. *Voilure,* f. V. *voile.*

**Voir.** V. *œil, lumière, certitude, juger, fréquenter, visite.*

**VOIRIE,** f. V. *chemin, municipal, ordure.*

**VOISIN.** Voisinage, m. V. *près, maison, lieu.*

**VOISINER.** V. *fréquenter, visite.*

---

## VŒU
(latin, *votum*)

**Vœu religieux.** — Vœu simple. Vœu solennel. — Vœu monastique. Vœu de chasteté, d'obéissance, de pauvreté. — Prononcer, proférer ses vœux. Faire profession. Profès. Professe. — Relever d'un vœu.

Vouer. Dévouer. Consacrer. Vouer au bleu ou au blanc. Brûler un cierge. — Remplir un vœu. Ex-voto. — Commuer un vœu. — Messe votive.

**Vœu du cœur.** — Exprimer un vœu. Souhaiter, souhait. Désirer, désir. Prière. — Faire vœu de. PROMESSE. OBLIGATION. Engagement. — Accomplir un vœu. Exaucer un vœu.

## VOGUE

**Opinion favorable.** — Vogue. Mode. — Goût du jour. Goût régnant. — Engouement. Faveur. — Popularité.

Gloire. Célébrité. — Renom. Renommée. Réputation. — Retentissement. — Crédit.

**Succès.** — Avoir du succès. Réussir, réussite. — Briller. Prédominer. — Percer. Faire son chemin. — Donner. Prendre. Marcher. Aller bien. — Prospérer. Etre achalandé.

Etre à la mode. Faire fureur. Faire florès. Fleurir. — Faire sensation. Faire parler de soi. — PLAIRE. Faire de l'effet. — Se vendre. Se répandre.

Célèbre. Marquant. Renommé. — Florissant. Prospère. — Couru. Suivi. Recherché. Fêté. — Populaire.

## VOILE (LE)

**Voile.** — Voile (de religieuse). Dominical (de communion). Voile de calice. Oral (du pape). Psautier. Taled (des Juifs). — Voile de mariée. Voile de veuve. Voile de communiante. — Voiles (vêtements flottants). Voile (draperie). Poêle mortuaire. — Gaze. Voilette. — Voile jaloux. Guimpe.

**Voiler.** — Couvrir d'un voile. — Dévoiler. Révéler. Soulever le voile. — Prendre le voile. Se voiler. S'affubler.

## VOILE (LA)

**Voilure.** — Grand'voile. Grand hunier. Grand volant. Grand perroquet. Grand cacatois. — Misaine. Petit hunier. Petit volant. Petit perroquet. Petit cacatois. — Perroquet de fougue. Volant d'artimon. Perruche. Cacatois de perruche. — Brigantine. Etais. Grand foc. Petit foc. Clinfoc. Bonnette. — Voiles hautes. Voiles basses. Voile carrée. Voile latine. — Taille-vent. Tapecu. Trinquette. Tourmentin. — Jeu de voiles.

**Armature.** — Mât. Beaupré. Vergue. Antenne. Bout-dehors. Gui. — Cordages. Amures. Balancines. Bouline. Raban. Drisse. Ecoute. Marchepied.

**Qui concerne la voile.** — Voilerie. Voilier. — Voile. Toile à voile. Noyale (de chanvre écru). Guindant (hauteur). Battant (largeur). Empointure (angle supérieur). Ralingue (corde de bordure).

Onduler. Fasier. Fouetter. Battre. — Farder (se tendre). S'enfler. — Etre coiffé. Etre en panne.

**Manœuvres.** — Appareiller. Mettre à la voile. Bander la voile. Hisser. Etarquer. Larguer. Carrosser. — Brasser. Carguer. Prendre des ris. Masquer. Serrer. Empanner. Amener. — Eventer. Orienter. Trébucher (changer de bord). — Ferler. Déferler. Désenverguer.

## VOIR

**Vue.** — Vue normale. Emmétrope. Avoir bon œil. — Voir. Apercevoir. Entrevoir. Revoir. — Vue perçante, puissante. Œil d'aigle, de lynx. — Visibilité. Visible. Invisible. Voyant. — Vision. Visuel. — Distinguer. Discerner. Découvrir. N'y voir goutte. — Regarder, regard. Coup d'ŒIL. Fixer. Lorgner. Reluquer. Dévisager. — Observer. Considérer. Contempler. Mirer. — Couver des yeux. Epier.

Télescope. Longue-vue. Lunette d'approche. Microscope. — OPTIQUE.

**Affections de la vue.** — Cécité. Aveugle. — Vue basse, vue trouble. Berlue. — Amblyopie. Diplopie. Hémiopie. Hypermétropie. Astigmatisme. — Myopie, myope. Presbytie, presbyte. — Daltonisme. Chromopsie. — Nyctalopie, nyctalope.

**Spectacle.** — Arrêter les regards. Frapper la vue. Sauter aux yeux. Crever les yeux. — Aspect. Coup d'œil. Point de vue. — Horizon. Perspective. Echappée. — Scène. Site. Paysage. — Panorama. Vue panoramique. Diorama. — Apparent, apparence. Ostensible. — Boucher la vue. Etre à contre-jour. — Spectateur. Contemplateur. Témoin oculaire. Badaud.

**Connaissance.** — Percevoir, perception. Apercevoir. Perceptible, imperceptible. — Clairvoyance, clairvoyant. Vue claire. Luci-

**Voiture,** f. V. *porter, roue, voyage.*
VOITURIER, m. V. *voiture.*
**Voix,** f. V. *gorge, parler, chant, suffrage, grammaire.*
VOL, m. V. *voler, mouve-* *ment, oiseau, voleur, crime.*
VOLAGE. V. *changer, léger.*
**Volaille,** f. V. *oiseau, viande.*
VOLANT, m. V. *machine, gouvernail, jeu, habillement, orner.*
VOLATIL. V. *vapeur, subtil.*
VOLATILE, m. V. *oiseau.*
VOLATILISER. V. *distiller.*
VOLATILITÉ, f. V. *gaz.*
VOL-AU-VENT, m. V. *pâtisserie.*

---

dité, lucide. — Concevoir, conception. Intuition, intuitif. Visions, visionnaire. — Reconnaître. Remarquer. Perspicacité, perspicace. Lire dans. — Débrouiller. Démêler. Mettre au point. — Evidence, évident. Voir juste. N'y rien voir. — Prévoir, prévoyance. Prévision. Aviser. — Constater, constatation. Viser, visa. Inspecter. Surveiller. — Tableau synoptique.

### VOITURE

**Termes généraux.** — Véhicule. Voiture. Voiturette. — Voiture à deux roues, à quatre roues. — Attelage. — Equipage. — Voiture à bras. Voiture de louage. Voiture de commerce. Voiture de place. Voiture de remise. Voiture de transport en commun. Voiture d'ambulance. Voiture de déménagement. Voiture automobile. Voiture électrique.

**Sortes de voitures.** — *De charge.* Fardier. Triqueballe. Binard. Banne. Tombereau. Chariot. Char. Basterne (à bœufs). Camion. Caisson. Prolonge. Charrette. Araba. Brouette. Haquet. Diable. Efourceau. — Wagon. Tender. Truc.

*De transport.* Fiacre. Coche. Coucou. Diligence. Malle-poste. Omnibus. Tramway. Fourgon. Messagerie. Patache. Roulotte. Tapissière. Traîneau. Panier à salade. Car. Berline.

*De voyageurs.* Charrette anglaise. Dog-cart. Tilbury. Char à banc. Boguet. Carrosse. Calèche. Cabriolet. Carriole. Landau. Landaulet. Coupé. Break. Victoria. Phaéton. — Litière. Chaise de poste. Chaise à porteurs. — Mail coach. Télègue. Troïka. — Bige. Quadrige.

*Automobiles.* Torpédo. Limousine. Conduite intérieure. Familiale. Berline. Coach. Coupé. — Car. Camion. Camionnette. Boulangère. — Tracteur. Autochenille. — Taxi.

**Parties.** — Avant-train. Arrière-train. Flèche. — Brancards. Bras. Limonière. Timon. Chambrière. — Essieux. ROUES. Ressorts. — Caisse. Carrosserie. Sièges. Coussins. Capitonnage. Dossier. Panneaux. Custode. Glaces. Store. Strapontin. Portière. Fond. Tablier. — Marchepied. Garde-crotte. Plancher. — Palonnier. Cheville ouvrière. Entretoise. — Impériale. Capote. — Traits. HARNAIS. Housses. — Voie. Empattement.

**Usage.** — Atteler. Atteler en daumont, à la volée, en tandem. — Monter en voiture. Descendre de voiture. Aller en voiture. Prendre une voiture. — Charger, chargement. Décharger, déchargement. — Charge. Embreler la charge. — Enrayer, enrayage. Désenrayer. — Voiturer. Rouler, roulage. Camionner, camionnage. — Conduire. Virer, virage. Tourner. — Verser. Capoter. Accro-

cher. Ecraser. — Filer. Brûler le pavé. Faire du cent. — Station, stationner. Traction. Traîner.

**Gens de voiture.** — Carrossier. Forgeron. Charron. Peintre en voitures. — Loueur de voitures. Garagiste. Laveur de voitures. — Conducteur. Charretier. Camionneur. — Cocher. Valet de pied. Chauffeur. — Charretier. Charroyeur. Haquetier. Tombelier. — Voiturier. Messager. Voiturin. — Piqueur. Postillon.

**Relatif à la voiture.** — Remise. Ecurie. Hangar. Garage. Box. — Numéro. Plaque. Coupe-file. Carte grise. Permis de circulation. Triptyque. — Convoi. Port. Lettre de voiture. (V. TRANSPORT). — Voiturée. Charretée. — Course. Trajet. Compteur. Taximètre. — Cahot. Secousse. Encombrement. Panne. — Dia. Hue. Couin-couin. — Voyageurs. Bagages. Colis.

### VOIX
(latin, *vox* ; grec, *phônê*)

**Espèces.** — Musique vocale. — Voix d'homme. Voix de femme. — Registres de la voix. Basse. Baryton. Ténor. Ténor léger. Contre-alto. Soprano. Mezzo-soprano. — Filet de voix. Voix blanche. — Voix de GORGE. Voix de tête. — Voix articulée. Parole. — Parler à haute voix, à voix basse. — Ventriloque.

**Nature.** — Intensité. Hauteur. Etendue. Timbre. Tenue. — Justesse. Fausseté. — Agilité. Souplesse. Flexibilité. — Inflexion. Intonation. Ton. Mordant.

**Qualités ou défauts.** — Voix claire, limpide, sonore, juste, prenante, etc. — Avoir de la voix. Avoir du creux. Etre en voix. — Voix haute, aiguë, aigre, pointue. — Voix grave, caverneuse, sépulcrale. — Voix tonnante. Voix de stentor. — Voix voilée, éraillée, traînante, de rogomme. — Voix cassée, sourde, nasillarde. — Enrouement, enroué. Raucité, rauque. Aphonie, aphone. Extinction de voix. — Muer, mue.

**Actions de la voix.** — Hausser, baisser la voix. Monter. Descendre. — Chanter, CHANT. Vocaliser, vocalise. Bourdonner. Murmurer. — Donner de la voix. Crier. — Moduler, modulation.

### VOLAILLE

**Elevage.** — Aviculture, aviculteur. Eleveur de volailles. — Basse-cour. Poulailler. Cage à poules. Mue. — Brenade. Pâtée. Pâton. Mangeaille. — Gaver. Engrener. Engraisser. — Chapon. Poularde. Dinde.

**Cuisine.** — Plumer. Vider. Flamber. Habiller. Brider. Trousser. — Rôtir, rôtisseur. Découper. — Farcir, farce. Truffer. — Cuisse.

**Volcan,** m. V. *montagne, fureur.*
VOLCANIQUE. V. *volcan.*
VOLE, f. V. *cartes.*
VOLÉE, f. V. *voler, battre, cloche, artillerie, escalier, grue, paume, moulin.*
**Voler.** V. *aile, plume, oiseau, aéronautique, prendre, voleur.*
VOLERIE, f. V. *faucon.*
VOLET, m. V. *fermer, fenêtre, casque.*
VOLETER. V. *voler.*
**Voleur,** m. V. *bandit, prendre, tromper.*

VOLIÈRE, f. V. *oiseau, cage.*
VOLIGE, f. V. *planche, menuisier.*
VOLITION, f. V. *volonté.*
VOLONTAIRE. V. *volonté, entêté, résister.*
**Volonté,** f. V. *libre, désir, ordre, fermeté.*
VOLT, m. V. *mesure, électricité.*
VOLTE, f. V. *danse, escrime, équitation.*
VOLTE-FACE, f. V. *opposé.*
VOLTER. V. *tourner.*
VOLTIGE, f. V. *gymnastique, équitation.*

VOLTIGER. V. *voler, balancer.*
VOLTIGEUR, m. V. *soldat.*
VOLUBILE. V. *tourner.*
VOLUBILIS, m. V. *spirale.*
VOLUBILITÉ, f. V. *parler.*
VOLUME. V. *livre, contenir, mesure, solide.*
VOLUMINEUX. V. *gros.*
VOLUPTÉ, f. Voluptueux. V. *plaisir, sensualité, débauche.*
VOLUTE, f. V. *spirale, colonne, orner, architecture.*
VOLVA, m. V. *champignon.*
VOLVÉ. V. *champignon.*
VOMER, m. V. *nez.*

---

Pilon. Aile. Blanc. Croupion. Fourchette. Aiguillettes. — Carcasse. Abattis. Aileron.

## VOLCAN

**Qui concerne le volcan.** — Volcan en activité. Volcan éteint. — Volcanisme. Volcanicité. Volcanique. Volcanien. — Cratère. Orle. Cheminée. — Déflagration. Eruption. Coulée. Lave. Fumerolles. — Vomir des flammes, de la fumée, des laves.
*Antiquité.* Vésuve. Etna. — Empédocle. Encelade. Typhée. — Pompéi. Herculanum.

## VOLER

**Vol des oiseaux.** — Voler. Voleter. Voltiger. — S'élever dans les airs. S'envoler. Prendre son essor. Prendre sa volée. — Vol ramé. Vol plané. Vol à voile. — Déployer ses AILES. Planer. Fendre l'air. Tire-d'aile. — Bon voleur. Grand voilier. — Battre des ailes. Replier ses ailes. — Fondre. Se poser. — Volatile. Volerie.
Dédale. Icare. Aviateur.

## VOLEUR

**Les vols.** — Voler. Volerie. Voleur. Voleuse. — Vol qualifié. Vol simple. — Vol à la tire. Vol à la carre. Vol à l'américaine. Vol au rendez-moi. — Vol au jeu. Vol domestique. Vol à l'étalage. Vol à main armée. Vol avec effraction. Vol à l'escalade. — Recel, recéler, receleur.
Kleptomanie, kleptomane.

**Fraude.** — Concussion, concussionnaire. Malversation, malversateur. Péculat, péculateur. — Faussaire, faux. Faux monnayeur, fausse monnaie. Faux poids. — Exaction. Malhonnêteté. — Falsifier, falsification, falsificateur. Frelater. Sophistiquer. — Frauder, fraudeur. Moyens frauduleux. — Baraterie. — Tricher, tricheur, tricherie. Grec. Philosophe. — Anse du panier.

**Dol.** — Fripon, friponnerie. Filou, filouter, filouterie. Larcin. Escroc, escroquer, escroquerie. — Dérober. Chiper. Détourner, détournement. Soustraire, soustraction. — Subtiliser. Distraire. Escamoter, escamotage, escamoteur. Pick-pocket. Tire-laine. — Ma-

rauder, maraudeur. Faire main basse. S'approprier. Chaparder, chapardeur. — Aigrefin. Maître chanteur, chantage. Bonneteur. — Grivèlerie.

**Violence.** — BANDIT, banditisme. Brigand, brigandage. Malfaiteur. — Voleur de grand chemin. Coupe-jarret. Coupeur de bourse. Larron. — Demander la bourse ou la vie. Attaque nocturne. — Détrousser. Dévaliser. Extorquer, extorsion.
Déprédation. Spoliation, spolier, spoliateur. — Piller, PILLARD, pillard. Pirate, piraterie. — Cambrioler, cambrioleur. Forcer une serrure. Crocheter, crocheteur. Pince-monseigneur. Fausse clef. Rossignol. — Ravir, rapt, rapine.
Gibier de potence. Face patibulaire. Rôdeur. Apache. Truand. Mauvais garçon.

## VOLONTÉ

**Action de vouloir.** — Volonté. Vouloir. Libre arbitre. Velléité. — Volition. Nolition. — Volontaire. Autoritaire. autorité. — Volonté expresse, formelle. Volonté tyrannique, despotique. — Prendre une résolution. Résoudre de. Se résoudre à. Se résigner. — Se proposer de. Ferme propos. Projet. Initiative. Dessein. — Se promettre de. Intention, intentionnel, intentionnel. — Prétendre, prétention. S'imposer. — Entendre que. Déclarer qu'il faut, qu'on doit. Arrêter que. — Ultimatum.

**Energie.** — Décidé, décision, décisif, décider. — Déterminé, détermination, se déterminer. Se déclarer. Prendre parti. — S'efforcer de. Redoubler d'efforts. Persévérer, persévérance. Insister, insistance. — Agir coûte que coûte, à tout prix, en dépit de, malgré tout. — Ne pas démordre. Tenir bon, tenace. S'acharner. — ENTÊTÉ, entêtement, s'entêter. Têtu. Obstiné, obstination, s'obstiner. Opiniâtre. — Fermeté, ferme. Exigence, exiger. — Statuèr. Régler. Discipliner. — Tenir la main à. Tenir à ce que.

**Fantaisie.** — Arbitraire. Pouvoir discrétionnaire. A la discrétion de. A la dévotion. — CAPRICE, capricieux. Caractère entier. Etre en humeur de. Bon plaisir. Se plaire à. Trouver bon. — Coup de tête. *Motu proprio.* —

VOMIQUE. V. *vomir.*

**Vomir.** V. *jet, bouche, diges-tion, dégoût.*

VOMISSEMENT, m. V. *vomir.*

VOMITIF, m. V. *médicament.*

VOMITOIRE, m. V. *cirque.*

VOMITO-NEGRO, m. V. *épidémie.*

VOMITURITION, f. V. *vomir.*

VORACE. Voracité, f. V. *animal, faim, gourmand.*

VOTANT, m. V. *suffrage.*

VOTATION, f. V. *suffrage.*

VOTE, m. V. *parlement, politique, désir.*

VOTER. V. *suffrage.*

VOTIF. V. *vœu.*

VOUER. V. *vœu, promesse, offre, jurer, attribuer.*

VOULOIR. V. *volonté, désir, approuver.*

VOUSSOIR, m. V. *voûte, charpente.*

VOUSSURE, f. V. *architecture.*

**Voûte,** f. V. *architecture, courbure.*

VOÛTÉ. V. *courbure.*

VOÛTER. V. *voûte.*

**Voyage,** m. Voyager. V. *partir, loin.*

VOYAGEUR, m. V. *errant, commerce.*

VOYANT. V. *voir, couleur, devin, révéler.*

VOYELLE, f. V. *son, lettre, grammaire.*

VOYER, m. V. *chemin.*

VOYOU, m. V. *grossier.*

VRAC, m. V. *amas, bateau.*

---

Agir de son chef, de parti pris. Faire exprès. — Désir. Aspiration. Vues. Idéal. — Idée. Lubie. — Manie. Marotte. — Suivre son goût. Faire ce que bon vous semble. Faire à sa guise, *ad libitum*, à loisir. — Esprit de système, systématique. Utopie, utopiste, utopique.

**Consentement.** — Consentir. Vouloir bien. Acquiescer. — Bonne volonté. Bon vouloir. Bon gré. Bonne grâce. — Bienveillance, bienveillant. Bon cœur. Charité. — Bonne disposition. Bien disposé. Bénévole. Ne demander pas mieux. — Faire volontiers, avec plaisir, de plein gré, de gaieté de cœur. — Vocation. Inclination. Enclin à. — Propension. Porté à. PENCHANT, pencher à. — Spontanéité, spontané, spontanément. — RÉSIGNATION. Se plier aux circonstances. — Vices du consentement.

**Mauvaise volonté.** — Mauvais vouloir. Désobéissance. — Malveillance, malveillant. Mal intentionné. — Récalcitrant. Rétif. Intraitable. — Résister. Rouspéter, *f.* — Rechigner. Faire à contre-cœur. — Insubordonné. Insoumis. Insurgé. Rebelle. — Refus. Rebuffade. Faire la sourde oreille. Envoyer promener.

### VOMIR

**Action de vomir.** — Vomir, vomissement. Vomiturition. — Rendre. Evacuer par le haut. Dégueuler. Dégobiller, *f.* Rendre tripes et boyaux. — Envie de vomir. Nausée. Haut-le-cœur. Mal de cœur. Mal de mer. — Hoquet. Spasme. Renvoi. — Hématémèse. Hypérémèse. Pyrosis.

Faire vomir. Soulever le cœur. Etre indigeste, indigestion. Dégoûter. — Nauséabond. Nauséeux. Dégueulasse, *f.*

**Relatif au vomissement.** — Vomitif. Vomi-purgatif. — Emétique, éméticité, émétiser. — Ipéca. Noix vomique, vomiquier. — Vomitoire.

### VOÛTE

**Espèces de voûtes.** — Voûte en arc, en ogive, en ellipse, en berceau, en anse de panier. — Voûte carrée ou plate, biaise, sphérique, surhaussée, surbaissée, rampante. — Coupole. Dôme. Arcade. Arche. Niche.

**Construction.** — Voûter. Cintre, cintrer, décintrer. — Arc-boutant. Arceau. Arc-doubleau. — Parties de la voûte. Extrados. Intrados. Douelle. Voussoir. Clef de voûte.

Contre-clef. Claveau. Branches ou Nervures. Pendentif. Sommier. — Naissance ou Retombée. Voussure et Tiers-points (courbures). — Ecartement. Poussée. Montée. Raccordement.

### VOYAGE

**Voyages et voyageurs.** — Voyage d'affaires. Représentant. Commis voyageur. — Voyage de découverte. Exploration, explorateur. — Voyage d'agrément. Tourisme, touriste, touristique. Globe-trotter. — Navigation, navigateur. Passager. Voyage au long cours. Circumnavigation. Périple. Croisière. Tour du monde. Traversée. — Exode. Emigration, émigrant. — Pèlerinage, pèlerin. — Excursion, excursionniste. Promenade, promeneur. Marche, marcheur. Balade. — Parcours. Course. Tour. Circuit. — Déplacement. Tournée. Randonnée. — Pérégrination. Odyssée. — Villégiature. Baigneur. Estivant. Hivernant. — Ascension, ascensionniste.

**Voyager.** — Partir en voyage. Départ. Arriver, arrivée. — Courir le monde. Parcourir, voir du pays. Rouler. — Se déplacer. Circuler. Errer. — Naviguer. Croiser. Traverser l'eau. — Faire un tour. Se promener. Visiter. Voyager à petites journées. — S'arrêter. Faire halte. Descendre. Etape. — Séjourner, séjour. — Aller en pèlerinage. — Rentrer. Revenir. Retour.

**Locomotion.** — Bateau. Paquebot. — Port. Embarcadère. Escale. — Passage. Cabine. — S'embarquer. Débarquer. Descendre à terre.

Chemin de fer. Train. Ligne. — Wagon. Wagon-lit. Wagon-restaurant. Classe. — Express. Rapide. Direct. Omnibus. Train de plaisir. — Gare. Station. Arrêt. — Prendre le train. Manquer le train. Monter en wagon.

Voiture. Automobile. Car. — Kilomètres. Panne. Garage. — Rouler. Gazer.

Avion. Cabine. Aéroport.

Caravane. Cheval. Mulet. Chameau.

Voyage à pied, à bicyclette, etc.

**Préparatifs.** — Faire ses préparatifs. Faire ses malles. — Billet. Billet d'aller et retour. Billet circulaire. Billet de bains de mer. — Papiers. Passeport. Sauf-conduit. — Bagage. Ticket. — Malle. Valise. Trousse. — Agence de voyage. Guide. Livret-guide. — Itinéraire. Carte. Carte routière. — Viatique. Lettre de crédit. — Costume de voyage.

**Vrai.** V. *certitude, exact, franç, affirmer.*
VRAISEMBLABLE. V. *probable.*
VRAISEMBLANCE, f. V. *semblable.*
VRILLE, f. V. *percer, plante, spirale.*
VRILLER. V. *spirale.*
VUE, f. V. *voir, regard, sensation, but, projet, intelligence.*
VULCAIN, m. V. *dieu, feu.*
VULCANISATION, f. V. *caoutchouc, soufre.*
VULGAIRE. V. *peuple, commun, ordinaire, profane, médiocre, brut.*
VULGARISATION, f. Vulgariser. V. *montrer, instruction, public.*
VULGARITÉ, f. V. *grossier.*
VULGATE, f. V. *Bible.*
VULNÉRABLE. V. *blessure.*
VULNÉRAIRE, m. V. *plaie.*

### W, X, Y

WAGON, m. Wagonnet, m. V. *voiture, train.*
WALHALLA, m. V. *dieu.*
WARRANT, m. V. *commerce, billet.*
WATT, m. V. *mesure.*
WHISKY, m. V. *liqueur.*
WHIST, m. V. *cartes.*
XÉNOPHOBE. V. *étranger.*
XYLOPHONE, m. V. *instruments de musique.*
YACHT, m. V. *bateau.*
YANKEE, m. V. *Amérique.*
YEUSE, f. V. *chêne.*
YEUX, m. p. V. *potage, fromage.*
YOLE, f. V. *bateau.*
YPRÉAU, m. V. *peuplier.*

---

### VRAI
(latin, *verus*)

**Vérité.** — Vrai. Véritable. — EXACT, exactitude. Certain, certitude. Evident, évidence. — Logique. Raisonnable. Démontré. Prouvé. — Positif. Connu. Admis. — Vraisemblable, vraisemblance. Vérisimilitude. Spécieux. — Réel. Strict. A la lettre.

Vraiment. Vrai. Voire. — Effectivement. En réalité. En fait.

**Dire vrai.** — Véracité. Véridicité, véridique. — Dire, proclamer la vérité. Ne pas mentir. — Détromper. Dessiller les yeux. Désabuser. — Orthodoxe, orthodoxie. Parole d'Evangile. — Fidèle, fidélité. Digne de foi. — Sincère, sincérité. Franc, franchise. Naïf, naïveté. — Jugement sain, sérieux, grave, rigide, solide. — Science. Documentation. Expérience. Preuve. Démonstration.

**Vérifier.** — Vérification, vérificateur. — Rectifier, rectification. Redresser, redressement. — Contrôler, contrôle. Examiner, examen. S'assurer de. — Tirer au clair. Eclairer. Contester. — Certifier. Viser. — Prouver. Démontrer.

# Z

ZAGAIE, f. V. *dard.*
ZAOUIA, f. V. *Arabes.*
ZANZIBAR, m. V. *dé.*
ZÈBRE, m. V. *âne.*
ZÉBU, m. V. *bœuf.*
ZÉLATEUR, m. V. *partisan, fanatique.*
Zèle, m. V. *action, attention, chaleur, travail, peine.*
ZEND, m. V. *Perse.*
ZÉNITH, m. V. *haut, ciel.*

ZÉPHYR, m. V. *vent.*
ZESTE, m. V. *peau, citron.*
ZÉRO, m. V. *nombre, négation.*
ZEUS, m. V. *Jupiter.*
ZÉZAYER. V. *prononcer.*
ZIBELINE, f. V. *fouine.*
ZIGZAG, m. V. *détour.*
Zinc, m. V. *métal, auberge.*
ZIZANIE, f. V. *discordant.*
Zodiaque, m. V. *astronomie.*

ZOLLVEREIN, m. V. *association.*
ZONE, f. V. *pays, sphère, lieu.*
ZOOLÂTRIE, f. V. *religion, animal.*
ZOOLOGIE, f. Zoologique. V. *animal.*
ZOOPHYTE, m. V. *polype.*
ZOUAVE, m. V. *soldat.*
ZYGOMATIQUE. V. *visage.*
ZYMOLOGIE, f. V. *ferment.*

## ZÈLE

**Ardeur.** — Etre ardent. Bouillir, bouillant. Brûler de. — Chaleur, chaleureux. Feu sacré. Flamme. Fièvre. — Elan. Enthousiasme. — Emulation, émule. Rivalité, rivaliser. — Energie. Intrépidité, intrépide. Courage, courageux. Se jeter à corps perdu. — Bonne volonté. Bon vouloir. Zèle. Vigilance, vigilant. Soin, soigneux. — Infatigable. Laborieux. Zélé. Matineux.

**Dévotion.** — Dévot, dévotieux. Zélateur, zélatrice. Fervent, ferveur. — Dévoué, dévouement. Se donner tout entier. — FANATIQUE, fanatisme. Exalté, exaltation. — Faire de la propagande. Propagandiste. Prosélyte, prosélytisme. — Chauvin, chauvinisme. — Esprit de corps, de parti.

**Activité.** — Actif, activité. Agir, action. — Se multiplier. Se mettre en quatre. Faire feu des quatre pieds. — Se démener. Se remuer, remuant. S'évertuer. Se donner de la peine. — S'empresser, empressement. S'employer. — Montrer, faire du zèle. Redoubler de zèle. — VIF, vivacité. Avoir le diable au corps. — Entrain. Diligence, diligent. Se mettre en frais.

Faire des embarras. Faire l'homme nécessaire. Ardélion. Mouche du coche.

## ZINC

**Qui concerne le zinc.** — Zinc. Zinc laminé. Feuilles de zinc. — Minerai de zinc. Blende. Calamine. — Zinguer, zingueur, zingage. — Galvaniser, galvanisation. Fer galvanisé.

*Sels.* Oxyde de zinc. Chlorure de zinc. Couperose ou Vitriol blanc. *Nihil album.* Tutie. Cadmie. — Zincate.

*Alliages.* Laiton. Maillechort. Pinsbeck. Similor. Tombac. Or de Manheim.

## ZODIAQUE

**Le zodiaque.** — Zodiaque, zodiacal. — Les douze signes. Signes ascendants, descendants. — Signes gras, maigres (en astrologie). Caractères des signes. — Ecliptique. — Face ou Décan (tiers de signe). — Maisons du soleil. Domification (en astrologie).

**Les signes.** — Bélier. Taureau. Gémeaux. Cancer. Lion. Vierge. Balance. Scorpion. Sagittaire. Capricorne. Verseau. Poissons.

Imprimerie LAROUSSE,
1 à 9, rue d'Arcueil, Montrouge (Hauts-de-Seine).
Sept. 1936. — Dépôt légal 1936-4e. — No 3905.
No de série Editeur 4056.
IMPRIMÉ EN FRANCE (*Printed in France*). — 20.220 P-10-67.

# SUPPLÉMENT BIBLIOGRAPHIQUE

Liste des ouvrages de référence édités par la *LIBRAIRIE LAROUSSE* et permettant aux lecteurs du présent volume d'étendre leurs recherches et de développer leurs connaissances.

# dictionnaires et encyclopédies

## GRAND LAROUSSE ENCYCLOPÉDIQUE

En **dix** volumes 21 × 27 cm (tome 10 et dernier publié en octobre 1964). Dans l'ordre alphabétique, tous les mots de la langue française (450 000 acceptions); toutes les connaissances du passé et du présent : les hommes, les œuvres, les événements du monde entier présentés par 700 spécialistes.

## LAROUSSE DU XXᵉ SIÈCLE

Grand dictionnaire encyclopédique en **six** volumes reliés demi-chagrin. 25 × 32 cm. Le meilleur instrument actuel de connaissance, de travail et d'action.

## LAROUSSE UNIVERSEL

Dictionnaire en **deux** volumes 21 × 30 cm. L'essentiel du savoir par ordre alphabétique.

## ENCYCLOPÉDIE LAROUSSE MÉTHODIQUE

En **deux** volumes de même format que l'ouvrage ci-dessus. L'état actuel de toutes les connaissances, présenté en une série de grands traités.
**Deux ouvrages qui se complètent. Conditions d'achat particulières.**

## PETIT LAROUSSE                                               *en un volume*

Mémoire de secours, mine d'idées, trésor de documentation, ce dictionnaire unique au monde contient des renseignements encyclopédiques rigoureusement à jour.

## MÉMENTO LAROUSSE, *nouvelle édition entièrement refondue*

Vingt ouvrages en un seul : Littérature, Histoire, Géographie, Science.

## LAROUSSE CLASSIQUE

« Le dictionnaire du baccalauréat », spécialement conçu pour les études secondaires.

## DICTIONNAIRE DU VOCABULAIRE ESSENTIEL, *nouveauté*

Les 5 000 mots fondamentaux de la langue française définis à l'aide de ce même vocabulaire.

## LAROUSSE MANUEL ILLUSTRÉ

Riche de texte (34 500 articles) et d'illustrations, le dictionnaire populaire par excellence.

## LAROUSSE ÉLÉMENTAIRE

Un dictionnaire moderne destiné à l'enseignement du 1ᵉʳ degré.

## LAROUSSE DES DÉBUTANTS

Son vocabulaire est celui que peut et doit connaître un enfant de 7 à 10 ans.

## PETIT DICTIONNAIRE FRANÇAIS

Modèle de petit format, au vocabulaire déjà très suffisant.

## MON LAROUSSE EN IMAGES

Des images qui entraînent derrière elles des mots choisis pour les enfants.

## MON PREMIER LAROUSSE EN COULEURS

(4 à 8 ans). Amusant comme un album d'images, utile comme un dictionnaire.

## MA PREMIÈRE ENCYCLOPÉDIE

(moins de 10 ans). Raconte et illustre les divers aspects de la vie de l'homme dans le monde.

## ENCYCLOPÉDIE LAROUSSE DES ENFANTS

*(couronné par l'Académie française)*. Tout l'étrange et le pittoresque du monde.

## ENCYCLOPÉDIE LAROUSSE POUR LA JEUNESSE                  *en cinq volumes*

Sous une forme attrayante et très illustrée, cette collection reprend l'essentiel du programme des études secondaires. Chaque tome correspond à un groupe d'âges.

# histoire et géographie

# sciences

# langues et littératures

## DICTIONNAIRES MÉTHODIQUES
### pour l'étude approfondie du langage

### DICTIONNAIRE DES RIMES FRANÇAISES
Par Ph. MARTINON ; nouvelle édition entièrement refondue par R. Lacroix de l'Isle. En première partie : traité de versification.

### DICTIONNAIRE DES PROVERBES, SENTENCES ET MAXIMES
Par M. MALOUX. Pittoresque, instructive, toute la « Sagesse des Nations ».

### DICTIONNAIRE DES LOCUTIONS FRANÇAISES
Par M. RAT. Un inventaire complet des gallicismes et des mots d'auteur entrés dans la langue.

### DICTIONNAIRE DES DIFFICULTÉS DE LA LANGUE FRANÇAISE
(couronné par l'Académie française), par Adolphe V. THOMAS. La réponse immédiate aux questions embarrassantes de grammaire, syntaxe, prononciation, etc.

### DICTIONNAIRE DES SYNONYMES
(couronné par l'Académie française), par R. BAILLY. Le choix du mot le plus juste.

### DICTIONNAIRE ANALOGIQUE
Par Ch. MAQUET. Les différents termes capables d'exprimer une idée.

### DICTIONNAIRE ÉTYMOLOGIQUE
Par A. DAUZAT (éd. revue). L'origine des mots, leurs changements de forme, de sens, leur valeur exacte.

### DICTIONNAIRE D'ANCIEN FRANÇAIS
Par R. GRANDSAIGNES D'HAUTERIVE (Moyen Age et Renaissance). Tous les mots de l'ancienne langue, même ceux, quoique déformés, encore en usage de nos jours.

### DICTIONNAIRE DES RACINES DES LANGUES EUROPÉENNES
Par R. GRANDSAIGNES D'HAUTERIVE (grec, latin, français, espagnol, italien, anglais, allemand).

### DICTIONNAIRE DES NOMS DE FAMILLE et Prénoms de France
Par A. DAUZAT. 30 000 noms : leur source étymologique, historique et géographique.

### DICTIONNAIRE DES NOMS DE LIEUX de France, nouveauté
Par A. DAUZAT et Ch. ROSTAING. Forme moderne du toponyme, localisation, formes anciennes datées, interprétation philologique...

## CLASSIQUES LAROUSSE
Destinés en principe à l'enseignement, mais permettant à chacun de se constituer à peu de frais une intéressante bibliothèque. Nombreuses œuvres d'auteurs français contemporains. Format très maniable 11 × 17 cm. Plus de 200 volumes disponibles.

## NOUVEAUX CLASSIQUES LAROUSSE
Entièrement nouvelle, tant par sa conception que par sa présentation, cette collection illustrée s'inspire des principes pédagogiques les plus modernes. Elle sera appréciée des professeurs et des élèves — comme du grand public — pour sa clarté et son efficacité. Chaque volume a une couverture particulière avec gravure en couleurs. 11 × 17 cm.
**Premiers titres à paraître :** Attila — Le Bourgeois gentilhomme — Dom Juan — Lorenzaccio — Cinna — Hernani — Andromaque — Phèdre — Le Barbier de Séville — Le Cid — Horace — Les Femmes savantes — Bérénice — Petits Poèmes en prose (Baudelaire) — La Peste — Poésies choisies (Malherbe, Racan, Maynard) — Mallarmé et le Symbolisme — L'Amour médecin — L'Avare — L'École des Femmes — Le Malade imaginaire — Le Misanthrope — Les Précieuses ridicules — Le Tartuffe — Poésie lyrique au Moyen Age (2 vol.) — Britannicus — Poésies choisies (Villon).
*nombreux titres en préparation*

## ANTHOLOGIE DES POÈTES FRANÇAIS
Trois volumes contenant chacun des planches hors texte : XVe et XVIe siècle — XVIIe siècle — XVIIIe siècle. Notices par F. DUVIARD.

# langues et littératures

**LITTÉRATURE FRANÇAISE,** 2 *volumes dans la collection in-quarto Larousse*
L'ouvrage célèbre de J. BÉDIER et P. HAZARD, revu et augmenté par P. MARTINO.
**GRAMMAIRE LAROUSSE DU XX<sup>e</sup> SIÈCLE**
Un traité moderne de la langue française à l'usage du grand public.
**MANUEL DE FRANÇAIS COMMERCIAL À L'USAGE DES ÉTRANGERS**
Par G. MAUGER et J. CHARON. Un traité de commerce et de rédaction commerciale.
**MANUEL DE PHONÉTIQUE ET DE DICTION FRANÇAISES À L'USAGE DES ÉTRANGERS**
Par M. PEYROLLAZ et M.-L. BARA DE TOVAR. Nouvelle édition.
**PAGES COMMENTÉES D'AUTEURS CONTEMPORAINS,** *nouveauté*
Par P. CURNIER; premier titre de la collection « du Texte à l'Idée ».

*dans la nouvelle collection « la Langue vivante »* :
**FRANÇAIS ÉCRIT, FRANÇAIS PARLÉ,** par A. SAUVAGEOT
**LANGUE FRANÇAISE, LANGUE HUMAINE,** par J. DURON; retenu parmi les « meilleurs
livres de l'année » et par le « Comité du Syndicat des Critiques littéraires ».
**PORTRAIT DU VOCABULAIRE FRANÇAIS,** par A. SAUVAGEOT, *nouveauté.*

## DICTIONNAIRES BILINGUES

**DICTIONNAIRE MODERNE FRANÇAIS-ALLEMAND - ALLEMAND-FRANÇAIS,** par
P. GRAPPIN, *nouveauté*
**DICTIONNAIRE MODERNE FRANÇAIS - ANGLAIS - ANGLAIS - FRANÇAIS,** par
M.-M. DUBOIS (2)
Deux grands « bilingues » caractérisés par un vocabulaire riche et vivant et des inno-
vations heureuses : illustrations, tableaux, sommaire pour les grands articles, néologismes,
synonymes, contraires, prononciation, etc. Chaque volume relié (14,5 × 21 cm).
**DICTIONNAIRE CLASSIQUE FRANÇAIS-ALLEMAND - ALLEMAND-FRANÇAIS** (1),
*nouveauté*
Par E. E. LANGE-KOWAL et K. WILHELM. Un vocabulaire d'usage courant, familier et
même populaire (15 × 22 cm).
**DICTIONNAIRE MANUEL FRANÇAIS-ALLEMAND - ALLEMAND-FRANÇAIS** (1)
Par WILHELM et DICKFACH. 1 160 pages, sous couverture plastique (10,5 × 15,5 cm).
**DICTIONNAIRE FRANÇAIS-ALLEMAND - ALLEMAND-FRANÇAIS** (1)
Le SACHS-VLLATTE, bien connu de tous les professeurs et étudiants germanistes, le plus
important dictionnaire bilingue allemand et français. Deux volumes (20 × 27 cm).

*Cinq dictionnaires bilingues, dans les langues suivantes :* **ALLEMAND** (A. Pinloche). —
**ANGLAIS** (L. Chaffurin). — **ESPAGNOL** (M. de Toro). — **ITALIEN** (G. Padovani). —
**PORTUGAIS** (F. Peixoto da Fonseca).
Dans les quatre premières langues : des dictionnaires bilingues de poche, sous reliure
plastique, des « DICTIONNAIRES EUROPA » (1), des « GUIDES INTERPRÈTES », et des
DISQUES (1), accompagnés de leurs textes et de leurs leçons.
**POCKET BOOK DICTIONARY,** anglais-français et français-anglais (3) [prononciation et
vocabulaires anglais et américain]. Broché, (10,5 × 16 cm), 542 pages.

*tout espagnol :*

**LAROUSSE UNIVERSAL ILUSTRADO,** grand dictionnaire encyclopédique en trois volumes
(21 × 30 cm). Tout le vocabulaire espagnol avec les divers américanismes; une masse
considérable de connaissances dans tous les domaines.
**NUEVO PEQUEÑO LAROUSSE ILUSTRADO,** par M. DE TORO, *nouvelle édition.*
**DICCIONARIO ESCOLAR LAROUSSE,** spécialement destiné aux étudiants.

---

(1) Vente par la Librairie Larousse exclusivement en France métropolitaine et d'outre-mer, Afrique du
Nord, Afrique noire d'expression française, Madagascar, Vietnam, Cambodge, Laos.
(2) Vente par la Librairie Larousse exclusivement dans tous les pays sauf ceux de langue anglaise.
3) Mêmes pays que ceux de la note (1) plus Belgique et Luxembourg.

# beaux-arts

*DANS LA COLLECTION IN-QUARTO LAROUSSE*

## L'ART ET L'HOMME en 3 volumes

Sous la direction de René HUYGHE, de l'Académie française, une histoire de l'Art qui est aussi une histoire de la Civilisation et de la Pensée.

## DICTIONNAIRE DE PARIS *nouveauté*

Dans l'ordre alphabétique, un inventaire des lieux, des édifices, des événements, des professions, etc., qui caractérisent la vie parisienne depuis les origines (21,5 × 29 cm). Plus de 500 illustrations en noir et en couleurs.

## LES PLUS GRANDS PEINTRES

Dans chaque album (22,5 × 31 cm), une biographie vivante et documentée, et 64 reproductions grand format, en noir et en couleurs, accompagnées, chacune, d'un commentaire aussi complet que celui d'un conférencier.
*Volumes déjà parus :* **Botticelli - Delacroix - Dürer - Gauguin - Goya - Raphaël - Rembrandt - Watteau.** *En préparation :* **Bosch - Greco.**

## MUSÉES ET MONUMENTS

Une nouvelle collection conçue dans le même esprit que « Les plus grands Peintres ».
*Volumes déjà parus :* **Musée du Louvre,** 2 volumes - **Châteaux de la Loire - Offices et Pitti.** *En préparation :* **Le Prado** (2 volumes).
*Chaque volume relié (21 × 27 cm), environ 160 pages d'illustrations en noir et en couleurs.*

## PETITE HISTOIRE DE LA MUSIQUE

Par N. DUFOURCQ. *Retenu parmi les « 50 meilleurs livres de l'année »* (13,5 × 20 cm).

## ARTS, STYLES ET TECHNIQUES

Ces livres (11 × 17 cm), très illustrés, avec bibliographies, index, tables, etc., sont, pour amateurs d'art et spécialistes, de précieux instruments de travail.
**Le Costume français. — L'Art flamand. — Arts et Styles de la Chine. — La Verrerie en France. — Le Costume français,** etc.

## FORMES, ÉCOLES ET ŒUVRES MUSICALES

Une collection de petits ouvrages (11 × 17 cm), rédigés par des spécialistes éminents et qui permettent à l'amateur éclairé de réunir à peu de frais une véritable bibliothèque musicale sur les sujets les plus divers.

**Mon premier livre de chansons.** Chansons populaires pour les moins de 10 ans, très illustrées ; deux disques « ERATO » encartés.

## NATURE ET BEAUTÉ

*Une collection d'albums reliés (21 × 27 cm), photos en noir et en couleurs commentées.*
**Les plus beaux oiseaux. — Les plus beaux papillons. — Beautés du fond des mers. — Beautés de la flore exotique. — Beautés du Monde invisible. — Belles roches, beaux cristaux. — Beaux mammifères. — Le Livre du Zoo. — Spectacles de la Nature. — Belles fleurs de nos jardins. — Mers, glaciers, volcans. — Les plus beaux reptiles. — Les plus beaux poissons exotiques. — Les plus beaux insectes. — Le Livre des chats. — Le Livre des chiens.**

# vie pratique

*chaque volume 20 × 27 cm, relié sous jaquette illustrée*

## LAROUSSE MÉNAGER
Rédigé par 160 spécialistes, ce dictionnaire encyclopédique du foyer donne instantanément la réponse précise, complète et moderne à toutes les questions qui se posent journellement à la maîtresse de maison.

## LAROUSSE MÉDICAL
Un ouvrage célèbre, composé par une équipe de médecins éminents.

## LAROUSSE GASTRONOMIQUE
Par Prosper MONTAGNÉ et le D$^r$ GOTTSCHALK. Sous forme d'un dictionnaire, l'ouvrage gastronomique le plus complet de notre temps : 8 500 recettes : *400 façons de préparer les œufs...* Une documentation sans pareille sur les produits alimentaires, des anecdotes, etc.

## LAROUSSE AGRICOLE
Sous la direction de R. BRACONNIER, directeur de l'Institut national de la recherche agronomique, et de Jacques GLANDARD, ingénieur agricole. Une encyclopédie très moderne pour l'étudiant, l'ingénieur, l'exploitant agricole, et tous ceux qui exercent leur activité dans des domaines annexes de l'agriculture.

## CUISINE ET VINS DE FRANCE
Le dernier grand ouvrage de CURNONSKY. *3 000 recettes* originales dues aux chefs contemporains les plus renommés. Très nombreuses planches en couleurs (20 × 25 cm).

## ENCYCLOPÉDIE DES JARDINS
Sous la direction de M. COUTANCEAU. Tout ce que l'amateur doit savoir pour concevoir, réaliser ou améliorer verger, potager et jardin d'agrément (20 × 25 cm).

## ENCYCLOPÉDIE DES SPORTS *nouvelle édition*
Sous la direction de J. DAUVEN, préface de M. HERZOG. Par des spécialistes connus, tous les sports en un seul volume (historiques, règles, techniques). D'importants chapitres sont consacrés aux effets physiologiques du sport, à la mise en forme des athlètes, aux jeux Olympiques (18 × 24,5 cm).

**LA PÊCHE** (J. Nadaud) — **LA CHASSE** (G.-M. Villenave) : Collection « Vie Active ».

**JEUX ET LOISIRS DE LA JEUNESSE** (12-17 ans). A la maison, à la campagne, à la mer.

*PÉRIODIQUES LAROUSSE*

## LES NOUVELLES LITTÉRAIRES      chaque jeudi
Arts - Sciences - Spectacles
L'hebdomadaire de la pensée française : permet de suivre au jour le jour le mouvement intellectuel en France et dans le monde et publie des articles, des romans, des nouvelles, des essais, signés des meilleurs écrivains d'aujourd'hui. *Nouvelle présentation.*

## VIE ET LANGAGE      le 1$^{er}$ de chaque mois
Revue mensuelle consacrée sous une forme attrayante à tous les problèmes de langage. L'organe de ceux qui, à travers le monde, enseignent, apprennent, lisent, parlent le français et désirent le mieux connaître. Les numéros de l'année peuvent être réunis sous reliure mobile.